PARTIE 6 Troubles d'oxygénation : transport

CHAPITRE

37 Système hématologique 402

38 Troubles hématologiques 438

PARTIE 7 Troubles d'oxygénation : irrigation sanguine

CHAPITRE

39 Système cardiovasculaire.............528

40 Hypertension artérielle 566

41 Coronaropathie et syndrome coronarien aigu 602

42 Insuffisance cardiaque 664

43 Arythmie 702

44 Troubles inflammatoires et structuraux du cœur...............742

45 Troubles vasculaires 786

TOME 3

PARTIE 8 Soins périopératoires

CHAPITRE

46 Soins préopératoires 2

47 Soins peropératoires..................30

48 Soins postopératoires.................54

PARTIE 9 Soins en milieu spécialisé

CHAPITRE

49 Soins en phase critique 82

50 État de choc, syndrome de réaction inflammatoire systémique et syndrome de défaillance multiorganique 138

51 Insuffisance respiratoire et syndrome de détresse respiratoire aiguë 180

52 Soins en cas d'urgence...............212

PARTIE 10 Troubles d'ingestion, de digestion, d'absorption et d'élimination

CHAPITRE

53 Système gastro-intestinal 246

54 Troubles nutritionnels...............282

55 Obésité...........................316

56 Troubles du tractus gastro-intestinal supérieur 346

57 Troubles du tractus gastro-intestinal inférieur 410

58 Troubles du foie, du pancréas et des voies biliaires.................490

PARTIE 11 Troubles liés aux mécanismes de régulation et de reproduction

CHAPITRE

59 Système endocrinien 556

60 Diabète...........................590

61 Troubles endocriniens................648

62 Système reproducteur 706

63 Troubles mammaires.................740

64 Infections transmissibles sexuellement et par le sang...........778

65 Troubles du système reproducteur de la femme 804

66 Troubles du système reproducteur de l'homme 852

PARTIE 12 Troubles urinaires et rénaux

CHAPITRE

67 Système urinaire 892

68 Troubles rénaux et urologiques........930

69 Insuffisance rénale aiguë et insuffisance rénale chronique 996

SOINS INFIRMIERS

TOME
2

MÉDECINE CHIRURGIE

2e ÉDITION

Sharon **L. LEWIS**, RN, PhD, FAAN
Shannon **RUFF DIRKSEN**, RN, PhD, FAAN
Margaret **M. HEITKEMPER**, RN, PhD, FAAN
Linda **BUCHER**, RN, PhD, CEN, CNE

COLLABORATION SPÉCIALE
Mariann **M. HARDING**, RN, PhD, CNE

ÉDITION FRANÇAISE

DIRECTION SCIENTIFIQUE
Louise-Andrée Brien
Lyne Cloutier
Mario Dubé
Kathleen Lechasseur
Chantale Lemieux
Mario Lepage
Cécile Michaud

DIRECTION PÉDAGOGIQUE
Yvon Brassard
avec la collaboration de
Hélène Gousse
et Éric Lavertu

Soins infirmiers
Médecine Chirurgie, tome 2, 2e édition

Traduction et adaptation de : *Medical-Surgical Nursing*, 9th edition par Sharon L. Lewis, RN, PhD, FAAN, Shannon Ruff Dirksen, RN, PhD, FAAN, Margaret M. Heitkemper, RN, PhD, FAAN, Linda Bucher, RN, PhD, CEN, CNE, et la collaboration spéciale de Mariann M. Harding, RN, PhD, CNE © 2014 par Mosby, une marque d'Elsevier Inc. (ISBN 978-0-323-08678-3)

This edition of *Medical-Surgical Nursing*, ninth edition by Sharon L. Lewis, RN, PhD, FAAN, Shannon Ruff Dirksen, RN, PhD, FAAN, Margaret M. Heitkemper, RN, PhD, FAAN, Linda Bucher, RN, PhD, CEN, CNE and special editor: Mariann M. Harding, RN, PhD, CNE is published by arrangement with Elsevier Inc.

Conception éditoriale : André Vandal
Édition : Corine Archambault, Sarah Bigourdan, Mira Cliche, Alice Guilbaud et Nancy Lachance
Coordination : Isabelle Chartier, Marie-Noëlle Hamar, Sophie Jama, Marylène Leblanc-Langlois, Johanne Lessard et Mélanie Nadeau
Traduction de l'édition précédente : Jean Blaquière, Claudie Bugnon, Nicolas Calvé, Isabelle Dargis, Marie Dumont, Catherine Ego, Christiane Foley, Jules Fontaine, Louise Gaudette, Geneviève Lachance, Alex Langlois, Suzanne Legendre, Lucie Martineau, Anne-Marie Mesa, Lucie Morin, Julie Paradis, Ethel Perez, Mélissa Perez, Laurence Perron, Marie Préfontaine et Geneviève Ross
Révision linguistique : Chantale Bordeleau (RévisArt) et Anne-Marie Trudel
Correction d'épreuves : Audrey Faille, Marie Le Toullec, Michèle Levert (Zérofôte), Francine Raymond et Marie-Claude Rochon (Scribe Atout)
Conception graphique : Pige communication
Conception de la couverture : Josée Brunelle
Impression : TC Imprimeries Transcontinental

Catalogage avant publication de Bibliothèque et Archives nationales du Québec et Bibliothèque et Archives Canada

Lewis, Sharon Mantik

[Medical-surgical nursing. Français]

Soins infirmiers : médecine chirurgie

2e édition.

Traduction de la 9e édition de : Medical-surgical nursing.
Comprend des références bibliographiques et un index.
Pour les étudiants du niveau collégial.

ISBN 978-2-7650-4984-5 (vol. 1)
ISBN 978-2-7650-4985-2 (vol. 2)
ISBN 978-2-7650-4986-9 (vol. 3)

1. Soins infirmiers – Manuels d'enseignement supérieur. 2. Soins infirmiers en chirurgie – Manuels d'enseignement supérieur. I. Bucher, Linda. II. Heitkemper, Margaret M. (Margaret McLean). III. Titre. IV. Titre : Medical-surgical nursing. Français.

RT41.L4814 2016 610.73 C2015-942631-6

CHENELIÈRE ÉDUCATION

5800, rue Saint-Denis, bureau 900
Montréal (Québec) H2S 3L5 Canada
Téléphone : 514 273-1066
Télécopieur : 514 276-0324 ou 1 800 814-0324
info@cheneliere.ca

ISBN 978-2-7650-4985-2

Dépôt légal : 1er trimestre 2016
Bibliothèque et Archives nationales du Québec
Bibliothèque et Archives Canada

Imprimé au Canada

2 3 4 5 6 ITIB 22 21 20 19 18

Gouvernement du Québec – Programme de crédit d'impôt pour l'édition de livres – Gestion SODEC.

Ce projet est financé en partie par le gouvernement du Canada

Source de la couverture
Rubberball/Getty Images.

AVANT-PROPOS

La deuxième édition de *Soins infirmiers – Médecine Chirurgie,* est l'adaptation de la neuvième édition de *Medical-Surgical Nursing* de Lewis, Dirksen, Heitkemper et Bucher, publié par Elsevier. Cette édition propose un contenu conforme à l'état actuel des connaissances. Elle a conservé la rigueur scientifique qui a toujours caractérisé cet ouvrage.

La mise à jour des contenus a été entreprise de manière à refléter également l'état d'avancement de la science et l'environnement de pratique des milieux de soins québécois. De plus, comme en témoignent les nombreuses références appuyant les diverses affirmations, une grande attention a été portée à la rigueur et à l'exactitude des contenus scientifiques.

Fidèle à l'orientation donnée à la collection *Soins infirmiers, Médecine Chirurgie* accorde une importance majeure au développement du jugement clinique. Résolument axée sur l'apprentissage des étudiantes, cette nouvelle édition propose un appareil pédagogique enrichi qui facilitera encore davantage l'assimilation des connaissances et leur transfert en milieu de pratiques.

La démarche de soins constituant une composante essentielle de l'activité professionnelle de l'infirmière, l'ouvrage recense un grand éventail de situations cliniques. L'équipe pédagogique propose différentes situations de santé, inspirées pour la plupart de cas réels. Ces mises en contexte conduisent les étudiantes à analyser des données, à exercer leur pensée critique et à porter un jugement clinique. Ainsi, ce processus les prépare à la réalité qu'elles vivront en milieu clinique.

Cette édition renouvelée de *Soins infirmiers – Médecine Chirurgie* constitue un outil d'enseignement et d'apprentissage qu'apprécieront assurément les centaines d'enseignantes et les milliers d'étudiantes qui l'ont adopté au fil des ans. C'est le manuel le plus au cœur de la pratique infirmière québécoise.

L'éditeur

Direction scientifique

Louise-Andrée Brien
Lyne Cloutier
Mario Dubé
Kathleen Lechasseur
Chantale Lemieux
Mario Lepage
Cécile Michaud

Direction pédagogique

Yvon Brassard

Avec la collaboration de
Hélène Gousse
Éric Lavertu

REMERCIEMENTS

La nouvelle édition de l'ensemble didactique *Soins infirmiers – Médecine Chirurgie* est le résultat des efforts et de la collaboration d'une équipe imposante d'adaptatrices et de consultantes sous la direction de sept directeurs scientifiques.

À ces personnes s'ajoute l'équipe de rédaction pédagogique. Sans leur connaissance du milieu des soins infirmiers québécois et de l'enseignement, cette réalisation n'aurait pu être possible.

De même, le professionnalisme d'une équipe éditoriale compétente déterminée à produire un ouvrage qui répond aux attentes des enseignantes et des étudiantes était indispensable à la production de cette nouvelle édition que vous pouvez apprécier actuellement.

Chenelière Éducation tient à remercier chaleureusement toutes les personnes qui, par leur talent, leur intelligence, leurs efforts et leur rigueur ont rendu possible la publication de cet ouvrage et qui en ont fait le manuel en soins infirmiers le plus utilisé au Québec.

ÉQUIPE DE RÉDACTION DE L'ÉDITION FRANÇAISE

DIRECTION SCIENTIFIQUE

Louise-Andrée Brien, inf., M. Sc.
Professeure adjointe de formation pratique à la Faculté des sciences infirmières de l'Université de Montréal, elle est responsable des cours liés aux soins critiques pour le programme de baccalauréat. Depuis l'obtention de sa maîtrise en sciences infirmières (option formation) en 2007, elle s'intéresse particulièrement à l'approche par compétences en formation infirmière et à l'utilisation de stratégies novatrices comme la simulation clinique. *Médecine Chirurgie* est le troisième ouvrage en sciences infirmières dont elle codirige l'adaptation.

Lyne Cloutier, inf., Ph. D.
Infirmière et professeure titulaire à l'Université du Québec à Trois-Rivières, elle est détentrice d'un doctorat en sciences cliniques et d'un postdoctorat en pharmacologie. Elle s'intéresse tout particulièrement aux soins et aux services liés aux maladies chroniques. Ses enseignements et son programme de recherche touchent plusieurs aspects de la prise en charge de l'hypertension artérielle (prévention, dépistage, traitement). Elle s'implique depuis plusieurs années dans le Programme éducatif canadien sur l'hypertension et occupe actuellement la vice-présidence de la Société québécoise d'hypertension artérielle.

Mario Dubé, inf., M. Sc.
Professeur régulier en soins critiques au Département des sciences infirmières de l'Université du Québec à Rimouski, il est détenteur d'une maîtrise en sciences infirmières de cette même université. En plus d'une vaste expérience clinique en soins critiques, il se passionne pour la pédagogie universitaire. Il s'intéresse depuis plusieurs années aux domaines cognitif et métacognitif de l'apprentissage. Ses principaux travaux de recherche ont d'ailleurs porté sur le développement de l'expertise pédagogique des enseignantes cliniques selon une perspective cognitiviste.

Kathleen Lechasseur, inf., M. Éd., Ph. D.
Détentrice d'un doctorat en sciences infirmières et didactique des sciences, elle est professeure agrégée à la Faculté des sciences infirmières de l'Université Laval et occupe les fonctions de directrice du programme de premier cycle. Elle possède une vaste expérience et une expertise en formation infirmière au niveau tant collégial qu'universitaire. Ses principaux champs d'intérêt et de recherche touchent l'approche par compétences, la supervision, les stratégies éducatives et l'évaluation des apprentissages, la pensée critique, la pratique réflexive et les interventions infirmières.

Chantale Lemieux, inf., M. Sc., CSIO(C)
Chargée de cours à la Faculté des sciences infirmières de l'Université de Montréal, elle est titulaire d'une majeure en psychologie ainsi que d'un baccalauréat et d'une maîtrise en sciences infirmières de l'Université de Montréal. Au cours de ses études, son intérêt s'est porté sur la dynamique familiale vécue au cours de la maladie ou de la fin de vie d'un enfant atteint de cancer. Elle a travaillé pendant plusieurs années en oncologie pédiatrique et en greffe de cellules souches hématopoïétiques.

Mario Lepage, inf., Ph. D.
Professeur-chercheur au Département des sciences infirmières de l'Université du Québec en Outaouais depuis 2004, il occupe actuellement les fonctions de directeur de ce département. Il a obtenu un doctorat en santé publique à l'Université de Montréal et une maîtrise en sciences infirmières à l'Université d'Ottawa. Ses expertises portent sur la santé de l'adulte, l'abandon du tabac, la promotion de la santé, les interventions éducatives, les déterminants de la santé et les saines habitudes de vie. Il a également un grand intérêt pour l'épidémiologie, les maladies chroniques et les nouvelles technologies.

Cécile Michaud, inf., Ph. D. (Sciences infirmières)
Consultante en recherche et formation infirmières, elle est professeure associée à l'École des sciences infirmières de la Faculté de médecine et des sciences de la santé de l'Université de Sherbrooke. Elle détient une vaste expérience en soins critiques et en soins communautaires, notamment auprès de la clientèle vivant avec des maladies chroniques.

DIRECTION PÉDAGOGIQUE

Yvon Brassard, B. Sc., M. Éd., D.E.
Pendant près de 30 ans, il a œuvré dans le milieu de l'enseignement des soins infirmiers au niveau collégial. Il est l'auteur de deux volumes sur la rédaction des notes d'évolution au dossier et d'un ouvrage sur les méthodes de soins. Il a aussi participé à l'adaptation québécoise des volumes *Soins infirmiers – Fondements généraux* (Potter et Perry, 1re, 2e et 3e éditions) et *Soins infirmiers – Médecine Chirurgie* (Lewis), et a assuré la direction pédagogique des cinq ouvrages de la collection *Soins infirmiers*. Il a de plus rédigé l'appareillage pédagogique pour le volume *Modèle McGill* paru aux éditions Chenelière Éducation en 2015.

Hélène Gousse, inf., B. Sc.
Infirmière depuis 30 ans, elle détient un baccalauréat en sciences infirmières ainsi qu'un certificat en santé communautaire. Tôt dans sa carrière, elle se dirige vers la santé communautaire, d'abord en CLSC, puis au sein d'un organisme sans but lucratif. Depuis 15 ans, elle est enseignante en soins infirmiers au Cégep de Saint-Jérôme à la formation initiale et à la formation continue. Elle s'intéresse en particulier aux domaines des soins aux personnes âgées et des maladies chroniques. Elle a collaboré au *Guide des médicaments* (Skidmore-Roth) à titre de consultante.

Éric Lavertu, B. Sc. inf., M. Éd.
Infirmier en cardiologie, il se tourne vers l'enseignement en 2001. Professeur engagé, il s'intéresse au développement du jugement clinique des infirmières. Sa thèse de maîtrise propose un outil pour évaluer la pensée critique chez les étudiantes durant les stages en milieu clinique. En plus de collaborer à l'adaptation de différents manuels en soins infirmiers, il a offert diverses formations sur mesure aux professeures en soins infirmiers de différents cégeps et a présenté des ateliers dans plusieurs colloques. Il participe actuellement à la mise en place d'un centre de simulation au Cégep de Sainte-Foy.

ADAPTATION DE L'ÉDITION FRANÇAISE

Émilie Allard, inf., M. Sc.
Détentrice d'une maîtrise en sciences infirmières, elle poursuit actuellement un doctorat à l'Université de Montréal, où elle occupe des postes d'auxiliaire d'enseignement et de recherche. Sa thèse porte sur le processus vécu durant l'anticipation du décès d'un proche. En tant qu'infirmière, elle possède de l'expérience au service des urgences pour adultes et aux soins intensifs néonataux.

Ariane Ballard, inf., Ph. D. (c)
Étudiante au doctorat à la Faculté des sciences infirmières de l'Université de Montréal, elle s'intéresse au soulagement de la douleur procédurale des enfants dans les services d'urgence. Elle est également étudiante-chercheuse au Centre de recherche du CHU Sainte-Justine où elle participe à différents projets de recherche portant sur la douleur pédiatrique. Son expertise clinique se situe principalement dans les unités de soins critiques.

Sylvie Beaudoin, B. Sc.
Détentrice d'un baccalauréat en biochimie de l'Université de Montréal, elle possède 12 années d'expérience en recherche clinique. Étant spécialisée en cancer du sein et faisant actuellement partie de l'équipe du Groupe de recherche en cancer du sein du Centre de recherche du Centre hospitalier de l'Université de Montréal, elle y assume la responsabilité du contrôle de la qualité de la recherche clinique.

Maryse Beaumier, inf., M. Sc. inf., Ph. D. (c)
Professeure au Département des sciences infirmières de l'Université du Québec à Trois-Rivières, elle est candidate au doctorat en santé communautaire à l'Université Laval. Ses champs d'intérêt sont le soin des plaies chroniques, la personne âgée, la mesure et l'élaboration d'instruments de mesure. Elle a aussi occupé des postes clés au sein des principaux organismes québécois et canadiens de soins des plaies.

Caroline Béchard, inf., B. Sc.
Titulaire d'un baccalauréat en sciences infirmières de l'Université du Québec à Rimouski, elle commence des études de deuxième cycle en sciences infirmières. Son parcours lui a permis de vivre des expériences aussi variées qu'enrichissantes, notamment dans les services de médecine, d'obstétrique et des soins d'urgence. Ses champs d'intérêt couvrent les soins opératoires et la salle de réveil. Elle est actuellement auxiliaire d'enseignement et de recherche à l'Université du Québec à Rimouski.

Sylvie Bélanger, inf., M. Sc., CSIO(C)
Conseillère clinicienne spécialisée (volet hématologie-oncologie) à l'Hôpital du Sacré-Cœur de Montréal, centre hospitalier suprarégional affilié à l'Université de Montréal, elle assume aussi la fonction de présidente de l'Association québécoise des infirmières en oncologie.

Dalila Benhaberou-Brun, inf., M. Sc.
Infirmière diplômée d'État (IDE) de France, elle est titulaire d'un baccalauréat en sciences et d'une maîtrise en sciences biomédicales de l'Université de Montréal. D'abord infirmière clinicienne puis infirmière de recherche, elle est devenue rédactrice spécialisée en santé en 2005. Elle s'intéresse à de nombreux domaines, dont les troubles du sommeil, la gastroentérologie et la pédiatrie.

Anne Bernatchez, inf., M. Sc., IPSPL
Infirmière praticienne spécialisée en soins de première ligne au GMF-UMF Charles-LeMoyne, elle est aussi chargée de cours à l'Université de Sherbrooke. Elle détient une maîtrise en sciences infirmières de l'Université du Québec à Chicoutimi et s'est notamment intéressée à une approche pédagogique novatrice en soins infirmiers, intégrée dans un milieu clinique, aidant l'étudiante à faire une évaluation clinique approfondie des clients.

Mélanie Bérubé, inf., IPA, M. Sc., CSI(C)
Conseillère clinique en soins spécialisés pour les secteurs de la traumatologie et des soins critiques à l'Hôpital du Sacré-Cœur de Montréal, elle a également exercé le même rôle à l'Hôpital général juif dans le secteur des soins critiques et de la chirurgie cardiaque. Conseillère associée à la Faculté des sciences infirmières de l'Université de Montréal et chargée d'enseignement à cette même université, elle détient un diplôme post-maîtrise d'infirmière praticienne spécialisée en soins intensifs (Acute Care Nurse Practitioner) de l'Université de Toronto et une certification en soins intensifs de l'Association des infirmières et infirmiers du Canada.

Marie-Claude Bouchard, inf., Ph. D.
Professeure agrégée au Département des sciences de la santé de l'Université du Québec à Chicoutimi (UQAC) de 2004 à 2015, elle est détentrice d'un doctorat en sciences cliniques de l'Université de Sherbrooke, d'une maîtrise ès arts (Éd.) et d'un baccalauréat en sciences infirmières de l'UQAC. Elle a travaillé pendant plusieurs années aux unités de soins intensifs et de médecine-chirurgie à l'Hôpital de Chicoutimi.

Luc-Étienne Boudrias, inf., M. Sc., CSI(C)
Titulaire d'une maîtrise de la Faculté des sciences infirmières de l'Université de Montréal, il est un spécialiste du développement du rôle de l'infirmière clinicienne en traumatologie. Il a travaillé au Centre de recherche interdisciplinaire en réadaptation du Montréal métropolitain, et il est actuellement conseiller en soins infirmiers de cardiologie à l'Hôpital du Sacré-Cœur de Montréal et infirmier en soins critiques pour la compagnie Skyservice Aviation.

Patricia Bourgault, inf., Ph. D. (Sciences cliniques)
Infirmière et détentrice d'un doctorat en sciences cliniques (spécialisation en sciences infirmières) de l'Université de Sherbrooke, elle est vice-doyenne aux sciences infirmières et directrice de l'École des sciences infirmières à la Faculté de médecine et des sciences de la santé de l'Université de Sherbrooke. Ses recherches portent sur la gestion de la douleur : dépistage et évaluation, intervention interdisciplinaire et reconnaissance de la douleur chronique.

Marie-Line Brouillette, inf., M. Sc., IPSC
Détentrice d'une maîtrise en sciences infirmières et d'un diplôme d'études complémentaires en sciences médicales, elle travaille comme infirmière praticienne spécialisée en cardiologie au Centre hospitalier de l'Université de Montréal depuis 2007. Associée à la Faculté des sciences infirmières de l'Université de Montréal, elle siège au comité de programme des infirmières praticiennes spécialisées en cardiologie et participe à la formation des étudiantes.

Stéphanie Charron, M. Sc. inf., IPSPL
Infirmière depuis 1994, elle a poursuivi des études universitaires pour obtenir un baccalauréat, puis un D.E.S.S. et une maîtrise pour devenir infirmière praticienne spécialisée en soins de première ligne en 2010. Elle a principalement travaillé en pédiatrie et à l'urgence. Ses champs de pratique incluent également la santé sexuelle, la santé mentale ainsi que les maladies chroniques.

Andréane Chevrette, inf., B. Sc., MGP, CSIO(C)
Diplômée de l'Université de Montréal, elle travaille depuis le début de sa carrière en cancérologie. Elle a aussi obtenu une maîtrise en gestion de projet de l'Université du Québec à Montréal. Désormais assistante infirmière-chef au Centre du cancer des Cèdres du Centre universitaire de santé McGill, elle travaille sur des projets d'amélioration de la qualité des soins et des services.

Carole Cormier, inf., B. Sc., M. Éd., ICP(C)
Conseillère en soins spécialisés (périnatalité, gynécologie et pédiatrie) à l'Hôpital Charles-LeMoyne et instructrice en réanimation néonatale, elle a été auparavant infirmière éducatrice en soins des nouveau-nés à l'Hôpital Royal Victoria, affilié au Centre universitaire de santé McGill. Elle s'intéresse au développement professionnel pour le personnel infirmier travaillant en périnatalité (unité de soins intensifs néonataux, postpartum, salle d'accouchement).

Manon Coulombe, inf., M. Sc., ICSP(C)
Titulaire d'une maîtrise en sciences infirmières de l'Université de Montréal et détentrice d'une certification en soins palliatifs de l'Association des infirmières et infirmiers du Canada, elle occupe le poste d'infirmière pivot en soins palliatifs à l'Hôpital Maisonneuve-Rosemont de Montréal.

Josée Dagenais, inf., M. Sc.
Conseillère clinicienne spécialisée (volet médecine) à l'Hôpital du Sacré-Cœur de Montréal, centre hospitalier affilié à l'Université de Montréal, et détentrice d'une maîtrise en sciences infirmières de l'Université de Montréal, elle possède des compétences qui visent les soins aux personnes atteintes d'une maladie chronique, particulièrement en néphrologie et en pneumologie, de même que les soins en gériatrie.

Clémence Dallaire, inf., Ph. D. (Sciences infirmières)
Titulaire d'un doctorat en sciences infirmières et professeure titulaire à la Faculté des sciences infirmières de l'Université Laval, elle enseigne

notamment le savoir infirmier aux premier et troisième cycles. Ses travaux de recherche portent sur l'organisation des soins et des services, l'analyse et la description des fonctions infirmières, et l'adoption de politiques saines. Elle est l'auteure d'articles de vulgarisation et coauteure de deux volumes sur les soins infirmiers. Son plus récent ouvrage est un outil pédagogique visant une meilleure connaissance du savoir infirmier.

Danièle Dallaire, inf., M. Sc., D.E.S.S. DDO
Professeure de clinique à la Faculté des sciences infirmières et responsable facultaire pédagogique au Centre Apprentiss de l'Université Laval, elle a été cadre-conseil durant plusieurs années dans divers centres hospitaliers et adjointe à la directrice des soins infirmiers à l'Institut universitaire de cardiologie et de pneumologie de Québec. Son expertise touche principalement les soins critiques et la traumatologie.

Amélie Doherty, inf., B. Sc.
Infirmière clinicienne depuis 12 ans à l'Institut de cardiologie de Montréal, elle a pratiqué à l'unité de soins intensifs chirurgicaux, à la salle de réveil ainsi qu'au laboratoire d'hémodynamie. Elle a commencé des études à la maîtrise en sciences infirmières à l'Université du Québec à Trois-Rivières, où elle travaille également à titre de chargée de cours.

Evelyne Dufresne, inf., M. Sc.
Conseillère en soins infirmiers à l'unité de soins intensifs du Centre hospitalier de St. Mary (CIUSSS ODIM), elle est détentrice d'une maîtrise en sciences infirmières de l'Université de Montréal. Son parcours professionnel inclut différentes fonctions à l'Institut de cardiologie de Montréal, dont conseillère en soins infirmiers et monitrice clinique, ainsi que de l'enseignement en milieu hospitalier et universitaire.

Tina Émond, inf., M. Sc.
Chargée d'enseignement clinique au Secteur science infirmière de l'Université de Moncton, campus d'Edmundston, elle est actuellement étudiante au doctorat en sciences infirmières à l'Université Laval. Ses domaines d'expertise sont la périnatalité, l'évaluation physique, le soin de l'adulte ainsi que les bases théoriques en sciences infirmières.

Lise Fillion, inf., Ph. D. (Psychologie)
Infirmière et professeure titulaire à la Faculté des sciences infirmières de l'Université Laval, elle est aussi chercheuse au Centre de recherche du Centre hospitalier universitaire (CHU) de Québec (axe oncologie) et également membre de l'Équipe de recherche Michel-Sarrazin en oncologie psychosociale et soins palliatifs (ERMOS).

Catherine Forbes, inf., M. Sc., CSN(C)
Infirmière clinicienne spécialisée en neurologie à l'Hôpital général juif de Montréal, elle occupe la fonction de coordonnatrice clinique auprès des personnes ayant subi un accident vasculaire cérébral. Elle est aussi chargée de cours au baccalauréat en sciences infirmières à l'Université de Montréal. Ayant d'abord travaillé en réadaptation puis aux soins intensifs, elle se consacre maintenant aux soins des personnes ayant eu un accident vasculaire cérébral, et ce, de leur admission jusqu'à leur congé de l'hôpital.

Isabelle Gaboury, Ph. D. (Santé des populations)
Détentrice d'un doctorat en santé des populations de l'Université d'Ottawa, elle est professeure au Département de médecine de famille de l'Université de Sherbrooke. Elle a fait un stage postdoctoral à la Faculté de médecine de l'Université de Calgary et s'intéresse principalement à l'interprofessionnalisme dans le système des soins de santé ainsi qu'aux approches complémentaires et parallèles en santé.

Nathalie Gagnon, inf., B. Sc., B.A.
Titulaire d'un premier baccalauréat en soins infirmiers et d'un second composé de pédagogie de l'enseignement au collégial et d'administration de l'Université Laval, elle a amorcé sa carrière à l'Institut universitaire de cardiologie et de pneumologie de Québec (IUCPQ), puis s'est tournée vers l'enseignement dès 1992. Depuis 16 ans, elle enseigne au Cégep Garneau de Québec. Elle a participé, depuis 2000, à la parution de nombreux volumes comme auteure, adaptatrice ou réviseure scientifique.

Antoinette Gimenez-Lambert, inf., M. Éd.
Infirmière et titulaire d'un diplôme d'hygiène hospitalière de l'Université de Rouen, d'un diplôme en stratégie globale d'hygiène hospitalière de l'Université de Lyon ainsi que d'une maîtrise en pédagogie de l'Université Paris XIII, elle est coconceptrice et chargée de cours au D.E.S.S. en prévention et contrôle des infections à la Faculté des sciences infirmières de l'Université de Montréal.

Caroline Gravel, inf., M. Sc.
Conseillère-cadre en soins infirmiers (volet prévention et contrôle des infections) au CSSS Lucille-Teasdale, elle est titulaire d'une maîtrise en sciences infirmières (volet experte-conseil). Elle a acquis une expérience clinique variée en travaillant dans divers milieux tels que la médecine-chirurgie, les soins intensifs, la gériatrie et la santé communautaire.

Johanne Hébert, inf., M. Sc., Ph. D. (c)
Infirmière depuis plus de 25 ans, elle est professeure en sciences infirmières à l'Université du Québec à Rimouski, campus de Lévis. Ses champs d'intérêt en recherche portent sur les transitions dans l'ensemble de la trajectoire du cancer, la survie au cancer, la détresse émotionnelle et l'élaboration d'interventions complexes.

Catherine Houle, inf., B. Sc.
Infirmière clinicienne diplômée de l'Université de Sherbrooke, elle occupe actuellement un poste d'assistante infirmière-chef au Département de chirurgie générale du Centre hospitalier universitaire de Sherbrooke (CHUS). Elle s'intéresse à l'amélioration de la qualité des soins.

Julie Houle, inf., Ph. D., CSIC(C)
Professeure agrégée au Département des sciences infirmières de l'Université du Québec à Trois-Rivières, elle détient un baccalauréat et une maîtrise en sciences infirmières de l'Université de Montréal ainsi qu'un doctorat en pharmacie de l'Université Laval. Ses champs d'intérêt incluent les soins cardiovasculaires et les soins critiques. Elle a aussi travaillé plusieurs années dans divers milieux cliniques spécialisés.

Marie-Claude Jacques, inf., B. Sc., Ph. D. (c)
Infirmière clinicienne et candidate au doctorat en sciences infirmières à l'Université de Sherbrooke, elle y est également professeure chargée d'enseignement à l'École des sciences infirmières de la Faculté de médecine et des sciences de la santé. Elle a cumulé plusieurs années d'expérience comme infirmière clinicienne auprès de toxicomanes et d'itinérants atteints d'un trouble mental grave.

Annick Jutras, inf., M. Sc.
Infirmière ayant travaillé au service des urgences, détentrice d'un baccalauréat en biologie médicale et d'une maîtrise en épidémiologie, elle est professeure au Département des sciences infirmières de l'Université du Québec à Trois-Rivières. Elle poursuit un doctorat en sciences pharmaceutiques à l'Université Laval portant sur la surveillance des maladies cardiovasculaires au Québec. Elle donne également des cours de physiopathologie.

Chantal Labrecque, inf., M. Sc.
Infirmière depuis 1993, elle détient une maîtrise en sciences infirmières de l'Université de Montréal. S'impliquant activement dans le domaine des soins de plaies au Québec (notamment à titre d'auteure, de chercheuse et de chargée de cours), elle possède aussi sa firme privée spécialisée en soins de plaies (CliniConseil Inc.). Elle est la présidente du Regroupement québécois en soins de plaies.

Manon Lacroix, inf., M. Sc., IPSPL
Infirmière praticienne spécialisée en soins de première ligne, elle détient une maîtrise en sciences infirmières de l'Université d'Ottawa. Au cours

des 20 dernières années, elle a exercé majoritairement en CLSC. Professeure à mi-temps en sciences infirmières à l'Université du Québec en Abitibi-Témiscamingue, ses champs d'intérêt portent sur les soins de première ligne et la santé communautaire.

Nancy Ladouceur, M. Sc. inf., IPSPL
Titulaire d'un baccalauréat en sciences infirmières, d'une maîtrise et d'un D.E.S.S. menant au titre d'infirmière praticienne spécialisée en soins de première ligne, elle a principalement travaillé en réadaptation intensive et en soins de santé généraux de première ligne, notamment dans les domaines de la pédiatrie, de l'obstétrique et des maladies chroniques. Elle pratique actuellement en Outaouais à la clinique de Thurso.

Marjolaine Landry, inf., B. Sc., M.A. (Gérontologie), LL.M. (c), Ph. D. (Sciences cliniques)
Professeure au Département des sciences infirmières de l'Université du Québec à Trois-Rivières, elle est également chercheuse à l'Institut universitaire de première ligne en santé et services sociaux du Centre intégré universitaire de santé et de services sociaux (CIUSSS) de l'Estrie – Centre hospitalier universitaire de Sherbrooke (CHUS).

Marie-Ève Leblanc, inf., M. Sc., Ph. D. (c) (Sciences pharmaceutiques)
Détentrice d'une maîtrise en sciences infirmières de l'Université du Québec à Trois-Rivières, elle travaille actuellement au service des urgences du Centre Cloutier-du-Rivage (CIUSSS MCQ), à l'Association des cardiaques de la Mauricie et comme professionnelle de recherche à l'Université du Québec à Trois-Rivières. Elle poursuit également des études doctorales à l'Université Laval afin de valider la mesure de la pression artérielle à l'avant-bras chez les obèses.

Anne-Marie Leclerc, inf., M. Sc.
Professeure clinicienne au Département des sciences infirmières de l'Université du Québec à Trois-Rivières, elle poursuit actuellement des études au doctorat en sciences biomédicales. Son projet de recherche s'intéresse à la trajectoire de santé des Autochtones. Ses expériences de travail ont touché le domaine de la santé mentale, le milieu communautaire et les soins critiques.

Caroline Lemay, inf., M. Sc.
Chargée de cours et détentrice d'un diplôme de maîtrise en sciences infirmières de l'Université du Québec à Trois-Rivières, elle s'est spécialisée dans la santé cardiovasculaire des enfants et des adolescents en regard de l'hypertension artérielle. Ses champs d'intérêt et de recherche sont la santé cardiovasculaire, la santé communautaire ainsi que les soins à l'enfant et à sa famille.

Renée Létourneau, inf., M. Sc.
Détentrice d'une maîtrise de l'Université de Sherbrooke, elle occupe actuellement un poste d'infirmière clinicienne en développement clinique en chirurgie au Centre hospitalier universitaire de Sherbrooke (CHUS). Elle s'intéresse aux soins chirurgicaux et à l'amélioration de la qualité de vie chez des clients atteints d'une maladie chronique.

Marie-Claude Levasseur, inf., B. Sc., D.E.S.S. (Bioéthique)
Depuis plus de 15 ans, elle travaille au CHU Sainte-Justine comme infirmière clinicienne. Ses champs d'expertise sont l'éthique clinique, l'immunologie, la rhumatologie et la thérapie cellulaire.

Marie-Chantal Loiselle, inf., M. Sc., Ph. D. (c)
Professeure à l'École des sciences infirmières de l'Université de Sherbrooke et étudiante au doctorat en sciences infirmières, elle a une longue expérience à titre d'infirmière clinicienne spécialisée en dialyse rénale. Elle s'intéresse à l'autogestion de la santé, à la prise de décision partagée et aux interventions de soutien à la décision. Sa thèse doctorale porte sur ces thèmes chez les clients atteints d'une maladie rénale chronique devant faire le choix d'une thérapie de suppléance rénale.

Marilyn Matte, M. Sc., IPSPL (c)
Détentrice d'une maîtrise en sciences infirmières (soins de première ligne) de l'Université du Québec à Trois-Rivières, elle travaille comme candidate infirmière praticienne spécialisée en soins de première ligne au Groupe de médecine de famille Les Grès. Elle a principalement travaillé à l'urgence, en région éloignée et aux soins intensifs.

Géraldine Martorella, inf., Ph. D. (c)
Conseillère en soins spécialisés dans les domaines de la chirurgie et de la traumatologie pendant plusieurs années, elle est actuellement professeure en sciences infirmières. Ses champs d'intérêt portent sur l'élaboration d'interventions novatrices pour le soulagement de la douleur aiguë et chronique, particulièrement dans le contexte périopératoire.

France Paquet, inf., M. Sc.
Conseillère en pratique clinique au Centre universitaire de santé McGill, elle a occupé les fonctions d'infirmière clinicienne à la Clinique de fibrose kystique pour adultes de l'Institut thoracique de Montréal du Centre universitaire de santé McGill, puis d'infirmière clinicienne spécialisée en soins respiratoires. Elle s'intéresse notamment aux soins infirmiers respiratoires, aux soins à la famille et aux soins vasculaires.

Émilie Paul-Savoie, Ph. D. (Pharmacologie)
Professeure adjointe à l'École des sciences infirmières et directrice des microprogrammes en gestion et évaluation de la douleur de l'Université de Sherbrooke, elle est également pharmacologue spécialisée en gestion de la douleur. Elle s'intéresse particulièrement à l'influence de l'empathie et des connaissances neurophysiologiques et pharmacologiques de la douleur comme modalité d'intervention des professionnels de la santé. Elle est également l'auteure de plusieurs articles scientifiques.

Vitalie Perreault, inf., M. Sc.
Infirmière clinicienne depuis 1993 et titulaire d'une maîtrise en sciences infirmières, elle possède une vaste expérience clinique en soins critiques dans les domaines de la cardiologie et de la chirurgie cardiaque. Elle détient aussi une expertise de recherche clinique en pneumologie, en électrophysiologie et en radiologie. Sur le plan pédagogique, elle cumule plus de 10 ans d'enseignement en soins infirmiers au niveau tant universitaire que collégial.

Karine Philibert, inf., M. Sc.
Détentrice d'un baccalauréat en sciences infirmières de l'Université de Colombie-Britannique et une maîtrise en sciences cliniques de l'Université de Sherbrooke, elle est spécialisée en santé mentale, en soins interculturels et en éthique du soin. Elle enseigne au Collège de Bois-de-Boulogne et à l'Université de Sherbrooke.

Josyane Pinard, inf., M. Sc.
Enseignante au Cégep de Drummondville, elle est aussi infirmière aux soins intensifs médicaux et chirurgicaux du CSSS de Trois-Rivières. Après avoir réalisé une maîtrise en recherche, elle s'est orientée vers l'enseignement des soins médicaux et chirurgicaux. Soucieuse de voir s'appliquer des pratiques validées et sécuritaires, elle intègre la compréhension et l'utilisation des données probantes dès le début de la formation des étudiants.

Nathalie Pombert, inf.
Infirmière depuis 2003 et enseignante au niveau collégial, elle détient un certificat en administration des affaires. Ses compétences touchent aux soins en médecine-chirurgie. Elle s'intéresse aux personnes hospitalisées ayant des problèmes de dépendance et d'anxiété, ainsi qu'au développement d'une éthique du *caring* dans un tel contexte.

Suzanne Provencher, inf., B. Sc. N.
Infirmière clinicienne spécialisée en fertilité, elle occupe le poste d'infirmière-chef au Centre de fertilité de Montréal. Elle compte plus de 15 années d'expérience en infertilité et en fécondation *in vitro*.

Hugues Provencher-Couture, M. Sc., IPSC
Infirmier praticien spécialisé en cardiologie au Centre hospitalier universitaire de Sherbrooke, il s'est joint à l'équipe de chirurgie cardiaque en décembre 2008. Il détient une maîtrise en sciences infirmières et un diplôme de spécialisation complémentaire en cardiologie.

Nathalie Raymond, inf., B. Sc., D.E.S.S. Sc. inf.
Détentrice d'un baccalauréat et d'un diplôme de deuxième cycle en sciences infirmières, elle complète actuellement sa maîtrise dans le même domaine. Préoccupée par le transfert des connaissances en sciences infirmières, elle s'intéresse aussi à la pédagogie comme levier de changement des pratiques. Elle a enseigné au collégial à titre d'infirmière clinicienne et est chargée de cours en évaluation clinique à l'université.

Annabelle Rioux, M. Sc., IPSPL
Infirmière praticienne spécialisée en soins de première ligne, elle fait partie de la toute première cohorte d'étudiantes à la maîtrise en sciences infirmières formées à l'Université de Montréal. Elle travaille comme IPSPL au CLSC Châteauguay du Centre de santé et de services sociaux Jardins-Roussillon depuis le printemps 2010 et enseigne également à l'Université de Montréal.

Jean-Dominic Rioux, M. Sc., IPSC
Infirmier praticien spécialisé en cardiologie à la Clinique d'insuffisance cardiaque du CHUS–Hôtel-Dieu, il assume également un rôle régional en Estrie comme infirmier pivot en insuffisance cardiaque. Il est chargé de cours dans le cadre de la formation des infirmières praticiennes spécialisées en soins de première ligne à la Faculté de médecine de l'Université de Sherbrooke et, depuis 2005, il y est également moniteur en sciences biomédicales.

Carine Sauvé, M. Sc. inf., M. Sc., diplôme de troisième cycle (c)
Directrice adjointe à la direction des services professionnels du CISSS de la Montérégie-Est, elle cumule 16 années de pratique infirmière à l'urgence. Présidente de l'AIIUQ durant 10 ans, elle a également été coordonnatrice de la CVAP en soins d'urgence. Détentrice de maîtrises en pratique avancée (Université de Montréal) et en gestion (Université Laval), elle poursuit des études de troisième cycle en administration (Université de Sherbrooke).

Danielle Soucy, inf., M. Sc., ICMC(C)
Conseillère-cadre en soins infirmiers (volet ambulatoire) au CISSS de la Montrérégie-Centre, elle est membre du comité des bourses et concours de l'Ordre régional des infirmières et infirmiers de la Montérégie et membre du comité d'examen de certification en médecine-chirurgie de l'Association des infirmières et des infirmiers du Canada.

Pierre Verret, inf., M. Sc., CSIO(C)
Titulaire d'une maîtrise en sciences infirmières, détenteur d'une formation spécialisée en oncologie et chargé d'enseignement à l'Université Laval, il est responsable de la formation sur l'examen clinique et coordonne les cours biomédicaux du programme d'infirmières praticiennes spécialisées de première ligne (IPSPL). Il enseigne également l'examen clinique à l'École des hautes études en santé publique (EHESP) de France et collabore à l'intégration de l'examen clinique infirmier au Centre universitaire de Genève, en Suisse.

Catherine Villemure, inf., M. Sc.
Titulaire d'une maîtrise en sciences infirmières de l'Université du Québec à Trois-Rivières, elle est infirmière clinicienne aux unités de soins intensifs et d'urgence du Centre hospitalier affilié universitaire régional de Trois-Rivières. Elle s'intéresse particulièrement à la collaboration interprofessionnelle et à la sécurité des clients en soins critiques.

ÉQUIPE DE CONSULTATION

Lara Aziz, inf., B. Sc., M. Éd.
Louiselle Bélanger, inf., B. Sc.
Ines Chamakhi, M.D.
Mélanie Charron, inf., B. Sc.
Françoise Côté, inf., Ph. D.
Josée Dagenais, inf., M. Sc.
Sylvie Desjardins, inf., M. Sc.
Michel Doré, inf., B. Sc.
Sylvie Dubé, inf., B. Sc.
Diane Dubreuil, inf., B. Sc.
Hélène Gagné, inf., B. Sc.
Nancy Gagné, inf.
Céline Gélinas, inf., Ph. D.
Christine Genest, inf., Ph. D. (c)
Roger Godbout, Ph. D.
Jonathan Gordon, inf., B. Sc., M. Éd.
Caroline Gravel, inf., M. Sc.
Suzanne Lachance, inf., M. Sc.
Jocelyne Lacroix, inf., M. Sc.
Nathalie Nadon, IPS, M. Sc.
Diane Nault, inf., M. Sc.
Margot Phaneuf, inf., Ph. D.
Virginie Poisson, M. Sc., CGAC
Ernest Prégent, M.D.
Jean St-Louis, M.D., CM
Louise Sylvestre, RN
Sébastien Touchette, inf., CSI(C)
Monique Vachon, B. Sc. (Biologie), C. Sc. Éd.
Isabelle Vaillant, inf., M. Sc., IPSN
Angèle Venne, inf., B. Sc.

ÉQUIPE DE RÉDACTION DE L'ÉDITION ORIGINALE

DIRECTION

Sharon L. **LEWIS**, RN, PhD, FAAN
Shannon RUFF **DIRKSEN**, RN, PhD, FAAN
Margaret M. **HEITKEMPER**, RN, PhD, FAAN
Linda **BUCHER**, RN, PhD, CEN, CNE

COLLABORATION SPÉCIALE

Mariann M. **HARDING**, RN, PhD, CNE

COLLABORATEURS

Richard Arbour, RN, MSN, CCRN, CNRN, CCNS, FAAN
Critical Care Clinical Nurse Specialist
Albert Einstein Healthcare Network
Philadelphia, Pennsylvania, USA

Margaret Baker, RN, PhD, CNL
Associate Professor
University of Washington School of Nursing
Seattle, Washington, USA

Elisabeth G. Bradley, RN, MS, ACNS-BC
Clinical Leader Cardiovascular Prevention Program
Christiana Care Health System
Newark, Delaware, USA

Lucy Bradley-Springer, RN, PhD, ACRN, FAAN
Associate Professor
University of Colorado Denver, Anschutz Medical Campus
Denver, Colorado, USA

Jormain Cady, DNP, ARNP, AOCN
Nurse Practitioner
Virginia Mason Medical Center
Department of Radiation Oncology
Seattle, Washington, USA

Paula Cox-North, RN, PhD, NP-C
Harborview Medical Center
Seattle, Washington, USA

Anne Croghan, MN, ARNP
Nurse Practitioner
Seattle Gastroenterology Associates
Seattle, Washington, USA

Betty Jean Reid Czarapata, MSN, ANP-BC, CUNP
Nurse Practitioner
Urology Wellness Center
Gaithersburg, Maryland, USA

Judi Daniels, PhD, FNP, PNP
Advanced Practice Registered Nurse
Kentucky Polk-Dalton Clinic
Lexington, Kentucky;
Course Coordinator
Frontier Nursing University
Richmond, Kentucky, USA

Rose DiMaria-Ghalili, RN, PhD, CNSC
Associate Professor of Nursing
College of Nursing and Health Professions
Drexel University
Philadelphia, Pennsylvania, USA

Angela DiSabatino, RN, MS
Manager, Cardiovascular Clinical Trials
Christiana Care Health System
Newark, Delaware, USA

Laura Dulski, MSN, RNC-HROB, CNE
Assistant Professor
Resurrection University
Chicago, Illinois, USA

Susan J. Eisel, RN, MSEd
Associate Professor of Nursing
Mercy College of Ohio
Toledo, Ohio, USA

Deborah Hamolsky, RN, MS, AOCNS
Clinical Nurse IV
Carol Franc Buck Breast Care Center
UCSF Helen Diller Family Comprehensive Cancer Center
San Francisco, California, USA

Mariann M. Harding, RN, PhD, CNE
Associate Professor of Nursing
Kent State University at Tuscarawas
New Philadelphia, Ohio, USA

Jerry Harvey, RN, MS, BC
Assistant Professor of Nursing
Liberty University
Lynchburg, Virginia, USA

Carol Headley, RN, DNSc, ACNP-BC, CNN
Nephrology Nurse Practitioner
Veterans Affairs Medical Center
Memphis, Tennessee, USA

Teresa E. Hills, RN, MSN, ACNP-BC, CNRN
Neurosurgery Critical Care Nurse Practitioner
Christiana Care Health System
Newark, Delaware, USA

Christine Hoch, RN, MSN
Nursing Instructor
Delaware Technical Community College
Newark, Delaware, USA

David M. Horner, CRNA, MS, APN
Nurse Anesthetist
Virtua Hospital
Marlton, New Jersey, USA

Joyce Jackowski, MS, FNP-BC, AOCNP
Nurse Practitioner
Virginia Cancer Specialists
Arlington, Virginia, USA

Kay Jarrell, RN, MS, CNE
Clinical Associate Professor
College of Nursing and Health Innovation
Arizona State University
Phoenix, Arizona, USA

Sharmila Johnson, MSN, ACNS-BC, CCRN
Cardiovascular Clinical Nurse Specialist
Christiana Care Health System
Newark, Delaware, USA

Jane Steinman Kaufman, RN, MS, ANP-BC, CRNP
Advanced Senior Lecturer
University of Pennsylvania School of Nursing
Philadelphia, Pennsylvania, USA

Katherine A. Kelly, RN, DNP, FNP-C, CEN
Assistant Professor
School of Nursing
California State University
Sacramento, California, USA

Lindsay L. Kindler, RN, PhD, CNS
Research Associate
Kaiser Permanente Center for Health Research
Portland, Oregon, USA

Judy Knighton, RN, MScN
Clinical Nurse Specialist-Burns
Ross Tilley Burn Centre
Sunnybrook Health Sciences Centre
Toronto, Ontario, Canada

Mary Ann Kolis, RN, MSN, ANP-BC, APNP
Instructor
Gateway Technical College
Kenosha, Wisconsin, USA

Catherine N. Kotecki, RN, PhD, APN
Associate Dean
W. Cary Edwards School of Nursing
Thomas Edison State College
Trenton, New Jersey, USA

Nancy Kupper, RN, MSN
Associate Professor
Tarrant County College
Fort Worth, Texas, USA

Jeffrey Kwong, DNP, MPH, ANP-BC
Assistant Professor of Nursing at CUMC
Program Director, Adult-Gerontology Nurse Practitioner Program
Columbia University
New York, New York, USA

Carol A. Landis, RN, DNSc
Professor
Biobehavioral Nursing and Health Systems
University of Washington
School of Nursing
Seattle, Washington, USA

Susan C. Landis, RN, MSN
Lecturer
Biobehavioral Nursing and Health Systems
University of Washington School of Nursing
Seattle, Washington, USA

Janice Lazear, DNP, CRNP, CDE
Assistant Professor
School of Nursing
University of Maryland
Baltimore, Maryland, USA

Catherine (Kate) Lein, MS, FNP-BC
Assistant Professor
Michigan State University College of Nursing
East Lansing, Michigan, USA

Janet Lenart, RN, MN, MPH
Senior Lecturer
University of Washington School of Nursing
Seattle, Washington, USA

Nancy MacMullen, PhD, APN/CNS, RNC, HR-OB, CNE
Associate Professor
Governors State University
Oak Forest, Illinois, USA

Dorothy (Dottie) M. Mathers, RN, DNP, CNE
Professor
School of Health Sciences
Pennsylvania College of Technology
Williamsport, Pennsylvania, USA

De Ann F. Mitchell, RN, PhD
Professor of Nursing
Tarrant County College
Trinity River East Campus
Fort Worth, Texas, USA

Carolyn Moffa, MSN, FNP-C, CHFN
Clinical Leader
Heart Failure Program
Christiana Care Health System
Newark, Delaware, USA

Janice Neil, RN, PhD
Associate Professor and Chair, Undergraduate Nursing Science Junior Division
College of Nursing
East Carolina University
Greenville, North Carolina, USA

DaiWai Olson, RN, PhD, CCRN
Associate Professor of Neurology and Neurotherapeutics
University of Texas Southwestern
Dallas, Texas, USA

Rosemary C. Polomano, RN, PhD, FAAN
Associate Professor of Pain Practice
Department of Biobehavioral Health Sciences
University of Pennsylvania School of Nursing;
Associate Professor of Anesthesiology and Critical Care
University of Pennsylvania Perelman School of Medicine
Philadelphia, Pennsylvania, USA

Kathleen A. Rich, RN, PhD, CCNS, CCRN-CSC, CNN
Cardiovascular Clinical Specialist
Indiana University Health La Porte Hospital
La Porte, Indiana, USA

Dottie Roberts, RN, MSN, MACI, CMSRN, OCNS-C, CNE
Instructor
University of South Carolina College of Nursing
Columbia, South Carolina, USA

Sandra Irene Rome, RN, MN, AOCN, CNS
Clinical Nurse Specialist
Hematology/Oncology/BMT
Cedars-Sinai Medical Center
Los Angeles, California, USA

Jennifer Saylor, RN, PhD, ACNS-BC
Clinical Instructor
University of Delaware
Wilmington, Delaware, USA

Marilee Schmelzer, RN, PhD
Associate Professor
University of Texas at Arlington College of Nursing
Arlington, Texas, USA

Maureen A. Seckel, RN, APN, MSN, ACNS-BC, CCNS, CCRN
Clinical Nurse Specialist Medical Pulmonary Critical Care
Christiana Care Health System
Newark, Delaware, USA

Virginia (Jennie) Shaw, RN, MSN
Associate Professor
University of Texas Health Science Center School of Nursing
San Antonio, Texas, USA

Anita Jo Shoup, RN, MSN, CNOR
Perioperative Clinical Nurse Specialist
Swedish Edmonds
Edmonds, Washington, USA

Dierdre D. Wipke-Tevis, RN, PhD
Associate Professor
PhD Program Director, Coordinator of Clinical Nurse Specialist Area of Study
Sinclair School of Nursing
University of Missouri
Columbia, Missouri, USA

Mary Wollan, RN, BAN, ONC
Orthopaedic Nurse Educator
Twin Cities Orthopaedic Education Association
Spring Park, Minnesota, USA

Meg Zomorodi, RN, PhD, CNL
Clinical Associate Professor
University of North Carolina at Chapel Hill School of Nursing
Chapel Hill, North Carolina, USA

Damien Zsiros, RN, MSN, CNE, CRNP
Nursing Instructor
The Pennsylvania State University School of Nursing
Fayette/The Eberly Campus
Uniontown, Pennsylvania, USA

ORGANISATION DES CONTENUS

❶ Chapitres généraux

Ces chapitres présentent des concepts généraux qui constituent une base théorique en soins infirmiers.

❷ Chapitres *Évaluation clinique*

Ces chapitres examinent les notions d'anatomie et de physiologie, d'antécédents de santé, de diagnostics, ainsi que celles liées aux responsabilités des infirmières. Dans ces chapitres, les outils mnémotechniques PQRSTU et AMPLE sont utilisés pour structurer la démarche de cueillette des données au cours de l'évaluation clinique.

❸ Chapitres *Interventions cliniques*

Ces chapitres s'organisent autour de la démarche de soins et présentent les différentes pathologies, leurs manifestations cliniques, ainsi que les interventions qui doivent être maîtrisées par l'infirmière.

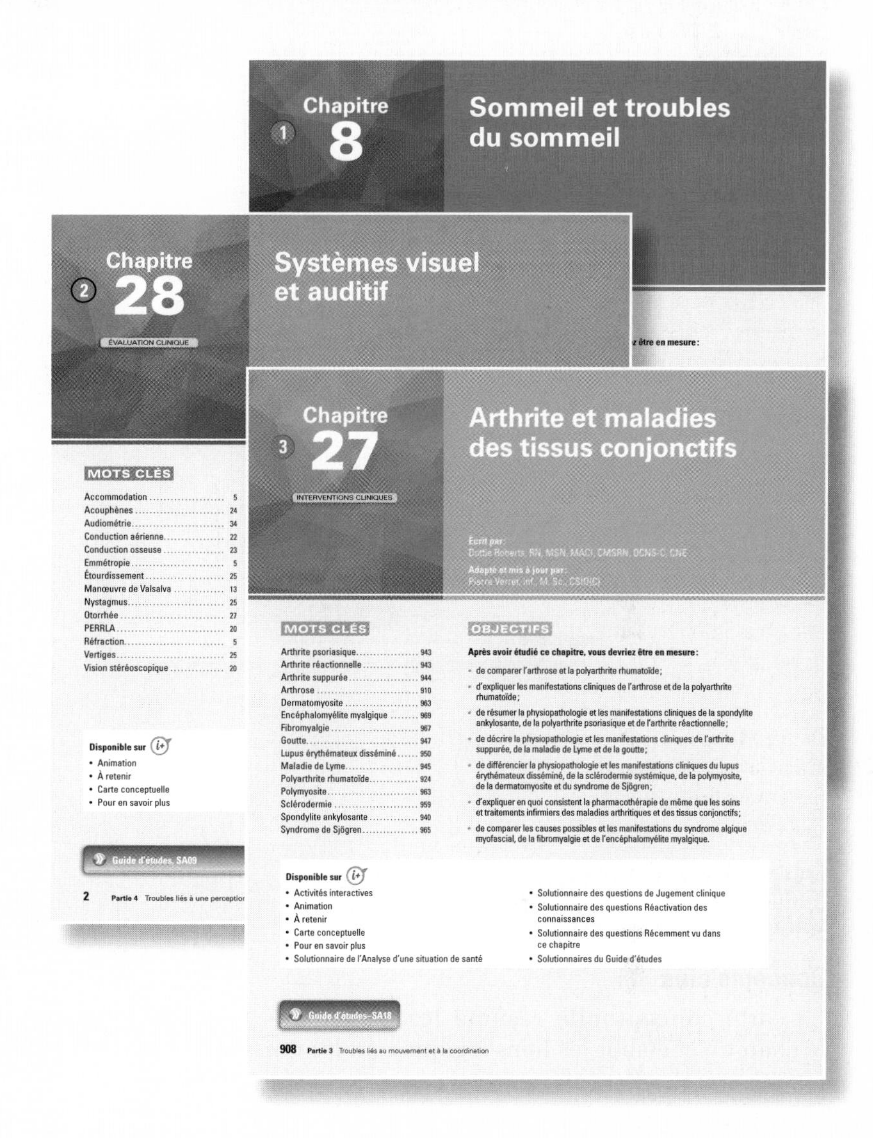

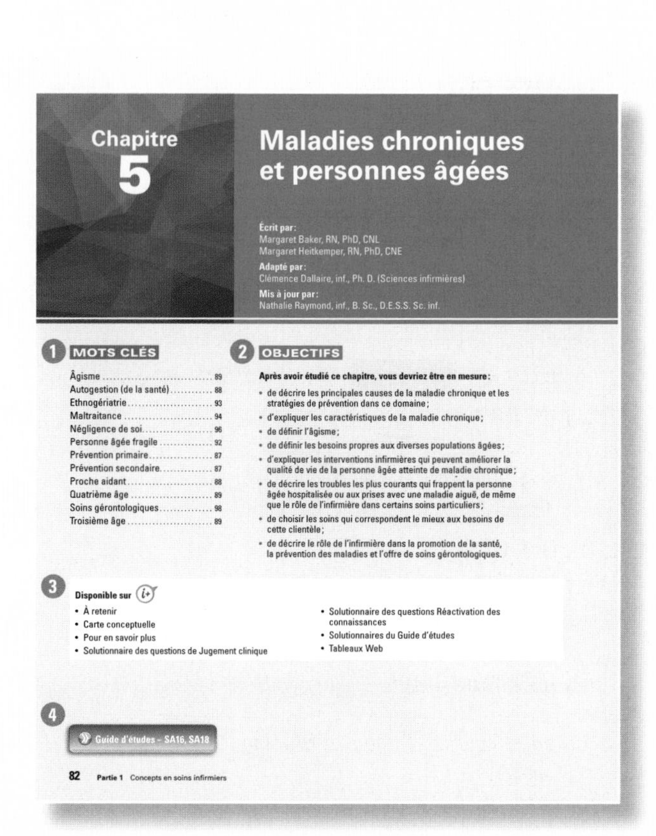

OUVERTURE DE CHAPITRE

❶ Mots clés

Les mots clés représentent les sujets importants traités dans le chapitre. Ils sont suivis du numéro de la page où l'idée est principalement développée. Les mots sont en surbrillance dans le texte afin de faciliter le repérage.

❷ Objectifs

Les objectifs mettent en évidence les principales connaissances et compétences à acquérir dans le chapitre.

❸ Disponible sur (i+)

Cette section contient la liste du matériel complémentaire à la disposition de l'étudiante sur la plateforme interactive (i+).

❹ Renvoi au *Guide d'études*

Ce renvoi dirige l'étudiante vers les activités du *Guide d'études* associées au chapitre.

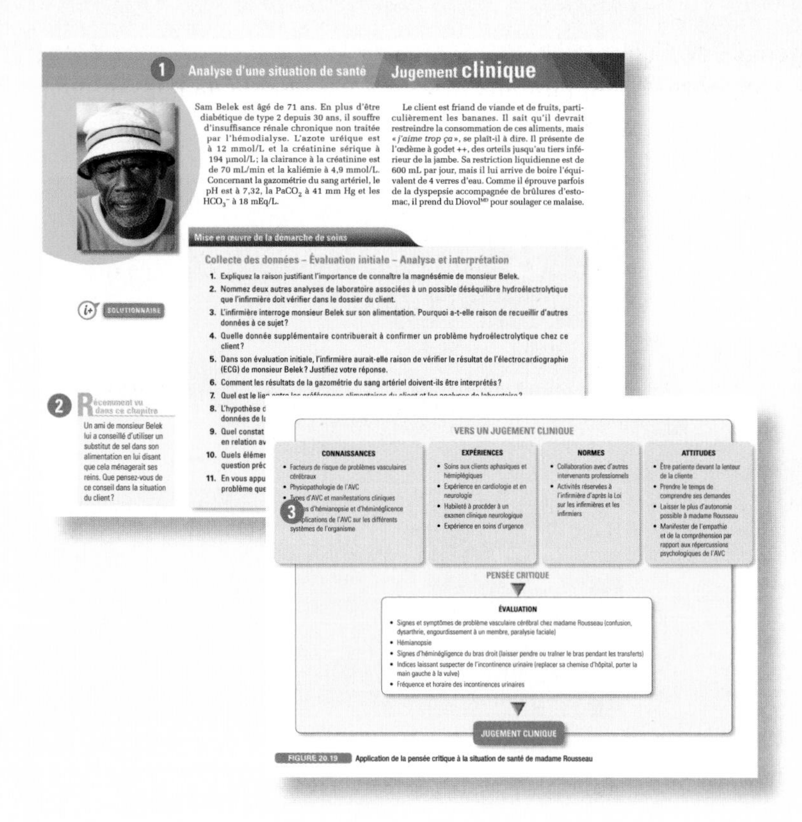
1 Analyse d'une situation de santé **Jugement clinique**

Sam Belek est âgé de 71 ans. En plus d'être diabétique de type 2 depuis 30 ans, il souffre d'insuffisance rénale chronique non traitée par l'hémodialyse. L'azote uréique est à 12 mmol/L et la créatinine sérique à 194 µmol/L; la clairance à la créatinine est de 70 mL/min et la kaliémie à 4,9 mmol/L. Concernant la gazométrie du sang artériel, le pH est à 7,32, la $PaCO_2$ à 41 mm Hg et les HCO_3^- à 18 mEq/L.

Le client est friand de viande et de fruits, particulièrement les bananes. Il sait qu'il devrait restreindre la consommation de ces aliments, mais « *j'aime trop ça* », se plaît-il à dire. Il présente de l'œdème à godet ++, des orteils jusqu'au tiers inférieur de la jambe. Sa restriction liquidienne est de 600 mL par jour, mais il lui arrive de boire l'équivalent de 4 verres d'eau. Comme il éprouve parfois de la dyspepsie accompagnée de brûlures d'estomac, il prend du Diovol[MD] pour soulager ce malaise.

Mise en œuvre de la démarche de soins

Collecte des données – Évaluation initiale – Analyse et interprétation

1. Expliquez la raison justifiant l'importance de connaître la magnésémie de monsieur Belek.
2. Nommez deux autres analyses de laboratoire associées à un possible déséquilibre hydroélectrolytique que l'infirmière doit vérifier dans le dossier du client.
3. L'infirmière interroge monsieur Belek sur son alimentation. Pourquoi a-t-elle raison de recueillir d'autres données à ce sujet?
4. Quelle donnée supplémentaire contribuerait à confirmer un problème hydroélectrolytique chez ce client?
5. Dans son évaluation initiale, l'infirmière aurait-elle raison de vérifier le résultat de l'électrocardiographie (ECG) de monsieur Belek? Justifiez votre réponse.
6. Comment les résultats de la gazométrie du sang artériel doivent-ils être interprétés?
7. Quel est le lie...
8. L'hypothèse c... données de l...
9. Quel constat... en relation av...
10. Quels éléme... question pré...
11. En vous appu... problème que...

SOLUTIONNAIRE

2 Récemment vu dans ce chapitre

Un ami de monsieur Belek lui a conseillé d'utiliser un substitut de sel dans son alimentation en lui disant que cela ménagerait ses reins. Que pensez-vous de ce conseil dans la situation du client?

3

FIGURE 20.19 Application de la pensée critique à la situation de santé de madame Rousseau

FERMETURE DE CHAPITRE

1 Analyse d'une situation de santé

Tous les chapitres *Interventions cliniques* se terminent par la présentation d'un cas clinique réaliste traitant d'une des pathologies étudiées. À l'aide de questions, l'étudiante est amenée à développer son jugement clinique en expérimentant les étapes de la démarche de soins et en préparant ou en modifiant, s'il y a lieu, un plan thérapeutique infirmier (PTI).

2 Récemment vu dans ce chapitre

Il s'agit d'une question permettant à l'étudiante de faire le lien entre les notions vues dans le chapitre et le cas clinique de la mise en contexte.

3 Vers un jugement clinique

La figure *Vers un jugement clinique* porte sur la situation présentée dans l'*Analyse d'une situation de santé*. Elle illustre les composantes de la pensée critique nécessaires à une évaluation clinique juste et à un jugement clinique rigoureux.

UNE ORGANISATION DU CONTENU QUI FACILITE L'APPRENTISSAGE

Concepts clés

La carte conceptuelle résume les principaux concepts présentés dans le chapitre et établit les liens logiques qui les unissent.

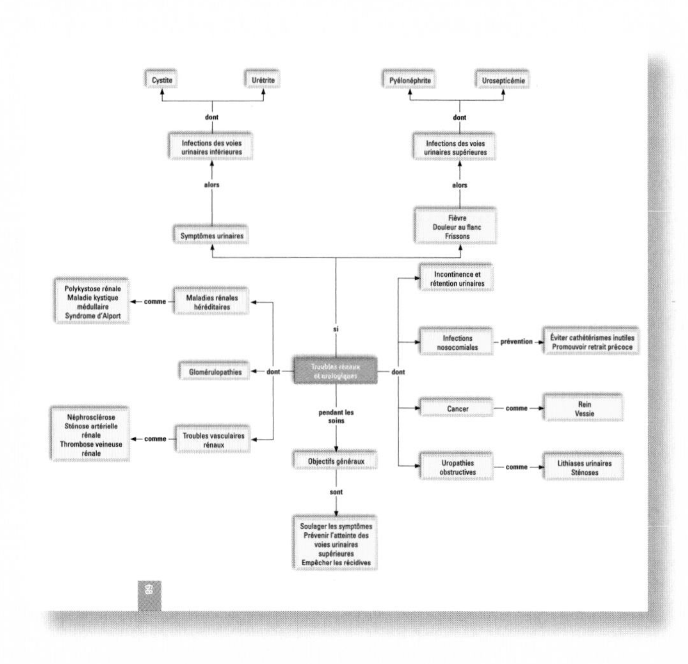

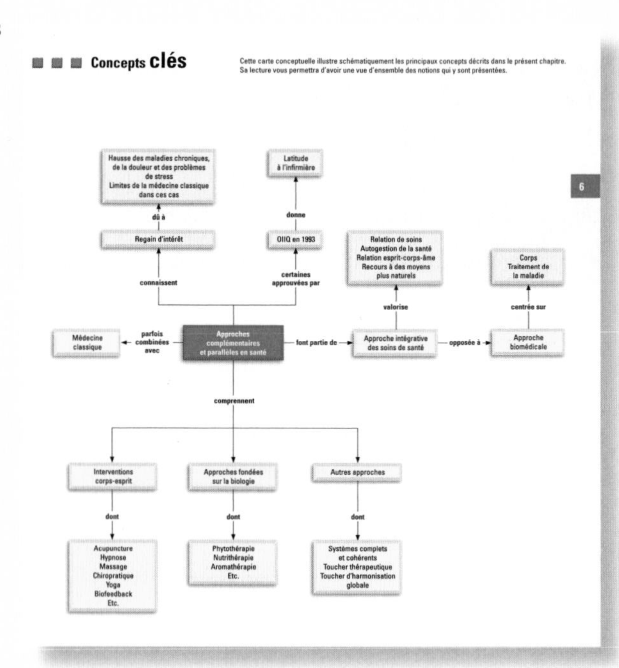

1 Jugement clinique

Une capsule de jugement clinique permet à l'étudiante de faire un lien entre un cas clinique et les connaissances présentées dans le chapitre, et ainsi d'exercer sa pensée critique et son jugement clinique.

2 Alerte clinique

Une alerte clinique met en évidence les aspects particuliers que l'infirmière doit considérer au moment de l'application de certains soins, ce qui lui permet d'assurer sa sécurité et celle du client.

3 Renvoi à un autre chapitre

Un pictogramme dans le texte dirige l'étudiante vers un autre chapitre qui décrit les notions examinées plus en profondeur.

4 Repérage facile

Les titres et les sous-titres en couleur permettent d'aérer le texte et facilitent la navigation dans le chapitre.

5 Mot clé

Des mots clés sont en surbrillance dans chaque chapitre pour faciliter le repérage.

6 Définition en marge

Le terme en bleu dans le texte est défini dans la marge pour faciliter la compréhension de l'étudiante. Il est aussi présent dans le glossaire.

7 Renvoi aux méthodes de soins

Ce renvoi dirige l'étudiante vers les méthodes présentées dans le *Guide des méthodes de soins* qui accompagne le manuel. Le picto Vidéo indique qu'une vidéo est disponible sur (i+).

8 Ce qu'il faut retenir

Ce résumé en marge des points importants permet une révision rapide.

9 Terme en gras

Un terme en caractères gras indique que l'étudiante pourra en consulter la définition dans le glossaire.

10 Pharmacovigilance

Cette rubrique présentée en marge vise à prévenir l'étudiante des spécificités de certains médicaments ou la met en garde quant à leur utilisation.

De l'information sur les diverses techniques de relaxation est disponible dans le chapitre 26 du manuel de Potter, P.A., & Perry, A.G. (2016). *Soins infirmiers – Fondements généraux* (4e éd.). Montréal : Chenelière Éducation.

CE QU'IL FAUT RETENIR

Les stratégies actives visent à éliminer le stresseur ou à améliorer l'état émotionnel de la personne par des actions concrètes alors que les stratégies passives sont liées aux stratégies d'évitement du stresseur.

⑪ Picto

Ce pictogramme invite l'étudiante à approfondir ses connaissances. Il peut s'agir de références supplémentaires, d'associations, d'organismes ou de sites Internet.

⑫ Picto

Ce pictogramme renvoie à du matériel complémentaire disponible sur la plateforme interactive.

⑬ Réactivation des connaissances

Il s'agit d'une question permettant de faire un lien entre ce qui est présenté dans le chapitre et ce qui est déjà connu de l'étudiante.

⑭ Risque génétique

Cette rubrique attire l'attention de l'étudiante sur d'importants risques liés à la génétique. Elle peut être repérée dans les chapitres *Évaluation clinique*.

FIGURES, TABLEAUX, ENCADRÉS

Figures

De nombreuses figures illustrent des concepts ou fournissent un complément d'information pour faciliter la compréhension de l'étudiante.

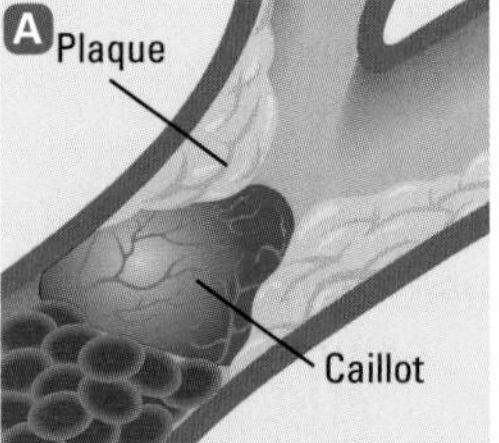

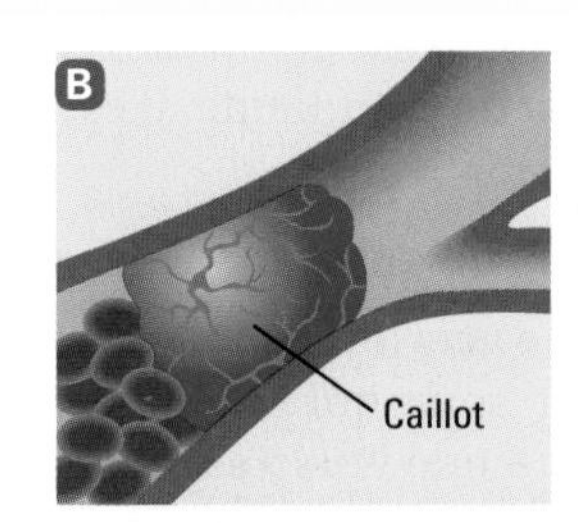

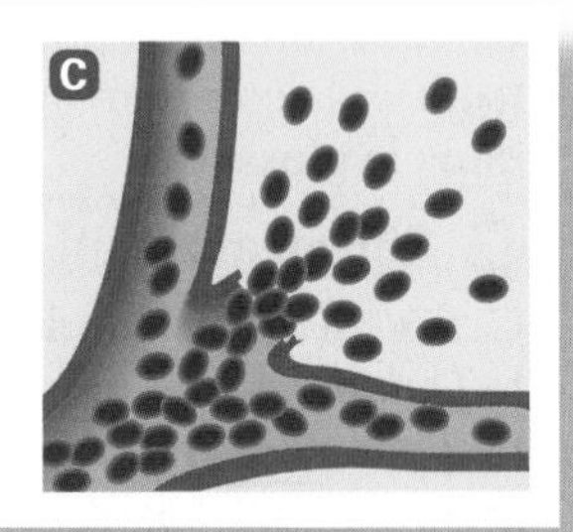

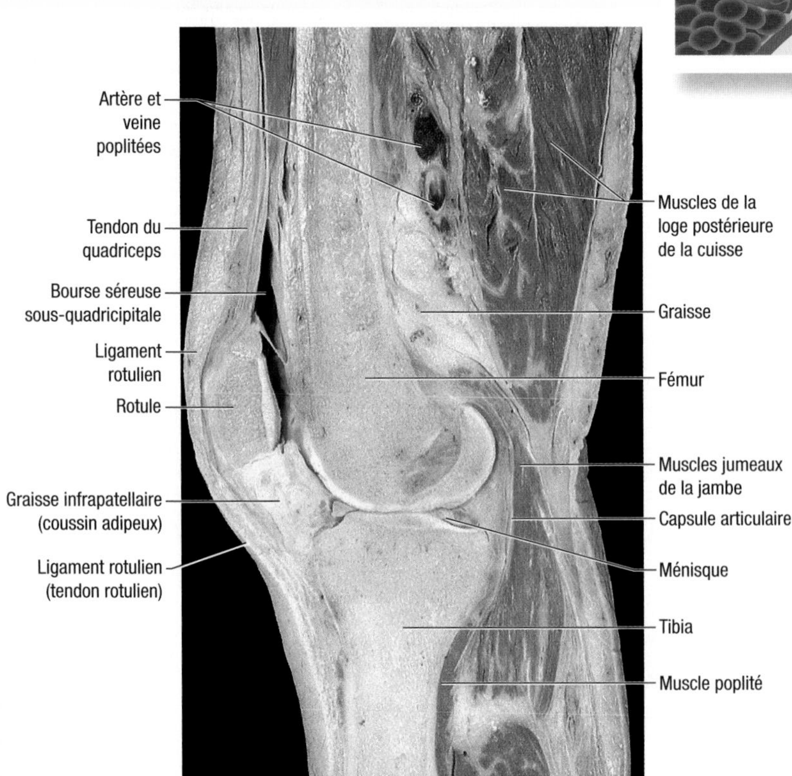

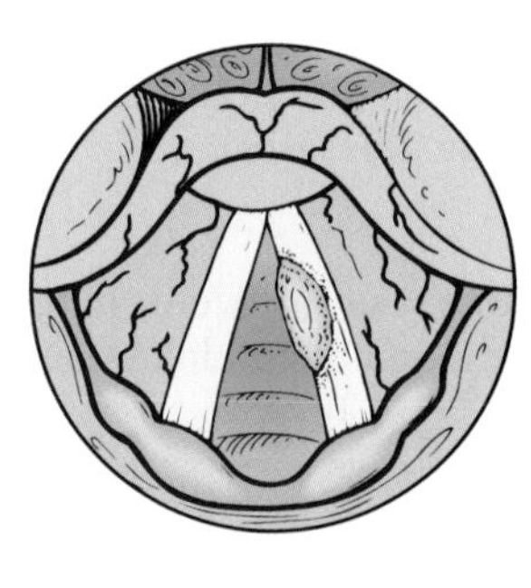

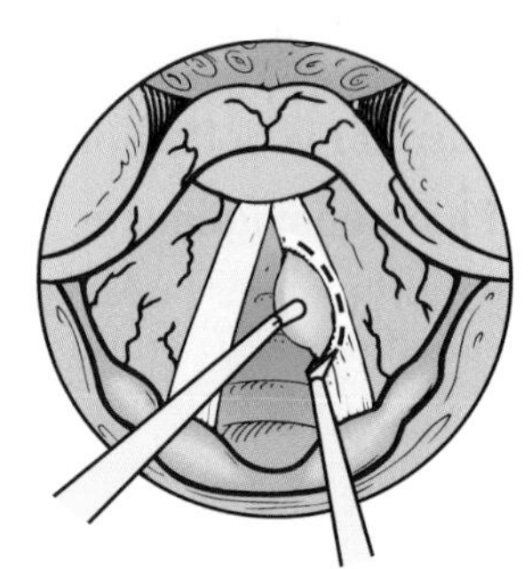

Tableaux et encadrés

Tout au long des chapitres, plusieurs types de tableaux et d'encadrés résument l'information essentielle. On les distingue par leur couleur. La couleur des tableaux et encadrés thématiques permet de faire un lien avec les composantes et les champs de compétences cliniques de l'infirmière décrits dans la *Mosaïque des compétences de l'infirmière – Compétences initiales* de l'OIIQ.

Bleu	Tableaux et encadrés généraux	
Vert	Composante professionnelle / Évaluation et interventions cliniques / Processus thérapeutique (démarche de soins)	Collecte des données Constats de l'évaluation Évaluation et interventions en situation d'urgence Examens paracliniques Histoire de santé Processus diagnostique et thérapeutique
Rouge	Composante professionnelle / Interventions cliniques	Considérations gérontologiques Délégation de tâches Pratiques infirmières suggérées
Orangé	Composante fonctionnelle / Champ scientifique	Anomalies courantes Approches complémentaires et parallèles en santé Changements liés à l'âge Différences hommes-femmes Facteurs de risque Génétique et pratique clinique Informatique dans la pratique Pharmacothérapie Pratique fondée sur des résultats probants Thérapie nutritionnelle
Ocre	Composante fonctionnelle / Champ éthique – Juridique	Dilemmes éthiques
Violet	Composante fonctionnelle / Champ relationnel	Enseignement au client et à ses proches Promotion et prévention Soins infirmiers interculturels

Bleu

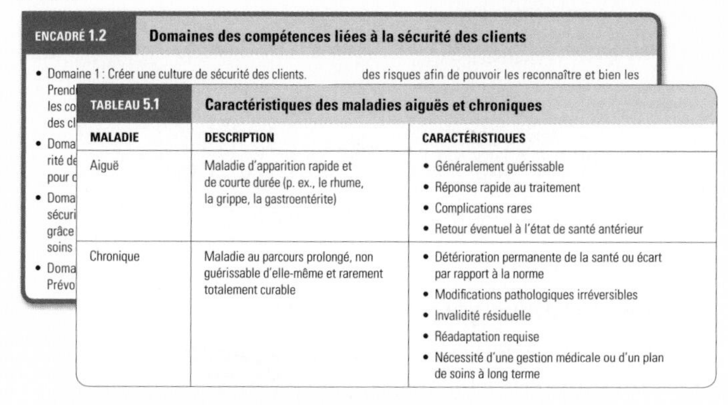

ENCADRÉ 1.2 Domaines des compétences liées à la sécurité des clients
Domaine 1 : Créer une culture de sécurité des clients.
des risques afin de pouvoir les reconnaître et bien les
TABLEAU 5.1 Caractéristiques des maladies aiguës et chroniques
MALADIE
DESCRIPTION
CARACTÉRISTIQUES
Aiguë
Maladie d'apparition rapide et de courte durée (p. ex., le rhume, la grippe, la gastroentérite)
Généralement guérissable
Réponse rapide au traitement
Complications rares
Retour éventuel à l'état de santé antérieur
Chronique
Maladie au parcours prolongé, non guérissable d'elle-même et rarement totalement curable
Détérioration permanente de la santé ou écart par rapport à la norme
Modifications pathologiques irréversibles
Invalidité résiduelle
Réadaptation requise
Nécessité d'une gestion médicale ou d'un plan de soins à long terme

Vert

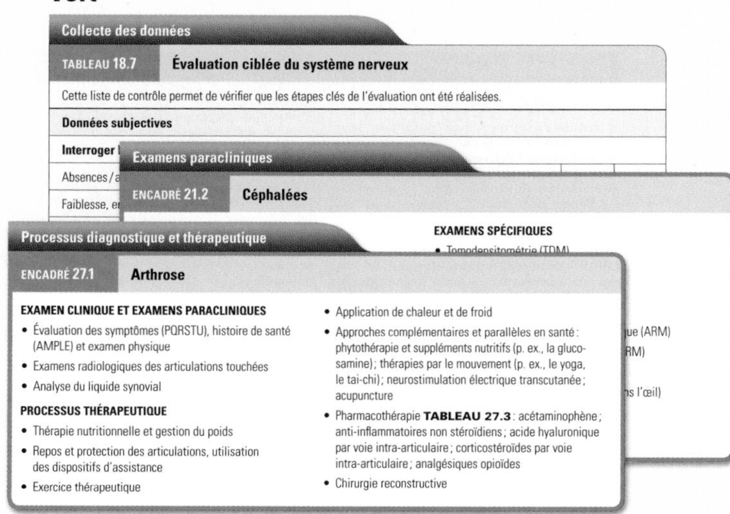

Collecte des données
TABLEAU 18.7 Évaluation ciblée du système nerveux
Cette liste de contrôle permet de vérifier que les étapes clés de l'évaluation ont été réalisées.
Données subjectives
Examens paracliniques
ENCADRÉ 21.2 Céphalées
EXAMENS SPÉCIFIQUES
Processus diagnostique et thérapeutique
ENCADRÉ 27.1 Arthrose
EXAMEN CLINIQUE ET EXAMENS PARACLINIQUES
Évaluation des symptômes (PQRSTU), histoire de santé (AMPLE) et examen physique
Examens radiologiques des articulations touchées
Analyse du liquide synovial
PROCESSUS THÉRAPEUTIQUE
Thérapie nutritionnelle et gestion du poids
Repos et protection des articulations, utilisation des dispositifs d'assistance
Exercice thérapeutique
Application de chaleur et de froid
Approches complémentaires et parallèles en santé : phytothérapie et suppléments nutritifs (p. ex., la glucosamine) ; thérapies par le mouvement (p. ex., le yoga, le tai-chi) ; neurostimulation électrique transcutanée ; acupuncture
Pharmacothérapie TABLEAU 27.3 : acétaminophène ; anti-inflammatoires non stéroïdiens ; acide hyaluronique par voie intra-articulaire ; corticostéroïdes par voie intra-articulaire ; analgésiques opioïdes
Chirurgie reconstructive

Rouge

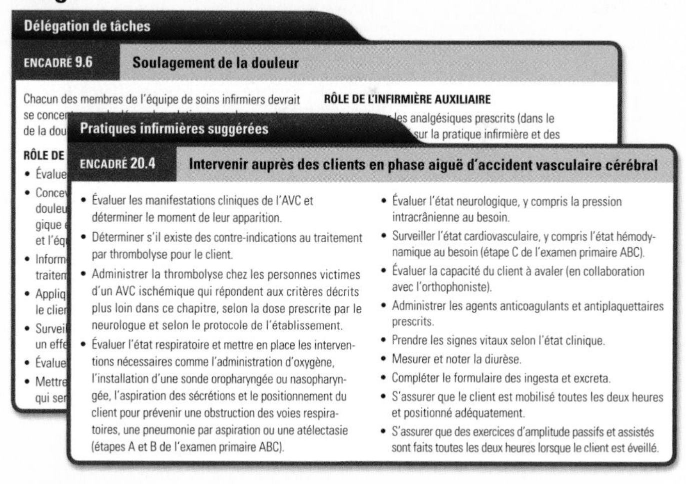

Délégation de tâches
ENCADRÉ 9.6 Soulagement de la douleur
Chacun des membres de l'équipe de soins infirmiers devrait
RÔLE DE L'INFIRMIÈRE AUXILIAIRE
Pratiques infirmières suggérées
ENCADRÉ 20.4 Intervenir auprès des clients en phase aiguë d'accident vasculaire cérébral
Évaluer les manifestations cliniques de l'AVC et déterminer le moment de leur apparition.
Déterminer s'il existe des contre-indications au traitement par thrombolyse pour le client.
Administrer la thrombolyse chez les personnes victimes d'un AVC ischémique qui répondent aux critères décrits plus loin dans ce chapitre, selon la dose prescrite par le neurologue et selon le protocole de l'établissement.
Évaluer l'état respiratoire et mettre en place les interventions nécessaires comme l'administration d'oxygène, l'installation d'une sonde oropharyngée ou nasopharyngée, l'aspiration des sécrétions et le positionnement du client pour prévenir une obstruction des voies respiratoires, une pneumonie par aspiration ou une atélectasie (étapes A et B de l'examen primaire ABC).
Évaluer l'état neurologique, y compris la pression intracrânienne au besoin.
Surveiller l'état cardiovasculaire, y compris l'état hémodynamique au besoin (étape C de l'examen primaire ABC).
Évaluer la capacité du client à avaler (en collaboration avec l'orthophoniste).
Administrer les agents anticoagulants et antiplaquettaires prescrits.
Prendre les signes vitaux selon l'état clinique.
Mesurer et noter la diurèse.
Compléter le formulaire des ingesta et excreta.
S'assurer que le client est mobilisé toutes les deux heures et positionné adéquatement.
S'assurer que des exercices d'amplitude passifs et assistés sont faits toutes les deux heures lorsque le client est éveillé.

Orangé

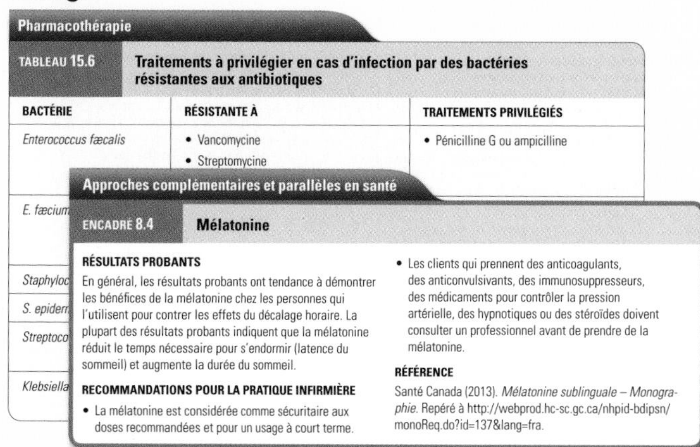

Pharmacothérapie
TABLEAU 15.6 Traitements à privilégier en cas d'infection par des bactéries résistantes aux antibiotiques
BACTÉRIE
RÉSISTANTE À
TRAITEMENTS PRIVILÉGIÉS
Enterococcus fæcalis
Vancomycine
Streptomycine
Pénicilline G ou ampicilline
Approches complémentaires et parallèles en santé
ENCADRÉ 8.4 Mélatonine
RÉSULTATS PROBANTS
En général, les résultats probants ont tendance à démontrer les bénéfices de la mélatonine chez les personnes qui l'utilisent pour contrer les effets du décalage horaire. La plupart des résultats probants indiquent que la mélatonine réduit le temps nécessaire pour s'endormir (latence du sommeil) et augmente la durée du sommeil.
RECOMMANDATIONS POUR LA PRATIQUE INFIRMIÈRE
La mélatonine est considérée comme sécuritaire aux doses recommandées et pour un usage à court terme.
Les clients qui prennent des anticoagulants, des anticonvulsivants, des immunosuppresseurs, des médicaments pour contrôler la pression artérielle, des hypnotiques ou des stéroïdes doivent consulter un professionnel avant de prendre de la mélatonine.
RÉFÉRENCE
Santé Canada (2013). Mélatonine sublinguale – Monographie. Repéré à http://webprod.hc-sc.gc.ca/nhpid-bdipsn/monoReq.do?id=137&lang=fra.

Ocre

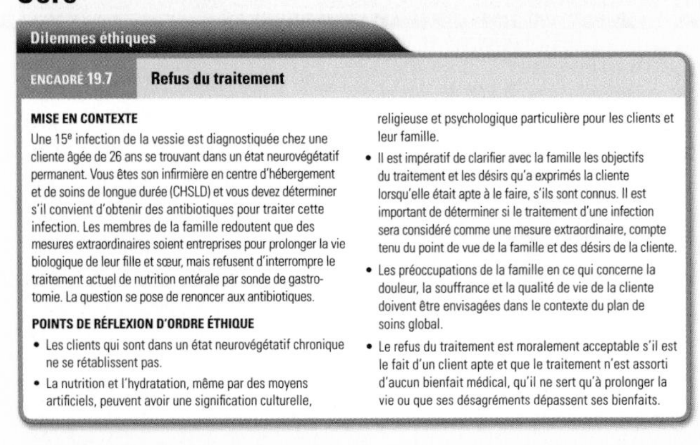

Dilemmes éthiques

ENCADRÉ 19.7 Refus du traitement

MISE EN CONTEXTE

Une 15e infection de la vessie est diagnostiquée chez une cliente âgée de 26 ans se trouvant dans un état neurovégétatif permanent. Vous êtes son infirmière en centre d'hébergement et de soins de longue durée (CHSLD) et vous devez déterminer s'il convient d'obtenir des antibiotiques pour traiter cette infection. Les membres de la famille redoutent que des mesures extraordinaires soient entreprises pour prolonger la vie biologique de leur fille et sœur, mais refusent d'interrompre le traitement actuel de nutrition entérale par sonde de gastrostomie. La question se pose de renoncer aux antibiotiques.

POINTS DE RÉFLEXION D'ORDRE ÉTHIQUE

- Les clients qui sont dans un état neurovégétatif chronique ne se rétablissent pas.
- La nutrition et l'hydratation, même par des moyens artificiels, peuvent avoir une signification culturelle, religieuse et psychologique particulière pour les clients et leur famille.
- Il est impératif de clarifier avec la famille les objectifs du traitement et les désirs qu'a exprimés la cliente lorsqu'elle était apte à le faire, s'ils sont connus. Il est important de déterminer si le traitement d'une infection sera considéré comme une mesure extraordinaire, compte tenu du point de vue de la famille et des désirs de la cliente.
- Les préoccupations de la famille en ce qui concerne la douleur, la souffrance et la qualité de vie de la cliente doivent être envisagées dans le contexte du plan de soins global.
- Le refus du traitement est moralement acceptable s'il est le fait d'un client apte et que le traitement n'est assorti d'aucun bienfait médical, qu'il ne sert qu'à prolonger la vie ou que ses désagréments dépassent ses bienfaits.

Violet

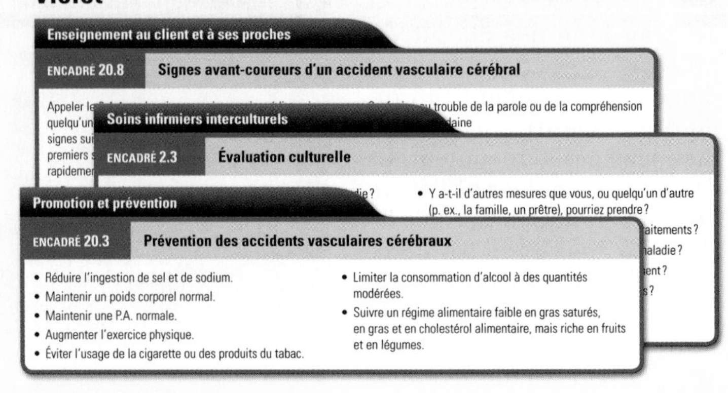

Enseignement au client et à ses proches

ENCADRÉ 20.8 Signes avant-coureurs d'un accident vasculaire cérébral

Soins infirmiers interculturels

ENCADRÉ 2.3 Évaluation culturelle

- Y a-t-il d'autres mesures que vous, ou quelqu'un d'autre (p. ex., la famille, un prêtre), pourriez prendre?

Promotion et prévention

ENCADRÉ 20.3 Prévention des accidents vasculaires cérébraux

- Réduire l'ingestion de sel et de sodium.
- Maintenir un poids corporel normal.
- Maintenir une P.A. normale.
- Augmenter l'exercice physique.
- Éviter l'usage de la cigarette ou des produits du tabac.
- Limiter la consommation d'alcool à des quantités modérées.
- Suivre un régime alimentaire faible en gras saturés, en gras et en cholestérol alimentaire, mais riche en fruits et en légumes.

Plans de soins et de traitements infirmiers

Les chapitres *Interventions cliniques* proposent de nombreux exemples de plans de soins et de traitements infirmiers (PSTI).

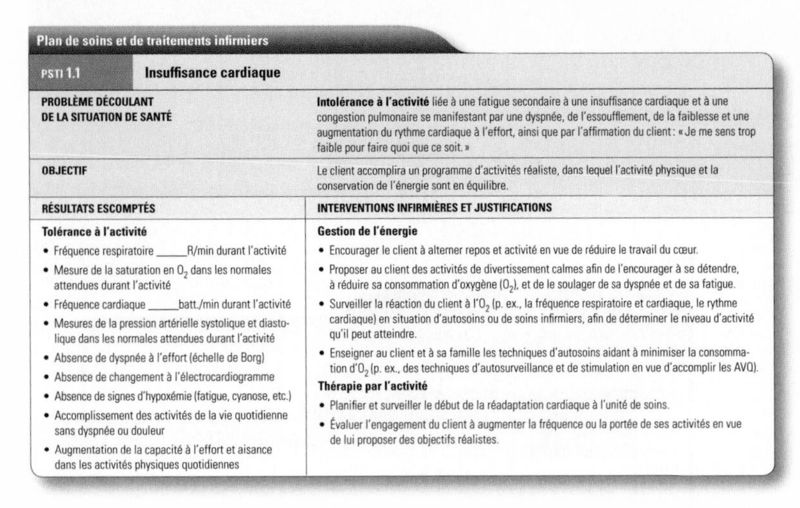

Plan de soins et de traitements infirmiers

PSTI 1.1 Insuffisance cardiaque

PROBLÈME DÉCOULANT DE LA SITUATION DE SANTÉ	**Intolérance à l'activité** liée à une fatigue secondaire à une insuffisance cardiaque et à une congestion pulmonaire se manifestant par une dyspnée, de l'essoufflement, de la faiblesse et une augmentation du rythme cardiaque à l'effort, ainsi que par l'affirmation du client : « Je me sens trop faible pour faire quoi que ce soit. »
OBJECTIF	Le client accomplira un programme d'activités réaliste, dans lequel l'activité physique et la conservation de l'énergie sont en équilibre.
RÉSULTATS ESCOMPTÉS	**INTERVENTIONS INFIRMIÈRES ET JUSTIFICATIONS**
Tolérance à l'activité • Fréquence respiratoire _____R/min durant l'activité • Mesure de la saturation en O_2 dans les normales attendues durant l'activité • Fréquence cardiaque _____batt./min durant l'activité • Mesures de la pression artérielle systolique et diastolique dans les normales attendues durant l'activité • Absence de dyspnée à l'effort (échelle de Borg) • Absence de changement à l'électrocardiogramme • Absence de signes d'hypoxémie (fatigue, cyanose, etc.) • Accomplissement des activités de la vie quotidienne sans dyspnée ou douleur • Augmentation de la capacité à l'effort et aisance dans les activités physiques quotidiennes	**Gestion de l'énergie** • Encourager le client à alterner repos et activité en vue de réduire le travail du cœur. • Proposer au client des activités de divertissement calmes afin de l'encourager à se détendre, à réduire sa consommation d'oxygène (O_2), et de le soulager de sa dyspnée et de sa fatigue. • Surveiller la réaction du client à l'O_2 (p. ex., la fréquence respiratoire et cardiaque, le rythme cardiaque) en situation d'autosoins ou de soins infirmiers, afin de déterminer le niveau d'activité qu'il peut atteindre. • Enseigner au client et à sa famille les techniques d'autosoins aidant à minimiser la consommation d'O_2 (p. ex., des techniques d'autosurveillance et de stimulation en vue d'accomplir les AVQ). **Thérapie par l'activité** • Planifier et surveiller le début de la réadaptation cardiaque à l'unité de soins. • Évaluer l'engagement du client à augmenter la fréquence ou la portée de ses activités en vue de lui proposer des objectifs réalistes.

Soins et traitements infirmiers

Cette section, mise en évidence par une présentation tramée, décrit spécifiquement les interventions infirmières.

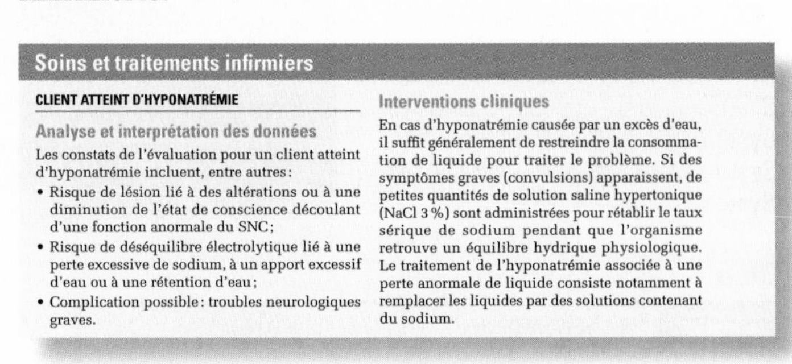

Soins et traitements infirmiers

CLIENT ATTEINT D'HYPONATRÉMIE

Analyse et interprétation des données

Les constats de l'évaluation pour un client atteint d'hyponatrémie incluent, entre autres :

- Risque de lésion lié à des altérations ou à une diminution de l'état de conscience découlant d'une fonction anormale du SNC ;
- Risque de déséquilibre électrolytique lié à une perte excessive de sodium, à un apport excessif d'eau ou à une rétention d'eau ;
- Complication possible : troubles neurologiques graves.

Interventions cliniques

En cas d'hyponatrémie causée par un excès d'eau, il suffit généralement de restreindre la consommation de liquide pour traiter le problème. Si des symptômes graves (convulsions) apparaissent, de petites quantités de solution saline hypertonique (NaCl 3 %) sont administrées pour rétablir le taux sérique de sodium pendant que l'organisme retrouve un équilibre hydrique physiologique. Le traitement de l'hyponatrémie associée à une perte anormale de liquide consiste notamment à remplacer les liquides par des solutions contenant du sodium.

Soins et traitements en interdisciplinarité

Les soins et traitements en interdisciplinarité sont présentés de façon distincte.

Soins et traitements en interdisciplinarité

CLIENT ATTEINT DE GOUTTE

Chez le client atteint d'arthrite goutteuse aiguë, les interventions infirmières se concentrent sur le contrôle de la douleur touchant les articulations enflammées. L'infirmière doit veiller à ne pas causer de douleur en manipulant maladroitement une articulation enflammée. Le repos au lit, avec immobilisation adéquate des articulations touchées, peut être approprié. Si une extrémité des membres inférieurs est touchée, l'infirmière doit prévoir un cerceau ou une planche pour les pieds afin de protéger la région endolorie du poids exercé par les couvertures. De plus, il convient d'évaluer les limites d'amplitude de mouvements et l'intensité de la douleur ressentie par le client, tout en documentant l'efficacité du traitement.

L'infirmière doit expliquer au client et à sa famille que l'hyperuricémie et l'arthrite goutteuse sont des problèmes de santé chroniques que l'on peut maîtriser en respectant scrupuleusement le plan de traitement. L'infirmière doit leur prodiguer des explications sur l'importance du traitement pharmacologique et la nécessité de mesurer périodiquement les taux sériques d'acide urique. Le client doit être en mesure de montrer qu'il connaît bien les facteurs qui peuvent déclencher une crise, entre autres : la consommation excessive d'alcool et d'aliments riches en calories ou en purine ; la privation de nourriture (jeûne) ; l'utilisation de certains médicaments (p. ex., la niacine, l'acide acétylsalicylique et les diurétiques) ; des événements médicaux majeurs (p. ex., une intervention chirurgicale, un infarctus du myocarde).

Considérations gérontologiques

Cette section fait ressortir les effets physiologiques du vieillissement et les aspects particuliers à considérer dans le cas d'une pathologie chez les personnes âgées.

Considérations gérontologiques

ANTIÉPILEPTIQUES

L'incidence de nouveaux cas d'épilepsie est élevée dans la population âgée. Avant d'utiliser des antiépileptiques dans ce groupe, il importe de tenir compte des changements qui se produisent au cours du vieillissement. Ainsi, la phénytoïne est d'usage répandu dans le traitement de l'épilepsie. Cependant, comme ce médicament est métabolisé par le foie, son utilisation chez la personne âgée peut poser un problème en raison du ralentissement de la fonction hépatique. En effet, des modifications enzymatiques liées au vieillissement diminuent la capacité du foie à métaboliser les médicaments. D'autre part, le phénobarbital et la primidone (Mysoline^MD) altèrent la fonction cognitive. Par conséquent, leur utilisation chez la personne âgée n'est pas souhaitable.

Plusieurs des nouveaux antiépileptiques semblent plus avantageux pour la personne âgée. La gabapentine et le lévétiracétam altèrent peu la fonction cognitive et interagissent moins avec d'autres médicaments. La lamotrigine a également fait ses preuves, et l'oxcarbazépine (Trileptal^MD) est mieux tolérée que la carbamazépine. Enfin, le topiramate est considéré comme étant sécuritaire pour la personne âgée (Bromfield, 2010).

Anomalies courantes

Système auditif – Tableau 28.12 32
Système cardiovasculaire – Tableau 39.5 546
Système hématologique – Tableau 37.9 422
Système respiratoire – Tableau 33.10 205
Système tégumentaire – Tableau 30.8 100
Système visuel – Tableau 28.6 16

Approches complémentaires et parallèles en santé

Echinacea purpurea – Encadré 34.2 226
Hypolipémiants – Tableau 41.5 617
Suppléments diététiques et suppléments à base de plantes pouvant avoir un effet sur la coagulation – Encadré 45.9 826

Changements liés à l'âge

Système auditif – Tableau 28.8 24
Système cardiovasculaire – Tableau 39.1 537
Système hématologique – Tableau 37.5 413
Système respiratoire – Tableau 33.4 192
Système tégumentaire – Tableau 30.1 91
Système visuel – Tableau 28.1 7

Collecte des données

Anémie – Encadré 38.2 443
Artériopathie périphérique des membres inférieurs – Encadré 45.3 797
Asthme – Encadré 36.6 347
Cancer de la tête ou du cou – Encadré 34.7 246
Cancer du poumon – Encadré 35.12 289
Endocardite infectieuse – Encadré 44.3 749
Étapes de l'évaluation de symptômes d'angine (PQRSTU) – Tableau 41.8 623
Étapes de l'évaluation de symptômes liés au système auditif (PQRSTU) – Tableau 28.9 26
Étapes de l'évaluation de symptômes liés au système cardiovasculaire (PQRSTU) – Tableau 39.2 539
Étapes de l'évaluation de symptômes liés au système hématologique (PQRSTU) – Tableau 37.6 414
Étapes de l'évaluation de symptômes liés au système respiratoire (PQRSTU) – Tableau 33.5 193
Étapes de l'évaluation de symptômes liés au système tégumentaire (PQRSTU) – Tableau 30.3 93
Étapes de l'évaluation de symptômes liés au système visuel (PQRSTU) – Tableau 28.2 9
Évaluation ciblée des anomalies courantes de la peau – Tableau 30.9 103
Évaluation ciblée du système hématologique – Tableau 37.10 426
Évaluation ciblée du système respiratoire – Tableau 33.6 194
Évaluation ciblée du système visuel – Tableau 28.4 14
Évaluation de suivi du système cardiovasculaire – Encadré 39.1 550
Examen ciblé du système auditif – Tableau 28.11 30
Examen physique du système cardiovasculaire – Tableau 39.6 550
Examen physique du système respiratoire normal – Tableau 33.11 207
Examen physique normal du système auditif – Encadré 28.2 30
Examen physique normal du système visuel – Encadré 28.1 15
Fibrose kystique – Encadré 36.19 395
Hypertension artérielle – Encadré 40.5 591
Indice $CHADS_2$ – Tableau 43.6 720
Insuffisance cardiaque – Encadré 42.4 690
Leucémie – Encadré 38.20 500
Maladie pulmonaire obstructive chronique – Encadré 36.15 380
Pneumonie – Encadré 35.5 266
Rhumatisme articulaire aigu et cardite rhumatismale – Encadré 44.8 760
Syndrome coronarien aigu – Encadré 41.9 646
Techniques d'évaluation du système visuel – Tableau 28.5 15
Thrombocytopénie – Encadré 38.12 473
Thrombose veineuse profonde – Encadré 45.8 825
Valvulopathie – Encadré 44.12 772

Délégation de tâches

Administrer de l'oxygène – Encadré 36.11 368
Aspiration et soins de trachéostomie – Encadré 34.5 241
Cathérisme cardiaque et intervention coronarienne percutanée – Encadré 41.6 631
Soins à la personne neutropénique – Encadré 38.19 490
Soins de la peau – Encadré 31.3 136

Différences hommes-femmes

Asthme – Tableau 36.1 322
Cancer du poumon – Tableau 35.10 283
Coronaropathie – Tableau 41.1 608
Hypertension artérielle – Tableau 40.2 569
Insuffisance cardiaque – Tableau 42.1 666
Maladie pulmonaire obstructive chronique – Tableau 36.9 356
Syndrome coronarien aigu – Tableau 41.14 643
Troubles vasculaires – Tableau 45.1 789

Dilemmes éthiques

Adhésion thérapeutique des clients – Encadré 35.9 277
Croyances religieuses – Encadré 38.23 513
Gestion de la douleur – Encadré 38.7 461
Mandat en cas d'inaptitude – Encadré 36.16 389
Ordonnance de non-réanimation – Encadré 44.11 770

Enseignement au client et à ses proches

Activité sexuelle après un syndrome coronarien aigu – Encadré 41.17 659
Anticoagulothérapie avec la warfarine – Encadré 45.11 828
Après une chirurgie de l'oreille – Encadré 29.12 72
Après une chirurgie oculaire – Encadré 29.5 54
Asthme – Tableau 36.8 352
Cardiomyopathie – Encadré 44.14 783
Comment atténuer les symptômes de rhinite allergique – Tableau 34.1 222
Débitmètre de pointe – Encadré 36.8 351
Défibrillateur cardiaque implantable – Encadré 43.3 731
Étapes pour réussir la déglutition supraglottique – Encadré 34.6 246
Hypertension artérielle – Encadré 40.9 595
Inhalateur de poudre sèche – Encadré 36.5 344
Insuffisance cardiaque – Encadré 42.5 695
Lignes directrices relatives à l'activité physique après un syndrome coronarien aigu selon le principe FITT – Encadré 41.16 658
Maladie pulmonaire obstructive chronique – Tableau 36.16 384

Neutropénie – Encadré 38.18 489
Oxygénothérapie à domicile – Encadré 36.12 374
Pontage artériel périphérique – Encadré 45.4 800
Prévention de l'otite externe – Encadré 29.10 69
Prolapsus valvulaire mitral – Encadré 44.9 766
Réduction des facteurs de risque de la coronaropathie – Tableau 41.4 615
Respiration à lèvres pincées – Encadré 36.7 350
Sinusite aiguë ou chronique – Encadré 34.4 232
Stimulateur cardiaque – Encadré 43.6 735
Syndrome coronarien aigu – Encadré 41.14 655
Technique de toux contrôlée – Encadré 36.13 375
Thrombocytopénie – Encadré 38.13 475

Évaluation et interventions en situation d'urgence

Arythmie – Tableau 43.4 712
Brûlures chimiques – Tableau 32.5 155
Brûlures électriques – Tableau 32.6 156
Brûlures thermiques – Tableau 32.3 154
Blessures thoraciques – Tableau 35.15 293
Douleur thoracique – Tableau 41.13 639
Lésions oculaires – Tableau 29.1 41
Lésions par inhalation – Tableau 32.4 154
Trauma thoracique – Tableau 35.14 292

Examens paracliniques

Analyses de laboratoire et examens sanguins – Tableau 37.14 432
Anomalies en cause dans la coagulation intravasculaire disséminée – Tableau 38.10 483
Comparaison des anomalies en cause dans la thrombocytopénie – Tableau 38.6 470
Examens de coagulation – Tableau 37.12 429
Formule sanguine complète – Tableau 37.11 427
Interprétation des résultats du test cutané à la tuberculine (TCT) – Tableau 33.14 212
Résultats des analyses de laboratoire en cas d'anémie – Tableau 38.4 448
Résultats des analyses de laboratoire en cas d'hémophilie – Tableau 38.8 479
Système auditif – Tableau 28.13 33
Système cardiovasculaire – Tableau 39.7 551
Système hématologique – Tableau 37.15 433
Système respiratoire – Tableau 33.13 208
Système tégumentaire – Tableau 30.10 104
Système visuel – Tableau 28.7 21
Tests de coagulation sanguine – Tableau 45.7 821
Thrombose veineuse profonde – Tableau 45.5 818

Facteurs de risque

Complications de la pneumonie chez les personnes présentant une maladie chronique sous-jacente et certains facteurs de risque – Tableau 35.2 264
Décollement rétinien – Encadré 29.6 56
Éléments déclencheurs des crises d'asthme aiguës – Encadré 36.1 323
Facteurs de risque de la coronaropathie – Encadré 41.1 607
Facteurs de risque de la pneumonie – Encadré 35.1 259
Facteurs prédisposant à l'endocardite infectieuse – Encadré 44.2 745
Facteurs prédisposant à la coagulation intravasculaire disséminée (CIVD) – Encadré 38.15 481
Thrombose veineuse profonde – Encadré 45.6 816
Utilisation de la règle de Fine pour l'établissement de la classe de risque du client – Tableau 35.1 260

Génétique et pratique clinique

Anémie falciforme – Encadré 38.6 457
Déficit en α_1-antitrypsine – Encadré 36.9 358
Fibrose kystique – Encadré 36.17 390
Hémochromatose héréditaire HFE (ou de type 1) – Encadré 38.8 463
Hémophilie par déficit en facteurs VIII ou IX – Encadré 38.14 477
Hypercholestérolémie familiale – Encadré 41.2 609

Histoire de santé

Modes fonctionnels de santé – Éléments complémentaires : système auditif – Tableau 28.10 28
Modes fonctionnels de santé – Éléments complémentaires : système cardiovasculaire – Tableau 39.4 543
Modes fonctionnels de santé – Éléments complémentaires : système hématologique – Tableau 37.8 418
Modes fonctionnels de santé – Éléments complémentaires : système respiratoire – Tableau 33.7 196
Modes fonctionnels de santé – Éléments complémentaires : système tégumentaire – Tableau 30.4 96
Modes fonctionnels de santé – Éléments complémentaires : système visuel – Tableau 28.3 12

Pharmacothérapie

Agents thérapeutiques des leucémies – Tableau 38.12 498
Angine chronique stable et syndrome coronarien aigu – Tableau 41.11 627
Anticoagulothérapie – Tableau 45.6 820
Anticoagulothérapie chez le client qui présente une fibrillation auriculaire – Tableau 43.7 720
Asthme et maladie pulmonaire obstructive chronique – Tableau 36.5 337
Bases courantes des médicaments topiques – Tableau 31.13 130
Brûlures – Tableau 32.10 165
Classification Vaughan-Williams, action des antiarythmiques et effets sur l'électrocardiogramme – Tableau 43.8 728
Dyslipidémie – Tableau 41.6 618
Effets indésirables de certains médicaments et compléments courants non cardiologiques sur le système cardiovasculaire – Tableau 39.3 540
Facteurs de remplacement utilisés dans le traitement de l'hémophilie – Tableau 38.9 479
Glaucome chronique et aigu – Tableau 29.3 62
Hypertension artérielle – Tableau 40.8 583
Insuffisance cardiaque chronique – Tableau 42.7 681
Lignes directrices du traitement pharmacologique d'une maladie pulmonaire obstructive chronique stable – Tableau 36.13 367
Médicaments d'entretien et de soulagement rapide de l'asthme – Encadré 36.3 336
Médicaments et suppléments vitaminiques, minéraux et diététiques courants interagissant avec les anticoagulants oraux – Encadré 45.7 822
Médicaments pouvant être photosensibilisants – Tableau 31.2 109
Médicaments qui affectent le système hématologique – Tableau 37.7 416
Médicaments topiques pour dilater la pupille – Tableau 29.2 51
Médication combinée pour le traitement de l'hypertension artérielle – Tableau 40.9 589
Options thérapeutiques contre la tuberculose – Tableau 35.6 274
Rhinite allergique et sinusite – Tableau 34.2 223
Schémas thérapeutiques contre les infections tuberculeuses latentes – Tableau 35.7 275
Tuberculose – Tableau 35.5 274

Plan de soins et de traitements infirmiers

Anémie – PSTI 38.1 444
Artériopathie périphérique des membres inférieurs – PSTI 45.1 797
Asthme – PSTI 36.1 354
Insuffisance cardiaque – PSTI 42.1 691
Laryngectomie totale ou dissection radicale du cou – PSTI 34.2 247
Maladie pulmonaire obstructive chronique – PSTI 36.2 381
Pneumonie – PSTI 35.1 267
Syndrome coronarien aigu – PSTI 41.1 647
Thoracotomie – PSTI 35.2 301
Thrombocytopénie (thrombopénie) – PSTI 38.2 474
Trachéotomie – PSTI 34.1 237
Valvulopathie – PSTI 44.1 772

Pratique fondée sur des résultats probants

Comment apporter un soulagement au client essoufflé qui se trouve à un stade avancé de sa maladie ? – Encadré 36.18 392
L'exercice physique peut-il contribuer à réduire la dépression chez les clients qui souffrent d'insuffisance cardiaque ? – Encadré 42.3 689
L'implantation d'une endoprothèse vasculaire métallique lors de l'angioplastie transluminale percutanée permet-elle de réduire la claudication intermittente ? – Encadré 45.1 790
La sulfadiazine d'argent favorise-t-elle la guérison des brûlures ? – Encadré 32.5 167
Le moment de l'ambulation a-t-il une incidence sur la sécurité du client à la suite d'une intervention coronarienne percutanée ? – Encadré 41.11 651
Les changements relatifs aux matières grasses alimentaires ont-ils des effets bénéfiques sur la maladie cardiovasculaire ? – Encadré 41.5 618
Les conseils d'une nutritionniste permettent-ils d'atténuer les symptômes de l'insuffisance cardiaque ? – Encadré 42.2 686
Les infirmières peuvent-elles améliorer l'assiduité des clients au traitement ophtalmique ? – Encadré 29.9 66
Pourquoi certaines personnes ne se conforment-elles pas à la thérapie antihypertensive ? – Encadré 40.3 590
Quel est l'effet d'une rhinite allergique chez les clients asthmatiques ? – Encadré 34.1 223
Quelles interventions permettent d'accroître le bien-être du client atteint d'un cancer du poumon ? – Encadré 35.11 286

Pratiques infirmières suggérées

Adopter une démarche systématique d'évaluation du rythme cardiaque – Encadré 43.2 712
Administrer de l'oxygène : les principales méthodes – Tableau 36.14 369
Communiquer avec le client souffrant d'une déficience auditive – Encadré 29.16 81
Déléguer les tâches auprès du client porteur de verres correcteurs ou de prothèses auditives – Encadré 29.1 39
Intervenir auprès des clients recevant des anticoagulants – Encadré 45.10 827
Mesurer le pouls paradoxal – Encadré 44.5 753
Mesures manuelles de la pression artérielle – Encadré 40.7 593

Processus diagnostique et thérapeutique

Anémie ferriprive – Encadré 38.3 448
Artériopathie périphérique – Encadré 45.2 792
Asthme – Encadré 36.2 330
Cancer du poumon – Encadré 35.10 285
Cardiomyopathie – Encadré 44.13 777
Cataracte – Encadré 29.4 50
Client ayant subi des brûlures – Tableau 32.7 161
Cœur pulmonaire – Encadré 35.15 315
Décollement rétinien – Encadré 29.7 56
Dissection aortique – Encadré 45.5 810
Embolie pulmonaire – Encadré 35.14 309
Glaucome – Encadré 29.8 62
Hypertension artérielle – Encadré 40.2 578
Insuffisance cardiaque – Tableau 42.5 676
Maladie de Ménière – Encadré 29.14 74
Maladie pulmonaire obstructive chronique – Encadré 36.10 365
Neutropénie – Encadré 38.17 487
Otite moyenne chronique – Encadré 29.11 72
Otospongiose – Encadré 29.13 73
Péricardite aiguë – Encadré 44.6 754
Pneumonie – Encadré 35.3 264
Problèmes liés à l'hypertension artérielle – Encadré 40.6 592
Rhumatisme articulaire aigu – Encadré 44.7 759
Thrombocytopénie – Encadré 38.11 471
Tuberculose – Encadré 35.8 273
Valvulopathie – Encadré 44.10 768

Promotion et prévention

Impact sur la santé de soins oculaires adéquats – Encadré 29.3 42
Prévention de la maladie cardiaque – Encadré 41.3 614
Prévention des maladies respiratoires – Encadré 35.6 268
Prévention et régulation de l'hypertension artérielle – Encadré 40.8 594
Protection contre une perte auditive – Encadré 29.15 78
Recommandations concernant la vaccination par le vaccin Pneumovax[MD] – Encadré 35.4 265

Soins infirmiers interculturels

Hypertension artérielle – Tableau 40.1 568
Troubles tégumentaires – Encadré 31.1 112
Tuberculose – Encadré 35.7 270

Thérapie nutritionnelle

Conseils pour la mise en oeuvre des recommandations relatives à l'alimentation et aux habitudes de vie de l'American Heart Association – Encadré 41.8 645
Modification du régime alimentaire liée au syndrome coronarien aigu – Tableau 41.15 644
Nutriments essentiels à l'érythropoïèse – Tableau 38.3 447
Optimisation de l'apport alimentaire chez le client atteint de maladie pulmonaire obstructive chronique – Encadré 36.14 379
Régime alimentaire DASH pour diminuer l'hypertension artérielle – Tableau 40.7 580
Régime hyposodé – Tableau 42.8 687

Avant-propos ... III
Remerciements ... III
Équipe de rédaction ... IV
Caractéristiques du manuel ... XI
Tableaux et encadrés spécifiques ... XVII

TOME 2

PARTIE 4 Troubles liés à une perception sensorielle modifiée

CHAPITRE 28
Systèmes visuel et auditif

28.1 Anatomie et physiologie du système visuel ... 4
28.1.1 Physiologie ... 4
28.1.2 Structures et fonctions externes ... 5
28.1.3 Structures et fonctions internes ... 6
28.2 Examen clinique du système visuel ... 9
28.2.1 Données subjectives ... 9
28.2.2 Données objectives ... 14
28.3 Examens paracliniques du système visuel ... 20
28.4 Anatomie et physiologie du système auditif ... 22
28.4.1 Oreille externe ... 22
28.4.2 Oreille moyenne ... 23
28.4.3 Oreille interne ... 23
28.5 Examen clinique du système auditif ... 25
28.5.1 Données subjectives ... 25
28.5.2 Données objectives ... 30
28.6 Examens paracliniques du système auditif ... 31
28.6.1 Examens d'acuité auditive ... 31
28.6.2 Examens spécialisés ... 34
28.6.3 Examen de la fonction vestibulaire ... 35

CHAPITRE 29
Troubles visuels et auditifs

29.1 Troubles et lésions oculaires ... 38
29.1.1 Erreurs de réfraction corrigeables ... 38
29.1.2 Déficience visuelle ne pouvant être corrigée ... 40
29.1.3 Trauma oculaire ... 40
29.2 Troubles extraoculaires ... 44
29.2.1 Inflammation et infection ... 44
29.2.2 Troubles de sécheresse oculaire ... 47
29.2.3 Strabisme ... 47
29.2.4 Troubles cornéens ... 49
29.3 Troubles intraoculaires ... 50
29.3.1 Cataracte ... 50
29.3.2 Rétinopathie ... 55
29.3.3 Décollement rétinien ... 55
29.3.4 Dégénérescence maculaire liée à l'âge ... 58
29.3.5 Glaucome ... 60
29.3.6 Inflammation et infection intraoculaires ... 67
29.3.7 Tumeurs oculaires ... 67
29.3.8 Énucléation ... 68
29.3.9 Manifestations oculaires de maladies systémiques ... 68
29.4 Troubles de l'oreille externe et du méat acoustique externe ... 68
29.4.1 Trauma ... 68
29.4.2 Otite externe ... 69
29.4.3 Cérumen et corps étrangers dans le méat acoustique externe ... 70
29.4.4 Tumeur maligne de l'oreille externe ... 70
29.5 Troubles de l'oreille moyenne et mastoïde ... 70
29.5.1 Otite moyenne aiguë ... 70
29.5.2 Otite moyenne avec épanchement (otite séreuse) ... 71
29.5.3 Otite moyenne chronique et mastoïdite ... 71
29.5.4 Otospongiose ... 73
29.6 Troubles de l'oreille interne ... 73
29.6.1 Maladie de Ménière ... 74
29.6.2 Vertige positionnel paroxystique bénin ... 75
29.6.3 Névrome acoustique ... 75
29.6.4 Perte auditive et surdité ... 76

CHAPITRE 30
Système tégumentaire

30.1 Anatomie et physiologie du système tégumentaire ... 88
30.1.1 Anatomie ... 88
30.1.2 Physiologie ... 90
30.2 Examen clinique du système tégumentaire ... 92
30.2.1 Données subjectives ... 92
30.2.2 Données objectives ... 95
30.2.3 Évaluation de la personne à la peau foncée ... 102
30.3 Examens paracliniques du système tégumentaire ... 104

CHAPITRE 31
Troubles tégumentaires

31.1 Promotion de la santé ... 108
31.1.1 Risques environnementaux ... 108
31.1.2 Repos et sommeil ... 110
31.1.3 Exercice ... 110
31.1.4 Hygiène ... 110
31.1.5 Nutrition et alimentation ... 110
31.1.6 Autotraitement ... 111
31.2 Tumeurs cutanées malignes ... 111
31.2.1 Facteurs de risque ... 112
31.3 Cancers cutanés sans présence de mélanome ... 112
31.3.1 Kératose sénile ... 112
31.3.2 Carcinome basocellulaire ... 112
31.3.3 Carcinome spinocellulaire ... 114
31.4 Mélanome malin ... 115
31.4.1 Manifestations cliniques ... 115
31.4.2 Processus thérapeutique en interdisciplinarité ... 116
31.4.3 Nævus dysplasique ou atypique ... 116
31.5 Infections et infestations cutanées ... 118
31.5.1 Infections bactériennes ... 118
31.5.2 Infections virales ... 118
31.5.3 Infections fongiques ... 118
31.5.4 Infestations et morsures ou piqûres d'insectes ... 121
31.6 Troubles dermatologiques allergiques ... 123
31.7 Troubles dermatologiques bénins ... 125
31.8 Conditions et maladies entraînant des manifestations dermatologiques ... 128
31.9 Processus thérapeutique en interdisciplinarité : client atteint de troubles dermatologiques ... 130
31.9.1 Examen clinique et examens paracliniques ... 130

31.9.2 Processus thérapeutique en interdisciplinarité 130
31.9.3 Diagnostic et traitement chirurgical 133

31.10 Chirurgie esthétique 138
31.10.1 Chirurgie non urgente 139

31.11 Greffes de peau 141
31.11.1 Applications des greffes de peau 141
31.11.2 Types de greffes de peau 141

CHAPITRE 32
Brûlures

32.1 Causes et prévalence des brûlures 146

32.2 Types de brûlures 147
32.2.1 Brûlure thermique 147
32.2.2 Brûlure chimique 147
32.2.3 Lésion par inhalation 147
32.2.4 Brûlure électrique 148

32.3 Classification des brûlures 149
32.3.1 Profondeur de la brûlure 149
32.3.2 Étendue de la brûlure 150
32.3.3 Localisation de la brûlure 151
32.3.4 Facteurs de risque du client 152

32.4 Phases de traitement d'une brûlure 152
32.4.1 Soins préhospitaliers 153
32.4.2 Phase de réanimation (d'urgence) 153
32.4.3 Phase aiguë 168
32.4.4 Phase de réadaptation 174

32.5 Besoins émotionnels du client et du proche aidant 176

32.6 Besoins spéciaux du personnel infirmier 177

PARTIE 5 Troubles d'oxygénation : ventilation

CHAPITRE 33
Système respiratoire

33.1 Anatomie et physiologie du système respiratoire 182
33.1.1 Voies respiratoires supérieures 182
33.1.2 Voies respiratoires inférieures 184
33.1.3 Paroi de la cage thoracique 186
33.1.4 Physiologie de la respiration 186
33.1.5 Régulation de la respiration 188
33.1.6 Mécanismes de défense des voies respiratoires 189

33.2 Examen clinique du système respiratoire 192
33.2.1 Données subjectives 192
33.2.2 Données objectives 200

33.3 Examens paracliniques du système respiratoire 205
33.3.1 Examen des expectorations 205
33.3.2 Tests cutanés 208
33.3.3 Examens endoscopiques 212
33.3.4 Biopsie pulmonaire 212
33.3.5 Thoracentèse (ponction pleurale) 213
33.3.6 Test de spirométrie 214
33.3.7 Épreuves de tolérance à l'effort 214

CHAPITRE 34
Troubles des voies respiratoires supérieures

34.1 Troubles du nez et des sinus paranasaux 218
34.1.1 Déviation de la cloison nasale 218
34.1.2 Fracture du nez 218
34.1.3 Rhinoplastie 218
34.1.4 Épistaxis 219
34.1.5 Rhinite allergique 221
34.1.6 Rhinite virale aiguë 226
34.1.7 Grippe 227
34.1.8 Sinusite 230
34.1.9 Obstruction du nez et des sinus 232

34.2 Problèmes liés au pharynx 232
34.2.1 Pharyngite aiguë 232
34.2.2 Phlegmon périamygdalien 233

34.3 Problèmes liés à la trachée et au larynx 233
34.3.1 Obstruction des voies respiratoires 233
34.3.2 Trachéostomie 233
34.3.3 Polypes laryngés 242
34.3.4 Cancer de la tête et du cou 242

CHAPITRE 35
Troubles des voies respiratoires inférieures

35.1 Infections des voies respiratoires inférieures 258
35.1.1 Bronchite aiguë 258
35.1.2 Coqueluche 258
35.1.3 Pneumonie 258
35.1.4 Tuberculose 269
35.1.5 Mycobactérie atypique 278
35.1.6 Infections pulmonaires fongiques 278
35.1.7 Abcès pulmonaire 279
35.1.8 Maladies pulmonaires environnementales ou professionnelles ... 280
35.1.9 Cancer du poumon 282

35.2 Traumas et blessures au thorax 291
35.2.1 Pneumothorax 291
35.2.2 Fracture de côtes 295
35.2.3 Volet costal 295
35.2.4 Drains thoraciques 296
35.2.5 Chirurgie thoracique 299

35.3 Maladies respiratoires restrictives 302
35.3.1 Épanchement pleural 304
35.3.2 Pleurésie 306
35.3.3 Atélectasie 306

35.4 Maladies interstitielles pulmonaires 306
35.4.1 Fibrose pulmonaire idiopathique 306
35.4.2 Sarcoïdose 307

35.5 Maladies pulmonaires vasculaires 307
35.5.1 Œdème aigu du poumon 307
35.5.2 Embolie pulmonaire 307

35.6 Hypertension pulmonaire 312
35.6.1 Hypertension pulmonaire primaire 312
35.6.2 Hypertension pulmonaire secondaire 314
35.6.3 Cœur pulmonaire 314
35.6.4 Greffe pulmonaire 315

CHAPITRE 36
Maladies pulmonaires obstructives

36.1 Présentation générale des maladies pulmonaires obstructives ... 322

36.2 Asthme 322
36.2.1 Facteurs de risque de l'asthme et facteurs déclencheurs des crises ... 322
36.2.2 Physiopathologie 325
36.2.3 Manifestations cliniques 326
36.2.4 Classification de l'asthme 327
36.2.5 Complications 327
36.2.6 Examen clinique et examens paracliniques 330
36.2.7 Processus thérapeutique en interdisciplinarité 331

36.2.8 Pharmacothérapie 335

36.3 Maladie pulmonaire obstructive chronique 355
36.3.1 Étiologie 356
36.3.2 Physiopathologie 358
36.3.3 Manifestations cliniques 361
36.3.4 Classification de la maladie pulmonaire obstructive chronique 362
36.3.5 Complications 362
36.3.6 Examen clinique et examens paracliniques 365
36.3.7 Processus thérapeutique en interdisciplinarité 366

36.4 Fibrose kystique 389
36.4.1 Étiologie et physiopathologie 390
36.4.2 Manifestations cliniques 391
36.4.3 Complications 392
36.4.4 Examen clinique et examens paracliniques 393
36.4.5 Processus thérapeutique en interdisciplinarité 393

36.5 Bronchectasie 396
36.5.1 Étiologie et physiopathologie 396
36.5.2 Manifestations cliniques 397
36.5.3 Examen clinique et examens paracliniques 397
36.5.4 Processus thérapeutique en interdisciplinarité 398

PARTIE 6 Troubles d'oxygénation : transport

CHAPITRE 37
Système hématologique

37.1 Anatomie et physiologie du système hématologique 404
37.1.1 Moelle osseuse 404
37.1.2 Sang 404
37.1.3 Métabolisme normal du fer 408
37.1.4 Mécanismes normaux de la coagulation 408
37.1.5 Rate 410
37.1.6 Système lymphatique 411
37.1.7 Foie 412

37.2 Évaluation du système hématologique 414
37.2.1 Données subjectives 414
37.2.2 Données objectives 421

37.3 Examens paracliniques du système hématologique 427
37.3.1 Analyses de laboratoire 427
37.3.2 Examens radiologiques 431
37.3.3 Biopsies 431
37.3.4 Cytogénétique moléculaire et analyse génétique 436

CHAPITRE 38
Troubles hématologiques

38.1 Anémie 440
38.1.1 Généralités 440
38.1.2 Anémie par diminution de la production d'érythrocytes 446
38.1.3 Anémie d'origine hémorragique 455
38.1.4 Anémie causée par la destruction accrue des érythrocytes 456

38.2 Autres troubles hématologiques 462
38.2.1 Hémochromatose 462
38.2.2 Polycythémie 464

38.3 Troubles de l'hémostase 466
38.3.1 Thrombocytopénie 466
38.3.2 Hémophilie et maladie de von Willebrand 476
38.3.3 Coagulation intravasculaire disséminée 481

38.4 Neutropénie 485
38.4.1 Manifestations cliniques 486
38.4.2 Examens paracliniques 486

38.5 Syndromes myélodysplasiques 491
38.5.1 Étiologie et physiopathologie 491
38.5.2 Manifestations cliniques 491
38.5.3 Examens paracliniques 491

38.6 Cancers hématologiques 492
38.6.1 Leucémie 492
38.6.2 Lymphomes 502
38.6.3 Myélome multiple 509

38.7 Pathologies de la rate 512

38.8 Thérapie transfusionnelle 512
38.8.1 Méthode d'administration 516
38.8.2 Réactions transfusionnelles 517
38.8.3 Autotransfusion 523

PARTIE 7 Troubles d'oxygénation : irrigation sanguine

CHAPITRE 39
Système cardiovasculaire

39.1 Anatomie et physiologie du système cardiovasculaire 530
39.1.1 Cœur 530
39.1.2 Système vasculaire 533
39.1.3 Régulation du système cardiovasculaire 534
39.1.4 Pression artérielle 535

39.2 Examen clinique de l'appareil cardiovasculaire 538
39.2.1 Données subjectives 538
39.2.2 Données objectives 544

39.3 Examens paracliniques du système cardiovasculaire 551
39.3.1 Approches non effractives 551
39.3.2 Approches effractives 563

CHAPITRE 40
Hypertension artérielle

40.1 Généralités 568

40.2 Régulation normale de la pression artérielle 568
40.2.1 Système nerveux sympathique 569
40.2.2 Endothélium vasculaire 571
40.2.3 Système urinaire 571
40.2.4 Système endocrinien 571

40.3 Hypertension artérielle 572
40.3.1 Classification de l'hypertension artérielle 572
40.3.2 Étiologie 572
40.3.3 Physiopathologie de l'hypertension artérielle primaire 574
40.3.4 Manifestations cliniques 575
40.3.5 Complications 575
40.3.6 Examens paracliniques 577
40.3.7 Processus thérapeutique en interdisciplinarité 579

40.4 Crise hypertensive 597
40.4.1 Manifestations cliniques 597

CHAPITRE 41
Coronaropathie et syndrome coronarien aigu

41.1 Coronaropathie 604
41.1.1 Étiologie et physiopathologie 604
41.1.2 Facteurs de risque de la coronaropathie 607

41.2 Angine chronique stable 622
41.2.1 Ischémie silencieuse 623
41.2.2 Angine de Prinzmetal 623
41.2.3 Angine microvasculaire 624

41.2.4 Processus thérapeutique en interdisciplinarité : angine chronique stable ... 625
41.3 Syndrome coronarien aigu ... 632
41.3.1 Angine instable ... 632
41.3.2 Infarctus du myocarde ... 632
41.3.3 Examen clinique et examens paracliniques ... 637
41.3.4 Processus thérapeutique en interdisciplinarité ... 638
41.4 Mort subite ... 660
41.4.1 Étiologie et physiopathologie ... 660

CHAPITRE 42
Insuffisance cardiaque

42.1 Insuffisance cardiaque ... 666
42.1.1 Étiologie et physiopathologie ... 666
42.1.2 Formes d'insuffisance cardiaque ... 670
42.1.3 Manifestations cliniques : insuffisance cardiaque en décompensation aiguë ... 671
42.1.4 Manifestations cliniques : insuffisance cardiaque chronique ... 672
42.1.5 Complications ... 675
42.1.6 Classification de l'insuffisance cardiaque ... 676
42.1.7 Examens paracliniques ... 676
42.1.8 Processus thérapeutique en interdisciplinarité : insuffisance cardiaque en décompensation aiguë ... 677
42.1.9 Processus thérapeutique en interdisciplinarité : insuffisance cardiaque chronique ... 680
42.1.10 Thérapie nutritionnelle ... 685
42.1.11 Exercice physique et réadaptation cardiaque ... 689
42.2 Transplantation cardiaque ... 697
42.2.1 Critères de sélection ... 697
42.2.2 Période d'attente en vue de la transplantation ... 698
42.2.3 Intervention chirurgicale ... 698
42.2.4 Période post-transplantation ... 698

CHAPITRE 43
Arythmie

43.1 Reconnaissance du rythme cardiaque et traitement ... 704
43.1.1 Système de conduction ... 704
43.1.2 Régulation du cœur par le système nerveux ... 704
43.1.3 Surveillance électrocardiographique ... 705
43.1.4 Évaluation du rythme cardiaque ... 709
43.1.5 Mécanismes électrophysiologiques de l'arythmie ... 709
43.1.6 Évaluation de l'arythmie ... 711
43.1.7 Types d'arythmie ... 713
43.1.8 Antiarythmiques ... 727
43.1.9 Défibrillation ... 727
43.1.10 Stimulateurs cardiaques ... 731
43.1.11 Ablation percutanée ... 735
43.2 Changements électrocardiographiques associés au syndrome coronarien aigu ... 735
43.2.1 Ischémie ... 736
43.2.2 Lésion et infarctus ... 736
43.2.3 Surveillance du client ... 737
43.3 Syncope ... 738

CHAPITRE 44
Troubles inflammatoires et structuraux du cœur

44.1 Troubles cardiaques inflammatoires ... 744
44.1.1 Endocardite infectieuse ... 744
44.1.2 Péricardite aiguë ... 751
44.1.3 Péricardite constrictive chronique ... 755
44.1.4 Myocardite ... 756
44.1.5 Rhumatisme articulaire aigu et cardite rhumatismale ... 757
44.2 Valvulopathie ... 762
44.2.1 Rétrécissement mitral ... 762
44.2.2 Régurgitation mitrale ... 763
44.2.3 Prolapsus valvulaire mitral ... 765
44.2.4 Rétrécissement aortique ... 766
44.2.5 Régurgitation aortique ... 767
44.2.6 Valvulopathie tricuspide ou pulmonaire ... 767
44.2.7 Examens paracliniques de la valvulopathie ... 768
44.2.8 Processus thérapeutique en interdisciplinarité de la valvulopathie ... 768
44.3 Cardiomyopathie ... 775
44.3.1 Cardiomyopathie dilatée ... 775
44.3.2 Cardiomyopathie hypertrophique ... 780
44.3.3 Cardiomyopathie restrictive ... 782

CHAPITRE 45
Troubles vasculaires

45.1 Problèmes du système vasculaire ... 788
45.2 Artériopathie périphérique ... 788
45.3 Artériopathie périphérique des membres inférieurs ... 788
45.3.1 Manifestations cliniques ... 789
45.3.2 Complications ... 791
45.3.3 Examen clinique et examens paracliniques ... 792
45.3.4 Processus thérapeutique en interdisciplinarité ... 793
45.4 Anévrismes de l'aorte ... 801
45.4.1 Étiologie et physiopathologie ... 801
45.4.2 Classification ... 801
45.4.3 Manifestations cliniques ... 801
45.4.4 Complications ... 802
45.4.5 Examen clinique et examens paracliniques ... 802
45.4.6 Processus thérapeutique en interdisciplinarité ... 803
45.5 Dissection aortique ... 808
45.5.1 Étiologie et physiopathologie ... 808
45.5.2 Manifestations cliniques ... 808
45.5.3 Complications ... 809
45.5.4 Examen clinique et examens paracliniques ... 809
45.5.5 Processus thérapeutique en interdisciplinarité ... 809
45.6 Ischémie artérielle aiguë ... 811
45.6.1 Étiologie et physiopathologie ... 811
45.6.2 Manifestations cliniques ... 811
45.6.3 Processus thérapeutique en interdisciplinarité ... 812
45.7 Thromboangéite oblitérante ... 812
45.8 Phénomène de Raynaud ... 813
45.9 Thrombose veineuse ... 814
45.9.1 Étiologie ... 814
45.9.2 Physiopathologie ... 816
45.9.3 Thrombose veineuse superficielle ... 817
45.9.4 Thrombose veineuse profonde ... 817
45.10 Varices ... 829
45.10.1 Étiologie et physiopathologie ... 829
45.10.2 Manifestations cliniques et complications ... 829
45.10.3 Examen clinique et processus thérapeutique en interdisciplinarité ... 829
45.11 Insuffisance veineuse chronique et ulcères de jambe veineux ... 831
45.11.1 Étiologie et physiopathologie ... 831
45.11.2 Manifestations cliniques et complications ... 831
45.11.3 Processus thérapeutique en interdisciplinarité ... 831

Chapitre

28

ÉVALUATION CLINIQUE

Systèmes visuel et auditif

Écrit par :
Mary Ann Kolis, RN, MSN, ANP-BC, APNP

Adapté et mis à jour par :
Caroline Gravel, inf., M. Sc.

MOTS CLÉS

Accommodation 5
Acouphènes 24
Audiométrie.......................... 34
Conduction aérienne................ 22
Conduction osseuse 23
Emmétropie 5
Étourdissement 25
Manœuvre de Valsalva 13
Nystagmus............................ 25
Otorrhée 27
PERRLA 20
Réfraction............................ 5
Vertiges.............................. 25
Vision stéréoscopique 20

OBJECTIFS

Après avoir étudié ce chapitre, vous devriez être en mesure :

- de décrire les structures et les fonctions des systèmes visuel et auditif ;
- de décrire les processus physiologiques normaux de la vision et de l'audition ;
- de nommer les données d'évaluation subjectives et objectives qu'il faut recueillir sur les systèmes visuel et auditif d'un client ;
- de décrire les techniques utilisées au cours de l'examen physique des systèmes visuel et auditif ;
- de distinguer les résultats normaux et anormaux de l'examen physique des systèmes visuel et auditif ;
- de décrire les changements liés à l'âge que subissent les systèmes visuel et auditif ainsi que les différences observées dans les résultats d'évaluation ;
- de décrire le but des examens paracliniques des systèmes visuel et auditif, la signification de leurs résultats et les responsabilités infirmières qui s'y rattachent.

Disponible sur 

- Animation
- À retenir
- Carte conceptuelle
- Pour en savoir plus
- Solutionnaire des questions de Jugement clinique
- Solutionnaire des questions Réactivation des connaissances
- Solutionnaires du Guide d'études

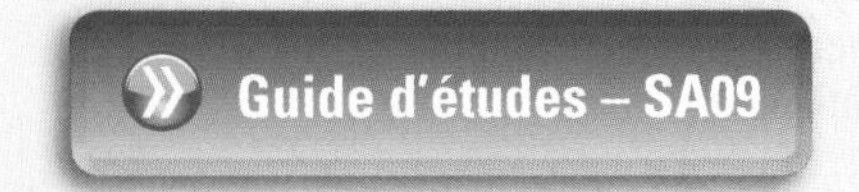

Concepts clés

Cette carte conceptuelle illustre schématiquement les principaux concepts décrits dans le présent chapitre. Sa lecture vous permettra d'avoir une vue d'ensemble des notions qui y sont présentées.

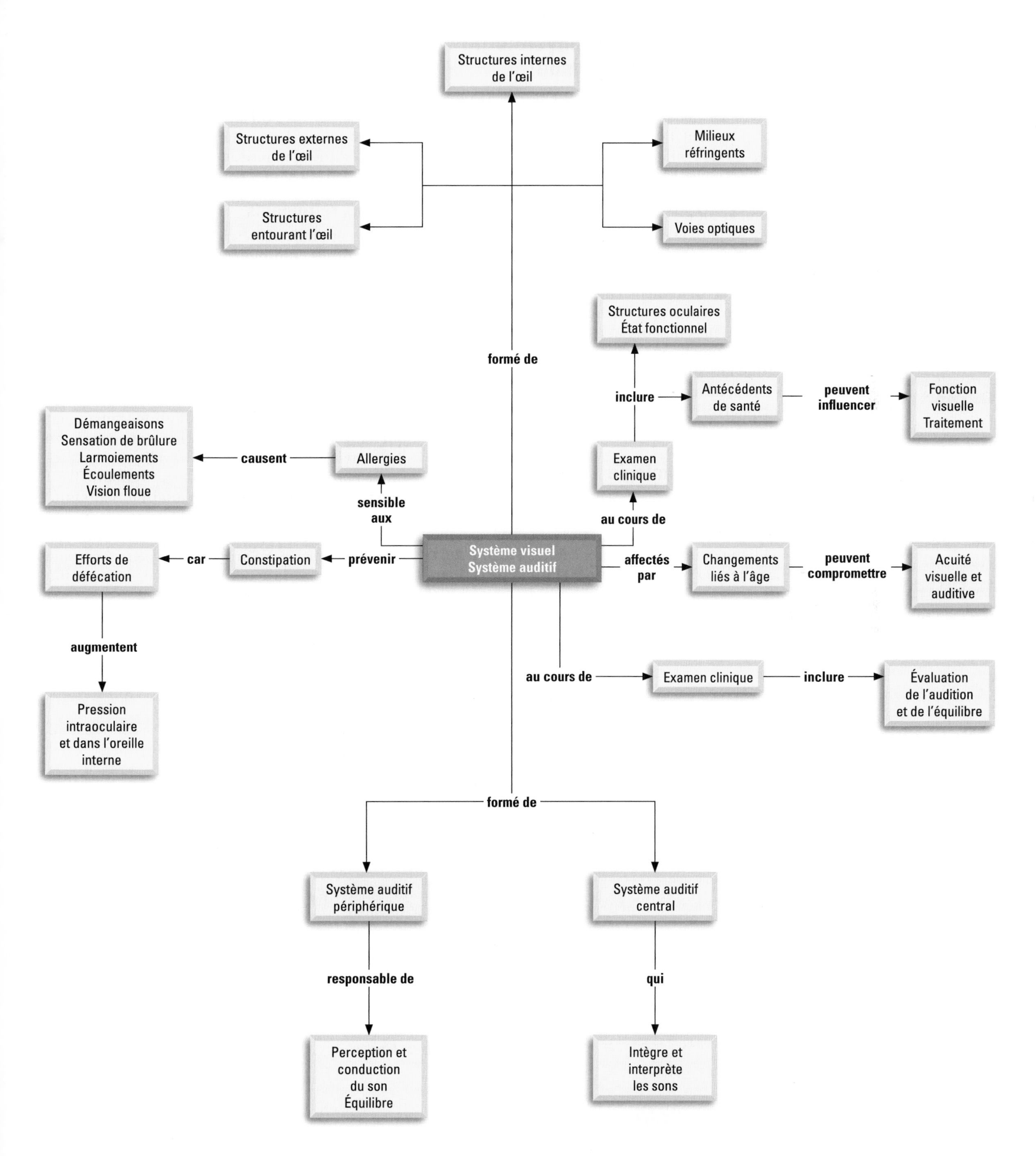

■ ■ ■

SYSTÈME VISUEL

28.1 Anatomie et physiologie du système visuel

Milieu réfringent : Milieu qui a la propriété de changer la direction des rayons de la lumière, lorsqu'ils passent obliquement.

Le système visuel est formé des structures externes qui entourent l'œil, des structures externes et internes de l'œil, des **milieux réfringents** et des voies optiques. Les structures externes de l'œil sont les sourcils, les paupières, les cils, la conjonctive, la sclère, la cornée, l'appareil lacrymal et les muscles extrinsèques. Les structures internes sont l'iris, le cristallin, le corps ciliaire, la choroïde et la rétine. Tous les éléments du système visuel sont essentiels à la vision. La lumière réfléchie par un objet qui est situé dans le champ de vision traverse les structures transparentes de l'œil et est réfractée (déviée) de sorte qu'une image nette puisse se former sur la rétine. Les stimulus visuels partent ensuite de la rétine et traversent les voies optiques jusqu'au lobe occipital du cerveau, où ils sont perçus comme une image.

CE QU'IL FAUT RETENIR

Avant d'atteindre la rétine, la lumière traverse la cornée, l'humeur aqueuse, le cristallin et l'humeur vitrée. Toutes ces structures doivent être transparentes pour permettre une bonne vision.

28.1.1 Physiologie

Globe oculaire

Le globe oculaire comprend trois couches : externe, médiane et interne, et deux cavités **FIGURE 28.1**. La couche externe résistante est formée de la sclère et de la cornée, une structure transparente. La couche médiane est formée de l'uvée ou tunique vasculaire, qui comprend l'iris, la choroïde et le corps ciliaire. La couche interne est la rétine. La cavité antérieure se divise en chambres antérieure et postérieure. La chambre antérieure est située entre l'iris et la surface postérieure de la cornée. La chambre postérieure est située entre la surface antérieure du cristallin et la surface postérieure de l'iris. La cavité postérieure est le grand espace situé derrière le cristallin et devant la rétine.

Milieux réfringents

Avant d'atteindre la rétine, la lumière doit traverser la cornée, l'humeur aqueuse, le cristallin et l'humeur vitrée. Toutes ces structures doivent être transparentes pour que la lumière puisse atteindre la rétine et stimuler les photorécepteurs. La lumière traverse d'abord la cornée, une structure transparente où s'effectue la majeure partie de la réfraction lumineuse nécessaire à une vision nette (Smith, 2008).

L'humeur aqueuse est un liquide transparent qui remplit les chambres antérieure et postérieure de la cavité antérieure de l'œil. Ce liquide est produit à partir des capillaires du corps ciliaire. Il est drainé par le sinus scléral (canal de Schlemm) dans la circulation centrale. L'humeur aqueuse baigne et nourrit le cristallin ainsi que l'endothélium de la cornée. Sa production excessive ou son écoulement réduit peuvent élever la pression

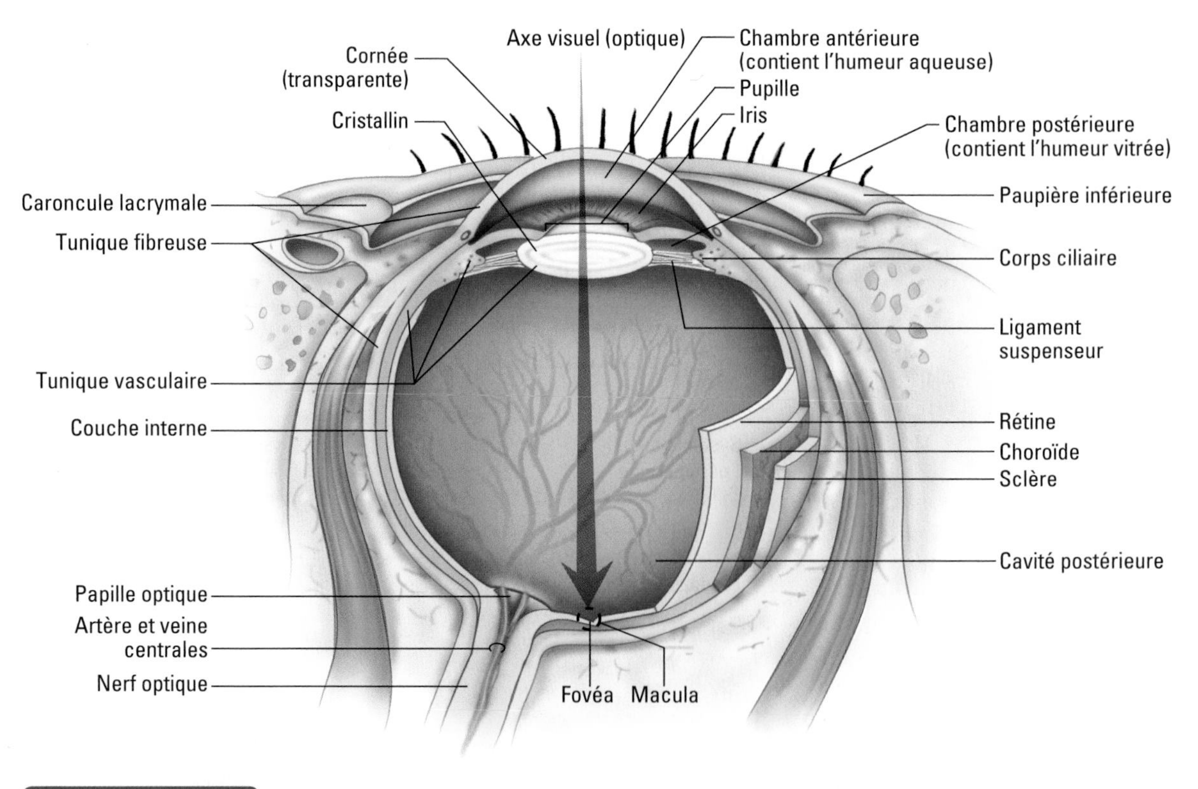

FIGURE 28.1 Œil humain

intraoculaire au-dessus de la valeur normale, qui varie entre 10 et 21 mm Hg, et causer ainsi un **glaucome**.

Le cristallin est une structure biconvexe qui est située derrière l'iris et maintenue en place par des fibres microscopiques qui forment les zonules de Zinn. Celles-ci relient le cristallin au corps ciliaire. La principale fonction du cristallin est de dévier les rayons lumineux pour qu'ils atteignent la rétine. Le corps ciliaire modifie la forme du cristallin par le processus de l'**accommodation**, qui permet à l'œil de faire la mise au point sur des objets rapprochés, par exemple pendant la lecture. Tout ce qui réduit la transparence du cristallin, tel que la cataracte, nuit à la transmission de la lumière.

L'humeur vitrée est une substance gélatineuse transparente qui remplit la cavité postérieure de l'œil **FIGURE 28.1**. Toute substance opaque qui s'y trouve peut bloquer le passage de la lumière. Cela peut avoir un effet variable sur la vision, selon la quantité et le type de substance présente et l'endroit où elle se trouve dans l'humeur vitrée.

Erreurs de réfraction

La **réfraction** est la capacité de l'œil à dévier les rayons lumineux pour les acheminer à la rétine. Dans un œil normal, les rayons lumineux parallèles sont focalisés par le cristallin en une image nette sur la rétine. L'**emmétropie** désigne cet état normal de l'œil qui permet la mise au point de la lumière exactement sur la rétine, et non devant ou derrière. L'erreur de réfraction désigne une mise au point incorrecte de la lumière.

La myopie désigne une vision floue des objets éloignés, causée par la convergence des rayons lumineux devant la rétine. L'hypermétropie désigne une vision nette des objets éloignés, mais une vision floue des objets rapprochés causée par la convergence des rayons lumineux derrière la rétine. L'astigmatisme est dû à l'inégalité de la cornée, qui cause une distorsion visuelle. La presbytie est une diminution de l'accommodation qui empêche la mise au point sur des objets rapprochés. Elle est un processus normal du vieillissement et se produit généralement vers l'âge de 40 ans ▶ 29.

Voies optiques

Quand une image traverse les milieux réfringents de l'œil, elle est mise au point sur la rétine, renversée puis inversée de gauche à droite **FIGURE 28.2**. Par exemple, si l'objet vu se trouve dans la partie supérieure du champ visuel temporal gauche, il est mis au point dans la partie inférieure de la rétine nasale, à l'envers, comme une image miroir. Depuis la rétine, les impulsions sont acheminées par le nerf optique jusqu'au chiasma optique, où les fibres nasales de chaque œil traversent du côté opposé. Les fibres du champ gauche des deux yeux forment la bandelette optique gauche et se déplacent vers le cortex visuel du lobe occipital gauche. Les fibres du champ droit des deux yeux forment la bandelette optique droite et se déplacent vers le cortex visuel du lobe occipital droit. Afin de connaître le site précis de l'anomalie optique, il suffit d'interpréter l'arrangement des fibres atteintes selon l'anomalie visuelle qui a été détectée.

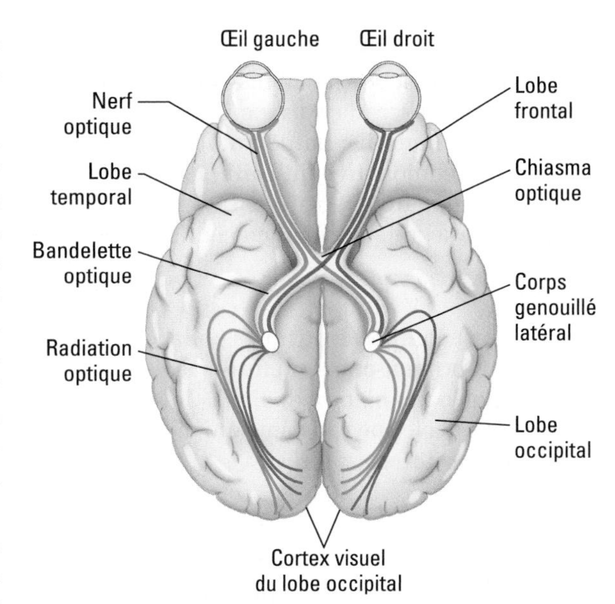

FIGURE 28.2 Voies optiques – Les fibres de la partie nasale de chaque rétine traversent du côté opposé du chiasma optique, où elles se terminent dans le corps genouillé latéral. Le site d'une lésion dans les voies optiques détermine l'anomalie visuelle résultante.

28.1.2 Structures et fonctions externes

Sourcils, paupières et cils

Les sourcils, les paupières et les cils jouent un rôle important dans la protection de l'œil. Ils forment une barrière physique contre la poussière et les particules étrangères. L'œil est aussi protégé par l'orbite osseux qui l'entoure, et par des coussinets adipeux situés sous et derrière le globe oculaire.

Les paupières supérieure et inférieure se joignent aux canthus (commissures) interne et externe. La paupière supérieure cligne spontanément environ 15 fois par minute. Le clignement distribue les larmes sur la surface antérieure du globe oculaire et aide à réguler la quantité de lumière qui entre dans la voie optique.

Les paupières s'ouvrent et se ferment grâce à l'action de muscles innervés par le VIIe nerf crânien, c'est-à-dire le nerf facial. Ces muscles aident également à garder les paupières collées contre le globe oculaire.

29

Les erreurs de réfraction courantes sont expliquées plus en détail dans le chapitre 29, *Interventions cliniques – Troubles visuels et auditifs*.

CE QU'IL FAUT RETENIR

Les sourcils, les paupières et les cils protègent l'œil contre les particules étrangères. Le clignement de la paupière supérieure distribue les larmes sur la surface du globe oculaire.

Conjonctive

La conjonctive est une membrane muqueuse transparente qui couvre la surface interne des paupières (la conjonctive palpébrale) et s'étend sur la sclère (la conjonctive bulbaire), en formant un « sac » sous chaque paupière. Les glandes de la conjonctive sécrètent du mucus et des larmes.

Sclère

La sclère est composée de fibres collagènes entrelacées qui forment une structure opaque couramment appelée le « blanc » de l'œil. Cette structure forme une enveloppe résistante qui aide à protéger les structures intraoculaires.

Cornée

La cornée est une structure transparente et non vascularisée qui permet à la lumière d'entrer dans l'œil **FIGURE 28.1**. Sa forme courbée réfracte les rayons lumineux incidents, ce qui permet leur mise au point sur la rétine. La cornée comporte cinq couches : l'épithélium, la membrane de Bowman, le stroma, la membrane de Descemet et l'endothélium. L'épithélium est formé d'une couche de cellules qui aident à protéger l'œil et qui se régénèrent quand elles sont endommagées. La membrane de Bowman est constituée de fibres de collagène, et se situe entre l'épithélium et le stroma. Le stroma est quant à lui formé de fibrilles de collagène et représente la majeure partie de l'épaisseur de la cornée. La membrane de Descemet est une membrane collagénique très élastique, solide et perméable à l'eau. Finalement, l'endothélium est une couche cellulaire unique, dont la particularité est que ses cellules ne se régénèrent pas.

Appareil lacrymal

L'appareil lacrymal est formé d'une glande lacrymale et de ses canaux excréteurs, des points et des canalicules lacrymaux, du sac lacrymal et du canal lacrymonasal. La glande lacrymale située dans le coin temporal supérieur de l'orbite sécrète des larmes, qui s'écoulent par les canaux excréteurs. Les points lacrymaux situés au niveau des paupières inférieures et supérieures de la commissure interne récoltent les larmes et les dirigent vers les canalicules lacrymaux, qui, par la suite, déversent les larmes dans le sac lacrymal. Une fois dans le sac lacrymal, les larmes sont dirigées dans le canal lacrymonasal **FIGURE 28.3**. Outre la glande lacrymale, d'autres glandes telles que les glandes de Meibomius et les glandes conjonctivales sécrètent des substances qui forment les couches muqueuse, aqueuse et lipidique du film lacrymal. Celui-ci humidifie l'œil et fournit de l'oxygène à la cornée.

CE QU'IL FAUT RETENIR

Par l'action des IIIe et Ve nerfs crâniens, la pupille se contracte et se dilate afin de réguler la quantité de lumière qui entre dans l'œil.

Muscles extrinsèques

Les mouvements de chaque œil sont contrôlés par trois paires de muscles extrinsèques : 1) les muscles droits supérieur et inférieur ; 2) les muscles droits interne et externe ; 3) les muscles obliques supérieur et inférieur. La coordination neuromusculaire produit le mouvement simultané des yeux dans la même direction (mouvements conjugués).

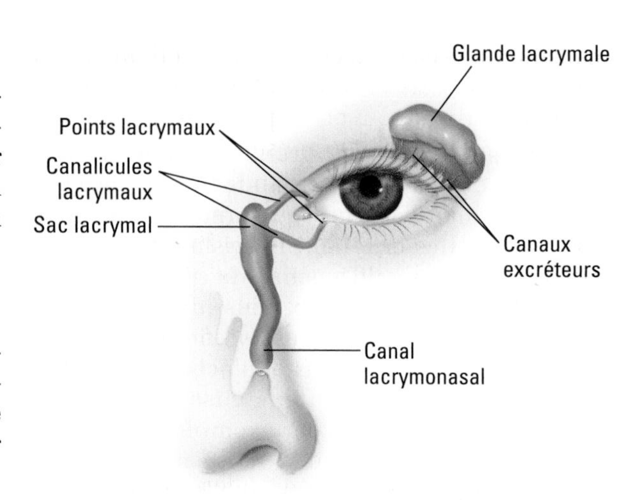

FIGURE 28.3 Œil externe et appareil lacrymal – Les larmes produites dans la glande lacrymale s'écoulent à la surface de l'œil et entrent dans le canalicule lacrymal. Elles s'écoulent ensuite dans le canal lacrymonasal jusqu'à la cavité nasale.

28.1.3 Structures et fonctions internes

Iris

C'est l'iris qui donne sa couleur à l'œil. Cette structure a un petit orifice circulaire en son centre, la pupille, qui permet à la lumière d'entrer dans l'œil. La pupille se contracte par l'action du sphincter de l'iris (muscle innervé par le IIIe nerf crânien ou nerf oculomoteur) et se dilate par l'action du muscle dilatateur de l'iris (Ve nerf crânien ou nerf trijumeau) afin de réguler la quantité de lumière qui entre dans l'œil.

Cristallin

Le cristallin est une structure transparente, biconvexe et non vascularisée située derrière l'iris. Il est maintenu en place par les zonules de Zinn antérieure et postérieure. Sa principale fonction est de dévier les rayons lumineux sur la rétine. L'accommodation est le processus de mise au point de l'œil sur un objet rapproché. Elle est possible grâce à la contraction du corps ciliaire, qui modifie la forme du cristallin.

Corps ciliaire

Le corps ciliaire est formé des muscles ciliaires, qui entourent le cristallin et sont parallèles à la sclère, des zonules de Zinn, qui sont fixées à la capsule du cristallin, et des procès ciliaires, qui forment sa partie terminale. Les procès ciliaires sont situés derrière la partie périphérique de l'iris et sécrètent l'humeur aqueuse.

Choroïde

La choroïde est une structure hautement vascularisée qui nourrit le corps ciliaire, l'iris et la partie externe de la rétine. Elle est située du côté interne de la sclère, parallèlement à celle-ci, et s'étend du point d'entrée du nerf optique jusqu'au corps ciliaire **FIGURE 28.1**.

Rétine

La rétine est la couche la plus interne de l'œil, qui se prolonge pour former le nerf optique. Elle est principalement formée de neurones. Les cellules rétiniennes sont donc incapables de se régénérer si elles sont détruites. La rétine tapisse l'intérieur du globe oculaire et s'étend du nerf optique au corps ciliaire **FIGURE 28.1**. Sa fonction est de convertir les images en une forme que le cerveau peut comprendre et interpréter. La rétine est formée de deux types de photorécepteurs : les bâtonnets et les cônes. Les bâtonnets sont stimulés dans des environnements sombres, et les cônes sont réceptifs aux couleurs dans des environnements lumineux. Le centre de la rétine est la macula (tache jaune), caractérisée par une forte concentration de cônes. C'est dans cette région de la rétine que l'acuité visuelle est maximale. La fovéa est située au centre de la macula, une région d'une superficie inférieure à 1 mm^2. Il s'agit d'une minuscule dépression composée uniquement de cônes, présents en forte densité (Thibodeau & Patton, 2012), qui contient peu de vaisseaux sanguins.

CE QU'IL FAUT RETENIR

La rétine, formée de neurones, est la couche la plus interne de l'œil. Elle convertit les images en une forme que le cerveau peut comprendre et interpréter.

Considérations gérontologiques

EFFETS DU VIEILLISSEMENT SUR LE SYSTÈME VISUEL

Toutes les structures du système visuel subissent des changements liés à l'âge. Un grand nombre de ces changements sont bénins, mais d'autres peuvent grandement compromettre l'acuité visuelle de la personne âgée **FIGURE 28.4**.

Les troubles de vision et la cécité peuvent avoir un fort impact psychologique. Le **TABLEAU 28.1** présente les changements visuels liés au vieillissement et les différences observées dans les résultats d'évaluation.

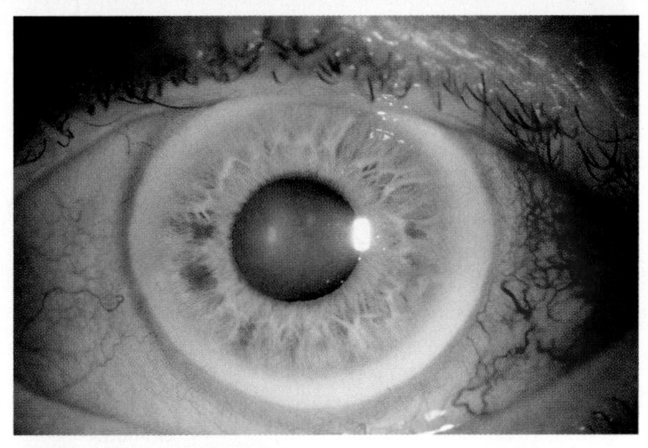

FIGURE 28.4 Arc sénile (gérontoxon) – Dégénérescence de la cornée liée au vieillissement

Changements liés à l'âge

TABLEAU 28.1 Système visuel

CHANGEMENTS	OBSERVATIONS AU COURS DE L'ÉVALUATION
Sourcils et cils	
Dépigmentation	• Grisonnement des sourcils et des cils
Paupières	
Perte des graisses orbitales, réduction du tonus musculaire	• Entropion (paupière inférieure qui tourne vers l'intérieur de l'œil) • Ectropion (paupière inférieure relâchée qui tourne vers l'extérieur de l'œil) • Ptose bénigne (chute de la paupière supérieure)
Atrophie du tissu, prolapsus des graisses dans le tissu de la paupière	• Blépharochalasis (peau en excès sur la paupière supérieure)

TABLEAU 28.1	Système visuel *(suite)*
CHANGEMENTS	**OBSERVATIONS AU COURS DE L'ÉVALUATION**
Conjonctive	
Dommages des tissus liés à une exposition chronique au rayonnement ultraviolet ou à d'autres facteurs environnementaux	• Pinguécula (petit point jaunâtre généralement situé du côté interne de la conjonctive)
Sclère	
Dépôt lipidique	• Couleur jaunâtre plutôt que bleuâtre de la sclère
Cornée	
Dépôts de cholestérol sur le contour de la cornée	• Arc sénile (anneau blanc-gris laiteux sur le contour de la cornée) **FIGURE 28.4**
Dommages des tissus liés à l'exposition chronique au rayonnement solaire ou ultraviolet	• Ptérygion (tissu pâle triangulaire épaissi qui s'étend du canthus interne de l'œil à la bordure nasale de la cornée)
Diminution de la teneur en eau, atrophie des fibres nerveuses	• Diminution de la sensibilité cornéenne et du réflexe cornéen
Changements épithéliaux	• Perte du lustre cornéen
Accumulation de dépôts lipidiques	• Vision trouble
Appareil lacrymal	
Sécrétion réduite de larmes	• Sécheresse
Malposition de la paupière qui cause le débordement des larmes par-dessus le bord de la paupière plutôt que leur drainage par les points lacrymaux	• Larmoiement • Irritation des yeux
Iris	
Rigidité accrue de l'iris	• Taille réduite de la pupille
Atrophie ou faiblesse du muscle dilatateur	• Rétablissement plus lent de la taille de la pupille après une stimulation lumineuse
Dépigmentation	• Changement de couleur de l'iris
Atrophie et rigidité accrue du muscle ciliaire	• Diminution de la vision de près et de l'accommodation
Cristallin	
Changements biochimiques des protéines du cristallin ; dommages dus à l'oxydation, à l'exposition chronique au rayonnement ultraviolet	• Opacité du cristallin (tel qu'observé en présence de cataracte)
Rigidité accrue du cristallin	• Presbytie
Accumulation de substances jaunes, jaunissement du cristallin	• Plaintes du client concernant des éblouissements et une mauvaise vision (tel qu'observé en présence de cataracte)
Rétine	
Changements vasculaires dans la rétine liés à l'athérosclérose et à l'hypertension artérielle	• Fond de l'œil pâle, artérioles rétrécies paraissant non perfusées (diminution du calibre) et présence possible d'anomalies de croisements artérioveineux
Diminution du nombre de cônes	• Changements de la perception des couleurs, notamment du bleu et du violet

TABLEAU 28.1 **Système visuel *(suite)***

CHANGEMENTS	OBSERVATIONS AU COURS DE L'ÉVALUATION
Perte des photorécepteurs, des pigments rétiniens, des cellules épithéliales et de la mélanine	• Acuité visuelle réduite
Dégénérescence maculaire liée à l'âge en raison des changements vasculaires	• Perte de vision centrale
Humeur vitrée	
Liquéfaction et détachement de l'humeur vitrée	• Plaintes du client quant à la présence de corps flottants

28.2 Examen clinique du système visuel

L'évaluation du système visuel peut désigner un simple examen de l'acuité visuelle ou la tâche plus complexe de recueillir des données subjectives et objectives exhaustives sur le système visuel du client.

28.2.1 Données subjectives

Renseignements importants concernant l'évaluation d'un symptôme (PQRSTU)

Pour effectuer une évaluation ophtalmique appropriée, l'infirmière doit déterminer quelles données sont importantes pour chaque client. Par exemple, si une personne déclare ressentir une vision double, l'infirmière devra évaluer ce symptôme en détail en utilisant l'outil suivant : PQRSTU **TABLEAU 28.2**.

Histoire de santé (AMPLE)

L'histoire de santé permet de recueillir des renseignements importants en lien avec l'état de santé du client. Cette information peut être obtenue à l'aide de l'outil mnémotechnique AMPLE.

A Allergies / réactions

L'infirmière doit déterminer si le client a des allergies connues à certains médicaments ou autres substances, et lui demander quelles sont les réactions qui y sont associées. Il est important de noter la différence entre une réaction allergique et une

CE QU'IL FAUT RETENIR

Selon la situation du client, l'évaluation du système visuel peut aller du simple examen de l'acuité visuelle à une collecte complexe de données subjectives et objectives.

Collecte des données

TABLEAU 28.2 **Étapes de l'évaluation de symptômes liés au système visuel (PQRSTU)**

P PROVOQUER / PALLIER / AGGRAVER	EXEMPLES DE QUESTIONS
L'infirmière cherche à connaître les éléments qui ont provoqué le trouble visuel.	• Qu'est-ce qui a provoqué votre vision double ? • Que faisiez-vous lorsque votre vision double est apparue ?
Ensuite, elle s'intéressera à ce qui pallie, diminue ou aggrave la vision double.	• Qu'est-ce qui améliore votre vision double ? • Qu'est-ce qui aggrave votre vision double ?
Q QUALITÉ / QUANTITÉ	**EXEMPLES DE QUESTIONS**
L'infirmière tente d'obtenir une description précise de la sensation éprouvée par le client.	• Décrivez comment vous vous sentez.
Elle vérifiera aussi auprès du client s'il y a une progression dans l'intensité de la vision double (p. ex., une intensité de 0 à 10).	• Sur une échelle de 0 à 10, 10 correspondant à la vision double la plus intense, à combien estimez-vous votre vision double actuellement ?

TABLEAU 28.2	Étapes de l'évaluation de symptômes liés au système visuel (PQRSTU) *(suite)*
R RÉGION / IRRADIATION	**EXEMPLE DE QUESTION**
L'infirmière détermine l'étendue de la région affectée par le symptôme. L'infirmière doit vérifier si la vision double est perçue dans l'ensemble du champ de vision ou si la vision double est seulement centrale.	• Décrivez ce que vous voyez en regardant cet objet.
S SYMPTÔMES ET SIGNES ASSOCIÉS / SÉVÉRITÉ	**EXEMPLE DE QUESTION**
Le symptôme primaire à l'origine de la consultation peut être accompagné d'un ou de plusieurs autres symptômes ou signes cliniques. Ceux-ci doivent également être évalués afin de permettre de préciser l'origine du problème. L'infirmière doit déterminer quels sont les signes (p. ex., les écoulements, les rougeurs, les enflures) et symptômes associés (p. ex., la douleur, les céphalées, les nausées, les étourdissements, les prurits).	• Ressentez-vous d'autres malaises ou d'autres symptômes en plus de cette vision double ?
T TEMPS / DURÉE	**EXEMPLES DE QUESTIONS**
L'infirmière doit déterminer le moment précis de l'apparition du symptôme, sa durée ainsi que sa fréquence.	• À quel moment cette vision double a-t-elle débuté ? • Depuis combien de temps présentez-vous une vision double ? • Est-elle constante ou pas ?
U (*UNDERSTANDING*) COMPRÉHENSION ET SIGNIFICATION POUR LE CLIENT	**EXEMPLES DE QUESTIONS**
L'infirmière tente de découvrir la signification de ce symptôme pour le client.	• D'après vous, quelle est la cause de cette vision double ?
Par la suite, il est important que l'infirmière s'informe de la compréhension du client face à la maladie. Les valeurs et les croyances individuelles, qui varient selon la culture ou la religion, peuvent jouer un rôle majeur dans la capacité de s'adapter à la maladie, mais également dans la compréhension de celle-ci.	• Quel est limpact de ce problème de vision sur vos activités ? • Que signifie ou que représente ce problème de vision pour vous ?

CE QU'IL FAUT RETENIR

Les allergies saisonnières ou à certaines substances extrinsèques causent souvent des symptômes oculaires (démangeaisons, larmoiements, etc.) et une vision floue.

intolérance puisque la réaction du client ainsi que l'intensité de celle-ci différeront. Finalement, l'infirmière doit obtenir de l'information sur les allergies générales du client (alimentaires, saisonnières). Les allergies saisonnières ou allergies à certaines substances extrinsèques causent souvent des symptômes oculaires tels que des démangeaisons, une sensation de brûlure, des larmoiements, des écoulements et une vision floue.

M Médicaments

L'infirmière doit s'informer si le client prend des médicaments de prescription, des médicaments en vente libre, s'il utilise des gouttes oculaires, ou s'il suit tout traitement ou prend des suppléments alimentaires à base de plantes (produits naturels). Elle doit en obtenir la liste complète incluant la posologie et le nombre de prises quotidiennes. Comme beaucoup de gens pensent que les médicaments en vente libre, les gouttes oculaires et les traitements à base de plantes (produits naturels) ne sont pas de « vrais » médicaments, ils peuvent omettre de les mentionner s'ils ne sont pas questionnés précisément à ce sujet. Un grand nombre de ces médicaments ont des effets sur le système visuel. Par exemple, de nombreuses préparations contre le rhume contiennent une forme d'adrénaline (p. ex., la pseudoéphédrine) qui peut dilater la pupille. L'utilisation de tout antihistaminique ou décongestionnant doit être consignée, car ces médicaments peuvent causer de la sécheresse oculaire. De plus, l'infirmière doit demander au client s'il prend des médicaments de prescription tels que des corticostéroïdes, des médicaments thyroïdiens, ou des agents tels que des hypoglycémiants oraux et de l'insuline pour abaisser la glycémie. L'utilisation prolongée des corticostéroïdes peut favoriser la formation du glaucome ou de la cataracte. L'infirmière doit aussi noter si le client prend des bêtabloquants pour troubles cardiaques, car leur effet peut être amplifié par celui des bêtabloquants utilisés pour traiter le glaucome. Chaque médicament que prend le client doit correspondre à une maladie ou à un trouble décrit dans ses antécédents de santé. Si un médicament ne correspond à aucune affection mentionnée, l'infirmière doit demander au client pourquoi il le prend.

P Passé

L'infirmière doit obtenir de l'information sur les antécédents de santé, oculaire et autres, du client et de sa famille. Elle doit le questionner sur les maladies systémiques héréditaires telles que le diabète, l'hypertension, le cancer, l'arthrite, les maladies thyroïdiennes, l'athérosclérose. Elle doit aussi questionner le client sur d'autres maladies pouvant considérablement affecter la santé oculaire, telles que la syphilis et autres infections transmissibles sexuellement et par le sang (ITSS), le syndrome d'immunodéficience acquise (sida), la dystrophie musculaire, la myasthénie grave, la sclérose en plaques et les maladies inflammatoires de l'intestin. Il est particulièrement important de déterminer si le client a des antécédents de maladie cardiaque ou pulmonaire, car le glaucome est généralement traité avec des bêtabloquants, et ceux-ci peuvent avoir un effet sur les systèmes cardiaque et pulmonaire. Ces médicaments peuvent ralentir la fréquence cardiaque, réduire la pression artérielle, et exacerber l'asthme ou la maladie pulmonaire obstructive chronique (MPOC) (Kizior & Hodgson, 2012).

L'infirmière doit obtenir les antécédents d'examen de l'acuité visuelle, y compris la date du dernier examen et des changements de lunettes ou de verres de contact. Elle doit aussi déterminer s'il y a des antécédents familiaux de troubles ophtalmiques tels que des **strabismes**, des **amblyopies**, des cataractes, des tumeurs, des glaucomes, des erreurs de réfraction (notamment la myopie et l'hypermétropie) ou des maladies dégénératives de la rétine (p. ex., la dégénérescence maculaire, le **décollement rétinien**, la **rétinite pigmentaire**).

Tout trauma de l'œil, son traitement et ses séquelles, ainsi que les interventions chirurgicales de l'œil ou de l'encéphale doivent être documentés au dossier **FIGURE 28.5**. La chirurgie de l'encéphale et l'œdème subséquent peuvent créer de la pression sur le nerf optique (IIe nerf crânien) ou les voies optiques, et causer des troubles visuels. Il faut aussi consigner toute intervention au laser faite à l'œil. Il importe de connaître l'effet de toute chirurgie ou de tout traitement au laser sur l'acuité visuelle.

L (*Last meal*) Dernier repas

Il est important que l'infirmière évalue les habitudes de vie du client, incluant ses habitudes alimentaires

FIGURE 28.5 Pendant l'évaluation du système visuel, l'infirmière documente au dossier les antécédents d'examen de l'acuité visuelle d'une cliente et les interventions chirurgicales qu'elle aurait pu subir.

ainsi que sa consommation de tabac (quantité par jour et nombre d'années), la consommation d'alcool et finalement la consommation de drogue. L'infirmière doit s'assurer que le trouble visuel du client ne nuit pas à sa capacité d'obtenir de la nourriture et de préparer ses repas. Elle doit aussi s'informer si le client prend des suppléments alimentaires. De fortes doses de vitamines contenant des antioxydants (vitamines C et E, bêtacarotène) et du zinc peuvent avoir un effet positif sur la santé visuelle. Des suppléments de ces vitamines et d'oligo-éléments peuvent avoir des effets bénéfiques sur certains clients qui souffrent, entre autres, de dégénérescence maculaire liée à l'âge (DMLA) (Age-Related Eye Disease Study Research Group, 2001).

La fumée du tabac augmente les risques de cataracte et de dégénérescence maculaire, et elle contribue à l'athérosclérose des vaisseaux ophtalmiques. Le tabac associé à l'alcool peut être une cause de dégénérescence du nerf optique. De plus, certaines drogues (comme les amphétamines) réduisent la faculté de mise au point de l'œil (accommodation) et dilatent la pupille. La marijuana entraîne une rougeur des conjonctives et donne des hallucinations visuelles. Pour ce qui est de la cocaïne, elle peut causer des ulcères cornéens. Il est donc primordial de questionner le client à ce sujet.

E Événements / environnement

L'infirmière doit évaluer la santé fonctionnelle d'une personne afin de cerner les comportements adéquats qui déterminent ses forces et de relever les comportements inadéquats actuels qui représentent un risque pour sa santé.

Le client peut demander une consultation ophtalmologique pour un trouble particulier ou des soins ophtalmiques réguliers. Dans ce dernier cas, l'infirmière doit axer son évaluation des modes fonctionnels sur des sujets liés à la promotion de la

CE QU'IL FAUT RETENIR

La fumée du tabac augmente les risques de cataracte et de dégénérescence maculaire, et elle contribue à l'athérosclérose des vaisseaux ophtalmiques.

Décollement rétinien : Affection caractérisée par la séparation de la rétine et de l'épithélium pigmentaire sous-jacent avec l'accumulation de liquide entre ces deux couches.

Rétinite pigmentaire : Maladie héréditaire qui se caractérise par une détérioration des cônes et des bâtonnets, et qui endommage la vision périphérique de façon progressive au cours des années.

Blépharite : Inflammation bilatérale chronique et courante du bord des paupières.

Rétinopathie diabétique : Rétinopathie associée au diabète et caractérisée par des petites hémorragies rétiniennes arrondies appendues aux vaisseaux, et par des exsudats blanchâtres ou jaunâtres.

santé. Quand le client a un trouble connu, les questions doivent porter sur ce trouble particulier.

Les troubles oculaires n'affectent pas toujours l'acuité visuelle du client. Par exemple, il est possible qu'un client souffrant d'une **blépharite** ou d'une **rétinopathie diabétique** n'ait pas de déficience visuelle. De nombreuses affections peuvent causer la perte de vision. Le sujet de l'évaluation des modes fonctionnels de santé dépendra de la présence ou de l'absence de perte de vision et du caractère permanent ou temporaire de cette perte. Le **TABLEAU 28.3** présente des questions qui peuvent être posées au client pour obtenir des renseignements sur ses modes fonctionnels de santé.

Perception et gestion de la santé La connaissance de caractéristiques telles que l'âge, le sexe et l'appartenance du client à une minorité ethnique est importante pour l'évaluation des troubles ophtalmiques. Par exemple, le daltonisme touche surtout les hommes. Le glaucome est une des causes fréquentes de cécité au Canada. La prévalence du glaucome est de 2,7 % chez les Canadiens de 40 ans et plus et de 11 % chez ceux de 80 ans et

Histoire de santé

TABLEAU 28.3 Modes fonctionnels de santé – Éléments complémentaires : système visuel

MODES FONCTIONNELS DE SANTÉ	QUESTIONS À POSER
Perception et gestion de la santé	• Décrivez-moi les changements dans votre vision. Expliquez leurs effets sur votre vie quotidienne. • Portez-vous des lunettes de protection (lunettes de soleil ou de sécurité) ou un chapeau[a] ? • Portez-vous des verres de contact ? Dans l'affirmative, comment les entretenez-vous ? • Si vous utilisez des gouttes oculaires, comment les mettez-vous dans vos yeux ? • Votre trouble oculaire limite-t-il votre capacité à prendre soin de vous-même[a] ? • Prenez-vous des suppléments alimentaires ? • Vos problèmes visuels affectent-ils votre capacité à vous procurer vos aliments et à préparer vos repas ?
Élimination	• Devez-vous forcer pour déféquer[a] ?
Activités et exercices	• Votre trouble oculaire limite-t-il vos activités quotidiennes de quelque façon que ce soit[a] ? • Pratiquez-vous des sports ou avez-vous des loisirs qui présentent des dangers de blessures aux yeux[a] ?
Sommeil et repos	• Votre vision est-elle affectée par vos heures de sommeil[a] ? • Votre trouble oculaire modifie-t-il vos habitudes de sommeil[a] ?
Cognition et perception	• Votre trouble oculaire nuit-il à votre capacité de lire[a] ? • Avez-vous de la douleur, des démangeaisons, des sensations de brûlure ou de présence de corps étrangers dans les yeux[a] ?
Perception et concept de soi	• Comment vous sentez-vous par rapport à vous-même en raison de votre trouble oculaire ? • De quelle manière votre trouble oculaire a-t-il changé votre qualité de vie ?
Relations et rôles	• L'état de vos yeux ou votre trouble oculaire vous cause-t-il des problèmes quelconques au travail ou à la maison[a] ? • Avez-vous modifié vos activités sociales à cause de votre trouble oculaire[a] ? • De quelle manière les personnes significatives dans votre vie ont-elles été touchées par votre trouble oculaire ?
Sexualité et reproduction	• Votre trouble oculaire a-t-il entraîné des changements dans votre vie sexuelle[a] ? • Pour les femmes : Prenez-vous des contraceptifs oraux ? Êtes-vous enceinte[a] ? • Pour les hommes : Un médecin vous a-t-il prescrit un médicament contre la dysfonction érectile ? Ce médicament vous occasionne-t-il des troubles visuels ?
Adaptation et tolérance au stress	• Vous sentez-vous capable de vous adapter à votre trouble oculaire[a] ? • Êtes-vous capable de reconnaître les effets de votre trouble oculaire sur votre vie[a] ?
Valeurs et croyances	• Y a-t-il un conflit quelconque entre le plan de traitement de votre trouble oculaire, vos valeurs et vos croyances[a] ? • Décrivez toute croyance culturelle ou religieuse pouvant avoir une incidence sur la gestion de votre trouble oculaire.

[a] Si la réponse est affirmative, demandez au client d'expliciter.

plus (Perruccio, Badley & Trope, 2007, cité dans Société canadienne d'ophtalmologie, 2009).

En clinique, le client demande souvent une consultation ophtalmologique pour des soins oculaires réguliers, ou pour un changement de prescription de lunettes ou de verres de contact. Il peut toutefois avoir d'autres préoccupations qu'il ne mentionne pas ou dont il n'a même pas conscience. L'infirmière doit lui demander : Quelle est la raison de votre visite aujourd'hui ?

La santé visuelle du client peut influer sur ses activités à la maison ou au travail. Il est important de savoir comment il perçoit son trouble de santé. Comme le montre le **TABLEAU 28.3**, il faut aider le client à définir son trouble actuel et ses effets sur ses activités normales. Il faut aussi évaluer sa capacité de s'autoadministrer tous les soins nécessaires, particulièrement tout soin oculaire lié à son trouble ophtalmique.

Il est possible que le client n'ait pas conscience de l'importance des précautions à prendre pour protéger ses yeux, par exemple, porter des lunettes de protection pendant les activités qui peuvent être dangereuses, ou éviter de s'exposer à des vapeurs toxiques et à d'autres irritants des yeux. L'infirmière doit demander au client s'il porte des lunettes de soleil quand il est exposé à une lumière vive, car une exposition prolongée au rayonnement ultraviolet peut endommager la rétine. Elle doit noter ses habitudes de conduite nocturne et tout problème connexe. Plusieurs personnes portent des verres de contact, mais beaucoup ne les entretiennent pas convenablement. Le type de verres de contact utilisé ainsi que les habitudes de port et d'entretien peuvent renseigner l'infirmière sur l'information dont le client a besoin ▶ 29.

Élimination L'effort qu'effectue une personne pour déféquer (**manœuvre de Valsalva**) peut élever la pression intraoculaire.

Après une chirurgie oculaire, de nombreux chirurgiens demandent au client de ne pas faire d'efforts. C'est pourquoi le médecin prescrira des médicaments (Colace[MD], Senokot[MD]) qui faciliteront l'évacuation de ses selles. L'infirmière doit évaluer les habitudes d'élimination du client et déterminer si le client qui a subi une chirurgie oculaire présente ou non un risque de constipation.

Activités et exercices Le degré habituel d'activités ou d'exercices du client peut être perturbé par une vision réduite, par les symptômes accompagnant un trouble oculaire ou par la limitation des activités après une intervention chirurgicale. Par exemple, un client qui a un hyphéma (saignement intraoculaire) peut devoir rester au lit ou restreindre ses activités de façon importante. L'infirmière doit interroger le client sur ses loisirs qui peuvent augmenter le risque d'une blessure oculaire. Par exemple, le jardinage, l'ébénisterie et d'autres activités manuelles peuvent causer la pénétration de corps étrangers dans la cornée ou la conjonctive, ou même dans le globe oculaire. Les sports tels que le racquetball, le baseball et le tennis présentent des risques de contusion oculaire. Le port de lunettes de protection est fortement suggéré pour certaines activités.

Sommeil et repos La personne en bonne santé peut souffrir d'irritations oculaires causées par le manque de sommeil, particulièrement si elle porte des verres de contact. Les habitudes de sommeil peuvent être perturbées par des troubles oculaires douloureux tels que l'abrasion cornéenne.

Cognition et perception L'évaluation du client en consultation ophtalmologique doit être axée sur la vision, mais il ne faut pas négliger les troubles cognitifs ou perceptuels. Par exemple, la capacité fonctionnelle d'un client ayant un trouble visuel sera davantage compromise s'il a aussi un trouble d'audition. Le client qui ne peut plus lire aura plus de difficultés à suivre les instructions postopératoires s'il a aussi de la difficulté à entendre ou à se rappeler les instructions orales. La douleur oculaire est toujours un symptôme important à évaluer. Si une douleur est présente, l'infirmière doit interroger le client sur le traitement administré afin d'y remédier ainsi que les réactions associées.

Perception et concept de soi La perte d'indépendance que peut entraîner une perte partielle ou complète de vision, même temporaire, peut avoir des effets dévastateurs sur le concept de soi. L'infirmière doit bien évaluer cet aspect. Ainsi, l'éblouissement causé par une cataracte peut empêcher le client de conduire la nuit. Dans notre société exigeant de fréquents déplacements, l'incapacité de conduire peut entraîner une perte significative d'indépendance et d'estime de soi.

Relations et rôles Les troubles oculaires peuvent empêcher le client de remplir ses rôles et ses responsabilités à la maison, au travail et dans la société. L'infirmière doit explorer cette question avec le client. Par exemple, la dégénérescence maculaire peut réduire l'acuité visuelle de ce dernier et l'empêcher de travailler efficacement. De nombreuses activités professionnelles présentent des risques de blessures oculaires. Par exemple, les travailleurs d'usine risquent de recevoir des éclats métalliques. Des mesures de protection des yeux, comme le port de lunettes de protection, sont désormais exigées au Québec par la Loi sur la santé et la sécurité du travail (RLRQ, chapitre S2.1). Autre exemple : un client diabétique peut ne plus être capable de s'administrer de l'insuline à cause de ses problèmes de vision et avoir du mal à accepter sa dépendance envers un membre de la famille chargé de cette fonction.

CE QU'IL FAUT RETENIR

L'infirmière doit évaluer comment les problèmes de santé visuelle influent sur la capacité du client à effectuer ses activités habituelles à la maison ou au travail.

29

Les différents types de verres de contact sont présentés dans le chapitre 29, *Interventions cliniques – Troubles visuels et auditifs*.

Réactivation des connaissances

Outre l'utilisation de laxatifs, quelles sont les mesures que l'infirmière peut recommander à son client pour prévenir la constipation ? Nommez-en au moins trois.

CE QU'IL FAUT RETENIR

Certaines activités d'évaluation de la santé visuelle demandent que l'infirmière ait reçu une formation spéciale.

Sexualité et reproduction Le client qui a subi une grave perte de vision peut expérimenter une altération de son image de soi, laquelle aura un impact important sur son intimité et ses relations sexuelles. L'infirmière doit lui expliquer qu'une déficience visuelle ou la cécité ne diminue en rien la capacité de s'exprimer sexuellement. Dans ce domaine, le toucher peut être plus important que la vue.

Adaptation et tolérance au stress Le client qui a des troubles visuels temporaires ou permanents peut subir un stress émotionnel. L'infirmière doit évaluer le degré de stress et les mécanismes d'adaptation du client, et déterminer s'il dispose d'un réseau de soutien social et personnel.

Valeurs et croyances L'infirmière doit respecter les valeurs et les croyances spirituelles de chaque client, car elles influent sur ses décisions concernant les soins ophtalmiques. Il peut être difficile de comprendre pourquoi un client refuse un traitement susceptible de l'aider ou en demande un qui risque d'avoir un effet limité.

Collecte des données

TABLEAU 28.4 Évaluation ciblée du système visuel

Cette liste de contrôle permet de vérifier que les étapes clés de l'évaluation ont été réalisées.		
Données subjectives		
Interroger le client sur les éléments suivants :		
Changements dans la vision (p. ex., l'acuité, la vision floue)	Oui	Non
Rougeur de l'œil, démangeaisons, inconfort	Oui	Non
Écoulement des yeux	Oui	Non
Données objectives – Examen physique		
Inspecter :		
Présence de décoloration ou d'écoulement dans les yeux		☐
Couleur et vascularisation de la conjonctive et de la sclère		☐
Clarté du cristallin		☐
Présence de ptose des paupières, d'entropion ou d'ectropion		☐
Évaluer :		
Vision du client, avec l'échelle de Snellen		☐
Mouvements extraoculaires		☐
Vision périphérique		☐
Pupilles égales et rondes, réaction à la lumière et accommodation normales (PERRLA)		☐

28.2.2 Données objectives

Examen physique

L'examen physique du système visuel comprend l'examen des structures oculaires et l'évaluation de leur état fonctionnel. Les structures oculaires à examiner sont les annexes de l'œil, l'œil externe et les structures internes. Certaines structures, notamment la rétine et les vaisseaux sanguins, doivent être examinées à l'aide de matériel d'observation ophtalmique, tel qu'un ophtalmoscope. Les fonctions physiologiques à évaluer sont l'acuité visuelle, la capacité à évaluer la proximité et la distance, les champs visuels et la fonction des muscles extrinsèques de l'œil. Il faut aussi observer la fonction pupillaire et mesurer la pression intraoculaire (Goldman & Schafer, 2011).

L'évaluation du système visuel peut comprendre tous les éléments traités dans les sections suivantes ou peut consister simplement à mesurer l'acuité visuelle du client. L'infirmière doit faire les évaluations appropriées et nécessaires pour chaque client. Elle est habilitée à effectuer toutes les évaluations suivantes, mais certaines demandent une formation particulière **TABLEAU 28.4**.

L'**ENCADRÉ 28.1** décrit l'évaluation physique normale du système visuel. Le **TABLEAU 28.1** présente les changements visuels liés au vieillissement et les différences observées dans les résultats d'évaluation. Le **TABLEAU 28.5** résume les techniques d'évaluation de la vision, et le **TABLEAU 28.6** énumère les anomalies courantes observées au cours de l'évaluation.

Observation initiale

L'observation initiale du client peut fournir des renseignements qui permettront à l'infirmière d'orienter son évaluation. Dès la première rencontre, elle peut remarquer que le client porte des vêtements de couleurs mal assorties. Cela peut indiquer un trouble de la vision des couleurs (p. ex., le daltonisme). Elle peut aussi noter une position inhabituelle de la tête. Un client atteint de diplopie peut se pencher la tête pour tenter de voir une seule image. Un client qui a subi une abrasion cornéenne ou qui souffre de photophobie se couvrira les yeux avec les mains pour se cacher de la lumière. L'infirmière doit estimer la perception des profondeurs en tendant la main au client et en lui demandant de la serrer.

Pendant l'observation initiale, elle doit observer l'apparence générale du visage et des yeux du client. Ceux-ci doivent être symétriques et placés normalement dans le visage. Les globes oculaires ne doivent pas être protubérants ou enfoncés.

Collecte des données

ENCADRÉ 28.1 Examen physique normal du système visuel

- Acuité visuelle de 20 sur 20 des deux yeux ; pas de diplopie
- Structures oculaires externes symétriques, sans lésion ni déformation
- Appareil lacrymal non sensible et sans écoulement
- Conjonctive transparente ; sclère blanche
- Pupilles égales et rondes, réaction à la lumière et accommodation normales (PERRLA)
- Cristallin transparent
- Mouvements extraoculaires intacts
- Bords nets de la papille optique
- Vaisseaux rétiniens normaux, sans hémorragie ni tache

RISQUE GÉNÉTIQUE

Glaucome

- Certaines formes de glaucome présentent une forte liaison génétique. De nombreux gènes du glaucome ont été découverts.
- Les personnes qui ont des antécédents familiaux de glaucome courent un risque bien plus grand que les autres de contracter la maladie.

Dégénérescence maculaire liée à l'âge (DMLA)

- Certains cas de DMLA présentent une liaison génétique. De nombreux gènes peuvent être associés à cette maladie.

Collecte des données

TABLEAU 28.5 Techniques d'évaluation du système visuel

TECHNIQUE	DESCRIPTION	BUT
Examen d'acuité visuelle	Le client lit l'échelle de Snellen à une distance de 6 m (examen de vision éloignée) ou l'optotype de Jaeger à ±35 cm (examen de vision rapprochée). Pour le test de Snellen, l'infirmière note la plus petite ligne où le client fait moins de trois erreurs ; pour l'optotype de Jaeger, l'infirmière note la plus petite ligne que le client lit sans hésitation **FIGURE 28.7**.	Déterminer l'acuité visuelle de loin et de près.
Périmétrie par confrontation	Le client est face à l'infirmière. Il se couvre un œil, fixe le visage de l'infirmière et compte le nombre de doigts qu'elle place dans son champ de vision.	Déterminer si le champ de vision du client est complet, sans scotomes apparents.
Examen de la fonction pupillaire	L'infirmière dirige un faisceau lumineux vers la pupille, plus spécifiquement du canthus externe de l'œil vers la pupille du client, et elle observe la réaction pupillaire. Elle examine chaque pupille séparément. Elle vérifie aussi la réaction consensuelle et l'accommodation.	Déterminer si la réaction pupillaire du client est normale.
Tonométrie avec un Tono-Pen^MD	L'infirmière appuie doucement et à plusieurs reprises avec l'extrémité couverte de la tige sur la cornée préalablement anesthésiée. Elle prend plusieurs mesures pour obtenir une pression intraoculaire moyenne **FIGURE 28.9**.	Mesurer la pression intraoculaire (la pression normale se situe entre 10 et 21 mm Hg).
Ophtalmoscopie	L'infirmière tient l'ophtalmoscope près de l'œil du client et dirige un faisceau lumineux au fond de l'œil en regardant par l'ouverture de l'appareil. Elle choisit l'objectif qui procure le grossissement voulu pour inspecter le fond de l'œil **FIGURE 28.6**.	Donner une vue agrandie de la rétine et de la papille optique.
Examen de vision des couleurs	Le client détermine les figures ou les nombres formés par des points colorés sur diverses planches.	Déterminer la capacité de distinguer les couleurs.
Kératométrie	L'infirmière aligne la projection et note les mesures de la courbure cornéenne.	Mesurer la courbure de la cornée (souvent effectuée avant d'ajuster des verres de contact, avant une chirurgie réfractive ou après une greffe de cornée).

Anomalies courantes

TABLEAU 28.6 Système visuel

OBSERVATIONS	DESCRIPTION	ÉTIOLOGIE POSSIBLE ET SIGNIFICATION
Données subjectives		
Douleur	Sensation de présence d'un corps étranger	Érosion ou abrasion superficielle de la cornée ; possiblement due au port de verres de contact ou à un trauma ; corps étranger sur la conjonctive ou la cornée
	Douleur sévère, profonde, pulsatile	Uvéite antérieure, glaucome aigu, infection ; glaucome aigu aussi accompagné de céphalées, de nausées ou de vomissements
Photophobie	Intolérance anormale et persistante à la lumière	Inflammation ou infection de la cornée ou de l'uvée antérieure (iris et corps ciliaire)
Vision trouble	Incapacité graduelle ou soudaine de voir nettement	Erreurs réfractives, opacités cornéennes, cataractes, migraine avec aura, changements dans la rétine (décollement, dégénérescence maculaire)
Taches, corps flottants	Présence de taches, de « toiles d'araignée », d'un « voile » ou de corps flottants dans le champ de vision, selon le client.	Cause la plus commune : liquéfaction de l'humeur vitrée (phénomène bénin) ; autres causes possibles : hémorragie dans l'humeur vitrée, trous ou déchirures de la rétine
Sécheresse	Malaise, sensation sableuse, granuleuse, d'irritation ou de brûlure	Production réduite de larmes ou changements de la composition des larmes dus au vieillissement, à la ménopause ou à diverses maladies systémiques (polyarthrite rhumatoïde, syndrome de Sjögren)
Diplopie	Vision double	Anomalies fonctionnelles des muscles extrinsèques liées à une pathologie des muscles ou du nerf crânien
Données objectives		
Paupières		
Réactions allergiques	Rougeur, larmoiement excessif et démangeaisons du bord des paupières	Nombreux allergènes possibles ; risque de trauma oculaire si le client se frotte les paupières pour soulager la démangeaison
Orgelet	Petit pustule blanc superficiel au bord des paupières	Infection d'une glande sébacée des paupières ; organisme responsable : généralement une bactérie (le plus souvent *Staphylococcus aureus*)
Blépharite	Rougeur, enflure et croûte au bord des paupières	Invasion bactérienne du bord des paupières, souvent chronique
Ptose	Descente ou chute de la paupière supérieure (paupière supérieure tombante) ; unilatérale ou bilatérale	Causes mécaniques dues à une tumeur des paupières, à une ischémie du IIIe nerf crânien ou à un excès de peau ; myasthénie grave
Entropion	Renversement intérieur du bord des paupières supérieures ou inférieures ; unilatéral ou bilatéral	Causes congénitales entraînant des anomalies du développement
Ectropion	Renversement extérieur du bord des paupières inférieures	Causes mécaniques dues à une tumeur des paupières, à de la graisse orbitaire herniée ou à l'extravasation de liquide
Conjonctive		
Conjonctivite	Conjonctive rouge et enflée, parfois avec démangeaisons	Infection bactérienne ou virale ; possible réaction allergique ou inflammatoire à un produit chimique
Hémorragie sous-conjonctivale	Tache de sang sur la sclère (peut être petite ou couvrir la sclère entière)	Rupture de vaisseaux sanguins de la conjonctive, écoulement de sang dans l'espace sous-conjonctival

TABLEAU 28.6 **Système visuel *(suite)***

OBSERVATIONS	DESCRIPTION	ÉTIOLOGIE POSSIBLE ET SIGNIFICATION
Cornée		
Abrasion cornéenne	Lésion localisée et douloureuse de la couche épithéliale de la cornée (peut être vue à l'aide de fluorescéine)	Trauma ; port excessif ou mauvais ajustement des verres de contact
Globe oculaire		
Exophtalmie	Saillie anormale du globe hors de son orbite ; sclère souvent visible au-dessus de l'iris quand les paupières sont ouvertes	Hyperthyroïdie ; tumeurs intraoculaires ou périorbitaires
Pupille		
Anisocorie	Pupilles inégales en myosis ou en mydriase	Phénomène normal ou résultant parfois de troubles du système nerveux central (une légère différence de la taille de la pupille [≤ 1 mm] est normale chez certaines personnes)
Réflexe pupillaire ou d'accommodation anormal	Réaction asymétrique ou anormale des pupilles à un stimulus lumineux ou à l'accommodation	Troubles du système nerveux central, anesthésie générale
Muscles extrinsèques		
Strabisme	Déviation de l'œil dans une ou plusieurs directions	Activité excessive ou insuffisante d'un ou de plusieurs muscles extrinsèques
Défaut du champ visuel		
Périphérique	Perte partielle ou complète de la vision périphérique	Glaucome ; interruption des voies optiques (p. ex., par une tumeur) ; migraine
Central	Perte de vision centrale	Dégénérescence maculaire
Cristallin		
Cataracte	Opacification du cristallin (quand l'opacité est visible par la pupille, celle-ci peut paraître trouble ou blanche)	Vieillissement, trauma, diabète, corticothérapie systémique à long terme

Évaluation des structures

Les structures qui constituent le système visuel sont principalement évaluées par inspection. Le système visuel est particulier, car ses structures externes et aussi un grand nombre de ses structures internes peuvent être directement inspectées. L'iris, le cristallin, l'humeur vitrée, la rétine et le nerf optique peuvent tous être vus directement à travers la cornée transparente et par la pupille.

Pour effectuer cette inspection directe, l'infirmière doit utiliser des appareils spéciaux d'observation tels que le biomicroscope et l'ophtalmoscope. Ils permettent l'examen sous grossissement de la conjonctive, de la sclère, de la cornée, de la chambre antérieure, de l'iris, du cristallin, de l'humeur vitrée et de la rétine. L'ophtalmoscope est un instrument portatif qui comprend une source lumineuse et une loupe. L'instrument est tenu près de l'œil pour voir la partie postérieure de celui-ci. Ces examens ne causent pas de douleur ou de malaise, mais certains clients peuvent décrire un léger inconfort.

Sourcils, cils et paupières Toutes ces structures doivent être présentes et symétriques, et ne doivent présenter aucune déformation, rougeur ou enflure. Les cils garnissent le bord des paupières. Les bords des paupières supérieures et inférieures doivent à peine se toucher quand les yeux sont fermés. Les points lacrymaux doivent être ouverts et placés contre le globe oculaire.

Conjonctive et sclère Il est facile d'examiner la conjonctive et la sclère en même temps. L'infirmière évalue la couleur, la régularité de la surface et la présence de lésions ou de corps étrangers. La conjonctive, qui couvre la sclère, est normalement transparente et comporte de petits vaisseaux sanguins. Ceux-ci sont plus abondants en périphérie.

La sclère est normalement blanche chez l'adulte. Chez les personnes âgées, elle devient parfois jaunâtre en raison de dépôts lipidiques ou bleu pâle en raison de son amincissement. Cette teinte bleutée peut aussi être observée chez les jeunes enfants puisque la sclère est naturellement plus

CE QU'IL FAUT RETENIR

L'ophtalmoscope, composé d'une loupe et d'une source lumineuse, permet d'examiner la rétine et le nerf optique, en donnant une image nette des structures oculaires.

mince. Certaines personnes à peau foncée peuvent également avoir une sclère légèrement jaune, par exemple, les Afro-Américains et les Amérindiens.

Cornée La cornée doit être transparente et brillante. La région située entre la cornée et l'iris (la chambre antérieure) doit être transparente, et exempte de sang ou de matière purulente.

Iris L'iris doit avoir une couleur et une forme semblables. Il doit être plat et ne doit pas bomber vers la cornée. Toutefois, il existe des gens qui ont une **hétérochromie**, c'est-à-dire une différence de couleur entre l'iris des deux yeux ou une différence entre des parties d'un même iris. L'hétérochromie peut être d'étiologie génétique, pathologique (tumeur) ou traumatique.

Jugement clinique

Philippe Laflamme, âgé de 15 ans, a été hospitalisé à la suite d'un violent trauma crânien lors d'une partie de hockey. Que pourra révéler l'examen du fond de l'œil de Philippe?

Rétine et nerf optique L'évaluation de la rétine et du nerf optique se fait à l'aide d'un ophtalmoscope, qui grossit les structures oculaires et en donne une image très nette **FIGURE 28.6**.

L'infirmière examine la taille, la couleur et les anomalies du nerf ou de la papille optique. Celle-ci doit être d'un jaune crème avec des bords nets. Au centre de la papille, elle peut voir une dépression physiologique, appelée excavation papillaire, par où sort le nerf optique. Cette dépression doit avoir un diamètre inférieur à la moitié de celui de la papille. Normalement, il ne doit y avoir aucune hémorragie ni aucun **exsudat** au fond de l'œil (arrière de la rétine). Une inspection minutieuse du fond de l'œil peut révéler la présence de **trous maculaires**, de déchirures, de décollements ou de lésions de la rétine. De petites hémorragies dues au diabète ou à l'hypertension peuvent être présentes. Elles apparaissent sous la forme de flammes ou de points. Enfin, l'infirmière doit observer la forme et l'apparence de la macula. Cette région hautement réfléchissante est dépourvue de vaisseaux sanguins.

Exsudat : Accumulation de cellules mortes et de globules blancs qui suinte d'un foyer d'inflammation. Il peut être séreux (jaune clair, transparent comme du plasma), sanguinolent (contenant des globules rouges) ou purulent (contenant des globules blancs et des bactéries).

Une observation directe avec un ophtalmoscope permet d'obtenir des données importantes sur le système vasculaire ainsi que sur le nerf optique, celui-ci étant régi par le système nerveux central. L'utilisation de cet instrument nécessite une certaine expérience et une formation appropriée.

Évaluation de l'état fonctionnel

Acuité visuelle Pour des raisons médicales et légales, lorsque le client se présente pour des symptômes oculaires, l'infirmière doit toujours noter l'acuité visuelle du client. Elle doit le faire avant qu'il reçoive des soins.

Le client se tient assis ou debout à 6 m (20 pi) de l'**échelle de Snellen**. Il doit porter ses verres de correction (lunettes ou verres de contact), sauf s'il les utilise seulement pour lire. L'infirmière lui demande de se couvrir l'œil gauche et de lire la ligne avec les plus petits caractères qu'il peut voir sans effort. S'il lit cette ligne en faisant 50 % d'erreurs ou moins, l'infirmière lui demande de lire la ligne suivante afin de s'assurer d'un résultat fiable. Elle doit noter la ligne avec les plus petits caractères qu'il arrive à lire en faisant 50 % d'erreurs ou moins. L'infirmière doit noter la distance à laquelle un œil normal peut lire la ligne de lettres. Par exemple, pour le client qui lit à la ligne de 9 m (30 pi) avec l'œil droit, il faut noter 20/30 œil droit. La cécité légale correspond à une acuité visuelle de 20 sur 200 ou moins du meilleur œil avec la correction optimale. Il faut ensuite demander au client de couvrir son œil droit et refaire le même processus **FIGURE 28.7**.

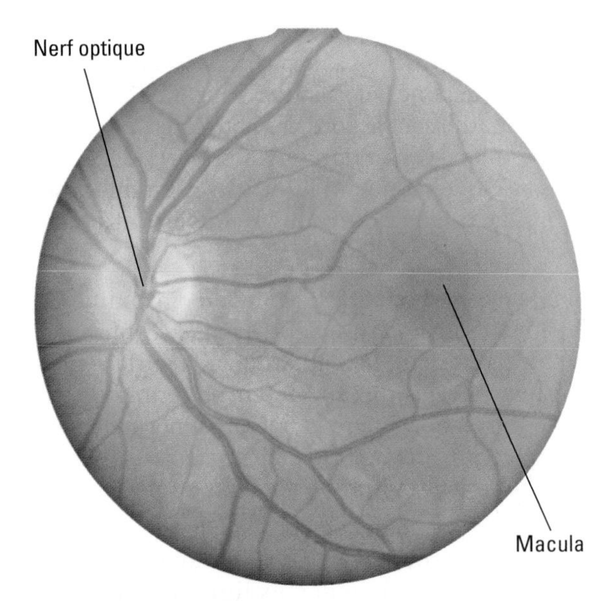

FIGURE 28.6 Vue grossie de la rétine avec l'ophtalmoscope

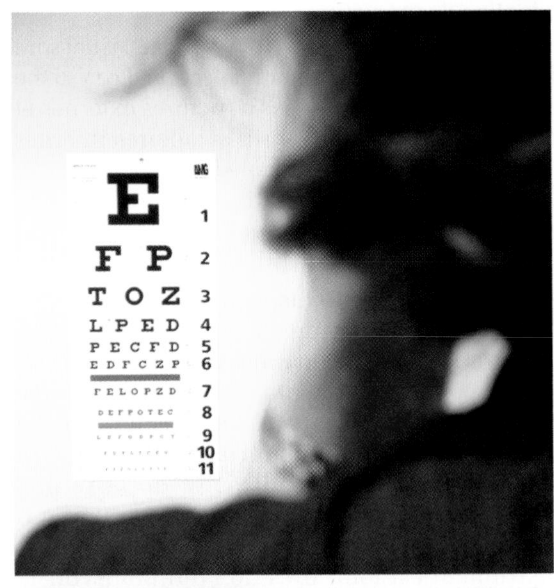

FIGURE 28.7 Technique de l'examen visuel avec l'échelle de Snellen

Pour évaluer l'acuité visuelle d'un client qui est incapable de voir la lettre de 20 sur 40, l'infirmière doit se placer à une distance de 0,9 à 1,5 m devant lui. Elle lui montre un certain nombre de doigts et lui demande de les compter. S'il est incapable de le faire, elle montre un nombre différent de doigts à des distances de plus en plus rapprochées jusqu'à 0,30 m et elle demande de nouveau au client de les compter. Elle doit ensuite évaluer l'autre œil de la même manière et noter l'acuité de chaque œil. Si le client peut compter le nombre de doigts à 0,6 m, elle note CD (compte de doigts) à 0,6 m. S'il ne peut pas les compter, elle lui demande s'il voit un mouvement de la main devant son visage. Ce degré d'acuité visuelle est noté comme étant MM (mouvement de la main).

Si le client est incapable de voir le MM, l'infirmière doit déterminer s'il voit quelque chose. Elle peut le faire en lui demandant de couvrir l'œil qui n'est pas examiné et en dirigeant une lumière dans l'œil examiné. S'il voit la lumière, l'infirmière note PL (perception de la lumière). S'il ne la voit pas, elle note PPL (pas de perception de la lumière). La consignation de cette information est essentielle aux soins futurs du client. L'infirmière doit aussi évaluer l'acuité visuelle des clients qui se plaignent de troubles visuels de près et de tous les clients de 40 ans et plus. Elle demande au client de tenir un **optotype de Jaeger** à ±35 cm de ses yeux. Elle couvre son œil gauche avec le cache-œil et lui demande de lire successivement des lignes de caractères de plus en plus petits. Elle note l'acuité visuelle qui correspond à la ligne avec les plus petits caractères que le client arrive à lire sans effort et sans hésitation. Elle doit répéter cette procédure en couvrant l'œil droit. Une acuité visuelle normale de près est de 14 sur 14 pour chaque œil.

Si l'infirmière ne dispose d'aucun matériel pour évaluer l'acuité visuelle de près, elle peut quand même en faire une évaluation précise, par exemple, à l'aide d'un journal ou de l'étiquette d'un contenant. Elle note alors l'acuité ainsi : « Arrive à bien lire et sans effort le titre d'un journal à X cm. »

Fonction des muscles extrinsèques L'infirmière doit observer le reflet cornéen lumineux pour évaluer la faiblesse ou le déséquilibre des muscles extrinsèques. Dans une pièce sombre, elle demande au client de regarder droit devant lui et elle dirige un faisceau lumineux directement sur la cornée. La réflexion de la lumière doit être située au centre des deux cornées quand le client est face à la source de lumière.

Pour évaluer le mouvement des yeux, l'infirmière tient un doigt ou un objet à environ 30 cm du nez du client. Elle demande au client de suivre des yeux le mouvement de l'objet ou du doigt dans les six positions cardinales du regard **FIGURE 28.8**. Cet examen peut indiquer la faiblesse ou la paralysie des muscles extrinsèques et des nerfs crâniens (IIIe nerf crânien ou nerf oculomoteur, IVe nerf crânien ou nerf trochléaire, et VIe nerf crânien ou nerf moteur oculaire externe).

Jugement clinique

Lyne Deschamps, enseignante âgée de 32 ans, est une jeune femme active, célibataire, en bonne santé. Elle doit cependant subir une angiofluorographie rétinienne dans le cadre d'un bilan ophtalmologique à la suite d'une amputation du champ visuel gauche qui s'est produit sans raison apparente. Nommez trois renseignements que l'infirmière doit donner à cette cliente pour qu'elle puisse se préparer à l'examen.

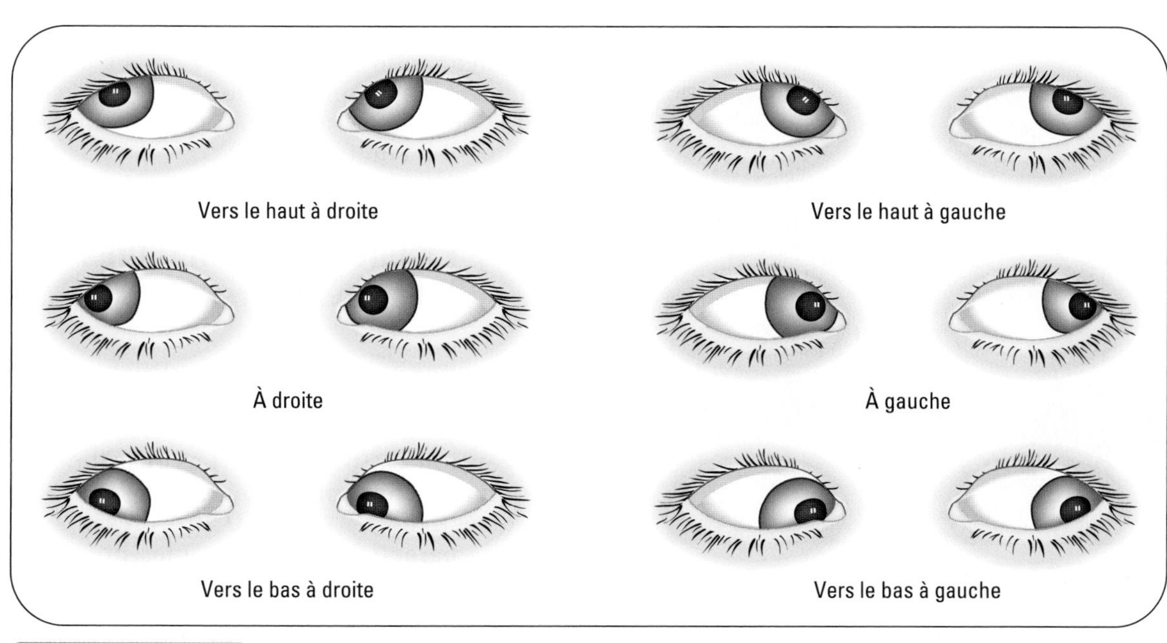

FIGURE 28.8 Six positions cardinales du regard

CE QU'IL FAUT RETENIR

La fonction pupillaire est déterminée par une inspection des pupilles et de leur réaction à la lumière : celles-ci doivent être rondes et de même taille, et réagir vivement à la lumière.

Réaction consensuelle : Contraction pupillaire controlatérale provoquée par un faisceau lumineux sur la rétine.

Fonction de la pupille La fonction pupillaire est déterminée en inspectant les pupilles et leur réaction à la lumière. Les pupilles doivent être rondes et de même taille, et elles doivent réagir vivement à la lumière. L'acronyme PERRLA, qui signifie « pupilles égales et rondes, réaction à la lumière et accommodation normales » est répendu dans la littérature médicale pour décrire cette vérification. Pour évaluer l'accommodation, l'infirmière demande au client de fixer un objet éloigné. Cela a pour effet de dilater la pupille. Ensuite, elle demande au client de fixer un objet rapproché (p. ex., son doigt situé à environ 8 cm du nez du client). La réponse normale comprend une contraction de la pupille et une convergence (mouvement des yeux vers le centre du visage de manière à ce que leurs axes se rapprochent).

Un faible pourcentage de personnes, soit 5 % de la population, ont des pupilles de diamètres inégaux (anisocorie) sans pour autant que ce soit pathologique (Jarvis, 2015). La **réaction** de la pupille à la lumière doit être directe (elle se contracte quand un faisceau lumineux est dirigé sur l'œil) et **consensuelle** (elle se contracte quand un faisceau lumineux est dirigé dans l'autre œil). Afin de vérifier le réflexe pupillaire à la lumière ou encore le réflexe photomoteur, l'infirmière doit diriger un faisceau lumineux du cantus externe de l'œil vers le centre de la pupille. Attention : si le faisceau lumineux est dirigé de face, une constriction des pupilles se produira (afin d'accommoder la vision de près) et il sera impossible d'évaluer la réponse réelle des pupilles à la lumière.

Pression intraoculaire La pression intraoculaire peut être mesurée par diverses méthodes, notamment avec un tonomètre Tono-Pen^MD (Rakel & Rakel, 2011) **FIGURE 28.9**. Celui-ci est couramment utilisé par les ophtalmologistes parce qu'il est simple et très précis. La cornée est d'abord anesthésiée à l'aide de gouttes oculaires, et l'extrémité couverte du tonomètre est délicatement placée sur la surface de la cornée à quelques reprises. L'instrument prend plusieurs mesures et donne une mesure moyenne sur un écran numérique situé à l'avant de l'appareil. La pression intraoculaire normale se situe entre 10 et 21 mm Hg.

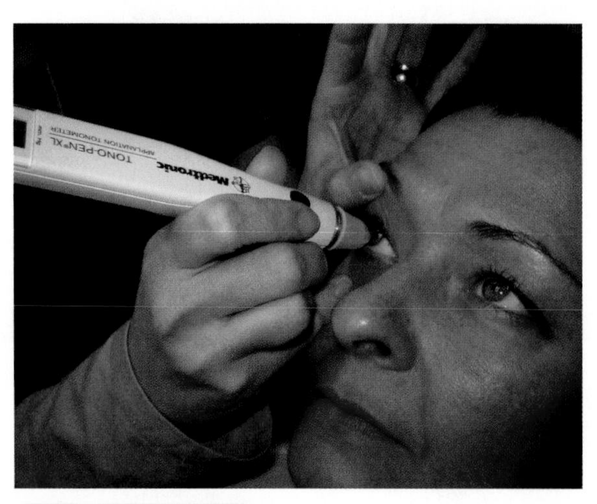

FIGURE 28.9 Tonomètre Tono-Pen^MD

Techniques spéciales d'évaluation

Vision en couleurs

La détermination de la capacité du client à distinguer les couleurs est une partie importante de l'évaluation générale, car la discrimination précise des couleurs est nécessaire à certaines activités professionnelles.

Le **test de couleur Ishihara** permet de déterminer la capacité du client à distinguer des couleurs présentées sur un ensemble de planches de couleurs variées (Almog & Nemet, 2010). Les personnes âgées ont une perte de discrimination chromatique à l'extrémité bleue du spectre des couleurs et une perte de sensibilité dans tout le spectre, particulièrement en présence de cataractes. Ce test est également utilisé pour déceler les cas de daltonisme, ainsi que certaines maladies de la macula et du nerf optique.

Vision stéréoscopique

La vision stéréoscopique permet de voir les objets en trois dimensions. Tout événement qui cause une vision monoculaire (p. ex., l'énucléation, l'occlusion) entraîne la perte de la vision stéréoscopique. La personne a alors de la difficulté à évaluer les distances et la hauteur d'objets (Vale, Buckley & Elliot, 2008). Cette incapacité peut avoir de graves conséquences : par exemple, le client peut trébucher sur une marche ou suivre un véhicule de trop près quand il conduit.

28.3 Examens paracliniques du système visuel

Les examens paracliniques fournissent des renseignements importants pour le suivi de l'état visuel du client et la planification des interventions appropriées. Les résultats de ces examens sont considérés comme des données objectives. Le **TABLEAU 28.7** présente les examens paracliniques de base les plus courants du système visuel.

Examens paracliniques

TABLEAU 28.7 **Système visuel**

EXAMEN	DESCRIPTION ET BUT	RESPONSABILITÉS INFIRMIÈRES[a]
Réfractométrie	Mesure subjective de l'erreur de réfraction. Plusieurs lentilles sont montées sur roues ; le client est assis et regarde l'échelle de Snellen par les ouvertures. Les lentilles sont changées, et le client indique celles qui donnent l'image la plus nette. Des médicaments cycloplégiques servent à empêcher l'accommodation pendant ce processus.	Méthode indolore. Il faut parfois aider le client à garder la tête immobile. La dilatation des pupilles rendra diffi cile la mise au point sur des objets rapprochés. La dilatation peut durer de 3 à 4 heures.
Échographie	Une sonde « A » est appuyée contre la cornée anesthésiée du client. Ce test sert surtout à mesurer la longueur axiale afin de calculer la puissance du cristallin artificiel implanté après l'extraction de la cataracte. Une sonde « B » est ensuite appuyée contre la paupière fermée du client ; cette technique est utilisée plus souvent que la sonde « A » pour le diagnostic de troubles oculaires tels que la présence de corps étrangers ou de tumeurs dans l'œil, l'opacité de l'humeur vitrée et le décollement rétinien.	Méthode indolore. La cornée est anesthésiée.
Angiofluorographie	La fluorescéine (un colorant non iodé et non radioactif) est injectée par voie intraveineuse dans la veine antécubitale ou une autre veine périphérique, et un ensemble de photographies de la rétine sont effectuées (pendant 10 minutes) par la pupille dilatée. Cela fournit des renseignements diagnostiques sur la circulation sanguine dans les vaisseaux pigmentaires de l'épithélium et de la rétine. Cette technique est souvent utilisée chez les diabétiques pour situer précisément les zones de rétinopathie diabétique avant la destruction au laser de la néovascularisation.	En cas d'extravasation, la fluorescéine est toxique pour les tissus. Les réactions allergiques systémiques sont rares, mais l'infirmière doit connaître le matériel et les procédures d'urgence. Elle doit avertir le client que le colorant cause parfois des nausées ou des vomissements passagers. Une coloration jaune orangé passagère de l'urine ou de la peau est normale.
Grille d'Amsler	Examen fait par le client qui tient dans sa main une carte quadrillée (comme du papier graphique), fixe le point central et note toute anomalie des lignes, telle que des zones ondulées, manquantes ou déformées. Il sert à surveiller les troubles maculaires **FIGURE 28.10**.	Cet examen doit être fait régulièrement (une fois par année minimalement) pour déceler tout changement de la fonction maculaire, tel que la DMLA.

[a] L'infirmière a la responsabilité d'informer le client quant au but de l'examen et à la méthode utilisée.

Test d'Amsler normal

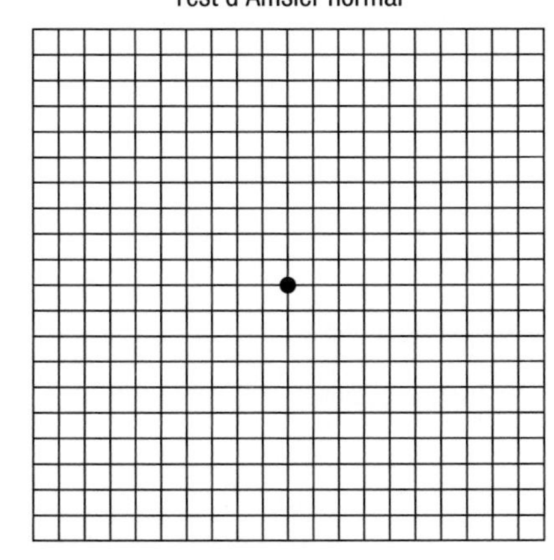

Exemple d'un test d'Amsler altéré par la DMLA

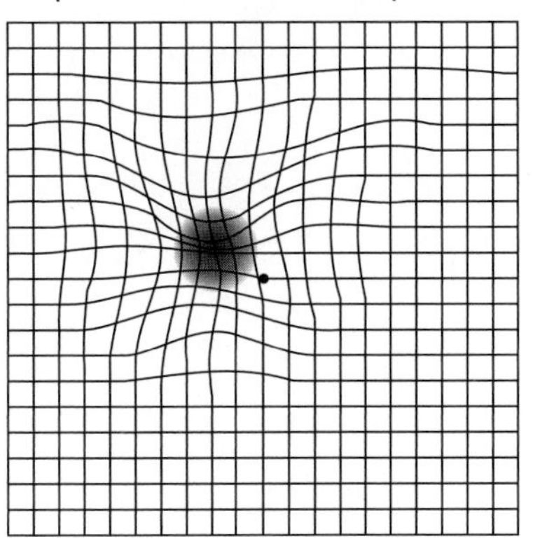

FIGURE 28.10 Grille d'Amsler

CE QU'IL FAUT RETENIR

La vision stéréoscopique permet de voir les objets en trois dimensions. La perte de cette vision met en péril la sécurité du client, car celui-ci évalue mal les distances et la hauteur des objets.

SYSTÈME AUDITIF

28.4 Anatomie et physiologie du système auditif

Le système auditif est formé de l'appareil auditif périphérique et de l'appareil auditif central. Le système auditif périphérique comprend les structures de l'oreille elle-même, c'est-à-dire les oreilles externe, moyenne et interne **FIGURE 28.11**. Ce système est chargé de la réception et de la perception du son. L'oreille interne est responsable de l'audition et de l'équilibre. Le système auditif central intègre et interprète les sons entendus. Il comprend le nerf vestibulocochléaire (VIIIe nerf crânien) et l'aire auditive du cerveau. Le cerveau et ses voies transmettent et traitent les sons, et le cervelet traite les sensations qui permettent à une personne de maintenir son équilibre.

29

Les types de surdité sont décrits dans le chapitre 29, *Interventions cliniques – Troubles visuels et auditifs*.

Les rôles des parties externe et moyenne de l'oreille sont d'acheminer et d'amplifier les ondes sonores qui proviennent de l'environnement. Cette partie de la conduction du son est appelée la **conduction aérienne**. Des troubles de ces deux parties de l'oreille peuvent causer la surdité de conduction, et entraîner la distorsion ou la diminution de l'intensité des sons. Les principales causes de surdité de conduction sont l'accumulation de cérumen, la présence d'un corps étranger, la présence de pus dans l'oreille moyenne et l'otosclérose.

La partie interne de l'oreille est responsable de l'audition et de l'équilibre. Les troubles de l'équilibre peuvent affecter la coordination, l'équilibre et l'orientation. Une lésion ou une anomalie de l'oreille interne ou de la voie nerveuse (VIIIe nerf crânien) entre l'oreille interne et le cerveau peut causer une surdité de perception. En plus de déformer ou d'atténuer les sons, celle-ci peut affecter la capacité d'entendre les paroles ou causer une surdité totale. Cela peut modifier la perception ou la sensibilité à des tonalités particulières. Les causes de surdité de perception sont la presbyacousie ou une dégénérescence du nerf auditif. La surdité centrale est due à des déficiences touchant les aires auditives du cerveau. La personne entend les mots, mais a de la difficulté à comprendre leur signification ▶ 29.

28.4.1 Oreille externe

L'oreille externe comprend l'auricule (anciennement le pavillon), le méat acoustique externe

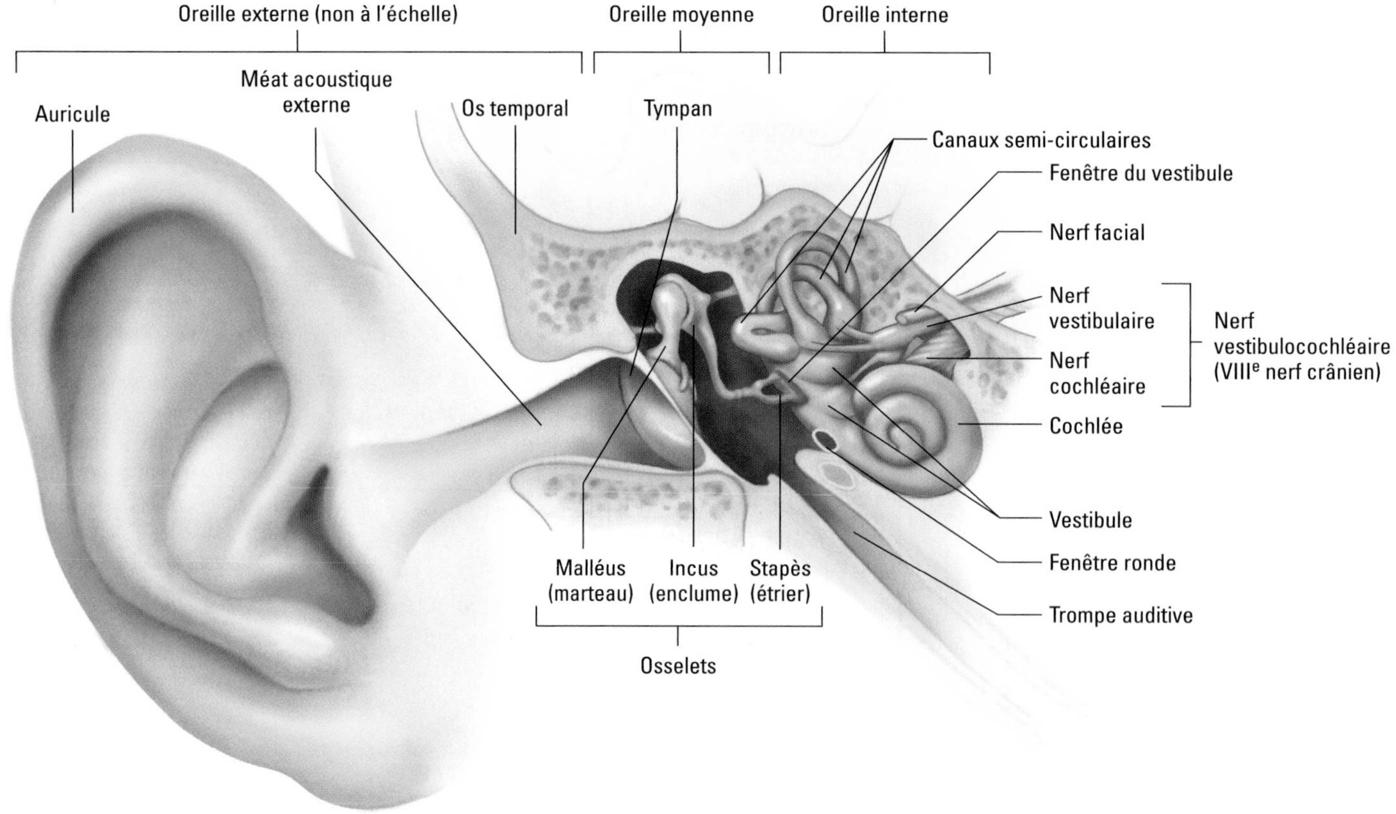

FIGURE 28.11 Oreille externe, moyenne et interne

(anciennement le conduit auditif externe) et le tympan. L'auricule est formée de cartilage et de tissu conjonctif couvert d'épithélium, qui tapisse également le méat acoustique externe **FIGURE 28.11**. Ce dernier est un conduit légèrement en forme de S d'environ 2,5 cm de longueur chez une personne adulte. Son épithélium comprend des poils fins (cils), des glandes sébacées (sécrétant une huile) et des glandes cérumineuses (produisant la cire). L'huile et la cire lubrifient le méat, le débarrassent des débris et tuent les bactéries.

La moitié externe du méat est couverte de poils et sa moitié interne est très sensible. Les fonctions de l'oreille externe sont de recueillir et de transmettre les ondes sonores au tympan. Le **tympan** est une membrane brillante et translucide de couleur gris perle qui est formée de cellules épithéliales, de tissu conjonctif et d'une membrane muqueuse. Il sépare le méat acoustique externe et l'oreille moyenne, et il assure la transmission sonore entre les deux.

28.4.2 Oreille moyenne

La cavité de l'oreille moyenne est un espace d'air situé dans l'os temporal. Elle est tapissée d'une membrane muqueuse qui recouvre également le nasopharynx et la trompe auditive. La trompe auditive égalise la pression atmosphérique entre l'oreille moyenne et la gorge, et elle permet au tympan de bouger librement. Elle s'ouvre durant le bâillement et la déglutition. Elle peut être bloquée par les allergies, les infections nasopharyngiennes et les végétations adénoïdes enflées.

L'oreille moyenne contient trois os minuscules ou osselets : le malléus, l'incus et le stapès. Les vibrations du tympan font vibrer ces osselets et transmettent les ondes sonores à la fenêtre du vestibule (anciennement la fenêtre ovale). Ce mouvement de la fenêtre se propage au liquide de l'oreille interne et stimule les récepteurs de l'audition. La fenêtre du vestibule, qui est couverte d'une membrane muqueuse, s'ouvre également dans l'oreille interne, où elle contribue à l'équilibre des liquides. La partie supérieure de l'oreille moyenne est appelée le récessus épitympanique. Elle communique également avec les cellules remplies d'air de l'os mastoïde. Celui-ci forme la partie postérieure de l'os temporal. Le nerf facial (VIIe nerf crânien) passe au-dessus de la fenêtre du vestibule dans l'oreille moyenne. Ce nerf est couvert d'une mince couche osseuse qui peut être endommagée par une infection chronique de l'oreille, une fracture du crâne ou un trauma causé par une chirurgie de l'oreille. Ceux-ci peuvent entraîner des dysfonctions touchant les mouvements faciaux volontaires, la fermeture des yeux ainsi que la discrimination des saveurs. Ils peuvent également causer des dommages permanents au nerf facial.

28.4.3 Oreille interne

L'oreille interne est composée du labyrinthe osseux, qui entoure le labyrinthe membraneux. L'os et la membrane sont séparés par la périlymphe. Le liquide situé à l'intérieur du labyrinthe membraneux est l'endolymphe. L'oreille interne contient les organes de l'audition et de l'équilibre. L'organe récepteur de l'audition est la cochlée, une structure spiralée. Elle contient l'organe spiral, dont les minuscules cellules ciliées réagissent à la stimulation de certaines parties de la lame basilaire en fonction de la hauteur du son. Cette stimulation est convertie en une impulsion électrochimique qui est transmise par la partie acoustique du nerf vestibulocochléaire (VIIIe nerf crânien) à l'aire auditive située dans le lobe temporal du cerveau, qui traite et interprète le son.

L'organe de l'équilibre est formé de trois canaux semi-circulaires et du vestibule. Ces structures forment le labyrinthe membraneux. Le labyrinthe osseux est la partie qui abrite le labyrinthe membraneux. Le labyrinthe membraneux est rempli d'endolymphe, et le labyrinthe osseux est rempli de périlymphe. Ces liquides protègent ces deux organes sensibles, qui communiquent avec le tronc cérébral et le cortex auditif du cerveau. Les stimulus nerveux sont transmis à la partie vestibulaire du VIIIe nerf crânien. Une pression excessive ou la présence de débris, par exemple des cristaux libres de calcium, dans le liquide lymphatique peut causer des troubles tels que des vertiges.

CE QU'IL FAUT RETENIR

L'oreille interne contient les organes de l'audition et de l'équilibre. L'organe récepteur de l'audition est la cochlée, et l'organe de l'équilibre est formé des trois canaux semi-circulaires et du vestibule.

Transmission du son

Les ondes sonores sont transmises par l'air (conduction aérienne), et elles sont reçues par les auricules et le méat acoustique externe. Elles frappent le tympan et le font vibrer. Le centre du tympan est relié au malléus, qui commence aussi à vibrer. Le malléus transmet ses vibrations à l'incus, puis au stapès. Celui-ci se balance d'avant en arrière et transmet son mouvement à la membrane de la fenêtre du vestibule, qui produit des ondes dans la périlymphe.

Quand le son a été transmis au liquide de l'oreille interne, la vibration est captée par les minuscules cellules ciliées sensorielles de la cochlée, qui amorcent les impulsions nerveuses. Ces impulsions sont transmises par les fibres nerveuses à la branche principale de la partie acoustique du VIIIe nerf crânien et ensuite au cerveau.

Les os du crâne peuvent aussi transmettre le son directement à l'oreille interne (**conduction osseuse**). Cela peut être démontré en plaçant sur le crâne la tige d'un diapason qui vibre pendant l'**épreuve de Rinne**.

Épreuve de Rinne : Épreuve utilisée pour différencier la perception des sons à travers l'air et la perception des sons à travers les os du crâne de la même oreille ; elle est réalisée à l'aide d'un diapason placé d'abord devant l'oreille puis contre l'apophyse mastoïde.

Considérations gérontologiques

EFFETS DU VIEILLISSEMENT SUR LE SYSTÈME AUDITIF

Les changements liés au vieillissement que subit le système auditif peuvent causer des déficiences auditives (National Institute on Deafness and Other Communication Disorders, 2015). Selon l'Institut de la statistique du Québec (2013), 18,5 % des Québécois de 65 ans et plus présentent une incapacité reliée à l'audition.

La presbyacousie, ou la perte auditive liée au vieillissement, peut être due au vieillissement comme tel ou à des agressions de diverses sources. Au cours d'une vie, le bruit, la pollution, les maladies vasculaires ou les maladies infectieuses, une nutrition insuffisante ou inadéquate, et les médicaments ototoxiques (gentamicine, acide acétylsalicylique [Aspirine^MD], Naprosyn^MD, Lasix^MD, etc.) peuvent endommager les délicates cellules ciliées de l'organe spiral ou causer l'atrophie des cellules productrices de lymphe. La transmission du son est également réduite par la calcification des osselets. La perte auditive associée à la presbyacousie touche plus spécifiquement les sons aigus. L'accumulation de cérumen sec (cire d'oreille) dans le méat externe peut aussi nuire à la transmission du son (Ko, 2010). Les **acouphènes**, ou le bourdonnement d'oreille, peuvent aussi accompagner la perte auditive liée au vieillissement ou aux agressions de diverses sources, tel que mentionné plus haut.

Jugement clinique

Durant une visite à domicile, l'infirmière constate que Charlotte Ladouceur, qui est âgée de 78 ans, et qui jusque-là n'avait que des problèmes d'arthrite à l'épaule, lui fait répéter tout ce qu'elle dit, se penche pour écouter, répond plus ou moins de manière pertinente. Quel est l'un des premiers éléments que l'infirmière devrait vérifier ?

La perte auditive, particulièrement chez les personnes âgées, peut avoir d'importantes conséquences sur la qualité de vie et engendrer, entre autres, des dysfonctionnements physiques et psychologiques progressifs. Avec l'accroissement de la longévité humaine, il y aura une augmentation du nombre de personnes souffrant de pertes auditives. La prévention et la détection précoce des troubles auditifs permettront aux personnes âgées d'être plus actives et en meilleure santé.

Le **TABLEAU 28.8** présente les changements auditifs liés au vieillissement et les différences observées dans les résultats d'évaluation.

Changements liés à l'âge

TABLEAU 28.8 Système auditif

CHANGEMENTS	OBSERVATIONS AU COURS DE L'ÉVALUATION
Oreille externe	
Production accrue de cérumen ; cérumen plus sec	Bouchon de cérumen ; perte auditive possible
Augmentation de la croissance des poils	Poils visibles, particulièrement chez l'homme
Perte d'élasticité du cartilage	Affaissement du méat acoustique
Oreille moyenne	
Changements atrophiques dans le tympan	Surdité de conduction
Oreille interne	
Dégénérescence des cellules ciliées, des neurones du nerf auditif et des voies centrales, irrigation sanguine réduite de la cochlée, calcification des osselets	Presbyacousie, sensibilité réduite aux sons aigus, réception déficiente de la parole, acouphène
Perte d'efficacité du système vestibulaire dans les canaux semi-circulaires	Altération de l'équilibre et de l'orientation corporelle
Aire auditive du cerveau	
Diminution de la capacité de filtrer les sons indésirables et inutiles	Difficulté à entendre dans un environnement bruyant, sensibilité accrue à des sons forts

28.5 Examen clinique du système auditif

L'examen du système auditif doit comprendre l'évaluation de l'audition et de l'équilibre, car le système auditif et le système vestibulaire (centre de l'équilibre) sont étroitement liés. Il est souvent difficile de distinguer les symptômes de ces deux systèmes.

Les troubles d'équilibre peuvent se manifester sous forme d'étourdissements, de vertiges ou de nystagmus. Les vertiges se caractérisent par une sensation de mouvement ou de tourbillonnement des personnes ou des objets environnants. Ils sont généralement stimulés par le mouvement de la tête. L'étourdissement est une sensation de déséquilibre qui se produit en position debout ou pendant la marche. Il ne se produit pas en position couchée. L'infirmière doit aussi évaluer la présence de **nystagmus**, un mouvement anormal des yeux caractérisé par des secousses des globes oculaires, que le client peut décrire comme une vision embrouillée pendant le mouvement de la tête ou des yeux.

28.5.1 Données subjectives

Renseignements importants concernant l'évaluation d'un symptôme (PQRSTU)

En collaboration avec le client, l'infirmière doit également déterminer le symptôme principal et orienter son évaluation sur celui-ci. Les autres symptômes ressentis par le client pourront être combinés ultérieurement au cours de l'évaluation afin d'aider le médecin à poser un diagnostic et à établir un plan de traitement pour le client. Par exemple, si ce dernier déclare ressentir des étourdissements, l'infirmière devra évaluer ce symptôme grâce à l'aide mnémotechnique suivante : PQRSTU **TABLEAU 28.9**.

Histoire de santé (AMPLE)

L'histoire de santé permet de recueillir des renseignements importants en lien avec l'état de santé du client. Cette information peut être obtenue en utilisant l'outil mnémotechnique AMPLE.

A Allergies / réactions

L'infirmière doit déterminer si le client a des allergies connues à certains médicaments ou autres substances, et lui demander quelles sont les réactions qui y sont associées. Il est important de noter la différence entre une réaction allergique et une intolérance puisque la réaction du client ainsi que l'intensité de celle-ci différeront. Il est important de consigner les données concernant les allergies alimentaires ou environnementales, car elles peuvent causer l'œdème de la trompe auditive et empêcher l'aération de l'oreille moyenne.

M Médicaments

L'infirmière doit obtenir des renseignements sur les médicaments actuels ou passés qui sont ototoxiques (provoquant des dommages au VIIIe nerf crânien), et qui peuvent causer une perte auditive, des acouphènes et des vertiges. Elle doit noter la quantité et la fréquence d'absorption de l'acide acétylsalicylique (Aspirin^MD), car une forte consommation peut causer l'acouphène. Les aminosides et tout autre antibiotique, les salicylates, les antipaludiques, les médicaments chimiothérapeutiques, les diurétiques et les anti-inflammatoires non stéroïdiens (AINS) sont des groupes de médicaments potentiellement ototoxiques. Une surveillance étroite des troubles d'audition et de l'équilibre provoqués par ces médicaments est essentielle. De nombreux médicaments causent une perte auditive qui peut être réversible si le traitement est arrêté.

CE QU'IL FAUT RETENIR

L'infirmière doit obtenir des renseignements sur les médicaments ototoxiques actuels ou passés, qui peuvent causer une perte auditive, des acouphènes et des vertiges.

Réactivation des connaissances

Quelle épreuve permet d'évaluer l'équilibre associé à la fonction cérébelleuse ?

P Passé

De nombreux troubles de l'oreille sont des séquelles de l'enfance ou sont dus à des troubles des organes adjacents. Il est donc important d'évaluer minutieusement les antécédents de santé.

L'infirmière doit interroger le client sur des troubles passés de l'oreille, notamment dans l'enfance. La fréquence des infections aiguës de l'oreille moyenne (otite moyenne), les perforations du tympan, les écoulements ainsi que les antécédents d'oreillons, de rougeole ou de scarlatine doivent être consignés. La perte auditive congénitale peut découler de maladies infectieuses (p. ex., la rubéole, la grippe, la syphilis), de médicaments tératogènes ou d'une hypoxie subie au cours des trois premiers mois de la grossesse. Les blessures à la tête doivent être notées, car elles peuvent causer des pertes auditives.

L'infirmière doit également obtenir de l'information sur les chirurgies antérieures de l'oreille, notamment une **paracentèse du tympan** (trous d'aération avec ou sans drain), une **tympanoplastie** (réparation chirurgicale du tympan), une **amygdalectomie** (ablation des amygdales) et une **adénoïdectomie** (excision des amygdales et des végétations adénoïdes). Elle doit noter les renseignements sur les membres de la famille qui ont une perte auditive et en spécifier le type, car certaines pertes auditives congénitales sont héréditaires. L'âge d'apparition de la presbyacousie suit aussi une tendance familiale. L'infirmière doit noter si le client utilise une prothèse auditive et quel est son degré de satisfaction concernant celle-ci. Elle doit également noter tout trouble causé par un bouchon de cérumen.

L (*Last meal*) Dernier repas

Il est important que l'infirmière évalue les habitudes de vie du client, incluant ses habitudes

CE QU'IL FAUT RETENIR

L'examen du système auditif doit comprendre l'évaluation de l'audition et de l'équilibre, car le système auditif et le système vestibulaire (centre de l'équilibre) sont étroitement liés.

Collecte des données

TABLEAU 28.9 Étapes de l'évaluation de symptômes liés au système auditif (PQRSTU)

P PROVOQUER / PALLIER / AGGRAVER	**EXEMPLES DE QUESTIONS**
L'infirmière cherche à connaître les éléments qui ont provoqué le trouble auditif.	• Qu'est-ce qui provoque vos étourdissements ? • Que faisiez-vous lorsque vos étourdissements sont apparus ?
Ensuite, elle s'intéressera à ce qui pallie, diminue ou aggrave les étourdissements.	• Qu'est-ce qui diminue vos étourdissements ? • Qu'est-ce qui améliore vos étourdissements ? • Qu'est-ce qui aggrave vos étourdissements ?
Q QUALITÉ / QUANTITÉ	**EXEMPLE DE QUESTION**
L'infirmière tente d'obtenir une description précise de la sensation éprouvée par le client. Elle souhaite documenter la qualité (p. ex., une sensation que l'environnement tourne autour de lui, l'impression qu'il va tomber).	• Pouvez-vous me décrire vos étourdissements ? À quoi ressemblent-ils ?
L'infirmière souhaite aussi documenter la quantité des étourdissements (p. ex., une intensité de 0 à 10).	• Sur une échelle de 0 à 10, 10 correspondant aux étourdissements les plus intenses que vous avez ressentis dans votre vie, à combien estimez-vous vos étourdissements actuellement ?
R RÉGION / IRRADIATION	**EXEMPLE DE QUESTION**
L'infirmière n'aura pas à demander au client de localiser ses étourdissements puisqu'il pointera nécessairement la région de la tête. Par contre, l'infirmière pourra demander au client qui déclare ressentir des bourdonnements dans l'oreille de lui préciser le ou les côtés atteints.	• Dans quelle oreille ressentez-vous des bourdonnements ?
S SYMPTÔMES ET SIGNES ASSOCIÉS / SÉVÉRITÉ	**EXEMPLE DE QUESTION**
Le symptôme principal à l'origine de la consultation peut être accompagné d'un ou de plusieurs autres symptômes ou signes cliniques. Ceux-ci doivent également être évalués afin de permettre de préciser l'origine du problème. L'infirmière doit déterminer quels sont les signes (p. ex., les écoulements, les rougeurs, les œdèmes) et symptômes associés (p. ex., les acouphènes, les nausées, les vertiges, les étourdissements).	• Ressentez-vous d'autres malaises ou d'autres symptômes en plus de vos étourdissements ?
T TEMPS / DURÉE	**EXEMPLES DE QUESTIONS**
L'infirmière doit déterminer le moment précis de l'apparition du symptôme, sa durée ainsi que sa fréquence.	• À quel moment ces étourdissements ont-ils débuté ? • Depuis combien de temps ressentez-vous des étourdissements ? • Sont-ils constants ou pas ?
U (*UNDERSTANDING*) COMPRÉHENSION ET SIGNIFICATION POUR LE CLIENT	**EXEMPLES DE QUESTIONS**
L'infirmière tente de découvrir la signification de ce symptôme pour le client.	• D'après vous, quelle est la cause de ces étourdissements ?
Par la suite, il est important que l'infirmière s'informe de la compréhension du client face à la maladie. Les valeurs et les croyances individuelles, qui varient selon la culture ou la religion, peuvent jouer un rôle majeur dans la capacité de s'adapter à la maladie, mais également dans la compréhension de celle-ci.	• Quel est l'impact de ces étourdissements sur vos activités ? • Que signifient ou que représentent ces étourdissements pour vous ?

alimentaires ainsi que la consommation de tabac (quantité par jour et nombre d'années), la consommation d'alcool et finalement la consommation de drogue. Un client intoxiqué peut entendre des voix ou des bruits non audibles pour l'infirmière sans que ceux-ci soient pathologiques.

L'alcool et le sodium influent tous deux sur la quantité d'endolymphe présente dans l'oreille interne. Les clients qui souffrent de la maladie de Ménière peuvent remarquer une certaine amélioration de leurs symptômes s'ils restreignent leur consommation d'alcool et de sodium (Bope & Kellerman, 2011). Les changements de symptômes en fonction de l'alimentation doivent être consignés au dossier. L'infirmière doit questionner le client sur toute douleur (**otalgie**) ou malaise de l'oreille associé à la mastication ou à la déglutition qui peut réduire l'ingestion d'aliments. Ce type de manifestation est souvent dû à un trouble de l'oreille moyenne.

L'évaluation des **crispations en occlusion** (serrage des dents) et du **bruxisme** (grincement des dents) aide à distinguer les troubles de l'oreille et la douleur projetée ou irradiée de l'articulation temporomandibulaire. Il faut demander au client s'il a des troubles dentaires et s'il porte des prothèses dentaires.

E Événements / environnement

L'infirmière doit évaluer la santé fonctionnelle d'une personne afin de cerner les comportements adéquats qui déterminent ses forces et de relever les comportements inadéquats actuels qui représentent un risque pour sa santé.

Les troubles d'audition et de l'équilibre peuvent toucher tous les aspects de la vie. Pour évaluer l'impact de la perte d'audition, l'infirmière doit interroger le client sur ses antécédents de santé en se basant sur les modes fonctionnels de santé **TABLEAU 28.10**.

Perception et gestion de la santé L'infirmière doit noter la date du début de la perte d'audition, si elle a été soudaine ou graduelle, et qui l'a remarquée (p. ex., le client, sa famille ou ses autres proches). La perte graduelle d'audition est généralement remarquée par les personnes qui communiquent avec le client. C'est le plus souvent le client lui-même qui constate la perte soudaine et la perte aggravée par d'autres troubles.

L'infirmière doit évaluer les comportements adoptés par le client pour préserver son audition. Le port d'un protège-oreilles ou de bouchons d'oreilles est souhaitable dans des environnements bruyants. Si le client pratique la natation, l'infirmière doit lui demander la fréquence et la durée de ses séances de nage, et s'il utilise une protection auditive. Elle doit aussi noter l'endroit où il nage (étang, lac, piscines publiques) afin d'établir s'il y a eu contact avec de l'eau contaminée. Elle doit déterminer si un objet introduit dans l'oreille, par exemple une prothèse auditive, peut causer une lésion au méat acoustique et au tympan.

Élimination Il est important de connaître les habitudes d'élimination d'un client qui a une fistule de la périlymphe et qui a subi une intervention chirurgicale de l'oreille. La constipation fréquente ou la difficulté à déféquer peuvent nuire à la guérison ou à la réparation d'une fistule de la périlymphe. Le client qui a subi une **stapédectomie** doit prévenir l'augmentation de la pression intracrânienne (et, par conséquent, de l'oreille interne) causée par l'effort à la défécation. Des laxatifs émollients peuvent être prescrits au client qui a des troubles chroniques de constipation après une chirurgie.

Stapédectomie : Ablation de l'étrier, le plus souvent pour remédier à la surdité par otospongiose.

Activités et exercices Au cours de l'évaluation des troubles de l'équilibre, il est essentiel d'obtenir des renseignements sur les activités et les exercices du client. L'infirmière doit le questionner précisément sur l'apparition, la durée et la fréquence de ses symptômes. Elle doit déterminer les activités qui soulagent ou aggravent les symptômes, et établir leur lien avec la période de la journée. Par exemple, chez les clients atteints de la maladie de Ménière, la capacité du corps à compenser les stimulations de l'environnement externe diminue au cours de la journée.

Sommeil et repos L'infirmière doit demander au client qui souffre d'acouphènes chroniques s'il souffre de troubles du sommeil et s'il utilise certaines techniques pour masquer l'acouphène (p. ex., un ventilateur, des bruits blancs). Elle doit évaluer la présence de ronflements, qui peuvent être causés par l'enflure ou l'hypertrophie des tissus du nasopharynx. Ce tissu en excès peut nuire au fonctionnement de la trompe auditive, et causer une sensation de plénitude ou de douleur à l'oreille.

Jugement clinique

Rosa Pellegrini vient d'obtenir son congé du centre hospitalier, après une chirurgie à l'oreille. Le médecin lui a remis une ordonnance pour un laxatif. La cliente croit que le médecin a fait une erreur, elle ne voit pas de lien avec sa chirurgie et elle n'a pas l'intention de faire remplir cette ordonnance. Que doit faire l'infirmière face à la décision de madame Pellegrini ?

Cognition et perception Certains troubles de l'oreille causent de la douleur, notamment ceux de l'oreille moyenne et du méat acoustique. Dans ce cas, l'infirmière doit demander au client de décrire la douleur et l'interroger sur la présence d'écoulement (**otorrhée**), les antécédents de grincements de dents et les traitements utilisés. Elle doit noter la douleur causée par le mouvement de l'auricule ou la palpation du tragus.

TABLEAU 28.10 Modes fonctionnels de santé – Éléments complémentaires : système auditif

MODES FONCTIONNELS DE SANTÉ	QUESTIONS À POSER
Perception et gestion de la santé	**Audition :** • Votre audition a-t-elle changé[a] ? • Dans l'affirmative, depuis combien de temps et quel effet ce changement a-t-il sur votre vie quotidienne ? • Utilisez-vous un appareil quelconque pour améliorer votre audition (p. ex., une prothèse auditive, le réglage du volume, les écouteurs pour la télévision ou le système de son)[a] ? • Comment protégez-vous votre ouïe ? • Avez-vous des allergies qui vous causent des troubles auditifs[a] ?
	Équilibre : • Quand avez-vous ressenti des étourdissements ou des vertiges la première fois ? • Cette sensation se produit-elle quand vous vous levez, quand vous êtes couché ou dans les deux situations ? • Qu'est-ce qui provoque vos étourdissements ? • Qu'est-ce qui pallie vos étourdissements ? • Quel effet ont les mouvements sur vos étourdissements ou vos vertiges ? • Avez-vous déjà fait une chute en raison d'étourdissements[a] ? • Les mouvements entraînent-ils des nausées ou des vomissements[a] ? • Pouvez-vous conduire ou marcher seul ? Dans la négative, expliquez. • Y a-t-il des périodes de la journée où vos étourdissements s'aggravent[a] ? • Pour les femmes : Vos étourdissements sont-ils liés à votre cycle menstruel[a] ?
	Acouphène : • Depuis combien de temps entendez-vous des bruits ? Ces bruits ont-ils changé avec le temps[a] ? Décrivez les sons entendus (p. ex., des bourdonnements, des tintements, des sifflements). Ressentez-vous une plénitude ou une pression dans vos oreilles[a] ? • Arrive-t-il que vous n'entendiez plus ces bruits ? • À quel moment cela vous dérange-t-il le plus ? • Qu'avez-vous fait qui vous a aidé ou qui ne vous a pas aidé à composer avec cette situation ? • Lorsque vous entendez ces bruits, ressentez-vous d'autres symptômes simultanément ?
Élimination	• L'effort pendant la défécation vous cause-t-il de la douleur aux oreilles[a] ?
Activités et exercices	• Vos troubles auditifs entraînent-ils des changements quelconques dans vos activités ou exercices habituels[a] ? • Avez-vous besoin d'aide pour effectuer certaines activités (p. ex., soulever des objets, vous pencher, monter des escaliers, conduire, parler) en raison de vos symptômes[a] ? • Vos symptômes limitent-ils vos activités quotidiennes d'une façon quelconque[a] ?
Sommeil et repos	• Votre sommeil est-il perturbé par des bruits, des tintements ou par une sensation de vertige[a] ?
Cognition et perception	• Ressentez-vous de la douleur aux oreilles[a] ? Qu'est-ce qui soulage cette douleur ? Qu'est-ce qui l'aggrave ? Combien de temps cette douleur dure-t-elle ? Cette douleur affecte-t-elle votre audition ou votre équilibre ? • Avez-vous des problèmes quelconques à communiquer avec les gens ou à comprendre ce qu'ils disent[a] ?
Perception et concept de soi	• Vos changements auditifs ont-ils modifié la façon dont vous vous sentez par rapport à vous-même ou votre sentiment d'indépendance[a] ?
Relations et rôles	• Où êtes-vous le plus susceptible d'être exposé à des bruits forts ? Comment protégez-vous votre ouïe ? • Quel effet votre trouble auditif a-t-il eu sur votre travail, votre famille ou votre vie sociale ? • Pouvez-vous reconnaître les effets de votre trouble auditif sur votre vie[a] ?

TABLEAU 28.10 **Modes fonctionnels de santé – Éléments complémentaires : système auditif *(suite)***

MODES FONCTIONNELS DE SANTÉ	QUESTIONS À POSER
Sexualité et reproduction	• Votre trouble auditif ou vos étourdissements ont-ils causé un changement dans votre vie sexuelle[a] ?
Adaptation et tolérance au stress	• Considérez-vous votre trouble auditif comme une source de stress[a] ? • Comment réagissez-vous quand vous ressentez des vertiges ou des étourdissements ? • Vous sentez-vous dépassé par votre trouble d'audition ou d'équilibre[a] ?
Valeurs et croyances	• Y a-t-il un conflit entre ce que votre médecin vous recommande de faire et ce que vous croyez devoir faire ? • Voyez-vous un conflit entre vos valeurs ou croyances et le plan de soins[a] ?

[a] Si la réponse est affirmative, demandez au client d'expliciter.

Elle doit noter la capacité du client à être attentif et à suivre des directives. Des difficultés à accomplir ces tâches peuvent être un indicateur précoce d'une perte auditive. Il est possible que le client ne remarque pas une perte auditive graduelle. Il faut demander aux proches s'ils ont noté un changement quelconque de l'audition du client, par exemple, s'ils doivent répéter souvent ou si le volume du téléviseur a été augmenté récemment.

Perception et concept de soi L'infirmière doit demander au client de décrire les effets de ses troubles auditifs sur sa vie personnelle ou sur ses sentiments à l'égard de lui-même. La perte auditive ou les vertiges chroniques sont particulièrement pénibles. La perte auditive peut causer des situations gênantes en société, qui réduisent l'estime de soi. Il faut interroger le client avec délicatesse sur de telles situations.

Les vertiges chroniques peuvent être confondus avec l'intoxication alcoolique. Il faut demander au client si cela lui est déjà arrivé et comment il a réglé la situation.

Rôles et relations L'infirmière doit interroger le client sur les impacts de sa perte d'audition sur sa vie familiale, ses responsabilités professionnelles et ses relations sociales. La perte auditive peut causer des tensions familiales et des malentendus.

Il faut aussi interroger le client sur les milieux de travail ou les environnements où il est exposé à des niveaux excessifs de bruits, par exemple, ceux produits par des moteurs d'aéronef, de la machinerie, des armes à feu et de la musique forte.

Il est important de consigner l'utilisation d'appareils de protection dans des environnements bruyants. De nombreux emplois exigent une bonne ouïe et une capacité de réaction appropriée. En cas de perte auditive, l'infirmière doit recueillir de l'information sur les conséquences de cette perte sur le travail du client et l'aider à bien évaluer sa situation.

L'imprévisibilité des crises de vertige peut avoir des effets dévastateurs sur tous les aspects de la vie du client. Des activités courantes, telles que la conduite automobile, la cuisine ou les travaux qui exigent un bon sens de l'équilibre, comportent toutes des élments de danger. Il faut évaluer l'effet des vertiges sur les rôles et les responsabilités du client. Les méthodes de compensation visant à éviter les situations dangereuses doivent aussi être notées.

Jugement clinique

Paul Deschenes, qui est âgé de 68 ans et retraité depuis 5 ans, manifeste depuis quelques mois des symptômes de retrait : il ne veut plus aller au restaurant ou dans des réunions, car il a des pertes d'équilibre, et les gens autour de lui pensent qu'il a abusé de l'alcool, alors qu'il ne boit jamais. Quel problème devez-vous suspecter en priorité d'après ces données ?

Sexualité et reproduction Il faut déterminer si la perte auditive ou les vertiges nuisent à l'établissement d'une vie sexuelle satisfaisante. Bien que l'intimité ne dépende pas de la capacité d'entendre, la perte auditive peut compromettre l'établissement ou le maintien d'une relation.

CE QU'IL FAUT RETENIR

La perte auditive peut causer des situations gênantes en société, des tensions familiales, des malentendus et des difficultés au travail. L'estime de soi du client peut être touchée.

Adaptation et tolérance au stress L'infirmière doit interroger le client sur son mode habituel d'adaptation, sa tolérance au stress, les techniques qu'il utilise pour réduire le stress et le soutien dont il dispose. Ces renseignements permettent de déterminer s'il dispose de ressources adéquates pour répondre aux exigences de son trouble auditif. Si le client semble incapable de gérer la situation, une intervention extérieure peut être nécessaire. Le déni est une réaction courante à un trouble d'audition et il doit être évalué.

Valeurs et croyances Il faut interroger le client sur les conflits engendrés par ses troubles auditifs ou son traitement en lien avec ses valeurs ou ses croyances. Tout doit être fait pour résoudre ces problèmes et éviter un stress supplémentaire au client. Il faut lui demander s'il utilise des remèdes maison tels que de l'huile chaude dans l'oreille ou toute autre méthode.

28.5.2 Données objectives

Examen physique

L'infirmière doit recueillir des données objectives sur la capacité auditive du client pendant l'entrevue. Elle doit noter des indices tels que la posture de la tête et la pertinence des réponses aux questions. Le client demande-t-il de répéter certains mots? Regarde-t-il attentivement l'infirmière ou certaines questions lui échappent-elles quand il ne la regarde pas? Ces observations doivent être consignées. Elles sont importantes, entre autres parce que le client n'est souvent pas conscient de sa perte auditive ou peut ne pas admettre l'existence de changements auditifs tant qu'il n'a pas subi des pertes modérées.

L'**ENCADRÉ 28.2** présente une évaluation normale du système auditif. Le **TABLEAU 28.8** présente les changements auditifs liés au vieillissement et les différences observées dans les résultats d'évaluation.

Un examen ciblé permet d'évaluer l'état des troubles auditifs antérieurs et de déceler les signes de nouveaux troubles **TABLEAU 28.11**.

Collecte des données

ENCADRÉ 28.2 Examen physique normal du système auditif

- Position et forme symétriques des oreilles
- Auricules et tragus non sensibles et sans lésion
- Méat libre, tympan intact, repères et reflet lumineux intacts
- Capacité d'entendre un chuchotement faible à 30 cm; résultats de l'épreuve de Rinne: conduction aérienne (CA) > conduction osseuse (CO); résultats de l'épreuve de Weber: pas de latéralisation

Collecte des données

TABLEAU 28.11 Examen ciblé du système auditif

Cette liste de contrôle permet de vérifier que les étapes clés de l'évaluation ont été réalisées.		
Données subjectives		
Interroger le client sur les éléments suivants:		
Changements dans l'audition	Oui	Non
Douleur aux oreilles (otalgie)	Oui	Non
Écoulement des oreilles (otorrhée)	Oui	Non
Sensation d'étourdissement	Oui	Non
Sensation de vertige	Oui	Non
Données objectives – Examen physique		
Inspecter:		
Alignement et position des oreilles		☐
Taille, forme, symétrie des oreilles; couleur et intégrité de la peau		☐
Écoulement ou lésions du méat acoustique externe		☐
Intégrité, coloration et repère du tympan		☐
Évaluer:		
Audition, en se basant sur la capacité de converser et d'entendre un chuchotement		☐

Oreille externe

L'infirmière doit inspecter et palper l'oreille externe avant d'examiner le méat acoustique externe et le tympan (Goldman & Schafer, 2011). Elle doit observer l'auricule, la région préauriculaire et la région mastoïdienne afin de vérifier leur symétrie, la couleur de la peau ainsi que la présence d'érythème ou de lésions. Elle doit ensuite palper l'auricule et la région mastoïdienne pour vérifier leur sensibilité et la présence de nodules. La préhension de l'auricule ou une pression sur le tragus peuvent être douloureuses, surtout s'il y a une inflammation de l'oreille ou du méat externe.

Méat acoustique externe et tympan

Avant d'insérer un otoscope, l'infirmière doit inspecter l'ouverture du méat pour vérifier sa perméabilité, palper le tragus et déplacer doucement l'auricule pour voir si cela cause un inconfort. Elle doit utiliser un spéculum légèrement plus petit que le méat de l'oreille. Elle penche la tête du client vers l'épaule opposée. Elle saisit ensuite le dessus de l'auricule, et tire doucement vers le haut et l'arrière pour redresser le méat (du client adulte). Elle insère lentement l'otoscope en le tenant dans sa main et en le stabilisant avec ses doigts sur la joue du client. Un otoscope pneumatique crée une pression négative qui tire sur le tympan, et aide à confirmer la rétraction du tympan ou la présence de liquide derrière celui-ci. Pendant cette étape de l'examen, le méat doit être hermétiquement fermé par le spéculum. La taille et la forme du méat doivent être observées, ainsi que la couleur, la quantité et le type de cérumen. Il faut faire attention quand le cérumen du méat est enlevé. Une irrigation vigoureuse peut endommager l'oreille moyenne si le tympan est perforé.

Il faut inspecter le tympan pour vérifier sa couleur, la présence de liquide derrière lui, ses repères, son contour et son intégrité **FIGURE 28.12**. Le tympan est normalement gris perle, blanc ou rose, brillant et translucide. Le manche (*manubrium*) du malléus et son apophyse courte (*umbo*) doivent être visibles à travers le tympan. Étant donné la position et la forme de dôme (concave) du tympan, la lumière de l'otoscope est réfléchie en un cône aux bords nets. En imaginant le tympan comme une horloge, le bout du cône s'étend de l'apophyse courte au bord du tympan à environ 5 h dans l'oreille droite et à 7 h dans l'oreille gauche. Si le tympan est bombé ou rétracté, les bords de la lumière réfléchie seront flous (diffus) et peuvent se prolonger sur le tympan. Le contour du tympan est un anneau fibreux, dense et blanchâtre, sauf dans la partie supérieure. À l'intérieur de cet anneau, le tympan, appelé *pars tensa*, est tendu. Au-dessus de l'apophyse courte du malléus se trouve la partie flasque du tympan ou *pars flaccida*. Le tympan comporte aussi deux replis tympanomalléolaires, l'un antérieur et l'autre postérieur à l'apophyse courte du malléus. Les oreilles moyenne et interne ne peuvent être examinées avec l'otoscope en raison de la présence du tympan.

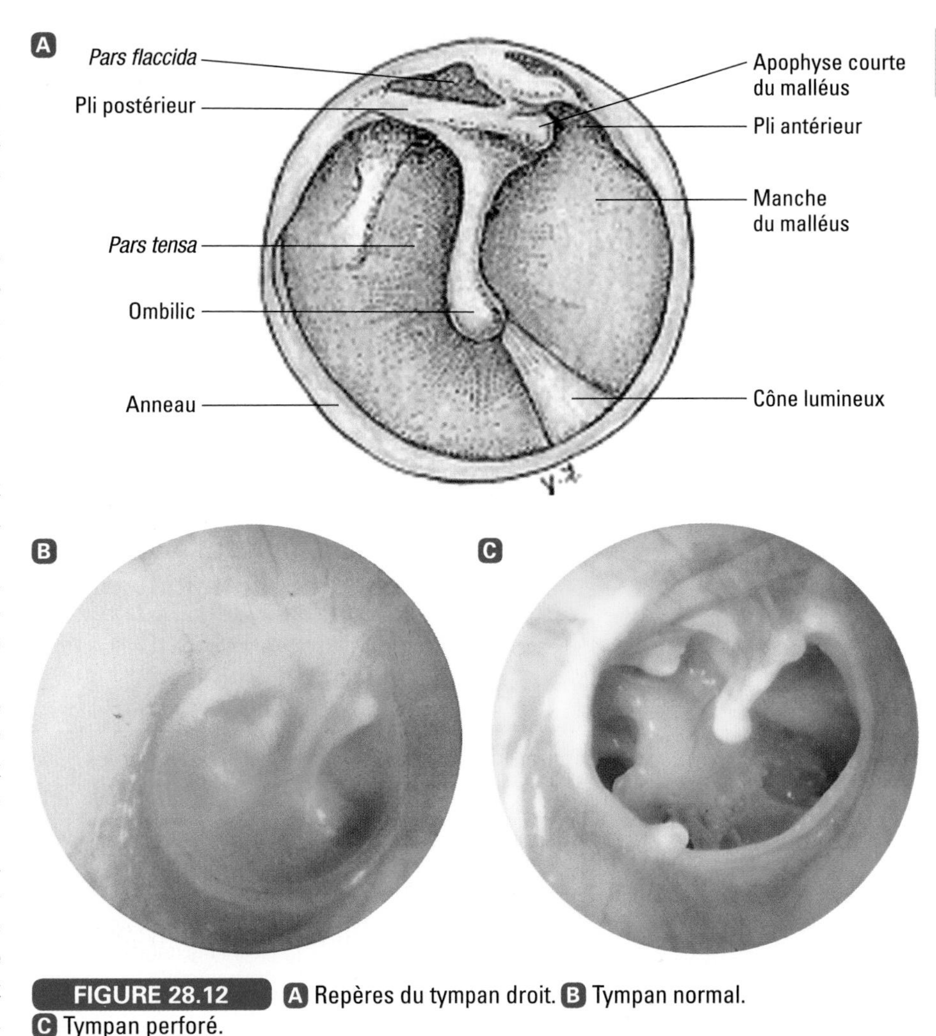

FIGURE 28.12 A Repères du tympan droit. B Tympan normal. C Tympan perforé.

Le **TABLEAU 28.12** résume les anomalies courantes observées au cours de l'évaluation du système auditif.

CE QU'IL FAUT RETENIR

Durant l'examen clinique, l'infirmière palpe l'auricule et la région mastoïdienne pour vérifier la présence de sensibilité ou de nodules.

28.6 Examens paracliniques du système auditif

Le **TABLEAU 28.13** décrit les examens paracliniques couramment utilisés pour évaluer le système auditif.

28.6.1 Examens d'acuité auditive

Les examens utilisant le chuchotement et la parole fournissent des données de dépistage sur l'acuité auditive du client. L'audiométrie fournit une information plus détaillée qui peut être utilisée pour le diagnostic et le traitement.

CE QU'IL FAUT RETENIR

Les examens utilisant le chuchotement et la parole fournissent des données de dépistage sur l'acuité auditive du client. L'audiométrie fournit une information plus détaillée.

Anomalies courantes

TABLEAU 28.12 Système auditif

OBSERVATIONS	DESCRIPTION	ÉTIOLOGIE POSSIBLE ET SIGNIFICATION
Oreille et méat externes		
Kyste sébacé derrière l'oreille	Généralement dans la peau, présence possible de points noirs (ouverture vers la glande sébacée)	Excision ou incision et drainage en cas de douleur
Tophus	Nodules durs de cristaux d'acide urique dans l'hélix ou l'anthélix	Condition associée à la goutte et à des troubles métaboliques; investigation complémentaire requise
Bouchon de cérumen	Cire qui n'a pas été excrétée normalement de l'oreille; tympan non visible	Possibilité d'audition réduite; sensation de plénitude dans le méat acoustique; nettoyage nécessaire avant l'examen otoscopique
Épanchement dans le méat	Infection de l'oreille externe	Otite des baigneurs, infection de l'oreille externe; perforation du tympan à la suite d'une otite moyenne
Enflure de l'auricule	Infection des glandes cutanées, hématome dû à un trauma	Aspiration (pour un hématome)
Desquamation ou lésions	Changements de l'apparence normale de la peau	Dermatite séborrhéique, épithélioma (carcinome) malpighien, dermatite atrophique
Exostose	Excroissance osseuse qui s'étend dans le méat et le rétrécit	Empêchement de voir le tympan; généralement asymptomatique
Caisse du tympan		
Tympan rétracté	Malléus d'apparence plus courte et plus horizontale; cône lumineux absent ou dévié	Dépression et pression négative dans l'oreille moyenne et blocage de la trompe auditive
Niveau de liquide visible sous forme d'une ligne entre l'air au-dessus, et le fluide ambré en dessous	Cause: transsudation de sang et de sérum	Otite moyenne avec épanchement séreux ou otite séreuse
Tympan bombé rouge ou bleuté, absence de repères	Oreille moyenne remplie de liquide, présence de pus, de sang	Otite moyenne aiguë, perforation possible
Perforation du tympan **FIGURE 28.12**	Perforation antérieure du tympan non guérie; couche d'épithélium mince et transparente autour du tympan	Otite moyenne chronique, mastoïdite
Recrutement (accroissement anormal de la perception de l'intensité des sons)	Sonie (intensité sonore perçue) disproportionnée due au dysfonctionnement de l'oreille interne	Dissociation des surdités cochléaires (où il y a recrutement) des surdités rétro-cochléaires (sans recrutement); aides auditives difficiles à utiliser en cas de recrutement

TABLEAU 28.13 **Système auditif**

EXAMEN	DESCRIPTION ET BUT	RESPONSABILITÉS INFIRMIÈRES
Auditif		
Audiométrie tonale	Des sons sont transmis par des écouteurs dans une pièce insonorisée. Quand le client entend un son, il l'indique de façon non verbale. Ses réactions sont enregistrées sur un audiogramme. Cet examen vise à déterminer l'intensité des fréquences audibles par le client en décibels (dB) et en hertz (Hz) afin de diagnostiquer les surdités de conduction et de perception. Les acouphènes peuvent donner des résultats irréguliers.	L'infirmière ne participe généralement pas à cet examen. Toutefois, elle peut expliquer la procédure au client.
Listes de mots à une et à deux syllabes	Les mots sont enregistrés et transmis à un niveau agréable d'audition. Le pourcentage de bonnes réponses et la compréhension des mots sont évalués.	L'infirmière peut effectuer cet examen.
Potentiel évoqué auditif (PEA)	Cette méthode est semblable à celle de l'encéphalogramme. Dans une pièce obscure, les électrodes sont placées sur le client, généralement au sommet de la tête (vertex) et sur l'apophyse mastoïde, ou sur les auricules et le front. Un ordinateur permet d'isoler l'activité auditive des autres activités électriques cérébrales.	L'infirmière doit expliquer la procédure au client et ne pas le laisser seul dans la pièce obscure.
Électrocochléographie	Cet examen est utile si le client n'est pas coopératif ou ne peut donner de renseignements utiles. Il enregistre l'activité électrique dans la cochlée et le nerf auditif.	L'infirmière ne participe généralement pas à cet examen. Toutefois, elle peut expliquer la procédure au client.
Potentiel évoqué du tronc cérébral	Cet examen mesure les pics électriques le long de la voie auditive de l'oreille interne jusqu'au tronc cérébral. Il fournit des renseignements diagnostiques liés aux névromes acoustiques, aux troubles du tronc cérébral et à l'accident vasculaire cérébral.	L'infirmière ne participe généralement pas à cet examen. Toutefois, elle peut expliquer la procédure au client.
Tympanométrie (audiométrie d'impédance)	Cet examen est utile au diagnostic des épanchements de l'oreille moyenne. Une sonde est insérée doucement dans le méat acoustique externe, et des pressions positives et négatives sont appliquées. La réaction de l'oreille moyenne aux pressions est notée.	L'infirmière ne participe généralement pas à cet examen. Toutefois, elle peut expliquer la procédure au client.
Vestibulaire		
Épreuve calorique	L'endolymphe des canaux semi-circulaires est stimulée par une solution froide (20 °C) ou chaude (36 °C) injectée dans l'oreille. Le client est assis ou couché. L'observation du type de nystagmus, de nausées et de vomissements, de chute ou de vertige aide à diagnostiquer une maladie du labyrinthe. Une fonction réduite se traduit par une réaction réduite, qui indique une maladie du système vestibulaire. L'autre oreille est soumise au même examen, et les résultats sont comparés.	L'infirmière doit dire au client de manger un repas léger avant cet examen pour éviter les nausées. Elle doit observer s'il vomit et l'aider au besoin. Elle doit assurer sa sécurité.
Électronystagmographie (ENG)	Des électrodes sont placées près des yeux du client, et le mouvement des yeux (nystagmus) est enregistré sur un diagramme pendant que le client fait des mouvements précis des yeux et que son oreille est irriguée. Cet examen est utilisé pour diagnostiquer les maladies du système vestibulaire.	L'infirmière doit dire au client de manger un repas léger avant cet examen pour éviter les nausées. Elle doit observer s'il vomit et l'aider au besoin. Elle doit assurer sa sécurité.
Posturographie	Il s'agit d'un examen d'équilibre qui permet d'isoler un canal semi-circulaire des autres afin de déterminer le site d'une lésion. Cet examen est effectué dans un appareil qui a la forme d'une boîte et dans lequel le plancher bouge en réaction à une correction de l'équilibre par le client.	L'infirmière doit informer le client que cet examen prend du temps et est désagréable, et qu'il peut l'interrompre quand il le souhaite.
Test rotatoire ou test de la chaise rotatoire	Cet examen permet d'évaluer le système vestibulaire périphérique. Le client est assis sur une chaise qui est actionnée par un moteur commandé par ordinateur. Cet examen est généralement fait dans le noir.	L'infirmière doit dire au client de manger un repas léger avant cet examen pour éviter les nausées. Elle doit observer s'il vomit et l'aider au besoin. Elle doit assurer sa sécurité.

CE QU'IL FAUT RETENIR

L'audiométrie peut servir de simple test de dépistage, mais en cas de perte auditive, elle permet d'en déterminer précisément le degré et le type.

Pour le test de chuchotement, l'infirmière se tient à une distance de 30 à 60 cm à côté du client, de façon que celui-ci ne puisse pas lire sur ses lèvres ; puis, après avoir expiré à fond (pour diminuer l'intensité de la voix), elle chuchote ou parle à voix basse en direction de l'oreille examinée. Elle demande au client de répéter ce qu'elle lui dit. Des nombres ou des mots contenant deux syllabes (p. ex., 33 ou ballon) sont utilisés pour effectuer cet examen. Si le client ne répond pas correctement, elle chuchote plus fort. Elle fait ensuite la même chose à voix haute et de plus en plus fort. Chaque oreille est examinée séparément. Le client ou l'infirmière doit boucher l'oreille qui n'est pas examinée en comprimant le tragus sur le méat auditif externe.

Épreuves du diapason

Les épreuves du diapason aident à distinguer la surdité de conduction et la surdité de perception. Des diapasons à tonalité aiguë de 512 Hz sont généralement utilisés pour cet examen. L'infirmière doit être habile et expérimentée pour obtenir des résultats précis. Si elle soupçonne un trouble, une audiométrie tonale est nécessaire (section suivante). Les épreuves du diapason les plus courantes sont l'épreuve de Rinne et l'épreuve de Weber (Isaacson, 2010).

29

La gamme des sons audibles par l'oreille humaine est présentée dans le chapitre 29, *Interventions cliniques – Troubles visuels et auditifs.*

Pour l'épreuve de Rinne, l'infirmière frappe le diapason afin qu'il produise un son et une vibration. Elle tient la base du diapason contre l'apophyse mastoïde (CO : conduction osseuse du son) et note l'heure. Quand le son n'est plus perçu derrière l'oreille (CO), elle note l'heure de nouveau et déplace le diapason toujours en vibration de 1 à 5 cm devant le méat acoustique (CA : conduction aérienne du son). Quand le client n'entend plus le son près du méat acoustique (CA), elle note l'heure. Normalement, le son est entendu deux fois plus longtemps devant le méat acoustique (CA) que sur l'apophyse mastoïde (CO). L'épreuve de Rinne est positive, donc normale, quand le client mentionne que la CA est entendue plus longtemps que la CO. Si le client entend mieux le diapason par conduction osseuse, l'épreuve de Rinne est négative, donc anormale, et indique une surdité de conduction.

Pour l'**épreuve de Weber**, l'infirmière doit placer le diapason activé au milieu du crâne ou du front. Elle doit demander au client de lui dire quand il entend mieux le son. Un client qui a des fonctions auditives normales percevra un son moyen et il entendra le son également dans les deux oreilles (aucune latéralisation). Un client qui a une surdité de conduction dans une oreille entendra le son plus fort (latéralisation) dans cette oreille. S'il a une surdité de perception, le son sera plus fort (latéralisation) dans l'oreille saine (i+).

Animation : *Épreuve de Weber.*

Les résultats des épreuves du diapason sont non quantitatifs donc moins précis. Le client dont les résultats sont irréguliers ou douteux devra subir une évaluation audiométrique qui fournira des résultats précis.

Audiométrie

L'**audiométrie** sert à la fois de test de dépistage de l'acuité auditive et d'examen paraclinique pour la détermination du degré et du type de perte auditive. L'audiomètre produit des sons purs à diverses intensités auxquelles le client peut réagir. Le son se caractérise par le nombre de vibrations ou de cycles par seconde. Le hertz (Hz) est l'unité de mesure utilisée pour classer la fréquence d'un son ; une fréquence élevée indique un son aigu. La perte auditive peut toucher certaines fréquences sonores. La courbe produite sur l'audiogramme par ces pertes peut aider l'audiologiste ou le médecin à poser un diagnostic sur le type de perte auditive. L'intensité ou la force d'une onde sonore s'exprime en décibels (dB), de 0 à 110 dB. L'intensité sonore nécessaire pour qu'une fréquence soit tout juste audible à une oreille normale moyenne est de 0 dB. Le seuil désigne l'intensité du signal auquel les sons purs sont détectés ou bien l'intensité du signal auquel le client entend correctement 50 % des signaux.

La parole normale se situe entre 40 et 65 dB ; un chuchotement faible est à 20 dB. Normalement, un enfant et un jeune adulte peuvent entendre des fréquences de 16 à 20 000 Hz, mais l'audition est plus sensible entre 500 et 4 000 Hz. Ces fréquences sont semblables à celles de la parole normale ▶ 29.

Une perte de 40 à 45 dB dans ces fréquences cause une difficulté modérée à entendre la parole normale. Une prothèse auditive peut être utile, car elle amplifie le son, mais elle ne le rend pas plus clair. Elle peut être inutile au client qui a des troubles de discrimination des sons ou de l'information sonore parce que les consonnes ne sont pas suffisamment audibles par le client pour que la parole soit compréhensible.

Audiométrie de dépistage

L'audiométrie de dépistage consiste à faire subir à un grand nombre de personnes un examen rapide et simple qui permettra de détecter la présence d'un trouble auditif. Un critère réussite-échec est utilisé pour dépister les personnes qui devront subir ou non un examen paraclinique supplémentaire. En cas d'échec, les personnes doivent être dirigées vers un audiologiste qui leur fera subir une audiométrie tonale (seuil d'un son pur).

28.6.2 Examens spécialisés

Les examens les plus spécialisés du système auditif sont généralement effectués en consultations externes par un audiologiste. Celui-ci peut effectuer de nombreux autres examens avec des audiomètres et des ordinateurs qui enregistrent l'activité électrique de l'oreille moyenne, de l'oreille interne et de l'encéphale **TABLEAU 28.13**. L'examen le plus couramment effectué par les audiologistes est l'**audiométrie tonale**. Un audiomètre tonal produit des sons purs à diverses fréquences (hauteur) et intensités (volume). Cet examen détermine les fréquences et intensités audibles par le client en décibels et en hertz.

Des examens plus perfectionnés permettent de déterminer l'origine de certaines pertes auditives, par exemple, l'évaluation audiologique des potentiels évoqués du tronc cérébral et l'électrocochléographie. La tomodensitométrie (TMD) et l'imagerie par résonance magnétique (IRM) sont utilisées pour déterminer le site d'une lésion, telle qu'une tumeur du nerf auditif, par exemple.

28.6.3 Examen de la fonction vestibulaire

Le **TABLEAU 28.13** décrit les examens paracliniques couramment utilisés pour évaluer la fonction vestibulaire. Les résultats de ces examens peuvent être modifiés par la caféine ou tout autre stimulant, les agents sédatifs et les médicaments antivertigineux (bétahistine, Serc^{MD}) ▶ 18.

D'autres examens de la fonction vestibulaire, dont l'épreuve de Romberg, sont décrits plus en détail dans le chapitre 18, *Évaluation clinique – Système nerveux.*

Chapitre 29

INTERVENTIONS CLINIQUES

Troubles visuels et auditifs

Écrit par :
Mary Ann Kolis, RN, MSN, ANP-BC, APNP

Adapté par :
Annabelle Rioux, M. Sc., IPSPL

Mis à jour par :
Caroline Gravel, inf., M. Sc.

MOTS CLÉS

Cataracte 50
Cécité fonctionnelle ou partielle 40
Cécité totale 40
Conjonctivite 45
Décollement rétinien 55
Dégénérescence maculaire liée à l'âge (DMLA) 58
Énucléation 68
Erreur de réfraction 38
Glaucome 60
Hémianopsie 40
Kératite 46
Maladie de Ménière 74
Otospongiose 73
Presbyacousie 82
Rétinopathie 55
Surdité centrale 76
Surdité de conduction 76
Surdité de perception 76

OBJECTIFS

Après avoir étudié ce chapitre, vous devriez être en mesure :

- de comparer les types d'erreurs de réfraction et les corrections appropriées ;
- de décrire l'étiologie des troubles extraoculaires et le processus thérapeutique en interdisciplinarité qu'ils requièrent ;
- d'expliquer la physiopathologie et les manifestations cliniques de troubles intraoculaires et des troubles courants de l'oreille ainsi que les soins infirmiers et le processus thérapeutique en interdisciplinarité qu'ils requièrent ;
- de discuter des interventions infirmières qui favorisent la santé des yeux et des oreilles, et des possibilités de rééducation des surdités de conduction et de perception ;
- d'expliquer les soins préopératoires et postopératoires généraux aux clients qui subissent une chirurgie de l'œil ou de l'oreille ;
- de résumer les effets bénéfiques et indésirables des pharmacothérapies utilisées contre les troubles oculaires et otiques ;
- d'expliquer l'utilisation et l'entretien des aides oculaires et des prothèses auditives ;
- de décrire les causes courantes d'une déficience visuelle et d'une surdité qui ne peuvent être corrigées, ainsi que les mesures d'aide appropriées ;
- de décrire les mesures utilisées pour favoriser l'adaptation psychologique du client à une vision ou à une audition réduite.

Disponible sur 

- À retenir
- Carte conceptuelle
- Pour en savoir plus
- PSTI Web
- Solutionnaire de l'Analyse d'une situation de santé
- Solutionnaire des questions de Jugement clinique
- Solutionnaire des questions Réactivation des connaissances
- Solutionnaire des questions Récemment vu dans ce chapitre
- Solutionnaires du Guide d'études
- Tableaux Web

Concepts clés

Cette carte conceptuelle illustre schématiquement les principaux concepts décrits dans le présent chapitre. Sa lecture vous permettra d'avoir une vue d'ensemble des notions qui y sont présentées.

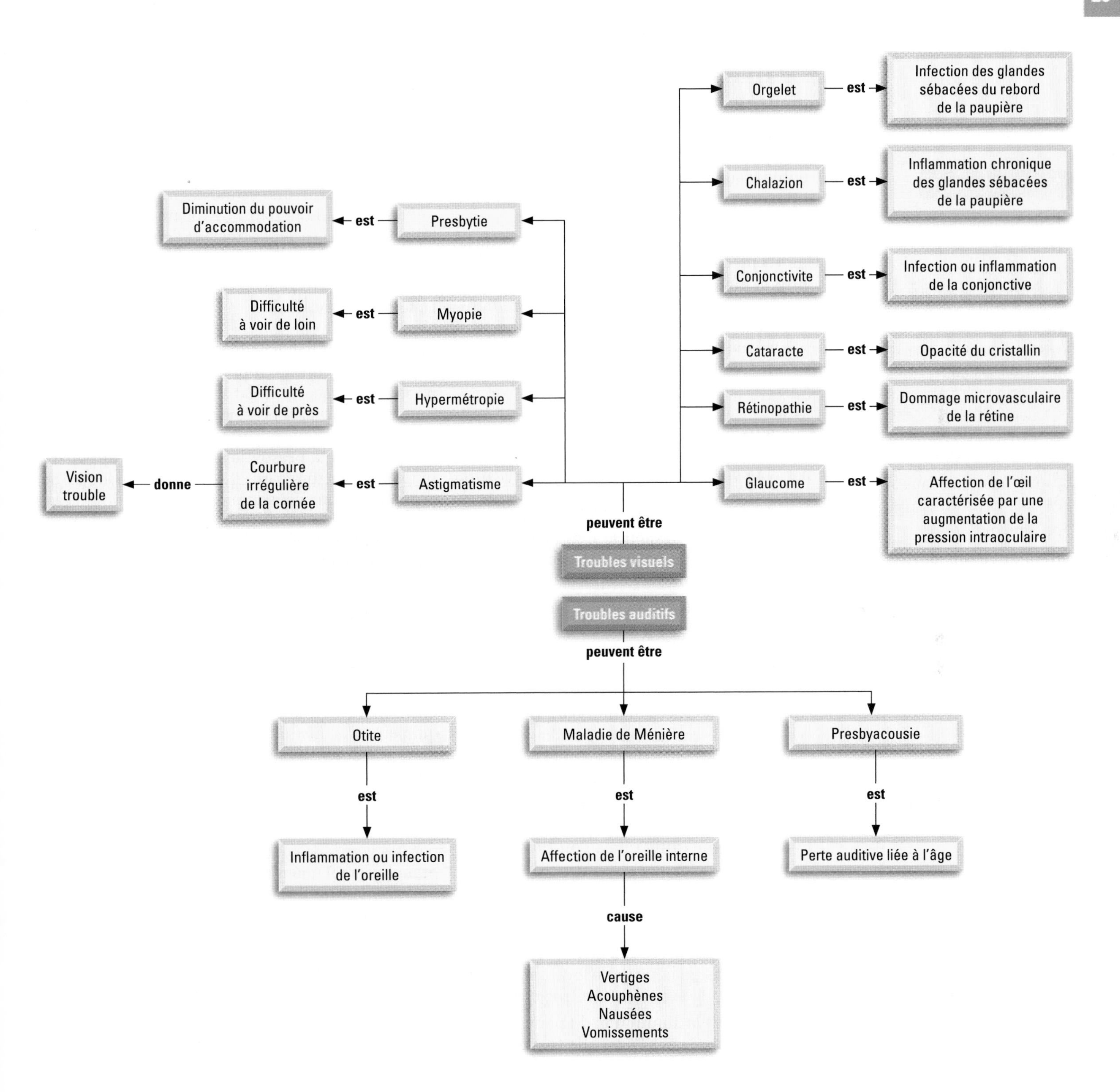

TROUBLES VISUELS

29.1 Troubles et lésions oculaires

29.1.1 Erreurs de réfraction corrigeables

CE QU'IL FAUT RETENIR

Le trouble visuel le plus courant est l'erreur de réfraction, dont le symptôme principal est la vision floue. Ce type de trouble inclut la myopie, la presbytie, l'astigmatisme et l'hypermétropie.

Le trouble visuel le plus courant est l'**erreur de réfraction**. Il s'agit d'un défaut qui empêche les rayons lumineux de converger en un point sur la rétine. Ce trouble est causé par des anomalies de la courbure cornéenne, du pouvoir de focalisation du cristallin ou de la longueur de l'œil. Une vision floue en est le principal symptôme. Dans certains cas, le client peut aussi se plaindre de malaise oculaire, de fatigue oculaire ou de céphalée. Les principales erreurs de réfraction de l'œil peuvent être corrigées par des méthodes de soins effractives ou non effractives. Par exemple, le port de lunettes ou de verres de contact est une méthode non effractive tandis que la chirurgie réfractive ou une intervention par l'implantation chirurgicale d'un cristallin artificiel (lentille intraoculaire) sont deux méthodes dites effractives. Contrairement à la croyance populaire, les erreurs de réfraction non corrigées ne s'aggravent pas et n'entraînent pas d'autres troubles oculaires après l'âge de six ans.

La **myopie** (difficulté à voir de loin) est causée par la convergence des rayons lumineux devant la rétine. Elle peut être attribuable à une réfraction excessive de la lumière par la cornée ou le cristallin, ou à une longueur anormale de l'œil (globe oculaire trop long). Elle se traduit par l'incapacité à faire la mise au point sur des objets éloignés. Aux États-Unis, la prévalence de la myopie est passée de 25 % dans les années 1970 à 41,6 % dans les années 2000, phénomène qui est également observé au Canada (Sivak, 2014).

L'**hypermétropie** (difficulté à voir de près) est causée par la convergence des rayons lumineux derrière la rétine. Les yeux doivent donc s'accommoder pour faire converger les rayons lumineux des objets rapprochés et éloignés sur la rétine. Ce type d'erreur de réfraction se produit quand la cornée ou le cristallin n'a pas un pouvoir de focalisation adéquat ou quand le globe oculaire est trop court.

La **presbytie** est la diminution du pouvoir d'accommodation causée par l'âge. Elle touche généralement les gens âgés de plus de 40 ans. Quand l'œil vieillit, le cristallin grossit, durcit et perd de l'élasticité. Ces changements, qui s'accentuent avec l'âge, réduisent le pouvoir d'accommodation de l'œil, qui ne peut plus faire la mise au point sur les objets rapprochés.

L'**astigmatisme** est dû à une courbure irrégulière de la cornée. Cette irrégularité cause la déviation inégale des rayons lumineux. Par conséquent, ceux-ci ne convergent pas en un seul point sur la rétine. L'astigmatisme peut se produire en concomitance avec toute autre erreur de réfraction.

L'**aphakie** est l'absence de cristallin. Elle peut être congénitale, ce qui est rare, ou consécutive à une chirurgie de la cataracte. Un cristallin qui a subi un trauma doit être enlevé et remplacé par un cristallin artificiel. Le cristallin représente environ 30 % de la **réfringence** de l'œil. Son absence entraîne une erreur de réfraction considérable. Sans le pouvoir de focalisation du cristallin, les images sont projetées derrière la rétine.

Corrections non chirurgicales

Lunettes correctrices

La myopie, l'hypermétropie, la presbytie, l'astigmatisme et l'aphakie peuvent être corrigés par des verres correcteurs appropriés. La myopie nécessite un verre correcteur négatif (concave), tandis que l'hypermétropie, la presbytie et l'aphakie exigent un verre correcteur positif (convexe). Les lunettes qui corrigent la presbytie sont souvent appelées lunettes de lecture parce que la personne les porte seulement pour voir de près. La correction de la presbytie peut être combinée à celle d'une autre erreur de réfraction, telle que la myopie ou l'astigmatisme. Dans ce cas, des lunettes combinées sont utilisées, où la correction de la presbytie se trouve dans la partie inférieure du verre. Les lunettes bifocales ou trifocales traditionnelles ont des lignes de démarcation visibles. Toutefois, la plupart des lunettes actuelles qui corrigent la vision à des distances variées n'en affichent pas. La prescription varie d'une partie à l'autre du verre, ce qui permet la mise au point sur des objets éloignés dans ses deux tiers supérieurs et sur des objets rapprochés dans le tiers inférieur du verre.

Verres de contact

Tableau 29.1W : *Types de verres de contact.*

Les erreurs de réfraction peuvent aussi être corrigées par des verres de contact. Les verres de contact offrent généralement une meilleure vision que les lunettes, puisqu'ils permettent une vision périphérique plus normale, sans la distorsion et l'obstruction causées par les lunettes et leur monture. Cela est particulièrement vrai dans le cas des erreurs de réfraction graves. Les verres de contact sont faits de divers plastiques et silicones qui sont très perméables à l'oxygène et qui possèdent une forte teneur en eau. Ces caractéristiques permettent un port prolongé et un confort accru. Si l'approvisionnement en oxygène de la cornée diminue, celle-ci enfle, l'acuité visuelle diminue, et la personne est incommodée.

Une production modifiée ou réduite de larmes peut rendre le port de verres de contact inconfortable. Des médicaments, tels que les antihistaminiques, les décongestionnants, les diurétiques, les contraceptifs oraux et les hormones produites pendant la grossesse peuvent réduire la production de larmes. Des facteurs environnementaux, tels que le vent, les ventilateurs et la poussière, contribuent aussi à réduire le film lacrymal. Une conjonctive allergique accompagnée de démangeaison, de larmoiement et de rougeur peut aussi nuire au port de verres de contact.

L'infirmière doit savoir si le client porte des lunettes ou des verres de contact, à quelle fréquence il les porte (port quotidien ou prolongé) et comment il les entretient **ENCADRÉ 29.1**. Un faisceau lumineux dirigé en oblique sur le globe oculaire aide à voir si le client porte un verre de contact. Le client doit connaître les signes (données observables par l'infirmière) et les symptômes (données subjectives nommées par le client) des troubles oculaires associés au port de verres de contact (p. ex., la kératite, la conjonctivite allergique) qui doivent être traités par un professionnel dans ce domaine. Les signes et les symptômes à signaler sont la rougeur, la sensibilité, les troubles de vision et la douleur. Il faut insister sur l'importance d'enlever les verres de contact dès qu'une de ces manifestations apparaît.

Moulage cornéen

Le moulage cornéen, aussi appelé orthokératologie, consiste à modifier la forme de la cornée à l'aide de verres de contact rigides et perméables aux gaz spécialement conçus à cette fin. Ils réduisent ou corrigent la myopie et atténuent l'astigmatisme. La cornée est graduellement modelée par des verres de contact rigides de plus en plus plats. Le port régulier de verres de contact de rétention est par la suite nécessaire pour maintenir la forme de la cornée.

Traitement chirurgical

Certaines interventions chirurgicales permettent d'éliminer ou de réduire le port de lunettes ou de verres de contact et de corriger les erreurs de réfraction en changeant la mise au point de l'œil. La chirurgie au laser, l'implantation de lentilles intraoculaires (LIO) ou de cristallins artificiels et la chirurgie thermique en sont des exemples.

Laser

La *kératomileusie in situ* au laser (*laser-assisted in-situ keratomileusis* [LASIK]) peut être envisagée pour des clients qui ont une myopie, une hypermétropie ou un astigmatisme d'un degré faible à modéré. L'intervention consiste à pratiquer une petite incision dans la cornée à l'aide d'un laser ou d'une lame chirurgicale afin d'en soulever un mince lambeau. Ensuite, la cornée est modelée, et le spécialiste corrige l'erreur de réfraction à l'aide d'un laser. Ce laser est guidé par la topographie cornéenne (carte cornéenne) du client faite grâce à la technologie *wave-front*. Le lambeau de cornée est ensuite remis en place, et il adhère à l'œil sans suture en quelques minutes (U.S. Food and Drug Administration, 2014).

La kératectomie photoréfractive (*photorefractive keratectomy* [PRK]) est aussi indiquée pour une myopie, une hypermétropie ou un astigmatisme d'un degré faible à modéré. Elle convient au client dont la cornée est trop mince pour une intervention LASIK. Au cours d'une PRK, seul l'épithélium est enlevé, et le laser modèle la cornée de façon à corriger l'erreur de réfraction.

La kératomileusie épithéliale au laser (*laser-assisted epithelial keratomileusis* [LASEK]) est semblable à la PRK, sauf que l'épithélium est replacé après la chirurgie.

Implant

Les anneaux intracornéens (*intracorneal ring segments* [ICRS]) sont formés de deux pièces semicirculaires en plastique qui sont implantées entre les couches de la cornée pour traiter la myopie légère. Ils modifient la courbure de la cornée afin de corriger son pouvoir de focalisation. Si les anneaux intracornéens sont enlevés, la cornée reprend généralement sa forme originale en quelques semaines.

L'implantation des lentilles intraoculaires réfractives (LIO réfractives) est indiquée pour les degrés élevés de myopie ou d'hypermétropie. Comme dans le cas de la chirurgie de la cataracte, elle consiste à enlever le cristallin naturel du client et à implanter

Pratiques infirmières suggérées

ENCADRÉ 29.1 Déléguer les tâches auprès du client porteur de verres correcteurs ou de prothèses auditives

RÔLE DE L'INFIRMIÈRE

- Évaluer la vision et l'audition du client avec et sans dispositifs de correction ou mesures d'aide à l'audition.
- Montrer au client comment utiliser et entretenir ses verres correcteurs et ses prothèses auditives.
- Évaluer si les verres correcteurs ou les prothèses auditives maintiennent ou améliorent la vision et l'audition.
- Évaluer les troubles (p. ex., une conjonctivite, une irritation de l'oreille externe) que peut entraîner le port des verres correcteurs ou des prothèses auditives.

RÔLE DE L'INFIRMIÈRE AUXILIAIRE

- Effectuer le test de Snellen ou de Jaeger demandé par l'infirmière (selon les normes régissant les soins infirmiers et la politique de l'établissement).
- Surveiller les effets secondaires indésirables des verres correcteurs (p. ex., une rougeur ou une irritation) et les signaler à l'infirmière.

RÔLE DU PRÉPOSÉ AUX BÉNÉFICIAIRES

- Nettoyer les verres correcteurs avec les solutions prescrites.
- Aider le client à mettre en place sa prothèse auditive.
- Nettoyer et replacer les piles des prothèses auditives.

CE QU'IL FAUT RETENIR

Les troubles associés au port de verres de contact se manifestent par de la rougeur, de la sensibilité, de la douleur et des troubles de vision. Il faut retirer les verres de contact dès l'apparition de ces problèmes.

une petite lentille en plastique qui permet de corriger l'erreur de réfraction. Puisque cette intervention nécessite de pénétrer dans l'œil (intervention effractive), le risque de complications est plus grand. Les lentilles intraoculaires phaques (LIO phaques) sont aussi appelées verres de contact implantables. Elles sont implantées dans l'œil sans enlever le cristallin naturel. Ces lentilles sont utilisées pour les degrés élevés de myopie et d'hypermétropie. Contrairement au LIO réfractives, les LIO phaques sont placées devant le cristallin naturel. Celui-ci est conservé afin de préserver la capacité de mise au point de l'œil pour la lecture. La lentille *Artisan* est un type de LIO phaque utilisé pour une myopie modérée à majeure.

Interventions thermiques

La **kératoplastie** thermique au laser (*laser thermal keratoplasty* [TLK]) et la kératoplastie de conduction (*conductive keratoplasty* [CK]) s'adressent aux clients hypermétropes ou presbytes. À l'aide d'un laser ou d'une radiofréquence élevée, de la chaleur est appliquée sur la périphérie de la cornée afin de la resserrer, comme avec une ceinture. Cela élève le centre de la cornée. Seul l'œil le moins dominant est traité. L'effet désiré est la vision monoculaire, qui permet à un seul œil de faire la mise au point de près. L'autre œil n'est pas traité ou il l'est au besoin pour permettre la mise au point de loin. Un essai préopératoire avec des verres de contact se révèle utile pour vérifier si le client s'adaptera aux résultats réfractifs visés.

CE QU'IL FAUT RETENIR

Le client atteint de cécité totale ou de cécité fonctionnelle peut utiliser des aides comme un chien-guide ou une canne pour marcher, mais les techniques d'amélioration de la vision ne lui sont pas utiles.

29.1.2 Déficience visuelle ne pouvant être corrigée

Au Québec, environ 304 400 personnes de 15 ans et plus sont atteints d'une déficience visuelle (Office des personnes handicapées du Québec [OPHQ], 2015) et le tiers de ceux-ci sont âgés de 65 ans et plus (OPHQ, 2015). L'Enquête canadienne sur l'incapacité a établi que 9 270 Québécois de plus de 15 ans répondent aux critères de cécité légale (Statistique Canada, 2015). Les clients reconnus comme fonctionnellement voyants peuvent avoir des habiletés visuelles considérables. Toutefois, même un client considéré comme aveugle peut avoir une vision utile. Par exemple, une personne peut percevoir un certain degré de sources lumineuses lui permettant de distinguer des éléments dans son environnement. Les réactions et les interventions appropriées de la part de l'infirmière dépendent des habiletés visuelles de chaque client.

Jugement clinique

Vous êtes infirmière au programme de maintien à domicile. Vous visitez Juliette Barsalou, 72 ans, pour une mesure de glycémie et de pression artérielle, la cliente étant diabétique et hypertendue. Pour vérifier si la date de la prochaine visite lui convient, madame Barsalou consulte son calendrier sans enlever ses lunettes et tourne les pages pour trouver le bon mois, sans succès. Vous suspectez alors un problème visuel chez cette cliente. Quel moyen pourriez-vous prendre pour recueillir plus de données sur l'acuité visuelle de celle-ci ?

Degrés de déficience visuelle

Le client peut être classé selon son degré de perte visuelle. La cécité totale se définit comme une absence de perception lumineuse et de vision utile. La cécité fonctionnelle ou partielle désigne une certaine perception lumineuse, mais une altération modérée à élevée de la vision utile. Le client qui souffre de cécité totale ou de cécité fonctionnelle peut utiliser des aides à la vision telles qu'un chien-guide ou une canne pour marcher. Les techniques d'amélioration de la vision ne lui sont pas utiles.

Au Canada, quatre causes majeures de cécité totale et fonctionnelle sont reconnues : 1) les cataractes ; 2) la rétinopathie diabétique ; 3) la dégénérescence maculaire liée à l'âge (DMLA) ; 4) le glaucome. Les autres cas de cécité, moins fréquents, découlent, entre autres, de diverses maladies, de prédispositions génétiques ou d'accidents. Pour être déclarée légalement aveugle (cécité légale), une personne doit satisfaire aux critères établis par le gouvernement fédéral pour déterminer son admissibilité aux programmes d'aide et d'économies d'impôt **ENCADRÉ 29.2**. Au Québec, une personne fonctionnellement aveugle présente une acuité visuelle, dans les deux yeux, après correction par l'usage de lentilles réfractives appropriées, d'au plus 6 sur 120 d'après l'échelle de Snellen ou l'équivalent, ou un champ de vision dans chaque œil d'un diamètre inférieur à 10° (Règlement sur les aides visuelles et les services afférents assurés, 2015). Une personne légalement aveugle peut toutefois avoir une certaine vision utile. La déficience visuelle se définit comme l'incapacité de lire, d'écrire et de circuler dans un environnement non familier ou d'effectuer des activités reliées à ses habitudes de vie ou à ses rôles sociaux de façon permanente. La personne doit répondre à l'un de ces critères après correction au moyen de lentilles ophtalmiques, et présenter une acuité visuelle inférieure à 6 sur 21, un champ visuel inférieur à 60° ou une hémianopsie complète (Règlement sur les aides visuelles et les services afférents assurés, 2015). Les techniques d'amélioration de la vision peuvent être grandement utiles au client partiellement voyant ou légalement aveugle.

ENCADRÉ 29.2 Définition légale de la cécité au Québec

- Acuité visuelle centrale de loin corrigée de 6 sur 120 ou moins dans le meilleur œil.
- Champ visuel d'au plus 10° dans son plus grand diamètre ou dans le meilleur œil.

29.1.3 Trauma oculaire

Même si les yeux sont bien protégés par l'orbite osseuse et par des coussinets adipeux, les activités quotidiennes peuvent entraîner des traumas oculaires. Les blessures oculaires sont une des principales causes de déficience visuelle. Au Canada, le nombre annuel de cas de blessures oculaires est estimé à plus de 100 000 (Société canadienne d'ophtalmologie [SCO], 2010). Le **TABLEAU 29.1** présente le traitement d'urgence du client qui a subi une blessure oculaire. Parmi les causes de ces blessures, sont comptés les accidents d'automobile, les accidents sportifs, les accidents de loisirs ainsi que les accidents de travail. Aux États-Unis, les causes les plus fréquentes de traumatismes oculaires sont le jardinage, la manipulation d'outils mécaniques ainsi que les travaux de rénovation effectués à la maison (Boyle, 2010). L'infirmière joue un rôle important dans l'éducation individuelle et collective visant à réduire l'incidence des traumas oculaires.

Évaluation et interventions en situation d'urgence

TABLEAU 29.1 Lésions oculaires

CAUSES	OBSERVATIONS	INTERVENTIONS
Contusion (lésion physique) • Coup de poing • Autres objets contondants **Lésion pénétrante** • Objets pénétrants ou perforants tels que : – corps étrangers ou fragments (verre, métal, bois ou plastique) – couteau, bâton ou autre objet de grande taille **Lésion chimique** • Produit alcalin • Produit acide **Lésion thermique** • Brûlure directe d'une surface chaude (p. ex., un fer à friser) • Brûlure indirecte du rayonnement ultraviolet (UV) (p. ex., un fer à souder, une lampe solaire) • Brûlure chimique	• Photophobie • Rougeur (diffuse ou localisée) • Enflure • Ecchymose • Déchirure (cornée) • Sang dans la chambre antérieure de l'œil • Absence de mouvements des yeux • Écoulement de l'œil (p. ex., du sang, du liquide cérébrospinal, de l'humeur aqueuse) • Vision anormale ou réduite • Corps étranger visible • Prolapsus du globe oculaire • Pression intraoculaire (PIO) anormale • Défaut du champ visuel • Douleur	**Initiales** • Dégager les voies respiratoires et assurer la respiration et la circulation sanguine (ABC). • Aviser le client de ne pas se moucher. • Évaluer l'acuité visuelle. • Déterminer le mécanisme de la lésion. • Évaluer la présence d'autres lésions. • Évaluer l'exposition à des produits chimiques. • Commencer immédiatement l'irrigation oculaire en cas d'exposition à des produits chimiques ; ne pas arrêter tant que le personnel d'urgence n'est pas arrivé pour poursuivre l'irrigation ; l'idéal est une solution physiologique stérile à pH équilibré ; sinon, utiliser tout liquide non toxique. Privilégier une solution saline stérile (utiliser de l'eau stérile s'il n'y a pas de solution saline stérile disponible). • Ne pas appliquer de pression sur l'œil. • Ne pas tenter de traiter la lésion (sauf dans les cas d'exposition chimique mentionnés ci-dessus). • Stabiliser les objets étrangers. • Couvrir l'œil avec des pansements secs et stériles et un protecteur oculaire. • Ne donner aucun aliment ou liquide au client (N.P.O.). • Élever la tête du lit de 45°. • Ne pas mettre de médicaments ou de solutions dans l'œil, sauf sur recommandation du médecin. • Administrer des analgésiques, s'il y a lieu. **Surveillance clinique** • Rassurer le client. • Faire un suivi de la douleur. • Anticiper la chirurgie nécessaire pour une lésion pénétrante, une rupture ou une avulsion du globe oculaire.

Soins et traitements infirmiers

CLIENT ATTEINT DE DÉFICIENCE VISUELLE

Collecte des données

Il est important de déterminer depuis combien de temps le client a une déficience visuelle, car une perte récente de vision nécessite des soins infirmiers particuliers. L'infirmière doit établir jusqu'à quel point la déficience visuelle du client perturbe son fonctionnement normal. Elle peut le faire en le questionnant sur la difficulté qu'il éprouve à accomplir certaines tâches, par exemple, à lire le journal, à libeller un chèque, à

28 | ÉVALUATION CLINIQUE

L'étape d'évaluation du système visuel et auditif est décrite en détail dans le chapitre 28, *Systèmes visuel et auditif*.

se déplacer d'une pièce à l'autre ou à regarder la télévision.

D'autres questions peuvent aider l'infirmière à déterminer la signification que le client donne à sa déficience visuelle. Elle doit lui demander quel a été l'effet de sa perte visuelle sur certains aspects de sa vie, par exemple, une perte d'emploi ou l'abandon de certaines activités. Le client pourrait donner plusieurs significations négatives à sa déficience en raison de la perception de la cécité dans la société. Ainsi, il pourrait considérer sa déficience comme une punition ou se croire inutile et dépendant. L'infirmière doit aussi déterminer les stratégies d'adaptation du client et de sa famille, ses réactions émotives, ainsi que la disponibilité et la force de son réseau de soutien. L'infirmière peut utiliser l'aide-mémoire PQRSTU pendant son questionnaire d'évaluation afin de rendre sa collecte de données exhaustive.

Analyse et interprétation des données

Jugement clinique

Julien Bossé, 45 ans, est aveugle depuis plusieurs années. Il se présente au GMF de son quartier, accompagné de sa conjointe, pour une vilaine toux qui dure depuis trois jours. Face au handicap du client, comment l'infirmière doit-elle se comporter au cours de l'évaluation initiale de son état de santé?

L'analyse et l'interprétation des données dépendent du degré de déficience visuelle et du temps écoulé depuis son apparition. Les données qu'il faut analyser auprès du client ayant une déficience visuelle comprennent:

- la modification de la perception sensorielle liée au déficit visuel;
- le risque de blessure lié à la déficience visuelle et à l'incapacité de voir les dangers potentiels;
- l'incapacité à prendre soin de soi liée à la déficience visuelle;
- la peur liée à l'incapacité de voir les dangers potentiels ou d'interpréter correctement l'environnement;
- le deuil ou le chagrin lié à la perte de vision fonctionnelle.

Promotion et prévention

ENCADRÉ 29.3 Impact sur la santé de soins oculaires adéquats

- Le lavage régulier des mains prévient la propagation de l'infection d'un œil à l'autre.
- L'offre de soins de santé appropriés peut conduire à la détection précoce de maladie oculaire et ainsi éviter une détérioration visuelle chez les clients déjà atteints d'une perte de vision partielle.
- Le port de lunettes fumées et une bonne alimentation peuvent aider à prévenir le développement d'une cataracte et la DMLA.
- Le port d'un protecteur oculaire pendant des activités professionnelles et sportives susceptibles de présenter un danger réduit le risque de blessures oculaires.

Planification des soins

Les objectifs généraux pour le client atteint d'une déficience visuelle récente ou pour celui qui présente des difficultés d'adaptation à une déficience visuelle de longue date sont:

- d'exprimer ses sentiments liés à la perte;
- de déterminer ses forces personnelles et celles de son réseau de soutien externe;
- d'utiliser des stratégies d'adaptation efficaces.

Si le client fonctionne de manière appropriée ou acceptable, c'est-à-dire qu'il jouit d'une certaine autonomie dans ses activités de la vie quotidienne et activités de la vie domestique (AVQ et AVD) ou qu'il reçoit l'aide dont il a besoin, l'objectif global est de maintenir ce degré de fonctionnement.

Interventions cliniques

Promotion de la santé

L'infirmière doit encourager le client partiellement voyant à rechercher des soins appropriés pour éviter d'aggraver sa déficience **ENCADRÉ 29.3**. Par exemple, le client qui a subi une perte visuelle causée par le glaucome peut éviter d'augmenter sa déficience visuelle en suivant le traitement prescrit et en passant les examens ophtalmiques recommandés.

Soins en phase aiguë

L'infirmière doit apporter son soutien affectif et prodiguer des soins directs au client qui souffre d'une déficience visuelle récente. L'écoute active et l'empathie sont des éléments importants des soins. Il faut permettre au client d'exprimer sa colère, sa peine et ses craintes.

L'infirmière doit aussi amener le client à déterminer des stratégies d'adaptation appropriées à la situation. La famille est étroitement engagée dans l'expérience d'une perte visuelle. Avec l'accord du client, l'infirmière peut faire participer les membres de la famille aux discussions et les encourager à exprimer leurs inquiétudes.

De nombreuses personnes sont mal à l'aise en présence d'une personne aveugle ou partiellement voyante parce qu'elles ne savent pas comment se comporter. Pour créer une alliance thérapeutique et un climat de confiance, l'infirmière doit être attentive aux sentiments du client et encourager son indépendance. Elle doit toujours communiquer avec le client sur un ton normal et d'une manière adéquate. Par exemple, elle s'adressera au client et non au proche aidant qui l'accompagne. La politesse élémentaire demande de se présenter et de présenter toute autre personne au client aveugle ou partiellement voyant à l'arrivée et de la saluer au départ. Le contact visuel avec la personne partiellement voyante facilite l'atteinte de plusieurs objectifs. Entre autres, il oblige l'infirmière à se placer face au client pour lui parler, ce qui permet à celui-ci de bien l'entendre. La position de sa tête indique qu'elle est attentive au client. De plus, le contact visuel lui permet d'observer les expressions et les réactions faciales de celui-ci.

L'orientation dans l'environnement réduit l'anxiété ou le malaise du client et favorise son indépendance. L'infirmière qui oriente la personne aveugle ou partiellement voyante dans un nouveau milieu doit nommer un objet comme point de référence et décrire l'emplacement des autres objets par rapport à ce dernier. Par exemple, elle peut dire : « Le lit est droit devant, à environ 10 pas. La chaise est à gauche, et la table de nuit est à droite, près de la tête du lit. Les toilettes sont à gauche du pied du lit. » Elle doit expliquer toute activité ou la source de tout bruit dans l'environnement immédiat du client.

L'infirmière doit guider le client vers chaque objet important, à l'aide de la technique de guidage pour personnes aveugles. Elle doit se tenir à côté du client, légèrement devant lui et lui offrir son coude **FIGURE 29.1**. Elle marche légèrement devant le client, qui tient l'arrière de son bras. Dans toute situation, elle doit décrire l'environnement pour aider le client à s'orienter. Par exemple, elle peut dire : « Nous traversons une porte ouverte et approchons d'un escalier descendant de deux marches. Il y a un obstacle à gauche. » Elle doit aussi aider le client à s'asseoir, en plaçant une de ses mains sur le dos de la chaise.

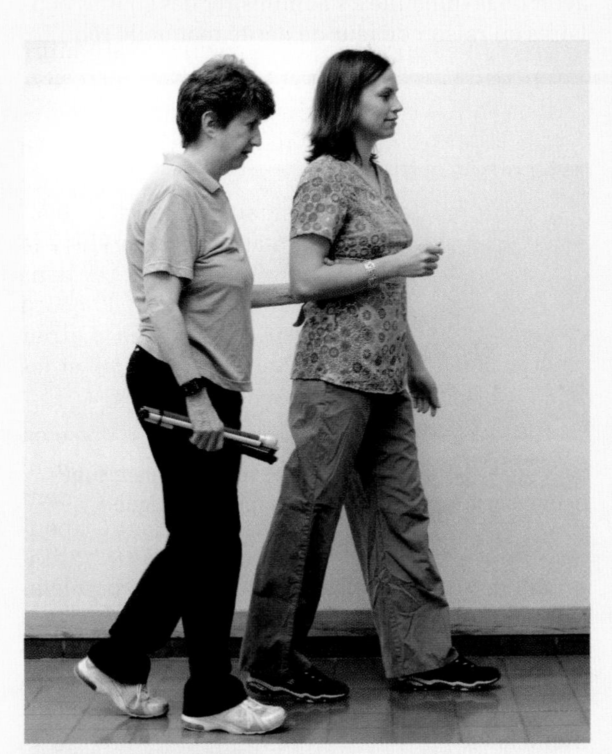

FIGURE 29.1 Technique de guidage pour personnes aveugles – L'infirmière marche légèrement devant la cliente, qui tient l'arrière de son bras.

Soins ambulatoires et soins à domicile

La réadaptation après une perte de vision partielle ou totale peut favoriser l'autonomie, l'estime de soi et la productivité. L'infirmière doit connaître les services et les appareils offerts aux personnes aveugles ou partiellement voyantes et être en mesure de faire les recommandations appropriées.

Pour le client légalement aveugle, la ressource principale est l'Institut national canadien pour les aveugles (INCA) qui possède 9 divisions géographiques et plus de 60 bureaux régionaux. L'Institut est une source de soutien et d'information pour tous les clients vivant avec une perte de vision.

Le braille ou les livres audio pour la lecture et une canne ou un chien-guide pour la marche sont des exemples de techniques d'aide à la vision. Ils conviennent généralement mieux au client qui n'a pas de vision fonctionnelle. Les techniques d'amélioration de la vision peuvent aider de nombreux clients qui ont une vision résiduelle à marcher, à lire et à accomplir leurs AVQ.

Jugement clinique

Roger Carrier, 81 ans, est atteint de la maladie de Parkinson à un stade avancé, et il est aveugle. Le personnel infirmier le déplace en fauteuil roulant, le client étant incapable de le faire par lui-même. Pendant les déplacements, faut-il lui décrire l'emplacement des objets et les obstacles rencontrés ? Justifiez votre réponse.

| Appareils optiques d'amélioration de la vision | En général, les verres télescopiques pour la vision de près et de loin et les divers types de loupes peuvent améliorer suffisamment la vision résiduelle du client pour lui permettre d'accomplir diverses tâches et activités qui lui étaient auparavant impossibles à réaliser (Johns Hopkins University, 2011). L'utilisation adéquate de la plupart de ces appareils nécessite une formation et de l'entraînement. Le téléviseur en circuit fermé, qui peut grossir le texte ou l'image jusqu'à 60 fois, permet à certains clients de lire, d'écrire, d'utiliser un ordinateur et d'effectuer des tâches manuelles. Bien que ces systèmes soient coûteux et difficilement transportables, ils sont disponibles dans certaines bibliothèques publiques ou universitaires.

CE QU'IL FAUT RETENIR

La technique de guidage pour personnes aveugles consiste à marcher à côté du client, un peu devant lui et à lui offrir son coude. Il faut décrire l'environnement pour aider le client à s'orienter.

| Méthodes non optiques d'amélioration de la vision | Le grossissement par rapprochement est une technique simple d'amélioration de la vision résiduelle du client. L'infirmière doit lui recommander de s'asseoir à une plus petite distance du téléviseur ou de tenir les livres plus près de ses yeux. Les techniques d'amélioration du contraste comprennent l'écoute d'un téléviseur en noir et blanc, l'écriture avec un crayon-feutre noir et l'utilisation de couleurs contrastantes (p. ex., une bande rouge au bord des marches ou des trottoirs). La luminosité peut être augmentée avec des lampes halogènes, la lumière directe du soleil ou des lampes en col de cygne qui sont dirigées directement sur le matériel de lecture ou sur d'autres objets rapprochés (American Foundation for the Blind, 2015). Les gros caractères sont souvent utiles, particulièrement si le client les combine à d'autres techniques optiques et non optiques d'amélioration de la vision.

Évaluation des résultats

Pour le client souffrant d'une déficience visuelle grave, les résultats escomptés à la suite des soins et des interventions cliniques sont :

- d'éviter une perte de vision ultérieure ;
- d'être capable d'utiliser des stratégies d'adaptation efficaces ;
- de maintenir ou améliorer l'estime de soi ;
- de maintenir ses interactions sociales et éviter l'isolement social ;
- de fonctionner en toute sécurité dans son propre environnement.

Considérations gérontologiques

DÉFICIENCE VISUELLE

Le client âgé présente un risque accru de perte visuelle due à une maladie oculaire. Il peut être atteint d'autres déficiences, telles qu'une déficience cognitive ou une mobilité réduite, qui perturbent davantage son mode de fonctionnement habituel. La dévalorisation de la personne âgée causée par sa déficience visuelle peut aggraver ses problèmes d'estime de soi ou d'isolement social. Il est possible que ses ressources financières lui permettent de subvenir à ses besoins de base, mais soient insuffisantes pour répondre à ses besoins croissants en services ou en appareils liés à ses troubles visuels.

Une personne âgée atteinte de déficience visuelle peut devenir désorientée. La combinaison de la vision réduite et de la confusion augmente le risque de chutes, qui peuvent avoir des conséquences graves pour la personne âgée. Une vision réduite peut compromettre son fonctionnement, susciter des inquiétudes sur son autonomie et réduire son estime de soi. Certaines personnes âgées peuvent avoir de la difficulté à s'administrer des gouttes oculaires en raison de leur dextérité manuelle réduite.

29.2 | Troubles extraoculaires

29.2.1 Inflammation et infection

L'inflammation et l'infection de l'œil externe sont les affections les plus couramment observées par les ophtalmologistes. De nombreux irritants ou microorganismes externes peuvent toucher la paupière, la conjonctive et la cornée. L'infirmière a la responsabilité d'informer le client sur les interventions appropriées à sa situation.

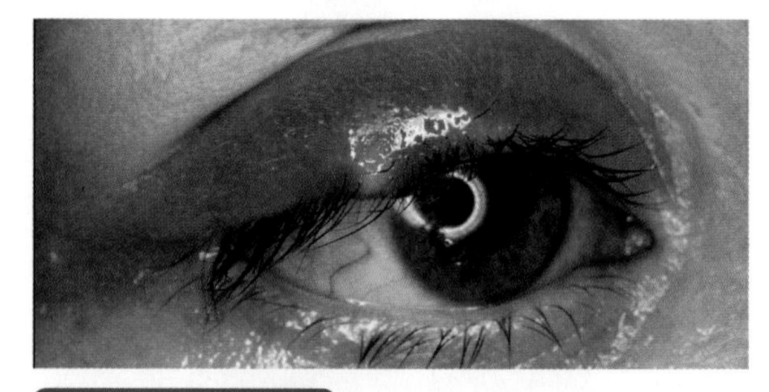

FIGURE 29.2 Orgelet sur la paupière supérieure causé par une infection staphylococcique

Orgelet

Un **orgelet externe** est une infection des glandes sébacées touchant les follicules pileux du rebord de la paupière **FIGURE 29.2**. La bactérie qui en est le plus souvent responsable est le *Staphylococcus aureus*. Elle cause l'apparition rapide d'un œdème, d'une rougeur circonscrite et d'une sensibilité au toucher. L'infirmière doit recommander au client d'appliquer une compresse chaude et humide au moins quatre fois par jour jusqu'à ce qu'il observe une amélioration. Il peut s'agir du seul traitement nécessaire. Un drainage spontané est également possible. Si le client a fréquemment des orgelets, l'infirmière peut lui montrer comment effectuer un lavage quotidien de ses paupières. L'application d'onguents ou de gouttes antibiotiques peut aussi être indiquée si les traitements précédents ont été inefficaces.

CE QU'IL FAUT RETENIR

L'inflammation et l'infection de l'œil externe (paupière, conjonctive, cornée) sont des affections courantes, dues à des microorganismes ou à des irritants.

Chalazion

Un **chalazion** est un granulome inflammatoire chronique des glandes de Meibomius (sébacées) de la paupière. Il peut succéder à un orgelet. Les substances libérées par la rupture d'une glande dans la paupière en sont parfois la cause. Le chalazion apparaît généralement sur la paupière supérieure sous forme d'un œdème rougeâtre et sensible pointant vers l'intérieur et non sur le rebord de la paupière. En phase aiguë, il peut incommoder la personne. Le traitement initial est semblable à celui d'un orgelet. Si les compresses chaudes et humides ne provoquent pas l'écoulement spontané du chalazion, l'ophtalmologiste peut l'extraire (cela se fait normalement dans son cabinet) ou y injecter des corticostéroïdes.

Blépharite

La **blépharite** est une inflammation bilatérale chronique et courante du bord des paupières (Bernardes & Bonfioli, 2010). Les bords des paupières sont alors rouges, squameux et croûtés. Le client peut d'abord éprouver des démangeaisons, mais aussi une sensation de brûlure, d'irritation et souffrir de photophobie. La blépharite s'accompagne parfois d'une conjonctivite.

La blépharite est souvent causée par des microorganismes staphylococciques et séborrhéiques. L'infection staphylococcique requiert un traitement plus énergique afin d'éviter les orgelets, la kératite (inflammation de la cornée) et d'autres infections oculaires. Un onguent antibiotique ophtalmique sera alors prescrit. La blépharite associée à une dermatite séborrhéique se traite avec un shampoing antiséborrhéique pour le cuir chevelu et les sourcils. L'infirmière doit insister sur le lavage minutieux de la peau et du cuir chevelu. Le lavage du bord des paupières avec un shampoing pour bébés peut amollir les croûtes et en faciliter le retrait.

Conjonctivite

La **conjonctivite** est une infection ou une inflammation de la conjonctive. L'infection peut être due à des bactéries ou à des virus. Des allergènes ou des irritants chimiques (p. ex., la fumée de cigarette) peuvent la causer. L'inflammation de la conjonctive tarsale (qui borde la surface intérieure des paupières) peut découler de la présence prolongée d'un corps étranger dans l'œil, tel qu'un verre de contact ou une prothèse oculaire. Le lavage minutieux des mains et l'utilisation de serviettes individuelles jetables aident à prévenir la propagation de l'affection.

Infections bactériennes

La conjonctivite bactérienne aiguë (conjonctivite à bacille de Weeks) est une infection courante. Bien qu'elle touche tous les groupes d'âge, les épidémies sont plus fréquentes chez les enfants en raison de leurs habitudes hygiéniques parfois déficientes. Le microorganisme le plus souvent responsable est la bactérie *S. aureus*. *Streptococcus pneumoniae* et *Haemophilus influenzae* sont d'autres agents responsables, mais ils touchent plus souvent les enfants que les adultes. Le client qui souffre d'une conjonctivite bactérienne peut se plaindre d'irritation, de larmoiement, de rougeur et d'écoulement mucopurulent (Selby, 2011). Cette infection apparaît généralement dans un seul œil, mais peut se répandre dans l'autre œil par contact direct avec des sécrétions infectées. Elle disparaît généralement par elle-même, mais le traitement avec des gouttes antibiotiques (p. ex., la bésifloxacine [Besivance^MD], le sulfate de polymixine B) réduit sa durée.

Infections virales

Les infections de la conjonctive peuvent être causées par de nombreux virus. Le client qui souffre d'une conjonctivite virale peut se plaindre de larmoiement, de sensation de corps étranger dans l'œil, de rougeur et de photophobie légère. Cette affection est généralement bénigne et disparaît par elle-même. Toutefois, elle peut s'aggraver et causer un malaise croissant ainsi qu'une hémorragie sous-conjonctivale. La conjonctivite à adénovirus peut être contractée dans une piscine contaminée et par contact direct avec une personne infectée. Le traitement vise généralement à soulager les manifestations cliniques. En cas de manifestations graves, des corticostéroïdes topiques procurent un soulagement temporaire, mais n'influent pas sur la durée de guérison. Les gouttes antivirales sont inefficaces et ne sont donc pas recommandées.

Infections à chlamydia

Le **trachome** est une conjonctivite chronique due à la bactérie *Chlamydia trachomatis* (sérotypes A à C). Le trachome est la cause d'une déficience visuelle chez 2,2 millions de personnes dans le monde dont 1,2 million sont atteints de cécité irréversible (Organisation mondiale de la Santé [OMS], 2013). Le trachome serait endémique dans 53 pays (OMS, 2013). Cette maladie oculaire évitable se transmet principalement par les mains souillées ou, dans les régions tropicales, par les mouches. La conjonctivite à inclusion chez l'adulte est causée par la bactérie *C. trachomatis* (chlamydia de sérotypes D à K). La plupart des conjonctivites à inclusion aiguës chez l'adulte résultent d'un contact avec des sécrétions génitales infectées. Les manifestations du trachome et de la conjonctive à inclusion sont un écoulement mucopurulent, une irritation, une rougeur de l'œil ainsi qu'un œdème de la paupière. Pour des raisons inconnues, ce type de conjonctivite n'a pas les mêmes conséquences à long terme que le trachome. De plus, la conjonctivite à inclusion chez l'adulte est commune dans les pays développés, tandis que le trachome est plus courant dans les pays peu développés. Le traitement antibiotique est généralement efficace contre le trachome et la conjonctivite à inclusion chez l'adulte. Bien que les antibiotiques puissent traiter celle-ci efficacement, les adultes présentent un risque élevé d'infection génitale à chlamydia concomitante ainsi que d'autres infections transmissibles sexuellement et par le sang (ITSS). L'infirmière doit inclure dans son plan d'enseignement pour les clients adultes atteints de la conjonctivite à inclusion les méthodes de prévention de la transmission des ITSS.

Conjonctivite allergique

La conjonctivite causée par l'exposition à un allergène peut être bénigne et transitoire ou devenir assez grave pour causer une enflure importante, qui fait parfois gonfler la conjonctive au-delà des paupières. Le symptôme caractéristique de la conjonctivite allergique est la démangeaison. Le client peut aussi se plaindre de sensation de brûlure, de rougeur et de larmoiement. Les signes aigus peuvent inclure un exsudat blanc ou transparent. Dans le cas d'une affection chronique, l'exsudat est plus épais et devient mucopurulent. Le client peut être atteint d'une conjonctivite allergique aux pollens, aux squames d'animaux, aux solutions et aux médicaments oculaires ou aux verres de contact. L'infirmière doit recommander au client d'éviter l'allergène, s'il le connaît. Les larmes artificielles permettent de diluer l'allergène et de l'éliminer de l'œil. Les antihistaminiques et les corticostéroïdes topiques sont des médicaments efficaces pour soulager les manifestations cliniques dans les cas plus graves.

Kératite

CE QU'IL FAUT RETENIR

La kératite est une inflammation ou une infection de la cornée causée par un virus, une bactérie ou une irritation due aux verres de contact. Chez les personnes immunodéprimées, elle est souvent causée par le VHS.

La **kératite** est une inflammation ou une infection de la cornée qui peut être causée par une variété de microorganismes d'origine bactérienne ou virale ou par une irritation due aux verres de contact. L'affection peut associer une atteinte de la cornée et de la conjonctive. Quand elle touche ces deux structures, il s'agit d'une kératoconjonctivite.

Infections bactériennes

Quand la couche épithéliale de la cornée se rompt (le plus souvent de façon traumatique), diverses bactéries peuvent infecter la cornée. Les antibiotiques topiques sont généralement efficaces, mais l'éradication de l'infection peut nécessiter l'injection sous-conjonctivale d'antibiotique ou, dans les cas graves, l'administration intraveineuse d'un antibiotique. Les facteurs de risque sont notamment les dommages traumatiques ou chimiques de l'épithélium cornéen, le port de verres de contact (par risque de traumatisme de la cornée), les déficiences nutritionnelles, l'immunosuppression ainsi que l'utilisation de produits contaminés (p. ex., les solutions nettoyantes pour verres de contact et leurs contenants, les médicaments topiques, les produits cosmétiques).

Infections virales

La kératite à virus *Herpes simplex* (VHS) est la cause infectieuse la plus courante de cécité cornéenne dans l'hémisphère occidental. Il s'agit d'une affection croissante, particulièrement chez les personnes immunodéprimées. Elle peut être due au VHS-1 (herpès buccal) ou au VHS-2 (herpès génital), mais l'infection oculaire à VHS-2 est peu courante. L'ulcère cornéen causé par l'herpès présente des ramifications dendritiques caractéristiques. La douleur et la photophobie sont les symptômes les plus courants. Jusqu'à 40 % des clients atteints de kératite herpétique guérissent spontanément. Pour les autres clients, le processus thérapeutique en interdisciplinarité inclut l'administration de gouttes de trifluridine (Viroptic^MD) pendant deux ou trois semaines. Le traitement peut aussi comprendre le débridement cornéen ou l'application d'un onguent de vidarabine selon les indications du médecin traitant. Les corticostéroïdes topiques sont généralement contre-indiqués, car ils prolongent la durée de l'infection et peuvent causer l'ulcération plus profonde de la cornée. La pharmacothérapie peut aussi inclure l'acyclovir oral (Zovirax^MD) (Wilhelmus, 2010).

Le virus varicelle-zona (*varicella-zoster virus* [VZV]) cause la varicelle et peut, plus tardivement dans le continuum de vie, causer le zona ophtalmique. Ce dernier peut se produire par la réactivation d'une infection endogène qui a persisté sous une forme latente après une varicelle ou par contact avec une personne qui a une varicelle active ou un zona actif. Le zona ophtalmique touche plus souvent les personnes âgées, car elles ont souvent un système immunitaire affaibli, ainsi que les personnes immunodéprimées. Le processus thérapeutique en interdisciplinarité du client souffrant de zona ophtalmique aigu peut inclure des analgésiques opioïdes ou non opioïdes (tels que des neuroleptiques) pour soulager la douleur, des corticostéroïdes topiques pour réduire l'inflammation, des antiviraux tels que l'acyclovir (Zovirax^MD) pour réduire la réplication virale, des agents mydriatiques pour dilater la pupille et soulager la douleur ainsi que des antibiotiques topiques pour lutter contre une infection secondaire. Le client peut appliquer des compresses chaudes et un gel à la polyvidone iodée sur la peau atteinte (il ne faut pas appliquer le gel près des yeux afin d'éviter un contact direct).

La **kératoconjonctivite épidémique** est la plus grave maladie oculaire causée par un adénovirus. Elle se propage par contact direct, notamment au cours des relations sexuelles. Dans le milieu médical, les mains et les instruments contaminés peuvent être la source de la propagation. Le client peut se plaindre de larmoiement, de rougeur, de photophobie et de sensation de corps étranger dans l'œil. La plupart du temps, cette maladie ne touche qu'un œil. Le traitement vise principalement à soulager les manifestations cliniques et comprend l'application de glace et le port de lunettes fumées. Dans les cas plus graves, le traitement peut inclure des corticostéroïdes topiques doux pour soulager temporairement les manifestations cliniques et un onguent antibiotique topique. L'infirmière doit informer le client et le proche aidant sur l'importance d'une bonne hygiène pour éviter la propagation de la maladie.

Autres causes de la kératite

La kératite peut aussi être due à un champignon (plus communément *Aspergillus*, *Candida* et *Fusarium*), notamment dans le cas d'un trauma oculaire survenu à l'extérieur, là où les champignons abondent dans le sol et où se trouve de la matière organique humide. La kératite à *Acanthamoeba* (une amibe) est causée par un parasite associé au port de verres de contact, probablement en raison de la contamination des solutions de nettoyage ou de leurs contenants. Les solutions salines maison sont particulièrement susceptibles d'être contaminées par ce parasite. L'infirmière doit enseigner au client qui porte des verres de contact à les entretenir de façon appropriée. Il est difficile de traiter une kératite à champignon et une kératite à *Acanthamoeba*. Cette dernière résiste à la plupart des médicaments. Des gouttes oculaires antifongiques (natamycine) sont utilisées pour traiter cette affection. Si le traitement antimicrobien échoue, le client peut nécessiter une greffe de cornée.

La kératite lagophtalmique est une affection qui empêche le client de fermer adéquatement les paupières. Elle peut toucher la personne qui souffre d'exophtalmie (globe oculaire saillant) attribuable à une hyperthyroïdie ou une personne qui a une masse derrière le globe oculaire et qui exerce une pression sur celui-ci.

Ulcère cornéen

La perte de tissu causée par l'infection de la cornée produit un **ulcère cornéen** (kératite infectieuse) **FIGURE 29.3**. L'infection peut être d'origine bactérienne, virale ou fongique. Les ulcères cornéens sont généralement très douloureux. Les clients touchés peuvent éprouver une sensation de corps étranger dans l'œil. Le larmoiement, un écoulement purulent ou aqueux, la rougeur et la photophobie sont d'autres manifestations possibles. Le traitement est généralement draconien pour éviter une perte permanente de vision. Des gouttes oculaires antibiotiques, antivirales ou antifongiques peuvent être prescrites toutes les heures, le jour et la nuit, pendant les 24 premières heures. Un ulcère cornéen non traité peut causer la cicatrisation et la perforation (trou) de la cornée. Une greffe de cornée peut alors s'avérer nécessaire.

29.2.2 Troubles de sécheresse oculaire

La kératoconjonctivite sèche (sécheresse oculaire) est un trouble courant, surtout parmi les personnes âgées et celles souffrant de certaines maladies systémiques telles que la sclérodermie et le lupus érythémateux. Les clients qui souffrent de sécheresse oculaire se plaignent d'irritation et d'une

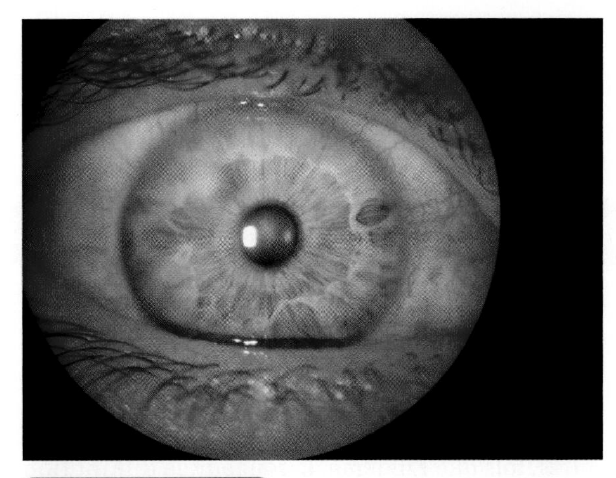

FIGURE 29.3 Ulcère cornéen – Ici, infection associée à un mauvais entretien des verres de contact

sensation sableuse dans les yeux. Celle-ci s'intensifie généralement au cours de la journée. Cette affection est causée par une diminution de la qualité ou de la quantité de film lacrymal (larmes). Son traitement vise la cause sous-jacente. Des compresses chaudes et un massage des paupières peuvent soulager la sécheresse oculaire due à un dysfonctionnement des canaux excréteurs de la glande lacrymale. En cas de diminution de la sécrétion lacrymale, le client peut utiliser des larmes artificielles ou des onguents lubrifiants. Dans les cas graves, l'occlusion des points lacrymaux peut être nécessaire afin de permettre une meilleure rétention des larmes et ainsi améliorer la lubrification de l'œil. Le client qui souffre de sécheresse des yeux et de la bouche peut avoir le syndrome de Sjögren ▶ 27.

29.2.3 Strabisme

Le **strabisme** est un trouble qui empêche une personne d'orienter ses deux yeux simultanément sur un même objet (défaut d'alignement des axes visuels). Un œil peut être dévié vers l'intérieur (ésotropie), l'extérieur (exotropie), le haut (hypertropie) ou le bas (hypotropie) **FIGURE 29.4**. Le

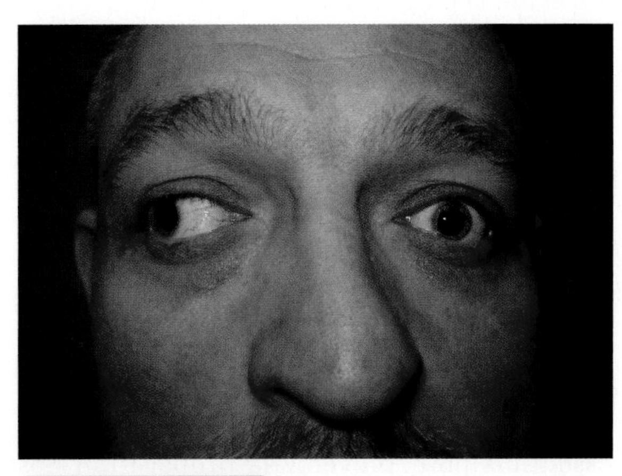

FIGURE 29.4 Strabisme divergent de l'œil droit et fixation de l'œil gauche

27

Le syndrome de Sjögren est décrit dans le chapitre 27, *Interventions cliniques – Arthrite et maladies des tissus conjonctifs*.

CE QU'IL FAUT RETENIR

La perte de tissu due à l'infection de la cornée produit un ulcère. Non traité, celui-ci peut causer une cicatrisation et une perforation nécessitant une greffe de cornée.

strabisme de l'adulte peut aussi être causé par une maladie thyroïdienne, par des troubles neuromusculaires des muscles oculaires, par une complication postopératoire (réparation d'un décollement rétinien) ou par des lésions cérébrales. La vision double est le symptôme le plus fréquemment rapporté par les clients souffrant de strabisme.

Soins et traitements infirmiers

CLIENT ATTEINT D'UNE INFLAMMATION OU D'UNE INFECTION EXTRAOCULAIRE

Collecte des données

L'infirmière doit évaluer les changements oculaires, tels que l'œdème, la rougeur, la diminution de l'acuité visuelle, la sensation de corps étranger ou de malaise dans l'œil et consigner ses observations dans le dossier du client. Elle doit aussi considérer les facteurs psychosociaux du client, particulièrement si l'affection s'accompagne d'une déficience visuelle.

Analyse et interprétation des données

Les problèmes prioritaires du client qui souffre d'une inflammation ou d'une infection de l'œil externe comprennent :

- la douleur aiguë liée à une irritation ou à une infection de l'œil ;
- l'anxiété liée à l'incertitude de l'étiologie de la maladie ainsi que de l'efficacité du traitement ;
- la perception sensorielle perturbée liée à une diminution ou à une absence de vision.

Jugement clinique

Christine Valois, 22 ans, se présente à la clinique sans rendez-vous croyant qu'elle a une infection à l'œil gauche. L'infirmière constate que la paupière supérieure de la cliente est œdémateuse et que la conjonctive est rouge. De plus, madame Valois dit ressentir une légère brûlure à l'œil, mais elle affirme n'avoir aucune sensation de corps étranger. Nommez deux autres manifestations d'infection oculaire que l'infirmière devrait vérifier.

Planification des soins

Les objectifs généraux pour le client qui souffre d'une inflammation ou d'une infection extraoculaire sont :

- d'éviter la propagation de l'infection ;
- de conserver un degré acceptable de bien-être et de confort ainsi qu'un certain degré de fonctionnement pendant la durée de l'affection ;
- de conserver ou d'améliorer son acuité visuelle ;
- de suivre le traitement prescrit ;
- d'adopter des comportements qui favorisent une bonne santé.

CE QU'IL FAUT RETENIR

Lors d'une infection à un œil, une asepsie rigoureuse et le lavage des mains sont essentiels pour éviter de la propager à l'autre œil, ou même à une autre personne. Il faut jeter les produits d'entretien des verres de contact, le cas échéant.

Interventions cliniques

Promotion de la santé

Des conditions rigoureuses d'asepsie ainsi que le lavage fréquent et minutieux des mains sont essentiels pour prévenir la propagation des microorganismes d'un œil à l'autre, ainsi que la propagation aux autres clients, aux membres de la famille et à l'infirmière. Celle-ci doit montrer au client et à sa famille comment éviter les sources d'irritation ou d'infection oculaire et réagir de manière adéquate en cas de trouble oculaire. Elle doit informer le client sur l'utilisation et l'entretien appropriés de ses verres de contact et des produits de nettoyage. Elle doit lui donner des renseignements précis sur la propagation des ITSS pouvant conduire à des troubles oculaires.

Soins en phase aiguë

L'infirmière doit appliquer des compresses chaudes ou froides si elles sont indiquées pour soulager le trouble oculaire du client. Une pièce sombre ou l'administration d'un analgésique approprié sont d'autres mesures qui favorisent le bien-être et le confort du client. Si l'acuité visuelle de celui-ci a diminué, il faut modifier son environnement ou ses activités pour assurer sa sécurité.

Le client peut avoir besoin d'instillation de gouttes oculaires toutes les heures. S'il doit prendre deux types de gouttes ou plus, leur administration peut être décalée pour favoriser une absorption maximale. Par exemple, si deux types de gouttes sont prescrits toutes les heures, il faut administrer un type de goutte à l'heure juste et l'autre type à la demie de l'heure, à moins d'indication contraire. Une administration fréquente de gouttes peut priver le client de sommeil.

Soins ambulatoires et soins à domicile

Le principal besoin du client à domicile est d'obtenir de l'information sur les soins nécessaires et sur la façon de les prodiguer. Le client et sa famille doivent aussi connaître les techniques adéquates d'administration des médicaments. Si la vision du client est compromise, l'infirmière doit lui proposer d'autres façons d'accomplir ses activités et les soins nécessaires quotidiennement. Elle doit demander au client qui porte des verres de contact et qui contracte des infections de jeter tous les produits de nettoyage et les produits cosmétiques ouverts ou usagés afin de réduire le risque de réinfection par des produits contaminés (problème courant et source probable d'infection chez de nombreux clients).

Évaluation des résultats

Pour le client souffrant d'une déficience visuelle grave, les résultats escomptés à la suite des soins et des interventions cliniques sont:

- de suivre son plan de traitement;
- d'être soulagé de sa douleur ou de son malaise oculaire;
- de s'adapter efficacement aux changements fonctionnels en cas de diminution de son acuité visuelle;
- d'obtenir de l'information précise pour prévenir la récurrence de la maladie.

29.2.4 Troubles cornéens

Cicatrices et opacités de la cornée

La cornée est un tissu optique transparent qui permet aux rayons lumineux d'entrer dans l'œil, de converger sur la rétine et de produire ainsi une image. Toute lésion sur la cornée peut altérer son hydratation normale et réduire sa transparence. Un verre de contact rigide peut corriger l'astigmatisme irrégulier que causent les cicatrices cornéennes. Dans d'autres situations, le traitement d'une cicatrice ou de l'opacité cornéenne est la kératoplastie transfixiante ou perforante (greffe de cornée). Le chirurgien enlève la cornée du client et la remplace par celle d'un donneur décédé qu'il fixe à l'aide de points de suture **FIGURE 29.5**. Une période allant jusqu'à 12 mois peut être nécessaire pour le rétablissement de la vision (Johns Hopkins University, 2008). Les greffes lamellaires endothéliales de Descemet avec kératoplastie endothéliale (*Descemet's stripping endothelial membrane* [DSEK] ou *Descemet's membrane endothelial membrane* [DMEK]) sont une méthode plus récente qui consiste à greffer uniquement la couche endothéliale endommagée de la cornée (John, 2010). Cette méthode permet généralement au client de recouvrer la vue plus rapidement. Elle réduit aussi l'astigmatisme et permet de diminuer la prescription des verres correcteurs du client.

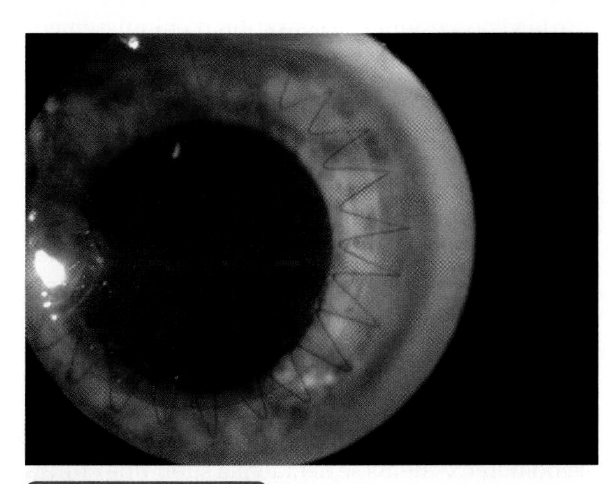

FIGURE 29.5 Sutures sur une cornée après une kératoplastie pénétrante (greffe de cornée)

Bien que des troubles cornéens causant la cécité soient rares, une greffe de cornée peut rétablir une vision qui serait autrement perdue. Au Québec, 810 cornées ont été greffées en 2013-2014. Ce chiffre est en constante augmentation; le nombre de Québécois en attente d'une greffe de cornée a d'ailleurs diminué de 62 % entre 2011 et 2014 (Héma-Québec, 2014). Parmi toutes les chirurgies de transplantation de tissu ou d'organe, il s'agit de la plus rapide et de la plus sécuritaire. Le temps écoulé entre la mort du donneur et le prélèvement du tissu doit être le plus court possible. Dans les banques d'yeux, les tests de dépistage du VIH et de l'hépatite B et C sont effectués sur les donneurs. Le tissu est préservé dans une solution nutritive spéciale. La fréquence de rejet du greffon a pu être réduite grâce à des méthodes améliorées de prélèvement et de préservation des tissus, à l'administration postopératoire de corticostéroïdes topiques et à un suivi rigoureux. Le taux de réussite peut aussi s'accroître si le donneur et le receveur sont du même groupe sanguin.

Kératocône

Le **kératocône** est une maladie non inflammatoire, généralement bilatérale, qui peut être héréditaire ou non. Il peut être associé au **syndrome de Down**, à la dermatite atopique, au **syndrome de Marfan** et à la rétinite pigmentaire (maladie héréditaire caractérisée par la dégénérescence primaire bilatérale de la rétine qui débute pendant l'enfance et qui cause la cécité dans la quarantaine).

La cornée antérieure s'amincit, devient saillante et prend une forme conique. Le kératocône apparaît généralement à l'adolescence et progresse lentement entre la vingtaine et la soixantaine. Son seul symptôme est la vision floue causée par l'astigmatisme variable en raison de la forme conique de la cornée. L'astigmatisme peut être corrigé par le port de lunettes ou de verres de contact rigides. Les anneaux intracornéens INTACS sont deux lentilles faites de plastique transparent que le chirurgien insère sur le périmètre de la cornée pour réduire l'astigmatisme et la myopie. Ils sont généralement utilisés pour retarder une greffe de cornée quand les verres de contact ou les lunettes ne permettent plus au client de voir adéquatement.

Syndrome de Down (ou trisomie 21): Maladie chromosomique congénitale provoquée par la présence d'un chromosome surnuméraire pour la 21e paire.

Syndrome de Marfan: Dégénérescence prématurée du tissu élastique des vaisseaux.

La cornée peut se perforer au centre à mesure qu'elle s'amincit. Dans les cas avancés, une kératoplastie perforante est indiquée avant que la perforation ne se produise.

29.3 | Troubles intraoculaires

29.3.1 Cataracte

Une **cataracte** désigne l'opacité du cristallin. Le client peut avoir une cataracte dans un œil ou dans les deux yeux. Dans ce dernier cas, la cataracte d'un œil peut nuire davantage à la vision du client que celle de l'autre œil. Les cataractes sont la principale cause de cécité dans le monde. Environ 50 % des personnes âgées de plus de 65 ans présentent un certain degré de cataracte, et 70 % des personnes de plus de 75 ans en sont atteintes (Regroupement des étudiants en médecine de l'Université Laval, 2008). Plus de 2,5 millions de Canadiens souffrent de cataractes (Institut national canadien pour les aveugles [INCA], 2015a). Compte tenu des changements démographiques et du vieillissement de la population, l'incidence de la cataracte, estimée à 1 sur 343 500 personnes en 2006, devrait atteindre 1 sur 20 600 personnes en 2031 (Buhrmann, Hodge, Beardmore *et al.*, 2006). L'extraction de la cataracte est l'intervention chirurgicale de choix pour ce type de trouble oculaire.

CE QU'IL FAUT RETENIR

La cataracte désigne l'opacité du cristallin. Elle peut toucher un seul œil ou les deux yeux. Elle se manifeste par une vision réduite, une perception anormale des couleurs et une sensation d'éblouissement.

Étiologie et physiopathologie

Même si la plupart des cataractes sont attribuables au vieillissement (cataractes séniles), elles peuvent être liées à d'autres facteurs. Ces facteurs sont notamment le trauma contondant ou pénétrant, des facteurs congénitaux tels que la rubéole maternelle, l'exposition au rayonnement ultraviolet du soleil, certains médicaments comme les corticostéroïdes topiques ou systémiques de longue durée et l'inflammation oculaire. Les personnes qui souffrent de diabète développent généralement des cataractes de façon plus précoce que les non-diabétiques.

Dans le cas d'une cataracte sénile, il semble que la modification des processus métaboliques dans le cristallin cause une accumulation d'eau ainsi que des altérations de la structure fibreuse du cristallin. Ces changements influent sur la transparence du cristallin et modifient la vision de la personne.

Manifestations cliniques

Le client qui souffre de cataractes peut se plaindre de symptômes incluant une vision réduite, une perception anormale des couleurs et une sensation d'éblouissement. Cette dernière, due à la diffusion de la lumière par le cristallin opaque, peut être pire la nuit quand la pupille se dilate. Le déclin de la vision est graduel, mais la vitesse de formation d'une cataracte varie d'une personne à l'autre. Un glaucome secondaire peut aussi se produire si le cristallin grossit et fait augmenter la PIO.

Examen clinique et examens paracliniques

Le diagnostic est basé sur la diminution de l'acuité visuelle ou sur une autre dysfonction visuelle telle que la vision trouble, la sensation d'éblouissement et la distorsion. L'opacité est directement observable par un examen ophtalmique ou un examen au biomicroscope. Comme il a déjà été mentionné, un cristallin complètement opaque donne une apparence blanche à la pupille. L'**ENCADRÉ 29.4** présente d'autres examens paracliniques qui peuvent se révéler utiles dans l'évaluation d'une cataracte.

Processus thérapeutique en interdisciplinarité

La présence d'une cataracte n'indique pas nécessairement un besoin de chirurgie. Des traitements non chirurgicaux peuvent retarder une opération. De nombreux clients se décident à subir une chirurgie plusieurs années après avoir reçu un diagnostic de cataracte. L'**ENCADRÉ 29.4** présente le processus thérapeutique offert à un client qui a une cataracte.

Processus diagnostique et thérapeutique

ENCADRÉ 29.4 Cataracte

EXAMEN CLINIQUE ET EXAMENS PARACLINIQUES

- Antécédents de santé et examen physique
- Mesure de l'acuité visuelle
- Ophtalmoscopie (directe et indirecte)
- Biomicroscopie
- Examen d'éblouissement, examen d'acuité chez certains clients
- Kératométrie et échographie A (si une chirurgie est prévue)
- D'autres examens (p. ex., la périmétrie du champ visuel) peuvent être indiquées pour distinguer la perte visuelle due à la cataracte de celle causée par un autre trouble oculaire.

PROCESSUS THÉRAPEUTIQUE

- Traitement non chirurgical
  - Changer la prescription des lunettes ou des verres de contact
  - Se servir de lunettes de lecture ou de loupes puissantes
  - Fournir un éclairage adéquat
  - Adapter le mode de vie
  - Rassurer le client
- Traitement chirurgical : soins en phase aiguë
  - Préopératoire
    - Agents mydriatiques, agents cycloplégiques
    - Anti-inflammatoires non stéroïdiens
    - Antibiotiques topiques
    - Anxiolytiques
  - Chirurgie
    - Extraction du cristallin
    - Phacoémulsification
    - Extraction extracapsulaire
    - Correction de l'aphakie chirurgicale
    - Implantation d'une lentille intraoculaire (correction la plus courante)
    - Verres de contact
  - Postopératoire
    - Antibiotiques topiques
    - Corticostéroïdes topiques ou autres anti-inflammatoires
    - Analgésique non opioïde, si nécessaire
    - Port d'un protecteur oculaire et activités selon les recommandations du chirurgien-ophtalmologiste

Traitement non chirurgical

Des mesures palliatives peuvent aider le client. Le changement de prescription des lunettes ou des verres de contact améliore généralement le degré d'acuité visuelle, au moins temporairement. D'autres mesures d'aide visuelle, telles que le port de lunettes de lecture puissantes ou l'utilisation de certains types de loupes, peuvent aider le client à voir de près. Une autre mesure utile est un éclairage accru pour lire ou accomplir d'autres tâches nécessitant une vision de près. Le client peut souhaiter adapter son mode de vie à sa vision réduite. Par exemple, s'il a de la difficulté à conduire la nuit en raison de l'éblouissement, il peut décider de se servir de son véhicule seulement le jour ou demander à un tiers de conduire pour lui le soir. En informant et en rassurant le client sur le processus morbide de la cataracte, l'infirmière peut l'aider à choisir des mesures d'aide non chirurgicales, du moins temporairement.

Traitement chirurgical

Quand les mesures palliatives ne lui procurent plus une vision acceptable, le client devient un candidat pour une chirurgie. Les obligations professionnelles du client, les changements dans son mode de vie et, dans certains cas, des considérations autres que des facteurs visuels peuvent influer sur la décision ou la nécessité de subir une chirurgie. Les complications associées aux troubles du cristallin, tels que l'augmentation de la PIO, nécessitent parfois l'extraction du cristallin. L'opacité peut empêcher l'ophtalmologiste de voir clairement la rétine du client qui souffre de rétinopathie diabétique ou d'une autre maladie qui menace la vision. Dans ce cas, le cristallin peut être enlevé pour permettre l'observation de la rétine et donner le traitement approprié.

Phase préopératoire La préparation du client à l'opération doit inclure la consignation de ses antécédents de santé et un examen physique approprié. Comme presque tous les clients sont opérés sous anesthésie locale, de nombreux médecins et établissements de santé n'exigent pas une évaluation physique préopératoire approfondie. Mais la plupart des clients qui ont une cataracte sont âgés et susceptibles de souffrir d'affections qui doivent être évaluées et traitées avant la chirurgie. Le chirurgien-ophtalmologiste peut prescrire des gouttes oculaires antibiotiques préopératoires. Le client ne doit rien ingérer de six à huit heures avant la chirurgie. Presque tous les clients qui ont des cataractes sont admis pour une chirurgie d'un jour. Le client est normalement admis plusieurs heures avant l'intervention pour que le personnel ait le temps d'effectuer les procédures préopératoires.

Des gouttes dilatatrices (p. ex., un agent mydriatique ou anticholinergique) et des gouttes anti-inflammatoires non stéroïdiennes doivent être instillées pour réduire l'inflammation et garder la pupille dilatée **TABLEAU 29.2**. Un **agent**

CE QU'IL FAUT RETENIR

Des traitements non chirurgicaux de la cataracte peuvent retarder une opération : des lunettes ou des verres de contact, certains types de loupe et l'utilisation d'un éclairage accru pour lire.

Agents mydriatiques et cycloplégiques

- L'infirmière doit avertir le client de porter des lunettes fumées pour réduire la photophobie associée à la dilatation pupillaire.
- Elle doit surveiller les signes de toxicité systémique (p. ex., la tachycardie, la désorientation, l'agitation, la dépression respiratoire).

Pharmacothérapie

TABLEAU 29.2 Médicaments topiques pour dilater la pupille

MÉDICAMENTS	DÉBUT D'ACTION	DURÉE D'ACTION	COMMENTAIRES
Agents mydriatiques			
Chlorhydrate de phényléphrine (Dionephrine[MD], Mydfrin[MD])	De 45 à 60 min	De 4 à 6 h	Peut causer de la tachycardie et augmenter la pression artérielle (P.A.), surtout chez les personnes âgées ; peut aussi causer une diminution réflective de la fréquence cardiaque (F.C.) chez certains clients quand la P.A. augmente ; le client peut occlure les points lacrymaux pour limiter l'absorption systémique.
Agents cycloplégiques			
Tropicamide (Mydriacyl[MD])	De 20 à 40 min	De 4 à 6 h	Solution 1 % utilisée pour la réfraction cycloplégique ; solution 0,5 % utilisée pour l'examen du fond de l'œil.
Chlorhydrate de cyclopentolate (Cyclogyl[MD])	De 30 à 75 min	De 6 à 24 h	A été associé à des réactions psychotiques et à des perturbations comportementales ; utilisé pour la réfraction sous cycloplégique, l'examen du fond de l'œil et l'uvéite.
Bromhydrate d'homatropine (Isopto Homatropine[MD])	De 30 à 60 min	De 1 à 3 j	Utilisé pour la réfraction sous cycloplégique et l'uvéite ; peut être utilisé pour dilater la pupille afin de permettre au client de voir autour d'une opacité centrale du cristallin.
Sulfate d'atropine (Atropine[MD], Isopto Atropine[MD])	De 30 à 180 min	De 6 à 12 j	Utilisé pour la réfraction sous cycloplégique et l'uvéite.

Jugement clinique

Bertin Lavoie, 68 ans, se trouve à l'unité de chirurgie d'un jour pour exérèse de cataracte à l'œil droit. En attendant qu'il soit opéré, vous lui instillez des gouttes de tropicamide (Mydriacyl[MD]) dans l'œil. Pourquoi lui administrez-vous ce médicament? Justifiez votre réponse.

mydriatique est un médicament utilisé pour dilater la pupille. Il s'agit d'un agoniste alphaadrénergique qui dilate la pupille en contractant le muscle dilatateur de l'iris. Un **agent cycloplégique** est un autre type de médicament utilisé. Il s'agit d'un anticholinergique qui produit une paralysie de l'accommodation (cycloplégie) en bloquant l'effet de l'acétylcholine sur les muscles du corps ciliaire. Les agents cycloplégiques produisent la dilatation pupillaire (mydriase) en bloquant l'effet de l'acétylcholine sur le sphincter de l'iris. Certaines substances mydriatiques et cycloplégiques ainsi que les interventions infirmières appropriées sont présentées plus loin. Le client reçoit généralement une prémédication (p. ex., un anxiolytique) en phase préopératoire avant son anesthésie locale.

Phase peropératoire L'extraction de la cataracte est une intervention intraoculaire. L'extraction intracapsulaire, où le chirurgien enlève le cristallin au complet et laisse la capsule intacte, est rarement effectuée (elle peut être nécessaire dans le cas de trauma). L'extraction extracapsulaire est plus courante. Elle consiste à ouvrir la capsule antérieure de l'œil et à enlever le noyau et le cortex du cristallin en laissant le sac capsulaire intact. Le chirurgien ophtamologiste peut enlever le noyau du cristallin par extraction simple à l'aide d'une anse lenticulaire ou par phacoémulsification, une méthode qui consiste à fragmenter le noyau par la vibration ultrasonique et à l'aspirer de l'intérieur du sac capsulaire. Dans les deux cas, le cortex restant est aspiré à l'aide d'un instrument d'irrigation et d'aspiration.

CE QU'IL FAUT RETENIR

Après la chirurgie pour une cataracte, le client doit en général utiliser des gouttes antibiotiques et des gouttes corticostéroïdes. Il doit aussi éviter de se pencher, de tousser ou de soulever des objets.

Le site et le type de l'incision varient selon le chirurgien-ophtalmologiste. Les grandes incisions doivent être refermées par suture tandis que les petites incisions se referment d'elles-mêmes et n'exigent pas de suture. L'incision pratiquée pour la phacoémulsification est considérablement plus petite que celle effectuée pour la chirurgie intracapsulaire ou extracapsulaire standard.

Aujourd'hui, une lentille intraoculaire est implantée à presque tous les clients chez qui une extraction de la cataracte est pratiquée **FIGURE 29.6**. Puisque la plupart des clients subissent une extraction extracapsulaire, la lentille idéale est une lentille intraoculaire de chambre postérieure implantée dans le sac capsulaire derrière l'iris. À la fin de l'intervention, des médicaments, tels que des antibiotiques et des corticostéroïdes, peuvent être administrés.

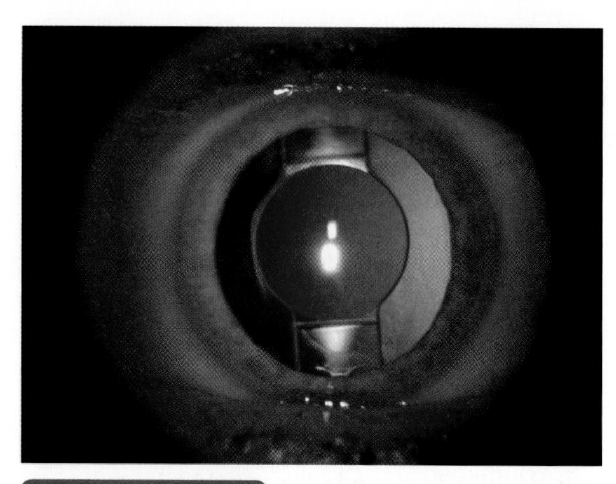

FIGURE 29.6 Implant intraoculaire après une chirurgie de la cataracte

Selon le type d'anesthésie, l'œil du client est couvert avec un pansement oculaire ou un autre type de protecteur. Dans ce cas, le client garde son pansement ou son protecteur toute la nuit et l'enlève à la première visite postopératoire.

Phase postopératoire À moins que des complications ne surviennent, le client peut généralement retourner à la maison dès qu'il remplit les critères de congé et que les effets des sédatifs se sont dissipés. Les médicaments postopératoires comprennent généralement des gouttes antibiotiques pour prévenir l'infection et des gouttes corticostéroïdes pour réduire la réaction inflammatoire postopératoire. Certaines données montrent que la restriction des activités postopératoires et le port d'un protecteur oculaire ne sont pas nécessaires. Toutefois, de nombreux ophtalmologistes préfèrent quand même que le client évite les activités qui augmentent la PIO, telles que se pencher, tousser ou soulever des objets.

L'ophtalmologiste revoit généralement le client deux ou trois fois au cours des six à huit semaines qui suivent la chirurgie. Pendant chaque examen postopératoire, il mesure l'acuité visuelle du client, vérifie la profondeur de sa chambre antérieure, évalue la clarté de sa cornée et mesure sa PIO. L'acuité visuelle de l'œil opéré (non corrigée par des lentilles) peut être bonne le jour même de l'opération. Une acuité visuelle réduite immédiatement après la chirurgie n'est cependant pas rare et n'est pas indicatrice d'un trouble quelconque. L'administration de gouttes oculaires postopératoires doit être graduellement réduite et arrêtée, selon la prescription (quand l'œil est guéri). Quand l'œil est complètement rétabli, le client reçoit une ordonnance finale pour des lunettes. La lentille intraoculaire multifocale (foyer progressif) est un produit novateur qui corrige la vision rapprochée et éloignée. Peu importe le type de lentille intraoculaire utilisé, le client peut quand même avoir besoin de lunettes pour obtenir la meilleure acuité visuelle possible.

CLIENT ATTEINT DE CATARACTE

Collecte des données

L'infirmière doit évaluer l'acuité visuelle de près et de loin du client. S'il doit subir une chirurgie, elle notera l'acuité visuelle de l'œil qui ne sera pas opéré. Cela lui permettra de déterminer à quel point la vision du client peut être compromise pendant la guérison de l'œil opéré. Elle doit aussi évaluer l'impact psychosocial de la déficience visuelle du client et son degré de connaissance du processus pathologique et des choix de traitements possibles. Après la chirurgie, l'infirmière doit évaluer le degré de confort et de bien-être du client et sa capacité à suivre les recommandations postopératoires.

Analyse et interprétation des données

Les problèmes prioritaires pour le client qui a une cataracte comprennent :

- l'incapacité à s'administrer des soins à cause d'un déficit visuel ;
- l'anxiété liée au manque de connaissances sur la chirurgie et sur l'expérience postopératoire.

Planification des soins

Avant la chirurgie, les objectifs généraux pour le client qui a une cataracte sont :

- de prendre des décisions éclairées sur les choix de traitements ;
- d'utiliser des stratégies lui permettant de diminuer son degré d'anxiété.

Après la chirurgie, les objectifs généraux sont :

- de comprendre le traitement postopératoire et de s'y conformer ;
- de maintenir un degré acceptable de bien-être physique et émotionnel ;
- de prévenir les infections et les diverses complications.

Interventions cliniques

Promotion de la santé

Il n'existe pas de méthode éprouvée pour prévenir une cataracte. Toutefois, il est probablement sage (et certainement inoffensif) de suggérer au client de porter des lunettes fumées, d'éviter l'exposition au **rayonnement parasite** ou non nécessaire, de consommer suffisamment de vitamines antioxydantes (p. ex., la vitamine C trouvée dans les oranges, les kiwis et les ananas, ainsi que la vitamine E contenue entre autres dans l'huile de soya, les arachides et les kiwis) et d'avoir une bonne alimentation (dire au client de consulter le *Guide alimentaire canadien*). Il faut informer le client qui choisit de ne pas subir de chirurgie des techniques d'amélioration de la vision.

Soins en phase aiguë

Avant la chirurgie, le client qui a des cataractes doit obtenir des renseignements précis sur le processus pathologique et les choix de traitements, surtout parce que la chirurgie de la cataracte est considérée comme une chirurgie non urgente. Bien qu'une cataracte ne mette pas la vie en danger, le client doit savoir que, sans chirurgie, il sera atteint d'un certain degré de déficience visuelle. L'infirmière doit être disponible pour donner au client et à sa famille de l'information qui les aidera à prendre une décision éclairée sur le traitement approprié. Elle doit donner au client qui décide de subir une chirurgie toute l'information sur l'intervention et sur l'expérience postopératoire. De plus, elle lui offrira du soutien et le rassurera afin de réduire son anxiété.

Jugement clinique

Avant de retourner à son domicile après sa chirurgie, monsieur Lavoie vous demande de lui recommander un analgésique s'il ressent de la douleur à l'œil opéré. Quel médicament pouvez-vous lui suggérer ? Justifiez votre réponse.

Les clients qui ont des iris foncés peuvent avoir besoin d'une plus forte dose de médicaments topiques pour dilater la pupille avant la chirurgie. Puisque la photophobie est courante à la suite de l'administration de ce type de médication, il est bon de réduire la luminosité dans la pièce. Ces médicaments produisent des picotements et des brûlements transitoires. L'**ENCADRÉ 29.5** présente l'information qu'il faut transmettre au client et au proche aidant après une chirurgie oculaire. L'infirmière doit mentionner au client porteur d'un pansement oculaire qu'il n'aura pas de perception de la profondeur de l'environnement tant qu'il portera ce pansement. Il devra faire particulièrement attention de ne pas tomber ou se blesser. Le client qui souffre d'une déficience visuelle importante de l'œil non opéré aura besoin d'aide supplémentaire pendant la période où son œil opéré sera couvert. Quand le pansement est enlevé (généralement dans les 24 heures), la plupart des clients qui ont une déficience visuelle de l'œil non opéré voient suffisamment pour effectuer les AVQ et les AVD, car la lentille intraoculaire implantée restaure immédiatement la vision. L'œil opéré prend parfois de une à deux semaines à retrouver une acuité visuelle suffisante pour répondre à la plupart des besoins visuels. Dans ce cas, le client aura aussi besoin d'une aide supplémentaire jusqu'à ce que sa vision s'améliore.

Après la chirurgie de la cataracte, le client ressent généralement peu de douleur ou il n'en

Rayonnement parasite : Rayonnement comprenant le rayonnement de fuite, le rayonnement résiduel et le rayonnement diffusé provenant des objets irradiés.

CE QU'IL FAUT RETENIR

Il faut parfois de une à deux semaines pour que l'œil opéré d'une cataracte retrouve une acuité visuelle suffisante. Durant ce délai, le client aura besoin d'aide pour ses activités habituelles.

Enseignement au client et à ses proches

ENCADRÉ 29.5 **Après une chirurgie oculaire**

L'infirmière doit transmettre les éléments d'information suivants au client et à ses proches après une chirurgie oculaire.

- Les techniques d'hygiène appropriées afin d'éviter toute contamination des médicaments, des pansements ou des plaies au cours des soins oculaires.
- Les signes et les symptômes d'infection ainsi que la personne-ressource à contacter afin de permettre un diagnostic et un traitement précoces.
- L'importance du respect des restrictions postopératoires concernant la position de la tête, les flexions du corps, la toux et la manœuvre de Valsalva pour optimiser les résultats visuels et prévenir une augmentation de la PIO.
- La façon d'instiller les médicaments oculaires en utilisant des techniques aseptiques et en respectant la pharmacothérapie prescrite pour prévenir l'infection.
- La façon de surveiller la douleur et de prendre les analgésiques prescrits ; le client doit signaler toute douleur qui s'aggrave ou qui n'est pas soulagée par les médicaments.
- L'importance de la surveillance continue recommandée pour maximiser les résultats visuels.

Source : Adapté de American Society of Ophthalmic Registered Nurses (2004).

éprouve aucune. Toutefois, il peut avoir une sensation d'égratignure dans l'œil opéré. Des analgésiques non opioïdes suffisent généralement à soulager la douleur associée à ce type de chirurgie. Si le client ressent une douleur intense, il doit en informer le chirurgien, car cela peut indiquer une complication telle qu'une hémorragie, une infection ou une augmentation de la PIO. Il doit également aviser le chirurgien s'il remarque un écoulement accru ou purulent, une augmentation de la rougeur ou une diminution de l'acuité visuelle.

PSTI 29.1W : *Chirurgie oculaire.*

Soins ambulatoires et soins à domicile

L'infirmière doit suggérer au client qui a une cataracte et qui n'a pas subi de chirurgie des modifications possibles de ses activités ou de son mode de vie en fonction de son déficit visuel. Elle doit aussi lui donner des renseignements détaillés sur les soins oculaires à long terme et l'informer que la chirurgie peut devenir nécessaire, selon l'évolution de la cataracte.

Le client qui subit une chirurgie de la cataracte reste dans l'établissement de soins quelques heures seulement. Lui et sa famille sont chargés de presque tous les soins postopératoires. Il est essentiel que l'infirmière leur fournisse une information écrite et orale avant l'obtention du congé. Ces renseignements doivent porter sur les soins oculaires postopératoires, les médicaments, les restrictions d'activités, l'horaire des visites de suivi ainsi que les signes et les symptômes des complications possibles. Il faut aussi transmettre cette information à la famille du client, car certaines personnes peuvent avoir de la difficulté à s'administrer leurs soins, surtout si elles voient mal de l'œil non opéré. Avant le congé, l'infirmière doit donner l'occasion au client et à ses proches aidants de faire une démonstration des activités de soins à effectuer.

La plupart des clients subissent une légère diminution de la vision après la chirurgie (National Eye Institute, National Institutes of Health, 2015b). De nombreux clients ont une vision utile quelques jours après celle-ci. Certains peuvent présenter une déficience visuelle importante après la chirurgie, notamment ceux à qui il n'a pas été implanté de lentille intraoculaire, ceux qui prennent plusieurs semaines à recouvrer une vision utile après la chirurgie ou ceux qui voient mal de l'œil non opéré. Ces clients peuvent présenter une importante déficience visuelle pendant la période d'attente de leurs lunettes ou de leurs verres de contact après la chirurgie. L'infirmière doit suggérer à ces clients et à leurs proches aidants des façons de modifier leurs activités et leur environnement pour fonctionner en toute sécurité, par exemple obtenir de l'aide pour se déplacer dans les escaliers, enlever les tapis et autres obstacles sur le plancher, préparer des repas et les congeler avant la chirurgie ou se procurer des livres audio pour se divertir jusqu'à ce que l'acuité visuelle s'améliore.

Évaluation des résultats

Pour le client qui a subi une chirurgie de la cataracte, les résultats escomptés à la suite des soins et des interventions cliniques sont :

- d'améliorer sa vision ;
- d'être en mesure de prendre soin de lui-même ;
- de ressentir peu de douleur ou de n'éprouver aucune douleur ;
- d'être optimiste envers les résultats attendus.

Considérations gérontologiques

CATARACTE

La plupart des clients qui ont une cataracte sont âgés. Un client âgé souffrant d'une déficience visuelle, même temporaire, peut subir une perte d'autonomie et de maîtrise sur sa vie ainsi qu'un changement important de perception de soi. La dépréciation sociale de la personne âgée complique ces expériences. Le client âgé a souvent besoin de soutien affectif et d'encouragement ainsi que de conseils qui l'aideront à conserver une autonomie maximale. L'infirmière doit lui mentionner que la chirurgie de la cataracte peut être effectuée en toute sécurité avec une sédation minimale. La chirurgie d'un jour est particulièrement appropriée à la personne âgée, qui peut devenir désorientée pendant une hospitalisation.

29.3.2 Rétinopathie

La **rétinopathie** désigne des dommages microvasculaires de la rétine. Elle peut se développer lentement ou rapidement et entraîner une vision floue ainsi qu'une perte de vision progressive. La rétinopathie touche généralement les adultes qui souffrent de diabète et d'hypertension.

La rétinopathie diabétique est la principale cause de déficience visuelle et de cécité chez les personnes souffrant d'un diabète non maîtrisé depuis longtemps ▶ 60. Il existe différents types de rétinopathie diabétique ; la rétinopathie non proliférante est la forme la plus commune. Elle se caractérise par des microanévrismes capillaires, une enflure de la rétine et la présence d'exsudats maculaires durs. L'œdème maculaire est une détérioration de la rétinopathie causée par un écoulement de plasma hors des vaisseaux sanguins maculaires. Quand les parois capillaires s'affaiblissent, elles peuvent se rompre et provoquer une hémorragie intrarétinienne punctiforme **FIGURE 29.7**. Cela peut causer une perte grave de la vision centrale. Quand la maladie progresse, une rétinopathie proliférante peut se produire au site de formation de nouveaux vaisseaux sanguins. Ces vaisseaux sont toutefois anormaux, fragiles et sujets aux fuites, ce qui entraîne une grave perte de vision. Une angiofluorographie peut détecter l'œdème maculaire diabétique, et son traitement peut se faire par photocoagulation au laser (Bressler, Beck & Ferris, 2011).

La rétinopathie hypertensive est due à une P.A. élevée qui crée des obstructions dans les vaisseaux sanguins de la rétine. Il est possible que ces changements ne perturbent pas la vision initialement. Pendant l'examen de routine de l'œil, des hémorragies rétiniennes, des exsudats cotonneux anoxiques et l'enflure de la macula peuvent être observés. Une hypertension artérielle grave et soutenue peut causer une perte visuelle soudaine causée par l'enflure de la papille et du nerf optiques (œdème papillaire). Le traitement, parfois urgent, vise à diminuer la P.A. La vision normale est rétablie chez la plupart des clients par le traitement de la cause sous-jacente de l'hypertension artérielle.

CE QU'IL FAUT RETENIR

La rétinopathie désigne des dommages microvasculaires de la rétine. Elle est la première cause de déficience visuelle et de cécité chez les clients souffrant d'un diabète non maîtrisé depuis longtemps.

La physiopathologie et les manifestations cliniques du diabète sont présentées dans le chapitre 60, *Interventions cliniques – Diabète*.

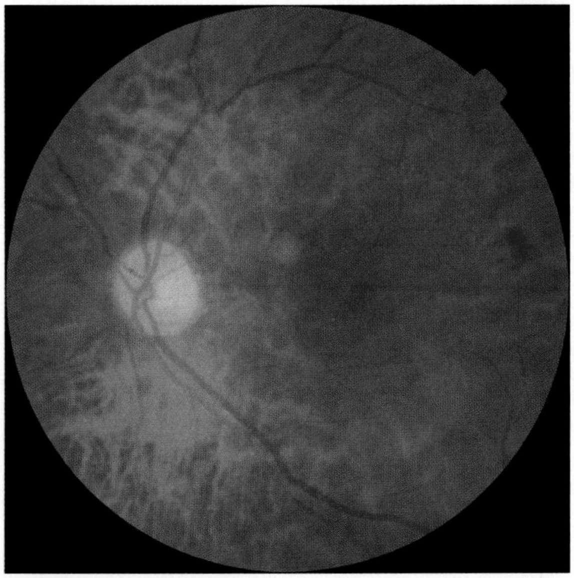

FIGURE 29.7 Rétinopathie diabétique – Tache intrarétinienne ou hémorragie en taches

29.3.3 Décollement rétinien

Un **décollement rétinien** désigne la séparation de la rétine et de l'épithélium pigmentaire sous-jacent avec l'accumulation de liquide entre ces deux couches. L'incidence du décollement rétinien est d'environ 1 personne sur 15 000 chaque année. Le client qui ne présente pas d'autres facteurs de risque et qui a eu un décollement rétinien dans un œil a entre 2 et 25 % de chances de subir un décollement dans l'autre œil. Presque tous les clients qui présentent un décollement rétinien symptomatique non traité deviennent aveugles de cet œil.

Étiologie et physiopathologie

Il existe de nombreuses causes de décollement rétinien, la plus commune étant la rupture rétinienne, soit une interruption de l'épaisseur du tissu rétinien. Il peut s'agir d'une perforation ou d'une déchirure. Une perforation rétinienne est une déchirure atrophique de la rétine qui survient spontanément. Une déchirure rétinienne peut se produire quand

Réactivation des connaissances

À part la rétinopathie, quelles sont les complications à long terme du diabète, secondaires à des dommages microvasculaires ?

CE QU'IL FAUT RETENIR

Un décollement rétinien désigne la séparation de la rétine et de l'épithélium pigmentaire sous-jacent par l'accumulation de liquide entre ces deux couches.

Jugement clinique

Pauline Janvier, 57 ans, présente un décollement de la rétine à l'œil gauche avec perte de champ visuel périphérique sans perte de vision centrale. Comment pourriez-vous vérifier que la cliente a une vision centrale ?

l'**humeur vitrée** rapetisse avec l'âge et exerce une traction sur la rétine. Lorsque la force de traction excède celle de la rétine, celle-ci se déchire. Quand il y a une rupture dans la rétine, l'humeur vitrée peut entrer dans l'espace sous-rétinien entre la couche sensorielle et la couche épithéliale pigmentaire de la rétine et causer un décollement rétinien **rhegmatogène**. Plus rarement, le décollement rétinien est dû à une traction mécanique exercée sur la rétine par des membranes anormales. C'est ce qui est appelé un décollement par traction. Le **décollement exsudatif** (ou secondaire) est un autre type de décollement rétinien qui se produit lorsque du liquide s'accumule dans l'espace sous-rétinien (p. ex., dans le cas d'une tumeur choroïdienne, d'une inflammation intraoculaire). L'**ENCADRÉ 29.6** présente les facteurs de risque du décollement rétinien.

Manifestations cliniques

Les clients qui souffrent d'un décollement rétinien décrivent des symptômes qui comprennent la photopsie, la présence de corps flottants, des « toiles d'araignées », des « filets » ainsi que des anneaux dans le champ de vision. Dans le cas d'un décollement rétinien, le client décrit une perte de vision périphérique ou centrale indolore, semblable à un voile qui traverse le champ de vision. La région de la perte visuelle correspond à celle du décollement rétinien. Si le décollement a lieu dans la partie nasale supérieure de la rétine, la perte de champ visuel touchera la région temporale inférieure. Si le décollement est petit ou s'il se produit lentement en périphérie, il se peut que le client ne détecte pas son trouble visuel.

Examen clinique et examens paracliniques

Si le client se plaint de perte visuelle, la première intervention diagnostique à effectuer est la mesure de l'acuité visuelle **ENCADRÉ 29.7**. Le décollement rétinien peut être directement observé à l'aide d'un ophtalmoscope ou d'un biomicroscope muni d'une lentille spéciale pour voir la périphérie de la rétine. S'il est impossible d'observer directement la rétine (p. ex., quand la cornée, le cristallin ou l'humeur vitrée sont voilés ou opaques), une échographie permettra de déterminer s'il y a eu un décollement rétinien.

Processus thérapeutique en interdisciplinarité

L'ophtalmologiste évalue minutieusement les ruptures rétiniennes pour déterminer s'il faut recourir à la photocoagulation au laser ou à la cryopexie pour prévenir un décollement possible. Certaines ruptures ne sont pas susceptibles de provoquer un décollement. Dans ce cas, l'ophtalmologiste surveille étroitement le client et lui donne de

Facteurs de risque

ENCADRÉ 29.6 Décollement rétinien

- Vieillissement
- Myopie grave
- Trauma oculaire
- Chirurgie de la cataracte
- Antécédents familiaux ou personnels

Source : Adapté de National Eye Institute, National Institutes of Health (2015c).

Processus diagnostique et thérapeutique

ENCADRÉ 29.7 Décollement rétinien

EXAMEN CLINIQUE ET EXAMENS PARACLINIQUES

- Antécédents de santé et examen physique
- Mesure de l'acuité visuelle
- Ophtalmoscopie (directe et indirecte)
- Biomicroscopie
- Échographie si la cornée, le cristallin ou l'humeur vitrée est voilé ou opaque

PROCESSUS THÉRAPEUTIQUE

- Préopératoire
  - Agents mydriatiques ou cycloplégiques
  - Photocoagulation de la rupture rétinienne avant l'apparition d'un décollement
- Chirurgie
  - Photocoagulation au laser
  - Cryorétinopexie
  - Cerclage scléral
  - Drainage du liquide sous-rétinien
  - Vitrectomie
  - Bulle intravitréenne
- Postopératoire
  - Antibiotiques topiques
  - Corticostéroïdes topiques
  - Analgésiques
  - Agents mydriatiques
  - Positionnement et activités recommandés par le chirurgien-ophtalmologiste

l'information détaillée sur les symptômes avertisseurs d'un décollement imminent. Si le client observe un des symptômes, l'ophtalmologiste lui recommande de consulter immédiatement un autre spécialiste. Il dirige généralement ce client vers un ophtalmologiste rétinologue. Les objectifs du traitement sont de sceller toute rupture rétinienne et de soulager la traction intérieure exercée sur celle-ci. Plusieurs techniques sont utilisées pour atteindre ces objectifs (Schaal, Sherman, Barr *et al.*, 2011).

Traitement chirurgical

Photocoagulation au laser et cryopexie Ces techniques scellent les ruptures rétiniennes en créant une réaction inflammatoire qui cause une adhésion ou une cicatrice choriorétinienne. Dans la **photocoagulation** au laser, un faisceau lumineux intense est utilisé, tel un laser à l'argon, pour créer une réaction inflammatoire. La lumière est dirigée dans la région de la rupture rétinienne. Cela forme une cicatrice qui scelle les bords de la perforation ou de la déchirure et qui empêche le liquide de s'accumuler dans l'espace sous-rétinien et de causer un décollement. L'ophtalmologiste rétinologue peut utiliser la photocoagulation uniquement dans le cas d'une petite déchirure avec un faible décollement ou sans décollement à la périphérie et une petite quantité de liquide sous-rétinien. Dans le cas des ruptures rétiniennes accompagnées d'un décollement important, le spécialiste peut utiliser la photocoagulation pendant la chirurgie en même temps qu'un cerclage oculaire (technique décrite dans la section suivante). S'il y a un risque élevé de décollement rétinien, les déchirures ou les perforations sans décollement peuvent être traitées par photocoagulation au laser afin de prévenir le décollement. Utilisé seul, le traitement au laser est effectué en consultation externe et ne nécessite qu'une anesthésie topique. Le client peut ressentir des effets indésirables minimes tels qu'une sensation d'éblouissement pendant ou après la chirurgie.

La **cryopexie** est une autre méthode utilisée pour sceller les ruptures rétiniennes. Elle consiste à utiliser un froid extrême pour créer une réaction inflammatoire qui produit la cicatrice scellante. L'ophtalmologiste applique la cryosonde sur le globe externe, au-dessus de la déchirure. Cela se fait généralement en consultation externe et sous anesthésie locale. Comme dans le cas de la photocoagulation, la cryothérapie peut être utilisée seule ou pendant le cerclage oculaire. Après cette intervention, le client peut ressentir un malaise ou une douleur oculaire modérée à intense. L'infirmière doit l'encourager à prendre les analgésiques prescrits après l'intervention.

Cerclage oculaire Le **cerclage oculaire** est une intervention chirurgicale extraoculaire qui comprend l'indentation du globe oculaire afin de favoriser le déplacement de l'épithélium pigmentaire, de la choroïde et de la sclère vers la rétine décollée. Cela contribue à sceller les ruptures rétiniennes et à soulager la traction intérieure exercée sur la rétine. Le chirurgien suture un implant en silicone contre la sclère, ce qui la fait bomber vers l'intérieur. Il peut placer une bande autour de l'implant s'il y a plusieurs ruptures rétiniennes, s'il ne peut situer exactement les ruptures présumées ou s'il y a une traction intérieure généralisée sur la rétine **FIGURE 29.8**. Tout liquide sous-rétinien peut être drainé par une aiguille de petit calibre afin de faciliter le contact entre la rétine et la sclère cerclée. Le cerclage oculaire est généralement effectué sous anesthésie locale en consultation externe.

Interventions intraoculaires En plus des interventions extraoculaires, le chirurgien peut utiliser une ou plusieurs interventions intraoculaires pour traiter certains décollements rétiniens. La **rétinopexie pneumatique** consiste à injecter un gaz ou un gel dans l'humeur vitrée afin de former une bulle

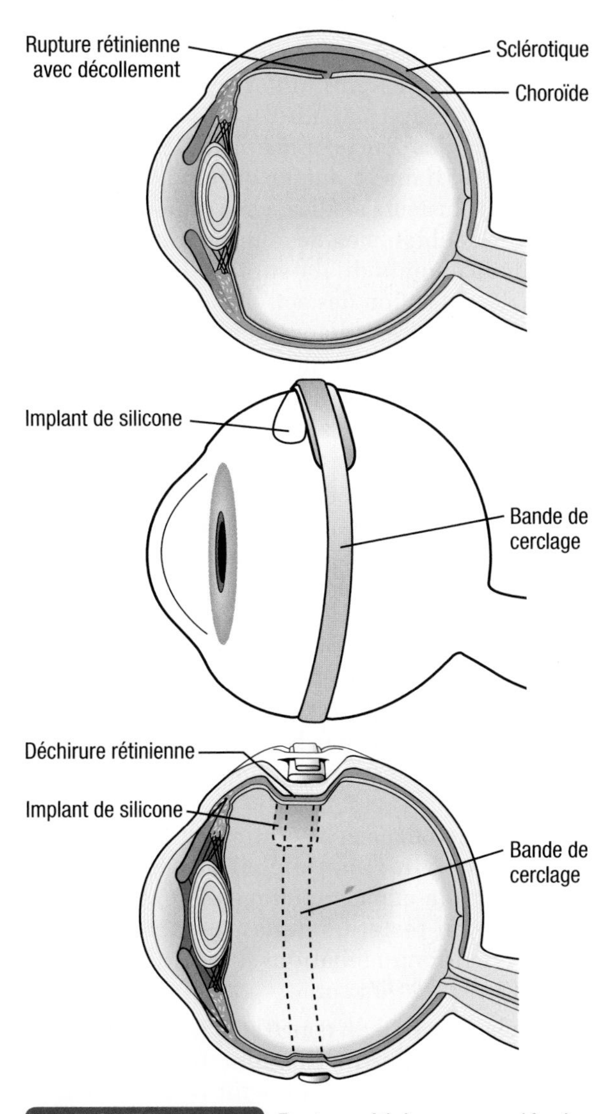

FIGURE 29.8 Rupture rétinienne avec décollement : réparation chirurgicale par cerclage scléral

CE QU'IL FAUT RETENIR

Après une intervention pour un décollement rétinien, le client doit parfois demeurer alité, adopter une position particulière ou respecter certaines restrictions d'activités. L'infirmière doit lui transmettre l'information pertinente et complète.

temporaire qui ferme les ruptures rétiniennes et qui recolle la rétine au fond de l'œil. Puisque la bulle est temporaire, cette technique est combinée à la photocoagulation au laser ou à la cryothérapie. Le client doit placer sa tête de façon que la bulle touche la rupture rétinienne. Il peut être obligé de maintenir cette position pendant plusieurs semaines selon les consignes du chirurgien.

La **vitrectomie** (l'ablation chirurgicale de l'humeur vitrée) peut être effectuée pour soulager la traction exercée sur la rétine, surtout si elle est due à une rétinopathie diabétique proliférante. La vitrectomie peut être combinée à un cerclage oculaire pour soulager davantage cette traction. La vitréorétinopathie proliférante est une affection où des membranes se forment dans la cavité vitreuse et à la surface de la rétine ; elles exercent alors une traction qui cause la formation de plis sur la rétine. Pour soulager la traction, le chirurgien peut effectuer une vitrectomie et déloger les membranes.

Considérations postopératoires Le traitement d'un décollement rétinien réussit dans 90 % des cas (Schaal *et al.*, 2011). Le pronostic visuel varie en fonction de l'étendue, de la longueur et de la zone du décollement. Après l'intervention, il est possible que le client soit alité et doive adopter une position particulière pour maintenir la bulle à l'endroit désiré dans l'humeur vitrée. Il peut avoir besoin de plusieurs médicaments topiques, notamment des antibiotiques, des anti-inflammatoires ou des médicaments dilatateurs de la pupille. Le degré de restriction des activités après un décollement rétinien varie grandement. L'infirmière doit vérifier le degré d'activité permis avec le chirurgien et aider le client à se préparer en conséquence, par exemple à obtenir l'aide nécessaire selon les restrictions imposées.

Le décollement rétinien symptomatique est une situation d'urgence qui nécessite rapidement une chirurgie. Le client a besoin de soutien affectif, surtout pendant la phase préopératoire où les préparatifs à la chirurgie peuvent être une source d'anxiété supplémentaire. Après l'intervention, si le client ressent de la douleur, l'infirmière doit lui administrer les analgésiques prescrits. Elle doit par la suite lui enseigner à prendre sa médication régulièrement, après son congé, lorsqu'il ressent de la douleur afin d'atteindre un soulagement optimal et pouvoir réaliser ses activités quotidiennes. Le client peut retourner à la maison quelques heures après la chirurgie ou rester quelques jours à l'hôpital, selon les recommandations du chirurgien et le type d'intervention subie.

La planification du congé et la transmission de l'information pertinente sont importantes et doivent commencer le plus tôt possible, car le client ne reste pas longtemps à l'hôpital. L'**ENCADRÉ 29.5** présente l'information que l'infirmière doit transmettre au client et au proche aidant après la chirurgie oculaire. Le client ayant subi un décollement rétinien dans un œil est plus à risque de décollement rétinien dans l'autre œil. Il faut donc lui expliquer les symptômes du décollement rétinien. L'infirmière doit aussi l'encourager à porter des lunettes de protection pour éviter un décollement rétinien causé par un trauma.

29.3.4 Dégénérescence maculaire liée à l'âge

La **dégénérescence maculaire liée à l'âge (DMLA)** est la cause la plus commune de perte de vision centrale des personnes âgées de plus de 50 ans au Canada. Près de 2,1 millions de Canadiens en sont atteints (INCA, 2015b). Elle se présente sous deux formes : la dégénérescence sèche (atrophique) et la dégénérescence humide (exsudative). La DMLA sèche débute par l'accumulation anormale de dépôts extracellulaires jaunâtres appelés drusen (nodules hyalins) dans l'épithélium pigmentaire rétinien. Cela entraîne l'atrophie et la dégénérescence des cellules maculaires. La DMLA humide se caractérise par le développement anormal de vaisseaux sanguins dans l'épithélium rétinien à partir de leur emplacement normal dans la choroïde. Des fuites de ces nouveaux vaisseaux entraînent la formation graduelle de tissu cicatriciel. Cela cause parfois une perte de vision aiguë avec des saignements des membranes néovasculaires sous-rétiniennes.

Les personnes souffrant de dégénérescence sèche, la forme la plus courante (90 % des cas), peuvent remarquer qu'elles ont de plus en plus de difficulté à voir de près. Dans cette forme de dégénérescence, les cellules maculaires commencent à s'atrophier, ce qui entraîne une perte de vision lente et indolore.

La dégénérescence humide est la forme la plus grave. La majorité des clients atteints et non traités deviennent fonctionnellement aveugles. Elle est la cause de 90 % des cas de cécité dus à la DMLA. La dégénérescence humide apparaît plus tôt sur le plan de l'âge et se remarque par la présence de vaisseaux sanguins anormaux dans la macula ou près de celle-ci. Certains clients atteints de DMLA humide souffrent d'abord de DMLA sèche (National Eye Institute, National Institutes of Health, 2015a).

Étiologie et physiopathologie

La DMLA est causée par le vieillissement de la rétine. Des facteurs génétiques jouent également un rôle puisque les antécédents familiaux constituent un important facteur de risque de cette affection. Un gène responsable de certains cas de DMLA a récemment été découvert ; ce gène s'appelle FHC. L'exposition à long terme au rayonnement ultraviolet, l'hypermétropie, le tabagisme et la couleur pâle des yeux peuvent être des facteurs de risque supplémentaires. Des facteurs nutritionnels seraient aussi susceptibles de jouer un rôle dans la progression de cette affection. Une étude américaine portant sur les maladies oculaires liées à l'âge (*Age-Related Eye Disease Study* [AREDS]) a montré que la prise de suppléments de vitamines C et E, de bêta-carotène et de zinc ralentissent le développement d'une DMLA, mais semblent n'avoir aucun effet sur les personnes déjà atteintes d'une DMLA légère ou qui sont asymptomatiques (Age-Related Eye Disease Study Research Group, 2001). D'autres études (National Eye Institute, 2010) indiquent qu'un apport de légumes à feuilles, de légumes vert foncé ou contenant de la lutéine (p. ex., du chou vert et des épinards) peut aider à réduire le risque de DMLA.

Manifestations cliniques

Le client peut se plaindre de symptômes de vision floue et voilée, de la présence de **scotomes** (taches aveugles dans le champ visuel) et de **métamorphopsie** (distorsion de la vision). Il est possible qu'il ne remarque pas les changements unilatéraux précoces de sa vision si cette affection ne touche qu'un seul œil.

Examen clinique et examens paracliniques

En plus de la mesure de l'acuité visuelle, la principale méthode diagnostique est l'ophtalmoscopie. L'ophtalmologiste recherche la présence de drusen (nodules hyalins), des changements dégénératifs, une hyperpigmentation ou une dépigmentation atrophique ainsi qu'une néovascularisation du fond de l'œil. Le **test d'Amsler** peut aider à délimiter la région touchée, et il sert de référence pour une comparaison future. La photographie et l'angiographie intraveineuse du fond de l'œil avec des colorants verts de fluorescéine ou d'indocyanine peuvent aider à mieux définir l'étendue et le type de DMLA.

Processus thérapeutique en interdisciplinarité

La vision de la plupart des personnes souffrant de DMLA ne s'améliore généralement pas (il n'existe pas de traitement satisfaisant). Dans le cas de la DMLA humide, les choix de traitements sont limités et comprennent plusieurs médicaments injectés directement dans la cavité de l'humeur vitrée. Le ranibizumab (Lucentis[MD]), le bévacizumab (Avastin[MD]), l'aflibercept (Eylea[MD]) et le pégaptanib sodique (Macugen[MD]) sont des inhibiteurs sélectifs du facteur de croissance endothélial qui contribuent à ralentir la perte visuelle attribuable à la DMLA humide. Leurs effets indésirables peuvent inclure une vision floue, l'irritation oculaire, la douleur oculaire et la photosensibilité. Des injections intravitréennes sont données à des intervalles de quatre à six semaines, selon le médicament administré. La stabilité rétinienne est observée par tomographie en cohérence optique (*Optical Coherence Tomography* [OCT]). Celle-ci permet à l'ophtalmologiste de déterminer la présence de liquide au centre de la rétine; il peut alors établir le besoin en injections intravitréennes continues.

La **thérapie photodynamique (TPD)** repose sur le processus d'irradiation par laser de faible intensité d'un tissu marqué préalablement par la vertéporfine (Visudyne[MD]) administrée par voie intraveineuse (I.V.). Cette méthode, utilisée pour traiter la DMLA humide, détruit les vaisseaux sanguins anormaux sans causer de dommages permanents à l'épithélium pigmentaire rétinien et aux cellules photoréceptrices. Ses critères d'utilisation sont très précis. La vertéporfine est un médicament photosensibilisant qui devient actif lorsqu'il est exposé à des ondes lumineuses d'un laser de faible puissance. Tant que le médicament n'a pas été complètement excrété par le corps, il peut être activé par la lumière solaire ou par d'autres types de lumière à haute intensité, comme la lumière halogène. L'infirmière doit donc avertir le client d'éviter l'exposition directe au soleil et à d'autres formes de lumière intense pendant les cinq jours qui suivent le traitement. Après celui-ci, le client doit se couvrir le corps complètement parce que toute exposition de la peau à la lumière solaire pourrait activer le médicament dans la région touchée et causer une brûlure.

Les personnes qui présentent un risque de développer une DMLA avancée (c.-à-d. avec présence de drusen et d'anomalies pigmentaires) doivent envisager la prise de suppléments de vitamines et de minéraux. Les fumeurs peuvent prévenir le développement d'un stade avancé de DMLA sèche en cessant de fumer (Age-Related Eye Disease Study Research Group, 2001). Des essais cliniques en cours visent la réduction de la progression de la DMLA et le ralentissement de la perte visuelle due à cette affection. Ces essais portent sur l'efficacité des préparations corticostéroïdes injectées directement dans la cavité vitréenne. L'action de corticostéroïdes à libération lente sous la conjonctive est aussi à l'étude.

De nombreux clients qui utilisent des mesures d'aide visuelle peuvent continuer à lire et conserver leur permis de conduire le jour et à des vitesses réduites. La perte permanente de vision centrale a d'importantes répercussions psychosociales sur les soins infirmiers. Le traitement déjà présenté pour un client qui souffre d'une déficience visuelle convient à celui atteint de DMLA. Il faut éviter de donner à ce client l'impression qu'il n'y a rien à faire pour améliorer son état. Il est vrai que le traitement ne lui rendra pas la vision perdue, mais il peut contribuer à augmenter la vision restante. Le simple fait de se sentir soutenu par le personnel soignant peut encourager le client.

Test d'Amsler: Grille composée de lignes verticales et horizontales placées à intervalles réguliers. Un petit point est imprimé au centre de la grille.

29.3.5 Glaucome

Le **glaucome** est une affection de l'œil caractérisée par la hausse de la PIO. Cette hausse de pression entraîne une baisse de la circulation sanguine à l'arrière de l'œil, ce qui influe sur le nerf optique. En perdant une partie de sa fonction nerveuse, le client perd de la vision périphérique. La personne peut être asymptomatique. Au Canada, il s'agit d'une des causes les plus fréquentes de cécité. Le glaucome touche 7,2 % de Québécois et environ 409 000 Canadiens en sont atteints (Buys, 2013). L'incidence du glaucome augmente avec le vieillissement, mais il peut apparaître à tout âge. La cécité due au glaucome peut facilement être évitée si celui-ci est détecté tôt et traité adéquatement.

Étiologie et physiopathologie

Plusieurs facteurs génétiques expliqueraient la formation d'un glaucome (Khan, 2011). L'étiologie du glaucome est liée aux conséquences d'une PIO élevée. Un bon équilibre entre le taux de production (appelé l'apport ou la sécrétion) et le taux d'élimination (soit l'écoulement ou l'évacuation) de l'humeur aqueuse est essentiel au maintien d'une PIO normale (de 10 à 21 mm Hg). Le lieu de l'écoulement se nomme l'angle iridocornéen, formé par l'iris et la cornée. Quand la production est supérieure à l'écoulement, la PIO peut s'élever au-dessus de la normale. Si la pression demeure élevée, elle peut entraîner une perte de vision permanente par une atteinte du nerf optique. Il existe deux types de glaucome : le glaucome primaire à angle ouvert (GPAO) et le glaucome primaire à angle fermé (GPAF). Le glaucome primaire à angle ouvert (ou glaucome chronique) est le plus commun des glaucomes (Jarvis, 2015). Dans ce type de glaucome, l'écoulement de l'humeur aqueuse dans le trabéculum (filtre) cornéoscléral est réduit. Les pores du trabéculum se bouchent comme un tuyau d'évier de cuisine, ce qui entraîne une augmentation de la PIO et peut endommager le nerf optique.

CE QU'IL FAUT RETENIR

Le GPAO est asymptomatique et se développe souvent sans que le client le remarque. La vision périphérique disparaît graduellement jusqu'à ce qu'il ne reste qu'une vision en tunnel.

Le glaucome primaire à angle fermé (ou glaucome aigu) est dû à l'écoulement réduit de l'humeur aqueuse causé par la fermeture de l'angle. Celle-ci est généralement attribuable au bombement du cristallin lié au vieillissement. La fermeture de l'angle peut aussi résulter de la dilatation de la pupille d'un client qui a des angles anatomiquement étroits. La dilatation entraîne le bombement de l'iris périphérique, ce qui a aussi pour effet de couvrir le trabéculum cornéoscléral et d'empêcher l'écoulement de l'humeur aqueuse vers les canaux d'écoulement (canal de Schlemm). Une crise aiguë peut être précipitée quand la pupille reste partiellement dilatée assez longtemps pour causer une élévation soudaine et importante de la PIO (entre 50 et 80 mm Hg). Cela peut résulter d'une mydriase médicamenteuse, d'une excitation émotionnelle par activation du système nerveux sympathique ou de l'obscurité. La mydriase médicamenteuse peut être provoquée non seulement par des préparations ophtalmiques topiques, mais aussi par de nombreux médicaments systémiques (agents anticholinergiques et certains médicaments offerts en vente libre). L'infirmière doit vérifier les fiches pharmacologiques de chaque médicament avant l'administration afin de s'assurer que celui-ci n'est pas contre-indiqué chez un client qui souffre de glaucome à angle fermé. Elle doit aussi informer le client des médicaments qui ont pour effet de dilater la pupille, lui en fournir une liste et lui indiquer d'éviter de les prendre.

Dans le cas d'un glaucome secondaire, une PIO accrue résulte d'autres affections oculaires ou systémiques qui peuvent bloquer les canaux d'écoulement d'une manière ou d'une autre. Par exemple, un client atteint de cataracte ou un client suivant une corticothérapie à long terme est à risque de voir se développer un glaucome secondaire. Par ailleurs, un client qui présente une inflammation causée par un trauma oculaire ou par une tumeur oculaire qui bloque le canal de Schlem est également à risque.

Manifestations cliniques

Le GPAO se développe lentement et est asymptomatique. Le client atteint ne ressent donc aucune douleur ni pression. Il ne remarque généralement pas de perte graduelle de champ visuel tant que sa vision périphérique n'est pas gravement compromise. Le client non traité finit par avoir une vision tubulaire (vision en tunnel) : il n'a qu'un petit champ de vision central et ne possède aucune vision périphérique **FIGURE 29.9.**

Le GPAF provoque des signes et symptômes majeurs, y compris une douleur soudaine et intense de l'œil atteint, souvent accompagnée de céphalée, de nausées et de vomissements. Les signes et

FIGURE 29.9 La vision tubulaire ou en tunnel est due à la perte progressive de la vision périphérique chez la personne non traitée pour le GPAO.

symptômes visuels comprennent la vision d'un halo coloré autour des lumières, une vision floue et une rougeur oculaire. L'élévation soudaine de la PIO (signe) peut aussi causer un œdème cornéen, ce qui donne une apparence givrée à la cornée.

Le GPAF subaigu ou chronique se manifeste plus graduellement. Le client qui a déjà eu un épisode de glaucome à angle fermé subaigu non diagnostiqué peut mentionner des antécédents de vision floue, de vision d'un halo coloré autour des lumières, de rougeur oculaire ou de douleur oculaire et à l'arcade sourcilière.

Examen clinique et examens paracliniques

La valeur normale de la PIO se situe entre 10 et 21 mm Hg. Une personne qui souffre d'un glaucome a généralement une PIO élevée. Dans ce cas, l'ophtalmologiste la vérifiera à quelques reprises pendant une certaine période. Dans le cas d'un glaucome primaire à angle ouvert, la PIO se situe entre 22 et 32 mm Hg. Pour un glaucome primaire à angle fermé aigu, la PIO peut s'élever à 50 mm Hg ou plus.

L'examen au biomicroscope d'un GPAO révèle un angle normal. Dans le cas d'un GPAF, l'ophtalmologiste peut remarquer un angle distinctement étroit ou plat de la chambre antérieure, une cornée œdémateuse, une pupille fixe et dilatée et une injection ciliaire (rougeur au pourtour de l'iris). Une gonioscopie permet de mieux voir l'angle de la chambre antérieure. Cette méthode utilise le système de Schaeffer, qui permet d'apprécier le degré d'ouverture de l'angle en examinant la projection de la fente lumineuse entre la cornée et la racine de l'iris.

Des mesures de la vision périphérique et centrale fournissent d'autres renseignements diagnostiques. Alors que l'acuité centrale reste parfois de 20 sur 20 même en cas de perte grave du champ visuel périphérique, la périmétrie du champ visuel peut révéler des changements subtils de la rétine périphérique au début de la maladie, bien avant la formation de scotomes. Dans le cas d'un glaucome à angle ouvert chronique, lorsque des défauts du champ visuel commencent à apparaître, le scotome initial est un petit défaut ovale qui s'étend graduellement au champ visuel nasal et supérieur. Dans le cas d'un glaucome à angle fermé aigu, l'acuité visuelle centrale sera diminuée si le client a un œdème cornéen, et son champ visuel peut être considérablement réduit.

Quand le glaucome progresse, l'excavation papillaire peut constituer l'un des premiers signes de glaucome à angle ouvert chronique. La papille optique s'élargit, s'approfondit et pâlit (prenant une teinte gris pâle ou blanche). Cela est visible par ophtalmoscopie directe ou indirecte **FIGURE 29.10**. Des photographies de la papille optique se révèlent utiles pour effectuer des comparaisons au cours du temps afin de montrer une augmentation du rapport excavation-papille et le blanchissement progressif.

A

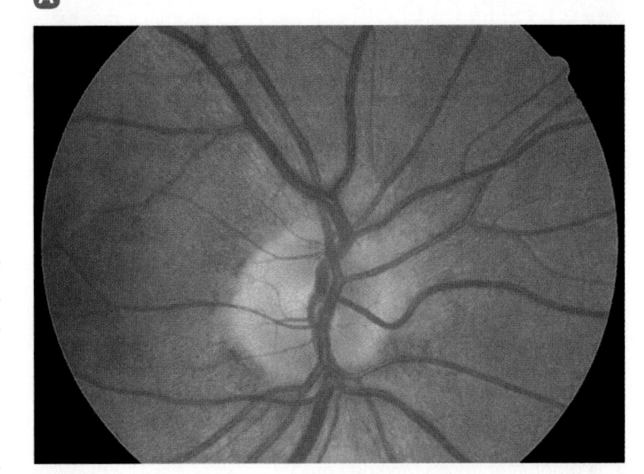

B

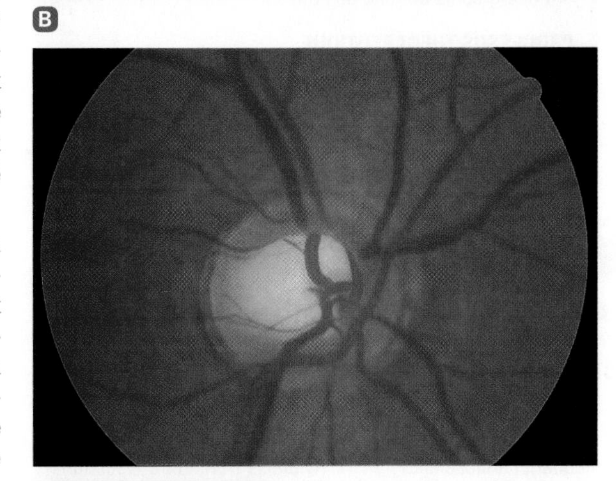

FIGURE 29.10 A Dans l'œil normal, la cupule optique est rose avec une petite excavation. B Dans le cas de glaucome, la papille optique est blanchie, et il y a excavation de celle-ci. (Noter l'apparence des vaisseaux rétiniens, qui traversent la cupule optique et semblent plonger dans celle-ci.)

Processus thérapeutique en interdisciplinarité

Le principal objectif du traitement du glaucome est de maintenir une PIO assez basse (soit entre 10 et 21 mm Hg) pour prévenir les dommages au nerf optique. Ceux-ci se manifestent par l'augmentation de la perte de champ visuel et une excavation papillaire progressive. Les traitements varient en fonction du type de glaucome. L'**ENCADRÉ 29.8** résume le processus diagnostique et thérapeutique du client atteint du glaucome.

Glaucome à angle ouvert chronique

Le traitement initial du glaucome à angle ouvert chronique se fait avec des médicaments **TABLEAU 29.3**. Dans tous les cas de recours à la médication, le client doit comprendre qu'un traitement et une supervision continus sont nécessaires parce que les médicaments préviennent une détérioration de la condition pathologique, mais ne guérissent pas le glaucome.

Processus diagnostique et thérapeutique

ENCADRÉ 29.8 Glaucome

EXAMEN CLINIQUE ET EXAMENS PARACLINIQUES

- Antécédents de santé et examen physique
- Mesure de l'acuité visuelle
- Tonométrie
- Ophtalmoscopie (directe et indirecte)
- Biomicroscopie
- Gonioscopie
- Périmétrie du champ visuel
- Photographie du fond de l'œil

PROCESSUS THÉRAPEUTIQUE

- Glaucome à angle ouvert chronique
  - Pharmacothérapie **TABLEAU 29.3**
    - Bêtabloquants
    - Alphaagonistes
    - Agents cholinergiques (myotiques)
    - Inhibiteurs de l'anhydrase carbonique
  - Traitement chirurgical
    - Trabéculoplastie au laser argon (TLA)
    - Trabéculectomie avec ou sans implant filtrant
- Glaucome à angle fermé aigu
  - Agents cholinergiques topiques
  - Agents hyperosmotiques
  - Iridotomie périphérique au laser
  - Iridectomie chirurgicale

Pharmacothérapie

TABLEAU 29.3 Glaucome chronique et aigu

MÉDICAMENTS	ACTION	EFFETS INDÉSIRABLES	COMMENTAIRES
Bêtabloquants (β-bloquants)			
• Chlorhydrate de bétaxolol (Betoptic S.MD)	β_1-bloquant cardiosélectif ; diminue la production d'humeur aqueuse	Malaise transitoire ; réactions systémiques rares, mais incluent bradycardie, bloc cardiaque, détresse pulmonaire, céphalées, dépression.	Médicament topique ; effet faible sur les paramètres pulmonaires et cardiovasculaires ; contre-indiqué pour le client souffrant de bradycardie, de choc cardiogénique ou de défaillance cardiaque apparente ; l'absorption systémique peut avoir un effet additif avec les β_1-bloquants.
• Chlorhydrate de lévobunolol (BetaganMD) • Maléate de timolol (TimopticMD)	β_1-bloquants et β_2 bloquants non cardiosélectifs ; diminuent la production d'humeur aqueuse	Malaise oculaire, vision floue, photophobie, bradycardie,diminution de la P.A., bronchospasme, céphalée, asthénie et fatigue.	Gouttes topiques ; mêmes que chlorhydrate de bétaxolol ; ces β_2-bloquants non cardiosélectifs sont aussi contre-indiqués pour les clients souffrant d'asthme ou de maladie pulmonaire obstructive chronique (MPOC) grave.
Alphaagonistes (α-agonistes)			
• Chlorhydrate de dipivéfrine (PropineMD)	α et β-agoniste ; converti en épinéphrine dans l'œil ; diminue la production d'humeur aqueuse et facilite l'écoulement	Malaise et rougeur oculaire, tachycardie, hypertension.	Gouttes topiques contre-indiquées pour le client souffrant d'un GPAF ; enseigner l'occlusion des points lacrymaux au client à risque de réactions systémiques.
• Chlorhydrate d'apraclonidine (IopidineMD) • Tartrate de brimonidine (AlphaganMD)	α-agonistes ; diminuent la production d'humeur aqueuse	Rougeur oculaire, F.C. irrégulière.	Gouttes topiques ; utilisées pour maîtriser ou prévenir l'augmentation de la PIO postlaser aiguë (utilisées avant et immédiatement après la TLA, l'iridotomie et la capsulotomie au laser à néodyme); montrer au client à risque de réactions systémiques à occlure les points lacrymaux.
Analogues des prostaglandines			
• latanoprost (XalatanMD) • Travoprost (TravatanMD) • Bimatoprost (LumiganMD)	Analogue à celle de la prostaglandine F ; augmentation de la vidange de l'humeur acqueuse	Augmentent la pigmentation brune des iris ; malaise, rougeur, sécheresse, démangeaisons oculaires et sensation de corps étrangers dans les yeux.	Gouttes topiques ; aviser le client de ne pas mettre plus de une goutte par soir ; demander au client d'enlever ses verres de contact 15 min avant d'instiller les gouttes.

TABLEAU 29.3	Glaucome chronique et aigu *(suite)*		
MÉDICAMENTS	**ACTION**	**EFFETS INDÉSIRABLES**	**COMMENTAIRES**
Agents cholinergiques (myotiques)			
• Carbachol (Isopto Carbachol[MD])	Parasympathomimétique ; stimule la contraction du sphincter de l'iris, ce qui cause le myosis et l'ouverture du trabéculum cornéoscléral et facilite l'écoulement de l'humeur aqueuse ; inhibe aussi partiellement la cholinestérase (enzyme dégradant l'acétylcholine)	Malaise oculaire, céphalées, vision floue, adaptation réduite à la noirceur, syncope, salivation, arythmies, vomissements, diarrhée et hypotension.	Gouttes topiques ; aviser le client de la diminution de l'acuité visuelle causée par le myosis, surtout dans une faible luminosité.
• Chlorhydrate de pilocarpine (Isopto Carpine[MD], Pilopine HS[MD])	Parasympathomimétique ; stimule la contraction du sphincter de l'iris, ce qui cause le myosis et l'ouverture du trabéculum cornéoscléral et facilite l'écoulement de l'humeur aqueuse	Mêmes que pour le carbachol.	Gouttes topiques ; mêmes que pour le carbachol.
Inhibiteurs de l'anhydrase carbonique			
Systémiques			
• Acétazolamide (Diamox[MD]) • Méthazolamide (Neptazane[MD])	Réduisent la production d'humeur aqueuse	Paresthésies, notamment picotements aux extrémités ; dysfonction auditive ou acouphène, perte d'appétit, altération du goût, perturbations gastro-intestinales, somnolence, confusion.	Sulfamides oraux non bactériostatiques ; anaphylaxie et autres réactions allergiques aux sulfamides possibles chez les clients allergiques aux sulfamides ; l'effet diurétique peut réduire l'équilibre électrolytique ; ces médicaments ne doivent pas être donnés au client qui suit un traitement à l'acide acétylsalicylique (Aspirin[MD]).
Topiques			
• Brinzolamide (Azopt[MD]) • Chlorhydrate de dorzolamide (Trusopt[MD])	Réduisent la production d'humeur aqueuse	Picotements, vision floue et rougeurs.	Sulfamides oraux non bactériostatiques ; anaphylaxie et autres réactions allergiques aux sulfamides possibles chez les clients allergiques aux sulfamides ; attendre au moins 10 minutes avant d'appliquer d'autres produits ophtalmiques.
Traitement combiné			
• Maléate de timolol et brinzolamide (Azarga[MD]) • Maléate de timolol et chlorhydrate de dorzolamide (Cosopt[MD]) • Maléate de timolol et iatanoprost (Xalacom[MD]) • Maléate de timolol et tartrate de brimonidine (Combigan[MD]) • Maléate de timolol et travoprost (Duotrav[MD] PQ)	Combinaison de deux médicaments	Voir les effets indésirables des médicaments individuels.	–

TABLEAU 29.3 Glaucome chronique et aigu *(suite)*

MÉDICAMENTS	ACTION	EFFETS INDÉSIRABLES	COMMENTAIRES
Agents hyperosmolaires			
• Glycérine liquide	Augmente l'osmolarité extracellulaire de façon que l'eau intracellulaire se déplace vers les espaces extracellulaires et vasculaires, ce qui a pour effet de réduire la PIO	Nausées, vomissements, céphalées, confusion, désorientation, arythmies, déshydratation.	Liquide administré par voie orale (P.O.); utilisé pour les crises de glaucome aigu ou avant une chirurgie pour réduire la PIO; évaluer la susceptibilité du client à l'œdème pulmonaire et à la défaillance cardiaque avant d'administrer les agents hyperosmolaires.
• Solution de mannitol (Osmitrol[MD])	Même que pour la glycérine	Nausées, vomissements, diarrhée, thrombophlébite, hypertension, hypotension, tachycardie.	Solution I.V.; mêmes que pour la glycérine.

La **trabéculoplastie au laser argon (TLA)** est un traitement non effractif visant à réduire la PIO lorsque les médicaments s'avèrent inefficaces ou quand le client ne peut ou ne veut pas suivre la pharmacothérapie recommandée. La TLA est effectuée en consultation externe et nécessite seulement une anesthésie topique. La cornée est anesthésiée à l'aide de gouttes topiques avant d'y appliquer le verre de gonioscopie, qui permet d'observer la région traitée. Le laser stimule la cicatrisation et la contraction du trabéculum cornéoscléral, ce qui ouvre les canaux d'écoulement (canal de Schlemm). La trabéculoplastie au laser argon réduit la PIO dans environ 75 % des cas. Une deuxième zone de 180° peut être traitée au cours d'une intervention subséquente. Le client doit prendre des corticostéroïdes topiques de trois à cinq jours après l'intervention afin de diminuer l'effet inflammatoire. La complication postopératoire la plus courante est une élévation aiguë et à court terme de la PIO secondaire au processus inflammatoire. L'ophtalmologiste examine le client une semaine après l'intervention, puis de quatre à six semaines après celle-ci. L'infection, le saignement et la formation d'une cataracte demeurent des effets indésirables rares.

Agents myotiques

L'infirmière doit avertir le client qu'il subira une diminution d'acuité visuelle, surtout dans des conditions de faible luminosité.

La chirurgie de filtration, aussi appelée **trabéculectomie**, peut être indiquée si la pharmacothérapie et le traitement au laser n'ont pas été efficaces. Au cours de cette intervention, le chirurgien-ophtalmologiste fait un lambeau scléral et enlève une partie de l'iris et du trabéculum cornéoscléral, puis il rabat le lambeau scléral, favorisant un écoulement de l'humeur aqueuse sous la conjonctive. Cela permet à l'humeur aqueuse d'être correctement évacuée et absorbée dans la circulation systémique. Le taux de succès de cette chirurgie est de 75 à 85 %.

L'implantation demeure une autre chirurgie possible, généralement réservée au client chez qui la chirurgie de filtration a échoué. Elle consiste à placer un petit tube de drainage et un réservoir permanents en plastique pour dériver l'humeur aqueuse de la chambre antérieure. Les tissus environnants (sclère et conjonctive) absorbent alors le liquide (Johns Hopkins University, 2009).

Glaucome à angle fermé aigu

Le glaucome à angle fermé aigu est une urgence oculaire qui nécessite une intervention immédiate. Des agents myotiques ou hyperosmotiques administrés par voie P.O. ou I.V. parviennent généralement à abaisser immédiatement la PIO **ENCADRÉ 29.8**. Une iridotomie périphérique au laser ou une iridectomie chirurgicale est nécessaire pour le traitement et la prévention à long terme des épisodes subséquents. Ces interventions permettent à l'humeur aqueuse de s'écouler par une ouverture nouvellement créée dans l'iris et subséquemment se diriger vers les canaux d'écoulement. Une de ces interventions doit aussi être effectuée dans l'autre œil comme traitement préventif, puisque celui-ci est aussi à risque de subir une crise de glaucome aigu.

Glaucome secondaire

Pour soigner le glaucome secondaire, il faut traiter le trouble sous-jacent et utiliser des agents myotiques ou hyperosmotiques. Dans des cas extrêmes et incontrôlables de glaucome (tous les types), celui-ci peut évoluer en glaucome absolu, stade où l'œil est aveugle, rouge, très douloureux, enflé et dur (hypertonie oculaire). Le glaucome absolu nécessite une énucléation (ablation chirurgicale de l'œil).

Soins et traitements infirmiers

CLIENT ATTEINT DE GLAUCOME

Collecte des données

Puisque le glaucome peut être une affection chronique qui nécessite un traitement à long terme, l'infirmière doit évaluer soigneusement la capacité du client à comprendre le plan de traitement prescrit et ses raisons, et elle s'assurera qu'il s'y conforme. De plus, elle doit évaluer la réaction psychologique du client à l'égard du diagnostic d'un trouble chronique susceptible de menacer sa vision. Elle fera aussi participer le proche aidant à la collecte des données puisque la nature chronique de cette affection a diverses répercussions sur la famille. Certains de ses membres peuvent devenir les principales personnes prodiguant les soins, par exemple pour l'administration de gouttes oculaires, si le client ne veut ou ne peut le faire lui-même. Enfin, l'infirmière doit déterminer l'acuité visuelle, le champ visuel, la PIO et les changements du fond de l'œil, s'il y a lieu.

Analyse et interprétation des données

Les problèmes prioritaires pour le client atteint de glaucome comprennent :

- le risque de blessure lié au déficit visuel ;
- l'incapacité à s'administrer des soins à cause d'un déficit visuel ;
- la douleur aiguë liée au processus physiopathologique et à la correction chirurgicale ;
- la non-adhésion du traitement par crainte des inconvénients et des effets indésirables des médicaments antiglaucome.

Planification des soins

Les objectifs généraux pour le client atteint de glaucome sont :

- prévenir la progression du déficit visuel ;
- comprendre l'évolution de la maladie et les raisons du traitement ;
- respecter les éléments du traitement (y compris l'administration de médicaments et les soins de suivi) ;
- prévenir les complications postopératoires.

Interventions cliniques

Promotion de la santé

La perte de vision due au glaucome est évitable. Il importe d'informer le client et sa famille quant au risque de glaucome. L'infirmière doit souligner l'importance de la détection et du traitement précoces dans la prévention de la déficience visuelle. Cette information devrait inciter le client à rechercher les soins ophtalmiques appropriés **ENCADRÉ 29.9**. L'infirmière doit également mentionner au client que l'incidence du glaucome augmente avec l'âge et qu'un examen ophtalmologique complet et régulier est essentiel pour déterminer si une personne souffre de glaucome ou présente des risques de développer cette affection. La Société canadienne d'ophtalmologie recommande, pour toute personne asymptomatique, un examen ophtalmologique de routine à un intervalle de 5 ans pour les 41-55 ans, de 3 ans pour les 56-65 ans et de 2 ans pour les plus de 65 ans (SCO, s.d.). Les clients avec comorbidité (hypertension artérielle, diabète) doivent se faire examiner plus souvent en raison de la fréquence plus élevée et de la progression plus dynamique du glaucome dans cette catégorie de population.

Soins en phase aiguë

Les interventions infirmières en phase aiguë visent principalement le client qui souffre d'un glaucome à angle fermé aigu et le client en chirurgie. Le premier nécessite l'administration immédiate d'un médicament qui abaissera sa PIO. L'infirmière doit le lui administrer au moment et de la façon appropriés selon la prescription de l'ophtalmologiste. Pour mettre le client à l'aise, elle peut réduire l'éclairage, appliquer des compresses froides sur son front et l'installer dans un endroit calme et privé. La plupart des chirurgies du glaucome se déroulent en consultation externe. En phase aiguë, le client a besoin d'obtenir de l'information préopératoire et postopératoire, et il peut nécessiter des interventions infirmières pour soulager les malaises causés par la chirurgie. L'**ENCADRÉ 29.5** présente l'information qu'il faut transmettre au client ainsi qu'au proche aidant après une chirurgie oculaire.

Soins ambulatoires et soins à domicile

Puisque le glaucome est une maladie chronique, l'infirmière doit encourager le client à se conformer à son traitement et à suivre les recommandations de son ophtalmologiste. Elle doit lui donner des renseignements détaillés sur le processus pathologique, sur les choix de traitements médicamenteux, leurs mécanismes d'action et leurs effets indésirables. De plus, le client doit connaître la fréquence et la technique d'administration de ces médicaments. L'infirmière lui donnera une information verbale et lui remettra un document qui contient les mêmes indications écrites. Elle doit encourager le client à respecter son traitement en l'aidant à déterminer les moments les plus appropriés pour l'administration de ses médicaments et elle doit préconiser un changement de traitement si le client signale des effets indésirables intolérables.

CE QU'IL FAUT RETENIR

Le glaucome étant une maladie chronique, l'infirmière doit donner au client l'enseignement nécessaire pour l'amener à respecter le traitement prescrit et les rendez-vous médicaux en vue du suivi de sa condition.

CE QU'IL FAUT RETENIR

La perte de vision due au glaucome est évitable. Un examen ophtalmique complet et régulier est essentiel pour le dépister et le traiter le plus tôt possible.

Pratique fondée sur des résultats probants

ENCADRÉ 29.9 **Les infirmières peuvent-elles améliorer l'assiduité des clients au traitement ophtalmique ?**

QUESTION CLINIQUE

Pour les clients atteints de glaucome (P), quelles interventions (I) peuvent être faites afin d'augmenter leur assiduité aux traitements oculaires (instillation de gouttes ophtalmiques) (O) ?

RÉSULTATS PROBANTS

- Revue systématique d'essais randomisés contrôlés.

ANALYSE CRITIQUE ET SYNTHÈSE DES DONNÉES

- Seize essais contrôlés randomisés respectaient les critères d'inclusion ($n = 1\ 565$). Sept études évaluaient une intervention fondée sur l'enseignement dont six de celles-ci combinaient une intervention comportementale d'adaptation de l'horaire de la prise de médication à la routine du client. La plupart de ces études ont démontré une amélioration de l'adhésion au traitement. Huit études ont évalué l'impact sur l'adhésion au traitement d'un plan thérapeutique simplifié, mais les données recueillies étaient peu concluantes. Une étude a évalué l'impact d'un dispositif de rappel, mais encore une fois, les données étaient peu concluantes, et l'échantillon de participants faible.
- L'assiduité aux traitements était mesurée à l'aide de questionnaires, d'entrevues, de journaux de bord ou de dispositifs de surveillance électronique.
- Le délai de suivi était généralement insuffisant. Seulement trois études incluaient un suivi de six mois ou plus.

CONCLUSION

- L'enseignement au client combiné à des interventions comportementales personnalisées peuvent augmenter l'adhésion au traitement, mais il n'y a pas suffisamment de données concluantes pour recommander une intervention en particulier. Le fait de simplifier le plan de traitement peut également être bénéfique, mais aucune donnée probante n'appuie cette interventione.

RECOMMANDATIONS POUR LA PRATIQUE INFIRMIÈRE

- Simplifier les plans de traitement des gouttes ophtalmiques, car ils peuvent être difficiles à suivre.
- Évaluer les barrières du client quant à l'administration de gouttes ophtalmiques. Donner de l'enseignement de départ, évaluer la technique et renforcer l'utilisation au besoin.
- Aider les clients à mettre au point un système de rappel afin de ne pas oublier les multiples doses quotidiennes de gouttes ophtalmiques. Exemple : utiliser une minuterie ou coordonner les heures d'instillation des gouttes ophtalmiques avec un moment routinier de la journée (p. ex., les repas).
- Aider les clients ayant un trouble de coordination des mains à trouver une bonne façon de s'instiller les gouttes ophtalmiques.

RÉFÉRENCE

Waterman, H., Evans, J.R., Gray, T.A., *et al.* (2013). Interventions for improving adherence to ocular hypotensive therapy. *Cochrane Database Syst Rev*, *4*, CD006132.

P : Population ; I : Intervention ; O : (*Outcome*) Résultat.

Évaluation des résultats

Pour le client souffrant de glaucome, les résultats escomptés à la suite des soins et des interventions cliniques sont :

- de prévenir toute perte ultérieure de vision ;
- de se conformer au traitement recommandé ;
- de fonctionner en toute sécurité dans son environnement ;
- de soulager la douleur causée par la maladie et la chirurgie.

Considérations gérontologiques

GLAUCOME

De nombreux clients âgés souffrant de glaucome ont des maladies systémiques ou prennent des médicaments systémiques qui peuvent influer sur leur traitement. Notamment, le client qui prend un bêtabloquant antiglaucome peut subir un effet additif s'il consomme aussi un bêtabloquant systémique. Tous les bêtabloquants antiglaucome sont contre-indiqués pour les clients souffrant d'une bradycardie, d'un bloc auriculoventriculaire du premier degré et plus, d'une insuffisance cardiaque ou d'un choc cardiogénique. Les bêtabloquants antiglaucome non cardiosélectifs sont également contre-indiqués pour un client souffrant d'une MPOC ou d'asthme. Les agents hyperosmolaires peuvent précipiter la défaillance cardiaque ou l'œdème pulmonaire d'un client à risque. Le client âgé qui prend une forte dose d'acide acétylsalicylique pour soulager la polyarthrite rhumatoïde ne doit pas prendre d'inhibiteurs de l'anhydrase carbonique. Les alphaagonistes peuvent provoquer une tachycardie ou de l'hypertension, ce qui peut avoir de graves conséquences sur le client âgé. L'infirmière doit enseigner à celui-ci à occlure ses points lacrymaux pour limiter l'absorption systémique des médicaments antiglaucome.

29.3.6 Inflammation et infection intraoculaires

Le terme **uvéite** désigne une inflammation de l'uvée, de la rétine, de l'humeur vitrée ou du nerf optique. Cette inflammation peut être d'origine bactérienne, virale, fongique ou parasitaire. La rétinite à cytomégalovirus (CMV) est une infection opportuniste qui touche les personnes atteintes du virus de l'immunodéficience humaine / syndrome d'immunodéficience acquise (VIH / sida) et autres personnes immunodéprimées. L'étiologie d'une inflammation intraoculaire comprend les maladies auto-immunes, le sida, des affections malignes ou celles associées à des maladies systémiques telles que les maladies inflammatoires chroniques de l'intestin. La douleur et la photophobie sont des symptômes communs de cette affection.

L'**endophtalmie** est une inflammation intraoculaire étendue de la cavité vitréenne. Cette réaction inflammatoire grave peut être d'origine bactérienne, virale, fongique ou parasitaire. Le mécanisme de l'infection peut être endogène – l'agent infectieux arrive dans l'œil par le sang – ou exogène – l'agent infectieux s'introduit par une plaie chirurgicale ou une blessure pénétrante. L'endophtalmie demeure rare, et la plupart des cas résultent d'une complication dévastatrice d'une chirurgie intraoculaire ou d'une blessure oculaire pénétrante qui peut causer une cécité irréversible en quelques heures ou quelques jours. Ses manifestations comprennent la douleur oculaire, la photophobie, une vision réduite, la céphalée, la rougeur et l'enflure de la conjonctive ainsi que l'œdème de la cornée.

Quand l'inflammation touche toutes les couches de l'œil (humeur vitrée, rétine, choroïde et sclère), le client a une **panophtalmie**. Dans les stades finaux des cas graves, la sclère peut subir une dissolution bactérienne ou inflammatoire. Une rupture subséquente du globe oculaire propage l'infection dans l'orbite ou les paupières.

Le traitement d'une inflammation intraoculaire dépend de la cause sous-jacente. Les infections intraoculaires nécessitent des agents antimicrobiens, qui peuvent être administrés localement (application topique), sous la conjonctive, dans l'humeur vitrée ou de façon systémique. Les réactions inflammatoires nécessitent des anti-inflammatoires tels que des corticostéroïdes. Le client souffrant d'une inflammation intraoculaire est généralement incommodé et peut être anxieux et effrayé. Il peut craindre une perte soudaine et totale de vision. L'infirmière doit transmettre au client et à sa famille des renseignements précis et un soutien affectif adéquat. Les cas graves peuvent exiger une énucléation. Un client qui perd la vue ou un œil vivra un deuil. L'infirmière doit l'aider à traverser cette période difficile.

Jugement clinique

Tom Brunswick, 63 ans, est atteint de glaucome à angle ouvert à l'œil droit. Comme pharmacothérapie, le médecin a prescrit des gouttes ophtalmiques de maléate de timolol (Apo-Timol[MD]) et de carbachol (Isopto Carbachol[MD]). Quel médicament doit-il instiller dans son œil en premier ? Justifiez votre réponse.

29.3.7 Tumeurs oculaires

Les tumeurs bénignes et malignes peuvent toucher plusieurs parties de l'œil, y compris la conjonctive, la rétine et l'orbite. Les tumeurs malignes de la paupière comprennent les carcinomes basocellulaire et malpighien ▶ 31.

31

Le chapitre 31, *Interventions cliniques – Troubles tégumentaires*, traite des tumeurs cutanées malignes.

Le **mélanome uvéal** est un néoplasme cancéreux de l'iris, de la choroïde ou du corps ciliaire. Il s'agit de la tumeur maligne intraoculaire primaire la plus commune chez les adultes. Chaque année, 200 Canadiens reçoivent le diagnostic de mélanome uvéal (Melanoma Network of Canada, 2015). Elle touche plus fréquemment les personnes âgées de plus de 60 ans à la peau pâle et qui ont subi une exposition chronique au rayonnement ultraviolet (p. ex., les travailleurs de la construction). Des facteurs génétiques, tels qu'une mutation génétique, peuvent aussi augmenter le risque de mélanome. Le mélanome uvéal peut se former à partir d'un nævus préexistant dans l'œil. Les tumeurs peuvent être asymptomatiques ou associées à une perte de vision, selon leur taille, leur emplacement, la présence d'hémorragie et de décollement rétinien. Comme dans tous les cas de cancer, le pronostic du client dépend grandement du stade de la maladie et du type de cellules touchées. Les examens paracliniques possibles sont l'échographie, l'imagerie par résonance magnétique (IRM) et la cytoponction. Le mélanome uvéal apparaît sous forme de pigment brun ou doré en forme de dôme bien circonscrit dans l'iris, la choroïde ou le corps ciliaire **FIGURE 29.11**. Selon l'état de l'œil atteint, les traitements possibles sont l'énucléation, la curiethérapie, la radiothérapie externe, la photocoagulation transpupillaire, la résection des tissus oculaires touchés ou l'exentération. Après le traitement, de nombreux clients conservent leur œil,

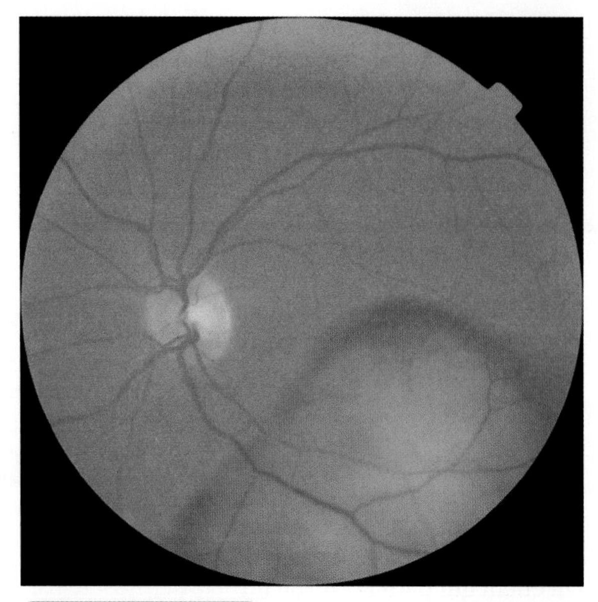

FIGURE 29.11 Mélanome uvéal – Grosse tumeur de la choroïde, site le plus courant de mélanome dans l'œil

et certains peuvent retrouver une bonne vision. Au cours des 15 années qui suivent l'apparition d'un mélanome uvéal, entre 30 et 50 % des clients développeront des métastases, généralement dans le foie (Institut Curie, 2009).

29.3.8 Énucléation

Tableau 29.2W : *Manifestations oculaires des maladies ou des troubles systémiques.*

L'**énucléation** de l'œil est l'ablation chirurgicale de celui-ci. Elle est principalement indiquée pour un œil aveugle et douloureux, consécutivement à un glaucome, à une infection ou à un trauma. L'énucléation peut aussi être indiquée dans le cas de tumeurs malignes de l'œil, bien que de nombreuses affections malignes puissent être traitées par cryothérapie, radiothérapie ou chimiothérapie. Cette intervention chirurgicale comprend l'incision des muscles extrinsèques de l'œil près de leur point d'insertion sur le globe oculaire, l'insertion d'un implant pour maintenir l'anatomie intraorbitale et la suture des extrémités des muscles extrinsèques sur l'implant. Le chirurgien recouvre les muscles cousus avec la conjonctive, et il place un conformateur transparent sur celle-ci jusqu'à ce qu'une prothèse permanente soit mise en place. Un pansement compressif aide à prévenir le saignement postopératoire.

CE QU'IL FAUT RETENIR

Le client qui subit une énucléation est généralement dévasté. L'infirmière doit lui apporter le soutien nécessaire, ainsi qu'à ses proches.

Après la chirurgie, l'infirmière doit observer le client pour voir s'il montre des signes et des symptômes de complications, notamment un œdème ou un saignement excessif, une augmentation de la douleur, le déplacement de l'implant ou une élévation de la température. Elle doit lui montrer comment instiller les onguents ou les gouttes topiques et nettoyer ses plaies.

Elle doit aussi lui enseigner comment insérer le conformateur dans l'orbite s'il tombe. Le client est généralement dévasté par la perte d'un œil, même quand l'énucléation est effectuée après une longue période de cécité douloureuse. L'infirmière doit reconnaître et valider la réaction émotionnelle du client et de sa famille et leur offrir son soutien.

Environ six semaines après la chirurgie, la plaie est suffisamment guérie pour permettre l'installation de la prothèse permanente. Il faut montrer au client à enlever, à nettoyer et à insérer la prothèse. Un polissage est nécessaire périodiquement pour enlever les sécrétions protéiques séchées.

29.3.9 Manifestations oculaires de maladies systémiques

De nombreuses maladies systémiques entraînent des manifestations ophtalmiques. Bien que la description détaillée de ces troubles dépasse le cadre du présent ouvrage, l'infirmière doit savoir que des maladies systémiques causent des manifestations oculaires. Inversement, des signes et des symptômes oculaires peuvent être les premières observations d'une maladie systémique ou les raisons qui incitent une personne à consulter un médecin. Par exemple, un client souffrant d'un diabète non diagnostiqué peut consulter un ophtalmologiste parce que sa vision est floue. Des antécédents de santé détaillés et un examen attentif de ce client peuvent révéler que la cause sous-jacente de la vision floue est l'œdème du cristallin associé à une hyperglycémie. Un autre exemple est celui du client qui consulte un ophtalmologiste pour une lésion de la conjonctive. L'ophtalmologiste peut être le premier professionnel de la santé à poser un diagnostic de sida par la présence de la maladie de Kaposi sur la conjonctive (i+).

TROUBLES AUDITIFS

29.4 Troubles de l'oreille externe et du méat acoustique externe

29.4.1 Trauma

Un trauma à l'oreille externe peut provoquer une lésion des tissus sous-cutanés et causer un hématome. Si celui-ci n'est pas aspiré, une inflammation des membranes du cartilage de l'oreille (**périchondrite**) peut s'ensuivre. Des antibiotiques permettent de prévenir l'infection. Des coups à l'oreille peuvent causer une surdité de conduction s'ils endommagent les osselets de l'oreille moyenne ou perforent le tympan. Un trauma à la tête qui blesse le lobe temporal du cortex cérébral peut altérer la compréhension des sons.

29.4.2 Otite externe

La peau de l'oreille externe et du méat acoustique externe est exposée aux mêmes problèmes que celle de toute autre partie du corps. L'**otite externe** désigne l'inflammation ou l'infection de l'épithélium de l'auricule et du méat acoustique. La baignade fréquente dans des eaux contaminées ou contenant des produits chimiques peut modifier la flore du méat acoustique. Cela peut causer une infection communément appelée otite des baigneurs. Le traumatisme causé par le curage de l'oreille (utilisation de cotons-tiges) ou l'introduction d'objets pointus (pince à épiler) cause fréquemment une lésion initiale de la peau. Le perçage du cartilage de la partie supérieure de l'auricule présente plus de risque d'infection que le perçage du lobe de l'oreille, car celui-ci est moins bien vascularisé.

Étiologie et physiopathologie

Les infections et les affections cutanées peuvent causer une otite externe d'origine bactérienne ou fongique. *Pseudomonas aeruginosa* est la bactérie la plus commune dans les cultures. Les champignons se développent facilement dans des milieux chauds et humides, entre autres, *Candida albicans* et *Aspergillus*. L'environnement chaud et sombre du méat acoustique offre un milieu propice de croissance aux microorganismes pathogènes.

L'otite externe maligne est une infection grave causée par la bactérie *P. aeruginosa*. Elle touche principalement les clients âgés diabétiques. L'infection peut se propager de l'oreille externe à la glande parotide (parotidite) et à l'os temporal (ostéomyélite), et elle est difficilement traitable.

Manifestations cliniques

La douleur de l'oreille (**otalgie**) est un des premiers symptômes d'otite externe. Même dans un cas bénin, le client peut ressentir une douleur importante pendant la mastication, le déplacement de l'auricule ou l'application d'une pression sur le tragus. Parmi les signes, l'œdème du méat acoustique peut étouffer le son. Il y a parfois un écoulement sérosanguin (liquide teinté de sang) ou purulent (liquide épais blanc ou vert). Si l'infection se propage aux tissus environnants (p. ex., au mastoïde), la fièvre apparaît.

CE QU'IL FAUT RETENIR

L'otite externe se manifeste par de la douleur (otalgie), un écoulement sérosanguin ou purulent et un œdème du méat acoustique qui étouffe les sons.

Soins et traitements infirmiers

CLIENT ATTEINT D'OTITE EXTERNE

Le diagnostic d'otite externe se fait par l'examen du méat acoustique avec un otoscope. Il faut effectuer les manœuvres délicatement afin d'éviter de causer une douleur au client pendant la traction de l'auricule pour redresser le méat ou au moment de l'insertion de l'otoscope. Le tympan peut être difficile à visualiser en raison de l'œdème du méat. Une mise en culture et un antibiogramme de l'écoulement peuvent être effectués. La chaleur humide, des analgésiques doux et des gouttes anesthésiques topiques soulagent généralement la douleur. Les traitements topiques peuvent inclure des antibiotiques pour traiter l'infection et des corticostéroïdes pour traiter l'inflammation. Si les tissus environnants sont touchés, le médecin peut prescrire des antibiotiques systémiques (Centers for Disease Control and Prevention, 2011). Il devrait y avoir une amélioration dans les 48 heures, mais le client doit suivre le traitement prescrit pendant 7 à 14 jours pour obtenir une guérison complète.

Il faut se laver les mains avant et après l'administration des gouttes pour les oreilles. Celles-ci doivent être conservées à la température ambiante. Des gouttes froides peuvent causer des vertiges, car elles stimulent les canaux semi-circulaires ; des gouttes chaudes peuvent brûler le tympan. Il ne faut pas toucher l'oreille avec le bout du compte-gouttes afin d'éviter la contamination du médicament. L'oreille doit être placée de façon que les gouttes puissent s'écouler dans le méat acoustique. Cette position doit être maintenue pendant deux minutes. Une autre technique d'administration du médicament consiste à verser les gouttes sur une mèche de coton à insérer dans le méat. L'infirmière doit avertir le client de ne pas pousser le coton trop loin dans l'oreille. Il est important de manipuler et d'éliminer prudemment le matériel saturé d'écoulement. Il faut enseigner au client les méthodes qui permettent de réduire le risque d'otite externe **ENCADRÉ 29.10**.

Enseignement au client et à ses proches

ENCADRÉ 29.10 Prévention de l'otite externe

L'enseignement au client et à ses proches sur la prévention de l'otite externe devrait porter sur les aspects suivants.

- Ne rien insérer dans le méat acoustique, sauf sur recommandation du médecin.
- Signaler toute démangeaison persistante.
- Le cérumen lubrifie et protège le méat acoustique.
  - La présence d'une quantité excessive et chronique de cérumen nuisant à l'audition doit être signalée au médecin.
- Garder les oreilles au sec le plus possible.
  - Mettre des bouchons d'oreilles si la personne est sujette aux otites du baigneur.
  - Pencher la tête de chaque côté pendant 30 secondes pour faire sortir l'eau des oreilles.
  - Ne pas sécher les oreilles avec un coton-tige.

CE QU'IL FAUT RETENIR

La présence d'un bouchon de cérumen peut réduire l'audition, causer de la douleur, des acouphènes et des vertiges.

29.4.3 Cérumen et corps étrangers dans le méat acoustique externe

Le bouchon de cérumen (cire) peut constituer une source de malaise et réduire l'audition. En vieillissant, le cérumen se densifie et s'assèche. Les poils de l'oreille deviennent plus abondants et plus gros, et ils piègent le cérumen dur et sec dans le méat. Les symptômes d'un bouchon de cérumen incluent la perte d'audition, l'otalgie, les acouphènes et les vertiges. Le traitement comprend l'irrigation du méat avec des solutions à température corporelle pour ramollir le cérumen. Des seringues spéciales, une poire à lavage d'oreille ou une simple seringue à irrigation (20 cc) peuvent être utilisées. Le client est en position assise, la tête légèrement penchée vers le côté opposé, et un bassin réniforme est placé sous son oreille. L'auricule est tirée délicatement vers le haut et l'arrière et la solution est dirigée au-dessus ou au-dessous du bouchon de cérumen. Il est important de ne pas obstruer complètement le méat acoustique avec le bout de la seringue. Si l'irrigation ne permet pas d'enlever le cérumen, des gouttes d'un lubrifiant doux peuvent le ramollir (p. ex., de l'huile d'amande ou pour bébé). Les gros bouchons de cérumen peuvent nécessiter l'utilisation de curette. Cette technique doit être effectuée avec une grande précaution afin d'éviter une perforation accidentelle du tympan.

Jugement clinique

Amélia Truchon, 78 ans, vit dans une résidence pour personnes âgées semi-autonomes. Elle participe au bingo tous les jeudis. Depuis quelque temps, elle se trompe souvent dans les numéros sur ses cartes, et elle demande régulièrement au personnel de répéter. Elle se plaint aussi que son conjoint parle en marmonnant. Quel problème pourrait expliquer ces changements chez madame Truchon ? Comment l'infirmière de la résidence pourrait-elle vérifier cette hypothèse ?

La liste des corps étrangers couramment retirés des oreilles est longue. Elle comprend des êtres vivants et morts (insectes ou autres), des jouets (chez les enfants) ainsi que des végétaux et des minéraux. Dans sa tentative de retirer l'objet, la personne le pousse parfois plus loin dans le méat acoustique. La matière végétale tend à gonfler et peut causer une deuxième inflammation, ce qui rend le retrait de l'objet plus difficile. Des gouttes d'huile minérale ou de lidocaïne peuvent être utilisées pour tuer un insecte avant de l'enlever en se guidant avec un microscope. L'extraction des objets compactés doit être effectuée par le médecin ou une infirmière ayant reçu une formation spécialisée.

Les oreilles doivent être nettoyées avec un doigt entouré d'une débarbouillette. Il faut éviter les cotons-tiges. Un coton-tige qui pénètre dans l'oreille moyenne peut endommager le tympan et les osselets. S'il pénètre profondément, il endommagera peut-être un nerf crânien, ce qui peut causer une paralysie faciale. Le coton-tige compacte parfois le cérumen contre le tympan, ce qui nuit à l'audition.

Réactivation des connaissances

Qu'est-ce qu'un acouphène ?

29.4.4 Tumeur maligne de l'oreille externe

Les cancers de la peau sont les seules tumeurs malignes communes de l'oreille. Une texture sableuse de la bordure supérieure de l'auricule est une lésion précancéreuse (kératose sénile) liée à l'exposition soutenue au soleil. Elle peut généralement être enlevée avec de l'azote liquide. Les cancers cutanés de l'auricule ne mettent généralement pas la vie en danger, mais ils peuvent causer des déformations esthétiques difficiles à corriger. L'infirmière doit informer le client sur les dangers de l'exposition au soleil et sur l'importance du port d'un chapeau et de l'application d'un écran solaire quand il se trouve à l'extérieur.

29.5 Troubles de l'oreille moyenne et mastoïde

29.5.1 Otite moyenne aiguë

L'**otite moyenne aiguë (OMA)** est une infection du tympan, des osselets et de la cavité de l'oreille moyenne. L'œdème de la trompe auditive due à un rhume ou à une allergie peut piéger les bactéries et causer une infection de l'oreille moyenne. L'inflammation exerce une pression sur le tympan, qui devient rouge, enflé et douloureux. L'otite moyenne aiguë touche généralement les enfants, car leur trompe auditive – qui draine normalement le liquide et le mucus de l'oreille moyenne – est plus courte, plus étroite et plus horizontale que celle de l'adulte. L'infection peut être d'origine virale ou bactérienne. La douleur, la fièvre, des malaises généraux tels que des frissons et de la fatigue ainsi qu'une audition réduite sont des manifestations cliniques d'infection. Chez l'adulte, la douleur référée de l'articulation temporomandibulaire, des dents, des gencives, des sinus ou de la gorge peut aussi causer une douleur à l'oreille.

Le processus thérapeutique en interdisciplinarité comprend l'utilisation d'antibiotiques en cas d'infection (Ebell, 2011). L'amoxicilline est le traitement le plus utilisé au Québec pour les otites moyennes aiguës. L'intervention chirurgicale est généralement réservée au client qui ne réagit pas à la pharmacothérapie. La paracentèse (**myringotomie**) consiste à pratiquer une incision dans le tympan pour libérer la pression et l'exsudat de l'oreille moyenne. Un drain transtympanique peut être inséré pour une courte ou une longue période. Le traitement rapide d'une otite moyenne prévient généralement la perforation spontanée du tympan. Le médecin peut prescrire des antihistaminiques au client adulte souffrant d'une otite possiblement causée par une allergie.

29.5.2 Otite moyenne avec épanchement (otite séreuse)

L'otite moyenne avec épanchement, aussi appelée **otite séreuse**, est une inflammation de l'oreille moyenne accompagnée d'une accumulation de liquide. Celui-ci peut être clair, muqueux ou purulent. Si la trompe auditive ne s'ouvre pas pour permettre l'égalisation de la pression atmosphérique, la pression négative dans l'oreille moyenne exerce une traction sur le liquide des tissus environnants. Ce trouble survient souvent après une infection des voies respiratoires supérieures, une infection chronique des sinus, un barotraumatisme (causé par un changement de pression) ou une otite moyenne.

Le client peut se plaindre d'une sensation de plénitude ou de bouchon dans l'oreille et d'une perte auditive, mais il ne ressent pas de douleur, n'a pas de fièvre ni d'écoulement de l'oreille. Une otite moyenne avec épanchement est normale au cours des semaines ou des mois qui suivent une otite moyenne aiguë. Elle disparaît généralement sans traitement, mais elle peut réapparaître.

29.5.3 Otite moyenne chronique et mastoïdite

Étiologie et physiopathologie

Des otites moyennes répétées peuvent causer une otite moyenne chronique, particulièrement chez les adultes qui ont eu des otites récurrentes dans l'enfance. Puisque la muqueuse de l'oreille moyenne se prolonge jusqu'aux cellules aérifères de l'apophyse mastoïde, ces deux structures peuvent être touchées par l'infection chronique.

Manifestations cliniques

L'otite moyenne chronique se caractérise par des signes tels qu'un exsudat et une inflammation qui peuvent toucher les osselets, la trompe auditive et l'apophyse mastoïde. Souvent indolore, elle peut causer des symptômes de perte auditive, des nausées et des étourdissements.

Complications

La perte auditive est une complication de la destruction des osselets par l'inflammation, par une perforation du tympan ou par une accumulation de liquide dans la cavité de l'oreille moyenne. Une masse de cellules épithéliales et de cholestérol peut aussi se former dans l'oreille moyenne (**cholestéatome**). Le cholestéatome grossit et peut détruire les os adjacents. S'il n'est pas extrait par chirurgie, il est susceptible de causer des dommages importants aux osselets et de réduire l'audition. D'autres complications sont possibles, dont la paralysie faciale (si le cholestéatome érode la protection osseuse du nerf facial), des vertiges dus à la formation d'une fistule labyrinthique et des déficiences neurologiques si le cholestéatome envahit la dure-mère.

Jugement clinique

Mirella Lavergne, huit ans, a subi une tympanoplastie à l'oreille gauche. En tant qu'infirmière des soins courants du CISSS, vous effectuez une visite à domicile pour le suivi de Mirella après sa chirurgie. Comment pouvez-vous évaluer objectivement la quantité de l'écoulement à l'oreille lorsque vous changez le pansement ?

Examen clinique et examens paracliniques

L'examen otoscopique du tympan peut révéler des changements de couleur et de mobilité ou une perforation de cette membrane **FIGURE 29.12**. Une mise en culture et un antibiogramme de l'écoulement sont nécessaires pour identifier les organismes en cause et prescrire un traitement antibiotique approprié. Un audiogramme peut montrer une perte auditive atteignant de 50 à 60 dB si les osselets ont été endommagés ou séparés. Une radiographie des sinus, une IRM ou une tomographie par ordinateur de l'os temporal sont effectuées pour évaluer la destruction de l'os et la présence d'une masse.

Processus thérapeutique en interdisciplinarité

Les objectifs du traitement sont d'éliminer l'infection de l'oreille moyenne, de réparer toute perforation du tympan et de préserver l'audition **ENCADRÉ 29.11**. Un traitement antibiotique otique et systémique (oral et intraveineux) est administré, fondé sur les résultats de la culture et de l'antibiogramme. Dans de nombreux cas d'otite moyenne chronique, il y a résistance aux antibiotiques. Le client peut être obligé de subir de fréquents drainages des liquides et des débris de l'oreille en consultation externe.

CE QU'IL FAUT RETENIR

Des otites moyennes répétées peuvent entraîner une otite moyenne chronique, qui peut s'étendre à l'apophyse mastoïde. Cette affection indolore peut causer une perte auditive, des nausées et des étourdissements.

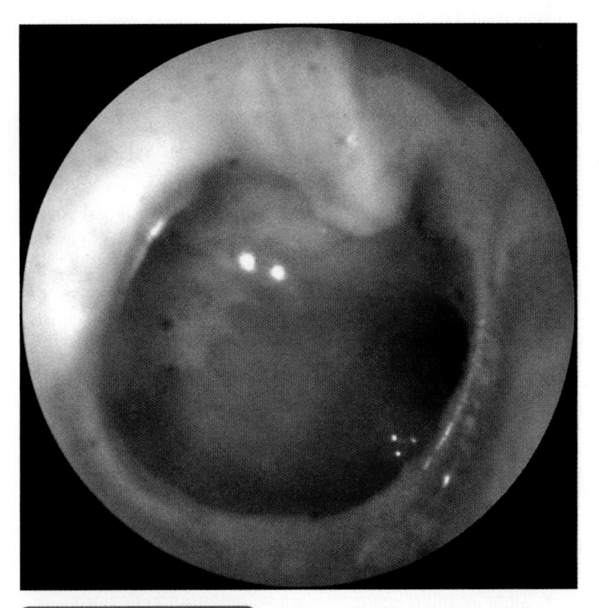

FIGURE 29.12 Perforation de la membrane tympanique

Processus diagnostique et thérapeutique

ENCADRÉ 29.11 Otite moyenne chronique

EXAMEN CLINIQUE ET EXAMENS PARACLINIQUES
- Entrevue et examen physique
- Examen otoscopique
- Mise en culture et antibiogramme de l'écoulement de l'oreille moyenne
- Radiographie de l'apophyse mastoïde

PROCESSUS THÉRAPEUTIQUE
- Irrigations de l'oreille
- Antibiotiques otiques, oraux ou parentéraux
- Analgésiques
- Antiémétiques
- Chirurgie (tympanoplastie ; mastoïdectomie)

Traitement chirurgical

Il arrive que le traitement classique ne guérisse pas les perforations chroniques du tympan et que la chirurgie s'avère nécessaire. La tympanoplastie (myringoplastie) comprend la reconstruction du tympan et des osselets. Une **mastoïdectomie** est généralement effectuée en même temps qu'une tympanoplastie pour enlever les parties infectées de la mastoïde. L'ablation des tissus se termine aux structures de l'oreille moyenne qui semblent capables de transmettre le son.

Soins et traitements infirmiers

CE QU'IL FAUT RETENIR

Après une tympanoplastie, le client doit demeurer allongé sur le côté, la partie opérée vers le haut. Il doit éviter de tousser, de se moucher et de faire des mouvements brusques de la tête.

CLIENT AYANT SUBI UNE TYMPANOPLASTIE

Des changements soudains de pression dans l'oreille et des infections postopératoires peuvent nuire à la guérison de la plaie ou, rarement, entraîner la paralysie du nerf facial.

Après la chirurgie, le client doit demeurer allongé sur le côté, la partie opérée vers le haut (position de décubitus dorsal latéral). Il est normal que son audition soit déficiente pendant la phase postopératoire puisqu'il porte un pansement de coton placé sur l'incision du méat acoustique externe (dans l'oreille). L'infirmière doit montrer au client à changer le paquetage et le pansement de coton tous les jours. En cas d'incision postauriculaire (derrière l'oreille) et en présence d'un drain, la région mastoïde est recouverte d'un pansement. Il faut placer une petite gaze derrière l'oreille ainsi qu'un pansement sur l'oreille pour empêcher le pansement placé autour de la tête d'exercer une pression sur l'auricule. L'infirmière doit s'assurer que le pansement n'est pas trop serré, pour prévenir la nécrose des tissus, et elle doit évaluer la quantité et le type d'écoulement. L'**ENCADRÉ 29.12** présente l'information postopératoire à transmettre au client qui a subi une chirurgie de l'oreille.

Enseignement au client et à ses proches

ENCADRÉ 29.12 Après une chirurgie de l'oreille

Après une chirurgie de l'oreille, il faut transmettre les renseignements suivants au client et à ses proches.
- Éviter les mouvements soudains de la tête.
- Ne pas essayer de sortir du lit sans aide.
- Prendre les médicaments pour réduire les étourdissements, s'ils ont été prescrits.
- Changer de position lentement.
- Éviter de mouiller la tête (y compris prendre une douche) jusqu'à ce que le chirurgien le permette.
- Signaler toute fièvre, douleur, augmentation de perte auditive ou tout écoulement de l'oreille.
- Éviter de tousser ou de se moucher parce que cela fait augmenter la pression dans la trompe auditive et la cavité de l'oreille moyenne, ce qui perturbe la guérison.
- En cas de toux ou d'éternuement, garder la bouche ouverte pour réduire la pression.
- Éviter les foules, où des infections respiratoires peuvent être contractées.
- Éviter les situations qui créent une pression dans les oreilles ou qui bouchent les oreilles, par exemple, l'altitude ou les déplacements en avion.

29.5.4 Otospongiose

L'**otospongiose** est une maladie héréditaire autosomique dominante. Il s'agit de la cause la plus fréquente de surdité chez les jeunes adultes (Ferri, 2015). Un os spongieux se forme à partir du labyrinthe osseux et empêche le mouvement de la base du stapès dans la fenêtre ovale. Cela réduit la transmission des vibrations vers les liquides de l'oreille interne. C'est une cause de surdité de conduction, notamment chez les jeunes femmes (âgées de 20 à 30 ans), qui peut s'accentuer pendant la grossesse. Bien que l'otospongiose soit normalement bilatérale, la perte auditive peut progresser plus rapidement dans une oreille que dans l'autre. Le client n'en a généralement pas conscience tant que la perte auditive n'est pas assez grave pour rendre la communication difficile.

L'examen otoscopique peut révéler une rougeur du tympan (signe de Schwartz) causée par des changements vasculaires et osseux dans l'oreille moyenne. Les épreuves du diapason et un audiogramme montrent une bonne audition par conduction osseuse, mais une faible audition par conduction aérienne (écart aérien osseux). Une différence d'au moins 20 à 25 dB est généralement observée entre l'audition par conduction aérienne et l'audition par conduction osseuse d'une personne qui souffre d'otospongiose.

Processus thérapeutique en interdisciplinarité

La perte auditive due à l'otospongiose peut être stabilisée par l'administration orale de fluorure de sodium, de vitamine D et de carbonate de calcium. Ces médicaments retardent la résorption osseuse et favorisent la calcification des lésions osseuses. L'amplification du son par une prothèse auditive peut être efficace, car l'oreille interne fonctionne normalement.

L'**ENCADRÉ 29.13** présente le processus diagnostique et thérapeutique du client souffrant d'otospongiose. Le traitement chirurgical consiste à ouvrir la base du stapès (stapédectomie) à l'aide d'une microperceuse ou d'un laser et à remplacer le stapès par un substitut en métal ou en téflon (prothèse). Le client est généralement conscient, mais sous sédation pendant cette procédure. L'oreille ayant l'audition la plus faible est d'abord opérée. L'autre oreille peut être opérée un peu plus tard au cours de l'année. Immédiatement après la chirurgie, le client remarque généralement une amélioration considérable de l'audition dans l'oreille opérée. En raison de l'accumulation de sang et de liquide dans l'oreille moyenne pendant la phase postopératoire, l'audition diminue, mais elle s'améliore graduellement avec la guérison.

Processus diagnostique et thérapeutique

ENCADRÉ 29.13 Otospongiose

EXAMEN CLINIQUE ET EXAMENS PARACLINIQUES

- Antécédents de santé et examen physique
- Examen otoscopique
- Épreuve de Rinne
- Épreuve de Weber
- Audiométrie
- Tympanométrie

PROCESSUS THÉRAPEUTIQUE

- Prothèse auditive
- Chirurgie (stapédectomie ou prothèse de stapédectomie)
- Pharmacothérapie
- Fluorure de sodium avec vitamine D
- Carbonate de calcium

Soins et traitements infirmiers

CLIENT AYANT SUBI UNE STAPÉDECTOMIE

Les soins et traitements infirmiers auprès du client qui a subi une chirurgie pour l'otospongiose sont semblables à ceux d'une personne qui a subi une tympanoplastie. L'infirmière place une éponge de gélatine sur l'incision pour limiter le saignement. Elle introduit une ouate dans le méat acoustique et elle recouvre l'oreille d'un petit pansement. Le client peut avoir des étourdissements, des nausées et des vomissements dus à la stimulation du labyrinthe pendant la chirurgie. Certains clients ont un nystagmus causé par la perturbation du périlymphe. Le client doit réduire les mouvements soudains qui peuvent causer ou aggraver le vertige. Il doit éviter les actions qui augmentent la pression de l'oreille interne, telles que tousser, éternuer, soulever des objets, se pencher et forcer pendant la défécation.

29.6 Troubles de l'oreille interne

Les vertiges, la surdité de perception et les acouphènes sont trois manifestations d'une maladie de l'oreille interne. Les vertiges proviennent d'un problème dans le labyrinthe vestibulaire, tandis que la surdité de perception et les acouphènes sont associés au canal cochléaire. Il y a un chevauchement entre les manifestations des troubles de l'oreille interne et ceux du système nerveux central (SNC).

CE QU'IL FAUT RETENIR

La maladie de Ménière, dont la cause est inconnue, se manifeste par des crises de vertiges soudaines et graves, avec des nausées, des vomissements, de la transpiration et de la pâleur.

29.6.1 Maladie de Ménière

La **maladie de Ménière** (hypertension endolabyrintique) se caractérise par des symptômes causés par une maladie de l'oreille interne, entre autres, des vertiges épisodiques, des acouphènes, une surdité de perception fluctuante et une sensation de plénitude de l'oreille. Cette maladie handicape considérablement le client en raison des crises de vertige soudaines et graves accompagnées de nausées, de vomissements, de transpiration et de pâleur. Les signes et symptômes apparaissent généralement entre l'âge de 30 et 60 ans.

La cause de cette maladie est inconnue, mais elle provoque une accumulation excessive d'endolymphe dans le labyrinthe membraneux. Le volume d'endolymphe augmente jusqu'à ce que le labyrinthe membraneux se rompe, ce qui entraîne le mélange de l'endolymphe à forte teneur en potassium et du périlymphe à faible teneur en potassium. Les crises peuvent être précédées d'une sensation de plénitude de l'oreille, d'acouphènes accrus et d'une audition atténuée. Le client peut tituber ou même tomber (chute brusque par dérobement des jambes). Certains clients rapportent qu'ils ont l'impression de tourbillonner dans l'espace. Il peut y avoir plusieurs crises par année, et elles peuvent durer quelques heures ou quelques jours. L'évolution clinique de la maladie est très variable.

Soins et traitements infirmiers

CLIENT ATTEINT DE LA MALADIE DE MÉNIÈRE

Le processus thérapeutique en interdisciplinarité auprès d'un client souffrant de la maladie de Ménière comprend l'examen clinique et les examens paracliniques permettant d'éliminer les autres causes possibles, y compris une maladie du système nerveux central **ENCADRÉ 29.14**. Une faible surdité de perception des basses fréquences sur l'audiogramme et des anomalies dans les examens vestibulaires sont indicatives de la maladie de Ménière. Un test au glycérol peut aider à poser un diagnostic. Ce test s'effectue à l'aide d'une dose orale de glycérol, suivie d'un examen d'audiogrammes en série sur une période de trois heures. L'amélioration de l'audition ou de la discrimination des mots confirme le diagnostic de maladie de Ménière. L'amélioration est attribuée à l'effet osmotique du glycérol qui attire le liquide de l'oreille interne. Bien qu'un résultat positif à ce test soit un diagnostic de la maladie de Ménière, un résultat négatif ne l'élimine pas.

Pendant une crise aiguë, des antihistaminiques (diphenhydramine [Benadryl^MD]), des anticholinergiques (atropine) et des benzodiazépines

Processus diagnostique et thérapeutique

ENCADRÉ 29.14 Maladie de Ménière

EXAMEN CLINIQUE ET EXAMENS PARACLINIQUES

- Antécédents de santé et examen physique
- Examens audiométriques, notamment la discrimination de la parole ainsi que le seuil de la disparition du son (sonie)
- Examens vestibulaires, notamment l'examen calorique et l'examen de position
- Électronystagmographie
- Examen neurologique
- Test au glycérol

PROCESSUS THÉRAPEUTIQUE

- Soins en phase aiguë
  - Pharmacothérapie (un ou plus)
    - Sédatifs
    - Benzodiazépines
    - Agents anticholinergiques
    - Antihistaminiques
    - Antiémétiques
  - Traitement chirurgical
    - Intervention chirurgicale classique
    - Dérivation endolymphatique
    - Résection du nerf vestibulaire
    - Intervention chirurgicale destructrice
    - Labyrinthotomie
    - Labyrinthectomie
- Soins ambulatoires et soins à domicile (un ou plus)
  - Diurétiques
  - Antihistaminiques
  - Inhibiteurs calciques
  - Sédatifs
  - Restriction de la consommation de sodium, de caféine, de nicotine, d'alcool et d'aliments contenant du glutamate monosodique (MSG)

(lorazépam [Ativan^MD]) peuvent être utilisés pour réduire les crises vertigineuses rotatoires ainsi que les nausées et les vomissements. Un traitement symptomatique des vertiges aigus est effectué : le repos au lit, des sédatifs et des médicaments antiémétiques ou antivertigineux (dichlorhydrate de bétahistine [Novo-Betahistine^MD]) contre le mal des transports administrés par voie orale, rectale ou intraveineuse. Le client a besoin d'être rassuré et de savoir que cette maladie ne met pas sa vie en danger. Le traitement entre les crises peut inclure des diurétiques, des antihistaminiques, des inhibiteurs calciques et une alimentation à faible teneur en sodium. Pour réduire les vertiges, des médicaments tels que du diazépam (Valium^MD), du dichlorhydrate de bétahistine (Novo-Betahistine^MD) et du fentanyl avec du dropéridol (Inapsine^MD) peuvent être utilisés. Toutefois, les clients doivent apprendre à vivre avec l'aspect imprévisible des crises et de la perte auditive.

Une intervention chirurgicale s'avère nécessaire si la personne a des crises fréquentes et invalidantes, une qualité de vie réduite et si elle risque de perdre son emploi. Le chirurgien effectue une décompression du sac endolymphatique et installe un tube de dérivation endolymphatique afin de réduire la pression exercée sur les cellules ciliées cochléaires et de prévenir des dommages ainsi qu'une perte auditive ultérieurs. Si cela ne soulage pas le client, le nerf vestibulaire peut être réséqué. Dans le cas d'une atteinte unilatérale, l'ablation chirurgicale du labyrinthe est réalisée, ce qui entraîne la perte des fonctions vestibulaire et auditive de la cochlée. Certains clients souffrant d'attaques de vertige graves ont démontré une amélioration après l'injection de gentamicine au travers du tympan (Vibert, Caversaccio & Hausler, 2010). L'injection provoque toutefois des dommages à l'oreille interne ainsi que la réduction de la production d'endolymphe (Vibert *et al.*, 2010).

L'infirmière doit planifier ses interventions pour réduire le plus possible les vertiges du client et assurer sa sécurité. Pendant une crise aiguë, le client doit être installé dans une position confortable dans une pièce calme et sombre. Il faut lui montrer comment éviter les mouvements de la tête ou les changements de position soudains. Les lumières fluorescentes ou vacillantes et le téléviseur peuvent aggraver les manifestations et doivent être évités. Un bassin réniforme doit être mis à la disposition du client, car les vomissements sont fréquents. Pour réduire le risque de chute, l'infirmière doit monter les côtés du lit et mettre celui-ci en position basse. Elle doit avertir le client de demander de l'aide pour sortir du lit. Elle doit administrer les médicaments et les liquides par voie parentérale et surveiller les ingesta et les excreta. Quand la crise est terminée, elle doit aider le client à marcher, car il peut manquer d'assurance et d'équilibre.

CE QU'IL FAUT RETENIR

Durant une crise aiguë de la maladie de Ménière, un environnement calme et sombre, sans télévision ni lumière fluorescente ou vacillante, est indiqué. Le client doit changer de position lentement.

29.6.2 Vertige positionnel paroxystique bénin

Le **vertige positionnel paroxystique bénin** (VPPB) peut être responsable de 50 % des cas de vertige et en est une cause courante. Il est dû à la présence de débris (otholites) qui flottent librement dans les canaux semi-circulaires. Ces débris causent le vertige quand la personne fait certains mouvements de la tête, par exemple, quand elle sort du lit, se tourne dans celui-ci et passe de la position couchée à assise. Les débris en cause sont formés de petits cristaux de carbonate de calcium qui proviennent de l'utricule de l'oreille interne. L'utricule peut être endommagé par un trauma crânien, une infection ou une dégénérescence liée à l'âge. Toutefois, dans de nombreux cas, la cause du vertige reste inconnue.

Les symptômes du VPPB incluent des étourdissements, des vertiges, des pertes d'équilibre et des nausées. Ces symptômes, qui peuvent être confondus avec ceux de la maladie de Ménière, sont généralement intermittents, et le client n'a pas de perte auditive. Le diagnostic est basé sur les résultats des examens auditifs et vestibulaires.

Bien que le VPPB soit incommodant, il est rarement grave à moins qu'il ne cause des chutes. La **manœuvre d'Epley** (ou le repositionnement des otolithes) soulage les symptômes de nombreux clients (Balatsouras, 2012). Cette manœuvre de repositionnement des particules peut être effectuée par des professionnels de la santé en clinique ou enseignée aux clients pour qu'ils l'effectuent à la maison. La manœuvre d'Epley n'élimine pas les débris ; elle les déplace des régions de l'oreille interne où elles causent des symptômes vers des régions où elles n'en génèrent pas.

29.6.3 Névrome acoustique

Un **névrome acoustique** (ou neurinome acoustique) est une tumeur bénigne unilatérale qui se forme au point d'entrée du nerf vestibulocochléaire (nerf crânien VIII) dans le méat acoustique interne. Un diagnostic précoce est important, car la tumeur peut comprimer les nerfs trijumeau et facial ainsi que les artères du méat acoustique interne.

Les premiers signes et symptômes sont dus à la compression et à la destruction du nerf crânien VIII. Ils incluent une surdité de perception unilatérale progressive, une sensation réduite du toucher dans le méat postérieur, un acouphène unilatéral ainsi que des vertiges faibles et intermittents. Les examens paracliniques comprennent les examens neurologique, audiométrique et vestibulaire, des tomodensitogrammes et une IRM avec injection de gadolinium.

L'ablation chirurgicale des petites tumeurs préserve généralement les fonctions auditive et vestibulaire. Les tumeurs de plus grande taille (plus de 3 cm) et la chirurgie nécessaire pour les extraire peuvent causer une surdité et une paralysie faciale permanentes. La radiochirurgie stéréotaxique peut ralentir le développement des tumeurs et préserver le nerf facial. L'infirmière doit demander au client de signaler tout écoulement incolore et clair du nez. Il peut s'agir de liquide cérébrospinal qui augmente le risque d'infection. Elle doit aussi lui expliquer l'importance du suivi après la chirurgie pour surveiller l'audition et la récurrence de la tumeur.

CE QU'IL FAUT RETENIR

La surdité de conduction a pour origine un trouble de l'oreille externe ou moyenne. La surdité de perception provient de l'oreille interne ou du nerf crânien VII. La surdité centrale est causée par un trouble du SNC.

29.6.4 Perte auditive et surdité

Les troubles de l'audition sont une cause courante d'invalidité au Québec. La majorité des gens subissent une perte auditive à l'âge adulte. Près de la moitié des personnes qui ont besoin de soins auditifs sont âgées de 65 ans ou plus. L'incidence des pertes auditives augmente avec le vieillissement de la population. La **FIGURE 29.13** présente les causes des pertes auditives.

Types de pertes auditives

Surdité de conduction

La **surdité de conduction** se produit quand des conditions de l'oreille externe ou moyenne nuisent à la transmission du son dans l'air jusqu'à l'oreille interne. L'otite moyenne avec épanchement est une cause courante de surdité de conduction. Un bouchon de cérumen, la présence d'un corps étranger, l'otospongiose ou le rétrécissement du méat acoustique externe sont d'autres causes possibles (Harkin & Kelleher, 2011).

L'audiogramme montre alors une meilleure audition par conduction osseuse que par conduction aérienne (écart aérien osseux). En général, le client parle à voix basse parce que le son de sa voix (conduite par l'os) lui semble fort. Ce client entend mieux dans un environnement bruyant. Il faut d'abord déterminer et traiter la cause, si possible. S'il s'avère impossible de corriger la cause, une prothèse auditive peut se révéler utile dans le cas d'une perte auditive supérieure à 40 ou 50 dB.

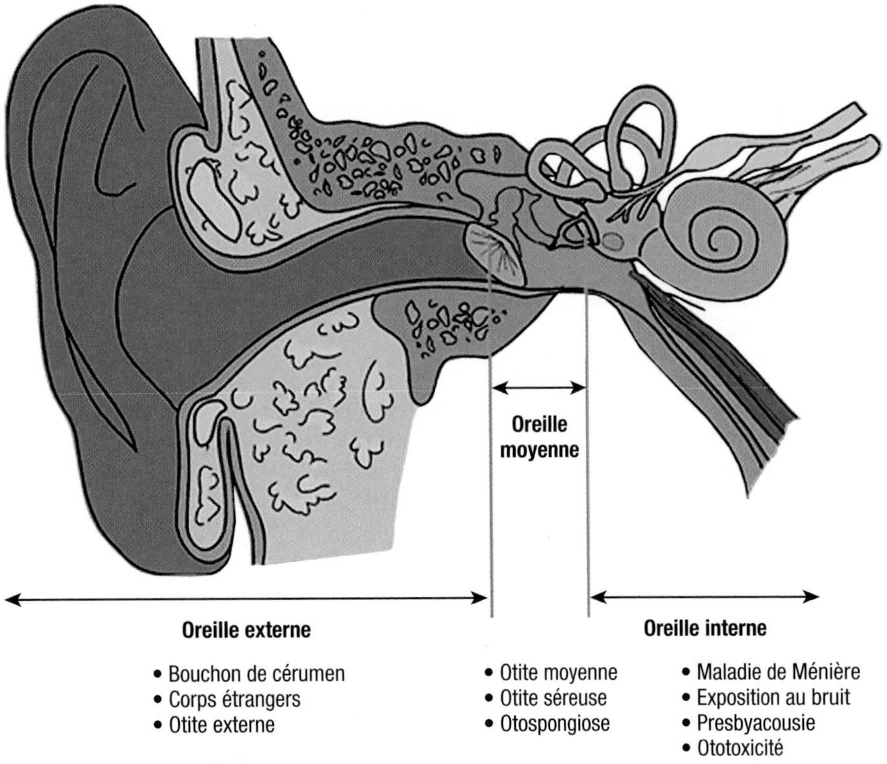

Surdité de perception

La **surdité de perception** est due à une déficience de fonctionnement de l'oreille interne ou du nerf vestibulocochléaire (nerf crânien VIII). Des facteurs congénitaux et héréditaires, l'exposition au bruit intense pendant une longue période, le vieillissement (presbyacousie), la maladie de Ménière et l'ototoxicité peuvent causer une surdité de perception. Des infections systémiques, telles que la maladie osseuse de Paget, des maladies immunitaires, le diabète, la méningite bactérienne et un trauma sont également associés à ce type de perte auditive. Les principales manifestations liées à la surdité de perception sont la capacité d'entendre les sons, mais pas celle de bien comprendre les mots. Ce handicap entraîne fréquemment l'incompréhension de l'entourage quant à cette perte d'audition. La capacité d'entendre les sons aigus, notamment les consonnes, diminue. Les sons deviennent sourds et difficiles à comprendre. Un audiogramme montre une perte de décibels dans les fréquences de 4 000 Hz et, par la suite, de 2 000 Hz. Une prothèse auditive peut aider certains clients ; elle permet seulement d'entendre les sons et les mots plus clairement, mais pas plus fort.

Surdité mixte

La **surdité mixte** est causée par une combinaison des troubles de conduction et de perception. Une évaluation détaillée est nécessaire si une chirurgie de correction de la surdité de conduction est prévue, car la surdité de perception persistera.

Surdités centrale et fonctionnelle

La **surdité centrale** désigne une incapacité d'interpréter le son, notamment les mots, en raison d'un trouble de l'encéphale (système nerveux central). L'infirmière doit consigner les antécédents de santé détaillés, car il y a généralement des cas de surdité dans la famille. Elle doit diriger le client vers un centre de traitement des troubles de l'audition et du langage, s'il y a lieu.

La surdité fonctionnelle peut avoir une origine émotionnelle ou psychologique. Au cours des tests

Oreille externe
- Bouchon de cérumen
- Corps étrangers
- Otite externe

Oreille moyenne
- Otite moyenne
- Otite séreuse
- Otospongiose

Oreille interne
- Maladie de Ménière
- Exposition au bruit
- Presbyacousie
- Ototoxicité

FIGURE 29.13 Causes des pertes auditives

d'audiométrie tonale, le client ne semble pas entendre ou y réagir, mais aucune cause physique à la perte auditive n'est reconnue. Une consultation auprès d'un psychologue peut s'avérer utile.

Classification de la perte auditive

La perte auditive peut aussi être classée en fonction du niveau d'audition ou de perte en décibels (dB) enregistré sur l'audiogramme **TABLEAU 29.4**.

TABLEAU 29.4 Classification de la perte auditive

PERTE AUDITIVE (dB)	SIGNIFICATION
0-15	Audition normale
16-25	Faible perte auditive
26-40	Perte auditive légère
41-55	Perte auditive modérée
56-70	Perte auditive modérément grave
71-90	Perte auditive grave
> 90	Surdité profonde[a]

[a] La plupart des personnes atteintes de surdité profonde le sont depuis leur naissance (surdité congénitale).

Manifestations cliniques

Une personne qui répond aux questions de façon inappropriée, ne répond pas à son interlocuteur quand elle ne le regarde pas, demande aux gens de hausser la voix et se montre irritable envers ceux qui ne parlent pas fort présente les signes précoces et courants d'une perte auditive. Les efforts que fait une personne pour entendre (p. ex., placer les mains autour des oreilles) et une sensibilité accrue à une légère augmentation du niveau de bruit sont d'autres comportements indicateurs d'une perte auditive. Le client n'est généralement pas conscient d'une perte auditive légère. Les premières personnes à le remarquer sont habituellement les membres de la famille et les amis, qui doivent répéter ou parler plus fort. La pression exercée par les proches joue un rôle important dans les démarches faites par le client atteint d'une déficience auditive pour obtenir de l'aide.

La surdité est souvent appelée le handicap invisible, car les intervenants ou les proches se rendent compte de la difficulté de communication seulement lorsqu'ils engagent une conversation avec la personne sourde. Il est très important de s'assurer que celle-ci comprend bien l'information qui lui est transmise sur sa santé. Des mesures d'aide visuelle peuvent être utiles à cette fin. Si la personne a une déficience auditive importante et communique avec la langue des signes, l'infirmière doit s'assurer qu'un interprète transmet l'information, par exemple, celle portant sur le consentement de soins ou le congé.

Les difficultés de communication et d'interaction avec les autres peuvent être la source de nombreux problèmes pour le client et le proche aidant. Souvent, le client refuse d'admettre sa déficience auditive ou il en est inconscient. Le client se montre souvent irritable, car il doit se concentrer pour écouter et comprendre ce qui se dit. Le manque de clarté des paroles entendues est très frustrant pour le client atteint de surdité de perception. Il peut entendre les sons, mais ne pas comprendre ce qui est dit. Une perte auditive en évolution devient souvent une source d'isolement, de soupçons, de perte d'estime de soi et d'insécurité pour la personne atteinte.

CE QU'IL FAUT RETENIR

Une perte auditive en évolution devient souvent une source d'isolement, de soupçons, de perte d'estime de soi et d'insécurité pour la personne atteinte.

Les acouphènes constituent parfois le premier symptôme d'une perte auditive, particulièrement chez les personnes âgées. Ils correspondent à la perception d'un son arrivant dans l'oreille sans qu'il y ait de source externe à ce son, et se présentent sous la forme d'un tintement ou d'un bruit dans la tête (Acouphènes Québec, 2014). Le son perçu peut être faible ou fort, grave ou aigu. Il existe un lien direct entre les acouphènes et la perte auditive. Ces deux troubles sont attribuables à une atteinte nerveuse dans l'oreille interne. La principale différence entre les acouphènes et la perte auditive a trait à la gravité de l'atteinte. Dans le premier cas, l'atteinte auditive n'est pas complète puisque le client entend le son des acouphènes. Si la cause la plus courante des acouphènes est le bruit, ce trouble auditif peut également être un effet indésirable de certains médicaments ototoxiques, mentionnés dans la sous-section suivante.

Soins et traitements infirmiers

CLIENT ATTEINT DE PERTE AUDITIVE ET DE SURDITÉ

Promotion de la santé

Lutte contre le bruit ambiant

Le bruit est la cause la plus évitable de perte auditive. Des bruits soudains, très forts (trauma acoustique) ainsi que l'exposition chronique à des bruits forts peuvent endommager l'oreille. Un trauma acoustique cause une perte auditive en détruisant des parties de l'organe de Corti. La fonction auditive peut se rétablir partiellement dans les premières semaines suivant le trauma,

Jugement clinique

Darian Van Geel, 54 ans, doit prendre du chlorhydrate de vancomycine (Vancocin[MD]) 500 mg par jour pendant 10 jours pour traiter une colite pseudomembraneuse. Devrait-il faire évaluer son audition pendant et après ce traitement ? Justifiez votre réponse.

mais la perte qui persiste sera permanente. La perte auditive causée par le bruit pourrait découler des dommages causés aux cellules ciliées et à la lame basilaire (membrane basilaire).

La fréquence de la surdité de perception due à des bruits ambiants accrus et prolongés, tels qu'un son amplifié, augmente chez les jeunes adultes. Les baladeurs MP3, que les gens écoutent souvent à un volume élevé en raison des bruits ambiants, sont à l'origine d'un nouveau trouble auditif. La musique amplifiée ne devrait pas dépasser 50 % du volume maximal. Il faut porter des protecteurs d'oreilles pour la pratique d'activités telles que le tir d'armes à feu et d'autres loisirs où le niveau de bruit est élevé **ENCADRÉ 29.15**. Il est essentiel de dire aux clients qu'ils doivent éviter de s'exposer à des niveaux de bruit continus supérieurs à 70 dB. La **FIGURE 29.14** décrit la gamme de sons audibles par l'oreille humaine.

Selon les normes de santé et de sécurité du travail, les personnes qui travaillent plus de huit heures par jour dans des milieux où le niveau de bruit dépasse constamment 90 dB doivent porter des protecteurs d'oreilles (Loi sur la santé et la sécurité au travail, 2015). Il existe une variété de protecteurs qui se portent sur ou dans les oreilles pour prévenir les pertes auditives. Les politiques de soins de santé en milieu devraient inclure un dépistage audiométrique périodique. Cela fournirait des données de référence sur l'audition qui permettraient de mesurer les pertes auditives subséquentes.

L'infirmière peut participer aux programmes de préservation de l'audition en milieu de travail. Ces

Promotion et prévention

ENCADRÉ 29.15 Protection contre une perte auditive

- Des protecteurs d'oreilles doivent être portés au cours d'activités sportives et professionnelles où le niveau de bruit est élevé.
- Les protecteurs d'oreilles peuvent grandement réduire les dommages causés aux oreilles par les bruits forts.
- Le dépistage audiométrique périodique joue un rôle important dans la détection d'une perte auditive avant qu'elle progresse.

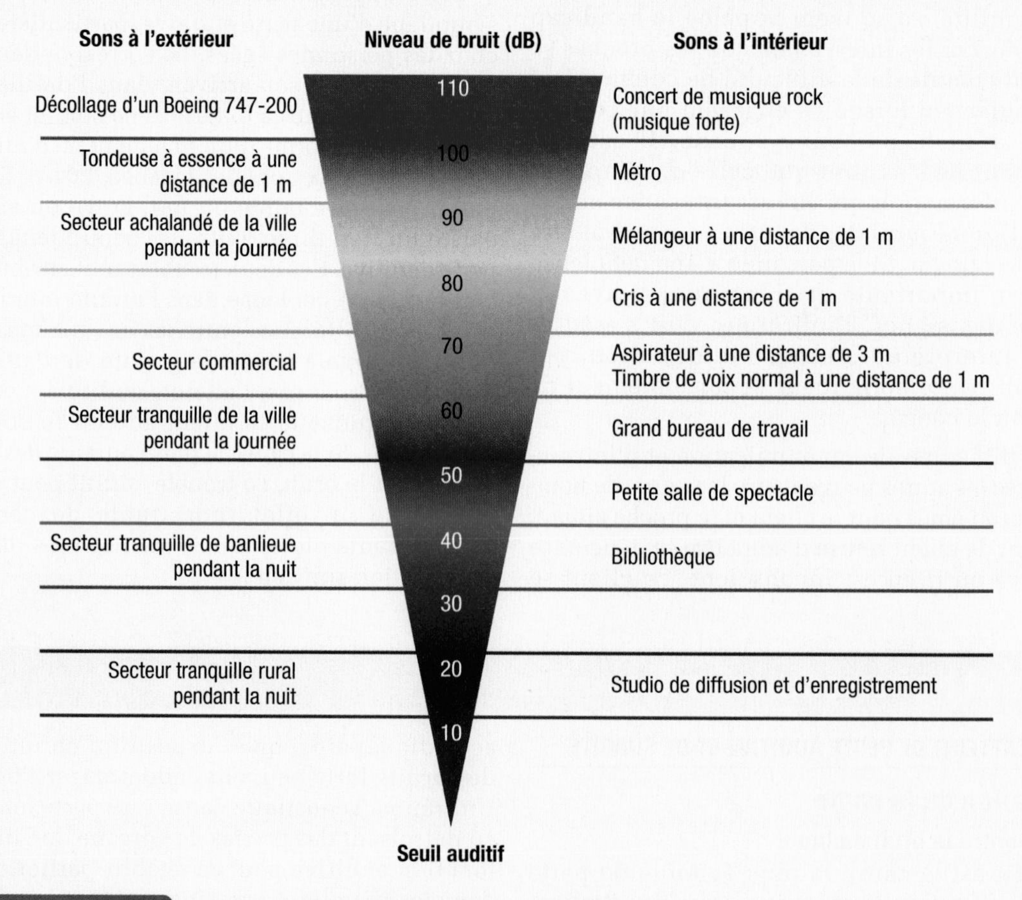

FIGURE 29.14 Gamme de sons audibles par l'oreille humaine

programmes doivent inclure une analyse de l'exposition au bruit, des mesures de lutte contre celle-ci (protecteurs d'oreilles), des mesures de l'audition ainsi que la communication d'avis et d'information aux employeurs et aux employés à ce sujet. Un tel programme est généralement dirigé par une équipe interdisciplinaire composée d'un hygiéniste industriel, d'un ingénieur, d'une infirmière et d'un technicien en audiométrie.

Des protecteurs d'oreilles doivent être portés pour la pratique du tir au pigeon d'argile et de toute autre activité de loisirs où le niveau de bruit est élevé (p. ex., la course automobile). Il faut encourager les jeunes adultes à écouter la musique amplifiée à un niveau raisonnable (pas plus de 50 % du volume maximal) et à limiter leur temps d'écoute. La perte auditive causée par le bruit est irréversible, et la prévention est le meilleur moyen de l'éviter.

Immunisation

Divers virus peuvent causer la surdité en raison de dommages fœtaux et de malformations de l'oreille. L'infirmière doit faire la promotion de l'immunisation des enfants et de l'adulte, notamment l'immunisation contre la rougeole, les oreillons et la rubéole. La rubéole contractée chez la mère au cours des huit premières semaines de la grossesse est associée à un taux de 85 % d'embryopathie rubéolique qui entraîne une surdité neurosensorielle. L'immunité des femmes en âge de procréer doit être vérifiée. Après avoir reçu un vaccin, la femme doit attendre trois mois avant de devenir enceinte. Une femme enceinte doit reporter son immunisation. Les femmes susceptibles de contracter la rubéole peuvent être vaccinées en toute sécurité après leur accouchement.

Surveillance de l'exposition aux substances ototoxiques

Les médicaments et les produits chimiques ototoxiques utilisés dans l'industrie (p. ex., le toluène, le disulfure de carbone, le mercure) peuvent endommager l'oreille interne (Laubach, 2010). Les médicaments ototoxiques sont, entre autres, les salicylates, les diurétiques, les antinéoplasiques et certains antibiotiques. Il faut surveiller les symptômes d'ototoxicité du client qui prend des médicaments ototoxiques ou qui est exposé à des produits chimiques ototoxiques. Les principaux symptômes sont les acouphènes et les troubles d'équilibre. Dans les cas où ces symptômes apparaissent, l'arrêt immédiat de la médication peut prévenir des dommages ultérieurs et éliminer les symptômes.

Prothèses auditives et techniques d'aide à l'audition

Prothèses auditives

Un audiologiste qualifié doit évaluer l'audition du client qui présente une perte auditive. Si une prothèse auditive est indiquée, elle doit être ajustée par un audiologiste ou un orthophoniste. Il existe de nombreux types de prothèses auditives, et chacun présente des avantages et des inconvénients **TABLEAU 29.5**. La prothèse auditive classique est un simple amplificateur. Pour le client atteint d'une

TABLEAU 29.5 Types de prothèses auditives

TYPE SELON SON EMPLACEMENT	AVANTAGES	INCONVÉNIENTS
Entièrement dans le méat (perte auditive légère à modérée)	Prothèse auditive la plus petite et la moins visible ; protégée des sons parasites tels que le bruit du vent.	Coûteuse, pas d'espace pour l'ajout d'accessoires tels que des microphones directionnels ou une commande de volume ; piles petites et de courte durée.
Dans le méat (perte auditive légère à grave)	Plus puissante que les prothèses placées entièrement dans le méat ; possède des dispositifs de réglage, par exemple, pour la réduction du bruit.	Prothèse et accessoires de petite taille difficiles à manipuler par les clients souffrant d'une perte visuelle ou d'arthrite.

TABLEAU 29.5 Types de prothèses auditives *(suite)*

TYPE SELON SON EMPLACEMENT	AVANTAGES	INCONVÉNIENTS
Dans l'oreille (perte auditive légère à grave)	Amplification puissante; s'insère et se règle facilement; piles de plus longue durée.	Visible; peut facilement capter les bruits du vent.
Derrière l'oreille (tous les types de perte auditive)	Prothèse la plus puissante; se règle facilement; piles de plus longue durée.	Prothèse la plus grande et la plus visible, ce qui peut être un inconvénient pour certains clients; les nouveaux modèles peuvent être plus petits et plus discrets.

déficience auditive bilatérale, une prothèse auditive binaurale procure une latéralisation du son plus efficace et une meilleure discrimination de la parole.

CE QU'IL FAUT RETENIR

Le port d'une prothèse auditive demande une adaptation. Le client doit d'abord la porter à la maison, puis graduellement dans de nouveaux environnements sonores à l'extérieur de chez lui.

Le but du port régulier d'une prothèse auditive le jour est d'améliorer l'audition. Les clients motivés et optimistes obtiendront de meilleurs résultats. L'infirmière doit déterminer si le client est prêt à utiliser une prothèse auditive, notamment en évaluant s'il reconnaît son trouble auditif, en précisant quels sont ses sentiments relatifs au port d'une prothèse auditive, quelles sont les conséquences de cette perte auditive sur sa vie et s'il éprouve des difficultés quelconques à manipuler de petits objets, par exemple, à placer la pile dans l'appareil.

Initialement, le client doit seulement utiliser sa prothèse auditive dans des situations calmes à la maison. Il doit d'abord s'adapter aux voix (y compris la sienne) et aux sons de la maison qui sont maintenant différents avec le port de l'appareil. Il doit aussi faire des essais d'augmentation et de diminution de volume, selon la situation. À mesure qu'il s'adapte à l'augmentation des sons et des bruits ambiants, le client peut graduellement essayer de nouveaux environnements sonores, par exemple un endroit où plusieurs personnes parlent en même temps. Il peut ensuite effectuer des essais à l'extérieur, puis dans un centre commercial ou une épicerie. L'adaptation à différents environnements doit se faire graduellement, au rythme du client.

Quand il ne porte pas sa prothèse auditive, le client doit la placer dans un endroit sec et frais où elle ne risque pasde une endommagée ou perdue. Il doit alors débrancher la pile ou la retirer de l'appareil. Puisque la durée de vie moyenne d'une pile est de une semaine, il faut conseiller au client d'acheter des piles pour un mois. Les embouts auriculaires doivent être nettoyés toutes les semaines ou au besoin. Un embout obstrué peut être nettoyé à l'aide d'un cure-dents ou d'un cure-pipe.

Le système auditif implanté au niveau de l'oreille moyenne (p. ex., Esteem^MD, Vibrant Soundbridge Implant^MD) sert à traiter la surdité de perception modérée à grave. Ce système est formé d'appareils de contrôle et de programmation externes ainsi que de trois éléments internes: un processeur vocal, un capteur et un amplificateur. Selon le modèle, l'appareil inclut ou non un élément externe visible. Pour bénéficier d'un tel système, le client doit présenter une surdité de perception bilatérale stable, un fonctionnement normal de la trompe auditive ainsi qu'une anatomie normale de l'oreille moyenne. Tout comme un appareil auditif externe, ce type d'implant permet d'amplifier les sons en utilisant les structures existantes de l'oreille, mais de façon plus efficace.

Lecture labiale

La lecture labiale, communément appelée lecture sur les lèvres, peut faciliter la communication. Elle permet de comprendre environ 40 % des mots parlés. Le client peut utiliser des indices visuels associés à la parole, tels que les gestes et les expressions faciales, pour clarifier le message verbal. Pendant la lecture labiale, la visualisation de nombreux mots est semblable (p. ex., pain et bain). Si le client a des lunettes, il doit les porter pour faciliter la lecture sur les lèvres. L'infirmière doit aider le client en utilisant et en lui enseignant les techniques de communication verbale et non verbale décrites dans l'**ENCADRÉ 29.16**. Si le client utilise une prothèse auditive, il doit la porter.

Langue des signes

La langue des signes est utilisée comme moyen de communication pour les personnes qui ont une déficience auditive grave. Elle consiste à utiliser des gestes et des expressions faciales telles que le mouvement des sourcils, de la bouche et des lèvres.

La langue des signes n'est pas universelle. La langue ASL (*American Sign Language*) est utilisée au Canada anglais, tandis qu'au Québec la langue des signes québécoise (LSQ) est employée.

Implant cochléaire

L'**implant cochléaire** est un appareil auditif effractif utilisé pour les personnes souffrant d'une surdité de perception grave à profonde. Le candidat idéal est une personne devenue sourde après avoir appris à parler. Cet appareil comprend un microphone externe placé derrière l'oreille, un processeur vocal et un transmetteur implantés sous la peau, qui transforment les sons en impulsions électriques, et un groupe d'électrodes placées dans la cochlée, qui stimulent les nerfs auditifs de l'oreille (National Institute on Deafness and Other Communication Disorders, 2014) **FIGURE 29.15**. Les modèles courants produisent des sons plus clairs que les vieux modèles; ils éliminent aussi bon nombre de sons parasites. La création d'un modèle complètement interne est limitée, car le microphone placé sous la peau produit un son sourd.

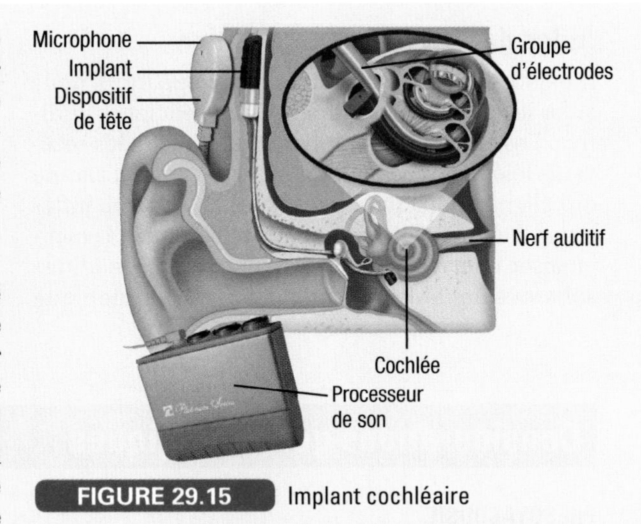

FIGURE 29.15 Implant cochléaire

L'implant cochléaire permet à la personne atteinte de surdité profonde d'entendre les sons de son environnement, y compris la parole, à des niveaux sonores confortables. La qualité de son semble un peu métallique au début, toutefois l'implant permet d'entendre des sons plus aigus. L'implant cochléaire multicanal sert également d'aide à la production de la parole. Un entraînement et une réadaptation poussés (pendant environ trois mois) sont essentiels pour tirer les avantages maximaux de ces appareils. Un implant cochléaire permet à une personne sourde d'entendre des sons, d'améliorer la lecture labiale, de suivre l'intensité des paroles de la personne qui le porte, de hausser le sentiment de sécurité et de réduire celui d'isolement. Grâce à la recherche, l'implant cochléaire permettra peut-être un jour la réadaptation auditive d'un plus grand nombre de gens atteints de déficiences auditives.

Pratiques infirmières suggérées

ENCADRÉ 29.16 Communiquer avec le client souffrant d'une déficience auditive

COMMUNICATION NON VERBALE

- Attirer l'attention du client avec des mouvements de la main.
- S'assurer que le visage de la personne qui s'exprime verbalement est bien éclairé.
- Éviter de couvrir la bouche ou le visage avec les mains.
- Éviter de mastiquer, de manger ou de fumer en parlant.
- Garder un contact visuel avec le client.
- Éviter les endroits où il y a des sources de distraction.
- Éviter les expressions insouciantes que le client peut mal interpréter.
- Utiliser le toucher.
- Parler à proximité de la meilleure oreille du client.
- Éviter les sources de lumière derrière la personne qui parle.

COMMUNICATION VERBALE

- Parler normalement et lentement.
- Ne pas exagérer les expressions faciales.
- Ne pas prononcer les mots exagérément.
- Utiliser des phrases simples.
- Reformuler les phrases, utiliser des mots différents.
- Écrire les noms ou les mots difficiles.
- Éviter de crier.
- Utiliser un ton normal de voix directement dans la meilleure oreille du client.

Aides de suppléance à l'audition

Il existe maintenant de nombreux appareils pour aider les personnes souffrant d'une déficience auditive. Les appareils d'amplification directe, les receveurs téléphoniques amplifiés, les systèmes d'alarme qui clignotent (activés par le son), le système infrarouge d'amplification du son du téléviseur et la combinaison d'un receveur FM avec une prothèse auditive sont tous des aides de suppléance à l'audition que l'infirmière peut envisager en se basant sur les besoins du client. Un téléscripteur avertisseur qui clignote lorsqu'il est activé par le son, un sous-titre codé à la télévision et un chien spécialement entraîné peuvent être utiles aux personnes atteintes de surdité profonde. Les chiens sont dressés pour avertir leur propriétaire de sons particuliers qu'ils entendent dans l'environnement. La personne se sent ainsi plus en sécurité et est plus autonome.

Considérations gérontologiques

CE QU'IL FAUT RETENIR

Pour le client atteint de presbyacousie, l'amplification du son avec un appareil approprié améliore généralement la compréhension de la parole. Cependant, certaines personnes sont réticentes à utiliser une prothèse auditive.

PRESBYACOUSIE

La **presbyacousie**, une perte auditive liée à l'âge, comprend la perte de sensibilité auditive périphérique, une diminution de la capacité de reconnaissance des mots ainsi que les troubles psychologiques et de communication associés. Puisque les consonnes (des sons à haute fréquence) sont des lettres qui permettent de reconnaître les mots parlés, une personne âgée souffrant de presbyacousie a beaucoup de difficulté à comprendre les mots exprimés verbalement. Elle entend les voyelles, mais ne peut différencier certaines consonnes à haute fréquence. La différence entre ce qui est dit et ce qui est entendu peut devenir une source de confusion et de situations embarrassantes.

La cause de la presbyacousie est associée aux changements dégénératifs de l'oreille interne. Il semble que l'exposition au bruit soit couramment liée à cette affection. Le **TABLEAU 29.6** détaille la classification de causes particulières de la presbyacousie et des changements auditifs qu'elle entraîne. Une même personne présente souvent plus d'un type de presbyacousie. Le pronostic d'audition dépend de la cause de la perte auditive. L'amplification du son avec un appareil approprié améliore généralement la compréhension de la parole. Dans d'autres situations, un programme de réadaptation audiologique peut s'avérer utile.

La personne âgée est généralement réticente à utiliser une prothèse auditive d'amplification du son (Laubach, 2010). Les raisons données incluent souvent le coût, l'apparence, une connaissance insuffisante des prothèses auditives, l'amplification des sons parasites ainsi que des attentes irréalistes. Puisque la plupart des prothèses auditives sont petites, leur entretien s'avère souvent difficile et frustrant pour la personne âgée qui souffre de changements neuromusculaires, tels que la rigidité des doigts, l'élargissement des articulations et une perception sensorielle réduite. Certaines personnes âgées ont également tendance à considérer leurs déficiences comme une conséquence normale du vieillissement et ne voient pas la nécessité d'améliorer leur état.

TABLEAU 29.6 Classification de la presbyacousie

TYPE	CAUSE	CHANGEMENT AUDITIF ET PRONOSTIC
Sensorielle	Atrophie du nerf auditif ; perte des cellules ciliées sensorielles	Perte des sons aigus ; peu d'effet sur la compréhension de la parole ; bonne réaction à l'amplification du son
Neurale	Changements dégénératifs de la cochlée et du ganglion spinal	Perte de discrimination de la parole ; amplification seule insuffisante
Métabolique	Atrophie des vaisseaux sanguins des parois de la cochlée avec altération de l'alimentation (diminution des nutriments essentiels)	Perte uniforme de toutes les fréquences accompagnée de recrutement[a] ; bonne réaction à une prothèse auditive
Cochléaire	Raidissement de la lame basilaire, nuisant à la transmission du son dans la cochlée	Augmentation de la perte auditive des fréquences faibles à élevées ; discrimination de la parole touchée par la perte des hautes fréquences ; formes appropriées d'amplification utiles

[a] Augmentation anormalement rapide de la sonie quand l'intensité du son augmente (aussi appelée phénomène de Fowler).

Analyse d'une situation de santé — Jugement clinique

Georges Bellavance, âgé de 89 ans, présente une dégénérescence maculaire aux deux yeux en plus d'une surdité presque complète aux deux oreilles. Il habite seul depuis que son épouse est décédée il y a deux mois. Comme il présente également de la fibrillation auriculaire, l'infirmière du service de maintien à domicile du CISSS le visite chaque semaine pour un prélèvement sanguin afin de vérifier le temps de prothrombine et le rapport international normalisé.

Monsieur Bellavance est relativement autonome. Il peut encore faire des mots croisés malgré une perte de vision centrale ; il s'oriente assez bien dans sa demeure et reconnaît la couleur de ses vêtements selon leur texture. Une aide familiale cuisine des repas à l'avance, et il est capable de les faire réchauffer au four à microondes. Il ne peut être déclaré légalement aveugle et ne connaît pas le braille.

L'infirmière a remarqué que le robinet de l'évier de cuisine laissait couler un jet continu d'eau chaude, ce que monsieur Bellavance ne peut voir ni entendre. Il est toutefois capable d'utiliser le lave-vaisselle. Il ne porte pas d'appareils auditifs, ayant toujours refusé cette aide technique.

Mise en œuvre de la démarche de soins

Collecte de données – Évaluation initiale – Analyse et interprétation

1. Trouvez deux autres éléments que l'infirmière pourrait évaluer par rapport au problème visuel de monsieur Bellavance.
2. Serait-il approprié de vérifier l'agencement des couleurs dans l'habillement du client ? Justifiez votre réponse.
3. Nommez trois données que l'infirmière devrait recueillir par rapport au problème d'audition de monsieur Bellavance.
4. Comment l'infirmière peut-elle déterminer si le client a bien entendu ce qu'elle lui a dit ?
5. Comme l'infirmière visite monsieur Bellavance à chaque semaine, elle décide d'établir un plan thérapeutique infirmier (PTI) pour assurer un suivi de la condition clinique du client. À la lumière des données de la mise en contexte, quel problème prioritaire relevez-vous chez ce client ? Inscrivez votre réponse vis-à-vis du numéro 2 dans la section *Constats de l'évaluation* de l'extrait du PTI présenté.

Extrait

CONSTATS DE L'ÉVALUATION

Date	Heure	N°	Problème ou besoin prioritaire	Initiales	RÉSOLU / SATISFAIT			Professionnels / Services concernés
					Date	Heure	Initiales	
2016-04-30	*10:00*	*2*						

Signature de l'infirmière	Initiales	Programme / Service	Signature de l'infirmière	Initiales	Programme / Service

6. Nommez au moins quatre éléments ayant trait à la sécurité de monsieur Bellavance que l'infirmière devrait vérifier à l'intérieur de son domicile.

Récemment vu dans ce chapitre

Compte tenu des pertes auditive et visuelle de monsieur Bellavance, que peut faire l'infirmière pour favoriser la communication avec lui ?

Récemment vu dans ce chapitre

Puisque monsieur Bellavance est atteint de DMLA, serait-il pertinent que l'infirmière lui suggère un dépistage de glaucome régulier ? Justifiez votre réponse.

Planification des interventions – Décisions infirmières

7. L'infirmière inscrit la directive suivante dans l'extrait du PTI de monsieur Bellavance : *Avant d'utiliser l'eau du robinet, tester sa température en faisant couler l'eau sur un objet métallique, comme une cuillère ou un couteau (+ dir. verb. client et aide fam.).* Cette directive est-elle acceptable ? Expliquez votre réponse.

Extrait

SUIVI CLINIQUE							
Date	Heure	N°	Directive infirmière	Initiales	CESSÉE / RÉALISÉE		
					Date	Heure	Initiales
2016-04-30	*10:00*	*2*	*Avant d'utiliser l'eau du robinet, tester sa température*				
			en faisant couler l'eau sur un objet métallique, comme				
			une cuillère ou un couteau (+ dir. verb. client et aide fam.)	*B.L.*			

Signature de l'infirmière	Initiales	Programme / Service	Signature de l'infirmière	Initiales	Programme / Service
Béatrice Latour	*B.L.*	*Maintien à domicile*			

8. Pour assurer le suivi clinique du problème prioritaire relevé, formulez une autre directive infirmière à appliquer au cours de la prochaine visite, et ajoutez-la à l'extrait du PTI du client.

Extrait

SUIVI CLINIQUE							
Date	Heure	N°	Directive infirmière	Initiales	CESSÉE / RÉALISÉE		
					Date	Heure	Initiales
2016-04-30	*10:00*	*2*	*Avant d'utiliser l'eau du robinet, tester sa température*				
			en faisant couleur l'eau sur un objet métallique comme				
			une cuillère ou un couteau (+ dir. verb. client et aide fam.)	*B.L.*			

Signature de l'infirmière	Initiales	Programme / Service	Signature de l'infirmière	Initiales	Programme / Service
Béatrice Latour	*B.L.*	*Maintien à domicile*			
		Maintien à domicile			

Évaluation des résultats – Évaluation en cours d'évolution

9. Qu'est-ce qui confirmerait que monsieur Bellavance applique la directive énoncée par l'infirmière ?

APPLICATION DE LA PENSÉE CRITIQUE

Dans l'application de la démarche de soins auprès de monsieur Bellavance, l'infirmière a recours aux éléments du modèle de la pensée critique pour analyser la situation de santé du client et en comprendre les enjeux. La **FIGURE 29.16** résume les caractéristiques de ce modèle en fonction des données de ce client, mais elle n'est pas exhaustive.

VERS UN JUGEMENT CLINIQUE

CONNAISSANCES

- Manifestations de la dégénérescence maculaire
- Caractéristiques des visions centrale et périphérique
- Mesures d'aide technique à la vue et à l'audition
- Particularités de l'approche à une personne présentant un déficit sensoriel
- Facteurs de risque de blessures
- Atteinte normale des organes des sens en raison du vieillissement

EXPÉRIENCES

- Soins aux clients atteints de déficits auditif et visuel
- Prévention des blessures à domicile
- Approche de la personne âgée

NORMES

- Sécurité à domicile
- Critères pour déclarer une personne légalement aveugle

ATTITUDES

- Ne pas considérer les troubles sensoriels de monsieur Bellavance comme normaux à cause de son âge
- Respecter et favoriser l'autonomie du client malgré ses déficits sensoriels

PENSÉE CRITIQUE

ÉVALUATION

- Vision périphérique de monsieur Bellavance
- Gravité de la perte auditive
- Moyens qu'il prend pour compenser ses déficits sensoriels
- Degré d'autonomie dans ses AVQ malgré ses déficits sensoriels
- Risques de brûlures et d'autres accidents

JUGEMENT CLINIQUE

FIGURE 29.16 Application de la pensée critique à la situation de santé de monsieur Bellavance

Chapitre 30

ÉVALUATION CLINIQUE

Système tégumentaire

Écrit par:
Shannon Ruff Dirksen, RN, PhD, FAAN

Adapté par:
Annabelle Rioux, M. Sc, IPSPL

Mis à jour par:
Chantal Labrecque, inf., M. Sc.

MOTS CLÉS

Alopécie 89
Apocrines.............................. 90
Derme 88
Eccrines 90
Épiderme 88
Hypoderme 89
Kératinocytes 88
Lésions cutanées 95
Mélanocytes 88
Naevus 102
Purpuras 98
Prurit 95

OBJECTIFS

Après avoir étudié ce chapitre, vous devriez être en mesure:

- de décrire l'anatomie et la physiologie du système tégumentaire;
- de résumer les changements liés à l'âge que subit le système tégumentaire et les différences qu'ils entraînent dans les résultats d'évaluation;
- de préciser les données subjectives et objectives qu'il faut recueillir sur le système tégumentaire du client;
- d'énoncer les éléments essentiels de la description d'une lésion primaire et d'une lésion secondaire;
- de décrire les techniques utilisées pour l'évaluation physique du système tégumentaire;
- d'expliquer les différences dans la structure et dans l'évaluation d'une personne à la peau pâle ou à la peau foncée;
- de spécifier le but des examens paracliniques du système tégumentaire, la signification de leurs résultats et les responsabilités infirmières qui s'y rattachent.

Disponible sur 

- À retenir
- Carte conceptuelle
- Pour en savoir plus
- Solutionnaire des questions de Jugement clinique
- Solutionnaire des questions Réactivation des connaissances

Concepts clés

Cette carte conceptuelle illustre schématiquement les principaux concepts décrits dans le présent chapitre. Sa lecture vous permettra d'avoir une vue d'ensemble des notions qui y sont présentées.

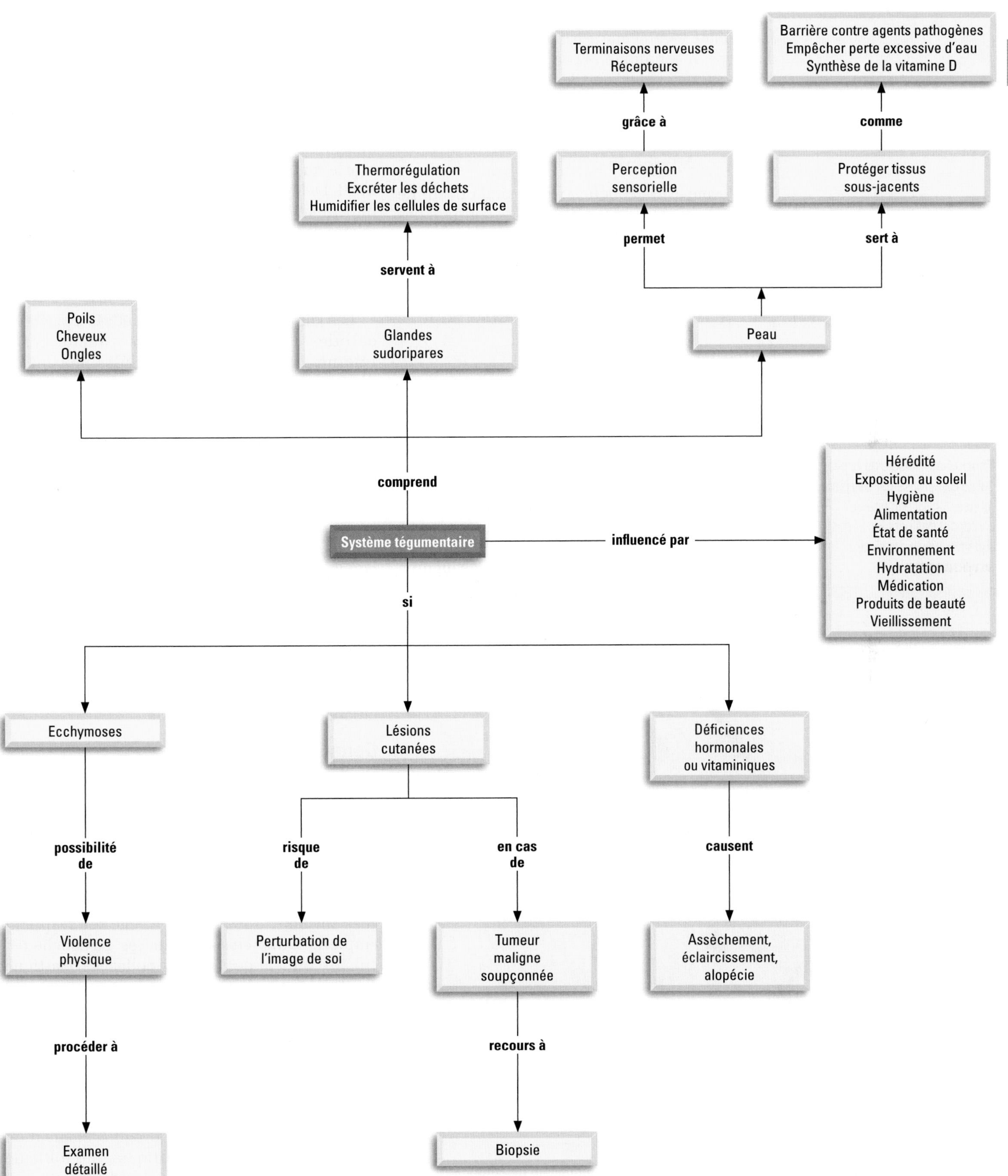

30.1 Anatomie et physiologie du système tégumentaire

Le système tégumentaire est le plus grand organe du corps. Il comprend la peau, les poils, les cheveux, les ongles ainsi que des glandes. La peau est formée de trois couches, soit l'épiderme, le derme et l'hypoderme.

30.1.1 Anatomie

L'épiderme est la couche externe de la peau. Le derme, deuxième couche de la peau, contient des faisceaux de collagène ainsi que des réseaux nerveux et vasculaires. L'hypoderme, la couche sous-cutanée, se situe immédiatement sous le derme et est principalement composé de tissu adipeux et de tissu conjonctif lâche **FIGURE 30.1**.

Épiderme

L'épiderme est la mince couche superficielle et avasculaire de la peau. Elle est constituée d'une couche externe et d'une couche plus profonde. La couche externe se nomme la couche cornée et est faite de peau morte qui sert de barrière protectrice. La couche plus profonde se nomme la couche basale interne et est constituée de peau vivante, qui se fond dans le derme. L'épaisseur totale de ces deux couches est de 0,05 à 0,10 mm. L'épiderme est nourri par les vaisseaux sanguins du derme. Ses cellules se renouvellent tous les 28 jours. Les deux principaux types de cellules épidermiques sont les mélanocytes (5 %) et les kératinocytes (90 %) (Patton, Thibodeau & Douglas, 2012).

Psoriasis : Maladie de la peau qui se caractérise par des plaques rouges et bien délimitées, contenant des papules et des squames (sorte de petites écailles de peau).

Les mélanocytes se trouvent dans la couche basale profonde de l'épiderme (ou *stratum germinativum*). Ils contiennent les mélanosomes, qui synthétisent la mélanine. Celle-ci est un pigment qui colore la peau, les poils, les cheveux et qui protège le corps contre le rayonnement ultraviolet (UV) nocif. La lumière solaire et certaines hormones stimulent la production de mélanine. Les différentes teintes de la peau dépendent de la quantité de mélanine produite : plus il y a de mélanine, plus la peau est foncée (Freedberg, Eizen, Wolff *et al.*, 2008 ; Goldsmith, Katz, Gilcrest *et al.*, 2012).

Les kératinocytes sont synthétisés à partir des cellules épidermiques de la couche basale interne. Initialement, ces cellules ne sont pas différenciées. Pendant leur maturation (kératinisation), elles se déplacent vers la surface où elles s'aplatissent et meurent pour former la couche externe de la peau (couche cornée ou *stratum corneum*). Les kératinocytes produisent une protéine fibreuse, la kératine, essentielle au fonctionnement de la barrière protectrice de la peau. Les kératinocytes prennent environ 4 semaines (28 jours) à monter de la couche basale à la couche cornée (couche externe). Si les cellules mortes tombent trop vite, la peau a une apparence mince et érodée. Si la formation des nouvelles cellules est plus rapide que la chute des vieilles cellules, la peau devient squameuse et s'épaissit. Des changements dans le cycle cellulaire sont à l'origine de nombreux troubles cutanés, tels que le **psoriasis**.

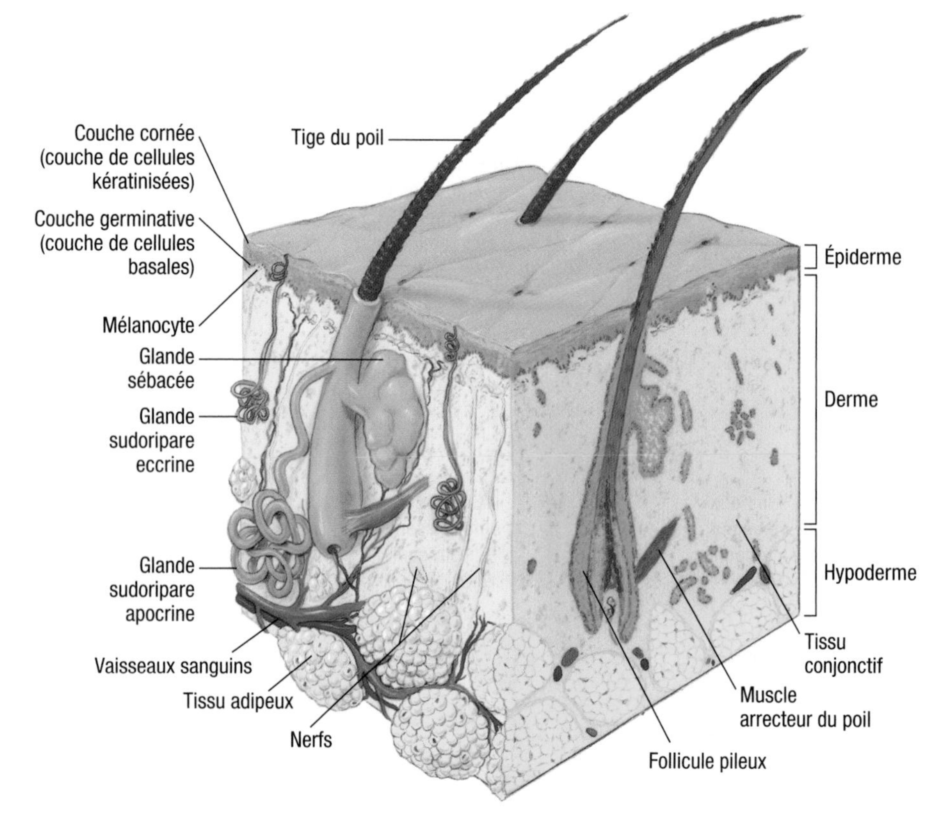

FIGURE 30.1 Vue microscopique d'une coupe longitudinale de la peau

Derme

Le derme est le tissu conjonctif situé sous l'épiderme. Il a une épaisseur de 1 à 4 mm et est hautement vascularisé. Le derme se compose de deux couches : le derme papillaire et le derme réticulaire. La couche papillaire contient des projections (ou papilles) qui s'étendent dans la couche supérieure de l'épiderme. Ces papilles de surface exposées forment des motifs congénitaux appelés empreintes digitales et plantaires. La couche réticulaire contient des fibres de collagène, élastiques et réticulaires, ce qui la rend plus épaisse comparativement à la couche papillaire.

Le collagène forme la majeure partie du derme. C'est lui qui confère à la peau sa force mécanique. Il est principalement formé de fibroblastes, des cellules qui produisent des fibres de collagène et d'élastine et qui jouent un rôle important dans la cicatrisation. Le derme comprend également des nerfs, des vaisseaux lymphatiques, des follicules pileux des glandes sébacées et sudoripares.

Hypoderme

L'hypoderme est situé sous le derme, et il relie la peau aux tissus sous-jacents tels que les muscles et les os. L'hypoderme est formé de tissu conjonctif lâche et de cellules adipeuses qui procurent une isolation. La répartition anatomique de l'hypoderme varie en fonction du sexe, de l'hérédité, de l'âge et de l'état nutritionnel. De plus, cette couche emmagasine des lipides, régule la température et absorbe les chocs.

Annexes de la peau

Les annexes de la peau sont les poils, les cheveux, les ongles, les glandes sébacées et les glandes sudoripares. Ces structures se forment à partir de l'épiderme et reçoivent les nutriments, les électrolytes et les liquides du derme. Les poils, les cheveux et les ongles se forment à partir d'une kératine spécialisée qui durcit.

Les poils poussent sur la majeure partie du corps, à l'exception des lèvres, de la paume des mains et de la plante des pieds (Thibodeau & Patton, 2012). Leur couleur est héréditaire et est déterminée par le type et la quantité de mélanine contenue dans la tige du poil. Les cheveux poussent d'environ 1 cm par mois, et leur vitesse de croissance n'est pas modifiée par leur coupe (Goldsmith *et al.*, 2012). Une personne perd environ 100 cheveux par jour (Goldsmith *et al.*, 2012). La calvitie ou l'**alopécie** (chute totale ou partielle des cheveux) se produit quand les cheveux perdus ne sont pas remplacés. L'alopécie a de multiples causes possibles. Elle peut être héréditaire ou causée par une maladie ou un traitement. Chez l'homme, l'alopécie androgénétique (calvitie de type masculin) est fréquente. Elle débute sur les tempes et évolue vers un amincissement diffus pouvant mener à une perte complète des cheveux. La calvitie de type féminin se caractérise par une raréfaction des cheveux dans les régions frontales et pariétales et est également de cause androgénétique. L'alopécie peut aussi être d'étiologie médicamenteuse. La radiothérapie et la chimiothérapie en sont les causes les plus fréquentes, mais elle peut également être produite par la prise de warfarine, de lithium, de certains antiacides ou par l'intoxication à la vitamine A. Des modifications endocrines comme l'hypothyroïdie ou l'hyperthyroïdie, des causes physiologiques comme la ménopause ou le postpartum, ainsi qu'un stress psychologique peuvent également entraîner une perte massive de cheveux (Goldsmith *et al.*, 2012).

Les ongles se forment à partir d'une matrice. Celle-ci, couramment appelée lunule, est la tache blanchâtre en forme de croissant visible à la base de la tablette unguéale **FIGURE 30.2**. Sous le corps de l'ongle se trouve le lit de l'ongle. Celui-ci supporte l'ongle, qui y adhère. La cuticule est une partie de la peau (couche cornée) qui s'avance sur une courte partie du corps de l'ongle. Les ongles de doigts poussent de 0,70 à 0,84 mm par semaine. La croissance des ongles d'orteils est de 30 à 50 % plus lente. Les ongles peuvent être endommagés par un trauma direct. Un ongle de doigt perdu se régénère généralement en 3 à 6 mois, tandis qu'un ongle d'orteil peut prendre 12 mois ou plus à se reformer. La croissance des ongles peut varier selon l'âge et l'état de santé. La couleur des ongles fluctue de rose à jaune ou brun selon la couleur de la peau. Environ 90 % des personnes à peau foncée ont des bandes pigmentaires longitudinales (mélanonychies longitudinales) sur le lit de l'ongle **FIGURE 30.3**.

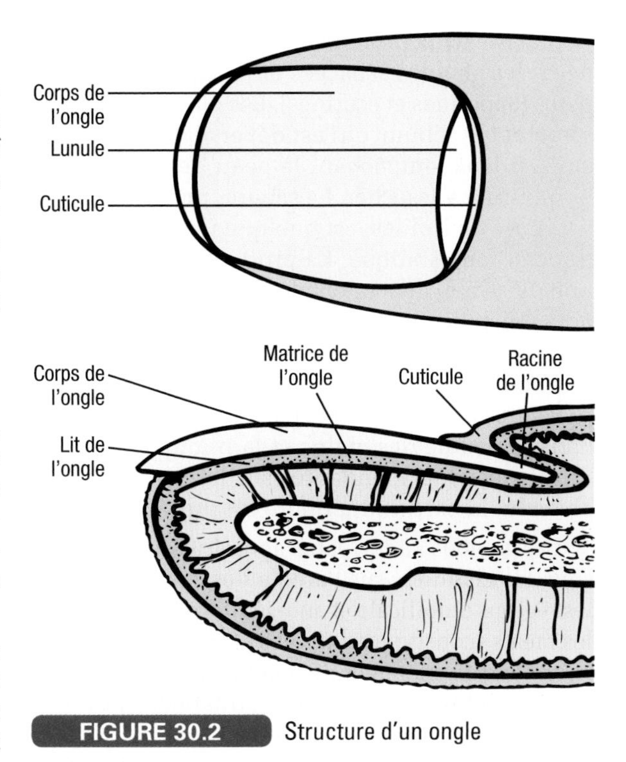

FIGURE 30.2 Structure d'un ongle

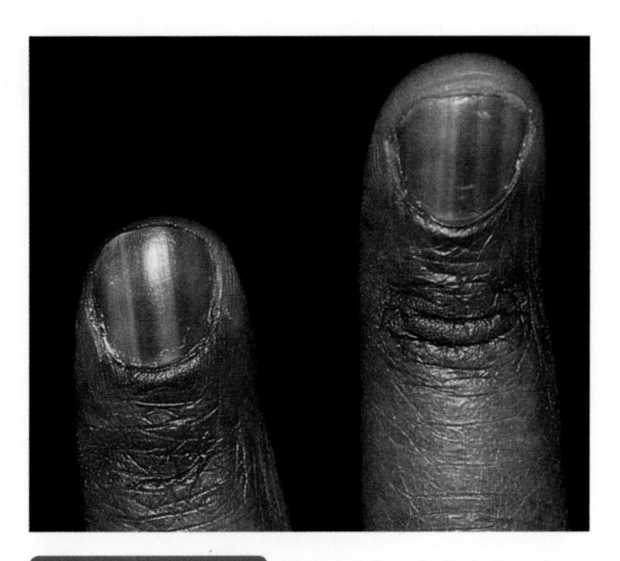

FIGURE 30.3 Pigmentation du lit de l'ongle normalement observée chez les personnes à peau foncée

30

Réactivation des connaissances

Quel est l'élément essentiel à la production de la vitamine D par la peau ?

Il existe deux principaux types de glandes cutanées : les glandes sébacées et les glandes sudoripares (apocrines et eccrines). Les glandes sébacées sécrètent le sébum, qui est déversé dans les follicules pileux, empêchant la peau, les cheveux et les poils de s'assécher. Le sébum, principalement composé de lipides, est quelque peu bactériostatique et fongistatique. La production et la sécrétion du sébum dépendent des hormones sexuelles, notamment les androgènes. La sécrétion de sébum varie au cours de la vie selon la concentration en hormones sexuelles. Les glandes sébacées sont présentes dans toutes les parties de la peau, sauf dans la paume des mains et la plante des pieds. Elles sont plus abondantes sur le visage, le cuir chevelu, la partie supérieure du thorax et le dos.

Les glandes sudoripares apocrines sont situées sous les aisselles, sur l'aréole des mamelons, sur les régions ombilicale et ano-génito-périnéale, dans les méats acoustiques externes et sur les paupières. Leur conduit excréteur débouche dans un follicule pileux. Elles sécrètent une substance laiteuse épaisse d'une composition inconnue qui dégage une odeur quand elle est modifiée par les bactéries présentes à la surface de la peau. Ces glandes grossissent et deviennent actives à la puberté en raison de l'action des hormones reproductrices.

Les glandes sudoripares eccrines sont présentes sur tout le corps, sauf à quelques endroits, tels que les lèvres. Il y en a environ 3 000 dans 6,25 cm^2 de peau. Leur canal excréteur débouche sur un pore à la surface de la peau. La sueur que produisent ces glandes est un liquide transparent composé d'eau, de sels, d'ammoniaque, d'urée et d'autres déchets. La principale fonction des glandes eccrines est de rafraîchir le corps par évaporation, d'excréter les déchets par les pores de la peau et d'humidifier les cellules de surface.

CE QU'IL FAUT RETENIR

La peau a cinq rôles principaux : elle est une barrière physique et immunologique contre l'invasion microbienne ; elle assure la thermorégulation ; elle prévient la perte excessive d'eau ; elle permet la perception sensorielle et la synthèse de la vitamine D.

30.1.2 Physiologie

La principale fonction de la peau est de protéger les tissus sous-jacents du corps contre le milieu externe. La peau agit aussi comme une barrière contre l'invasion microbienne et elle empêche les pertes excessives d'eau. La graisse de l'hypoderme isole le corps et le protège contre les traumas.

La peau, grâce à ses terminaisons nerveuses et à ses récepteurs, permet la perception sensorielle des stimulus environnementaux. Ses terminaisons nerveuses hautement spécialisées fournissent de l'information à l'encéphale sur la douleur, la chaleur, le froid, le toucher, la pression et les vibrations. La peau permet une régulation thermique en réagissant aux changements des températures interne et externe grâce à la vasoconstriction ou à la vasodilatation. La fonction excrétrice de la peau joue aussi un rôle dans la régulation de la chaleur. Le corps perd de 600 à 900 mL d'eau chaque jour par une transpiration imperceptible. Cette fonction excrétrice assure l'homéostasie des liquides et des électrolytes. De plus, la peau sécrète du sébum et de la sueur, qui lubrifient sa surface. L'épiderme est le site de synthèse endogène de la vitamine D, qui est essentielle à l'absorption et à l'équilibre en calcium et en phosphore. La vitamine D est synthétisée par l'action du rayonnement UV sur les précurseurs de la vitamine D dans les cellules épidermiques.

Les fonctions esthétiques de la peau comprennent l'expression de diverses émotions, telles que la colère ou la gêne, ainsi que de l'apparence caractéristique d'une personne. Aussi, le rôle de l'absorption cutanée est bien connu, et un nombre croissant de médicaments systémiques sont efficacement administrés par voie transcutanée à l'aide de crèmes ou de timbres appliqués directement sur la peau.

Considérations gérontologiques

EFFETS DU VIEILLISSEMENT SUR LE SYSTÈME TÉGUMENTAIRE

De nombreux changements de la peau sont liés au vieillissement. Beaucoup de ces changements ne sont pas graves, sauf pour des raisons esthétiques, mais d'autres le sont et nécessitent une évaluation attentive. Les changements du système tégumentaire liés au vieillissement et les différentes observations qui en découlent sont présentés au **TABLEAU 30.1**.

La vitesse des changements cutanés liés au vieillissement dépend de l'hérédité, des antécédents d'exposition au soleil, de l'hygiène, de l'alimentation et de l'état de santé général de la personne. Ces changements cutanés sont, entre autres, une turgescence réduite, l'amincissement, la sécheresse et la fragilité accrue de la peau, ainsi que des lésions vasculaires et des néoplasmes bénins.

La jonction entre le derme et l'épiderme s'amincit, et la quantité de mélanocytes décroît dans l'épiderme. De plus, le volume et la vascularisation du derme diminuent. Les cheveux ainsi que les poils pubiens et axillaires perdent leur pigmentation et

Changements liés à l'âge

TABLEAU 30.1 Système tégumentaire

CHANGEMENTS	OBSERVATIONS AU COURS DE L'ÉVALUATION
Peau	
↓ quantité de tissus adipeux sous-cutanés, relâchement des muscles, dégénérescence des fibres élastiques, durcissement du collagène	↑ nombre de rides, affaissement des seins et de l'abdomen, replis cutanés autour des yeux, pli cutané persistant au moment de l'évaluation de la turgescence de la peau
↓ quantité d'eau extracellulaire, ↓ lipides superficiels et activité des glandes sébacées	Peau sèche et squameuse qui peut présenter des signes d'excoriation causée par le grattage
Activité réduite des glandes apocrines et sébacées	Peau sèche, transpiration faible ou nulle
↑ fragilité et ↑ perméabilité capillaires	Ecchymoses
↑ nombre de mélanocytes en foyer, dans la couche basale et accumulation de pigments	Lentigos séniles sur le visage et le dos des mains
↓ circulation sanguine et ↓ perception sensorielle	↓ couleur rosée de la peau et des muqueuses, peau fraîche au toucher, sensibilité réduite à la douleur, au toucher, à la température et aux vibrations périphériques
↓ capacité de prolifération	Vitesse de cicatrisation réduite
↓ immunocompétence	↑ risque infectieux et ↑ lésions néoplasiques
Poils et cheveux	
↓ quantité de mélanine et ↓ mélanocytes	Poils et cheveux gris ou blancs
↓ quantité de sébum	Poils secs et rudes, cuir chevelu squameux
Densité réduite des poils et des cheveux	Éclaircissement et chute des cheveux, chute des poils de la moitié ou du tiers externe des sourcils et des mollets
Effet cumulatif des androgènes, ↓ concentration des œstrogènes	Hirsutisme, calvitie
Ongles	
↓ circulation sanguine périphérique	Ongles épais et cassants, croissance réduite
↑ quantité de kératine	Apparition de crêtes longitudinales
Circulation sanguine réduite	Retour capillaire lent après une pression sur l'ongle

s'éclaircissent. Les cheveux et les poils grisonnent ou blanchissent en raison de la diminution de mélanine. Les ongles s'amincissent et deviennent plus fragiles et plus sujets aux cassures et au jaunissement. Ils peuvent aussi s'épaissir avec l'âge, surtout les ongles d'orteils.

L'exposition chronique au rayonnement UV est la principale cause de photovieillissement et d'apparition de rides sur la peau (Helfrich, Sachs & Voorhees, 2008). Les dommages cutanés causés par le soleil sont cumulatifs **FIGURE 30.4**. L'apparition des rides est plus marquée sur les parties du corps exposées au soleil, par exemple sur le visage, que sur les parties non exposées, telles que les fesses. Une mauvaise alimentation contribue au vieillissement de la peau à cause de l'apport réduit en protéines, de calories et de vitamines. Avec l'âge, les fibres de collagène durcissent, les fibres élastiques dégénèrent, et la quantité de tissus sous-cutanés diminue. Ces changements, ajoutés aux effets de la gravité, provoquent l'apparition de rides.

CE QU'IL FAUT RETENIR

Chez la personne âgée, la quantité réduite de graisses sous-cutanées augmente le risque de traumatismes, d'hypothermie et de déchirures de la peau, ce qui peut causer des lésions de pression.

Des tumeurs bénignes liées au vieillissement peuvent apparaître sur la peau, entre autres, des kératoses séborrhéiques, des lésions vasculaires telles que des taches de Morgan (tache de rubis) et des acrochordons. Les kératoses actiniques apparaissent sur les parties du corps constamment exposées au soleil, particulièrement chez les personnes au teint clair et aux yeux pâles (bleus, verts ou noisette). Ces lésions cutanées précancéreuses augmentent le risque de carcinome spinocellulaire et de carcinome basocellulaire, deux types de cancer cutané. Une personne qui a subi un photovieillissement est plus susceptible d'avoir un cancer de la peau en raison de sa capacité réduite à réparer les dommages cellulaires (notamment de l'ADN) dus au rayonnement UV. L'exposition chronique à ce type de rayonnement dans une cabine de bronzage cause les mêmes dommages que l'exposition aux rayons UV du soleil.

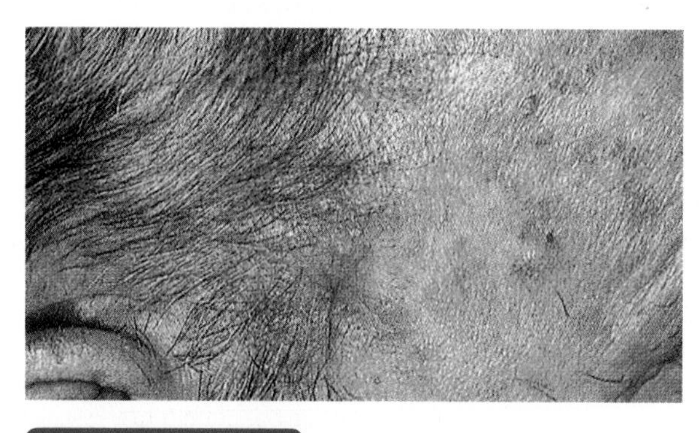

FIGURE 30.4 Photovieillissement – Pigmentation irrégulière et kératoses sur la peau du front endommagée par le soleil

La quantité réduite de graisses sous-cutanées augmente le risque de traumatismes, d'hypothermie et de déchirures de la peau, ce qui peut causer des lésions de pression. Avec l'âge, les glandes sudoripares apocrines et eccrines s'atrophient, ce qui assèche la peau et réduit les odeurs corporelles. La croissance des cheveux, des poils et des ongles diminue en raison de l'atrophie des structures productrices. Des déficiences hormonales et vitaminiques peuvent causer l'assèchement, l'éclaircissement et l'alopécie (perte partielle ou complète) des cheveux et des poils.

Les effets visibles du vieillissement sur la peau, les cheveux et les poils peuvent avoir d'importantes conséquences psychologiques. L'apparence de jeunesse peut être très importante pour certaines personnes. De fines rides, des cheveux clairsemés et des ongles cassants sont des changements normaux du vieillissement, mais ils peuvent contribuer à une altération de l'image de soi (Jarvis, 2015).

30.2 Examen clinique du système tégumentaire

L'évaluation générale de la peau commence dès le début de la rencontre, au cours du questionnaire, et se poursuit tout au long de l'examen. Afin de faciliter le déroulement du questionnaire, l'infirmière devra utiliser les outils mnémotechniques PQRSTU et AMPLE. Pendant l'examen, elle doit noter la condition physique générale du système tégumentaire **TABLEAU 30.2**.

L'infirmière doit se rappeler que certaines régions précises de la peau sont évaluées pendant l'examen d'autres systèmes corporels à moins que le client se plaigne surtout d'un trouble dermatologique. Par exemple, lorsque l'infirmière ausculte les poumons, elle devra également observer la présence ou non de lésion au dos. Dans le cas d'un trouble dermatologique, l'infirmière devra poursuivre son investigation.

30.2.1 Données subjectives

Les troubles cutanés de certaines personnes peuvent être difficiles à voir. La consignation détaillée de l'évaluation des symptômes et de l'histoire de santé à l'aide des outils mnémotechniques PQRSTU et AMPLE fournira de l'information précise conduisant aux causes possibles et aux effets d'un trouble particulier sur la vie du client. L'évaluation de la démangeaison, qui est un symptôme fréquent, servira d'exemple dans les sections qui suivent.

Renseignements importants concernant l'évaluation d'un symptôme (PQRSTU)

Les troubles cutanés de certaines personnes peuvent être difficiles à détecter. La consignation détaillée de l'évaluation des symptômes et de l'histoire de santé à l'aide des outils mnémotechniques PQRSTU et AMPLE fournira de l'information précise conduisant aux causes possibles et aux effets d'un trouble particulier sur la vie du client. L'évaluation de la démangeaison, qui est un symptôme fréquent, servira d'exemple dans les sections qui suivent **TABLEAU 30.3**.

TABLEAU 30.2 Éléments d'une condition physique générale normale du système tégumentaire

ZONE ANATOMIQUE	CARACTÉRISTIQUES PHYSIQUES
Peau	• Pigmentation égale, sans pétéchies, purpuras, lésions ou excoriations • Chaude, bonne turgescence
Poils et cheveux	• Brillants et abondants (abondance et répartition appropriées à l'âge et au sexe) • Absence de desquamation sur le cuir chevelu, le front ou l'auricule
Ongles	• Roses, ovales, adhèrent au lit de l'ongle, angle de 160°

30

Collecte des données

TABLEAU 30.3 Étapes de l'évaluation de symptômes liés au système tégumentaire (PQRSTU)

P PROVOQUER / PALLIER / AGGRAVER	EXEMPLES DE QUESTIONS
• Dans son questionnaire, l'infirmière doit demander au client ce qui a provoqué la démangeaison (prurit) (p. ex., une réaction allergique, de l'eczéma, une dermatite). • Par la suite, elle s'intéressera à ce qui diminue ou fait disparaître la démangeaison (p. ex., des antihistaminiques, des produits d'hygiène).	• Qu'est-ce qui provoque ou augmente la démangeaison ? • Y a-t-il quelque chose qui diminue ou qui atténue la démangeaison ?
Q QUALITÉ / QUANTITÉ	**EXEMPLES DE QUESTIONS**
• Si la démangeaison est causée par des lésions, l'infirmière doit obtenir du client une description de celles-ci. Elle en documentera la qualité (p. ex., des plaques, des papules, des pustules) ainsi que la répartition et la quantité des lésions (p. ex., des lésions groupées, linéaires, isolées).	• Pouvez-vous me décrire vos lésions ou votre éruption cutanée ? • Est-ce que ce sont de petits boutons ou de grandes plaques ? • De quelle couleur sont vos boutons ? Sont-ils dispersés ou regroupés ? • Avez-vous une seule lésion ou en avez-vous plusieurs ?
R RÉGION / IRRADIATION	**EXEMPLES DE QUESTIONS**
• L'infirmière demande au client de mentionner les régions atteintes par la démangeaison.	• À quel endroit de votre corps ressentez-vous la démangeaison ? • À quel endroit la démangeaison est-elle apparue ?
S SYMPTÔMES ET SIGNES ASSOCIÉS / SÉVÉRITÉ	**EXEMPLES DE QUESTIONS**
• L'infirmière demandera au client si d'autres malaises ont accompagné l'apparition de la démangeaison. Elle doit déterminer quels sont les signes (p. ex., de la fièvre, des lésions cutanées) et les symptômes associés (p. ex., une sensibilité de la peau, de la douleur, une sensation de chaleur ou de froideur).	• Avez-vous fait de la fièvre avant ou pendant la démangeaison ? • Ressentez-vous de la douleur ou une sensation de brûlure sur le site de la démangeaison ?
T TEMPS / DURÉE	**EXEMPLES DE QUESTIONS**
• L'infirmière doit déterminer le moment précis de l'apparition de la démangeaison, sa durée et la constance de sa manifestation.	• Depuis quand ressentez-vous cette démangeaison ? • La démangeaison est-elle apparue avant ou après les autres symptômes ? • Cette sensation est-elle constante ou intermittente ? • La démangeaison est-elle associée à une période spécifique de la journée ? • Avez-vous déjà éprouvé cette sensation de démangeaison ou est-ce la première fois ?
U (*UNDERSTANDING*) COMPRÉHENSION ET SIGNIFICATION POUR LE CLIENT	**EXEMPLES DE QUESTIONS**
• S'il s'agit d'une situation qu'il a déjà vécue, le client peut connaître la cause de sa démangeaison. Il est donc important que l'infirmière le questionne sur son expérience du symptôme.	• D'après vous, quelle est la cause de cette démangeaison ? • Comment interprétez-vous ce changement dans l'état de votre peau ?

Histoire de santé (AMPLE)

L'histoire de santé permet de recueillir des informations importantes en lien avec l'état de santé du client. Ces informations peuvent être obtenues en utilisant l'outil mnémotechnique AMPLE.

A Allergies / réactions

L'infirmière doit obtenir des renseignements précis sur les intolérances alimentaires du client, ses allergies aux animaux ou aux médicaments et ses réactions cutanées aux morsures et aux piqûres d'insectes. Elle doit demander au client s'il a déjà eu des troubles cutanés liés à la prise de médicaments prescrits ou achetés en vente libre afin de rechercher toute allergie possible. De plus, si le client est allergique à un médicament, elle doit lui demander de décrire les réactions produites afin de différencier les allergies des intolérances.

Réactivation des connaissanes

Nommez au moins trois symptômes d'une réaction cutanée observables en cas d'allergie.

M Médicaments

L'infirmière doit noter les antécédents pharmacologiques détaillés du client, notamment la prise de vitamines, d'hormones, d'antibiotiques, de corticostéroïdes ou d'antimétabolites, puisqu'ils peuvent avoir des effets secondaires sur la peau.

Elle doit noter les médicaments prescrits ou achetés en vente libre que le client utilise pour traiter un trouble cutané primaire, tel que l'acné, ou un trouble cutané secondaire, tel que des démangeaisons. Il lui faut noter le nom, la période d'utilisation, la méthode d'administration et l'efficacité des médicaments utilisés. Elle doit également questionner le client sur son état vaccinal (p. ex., un vaccin contre la varicelle).

P Passé

Les antécédents de santé doivent inclure les maladies, les chirurgies ou les traumas cutanés antérieurs. L'infirmière doit demander au client s'il a remarqué des signes dermatologiques quelconques de troubles systémiques, tels que l'ictère (maladie du foie), le retard de cicatrisation (diabète), la cyanose (trouble respiratoire) et la pâleur (anémie) ▶ 31.

31

Les maladies qui ont des manifestations dermatologiques sont abordées dans le chapitre 31, *Interventions cliniques – Troubles tégumentaires*.

De plus, il est important de savoir si le client a déjà subi une intervention chirurgicale, y compris une chirurgie esthétique. S'il a subi une biopsie cutanée, il faut en consigner les résultats. Tout traitement visant un trouble cutané particulier, tel que la photothérapie, ou un autre trouble de santé, tel que la radiothérapie, doit être consigné au dossier. Tout traitement suivi à des fins esthétiques, comme l'utilisation d'une cabine de bronzage, le resurfaçage laser ou la dermabrasion doit également être noté. L'infirmière consignera également tout antécédent d'exposition chronique ou non protégée aux rayons UV, puisque ceux-ci peuvent augmenter le risque de cancer de la peau.

L'infirmière doit obtenir de l'information sur les antécédents familiaux de maladies cutanées, notamment les maladies congénitales et familiales (p. ex., l'alopécie, le psoriasis). De plus, elle doit noter tout antécédent familial ou personnel de cancer de la peau, notamment le mélanome.

L (*Last meal*) Dernier repas

Il est important que l'infirmière questionne le client sur ses habitudes de vie, incluant ses habitudes alimentaires, sa consommation de tabac (quantité par jour et nombre d'années), d'alcool et de drogue. Un client toxicomane est plus à risque de faire une cellulite s'il s'injecte de la drogue par voie intraveineuse (I.V.). Un client qui fume est plus susceptible qu'une lésion cancéreuse se développe dans la bouche. L'infirmière doit questionner le client sur tout changement de l'état de sa peau, de ses cheveux ou poils, de ses ongles, de ses muqueuses et son lien avec les modifications alimentaires possibles. Les antécédents alimentaires renseignent sur l'apport en nutriments essentiels à une peau saine, tels que les vitamines A, D, E et C, les lipides et les protéines.

E Événements / environnement

L'infirmière doit évaluer la santé fonctionnelle de son client afin de reconnaître les comportements positifs qui déterminent ses forces et de relever les comportements inadéquats actuels ou potentiels qui représentent un risque pour sa santé. Elle doit aussi questionner le client sur l'effet des facteurs environnementaux sur sa peau, par exemple l'exposition professionnelle à des irritants, au soleil et à des conditions particulièrement froides ou non hygiéniques. La dermatite de contact causée par des allergies et des irritants est un trouble cutané courant lié au travail.

Perception et gestion de la santé L'infirmière doit interroger le client sur ses habitudes d'hygiène quotidienne de la peau. Elle notera le facteur de protection solaire (FPS) des écrans solaires utilisés et leur fréquence d'utilisation. Elle doit évaluer l'utilisation de produits de soins personnels (p. ex., les shampoings, les produits hydratants, les produits cosmétiques), y compris la marque, la quantité des produits employés et leur fréquence d'utilisation.

Nutrition et métabolisme L'infirmière doit demander au client s'il a noté des changements dans l'apparence de sa peau, de ses cheveux, de ses ongles ou de ses muqueuses, et si ces changements ont une relation avec une modification de l'alimentation. Un examen des antécédents alimentaires permet d'évaluer une consommation suffisante de nutriments essentiels à la bonne santé de la peau, dont les vitamines A, C, D et E, la graisse alimentaire et les protéines. L'infirmière doit également noter toute allergie alimentaire susceptible d'entraîner une réaction cutanée. Elle doit demander aux clients obèses s'ils présentent des éruptions cutanées sur les surfaces intertrigineuses de leur corps, là où la peau forme des plis et cause un frottement (p. ex., sous les seins, au niveau des aisselles ou dans la région de l'aine). L'infirmière est appelée à noter toute transpiration excessive ou absente, de même qu'à demander au client s'il a remarqué que ses plaies cicatrisaient plus lentement que d'habitude.

Élimination Il faut interroger le client sur la présence d'affections cutanées, telles que la déshydratation de la peau, l'œdème et le prurit (démangeaison), qui peuvent indiquer des modifications de l'équilibre liquidien. En cas d'incontinence urinaire ou fécale, il faut évaluer l'état de la peau dans les régions anale ainsi que périnéale.

Activités et exercices L'infirmière doit recueillir des renseignements sur les dangers auxquels le client est exposé pendant ses passe-temps et ses loisirs, entre autres, des agents carcinogènes, des irritants chimiques et des allergènes connus. Elle doit lui demander s'il observe des changements de sa peau pendant ses exercices et ses activités. Elle consignera aussi toute douleur articulaire et tout trouble de mobilité, qui peuvent être dus à l'état de la peau du client.

Sommeil et repos L'infirmière doit demander au client si son sommeil est perturbé par un trouble cutané. Par exemple, le prurit peut être incommodant et causer une perturbation majeure des habitudes de sommeil. La fatigue causée par le manque de sommeil se manifeste souvent par des cercles foncés sous les yeux et la fermeté réduite de la peau du visage.

Cognition et perception L'infirmière doit déterminer comment le client perçoit la chaleur, le froid, la douleur et le toucher. Elle doit noter tout malaise lié à un trouble cutané, particulièrement sur une peau intacte.

Perception et concept de soi Tout sentiment de tristesse, d'anxiété, de désespoir et de mauvaise image corporelle lié au trouble cutané du client doit être relevé et noté. De tels sentiments peuvent découler de troubles cutanés visibles, tels que l'acné et le psoriasis, qui modifient l'apparence physique d'une personne.

Relations et rôles L'infirmière doit déterminer comment le trouble cutané du client perturbe ses relations avec les membres de sa famille, ses pairs et ses collègues de travail.

Sexualité et reproduction Avec délicatesse, l'infirmière doit questionner et évaluer le client sur les conséquences de son trouble cutané sur ses activités sexuelles. S'il s'agit d'une femme, l'infirmière doit noter si elle est enceinte ou prévoit le devenir. Cela aidera à déterminer les interventions thérapeutiques possibles. Par exemple, l'isotrétinoïne (Accutane[MD]), utilisée pour traiter l'acné, et le fluorouracil (Efudex[MD]), utilisé pour traiter les kératoses actiniques, sont des médicaments tératogènes qui peuvent causer un développement anormal du fœtus. Une femme enceinte ou susceptible de le devenir ne doit pas prendre ces médicaments.

Adaptation et tolérance au stress Il est important de questionner le client sur le stress qu'il vit et d'évaluer le rôle que celui-ci peut jouer dans l'apparition ou l'aggravation de son trouble cutané. Il faut lui demander quelles sont ses stratégies d'adaptation à l'égard de ce trouble cutané.

Valeurs et croyances L'infirmière doit interroger le client sur ses valeurs culturelles ou religieuses qui peuvent avoir un impact sur son image de soi relativement à son trouble cutané. Elle doit également évaluer les valeurs et les croyances qui peuvent influer sur le choix du traitement ou le limiter.

Jugement clinique

Adalbert Philémon, âgé de 68 ans, est traité pour un problème d'hyperplasie bénigne de la prostate (HBP). Vous remarquez qu'il présente des fissures et des crevasses aux doigts. Citez au moins deux questions que vous pourriez lui poser afin d'amorcer l'évaluation.

Le **TABLEAU 30.4** présente les questions à poser au client afin de tracer le portrait de son histoire de santé.

30.2.2 Données objectives

Examen physique

Les lésions cutanées primaires se forment sur une peau saine. Les lésions cutanées secondaires sont des lésions qui changent avec le temps ou qui sont causées par des facteurs tels que le grattage ou l'infection. Le **TABLEAU 30.5** présente les caractéristiques de ces deux types de lésions.

Voici les consignes générales à suivre pour l'examen de la peau :

- utiliser une salle d'examen privée bien éclairée où la température est modérée ; réaliser l'examen dans une salle où il y a de la lumière naturelle permet de mieux visualiser la peau ;
- offrir une chemise d'hôpital au client pour qu'il soit à l'aise et pour faciliter l'accès à toutes les parties de sa peau ;
- faire un examen systématique, de la tête aux pieds ;
- comparer les parties symétriques du corps ;
- faire une inspection générale, puis un examen des lésions ;
- prendre des mesures métriques ;
- utiliser une terminologie et une nomenclature appropriées dans le rapport ou tout autre document.

Des photographies se révèlent utiles lorsque des résultats précis sont nécessaires. Il faut que l'infirmière respecte le protocole préétabli de

Histoire de santé

TABLEAU 30.4 Modes fonctionnels de santé – Éléments complémentaires : système tégumentaire

MODES FONCTIONNELS DE SANTÉ	EXEMPLES DE QUESTIONS À POSER
Perception et gestion de la santé	• Pouvez-vous décrire vos habitudes d'hygiène quotidienne ? • Quels produits pour la peau utilisez-vous ? • Pouvez-vous décrire toute affection cutanée dont vous souffrez, y compris son apparition, son évolution et son traitement (s'il y a lieu) ? • Fumez-vous ou consommez-vous de la drogue ? [a]
Nutrition et métabolisme	• Pouvez-vous décrire tout changement de l'état de votre peau, de vos cheveux et poils, de vos ongles et de vos muqueuses ? • Avez-vous remarqué des changements récents de la cicatrisation de vos lésions ou plaies ? [a]
Élimination	• Avez-vous remarqué des changements récents de votre peau tels qu'une transpiration excessive, une peau sèche ou enflée ? [a]
Activités et exercices	• Vos loisirs ou vos activités professionnelles vous amènent-elles à utiliser des produits chimiques qui irritent vos yeux ? [a] • Que faites-vous pour vous protéger du soleil ? Utilisez-vous un écran solaire lorsque vous pratiquez des activités à l'extérieur ? • Souffrez-vous de douleurs articulaires ?
Sommeil et repos	• Votre affection cutanée vous empêche-t-elle de dormir ou vous réveille-t-elle la nuit ? [a]
Cognition et perception	• Avez-vous l'impression de ne pas bien percevoir les sensations cutanées comme le toucher, le froid ou le chaud ? • Votre affection cutanée vous cause-t-elle de la douleur ou du prurit ? [a]
Perception et concept de soi	• Comment vous sentez-vous à l'égard de votre affection cutanée ? • De quelle manière votre affection cutanée a-t-elle changé votre image corporelle ?
Relations et rôles	• Votre affection cutanée a-t-elle modifié vos relations avec les autres ? [a] • Avez-vous changé votre mode de vie en raison de votre affection cutanée ? [a]
Sexualité et reproduction	• Votre affection cutanée a-t-elle entraîné des changements dans vos relations sexuelles ? [a] • Utilisez-vous une méthode contraceptive ? [a]
Adaptation et tolérance au stress	• Y a-t-il des situations ou des facteurs de stress qui modifient l'état de votre peau ? [a] • Croyez-vous que le stress joue un rôle dans l'état de votre peau ? [a] • Que faites-vous pour surmonter votre stress ?
Valeurs et croyances	• Selon vos croyances personnelles et culturelles que croyez-vous être la cause de votre affection cutanée ? [a] • Utilisez-vous des remèdes maison afin de pallier votre affection cutanée ? • Êtes-vous contre l'utilisation de certains traitements ?

[a] Si la réponse est affirmative, demandez au client d'expliciter.

CE QU'IL FAUT RETENIR

Le changement est le facteur critique de l'évaluation de la couleur de la peau ; l'infirmière doit rechercher tout détail inhabituel et questionner le client à ce sujet.

l'établissement de santé ainsi que le consentement libre et éclairé du client pour la prise de photographies.

Inspection Pendant l'inspection de la peau, l'infirmière doit vérifier la couleur et la pigmentation générale, la vascularisation et la présence d'ecchymoses, de lésions ou de décolorations. Le changement est le facteur critique de l'évaluation de la couleur de la peau.

Une couleur normale chez un client peut être un signe d'affection pathologique chez un autre client. La couleur de la peau dépend de la quantité de mélanine (brun), de carotène (jaune), d'oxyhémoglobine (rouge) et d'hémoglobine réduite (rouge bleuté) à un moment particulier. Les parties les moins pigmentées du corps, par exemple, la sclère, la conjonctive, le lit de l'ongle, les lèvres et la muqueuse buccale sont les plus fiables pour l'évaluation de l'érythème, de la cyanose, de la pâleur et de l'ictère. La vraie couleur de la peau s'observe mieux sur les parties du corps protégées du rayonnement UV, telles que les fesses. L'activité, l'exposition au soleil (rayonnement UV), l'émotion, la fumée de cigarette, l'œdème, les troubles

TABLEAU 30.5	Lésions cutanées	
LÉSION	**DESCRIPTION**	**EXEMPLES**
Lésions cutanées primaires		
Macule	Région circonscrite ne faisant pas saillie à la peau où il y a un changement de coloration ; diamètre < 0,5 cm ; plaque si > 0,5 cm	Tache de rousseur, pétéchie, rougeole, naevus plat, tache café au lait, vitiligo (dépigmentation complète)
Papule	Lésion surélevée et ferme d'un diamètre < 0,5 cm ; nodule si > 0,5 cm	Verrue, naevus saillant, lipome, carcinome basocellulaire
Vésicule	Accumulation superficielle et circonscrite de liquide séreux ; diamètre < 0,5 cm	Varicelle, zona, brûlure de deuxième degré superficielle
Plaque	Lésion circonscrite faisant saillie à la peau, ferme ; diamètre < 0,5 cm	Psoriasis, kératoses séborrhéique et actinique
Papule œdémateuse	Lésion ferme et œdémateuse de forme irrégulière et de diamètre variable	Morsure ou piqûre d'insecte, urticaire
Pustule	Lésion superficielle et saillante remplie de liquide purulent	Acné, impétigo
Lésions cutanées secondaires		
Fissure	Lésion linéaire qui s'étend de l'épiderme jusqu'au derme ; sèche ou humide	Pied d'athlète, fente à la commissure des lèvres

TABLEAU 30.5	Lésions cutanées *(suite)*	
LÉSION	**DESCRIPTION**	**EXEMPLES**
Squame	Cellules mortes de l'épiderme produites par une kératinisation et une desquamation anormale	Desquamation après une réaction à un médicament ou à une insolation
Cicatrice	Formation de tissu conjonctif qui remplace la peau normale	Incision chirurgicale, plaie guérie
Ulcère	Perte d'épiderme qui s'étend jusqu'au derme ; forme irrégulière de cratère	Lésion de pression, chancre
Atrophie	Dépression de la peau due à l'amincissement de l'épiderme ou du derme	Peau des personnes âgées, vergetures
Excoriation	Région où il n'y a pas d'épiderme et où le derme est exposé	Abrasion, écorchure

respiratoires, rénaux, cardiovasculaires et hépatiques peuvent tous directement influer sur la couleur de la peau. Le **TABLEAU 30.6** décrit les différences observables dans l'évaluation de la peau pâle et de la peau foncée.

Lors de l'inspection globale de la peau, l'infirmière note la présence de perçages et de tatouages. Le nez, les oreilles, les sourcils, les lèvres, le nombril et les mamelons sont des sites communs pour le perçage corporel. Les pigments de couleur utilisés lors d'un tatouage peuvent occasionner des démangeaisons, de la douleur et une réaction d'hypersensibilité durant plusieurs semaines.

L'infirmière doit examiner la peau pour détecter des troubles possibles de vascularisation, entre autres, des ecchymoses, des lésions vasculaires et purpuriques telles que des **angiomes** (tumeurs bénignes des vaisseaux sanguins et lymphatiques), des pétéchies (taches pourpres minuscules) ou des **purpuras** (troubles de coagulation). La réaction à une pression directe doit être notée. Si une lésion blanchit sous une pression directe et se remplit ensuite, la rougeur est due aux vaisseaux sanguins dilatés. Une décoloration persistante est causée par un saignement sous-cutané ou intradermique, ou par la présence d'une lésion non vascularisée. Il faut noter la forme des ecchymoses, par exemple, une forme de main ou de doigts ou la présence d'ecchymoses à différents stades de guérison. Elles peuvent être un signe d'autres troubles de santé ou de violence physique et elles nécessitent un examen plus détaillé.

TABLEAU 30.6 Différences observables dans l'évaluation d'une peau pâle et d'une peau foncée

SIGNE CLINIQUE	PEAU PÂLE	PEAU FONCÉE
Cyanose	Bleu-gris, surtout sur le lit des ongles, les auricules, les lèvres, les muqueuses, la paume des mains et la plante des pieds	Cendrée ou grise, plus facilement observée sur la conjonctive de l'œil, les muqueuses et le lit des ongles
Ecchymose	Rouge, mauve, jaune ou vert foncé, selon le stade	Mauve à brun-noir, difficile à voir sauf dans une région pâle
Érythème	Rougeâtre, peut être accompagné d'une élévation de la température de la peau à la suite d'une inflammation localisée	Brun ou mauve foncé avec un signe évident d'élévation de la température de la peau à la suite d'une inflammation localisée
Ictère	Coloration jaunâtre de la peau, de la sclère, des ongles, de la paume des mains ou de la muqueuse buccale	Coloration vert jaunâtre plus facile à observer dans la sclère de l'œil (ne pas confondre avec la pigmentation jaune de l'œil, qui peut être évidente chez les personnes à peau foncée), la paume des mains et la plante des pieds
Pâleur	Peau pâle qui peut sembler blanche ou cendrée, aussi visible sur les lèvres, le lit des ongles et les muqueuses	Rouge sous-jacent des peaux brunes ou noires absent ; coloration brun jaunâtre chez les personnes d'origine africaine à la peau pâle ; coloration cendrée ou grise chez les personnes à la peau foncée
Pétéchie	Lésion en forme de petit point rouge pourpre, plus facilement observée sur l'abdomen et les fesses	Difficile à voir, peut être plus facile à observer sur la muqueuse buccale ou la conjonctive de l'œil
Éruption cutanée	Peut être vue et sentie avec une légère palpation	Difficile à voir, mais peut être sentie avec une légère palpation
Cicatrice	Guérit généralement avec une étroite ligne de cicatrice	Fréquence plus élevée de chéloïde, qui forme une cicatrice épaisse et saillante **FIGURE 30.5**

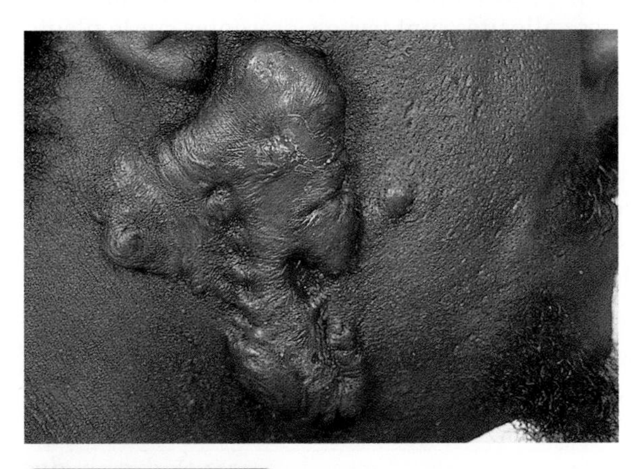

FIGURE 30.5 Chéloïde – Cicatrice pathologique après une lésion de la peau, plus courante sur les peaux foncées

Si l'infirmière observe des lésions cutanées, elle doit les décrire et en noter la couleur, la taille, la répartition, l'emplacement et la forme (isolée ou motif formé avec d'autres lésions). Le **TABLEAU 30.7** présente la terminologie de la répartition des lésions sur une région de la peau.

Les caractéristiques anormales de lésions cutanées pigmentées peuvent être retenues par la méthode mnémotechnique ABCDE : **A**symétrie de la lésion (forme irrégulière) ; **B**ordure mal définie (non linéaire, irrégulière) ; **C**hangement de couleur (variation de couleur, noire, bleue) ; **D**iamètre supérieur à 6 mm ; **É**lévation ou élargissement de la lésion.

Au cours de l'inspection, il est important de noter toute odeur inhabituelle. Une lésion cutanée, telle qu'une éruption, peut abriter des levures ou des bactéries susceptibles de dégager des odeurs particulières dans des régions **intertrigineuses** (plis de la peau). Il faut examiner les tatouages ainsi que les marques d'aiguilles et noter leur emplacement et les caractéristiques de la peau environnante.

Intertrigineuse : Relatif à l'intertrigo, inflammation de la peau au niveau des plis.

Il faut inspecter les cheveux et les poils et noter leur répartition, leur texture et leur abondance. Des changements de la répartition et de la croissance normales des poils et des cheveux peuvent indiquer un trouble endocrinien (**hypothyroïdie** ou **hyperthyroïdie**) ou vasculaire (insuffisance artérielle). L'inspection des ongles doit inclure un examen attentif de leur forme, de leur épaisseur, de leur courbure et de leur surface.

L'infirmière doit noter la présence de sillons, de dépressions, de crêtes ou de décollement du lit de l'ongle. Des changements du polissage ou de l'épaisseur de l'ongle peuvent se produire en cas d'anémie, de psoriasis, de troubles thyroïdiens, de circulation vasculaire réduite et de certaines infections.

Jugement clinique

Lors de l'examen d'une fillette de huit ans, l'infirmière observe des lésions linéaires de diverses longueurs sur ses avants-bras et son dos. Quelles informations doit-elle consigner au dossier ?

Palpation L'infirmière doit palper la peau pour obtenir de l'information sur sa température, sa turgescence, son

TABLEAU 30.7 Terminologie de la répartition des lésions

TERME ASSOCIÉ À LA LÉSION	DESCRIPTION
Asymétrique	Répartition unilatérale
Confluente	Qui se joint à une autre
Diffuse	Grande répartition
Généralisée	Répartition diffuse
Groupée	Amas de lésions
Isolée	Éloignée des autres lésions
Localisée	Touche une région clairement définie
Solitaire	Une seule lésion
Symétrique	Répartition bilatérale
Zostériforme	Forme une bande le long d'un dermatome

humidité et sa texture. Le dos de la main constitue la structure anatomique la plus sensible pour détecter les changements et les différences de température de la peau du client. La peau doit être tiède sans être chaude. Sa température est plus élevée quand la circulation sanguine augmente dans le derme. Une brûlure et une inflammation localisées causent une augmentation locale de température. Une fièvre entraîne une augmentation généralisée de température. Un choc cardiogénique (perte d'efficacité du cœur) ou hypovolémique (diminution du volume de sang veineux), le refroidissement ou une infection peuvent causer une diminution de la température corporelle.

La turgescence désigne l'élasticité de la peau. L'infirmière doit l'évaluer en pinçant doucement la peau sous la clavicule ou sur le dos de la main du client. Une peau qui a une bonne turgescence se soulève facilement et reprend immédiatement sa position lorsqu'elle est relâchée. Une perte de turgescence due à la déshydratation ou au vieillissement cause souvent un pli cutané persistant **TABLEAU 30.8**.

L'humidité de la peau désigne sa teneur en eau. La peau est plus humide dans les plis cutanés et quand l'humidité de l'air est élevée. L'humidité de la peau varie en fonction de la température de l'environnement, de l'activité musculaire, de la masse corporelle et de la température corporelle. La peau doit être intacte, sans desquamation ou fissure. Elle s'assèche généralement avec l'âge.

La peau peut avoir une texture fine ou grossière. Elle doit être lisse et ferme et d'une épaisseur égale sur presque toutes les parties du corps. Les callosités sont parfois présentes sur la plante

Anomalies courantes

TABLEAU 30.8 Système tégumentaire

OBSERVATIONS	DESCRIPTION	ÉTIOLOGIE POSSIBLE ET SIGNIFICATION
Alopécie	Chute des poils ou des cheveux (localisée ou générale)	Hérédité, friction, frottement, traction, trauma, stress, infection, inflammation, chimiothérapie, médicaments, grossesse, choc émotif, teigne tondante microsporique, facteurs immunologiques
Angiome	Tumeur formée de sang ou de vaisseaux lymphatiques	Augmentation normale avec l'âge, maladie du foie, grossesse, varices
Caroténémie (caroténose)	Coloration jaunâtre de la peau, sans jaunissement de la sclère, plus visible sur la paume des mains et la plante des pieds	Consommation de légumes contenant du carotène (carottes, courges), hypothyroïdie
Chéloïde	Cicatrice implantée au-delà du bord de la plaie **FIGURE 30.5**	Prédisposition des personnes à peau foncée
Comédon (lésion d'acné)	Follicule pileux élargi rempli de sébum, de bactéries et de cellules cutanées mortes ; peut être ouvert (point noir) ou fermé (point blanc)	Hérédité, certains médicaments (progestérone), changements hormonaux pendant la puberté et la grossesse
Cyanose	Coloration légèrement bleu-gris ou mauve foncé de la peau et des muqueuses causée par des quantités excessives d'hémoglobine réduite dans les capillaires	Troubles cardiorespiratoires, vasoconstriction, asphyxie, anémie, leucémie et tumeurs malignes

TABLEAU 30.8 **Système tégumentaire *(suite)***

OBSERVATIONS	DESCRIPTION	ÉTIOLOGIE POSSIBLE ET SIGNIFICATION
Ecchymose	Grande lésion causée par l'accumulation de sang extravasculaire dans le derme et les tissus sous-cutanés	Trauma, troubles de coagulation
Érythème	Rougeur de taille et de forme variables	Chaleur, certains médicaments (vasodilatateur), alcool, rayonnement UV, incontinence, tout trouble qui cause la dilatation des vaisseaux sanguins cutanés
Grain de beauté (naevus)	Excroissance bénigne de mélanocytes	Défauts de développement, nombres excessifs de grains de beauté de grande taille et de forme irrégulière, souvent héréditaire
Hématome	Extravasation sanguine d'une étendue suffisante pour causer un œdème visible	Trauma, troubles de coagulation
Hirsutisme	Développement chez la femme d'une pilosité typiquement masculine	Anomalie des ovaires ou des glandes surrénales, diminution de la concentration en œstrogènes, hérédité, obésité
Hypopigmentation	Perte de pigmentation qui cause la formation de plaques de peau plus pâle que la normale	Agents chimiques, facteurs nutritionnels, brûlures, inflammation, infection
Ictère	Coloration jaune (chez les personnes à la peau pâle) ou brun jaunâtre (chez les personnes à la peau foncée) de la peau, plus facilement observée dans la sclère à la suite d'une augmentation de bilirubine dans le sang	Maladie du foie (hépatite, cirrhose), hémolyse des globules rouges, cancer du pancréas, obstruction du canal cholédoque
Intertrigo	Dermatite de surfaces de peau qui se chevauchent	Humidité, irritation, obésité ; peut être compliqué par une infection à *Candida* **FIGURE 30.6**
Kyste	Sac contenant une substance liquide ou semi-liquide	Obstruction d'un conduit ou d'une glande, infection par un parasite
Lichénification	Épaississement de la peau avec accentuation de ses marques normales	Grattage, frottement ou irritation répété généralement dû à un prurit ou à une névrose
Pétéchie	Petit dépôt de sang distinct dans les tissus extravasculaires d'un diamètre < 1 ou 2 mm et visible à travers la peau ou une muqueuse	Inflammation, vasodilatation marquée, trauma des vaisseaux sanguins, dyscrasie qui entraîne des saignements (p. ex., une thrombopénie)
Pli cutané persistant	Lenteur de la peau à reprendre sa position normale après un léger pincement	Vieillissement, déshydratation, cachexie
Télangiectasie	Petits vaisseaux sanguins cutanés superficiels visiblement dilatés, communément présents sur le visage et les cuisses	Vieillissement, acné, exposition au soleil, alcool, défaillance hépatique, corticostéroïdes, certaines maladies systémiques (cirrhose), tumeurs cutanées
Varice	Dilatation anormale et permanente d'une veine superficielle	Interruption du retour veineux (p. ex., en raison d'une tumeur, de valvules défaillantes, d'une inflammation), commune dans les membres inférieurs avec l'âge
Vitiligo	Absence de mélanine (pigment) qui crée une plaque blanche **FIGURE 30.7**	Maladie auto-immune, familiale, thyroïdienne

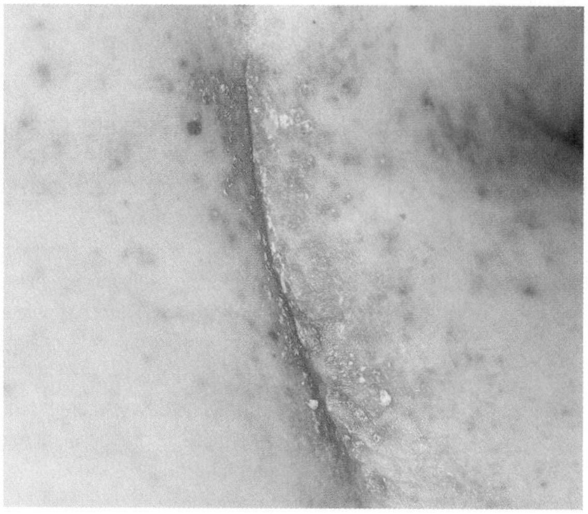

FIGURE 30.6 Intertrigo – Éruption cutanée dans les plis cutanés avec infection à *Candida*

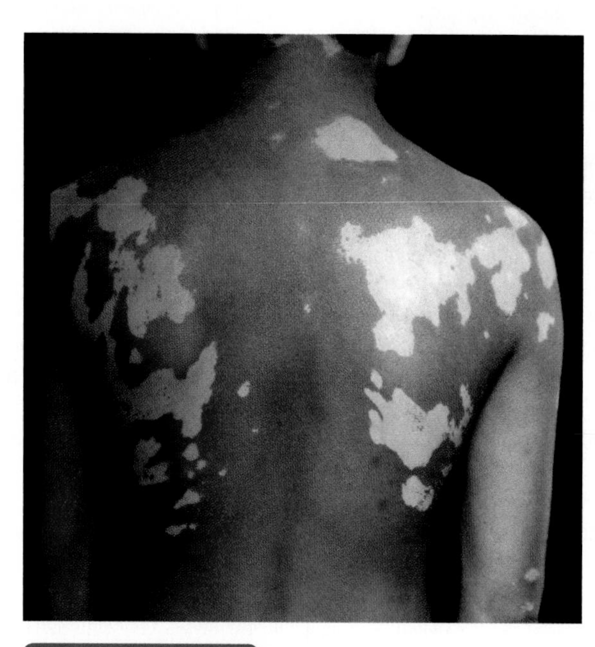

FIGURE 30.7 Vitiligo – Perte totale de pigment dans la région touchée

Réactivation des connaissances

Chez une personne âgée, quels sont les deux endroits à privilégier pour évaluer la turgescence cutanée lorsqu'on suspecte une déshydratation ?

des pieds et la paume des mains et sont dues aux frottements répétés ou aux points de pression. L'épaississement de la peau est souvent causé par un excès de pression ou de frottement lié à la mobilisation.

Une évaluation ciblée (ou une réévaluation) permet d'évaluer l'état des troubles cutanés antérieurs et de vérifier les signes d'apparition de nouveaux troubles. Le **TABLEAU 30.8** énumère les anomalies courantes de la peau observées lors de l'évaluation et une évaluation ciblée est présentée dans le **TABLEAU 30.9**.

30.2.3 Évaluation de la personne à la peau foncée

Au cours de l'examen physique, une gamme normale de variations entre la peau, les cheveux, les poils et les ongles de différentes personnes peut être observée. La couleur de la peau est déterminée par des facteurs génétiques. Elle peut varier de blanc à brun foncé avec des tons de jaune, d'olive ou de rouge. Les tons foncés sont dus à la réflexion de la lumière qui frappe les pigments sous-cutanés. Une peau foncée contient une grande quantité de pigments de mélanine produits par les mélanocytes.

Les structures de la peau foncée ne diffèrent pas de celles à peau claire, mais elles sont généralement plus difficiles à évaluer **TABLEAU 30.6**. La couleur s'évalue plus facilement aux endroits où l'épiderme est mince et où la pigmentation ne subit pas les effets du soleil, par exemple les lèvres, les muqueuses, le lit des ongles et les parties non exposées (p. ex., les fesses). Les personnes à peau foncée ont la paume des mains et la plante des pieds plus pâles que les autres parties du corps. Les éruptions cutanées sont plus difficiles à voir, et il peut être nécessaire de les palper (Goldsmith *et al.*, 2012). Leurs rides sont moins apparentes que celles des personnes à peau claire. Les clients à la peau foncée sont également prédisposés à certaines affections de la peau (chéloïdes, pseudofolliculites, mélasma), des poils ou des cheveux (cheveux secs). Une chéloïde est une excroissance de tissu de collagène sur une lésion cutanée **FIGURE 30.5**. Les *dermatosis papulosa nigra* sont de petites papules pigmentaires semblables à des verrues qui se trouvent généralement sur le visage. Un **naevus de Ota** est une tache de naissance gris ardoise ou gris bleuté située sur le front, autour des yeux et parfois sur la sclère **FIGURE 30.8**. Il est souvent difficile d'utiliser la couleur de certaines peaux foncées comme un indicateur de l'état systémique (p. ex., une rougeur de la peau due à la fièvre). Une cyanose peut être difficile à détecter en raison de la teinte bleutée normale d'une peau foncée. L'**alopécie de traction** peut être causée par les bigoudis et le tressage serré des cheveux **FIGURE 30.9**. La chute des cheveux peut être temporaire ou permanente. La **pseudofolliculite** est une réaction inflammatoire à la croissance de poils incarnés après un rasage de trop près. Elle se caractérise par la présence de pustules et de papules. Le **mélasma** est une hyperpigmentation (taches pigmentaires) des zones du visage (front, joues, tempes) et parfois du cou. On parle aussi de masque de grossesse pour les femmes enceintes.

Collecte des données

TABLEAU 30.9	Évaluation ciblée des anomalies courantes de la peau	
CETTE LISTE DE CONTRÔLE PERMET DE VÉRIFIER QUE LES ÉTAPES CLÉS DE L'ÉVALUATION ONT ÉTÉ RÉALISÉES.		
Données subjectives		
Interroger le client sur les éléments suivants:		
Chute de cheveux (anormale ou rapide)	Oui	Non
Changements de la peau (p. ex., des lésions, des ecchymoses, des taches et des naevus)	Oui	Non
Décoloration des ongles	Oui	Non
Données objectives – Examen physique		
Inspecter:		
Couleur, intégrité, cicatrices, lésions, signes de dégradation de la peau		☐
Répartition, couleur, abondance et hygiène des poils et des cheveux		☐
Forme, contour, couleur, épaisseur et propreté des ongles		☐
Plaies et pansements s'il y a lieu		☐
Palper:		
Peau pour vérifier température, texture, humidité, épaisseur, turgescence et souplesse		☐
Données objectives – Examens paracliniques		
Vérifier les résultats des examens suivants:		
Biopsie		☐
Albumine		☐

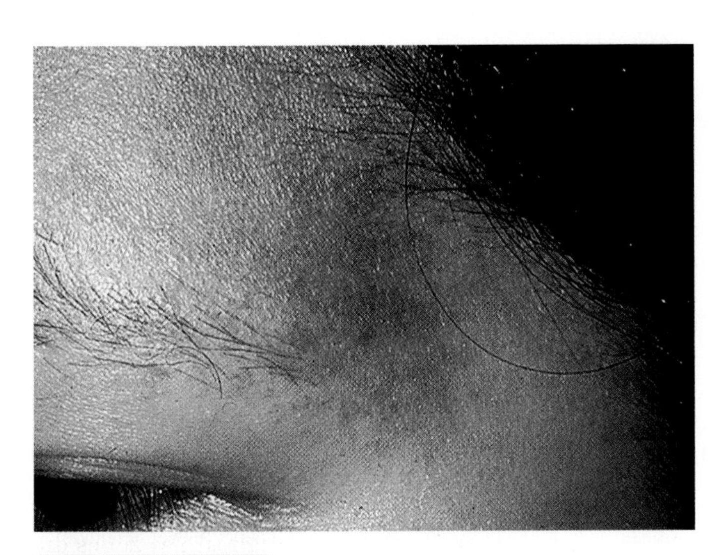

FIGURE 30.8 Naevus de Ota – Pigmentation gris terne à bleue dans la région trigéminale supérieure, plus commune sur les peaux foncées

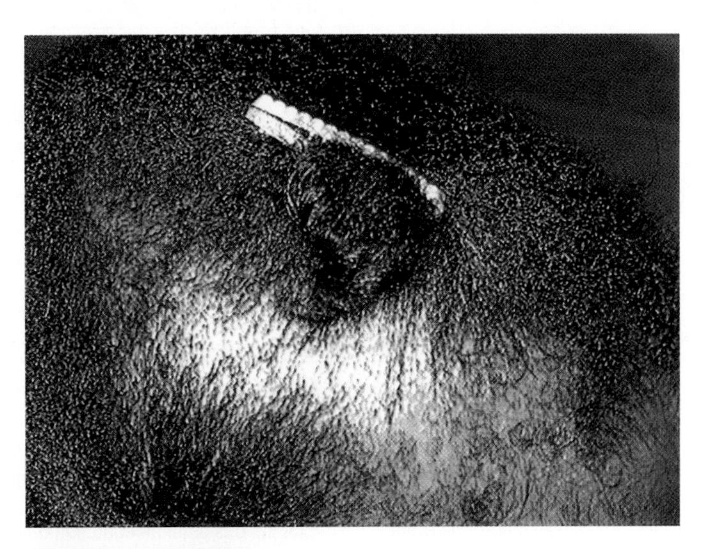

FIGURE 30.9 Alopécie de traction – Chute de cheveux due à une tension prolongée des bigoudis, des tresses et des fers à défriser

30.3 Examens paracliniques du système tégumentaire

Les examens paracliniques fournissent des renseignements importants à l'infirmière pour la surveillance de l'état du client et la planification des interventions appropriées. Ces examens sont considérés comme des données objectives. Le **TABLEAU 30.10** présente les examens paracliniques courants du système tégumentaire.

Les principales techniques diagnostiques des troubles cutanés sont l'inspection de la lésion et la cueillette détaillée d'information sur les antécédents du trouble. Si ces techniques ne permettent pas un diagnostic définitif, d'autres examens peuvent être effectués, notamment la **dermatoscopie** (l'examen de la peau à l'aide d'un instrument lumineux à grossissement optique).

La biopsie est l'un des examens paracliniques les plus couramment utilisés pour l'évaluation d'une lésion cutanée. Elle est indiquée pour toute affection où une tumeur maligne est soupçonnée ou lorsqu'un diagnostic est incertain. Il existe diverses techniques de biopsie : à l'emporte-pièce, par excision (exérèse), par incision et par rasage. La technique utilisée dépend de divers facteurs, tels que le site de la biopsie, le résultat esthétique souhaité et le type de tissu qu'il faut prélever.

Les colorations et les cultures pour les infections fongiques, bactériennes et virales sont d'autres examens paracliniques parfois utilisés. L'immunofluorescence directe est une technique

Examens paracliniques

TABLEAU 30.10 Système tégumentaire

EXAMEN	DESCRIPTION ET BUT	RESPONSABILITÉS INFIRMIÈRES
Biopsie		
Biopsie à l'emporte-pièce	Faite avec un instrument perforant d'une taille appropriée. Il pénètre à la profondeur voulue pour prélever du derme et un peu de graisse. Peut nécessiter ou non une suture. Fournit un échantillon de peau de pleine épaisseur à des fins diagnostiques.	Vérifier que le formulaire de consentement est signé (si nécessaire). Aider à la préparation du site, à l'anesthésie, au déroulement de la biopsie et à l'hémostase. Appliquer un pansement, donner les instructions postinterventionnelles au client. Identifier correctement l'échantillon.
Biopsie d'excision (exérèse)	Utilisée à des fins esthétiques ou quand la lésion doit être complètement enlevée. La peau est refermée avec des sutures sous-cutanées et cutanées.	Même que pour la biopsie à l'emporte-pièce.
Biopsie d'incision	Incision en biseau faite dans une lésion trop grande pour pratiquer une biopsie d'excision. Utile pour l'obtention d'un échantillon plus grand que celui fourni par une biopsie à l'emporte-pièce ou par rasage.	Même que pour la biopsie à l'emporte-pièce.
Biopsie par rasage	Utilisation d'une lame de bistouri pour gratter des lésions superficielles ou prélever de petits échantillons d'une grande lésion. Fournit un échantillon mince à des fins diagnostiques.	Même que pour la biopsie à l'emporte-pièce.
Examens microscopiques		
Hydroxyde de potassium (KOH)	Examen des poils, cheveux, squames ou ongles pour détecter une infection fongique superficielle. Le spécimen est placé sur une lame, et du KOH d'une concentration de 10 à 20 % est ajouté.	Informer le client du but de l'examen. Préparer la lame.
Cytodiagnostic de Tzanck (coloration de Wright et de Giemsa)	Examen des cellules et du liquide des vésicules. Utilisé pour diagnostiquer l'herpès. L'échantillon est placé sur une lame, coloré et examiné au microscope.	Informer le client du but de l'examen. Prélever le liquide à l'aide d'une technique stérile.

TABLEAU 30.10 Système tégumentaire *(suite)*

EXAMEN	DESCRIPTION ET BUT	RESPONSABILITÉS INFIRMIÈRES
Culture	Cet examen permet d'identifier les champignons, les bactéries et les virus. Pour les champignons, un raclage ou un écouvillonnage de peau est effectué.	Expliquer au client le but et la procédure de l'examen. Identifier correctement les échantillons. Suivre les instructions d'entreposage de l'échantillon s'il n'est pas envoyé immédiatement au laboratoire.
Lame d'huile minérale	Pour vérifier les infestations, les raclages sont placés sur une lame avec de l'huile minérale et sont observés au microscope.	Expliquer le but de l'examen au client. Préparer la lame.
Immunofluorescence	Certaines maladies cutanées causent la présence d'anticorps protéiques particuliers anormaux qui peuvent être identifiés par fluorescence. Le tissu cutané et le sérum peuvent être examinés.	Informer le client du but de l'examen. Aider à prélever l'échantillon. Dans le cas d'une biopsie à l'emporte-pièce, placer l'échantillon dans un fixateur spécial (p. ex., le liquide Bens Michel ou le liquide de Bouin) et non dans le formaldéhyde.
Divers		
Lumière de Wood (lumière noire)	L'examen de la peau à l'aide d'une lampe ultraviolette d'une longueur d'onde d'environ 300 nm permet la fluorescence de substances particulières (p. ex., les *Pseudomonas*, les infections fongiques, le vitiligo).	Expliquer le but de l'examen. La pièce doit être dans l'obscurité pendant l'examen.
Test épicutané	Utilisé pour déterminer si le client est allergique à des substances particulières. De petites quantités d'allergènes sont appliquées, généralement sur la peau du dos.	Expliquer le but et la procédure au client. Lui demander de revenir dans 48 à 72 heures pour enlever les allergènes et dans 96 heures pour l'évaluation préliminaire **FIGURE 30.10**.

diagnostique spéciale utilisée sur les échantillons de biopsie. Elle peut convenir pour certaines affections telles que les maladies bulleuses et le lupus érythémateux disséminé. L'immunofluorescence indirecte est effectuée sur un échantillon de sang. Le test épicutané **FIGURE 30.10** et le *photopatch test* peuvent être utilisés pour l'évaluation des dermatites et des réactions photoallergiques (Goldsmith *et al.*, 2012).

Il existe actuellement, au Québec, un projet de règlement qui permet à l'infirmière, dans un contexte de soins de plaies, de prescrire des analyses de laboratoire (préalbumine, albumine, culture de plaie), ainsi que des produits, médicaments et pansements reliés au traitement des plaies et aux altérations de la peau et des téguments (produits créant une barrière cutanée, médicaments topiques, sauf la Sulfadiazine d'argent et ceux relatifs au traitement dermatologique ou oncologique, pansements) (*Gazette officielle du Québec*, 2015).

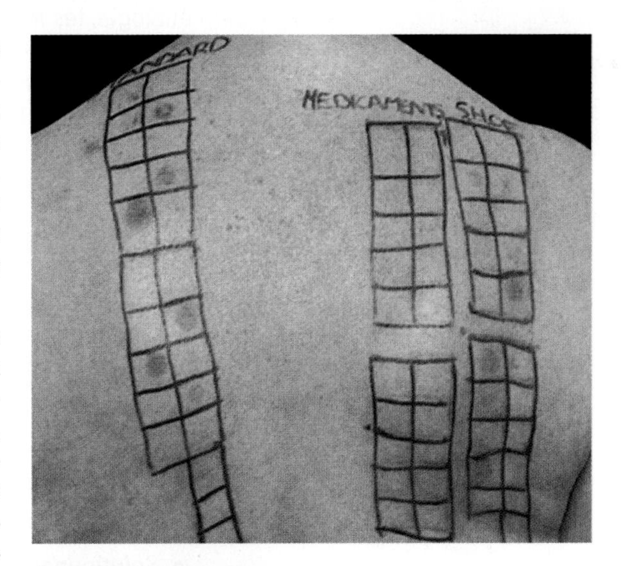

FIGURE 30.10 Test épicutané – Les résultats d'allergènes positifs sur la peau montrent des réactions cutanées aux sites d'application du produit ou du timbre.

Chapitre 31

INTERVENTIONS CLINIQUES

Troubles tégumentaires

Écrit par:
Shannon Ruff Dirksen, RN, PhD, FAAN

Adapté par:
Annabelle Rioux, M. Sc., IPSPL

Mis à jour par :
Chantal Labrecque, inf., M. Sc.

MOTS CLÉS

Acné vulgaire 128
Carcinome basocellulaire............ 112
Carcinome spinocellulaire 114
Cryothérapie 134
Curetage 134
Facteur de protection solaire (FPS) 108
Greffes............................... 141
Kératose sénile 112
Lichénification 137
Mélanome malin 115
Nævus dysplasiques................. 116
Psoriasis 127

OBJECTIFS

Après avoir étudié ce chapitre, vous devriez être en mesure:

- de décrire les pratiques de promotion de la santé du système tégumentaire ;
- d'expliquer l'étiologie, les manifestations cliniques ainsi que les soins et traitements infirmiers des troubles dermatologiques aigus courants ;
- de résumer les effets psychologiques et physiologiques des affections dermatologiques chroniques ;
- d'expliquer l'étiologie, les manifestations cliniques ainsi que les soins et traitements infirmiers des pathologies suivantes :
  – troubles dermatologiques malins ;
  – infections tégumentaires bactériennes, virales et fongiques ;
  – infestations et des morsures ou piqûres d'insectes ;
  – affections cutanées ;
  – troubles dermatologiques bénins ;
- de décrire les manifestations dermatologiques des maladies systémiques courantes ;
- d'expliquer les indications et les interventions infirmières liées aux chirurgies esthétiques et aux greffes de peau courantes.

Disponible sur 

- Activités interactives
- À retenir
- Carte conceptuelle
- Pour en savoir plus
- PSTI Web
- Solutionnaire de l'Analyse d'une situation de santé
- Solutionnaire des questions de Jugement clinique
- Solutionnaire des questions Réactivation des connaissances
- Solutionnaire des questions Récemment vu dans ce chapitre
- Solutionnaires du Guide d'études

Concepts clés

Cette carte conceptuelle illustre schématiquement les principaux concepts décrits dans le présent chapitre. Sa lecture vous permettra d'avoir une vue d'ensemble des notions qui y sont présentées.

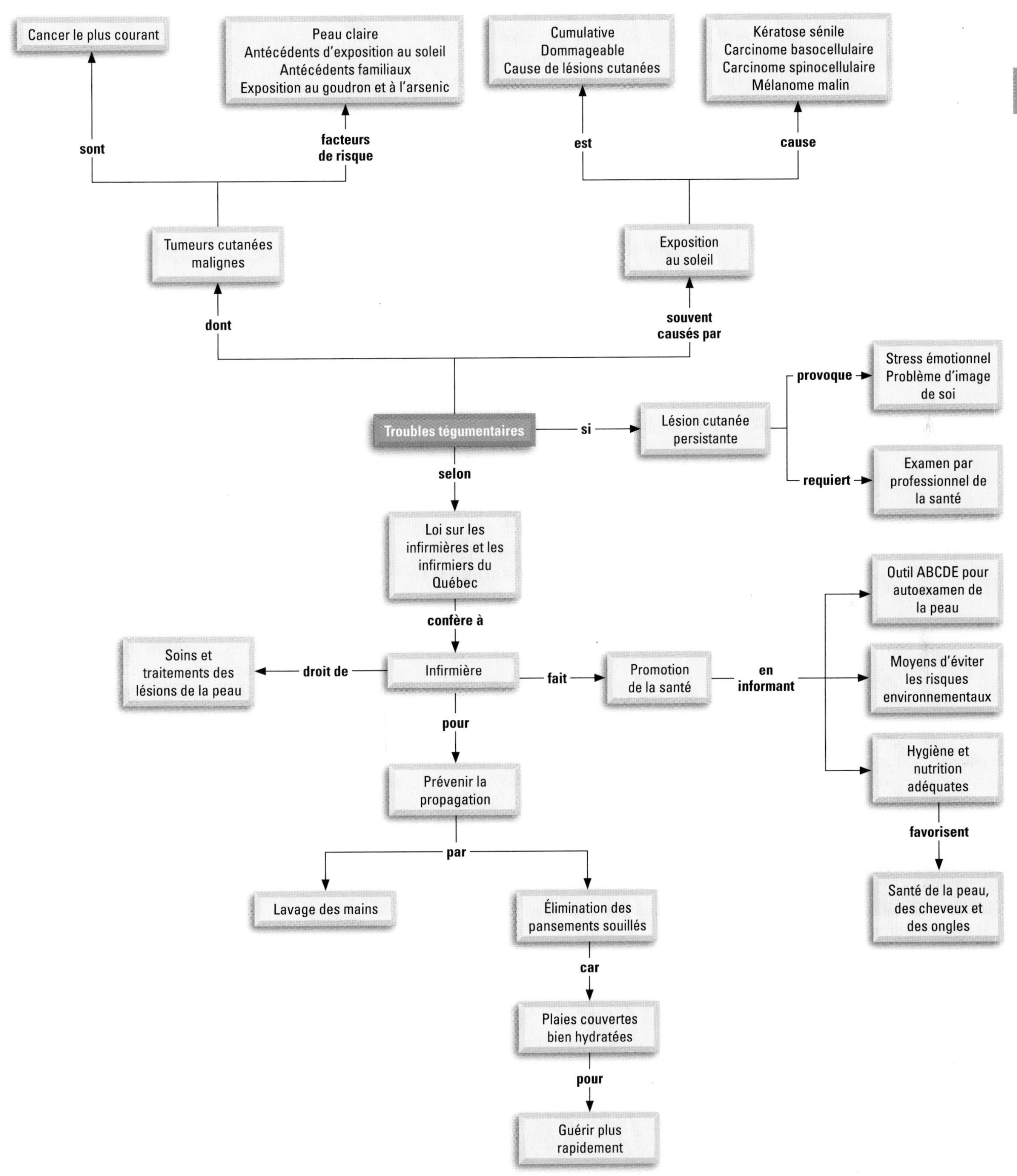

31

31.1 | Promotion de la santé

Réactivation des connaissances

Quels sont les cinq rôles principaux de la peau ?

L'information portant sur la promotion de la santé en ce qui concerne les soins de la peau est généralement la même que celle liée au maintien d'une bonne santé en général. La peau reflète les états physique et psychologique d'une personne. Pour favoriser la bonne santé de la peau, il est recommandé d'éviter les risques environnementaux, d'adopter une hygiène et une nutrition adéquates et d'effectuer l'autoexamen de sa peau au moins une fois par mois (Association canadienne de dermatologie, 2009).

31.1.1 Risques environnementaux

Exposition au soleil

L'exposition au soleil est cumulative et dommageable. Les rayonnements ultraviolets (UV) du soleil causent la dégénérescence du derme, ce qui entraîne un vieillissement prématuré de la peau (p. ex., une perte d'élasticité, un amincissement, des rides, un assèchement). L'exposition prolongée et répétée au soleil est un facteur important de développement de lésions précancéreuses et cancéreuses (Berger, 2008). La kératose sénile, le carcinome basocellulaire, le carcinome spinocellulaire et le mélanome malin sont des troubles dermatologiques liés à l'exposition directe ou indirecte au soleil.

Les diverses longueurs d'onde du soleil ont des effets particuliers sur la peau **TABLEAU 31.1**. La lumière solaire est composée de lumière visible et de rayonnement UV. Il existe trois types de rayons UV : les ultraviolets A (UVA), les ultraviolets B (UVB) et les rayons ultraviolets C (UVC). Les premiers causent le bronzage et les seconds, les coups de soleil. Les deux types peuvent endommager la peau, accélérer son vieillissement, accroître le risque de cancer cutané et altérer le collagène. Le bronzage, qui est une réaction ou une réponse de la peau aux rayons UVA du soleil, est dû à une production accrue de mélanine. Une exposition excessive au soleil réduit la vitesse de renouvellement de la peau, ce qui peut entraîner son exfoliation. Les personnes au teint pâle doivent éviter de trop s'exposer au soleil, car elles produisent peu de mélanine et n'ont donc pas une bonne protection naturelle.

Érythème : Affection cutanée qui a pour caractère clinique la coloration rouge de la peau disparaissant sous la pression.

TABLEAU 31.1 Longueurs d'onde du soleil et effets sur la peau

LONGUEUR D'ONDE	EFFETS
Longue (UVA)	Peut endommager les tissus élastiques et entraîner des dommages actiniques (causés par le soleil) à la peau ; contribue au développement du cancer de la peau.
Moyenne (UVB)	Cause des brûlures de premier degré (coups de soleil) et a des effets cumulatifs ; facteur important du développement du cancer de la peau.
Courte (UVC)	Aucun effet : n'atteint pas la Terre ; bloquée par l'atmosphère.

L'infirmière doit encourager le client à adopter des comportements sûrs en matière d'exposition au soleil. Elle doit faire la promotion des recommandations relatives à celle-ci, notamment de ne pas s'exposer, surtout en mi-journée, de porter des vêtements protecteurs et d'appliquer un écran solaire. Elle peut aussi l'informer sur les autres modes de protection contre les effets nocifs du soleil, tels que le port d'un chapeau à larges bords, le port de lunettes fumées, le port d'un chandail léger à manches longues ainsi que l'utilisation d'une ombrelle. Le client doit savoir que c'est entre 10 h et 14 h, heure normale, ou entre 11 h et 15 h, heure avancée, que les rayons du soleil sont les plus nocifs, peu importe la latitude. Par temps nuageux, il y a quand même un risque de subir un grave coup de soleil puisque 80 % des rayons solaires UV peuvent traverser les nuages. Le risque de coup de soleil augmente également avec l'altitude, la présence de neige, qui reflète 80 % des rayons solaires, ou la présence d'eau (être dans l'eau ou à proximité de celle-ci). L'infirmière doit en outre avertir le client des dangers liés aux cabines de bronzage et aux lampes solaires, qui émettent des UVA. Plusieurs études ont démontré que ces appareils contribuent au développement de cancer de la peau. Suivant les recommandations du Centre international de recherche sur le cancer et de l'Organisation mondiale de la Santé, le Québec a d'ailleurs adopté en 2012 la Loi visant à prévenir les cancers de la peau causés par le bronzage artificiel (RLRQ, chapitre C-5.2), qui interdit la fréquentation des salons de bronzage aux jeunes de moins de 18 ans. Les écrans solaires filtrent les longueurs d'onde des UVA et des UVB. Il existe des écrans solaires topiques chimiques et physiques. Les écrans chimiques sont offerts en crèmes ou en lotions claires conçues pour absorber ou filtrer les rayons UV, ce qui réduit la pénétration de ceux-ci dans la peau. Les écrans physiques sont des crèmes épaisses, opaques et lourdes qui reflètent les rayons UV.

Au Québec, les écrans solaires sont classés en fonction de leur **facteur de protection solaire (FPS)**. C'est une méthode de mesure de l'efficacité d'un écran, c'est-à-dire de son pouvoir de filtration et d'absorption des UVB. Il n'existe pas de classement équivalent pour les UVA, car ceux-ci ne font pas rougir la peau. Selon Santé Canada (2012), il vaut mieux utiliser un écran solaire qui protège contre un large spectre de rayons UV et contenant un FPS minimal de 15. Un tel écran filtre 92 % des UVB qui causent de l'**érythème**, et il prévient les coups de soleil s'il est correctement appliqué.

Les clients qui ont des antécédents de cancer cutané ou de troubles de sensibilité au soleil doivent utiliser un produit ayant un FPS d'au moins 30. Il faut appliquer l'écran solaire de 20 à 30 minutes avant d'aller à l'extérieur, même par temps nuageux. Après l'application, la valeur du FPS de tout écran diminue avec le temps, et il faut en réappliquer toutes les deux heures en quantité suffisante. Une application généreuse (28 g) sur le corps entier est recommandée, sans oublier les oreilles, les orteils et les lèvres. Des mentions telles que « Résistant à l'eau », « À l'épreuve de l'eau » et « Protection toute la journée » sont trompeuses. Tout écran doit être réappliqué immédiatement après la baignade même s'il porte la mention « À l'épreuve de l'eau ».

L'acide para-aminobenzoïque (PABA) et les esters de PABA, les cinnamates, les salicylates et l'anthranilate de méthyle bloquent les UVB. Le PABA a été retiré de nombreux écrans solaires, car il tache les vêtements et peut causer des réactions allergiques, notamment des dermatites de contact. Certains écrans solaires contiennent du Parsol 1789[MD] (avobenzone), qui bloque les UVA. Les benzophénones bloquent les UVA et les UVB.

Certains médicaments topiques et systémiques augmentent l'effet du soleil, même si l'exposition est brève. Le **TABLEAU 31.2** présente des classes de médicaments qui peuvent avoir des effets photosensibilisants. L'infirmière doit savoir que ces classes comprennent de nombreux médicaments et que l'effet photosensibilisant de chacun doit être déterminé. Les produits chimiques contenus dans les médicaments absorbent la lumière naturelle et libèrent de l'énergie qui endommage les cellules et les tissus. Les manifestations cliniques de la photosensibilité causée par les médicaments sont semblables à celles d'un grave coup de soleil, notamment de l'œdème, de l'érythème, des vésicules et des lésions papillaires en plaques. Les personnes qui présentent des risques de réaction de photosensibilité peuvent se protéger avec des écrans solaires. L'infirmière doit informer les clients des effets photosensibiisants de ces médicaments.

Irritants et allergènes

Les clients peuvent consulter le médecin ou une infirmière praticienne spécialisée pour une dermatite irritante ou allergique, deux types de dermatite (ou eczéma) de contact. La dermatite de contact irritante est une lésion directe de la peau produite par une substance chimique. La dermatite de contact allergique est une réaction d'hypersensibilité retardée de type IV induite par un antigène particulier. Cette réaction nécessite une sensibilisation préalable et ne se produit que chez les personnes prédisposées à réagir à un antigène particulier.

Pharmacothérapie

TABLEAU 31.2 Médicaments pouvant être photosensibilisants

CLASSE	EXEMPLES
Médicaments anticancéreux	Méthotrexate, tartrate de vinorelbine (Navelbine[MD])
Antidépresseurs	Chlorhydrate d'amitriptyline (Elavil[MD]), chlorhydrate de clomipramine (Anafranil[MD]), chlorhydrate de doxépine (Sinequan[MD], Silenor[MD])
Antiarythmiques	Quinidine[MD], chlorhydrate d'amiodarone (Cordarone[MD])
Antibiotiques	Tétracycline, sulfaméthoxazole, dihydrate d'azithromycine (Zithromax[MD]), chlorhydrate de ciprofloxacine (Cipro[MD])
Antifongiques	Kétoconazole (Nizoral[MD])
Antihistaminiques	Chlorhydrate de diphenhydramine (Benadryl[MD]), chlorhydrate d'hydroxyzine (Atarax[MD])
Anti-inflammatoires non stéroïdiens (AINS)	Diclofénac sodique (Voltaren[MD]), kétorolac trométhamine (Toradol[MD])
Antipsychotiques	Chlorpromazine (Largactil[MD])
Diurétiques	Furosémide (Lasix[MD]), hydrochlorothiazide (Hydrodiuril[MD])
Hypoglycémiants	Tolbutamide (Mobenol[MD]), glyburide (Diabeta[MD]), glimépiride (Amaryl[MD]), chlorpropamide (Diabinese[MD])

L'infirmière doit recommander au client d'éviter les irritants connus (p. ex., l'ammoniaque et les détergents forts). Un test épicutané (application d'allergènes) peut aider à déterminer l'agent sensibilisant le plus probable. Le professionnel de la santé est parfois le premier à détecter une allergie de contact à différents métaux, au latex (p. ex., des gants) et aux divers adhésifs. Les médicaments topiques et systémiques d'ordonnance et offerts en vente libre utilisés pour traiter diverses affections peuvent contenir des parfums et des agents de conservation susceptibles de provoquer des réactions cutanées.

Rayonnement

Même si, dans la plupart des services de radiologie, des mesures sont prises pour protéger le personnel et les clients contre les effets d'un rayonnement excessif, l'infirmière doit aider le client à prendre des décisions éclairées sur les interventions radiologiques. Bien que les rayons X soient utiles au diagnostic et au traitement de diverses affections, ils peuvent avoir des effets secondaires graves sur la peau, notamment l'érythème, la desquamation sèche et humide, l'œdème ainsi que l'**hypopigmentation** et l'**hyperpigmentation**. Voilà 30 ans, l'acné et l'hirsutisme étaient traités par rayonnement. Il est important de questionner le client à ce sujet,

Hypopigmentation : Affection provoquée par une déficience ou une perte de la mélanine dans la peau, aussi appelée hypomélanose.

Hyperpigmentation : Modification de la teinte normale des téguments due à la présence excessive de certains pigments (hémosidérine, ochronose, mélanine).

Pétéchie : Petite hémorragie superficielle qui apparaît sur la peau et qui prend la forme de minuscule tache rouge ou violacée.

Purpura : Syndrome caractérisé par une éruption cutanée de taches rouges ou bleues, ne s'effaçant pas à la pression, et consécutives à des hémorragies provoquées notamment par des altérations de la paroi capillaire, de la coagulation sanguine, en lien avec des maladies d'origine infectieuse, toxique, etc.

car les risques qu'un **carcinome** se développe sont plus élevés chez ces personnes que chez celles qui n'ont pas subi un tel traitement (Organisation mondiale de la Santé, 2010).

31.1.2 Repos et sommeil

Le sommeil a un effet restaurateur sur la peau et sur le reste de l'organisme. Comme les affections cutanées prurigineuses nuisent souvent au sommeil, il est important que l'infirmière aide le client à trouver des moyens pour améliorer la qualité de son sommeil et ainsi favoriser sa bonne santé. Un sommeil adéquat augmente la tolérance aux démangeaisons et réduit ainsi les dommages causés à la peau par le grattage.

31.1.3 Exercice

L'exercice augmente la circulation et dilate les vaisseaux sanguins. De plus, ses effets psychologiques influent sur l'estime de soi d'une personne en améliorant la sensation globale de bien-être et donc la perception de son apparence. Si l'exercice est pratiqué à l'extérieur, il faut toutefois éviter la surexposition au soleil, à la chaleur ou au froid.

31.1.4 Hygiène

Les pratiques d'hygiène doivent être adaptées au type de peau, au mode de vie et à la culture du client. L'acidité normale de la peau et la transpiration préviennent la prolifération bactérienne. Puisque la plupart des savons sont alcalins, ils neutralisent la surface de la peau et diminuent la protection offerte par celle-ci. L'usage de savons hydratants doux ainsi que de nettoyants sans gras peut grandement réduire une irritation et une inflammation cutanées. Il faut également éviter de se laver à l'eau trop chaude et de se frotter trop vigoureusement. Les perçages cutanés peuvent être nettoyés avec des savons antiseptiques sans sulfites.

En général, il faut laver la peau et les cheveux assez souvent pour enlever le surplus d'huile, de sécrétions et pour éliminer les odeurs. Les personnes âgées doivent éviter les savons et les shampoings forts ainsi que les lavages trop fréquents en raison de la sécheresse accrue de leur peau et de leur cuir chevelu. Les hydratants doivent être appliqués immédiatement après le bain ou la douche quand la peau est encore humide afin d'emprisonner l'humidité.

31.1.5 Nutrition et alimentation

Un régime équilibré contenant des aliments des quatre groupes alimentaires (ministère de la Santé et des Services sociaux [MSSS], 2010) peut favoriser la bonne santé de la peau, des cheveux et des ongles. Une carence en biotine, une vitamine hydrosoluble du complexe B, peut causer des éruptions cutanées et l'alopécie. L'efficacité des suppléments de biotine n'a pas été prouvée. Le foie, le chou-fleur, le saumon, les carottes, les bananes, la farine de soya, les céréales et la levure sont des aliments à forte teneur en biotine. Certains éléments nutritifs aident à garder la peau saine **TABLEAU 31.3**.

L'obésité a des effets indésirables sur la peau. L'augmentation du volume de tissus adipeux sous-cutanés peut causer l'étirement et le réchauffement excessifs de la peau. Ce réchauffement dû à l'isolation accrue que procurent les tissus adipeux stimule la transpiration, ce qui enflamme et assèche la peau. L'obésité est aussi

TABLEAU 31.3 Éléments nutritifs contribuant à une peau saine

ÉLÉMENT NUTRITIF	BÉNÉFICES	SOURCES ALIMENTAIRES
Vitamine A	Elle est essentielle à l'entretien de la structure normale des cellules, notamment les cellules épithéliales. Elle est nécessaire à la cicatrisation normale. Une carence en vitamine A engendre un risque infectieux, cause la sécheresse des conjonctives et une mauvaise cicatrisation.	La vitamine A se trouve entre autres dans les patates douces, les carottes, les épinards et les cantaloups.
Complexe vitaminique B	Les vitamines B sont essentielles aux fonctions métaboliques complexes. Les carences en niacine (B_3) et en pyridoxine (B_6) entraînent des symptômes dermatologiques, tels que l'érythème, des vésicules et des lésions séborrhéiques.	Les principales sources de vitamines B sont le foie, les œufs, les asperges, le brocoli, les oranges, les produits laitiers, le gruau, les céréales et pains à grains entiers, les noix et le soya.
Vitamine C (acide ascorbique)	Elle est essentielle à la formation des tissus conjonctifs et à la cicatrisation normale. Une carence en vitamine C cause des **pétéchies**, des saignements de gencives et du **purpura**.	Les principales sources de vitamine C sont les oranges, les fraises, les ananas, les mangues, les piments verts et rouges et le chou-fleur.

TABLEAU 31.3 **Éléments nutritifs contribuant à une peau saine *(suite)***

ÉLÉMENT NUTRITIF	BÉNÉFICES	SOURCES ALIMENTAIRES
Vitamine D_3 (cholécalciférol)	Elle est essentielle à la bonne santé des os. Le corps la produit naturellement par la photosynthèse cutanée qui suit l'exposition aux rayons UVB. Une carence en vitamine D_3 se manifeste par une faiblesse généralisé, de la fatigue, des douleurs osseuses, ainsi que par des douleurs musculaires.	La vitamine D se trouve dans certains poissons tels que le saumon, le thon, la sardine, ainsi que dans les œufs et le foie de bœuf.
Vitamine K	Elle est essentielle à la synthèse des facteurs de coagulation sanguine. Une carence perturbe la synthèse normale de la prothrombine dans le foie et peut causer des ecchymoses.	La vitamine K est présente dans les avocats, les kiwis et les épinards ainsi que dans l'ensemble des légumes verts.
Protéines	Elles sont nécessaires à la croissance et à l'entretien des cellules ainsi qu'au processus normal de cicatrisation.	Les sources de protéines peuvent être animales (p. ex., les viandes, les poissons, les crustacés, les mollusques, les œufs) ou végétales (p. ex., les légumineuses, le tofu, les noix, les graines).
Acides gras non saturés	Ils sont nécessaires au maintien de la fonction et de l'intégrité des membranes cellulaires et subcellulaires dans le métabolisme des tissus, particulièrement les acides linoléiques et arachidoniques	Les acides gras sont présents dans la viande animale, le jaune d'œuf et dans certaines huiles (p. ex., de tournesol, de lin, de maïs).

un facteur de risque d'une mauvaise cicatrisation. De plus, elle influe sur le développement du diabète de type 2, qui peut provoquer des symptômes cutanés tels qu'une peau foncée et duveteuse à la nuque et dans les grands plis du corps (*acanthosis nigricans*), des éruptions dans les zones de plis cutanés (*intertrigo*), des **acrochordons**, des déficiences circulatoires dans les veines et les artères et d'autres complications cutanées.

31.1.6 Autotraitement

L'infirmière doit déterminer si le client connaît les dangers de l'autodiagnostic et de l'autotraitement. La multitude de préparations cutanées offertes en vente libre peut être déconcertante pour le client.

Les troubles cutanés peuvent prendre du temps à se manifester et à guérir. Dans l'information générale qu'elle transmet au client, l'infirmière doit mentionner la durée du traitement et la nécessité de suivre minutieusement les indications qui apparaissent sur l'emballage. Si le feuillet d'information d'un médicament vendu sans ordonnance indique de ne pas utiliser ce produit pendant plus de sept jours, il est important de respecter cet avertissement. En cas de signes systémiques d'inflammation ou de propagation d'un trouble cutané (p. ex., un nombre accru de lésions ou l'aggravation d'un érythème ou d'un œdème), le client doit cesser l'autotraitement et consulter un professionnel de la santé.

31.2 Tumeurs cutanées malignes

Le cancer de la peau, avec ou sans présence de mélanome (American Cancer Society, 2011), est le cancer le plus couramment diagnostiqué. Au Canada, l'incidence augmente à un rythme relativement constant depuis 30 ans (Santé Canada, 2014). Une lésion cutanée persistante qui ne guérit pas a de fortes chances d'être maligne et doit être examinée par un professionnel de la santé. Un traitement précoce et adéquat offre généralement de très bonnes chances de guérison. Des lésions cutanées visibles sont plus susceptibles d'être détectées et diagnostiquées tôt. L'infirmière doit montrer au client à faire l'autoexamen de sa peau au moins une fois par mois. La règle à suivre est celle de l'outil mnémonique ABCDE: l'**A**symétrie, l'irrégularité des **B**ords, le changement de **C**ouleur, un **D**iamètre de 6 mm ou plus et l'**É**volution de l'apparence. Cette règle est facile à mémoriser et à enseigner au client. L'infirmière doit insister sur le fait que des lésions plates qui deviennent surélevées ou de petites lésions qui grossissent ou changent d'apparence doivent être examinées par le professionnel de la santé, car il peut s'agir des premiers signes d'un cancer cutané.

Acrochordon: Petite papule de couleur chair, dont l'apparition est liée au vieillissement et à l'obésité.

Jugement clinique

Debbie Lawrence, 55 ans, a remarqué qu'elle avait des ecchymoses qui se produisaient facilement lors de légers traumas. Par ailleurs, elle se plaint de douleurs musculaires. Nommez les deux éléments nutritifs insuffisants qui pourraient être en cause dans l'apparition de ces malaises.

Quels aliments devriez-vous lui suggérer d'intégrer à son alimentation afin de réduire ses symptômes?

31.2.1 Facteurs de risque

Parmi les facteurs de risque des tumeurs malignes de la peau figurent une peau claire (généralement associée à des cheveux blonds ou roux, à des yeux bleus ou verts), des antécédents d'exposition chronique au soleil, des antécédents familiaux de cancer cutané et l'exposition au goudron et à l'arsenic. Certains facteurs environnementaux augmentent le risque de tumeurs cutanées malignes, entre autres le fait de vivre près de l'équateur ainsi que des activités professionnelles et récréatives fréquentes à l'extérieur (Berwick, Erdei & Hay, 2009). Des facteurs comportementaux tels que la fréquentation de cabines de bronzage et l'habitude des bains de soleil sont toutefois modifiables.

Les clients traités au méthoxsalène (psoralène) oral et au psoralène avec rayonnement ultraviolet A (PUVA) peuvent présenter plus de risques voir se développer un mélanome. Les personnes à peau foncée sont moins exposées au risque de cancer cutané, car elles ont une grande quantité de mélanine, qui forme un écran solaire naturel. Toutefois, malgré leurs risques moindres, ces personnes peuvent tout de même voir se développer un mélanome, le plus souvent sur la paume des mains, la plante des pieds et les muqueuses **ENCADRÉ 31.1**.

CE QU'IL FAUT RETENIR

Le risque de voir se développer un cancer cutané, avec ou sans mélanome, croît avec la fréquence et la durée de l'exposition aux rayons UV. Éviter de s'exposer et utiliser des moyens de protection sont les deux façons les plus efficaces de réduire les risques.

31.3 Cancers cutanés sans présence de mélanome

Les cancers cutanés sans mélanome, notamment les carcinomes basocellulaires ou les carcinomes spinocellulaires, sont les cancers cutanés les plus communs (Miller, Alam, Andersen *et al.*, 2010). Santé Canada estimait à 78 300 les nouveaux cas de cancer de la peau autres que le mélanome qui seraient diagnostiqués en 2015 (Société canadienne du cancer, Statistique Canada, Agence de la santé publique du Canada *et al.*, 2015). Contrairement aux cancers avec mélanome, les cancers sans mélanome ne se forment pas à partir des mélanocytes, les cellules cutanées qui produisent la mélanine, mais plutôt dans l'épiderme. Les cancers cutanés sans mélanome se développent plus souvent sur les parties du corps exposées au soleil, notamment le visage, la tête, le cou, le dos des mains et les bras.

Bien que le nombre de mortalités attribuables aux cancers cutanés sans mélanome soit assez faible, ces tumeurs peuvent causer une destruction locale grave, des dommages esthétiques permanents et une invalidité. Le facteur étiologique le plus commun est l'exposition au soleil. En évitant de s'exposer au soleil en mi-journée, en portant des vêtements de protection et en appliquant un écran solaire tôt au cours de sa vie, il est possible de prévenir la formation ultérieure de tumeurs malignes de la peau (Berwick *et al.*, 2009).

Soins infirmiers interculturels

ENCADRÉ 31.1 Troubles tégumentaires

- L'incidence du cancer est plus faible parmi les personnes d'origine africaine et les Amérindiens que chez les Blancs.
- Un mélanome peut se développer sur une peau foncée, mais il n'est généralement pas détecté avant les stades avancés.
- L'évaluation d'une peau foncée peut poser des difficultés. Les muqueuses orales et la conjonctive sont des zones où la pâleur, la cyanose et l'ictère sont plus faciles à détecter. La paume des mains et la plante des pieds peuvent aussi être évaluées.
- Une peau foncée qui guérit après une blessure ou une inflammation est généralement hypopigmentée ou hyperpigmentée.

31.3.1 Kératose sénile

La **kératose sénile**, aussi appelée kératose solaire, se caractérise par la présence de papules et de plaques hyperkératosiques sur les zones exposées au soleil. Il s'agit de la lésion cutanée précancéreuse la plus commune, et elle touche presque toutes les personnes âgées blanches. Son apparence clinique est très variable. Une lésion typique est une papule légèrement érythémateuse, de forme irrégulière et plate et aux contours indistincts qui est recouverte d'une squame ou d'une corne kératosique dure **TABLEAU 31.4**. Il existe de nombreux types de traitements, dont la cryothérapie, le fluorouracil, l'ablation chirurgicale, le trétinoïne (Retin-A[MD]), l'imiquimod (Aldara[MD]), des agents de dissolution chimique, la dermabrasion, la restructuration (ou le resurfaçage) au laser et le traitement photodynamique (PDT-5-acide aminolévulinique [ALA] ou aminolévulinate de méthyle [MAL] suivi d'une légère irradiation) (Tope & Bhardwaj, 2008). Il faut évaluer toute lésion persistante afin de déterminer si une biopsie est nécessaire.

31.3.2 Carcinome basocellulaire

Le **carcinome basocellulaire** est une tumeur maligne locale envahissante qui se forme à partir des cellules basales de l'épiderme. Il s'agit du cancer cutané le plus commun et aussi le moins mortel. Ce carcinome touche généralement les adultes d'âge moyen et d'âge mûr. Ses manifestations cliniques sont décrites au **TABLEAU 31.4**. Les cellules cancéreuses du carcinome basocellulaire ne se propagent presque jamais au-delà de la peau. Toutefois, si elles ne sont pas traitées, elles peuvent causer la destruction massive des tissus. Certains carcinomes basocellulaires sont pigmentés, ont des bords ondulés et une apparence opaque, et ils peuvent être confondus avec un

TABLEAU 31.4	Affections cutanées prémalignes et malignes		
AFFECTION CUTANÉE	**ÉTIOLOGIE ET PHYSIOPATHOLOGIE**	**MANIFESTATIONS CLINIQUES**	**TRAITEMENTS ET PRONOSTIC**
Kératose sénile	Dommages actiniques (par le soleil); lésions cutanées prémalignes, communes parmi les personnes âgées blanches	• Papule squameuse hyperkératosique, plane ou surélevée et sèche; possiblement plane, rugueuse ou verruqueuse; squame adhérente qui se reforme quand elle est enlevée; souvent en grand nombre; squame rugueuse sur un fond rouge; souvent sur des zones érythémateuses exposées au soleil; nombre augmentant avec l'âge	Cryothérapie, dermabrasion chimique, chirurgie au laser, application topique de fluorouracil (5-FU[MD]) sur toute la zone touchée pendant une période de 14 à 28 jours ou application topique d'imiquimod (Aldara[MD]) pendant 16 semaines; traitement photodynamique suivi de radiothérapie; récurrence possible même avec un traitement adéquat
Nævus dysplasique et atypique	Morphologiquement entre le nævus (ou grain de beauté) commun (ou acquis) et le mélanome; précurseur possible d'un mélanome cutané malin	• Souvent de plus de 5 mm; bordure irrégulière, possiblement indentée; couleur variant entre le brun pâle, le brun, le noir, le rouge ou le rose, dans un seul grain de beauté; au moins une partie plate, souvent en bordure du grain de beauté; souvent en grand nombre; rare avant la puberté; plus souvent sur le dos, mais possiblement présent à des endroits où des grains de beauté sont rarement trouvés, tels que le cuir chevelu ou les fesses **FIGURE 31.1**	Surveillance attentive des personnes dont la famille montre des historiques de mélanome ou de nævus dysplasiques; biopsie d'excision des lésions suspectes; risque accru de mélanome
Carcinome basocellulaire	Changements des cellules basales; pas de maturation ou de kératinisation normale; division continue des cellules basales et formation d'une masse grossissante; lié à une exposition excessive au soleil, au type de peau génétique, aux rayons X, aux cicatrices et à certains types de nævus	• Nodulaire et ulcéreux: petite papule qui grossit lentement; bordures semi-translucides ou nacrées, avec télangiectasie (dilatation de groupes de veinules et de capillaires superficiels) sus-jacente; érosion, ulcération et dépression du centre; disparition des marques normales de la peau **FIGURE 31.2** • Superficiel: plaques érythémateuses, nacrées, très bien définies et légèrement surélevées	Exérèse chirurgicale, chimiochirurgie, électrochirurgie, cryothérapie; taux de guérison de 90 %; tumeur à développement lent qui envahit les tissus locaux; métastase rare; fluorouracil (5-FU[MD]) et imiquimod (Aldara[MD]) pour les lésions superficielles et traitement photodynamique pour les petites lésions
Carcinome spinocellulaire	Fréquent sur une peau endommagée (p. ex., par le soleil, le rayonnement, les cicatrices); tumeur maligne des cellules squameuses de l'épiderme; invasion du derme et de la peau environnante	• Superficiel: plaque érythémateuse et squameuse mince, sans invasion du derme • Précoce: nodules fermes à bordures floues avec squames et ulcération • Tardif: lésion couverte de squames ou de corne due à la kératinisation; ulcération; plus commun sur les zones exposées au soleil, telles que le visage et les mains **FIGURE 31.3**	Exérèse chirurgicale, cryothérapie, radiothérapie, chimiothérapie, électrodessication et curetage; si lésion non traitée, métastases possibles vers les nœuds lymphatiques régionaux et les organes éloignés; détection et traitement précoces pour un taux de guérison élevé
Mélanome malin	Développement néoplasique de mélanocytes à n'importe quel endroit de la peau, des yeux ou des muqueuses; classification en fonction du principal mode de propagation histologique; invasion potentielle et métastases répandues	• Couleur, surface et bordure irrégulières; couleur variée incluant le rouge, le blanc, le bleu, le noir, le gris et le brun; plat ou surélevé; érodé ou ulcéré; généralement de moins de 1 cm; chez l'homme, sites les plus communs: le dos, puis la poitrine; chez la femme: les jambes, puis le dos **FIGURE 31.4**	Exérèse chirurgicale et évaluation possible du ganglion sentinelle, selon la profondeur; corrélation du taux de survie avec la profondeur de l'invasion; pronostic sombre sauf en cas de diagnostic et de traitement précoces; propagation par extension locale, par les vaisseaux lymphatiques régionaux et le sang; traitement d'appoint après la chirurgie peut être indiqué si lésion de plus de 1,5 mm de profondeur

TABLEAU 31.4 Affections cutanées prémalignes et malignes *(suite)*

AFFECTION CUTANÉE	ÉTIOLOGIE ET PHYSIOPATHOLOGIE	MANIFESTATIONS CLINIQUES	TRAITEMENTS ET PRONOSTIC
Lymphome T cutané	Formation dans la peau ; maladie chronique localisée à progression lente ; étiologie possible de toxines environnementales et d'exposition chimique ; forme la plus courante : le mycosis fongoïde (MF) ; forme avancée de MF : le syndrome de Sézary ; prévalence deux fois plus élevée parmi les hommes que chez les femmes	• Évolution classique en trois stades : 1) de petites plaques superficielles (stade précoce), 2) des plaques étendues et plus infiltratives, 3) des nodules et une tumeur plus ou moins ulcérée (stade avancé) ; antécédents d'éruption maculaire persistante suivie de l'apparition graduelle de plaques érythémateuses indurées sur le tronc qui ressemblent au psoriasis, avec prurit et apparition d'adénopathie	Traitement permettant généralement de maîtriser les symptômes, mais pas de guérir ; UVB, PUVA, corticostéroïdes, agent alkylant topique, radiothérapie aux stades précoce et intermédiaire (plaques), interféron, chimiothérapie systémique, photophérèse extracorporelle, vorinostat (Zolinza[MD]) pour le stade avancé ; évolution de la maladie imprévisible ; maladie évolutive dans 10 % des cas

mélanome. Une biopsie des tissus est nécessaire pour confirmer le diagnostic (Pfenninger, 2010a).

Selon le type histologique et le site de la tumeur, les antécédents de récurrence ainsi que les caractéristiques du client, de nombreux types de traitements sont possibles, entre autres l'ablation chirurgicale, l'électrodessication avec curetage, la cryothérapie, la radiothérapie, la chimiothérapie topique et le traitement photodynamique. L'électrodessication avec curetage, la cryothérapie et l'excision chirurgicale offrent toutes un taux de guérison supérieur à 90 % quand elles sont utilisées correctement sur des lésions primaires. Le site et la taille de la tumeur sont des facteurs importants dans la détermination du meilleur traitement.

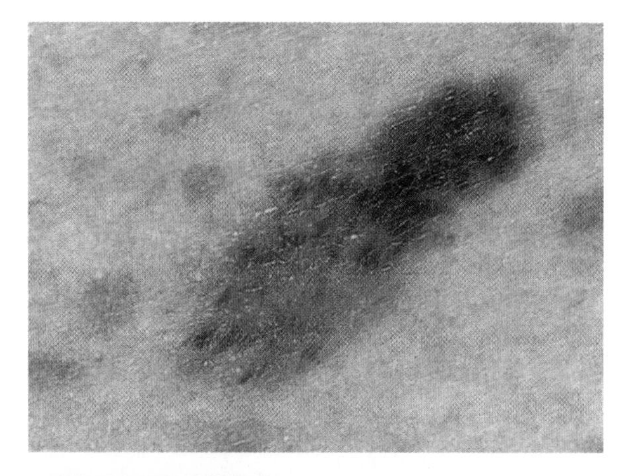

FIGURE 31.1 Nævus dysplasique – Bordure et couleur irrégulières

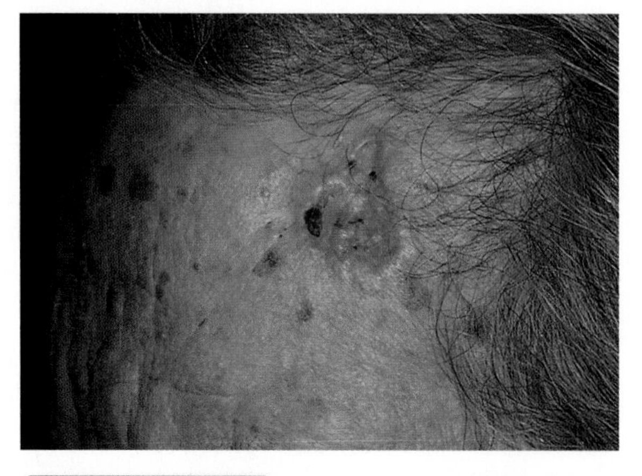

FIGURE 31.2 Carcinome basocellulaire – Bordure arrondie et bien définie, et érosion centrale

31.3.3 Carcinome spinocellulaire

Le **carcinome spinocellulaire** (épithéliomas spinocellulaires) est un néoplasme malin des cellules épidermiques kératinisantes **FIGURE 31.3**. Il apparaît généralement sur une peau qui a été exposée au soleil. Ce carcinome est moins commun que le carcinome basocellulaire. Il peut être très envahissant, former des métastases et devenir mortel s'il n'est pas traité tôt et correctement. La fumée de pipe, de cigare et de cigarette contribue à la formation du carcinome spinocellulaire sur la bouche et les lèvres. Le **TABLEAU 31.4** présente les manifestations cliniques de ce carcinome. Une lésion susceptible d'être un carcinome spinocellulaire doit toujours être biopsiée.

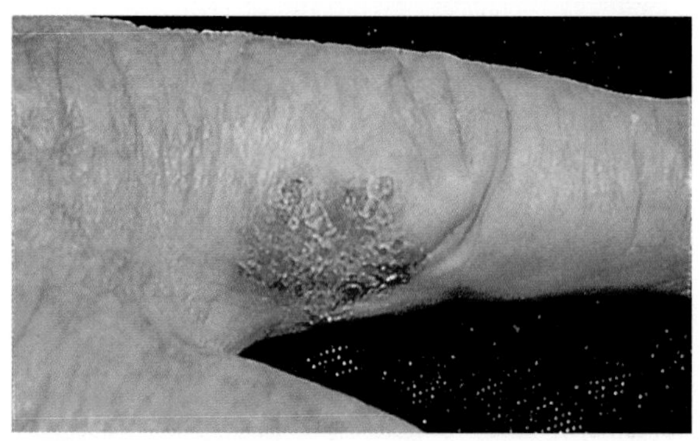

FIGURE 31.3 Carcinome spinocellulaire du doigt

31.4 | Mélanome malin

Le **mélanome malin** est une tumeur qui se forme dans les mélanocytes, les cellules qui produisent la mélanine. Il s'agit du plus mortel des cancers cutanés. Chaque année, 132 000 nouveaux cas sont diagnostiqués dans le monde (World Health Organization, 2016). Le mélanome peut engendrer le développement de métastases dans n'importe quel organe, y compris au cerveau et dans le cœur. Il tue 10 fois plus de Blancs que de Noirs (American Cancer Society, 2011).

La cause exacte de ce mélanome est inconnue. Les facteurs de risque comprennent l'exposition chronique aux rayons UV sans protection ou la surexposition à la lumière artificielle, par exemple dans des cabines de bronzage. Les personnes qui ont une peau et des yeux clairs ont moins de mélanine et sont donc moins protégées contre les rayons UV (Coelho & Hearing, 2010). Des antécédents personnels ou familiaux tels qu'un diagnostic antérieur de mélanome ou un parent du premier degré qui a ou a eu un mélanome augmentent les risques qu'une telle tumeur se développe. Dans certaines familles où sévit une forte prévalence de mélanome, un gène muté peut parfois être identifié (Hansson, 2008). L'immunosuppression et le **nævus dysplasique** augmentent également les risques d'apparition de mélanome.

31.4.1 Manifestations cliniques

Environ un quart des mélanomes se forment dans des nævus (ou grains de beauté) existants et environ 20 % dans des nævus dysplasiques **TABLEAU 31.4**. Chez la femme, les mélanomes se trouvent souvent sur les jambes inférieures et le dos alors que chez l'homme, ils se forment plutôt sur le tronc, la tête et le cou. Puisque la plupart des cellules de mélanome continuent à produire de la mélanine, les mélanomes sont généralement brun foncé ou noirs. Si un grain de beauté ou une lésion montre un des signes cliniques (ABCDE) du mélanome, le client doit immédiatement consulter son professionnel de la santé **FIGURE 31.4**. Toute modification ou augmentation soudaine ou

Jugement clinique

Joanie, 19 ans, a la peau claire, les cheveux blonds et les yeux bleus. Elle s'expose trois fois par semaine à des bains solaires dans une cabine de bronzage afin d'avoir un beau hâle pour aller dans le Sud. Elle porte habituellement des vêtements aux couleurs claires et des verres fumés lorsqu'elle est au soleil. Quels sont les facteurs de risque du cancer de la peau que présente Joanie ?

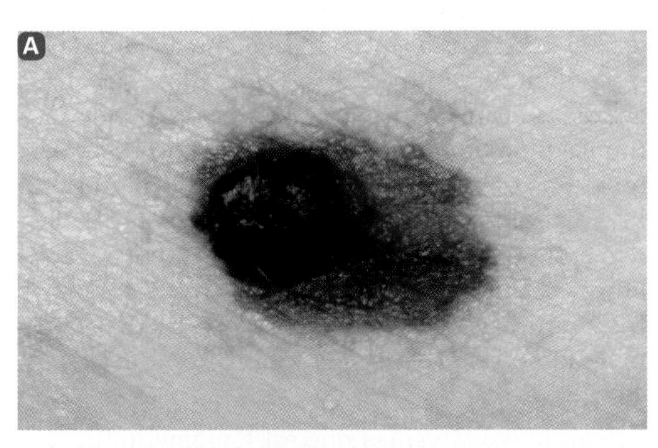

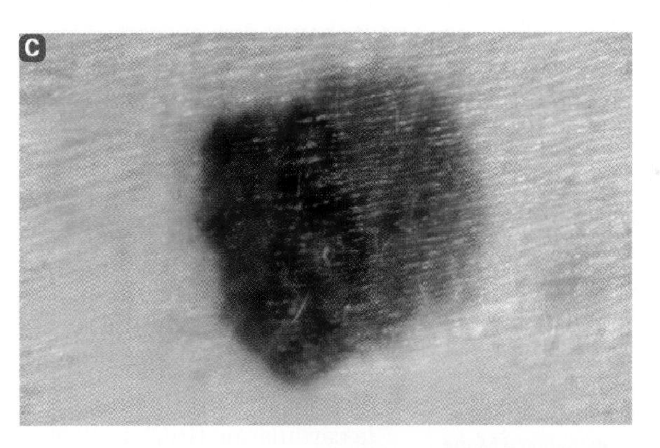

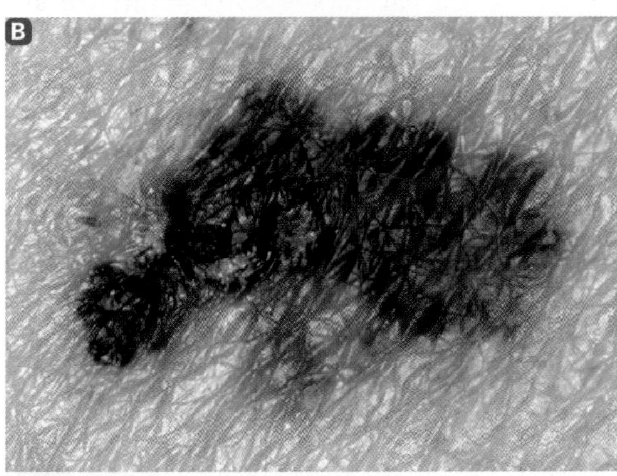

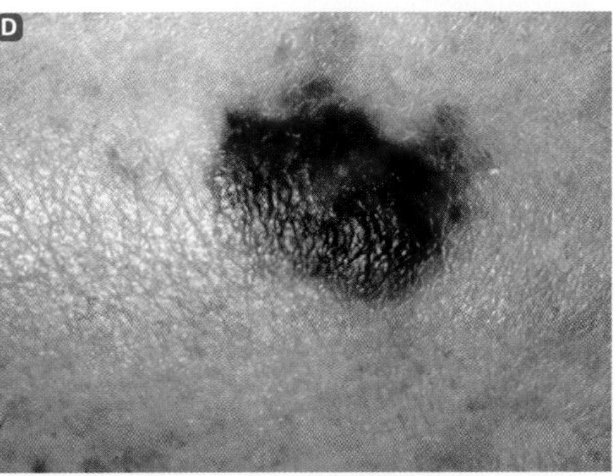

FIGURE 31.4 ABCDE d'un mélanome – A Asymétrie : deux moitiés différentes. B Bordure irrégulière : dentelée, entaillée ou floue. C Couleur : pigmentation variée, brun pâle, brun foncé et noir. D Diamètre : supérieur à 6 mm (diamètre de la gomme à effacer d'un crayon). E (Non illustré) Évolution : changement dans l'apparence (forme, taille, couleur ou tout autre changement constaté).

CE QU'IL FAUT RETENIR

Toute modification ou augmentation soudaine ou progressive de la taille, de la couleur ou de la forme d'un grain de beauté doit être évaluée.

Ganglion sentinelle: Premier ganglion recevant le drainage lymphatique de la région atteinte par le cancer (région tumorale).

progressive de la taille, de la couleur ou de la forme d'un grain de beauté doit être évaluée. Un mélanome qui se forme sur la peau est un mélanome cutané. Un mélanome peut aussi se former dans les yeux, les méninges, les nœuds lymphatiques, les voies digestives et à tout autre endroit du corps où des mélanocytes sont présents.

31.4.2 Processus thérapeutique en interdisciplinarité

Les lésions pigmentées hautement susceptibles d'être un mélanome ne doivent pas subir de biopsie par rasage, d'excision par rasage ni d'électrocautérisation. Toute lésion suspecte doit subir une biopsie par excision. Le facteur le plus important de pronostic est l'épaisseur de la tumeur au moment du diagnostic. Deux méthodes sont couramment utilisées pour déterminer l'épaisseur des lésions: l'**indice de Breslow** indique le pronostic de survie selon l'épaisseur de la tumeur en millimètres **FIGURE 31.5**, et le **niveau de Clark** quantifie l'invasion en profondeur de la tumeur (niveaux 1 à 5). Un nombre élevé indique un mélanome profond.

Le traitement dépend du site de la tumeur originale, du stade du cancer ainsi que de exérèse de la santé générale du client. Le traitement initial d'un mélanome malin est l'excision chirurgicale. Une greffe de peau peut ensuite être nécessaire pour refermer la plaie. Un mélanome qui s'est propagé aux nœuds lymphatiques ou à proximité de ceux-ci nécessite généralement un traitement d'appoint comme la chimiothérapie, un traitement biologique (p. ex., l'interféron α, l'interleukine-2) et une radiothérapie. La dacarbazine, le témozolomide (Temodal^MD), le chlorhydrate de procarbazine (Matulane^MD), la carmustine (BiCNU^MD) et la lomustine (CeeNU^MD) sont certains des agents chimiques utilisés. La thérapie génique et la vaccinothérapie sont d'autres traitements possibles actuellement à l'étude (Rubin, 2009). Un traitement immunitaire topique (p. ex., l'imiquimod [Aldara^MD]) est aussi à l'étude, pour certains types de mélanomes.

Jugement clinique

Claudine Morin, 41 ans, a l'habitude de passer ses vacances annuelles dans les Caraïbes. Dernièrement, elle a remarqué sur sa cuisse droite une tache irrégulière, surélevée et brune (presque noire) d'environ 7 mm de diamètre. Auparavant, elle n'avait qu'une petite plaque un peu plus foncée que la peau avoisinante à cet endroit. Complétez l'évaluation de la lésion cutanée de madame Morin à l'aide de l'outil ABCDE.

Le stade du mélanome (stades 0 à IV) est déterminé en fonction de la taille de la tumeur (épaisseur), de l'atteinte des nœuds lymphatiques et de la présence de métastases. Au stade 0, le mélanome se trouve à un seul endroit (*in situ*) de l'épiderme. Un mélanome diagnostiqué à cette étape est presque entièrement guérissable par exérèse. Au stade I, le mélanome a moins de 1 cm d'épaisseur. Dans ce cas, le taux de survie à cinq ans peut varier de 75 à 95 % selon les résultats de biopsie du **ganglion sentinelle**. Cette biopsie indique la présence ou non de métastases. Au stade II, le mélanome a plus de 1 cm, mais ne s'est pas propagé aux ganglions lymphatiques. S'il y a eu propagation aux nœuds lymphatiques régionaux (stade III), les chances de survie du client à 5 ans sont de 45 % (National Institutes of Health & National Cancer Institute, 2009). S'il y a des métastases dans les autres organes (stade IV), le traitement est palliatif **TABLEAU 31.5**.

31.4.3 Nævus dysplasique ou atypique

La présence d'un nævus anormal, appelé syndrome du nævus dysplasique, augmente les risques de mélanome. Entre 2 et 8 % des Blancs ont des grains de beauté considérés comme des nævus atypiques ou dysplasiques. Les **nævus dysplasiques**, ou grains de beauté atypiques, sont plus gros que la normale (diamètre de plus de 5 mm), ont des contours irréguliers et sont de diverses couleurs **FIGURE 31.1**. Ces nævus peuvent présenter les mêmes caractéristiques ABCDE qu'un mélanome, mais elles sont moins prononcées.

L'anomalie la plus précocement décelable liée au nævus dysplasique est l'augmentation du nombre de nævus d'apparence normale chez les enfants âgés de deux à six ans. Une autre

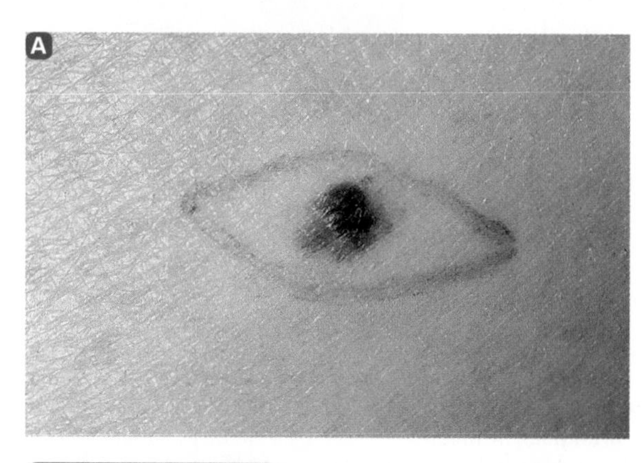

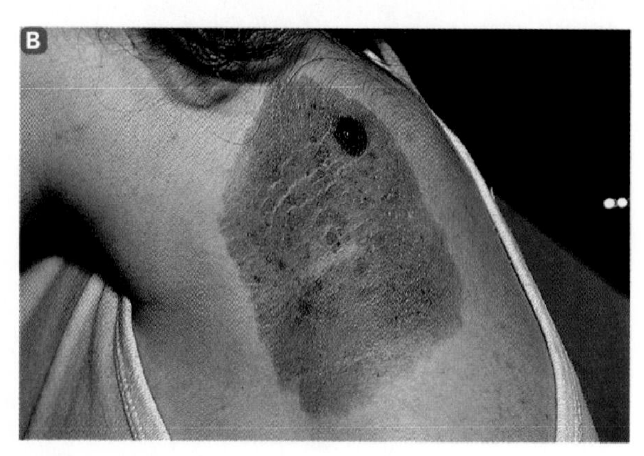

FIGURE 31.5 Indice de Breslow de l'épaisseur d'une tumeur – **A** Mélanome mince (0,08 mm) à propagation superficielle, bon pronostic. **B** Mélanome nodulaire épais touchant le nœud lymphatique, pronostic sombre.

prolifération se produit à l'adolescence, puis des nævus continuent d'apparaître tout au long de la vie. Le nombre moyen de nævus normaux d'un adulte est d'environ 40. Les personnes qui présentent des nævus dysplasiques peuvent avoir plus de 100 nævus d'apparence normale. L'infirmière doit consigner les antécédents familiaux détaillés concernant les mélanomes et les nævus dysplasiques. La présence d'un nævus dysplasique double les risques de voir se développer un mélanome ; les risques sont multipliés par 12 en présence de nævus dysplasiques multiples.

TABLEAU 31.5 **Regroupement des stades pour le mélanome**[a]

STADE	TNM			EXPLICATIONS
Stade 0	Tis	N0	M0	• Mélanome *in situ* – le mélanome est confiné à l'épiderme (couche superficielle de la peau) et ne s'est pas propagé au derme.
Stade IA	T1a	N0	M0	• Le mélanome a moins de 1 mm d'épaisseur et n'est pas ulcéré. • Le mélanome ne s'est pas propagé aux ganglions lymphatiques ou à des emplacements éloignés.
Stade IB	T1b ou T2a	N0	M0	• Le mélanome a moins de 1 mm d'épaisseur et est ulcéré ou bien le mélanome a entre 1,01 et 2 mm d'épaisseur et n'est pas ulcéré. • Le mélanome ne s'est pas propagé aux ganglions lymphatiques ou à des emplacements éloignés.
Stade IIA	T2b ou T3a	N0	M0	• Le mélanome a entre 1,01 et 2 mm d'épaisseur et est ulcéré ou le mélanome a entre 2,01 et 4 mm d'épaisseur et n'est pas ulcéré. • Le mélanome ne s'est pas propagé aux ganglions lymphatiques ou à des emplacements éloignés.
Stade IIB	T3b ou T4a	N0	M0	• Le mélanome a entre 2,01 et 4 mm d'épaisseur et est ulcéré ou a plus de 4 mm d'épaisseur et n'est pas ulcéré. • Le mélanome ne s'est pas propagé aux ganglions lymphatiques ou à des emplacements éloignés.
Stade IIC	T4b	N0	M0	• Le mélanome a plus de 4 mm d'épaisseur et est ulcéré. • Le mélanome ne s'est pas propagé aux ganglions lymphatiques ou à des emplacements éloignés.
Stade IIIA	T1a à 4a	N1a, N2a	M0	• Le mélanome est de n'importe quelle épaisseur et n'est pas ulcéré. • Le mélanome s'est propagé dans un à trois ganglions lymphatiques voisins, mais on peut l'observer seulement au microscope, et les ganglions lymphatiques ne sont pas enflés. • Il n'y a pas de propagation à distance.
Stade IIIB	T1b à 4b	N1a, N2a	M0	• Le mélanome est de n'importe quelle épaisseur et est ulcéré. • Le mélanome s'est propagé dans un à trois ganglions lymphatiques voisins, mais on peut l'observer seulement au microscope, et les ganglions lymphatiques ne sont pas enflés. • Il n'y a pas de propagation à distance.
	T1a à 4a	N1b, N2b	M0	• Le mélanome est de n'importe quelle épaisseur et n'est pas ulcéré. • Le mélanome s'est propagé dans un à trois ganglions lymphatiques voisins, et les ganglions lymphatiques sont enflés. • Il n'y a pas de propagation à distance.
	T1a à 4a	N2c	M0	• Le mélanome est de n'importe quelle épaisseur et n'est pas ulcéré. • Le mélanome s'est propagé à de petites régions de peau voisines ou à des vaisseaux lymphatiques de la peau entourant la tumeur. • Les ganglions lymphatiques ne contiennent pas de cellules du mélanome. • Il n'y a pas de propagation à distance.

TABLEAU 31.5 Regroupement des stades pour le mélanome[a] *(suite)*

STADE	TNM			EXPLICATIONS
Stade IIIC	T1b à 4b	N1b	M0	• Le mélanome est de n'importe quelle épaisseur et est ulcéré. • Le mélanome s'est propagé dans un ganglion lymphatique voisin qui est enflé. • Il n'y a pas de propagation à distance.
	T1b à 4b	N2b	M0	• Le mélanome est de n'importe quelle épaisseur et est ulcéré. • Le mélanome s'est propagé dans deux ou trois ganglions lymphatiques voisins qui sont enflés. • Il n'y a pas de propagation à distance.
	T1b à 4b	N2c	M0	• Le mélanome est de n'importe quelle épaisseur et est ulcéré. • Le mélanome s'est propagé à de petites régions de peau voisines ou à des vaisseaux lymphatiques de la peau entourant la tumeur. • Les ganglions lymphatiques ne contiennent pas de cellules du mélanome. • Il n'y a pas de propagation à distance.
	Tout T	N3	M0	• Le mélanome est ulcéré. • Le mélanome s'est propagé dans au moins quatre ganglions lymphatiques voisins ou dans des vaisseaux lymphatiques de la peau entourant la tumeur et plusieurs ganglions lymphatiques, et les ganglions sont enflés. • Il n'y a pas de propagation à distance.
Stade IV	Tout T	Tout N	M1	• Le mélanome s'est propagé au-delà de l'emplacement d'origine dans d'autres organes, des régions éloignées de la peau ou des ganglions lymphatiques à distance.

T : tumeur ; N : *nodes* (terme anglais pour les ganglions lymphatiques) : ganglions lymphatiques régionaux ; M : métastases à distance.

[a] Selon l'American Joint Committee on Cancer et l'Union For International Cancer Control.

Source : Société canadienne du cancer (2015). *Regroupement des stades pour le mélanome.* Repéré à www.cancer.ca/fr-ca/cancer-information/cancer-type/skin-melanoma/staging/?region=qc. Page consultée le 23 octobre 2015.

31.5 Infections et infestations cutanées

31.5.1 Infections bactériennes

La peau est un environnement idéal pour la croissance bactérienne en raison de ses réserves abondantes de nutriments, d'eau et de sa température élevée. De ce fait, la peau se trouve normalement couverte de divers microorganismes.

Une infection bactérienne se produit quand l'équilibre est modifié entre l'hôte et les microorganismes. Il peut s'agir d'une infection primaire, qui suit une lésion cutanée, d'une infection secondaire, causée par un trouble cutané déjà présent ou liée à une maladie systémique **TABLEAU 31.6**. Les principaux types de bactéries responsables des infections cutanées primaires et secondaires sont le *Staphylococcus aureus* et les streptocoques β-hémolytiques du groupe A.

CE QU'IL FAUT RETENIR

Une infection bactérienne se produit quand l'équilibre est modifié entre l'hôte et les microorganismes.

Zona : Dermatose virale fréquente, due au virus de l'*herpes zoster*, le même virus que la varicelle.

Les personnes en bonne santé peuvent développer des infections cutanées bactériennes. Des facteurs prédisposants, tels que l'humidité, l'obésité, une dermatite atopique, une maladie chronique comme le diabète ainsi que l'utilisation de corticostéroïdes et d'antibiotiques augmentent les risques d'infection. Une hygiène méticuleuse associée à une bonne santé générale prévient les infections. Certaines infections peuvent causer un écoulement contagieux. Afin de prévenir la propagation de l'infection, il faut alors adopter de bonnes mesures d'hygiène et de prévention des infections.

31.5.2 Infections virales

Les infections virales de la peau sont aussi difficiles à traiter que celles qui touchent toute autre partie du corps. L'infection d'une cellule par un virus peut former une lésion cutanée. Une lésion peut aussi être due à la réaction inflammatoire causée par l'infection virale. Le **TABLEAU 31.7** présente les infections virales les plus courantes de la peau, dont font partie l'herpès, le **zona** et les verrues **FIGURES 31.8**, **31.9** et **31.10**.

31.5.3 Infections fongiques

En raison du grand nombre de champignons présents dans tous les environnements, l'exposition à certaines variétés pathologiques est possible. La peau, les cheveux et les ongles peuvent subir une

TABLEAU 31.6 Infections bactériennes communes de la peau

INFECTION BACTÉRIENNE	ÉTIOLOGIE ET PHYSIOPATHOLOGIE	MANIFESTATIONS CLINIQUES	TRAITEMENTS ET PRONOSTIC
Impétigo	Streptocoques β hémolytiques du groupe A, staphylocoques dorés ou une combinaison des deux ; associé à une mauvaise hygiène ; infection primaire ou secondaire ; contagieux	Lésions vésiculopustuleuses qui forment une croûte épaisse de couleur miel entourée d'érythème ; prurigineuses ; plus communes sur le visage dans le cas d'une infection primaire **FIGURE 31.6**	• Antibiotiques systémiques : pénicilline par voie orale (P.O.), pénicilline benzathine par voie intramusculaire (I.M.), érythromycine • Traitement local : trempage dans une solution saline, suivi de l'excision des croûtes à l'eau et au savon ; crème ou onguent antibiotique topique, par exemple Mupirocin (Bactroban[MD]) ou acide fucidique (Fucidin[MD]) ; sans traitement, glomérulonéphrite possible en présence d'une souche de streptocoques néphritigènes ; hygiène méticuleuse essentielle
Folliculite	Généralement due à des staphylocoques ; parties touchées : les zones exposées à la friction, à l'humidité, ainsi que les zones exposées à l'huile produite naturellement par le corps ; fréquence accrue chez les diabétiques	Petite pustule à l'ouverture du follicule pileux avec un érythème minime ; formation d'une croûte ; plus commune sur le cuir chevelu, dans la barbe et aux extrémités chez l'homme ; sensible au toucher	• Savon antiseptique (p. ex., Lever 2000[MD], Dial[MD]) et lavage à l'eau ; antibiotiques topiques (p. ex., Bactroban[MD], Clindamycine[MD] 1 %) ; application de compresses d'eau tiède ; guérison ne laissant généralement pas de cicatrices ; si lésions étendues et profondes, possibilité de cicatrices ainsi que de perte des follicules pileux touchés et traitement aux antibiotiques systémiques possiblement utile
Furoncle	Infection profonde à staphylocoques dorés autour du follicule pileux, souvent associée à de l'acné grave ou à une dermatite séborrhéique	Zone érythémateuse sensible autour du follicule pileux ; écoulement de pus et perte de débris nécrotique à la rupture ; plus commun sur le visage, la nuque, les aisselles, les seins, les fesses, le périnée et les cuisses ; douloureux	• Incision et drainage ; insertion d'une mèche possiblement nécessaire ; antibiotiques systémiques ; soin méticuleux de la peau touchée avec antiseptique ; applications fréquentes de compresses tièdes et humides afin d'accélérer la rupture
Furonculose	Répétition d'épisodes de furoncles, et ce, sur plusieurs mois. Fréquence accrue parmi les clients obèses, diabétiques, souffrant d'une maladie chronique, immunosupprimés, ayant une hygiène déficiente ou régulièrement exposés à l'humidité (p. ex., dans le cas d'incontinence)	Mêmes lésions que celles des furoncles ; malaise, adénopathie régionale, température corporelle élevée	• Incision et drainage des nodules douloureux ; application de compresses tièdes et humides sur les plaques érythémateuses ; antibiotique systémique après une mise en culture et un antibiogramme de l'écoulement (généralement de la pénicilline P.O. semi-synthétique résistante à la pénicillinase, telle que la cloxacilline et l'oxacilline) ; pour réduire les staphylocoques de surface, application d'une crème antimicrobienne sur les narines, les aisselles et les aines et un antiseptique sur toute la peau ; affection souvent récurrente avec cicatrices ; prévention ou correction des facteurs prédisposants ; hygiène personnelle méticuleuse
Maladie du charbon	Furoncles multiples interreliés	Nombreuses pustules apparaissant dans des zones érythémateuses, plus communément sur la nuque	• Même traitement que celui des furoncles ; souvent récurrent malgré la production d'anticorps ; guérison lente avec formation de cicatrices
Cellulite	Inflammation du tissu sous-cutané ; possiblement une complication secondaire ou une infection primaire ; apparition fréquente à la suite d'une lésion cutanée ; généralement due à *S. aureus* et à des streptocoques ; inflammation profonde du tissu sous-cutané à partir des enzymes produites par les bactéries	Zone œdémateuse et érythémateuse chaude et sensible, aux bordures diffuses ; frissons, malaise et fièvre **FIGURE 31.7**	• Application de compresses humide chaudes, immobilisation et élévation de la partie atteinte ; traitement antibiotique systémique ; hospitalisation en cas d'affection grave ; gangrène possible si non traitée

TABLEAU 31.6 Infections bactériennes communes de la peau *(suite)*

INFECTION BACTÉRIENNE	ÉTIOLOGIE ET PHYSIOPATHOLOGIE	MANIFESTATIONS CLINIQUES	TRAITEMENTS ET PRONOSTIC
Érésipèle	Dermohypodermite qui n'engendre pas de nécrose ; streptocoques β-hémolytiques du groupe A	Plaque rouge et chaude aux contours très nets qui est indurée et douloureuse ; bactériémie possible ; plus commune sur le visage et les extrémités ; signes toxiques, tels que la fièvre, augmentation du nombre de globules blancs, céphalée, malaise	• Antibiotiques systémiques, généralement de la pénicilline ; hospitalisation souvent nécessaire

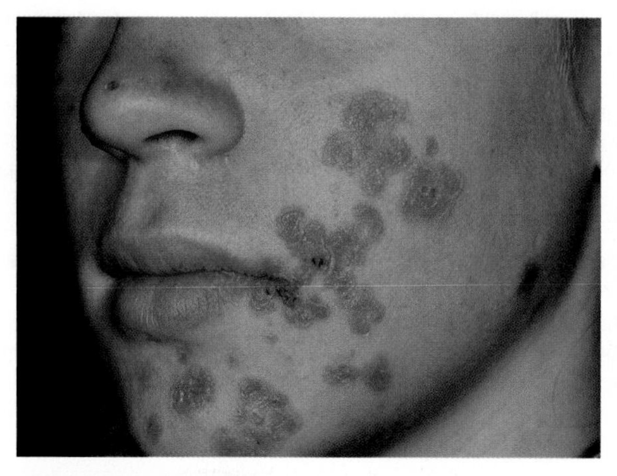

FIGURE 31.6 Impétigo – Pustules superficielles couvertes d'une croûte épaisse de couleur miel

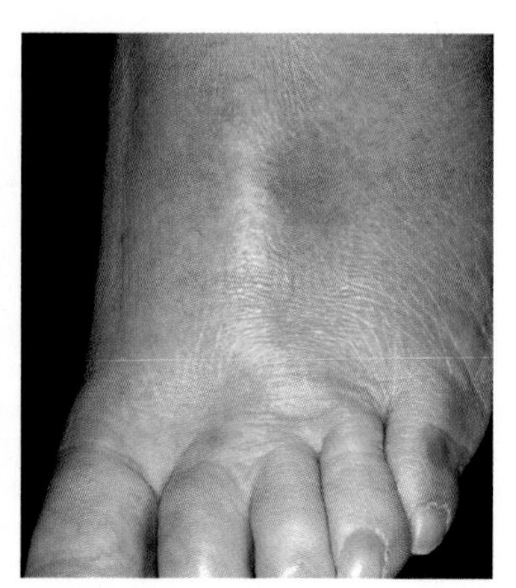

FIGURE 31.7 Cellulite avec érythème, sensibilité et œdème caractéristiques

TABLEAU 31.7 Infections virales communes de la peau

INFECTION VIRALE	ÉTIOLOGIE ET PHYSIOPATHOLOGIE	MANIFESTATIONS CLINIQUES	TRAITEMENTS ET PRONOSTIC
Virus *herpes simplex* (VHS), types 1 et 2	Les infections orales ou génitales par le VHS ont le sérotype HSV1 ou HSV2 ; ce sont deux infections virales permanentes récurrentes dont la réapparition sur la peau et les muqueuses indique une récurrence qui est exacerbée par la lumière solaire, un trauma, les menstruations, le stress ou une infection systémique ; infection contagieuse pour les personnes qui n'ont jamais été infectées ; transmission par gouttelettes des voies respiratoires ou par contact avec tout liquide biologique infecté par le virus, tel que la salive ou les sécrétions cervicales ; l'infection se transmet facilement d'une partie à l'autre du corps par contact.	• Infection primaire : les symptômes apparaissent de trois à sept jours ou plus après le contact ; réaction locale douloureuse ; vésicule ou groupe de vésicules sur une base érythémateuse ; symptômes systémiques tels que la fièvre et des malaises possibles **FIGURE 31.8** ; l'absence de symptômes est possible. • Récurrence ou infection secondaire : récurrence aux mêmes endroits ; vésicules groupées caractéristiques sur une base érythémateuse.	Traitements symptomatiques ; apaisement de la douleur avec application de compresses humides ; gelée de pétrole sur les lésions ; ne laisse généralement pas de cicatrices ; pas de traitement curatif ; agents antiviraux tels que acyclovir (Zovirax[MD]), famciclovir (Famvir[MD]) et chlorhydrate de valacyclovir (Valtrex[MD]) afin de diminuer les symptômes ; il n'y a actuellement pas de vaccin contre le VHS de type 1 ou 2.

TABLEAU 31.7	Infections virales communes de la peau *(suite)*		
INFECTION VIRALE	**ÉTIOLOGIE ET PHYSIOPATHOLOGIE**	**MANIFESTATIONS CLINIQUES**	**TRAITEMENTS ET PRONOSTIC**
Herpes zoster (zona)	Activation du virus varicelle-zona (*varicella-zoster virus* [VZV]) ; la fréquence augmente avec l'âge ; peut être contagieux pour toute personne qui n'a jamais eu la varicelle ou qui est immunosupprimée ; au Québec, le nombre annuel d'épisodes de zona est estimé à environ 18 000 (MSSS, 2013).	• Distribution linéaire, le long d'un dermatome, de vésicules et de pustules groupées sur une base érythémateuse ressemblant à la varicelle ; généralement unilatérale sur le tronc, le visage et la région lombosacrée ; une sensation de brûlure, de douleur et de névralgie précède la crise ; douleur légère à grave pendant la crise **FIGURE 31.9**.	Symptomatique ; agents antiviraux tels que acyclovir, famciclovir et chlorhydrate de valacyclovir dans les 72 heures pour prévenir la névralgie postherpétique ; application de compresses humides ; flamazine pour les vésicules rompues ; analgésie ; légère sédation au coucher ; gabapentine (Neurontin[MD]) indiquée pour traiter la névralgie postherpétique ; guérison généralement sans complications, mais cicatrices et névralgie postherpétiques possibles ; un vaccin (Zostavax[MD]) pour prévenir le zona est offert aux personnes âgées de 50 ans et plus qui ont déjà eu la varicelle.
Verrue vulgaire	Est causée par le virus du papillome humain (VPH) de types 2, 4 et 7 ; disparition spontanée possible après une ou deux années ; contagieuse par auto-inoculation ; réaction spécifique dépend de la partie du corps touchée ; prévalence plus grande parmi les jeunes et les personnes immunosupprimées.	• Papule circonscrite et hypertrophique de couleur chair restreinte à l'épiderme ; est douloureuse au moment d'une compression latérale.	De multiples traitements sont possibles, notamment la dissection par clivage avec des ciseaux ou une curette ; traitement à l'azote liquide (cryothérapie) ; agent vésicant (cantharidine) ; agent kératolytique (acide salicylique) ; destruction au laser à gaz carbonique (CO_2).
Verrue plantaire	Est causée par le VPH de types 1, 2 et 4.	• Verrue sur la plante des pieds qui croît vers l'intérieur en raison de la pression exercée par la marche ou la position debout ; surface hyperkératosique irrégulière, douloureuse quand une pression est appliquée ; perte des lignes dermographiques ; le tissu excisé est de forme conique avec des points noirs (vaisseaux thrombosés) **FIGURE 31.10**.	Plusieurs traitements sont possibles : immunothérapie topique (imiquimod [Aldara[MD]]), cryothérapie, acide salicylique.

infection fongique, notamment la candidose et l'onychomycose **FIGURES 31.11** et **31.12** (Snow, 2008). Le **TABLEAU 31.8** présente les infections fongiques communes de la peau.

L'examen microscopique d'un prélèvement par grattage de lésions cutanées squameuses suspectes placé dans de l'hydroxyde de potassium (KOH) 10 à 20 % est une méthode diagnostique peu coûteuse pour déterminer la présence d'un champignon. L'observation d'hyphes microscopiques (structures filamenteuses) indique une infection fongique.

31.5.4 Infestations et morsures ou piqûres d'insectes

Il existe de nombreuses possibilités d'exposition à des infestations (pénétration d'insectes ou de vers) et à des morsures ou piqûres d'insectes. Dans de nombreux cas, la réaction à une telle exposition est surtout due à une allergie ou à une hypersensibilité au venin. Dans d'autres cas, les manifestations cliniques sont une réaction aux œufs, aux excréments ou à d'autres parties du corps de l'organisme envahissant **FIGURE 31.13**. Certaines personnes réagissent par une hypersensibilité grave (anaphylaxie), qui peut mettre leur vie en danger ▶ 14.

La prévention des morsures ou des piqûres d'insectes par évitement ou par utilisation d'un insectifuge est assez efficace. Une hygiène stricte en ce qui a trait aux articles personnels, aux vêtements, à la literie, à l'examen et aux soins des animaux domestiques peuvent réduire les cas d'infestations. Une inspection régulière de la peau est nécessaire dans les régions du Canada où se trouvent des tiques susceptibles de transmettre la maladie de Lyme par leur morsure **TABLEAU 31.9**.

14

L'anaphylaxie est traitée dans le chapitre 14, *Réaction immunitaire et transplantation.*

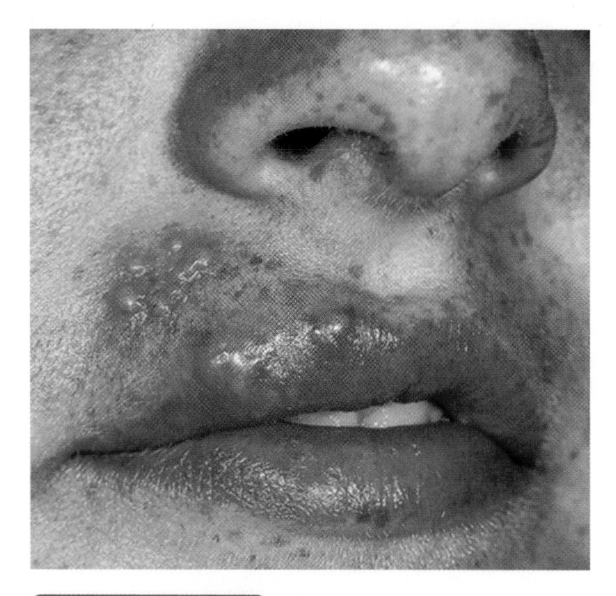

FIGURE 31.8 Infection herpétique sur les lèvres – Apparence typique avec des vésicules sur les lèvres qui s'étendent sur la peau

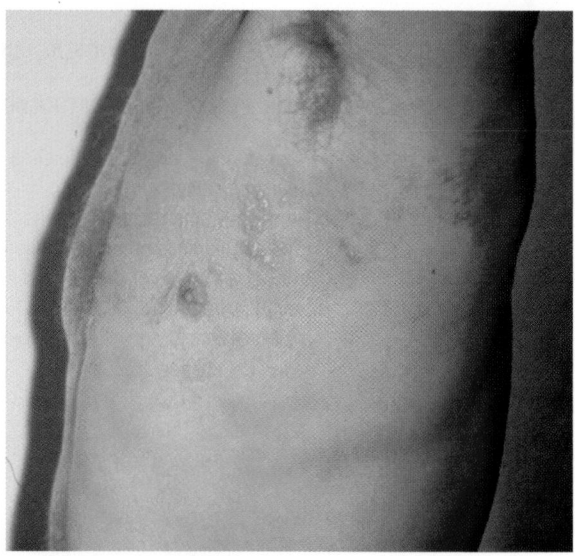

FIGURE 31.9 *Herpes zoster* (zona) sur la poitrine, limité à un dermatome

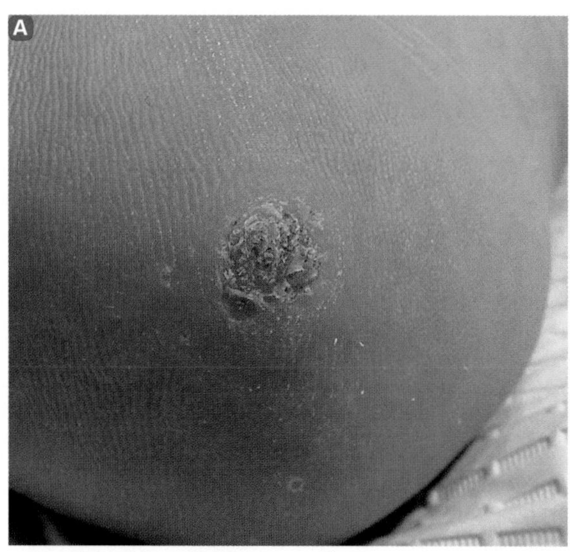

FIGURE 31.10 Verrue plantaire – **A** Lésion kératosique. **B** Après exérèse.

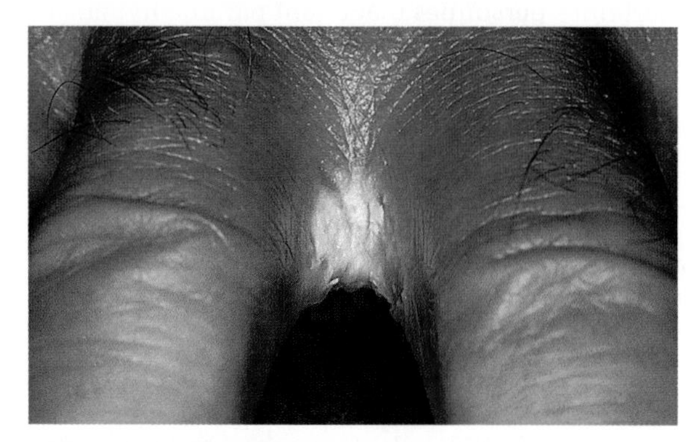

FIGURE 31.11 Candidose dans les plis interdigitaux – Touche les personnes qui ont constamment les mains ou les pieds humides et qui ne les sèchent pas souvent.

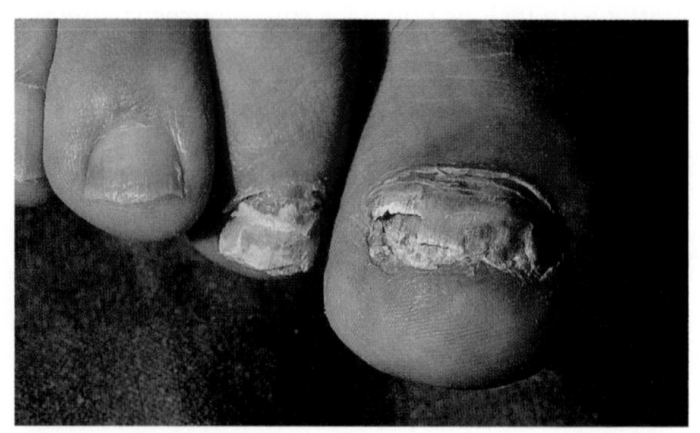

FIGURE 31.12 Onychomycose – Infection fongique des ongles d'orteils ; ongles friables, décolorés et épaissis

TABLEAU 31.8	Infections fongiques communes de la peau et des muqueuses		
INFECTION FONGIQUE	**ÉTIOLOGIE ET PHYSIOPATHOLOGIE**	**MANIFESTATIONS CLINIQUES**	**TRAITEMENTS ET PRONOSTIC**
Candidose	Causée par *Candida albicans*; aussi appelée moniliase; 50 % des adultes sont des porteurs asymptomatiques; présente sur des zones chaudes et humides du corps telles que les aines, la muqueuse orale et les plis sous-mammaires, mais aussi les phanères (ongles); l'infection par le virus de l'immunodéficience humaine (VIH), la chimiothérapie, la radiothérapie et la transplantation d'organe causent une dépression de l'immunité cellulaire qui permet à cette levure de devenir pathogène.	• Bouche : plaque blanche ou grisâtre ressemblant à du lait caillé • Vagin : vaginite avec paroi vaginale rouge, œdémateuse et douloureuse qui présente des plaques blanches; écoulement vaginal blanchâtre abondant; prurit; douleur pendant la miction et les relations sexuelles • Peau : éruption cutanée érythémateuse papulaire diffuse avec de petites lésions satellites autour des bordures de la partie touchée **FIGURE 31.11**	Examen microscopique et culture; antifongiques de type azole (p. ex., le fluconazole, le kétoconazole) ou autre médicament spécifique tel que suppositoire intravaginal, crème vaginale ou comprimé oral; abstinence de relations sexuelles ou utilisation d'un condom jusqu'à résolution des symptômes; hygiène cutanée pour garder la zone touchée propre et sèche; prévention efficace des récurrences : textile contenant un complexe d'argent à 0,019 % (p. ex., l'Interdry[MD])
Tinea corporis	Cette infection cutanée est causée par un champignon (dermatophytose); aussi connue sous le nom de teigne.	• Lésions érythosquameuses annulaires prurigineuses, aux bordures bien définies; souvent asymptomatique	Application de compresses fraîches pour diminuer le prurit; antifongiques topiques pour les plaques isolées; crèmes ou solutions de nitrate de miconazole (Monistat[MD]), de kétoconazole ou de clotrimazole (Lotriderm[MD])
Tinea cruris	Il s'agit d'un type de dermatophytose aux régions intertrigineuses (surtout les aines).	• Plaques érythématosquameuses bien définies dans la région de l'aine; muqueuses et aine jamais touchées	Crème ou solution antifongique topique
Tinea pedis (pied d'athlète)	Il s'agit d'un type de dermatophytose aux régions interdigitales.	• Squames, fissures et macération; surfaces plantaires squameuses parfois avec de l'érythème et des vésicules érosives et suintantes possiblement prurigineux et douloureux	Crème, gel, solution, vaporisateur ou poudre antifongique topique
Tinea unguium (onychomycose)	Il s'agit d'un type de dermatophytose; sur les ongles, sa prévalence augmente avec l'âge.	• Seulement quelques ongles d'une main possiblement touchés; ongles d'orteils plus souvent atteints; ongle dystrophique, hyperkératose sous-unguéale (squames sous l'ongle distal); ongles cassants, épaissis, cassés et effrités avec décoloration jaunâtre **FIGURE 31.12**	Antifongique oral (chlorhydrate de terbinafine [Lamisil[MD]], itraconazole [Sporanox[MD]]); crème ou solution antifongique topique si le client est incapable de tolérer un traitement systémique, mais peu efficace; amincissement des ongles d'orteils si nécessaire (podiatre); avulsion (exérèse) des ongles possible

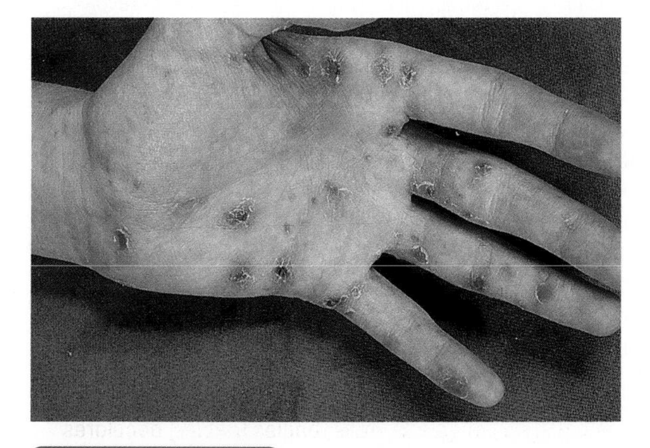

FIGURE 31.13 Infestation de gale sur la main

31.6 Troubles dermatologiques allergiques

Les troubles dermatologiques liés aux allergies et aux réactions d'hypersensibilité peuvent poser des difficultés aux professionnels de la santé **TABLEAU 31.10**. Il est possible d'obtenir des renseignements précieux en questionnant le client sur ses antécédents familiaux et sur son exposition à des allergènes possibles. Un test épicutané aide à déterminer ces derniers. Il consiste à appliquer des allergènes sur la peau (généralement sur le dos) pendant 48 heures et à effectuer une nouvelle évaluation

TABLEAU 31.9	Infestations et morsures ou piqûres d'insectes communes		
NOM	**ÉTIOLOGIE ET PHYSIOPATHOLOGIE**	**MANIFESTATIONS CLINIQUES**	**TRAITEMENTS ET PRONOSTIC**
Abeilles et guêpes	Insectes de l'ordre des hyménoptères ; la plupart des espèces peuvent attaquer l'humain et infliger des piqûres souvent très douloureuses ; l'abeille, en perdant son dard, perd aussi une partie de l'abdomen et y laisse la vie, contrairement à la guêpe.	Douleur locale intense et sensation de brûlure ; œdème et démangeaison ; une hypersensibilité est susceptible de provoquer une réaction anaphylactique.	Application de compresses fraîches ; application locale d'une lotion antiprurigineuse ; antihistaminiques si indiqués ; le rétablissement se fait généralement sans problème.
Punaises	Insectes de la famille des cimicidés ; alimentation périodique, piquent généralement la nuit (dans la literie) ; présents dans les meubles et les murs pendant le jour.	Papule œdémateuse entourée d'un érythème prononcé ; urticaire ferme se transformant en lésion persistante ; prurit grave ; les papules sont souvent en groupes de trois visibles sur les parties non couvertes de la peau.	Élimination des punaises par un exterminateur ; les lésions ne nécessitent généralement pas de traitement ; une démangeaison grave peut nécessiter la prise d'antihistaminiques ou de corticostéroïdes topiques.
Pédiculose (poux de tête, poux de corps, poux de pubis [morpions])	*Pediculus humanus var capitis* ; *Pediculus humanus var corporis* ; *Phthirius pubis* ; parasites qui sucent le sang, laissent des excréments et des œufs sur la peau et les cheveux, vivent dans les coutures des vêtements (poux de corps) et dans les cheveux sous forme de lente (œuf) ; transmission des poux pubiens généralement par contact sexuel.	Zones cutanées croûteuses, impétiginisées ; se transforment en lésions œdémateuses papulaires ; prurit ; excoriation secondaire, notamment des excoriations linéaires parallèles dans la région intrascapulaire ; les poux de tête et de corps se fixent fermement à la tige du cheveu ou du poil.	Pyréthrines ou perméthrine pour traiter les diverses parties du corps ; les gens qui ont eu un contact rapproché doivent être examinés et traités (p. ex., les partenaires de lit et les camarades de jeu) ; ne pas partager chapeaux ou casquettes.
Gale	*Sarcoptes scabiei* ; acarien qui pénètre la couche cornée de la peau et y dépose ses œufs ; réaction allergique causée par la présence d'œufs, d'excréments et de parties d'acarien ; transmission par contact physique direct, seulement occasionnellement par les articles personnels partagés ; touche rarement les personnes à peau foncée.	Provoque une démangeaison intense, particulièrement la nuit, présence de sillons, notamment entre les doigts, à la flexion des poignets, sur les parties génitales et les plis axillaires antérieurs, généralement pas dans le visage ; papules érythémateuses (avec croûtes possibles) ; vésicules possibles, croûte interdigitale **FIGURE 31.13**.	Lotion de perméthrine 5 % topique ; une première application qu'il faut laisser agir pendant une nuit et une deuxième application une semaine plus tard peuvent éliminer 95 % des parasites ; traiter tous les membres de la famille avec la lotion et couvrir les objets de plastique pendant cinq jours ; laver tous les vêtements et la literie à l'eau chaude avec un agent de blanchiment ; traiter le partenaire sexuel ; prendre des antibiotiques en cas d'infection secondaire ; prurit résiduel possible jusqu'à quatre semaines après le traitement, donner un antihistaminique au besoin ; récurrence possible si traitée de façon inadéquate.
Tiques	Insectes vecteurs d'une bactérie spirochète, *Borrelia burgdorferi*, dans certaines régions, qui cause la maladie de Lyme ; les zones boisées et les prairies du Canada sont les régions les plus à risque ainsi que les régions du nord-est des États-Unis.	Éruption annulaire qui se répand trois ou quatre semaines après la morsure ; l'éruption touche communément les aines, les fesses, les aisselles, le tronc ainsi que le haut des bras et des jambes ; il y a également présence d'érythème, de chaleur et de démangeaison ou de douleur ; les symptômes généraux sont semblables à ceux de la grippe ; manifestations cardiaques, arthritiques et neurologiques possibles ; analyse de laboratoire non fiable ; pas d'immunité acquise.	Antibiotiques oraux, tels que la doxycycline, la tétracycline ; antibiotiques par voie intraveineuse (I.V.) pour les symptômes arthritiques, neurologiques et cardiaques ; repos et alimentation saine ; la plupart des clients se rétablissent bien.

TABLEAU 31.10 Affections allergiques communes de la peau

AFFECTION ALLERGIQUE	ÉTIOLOGIE ET PHYSIOPATHOLOGIE	MANIFESTATIONS CLINIQUES	TRAITEMENTS ET PRONOSTIC
Dermatite de contact allergique	C'est la manifestation d'une hypersensibilité retardée ; un agent absorbé agit comme un antigène ; sensibilisation après une ou plusieurs expositions ; apparition des lésions de deux à sept jours après le contact avec l'allergène.	• Papules et plaques rouges ; très bien circonscrites avec des vésicules occasionnelles ; généralement prurigineuses ; la région atteinte prend souvent la forme de l'agent responsable (p. ex., une allergie au métal et une dermatite en forme d'anneau sur l'annulaire).	Corticostéroïdes topiques ou oraux, antihistaminiques ; hydratation de la peau ; élimination de l'allergène de contact ; éviter l'irritation de la zone touchée ; corticostéroïdes systémiques en cas de sensibilité grave.
Urticaire	Il s'agit d'un phénomène généralement allergique ; présence d'érythème et d'œdème dans le derme supérieur causée par une augmentation locale de la perméabilité des capillaires (généralement due à la libération d'histamine).	• Papules œdémateuses spontanées, surélevées ou de forme irrégulière, de taille variable, généralement multiples ; une seule lésion disparaît généralement en 24 heures ; peut apparaître n'importe où sur le corps.	Retirer l'agent déclencheur, s'il est connu ; traitement antihistaminique oral ; corticostéroïdes systémiques possibles.
Réaction aux médicaments	Tout médicament qui agit comme un antigène et qui provoque une réaction d'hypersensibilité est une cause possible ; certains médicaments sont plus susceptibles que d'autres de causer des réactions (p. ex., la pénicilline) ; toutes les réactions ne sont pas allergiques, certaines sont de l'intolérance (p. ex., une perturbation gastrique) ; certaines réactions tel le choc anaphylactique peuvent mettre la vie en danger et nécessiter des soins intensifs immédiats.	• Érythème de diverses morphologies ; érythème généralisé à apparition soudaine souvent rouge, maculaire et papulaire, semi-confluent (les zones touchées ne se touchent pas) ; peut apparaître aussi tardivement que 14 jours après l'arrêt des médicaments ; possiblement prurigineux ; certaines réactions peuvent mettre la vie en danger et nécessiter des soins intensifs immédiats.	Arrêt du médicament si possible ; des antihistaminiques, corticostéroïdes topiques ou systémiques peuvent être nécessaires selon la gravité des symptômes.
Dermatite atopique	Maladie récurrente chronique, à prédisposition génétique, associée à l'irrégularité immunologique liée aux médiateurs inflammatoires et exacerbée par une réaction cutanée à des allergènes environnementaux ; associée à la rhinite allergique et à l'asthme ; est plus grave au cours de l'enfance.	• Manifestations multiples incluant les stades aigu, subaigu et chronique, tous prurigineux. • Le stade aigu se caractérise par un érythème brillant, des vésicules suintantes, avec un prurit extrême. • Le stade subaigu se caractérise par des plaques squameuses, rouge pâle à brun rouge. • Le stade chronique se manifeste par une peau épaissie et par l'accentuation des lignes dermographiques (lichénification) ; hypopigmentation et hyperpigmentation possibles ; peau sèche ; commune dans les espaces antécubital (devant du coude) et poplité (derrière du genou) des adultes.	Hydratation de la peau sèche (xérose) ; immunomodulateurs topiques (pimécrolimus [Elidel[MD]], tacrolimus [Prograf[MD]]) ; corticostéroïdes ; photothérapie pour l'inflammation et le prurit graves ; la diminution du stress réduit l'érythème ; antibiotiques pour traiter une infection secondaire au besoin.

après 96 heures. Les sites testés sont examinés afin de détecter la présence d'érythème, de papules et de vésicules. Le meilleur traitement d'une dermatite allergique consiste à éviter l'agent responsable. Le prurit grave provoqué par une dermatite de contact et sa chronicité possible sont des sources de frustration pour le client et pour l'infirmière, qui se sent alors impuissante à le soulager, particulièrement si l'agent responsable ne peut être déterminé.

31.7 Troubles dermatologiques bénins

Il existe de très nombreuses dermatoses bénignes, qui sont résumées dans le **TABLEAU 31.11**. Le **psoriasis**, l'**acné vulgaire** et les **kératoses séborrhéiques** figurent parmi les plus courantes et les plus pénibles **FIGURES 31.14**, **31.15** et **31.16**.

TABLEAU 31.11	Affections bénignes communes de la peau		
AFFECTION	**ÉTIOLOGIE ET PHYSIOPATHOLOGIE**	**MANIFESTATIONS CLINIQUES**	**TRAITEMENTS ET PRONOSTIC**
Psoriasis	Dermatite auto-immune chronique caractérisée par un renouvellement excessivement rapide de cellules épithéliales; prédisposition familiale; apparaît généralement avant la quarantaine	Plaques squameuses argentées très clairement délimitées sur une peau rouge; communément sur le cuir chevelu, les coudes, les genoux, la paume des mains, la plante des pieds et les ongles d'orteils; démangeaisons, sensation de brûlure, douleur; localisées ou généralisées, intermittentes ou continues; les symptômes peuvent être de légers à graves **FIGURE 31.14**	Le but du traitement est de réduire l'inflammation et d'arrêter le renouvellement rapide des cellules épidermiques; traitements topiques: corticostéroïdes, goudron, calcipotriène; injection intralésionnelle de corticostéroïdes pour les plaques chroniques; traitements systémiques; UVB naturel ou artificiel; PUVA (combinaison du psoralène et des UVA); antimétabolite (méthotrexate), rétinoïde (acitrétine), immunosuppresseur (cyclosporine), traitement biologique (adalimumab [Humira[MD]], alefacept [Amevive[MD]], étanercept [Enbrel[MD]], infliximab [Remicade[MD]]) pour plaques modérées à graves; ne se guérit pas, mais peut être maîtrisé.
Acné vulgaire	Trouble inflammatoire des follicules pilosébacés; plus courant à l'adolescence, mais apparition et persistance possibles à l'âge adulte; poussée acnéique possible avant les menstruations; apparaît à la suite de l'utilisation de corticostéroïdes et de contraceptifs oraux à dominance androgène	Lésions non inflammatoires telles que des comédons ouverts (points noirs) et des comédons fermés (points blancs); lésions inflammatoires telles que les papules et les pustules; sont plus communes sur le visage, le cou et le haut du dos **FIGURE 31.15**	Exérèse mécanique des lésions multiples avec un extracteur de comédons; peroxyde de benzoyle topique ou autres antimicrobiens; rétinoïdes topiques, antibiotiques systémiques; le but du traitement est de supprimer les nouvelles lésions et de minimiser les cicatrices; rémission spontanée possible; s'améliore souvent avec l'exposition au soleil (avec écran solaire au besoin); peut durer de nombreuses années; l'isotrétinoïne (Accutane[MD]) peut favoriser une rémission durable de l'acné nodulokystique grave; il est essentiel de faire des tests de grossesse, de surveiller la fonction hépatique, le cholestérol, les triglycérides et la dépression.
Nævus (grain de beauté)	Est composé du regroupement de cellules normales dérivées de cellules précurseures semblables à des mélanocytes	Zone hyperpigmentée de forme et de couleur variables; plate, légèrement surélevée, verruqueuse, polypoïde, en dôme, sessile (insérée dans la peau sans pédicule) ou papillomateuse; préservation des lignes dermatographiques de la peau; la croissance de poils est possible	Aucun traitement n'est nécessaire, sauf pour des raisons esthétiques; biopsie de la peau dans le cas d'un nævus suspect.
Kératose séborrhéique	Affection bénigne, familiale, d'étiologie inconnue; apparaît généralement après l'âge de 40 ans et augmente en nombre avec l'âge	Papule ou plaque souvent verruqueuse, de forme ronde ou ovale irrégulière, mais bien définie; semble collée à la peau; devient plus pigmentée avec le temps; plaques généralement nombreuses qui peuvent être accompagnées de démangeaisons **FIGURE 31.16**	Exérèse par curetage ou cryothérapie pour des raisons esthétiques ou pour éliminer la source de l'irritation; une biopsie s'avère nécessaire s'il est impossible de la distinguer d'un mélanome.
Acrochordon	Commun en vieillissant; apparaît sur le cou, les aisselles et le tronc supérieur en raison d'une friction mécanique ou d'un surplus de peau (peut-être associé à l'obésité)	Petite papule pédonculée molle et de couleur chair à brunâtre; peut devenir irritée	Aucun traitement médical nécessaire; exérèse chirurgicale au besoin; généralement, un simple coupage aux ciseaux est effectué sans anesthésie.

▼

TABLEAU 31.11	Affections bénignes communes de la peau *(suite)*		
AFFECTION	**ÉTIOLOGIE ET PHYSIOPATHOLOGIE**	**MANIFESTATIONS CLINIQUES**	**TRAITEMENTS ET PRONOSTIC**
Lipome	Tumeur bénigne des tissus adipeux ; souvent encapsulée ; est plus commune entre l'âge de 40 et 60 ans	Masse ronde de tissus adipeux caoutchouteux et compressibles ; seule ou en nombre ; de taille variable, possiblement de grande taille ; est plus commune sur le tronc, la nuque et les avant-bras	Généralement pas de traitement ; une biopsie permet de le distinguer du liposarcome ; peut être excisé (si indiqué).
Lentigos séniles	Nombre accru de mélanocytes normaux dans la couche basale de l'épiderme lié à l'exposition au soleil et au vieillissement ; les lentigines sont aussi appelées taches séniles ou taches de vieillesse.	Macule ou plaque hyperpigmentée, brune ou noire ; apparaît sur les zones exposées au soleil	Évaluer soigneusement l'évolution ; traitement à des fins cosmétiques seulement ; azote liquide, restructuration au laser ; récurrence possible ; biopsie nécessaire si un mélanome est suspecté.

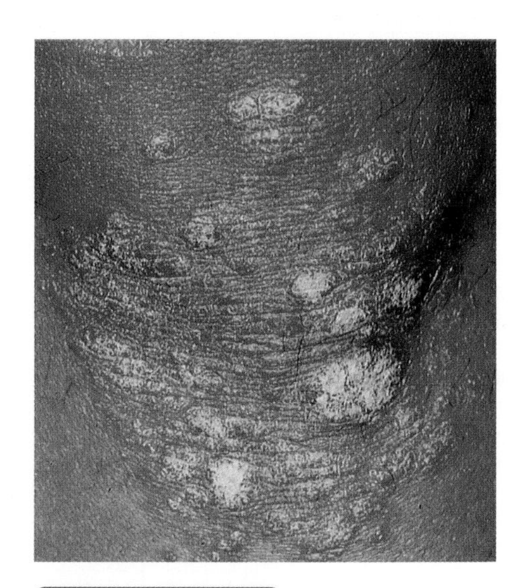

FIGURE 31.14 Psoriasis – Inflammation et desquamation caractéristiques

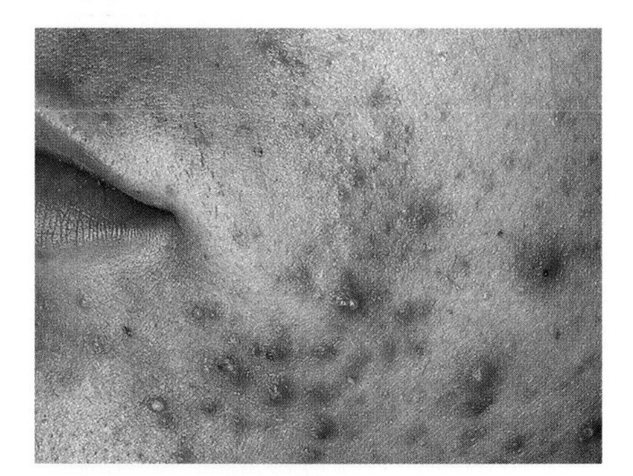

FIGURE 31.15 Acné vulgaire – Papules et pustules

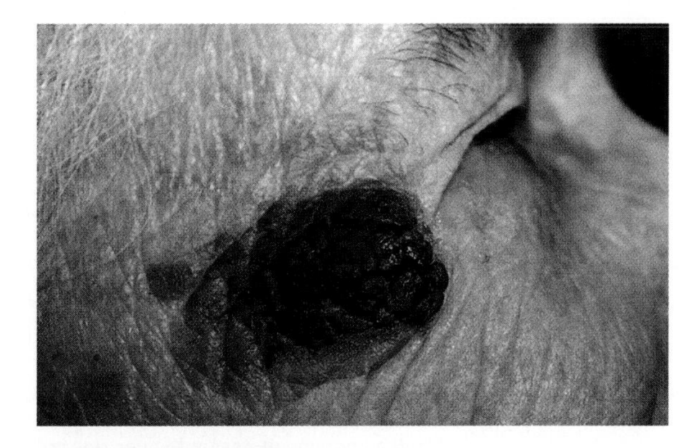

FIGURE 31.16 Kératose séborrhéique – Surface profondément pigmentée, rugueuse et verruqueuse

Le psoriasis est un trouble bénin courant qui touche actuellement 80 millions de personnes dans le monde (Association canadienne de dermatologie, 2016). Cette maladie apparaît généralement entre les âges de 15 et 25 ans. Un tiers des personnes touchées disent avoir au moins un parent atteint de cette affection. La majorité d'entre elles ont un psoriasis bénin qui touche au moins 3 % du corps. Un psoriasis qui s'étend sur plus de 10 % du corps est considéré comme grave. Cette affection chronique peut être incapacitante et avoir des conséquences graves quand les gens s'isolent en raison des lésions visibles. Cela se répercute également sur leur qualité de vie. De 10 à 30 % des personnes atteintes de psoriasis souffrent de rhumatisme psoriasique ▶ 27.

27

Le chapitre 27, *Interventions cliniques – Arthrite et maladies des tissus conjonctifs,* traite entre autres du rhumatisme psoriasique.

Jugement clinique

Raymond Dutil, 56 ans, présente des plaques blanches et squameuses au cuir chevelu. Vous identifiez ces plaques comme étant du psoriasis. Sa conjointe, qui l'accompagne, vous demande : « Est-ce que je peux l'attraper moi aussi ? » Que devriez-vous lui répondre ?

31.8 Conditions et maladies entraînant des manifestations dermatologiques

Certains stades du développement humain s'accompagnent de changements dermatologiques connus. À la puberté, la croissance des poils est un caractère sexuel évident chez les garçons et les filles. L'activité accrue des glandes apocrines peut causer des odeurs corporelles, alors que celle des glandes sébacées, stimulées par les androgènes, peut provoquer une dermatite séborrhéique et de l'acné vulgaire.

L'infirmière doit toujours envisager la possibilité qu'une dermatose particulière soit le signe d'un trouble interne moins évident **TABLEAU 31.12.**

TABLEAU 31.12 Maladies à manifestations dermatologiques[a]

TROUBLE SYSTÉMIQUE	MANIFESTATIONS DERMATOLOGIQUES
Endocrinien	
Hyperthyroïdie	Transpiration accrue, peau chaude avec rougeur persistante, ongles minces, alopécie, poils fins et doux
Hypothyroïdie	Peau froide et sèche, pâle ou jaunâtre ; œdème généralisé ne prenant pas le godet ; poils secs, grossiers et cassants ; ongles cassants à croissance lente
Excès de glucocorticoïdes (syndrome de Cushing)	Atrophie ; stries ; amincissement de l'épiderme ; télangiectasie ; acné ; tissu adipeux réduit aux extrémités ; derme mince et lâche ; cicatrisation déficiente ; fragilité vasculaire accrue ; hirsutisme léger ; ecchymoses fréquentes ; accumulation excessive de gras sur les clavicules, la nuque, l'abdomen et le visage
Maladie d'Addison	Perte des poils corporels (particulièrement aux aisselles) ; hyperpigmentation généralisée (accentuée dans les plis)
Excès d'androgènes	Pores faciaux élargis, accentuation des caractères sexuels masculins chez la femme (augmentation de la pilosité, voix grave), acné, accélération de la croissance des poils grossiers
Déficience en androgènes (postpuberté)	Croissance de poils épars ; réduction marquée de la production de sébum
Hypoparathyroïdie	Ongles opaques et cassants avec des crêtes transversales ; poils grossiers et clairsemés, alopécie en plaques
Hyperpituitarisme (acromégalie)	Peau plus rugueuse et rides approfondies ; peau plus huileuse et transpiration accrue ; acné ; nævus plus nombreux, hyperpigmentation et hypertrichose (croissance excessive des poils)
Diabète	Plaques érythémateuses sur les tibias ; cicatrisation retardée ; neuropathie
Gastro-intestinal	
Rectocolite hémorragique, maladie de Crohn	Ulcères de la bouche, érythème noueux
Maladie du foie et obstruction des voies biliaires	Ictère, démangeaisons, anomalies pigmentaires, modifications des ongles et des poils, angiomes stellaires, télangiectasie
Carence en acides gras essentiels	Peau squameuse
Syndrome de malabsorption	Ichtyose acquise (peau sèche et squameuse), alopécie
Fibrose kystique	Concentration excessive de sodium dans la sueur due à un fonctionnement anormal des glandes sudoripares
Système musculosquelettique et tissu conjonctif	
Lupus érythémateux	Lésions discoïdes, érythème maculopapulaire semi-confluent (en papillon), alopécie, ulcères de la bouche
Sclérodermie	Peau épaisse, dure et rigide, notamment aux extrémités
Dermatomyosite	Œdème ; paupières supérieures rouge pourpre ; érythème maculaire squameux sur les articulations

TABLEAU 31.12 Maladies à manifestations dermatologiques[a] *(suite)*	
TROUBLE SYSTÉMIQUE	**MANIFESTATIONS DERMATOLOGIQUES**
Métabolique	
Carence en vitamine B_1 (thiamine)	Œdème, rougeur de la plante des pieds
Carence en vitamine B_2 (riboflavine)	Fissures rouges aux commissures de la bouche, glossite (inflammation de la langue)
Carence en acide nicotinique (niacine)	Rougeur des parties exposées des mains, des pieds, du visage ou du cou ; dermatite infectée
Carence en vitamine C	Pétéchies, purpura, saignement des gencives
Immunitaire	
Maladie de Hodgkin	Prurit et érythème non spécifique
Lymphomes	Papules, nodules, plaques, prurit
Infection par le VIH	Sarcome de Kaposi, folliculite à éosinophiles
Cardiovasculaire	
Cardite rhumatismale	Pétéchies, urticaire, nodules, érythème
Thromboangéite oblitérante (maladie de Buerger)	Thrombophlébite migrante superficielle, pâleur ou cyanose, gangrène, ulcération
Maladie vasculaire périphérique	Perte des poils sur les mains et les pieds ; remplissage capillaire retardé, rougeur en déclive, douleur
Ulcères veineux	Peau d'apparence tannée et brunâtre (dépôts d'hémosidérine) sur les jambes inférieures ; prurit, lésion concave avec œdème ; tissu cicatriciel à la guérison
Respiratoire	
Oxygénation inadéquate à la suite d'une maladie pulmonaire	Cyanose
Hypoxémie chronique	Hippocratisme digital
Hématologique	
Anémie	Pâleur, hyperpigmentation, muqueuses pâles, perte de poils, dystrophie des ongles
Troubles de coagulation	Purpura, pétéchies, ecchymoses
Rénal	
Maladie rénale chronique	Peau sèche, prurit, givre d'urée, pâleur, ecchymoses et lésions de grattage
Organes reproducteurs	
Syphilis primaire	Chancre (ulcère induré et rougeâtre)
Syphilis secondaire	Lésions cutanées généralisées, alopécie
Syphilis tertiaire	Gommes (nodules dermohypodermiques, durs, rouges)
Maladie de Paget	Plaques eczémateuses sur les mamelons et les aréoles
Neurologique	
Polyneuropathies sensorielles chroniques	Changements trophiques de la peau dus à une dénervation sensorielle, à des lésions de pression, à l'anesthésie et aux paresthésies
Trauma de la moelle épinière	

[a] Voir les maladies systémiques particulières pour une information plus détaillée.

31.9 Processus thérapeutique en interdisciplinarité : client atteint de troubles dermatologiques

31.9.1 Examen clinique et examens paracliniques

Des antécédents détaillés sont essentiels au diagnostic des troubles cutanés. L'infirmière doit savoir détecter tout indice qui peut mener à l'étiologie du trouble cutané puisqu'il en existe un nombre important. Après avoir consigné les antécédents de santé détaillés et effectué un examen physique, il lui faut inspecter les lésions individuelles. Un traitement médical ou chirurgical ou un traitement combiné peut être planifié en se basant sur les antécédents, l'examen physique et les examens paracliniques appropriés.

31.9.2 Processus thérapeutique en interdisciplinarité

Diverses méthodes de traitement sont mises de l'avant en dermatologie. Des progrès dans ce domaine ont permis de soulager beaucoup d'affections qui étaient auparavant chroniques et incurables. Un grand nombre de traitements nécessitent du matériel spécialisé dont l'utilisation est généralement réservée aux dermatologues. Toutefois, un clinicien peut aussi prescrire des traitements pharmacologiques.

Vitiligo : Affection cutanée (dermatose) dont la cause est inconnue et qui se caractérise par une perte localisée de la pigmentation (coloration de la peau par des pigments).

Pharmacothérapie

TABLEAU 31.13 Bases courantes des médicaments topiques

AGENT	CONSIDÉRATIONS THÉRAPEUTIQUES
Poudre	Favorise l'assèchement ; assèche les plis cutanés afin de prévenir l'irritation ; base pour des préparations antifongiques ; ne doit pas être inhalée
Lotion	Émulsion d'huile et d'eau ; rafraîchit et assèche ; certaines lotions laissent une pellicule de poudre après l'évaporation de l'eau ; utile pour les éruptions prurigineuses subaiguës
Crème	Émulsion d'huile et d'eau ; est la base la plus commune des médicaments topiques ; hydratation et protection
Onguent	Huile contenant diverses quantités d'eau en suspension ; prévention de la déshydratation ; la gelée de pétrole est la plus commune
Pâte	Mélange de poudre et d'onguent ; est utilisée quand un assèchement est nécessaire, car elle absorbe l'humidité
Gel	Combinaison non graisseuse de propylèneglycol et d'eau ; peut contenir de l'alcool

L'efficacité d'un traitement topique dépend généralement de la base utilisée pour fabriquer le médicament. Le **TABLEAU 31.13** présente une liste des agents couramment employés comme bases dans les préparations topiques ainsi que l'information thérapeutique pertinente.

Photothérapie

De nombreuses affections dermatologiques sont traitées avec des rayons UVA ou UVB ou avec une combinaison de ces deux types de rayons UV. Les longueurs d'onde de l'ultraviolet sont responsables de la formation d'érythème et de vésicules. Elles peuvent aussi provoquer l'arrêt temporaire de la mitose des cellules basales suivi d'une augmentation par rebond de la régénération cellulaire. Elles favorisent par contre la récurrence des infections virales à herpès.

La combinaison du psoralène, un médicament photosensibilisant, et des UVA est une forme de photothérapie (PUVA). Le psoralène est administré au client pendant une certaine période avant l'exposition aux UVA pour accroître l'effet des rayons dans le spectre des UVA. Une mince couche d'agent émollient est généralement appliquée sur la zone touchée avant l'exposition aux UVB. Les affections qui réagissent bien aux longueurs d'onde avec ou sans médicaments sont la dermatite atopique, le lymphome T cutané, le psoriasis, le **vitiligo** et le **prurit** (démangeaisons).

Des rayons UV de longueurs d'onde particulières peuvent être produits artificiellement. Les affections qui réagissent à des longueurs d'onde particulières peuvent être traitées avec des doses thérapeutiques d'UVA et d'UVB **FIGURE 31.17**. La peau de tous les clients traités doit être fréquemment évaluée. Une exposition excessive ou inappropriée aux rayons UV peut causer un érythème ou une brûlure grave de la peau. Des stéroïdes topiques peuvent soulager un érythème douloureux. Il faut avertir le client des dangers potentiels des produits chimiques photosensibilisants et de l'exposition aux rayons UV solaires ou artificiels pendant la photothérapie. Le client traité par PUVA doit porter des lunettes protectrices qui bloquent tous les rayons UV, car le cristallin absorbe le psoralène. Ces lunettes préviennent la formation d'une cataracte. L'infirmière doit demander au client de porter ces lunettes pendant 24 heures après la prise de ce médicament quand il est à l'extérieur ou lorsqu'il est près d'une fenêtre bien éclairée, puisque les UVA traversent le verre. L'infirmière doit assurer une surveillance continue de l'état de santé du client ainsi que de l'état de sa peau en raison des effets immunosuppresseurs du traitement par PUVA et du risque accru de carcinome basocellulaire.

L'UVB à bande étroite et le laser à excimère sont deux des plus récents traitements aux rayons UV.

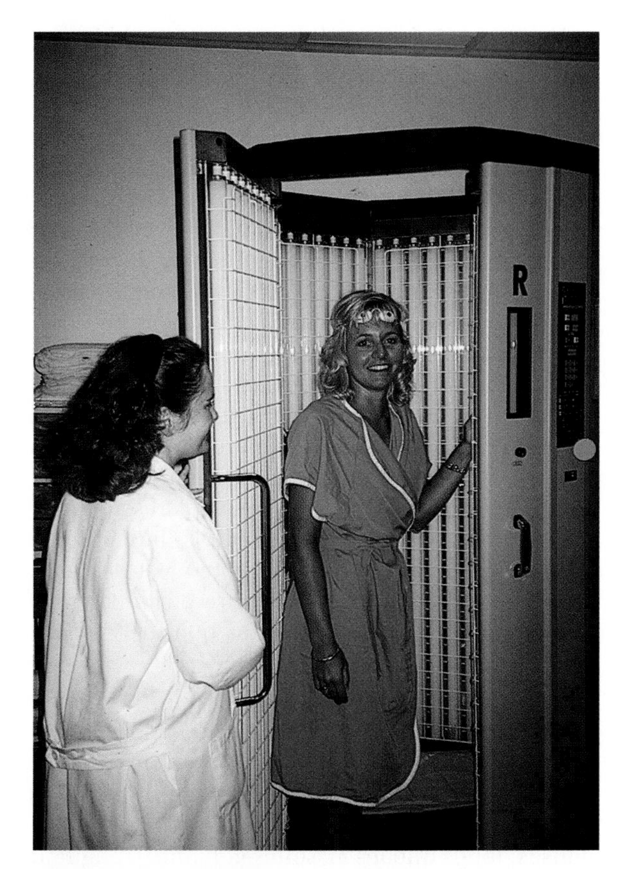

FIGURE 31.17 La photothérapie est une méthode utilisée pour traiter des maladies qui réagissent à un spectre particulier de rayonnement. Les yeux du client doivent être protégés pendant la séance de photothérapie. La photographie montre un appareil de PUVA.

Ces longueurs d'onde traitent le psoriasis plus efficacement que les autres portions du spectre UVB.

Radiothérapie

L'utilisation de rayonnement dans le traitement des carcinomes basocellulaires et spinocellulaires varie grandement selon les pratiques locales et la disponibilité du traitement (Hulyalkar, Rakkhit & Garcia-Zuazaga, 2011). Même si une radiothérapie est prévue, une biopsie doit d'abord être faite pour obtenir un diagnostic pathologique et différentiel.

La radiothérapie de lésions cutanées malignes est un traitement indolore. Elle peut être utilisée pour réduire la taille d'une tumeur ou comme traitement palliatif. Un de ses avantages est qu'elle cause peu de dommages aux tissus environnants, un facteur primordial dans les régions du nez, des paupières et des canthus (coins de l'œil). Si la région traitée se situe près des yeux, il faut bien protéger ceux-ci pour prévenir les dommages au cristallin. La radiothérapie est particulièrement efficace pour traiter une personne âgée ou affaiblie qui ne peut tolérer une chirurgie, même mineure.

En général, la radiothérapie nécessite plusieurs visites au département de radiologie. Elle peut entraîner la perte permanente des cheveux (alopécie) dans les régions exposées. La **télangiectasie** (dilatation de groupes de veinules et de capillaires superficiels), l'atrophie, l'hyperpigmentation, la dépigmentation, les ulcères, la **radiodermite chronique**, le carcinome basocellulaire et le carcinome spinocellulaire sont d'autres effets secondaires indésirables .

L'irradiation totale (le corps entier est bombardé avec des électrons à haute énergie) est utilisée pour traiter le lymphome T cutané. Il s'agit d'un traitement de longue durée qui cause le vieillissement prématuré de la peau. Le client subit divers degrés d'alopécie permanente, de radiodermite ainsi qu'un arrêt temporaire du fonctionnement de ses glandes sudoripares.

Radiodermite chronique : Inflammation de la peau provoquée par les rayons ionisants, intervenant après une radiothérapie (généralement à la suite d'un cancer), et qui peut être aiguë ou chronique. Les lésions sont irréversibles.

31

16

La radiothérapie est expliquée en détail dans le chapitre 16, *Cancer*.

Technologie laser

Le laser est un outil efficace de plus en plus utilisé pour traiter de nombreux troubles dermatologiques **ENCADRÉ 31.2**. Il permet de cibler les tissus à traiter de façon mesurable, répétée et uniforme. Il peut couper, coaguler et même vaporiser certains tissus. La longueur d'onde nécessaire détermine le type de système utilisé et l'intensité d'énergie produite (Alexiades-Armenakas, Dover & Arndt, 2008).

La chirurgie au laser nécessite un dispositif de focalisation qui produit un petit faisceau d'énergie à haute densité. Tout le personnel qui travaille avec un appareil laser doit connaître les directives et les procédures écrites présentant les mesures de sécurité relatives à l'utilisation du laser. La lumière laser ne s'accumule pas dans les cellules corporelles et ne cause pas de changements ni de dommages cellulaires cumulatifs.

Il existe plusieurs types de lasers, mais le plus utilisé est le laser à CO_2. Ce laser a de nombreuses applications en tant qu'outil de vaporisation et de coupe sur la plupart des tissus. Le laser à argon émet une lumière qui est surtout absorbée par l'hémoglobine. Il est utile au traitement des lésions vasculaires et d'autres lésions pigmentées. Le laser à vapeurs de cuivre et d'or ainsi que le laser au néodyme YAG (laser Nd-YAG) sont employés moins couramment.

ENCADRÉ 31.2 Traitements cutanés au laser

- Cicatrices d'acné
- Hémangiomes
- Insuffisance veineuse (varices)
- Acné rosacée (couperose)
- Nævus pigmentaires
- Épilation des poils
- Angiome plan (tache de vin)
- Lésions vasculaires
- Effacement de tatouages
- Restructuration de la peau
- Psoriasis
- Rides
- Pigment épidermique (taches épidermiques)

Pharmacothérapie

Antibiotiques

Les troubles dermatologiques sont souvent traités avec des antibiotiques topiques et systémiques, utilisés en combinaison. Les antibiotiques topiques doivent être appliqués en une fine couche sur la peau propre. Le néosporin, la bacitracine et la polymyxine B sont des antibiotiques topiques offerts en vente libre et couramment utilisés. De nombreux professionnels de la santé ne prescrivent pas le néosporin, car il cause fréquemment des dermatites de contact allergiques. La mupirocine (utilisée contre les infections superficielles à staphylocoques telles que l'impétigo), la gentamicine (utilisée contre les staphylocoques et la plupart des microorganismes Gram-négatifs) et l'érythromycine (utilisée contre les coques Gram-positifs, c'est-à-dire les staphylocoques et les streptocoques, ainsi que pour les coques et les bacilles Gram-négatifs) sont des antibiotiques topiques utilisés sous prescription. L'érythromycine et la clindamycine topiques (solutions ou gels de Cleocin) sont utilisées pour traiter l'acné vulgaire. Le métronidazole topique est employé pour traiter l'acné rosacée et la vaginose bactérienne. Un grand nombre d'antibiotiques systémiques ne sont pas utilisés comme agents topiques en raison des risques de dermatite de contact de type allergique (eczéma).

Érésipèle : Infection de la peau d'origine bactérienne (streptocoque β-hémolytique), pouvant toucher également les tissus situés au-dessous de l'épiderme (derme et hypoderme).

Chéloïde : Formation tumorale fibreuse de la peau, prenant généralement la forme d'un bourrelet induré et ramifié en pinces d'écrevisse, pouvant provoquer parfois des démangeaisons ou des élancements douloureux et ayant tendance à récidiver après ablation chirurgicale ou destruction par des agents caustiques.

Les effets de la corticothérapie sont décrits en détail dans le chapitre 61, *Interventions cliniques – Troubles endocriniens.*

Angiœdème (œdème de Quincke) : Réaction allergique caractérisée par une éruption s'accompagnant d'un œdème sous-cutané.

En cas de signes d'infection systémique, il faut recourir à un antibiotique systémique. Les antibiotiques systémiques sont utiles dans le traitement des infections bactériennes et de l'acné vulgaire. Les plus fréquents sont la pénicilline, l'érythromycine et la tétracycline (ou la doxycycline). Ces médicaments s'avèrent particulièrement efficaces contre l'**érésipèle**, la cellulite infectieuse, l'eczéma grave et infecté ainsi que la maladie du charbon. Une culture et un antibiogramme de la lésion peuvent guider le choix d'un antibiotique. Il faut bien expliquer au client comment prendre ou appliquer les antibiotiques. Par exemple, la tétracycline orale doit être prise à jeun. Elle ne doit jamais être prise dans l'heure précédant ou les deux heures suivant la consommation d'un produit laitier, car celui-ci nuira à son absorption.

Corticostéroïdes

Les corticostéroïdes sont particulièrement efficaces dans le traitement d'une grande variété d'affections dermatologiques, qu'ils soient utilisés comme agents topiques, intralésionnels ou systémiques. Les agents topiques sont utilisés pour leurs effets anti-inflammatoires locaux et antiprurigineux. Il faut tenter de diagnostiquer l'affection avant d'appliquer une préparation de corticostéroïdes, car ceux-ci peuvent masquer d'autres manifestations cliniques. Après avoir administré une dose suffisante de médicament, il faut déterminer la durée et la fréquence du traitement.

L'utilisation prolongée des préparations aux corticostéroïdes topiques peut inhiber la fonction surrénalienne, particulièrement si une grande surface est couverte et si des pansements occlusifs sont mis en place. L'utilisation prolongée de corticostéroïdes forts peut produire des effets secondaires, notamment l'atrophie cutanée causée par la perturbation de la mitose cellulaire, la fragilité capillaire et la prédisposition aux ecchymoses. De façon générale, l'atrophie du derme et de l'épiderme ne se produit qu'après deux ou trois semaines d'utilisation des corticostéroïdes. Si le traitement est interrompu aux premiers signes d'atrophie, la guérison survient généralement après quelques semaines. Des éruptions rosacées et une aggravation aiguë de l'acné vulgaire peuvent aussi se produire. Après l'arrêt du traitement, la dermatite de rebond ou la dermatite récurrente n'est pas rare, mais il est possible de la réduire par le sevrage progressif des corticostéroïdes quand l'état du client s'améliore.

Les corticostéroïdes faibles, tels que l'hydrocortisone, agissent plus lentement, mais ils peuvent être utilisés plus longtemps sans produire d'effets secondaires graves. Ils peuvent être appliqués sans danger sur le visage et sur les régions intertrigineuses, telles que les aisselles et l'aine. L'onguent est le plus puissant mode d'administration des stéroïdes topiques. Les crèmes et les onguents doivent être appliqués en couches minces sur la région à traiter, qui est massée lentement, de une à trois fois par jour, selon les indications. Un traitement topique précis et approprié donne généralement de bons résultats.

Les corticostéroïdes intralésionnels sont injectés directement dans la lésion ou juste au-dessous de celle-ci. Cette réserve de médicaments *in situ* procure un effet qui dure plusieurs semaines ou plusieurs mois. L'injection intralésionnelle est couramment utilisée pour traiter le psoriasis, la pelade (alopécie circonscrite), l'acné kystique, les cicatrices hypertrophiques et les **chéloïdes**. L'acétonide de triamcinolone (Kenalog[MD]) est le médicament le plus utilisé pour ce type de traitement.

Les corticostéroïdes systémiques peuvent donner des résultats remarquables dans le traitement des affections dermatologiques, mais ils produisent souvent des effets systémiques indésirables ▶ 61. Une corticothérapie à court terme peut traiter des affections aiguës, telles que la dermatite de contact causée par l'herbe à la puce. Le traitement à long terme est réservé à des affections cutanées graves telles que les dermatites bulleuses (ou vésiculeuses).

Antihistaminiques

Les antihistaminiques oraux sont utilisés dans le traitement d'affections qui causent de l'urticaire, de l'**angiœdème (œdème de Quincke)** et du prurit (Hodgson, 2012). Les troubles dermatologiques tels que la dermatite atopique, la dermatite allergique et d'autres réactions cutanées allergiques peuvent être soulagées par des bloqueurs d'histamines (ou antihistaminiques). Ces derniers font concurrence à l'histamine sur les sites récepteurs et l'empêchent d'agir. Les antihistaminiques peuvent avoir des effets anticholinergiques et sédatifs. Avant d'obtenir un effet thérapeutique satisfaisant, il est parfois nécessaire d'essayer plusieurs types d'antihistaminiques. En cas de prurit, les antihistaminiques sédatifs sont généralement préférés, tels que le chlorhydrate d'hydroxyzine (Atarax^MD^) et le chlorhydrate de diphenhydramine (Benadryl^MD^), car leurs effets tranquillisants et sédatifs soulagent les symptômes. L'infirmière doit informer le client des effets sédatifs de ces médicaments, car ils nuisent à la conduite automobile et à la manœuvre de machineries lourdes. Des antihistaminiques tels que la loratadine (Claritin^MD^) et le chlorhydrate de fexofénadine (Allegra^MD^) se lient aux récepteurs périphériques de l'histamine et agissent sans produire d'effets sédatifs. Ces antihistaminiques sans somnolence ne soulagent pas le prurit. Les antihistaminiques doivent être utilisés prudemment par les personnes âgées en raison de leur longue demi-vie et de leurs effets anticholinergiques.

Fluorouracil topique

Le fluorouracil est un agent cytotoxique topique à toxicité sélective pour les cellules endommagées par le rayonnement solaire. Il est offert en quatre concentrations (0,5 %, 1 %, 2 % et 5 %). Il est utilisé pour traiter les tumeurs précancéreuses de la peau (notamment la kératose sénile) et certaines tumeurs cancéreuses. Puisque l'absorption systémique de ce médicament est faible, ses effets secondaires systémiques sont pratiquement nuls. La principale difficulté du traitement au fluorouracil demeure son adhésion. Après trois à cinq jours, ce médicament cause de l'érythème et du prurit ; après une à trois semaines, il produit des zones érodées douloureuses sur la région endommagée, selon l'épaisseur de la peau. L'application de stéroïdes topiques faibles est généralement prescrite 20 minutes après celle du fluorouracil afin de réduire l'érythème et le prurit et ainsi d'augmenter l'adhésion au traitement. Celui-ci doit se poursuivre à raison de une ou deux applications par jour pendant deux à six semaines. La guérison peut survenir jusqu'à quatre semaines après la fin du traitement. Puisque le fluorouracil est un photosensibilisant, l'infirmière doit avertir le client de ne pas s'exposer au soleil pendant le traitement. Elle doit l'informer des effets de ce médicament et l'avertir que son état s'aggravera avant de s'améliorer. L'adhésion au traitement dépend de la rigueur des instructions données. Il est recommandé de fournir des instructions écrites au client. Après un traitement efficace, la peau traitée a un aspect lisse et ne présente plus de kératose sénile. Par contre, celle-ci peut réapparaître dans les régions traitées. Plusieurs séances de chimiothérapie peuvent être nécessaires au cours des années pour traiter les personnes dont la peau a été gravement endommagée par le soleil.

Immunomodulateurs

Les immunomodulateurs topiques, tels que le pimécromilus (Elidel^MD^) et le tacrolimus (Prograf^MD^), sont des médicaments non stéroïdiens plus récents utilisés pour traiter la dermatite atopique. Ils agissent en inhibant un système immunitaire hyperréactif. Leurs effets secondaires sont minimes, mais le client peut ressentir une brûlure ou une chaleur transitoire au site de l'application. Ces médicaments peuvent accroître le risque de cancer de la peau et d'apparition de lésions précancéreuses.

Un autre immunomodulateur topique, l'imiquimod (Aldara^MD^), stimule la production d'interféron-α et d'autres cytokines afin d'augmenter l'immunité cellulaire. Il active la réaction immunitaire seulement au site d'application et il est sans danger pour les clients ayant subi une greffe. Ce médicament est utilisé pour traiter les verrues génitales externes, la kératose sénile et le carcinome basocellulaire superficiel. La plupart des clients qui utilisent cette crème présentent des réactions cutanées, notamment de la rougeur, de l'enflure, des vésicules, des excoriations, une exfoliation, des démangeaisons, et ils ressentent une sensation de brûlure.

31.9.3 Diagnostic et traitement chirurgical

Frottis cutané

Effectué avec un scalpel, le **frottis** sert à prélever un échantillon de cellules superficielles de la peau (couche cornée) afin de les examiner au microscope et de poser un diagnostic. Les épreuves de frottis cutané les plus courantes sont effectuées avec de l'hydroxyde de potassium (KOH) pour détecter les champignons et avec de l'huile minérale pour détecter la gale.

Électrodessication et électrocoagulation

L'énergie électrique peut être convertie en chaleur avec l'extrémité d'une électrode. Cela détruit le tissu par brûlure. Les principaux usages de ce type de traitement sont la coagulation des vaisseaux sanguins pour provoquer une hémostase et détruire les petites télangiectasies. L'**électrodessication**, effectuée avec une électrode monopolaire, cause généralement une destruction des tissus superficiels. L'**électrocoagulation**, effectuée avec une électrode dipolaire, agit plus profondément, provoque une meilleure hémostase et offre plus de possibilités de cicatrisation.

Curetage

Le **curetage** consiste à prélever du tissu à l'aide d'une curette, un instrument à bout tranchant et arrondi **FIGURE 31.18**. Même si la curette n'est généralement pas assez forte pour couper la peau saine, elle permet l'excision de nombreux types de petites tumeurs et lésions superficielles cutanées molles, telles que des verrues, des kératoses séniles et de petits carcinomes basocellulaires et spinocellulaires. La région à cureter est anesthésiée avant l'intervention. L'hémostase est provoquée avec une des méthodes suivantes : l'électrodessication, le subsulfate ferrique (solution de Monsel), une éponge de gélatine ou un pansement compressif de gaze. Le curetage peut former une petite cicatrice et causer l'hypopigmentation. Le tissu prélevé doit être envoyé au laboratoire pour une biopsie.

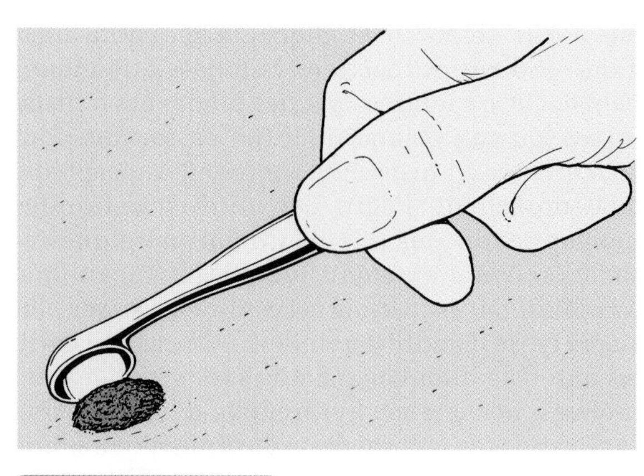

FIGURE 31.18 Curetage

Jugement clinique

Jean Turmel, 42 ans, est opérateur de grues. Son médecin lui a prescrit du chlorhydrate d'hydroxyzine à la suite d'une réaction allergique à un antibiotique. Quelle recommandation à propos de sa sécurité devriez-vous lui donner en lien avec sa médication ?

Biopsie à l'emporte-pièce

La **biopsie à l'emporte-pièce** est une intervention dermatologique couramment utilisée pour prélever un échantillon de tissu qui sera soumis à un examen histologique ou pour exciser de petites lésions **FIGURE 31.19**. Elle sert généralement à prélever des lésions de moins de 0,5 cm (Pfenninger, 2010b). Avant d'effectuer une anesthésie locale, il faut délimiter la zone de prélèvement pour éviter que les points de repère soient masqués par l'anesthésiant. À l'aide d'un trocart acéré qui est roulé entre les doigts, un petit échantillon de peau de forme cylindrique est extrait. La couche de peau est séparée de la graisse sous-cutanée et préservée dans une solution fixatrice pour un examen ultérieur. L'hémostase est provoquée avec les mêmes méthodes que pour le curetage, mais les sites d'excision de 4 mm ou plus sont généralement refermés par des sutures.

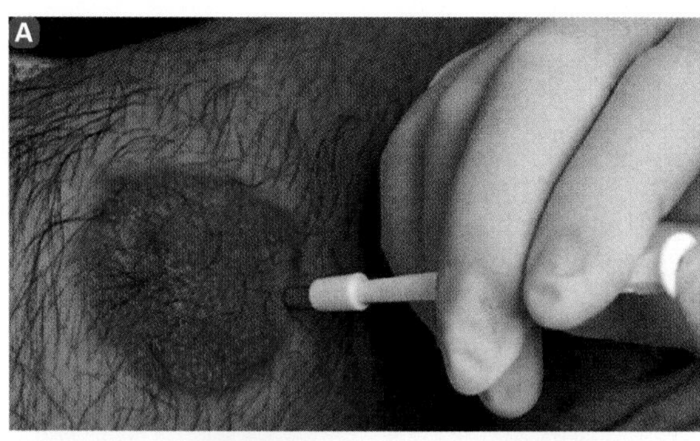

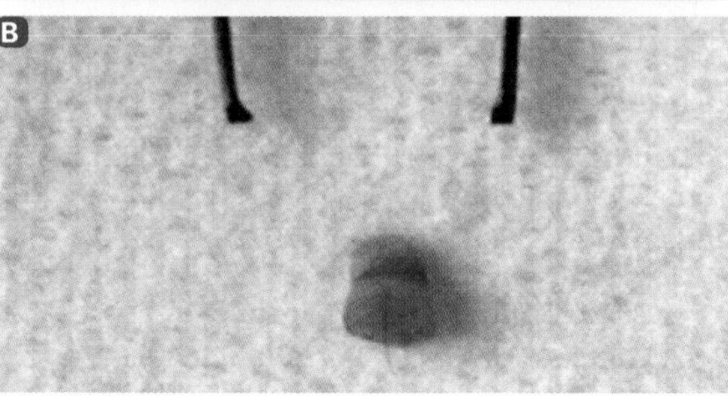

FIGURE 31.19 Biopsie à l'emporte-pièce – **A** Excision de la peau à des fins diagnostiques. **B** Spécimen obtenu.

Cryothérapie

La **cryothérapie** consiste à détruire des lésions épidermiques à l'aide de températures sous le point de congélation. C'est un traitement utile pour les affections précancéreuses bénignes, notamment les verrues communes et génitales (les condylomes), les acrochordons, les kératoses séborrhéiques minces, les **lentigos** (taches de vieillesse), la kératose sénile et les cancers cutanés sans mélanome. L'azote liquide topique (–196 °C) est l'agent le plus utilisé en cryothérapie (Pfenninger, 2010b). Cette intervention cause le gel direct des cellules ainsi qu'une stase vasculaire (arrêt ou ralentissement de la circulation sanguine), qui se forme après la décongélation. La formation de glace intracellulaire cause la rupture des cellules pendant la décongélation, ce qui provoque la mort des cellules et la nécrose des tissus traités.

L'azote liquide peut être appliqué localement (directement sur la lésion) avec un jet direct ou un applicateur ouaté. Il faut avertir le client qu'il sentira un froid mordant. La lésion devient enflée, rouge, et il peut y avoir formation de phlyctènes. Par la suite, une croûte se forme et tombe après une à trois semaines. La lésion cutanée disparaît avec la croûte, et une nouvelle peau se forme.

En raison de la température de l'azote liquide, les mélanocytes sont facilement détruits, ce qui laisse une zone d'hypopigmentation ressemblant à une cicatrice. Le recours à la cryothérapie peut être limité par la taille de la région à traiter. Le principal inconvénient de ce traitement est qu'il ne permet pas le prélèvement d'échantillon pour confirmation histologique avant la destruction du tissu et qu'il est donc impossible de déterminer le type de cellules traitées. De plus, les tissus sains adjacents peuvent être détruits.

Exérèse

L'exérèse doit être envisagée si la lésion visée touche le derme. La fermeture complète de la région excisée donne généralement de bons résultats esthétiques.

La **chirurgie de Mohs** est un type particulier d'exérèse qui consiste à extraire, sous commande microscopique, une tumeur cutanée maligne. Le prélèvement chirurgical est fait de sorte que le tissu extrait est sectionné horizontalement, ce qui permet d'examiner toutes les marges chirurgicales. Le tissu est par la suite retranché horizontalement en couches minces et examiné au microscope afin de déterminer s'il reste des cellules cancéreuses dans la dernière coupe **FIGURE 31.20**. Toute tumeur résiduelle qui n'est pas retirée par la première chirurgie peut être enlevée par des exérèses en série effectuées le même jour. Ce traitement présente les avantages de préserver plus de tissus sains, de réduire au minimum la taille de la plaie et d'enlever complètement le cancer avant que la plaie chirurgicale soit refermée. Bien que cette intervention puisse être longue, elle est effectuée en consultation externe sous anesthésie locale.

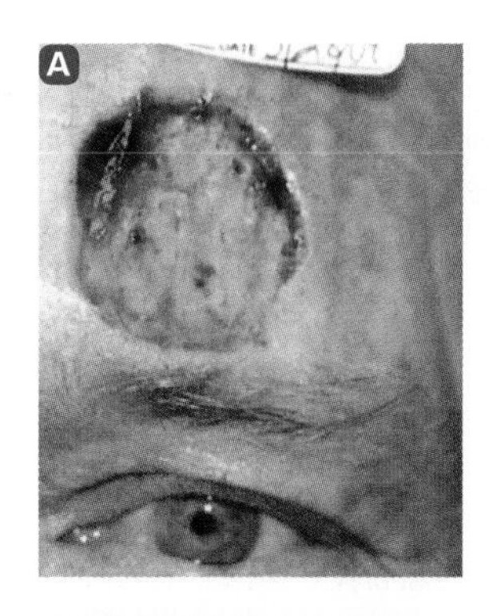

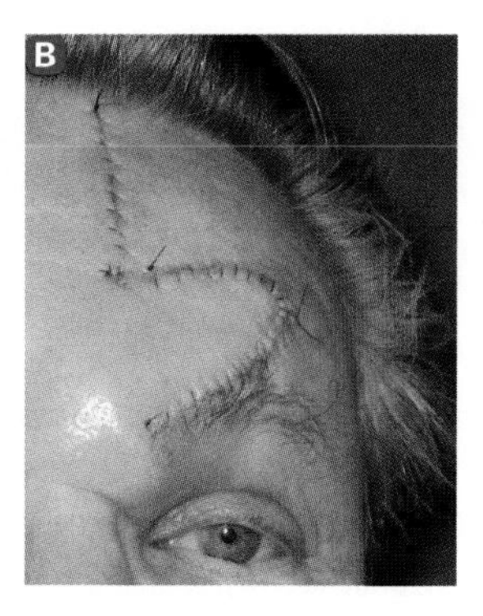

FIGURE 31.20 A Exérèse d'un mélanome par chirurgie de Mohs. B Chirurgie plastique ultérieure où le défaut est réparé avec un lambeau de peau.

Soins et traitements infirmiers

CLIENT ATTEINT DE TROUBLES DERMATOLOGIQUES

Interventions cliniques

Soins ambulatoires et soins à domicile

Les affections dermatologiques sont rarement la cause d'une hospitalisation. Toutefois, de nombreux clients hospitalisés présentent des troubles cutanés concomitants qui nécessitent des interventions infirmières et un enseignement particulier. Depuis, l'entrée en vigueur de la Loi modifiant le Code des professions et d'autres dispositions législatives dans le domaine de la santé (c. 33, dernière version à jour au 19 juin 2009) et de la Loi sur les infirmières et les infirmiers (art. 36, n° 7), l'infirmière se doit de déterminer le plan de traitement lié aux plaies et aux altérations de la peau ainsi que de prodiguer les soins et les traitements qui s'y rattachent. Cette activité lui confère ainsi une plus grande autonomie dans les soins de plaies **ENCADRÉ 31.3**.

À l'unité de soins de courte durée, l'infirmière doit administrer et enseigner les traitements appropriés au client. En consultation externe, elle se concentre plutôt sur l'enseignement et supervise la démonstration du traitement faite au client. Des visites subséquentes lui permettront d'évaluer la compréhension du client et l'efficacité du traitement.

Les interventions infirmières liées aux affections dermatologiques couvrent un large spectre. Elles s'appliquent à de nombreux troubles cutanés, que le client soit hospitalisé ou en consultation externe (i+).

| Pansements humides | Les pansements humides sont généralement appliqués sur les lésions exsudatives de la peau. Le suintement peut être un signe d'infection ou d'inflammation. De l'eau salée est appliquée sur la peau par trempage (d'un pied ou d'une main) ou avec des compresses (sur une plus grande surface). Les pansements humides sont aussi utilisés pour soulager les démangeaisons, réduire l'inflammation et débrider une plaie. De plus, ils augmentent la pénétration des médicaments topiques, favorisent le sommeil en soulageant la douleur et aident à débarrasser la peau des squames, des croûtes et des exsudats. Il n'est pas nécessaire que les pansements humides soient stériles. L'eau du robinet à la température ambiante convient, si elle est de bonne qualité. L'eau filtrée ou stérile peut être indiquée à certains endroits. Il faut utiliser des pansements humides froids pour réduire l'inflammation et des pansements tièdes pour débrider une lésion infectée et croûtée. Ces traitements sont excellents pour enlever les croûtes laissées par l'accumulation de débris au site de la plaie (Ordre des infirmières et infirmiers du Québec, 2007).

L'infirmière doit imbiber le pansement dans la solution appropriée et l'essorer jusqu'à ce que l'excédent de liquide soit évacué, puis elle doit l'appliquer sur la région touchée en évitant les tissus sains. Dans le but d'assécher la plaie, il faut effectuer le trempage ou appliquer la compresse pendant 20 minutes, 3 fois par jour pendant 2 ou 3 jours. Il faut faire attention de ne pas trop sécher la plaie, car cela peut provoquer de nouveaux troubles tels que des fissures. Les pansements humides utilisés à d'autres fins que pour l'assèchement de la plaie doivent être appliqués pendant 10 à 30 minutes, de 2 à 4 fois par jour, selon les indications. Si la peau montre des signes de macération (amollie et blanchie), il faut interrompre l'application de pansements pendant quelques heures. Pour assurer le bien-être du client et éviter qu'il prenne froid, de la literie matelassée ou plastifiée peut être utilisée. Différents matériaux peuvent servir de pansements secondaires, par exemple du coton mince, des compresses de gaze ou des sous-vêtements isolants. Il faut parfois faire preuve d'ingéniosité pour recouvrir certaines parties du corps.

30 | ÉVALUATION CLINIQUE

L'étape d'évaluation du système tégumentaire est décrite en détail dans le chapitre 30, *Système tégumentaire*.

PSTI 31.1W : *Lésions cutanées chroniques.*

Délégation de tâches

ENCADRÉ 31.3 **Soins de la peau**

RÔLE DE L'INFIRMIÈRE

- Évaluer la peau du client pour déceler les troubles tégumentaires aigus et chroniques.
- Évaluer les facteurs de risque de troubles tégumentaires du client.
- Consigner l'état de la peau, l'évaluation des facteurs de risque et élaborer un plan de soins.
- Déterminer si le client prend des médicaments photosensibilisants.
- Enseigner les risques liés à l'exposition au soleil et les façons de réduire l'exposition au soleil.
- Enseigner les méthodes de traitements des troubles tégumentaires, notamment les pansements, les bains et les médicaments oraux ou topiques utilisés en consultation externe.
- Évaluer l'efficacité du traitement et tout effet secondaire de celui-ci.
- En plus de reconnaître la pleine autonomie de l'infirmière en matière de soins de plaies, le « Règlement sur certaines activités professionnelles qui peuvent être exercées par une infirmière et un infirmier » l'autorise à prescrire des analyses de laboratoire ainsi que des produits, médicaments et pansement nécessaires au traitement.

RÔLE DE L'INFIRMIÈRE AUXILIAIRE

- Administrer les traitements prescrits, tels que des pansements et des médicaments oraux ou topiques.
- Surveiller la peau afin de déceler des changements d'apparence ou de texture qui peuvent indiquer l'aggravation du trouble tégumentaire ou des réactions indésirables au traitement.
- Répéter les renseignements transmis par l'infirmière sur les risques liés à l'exposition au soleil et sur les façons de réduire celle-ci ainsi que sur les méthodes de traitements des troubles tégumentaires.

RÔLE DU PRÉPOSÉ AUX BÉNÉFICIAIRES

- Aider le client à prendre un bain.
- Appliquer des pansements humides sur la peau ou ajouter certaines substances (p. ex., de l'avoine combinée à de l'huile) au bain du client.
- Signaler à l'infirmière les changements d'apparence de la peau du client ou toute douleur rapportée par celui-ci.

| Bains | Les bains permettent de traiter de grandes régions du corps. Ils ont aussi des effets sédatifs et antiprurigineux. Certains produits, tels que l'avoine combinée à l'huile (Aveeno^MD) et le bicarbonate de soude, peuvent être ajoutés directement à l'eau du bain. La baignoire doit être suffisamment remplie pour couvrir les parties atteintes. L'eau ou la solution recommandée doit être tiède. Le client doit rester dans le bain de 15 à 20 minutes. Il faut répéter ce traitement trois ou quatre fois par jour, selon la gravité de la dermatite et le malaise ressenti. L'infirmière doit expliquer au client qu'il doit se sécher en épongeant doucement sa peau avec la serviette et non en la frottant, afin de ne pas accroître l'irritation et l'inflammation.

Il est préférable de ne pas utiliser d'huile de bain, car elle rend la baignoire extrêmement glissante. Le cas échéant, il faut prendre toutes les précautions nécessaires pour éviter les accidents pendant le transfert du client. De plus, certaines huiles parfumées peuvent augmenter les risques de dermatites de contact. Afin de conserver l'effet hydratant du bain, les émollients en crème ou en onguent (hydratants) ou les autres médicaments topiques prescrits doivent être appliqués à la sortie du bain. Cela retient l'humidité dans les cellules de la peau et augmente l'absorption des médicaments.

| Médicaments topiques | Une mince couche d'onguent, de crème, de lotion, de solution ou de gel doit être appliquée uniformément sur la peau propre du client, du haut vers le bas du corps. L'application d'une couche trop épaisse gaspille le médicament et rend la peau graisseuse. Le médicament peut aussi être appliqué directement sur un pansement. Les pâtes sont destinées à protéger les régions touchées. Il faut en appliquer une épaisse couche avec un abaisse-langue ou une main gantée. Cela permet aussi de diminuer le risque de contamination du médicament topique. Pour éviter de salir les vêtements, il est possible de mettre un pansement mince sur les lésions avec écoulement et sur les lésions couvertes d'un médicament huileux. L'infirmière doit montrer au client comment appliquer correctement les médicaments topiques prescrits.

| Traitement du prurit | Le prurit peut être dû à la sécheresse de la peau, à des stimuli cutanés physiques ou chimiques, tels que des médicaments ou des piqûres d'insectes, à un trouble de desquamation ou à certaines pathologies. Les sensations de démangeaisons et de douleurs sont transmises par les mêmes fibres nerveuses amyélinisées. Si l'épiderme est endommagé ou absent, la sensation sera perçue comme une douleur plutôt que comme une démangeaison.

Le cycle de démangeaison et de grattage doit être interrompu afin de prévenir l'excoriation et la lichénification de la peau. La **lichénification** est un épaississement de la peau dû à la prolifération des kératinocytes et accompagné d'une accentuation des marques naturelles de la peau (Graham-Robin, Bourke & Cunliffe, 2008). Elle est causée par le grattage ou le frottement chronique et est généralement associée aux dermatoses atopiques et aux affections prurigineuses. Bien que toutes les parties du corps puissent être atteintes, les mains, les avant-bras, les tibias et la nuque sont le plus souvent touchés. Pour prévenir la lichénification, il faut traiter la cause des démangeaisons. La peau touchée peut présenter des excoriations évidentes en raison d'un prurit et d'un grattage constants.

Il est aussi important de traiter le prurit, car il devient difficile de poser un diagnostic quand la lésion est excoriée et enflammée. Certaines conditions aggravent les démangeaisons. Ainsi, il faut éviter tous les facteurs qui causent la vasodilatation, tels que la chaleur ou le frottement. La sécheresse de la peau diminue le seuil de tolérance et accentue la sensation de démangeaison.

L'infirmière doit enseigner au client les diverses méthodes qui peuvent contribuer à arrêter le cycle démangeaison-grattage. Le froid peut causer la vasoconstriction et réduire les démangeaisons (Karim, 2011). Le menthol, le camphre ou le phénol peuvent être appliqués localement pour engourdir les récepteurs de la démangeaison. Les antihistaminiques systémiques peuvent procurer un soulagement pendant que la cause sous-jacente du prurit est diagnostiquée et traitée. La somnolence est un effet secondaire de la plupart des antihistaminiques. Cet effet peut être souhaitable puisque le prurit s'aggrave souvent la nuit et peut perturber le sommeil.

Les pansements humides peuvent aussi soulager le prurit. Des linges de coton léger ou des sous-vêtements isolants préalablement trempés dans l'eau tiède et essorés sont alors posés sur la partie atteinte. Le pansement est retiré après 10 ou 15 minutes, et la peau est doucement tapotée pour la sécher. Un hydratant ou le médicament prescrit est ensuite appliqué. Ce traitement peut être répété au besoin pour soulager le malaise.

| Prévention de la propagation | Même si la plupart des affections cutanées ne sont pas contagieuses, il faut porter des gants en présence de plaies ouvertes, sanguinolentes ou de toute lésion présentant un écoulement purulent afin de prévenir l'infection ou sa propagation à d'autres tissus. L'infirmière doit expliquer le but de ces précautions au client pour ne pas l'inquiéter inutilement. Les lésions contagieuses les plus courantes sont l'impétigo, les infections à staphylocoques, la **pyodermite**, les infections fongiques, les chancres de la syphilis primaire et la pédiculose. Le lavage minutieux des mains et l'élimination des pansements souillés dans les endroits appropriés sont les meilleurs moyens de prévenir la propagation des affections cutanées.

| Prévention des infections secondaires | Les lésions ouvertes sont susceptibles d'être envahies par des microorganismes viraux, bactériens ou fongiques. Une hygiène méticuleuse, le lavage des mains et le respect des mesures d'asepsie durant les changements de pansements sont importants pour réduire les infections secondaires possibles. L'infirmière doit avertir le client que le grattage des lésions peut causer des excoriations et ouvrir une porte d'entrée aux agents pathogènes. Pour réduire les lésions dues au grattage, l'infirmière peut suggérer au client de se couper les ongles ou de porter des gants la nuit.

| Soins particuliers de la peau | C'est souvent à l'infirmière que revient la tâche d'enseigner au client les soins de la peau après une intervention chirurgicale dermatologique simple telle qu'une biopsie, une excision ou une cryothérapie. Le suivi du client devrait être individualisé. D'une manière générale, cette information doit porter sur les changements de pansements, l'utilisation d'antibiotiques topiques ainsi que la reconnaissance des signes et des symptômes d'une infection. Après une intervention dermatologique, toute plaie suintante doit être nettoyée avec une solution saline deux fois par jour ou selon les indications du médecin. Une plaie qui ne suinte pas peut être lavée à l'eau. Un onguent antibiotique et un pansement secondaire absorbant et non adhérant sont ensuite appliqués au besoin.

Les plaies couvertes et bien hydratées guérissent plus rapidement et laissent moins de cicatrices que les plaies laissées à l'air libre ou non protégées. Il ne faut pas enlever la croûte initiale qui se forme puisqu'elle protège la peau sous-jacente endommagée. Les croûtes qui ont été couvertes et hydratées se sépareront toutes seules de l'épiderme guéri.

Divers pansements peuvent être appliqués sur une plaie suturée. Les sutures sont généralement enlevées après une période de 4 à 14 jours, selon leur emplacement. Au besoin, un antibiotique topique peut être appliqué et la plaie peut être recouverte avec un pansement stérile sec ou elle peut être laissée à l'air. La plaie peut enfler, et le client peut ressentir de la douleur au cours des premières

Pyodermite : Infection cutanée purulente.

31

CE QU'IL FAUT RETENIR

Le cycle de démangeaison et de grattage doit être interrompu afin de prévenir l'excoriation et la lichénification de la peau.

Jugement clinique

Maryse Lemieux, 38 ans, s'est infligée une éraflure de 4 cm sur 3 cm au genou droit en fermant la portière de sa voiture. Cette lésion est rouge et œdémateuse. De plus, il y a un léger écoulement jaunâtre opaque. Que représentent ces signes pour l'infirmière ?

24 heures, pendant la première phase de guérison. Des sachets réfrigérants peuvent être appliqués sur le pansement pour réduire l'œdème et la douleur. Des analgésiques doux tels que l'acétaminophène ou des AINS soulagent normalement la douleur. L'infirmière doit enseigner au client à reconnaître les signes d'inflammation, tels que la rougeur persistante, la fièvre, une douleur ou un œdème dont l'importance s'accroît, ainsi que les signes d'infection, tels qu'un écoulement purulent. De tels signes doivent être signalés à un professionnel de la santé.

| Effets psychologiques des troubles dermatologiques chroniques | Les personnes qui souffrent de troubles cutanés chroniques, tels que le psoriasis, la dermatite atopique ou l'acné, subissent parfois un stress émotionnel. Ces troubles peuvent être la source de diverses difficultés : problèmes sociaux et professionnels, problèmes financiers, mauvaise image de soi, problèmes sexuels et frustration croissante.

L'absence d'une maladie systémique apparente et la présence de lésions cutanées visibles rendent généralement la situation très difficile pour le client. L'infirmière doit aider le client à comprendre et à voir l'utilité du traitement prescrit. Elle doit lui permettre d'exprimer ses inquiétudes, sa colère ou sa frustration, sans le juger. Les mesures d'hygiène et de traitement doivent occuper une place prépondérante dans son plan d'enseignement.

12

Pour en savoir plus sur la formation des cicatrices, voir le chapitre 12, *Inflammation et soin des plaies*.

CE QU'IL FAUT RETENIR

L'absence d'une maladie systémique apparente et la présence de lésions cutanées visibles rendent généralement la situation très difficile pour le client.

De nombreuses lésions peuvent être cachées à l'aide de produits cosmétiques. Ces produits doivent être choisis en fonction de la sensibilité du client à leurs divers ingrédients. Les produits hypoallergènes et sans huile peuvent être utiles au client ayant une peau sensible aux allergènes. Certains produits cosmétiques offerts sur le marché permettent de cacher ou d'atténuer des lésions telles que le vitiligo, le **mélasme** (taches brunes sur le visage) ou les cicatrices postopératoires. Ces produits sont opaques, ne coulent pas et résistent à l'eau.

En plus des affections cutanées particulières qui tendent à être chroniques, d'autres facteurs influent sur l'évolution des troubles dermatologiques à long terme, notamment le type de peau, les antécédents d'exacerbation, les antécédents familiaux, les complications, l'intolérance au traitement, les facteurs environnementaux, la non-adhésion au traitement prescrit, les facteurs psychologiques et les pathologies concomitantes.

| Effets physiologiques des troubles dermatologiques chroniques | Les cicatrices et la lichénification sont des conséquences de troubles dermatologiques chroniques. Les cicatrices sont dues à l'ulcération. Elles sont d'abord roses et vasculaires. Avec le temps, elles deviennent avasculaires, blanches (elles peuvent être hyperpigmentées chez les personnes à peau foncée) et de plus en plus dures. La cicatrisation varie d'une partie à l'autre du corps. Par exemple, le visage et le cou guérissent assez rapidement, car ils sont bien vascularisés, tandis que les parties inférieures du corps moins vascularisées cicatrisent généralement plus lentement ▶ 12.

Les conséquences esthétiques d'une cicatrice dépendent de la partie du corps où elle se trouve. Évidemment, les cicatrices au visage, qui sont très visibles, ont parfois des répercussions psychologiques majeures. L'utilisation habile de produits cosmétiques peut grandement aider à masquer les cicatrices laissées par des affections dermatologiques chroniques. Le meilleur traitement consiste à prévenir la formation des cicatrices en traitant le trouble en phase aiguë. De plus, l'infirmière doit soutenir psychologiquement le client dans le processus d'acceptation de soi quant à la présence de ses cicatrices.

31.10 | Chirurgie esthétique

Il existe une très grande gamme de chirurgies esthétiques, entre autres la dermabrasion chimique, les injections de toxines ou d'autres agents de comblement des rides, la chirurgie laser, l'augmentation et la réduction mammaires, la ridectomie (rhytidectomie) du visage et des paupières, ainsi que la liposuccion. Le **TABLEAU 31.14** présente les chirurgies esthétiques locales courantes. Les injections de la toxine du botulisme (Botox^MD^), de collagène (p. ex., le Zyplast^MD^) et d'acide hyaluronique (p. ex., le Hyalgan^MD^) sont d'autres types d'interventions esthétiques. Leurs effets secondaires transitoires sont entre autres de la rougeur, de la douleur, de l'enflure et des ecchymoses légères.

Les raisons menant à une chirurgie esthétique sont aussi variées que les types d'interventions pratiquées. L'amélioration de l'apparence est la principale raison qui motive les gens à subir une telle chirurgie et à accepter les inconvénients physiques et financiers qu'elle occasionne. Au Québec, la plupart des chirurgies esthétiques ne sont pas couvertes par les assurances privées ou par le régime d'assurance maladie du Québec.

Les gens agissent selon l'image qu'ils se font d'eux-mêmes. S'ils se sentent mieux dans leur peau après avoir subi une chirurgie esthétique, ils agiront généralement avec plus d'assurance. Leur position sociale et les facteurs économiques influent généralement sur leur décision. Puisque les gens vivent de plus en plus vieux, la chirurgie esthétique attire une plus grande proportion de la population.

TABLEAU 31.14	Interventions esthétiques topiques courantes			
INTERVENTION	**TRÉTINOÏNE (RÉTIN-A^MD) TAZAROTÈNE (TAZORAC^MD)**	**DERMABRASION CHIMIQUE**	**MICRODERMABRASION**	**ACIDES ALPHA-HYDROXYLÉS (ACIDE GLYCOLIQUE, ACIDE LACTIQUE)**
Indications	Améliore l'apparence de la peau endommagée par les rayonnements, notamment les rides fines ; réduit les kératoses séniles.	Améliore l'apparence de la peau endommagée par les rayonnements, les cicatrices d'acné et les kératoses séniles et séborrhéiques.	Donne une apparence plus lisse à la peau ridée et endommagée par les rayonnements.	Indications semblables à celles de la microdermabrasion ; est aussi appelée minidermabrasion.
Description	Appliquée initialement une fois par jour (die), en visant des applications toutes les nuits selon la tolérance ; arrêter le traitement en cas d'inflammation grave ; réaction maximale après une période de 8 à 12 mois.	Solution appliquée (p. ex., le CO_2 solide, l'acide trichloracétique) en quantités variables sur la peau ; cause une brûlure maîtrisée et une perte de mélanine.	Épiderme et couche supérieure du derme enlevés en appliquant de l'oxyde d'aluminium ou des cristaux de bicarbonate de soude ; il se produit ensuite une réépithélialisation de la surface traitée.	Faible concentration (< 10 %) dans de nombreux produits de soins cutanés qui peuvent être appliqués sur la peau ; les concentrations plus élevées (de 50 à 70 %) sont administrées seulement par un professionnel de la santé.
Effets secondaires	Érythème, œdème, desquamation et changements pigmentaires ; tératogène ; augmente la phototoxicité si prise avec d'autres médicaments photosensibilisants **TABLEAU 31.2**.	Œdème et formation de croûte modérée pendant une semaine ; rougeur pendant six à huit semaines ; couleur rosée possible pendant plusieurs mois ; occasionne une photosensibilité.	Couleur rose pâle qui disparaît en 24 heures ; occasionne une photosensibilité.	Photosensibilité ; légère irritation à de faibles concentrations ; les plus fortes concentrations peuvent causer une rougeur importante, du suintement et de la desquamation.
Enseignement au client	Appliquer des émollients, utiliser un écran solaire (SPF 15 ou plus), éviter l'exposition au soleil et éviter d'utiliser des nettoyants faciaux abrasifs ou asséchants en cas de grande sensibilité (p. ex., une irritation excessive).	Utiliser un écran solaire et éviter le soleil pendant six mois pour prévenir l'hyperpigmentation.	Procéder à l'application généreuse d'un émollient et d'un écran solaire.	Utiliser un écran solaire.

Peu importe les raisons qui incitent un client à subir une chirurgie esthétique, l'infirmière doit lui offrir son soutien et ne pas le juger. Si le client souhaite changer ou améliorer une caractéristique corporelle qu'il considère comme peu esthétique, elle doit respecter sa décision.

31.10.1 Chirurgie non urgente

Chirurgie laser

Quand un faisceau laser pénètre la peau, son rayonnement peut atteindre les structures cutanées en se diffusant, en étant absorbé ou en traversant les différentes couches. Les applications cliniques des lasers dépendent de la profondeur de la longueur d'onde émise et de la technique d'opération. Le résultat varie en fonction des caractéristiques de la technique, telles que la durée de l'impulsion et le nombre de passages sur la peau (Friedman & Lippitz, 2009). Les lasers peuvent réduire les rides fines autour des lèvres ou des yeux et éliminer les lésions faciales **TABLEAU 31.14.** Ce traitement cause souvent de l'enflure, de la rougeur et des ecchymoses. Il faut généralement garder les régions traitées humides à l'aide d'onguents ou de pansements occlusifs (bandages chirurgicaux) pendant les quelques jours suivant l'intervention. La peau traitée ne doit pas être exposée au soleil.

Ridectomie du visage

Une ridectomie du visage (**rhytidectomie**) consiste à corriger l'affaissement des deux tiers inférieurs du visage et du cou pour améliorer l'apparence **FIGURE 31.21**. Cette intervention est indiquée dans les cas suivants :

- des tissus mous excédentaires ou des cicatrices causées par une maladie (p. ex., des cicatrices d'acné) ;
- une asymétrie excessive des tissus mous (paralysie faciale) ;
- des tissus mous excédentaires causés par un trauma ;
- des lésions périauriculaires ;

Élastose solaire : Affaissement de la peau en raison de dommages causés par le soleil.

CE QU'IL FAUT RETENIR

À la suite d'une chirurgie de remodelage, l'intervention postopératoire la plus importante consiste à prévenir la formation d'un hématome.

- des tissus mous excédentaires dus à l'**élastose solaire**, à des changements de la masse corporelle et à des effets de la gravité ;
- une amélioration de l'image corporelle.

La technique chirurgicale et les lignes d'incision varient selon la nature de la correction désirée et la position de la ligne du cuir chevelu. La ridectomie des paupières (**blépharoplastie**), indiqué dans les mêmes situations, est pratiqué pour enlever le tissu excédentaire et parfois pour améliorer le champ de vision. Cette intervention est généralement peu douloureuse. L'intervention postopératoire la plus importante consiste à prévenir la formation d'un hématome. Dans les 24 ou 48 heures après l'intervention, des sacs réfrigérants sont généralement appliqués pour réduire l'enflure et le risque de formation d'un hématome. Une personne qui fume ou qui fait des exercices violents augmente ses risques de complication.

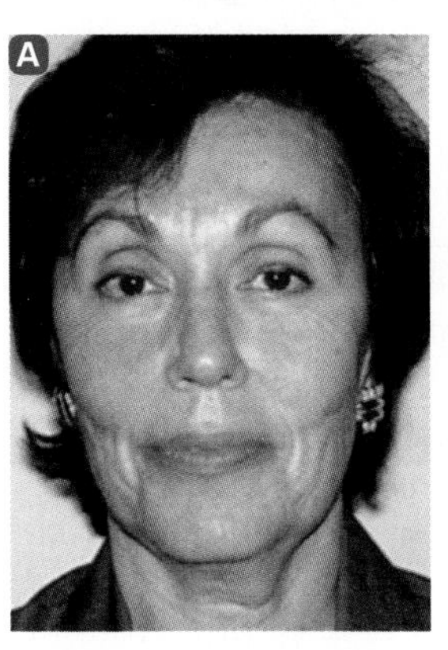

FIGURE 31.21 Ridectomie du visage – A Préopératoire. B Postopératoire.

Les infections sont peu fréquentes, mais le chirurgien peut prescrire des antibiotiques au besoin.

Liposuccion

La **liposuccion** consiste à enlever des tissus adipeux sous-cutanés afin d'améliorer les contours du visage et du corps. Même si elle ne remplace pas la promotion de bonnes habitudes alimentaires et l'exercice, elle permet de retirer, de presque n'importe quelle partie du corps, les tissus adipeux que d'autres techniques ne parviennent pas à éliminer.

Bien que cette intervention présente peu de risque de complications, elle est contre-indiquée pour les personnes qui prennent des anticoagulants, qui souffrent d'hypertension artérielle non maîtrisée, de diabète ou qui ont une mauvaise santé cardiovasculaire. Les personnes âgées de moins de 40 ans dont la peau a une bonne élasticité sont les meilleures candidates à cette intervention. Toutefois, les personnes âgées de 16 à 70 ans peuvent être traitées avec succès.

La liposuccion est généralement effectuée en consultation externe sous anesthésie locale. Plus d'une séance peut être nécessaire, selon la taille de la région à traiter. Une canule à embout épointé est insérée dans une incision de 1,25 cm et poussée dans le tissu adipeux afin de le séparer du stroma fibreux. Des poussées répétées brisent le tissu adipeux et créent des tunnels. La graisse ainsi dégagée est aspirée au moyen d'une pompe puissante. La région traitée est ensuite couverte de bandages serrés, afin d'aider la peau à se remodeler, de réduire le risque de saignement postopératoire et l'accumulation de liquide (Pelosi & Pelosi, 2010). Le résultat final peut prendre plusieurs mois à paraître.

Soins et traitements infirmiers

CLIENT SUBISSANT UNE OPÉRATION DE CHIRURGIE ESTHÉTIQUE

Un grand nombre de chirurgies esthétiques sont effectuées dans des unités de chirurgie d'un jour ou dans des cabinets privés de chirurgie dermatologique ou esthétique. Plusieurs soins infirmiers peuvent être prodigués aux clients qui ont subi ce type de chirurgie, peu importe l'endroit où celle-ci a été effectuée.

Interventions cliniques

Soins préopératoires

En phase préopératoire, l'infirmière joue un rôle de premier plan dans le consentement éclairé du client et les attentes réalistes de celui-ci à l'égard des résultats possibles de la chirurgie esthétique. Bien que ces renseignements doivent être transmis par le chirurgien, l'infirmière doit évaluer la compréhension du client, répondre à ses questions et le rassurer. Par exemple, une ridectomie du visage a peu ou pas d'effet sur les rides profondes du front et des tempes, les sillons nasolabiaux profonds ou les rides verticales des lèvres. Des photographies de cas semblables prises avant et après le traitement aident généralement le client à établir des attentes réalistes.

Il est important que le client soit informé du temps nécessaire à la cicatrisation des plaies. Puisque celle-ci peut prendre jusqu'à un an, le client ne doit pas s'attendre à des résultats complets immédiats. L'infirmière doit lui expliquer que l'abrasion de la peau entraîne un suintement et la formation de croûtes ; il pourra ainsi prévoir un congé de travail au besoin. Le résultat final d'une chirurgie esthétique dépend de l'âge du client, de son type de peau, de son état de santé général et de l'étendue du trouble à corriger. S'il a un problème de santé, celui-ci doit être corrigé ou maîtrisé avant la chirurgie.

Soins postopératoires

Puisque la plupart des chirurgies esthétiques ne sont pas très douloureuses, des analgésiques doux suffisent généralement à calmer la douleur. Même si l'infection est rare après une chirurgie esthétique, l'infirmière doit vérifier s'il y a des signes d'infection aux sites chirurgicaux. Elle doit enseigner au client à reconnaître ces signes et lui demander de signaler immédiatement tout signe ou symptôme observé pour qu'un traitement antibiotique approprié puisse être entrepris.

Si la chirurgie modifie la circulation sanguine de la peau, comme dans le cas d'un déridage du visage, l'infirmière doit attentivement surveiller la circulation. Une peau chaude et rosée qui blanchit quand une pression est exercée indique une circulation adéquate dans la région opérée. Il peut être nécessaire d'appliquer des pansements compressifs de soutien et des sacs réfrigérants au début de la phase postopératoire pour diminuer l'œdème.

31.11 | Greffes de peau

31.11.1 Applications des greffes de peau

Une greffe de peau peut être nécessaire pour protéger des structures sous-jacentes ou pour effectuer une reconstruction esthétique ou fonctionnelle. Idéalement, la cicatrisation des plaies se fait par **première intention** (guérison spontanée par le rapprochement des marges de réépithélialisation) **FIGURE 31.22**.

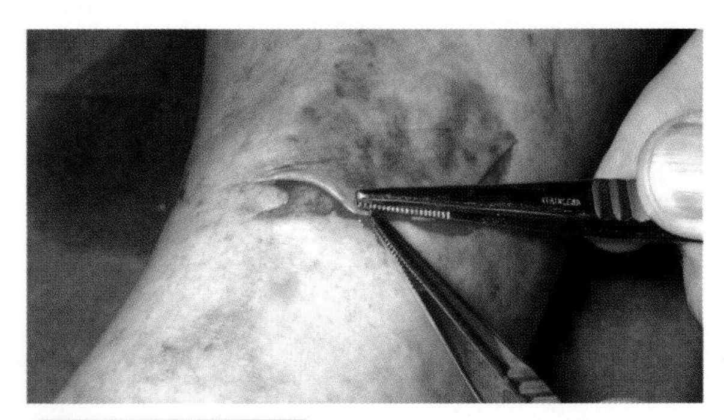

FIGURE 31.22 Rapprochement des marges de réépithélialisation afin de faciliter la cicatrisation

Toutefois, les grandes plaies résultant d'une chirurgie ou d'un trauma ainsi que les plaies chroniques peuvent causer une destruction importante des tissus, qui rend impossible la cicatrisation par première intention. Une greffe de peau peut alors être nécessaire pour refermer la plaie. Des techniques chirurgicales de pointe permettent les greffes de peau, d'os, de cartilages, de tissus adipeux, d'aponévroses, de muscles et de nerfs. Pour obtenir des résultats esthétiques satisfaisants, la couleur, l'épaisseur, la texture et la pilosité de la peau du greffon doivent correspondre à celles de la zone receveuse ▶ 32.

31.11.2 Types de greffes de peau

Il existe deux types de greffes de peau : la greffe de lambeau libre et la greffe de lambeau pédiculé. La greffe de lambeau libre est classée en fonction de la méthode de vascularisation utilisée pour alimenter le greffon. Une méthode consiste à transférer directement le greffon (l'épiderme et une partie du derme ou le derme entier) du site donneur au site receveur. S'il s'agit d'une **autogreffe** (greffon prélevé sur le client receveur) ou d'une **isogreffe** (prélevé sur un vrai jumeau), le greffon se revascularisera et se fixera au nouveau site. La microchirurgie reconstructrice est une autre méthode de greffe libre. Elle permet de revasculariser immédiatement la peau greffée en effectuant l'**anastomose** des vaisseaux sanguins du lambeau et du site receveur à l'aide d'un microscope chirurgical.

La greffe d'un lambeau pédiculé consiste à transférer un morceau de peau et de tissus sous-cutanés d'une partie du corps à une autre sans couper ses éléments vasculaires (Zhang & Meine, 2011). Ce groupement d'éléments vasculaires est appelé pédicule. Le lambeau pédiculé est utilisé pour couvrir une plaie ayant un faible réseau vasculaire, quand un remplissage est nécessaire, et pour couvrir une plaie située au-dessus d'un cartilage ou d'un os. Si le site récepteur est éloigné du site donneur (p. ex., un lambeau prélevé sur une cuisse qui doit être greffé sur la tête), il peut être nécessaire de placer le lambeau sur un site intermédiaire. Dans ce cas, le lambeau est déplacé vers le site récepteur quand la circulation est bien établie au site intermédiaire. Le type de lambeau et les sites de transfert sont déterminés par les besoins du client et la nature de la réparation à effectuer.

L'expansion des tissus mous est une technique qui permet d'obtenir de la peau afin de réparer un défaut cutané tel qu'une cicatrice de brûlure, d'enlever une marque peu esthétique comme un tatouage ou de préparer une reconstruction mammaire. Un expanseur de tissu cutané de taille et de forme appropriées est placé sous la peau, généralement au cours d'une intervention pratiquée en consultation externe ou en chirurgie d'un jour. L'expansion hebdomadaire avec une solution saline peut être faite dans un établissement de soins de santé ou par le client à domicile. Cette technique d'expansion est répétée jusqu'à ce que la peau atteigne la dimension voulue pour la réparation. Cela peut prendre plusieurs semaines, voire trois ou quatre mois. Quand la quantité de peau est suffisante, la vieille incision est ouverte et l'expanseur

32

Le chapitre 32, *Interventions cliniques – Brûlures*, traite également des greffes de peau.

Anastomose : Technique qui consiste à créer une connexion entre deux structures, notamment entre deux vaisseaux sanguins.

est retiré. Le tissu mou peut alors être utilisé comme lambeau.

L'expanseur de tissu ne change pas la texture ou la couleur de la peau. S'il est placé sous une cicatrice ou une lésion cutanée, le lambeau final gardera les mêmes caractéristiques cutanées. Il est donc important de l'installer à distance raisonnable de toute anomalie cutanée.

Analyse d'une situation de santé — Jugement clinique

Rosie Lévesque étudie en traduction. Elle est âgée de 21 ans. Elle a dû subir une appendicectomie à la suite d'une crise d'appendicite extrêmement douloureuse, selon elle. Elle est également atteinte de psoriasis au cuir chevelu, aux coudes et aux espaces interdigitaux.

Au cours du changement de pansement abdominal à 13 h 45, vous avez noté que la peau avoisinant la plaie chirurgicale était érythémateuse et qu'il y avait de fines vésicules. De plus, madame Lévesque se plaint de prurit à cet endroit.

Vous avez également remarqué qu'elle se cache les mains dès que quelqu'un entre dans la chambre. Elle demande de porter une chemise à manches longues. La jeune cliente ne semble pas apprécier que des questions lui soient posées à ce sujet.

i+ SOLUTIONNAIRE

Mise en œuvre de la démarche de soins

Collecte des données – Évaluation initiale – Analyse et interprétation

1. Trouvez trois données précises que l'infirmière doit rechercher lors de l'évaluation clinique des plaques de psoriasis que Rosie présente.
2. Quelles questions l'infirmière peut-elle poser à la cliente pour évaluer de façon plus approfondie le problème de psoriasis? Nommez-en trois.
3. Madame Lévesque pourrait éprouver deux autres symptômes en lien avec le psoriasis. Lesquels?
4. À partir des données du troisième paragraphe de la mise en contexte, quel problème prioritaire pouvez-vous formuler dans l'extrait du plan thérapeutique infirmier (PTI) de madame Lévesque? Inscrivez votre réponse vis-à-vis du numéro 2.

Extrait

CONSTATS DE L'ÉVALUATION								
Date	Heure	N°	Problème ou besoin prioritaire	Initiales	RÉSOLU / SATISFAIT			Professionnels / Services concernés
					Date	Heure	Initiales	
2016-03-10		*2*						
		3	*Allergie de contact au latex possible*	*M.U.P.*				

Signature de l'infirmière	Initiales	Programme / Service	Signature de l'infirmière	Initiales	Programme / Service
		3e est, chirurgie			
Marie-Ulda Philosca	*M.U.P.*	*3e est, chirurgie*			

5. L'infirmière a ajouté un nouveau problème prioritaire d'*Allergie de contact au latex possible* dans l'extrait du PTI de la cliente. Quelles données permettent de confirmer ce problème prioritaire nécessitant un suivi clinique particulier?

Planification des interventions – Décisions infirmières

6. Vérifiez que la réponse donnée pour le problème prioritaire numéro 2 est bonne, puis émettez une directive infirmière qui serait réaliste et propre à cette cliente.

Extrait

CONSTATS DE L'ÉVALUATION								
Date	Heure	N°	Problème ou besoin prioritaire	Initiales	RÉSOLU / SATISFAIT			Professionnels / Services concernés
					Date	Heure	Initiales	
2016-03-10		*2*						
		3	*Allergie de contact au latex possible*	*M.U.P.*				

SUIVI CLINIQUE

Date	Heure	N°	Directive infirmière	Initiales	CESSÉE / RÉALISÉE		
					Date	Heure	Initiales
2016-03-10		2					
		3					

Signature de l'infirmière	Initiales	Programme / Service	Signature de l'infirmière	Initiales	Programme / Service
		3e est, chirurgie			
Marie-Ulda Philosca	M.U.P.	3e est, chirurgie			

7. Afin d'assurer le suivi clinique du problème prioritaire numéro 3, formulez une directive infirmière applicable à cette cliente.

Évaluation des résultats – Évaluation en cours d'évolution

8. Comment l'infirmière pourrait-elle vérifier que le problème prioritaire numéro 2 est résolu ou en voie de l'être ?

9. Quelles observations indiqueraient qu'une possible allergie de contact au latex est maîtrisée ? Nommez-en trois.

Récemment vu dans ce chapitre

À quels autres endroits madame Lévesque pourrait-elle présenter des plaques squameuses de psoriasis ? Nommez-en deux.

Récemment vu dans ce chapitre

D'après les notes médicales, la cliente présenterait un psoriasis de type grave. Qu'est-ce que cela signifie ?

APPLICATION DE LA PENSÉE CRITIQUE

Dans l'application de la démarche de soins auprès de madame Lévesque, l'infirmière a recours aux éléments du modèle de la pensée critique pour analyser la situation de santé de la cliente et en comprendre les enjeux. La **FIGURE 31.23** résume les caractéristiques de ce modèle en fonction des données de cette cliente, mais elle n'est pas exhaustive.

VERS UN JUGEMENT CLINIQUE

CONNAISSANCES

- Caractéristiques d'une peau saine
- Lésions primaires et secondaires de la peau
- Caractéristiques des plaques de psoriasis
- Manifestations cutanées d'une dermatite allergique
- Réactions psychologiques de la personne ayant un problème cutané

EXPÉRIENCES

- Soins aux clients présentant un problème de peau
- Expérience personnelle de problème cutané

NORMES

- Utilisation de matériel et de gants sans latex en cas d'allergie de contact à celui-ci

ATTITUDES

- Ne pas juger la réaction de la cliente parce qu'elle cache ses mains
- Ne pas banaliser la réaction allergique

PENSÉE CRITIQUE

ÉVALUATION

- Caractéristiques des plaques de psoriasis (aspect, étendue, couleur, localisation)
- Signes d'allergie de contact au latex (vésicules, prurit, érythème)
- Indices d'atteinte à l'image corporelle (cacher ses mains parce qu'il y a des plaques de psoriasis dans les espaces interdigitaux, porter une chemise d'hôpital à manches longues pour cacher les plaques aux coudes)

JUGEMENT CLINIQUE

FIGURE 31.23 Application de la pensée critique à la situation de santé de madame Lévesque

Chapitre 32

INTERVENTIONS CLINIQUES

Brûlures

Écrit par:
Judy Knighton, RN, MScN
Adapté par:
Maryse Beaumier, inf., M. Sc. inf., Ph. D. (c)
Mis à jour par:
Chantal Labrecque, inf., M. Sc.

MOTS CLÉS

Brûlure 146
Brûlure chimique 147
Brûlure électrique 148
Brûlure thermique 147
Débridement 163
Degré 150
Escarrotomie 158
Lésion par inhalation 147
Phase aiguë 168
Phase de réadaptation 174
Phase de réanimation 153

OBJECTIFS

Après avoir étudié ce chapitre, vous devriez être en mesure:

- de décrire les causes et les mesures de prévention des brûlures;
- de distinguer les brûlures de premier degré (superficielles), de deuxième degré superficiel (épaisseur partielle superficielle), de deuxième degré profond (épaisseur partielle profonde), de troisième degré (pleine épaisseur);
- d'utiliser des paramètres précis pour déterminer la gravité des brûlures;
- de comparer la physiopathologie, les manifestations cliniques, les complications et les processus thérapeutiques en interdisciplinarité de chacun des trois degrés d'atteinte d'une brûlure;
- de comparer les changements liquidiens et électrolytiques qui se produisent pendant la phase d'urgence et la phase aiguë d'une brûlure;
- de décrire les besoins nutritionnels d'un client victime de brûlures pour chacune des trois phases d'une brûlure;
- de comparer les diverses techniques de soin des brûlures et les chirurgies possibles pour les brûlures de profondeur partielle ou totale;
- d'établir l'ordre de priorité des soins infirmiers visant à satisfaire les besoins physiologiques et psychosociaux du client victime de brûlures pour chacun des trois degrés d'une brûlure;
- de décrire les composantes physiologiques et psychosociales de la réadaptation d'un client victime de brûlures;
- d'élaborer un plan de soins et de traitements infirmiers (PSTI) afin de préparer le client victime de brûlures et le proche aidant au congé de l'hôpital.

Disponible sur 

- À retenir
- Carte conceptuelle
- Méthodes de soins: grilles d'observation
- Pour en savoir plus
- PSTI Web
- Solutionnaire de l'Analyse d'une situation de santé
- Solutionnaire des questions de Jugement clinique
- Solutionnaire des questions Réactivation des connaissances
- Solutionnaire des questions Récemment vu dans ce chapitre
- Solutionnaires du Guide d'études

Concepts clés

Cette carte conceptuelle illustre schématiquement les principaux concepts décrits dans le présent chapitre. Sa lecture vous permettra d'avoir une vue d'ensemble des notions qui y sont présentées.

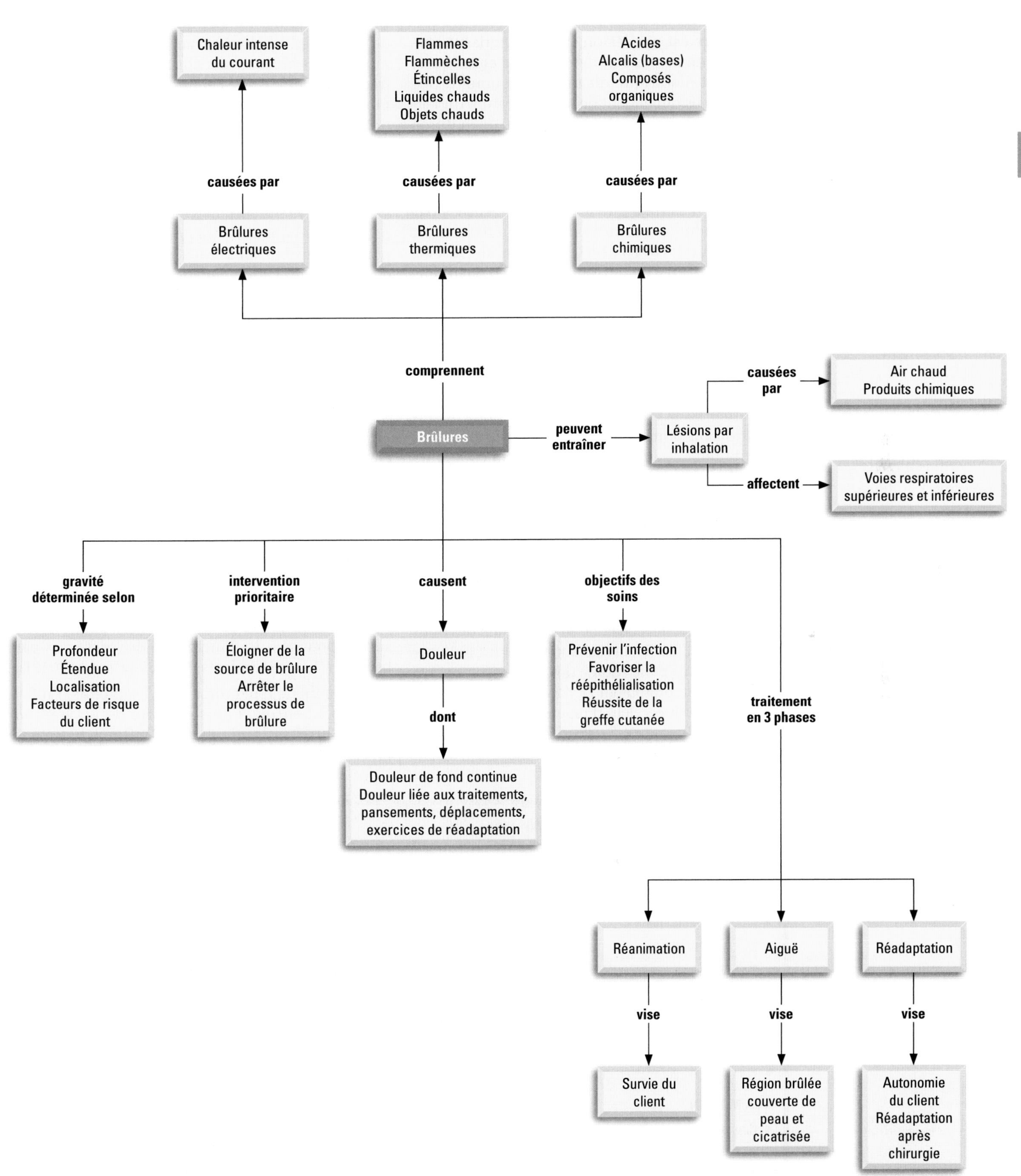

32.1 Causes et prévalence des brûlures

CE QU'IL FAUT RETENIR

Une brûlure est une lésion causée aux tissus corporels par de la chaleur, des produits chimiques, un courant électrique ou un rayonnement. La plupart des brûlures peuvent être évitées.

Une **brûlure** est une lésion causée aux tissus corporels par de la chaleur, des produits chimiques, un courant électrique ou un rayonnement. Ses conséquences dépendent de la température du facteur causal, de l'agent de combustion, de la durée du contact et de la profondeur du tissu touché.

Deux études toujours actuelles menées par l'Institut national de santé publique du Québec (INSPQ) permettent d'estimer que les brûlures causées par l'eau chaude du robinet occasionnent environ 33 hospitalisations et 3 décès par année, au Québec. Cela correspond à un taux annuel de 4,5 hospitalisations et de 0,43 décès par million d'habitants. Le risque associé à ce type de brûlure est plus important chez les enfants âgés de moins de 5 ans, chez les personnes âgées de 60 ans et plus et chez celles qui présentent une déficience physique ou mentale. Au Québec, les brûlures causées par l'eau chaude du robinet assez graves pour nécessiter une hospitalisation ou pour causer un décès surviennent majoritairement au domicile des victimes et plus particulièrement dans la baignoire (INSPQ, 2003).

Les brûlures et les échaudures sont la troisième cause des blessures du monde industriel et la forme de blessure la plus fréquente en pédiatrie chez les enfants âgés de cinq ans et moins (Shah, Suresh, Thomas *et al.*, 2011).

Selon les données du Système canadien hospitalier d'information et de recherche en prévention des traumatismes (SCHIRPT), les échaudures et les brûlures par contact (avec une source de chaleur comme un fer à repasser) représentent 74 % des brûlures traitées en 1999 dans les services d'urgence canadiens, tous âges confondus, et 66 % des clients traités pour brûlures étaient âgés de moins de 10 ans (Selst, 2002).

L'étude de Spinks et de ses collègues (2008) rapporte que les échaudures et les brûlures par flammes représentent les facteurs étiologiques contribuant à 50 % des admissions à l'hôpital. Les enfants âgés de moins de 5 ans sont davantage victimes d'échaudures, et les brûlures par contact surviennent plus fréquemment chez les enfants âgés de 12 mois et moins; les jeunes âgés de 10 à 14 ans ont plus de brûlures causées par des utilisations imprudentes de substances inflammables.

Bien que le nombre de brûlures ait diminué ces dernières années, elles sont encore trop fréquentes, surtout que la plupart peuvent être évitées. Dans le passé, les programmes de prévention des brûlures portaient surtout sur la responsabilité individuelle et sur la modification des comportements. Ces programmes incluent désormais des changements législatifs qui visent l'amélioration de la sécurité de l'environnement (Hunt, Arnoldo & Purdue, 2007; Jeschke, Kamolz, Sjöberg *et al.*, 2012). Des programmes nationaux coordonnés font la promotion des briquets à l'épreuve des brûlures pour les enfants, des vêtements ininflammables pour enfants, des mitigeurs pour les robinets, des cigarettes à inflammabilité réduite, des codes du bâtiment plus stricts, des détecteurs de fumée, des systèmes d'alarme câblés ainsi que des gicleurs (Conseil canadien de la sécurité, 2011). Les réductions en milieu hospitalier sont aussi associées aux changements de pratique, entre autres par le fait que de petites surfaces de brûlures sont traitées en ambulatoire ou par des intervenants de la santé locaux; toutefois, la prévention demeure la clé du succès pour réduire l'incidence des blessures par brûlures (LLoyd, Rodgers, Michener *et al.*, 2012).

Au cours de rencontres avec les clients, l'infirmière peut enseigner les mesures de prévention des brûlures à domicile et en milieu de travail **ENCADRÉ 32.1** et **TABLEAU 32.1**.

ENCADRÉ 32.1 Causes de brûlures

AU TRAVAIL

- Goudron
- Produits chimiques
- Métaux chauds
- Tuyaux de vapeur
- Combustibles
- Engrais et pesticides
- Électricité des lignes de transport
- Étincelles de sources électriques sous tension

À LA MAISON

- Cuisine et salle de bain :
  - Aliments cuits au four à micro-ondes
  - Vapeur, huiles ou liquides chauds de cuisson
  - Eau trop chaude (chauffe-eau réglé à 60 °C ou plus)
- Général :
  - Foyers (au gaz, au bois)
  - Appareils de chauffage utilisés dans un espace ouvert
  - Radiateurs (maison, automobile)
  - Barbecue (au propane, au charbon)
  - Fils électriques endommagés ou défectueux
  - Plusieurs fils de rallonge branchés à une même prise électrique
  - Liquides inflammables (p. ex., le liquide d'allumage, l'essence, le kérosène)
  - Cigarettes, allumettes, chandelles (utilisation imprudente)

TABLEAU 32.1	Brûlures et stratégies de réduction du risque
CAUSE DE BRÛLURE	**STRATÉGIES DE RÉDUCTION DU RISQUE**
Flamme ou contact	• Ne jamais laisser des chandelles sans surveillance ou près d'une fenêtre ouverte et des rideaux. • Encourager l'utilisation de briquets à l'épreuve des enfants. • Encourager les exercices réguliers d'évacuation en cas d'incendie. • Ne jamais utiliser d'essence ou d'autres liquides inflammables comme accélérateurs. • Ne jamais laisser d'huile chaude sans surveillance dans la cuisine. • Ne jamais fumer au lit. • Envisager le port d'un tablier ignifuge pour les personnes avec fonctions cognitives diminuées et autres personnes fumeuses à risque. • Être prudent pendant la cuisson des aliments ou des boissons au four à micro-ondes.
Échaudures	• Régler le réservoir d'eau chaude à la température la plus basse (40 °C). • Utiliser des mitigeurs pour la pomme de douche et les robinets. • Superviser le bain des jeunes enfants, des personnes âgées et de toute personne ayant une déficience physique, tactile et intellectuelle. • Vérifier la température de l'eau avec le dos de la main ou un thermomètre après avoir fait couler un bain.
Inhalation chimique	• Installer des détecteurs de fumée et de monoxyde de carbone. • Ranger les produits chimiques de façon sécuritaire dans des contenants approuvés et adéquatement étiquetés. • Assurer la sécurité des travailleurs ou des élèves qui manipulent des produits chimiques (enseignement des mesures de sécurité, port de lunettes, gants, masques et vêtements de protection).
Électrique	• Réparer les fils endommagés ou ne pas les utiliser. • Fermer le courant électrique avant de commencer des réparations. • Porter des lunettes de protection et des gants pour effectuer des réparations électriques. • Éviter les activités extérieures pendant les orages électriques.

32.2 | Types de brûlures

32.2.1 Brûlure thermique

La **brûlure thermique** est la brûlure la plus courante. Elle est causée par des flammes, des étincelles ou par un contact avec des liquides ou des objets chauds **FIGURE 32.1**.

32.2.2 Brûlure chimique

La **brûlure chimique** est causée par des acides, des alcalis (bases) ou des composés organiques qui provoquent des lésions et une destruction des tissus, comme la peau ou même les yeux. De nombreux produits ménagers contiennent des acides, notamment les acides chlorhydrique, oxalique et fluorhydrique. Les brûlures dues aux alcalis sont plus difficiles à soigner que celles causées par les acides, car les liquides corporels neutralisent mieux les substances acides que les substances alcalines. Celles-ci adhèrent aux tissus et provoquent l'hydrolyse et la liquéfaction des protéines. Les nettoyants pour four ou pour débloquer les tuyaux, les engrais et les nettoyants industriels contiennent des substances alcalines. Les composés organiques, notamment les produits phénoliques et pétroliers, causent des brûlures de contact et sont toxiques. Les phénols se trouvent dans les désinfectants chimiques; les produits pétroliers incluent la créosote et l'essence (Cox, Alcock, VanDeVoort *et al.*, 2015; Singer & Dagum, 2008).

32.2.3 Lésion par inhalation

La **lésion par inhalation** est due à l'inhalation d'air chaud ou de produits chimiques nocifs. Elle peut endommager les tissus des voies respiratoires. Heureusement, les gaz se refroidissent à la température corporelle avant d'atteindre les poumons. La muqueuse respiratoire peut être endommagée, mais cela se produit rarement grâce au mécanisme de protection offert par les cordes vocales et la glotte, qui se ferment. Des dommages aux voies respiratoires peuvent causer de la rougeur et de

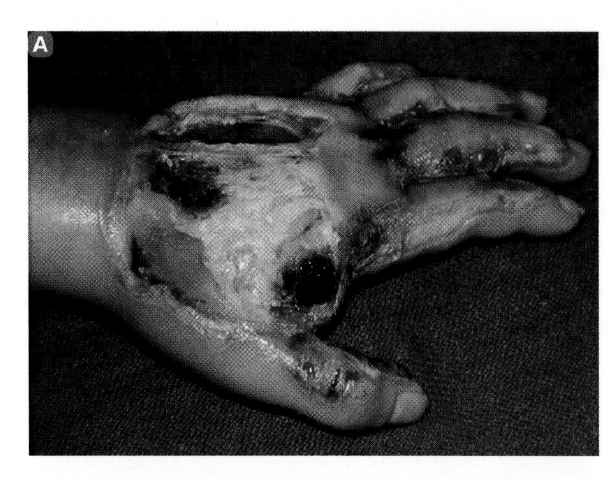

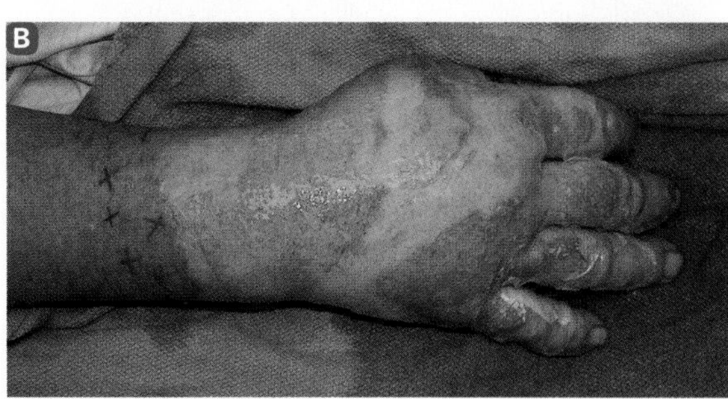

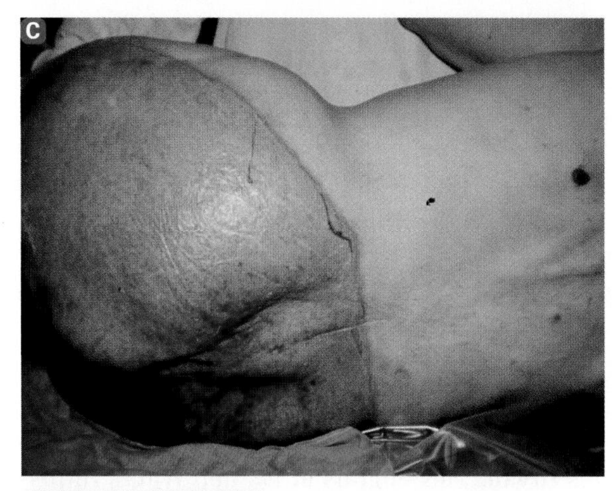

FIGURE 32.1 Types de brûlures – **A** Brûlure thermique de pleine épaisseur (deuxième degré profond et troisième degré). **B** Brûlure thermique d'épaisseur partielle (premier degré et deuxième degré superficiel). **C** Brûlure thermique de pleine épaisseur (deuxième degré profond et troisième degré) causée par une immersion dans l'eau chaude.

l'œdème. Puisque la lésion par inhalation est un des principaux facteurs de mortalité des clients victimes de brûlures, une évaluation rapide des voies respiratoires est primordiale (Blet, Benyamina & Legrand, 2015 ; Mlcak, Suman & Herndon, 2007). Il existe trois types de lésions par inhalation : 1) l'intoxication au monoxyde de carbone ; 2) la lésion par inhalation des voies respiratoires supérieures ; 3) la lésion des voies respiratoires inférieures.

Intoxication au monoxyde de carbone

L'intoxication et l'asphyxie au monoxyde de carbone (CO) sont responsables de la majorité des décès à la suite d'un incendie. Le monoxyde de carbone est produit par la combustion incomplète des substances. Quand la personne l'inhale, il se substitue à l'oxygène (O_2) sur la molécule d'hémoglobine, ce qui cause la carboxyhémoglobinémie. Les concentrations sériques de monoxyde de carbone dépassant 20 % provoquent une hypoxie majeure qui peut entraîner la mort. Une personne souffrant d'une intoxication grave à ce gaz a souvent la peau rouge cerise. Ce phénomène s'explique par une captation plus importante de l'hémoglobine par le monoxyde de carbone. Une telle intoxication peut se produire en l'absence de brûlures cutanées.

Lésion par inhalation des voies respiratoires supérieures

En général, une lésion par inhalation des voies respiratoires supérieures a une cause thermique ; elle peut être due à l'inhalation d'air chaud, de vapeur ou de fumée. Les brûlures de la muqueuse de l'oropharynx et du larynx se manifestent par des rougeurs, des phlyctènes et de l'œdème. Une obstruction mécanique peut se former rapidement et constituer une réelle urgence médicale. Des brûlures faciales, des poils nasaux roussis, un enrouement, une déglutition douloureuse, des muqueuses orales et nasales noircies, des expectorations charbonnées, des brûlures subies dans un espace fermé et des vêtements brûlés autour de la poitrine et du cou sont tous des indices de lésion par ce type d'inhalation.

Lésion par inhalation des voies respiratoires inférieures

Une lésion par inhalation des voies respiratoires inférieures a généralement une cause chimique. Les dommages aux tissus dépendent de la durée de l'exposition à la fumée ou aux vapeurs toxiques. Il est possible que des signes cliniques tels que l'œdème pulmonaire n'apparaissent que de 12 à 24 heures après la brûlure et qu'ils se manifestent sous forme de syndrome de détresse respiratoire aiguë (SDRA) ▶ 51.

32.2.4 Brûlure électrique

La **brûlure électrique** est due à la chaleur intense générée par le passage d'un courant électrique dans le corps. Des dommages directs aux nerfs et aux vaisseaux sanguins, causant l'anoxie et la mort des tissus, sont aussi possibles. La gravité d'une lésion électrique dépend du voltage (intermittent ou continu), de la résistance du tissu organique, du trajet suivi par le courant, de la superficie touchée et de la durée du contact **FIGURE 32.2**. La résistance d'un tissu à un courant électrique dépend de sa densité. Par exemple, la graisse et

51

Les soins et traitements en interdisciplinarité pour le client atteint de SDRA sont décrits dans le chapitre 51, *Interventions cliniques – Insuffisance respiratoire et syndrome de détresse respiratoire aiguë.*

CE QU'IL FAUT RETENIR

La lésion par inhalation est un des principaux facteurs de mortalité des clients victimes de brûlures. Une évaluation rapide des voies respiratoires est primordiale.

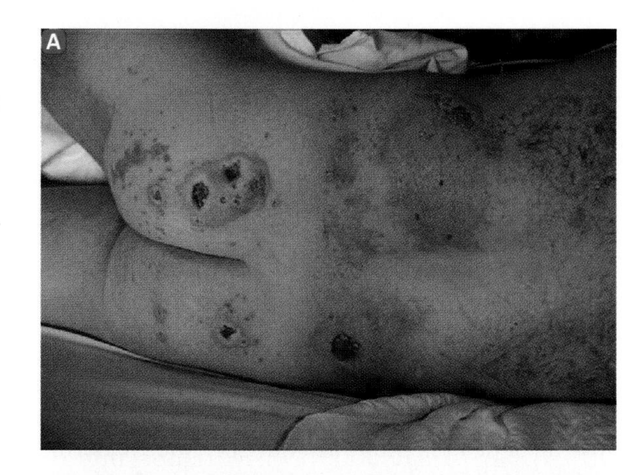

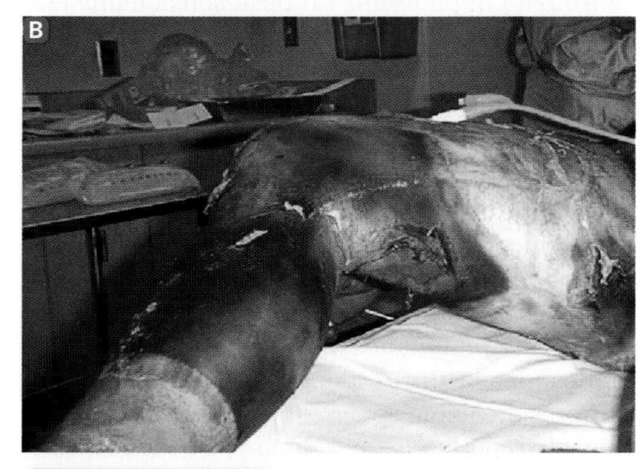

FIGURE 32.2 Les lésions électriques causent la coagulation par la chaleur du sang et des surfaces qui entrent en contact avec le courant électrique traversant la peau. A Dos et fesses. B Jambe.

les os offrent plus de résistance que les nerfs et les vaisseaux sanguins. De plus, un courant qui traverse des organes vitaux (p. ex., l'encéphale, le cœur et les reins) cause des lésions plus graves que s'il traverse d'autres tissus. Enfin, des étincelles électriques peuvent enflammer les vêtements et causer à la fois des lésions thermiques et électriques. Tout comme la lésion par inhalation, la lésion électrique nécessite une évaluation rapide du client. Le transfert de celui-ci dans un centre de grands brûlés est alors indiqué.

Il peut être difficile d'évaluer la gravité d'une lésion électrique puisque la plupart des dommages se situent sous la peau et ne sont donc pas tous apparents (effet iceberg). La détermination des points de contact du courant électrique et la connaissance du contexte de l'accident peuvent aider à déterminer le trajet probable du courant et les sites possibles de lésions. Le contact avec un courant électrique peut causer des contractions musculaires assez fortes pour fracturer les os longs du corps et les vertèbres. De telles fractures peuvent aussi être dues à une chute survenue après une lésion électrique. C'est pourquoi il faut considérer tout client ayant subi des brûlures électriques comme étant à risque de lésion cervicale. L'immobilisation de la colonne cervicale est nécessaire pendant le transport du blessé et au cours des examens paracliniques subséquents, jusqu'à la confirmation de l'absence de blessure médullaire.

Jugement clinique

Marie-Hélène est âgée de 10 mois. Comme sa mère ne l'allaite plus, la petite boit au biberon. Elle s'est brûlée en buvant du lait réchauffé au four à micro-ondes. De quel type de brûlure s'agit-il ?

Un client qui a subi une lésion électrique présente un risque d'arythmies ou d'arrêt cardiaque, d'acidose métabolique grave et de myoglobinurie. La décharge électrique peut causer une fibrillation ou un arrêt cardiaque immédiat. Au cours des 24 heures suivant la lésion, des arythmies ou un arrêt cardiaque à retardement peuvent aussi se produire sans signe avant-coureur. Les muscles touchés et les érythrocytes des vaisseaux sanguins gravement endommagés libèrent respectivement de la myoglobine et de l'hémoglobine dans le sang. Les pigments de myoglobine qui sont transportés aux reins peuvent bloquer les tubules rénaux en raison de leur grande taille. Cela peut causer une nécrose tubulaire aiguë et finalement une insuffisance rénale aiguë si le client n'est pas bien traité ▶ 52.

52

L'information relative à la lésion thermique froide, ou engelure, est présentée dans le chapitre 52, *Interventions cliniques – Soins en cas d'urgence.*

32.3 Classification des brûlures

Le traitement des brûlures dépend de la gravité de celles-ci. La gravité d'une brûlure est déterminée selon :

- sa profondeur ;
- son étendue, qui est calculée en pourcentage de la surface corporelle brûlée (SCB) ;
- sa localisation ;
- les facteurs de risque du client.

L'American Burn Association (ABA) et l'American College of Surgeons (ACS) ont établi des critères indiquant les brûlures pour lesquelles les clients devaient être absolument traités dans des centres de grands brûlés, qui disposent de matériel et de personnel spécialisés. Ces critères ont servi de référence pour l'élaboration des Critères de transfert au Centre des grands brûlés (Fréchette, 2003) **ENCADRÉ 32.2**. Les centres de grands brûlés de la province se sont basés sur les mêmes critères (Ordre des infirmières et infirmiers du Québec [OIIQ], 2007). La majorité des clients souffrant de brûlures mineures qui ne répondent pas à ces critères peuvent être traités en consultation externe à un centre hospitalier non spécialisé dans les soins aux grands brûlés. Les soins donnés visent la guérison des plaies, la prévention de l'infection, le soulagement de la douleur et le retour à l'autonomie fonctionnelle antérieure à la brûlure.

Réactivation des connaissances

Quels seront les résultats de la gazométrie du sang artériel chez un client présentant une acidose métabolique ?

32.3.1 Profondeur de la brûlure

Une brûlure est d'abord une destruction du système tégumentaire, et elle peut atteindre d'autres structures selon sa profondeur. La peau est formée

CE QU'IL FAUT RETENIR

Le client qui a subi une brûlure électrique est à risque d'arythmie ou d'arrêt cardiaque, d'acidose métabolique grave et d'insuffisance rénale aiguë. Ces complications peuvent apparaître plusieurs heures après la brûlure.

ENCADRÉ 32.2	Critères de transfert au Centre des grands brûlés

- Brûlures au deuxième et troisième degré sur plus de 10 % de la surface corporelle chez les adultes de plus de 50 ans.
- Brûlures au deuxième ou troisième degré sur plus de 20 % de la surface corporelle chez les adultes de 16 à 50 ans.
- Brûlures au troisième degré sur plus de 5 % de la surface corporelle.
- Brûlures au deuxième ou au troisième degré impliquant le visage, les mains, les pieds, les organes génitaux, le périnée ou les articulations majeures.
- Brûlures électriques y compris la foudre.
- Brûlures chimiques.
- Brûlures des voies respiratoires.
- Brûlures sévères secondaires à des atteintes du système cutané : épidermolyse bulleuse, syndrome de Steven Johnson.
- Brûlures accompagnées d'autres traumatismes ou maladies significatives pouvant compliquer les soins, allonger le temps de guérison ou affecter le risque de mortalité.
- Brûlures accompagnées d'autres traumatismes pour lesquelles le risque de mortalité et morbidité est plus élevé à cause des brûlures. Si les risques sont élevés du côté des blessures traumatiques, la victime devrait d'abord être stabilisée en traumatologie. Le jugement médical sera primordial dans ces circonstances.

Source : Centre hospitalier affilié universitaire de Québec (2011).

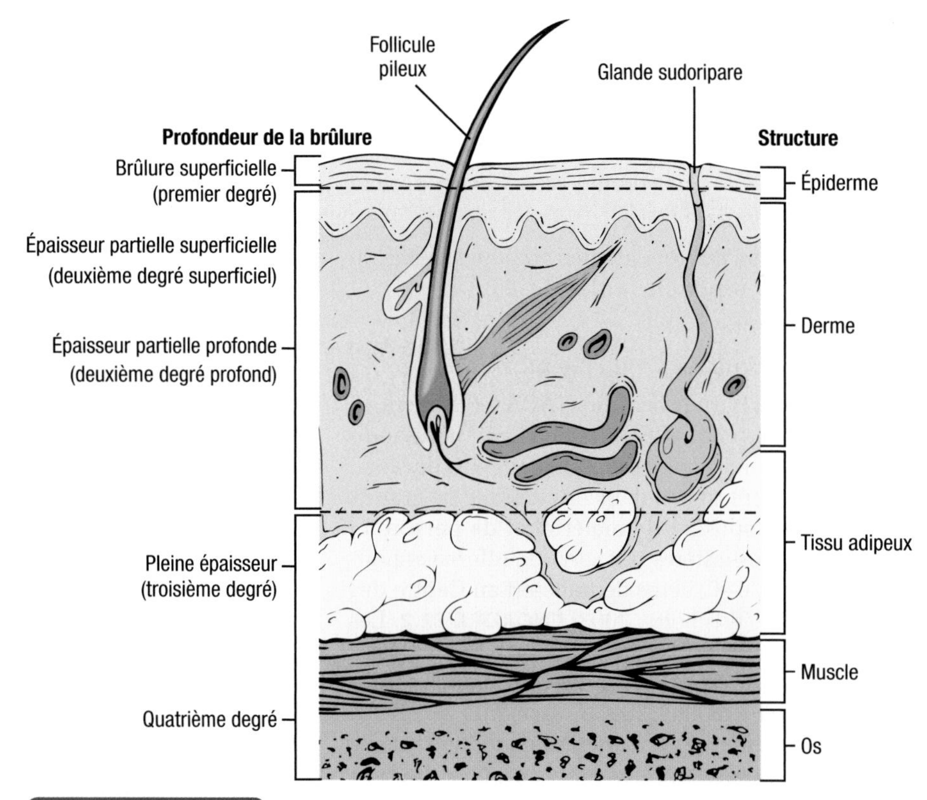

FIGURE 32.3 Coupe transversale de la peau indiquant la profondeur de la brûlure et les structures touchées

de trois couches : l'épiderme, le derme et l'hypoderme (tissu sous-cutané) **FIGURE 32.3**. L'épiderme, ou couche externe avasculaire de la peau, a l'épaisseur d'une feuille de papier. Il est composé de nombreuses couches de cellules épithéliales qui forment une barrière protectrice pour la peau, diminuent les pertes des liquides et des électrolytes, régularisent la température corporelle et empêchent les agents externes nocifs d'attaquer ou d'envahir le corps. Le derme, situé sous l'épiderme, est de 30 à 45 fois plus épais en fonction de la localisation sur le corps (p. ex., le derme est très mince au site du coude et du tendon d'Achille). Il se compose du derme papillaire et du derme réticulaire. Il est formé de tissus conjonctifs, de vaisseaux sanguins et de structures hautement spécialisées, telles que les follicules pileux, les terminaisons nerveuses ainsi que les glandes sudoripares et sébacées. C'est la structure de la peau la plus vascularisée. Sous le derme se trouve l'hypoderme, ou tissu sous-cutané, qui contient aussi des réseaux vasculaires, des tissus adipeux, des nerfs et des vaisseaux lymphatiques. L'hypoderme offre une isolation thermique aux structures sous-jacentes, c'est-à-dire aux muscles, aux tendons, aux os et aux organes internes.

Les brûlures sont classées par degré : brûlures du premier degré, du deuxième degré, du troisième degré et du quatrième degré. L'ABA, pour sa part, classe les brûlures en fonction de la profondeur de la destruction cutanée, soit des brûlures superficielles, des brûlures d'épaisseur partielle et des brûlures de pleine épaisseur **FIGURE 32.3**. Les cellules de renouvellement de la peau (de réépithélialisation) sont réparties dans le derme et le long des glandes sébacées et des tiges des follicules pileux. Si le derme est gravement endommagé (p. ex., par une brûlure d'épaisseur partielle profonde), il ne reste pas suffisamment de cellules cutanées pour régénérer la peau. Il faut alors trouver une autre source permanente de peau ; une intervention pour greffe devient l'option possible. Le **TABLEAU 32.2** compare les diverses classifications des brûlures selon leur profondeur.

32.3.2 Étendue de la brûlure

La table de Lund et Browder **FIGURE 32.4A** et la règle des neuf de Wallace **FIGURE 32.4B** sont deux guides couramment utilisés pour déterminer la SCB ou l'étendue d'une brûlure (la brûlure du premier degré, équivalente à un coup de soleil, n'est pas incluse dans ce calcul). La table de Lund et Browder offre plus de catégories d'âge pour la mesure de l'étendue (1 an, 5 ans, 10 ans, 15 ans et adulte) alors que la règle des neuf de Wallace tient compte de l'âge des adultes. Cette règle, facile à mémoriser, convient à l'évaluation initiale d'un client adulte. Pour les brûlures de forme irrégulière, la main du client adulte (y compris les doigts) représente environ 1 % de sa SCB. Il est important de bien comprendre que l'étendue d'une brûlure ne se confirme pas à l'arrivée du client au centre hospitalier. Les plaies demeurent actives, c'est-à-dire que la peau a amorcé un processus inflammatoire pour combattre la

TABLEAU 32.2	Classification des brûlures selon leur profondeur		
CLASSIFICATION	**APPARENCE CLINIQUE**	**CAUSES POSSIBLES**	**STRUCTURES TOUCHÉES**
Brûlure superficielle (premier degré)	Érythème ; blanchissement quand une pression est exercée ; peau douloureuse et légèrement enflée ; pas de vésicules ou de phlyctènes	• Coup de soleil superficiel • Éclair thermique rapide	Dommage superficiel de l'épiderme avec hyperémie
Brûlure d'épaisseur partielle superficielle (deuxième degré superficiel)	Épiderme rompu ; vésicules, remplies de liquide, qui sont rouges, brillantes, humides (si elles se sont rompues) ; douleur intense causée par une lésion des nerfs ; œdème de léger à modéré	• Flamme • Étincelle • Échaudure • Brûlures de contact • Produit chimique • Goudron • Courant électrique	Totalité de l'épiderme et pas plus que le tiers du derme ; présence de papilles épidermiques autour des glandes sébacées et des follicules pileux
Brûlure d'épaisseur partielle profonde (deuxième degré profond)	Peau sèche, d'un blanc cireux ; thrombose vasculaire visible ; insensibilité à la douleur ou réduction de la sensibilité en raison de la destruction des nerfs ; muscles, tendons et os possiblement touchés ; remplissage capillaire ralenti	• Flamme • Échaudure • Produit chimique • Goudron • Courant électrique	Atteinte complète de l'épiderme et de la quasi-totalité du derme ; présence de papilles épidermiques autour des glandes sébacées et des follicules pileux
Brûlure de pleine épaisseur (troisième degré)	Peau cireuse et de couleur blanc marbré ; si le tissu adipeux est atteint, apparence brune, noire et cuirassée ; indolore ; insensible ; remplissage capillaire absent ; absence de phlyctène ; risque d'infection important ; possibilité de greffe cutanée, d'autogreffe	• Comme pour le deuxième degré. La profondeur peut varier selon la durée du contact.	Atteinte de l'épiderme, du derme et de l'hypoderme, incluant les glandes sébacées et sudoripares ainsi que les follicules pileux
Quatrième degré	Tissus carbonisés, secs, bruns ou blancs ; perte totale de sensibilité, diminution ou perte de mouvement si la brûlure se situe sur une extrémité d'un membre ; lambeaux cutanés nécessaires ; risque d'amputation	• Brûlure électrique • Incinération	Atteinte cutanée allant jusqu'aux tissus sous-hypodermiques : fascia, muscle, tendons et os

Source : OIIQ (2007).

détérioration. Les tissus nécrotiques n'apparaissent donc pas immédiatement. En général, il faut réévaluer l'étendue et la profondeur d'une brûlure quand l'œdème s'est résorbé et que les zones brûlées se sont démarquées.

32.3.3 Localisation de la brûlure

La gravité d'une brûlure dépend entre autres de l'endroit du corps où elle est située. Des brûlures au visage et au cou et une brûlure circonférentielle du thorax peuvent entraver la fonction respiratoire en raison d'une obstruction mécanique causée par la formation d'œdème ou d'escarres (nécrose noire sèche). Ces brûlures peuvent aussi indiquer une lésion par inhalation et des dommages aux muqueuses respiratoires.

Des brûlures aux mains, aux pieds, aux articulations et aux yeux sont préoccupantes, car elles rendent les autosoins très difficiles et peuvent compromettre l'autonomie fonctionnelle future. Les brûlures aux mains et aux pieds sont difficiles à soigner à cause de la présence de réseaux vasculaires et nerveux superficiels très abondants et de la nécessité de conserver ces membres fonctionnels pendant la guérison. L'autonomie du client en dépendra.

Les brûlures aux oreilles et au nez sont sujettes aux infections en raison du faible approvisionnement sanguin des cartilages. Les brûlures aux fesses ou au périnée risquent très fortement de s'infecter à cause des zones à haute colonisation bactérienne. Les brûlures circonférentielles aux extrémités peuvent entraver la circulation périphérique, ce qui peut

Jugement clinique

Véronique Durand est âgée de 19 ans. Comme elle aime être bien bronzée, elle s'est exposée au soleil pendant trois heures. Par précaution, elle avait utilisé une crème solaire avec un FPS de 6. Elle a quand même attrapé un bon coup de soleil au dos et aux bras, mais il n'y a pas de phlyctènes. De quel degré de brûlure s'agit-il ?

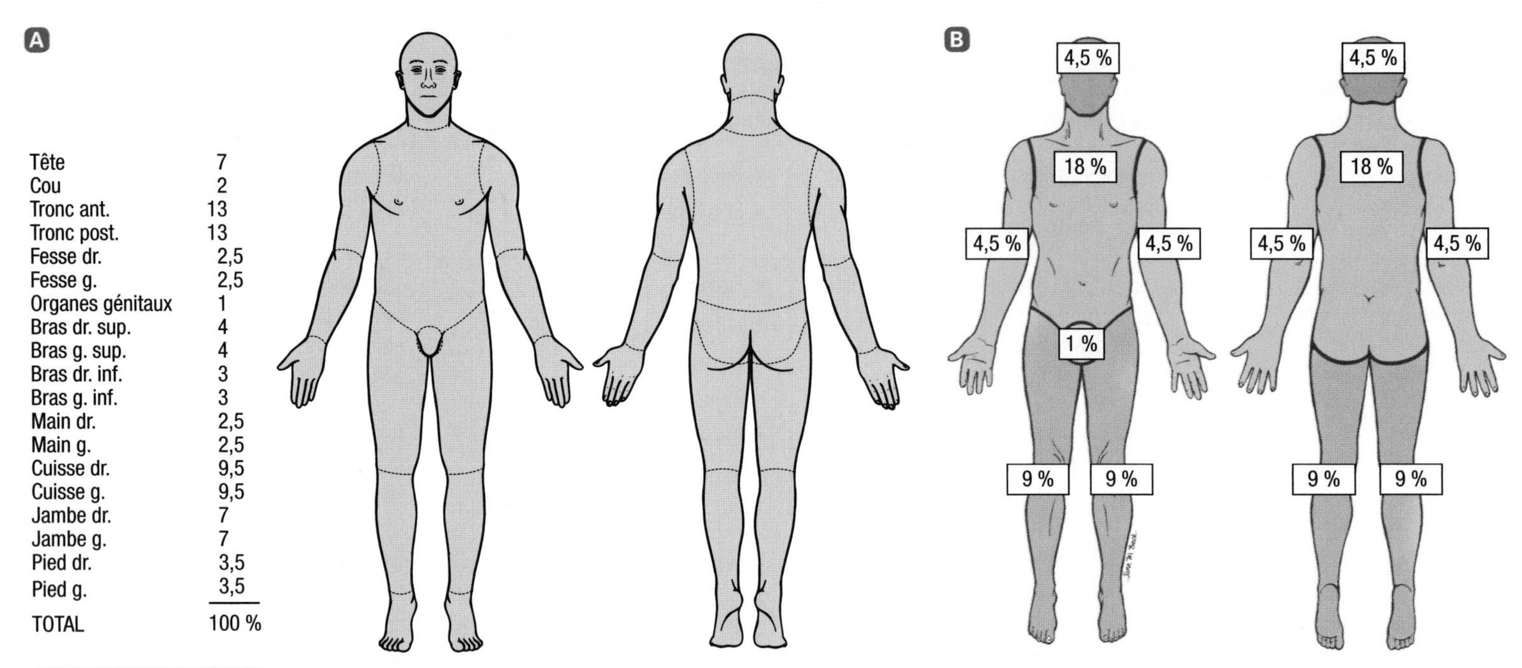

Tête	7
Cou	2
Tronc ant.	13
Tronc post.	13
Fesse dr.	2,5
Fesse g.	2,5
Organes génitaux	1
Bras dr. sup.	4
Bras g. sup.	4
Bras dr. inf.	3
Bras g. inf.	3
Main dr.	2,5
Main g.	2,5
Cuisse dr.	9,5
Cuisse g.	9,5
Jambe dr.	7
Jambe g.	7
Pied dr.	3,5
Pied g.	3,5
TOTAL	100 %

FIGURE 32.4 (A) Table de Lund et Browder. La somme des brûlures d'épaisseur partielle (premier degré et deuxième degré superficiel) et des brûlures de pleine épaisseur (deuxième degré profond et troisième degré) est calculée. Les brûlures superficielles d'épaisseur partielle (premier degré et deuxième degré superficiel) ne sont pas calculées. (B) Règle des neuf de Wallace appliquée à une clientèle adulte.

Jugement clinique

Sébastien Giguère, 34 ans, est chimiste ; il manipule fréquemment des substances acides. Malgré des précautions rigoureuses, il s'est brûlé à la main et à tout le bras gauche. Calculez la surface corporelle brûlée en utilisant la table de Lund et Browder et la règle des neuf de Wallace.

entraîner des déficiences neurologiques et locomotrices importantes aux extrémités touchées. Le client peut aussi développer un syndrome du compartiment en raison des dommages musculaires directs causés par la chaleur et de l'œdème subséquent ou des troubles vasculaires préexistants.

32.3.4 Facteurs de risque du client

Dans les cas de lésions par brûlure, il faut accorder une attention particulière à l'âge du client et à la présence de comorbidités pour déterminer le potentiel de cicatrisation de la plaie et le pronostic de survie (OIIQ, 2007). L'enfant, à cause de sa petite surface corporelle, est en effet plus à risque de présenter des complications hémodynamiques et électrolytiques (OIIQ, 2007). Une personne âgée guérit plus lentement qu'un adulte plus jeune, et sa réadaptation est généralement plus difficile. Le pronostic de guérison d'un client souffrant déjà d'une maladie cardiovasculaire, respiratoire ou rénale est moins bon en raison des exigences énormes qu'impose une brûlure sur l'organisme. Le client souffrant de diabète ou d'une maladie vasculaire artérielle périphérique présente un risque élevé de mauvaise cicatrisation et de gangrène, particulièrement s'il a des brûlures aux pieds et aux jambes. Comme pour toutes les plaies, les antécédents de santé du client détermineront le potentiel de guérison et de cicatrisation (Sibbald, Goodman, Woo *et al.*, 2011). L'affaiblissement physique général causé par une maladie chronique, l'alcoolisme, la toxicomanie ou la malnutrition rend le client physiologiquement moins apte à se remettre d'une brûlure. De plus, le client victime de brûlures qui a aussi subi des fractures, des lésions à la tête ou d'autres traumas a un moins bon pronostic de rétablissement.

CE QU'IL FAUT RETENIR

La localisation d'un brûlure influe sur sa gravité. Par exemple, les brûlures au visage, au cou et au thorax peuvent entraver la respiration. Les brûlures aux yeux et aux articulations nuisent à l'autonomie fonctionnelle.

32.4 Phases de traitement d'une brûlure

Le traitement d'une brûlure se divise en trois phases nommées en fonction de leur priorité : 1) la phase de réanimation (d'urgence) ; 2) la phase aiguë (guérison des plaies) ; 3) la phase de réadaptation (rétablissement). Les soins se chevauchent d'une phase à l'autre. Par exemple, bien que la phase de réanimation commence au service d'urgence d'un centre hospitalier, des soins d'urgence sont souvent prodigués avant l'arrivée à l'hôpital (soins préhospitaliers) par les ambulanciers. Les soins des plaies sont la priorité de la phase aiguë, mais ils sont aussi prodigués au cours des phases de réanimation et de réadaptation. Par ailleurs, il faut planifier la réadaptation le jour même de la brûlure ou de l'admission au centre de grands brûlés. Elle commence dès que des évaluations fonctionnelles peuvent être effectuées.

32.4.1 Soins préhospitaliers

Sur les lieux de l'accident, la priorité est d'éloigner la personne de la source de brûlure et d'arrêter le processus de brûlure. Les secouristes doivent aussi se protéger pour éviter de se blesser. Dans le cas de brûlures électriques, la première chose à faire est de couper le contact entre le client et la source d'électricité.

Les petites brûlures thermiques (qui touchent 10 % ou moins de la SCB) doivent être couvertes d'une serviette propre et mouillée avec de l'eau froide du robinet pour soulager le client et protéger ses plaies jusqu'à ce que des soins médicaux puissent lui être administrés. Le refroidissement de la zone brûlée (si elle est petite) dans la première minute suivant la brûlure peut réduire la profondeur de la lésion. S'il s'agit d'une brûlure de grande étendue (qui touchent plus de 10 % de la SCB) ou si une brûlure électrique ou une lésion par inhalation est soupçonnée, il faut d'abord se concentrer sur les voies respiratoires, la respiration et la circulation (L'ABCDE) :

L = vérifier l'état des **L**ieux, observer la sécurité.
' = appeler à l'aide, apostropher la victime.
A = dégager les voies **A**ériennes ; vérifier si l'air passe, s'il y a de la suie autour des narines ou sur la langue, si les poils nasaux sont roussis et si les muqueuses orales ou nasales sont noircies.
B = vérifier si la personne respire bien ; donner des **B**ouffées = Respiration.
C = vérifier la présence et la régularité du pouls et élever le ou les membres brûlés au-dessus du cœur pour réduire la douleur et l'enflure ; **C**irculation (pouls et massage cardiaque).
D = ***d**isability*: faire une rapide évaluation de l'état de conscience (échelle de Glasgow) ; **D**éfibrillation = juger si l'utilisation du défibrillateur externe automatisé (DEA) est indiquée.
E = effectuer un **E**xamen clinique complet du client et de l'environnement (*exposure*) afin d'améliorer l'évaluation et compléter la collecte des données pour donner au client les soins les plus appropriés.

Pour éviter l'hypothermie, il ne faut pas refroidir les grandes brûlures pendant plus de 10 minutes. La partie brûlée ne doit pas être immergée dans l'eau froide, car cela peut causer une importante perte de chaleur. Il ne faut jamais mettre de glace sur une brûlure, car cela peut causer de l'hypothermie et réduire ainsi davantage la circulation sanguine vers la brûlure par la constriction des vaisseaux sanguins. Il faut enlever avec précautions le plus de vêtements brûlés possible pour empêcher des dommages ultérieurs à la peau. Il faut laisser les vêtements adhérents en place jusqu'au transfert du client au centre hospitalier. Le client doit être enveloppé dans une couverture ou un drap propre et sec afin d'éviter la contamination des plaies et lui permettre de conserver sa chaleur corporelle.

Dans le cas de brûlures chimiques, les particules solides doivent être rapidement enlevées de la peau. Tout vêtement contenant des substances chimiques doit aussi être retiré puisque le processus de brûlure continue tant que la substance demeure en contact avec la peau. Il faut rincer la région touchée à grande eau, de 20 minutes à 2 heures après l'exposition, sauf pour les brûlures causées par des produits chimiques contenant du phénol, de l'acide sulfurique ou de l'oxyde de calcium (Palao, Monge, Ruiz *et al.*, 2010). Plusieurs produits désinfectants usuels en contiennent (p. ex., Chlorox^MD^). Les yeux qui ont été exposés à des produits chimiques peuvent être rincés à l'eau du robinet. La destruction des tissus peut continuer jusqu'à 72 heures après une brûlure chimique. Le Système d'information sur les matières dangereuses utilisées au travail (SIMDUT) est un document de références intéressant utilisé par la Commission de la santé et de la sécurité du travail (CSST) au Québec.

Le client souffrant d'une lésion par inhalation doit être surveillé attentivement afin de déceler tout signe de détresse ou de faiblesse respiratoire. Un traitement rapide et efficace sur le site de l'accident augmentera ses chances de survie. Si un empoisonnement au monoxyde de carbone est soupçonné, le client doit être traité avec de l'oxygène humidifié à 100 %. Le client ayant subi des brûlures corporelles et des lésions par inhalation doit être transféré au centre de grands brûlés le plus proche.

Le client victime de brûlures peut aussi avoir subi d'autres blessures qui exigent des soins plus urgents que ses brûlures. Les personnes qui prodiguent les soins préhospitaliers doivent communiquer clairement les circonstances de l'accident au personnel hospitalier qui prend ce client en charge. Cela est particulièrement important si la blessure a eu lieu dans un espace clos ou a été causée par des produits chimiques dangereux, un courant électrique ou un trauma (p. ex., une chute).

Les soins préhospitaliers et d'urgence sont présentés dans divers tableaux qui décrivent les brûlures thermiques **TABLEAU 32.3**, les lésions par inhalation **TABLEAU 32.4**, les brûlures chimiques **TABLEAU 32.5** et les brûlures électriques **TABLEAU 32.6**.

32.4.2 Phase de réanimation (d'urgence)

La phase de réanimation (d'urgence) est la période où les troubles causés par la brûlure peuvent mettre la vie du client en danger. Elle peut durer jusqu'à 72 heures. Les principales préoccupations associées à cette phase sont le début du choc hypovolémique et la formation d'œdème.

CE QU'IL FAUT RETENIR

En cas de brûlure, il faut porter attention à l'âge et à la présence de comorbidité chez le client (maladie chronique, malnutrition, alcoolisme, toxicomanie). Les jeunes enfants et les aînés sont plus à risque de complications.

Réactivation des connaissances

Quels sont les éléments nutritionnels qui jouent un rôle dans la cicatrisation des plaies ?

Évaluation et interventions en situation d'urgence

TABLEAU 32.3 Brûlures thermiques

CAUSES	OBSERVATIONS	INTERVENTIONS
• Liquides ou solides chauds • Étincelle • Flamme nue • Vapeur • Surface chaude • Rayons ultraviolets (UV)	**Brûlure partielle (premier degré)** • Rougeur • Douleur • Sensibilité de modérée à grave • Œdème léger • Blanchit quand une pression est exercée **Épaisseur partielle superficielle (deuxième degré superficiel)** • Phlyctènes humides • Couleur marbrée blanche, rose à rouge cerise • Hypersensible au toucher ou à l'air • Douleur de modérée à grave • Blanchit quand une pression est exercée **Épaisseur partielle profonde (deuxième degré profond)** • Couleur blanche ou jaune • Possibilité d'une phlyctène • Diminution de la perception sensorielle • Remplissage capillaire diminué **Pleine épaisseur (troisième degré)** • Escarre sèche et d'apparence tannée • Blanc cireux, noire, brune ou carbonisée • Forte odeur de brûlé • Sensation déficiente du toucher • Absence de douleur et douleur intense des tissus environnants • Pas de blanchissement quand une pression est exercée	**Initiales** • Stabiliser la colonne cervicale. • Évaluer et stabiliser les fonctions vitales (examen primaire ABCDE). • Évaluer la présence de lésions par inhalation **TABLEAU 32.4**. • Fournir un supplément d'O_2 au besoin. • Surveiller les signes vitaux, l'état de conscience, l'état respiratoire, la saturation pulsatile en oxygène (SpO_2) et le rythme et la fréquence cardiaques. • Enlever les objets non adhérents, tels que les vêtements, les souliers, une montre, des bijoux, des lunettes ou des verres de contact si le visage a été exposé. • Couvrir les parties brûlées avec des pansements ou un drap propre. • Installer deux accès intraveineux (I.V.) avec des cathéters de grand calibre si la brûlure couvre plus de 15 % de la SCB. • Commencer le remplacement liquidien. • Insérer un cathéter urinaire si la brûlure couvre plus de 15 % de la SCB. • Élever les membres brûlés au-dessus du cœur pour réduire l'œdème. • Administrer des analgésiques I.V. et évaluer fréquemment leur efficacité. • Déterminer s'il y a d'autres lésions associées et les traiter (p. ex., des fractures, un pneumothorax, une lésion à la tête). **Surveillance continue** • Surveiller les voies respiratoires. • Surveiller les signes vitaux, le rythme et la fréquence cardiaques, l'état de conscience, l'état respiratoire et la SpO_2. • Surveiller le débit urinaire.

Évaluation et interventions en situation d'urgence

TABLEAU 32.4 Lésions par inhalation

CAUSES	OBSERVATIONS	INTERVENTIONS
• Exposition des voies respiratoires à une chaleur intense ou à des flammes • Inhalation de produits chimiques toxiques, de fumée ou de CO	• Respirations rapides et superficielles • Enrouement accru • Toux • Poils nasaux ou faciaux roussis • Muqueuses orales ou nasales noircies • Haleine à odeur de fumée • Expectorations charbonnées	**Initiales** • Stabiliser la colonne cervicale. • Évaluer et stabiliser les fonctions vitales (examen primaire ABCDE). • Administrer de l'O_2 humidifié à 100 %. • Surveiller les signes vitaux, l'état de conscience, la SpO_2 et le rythme et la fréquence cardiaques. • Enlever les objets non adhérents tels que les vêtements, les souliers, une montre, des bijoux, des lunettes ou des verres de contact si le visage a été exposé. • Installer deux accès I.V. avec des cathéters de grand calibre si la brûlure couvre plus de 15 % de la SCB. • Commencer le remplacement liquidien.

TABLEAU 32.4	Lésions par inhalation *(suite)*	
CAUSES	**OBSERVATIONS**	**INTERVENTIONS**
	• Toux productive avec expectorations noires, grises ou sanguinolentes • Irritation des voies respiratoires supérieures ou douleur brûlante dans la gorge ou la poitrine • Difficultés de déglutition • Peau rouge cerise (concentrations de CO > 20 %) • Agitation, anxiété • État mental modifié, notamment confusion et coma • SpO_2 réduite • Arythmies	• Insérer un cathéter urinaire si la brûlure couvre plus de 15 % de la SCB. • Élever les membres brûlés, s'il y a lieu, au-dessus du cœur pour réduire l'œdème. • Mesurer la gazométrie du sang artériel et la carboxyhémoglobinémie et faire une radiographie pulmonaire. • Administrer des analgésiques I.V. et évaluer fréquemment leur efficacité. • Déterminer la présence de lésions associées (p. ex., des fractures, un pneumothorax, une lésion à la tête) et les traiter. • Couvrir les parties brûlées, s'il y a lieu, avec des pansements ou un drap propre. • Prévoir le besoin de fibroscopie bronchique ou d'intubation. **Surveillance continue** • Surveiller les voies respiratoires. • Surveiller les signes vitaux, l'état de conscience, l'état respiratoire, la SpO_2 et le rythme et la fréquence cardiaques. • Surveiller le débit urinaire.

Évaluation et interventions en situation d'urgence

TABLEAU 32.5	Brûlures chimiques	
CAUSES	**OBSERVATIONS**	**INTERVENTIONS**
• Acides • Alcalis • Composés organiques	• Brûlure • Rougeur et œdème du tissu brûlé • Dégénérescence du tissu exposé • Décoloration de la peau brûlée • Douleur localisée • Œdème des tissus environnants • Possibilité de destruction des tissus pendant 72 heures après la brûlure • Détresse respiratoire en cas d'inhalation de produits chimiques • Coordination musculaire réduite (composé organophosphoré) • Paralysie	**Initiales** • Stabiliser la colonne cervicale. • Évaluer et stabiliser les fonctions vitales (examen primaire ABCDE). • Évaluer les voies respiratoires, la respiration et la circulation avant de commencer la décontamination. • Fournir un supplément d'O_2 au besoin. • Enlever les produits chimiques secs de la peau avec une brosse avant l'irrigation. • Enlever les objets non adhérents tels que les vêtements, les souliers, une montre, des bijoux, des lunettes ou des verres de contact si le visage a été exposé. • Rincer abondamment les plaies et les régions voisines avec une solution saline ou de l'eau pour enlever les produits chimiques. • Dans le cas d'une brûlure chimique aux yeux, rincer du coin intérieur au coin extérieur de l'œil avec une solution de lactate Ringer ou avec de l'eau. • Couvrir les parties brûlées de pansements ou d'un drap propre. • Établir deux accès I.V. avec des cathéters de grand calibre si la brûlure couvre plus de 15 % de la SCB. • Commencer le remplacement liquidien. • Insérer un cathéter urinaire si la brûlure couvre plus de 15 % de la SCB. • Élever les membres brûlés au-dessus du cœur pour réduire l'œdème. • Administrer un analgésique I.V. et évaluer fréquemment son efficacité. • Communiquer avec un centre antipoison pour obtenir de l'aide. **Surveillance continue** • Surveiller les voies respiratoires si elles ont été exposées à des produits chimiques. • Surveiller le débit urinaire. • Envisager la possibilité d'impact systémique d'un produit chimique connu et faire le suivi et le traitement appropriés. • Surveiller le pH des yeux s'ils ont été exposés à des produits chimiques.

Évaluation et interventions en situation d'urgence

TABLEAU 32.6 Brûlures électriques

CAUSES	OBSERVATIONS	INTERVENTIONS
Courant alternatif • Fils électriques • Lignes de transport **Courant continu** • Éclair • Défibrillateur	• Peau d'apparence tannée, blanche ou carbonisée • Odeur de brûlé • Perte de conscience • Sensation déficiente du toucher • Douleur minime ou absente • Arythmies • Arrêt cardiaque • Endroits des points de contact • Circulation périphérique réduite dans les extrémités touchées • Brûlures thermiques si les vêtements ont pris feu • Fractures ou dislocations dues à la force du courant • Lésion à la tête ou au cou due à une chute • Profondeur et étendue de la plaie difficiles à voir ; la lésion est probablement plus grande que ce qui est visible	**Initiales** • Stabiliser la colonne cervicale. • Éloigner le client de la source électrique tout en se protégeant. • Évaluer et stabiliser les fonctions vitales (examen primaire ABCDE). • Fournir un supplément d'O_2 au besoin. • Surveiller les signes vitaux, le rythme et la fréquence cardiaques, l'état de conscience, l'état respiratoire et la SpO_2. • Vérifier le pouls dans les régions distales de la brûlure. • Retirer les objets non adhérents tels que les vêtements, les souliers, une montre, des bijoux, des lunettes ou des verres de contact si le visage a été exposé. • Couvrir les régions brûlées avec des pansements ou un drap propre. • Établir deux accès I.V. avec des cathéters de grand calibre si la brûlure couvre plus de 15 % de la SCB. • Commencer le remplacement liquidien. • Mesurer la gazométrie du sang artériel pour évaluer l'équilibre acidobasique. • Insérer un cathéter urinaire si la brûlure couvre plus de 15 % de la SCB. • Élever les membres brûlés au-dessus du cœur pour réduire l'œdème. • Administrer des analgésiques I.V. et évaluer fréquemment leur efficacité. • Déterminer la présence d'autres lésions associées (p. ex., des fractures, un pneumothorax, une lésion à la tête) et les traiter. **Surveillance continue** • Surveiller les voies respiratoires. • Surveiller les signes vitaux, le rythme et la fréquence cardiaques, l'état de conscience, l'état respiratoire, la SpO_2 et l'état neurovasculaire des membres blessés. • Surveiller le débit urinaire. • Surveiller l'apparition d'une myoglobinurie due à une dégradation musculaire et d'une hémoglobinurie causée par la dégradation des globules rouges. • Prévoir l'administration possible de bicarbonate de sodium ($NaHCO_3$) pour alcaliniser l'urine et maintenir un pH sérique > 6,0.

La phase de réanimation se poursuit jusqu'au retour des liquides de l'espace interstitiel vers l'espace intravasculaire (osmose) et au retour de la diurèse.

Physiopathologie

Déplacement des liquides et des électrolytes

Initialement, le plus grand danger auquel est exposé le client gravement brûlé est le **choc hypovolémique**, aussi appelé choc des brûlés (Anjaria & Deitch, 2012), qui peut s'observer aussi rapidement que 20 minutes après la brûlure **FIGURE 32.5**. Il est causé par un déplacement important des liquides hors des vaisseaux sanguins en raison de la perméabilité accrue des capillaires qui entraîne des changements dans les pressions hydrostatique et oncotique. À mesure que la perméabilité des capillaires augmente, l'eau, le sodium, puis les protéines plasmatiques (notamment l'albumine) se déplacent dans les espaces interstitiels et les autres tissus environnants. Ce déplacement progressif des protéines hors de l'espace vasculaire cause la diminution de la pression osmotique colloïdale. Cela intensifie l'osmose des liquides à l'extérieur de l'espace vasculaire vers les espaces interstitiels (l'accumulation de liquides dans les espaces interstitiels se nomme deuxième espace) **FIGURE 32.6**. Les liquides se déplacent par la suite vers des endroits où il n'y en a normalement que peu ou pas, produisant un troisième espace. La formation d'exsudat et de phlyctènes ainsi que la présence d'œdème dans des zones non brûlées sont des exemples de création de troisième espace.

Pendant cette période, les autres causes de pertes liquidiennes sont les pertes insensibles par

CE QU'IL FAUT RETENIR

Chez le client gravement brûlé, le choc hypovolémique est causé par un déplacement important d'eau, de sodium et de protéines hors des vaisseaux sanguins, vers les espaces interstitiels.

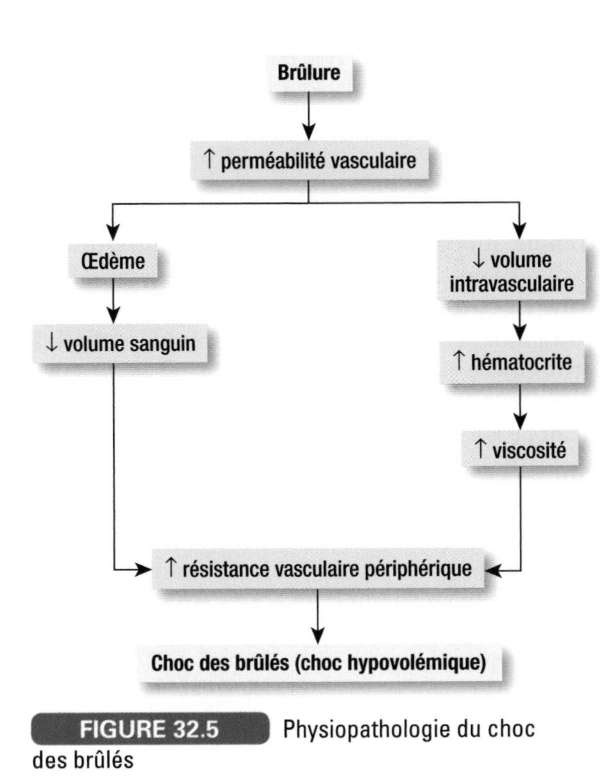

FIGURE 32.5 Physiopathologie du choc des brûlés

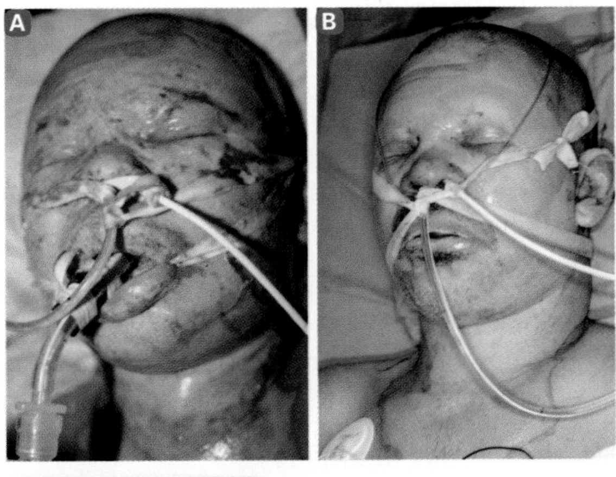

FIGURE 32.6 **A** Œdème facial avant le remplacement liquidien. **B** Œdème facial après 24 heures.

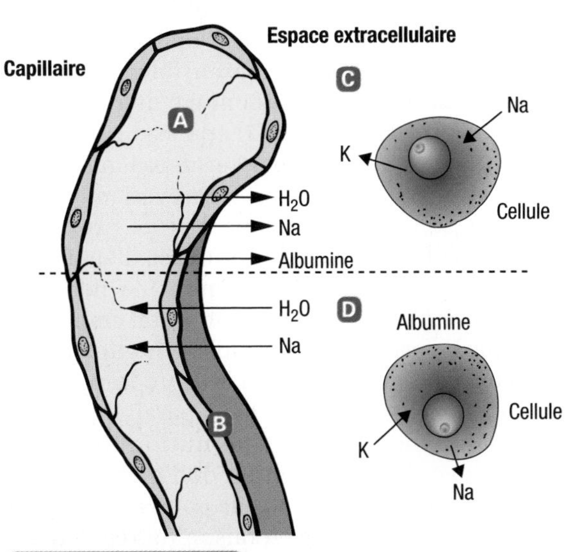

FIGURE 32.7 L'effet principal du choc hyperthermique est la perte de l'étanchéité capillaire **A**, qui permet la sortie extravasculaire de certaines molécules, provoquant l'œdème interstitiel **B** et modifiant l'intégrité cellulaire **C**. Le sodium (Na) entre alors dans la cellule en quantités anormales et le potassium (K) quitte la cellule. Le traitement du choc **D** permet à l'eau et au sodium de revenir dans la circulation capillaire (l'albumine reste dans les espaces interstitiels) et de rétablir l'intégrité cellulaire. Le potassium retourne dans la cellule et le sodium, dans l'espace extracellulaire. Le capillaire retrouve alors son intégrité.

évaporation de grandes surfaces corporelles dénudées ainsi que par l'appareil respiratoire. Ces pertes, normalement de 30 à 50 mL/h, sont plus importantes chez un client gravement brûlé. Ces déplacements liquidiens entraînent une diminution du volume intravasculaire, dont les signes cliniques sont entre autres une augmentation de la fréquence cardiaque (F.C.) et une diminution de la pression artérielle (P.A.). Si le client n'est pas traité, le choc hypovolémique peut être irréversible et provoquer la mort.

La circulation est aussi perturbée par l'hémolyse des globules rouges produite par des facteurs circulants (p. ex., des radicaux libres d'oxygène) qui sont libérés en raison de la brûlure. La thrombose des capillaires dans les tissus brûlés cause une perte additionnelle des globules rouges en circulation. L'hémoconcentration provoquée par la perte des liquides entraîne un hématocrite élevé. Le processus inverse s'observe quand l'équilibre des liquides a été rétabli, et une diminution de l'hématocrite consécutive à l'hémodilution peut être remarquée.

Pendant cette phase, d'importants déplacements de sodium et de potassium se produisent également. Le sodium se déplace rapidement vers les espaces interstitiels pendant toute la période de la formation d'œdème **FIGURE 32.7**. L'augmentation du potassium sérique se produit initialement parce que les cellules endommagées et les globules rouges hémolysés libèrent du potassium dans le sang.

Vers la fin de la phase de réanimation, le déplacement liquidien diminue, et la formation d'œdème cesse. Le liquide interstitiel retourne graduellement vers l'espace vasculaire **FIGURE 32.7**. Cliniquement, une urine de faible densité sera notée à ce moment.

Inflammation et cicatrisation

Une brûlure peut causer une nécrose de coagulation en fonction de la structure atteinte, et elle endommage ou détruit les tissus et les vaisseaux. Les neutrophiles et les monocytes s'accumulent au site de la brûlure. Les fibroblastes et les fibrilles de collagène nouvellement formés apparaissent et commencent la réparation de 6 à 12 heures après la brûlure ▶ 12.

Réactivation des connaissances

Qu'est-ce que l'hématocrite ?

12

Le chapitre 12, *Inflammation et soin des plaies*, traite de la réaction inflammatoire.

Changements immunitaires

Une brûlure cause un affaiblissement général du système immunitaire. En effet, il y a destruction de la barrière que forme la peau contre les organismes envahisseurs. Une dépression de la moelle osseuse se produit : la mise en circulation d'immunoglobulines est réduite, et l'efficacité des globules blancs se trouve affaiblie. La cascade inflammatoire déclenchée par les dommages aux tissus perturbe le fonctionnement des lymphocytes, des monocytes et des neutrophiles, ce qui expose davantage le client au risque d'infection.

Manifestations cliniques

Le client victime de brûlures est susceptible de subir un choc hypovolémique. Initialement, les brûlures d'épaisseur partielle profonde (deuxième degré profond) et de pleine épaisseur (troisième degré) sont souvent insensibles parce que les terminaisons nerveuses ont été détruites. Les brûlures superficielles ou d'épaisseur partielle superficielle (premier degré et deuxième degré superficiel) sont douloureuses. Des vésicules remplies de liquides (phlyctènes) et de protéines peuvent se former dans les brûlures d'épaisseur partielle. Il n'y a pas réellement de perte de liquides corporels ; ceux-ci sont plutôt emprisonnés dans les espaces interstitiels et les troisièmes espaces. Le client qui a une brûlure importante peut montrer des signes d'iléus paralytique, tels qu'une absence ou une diminution de bruits intestinaux, dus à la réaction de l'organisme au trauma et aux déplacements de potassium. Il peut aussi avoir des frissons en raison du refroidissement causé par la perte de chaleur, ou des tremblements en raison de l'anxiété ou la douleur. L'évaluation continue des signes vitaux, du rythme et de la F.C., de l'oxygénation et de l'état de conscience sont les interventions infirmières prioritaires de la phase de réanimation du client victime de brûlures.

CE QU'IL FAUT RETENIR

L'évaluation continue des signes vitaux, rythme et fréquence cardiaques, oxygénation, état de conscience sont les interventions infirmières prioritaires de la phase de réanimation du client victime de brûlures.

La plupart des clients victimes de brûlures restent assez alertes et peuvent répondre à des questions peu après la brûlure ou avant leur intubation. Puisqu'ils sont souvent effrayés par leur situation, il convient de les rassurer calmement et de leur donner des explications simples. La perte de conscience ou l'altération de l'état mental ne sont généralement pas liées directement à la brûlure, mais plutôt à l'hypoxie provoquée par l'inhalation de fumée. Ces états peuvent aussi être dus à un trauma crânien concomitant, à la toxicomanie ou à l'administration excessive de sédatifs ou d'analgésiques.

Réactivation des connaissances

Nommez les quatre phénomènes physiologiques de perte de chaleur corporelle.

Complications

Les systèmes circulatoire, respiratoire et urinaire sont les principaux systèmes de l'organisme susceptibles de subir des complications pendant la phase de réanimation d'un client victime de brûlures.

Système circulatoire

Les arythmies et le choc hypovolémique sont des complications du système circulatoire qui peuvent évoluer vers un choc irréversible. La circulation dans les extrémités peut être gravement entravée, voire bloquée, par des brûlures circonférentielles profondes et l'œdème qui s'ensuit. Si la circulation n'est pas rétablie, l'ischémie, la paresthésie, la nécrose et finalement la gangrène peuvent survenir.

Une **escarrotomie** (une incision pratiquée dans toute l'épaisseur d'une escarre à l'aide d'un scalpel ou par cautérisation) est fréquemment effectuée après le transfert du client à un centre de grands brûlés pour rétablir la circulation vers les extrémités **FIGURE 32.8**.

En phase de réanimation, la perte de liquide entraîne une augmentation de la viscosité sanguine. La microcirculation est entravée en raison des dommages aux structures cutanées qui renferment les petits réseaux capillaires. Ces deux événements entraînent le phénomène d'agglutination intravasculaire, qui peut être corrigée par un remplacement liquidien adéquat.

Système respiratoire

Le système respiratoire est particulièrement vulnérable à deux types de lésions : les brûlures des voies respiratoires supérieures, qui causent la formation d'œdème et l'obstruction des voies respiratoires ; et les lésions des voies respiratoires inférieures **ENCADRÉ 32.3**. La détresse respiratoire peut se produire avec ou sans inhalation de fumée, et des lésions respiratoires peuvent se produire aux deux niveaux en l'absence de brûlures cutanées.

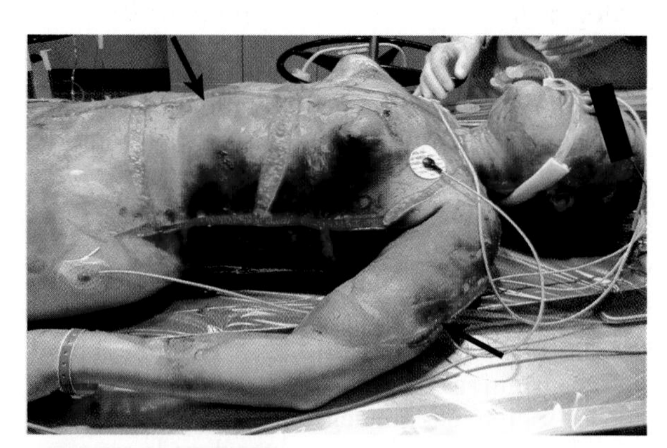

FIGURE 32.8 Escarrotomies de la poitrine et du bras (indiquées par des flèches)

Lésions des voies respiratoires supérieures Ces lésions sont provoquées par des brûlures thermiques directes ou par la formation d'œdème. Elles peuvent entraîner l'obstruction mécanique des voies respiratoires et l'asphyxie. L'œdème associé à une brûlure des voies respiratoires supérieures peut être massif et insidieux. L'obstruction mécanique des voies respiratoires ne survient pas seulement chez le client dont les voies respiratoires supérieures ont subi des brûlures par flammes. En effet, l'œdème qui accompagne les brûlures au visage et au cou causées par un liquide bouillant peut être mortel, tout comme la pression exercée par l'œdème accumulé qui comprime les voies respiratoires de l'extérieur. Les brûlures au cou et à la poitrine peuvent causer des difficultés respiratoires quand une escarre se tend et se resserre en raison de l'œdème sous-jacent.

Lésion des voies respiratoires inférieures Une lésion des voies respiratoires inférieures (ou lésion par inhalation) est une attaque directe des alvéoles par des vapeurs ou des fumées toxiques inhalées. Elle cause un œdème interstitiel pulmonaire qui empêche la diffusion d'oxygène des alvéoles vers le système circulatoire (Blet *et al.*, 2015). Une bronchoscopie et la mesure de la concentration sanguine de carboxyhémoglobine peuvent aider à confirmer une lésion par inhalation. Un autre indicateur diagnostique est l'exposition prolongée à des fumées ou à des vapeurs. Il peut y avoir présence de charbon dans les expectorations. L'infirmière doit être particulièrement attentive aux signes de détresse respiratoire imminente tels qu'une agitation accrue, de la nervosité ou des changements de la fréquence ou des caractéristiques de la respiration, car il est possible que les symptômes n'apparaissent pas immédiatement.

Il n'y a généralement pas de corrélation entre l'étendue de la surface corporelle brûlée et la gravité d'une lésion par inhalation, car celle-ci dépend du temps d'exposition ainsi que du type et de la densité des substances inhalées. La radiographie pulmonaire initiale peut sembler normale, mais des changements peuvent survenir dans les 24 à 48 heures après l'admission du client. La mesure de la gazométrie du sang artériel peut également être normale à son arrivée, mais changer au cours de l'hospitalisation.

Autres troubles cardiopulmonaires Le client victime de brûlures souffrant d'une maladie cardiaque (p. ex., un infarctus du myocarde) ou pulmonaire (p. ex., une maladie pulmonaire obstructive chronique [MPOC]) préexistante présente des risques accrus de complications. Un remplacement liquidien trop rapide peut entraîner une défaillance cardiaque ou un œdème pulmonaire. Des mesures invasives de surveillance hémodynamique peuvent être nécessaires pour régler le débit d'administration des liquides de remplacement.

ENCADRÉ 32.3 Manifestations des lésions respiratoires associées à des brûlures

LÉSION DES VOIES RESPIRATOIRES SUPÉRIEURES	LÉSION DES VOIES RESPIRATOIRES INFÉRIEURES
Œdème, enrouement, difficulté de déglutition, sécrétions abondantes, stridor, rétractions sous-sternales et intercostales, obstruction totale des voies respiratoires	Très probable si le client a été pris dans un incendie dans un espace fermé ou que ses vêtements ont pris feu et s'il a des brûlures faciales ou des poils nasaux ou faciaux roussis ; dyspnée, expectorations charbonnées, respiration sifflante, enrouement, état mental modifié

Jugement clinique

Au cours d'un barbecue familial, Constantin Perron, âgé de 30 ans, a subi des brûlures au visage et au cou. Il a le tour des lèvres et les poils des narines brûlés. Il est conduit à l'urgence d'un centre hospitalier. En tant qu'infirmière au triage à l'urgence, devez-vous soupçonner des brûlures aux voies respiratoires du client ? Justifiez votre réponse.

Le client atteint de troubles respiratoires préexistants est plus susceptible de développer une infection respiratoire. La pneumonie est une complication courante des brûlures graves et la principale cause de mortalité des clients ayant subi une lésion par inhalation. L'affaiblissement de l'organisme, une flore microbienne abondante et l'immobilité relative prédisposent le client à la pneumonie.

Les clients victime de brûlures présentent un risque de thromboembolie veineuse profonde (TVP) qui s'accroît en présence de une ou de plusieurs des conditions suivantes : âge avancé, obésité morbide, brûlures étendues ou sur les membres inférieurs, trauma concomitant sur les membres inférieurs ou immobilité prolongée.

CE QU'IL FAUT RETENIR

Les lésions des voies respiratoires supérieures et inférieures (brûlures thermiques, œdème des voies respiratoires ou dommage direct aux alvéoles) peuvent causer une insuffisance respiratoire sévère.

Système urinaire

La complication la plus courante du système urinaire en phase de réanimation est la nécrose tubulaire aiguë. Si le client subit un choc hypovolémique, la circulation sanguine vers les reins est réduite, ce qui cause une ischémie rénale. Si cette situation se prolonge, une défaillance rénale aiguë peut survenir.

Dans le cas de brûlures de pleine épaisseur (troisième degré) et de brûlures électriques, la myoglobine (provenant de la dégradation des cellules musculaires) et l'hémoglobine (provenant de la dégradation des globules rouges) sont libérées dans le sang et obstruent les tubules rénaux. Un remplacement liquidien adéquat peut corriger cette situation.

Soins et traitements en interdisciplinarité

Dans l'échelle de Braden, quels sont les 6 éléments que l'infirmière doit évaluer chez le client ?

CLIENT SOUFFRANT DE BRÛLURES

Phase de réanimation

Pendant la phase de réanimation, la survie du client dépend d'une évaluation et d'une intervention rapides et consciencieuses (Blet *et al.*, 2015 ; Hackenschmidt, 2007). Le médecin et l'infirmière font généralement l'évaluation initiale de la profondeur et de l'étendue de la brûlure, et ils coordonnent les interventions de l'équipe de soins. Il faut décider si le client doit être hospitalisé ou non et, dans l'affirmative, s'il doit être transféré au centre de grands brûlés le plus proche **ENCADRÉ 32.2**. Du moment de la brûlure jusqu'à ce que le client soit stabilisé, les soins et les traitements en interdisciplinarité portent essentiellement sur l'évaluation des voies respiratoires, la réanimation liquidienne et le traitement des plaies **TABLEAU 32.7**. Bien que le traitement des brûlures soit ordonné chronologiquement en phase de réanimation, en phase aiguë et en phase de réadaptation, les besoins généraux en matière de soins ne se classent pas si facilement. La durée de chaque phase varie grandement selon l'état du client, qui peut s'améliorer et s'aggraver de façon imprévisible dans une même journée. Il faut adapter les soins en conséquence. La physiothérapie et l'ergothérapie débutent en phase aiguë et se poursuivent en phase de réadaptation. Le positionnement du client et l'adaptation des orthèses appropriés commencent à son admission. Le soutien et l'enseignement au client et aux proches commencent aussi à ce moment, et ils s'intensifient en phase de réadaptation (i+).

PSTI 32.1W : *Brûlure thermique.*

Les interventions cliniques appropriées selon les soins à prodiguer à un client intubé sont décrites dans le chapitre 49, *Interventions cliniques – Soins en phase critique.*

Soins des voies respiratoires

Le soin des voies respiratoires comprend souvent l'intubation endotrachéale (préférablement orotrachéale). L'intubation précoce élimine le besoin de trachéotomie d'urgence en cas de troubles respiratoires. En général, le client ayant des lésions majeures comprenant des brûlures au visage et au cou doit être intubé le plus rapidement possible après la brûlure ▶ 49. Après l'intubation, il faut placer le client sous ventilation assistée, et la concentration d'oxygène administrée est déterminée en évaluant la saturométrie et les valeurs de la gazométrie du sang artériel. L'extubation peut être indiquée si l'œdème disparaît, généralement de trois à six jours après la brûlure, à moins que le client ait subi une grave lésion par inhalation ou qu'une condition sous-jacente empêche l'extubation. Des escarrotomies de la paroi thoracique peuvent être nécessaires pour soulager la détresse respiratoire due à des brûlures circonférentielles de pleine épaisseur (troisième degré) du cou et du tronc **FIGURE 32.8**.

De 6 à 12 heures après une lésion possiblement causée par l'inhalation de fumée, une bronchoscopie doit être effectuée pour évaluer les voies respiratoires inférieures. Les signes importants à surveiller sont la présence de substances charbonnées, d'œdème muqueux, de vésicules ou de phlyctènes, d'érythème, d'hémorragie et d'ulcération.

Si le client n'est pas intubé, le traitement d'une lésion par inhalation comprend l'administration d'oxygène humidifié à 100 % au besoin. L'infirmière doit placer le client en position Fowler haute, sauf s'il y a contre-indication (p. ex., en cas de lésion médullaire) et l'encourager à tousser et à respirer profondément toutes les heures. Elle doit le repositionner toutes les heures ou toutes les deux heures, au minimum. La mesure des risques de développer une lésion de pression devra être faite à l'aide de l'échelle de Braden et déterminera davantage le plan thérapeutique infirmier (PTI) pour les mobilisations (Keast, Parslow, Houghton *et al.*, 2006). Au besoin, une kinésithérapie de drainage et une aspiration des sécrétions bronchiques favoriseront aussi la respiration. En cas de défaillance respiratoire, le client doit être intubé et placé sous ventilation assistée. La pression positive en fin d'expiration peut être utilisée pour prévenir l'affaissement des alvéoles et la défaillance respiratoire progressive. Il est possible de traiter un bronchospasme avec des bronchodilatateurs. En cas d'intoxication au monoxyde de carbone, de l'oxygène à 100 % est administré jusqu'à ce que la concentration de carboxyhémoglobine revienne à la normale. L'oxygénothérapie hyperbare reste controversée, mais certaines études ont prouvé son efficacité (Hampson, Piantadosi, Thom *et al.*, 2012 ; Weaver, 2009). Dans la revue de la littérature de l'étude de Weaver (2009), plusieurs chercheurs recommandent aux intervenants de la santé de considérer l'utilisation de la chambre hyperbare pour les clients intoxiqués au monoxyde de carbone. Des résultats significatifs ont démontré une diminution des séquelles cognitives après 12 mois d'oxygénothérapie hyperbare comparativement à l'oxygénothérapie standard (Weaver, 2009).

Remplacement liquidien

L'établissement d'un accès I.V. est essentiel au remplacement liquidien et à l'administration de médicaments. Pour les brûlures couvrant plus de 15 % de la SCB, il faut au moins deux voies I.V. de grand calibre qui permettent la perfusion de grands volumes de liquides. Pour les brûlures couvrant plus de 30 % de la SCB, l'installation

Jugement clinique

Géraldine Hivon, 60 ans, est hospitalisée dans un centre de grands brûlés. Elle a subi des brûlures du troisième degré sur 50 % de la surface de son corps lorsque sa voiture a pris feu. Elle pèse 61 kg. À l'aide de la formule de Parkland, calculez la quantité horaire de solution de lactate Ringer qu'elle doit recevoir, pendant les huit premières heures suivant les brûlures.

Processus diagnostique et thérapeutique

TABLEAU 32.7 **Client ayant subi des brûlures**

PHASE DE RÉANIMATION	PHASE AIGUË	PHASE DE RÉADAPTATION
Traitement respiratoire • Évaluer les besoins en O_2. • Fournir un supplément de O_2 dès que possible. • Intuber le client si nécessaire. • Surveiller l'état respiratoire. **Traitement liquidien** • Évaluer les besoins en liquides **TABLEAU 32.8** et **ENCADRÉ 32.4**. • Commencer le remplacement liquidien I.V. • Insérer un cathéter urinaire. • Surveiller le débit urinaire. **Soin des plaies** • Évaluer l'étendue et la profondeur des brûlures. • Administrer un toxoïde tétanique ou une antitoxine tétanique. • Initier la prise en charge des plaies. • Débrider les plaies au besoin. **Douleur et anxiété** • Évaluer et traiter la douleur et l'anxiété. **Physiothérapie et ergothérapie** • Placer le client dans une position qui prévient la formation de contractures et réduit l'œdème. • Évaluer le besoin en attelles. **Thérapie nutritionnelle** • Évaluer les besoins nutritionnels et commencer à nourrir le client par la voie la plus appropriée dès que possible. **Soins psychosociaux** • Offrir du soutien au client et au proche aidant pendant la période de crise initiale.	**Traitement respiratoire** • Continuer à évaluer les besoins en O_2. • Continuer à surveiller l'état respiratoire. • Surveiller les signes de complications (p. ex., une pneumonie). **Traitement liquidien** • Continuer le remplacement liquidien selon la réaction clinique du client. **Soin des plaies** • Évaluer les plaies quotidiennement et modifier le PSTI au besoin. • Observer s'il y a des complications (p. ex., une infection). • Continuer le débridement (si nécessaire). **Excision et greffe précoces** • Fournir des allogreffes temporaires. • Fournir des autogreffes permanents. • Prodiguer les soins aux sites donneurs. **Douleur et anxiété** • Continuer à évaluer et à traiter la douleur et l'anxiété. **Physiothérapie et ergothérapie** • Commencer le programme de traitement quotidien pour maintenir l'amplitude des mouvements. • Évaluer le besoin en attelles et en positionnement anticontractures. • Encourager et aider le client à se donner ses propres soins si possible. **Thérapie nutritionnelle** • Continuer à évaluer l'alimentation pour favoriser la guérison des plaies. **Soins psychosociaux** • Continuer à fournir un soutien, du counseling et de l'information continus au client et au proche aidant sur les aspects physiques et émotionnels des soins et du rétablissement. • Commencer à prévoir les besoins liés au congé. **Pharmacothérapie** • Évaluer le besoin en médicaments (p. ex., des antibiotiques). • Continuer à surveiller l'efficacité des médicaments et demander la modification du dosage au besoin.	• Continuer à soutenir et à informer le client et le proche aidant. • Continuer à encourager et à aider le client à se donner ses propres soins. • Continuer à prévenir ou à réduire les contractures et évaluer la possibilité de cicatrices (chirurgie, physiothérapie, ergothérapie, attelles ou vêtements compressifs). • Discuter de la possibilité d'une chirurgie reconstructive. • Préparer le congé pour le retour à la maison ou le transfert dans un centre de réadaptation.

d'un cathéter central permet l'administration des liquides et des médicaments, ainsi que les prélèvements veineux. Si un monitorage fréquent de la gazométrie du sang artériel ou une surveillance invasive de la P.A. sont nécessaires, une canule artérielle peut alors être installée.

L'étendue de la brûlure doit être évaluée à l'aide d'une table standard **FIGURE 32.4**. Cela permet d'estimer précisément le besoin en remplacement liquidien. Celui-ci est déterminé en fonction de la taille et de la profondeur de la brûlure, de l'âge du client et des facteurs individuels tels qu'une maladie chronique préexistante. Chaque centre de grands brûlés a sa préférence dans ce domaine. Le remplacement liquidien est effectué avec des solutions cristalloïdes (généralement une solution de lactate Ringer), des colloïdes (albumine) ou une combinaison des deux. Le personnel des soins préhospitaliers a généralement amorcé la perfusion I.V. d'une solution saline au client jusqu'à son arrivée à l'hôpital, mais cette intervention nécessite la présence d'un médecin ou d'une infirmière.

La formule de remplacement liquidien la plus utilisée est la formule de Parkland (Baxter, 1979), suivie de la formule de Brooke modifiée **ENCADRÉ 32.4** et **TABLEAU 32.8** (Pham, Cancio & Gibran, 2008). Il faut garder à l'esprit que toutes les formules sont basées sur des estimations et que leur posologie doit être modifiée en fonction de la réaction physiologique du client. Par exemple, le client ayant subi une lésion électrique peut avoir des besoins en liquides plus élevés que ce qui est recommandé dans les formules.

Des solutions colloïdales (p. ex., de l'albumine) peuvent être administrées pour augmenter le volume circulatoire, mais il est recommandé d'attendre que la perméabilité capillaire revienne à la normale ou presque, pour éviter l'augmentation de l'œdème. Après cette période, les colloïdes administrés restent dans l'espace vasculaire et augmentent le volume circulatoire. Il faut calculer le volume de remplacement en fonction de la masse corporelle du client et de la SCB (p. ex., de 0,3 à 0,5 mL/kg/ % de SCB).

Il est préférable d'utiliser plusieurs paramètres cliniques pour évaluer l'efficacité du remplacement liquidien.

- Débit urinaire (paramètre le plus utilisé) : de 0,5 à 1 mL/kg/h ; de 75 à 100 mL/h pour le client ayant subi une brûlure électrique et présentant des signes d'hémoglobinurie et de myoglobinurie.
- Paramètres cardiaques : pression artérielle moyenne (P.A.M.) supérieure à 65 mm Hg ; P.A. systolique supérieure à 90 mm Hg ; F.C. inférieure à 120 bpm. Une canule artérielle donne les meilleures mesures de P.A.M. et de P.A. La vasoconstriction et l'œdème faussent généralement les mesures périphériques de P.A. chez les clients victimes de brûlures.

CE QU'IL FAUT RETENIR

Une fois la respiration et la circulation rétablies et le remplacement liquidien effectué, le soin des brûlures peut commencer. C'est une étape exigeante pour le client, qui aura besoin du soutien de l'infirmière.

Soin des plaies

Quand la respiration et la circulation sont rétablies et que le remplacement liquidien est adéquat, le soin des brûlures peut commencer. Les brûlures superficielles ou d'épaisseur partielle superficielle (premier degré et deuxième degré superficiel) ont une couleur rose à rouge cerise, sont humides et brillantes et produisent un exsudat séreux habituellement clair. Ces plaies peuvent présenter ou non des phlyctènes intactes et sont douloureuses au toucher ou au contact de l'air. Les brûlures d'épaisseur partielle profonde ou de pleine épaisseur ont une couleur blanc cireux à brune ou noir foncé, sont sèches et ont une sensibilité faible et localisée puisque les terminaisons nerveuses ont été détruites. Ces plaies sont souvent peu douloureuses en leur centre, mais la douleur est intense à leur pourtour.

L'infirmière ou le médecin peuvent effectuer un nettoyage et un débridement doux, à l'aide de ciseaux et de pinces, dans le lit ou sur la civière du client, dans une douche ordinaire ou dans une civière-douche **FIGURE 32.9**. Le personnel doit

ENCADRÉ 32.4 Remplacement liquidien avec la formule de Parkland

FORMULE

- 4 mL de solution de lactate Ringer × kg de masse corporelle × % SCB = remplacement liquidien total pendant le premier jour après la brûlure[a]

ADMINISTRATION

- ½ de la quantité totale pendant la première période de 8 heures
- ½ de la quantité totale pendant les 16 heures qui suivent

EXEMPLE

- Pour un client de 70 kg ayant 50 % de sa SCB :
  - 4 mL × 70 kg × 50 (% SCB) = 14 000 mL (14 L) en 24 h
  - ½ de la quantité totale pendant la première période de 8 heures = 7 000 mL (875 mL/h)
  - ½ de la quantité totale pendant les 16 heures qui suivent = 7 000 mL (437 mL/h)

[a] Les formules sont données à titre indicatif. Les liquides doivent être administrés de manière à produire un débit urinaire de 0,5 à 1 mL/kg/h.

TABLEAU 32.8 Formules pour estimer le remplacement liquidien

	PREMIÈRE PÉRIODE DE 24 HEURES	DEUXIÈME PÉRIODE DE 24 HEURES	
Formule	**Crystalloïdes**	**Colloïdes**	**Glucose dans l'eau**
Parkland	Solution de lactate Ringer : 4,0 mL/kg/ % SCB ; ½ donnée pendant les 8 premières heures ; ensuite ½ de la quantité pendant les 16 heures qui suivent	0,5 mL/kg/ % SCB	Quantité suffisante pour maintenir un bon débit urinaire
Brooke (modifiée)	Solution de lactate Ringer : 2 mL/kg/ % SCB ; ½ donnée pendant les 8 premières heures ; ensuite ½ au cours des 16 heures suivantes	De 0,3 à 0,5 mL/kg/ % SCB	Quantité suffisante pour maintenir un bon débit urinaire

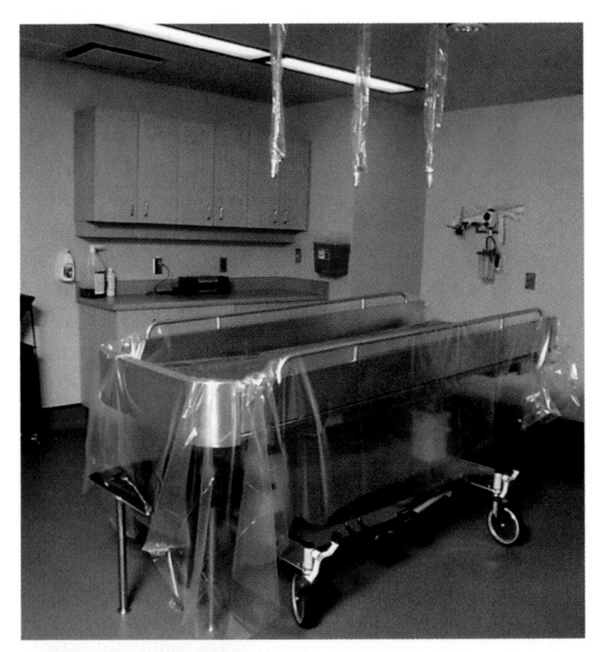

FIGURE 32.9 Civière-douche – La douche est un moment approprié pour la physiothérapie et permet un débridement mécanique en soin des plaies.

s'assurer de son droit d'exercice et vérifier la pratique institutionnelle avant de procéder à un quelconque débridement, en plus de posséder les connaissances requises (OIIQ, 2013; Sibbald *et al.*, 2012). Un débridement chirurgical approfondi est effectué en salle d'opération par un chirurgien ou un plasticien expérimenté **FIGURE 32.10**. Pendant le débridement, la peau nécrosée est enlevée. Des escarrotomies et des **fasciotomies** de libération peuvent être effectuées pendant la phase de réanimation, généralement par des médecins spécialisés dans des centres de grands brûlés. Il faut procéder à ces interventions le plus rapidement et le plus efficacement possible.

Le soin initial des plaies est exigeant pour le client, aussi bien physiquement que psychologiquement. Les recommandations canadiennes de la préparation du lit de la plaie doivent être appliquées pour effectuer un soin de plaies optimal (Sibbald *et al.*, 2012). Le soutien émotionnel de l'infirmière est précieux et permet d'établir une relation de confiance. La douche peut être donnée avec l'eau du robinet à une température qui n'excède pas 40 °C. Toutefois, l'eau du robinet ne devrait pas être utilisée avec des clients immunodéprimés. Dans de nombreux centres de grands brûlés, une douche quotidienne est donnée le matin avec un changement de pansements, et un autre changement de pansements est effectué le soir à la chambre du client. Toutefois, les nouvelles pratiques en soins des plaies préconisent l'usage des pansements dits interactifs afin de diminuer la fréquence de réfection des pansements et favoriser un meilleur délai de cicatrisation tout en réduisant les risques d'infection (Sibbald *et al.*, 2012). Certains pansements antimicrobiens récents peuvent être laissés en place pendant une période de trois à sept jours, ce qui réduit la fréquence des changements. L'utilisation d'un pansement non adhérent imprégné permet de diminuer les traumatismes aux nouveaux tissus (derme et épiderme) et peut être laissé en place pendant plusieurs jours.

L'infection représente le plus grand risque d'aggravation des plaies et de **septicémie** (Rafla & Tredget, 2011). La source d'infection d'une brûlure est la flore bactérienne du client lui-même, notamment celle de la peau (brûlée ou non), des voies respiratoires et des voies gastro-intestinales. La prévention de la contamination nosocomiale d'un client à un autre constitue donc une priorité pour tous les membres de l'équipe soignante.

Les brûlures sont toujours recouvertes d'un pansement hormis au visage où un onguent antibiotique peut être appliqué sans pansement de recouvrement **FIGURE 32.11**. Ces pansements sont changés à un intervalle allant de 12 ou 24 heures à 7 jours, selon le produit utilisé. Dans la plupart des centres de grands brûlés, la cicatrisation en milieu humide est privilégiée, et les brûlures sont couvertes de pansements, sauf sur le visage.

CE QU'IL FAUT RETENIR

L'infection représente le plus grand risque d'aggravation des plaies et de septicémie. La prévention de la contamination nosocomiale est une priorité pour l'équipe soignante.

Septicémie : Propagation de microorganismes pathogènes dans la circulation sanguine.

Fasciotomie : Intervention chirurgicale qui consiste à inciser le fascia, c'est-à-dire la membrane fibreuse qui enveloppe un muscle, pour diminuer la tension ou la pression dans une structure donnée.

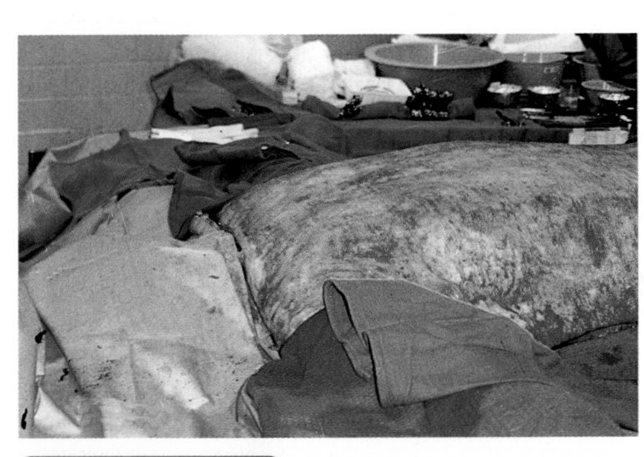

FIGURE 32.10 Un débridement chirurgical des brûlures de pleine épaisseur (et troisième degré) est nécessaire pour préparer la plaie à la greffe.

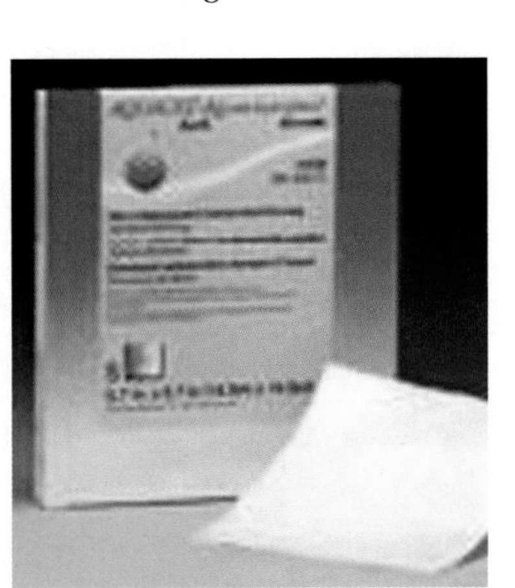

FIGURE 32.11 Exemple de pansement antimicrobien à base d'argent

Quand les plaies ouvertes du client sont exposées, l'infirmière doit porter un équipement de protection personnelle (EPP) (p. ex., un bonnet, un masque, une blouse et des gants jetables). Pour enlever les pansements contaminés et laver la plaie, elle peut porter des gants jetables non stériles. Le nettoyage de la plaie devrait se faire avec une aiguille 18G, une seringue de 30 mL, à 10 cm de la plaie avec du NaCl 0,9 % ou de l'eau stérile selon les pansements utilisés (avec cristaux ou ions d'argent) (Sibbald *et al.*, 2012). L'infirmière met des gants stériles pour appliquer les onguents et les pansements stériles. De plus, la chambre doit être maintenue à une température assez élevée (environ 30 °C) pour prévenir l'hypothermie. L'infirmière doit changer d'équipement de protection personnelle avant de traiter un autre client afin de prévenir la transmission de microorganismes pathogènes d'un client à un autre, un risque important surtout s'il y a plus d'un client par chambre. Elle doit aussi bien se laver les mains et y appliquer un gel à l'alcool avant d'entrer dans une chambre et d'en sortir afin de prévenir la contamination nosocomiale. Quand le changement de pansements est terminé, le matériel et l'environnement immédiat doivent être bien lavés et désinfectés. Pour réduire la contamination et faciliter le nettoyage, du matériel couvert ou doublé de plastique peut être utilisé.

Réactivation des connaissances

Quelle est la principale source de transmission d'infections dans les milieux de soins ?

Le recouvrement des zones brûlées demeure le principal objectif du traitement (Bryant & Nix, 2012 ; Makic & Mann, 2009). Puisqu'un client gravement brûlé (plus de 50 % de la SCB) a rarement assez de peau intacte pour permettre une greffe immédiate, il faut recourir à d'autres méthodes temporaires de fermeture des plaies. L'utilisation de l'**allogreffe** (greffon provenant généralement d'un cadavre), combinée à des matériaux biosynthétiques plus récents, varie d'un centre de grands brûlés à l'autre **TABLEAU 32.9**.

Autres soins

Certaines parties du corps (p. ex., le visage, les yeux, les mains, les bras, les oreilles et le périnée) nécessitent des soins particulièrement attentifs. Le visage est très vascularisé et sujet à l'œdème. Il est généralement couvert d'onguents et de compresses, sans être enveloppé, pour limiter la pression sur ses structures délicates. Les nouvelles cellules ayant tendance à adhérer aux fibres de coton des compresses, l'utilisation d'un pansement non adhérent imprégné est recommandée. Des onguents antibiotiques peuvent être appliqués sur les brûlures ou l'œdème de la cornée (Lloyd *et al.*, 2012). Tous les clients victimes de brûlures au visage doivent subir un examen ophtalmologique peu après leur admission. L'œdème périorbitaire peut empêcher l'ouverture des yeux, ce qui risque d'angoisser le client. L'infirmière doit le rassurer en lui disant que l'œdème sera temporaire. L'instillation de gouttes de méthylcellulose ou de larmes artificielles permet de garder les yeux humides et offre un soulagement.

Les oreilles ne doivent subir aucune pression, car elles sont peu vascularisées et prédisposées aux infections. Le client brûlé aux oreilles ne doit pas utiliser d'oreiller, car la pression exercée sur le cartilage peut provoquer une chondrite œdémateuse, et l'oreille peut adhérer à l'oreiller, ce qui causera de la douleur et des saignements. La tête du client peut être soulevée à l'aide d'une serviette roulée placée sous les épaules, mais il faut prévenir les lésions de pression. Les mêmes soins s'appliquent au client brûlé au cou. Il faut enlever les oreillers et placer une serviette roulée sous les épaules du client afin de mettre le cou en extension tout en évitant l'hyperextension et pour empêcher sa contraction.

TABLEAU 32.9 Origine des greffons

SOURCE	NOM DU GREFFON	COUVERTURE
Peau de porc	Xénogreffe (différentes espèces)	Temporaire (de trois jours à deux semaines)
Peau de cadavre	Allogreffe (même espèce)	Temporaire (de trois jours à deux semaines)
Peau du client	Autogreffe	Permanente
Peau du client et cultures cellulaires	Autogreffe d'épithélium cultivé	Permanente
Collagène de porc lié à une membrane de silicone	BioBrane[MD]	Temporaire (de 10 à 21 jours)
Collagène bovin et glycosaminoglycane liés à une membrane de silicone (rarement)	Integra[MD]	Permanente
Produit de bio-ingénérie à base de cellulose	Nanoderm[MD]	Permanente

Il faut étendre les mains et les bras et les soulever à l'aide d'oreillers pour réduire l'œdème. Les oreillers peuvent être remplacés par des coussins gel utilisés pour le soulagement de la pression (Keast *et al.*, 2006 ; National Pressure Ulcer Advisory Panel, European Pressure Ulcer Advisory Panel & Pan Pacific Pressure Injury Alliance, 2014). Il est parfois nécessaire de mettre des attelles aux mains et aux pieds brûlés pour les maintenir dans une position fonctionnelle. L'ergothérapeute et la physiothérapeute peuvent apporter une aide importante.

Il faut garder le périnée aussi propre et sec que possible. Une sonde à ballonnet fournira un débit urinaire horaire et préviendra la contamination de la région du périnée par l'urine. Le nettoyage régulier, de une à deux fois par jour, du périnée et de la sonde est essentiel, que le périnée ait subi ou non des brûlures.

Des analyses de laboratoire doivent être régulièrement effectués pour surveiller l'équilibre des électrolytes. Il faut mesurer la gazométrie du sang artériel de tous les clients qui ont subi ou sont susceptibles d'avoir subi une lésion électrique ou par inhalation afin de déterminer si la ventilation et la perfusion sont adéquates.

La physiothérapie doit commencer le plus tôt possible. Elle peut être faite pendant la douche et les changements de pansements et avant l'application des nouveaux pansements. Des exercices précoces d'amplitude sont nécessaires pour faciliter le retour des liquides extravasés vers le réseau vasculaire. L'exercice permet également de maintenir les fonctions des diverses parties du corps, prévient les contractures et rassure le client quant à sa mobilité.

Pharmacothérapie

| Analgésiques et sédatifs | Les analgésiques offrent un soulagement au client. Tôt après la brûlure, il faut administrer des analgésiques par voie I.V., car : 1) celle-ci permet une action plus rapide ; 2) la fonction gastro-intestinale est souvent ralentie ou entravée en raison du choc ou d'un iléus paralytique ; 3) les injections intramusculaires (I.M.) ne seront pas absorbées adéquatement dans les zones brûlées ou œdématiées, ce qui causera une accumulation de médicaments dans les tissus. Quand les liquides extravasés reviennent vers la circulation systémique, le client peut subir une surdose causée par l'accumulation interstitielle des médicaments préalablement administrés par voie I.M.

Le **TABLEAU 32.10** présente les analgésiques opioïdes couramment utilisés pour soulager la douleur. L'utilisation d'analgésiques doit être fréquemment réévaluée puisque les besoins du client peuvent changer ; en outre, il peut développer une tolérance aux médicaments. Initialement, les analgésiques opioïdes adéquatement administrés sont idéaux pour soulager la douleur. Les sédatifs, les hypnotiques et les antidépresseurs peuvent aussi être administrés pour soulager l'anxiété, l'insomnie et la dépression et favoriser une coanalgésie. Les besoins en analgésiques peuvent varier énormément d'un client à l'autre. L'étendue et la profondeur des brûlures peuvent n'avoir aucun lien avec l'intensité de la douleur. Les pharmaciens, les psychiatres et le personnel des services interdisciplinaires du soulagement de la douleur des établissements de santé sont des ressources précieuses pour les cas plus difficiles.

CE QU'IL FAUT RETENIR

Durant la phase de réanimation, les électrolytes sanguins doivent être surveillés. Les gaz sanguins artériels doivent être mesurés chez les clients avec une lésion électrique ou par inhalation.

Pharmacothérapie

TABLEAU 32.10 Brûlures

CLASSE DE MÉDICAMENTS	EFFETS
Analgésiques	
• Morphine • Sulfate de morphine à libération lente (MS Contin[MD]) • Chlorhydrate d'hydromorphone (Dilaudid[MD]) • Fentanyl (Duragesic[MD]) • Chlorhydrate d'oxycodone et acétaminophène (Percocet[MD]) • Méthadone • Anti-inflammatoires non stéroïdiens (AINS) (p. ex., le kétorolac trométhamine [Toradol[MD]]) • Analgésiques adjuvants (p. ex., la gabapentine [Neurontin[MD]])	Soulagent la douleur.

TABLEAU 32.10 Brûlures *(suite)*

CLASSE DE MÉDICAMENTS	EFFETS
Sédatifs et hypnotiques	
• Halopéridol (Haldol[MD])	A des effets antipsychotiques et sédatifs.
• Lorazépam (Ativan[MD])	Diminue l'anxiété.
• Midazolam (Versed[MD])	A des effets amnésiques à action brève.
Antidépresseurs	
• Chlorhydrate de sertraline (Zoloft[MD]) • Bromhydrate de citalopram (Celexa[MD])	Réduisent la dépression, améliorent l'humeur.
Anticoagulants	
• Énoxaparine sodique (Lovenox[MD]) • Héparine	Préviennent la thromboembolie veineuse profonde (TVP).
Soutien nutritionnel	
• Vitamines A, C, E et multivitamines	Favorisent la cicatrisation des plaies.
• Minéraux : zinc, fer (sulfate ferreux)	Favorisent l'intégrité cellulaire et la formation d'hémoglobine en plus de la cicatrisation des plaies.
• Oxandrolone	Favorise la prise de poids et la préservation de la masse musculaire.
Soutien gastro-intestinal	
• Chlorhydrate de ranitidine (Zantac[MD]) • Ésoméprazole magnésien trihydraté (Nexium[MD])	Réduisent l'acidité de l'estomac et diminuent le risque d'ulcère de Curling.
• Hydroxyde d'aluminium et hydroxide de magnésium (Mylanta[MD], Maalox[MD])	Neutralisent l'acidité de l'estomac.
• Nystatine (Mycostatin[MD])	Prévient et traite la prolifération de *Candida albicans* sur la muqueuse orale.

Sulfamides

Il faut toujours prendre soin de vérifier si le client est allergique aux sulfamides, car certaines crèmes pour le traitement des brûlures en contiennent.

CE QU'IL FAUT RETENIR

Les antibiotiques systémiques ne sont pas toujours utilisés pour lutter contre l'infection, car la circulation sanguine est faible ou nulle dans les zones brûlées, et les antibiotiques n'y sont donc pas facilement transportés.

| Immunisation contre le tétanos | Un toxoïde tétanique est systématiquement administré à tous les clients victimes de brûlures en raison du risque de contamination anaérobie des brûlures. Si le client n'a pas reçu d'immunisation active au cours des 10 années précédant la brûlure, une immunoglobuline antitétanique doit être envisagée.

| Agents antimicrobiens | Après le nettoyage de la brûlure, un pansement antimicrobien est appliqué dans certains cas **FIGURE 32.11**. Les antibiotiques systémiques ne sont pas toujours utilisés pour lutter contre l'infection, car la circulation sanguine est faible ou nulle dans les zones brûlées, et les antibiotiques n'y sont donc pas facilement transportés. De plus, l'utilisation régulière d'antibiotiques systémiques augmente les chances de développement d'organismes multirésistants. Certains agents topiques pénètrent dans la plaie et inhibent l'invasion bactérienne. Des pansements à base d'argent (p. ex., Acticoat[MD], Silverleaf[MD], Aquacel Ag[MD], Silvercel[MD]) peuvent être laissés en place pendant une période de trois à sept jours **ENCADRÉ 32.5**. Ces pansements sont utilisés dans de nombreux centres de grands brûlés. Des crèmes de sulfadiazine d'argent 1 % peuvent aussi être employées.

La septicémie est l'une des principales causes de mortalité des grands brûlés, laquelle peut

Pratique fondée sur des résultats probants

ENCADRÉ 32.5 **La sulfadiazine d'argent favorise-t-elle la guérison des brûlures ?**

QUESTION CLINIQUE

Chez les clients présentant des brûlures superficielles (premier degré) et d'épaisseur partielle (deuxième degré) (P), la sulfadiazine d'argent (I), par opposition aux pansements biosynthétiques (C), réduit-elle le temps de guérison (O) ?

RÉSULTATS PROBANTS

- Revue systématique des essais cliniques aléatoires

ANALYSE CRITIQUE ET SYNTHÈSE DES DONNÉES

- Six recherches cliniques aléatoires (267 personnes)
- Le temps de cicatrisation des plaies, la douleur et le nombre de changements de pansement nécessaire ont été mesurés.
  - Les pansements biosynthétiques ont été associés à une diminution du temps de cicatrisation et à une douleur moindre au cours des changements de pansement.
  - Les pansements à la sulfadiazine d'argent ont retardé la cicatrisation des plaies et ont rendu nécessaire un nombre plus élevé de changements de pansement.

CONCLUSION

- La sulfadiazine d'argent ne raccourcit pas le temps de guérison des brûlures superficielles et d'épaisseur partielle comparativement aux pansements biosynthétiques.

RECOMMANDATIONS POUR LA PRATIQUE INFIRMIÈRE

- La sulfadiazine d'argent, utilisée traditionnellement pour recouvrir les brûlures, n'est pas toujours le meilleur choix pour aider à la cicatrisation des brûlures superficielles et d'épaisseur partielle.
- Le choix d'un pansement pour brûlures doit se faire en considérant son potentiel pour assurer la meilleure guérison possible, sa facilité d'application et de retrait, les besoins liés au changement de pansement et son coût, ainsi que le confort du client.

RÉFÉRENCE

Wasiak, J., Cleland, H., Campbell, F., *et al.* (2013). Dressings for superficial and partial thickness burns. *Cochrane Database of Systematic Reviews*, 3, CD002106.

P : Population ; I : Intervention ; C : Comparaison ; O : (*Outcome*) Résultat.

provoquer une défaillance multiviscérale ▶ 50. Le traitement aux antibiotiques systémiques est entrepris quand un diagnostic clinique de septicémie envahissante de la brûlure est posé ou quand il y a découverte d'une autre source d'infection (p. ex., une pneumonie).

Des infections fongiques peuvent se développer dans les muqueuses (bouche et organes génitaux) en raison du traitement aux antibiotiques systémiques et de la faible résistance du client. L'organisme responsable est généralement *C. albicans*. L'infection orale est traitée avec un rince-bouche de nystatine en suspension. Quand le client recommence à manger normalement, du yaourt ou du *Lactobacillus* (probiotiques, Bio-K[MD]) peuvent aider à refaire la flore intestinale normale détruite par le traitement antibiotique.

| Prophylaxie de la thromboembolie veineuse profonde | Pour les clients à risque de TVP (p. ex., souffrant de brûlures aux membres inférieurs ou d'obésité), un traitement à l'héparine de faible poids moléculaire (énoxaparine sodique) ou à l'héparine non fractionnée à faible dose est recommandée dès que possible s'il n'y a pas de contre-indication. Pour les clients victimes de brûlures qui présentent un risque élevé de saignement, une prophylaxie mécanique avec des dispositifs de compression séquentielle ou des bas antiemboliques est recommandée jusqu'à ce que le risque de saignement diminue et que le traitement à l'héparine puisse être entrepris **TABLEAU 32.10** (Kahn, Morrison, Cohen *et al.*, 2013).

Thérapie nutritionnelle

Au début de la phase de réanimation, la priorité est accordée au remplacement liquidien. Il faut ensuite considérer l'aspect nutritionnel. Le soutien nutritionnel précoce et actif dans les heures qui suivent une brûlure peut réduire les mortalités et les complications, maximiser la cicatrisation des plaies et diminuer les effets négatifs de l'hypermétabolisme et du catabolisme (Mosier & Gamelli, 2014). Les clients non intubés dont la SCB est inférieure à 20 % sont généralement capables de manger suffisamment pour répondre à leurs besoins nutritionnels. Les clients intubés ou ayant une plus grande SCB ont besoin d'aide. L'alimentation entérale (gastrique ou intestinale) a presque entièrement remplacé l'alimentation parentérale. Une alimentation entérale précoce préserve la fonction gastro-intestinale, augmente la circulation sanguine dans les intestins et fournit des conditions optimales pour la cicatrisation des plaies. Le client ayant de grandes brûlures (plus de 20 % de la SCB) peut développer un iléus paralytique après quelques heures en raison de la réaction de l'organisme à un trauma important. Les bruits intestinaux doivent être évalués toutes les huit heures. Si une sonde nasogastrique est insérée à l'admission, il faut fréquemment vérifier les résidus gastriques pour s'assurer que la vidange gastrique n'est pas retardée. En général, l'alimentation est commencée lentement à un débit de 20 à 40 mL/h, puis augmentée au débit voulu après 24 ou 48 heures.

Après une brûlure grave, un état hypermétabolique proportionnel à la taille de la brûlure est

50

Les effets de la défaillance multiviscérale sur les principaux systèmes de l'organisme sont décrits dans le chapitre 50, *Interventions cliniques – État de choc, syndrome de réaction inflammatoire systémique et syndrome de défaillance multiorganique.*

CE QU'IL FAUT RETENIR

Après une brûlure grave, le métabolisme au repos du client peut être de 50 à 100 % supérieur à la normale. Un apport insuffisant en calories et en protéines entraîne la malnutrition et le retard de cicatrisation.

observé. Le métabolisme au repos du client gravement brûlé peut être de 50 à 100 % supérieur à la normale. Sa température interne est élevée en raison d'une augmentation de la concentration en catécholamines, qui stimulent le catabolisme et la production de chaleur. Le client peut subir un catabolisme massif caractérisé par la dégradation des protéines et une gluconéogenèse accrue. Un apport insuffisant en calories et en protéines entraîne la malnutrition et le retard de cicatrisation. Des suppléments nutritionnels et des laits fouettés riches en calories sont souvent donnés pour répondre au grand besoin énergétique. De la poudre de protéines peut aussi être ajoutée aux aliments et aux boissons. Des suppléments de vitamines peuvent être administrés dès la phase de réanimation, de même que des suppléments de fer au cours de la phase aiguë (OIIQ, 2007) **TABLEAU 32.10**.

32.4.3 Phase aiguë

La phase aiguë commence par le retour des liquides extravasés vers la circulation systémique et d'une diurèse subséquente. Cette phase se termine quand la région brûlée est complètement couverte de peau greffée ou quand les plaies sont cicatrisées. Cela peut prendre des semaines ou des mois.

Physiopathologie

Les brûlures entraînent des changements physiopathologiques dans de nombreux systèmes de l'organisme. Le retour des liquides extravasés vers la circulation systémique réduit l'œdème et augmente la diurèse. Les brûlures de pleine épaisseur (troisième degré) ou d'épaisseur partielle (deuxième degré superficiel et profond) deviennent plus apparentes que pendant la phase de réanimation. Les bruits intestinaux reviennent. Le client peut maintenant se rendre compte de la gravité de sa situation et avoir besoin d'un soutien psychosocial. La cicatrisation commence quand des globules blancs entourent la plaie et que la **phagocytose** débute. Les tissus nécrotiques commencent à se détacher. Les fibroblastes produisent des matrices de précurseurs de collagène qui finissent par former du tissu de granulation. Une brûlure d'épaisseur partielle (deuxième degré superficiel) se cicatrise à partir des bordures et du lit dermique sous-jacent si elle ne subit pas d'infection et de dessiccation (assèchement). Toutefois, une brûlure de pleine épaisseur (troisième degré) doit être couverte d'un greffon cutané sauf si elle est très petite. En général, une excision et une greffe précoces réduisent le temps de cicatrisation et la durée de l'hospitalisation.

Réactivation des connaissances

Quel est l'aspect du tissu de granulation ?

Manifestations cliniques

La plaie d'épaisseur partielle (deuxième degré superficiel) forme de la nécrose humide, qui commence à se séparer peu après la brûlure. Quand cette nécrose est retirée, la réépithélialisation commence en bordure de la plaie, ce qui produit un tissu cicatriciel rouge ou rose. Des bourgeons épithéliaux du lit dermique finissent par refermer la plaie, qui se cicatrise spontanément sans intervention chirurgicale, généralement en une période de 10 à 21 jours. Il est fortement recommandé d'utiliser des pansements interactifs maintenant un milieu humide pour favoriser le débridement autolytique de la nécrose humide et ainsi réduire le temps de cicatrisation de 40 % (OIIQ, 2007).

Les bordures d'une escarre (nécrose noire sèche) de pleine épaisseur (troisième degré) prennent plus de temps à se séparer. Dans ce cas, un débridement chirurgical et une greffe de peau sont nécessaires pour permettre la cicatrisation.

Analyses de laboratoire

Puisque le corps tente de rétablir l'homéostasie des liquides et des électrolytes au début de la phase aiguë, il est important de surveiller attentivement les concentrations d'électrolytes sériques et les examens de fonctions rénales.

Sodium

Une succion gastro-intestinale, une diarrhée et une réhydratation excessives peuvent provoquer une **hyponatrémie**. Celle-ci se manifeste par de la faiblesse, des étourdissements, des crampes musculaires, de la fatigue, des maux de tête, de la tachycardie et de la confusion. Le client ayant subi des brûlures peut subir une hyponatrémie de dilution appelée intoxication hydrique, en raison d'une trop grande administration de liquides isotoniques. Pour l'éviter, le client doit boire des liquides autres que de l'eau, tels que des jus, des boissons gazeuses ou des suppléments nutritionnels.

Après un remplacement liquidien, une **hypernatrémie** peut aussi être observée si des quantités abondantes de solutions hypertoniques ont été administrées. L'hypernatrémie peut aussi être liée à l'alimentation par sonde. Elle se manifeste par la soif, une langue sèche et pâteuse, de la léthargie, de la confusion et possiblement des convulsions.

Hyponatrémie : Déséquilibre électrolytique du système sanguin caractérisé par une concentration trop faible du sodium dans le sang, qui se manifeste chez une personne par une sécheresse de la peau, une tachycardie et de l'hypotension.

Hypernatrémie : Excès de sodium dans le sang.

Potassium

L'**hyperkaliémie** peut survenir si le client a une défaillance rénale, une insuffisance corticosurrénale ou une lésion musculaire profonde majeure (p. ex., une brûlure électrique) qui entraîne la libération de grandes quantités de potassium par les cellules endommagées. Des concentrations élevées de potassium peuvent causer des arythmies cardiaques et une défaillance ventriculaire. Une faiblesse musculaire et des changements électrocardiographiques sont observés ▶ 17.

Les manifestations cliniques, ainsi que les interventions infirmières et en interdisciplinarité relatives aux déséquilibres du potassium, sont décrites dans le chapitre 17, *Déséquilibres hydroélectrolytiques et acidobasiques*.

L'**hypokaliémie** peut être provoquée par des vomissements, de la diarrhée, une aspiration gastro-intestinale prolongée et un traitement I.V. prolongé sans apport complémentaire de potassium. Il se produit aussi une perte constante de potassium par la brûlure.

Complications

Infection

La première ligne de défense du corps, c'est-à-dire la peau, a été détruite par la brûlure. Les agents pathogènes parviennent généralement à proliférer avant qu'une phagocytose adéquate ne commence. Des microorganismes pathogènes colonisent la brûlure. Lorsque des signes cliniques tels que la rougeur, la température, la quantité d'exsudat de la plaie augmente, il y a possibilité que la charge microbienne soit élevée dans la plaie et qu'elle crée ainsi une infection de la brûlure. Une inflammation localisée, une induration et parfois du pus en bordure de la brûlure peuvent alors être observés. Les brûlures d'épaisseur partielle (deuxième degré superficiel et profond) peuvent se détériorer et devenir plus profondes allant jusqu'à l'atteinte des tissus sous-cutanés si ces microorganismes envahissent le tissu non brûlé sous-jacent. L'infection envahissante d'une plaie peut être traitée avec des antibiotiques systémiques, selon les résultats de culture, et simultanément avec un traitement local.

L'infection d'une brûlure peut évoluer en **bactériémie** et en septicémie en raison de la manipulation de la plaie (p. ex., après une douche et un débridement). Les manifestations de la septicémie incluent l'hyperthermie, l'augmentation des fréquences cardiaque et respiratoire, la diminution de la P.A. et la réduction du débit urinaire. Le client peut éprouver une légère confusion, des frissons, des malaises et une perte d'appétit. Les globules blancs présentent des anomalies fonctionnelles, et le client reste immunodéprimé pendant un certain temps après la brûlure. En général, les organismes responsables de la septicémie sont des bactéries Gram négatif (p. ex., *Pseudomonas*, *Proteus*), ce qui expose davantage le client au **choc septique**.

Quand une septicémie est soupçonnée, il faut immédiatement faire des prélèvements de toutes les sources possibles, notamment de la brûlure, du sang, de l'urine, des expectorations, des régions de l'oropharynx et du périnée et des sites d'insertion des cathéters. Toutefois, il ne faut pas attendre les résultats de la mise en culture et de l'antibiogramme pour amorcer le traitement. Celui-ci doit commencer par l'administration d'antibiotiques appropriés. L'antibiotique topique peut encore être utilisé, ou remplacé. À cette étape, l'état du client est critique, et ses signes vitaux doivent être attentivement surveillés. Le travail en collaboration avec l'équipe des maladies infectieuses s'avère important pour assurer un traitement antibiotique approprié.

Systèmes cardiovasculaire et pulmonaire

Les complications des systèmes cardiovasculaire et pulmonaire survenues à la phase de réanimation peuvent se poursuivre en phase aiguë des soins. De plus, de nouveaux troubles peuvent apparaître, ce qui peut exiger une intervention rapide.

Système neurologique

Le client n'a généralement pas de symptôme neurologique physique, sauf en cas d'hypoxie grave due à des lésions respiratoires ou de complications causées par des brûlures électriques. Toutefois, le client peut devenir extrêmement désorienté, il peut s'isoler ou devenir agressif et avoir des hallucinations et de fréquents épisodes de cauchemars. Le délirium ou l'état confusionnel aigu, dont l'intensité augmente pendant la nuit, est plus souvent observé chez les personnes âgées. Le recours à des services psychiatriques ou gériatriques peut aider à diagnostiquer et à traiter rapidement le délirium ou des comportements semblables. L'infirmière peut alors se concentrer sur l'établissement de stratégies permettant d'orienter et de rassurer le client aux prises avec ces problèmes. Le délirium est un état transitoire pouvant durer de un ou deux jours à plusieurs semaines. Diverses causes doivent être envisagées, entre autres le déséquilibre électrolytique, le stress, la septicémie, les troubles du sommeil et l'utilisation d'analgésiques et d'anxiolytiques.

Système musculosquelettique

Le système musculosquelettique est particulièrement sujet aux complications pendant la phase aiguë. La guérison des brûlures et la formation du tissu cicatriciel rendent la peau moins souple. Cela peut limiter l'amplitude des mouvements et provoquer des contractures. En raison de la douleur, il est possible que le client préfère adopter une position fléchie. L'infirmière doit l'encourager à étirer et à bouger le plus possible les parties brûlées de son corps. Des attelles peuvent aider à prévenir ou à réduire les contractures.

Système gastro-intestinal

Il peut aussi y avoir des complications du système gastro-intestinal pendant cette phase. La septicémie peut entraîner un iléus paralytique. L'alimentation entérale ou la prise d'antibiotiques causent parfois la diarrhée. Les analgésiques opioïdes, la mobilité réduite et une alimentation pauvre en fibres peuvent entraîner de la constipation. L'**ulcère de Curling** est un ulcère gastroduodénal qui se caractérise par des lésions superficielles diffuses (dont l'érosion des muqueuses). Il est provoqué par une réaction de stress généralisée qui entraîne une diminution de la production de mucus et une augmentation

32

CE QU'IL FAUT RETENIR

L'infection d'une brûlure peut évoluer en bactériémie et en septicémie. Les manifestations sont l'hyperthermie, l'augmentation des fréquences cardiaque et respiratoire, la diminution de la P.A. et la réduction du débit urinaire.

Réactivation des connaissances

Qu'est-ce qu'une contracture ?

Bactériémie : Présence de bactéries dans le sang.

Choc septique : Défaillance circulatoire aiguë entraînant des désordres hémodynamiques, métaboliques et viscéraux, déclenché par un agent infectieux.

CE QU'IL FAUT RETENIR

La guérison des brûlures et la formation du tissu cicatriciel rendent la peau moins souple. Cela peut limiter l'amplitude des mouvements et provoquer des contractures.

de la sécrétion d'acide gastrique. Cela est dû à la circulation sanguine réduite dans les voies gastro-intestinales pendant la phase de réanimation. La meilleure mesure de prévention de l'ulcère de Curling consiste à alimenter le client le plus tôt possible. L'usage prophylactique d'antiacides, d'antagonistes des récepteurs H_2 de l'histamine (p. ex., le chlorhydrate de ranitidine [Zantac[MD]]) et d'inhibiteurs de la pompe à protons (p. ex., l'esoméprazole magnésien trihydraté [Nexium[MD]]) permet de neutraliser les acides gastriques et d'inhiber l'histamine et la sécrétion de l'acide chlorhydrique (HCl) **TABLEAU 32.10**. Pendant la phase aiguë, le client gravement brûlé peut aussi avoir du sang occulte dans ses selles.

Système endocrinien

Une augmentation transitoire de la glycémie peut être observée en raison de la libération de cortisol et de catécholamines liée au stress, ce qui entraîne la circulation accrue des réserves de glycogène, la gluconéogenèse et la production subséquente de glucose. Une augmentation de la production et de la libération d'insuline est aussi observée. Toutefois, l'efficacité de l'insuline est réduite en raison de la tolérance relative à celle-ci, qui entraîne une augmentation de la glycémie. Ultérieurement, l'hyperglycémie peut être causée par l'augmentation de l'apport calorique, nécessaire pour satisfaire les besoins métaboliques du client. Dans ce cas, de l'insuline est administrée par voie I.V. au lieu de réduire l'apport calorique. En cas d'hyperglycémie, il faut effectuer des vérifications fréquentes du glucose sérique et administrer une quantité appropriée d'insuline. La glycémie peut être mesurée avec un glucomètre au chevet du client. Toutefois, les prélèvements de glucose sérique donnent des résultats plus précis que l'analyse capillaire effectuée avec le glucomètre. À mesure que les besoins métaboliques du client sont satisfaits et que le stress imposé à son organisme diminue, les manifestations du stress diminuent graduellement.

Soins et traitements en interdisciplinarité

CLIENT SOUFFRANT DE BRÛLURES

Phase aiguë

Les principales interventions thérapeutiques en phase aiguë sont associées :

- au soin des plaies ;
- au débridement d'escarres et à la greffe ;
- au soulagement de la douleur ;
- à la physiothérapie et à l'ergothérapie ;
- à la thérapie nutritionnelle ;
- aux soins psychosociaux.

12

Les différents types de pansements utilisés pour le soin des plaies sont décrits dans le chapitre 12, *Inflammation et soin des plaies.*

Soin des plaies

Le soin des plaies vise à prévenir l'infection grâce au nettoyage, au débridement des tissus nécrotiques et au choix de pansements appropriés (antibactériens, semi-occlusifs, interactifs et bioactifs) ainsi qu'à favoriser la réépithélialisation des plaies ou la réussite de la greffe cutanée.

Le soin des plaies consiste à effectuer quotidiennement l'observation, l'évaluation, le nettoyage et le débridement de celles-ci ainsi que le changement de pansements. Le débridement, les changements de pansements, le traitement antimicrobien topique, le soin du site greffé et du site de prélèvement du greffon sont effectués aussi souvent que nécessaire, selon la crème topique ou le pansement utilisé. Les débridements chirurgical, autolytique, mécanique et enzymatique peuvent être envisagés. Des agents tels que la collagénase (Santyl[MD]) peuvent être utilisés pour le **débridement enzymatique** des plaies de brûlures, ce qui accélère l'élimination des tissus nécrotiques. Les plaies sont nettoyées idéalement avec une seringue 30 mL, une aiguille 18G à 10 cm de la plaie avec une solution saline 0,9 % ou de l'eau stérile selon les pansements utilisés. Cette technique permet d'éviter les traumas à la plaie et réduit la douleur pendant le soin.

Débridement enzymatique : Débridement réalisé par l'application sur la plaie d'enzymes protéolytiques permettant de dégrader les tissus nécrotiques.

Quand la brûlure d'épaisseur partielle (deuxième degré superficiel et profond) a été complètement débridée, un pansement non adhérent imprégné (Mépitel[MD], Adaptic Touch[MD] ou Interface Restore Flex[MD]) est appliqué, qui peut demeurer en place pendant 10 jours en combinaison avec d'autres pansements absorbants. Pour éviter les traumas aux nouveaux tissus, des pansements interactifs à base d'alginates, qui ont des propriétés hémostatiques (p. ex., Tegagen[MD], Nu-Derm[MD], Kaltostat[MD], Biatain Alginate[MD], Melgisorb[MD]), ou un pansement en fibres gélifiantes (Aquacel[MD], Durafiber[MD]), qui n'adhère pas au lit de la plaie, peuvent être utilisés. Selon la quantité d'exsudat, l'utilisation de mousses pourrait aussi être appropriée (p. ex., Allevyn[MD], Mépilex[MD], Biatain[MD], Tielle[MD]). Le pansement choisi devrait procurer une humidité appropriée à l'environnement de la plaie, prévenir l'infection, ne pas entraîner de douleur et ne pas causer de dommages à la plaie ou à la peau environnante. La réévaluation du choix de pansement doit se faire en même temps que l'évaluation régulière de la plaie (Sibbald *et al.*, 2012) ▶ 12.

Si une greffe est nécessaire, le greffon de peau mince en filet (perforé) (décrit ci-après) peut être couvert avec ce même type de pansement non adhérent imprégné, sur lequel est posé un pansement absorbant. Dans le cas d'une greffe faciale, le greffon non perforé n'est pas recouvert, ce qui permet la formation de vésicules (exsudats sérosanguins) entre le greffon et le site receveur. Les phlyctènes empêchent le greffon de se fixer de façon permanente au lit de la plaie. L'évacuation des phlyctènes se fait uniquement par des personnes formées à cette fin.

Débridement d'escarres et greffe

Le traitement actuel des brûlures de pleine épaisseur (troisième degré) comprend l'enlèvement précoce du tissu nécrotique suivi d'une autogreffe de peau mince (Kagan, Peck, Ahrenholz *et al.*, 2013). Cette méthode a permis de modifier le traitement des clients victimes de brûlures ainsi que leur taux de mortalité. Auparavant, le taux de survie des grands brûlés était faible, car la cicatrisation et le recouvrement des plaies prenaient tellement de temps que les clients mouraient généralement de septicémie ou de malnutrition. Les interventions précoces ont grandement réduit les taux de mortalité et de morbidité. De nombreux clients, particulièrement les grands brûlés, sont amenés en salle d'opération pour l'excision des tissus nécrotiques un ou deux jours après la brûlure (phase de réanimation). Les plaies sont temporairement couvertes d'un pansement bioactif ou d'une allogreffe jusqu'à ce qu'une greffe permanente puisse être effectuée **TABLEAU 32.9**.

Pendant le débridement et la greffe, le tissu dévitalisé (escarre) est enlevé jusqu'au tissu sous-cutané (ou fascia), selon le degré de la brûlure. Le débridement précoce des tissus nécrotiques permet de rétablir la cicatrisation plus rapidement. Le débridement chirurgical peut causer une importante perte de sang, que certaines techniques de conservation du sang permettent de limiter. L'application topique de noradrénaline ou de thrombine ou l'application de garrots aux extrémités ou d'un nouveau scellant de fibrine (Artiss^MD^) réduisent la perte de sang pendant la chirurgie (Curinga, Jain, Feldman *et al.*, 2011).

Une fois l'hémostase effectuée, le greffon est placé sur du tissu propre et vivant afin d'obtenir une bonne adhérence. Si possible, la plaie fraîchement débridée est couverte avec une autogreffe (provenant de la personne elle-même) **TABLEAU 32.9**. Depuis peu, un scellant de fibrine est utilisé pour fixer les greffons cutanés au lit de la plaie. Les greffons peuvent aussi être agrafés ou suturés **FIGURE 32.12A**. Pour vérifier la capacité du site receveur à accepter une greffe, une allogreffe temporaire peut être effectuée. Après quelques jours, l'allogreffon est enlevé en salle d'opération et remplacé par un autogreffon.

La présence de caillots entre la plaie et le greffon empêche celui-ci d'adhérer à la plaie. Des pansements externes occlusifs exercent juste assez de pression pour favoriser l'adhérence du greffon au lit de la plaie et maîtriser le saignement. Des vérifications fréquentes visant à déceler des saignements et des troubles de la circulation ainsi que des interventions infirmières appropriées aideront à déceler et à traiter des complications qui pourraient nuire à la survie du greffon. Les brûlures au visage, au cou et aux mains nécessitent des soins attentifs qui permettront de voir et de traiter rapidement les caillots pour obtenir les meilleurs résultats fonctionnels et esthétiques possible.

La peau servant à l'autogreffe est prélevée sur le client à l'aide d'un dermatome, un instrument qui permet d'enlever une mince couche de peau (d'environ 0,005 cm) dans une région non brûlée **FIGURE 32.12B**. La peau prélevée peut être perforée (greffon en filet) (dans un rapport de 1,5:1) pour permettre une plus grande couverture de la plaie. Non perforée, elle donnera de meilleurs résultats esthétiques pour une greffe du visage, du cou et des mains. Le site donneur forme une nouvelle plaie ouverte.

Les soins du site donneur visent à favoriser une cicatrisation humide rapide, à réduire la douleur et à prévenir l'infection. Les choix de pansements et produits varient d'un centre de grands brûlés à l'autre et comprennent entre autres les pellicules transparentes (p. ex., Opsite^MD^), la sulfadiazine d'argent, les pansements à base d'argent, les pansements en fibres gélifiantes, l'alginate de calcium et les pansements de mousse hydrocellulaire **FIGURE 32.12C**.

Les soins du site donneur dépendent du pansement utilisé. Plusieurs nouveaux pansements interactifs réduisent le temps de cicatrisation jusqu'à 40 % par rapport aux pansements passifs (p. ex., les compresses de coton), ce qui réduit l'intervalle de prélèvement à un même site. Le temps de guérison moyen d'un site donneur est de 10 à 14 jours **FIGURE 32.12D**.

| Autogreffe d'épithélium cultivé | Si le client a été brûlé sur une grande surface corporelle, il se peut qu'il n'ait pas assez de peau intacte pour fournir des sites donneurs et qu'une partie de cette peau ne convienne pas au prélèvement. Dans ce cas, la culture d'épithélium permet d'obtenir des tissus cutanés permanents. L'épithélium est cultivé à partir de biopsies prélevées sur la peau non brûlée du client (Branski, Dibildox, Shahrokhi *et al.*, 2012). Dans certains centres de grands brûlés, cette intervention est pratiquée dès que possible après l'admission du client candidat à ce type de greffe. Les spécimens de peau sont envoyés dans un laboratoire commercial, où les kératinocytes prélevés sont cultivés dans un milieu de culture contenant un facteur de croissance épidermique. Après une période de 18 à 22 jours, les kératinocytes sont

CE QU'IL FAUT RETENIR

Le pansement choisi devrait procurer une humidité appropriée à l'environnement de la plaie, prévenir l'infection, ne pas entraîner de douleur et ne pas causer de dommages à la plaie ou à la peau environnante.

Réactivation des connaissances

Qu'est-ce qu'une phlyctène ?

10 000 fois plus nombreux, et ils forment des lambeaux confluents utilisables pour une greffe cutanée. Le laboratoire renvoie la peau cultivée au centre de grands brûlés, où elle est greffée sur les plaies du client préparées chirurgicalement **FIGURE 32.13A**. Puisque les autogreffons d'épithélium cultivé ne contiennent que des cellules épidermiques, des soins méticuleux sont nécessaires pour prévenir les déchirures cutanées ou l'infection. Ces autogreffons forment généralement un tissu de remplacement lisse et sans cicatrice **FIGURE 32.13B**. Les complications associées à cette technique comprennent une mauvaise prise du greffon due à la perte d'une mince couche épidermique pendant la cicatrisation, une infection et des contractures.

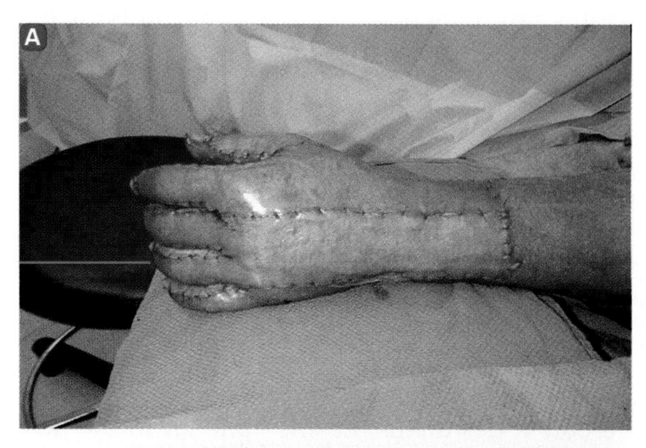
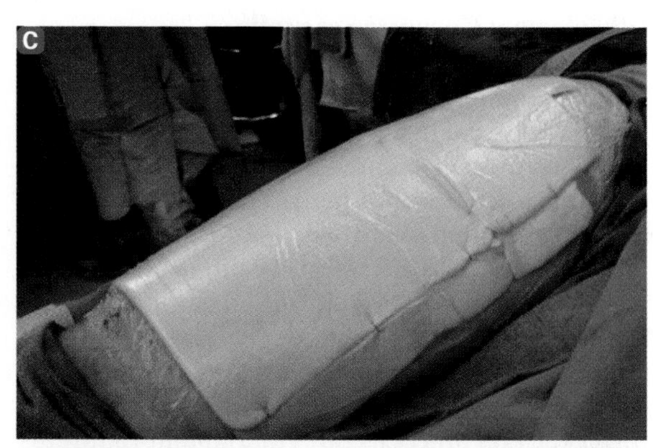
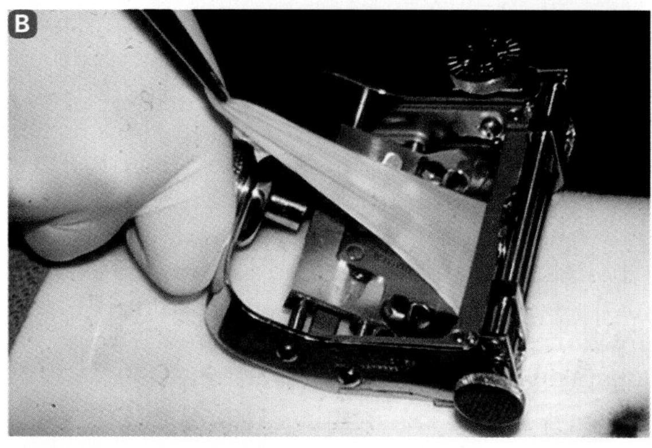
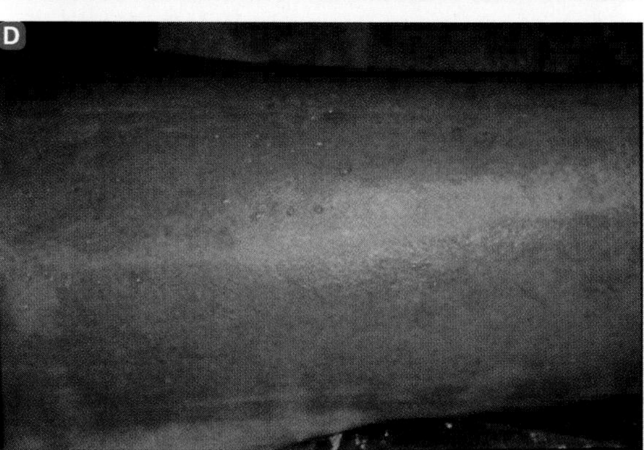

FIGURE 32.12 (A) Greffon de peau mince fraîchement appliqué sur la main. (B) Le greffon de peau mince est prélevé sur la cuisse du client à l'aide d'un dermatome. (C) Le site donneur est couvert d'un pansement de mousse hydrocellulaire après le prélèvement. (D) Site donneur cicatrisé.

9

Les effets physiologiques et psychologiques de la douleur non soulagée sont décrits dans le chapitre 9, *Douleur*.

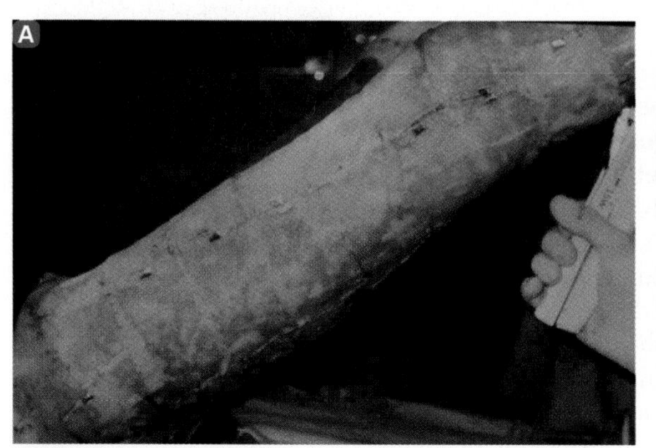
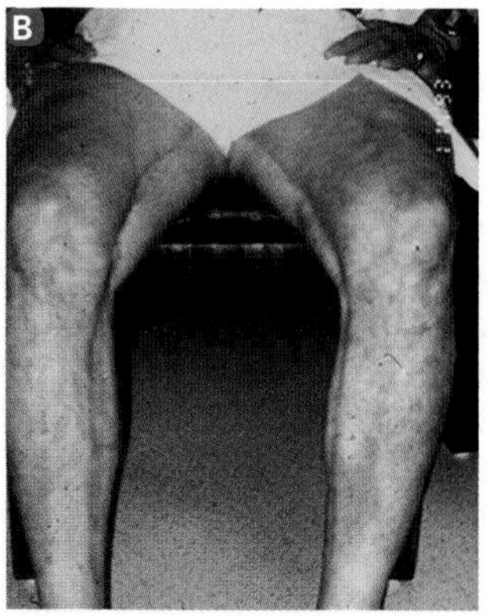

FIGURE 32.13 Autogreffe d'épithélium cultivé – (A) Application peropératoire de l'autogreffon d'épithélium cultivé. (B) Apparence d'une autogreffe d'épithélium cultivé cicatrisée.

Soulagement de la douleur

Une des responsabilités les plus importantes de l'infirmière est l'évaluation et le soulagement continus de la douleur. La plupart des soins d'une brûlure sont douloureux. Toutefois, les analgésiques, même appropriés, offrent un soulagement relatif. Si elle veut que ses interventions soient bénéfiques, l'infirmière doit connaître les effets physiologiques et psychologiques de la douleur ▶ 9. Les clients victimes de brûlures ressentent deux types de douleur : une douleur de fond continue qui peut durer toute la journée et la nuit ; une douleur liée au traitement et causée par les changements de pansements, les déplacements et les exercices de réadaptation. La première ligne de traitement est pharmacologique **TABLEAU 32.10**.

Pour la douleur de fond, la perfusion I.V. continue d'un analgésique opioïde permet de maintenir une concentration sérique constante de médicaments. S'il n'y a pas de perfusion I.V., l'administration biquotidienne d'analgésiques opioïdes à libération lente (p. ex., MS Contin^MD) est indiquée. L'administration régulière d'analgésiques oraux est aussi possible. Peu importe le traitement choisi, il faut avoir à sa disposition des analgésiques d'entredoses disponibles. Des anxiolytiques (aussi appelés coanalgésiques), qui potentialisent souvent les analgésiques, sont également indiqués, notamment le lorazépam ou le midazolam.

Pour la douleur liée au traitement, une prémédication comprenant un analgésique et un anxiolytique peut être administrée par voie I.V. ou orale (P.O.). Pour les clients qui reçoivent une perfusion I.V., un analgésique puissant à action rapide, tel que le citrate de fentanyl (Sublimaze^MD), est utile. Pendant le traitement ou l'activité, de petites doses doivent être administrées pour soulager le client le plus possible. Il est difficile d'éliminer toute la douleur, mais la plupart des clients sont satisfaits de vivre cette période avec un degré tolérable de douleur. Le traitement de la douleur est complexe, et il varie constamment pendant le séjour du client à l'hôpital et après son congé.

La douleur peut aussi être soulagée avec des moyens non pharmacologiques. Des méthodes visant le corps et l'esprit, telles que la relaxation, l'imagerie mentale dirigée, l'hypnose, la rétroaction biologique et la musicothérapie, sont considérées comme étant complémentaires à la pharmacothérapie classique de la douleur. Il ne faut pas les utiliser seules, mais elles peuvent aider certains clients à supporter la douleur liée aux soins, que ce soit pendant l'hospitalisation ou après leur congé.

Dans le traitement de la douleur, il est important de savoir qu'un meilleur résultat est obtenu si le client participe adéquatement au processus. Certains centres de grands brûlés ont recours à l'analgésie contrôlée par le patient (ACP) dans des situations particulières ▶ MS 1.1. De plus, leur participation active aide certains clients à anticiper et à supporter la douleur liée au traitement.

Physiothérapie et ergothérapie

Une physiothérapie rigoureuse pendant toute la période de rétablissement d'une brûlure est essentielle pour maintenir la force musculaire et un fonctionnement optimal des articulations. La période de nettoyage des plaies (pendant et après), quand la peau est ramollie et qu'il n'y a pas de pansements encombrants, est un moment idéal pour faire ces exercices. Des exercices passifs et actifs d'amplitude du mouvement doivent être effectués sur toutes les articulations. Le client qui a des brûlures au cou doit dormir sans oreiller ou avec la tête qui dépasse légèrement du matelas pour favoriser l'extension du cou tout en évitant une hyperextension. Des attelles sur mesure permettent de garder les articulations en position fonctionnelle. Il faut vérifier fréquemment si elles sont bien ajustées et n'exercent pas une pression excessive qui pourrait créer une lésion de pression ou endommager les nerfs.

Thérapie nutritionnelle

L'objectif de la thérapie nutritionnelle pendant la phase aiguë d'une brûlure est de fournir des apports caloriques et protéiniques adéquats pour favoriser la cicatrisation. Le client victime de brûlures est dans un état hypermétabolique et hautement catabolique. En réduisant la douleur, la peur, l'anxiété et le refroidissement, il est possible de diminuer la libération de catécholamines, ce qui augmentera le bien-être du client et l'aidera à conserver son énergie. L'infection augmente également le taux métabolique.

Il est essentiel de satisfaire les besoins caloriques quotidiens du client, et ce, dès le premier ou le deuxième jour après la brûlure. Une nutritionniste doit recalculer et modifier régulièrement ces besoins en fonction de l'état du client (p. ex., la cicatrisation de la plaie, une septicémie).

Si le client est sous ventilation assistée ou incapable de consommer une quantité suffisante de calories par la bouche, il faut l'alimenter par voie entérale. Après l'extubation, un orthophoniste doit évaluer sa déglutition avant de recommencer l'alimentation par voie orale. Il faut encourager le client à manger des aliments à forte teneur en protéines et en glucides pour satisfaire ses besoins accrus en calories. Si le proche aidant désire apporter au client ses aliments favoris, il faut l'encourager. Puisqu'une diminution de l'appétit est courante, il faudra peut-être encourager le client à manger pour qu'il obtienne un apport calorique adéquat. Idéalement, il ne doit pas perdre plus de 10 % de sa masse corporelle antérieure à la brûlure. L'infirmière doit noter l'apport calorique quotidien du client sur des feuilles de dosage ingesta / excreta, qui seront ensuite vérifiées par la nutritionniste. Il faut peser régulièrement le client afin d'évaluer son progrès.

Soins psychosociaux

Le client et le proche aidant ont grandement besoin de soutien psychosocial pendant la période de soins, qui s'avère souvent longue, imprévisible et complexe (Reeve, James, McNeill *et al.*, 2011). L'infirmière et le travailleur social ont un important rôle de soutien et de counseling. Certains clients et leurs proches aidants peuvent aussi avoir besoin de soutien pastoral. L'aide, le besoin d'information et le degré d'engagement familial varient en fonction de la culture. En tout temps pendant la phase aiguë des soins d'un client victime de brûlures, l'équipe de soins doit tenir compte de sa culture et être attentive à ses besoins et à ceux du proche aidant.

CE QU'IL FAUT RETENIR

Une des responsabilités les plus importantes de l'infirmière est l'évaluation et le soulagement continus de la douleur. La plupart des soins d'une brûlure sont douloureux.

Réactivation des connaissances

Lors de l'administration d'analgésiques opioïdes, quel effet secondaire dangereux l'infirmière doit-elle surveiller ? Quels en sont les signes ?

MS 1.1

Méthodes liées à la gestion de la douleur : *Analgésie contrôlée par le patient (ACP).*

CE QU'IL FAUT RETENIR

La nouvelle peau est très fragile. Les zones fraîchement cicatrisées peuvent être hypo ou hypersensibles au froid, à la chaleur et au toucher. Il faut les protéger du soleil pendant au moins trois mois.

Réactivation des connaissances

Qu'est-ce qui différencie la cicatrisation par deuxième intention de la cicatrisation par troisième intention ?

32.4.4 Phase de réadaptation

La phase de réadaptation commence quand les brûlures du client sont cicatrisées et lorsque celui-ci est capable d'effectuer certains de ses soins. Les deux objectifs de cette phase sont d'aider le client à reprendre son autonomie fonctionnelle dans la société et à se réadapter après une chirurgie reconstructive fonctionnelle ou esthétique. Une fois les plaies du client cicatrisées, il faut faire les activités de réadaptation effectuées pendant les phases de réanimation et aiguë de façon plus assidue.

Physiopathologie et manifestations cliniques

Les brûlures guérissent par deuxième ou troisième intention ou par greffe. Les couches d'épithélialisation commencent à reconstruire la structure tissulaire détruite par la brûlure. Les fibres de collagène, présentes dans le nouveau tissu cicatriciel, favorisent la cicatrisation et renforcent les zones affaiblies. La nouvelle peau a une apparence plate et rosée. Après quatre à six semaines, elle est surélevée et hyperémiée. Si des exercices adéquats d'amplitude du mouvement ne sont pas commencés, le nouveau tissu raccourcira et causera une contracture. La cicatrice est mature après environ 12 mois (cela peut aller jusqu'à 2 ans) quand la peau a retrouvé sa souplesse et a une teinte rose ou rouge légèrement plus pâle que le tissu environnant non brûlé. Une peau plus pigmentée prend plus de temps à reprendre sa couleur foncée en raison des nombreux mélanocytes détruits et souvent non régénérés. Il arrive fréquemment qu'elle ne retrouve pas sa couleur originale. Les produits cosmétiques de camouflage et l'implantation de pigments peuvent égaliser la coloration de la peau et améliorer l'apparence générale et l'image de soi du client.

La décoloration et le contour sont deux caractéristiques d'une cicatrice. La décoloration finit parfois par s'estomper avec le temps. Toutefois, le tissu cicatriciel présente généralement des contours modifiés, c'est-à-dire non pas plats ou légèrement surélevés, mais plus hauts et larges que la zone brûlée. Il semble que la pression puisse aider à garder une cicatrice plate. Le port d'un vêtement compressif sur mesure (p. ex., les vêtements Jobst[MD]) permet de maintenir une légère pression sur la brûlure cicatrisée. Il ne faut jamais porter ces vêtements sur des plaies non guéries. Le client doit les mettre en permanence pendant une période de 12 à 18 mois et les enlever uniquement pour le bain.

Le client ressent généralement des démangeaisons pendant la guérison. Des hydratants à base d'eau et des antihistaminiques oraux (p. ex., le chlorhydrate de diphenhydramine [Benadryl[MD]]) aident à réduire la démangeaison. De l'huile à massage, du silicone en gel (p. ex., Biodermis[MD]), de la gabapentine (Neurontin[MD]) et des stéroïdes injectables peuvent aussi être utiles (Zachariah, Rao, Prabha *et al.*, 2012). Le remplacement du vieil épithélium par de nouvelles cellules produira une desquamation.

La nouvelle peau est extrêmement fragile. Une légère pression ou friction est susceptible de former des phlyctènes de friction et des déchirures cutanées. De plus, ces zones fraîchement cicatrisées peuvent être hypersensibles ou hyposensibles au froid, à la chaleur et au toucher à cause de la destruction des mécanorécepteurs et des thermorécepteurs lors de la brûlure. Les zones greffées sont plus susceptibles d'être hyposensibles, tant que les nerfs périphériques ne sont pas régénérés. Il faut protéger les brûlures cicatrisées de la lumière directe du soleil pendant au moins trois mois pour prévenir l'hyperpigmentation et les coups de soleil.

Complications

Les complications les plus courantes pendant la phase de réadaptation sont les contractures de la peau et des articulations et la cicatrisation hypertrophique **FIGURE 32.14**. Une **contracture** (état anormal d'une articulation caractérisé par la diminution de l'extension [abduction] due à une flexion prolongée) se forme en raison d'un raccourcissement du tissu cicatriciel dans les tissus fléchisseurs d'une articulation (Ali & Simmons, 2012). Ce raccourcissement de la peau favorise par le fait même un rétrécissement musculaire sous-jacent. Les régions les plus sujettes aux contractures sont le devant et le côté du cou, les aisselles, le pli du coude, les doigts, la région de l'aine, le creux poplité (du genou), les genoux et les chevilles. Ces régions logent des articulations importantes. Bien que les contractures se forment sur la peau recouvrant ces régions, les tissus sous-jacents, tels que les ligaments, les tendons et les muscles, ont aussi tendance à raccourcir pendant le processus de cicatrisation.

En raison de la douleur, le client préfère adopter une position fléchie. Or, celle-ci favorise la formation de contractures dans la région des plaies. Le positionnement, la pose d'une attelle et l'exercice permettent de réduire cette complication. Ces mesures doivent être poursuivies jusqu'à ce que la nouvelle peau parvienne à maturité. Le traitement

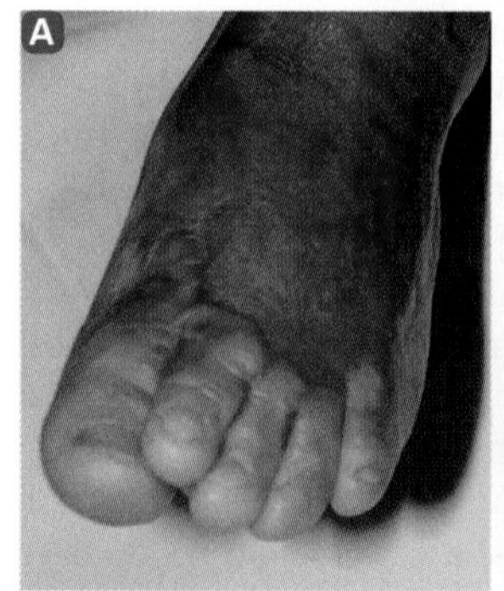

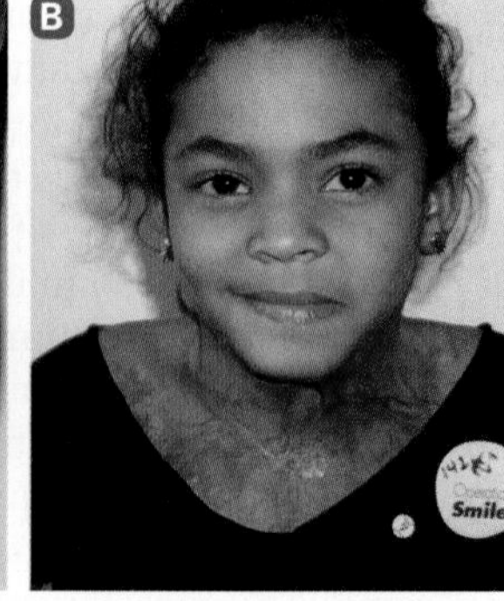

FIGURE 32.14 Contractures – A Pied. B Cou.

vise l'extension des parties du corps, car les muscles fléchisseurs sont plus forts que les extenseurs. Avant la marche, les jambes brûlées peuvent être enveloppées dans des bandages élastiques (p. ex., un bandage élastique Ace[MD], Tensor[MD]) pour favoriser la circulation vers le site greffé des jambes et les sites donneurs. Cette pression supplémentaire prévient la formation de phlyctènes, favorise le retour veineux et diminue la douleur et les démangeaisons. Quand la peau est complètement guérie et moins fragile, des vêtements de compression sur mesure remplacent les bandages élastiques.

Soins et traitements en interdisciplinarité

CLIENT SOUFFRANT DE BRÛLURES

Phase de réadaptation

Pendant la phase de réadaptation, le client et le proche aidant sont activement encouragés à participer aux soins. Puisque le client peut retourner à la maison avec de petites plaies non guéries, l'infirmière doit donner de l'enseignement concernant les changements de pansements et le soin des plaies. Au besoin, un service de soins à domicile peut être organisé pour les quelques semaines suivant le congé de l'hôpital. Une crème hydratante à base d'eau (p. ex., Vaseline soins intensifs formule extra[MD] ou d'autres crèmes hydratantes reconnues) qui pénètre dans le derme doit être appliquée régulièrement sur les cicatrices pour garder la peau souple et bien hydratée, ce qui réduit les démangeaisons et la desquamation. Le client peut prendre des antihistaminiques oraux si la démangeaison persiste. Une chirurgie reconstructrice est souvent nécessaire après une brûlure grave. Le client doit comprendre la nécessité ou la possibilité d'une chirurgie future avant de quitter l'hôpital.

Le rôle continu de l'exercice, de la physiothérapie ou de l'ergothérapie est extrêmement important. Il faut encourager et rassurer le client de façon soutenue pour qu'il garde un bon moral, surtout quand il se rend compte que son rétablissement peut être long et que sa réadaptation occupera peut-être une grande partie de son temps au cours des 6 à 12 prochains mois.

En raison des graves conséquences psychologiques d'une brûlure, le personnel des soins de santé doit être à l'écoute du client et particulièrement attentif à ses émotions et à ses préoccupations. Il faut encourager le client à exprimer ses peurs concernant les changements dans sa vie, la perte d'une fonction, la déformation ou le défigurement temporaire ou permanent, le retour au travail et à la maison ainsi que les conséquences financières de sa brûlure.

Il faut aussi satisfaire les besoins spirituels et culturels du client, qui jouent un rôle dans son rétablissement. Les services de pastorale et les groupes culturels peuvent être des ressources utiles pour la personne brûlée, le proche aidant et l'équipe de soins. Le client peut alors être amené à faire une évaluation réaliste et positive de sa situation, particulièrement sur ce qu'il peut faire plutôt que sur ce qu'il ne peut pas faire.

Une brûlure peut avoir des conséquences négatives sur l'estime de soi (Hoogewerf, van Baar, Middelkoop *et al.*, 2014). Certaines personnes peuvent avoir très peur de perdre leur entourage en raison d'un défigurement perçu ou réel. Dans une société qui valorise la beauté physique, les modifications de l'image corporelle peuvent entraîner une détresse psychologique. En encourageant le client à être indépendant, à reprendre ses activités antérieures et à parler avec d'autres personnes victimes de brûlures, il lui est plus facile de s'engager dans des activités familières qui le réconforteront et l'aideront à retrouver son estime de soi. Le service de counseling, qui a peut-être commencé pendant la phase aiguë des soins, peut continuer après le congé. Le client a besoin d'être rassuré quant aux sentiments et aux frustrations qu'il éprouve pendant cette période d'adaptation et ses tentatives de retour à un mode de vie normal. Le travail interdisciplinaire est à privilégier pour ces soins.

Jugement clinique

Raoul Kwenzi-Mikala, 47 ans, est d'origine gabonaise. Il y a 15 mois, il a subi des brûlures du troisième degré (brûlure de pleine épaisseur) au cou, aux bras et au menton à la suite de l'explosion d'une bonbonne de gaz. Ses plaies sont totalement guéries ; la peau cicatricielle est plus pâle, et la brûlure a laissé une légère contracture au coude gauche. Le client porte des chemises à manches courtes et garde le col ouvert. Même si sa bouche est demeurée très légèrement entrouverte, il n'a pas hésité à reprendre son métier d'enseignant des mathématiques au secondaire. À votre avis, monsieur Kwenzi-Mikala présente-t-il une atteinte à son image corporelle ? Justifiez votre réponse.

CE QU'IL FAUT RETENIR

Durant la phase de réadaptation, le client et le proche aidant sont activement encouragés à participer aux soins. Le rôle de l'exercice, de la physiothérapie ou de l'ergothérapie est primordial.

Considérations gérontologiques

BRÛLURES

Le client âgé pose de nombreuses difficultés à l'équipe de soins aux clients victimes de brûlures. Le processus normal de vieillissement prédispose ce client aux blessures en raison de sa démarche instable, de sa vision limitée et de son ouïe réduite. Avec l'âge, la peau s'assèche, se ride et devient plus lâche. Le derme s'amincit, les fibres élastiques, le tissu adipeux sous-cutané et la vascularisation diminuent. Le derme aminci et moins vascularisé subit des brûlures plus profondes et guérit moins bien (Davidge & Fish, 2008).

La personne âgée victime de brûlures ayant une maladie préexistante subit plus de complications en phases de réanimation et aiguë. Par exemple, les clients âgés souffrant de diabète, d'insuffisance cardiaque ou de MPOC ont des taux de morbidité et de mortalité plus élevés que des personnes plus jeunes en bonne santé. Chez le client âgé, la pneumonie est une complication fréquente, les brûlures et les sites donneurs prennent plus de temps à guérir, et les interventions chirurgicales sont moins bien tolérées. Le sevrage d'un respirateur peut être difficile, et le délirium causé par les médicaments ou l'anesthésie peut représenter une source supplémentaire de stress pour l'organisme, même s'il finit par disparaître de lui-même. Le client âgé prend généralement plus de temps à se rétablir suffisamment pour pouvoir retourner à la maison sans danger. Le retour à une autonomie fonctionnelle s'avère parfois impossible.

32.5 Besoins émotionnels du client et du proche aidant

CE QU'IL FAUT RETENIR

Le client victime de brûlures et ses proches ont souvent des pensées et des sentiments effrayants et perturbants tels que la culpabilité, la peur, l'anxiété, la colère, etc. Ils ont besoin du soutien continu de l'équipe soignante.

Afin de pouvoir bien gérer les nombreuses réactions émotionnelles du client victime de brûlures, l'infirmière doit connaître les circonstances de celles-ci, les relations du client avec sa famille et ses expériences antérieures d'adaptation au stress. En tout temps, le client peut éprouver de la peur, de l'anxiété, de la colère et de la culpabilité et subir une dépression **TABLEAU 32.11**.

La régression est une réaction émotionnelle courante. Le client peut adopter un comportement qui l'a déjà aidé à gérer une situation stressante dans le passé. Cette réaction peut être saine et est généralement de courte durée. Le client et le proche aidant affrontent d'importantes difficultés émotionnelles pendant le rétablissement du client et, peut-être, pour des années à venir. À mesure que le client retrouve son autonomie, il fait face à de nouvelles peurs : « Suis-je capable de le faire ? Suis-je un bon partenaire, un bon parent ? » Une communication ouverte et fréquente entre le client, les proches aidants et l'équipe soignante est essentielle.

Les personnes victimes de brûlures ont souvent des pensées et des sentiments effrayants et perturbants, tels que de la culpabilité liée à l'accident, le souvenir de l'accident, la peur de la mort, des inquiétudes concernant le traitement et la chirurgie à venir, des frustrations liées à la douleur continue et à la dégradation des plaies et peut-être le désespoir. Le proche aidant peut avoir les mêmes pensées et sentiments et se sentir incapable d'aider la personne. Le soutien continu des membres de l'équipe soignante en qui ces personnes ont confiance, particulièrement l'infirmière et les travailleurs sociaux, est essentiel. La participation du proche aidant aux soins l'aide à rétablir une relation avec le client et à effectuer la transition entre l'hôpital et la maison. De nombreux clients victimes de brûlures et leurs proches aidants mentionnent que la brûlure s'avère une puissante expérience d'apprentissage qui leur donne un nouveau regard sur la vie, malgré les difficultés continues d'un rétablissement long et complexe. L'infirmière doit reconnaître que ces sentiments sont réels et courants.

Le stress de la brûlure provoque occasionnellement une crise psychologique qui témoigne d'une expérience qui dépasse la capacité d'adaptation du client. L'évaluation par un psychiatre qui peut prescrire des médicaments appropriés, au besoin, et commencer un counseling à court terme est souvent utile. Une intervention psychiatrique précoce s'avère essentielle si le client a déjà été traité pour une maladie psychiatrique ou si ses blessures découlent d'une tentative de suicide. Un certain nombre de clients victimes de brûlures reçoivent un diagnostic de syndrome de stress

TABLEAU 32.11 Liste partielle des réactions émotionnelles des clients victimes de brûlures

ÉMOTION	EXPRESSIONS VERBALES POSSIBLES
Peur	• Vais-je mourir ? • Qu'arrivera-t-il par la suite ? Serai-je défiguré ? • Ma famille et mes amis m'aimeront-ils encore ?
Anxiété	• Je sens que je perds la maîtrise de moi-même. • Que m'arrivera-t-il ? • Quand retrouverai-je une apparence normale ?
Colère	• Pourquoi est-ce arrivé à moi ? • Les infirmières aiment me faire mal. • Je souhaite la mort à la personne qui m'a fait ça.
Culpabilité	• Si seulement j'avais été plus prudent. • Je suis puni pour le mal que j'ai fait.
Symptômes dépressifs	• Cela ne vaut plus la peine de continuer. • Je me fiche de ce qui m'arrive. • J'aimerais qu'on me laisse tranquille.

post-traumatique (Sharp & Meyer, 2012). Le traitement commence généralement à l'hôpital, mais des liens avec des ressources communautaires doivent être établis avant le congé du client pour assurer la continuité des soins psychologiques. Après son congé, le client peut être dirigé vers un psychiatre, un psychologue, un travailleur social ou une infirmière clinicienne spécialisée en psychiatrie si son état se révèle préoccupant pendant la rencontre de suivi à la clinique des grands brûlés.

La délicate question de la sexualité doit être abordée franchement (Pandya, Corkill & Goutos, 2015). L'apparence physique d'un client qui a subi une brûlure grave se trouve modifiée. L'acceptation de tout changement est, au départ, difficile pour le client et pour son ou sa partenaire. La nature elle-même de la brûlure entraîne des modifications du stimulus sexuel. Le toucher joue un rôle important dans la sexualité, et le tissu cicatriciel immature peut procurer une sensation de toucher désagréable ou une insensibilité. Cette situation est généralement transitoire, mais le client et son ou sa partenaire doivent savoir que cela est normal. L'équipe soignante doit leur transmettre de l'information préventive pour éviter des tensions émotionnelles excessives.

Des groupes de soutien peuvent aider le client et le proche aidant à satisfaire leurs besoins émotionnels à toutes les phases du rétablissement. Il peut leur être utile de parler avec d'autres personnes qui ont subi des brûlures, que ce soit pour confirmer que les sentiments du client sont normaux ou pour partager des informations utiles. Au Québec, Entraide Grands Brûlés offre du soutien aux personnes victimes de brûlures et à leurs proches, et l'Association des grands brûlés F.L.A.M. est un groupe d'entraide pour ces personnes.

32.6 Besoins spéciaux du personnel infirmier

Une relation chaleureuse et de confiance mutuellement satisfaisante se tisse fréquemment entre les clients victimes de brûlures et le personnel infirmier, non seulement au cours de l'hospitalisation, mais aussi pendant la longue période de réadaptation. Les contacts fréquents et intenses avec la famille peuvent être gratifiants, mais aussi épuisants pour l'infirmière. Elle peut avoir du mal à s'adapter aux déformations causées par la brûlure, aux odeurs, à la vue déplaisante des plaies et à la douleur causée au client par la brûlure et son traitement.

Avec le temps, l'infirmière constate que les soins qu'elle prodigue sont essentiels pour aider le client non seulement à survivre, mais aussi à s'adapter à une lésion grave et multiple et à la surmonter. C'est ce qui lui permet et lui donne envie de continuer à offrir des soins et un soutien précieux aux clients victimes de brûlures et à leurs proches aidants.

Des services de soutien continus (relation d'aide), les services d'aide aux employés ou une séance de débriefing menée par un psychologue, une infirmière clinicienne spécialisée en psychiatrie ou un travailleur social peuvent être utiles à l'infirmière. Des groupes de soutien par les pairs peuvent jouer ce rôle en aidant l'infirmière à gérer les sentiments difficiles qu'elle est susceptible d'éprouver quand elle soigne des clients victimes de brûlures. Puisque le soin des brûlés est un travail physiquement, psychologiquement et intellectuellement exigeant, il comporte de nombreux défis et des gratifications. Si elle veut garder une attitude positive et un équilibre sain entre son travail et sa vie privée, l'infirmière doit s'occuper d'elle-même, notamment en passant du temps avec sa famille et ses amis et en s'accordant des moments de repos et de relaxation.

CE QU'IL FAUT RETENIR

Des groupes de soutien peuvent aider le client et le proche aidant à satisfaire leurs besoins émotionnels à toutes les phases du rétablissement.

Analyse d'une situation de santé — Jugement clinique

Céline Dugas est âgée de 45 ans. À la suite d'une tentative de suicide par immolation, elle a été hospitalisée à l'unité des grands brûlés pendant un mois pour des brûlures d'épaisseur partielle profonde et de pleine épaisseur au cou, au thorax, à l'abdomen, aux organes génitaux et au siège. Les brûlures couvrent 45 % de la surface corporelle.

La cliente est maintenant dans un centre de réadaptation, en chambre d'isolement. Un onguent avec collagénase (Santyl^MD) est appliqué une fois par jour en après-midi. Elle a une sonde urinaire et présente de l'incontinence fécale. Son urine est jaune clair, et sa diurèse totale des dernières 24 heures est de 1 600 mL. Même si elle peut manger des aliments de consistance molle, elle reçoit des solutés de dextrose 5 % à 100 mL/h. Elle tousse parfois en mangeant, et il lui arrive même de régurgiter.

Madame Dugas a un indice de masse corporelle (IMC) de 31. Le personnel l'assoit au fauteuil trois fois par jour avec le levier hydraulique. Lorsqu'elle est couchée, elle reste plutôt immobile. La cliente répond aux questions par des signes de tête et évite le regard des intervenants.

SOLUTIONNAIRE

Mise en œuvre de la démarche de soins

Récemment vu dans ce chapitre

Madame Dugas a un IMC de 31, ce qui est supérieur à la norme. La nutritionniste a recommandé tout de même une diète riche en calories. Expliquez pourquoi.

Collecte des données – Évaluation initiale – Analyse et interprétation

1. Nommez trois manifestations cliniques que l'infirmière devrait rechercher et qui pourraient indiquer une infection des plaies de madame Dugas.
2. Quelle analyse de laboratoire indiquerait une complication comme une septicémie chez cette cliente?
3. Chez madame Dugas, quelles régions atteintes par les brûlures sont les plus susceptibles de présenter des contractures?
4. Nommez six données supplémentaires qui confirmeraient une atteinte du concept de soi chez madame Dugas.
5. Dans la situation de madame Dugas, quels sont les deux éléments permettant de reconnaître un problème de dysphagie?
6. En plus du risque d'infection inhérent à tous les clients présentant des brûlures graves, quelle donnée justifie que le problème prioritaire *Risque d'infection des plaies* soit inscrit dans l'extrait du plan thérapeutique infirmier (PTI) de la cliente?

Extrait

CONSTATS DE L'ÉVALUATION								
Date	Heure	N°	Problème ou besoin prioritaire	Initiales	RÉSOLU / SATISFAIT			Professionnels / Services concernés
					Date	Heure	Initiales	
2016-04-16	*13:30*	*2*	*Risque d'infection des plaies*	*V.R.*				

Signature de l'infirmière	Initiales	Programme / Service	Signature de l'infirmière	Initiales	Programme / Service
Virginia Rodriguez	*V.R.*	*8e étage*			

7. En tenant compte de l'IMC de madame Dugas et de son immobilité, à quel risque de problème circulatoire la cliente est-elle exposée? Quel traitement est habituellement prescrit pour prévenir ce problème?
8. Serait-il opportun d'ajouter le problème prioritaire suivant au PTI de madame Dugas: *Risque de contractures au cou et aux aines*? Justifiez votre réponse.
9. Madame Dugas a un IMC élevé, ce qui la place à risque de développer un diabète de type 2. Si la cliente était effectivement diabétique, qu'est-ce qui justifierait que l'infirmière inscrive au PTI le constat de l'évaluation *Risque d'hyperglycémie* (autre que la surveillance habituelle du diabète)?

Planification des interventions – Décisions infirmières

10. Nommez les deux professionnelles, autres que l'infirmière, qui pourraient intervenir pour régler le problème de dysphagie de madame Dugas.
11. En entrant dans la chambre de la cliente, vous constatez que la tête du lit est à environ 60° et que madame Dugas a deux gros oreillers sous la tête. Que faites-vous?
12. Deux autres intervenants professionnels sont habituellement impliqués pour éviter que des contractures s'installent chez les clients. Lesquels?

Évaluation des résultats – Évaluation en cours d'évolution

13. Deux données signifieraient que madame Dugas ne présente pas de dysphagie. Lesquelles?
14. Qu'est-ce qui indiquerait à l'infirmière qu'il n'y a pas d'infection des plaies causées par les brûlures chez cette cliente?
15. Quatre observations permettraient de conclure que madame Dugas ne présente probablement pas de risque de thromboembolie veineuse profonde. Lesquelles?
16. Quelles sont les quatre observations qui montreraient que madame Dugas ne présente aucune contracture au cou et aux aines?

Récemment vu dans ce chapitre

Durant la phase de réanimation, quelle complication rénale aurait pu se développer chez madame Dugas? Justifiez votre réponse.

APPLICATION DE LA PENSÉE CRITIQUE

Dans l'application de la démarche de soins auprès de madame Dugas, l'infirmière a recours aux éléments du modèle de la pensée critique pour analyser la situation de santé de la cliente et en comprendre les enjeux. La **FIGURE 32.15** résume les caractéristiques de ce modèle en fonction des données de cette cliente, mais elle n'est pas exhaustive.

VERS UN JUGEMENT CLINIQUE

CONNAISSANCES

- Caractéristiques et fonctions des couches de la peau
- Particularités des brûlures : superficielles, d'épaisseur partielle superficielle ou profonde, et de pleine épaisseur
- Différents types de brûlures et agents en cause
- Formule de calcul de la surface corporelle atteinte par les brûlures chez l'adulte
- Complications possibles à la suite des brûlures
- Traitement de remplacement des pertes hydroélectrolytiques
- Facteurs ayant un impact sur le concept de soi
- Produits et techniques utilisés pour le débridement des plaies causées par des brûlures
- Types de pansements à appliquer sur des brûlures

EXPÉRIENCES

- Soins aux clients ayant subi des brûlures, légères ou graves
- Processus de triage à l'urgence
- Réfection des pansements stériles
- Relation d'aide
- Travail en interdisciplinarité

NORMES

- Protocoles locaux de soins des brûlures et de thérapie I.V. dans une telle situation
- Règles d'asepsie stricte pendant les changements de pansements
- Collaboration avec d'autres membres de l'équipe interdisciplinaire

ATTITUDES

- S'abstenir de juger madame Dugas parce qu'elle a tenté de mettre fin à ses jours
- Ne pas la culpabiliser pour le geste qu'elle a commis
- Encourager l'autonomie de la cliente et souligner ses efforts

PENSÉE CRITIQUE

ÉVALUATION

- Profondeur des brûlures, parties touchées, étendue et facteurs de risque de brûlures pour madame Dugas
- Dosage des liquides ingérés et excrétés
- Signes d'infection des plaies et autres indices de complications chez cette cliente (respiratoires, musculosquelettiques, atteinte du concept de soi et répercussions de l'isolement)
- Qualité et quantité d'aliments pris aux repas et aux collations
- Signes de dysphagie

JUGEMENT CLINIQUE

FIGURE 32.15 Application de la pensée critique à la situation de santé de madame Dugas

Chapitre 33

ÉVALUATION CLINIQUE

Système respiratoire

Écrit par:
Susan J. Eisel, RN, MSEd

Adapté et mis à jour par:
Vitalie Perreault, inf., M. Sc.

MOTS CLÉS

Bruits adventices 204
Chimiorécepteur 188
Compliance 186
Diffusion passive 187
Dioxyde de carbone 182
Dyspnée 186
Expectorations spumeuses 195
Frémissements 202
Hypoventilation 198
Mécanorécepteurs 189
Retour élastique 186
Surfactant 185
Ventilation 186
Volume courant (VC) 184
Wheezing 196

OBJECTIFS

Après avoir étudié ce chapitre, vous devriez être en mesure:

- de décrire l'anatomie et la physiologie des voies respiratoires supérieures et inférieures;
- de décrire la régulation des mouvements inspiratoires et expiratoires;
- d'expliquer le processus des échanges gazeux pulmonaires;
- de définir les mécanismes qui protègent l'intégrité respiratoire;
- d'analyser les résultats d'un test des gaz sanguins artériels;
- de reconnaître les manifestations et les conséquences d'une oxygénation insuffisante;
- de reconnaître les changements qui sont liés au vieillissement;
- de déterminer les données subjectives et objectives à recueillir;
- de choisir les techniques appropriées pour procéder à l'examen clinique;
- de distinguer les phénomènes normaux et anormaux les plus courants;
- de décrire le but des examens paracliniques et d'en interpréter les résultats.

Disponible sur 

- Animations
- À retenir
- Carte conceptuelle
- Figures Web
- Méthode de soins: vidéo
- Pour en savoir plus
- Solutionnaire des questions de Jugement clinique
- Solutionnaire des questions Réactivation des connaissances
- Solutionnaires du Guide d'études
- Tableau Web

Concepts clés

Cette carte conceptuelle illustre schématiquement les principaux concepts décrits dans le présent chapitre. Sa lecture vous permettra d'avoir une vue d'ensemble des notions qui y sont présentées.

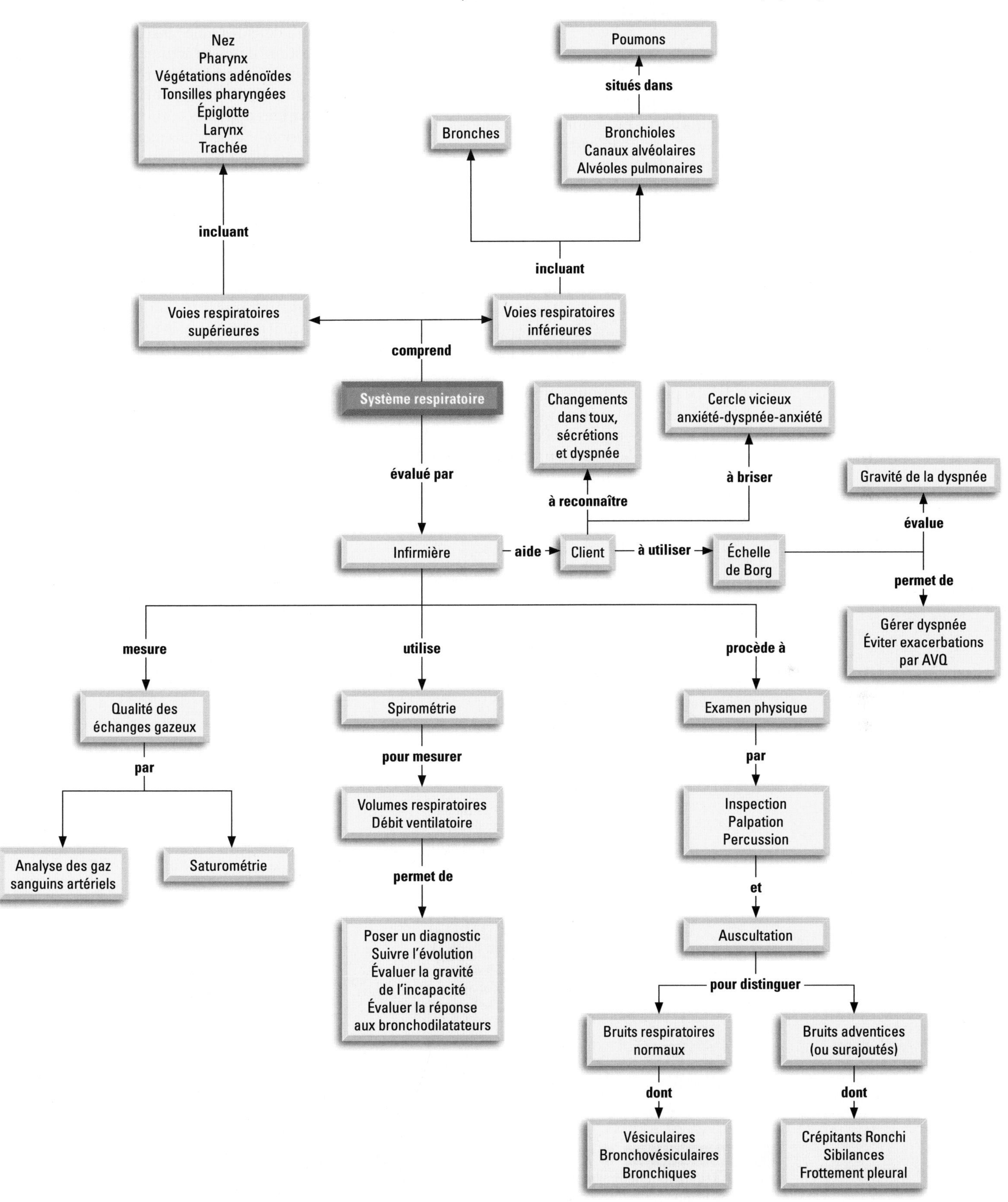

33.1 Anatomie et physiologie du système respiratoire

Le système respiratoire a pour fonction principale d'assurer les échanges gazeux dans les poumons. L'oxygène (O_2) du milieu ambiant est transporté vers les capillaires pulmonaires qui, en échange, évacuent le dioxyde de carbone (gaz carbonique; CO_2) pour expulsion dans l'atmosphère. On divise le système respiratoire en deux segments: les voies respiratoires supérieures et les voies respiratoires inférieures **FIGURES 33.1** et **33.2**. Les voies respiratoires supérieures sont formées du nez, du pharynx, des tonsilles pharyngées, de l'épiglotte, du larynx et de la trachée. Les voies respiratoires inférieures se composent des bronches, des bronchioles, des canaux alvéolaires et des alvéoles pulmonaires. À l'exception des bronches droite et gauche, toutes les structures inférieures sont abritées dans les poumons. Le poumon droit se divise en trois lobes (lobe inférieur, lobe moyen et lobe supérieur), tandis que le poumon gauche compte deux lobes (lobe inférieur et lobe supérieur) **FIGURE 33.3**. La santé de la fonction respiratoire dépend également des structures de la paroi thoracique (côtes, plèvre et muscles thoraciques).

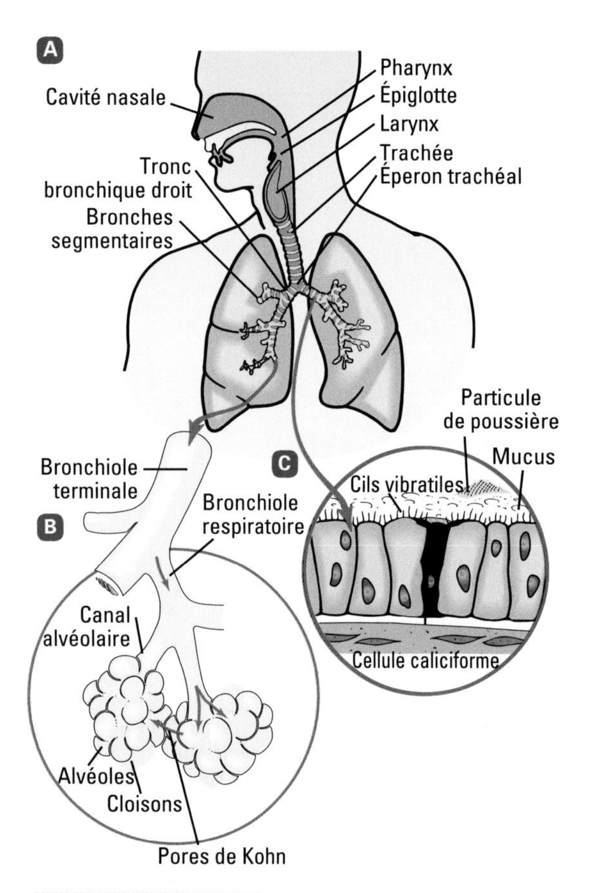

FIGURE 33.2 A Structures du système respiratoire. B Unité fonctionnelle pulmonaire. C Membrane muqueuse ciliée.

33.1.1 Voies respiratoires supérieures

L'air pénètre dans les voies respiratoires par le nez, organe constitué d'une structure osseuse, de cartilage et de deux fosses nasales séparées par une cloison (ou septum nasal). La charpente interne du nez comporte des saillies appelées cornets, qui forment trois passages aériens. Ces cornets augmentent la superficie de la muqueuse nasale qui a pour fonction de réchauffer et d'humidifier l'air inspiré. La cavité internasale comporte un passage vers les sinus, tandis que les fosses nasales communiquent avec le pharynx, un conduit tubulaire divisé en trois parties: le nasopharynx, l'oropharynx et le laryngopharynx.

Le nez a pour fonction, entre autres, de protéger les voies respiratoires inférieures en conditionnant l'air avant qu'il entre dans les poumons, c'est-à-dire en le réchauffant, en l'humidifiant et en filtrant les particules et les poussières ambiantes. Les terminaisons nerveuses du nerf olfactif, situées au sommet de la cavité nasale et dans le tiers supérieur

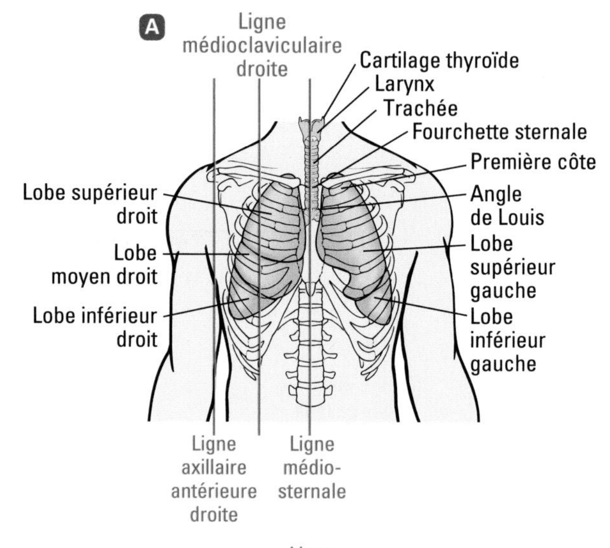

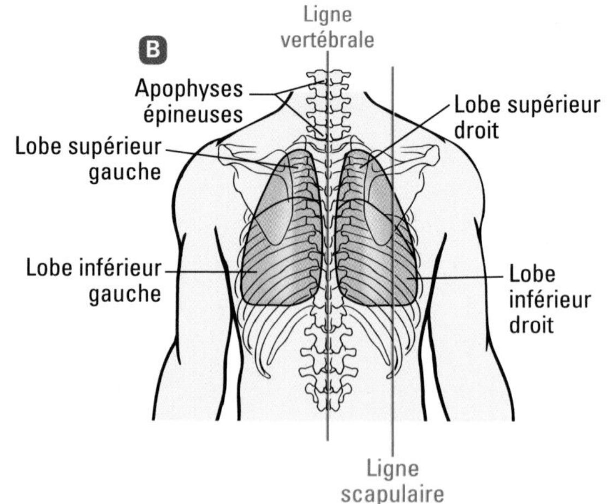

FIGURE 33.3 Repères et structures de la paroi de la cage thoracique – A Vue antérieure. B Vue postérieure.

A Voies respiratoires supérieures

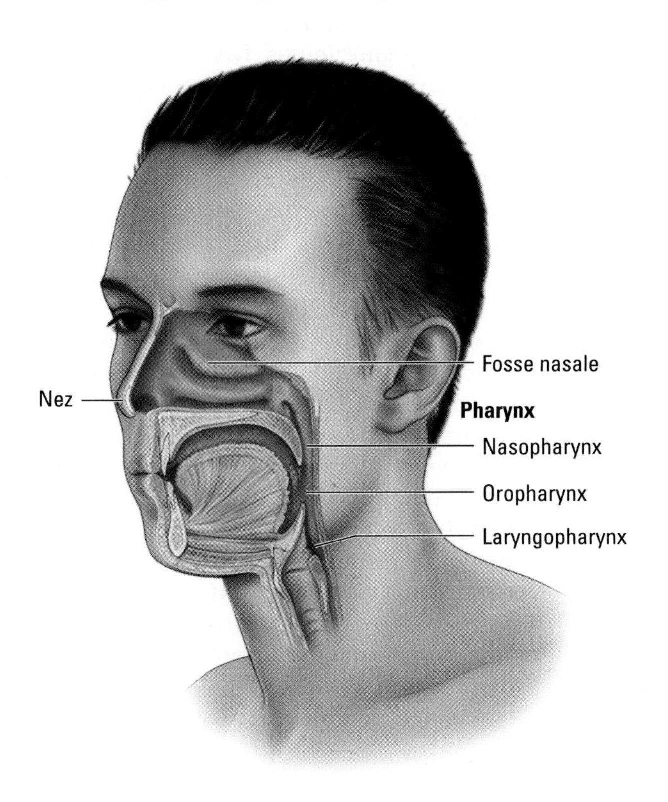

B Structure externe du nez

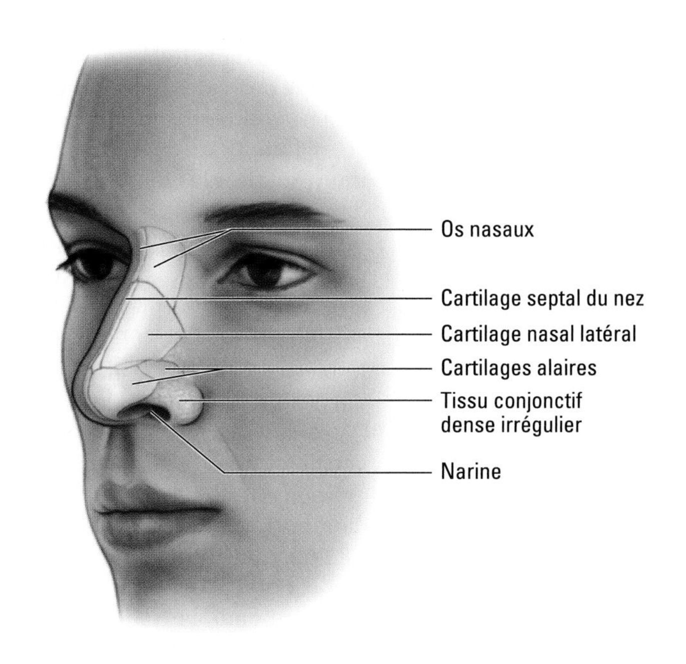

C Fosses nasales, coupe sagittale

D Coupe frontale

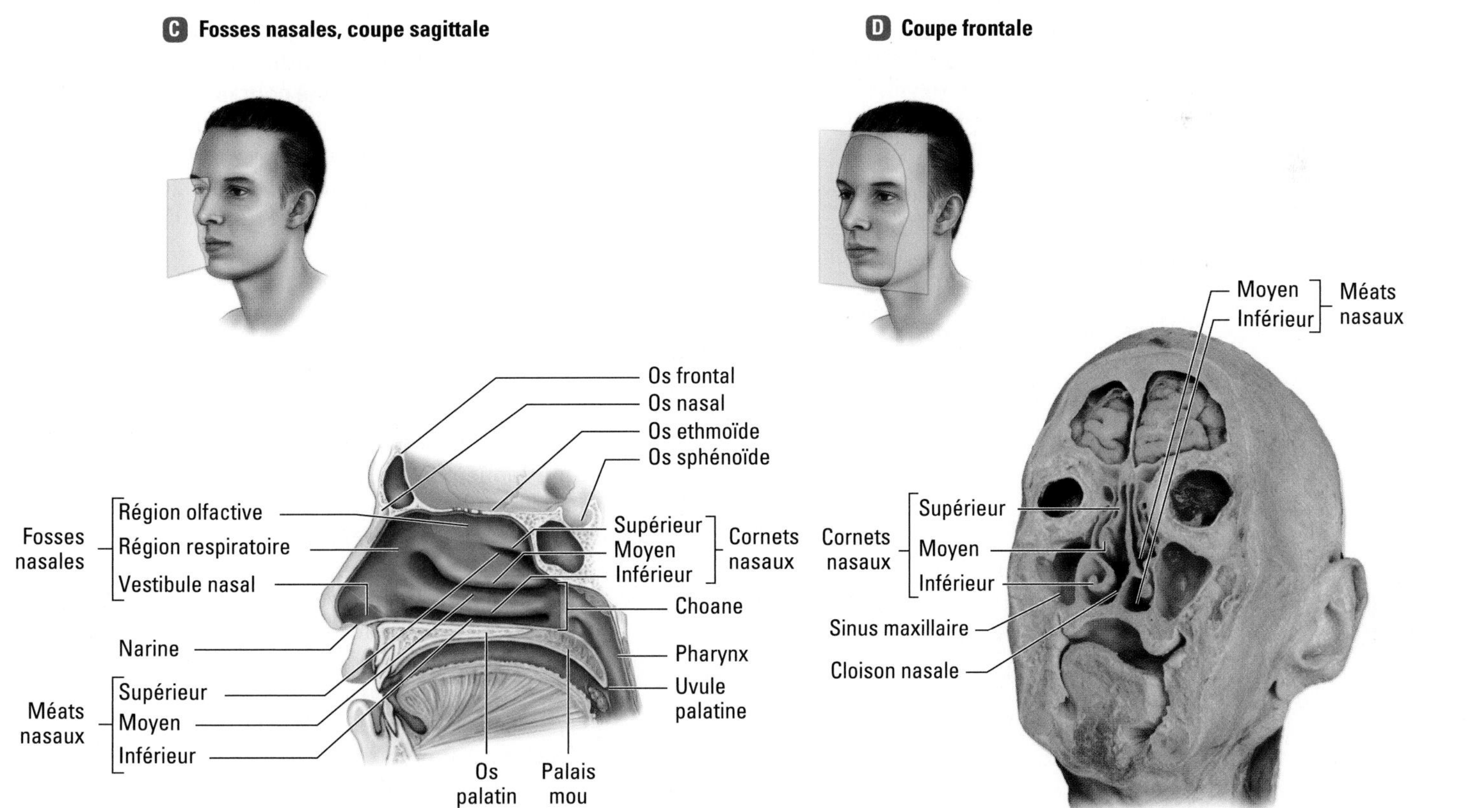

FIGURE 33.1 Voies respiratoires supérieures – A Régions anatomiques des voies respiratoires supérieures. B Structure externe du nez. C Coupe sagittale des fosses nasales. D Coupe frontale de la fosse nasale d'un cadavre.

de la cloison nasale, jouent un rôle sensoriel en étant responsables de l'odorat. Les végétations adénoïdes sont des masses de tissu lymphatique localisées dans le nasopharynx ; elles se situent à l'entrée des voies respiratoires pour combattre les bactéries et les virus chez les enfants en bas âge et elles jouent un rôle essentiel dans la défense immunitaire ; les tonsilles pharyngées sont logées dans l'oropharynx.

L'air inhalé passe dans l'oropharynx, puis dans le laryngopharynx, franchit ensuite l'épiglotte et entre dans la trachée. L'épiglotte, une fine lame cartilagineuse fixée à la racine de la langue, obture le larynx pendant la déglutition, bloquant ainsi l'accès des solides et des liquides aux poumons. C'est dans le larynx que se trouvent les cordes vocales. Celles-ci permettent la production de sons au moment du passage de l'air dans le larynx pendant la respiration, créant ainsi des bruits de fond à l'auscultation. L'air continue son trajet par la glotte, l'orifice délimité par les cordes vocales, puis s'infiltre dans la trachée. La trachée est un tube cylindrique de 10 à 12 cm de longueur par 1,5 à 2,5 cm de diamètre, aplati en arrière et doté de cartilages en forme de fer à cheval qui gardent le conduit ouvert tout en permettant à l'œsophage adjacent de se distendre sous l'action de la déglutition. La trachée bifurque ensuite en deux bronches, droite et gauche, au niveau de l'éperon trachéal, dont le repère externe est situé à l'angle du manubrium sternal (aussi appelé angle de Louis). L'éperon trachéal est une zone particulièrement sensible, et un simple contact du cathéter pendant une aspiration de sécrétions endotrachéales suffit à provoquer une forte toux chez le client.

CE QU'IL FAUT RETENIR

Les échanges gazeux se produisent dans les alvéoles pulmonaires. Toutes les zones antérieures ne servent qu'à la conduction de l'air.

Voies aériennes de conduction					Unité respiratoire
Trachée	Bronches, bronches segmentaires	Bronches sous-segmentaires	Bronchioles		Canaux alvéolaires, alvéoles
			Non respiratoires	Respiratoires	
Générations	8	15	21-22	24	28

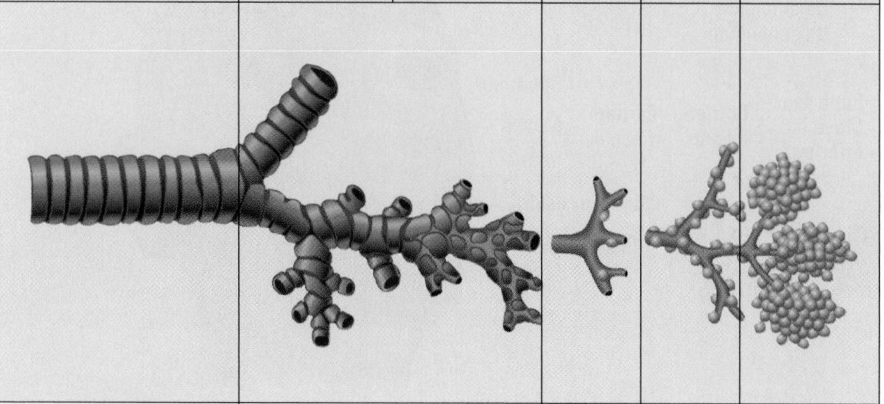

FIGURE 33.4 Structures des voies respiratoires inférieures

33.1.2 Voies respiratoires inférieures

Passé l'éperon trachéal, l'air s'introduit dans les voies respiratoires inférieures. Les bronches, les veines pulmonaires et les nerfs pulmonaires pénètrent dans le poumon par le hile. La bronche droite est plus courte, plus large et plus rectiligne que la gauche, de sorte que si une aspiration de sécrétions endotrachéales s'avère nécessaire, elle s'effectue le plus souvent dans le poumon droit.

Les bronches se divisent en trois segments : la bronche lobaire, la bronche segmentaire et la bronche sous-segmentaire. Les ramifications supplémentaires constituent les bronchioles. Les bronchioles terminales, appelées bronchioles respiratoires, aboutissent aux canaux alvéolaires et aux alvéoles pulmonaires **FIGURE 33.4**. Les bronchioles sont enveloppées de muscles lisses qui se contractent et se dilatent sous l'action de divers stimulus. Les termes bronchodilatation et bronchoconstriction décrivent l'expansion et la rétraction des voies respiratoires découlant de la relaxation et de la contraction de ces muscles (Wikibooks, 2010).

Les échanges gazeux – c'est-à-dire la captation de l'oxygène et l'élimination du dioxyde de carbone – se produisent dans les alvéoles pulmonaires. Toutes les zones antérieures ne servent qu'à la conduction de l'air. On désigne d'ailleurs cette partie du système respiratoire par l'expression espace mort anatomique. L'air qui emplit cet espace n'est pas disponible aux échanges gazeux. Chez l'adulte, le volume courant (VC) – ou la quantité d'air inspiré pendant un mouvement respiratoire normal – est d'environ 500 mL. De cette quantité d'air inhalé, environ 150 mL appartiennent à l'espace mort anatomique. On comprend qu'une affection comme l'asthme ou la maladie pulmonaire obstructive chronique (MPOC) empêchera l'inspiration d'un volume d'air (volume courant) suffisant et entraînera une diminution des échanges gazeux.

Passé le seuil de l'espace mort anatomique, l'air atteint les bronchioles respiratoires et les alvéoles pulmonaires **FIGURE 33.5**. C'est à l'intérieur de ces minuscules sacs alvéolaires que se produisent les principaux échanges gazeux. Ces sacs sont reliés entre eux par les pores de Kohn qui facilitent le passage de l'air d'une alvéole à l'autre. Une inspiration profonde favorise le mouvement d'air entre les pores et aide à déloger le mucus des bronchioles respiratoires. Les bactéries peuvent également se diffuser par les pores et catalyser, par exemple, l'infection de régions pulmonaires non infectées. Chez un adulte, on peut dénombrer 300 millions d'alvéoles qui, ensemble, représentent quelque 140 m^2 de surface propice aux échanges gazeux, soit la superficie d'un court de tennis (Wilkins, Stroller & Kacmarek, 2009). Selon Patton et Thibodeau (2013), la membrane

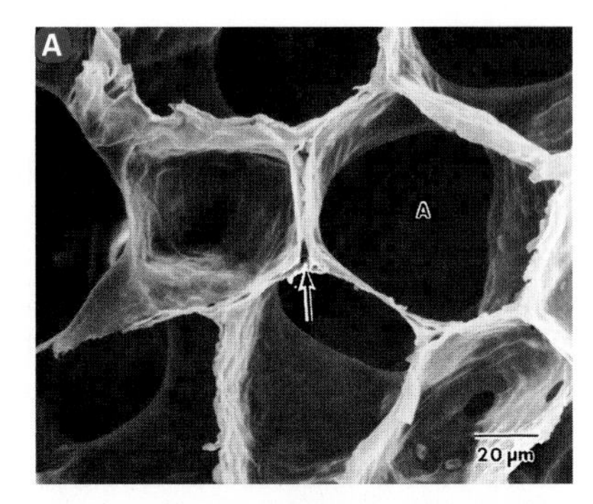

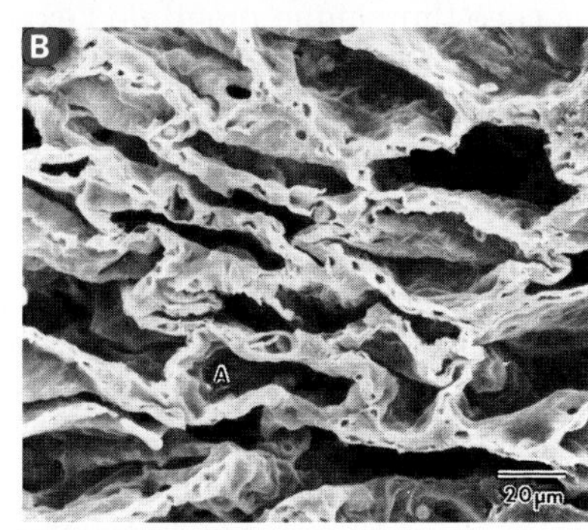

FIGURE 33.5 Micrographie électronique à balayage du parenchyme pulmonaire – A Alvéoles (A) et membrane alvéolocapillaire (flèche). B Conséquences de l'atélectasie. Les alvéoles (A) sont partiellement ou complètement affaissées.

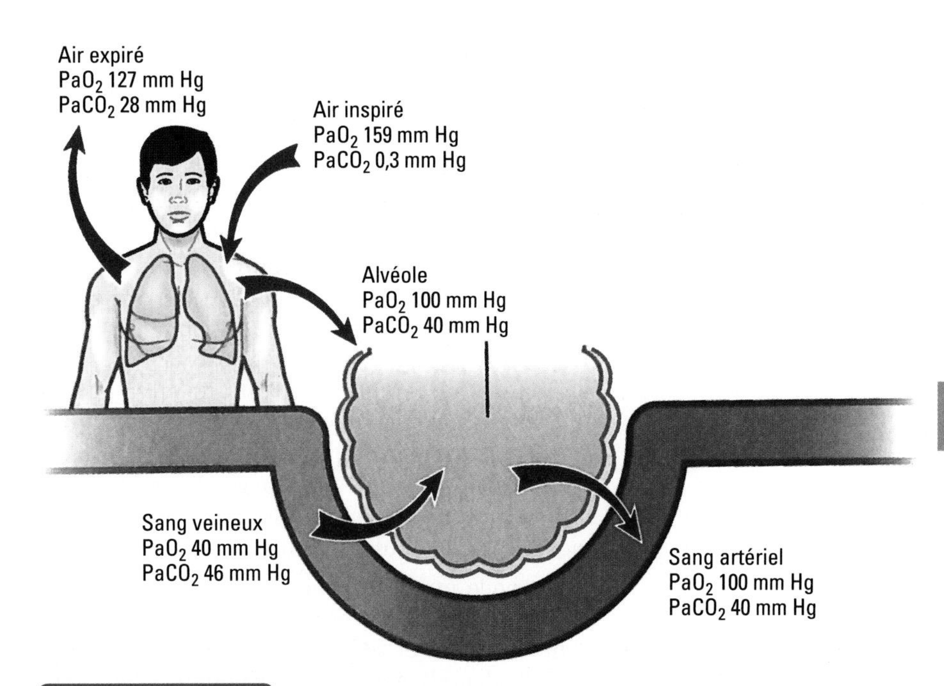

FIGURE 33.6 Pression partielle des gaz respiratoires lors d'une respiration normale – Les pressions apparaissant dans la figure sont celles de l'air inspiré dans les poumons, l'air expiré de ceux-ci, la pression dans l'alvéole pulmonaire, de même que dans les vaisseaux sanguins pulmonaires veineux et artériels.

capillaire de l'alvéole est très mince (5 mcg, soit 0,0005 cm), et les échanges gazeux ont lieu dans cette minuscule cavité **FIGURE 33.6**. Quand un œdème pulmonaire survient, il se produit une accumulation de liquide à l'intérieur du tissu interstitiel pulmonaire et des alvéoles, nuisant considérablement aux échanges gazeux.

Surfactant

On peut imaginer le poumon comme une agglutination de 300 millions de bulles (les alvéoles), chacune mesurant 0,3 mm de diamètre. On pourrait croire qu'une structure de cette ampleur est très instable, et c'est un fait que les alvéoles ont une propension à l'affaissement. Toutefois, la surface de l'alvéole présente des cellules de deux types : l'une forme la structure et l'autre produit un surfactant. Ce **surfactant** est une lipoprotéine qui diminue la tension superficielle à l'intérieur des alvéoles. Grâce à ce mélange chimique, la pression nécessaire à l'expansion alvéolaire diminue, tout comme la tendance à l'affaissement. En temps normal, une personne prend une inspiration un peu plus profonde, que l'on qualifie de soupir, à tous les cinq ou six cycles respiratoires. Ce réflexe permet une pleine expansion de l'alvéole et stimule la production de surfactant.

En l'absence d'une quantité suffisante de surfactant, l'alvéole s'affaisse. Le terme **atélectasie pulmonaire** décrit les alvéoles affaissées et vidées de leur air **FIGURE 33.5**. La personne en phase postopératoire est à risque d'atélectasie secondaire à l'anesthésie, accentuée par une respiration douloureuse et superficielle ▶ 48. Urden et ses collaborateurs (2014) précisent que dans le cas du syndrome de détresse respiratoire aigu (SDRA), un manque de surfactant peut conduire à une atélectasie étendue du poumon ▶ 51.

48

Les interventions en cas d'atélectasie secondaire à l'anesthésie sont présentées dans le chapitre 48, *Interventions cliniques – Soins postopératoires*.

51

Le syndrome de détresse respiratoire aigu est présenté dans le chapitre 51, *Interventions cliniques – Insuffisance respiratoire et syndrome de détresse respiratoire aiguë*.

Apport sanguin

On distingue deux types de circulation sanguine dans les poumons : pulmonaire et bronchique. La circulation pulmonaire fournit le sang destiné aux échanges gazeux. L'artère pulmonaire reçoit le sang désoxygéné en provenance du ventricule droit du cœur et le distribue aux capillaires pulmonaires qui se ramifient sur les alvéoles. C'est là que les transferts d'oxygène et de dioxyde de carbone s'accomplissent. Les veines pulmonaires retournent du sang oxygéné à l'oreillette gauche, puis au ventricule gauche du cœur. Celui-ci pompe ce sang riche en oxygène vers l'aorte, qui alimente alors les artères responsables de la circulation systémique. Le sang veineux est recueilli par les réseaux capillaires de l'organisme pour être acheminé vers l'oreillette droite par l'intermédiaire de la veine cave.

La circulation bronchique s'amorce dans les artères bronchiques, qui prennent naissance dans l'aorte thoracique. Cette circulation fournit de l'oxygène aux bronches et aux autres tissus pulmonaires. Le sang désoxygéné provenant de la circulation bronchique retourne à la veine cave par la veine azygos.

CE QU'IL FAUT RETENIR

La circulation pulmonaire fournit le sang destiné aux échanges gazeux, alors que la circulation bronchique fournit l'oxygène aux bronches et aux autres tissus pulmonaires.

Réactivation des connaissances

Quel est le facteur de risque d'apparition du cancer du poumon le plus important?

36

Le chapitre 36, *Interventions cliniques – Maladies pulmonaires obstructives,* traite de ce type d'affections respiratoires.

33.1.3 Paroi de la cage thoracique

La paroi thoracique est modelée, soutenue et protégée par 24 côtes (12 paires de côtes latérales). Les côtes ainsi que le sternum préservent les poumons et le cœur des blessures et forment ce qu'on appelle la cage thoracique.

La cavité thoracique est tapissée d'une membrane appelée plèvre pariétale, tandis que les poumons sont recouverts d'une membrane appelée plèvre viscérale. Ces deux feuillets – plèvres pariétale et viscérale – forment une enveloppe à double paroi. La plèvre viscérale est dépourvue de récepteurs sensoriels ou de terminaisons nerveuses, contrairement à la plèvre pariétale, ce qui explique qu'une irritation de la plèvre pariétale engendre de la douleur à l'inspiration.

L'espace entre les deux feuillets est appelé cavité pleurale. En général, cette cavité renferme entre 20 et 25 mL d'un liquide lubrifiant (liquide pleural) qui permet aux poumons de glisser aisément de bas en haut pendant la respiration et qui améliore la cohésion entre les feuillets, facilitant ainsi l'expansion de la plèvre et des poumons pendant l'inspiration.

Le liquide pleural est drainé par la circulation lymphatique. Certaines conditions pathologiques peuvent provoquer une accumulation de liquide pleural, appelée épanchement pleural. Cette accumulation peut découler d'un blocage de la circulation lymphatique (p. ex., par la présence d'une tumeur cancéreuse) ou d'un déséquilibre entre les pressions intravasculaire et oncotique, possible dans le cas d'une insuffisance cardiaque. Le liquide pleural rendu purulent par une infection bactérienne est appelé **empyème**.

Le diaphragme joue un rôle fondamental dans la respiration. Durant l'inspiration, ce muscle se contracte, provoquant une amplification de la cage thoracique et l'abaissement de la masse abdominale. Simultanément, les muscles intercostaux externes et les muscles scalènes se contractent, participant à la distension latérale et antéropostérieure du thorax. Ainsi, la cavité thoracique prend de l'expansion, la pression intrathoracique diminue, et l'air pénètre dans les poumons.

Le diaphragme se compose de deux hémidiaphragmes, chacun étant innervé par les nerfs phréniques droit et gauche. Les nerfs phréniques sont issus de la moelle épinière, entre les vertèbres C3 et C5 du plexus cervical. Un traumatisme à un nerf phrénique se traduit par une paralysie de l'hémidiaphragme, du même côté que la blessure. Une lésion médullaire qui survient au-dessus de la vertèbre C3 a pour conséquence une paralysie complète du diaphragme et la nécessité de recourir à la ventilation mécanique pour maintenir la personne en vie (Russo-McCourt, 2009).

33.1.4 Physiologie de la respiration

Ventilation

La ventilation est un double processus d'inspiration (entrée d'air dans les poumons) et d'expiration (évacuation de l'air hors des poumons). Ce mouvement d'entrée et de sortie de l'air est assuré par des variations de pression dans les voies respiratoires. En effet, la contraction et le relâchement du diaphragme et des muscles intercostaux et scalènes modifient le volume de la cavité thoracique. Lorsque la cage thoracique prend de l'expansion, la pression intrathoracique diminue. Puisqu'un gaz circule normalement d'un milieu de plus forte pression (atmosphère) vers un milieu de plus faible pression (cavité thoracique en expansion), l'oxygène de l'air ambiant peut plus facilement entrer dans la cavité thoracique, dont la pression est diminuée. En cas de **dyspnée**, les muscles du cou et des épaules peuvent soulager l'effort de respiration, en se contractant pour augmenter davantage l'expansion thoracique. Certaines conditions (p. ex., la paralysie d'un nerf phrénique, la fracture d'une côte, un trouble neuromusculaire) peuvent entraver l'expansion thoracique et, de ce fait, limiter le volume courant et les échanges gazeux.

Contrairement à l'inspiration, l'expiration calme est passive. On qualifie de retour élastique la tendance naturelle de la cage thoracique et des poumons à se relâcher sans effort après l'expansion pulmonaire. La pression intrathoracique augmente alors, provoquant l'évacuation de l'air inhalé. On comprend que l'asthme exacerbé ou une MPOC transforme le mécanisme d'expiration en un processus actif et laborieux ▶ 36.

Durant un épisode de respiration laborieuse, les muscles abdominaux et intercostaux ainsi que les muscles accessoires (p. ex., les scalènes, les trapèzes) participent à l'expulsion pulmonaire (Jarvis, 2015).

Compliance

La **compliance** (capacité de distension) mesure l'aptitude des poumons et du thorax à prendre de l'expansion. En d'autres termes, la compliance représente la capacité de la cage thoracique d'augmenter le volume inspiré en réponse à une diminution de pression intrapulmonaire. Par conséquent, l'élasticité des poumons et le retour élastique de la cage thoracique sont directement impliqués dans la respiration. Ainsi, lorsque la compliance diminue, les poumons se distendent plus difficilement. C'est ce qui se produit lorsque des fluides se logent dans les poumons (p. ex., dans le cas d'œdème pulmonaire, du SDRA, de pneumonie). D'autres conditions peuvent entraîner une perte d'élasticité tissulaire (p. ex., la fibrose pulmonaire, la sarcoïdose) ou restreindre l'expansion pulmonaire (p. ex., un épanchement pleural, un pneumothorax). La compliance est aussi perturbée lorsqu'il se produit une destruction des parois alvéolaires et une perte d'élasticité tissulaire, comme dans le cas des MPOC.

Diffusion

Des transferts d'oxygène et de dioxyde de carbone se produisent en permanence à travers la membrane capillaire de l'alvéole par la diffusion transmembranaire, une **diffusion passive**. Les déplacements obéissent au principe de diffusion moléculaire : le mouvement des molécules se fait toujours d'un milieu de concentration forte vers un milieu de concentration plus faible. Par conséquent, l'oxygène provenant de l'air atmosphérique, en plus forte concentration dans l'alvéole, migre vers le sang artériel, tandis que le dioxyde de carbone, à forte concentration dans les capillaires, pénètre dans l'alvéole. La diffusion se poursuit jusqu'à l'atteinte de l'équilibre de la concentration pour chacun des gaz.

Les artères transportent le sang riche en oxygène dans l'organisme. La capacité des poumons à oxygéner le sang artériel est mesurée par la pression partielle de l'oxygène dans le sang artériel (PaO_2) et par la saturation du sang artériel en oxygène (SaO_2). La PaO_2 représente la teneur en oxygène dans le plasma sanguin et s'exprime en millimètres de mercure (mm Hg). La SaO_2 équivaut au pourcentage d'oxygène pouvant se lier à l'hémoglobine par rapport à la quantité d'oxygène que peut normalement transporter l'hémoglobine dans le sang artériel. Par exemple, un taux de SaO_2 de 90 % indique que les liaisons que peut former l'hémoglobine avec l'oxygène sont comblées – ou saturées – à 90 %. Les valeurs normales de PaO_2 et de SaO_2 sont présentées au **TABLEAU 33.1**.

Gaz sanguins artériels

Les gaz sanguins artériels (GSA) permettent d'évaluer l'oxygénation ainsi que l'équilibre acidobasique de l'organisme (Urden, Stacy & Lough, 2014). Les données liées au sang artériel portent sur la PaO_2, la pression partielle du dioxyde de carbone dans le sang artériel ($PaCO_2$), le potentiel d'hydrogène (pH) et la teneur en bicarbonate (HCO_3^-). On mesure également la SaO_2 pendant l'analyse. Les valeurs normales des gaz sanguins artériels et veineux sont présentées au **TABLEAU 33.1**.

Un prélèvement de sang en vue de l'analyse des GSA peut être effectué par une prise de sang directement dans une artère ou par un cathéter intra-artériel, généralement situé dans l'artère radiale ou l'artère fémorale. Ce cathéter permet des prélèvements répétés sans ponction à la peau. Ce sont néanmoins deux techniques effractives ; en outre, elles ne permettent que des analyses ponctuelles. On peut aussi surveiller en continu les gaz artériels grâce à un capteur à fibres optiques ou à une électrode à oxygène, l'un ou l'autre étant introduit dans un cathéter intra-artériel.

La PaO_2 normale diminue avec l'âge. Sa valeur varie également avec l'élévation au-dessus du niveau de la mer ; à mesure que l'on s'élève en atmosphère, la pression barométrique décroît, et l'air s'appauvrit en oxygène. La personne inhale donc moins d'oxygène et présente une PaO_2 plus faible.

Sang veineux mêlé

Chez une personne dont la fonction cardiaque est normale ou proche de la normale, la mesure de la

33

TABLEAU 33.1 Valeurs normales des gaz sanguins artériels et veineux avec fraction d'oxygène inspiré (FiO_2) 21 % (air ambiant)

GAZ ARTÉRIELS			GAZ VEINEUX	
ANALYSES DE LABORATOIRE	**NIVEAU DE LA MER (PA 760 mm Hg)**	**1 600 m AU-DESSUS DU NIVEAU DE LA MER (PA 629 mm Hg)**	**SANG VEINEUX MÊLÉ**	
pH	7,35-7,45	7,35-7,45	pH	7,32-7,43
PaO_2[a]	75-100 mm Hg	65-75 mm Hg	PvO_2	38-42 mm Hg
SaO_2[a]	> 95 %[b]	> 95 %[b]	SvO_2	60-80 %[b]
$PaCO_2$	35-45 mm Hg	35-45 mm Hg	$PvCO_2$	38-55 mm Hg
HCO_3^-	22-26 mEq/L (mmol/L)	22-26 mEq/L (mmol/L)	HCO_3^-	22-26 mEq/L (mmol/L)

[a] Les valeurs diminuent avec l'âge. Voir le tableau 33.4.

[b] Les valeurs normales sont les mêmes lorsque la SpO_2 et la SvO_2 sont obtenues par saturométrie.

PA : pression atmosphérique ; $PaCO_2$: pression partielle du dioxyde de carbone dans le sang artériel ; HCO_3^- : bicarbonate ; PvO_2 : pression partielle de l'oxygène dans le sang veineux ; SpO_2 : saturation pulsatile en oxygène ; SvO_2 : saturation du sang veineux mélangé en oxygène ; $PvCO_2$: pression partielle du dioxyde de carbone dans le sang veineux.

PaO_2 ou de la SaO_2 permet généralement d'évaluer la qualité de l'oxygénation organique. La personne qui souffre d'insuffisance cardiaque ou d'instabilité hémodynamique peut accuser un manque d'oxygénation des organes ou présenter une consommation anormalement élevée d'oxygène. Il est possible de calculer la quantité d'oxygène acheminée aux organes et consommée par l'organisme par l'analyse des gaz sanguins veineux à l'aide d'un prélèvement de sang veineux mêlé. Les valeurs normales du sang veineux mêlé sont présentées dans le **TABLEAU 33.1**.

Un cathéter implanté dans l'artère pulmonaire, appelé cathéter de l'artère pulmonaire, permet de recueillir du sang provenant du retour veineux, directement dans l'artère pulmonaire, et de prendre la mesure de la saturation du sang veineux mélangé en oxygène (SvO_2) . Une baisse de la SvO_2 indique une diminution de la disponibilité de l'oxygène aux organes ou une augmentation de la demande tissulaire en oxygène. Une SvO_2 normale se situe entre 60 et 80 %. La différence de valeur entre la SaO_2 et la SvO_2 donne une indication sur la consommation d'oxygène par les tissus (Urden *et al.*, 2014). Lorsque les processus de saturation de l'hémoglobine en oxygène ou de libération de l'oxygène par l'hémoglobine dans les tissus sont inefficaces, la PvO_2 et la SvO_2 fluctuent.

Figure 33.1W : *Oxymètre de pouls.*

Saturométrie

Les valeurs des GSA renseignent l'infirmière sur la qualité de l'oxygénation et l'équilibre acidobasique. Néanmoins, ces mesures supposent des interventions effractives et de possibles saignements au site de la prise de sang, en plus de nécessiter des analyses en laboratoire. Potter et Perry (2016) expliquent que l'on peut surveiller la SpO_2 en utilisant un saturomètre (aussi appelé oxymètre de pouls ou sphygmooxymètre). La saturométrie mesure l'oxygène lié à l'hémoglobine. L'abréviation SpO_2 indique une mesure de la saturation en oxygène prise par le saturomètre (ou oxymétrie pulsée). On peut suivre la SpO_2 et le pouls par affichage numérique sur un moniteur.

Jugement clinique

Denise Dumont, âgée de 42 ans, souffre d'anémie sévère. Elle est dyspnéique 8/10 malgré une SpO_2 à 100 %. Expliquez comment cela est possible.

La saturométrie trouve une utilité particulière au service des soins intensifs et en situation périopératoire, lorsqu'un état de sédation ou une perte de conscience peuvent masquer des signes d'hypoxie **TABLEAU 33.2**. La SpO_2 – mesure prise au moment de la surveillance des signes vitaux d'une personne hospitalisée – permet une analyse rapide des changements dans l'oxygénation et favorise un traitement sans délai **TABLEAU 33.3**. On peut également recourir au saturomètre au cours d'un test d'effort ou dans le cadre d'une oxygénothérapie de longue durée qui nécessite le monitorage du débit d'oxygène. Toutefois, la saturométrie ne peut fournir à elle seule un tableau complet de la ventilation pulmonaire et de l'équilibre acidobasique d'une personne, de sorte que les valeurs des GSA demeurent essentielles.

L'analyse par saturométrie perd de sa précision lorsque la SpO_2 est inférieure à 75 %. À ce seuil, le saturomètre affiche une valeur dont la marge d'erreur est généralement de ±4 %. Par exemple, si la SpO_2 se situe à 70 %, sa valeur réelle pourrait être comprise entre 66 et 74 %. La méthode perd également de sa fiabilité lorsque d'autres molécules que l'oxygène sont combinées à l'hémoglobine (p. ex., la carboxyhémoglobine, la méthémoglobine). D'autres facteurs peuvent influer sur la précision de la saturométrie : hypotension, mouvements, vasoconstriction, anémie, refroidissement des extrémités, éclairage fluorescent trop puissant, colorants intravasculaires, ongles en acrylique de bonne épaisseur et carnation foncée. L'infirmière qui craint une lecture imprécise de la SpO_2 devrait obtenir une analyse des GSA (i+).

33.1.5 Régulation de la respiration

La régulation de la respiration est assurée par le bulbe rachidien et la protubérance, situés dans la partie basale du tronc cérébral ; celui-ci réagit aux variations chimiques et mécaniques de l'organisme. Les signaux sont acheminés du tronc cérébral aux muscles respiratoires par l'entremise de la moelle épinière et des nerfs phréniques.

Chimiorécepteurs

Un **chimiorécepteur** est un récepteur sensible aux variations de la constitution chimique des fluides qui l'entourent. Les chimiorécepteurs centraux se trouvent dans le bulbe rachidien et réagissent aux variations de la concentration en ions hydrogène (H^+) dans le liquide cérébrospinal (LCS). Une augmentation de la présence d'ions H^+ (acidose) dans le LCS pousse le bulbe rachidien à augmenter la fréquence respiratoire (F.R.) et, par conséquent, le volume courant. À l'inverse, une baisse d'ions H^+ (alcalose) dans le LCS produit un ralentissement de la F.R. Des changements dans la $PaCO_2$ modifient la fonction de ventilation principalement à cause de leurs effets sur le pH du LCS. Une hausse croissante de la $PaCO_2$ signifie que la quantité de CO_2 apte à se combiner avec l'oxyde d'hydrogène (H_2O) est plus importante et forme davantage d'acide carbonique (H_2CO_3). Cela a pour effet d'abaisser le pH du LCS, puis d'accélérer la fréquence respiratoire. Le processus contraire survient lorsque la $PaCO_2$ diminue.

Les chimiorécepteurs périphériques sont situés dans les corpuscules carotidiens, dans l'angle de bifurcation des artères carotides, et dans les corpuscules aortiques situés au-dessus et en dessous de la crosse de l'aorte. Ces chimiorécepteurs périphériques sont sensibles aux diminutions de la PaO_2 et du pH sanguin ainsi qu'aux augmentations de la $PaCO_2$. Ces changements sont également déterminants dans la régulation de la respiration.

Chez une personne en bonne santé, la $PaCO_2$ et le pH sont les facteurs les plus influents de la respiration. Une augmentation de la $PaCO_2$ ou une diminution du pH provoque instantanément une accélération de la fréquence respiratoire. Le processus est extrêmement précis, et la $PaCO_2$ ne varie généralement pas de plus de 3 mm Hg dans un poumon sain. Une MPOC peut perturber les fonctions pulmonaires et engendrer des hausses permanentes du dioxyde de carbone dans le sang, qui ne seront alors plus perçues par les chimiorécepteurs centraux. Dans ces circonstances, il se peut que les augmentations de la $PaCO_2$ n'agissent pas comme incitatif à la respiration. Celle-ci ne sera alors influencée que par les variations de PaO_2, un stimulus beaucoup moins important que la $PaCO_2$ et qui n'agit que sur les chimiorécepteurs périphériques.

Mécanorécepteurs

Les **mécanorécepteurs** (récepteurs juxtacapillaires et récepteurs à l'irritation) sont situés dans les poumons, les voies respiratoires supérieures, la paroi thoracique et le diaphragme. Ils sont stimulés par divers facteurs physiologiques tels que les matières irritantes, l'étirement musculaire et la pression sur la paroi alvéolaire. Les signaux provenant des mécanorécepteurs musculaires concourent à la régulation de la respiration. Tandis que les poumons se gonflent, les récepteurs musculaires transmettent l'information au centre de contrôle (bulbe rachidien) pour que cesse la distension pulmonaire. Ce réflexe de distension pulmonaire, appelé **réflexe de Hering-Breuer**, inhibe l'inspiration lorsque le poumon est distendu. Les impulsions transmises par les mécanorécepteurs voyagent par le nerf vague jusqu'au cerveau. On pense que les récepteurs juxtacapillaires sont responsables de l'accélération de la respiration (tachypnée) observée dans le cas d'un œdème pulmonaire. L'infiltration de fluide dans l'espace interstitiel pulmonaire suffit à stimuler ce type de récepteurs.

TABLEAU 33.2 Signes et symptômes d'oxygénation systémique insuffisante

SIGNES ET SYMPTÔMES	DÉBUT	
	TÔT	TARDIF
Système nerveux central		
Anxiété inexpliquée	X	
Agitation ou irritabilité inexpliquées	X	
Confusion ou léthargie inexpliquées	X	X
Combativité		X
Coma		X
Fonction respiratoire		
Tachypnée	X	
Dyspnée d'effort	X	
Dyspnée de repos		X
Utilisation des muscles accessoires		X
Tirage intercostal à l'inspiration		X
Pause pour respirer entre les phrases, les mots		X
Fonction cardiovasculaire		
Tachycardie	X	
Hypertension légère	X	
Arythmies (p. ex., des extrasystoles ventriculaires)	X	X
Hypotension		X
Cyanose		X
Peau moite et froide		X
Autres		
Diaphorèse	X	X
Diminution du débit urinaire	X	X
Fatigue inexpliquée	X	X

33.1.6 Mécanismes de défense des voies respiratoires

Les mécanismes de défense des voies respiratoires protègent le système respiratoire des particules, des microorganismes et des gaz toxiques inhalés. Parmi ces défenses, citons : la capacité de filtration de l'air, la clairance mucociliaire, le réflexe tussigène, la bronchoconstriction et les macrophages alvéolaires.

Filtration de l'air

Ce sont les poils du nez qui filtrent d'abord l'air inhalé. Ensuite, les brusques changements de direction de l'air pendant son passage dans le nasopharynx et le larynx engendrent un état de turbulence ; les particules et les bactéries sont le plus souvent arrêtées de cette manière, en adhérant aux muqueuses qui tapissent ces structures. La plupart des particules de plus de 5 mcg de diamètre sont ainsi repoussées.

La vitesse de l'air inhalé diminue radicalement passé le seuil du larynx, ce qui facilite le dépôt des plus petites particules (celles de 1 à 5 mcg). Elles se déposent de la même manière que le sable sur le lit d'une rivière, un phénomène

Jugement clinique

Fernand Roy est atteint d'emphysème sévère et chronique. Il est sous oxygénothérapie constante depuis son admission. Ce matin, vous contrôlez sa saturation : elle est à 100 %. Expliquez pourquoi vous devez immédiatement diminuer le débit d'oxygène.

TABLEAU 33.3	Valeurs critiques[a] de la PaO_2 et de la SpO_2[b]	
PaO_2	SpO_2	CONSIDÉRATIONS
≥ 70 mm Hg	≥ 94 %	Est suffisant sauf si le client est instable sur le plan hémodynamique ou que l'hémoglobine ne libère pas assez d'oxygène vers les tissus (c.-à-d. que la courbe de dissociation de l'oxyhémoglobine est décalée vers la gauche).
60 mm Hg	90 %	Est suffisant chez la plupart des clients. L'oxygénation est acceptable, mais la marge d'erreur est inférieure à celle des résultats précédents. Surveiller étroitement l'état clinique du client.
55 mm Hg	88 %	Peut être suffisant pour les clients souffrant d'hypoxémie chronique sans trouble cardiaque (p. ex., la MPOC). Ces valeurs représentent aussi un critère pour la prescription d'oxygénothérapie continue.
40 mm Hg	75 %	Est insuffisant, mais acceptable à court terme si le client présente une rétention de CO_2. Dans ce cas, la respiration peut être stimulée par une faible PaO_2 ; la PaO_2 ne peut alors s'élever rapidement.
< 40 mm Hg	< 75 %	Est insuffisant. Une hypoxie tissulaire systémique et des arythmies cardiaques graves peuvent survenir.

[a] Les données sont valables au repos ou à l'épreuve d'effort.

[b] Les valeurs normales sont les mêmes pour la SpO_2 et la SaO_2. La SpO_2 n'est plus fiable si sa valeur est < 75 %.

comparable à la sédimentation. Les particules de taille inférieure à 1 mcg sont cependant trop fines pour se déposer et finissent leur parcours dans les alvéoles. La poussière de charbon, par exemple, est un type de particules susceptibles de s'accumuler dans les poumons, et elles peuvent provoquer la pneumoconiose ▶ 35. La grosseur des particules est donc un élément de considération important; celles qui dépassent la taille de 5 mcg se révèlent forcément moins nocives puisqu'elles sont bloquées dans le nasopharynx ou les bronches, loin des alvéoles pulmonaires.

35

La pneumoconiose est expliquée dans le chapitre 35, *Interventions cliniques – Troubles des voies respiratoires inférieures.*

Clairance mucociliaire

Sous le larynx, la mobilité du mucus est assurée par une fonction de **clairance mucociliaire**, également appelée escalier mucociliaire. Le terme décrit la relation entre la sécrétion muqueuse et l'activité ciliaire. Le mucus est produit de manière continue à raison de 100 mL par jour environ par des cellules caliciformes et des glandes submuqueuses. Il forme un tapis glaireux qui retient les particules et les débris happés au passage des régions pulmonaires distales **FIGURE 33.2**. La faible quantité de mucus normalement produite est avalée, sans que la personne en ait conscience, puis absorbée par la voie digestive. L'anticorps sécrétoire A (IgA) du mucus constitue une autre défense contre les bactéries et les virus. Des cils vibratiles tapissent les voies respiratoires de la trachée jusqu'aux bronchioles respiratoires. Chaque cellule ciliée renferme quelque 200 cils qui battent de manière coordonnée à une fréquence de 1 000 fois à la minute dans les bronches, forçant le mucus à remonter jusqu'à la bouche. À proximité de l'arbre trachéobronchique, la vibration ciliaire ralentit, ce qui signifie que les particules logées plus profondément dans les voies respiratoires sont évacuées plus lentement. L'activité ciliaire est entravée par la déshydratation, le tabagisme, l'inhalation de fortes doses d'oxygène, les infections et la prise de médicaments tels que l'atropine et les anesthésiques, ou encore par l'alcool et la cocaïne. Les personnes atteintes de MPOC ou de mucoviscidose sont plus vulnérables aux infections respiratoires. Il est fréquent que des cils vibratiles soient détruits des suites d'une infection, entravant la fonction de clairance mucociliaire et provoquant une toux productive chronique, une colonisation bactérienne également chronique, ayant pour effet de multiplier les infections respiratoires.

Réflexe tussigène

Parce qu'elle permet d'expulser de l'air avec force et rapidité, la toux est un acte réflexe destiné à dégager les voies aériennes. Elle supplée à la fonction de clairance mucociliaire, en particulier lorsque ce mécanisme est congestionné et que sa fonction est inefficace. La toux n'est pas seulement utile pour expectorer les sécrétions qui se trouvent au-dessus du niveau sous-segmentaire (bronches et trachée); elle permet également de faire remonter les sécrétions plus profondes grâce au mécanisme de l'escalier mucociliaire, de sorte que la personne peut finalement expectorer.

Bronchoconstriction

Un autre mécanisme de défense est celui de la bronchoconstriction réflexe. Lorsqu'une personne inhale des substances irritantes en quantité importante (p. ex., de la poussière, un aérosol), les bronches se contractent pour leur bloquer le passage. La personne dont les voies respiratoires montrent une hyperréactivité, celle qui est asthmatique notamment, peut ressentir une bronchoconstriction à la simple inhalation d'air froid, de parfum ou d'odeurs fortes.

Macrophages alvéolaires

Étant donné l'absence de cellules ciliées au-delà des bronchioles respiratoires, le principal mécanisme de défense du tissu alvéolaire repose sur la fonction phagocytaire des macrophages. Les macrophages alvéolaires s'attaquent rapidement aux corps étrangers, telles les bactéries, les débris étant repoussés vers les bronchioles et pris en charge par les cils vibratiles ou évacués des poumons par la circulation lymphatique. Les particules plus difficiles à phagocyter (p. ex., la poussière de charbon, les particules de silice) ont tendance à demeurer dans les poumons pour un temps indéfini et peuvent provoquer des réactions inflammatoires. Il faut cependant souligner que le tabagisme entrave l'activation des macrophages alvéolaires, et encore plus si le fumeur est exposé dans le cadre de son travail à de fortes retombées de poussières (p. ex., dans le secteur minier ou les fonderies). Ces situations placent la personne devant un risque accru de maladie pulmonaire.

Considérations gérontologiques

EFFETS DU VIEILLISSEMENT SUR LE SYSTÈME RESPIRATOIRE

Les transformations du système respiratoire liées à l'âge touchent les structures, les mécanismes de défense et la régulation de la respiration **TABLEAU 33.4**. Les effets sur les structures comprennent le raidissement de la paroi thoracique, la diminution du retour élastique pulmonaire et une perte de la compliance pulmonaire. Le diamètre antéropostérieur de la cage thoracique ainsi que le volume résiduel (V.R.) augmentent. Avec le temps, les cartilages costaux se calcifient, entravant l'expansion thoracique. La courbure de la colonne vertébrale devient plus prononcée vers l'extérieur – un état accentué par la présence d'ostéoporose –, et la cambrure lombaire s'aplatit. Voilà pourquoi le thorax prend souvent une forme en tonneau, ce qui suppose que la personne âgée doive compter sur des muscles accessoires pour bien respirer.

Bon nombre de personnes âgées perdent du tissu adipeux sous-cutané, les éminences osseuses devenant ainsi plus marquées. Dans le poumon même, les alvéoles fonctionnelles diminuent en nombre et perdent de l'élasticité. Les bronchioles s'obturent plus rapidement durant l'expiration. Par conséquent, une plus grande fraction de l'air inhalé est distribuée dans les régions pulmonaires supérieures, ce qui augmente l'espace mort anatomique, et la région moins bien ventilée est aussi moins bien perfusée ; la PaO_2 diminue. Cela explique que la personne âgée est moins tolérante à l'effort et pourra plus facilement souffrir de dyspnée (Jarvis, 2015).

Les mécanismes de défense du système respiratoire perdent également de leur efficacité puisque la fonction d'immunité à médiation cellulaire et la production des anticorps sont toutes deux touchées par le vieillissement. La phagocytose par les macrophages alvéolaires ralentit. Une personne âgée tousse de façon moins productive, et sa fonction ciliaire décline. Les membranes muqueuses s'assèchent, et l'épuration du mucus se fait moins bien ; tout cela est propice aux infections respiratoires chez la personne âgée. La production de l'IgA, un mécanisme important dans la réaction antivirale, diminue de la même manière. Même la déglutition ralentit, non seulement à cause de la perte sensorielle du passage pharyngé, mais parce que le transit y est également plus long. Pour peu que la personne âgée éprouve des troubles neurologiques concomitants, le risque d'aspiration devient important (Bouchard, Presse & Ferland, 2009) ▶ 5.

Des changements physiologiques perturbent également la régulation de la respiration et se traduisent par une réponse moins spontanée aux variations de concentrations en oxygène et en dioxyde de carbone dans le sang. La chute ou la hausse de la PaO_2 doit être plus marquée avant que se produise une modification de la fréquence respiratoire.

Ces changements physiologiques peuvent grandement varier d'une personne à l'autre dans un même groupe d'âge. Quel que soit le traitement, les résultats sont généralement en deçà du dénouement escompté quand il s'agit de soigner un fumeur de longue date, une personne obèse ou une personne atteinte de maladie chronique.

5

Le processus de vieillissement est expliqué dans le chapitre 5, *Maladies chroniques et personnes âgées.*

Changements liés à l'âge

TABLEAU 33.4 Système respiratoire

CHANGEMENTS	OBSERVATIONS AU COURS DE L'ÉVALUATION
Structures	
• Raidissement de la paroi thoracique • Calcification du cartilage costal • ↓ retour élastique • ↓ compliance de la paroi thoracique • ↑ diamètre antéropostérieur • ↓ alvéoles fonctionnelles • ↓ force musculaire expiratoire	• Thorax en tonneau ; hypercyphose ; ↓ mouvements de la paroi thoracique ; ↓ amplitude respiratoire ; ↑ viscosité du mucus • ↓ capacité vitale ; ↑ volume résiduel ; ↑ capacité résiduelle fonctionnelle • Bruits respiratoires diminués, surtout à la base des poumons ; ↓ PaO_2 (> 80 ans : 60 à 80 mm Hg) ; pH et $PaCO_2$ normaux
Mécanismes de défense	
• ↓ immunité à médiation cellulaire • ↓ anticorps spécifiques • ↓ activité ciliaire • ↓ force de la toux • ↓ efficacité des macrophages alvéolaires • ↓ sensibilité du pharynx	• ↓ efficacité de la toux ; ↑ élimination des sécrétions • ↑ risque d'aspiration dans les voies respiratoires supérieures • ↑ risque d'infections (grippe, pneumonie) • Risque d'infections respiratoires plus graves et plus persistantes
Régulation de la respiration	
• ↓ réponse à l'hypoxémie • ↓ réponse à l'hypercapnie	• Plus grandes ↓ de PaO_2 ou ↑ de $PaCO_2$ entraînant les changements de F.R. • ↓ capacité de conserver l'équilibre acidobasique • Risque d'hypoxémie ou d'hypercapnie majeure provoquée par des situations de la vie quotidienne • Valeurs de la PaO_2 et de la SpO_2 pouvant être modifiées de façon marquée par une accumulation de sécrétions, une sédation prolongée ou une position qui entrave l'expansion thoracique

Jugement clinique

Aaron Cohen, âgé de 56 ans, s'est présenté au service des soins courants du CLSC de son quartier parce qu'il tousse fréquemment. Vous procédez à l'évaluation initiale de son état respiratoire pour en savoir plus sur sa toux. Quelles questions correspondant à la lettre « P » de PQRSTU pourriez-vous lui poser ? Nommez-en deux.

33.2 Examen clinique du système respiratoire

L'exactitude du diagnostic dépend autant de la précision des données recueillies au chapitre des antécédents de santé que des données provenant de l'examen clinique de la personne. L'évaluation du système respiratoire peut faire partie d'un examen physique exhaustif ou peut être l'objet de l'examen clinique en soi. L'infirmière fait appel à son jugement clinique pour déterminer dans quelle mesure elle doit rassembler tous les éléments de l'histoire de santé et pour décider si elle doit procéder à un examen physique complet ou à un examen orienté sur un symptôme, compte tenu des troubles évoqués par la personne et le degré de sa détresse respiratoire. Si cette détresse est grave, il vaut mieux se restreindre à recueillir l'information pertinente au problème et procéder à une évaluation plus exhaustive une fois l'état de la personne stabilisé.

33.2.1 Données subjectives

Renseignements importants concernant l'évaluation d'un symptôme (PQRSTU)

La méthode PQRSTU permet de rassembler toutes les informations pertinentes relatives au symptôme du client **TABLEAU 33.5**. Elle peut être utilisée autant pour l'évaluation de la dyspnée que des signes (p. ex., la toux, les sécrétions) et symptômes (p. ex., la fatigue, la faiblesse, la douleur thoracique) associés. Cette évaluation permettra à l'infirmière d'évaluer l'état respiratoire du client de manière systématique sans oublier d'éléments.

Collecte des données

TABLEAU 33.5 Étapes de l'évaluation de symptômes liés au système respiratoire (PQRSTU)

P PROVOQUER / PALLIER / AGGRAVER	**EXEMPLES DE QUESTIONS**
L'infirmière doit rechercher ce qui a provoqué le symptôme respiratoire chez le client, par exemple, la dyspnée. Afin d'y parvenir, elle pose des questions simples, mais précises (Jarvis, 2015).	• Qu'est-ce qui cause votre essoufflement? • Avez-vous déjà présenté de l'essoufflement? Si oui, quelle en était la cause?
L'infirmière pourra poursuivre son questionnaire en validant avec le client ce qui lui a permis de diminuer son essoufflement au cours d'épisodes de dyspnée antérieurs («pallier»), ou au contraire ce qui a aggravé son essoufflement.	• Qu'avez-vous fait pour diminuer votre essoufflement? • Y a-t-il une position qui vous aide lorsque vous êtes essoufflé? Laquelle?
Q QUALITÉ / QUANTITÉ	**EXEMPLES DE QUESTIONS**
L'infirmière doit obtenir une description la plus détaillée possible du symptôme évalué. Dans l'exemple de la dyspnée, l'infirmière amène le client à préciser la qualité de son essoufflement.	• Pouvez-vous me décrire votre essoufflement? • Êtes-vous davantage essoufflé lorsque vous inspirez ou lorsque vous expirez? • Votre essoufflement est-il plus important que d'habitude?
De plus, il est essentiel de quantifier l'épisode de dyspnée sur l'échelle de Borg de 0 à 12, où 0 correspond à l'absence d'essoufflement et où 12 représente l'essoufflement maximal ressenti par le client.	• Sur une échelle de 0 à 12 (où 0 signifie pas du tout essoufflé et 12 représente le pire essoufflement possible), à combien se situe votre essoufflement présentement?
R RÉGION / IRRADIATION	**EXEMPLE DE QUESTION**
L'infirmière valide avec le client la région touchée par le symptôme. Généralement, dans le cas de dyspnée, on se limite à la région thoracique. Par contre, il est important de valider avec le client l'irradiation possible du malaise causé par la dyspnée sur d'autres régions du corps, par exemple, le dos.	• À part la difficulté respiratoire au niveau de votre thorax, y a-t-il d'autres endroits qui vous incommodent lorsque vous respirez?
S SYMPTÔMES ET SIGNES ASSOCIÉS / SÉVÉRITÉ	**EXEMPLES DE QUESTIONS**
L'infirmière valide auprès du client les symptômes et les signes associés qui peuvent accompagner la dyspnée. Des questions précises lui permettent d'obtenir des renseignements pertinents concernant l'état respiratoire du client. Il est recommandé d'utiliser la méthode PQRSTU pour évaluer chacun des signes et symptômes relatifs au système respiratoire, par exemple, la toux, la douleur ou les sécrétions.	• Toussez-vous? • Avez-vous des expectorations? • Présentez-vous des sueurs lorsque vous avez de la difficulté à respirer? • Le simple fait de respirer vous incommode-t-il ou vous cause-t-il de la douleur?
T TEMPS / DURÉE	**EXEMPLES DE QUESTIONS**
L'infirmière tente de connaître le moment précis où le symptôme a débuté. Dans le cas de la dyspnée, le temps d'origine est souvent associé au facteur provoquant. Il devient alors essentiel d'insister sur la durée de l'épisode dyspnéique afin de distinguer un problème aigu (soudain) d'un problème évolutif (progressif). Par contre, l'apparition de la toux peut s'être produite de manière insidieuse. L'infirmière se doit alors de questionner le client sur le moment précis où il a remarqué l'apparition des différents signes et symptômes associés.	• Depuis combien de temps êtes-vous essoufflé? • Pouvez-vous me dire quand exactement votre essoufflement a commencé?
U (*UNDERSTANDING*) COMPRÉHENSION ET SIGNIFICATION POUR LE CLIENT	**EXEMPLE DE QUESTION**
L'infirmière tente de valider la compréhension du client et d'obtenir la signification du symptôme ressenti pour lui. La réponse du client à une question simple permet souvent à l'infirmière de valider la compréhension du client quant à son problème respiratoire.	• Que signifie pour vous d'être essoufflé ainsi?

Le **TABLEAU 33.6** propose aussi une grille pour procéder à une évaluation ciblée de l'état respiratoire d'un client.

L'infirmière porte une attention spéciale aux douleurs thoraciques afin d'écarter la possibilité d'un trouble cardiaque. La pleurésie, la fracture de côtes et la costochondrite (inflammation des cartilages costaux) constituent également des causes de douleur thoracique. La douleur pleurétique se définit comme une douleur aiguë et localisée, en coup de poignard, et est provoquée par le mouvement ou la respiration profonde. La fracture de côtes engendre une douleur aiguë et localisée pendant la respiration. La douleur de la costochondrite se situe le long des bords du sternum et accompagne la respiration.

L'infirmière doit analyser et consigner les manifestations courantes de troubles respiratoires (p. ex., la toux, la dyspnée, des expectorations). Il est également utile de décrire l'évolution de la maladie, de préciser son origine, les signes et les symptômes associés ainsi que les facteurs qui soulagent ou aggravent l'état de la personne. Étant donné la nature des troubles respiratoires chroniques, il se peut que le client interprète une détérioration de son état comme un changement de symptôme plutôt que l'apparition d'un nouveau symptôme. L'infirmière veille à bien noter par écrit les changements d'état puisqu'ils décrivent souvent la cause de la maladie. Par exemple, un essoufflement ou encore une augmentation des expectorations ou leur soudaine purulence pourraient révéler une aggravation marquée de la MPOC.

En cas de toux, il faut en évaluer la nature et l'ampleur. Une toux productive révèle la présence de sécrétions ; une toux sèche et quinteuse signale une irritation ou une obstruction des voies aériennes ; une toux râpeuse, semblable à un jappement, indique une possible obstruction des voies respiratoires supérieures, caractéristique d'une inhibition du mouvement des cordes vocales par un œdème sous-glottique. L'infirmière évalue l'efficacité de la toux à éliminer les sécrétions des voies aériennes et indique si le réflexe tussigène fait monter ou non des sécrétions. Il lui faut définir s'il s'agit d'une toux aiguë ou chronique (qui persiste plus de trois semaines) ou si le trouble a débuté par une infection des voies respiratoires supérieures.

Si la personne présente une toux productive, l'infirmière analyse les caractéristiques des expectorations : quantité, couleur, consistance et odeur. On peut évaluer la quantité quotidienne en termes de cuillère à thé, de cuillère à soupe ou de tasse (respectivement 5 mL, 15 mL et 250 mL). Il faut aussi consigner tout changement récent de production. Normalement, les expectorations sont transparentes ou blanchâtres. Chez le fumeur, elles peuvent passer de transparentes à grises, possiblement tachetées de brun. Les expectorations d'une personne qui souffre de MPOC peuvent être claires, blanchâtres, jaunâtres, en particulier le matin au lever. Une personne qui a observé un changement par rapport à la normale présente peut-être des complications pulmonaires. Par exemple, chez une personne atteinte d'une MPOC,

Collecte des données

TABLEAU 33.6 Évaluation ciblée du système respiratoire

CETTE LISTE DE CONTRÔLE PERMET DE VÉRIFIER QUE LES ÉTAPES CLÉS DE L'ÉVALUATION ONT ÉTÉ RÉALISÉES.		
Données subjectives		
Interroger le client sur les éléments suivants :		
Essoufflement	Oui	Non
Expectoration (couleur, quantité)	Oui	Non
Douleur à la respiration	Oui	Non
Toux	Oui	Non
Données objectives – Examen physique		
Observer		
Respiration (amplitude, fréquence et rythme)		☐
Inspecter		
Peau et ongles (intégrité et couleur)		☐
Cou (position de la trachée)		☐
Forme, symétrie et mouvement de la paroi thoracique		☐
Palper		
Frémissement tactile		☐
Test du pli cutané		☐
Percuter		
Cage thoracique postérieure et antérieure		☐
Ausculter		
Poumons (bruits respiratoires)		☐
Recherche de bruits adventices		☐
Données objectives – Examens paracliniques		
Vérifier les résultats des examens suivants :		
Saturométrie (SpO_2)		☐
GSA		☐
Radiographie pulmonaire		☐
Hémoglobine (Hb), hématocrite (Ht) et globules blancs (GB)		☐

des sécrétions vertes dénotent la présence d'une infection respiratoire qui nécessite un traitement aux antibiotiques. Les expectorations peuvent changer de consistance ; il faut noter si elles sont épaisses, liquides ou teintées de sang ou s'il s'agit d'**expectorations spumeuses**. Ce sont des changements qui peuvent signaler une déshydratation, un écoulement postnasal ou sinusal, voire un œdème pulmonaire. En temps normal, les expectorations devraient également être inodores ; une odeur nauséabonde ou une haleine particulièrement fétide – tout comme un très mauvais goût dans la bouche – font soupçonner une origine infectieuse. On demande au client si la production d'expectoration est déclenchée par un changement de posture (p. ex., de longues heures passées couché) ou un changement au mode de vie active. L'infirmière doit aider le client à reconnaître les changements dans ses sécrétions et à agir rapidement en cas de détérioration.

Au moment d'analyser le mucus, il importe de savoir si la personne a craché du sang venant des voies respiratoires (**hémoptysie**). L'hémoptysie se traduit par la présence de sang dans le mucus. Une hémoptysie importante (de 100 à 600 mL de sang en 24 heures) commande une intervention d'urgence.

Il arrive fréquemment que la personne ne puisse distinguer l'hémoptysie et l'**hématémèse** (vomissement de sang). L'infirmière pose des questions précises au client et vérifie l'acidité du mucus (un pH acide est synonyme d'hématémèse), ce qui devrait aider à poser un jugement clinique. L'hémoptysie est associée à un éventail de troubles comme la pneumonie, la tuberculose, un cancer du poumon ou des bronchectasies graves.

Histoire de santé (AMPLE)

La méthode AMPLE permet de faire une évaluation systématique et complète de l'histoire de santé du client, sans oublier d'éléments.

A Allergies / réactions

Lorsque l'infirmière vérifie la fréquence des troubles des voies respiratoires supérieures (p. ex., les rhumes, des maux de gorge, des sinusites, des allergies), elle vérifie s'ils sont liés aux changements saisonniers. L'infirmière demande au client sujet aux allergies si certains facteurs aggravent ses symptômes. Il peut s'agir de médicaments, du pollen, de la fumée, de la moisissure ou de la présence d'un animal domestique. Elle consigne par écrit les caractéristiques des réactions allergiques ainsi que leur gravité : écoulement nasal, *wheezing*, irritation de la gorge ou serrement de poitrine, par exemple. La fréquence des crises d'asthme et les causes connues d'aggravation sont également notées. L'infirmière dresse l'historique des troubles des voies respiratoires inférieures tels que l'asthme, les pneumonies, la tuberculose ou toute MPOC. Il est fréquent que les symptômes respiratoires soient liés à des pathologies mettant en cause d'autres systèmes. Pour cette raison, l'infirmière s'informe des autres troubles de santé de la personne qui ne sont pas liés au système respiratoire. À titre d'exemple, une insuffisance cardiaque peut entraîner une dyspnée ; ou encore, des infections pulmonaires peuvent survenir à répétition chez la personne infectée par le virus de l'immunodéficience humaine (VIH), puisque ses défenses immunitaires sont compromises ▶ 15.

M Médicaments

L'infirmière dresse les antécédents pharmaceutiques de la personne, soit les médicaments prescrits et ceux offerts en vente libre. Elle demande au client de préciser le nom de chaque substance et sa raison d'être, la posologie, depuis combien de temps il en fait usage, son efficacité et les effets secondaires qu'il a pu observer. Il faut évaluer s'il y a consommation abusive de bronchodilatateurs de courte durée d'action dans un objectif de gestion de symptômes, puisque cette donnée peut se révéler importante pour l'intervention. L'infirmière doit également demander à la personne si elle utilise un inhibiteur de l'enzyme de conversion de l'angiotensine (IECA), par exemple chez un client souffrant d'insuffisance cardiaque, étant donné que la toux est un effet secondaire relativement fréquent de ce type de médicament. L'infirmière se doit de rappeler au client d'apporter ses flacons de médicaments chaque fois qu'il consulte un professionnel de la santé.

Si la personne a recours à un appoint d'oxygène pour soulager des troubles respiratoires, on doit consigner la fraction d'oxygène inspiré, le débit, le mode d'administration, le nombre d'heures pendant lesquelles elle y a recours dans une journée ainsi que l'efficacité observée. Il faut aussi évaluer les pratiques de la personne en matière de sécurité, de même que son habileté et ses connaissances par rapport à l'oxygénothérapie.

P Passé

L'infirmière vérifie si la personne a déjà été hospitalisée pour un trouble respiratoire. Dans l'affirmative, elle consigne les dates, les traitements et les interventions chirurgicales ainsi que la situation actuelle. La personne a-t-elle déjà été intubée en raison d'un trouble respiratoire ? Comment a-t-elle réagi aux traitements tels que la **nébulisation**, l'humidification des voies aériennes, le dégagement des voies respiratoires (p. ex., par dispositif Acapella^MD), la technique d'oscillation à haute fréquence de la paroi thoracique, le drainage bronchique et la percussion ?

Jugement clinique

Monsieur Cohen se plaint d'avoir des quintes de toux suffisamment importantes pour lui occasionner des haut-le-cœur et il dit avoir « craché du mucus rosé et du sang rouge clair ». S'agit-il d'hémoptysie ou d'hématémèse ? Expliquez votre réponse.

15

Le chapitre 15, *Infections et infection par le virus de l'immunodéficience humaine*, traite plus en détail des infections pulmonaires qui peuvent survenir chez les personnes infectées par le VIH.

Nébulisation : Technique qui permet d'administrer une concentration importante de médicament, sous forme de fines gouttelettes, directement dans les voies respiratoires.

Jugement clinique

Monsieur Cohen a déjà consulté un pneumologue dans le passé. En consultant le dossier antérieur du client, vous y voyez le dessin suivant : /\
À quel bruit respiratoire normal cette représentation graphique correpond-elle ?

MAIS SI ...

Si le dessin montrait plutôt ceci : /\, à quel autre bruit respiratoire normal cela correspondrait-il ? Pourquoi ?

L (*Last meal*) Dernier repas

L'infirmière doit déterminer la quantité et la qualité de l'alimentation du client. Chez la clientèle ayant des troubles respiratoires chroniques comme la MPOC, les problèmes de dénutrition sont fréquents. En effet, pour ces personnes, les efforts déployés pour manger et digérer leur causent souvent de la dyspnée. Par conséquent, elles ont tendance à moins manger pour éviter de se fatiguer. Par contre, étant donné l'énergie substantielle qu'elles doivent déployer pour respirer, leur demande énergétique est plus importante que chez une personne qui n'a pas de problème respiratoire. Ainsi, il faut reconnaître rapidement les déficits nutritionnels chez cette clientèle afin de les combler et de prévenir, entre autres, la perte de masse musculaire. À l'opposé, un problème de surpoids peut entraîner d'autres troubles respiratoires comme l'apnée du sommeil.

E Événements / environnement

L'infirmière doit vérifier auprès du client s'il a vécu un événement stressant dernièrement, puisque cela peut affecter son état de santé. Elle s'informe aussi de l'environnement où vit le client ainsi que de son environnement de travail, le cas échéant. L'environnement peut aussi affecter la fonction respiratoire du client. Les questions à poser à un client souffrant de troubles respiratoires, en vue de bien connaître ses antécédents de santé, sont présentées au **TABLEAU 33.7**.

Perception et gestion de la santé L'infirmière demande au client s'il a remarqué des changements dans son état de santé et s'il peut les situer en jours, mois ou années. Il faut savoir qu'une MPOC peut faire décliner la fonction pulmonaire sur une longue période, voire de nombreuses années. Parce que la personne modifie ses activités quotidiennes pour pallier l'intolérance croissante à l'effort, elle n'a peut-être pas mesuré l'ampleur de la détérioration. Si une infection des voies respiratoires supérieures accompagne une maladie chronique, les phénomènes de dyspnée et d'intolérance à l'effort peuvent survenir très rapidement. Chez une personne asthmatique, les symptômes peuvent être exacerbés par l'activité, la présence d'animaux ou encore les changements de température, ce qui retient une personne de s'exposer à certaines situations.

L'infirmière s'informe d'un possible historique de *wheezing*. Le ***wheezing*** est un bruit respiratoire

Histoire de santé

TABLEAU 33.7 Modes fonctionnels de santé – Éléments complémentaires : système respiratoire

MODES FONCTIONNELS DE SANTÉ	QUESTIONS À POSER
Perception et gestion de la santé	• Décrivez vos activités quotidiennes. Avez-vous modifié vos activités quotidiennes à cause de problèmes respiratoires durant les derniers jours, les derniers mois ou les dernières années ?[a] Votre respiration s'est-elle améliorée, détériorée ou stabilisée dans les six derniers mois ? • Comment votre problème respiratoire perturbe-t-il vos soins d'hygiène personnelle ? • Avez-vous déjà fumé ? Fumez-vous actuellement ? Combien de cigarettes par jour et depuis combien de temps ? Voulez-vous cesser de fumer ? Voulez-vous en savoir plus sur les outils pour y arriver ? Aimeriez-vous prendre un autre rendez-vous pour en discuter ? Si vous avez cessé de fumer, comment avez-vous procédé ? • Avez-vous déjà fumé des drogues illicites ?[a] • Avez-vous reçu le vaccin Pneumovax[MD] ? À quand remonte votre dernier vaccin antigrippal ? • Quels moyens utilisez-vous pour soulager votre dyspnée ? À quelle fréquence ? S'il s'agit d'un appareil, trouvez-vous cet appareil utile et facile d'emploi ?
Nutrition et métabolisme	• Avez-vous récemment perdu du poids ? Combien de livres ou de kilos ? Est-ce volontairement ? • Y a-t-il des aliments qui influent sur vos expectorations ou sur votre respiration ?[a]
Élimination	• Vous arrive-t-il de perdre de l'urine avant d'avoir le temps de vous rendre à la toilette ou au moment de la toux ? • La dyspnée vous empêche-t-elle de bouger au point de causer de la constipation ?[a]
Activités et exercices	• Êtes-vous essoufflé lorsque vous faites de l'exercice ?[a] Êtes-vous essoufflé au repos ?[a] • Les activités que vous voulez pratiquer entraînent-elles de l'essoufflement ?[a] • Habitez-vous un rez-de-chaussée ? Combien de marches y a-t-il de la rue à votre porte ? • Combien de marches pouvez-vous monter sans vous arrêter ? • Êtes-vous en mesure d'accomplir vos activités habituelles ? Sinon, pourquoi ? • Lorsque vous êtes essoufflé, que faites-vous ?

TABLEAU 33.7 Modes fonctionnels de santé – Éléments complémentaires : système respiratoire *(suite)*

MODES FONCTIONNELS DE SANTÉ	QUESTIONS À POSER
Sommeil et repos	• Votre problème respiratoire vous réveille-t-il la nuit ?[a] • Combien d'oreillers utilisez-vous pour dormir ? • Devez-vous dormir assis sur une chaise ?[a] • Savez-vous si vous ronflez ou vous a-t-on dit que vous ronfliez ? • Le matin, au lever, vous sentez-vous reposé ? • Souffrez-vous de maux de tête le matin ?[a] • Avez-vous tendance à vous endormir durant la journée ?[a]
Cognition et perception	• Vous sentez-vous parfois agité, irritable ou désorienté sans raison ?[a] • Avez-vous des pertes de mémoire ?[a]
Perception et concept de soi	• Décrivez-moi la manière dont votre problème respiratoire a changé votre vie. • Vous arrive-t-il de sortir sans votre oxygène ? Quand et pourquoi ?
Relations et rôles	• Votre problème respiratoire a-t-il un impact sur votre travail, dans vos relations avec votre famille et vos amis ?[a]
Sexualité et reproduction	• Votre problème respiratoire a-t-il un impact sur votre vie sexuelle ?[a] • Voulez-vous des conseils sur la façon de diminuer l'essoufflement durant les rapports intimes ?
Adaptation et tolérance au stress	• À quelle fréquence sortez-vous de la maison ? • Voudriez-vous faire partie d'un groupe de soutien ? Souhaitez-vous participer à un programme de rééducation ? • Le stress influence-t-il votre respiration ?[a] • Comment votre problème respiratoire influe-t-il sur vos émotions ?
Valeurs et croyances	• Selon vous, quelle est la cause de votre problème respiratoire ? • Pensez-vous que tout ce qu'on vous a recommandé de faire pour gérer ce problème vous aide vraiment ? Sinon, pourquoi ?

[a] Si la réponse est affirmative, demandez au client d'expliciter.

audible par la personne ainsi que par l'infirmière, qui témoigne d'un rétrécissement ou d'une obstruction des bronches, une situation propre à l'asthme, à la MPOC ou à l'aspiration d'un corps étranger.

On s'enquiert également des antécédents ou d'une exposition à la bactérie responsable de la tuberculose (*Mycobacterium tuberculosis*). L'infirmière demande au client où il a séjourné et voyagé. Le risque d'exposition à la tuberculose est plus élevé en Asie, en Afrique, dans les régions de l'ancienne Union soviétique, en Amérique latine et dans les pays du Tiers-Monde. Il faut également souligner les facteurs de risque de mycoses pulmonaires que représentent les séjours ou les voyages dans les États du Sud-Ouest américain et dans le nord du Mexique (coccidioïdomycose) ainsi que dans la vallée du Mississippi (histoplasmose).

L'infirmière doit établir les mœurs tabagiques actuelles et antérieures du client et quantifier la consommation en « nombre de cigarettes/jour × nombre d'années ». Ce calcul consiste à compter le nombre de cigarettes consommées par jour et à le multiplier par le nombre d'années de tabagisme. À titre d'exemple, on fixe l'historique d'une personne qui fume 15 cigarettes par jour depuis 15 ans à « 15 cigarettes/jour × 15 ans ». Le risque de cancer du poumon est directement proportionnel à la consommation. Le tabagisme est le principal facteur de risque du cancer du poumon et des MPOC. Outre la consommation de cigarettes, il faut s'informer de l'usage des autres produits du tabac, incluant le cigare, la pipe, l'usage de tabac à chiquer et les autres produits de « tabac sans fumée ». Il est également conseillé de bien informer le fumeur des risques associés à la fumée secondaire. L'infirmière s'enquiert de la motivation du client à la cessation tabagique, des efforts de la personne pour cesser de fumer ou de consommer les produits du tabac et de son recours aux médicaments prescrits à cet effet, aux médicaments offerts en vente libre ou aux remèdes à base de plantes médicinales.

On demande au client s'il reçoit un vaccin antigrippal annuel (ou vaccin anti-influenza) et s'il a reçu le vaccin polysaccharidique pneumococcique (Pneumovax[MD]). Au Canada, la grippe débute

RISQUE GÉNÉTIQUE

- Les troubles respiratoires à forte incidence génétique comprennent notamment la fibrose kystique, la MPOC attribuable à une carence en alpha 1-antitrypsine ainsi que l'asthme.
- Des antécédents familiaux de ces affections respiratoires augmentent fortement le risque d'être atteint d'un tel trouble.
- Il convient donc de déterminer si le client présente des antécédents familiaux de ces troubles respiratoires qui pourraient avoir des tendances génétiques ou familiales.

CE QU'IL FAUT RETENIR

Le tabagisme est le principal facteur de risque du cancer du poumon et des MPOC et il est directement proportionnel à la consommation.

Tableau 33.1W : *Échelle d'évaluation de la dyspnée du Conseil de recherches médicales.*

L'échelle de Borg est présentée dans le chapitre 41, *Interventions cliniques – Coronaropathie et syndrome coronarien aigu.*

Pour en savoir plus sur l'échelle d'évaluation de la dyspnée du Conseil de recherches médicales (CRM) : www.respiratoryguidelines.ca.

Hypoventilation : Manifestation se produisant lorsque la ventilation alvéolaire ne répond pas adéquatement à la demande en oxygène de l'organisme ou n'élimine pas suffisamment de dioxyde de carbone.

généralement en novembre ; ainsi, le vaccin antigrippal doit être administré annuellement entre septembre et la mi-novembre (ministère de la Santé et des Services sociaux [MSSS], 2010). Le vaccin Pneumovax[MD] peut être administré tout au long de l'année ; il s'adresse en particulier aux personnes âgées de 65 ans et plus et aux malades chroniques (p. ex., ceux atteints de maladie cardiovasculaire, de MPOC, d'immunodéficience, de diabète) ; la revaccination (une seule fois) est recommandée chez les personnes présentant une asplénie, un état d'immunosuppression, une insuffisance rénale chronique ou un syndrome néphrotique, cinq ans après la première dose reçue pour les adultes et trois ans après pour les enfants (MSSS, 2010).

L'infirmière demande au client s'il fait usage de matériel pour pallier ses troubles respiratoires. Par exemple, l'utilisation d'un concentrateur d'oxygène à domicile, d'aérosol doseur, d'un nébulisateur ou encore d'un appareil de ventilation spontanée en pression positive continue (*continuous positive airway pressure* ou CPAP) pour éviter l'apnée obstructive du sommeil. Il faut s'enquérir du type de matériel utilisé, du mode de nettoyage, de la périodicité de l'emploi, de son efficacité et des effets secondaires observés. Il est recommandé d'inviter la personne à faire une démonstration de son emploi d'un aérosol doseur ou d'un inhalateur à poudre sèche, les erreurs d'utilisation étant fréquentes.

Nutrition et métabolisme La perte de poids est un signe commun à plusieurs maladies respiratoires. Il faut déterminer si cette perte est intentionnelle ou non, si l'apport alimentaire découle d'une anorexie (causée par la prise de médicaments), d'une fatigue (causée par l'hypoxémie et par un effort accru pour respirer), d'une satiété précoce (causée par la distension du thorax) ou d'un isolement social. Les manifestations comme l'anorexie, la perte de poids et la malnutrition chronique sont fréquentes chez la personne souffrant d'une MPOC grave, du syndrome d'immunodéficience acquise (sida), du cancer du poumon, de la tuberculose ou d'une infection grave chronique (bronchectasie). L'infirmière doit aussi noter les apports hydriques, car la déshydratation peut causer un épaississement du mucus et l'obstruction des voies aériennes.

Par ailleurs, un surplus de poids entrave la ventilation et peut causer l'apnée obstructive du sommeil. Une personne atteinte d'obésité morbide peut souffrir d'hypoventilation diurne ou nocturne ; chez elle, la perte de poids a des chances d'améliorer les GSA. Un gain rapide de poids causé par la rétention d'eau peut entraver les échanges gazeux pulmonaires.

Élimination L'infirmière doit demander au client qui présente de la dyspnée chronique s'il souffre d'incontinence, de constipation ou des deux problèmes en alternance. Il est essentiel d'avoir rapidement accès à des toilettes pour pouvoir maintenir de saines habitudes d'élimination. L'intolérance à l'activité liée à la dyspnée peut engendrer l'incontinence. La dyspnée peut aussi être une cause de mobilité réduite et, par ricochet, mener à la constipation. La personne aux prises avec une toux chronique, en particulier la femme, fera possiblement de l'incontinence urinaire durant les accès de toux.

Activités et exercices L'infirmière doit juger si l'activité du client est réduite en raison d'une dyspnée d'effort ou de repos. Elle doit aussi déterminer si les conditions de logement du client causent un problème d'isolement social (en raison du nombre de marches ou d'étages). Elle note et mesure de manière objective le degré de gravité de la dyspnée. Le client peut-il, par exemple, monter une volée d'escalier sans s'arrêter **FIGURE 33.7** ? Son état s'est-il aggravé ou amélioré au cours des derniers mois ou est-il resté plutôt stable ? L'infirmière questionne le client pour savoir s'il éprouve des difficultés respiratoires dans une position particulière ou si la dyspnée est soulagée par un simple changement de position. La position dite du trépied est recommandée aux personnes atteintes d'une MPOC. Pour évaluer la gravité de la dyspnée, l'**échelle de Borg**, l'échelle du Conseil de recherches médicales (CRM) ou une échelle visuelle analogue (EVA) s'avère souvent utile ▶ 41 (i+).

On doit chercher à savoir si le client est capable d'effectuer les activités de la vie quotidienne (AVQ) en maîtrisant sa dyspnée ou d'autres symptômes respiratoires. S'il en est incapable, l'infirmière doit documenter la quantité et le type de soins qui lui sont nécessaires. Il faut aussi inciter la personne à gérer sa dyspnée de manière autonome. L'immobilité et la sédentarité augmentent les risques d'**hypoventilation** et peuvent mener à l'atélectasie ou à la pneumonie.

Sommeil et repos L'infirmière demande au client s'il se réveille la nuit en raison de troubles respiratoires. La personne atteinte d'asthme ou d'une MPOC risque de s'éveiller sous l'effet de la dyspnée ou d'une douleur thoracique en barre, prise d'un *wheezing*, d'anxiété ou d'une toux. Ces manifestations nécessitent l'administration d'un traitement d'appoint ou un changement de médicament. Le client souffrant d'une maladie cardiovasculaire (l'insuffisance cardiaque, notamment) peut dormir la tête surélevée par plusieurs oreillers pour éviter les troubles respiratoires qu'entraîne la position couchée (orthopnée). Parmi les manifestations de l'apnée obstructive du sommeil, citons le ronflement, l'insomnie, les réveils brusques, la somnolence diurne et les céphalées matinales. Quant aux sueurs nocturnes, elles peuvent révéler une tuberculose (Long & Ellis, 2007).

FIGURE 33.7 Monter une volée d'escalier peut être une AVQ éprouvante chez les personnes qui souffrent de dyspnée.

Cognition et perception Étant donné que l'hypoxie peut causer des troubles neurologiques, l'infirmière demande au client s'il éprouve de l'inquiétude, de la nervosité ou de l'irritabilité, ou encore s'il a observé des troubles de mémoire ; ces signes peuvent témoigner d'une insuffisance dans l'oxygénation du cerveau **TABLEAU 33.2**. L'hypoxémie ou l'hypercapnie entravent la faculté d'apprentissage, la mémorisation et la concentration. Voilà pourquoi les enseignements à transmettre au client seront plus bénéfiques en présence d'une autre personne qui veillera à renforcer les notions par la suite.

Il importe d'évaluer les facultés cognitives du client et sa capacité fonctionnelle à coopérer à son traitement. Une incapacité à participer au traitement prescrit peut mener à une exacerbation des troubles respiratoires.

Perception et concept de soi La dyspnée restreint les AVQ, entrave les activités de la vie domestique (AVD) et va jusqu'à perturber l'estime de soi. Il est possible que le port d'une canule nasale apparente puisse indisposer la personne ou que sa difficulté à utiliser l'équipement requis la décourage de recourir à l'oxygénothérapie en public. L'infirmière aborde la question de l'image corporelle avec le client pour connaître ses perceptions. Un thorax en tonneau, l'hippocratisme digital, des expirations avec les lèvres pincées, des expectorations ou des éclaircissements de la gorge fréquents peuvent rendre la personne mal à l'aise et la pousser à s'isoler. Diriger le client vers un groupe de soutien ou un programme de rééducation pulmonaire peut s'avérer utile et l'aider à se créer un réseau d'entraide ainsi qu'à concevoir des stratégies pour faire face à sa maladie.

Relations et rôles En général, les troubles respiratoires aigus ou chroniques nuisent considérablement au rendement professionnel et aux AVQ. L'infirmière doit se faire un portrait des effets que la prise de médicaments, l'oxygénothérapie et les traitements de routine (comme des soins d'hygiène pulmonaire en cas de fibrose kystique) ont sur la famille du client, ses activités professionnelles et sa vie sociale.

L'infirmière précise en quoi consiste l'activité professionnelle du client et, s'il y a lieu, note la fréquence et le degré d'exposition à des vapeurs, à des substances toxiques, à des fibres d'amiante, à de la poussière de charbon, à des fibres autres ou à de la silice. Il faut établir si les symptômes sont exacerbés par des situations particulières (à la maison ou en milieu de travail). L'infirmière s'enquiert de la présence d'allergènes sur les lieux de travail du client, comme la poussière ou des vapeurs. Il faut également savoir que des passe-temps comme l'ébénisterie (exposition au bran de scie) ou la poterie (exposition à la silice) ainsi que le contact avec des animaux (source d'allergies) peuvent provoquer des troubles respiratoires. Chez le client asthmatique dont les voies aériennes sont hyperactives, l'exposition à des vapeurs, à de la fumée et à des substances chimiques peut déclencher le *wheezing*.

Sexualité et reproduction Malgré des limitations physiques prononcées, la plupart des personnes continuent d'avoir des relations sexuelles satisfaisantes. En faisant preuve de tact, l'infirmière demande au client si ses difficultés respiratoires entravent son activité sexuelle. Dans l'affirmative, elle peut suggérer des positions qui réduisent la dyspnée durant les rapports et des stratégies pour atteindre la satisfaction. Bon nombre de clients devront prévoir des soins d'hygiène pulmonaire (prise d'un bronchodilatateur, toux et respiration profonde) avant d'amorcer des rapports intimes, de la même façon qu'ils prennent leurs précautions avant de se livrer à un exercice physique exigeant. Le client oxygénodépendant doit utiliser son oxygène durant l'activité sexuelle.

Adaptation et tolérance au stress La dyspnée est une source d'anxiété, et celle-ci exacerbe la dyspnée. C'est un cercle vicieux qui incite le client à éviter les activités déclenchant l'essoufflement, ce qui, en contrepartie, le rend plus dyspnéique durant un effort. En conséquence, l'isolement physique et social s'installe bien souvent. L'infirmière doit aider le client à trouver des solutions pour briser le cercle vicieux anxiété-dyspnée-anxiété. Là encore, l'adhésion de la personne à un groupe de soutien ou à un programme de rééducation pulmonaire peut lui apporter de grands bienfaits.

La chronicité de nombreux troubles respiratoires, comme une MPOC et l'asthme, peut engendrer un stress prolongé. L'infirmière questionne le client pour connaître ses stratégies de gestion du stress.

Valeurs et croyances L'infirmière vérifie si le client se conforme à son plan de traitement. Devant un manquement, il est important de le questionner: Quelles sont les raisons de ces écarts? Le traitement entre-t-il en conflit avec des croyances liées à sa culture? S'agit-il de difficultés financières (p. ex., le coût des médicaments prescrits)? Les résultats du traitement sont-ils décevants? Amener la personne et ses proches à prendre part à la planification du traitement favorise bien souvent l'adhésion à celui-ci.

33.2.2 Données objectives

Examen physique

Il importe de recueillir les signes vitaux – la température, le pouls, la respiration (fréquence, rythme, amplitude), la pression artérielle (P.A.) et la SpO_2 (mesure de la saturation du sang artériel en oxygène par saturométrie) – avant de procéder à un examen plus approfondi du système respiratoire pour cibler les priorités d'évaluation.

Nez

L'infirmière examine le nez, note s'il est dégagé ou obstrué, s'il y a présence d'inflammation, de déformation ou d'asymétrie et consigne tout écoulement nasal. Elle examine chaque narine, note la qualité du dégagement à l'inspiration tandis qu'elle pince l'autre narine quelques instants. Elle demande au client de rejeter la tête légèrement en arrière et pousse délicatement le bout de son nez vers le haut. À l'aide d'un spéculum nasal et d'une bonne source lumineuse, elle examine la cavité nasale. La muqueuse nasale doit être rose et humide et ne présenter aucun signe d'œdème, d'exsudat ou de saignement. L'infirmière examine la cloison nasale en quête de signes de déviation, de perforation ou de saignement. Une légère déviation est normale chez l'adulte. Les cornets font également l'objet d'un examen, et l'on note s'il y a présence de polypes, c'est-à-dire de saillies anormales de la muqueuse en forme de baguettes. Les polypes peuvent être causés par une irritation prolongée de la muqueuse nasale résultant d'une allergie, par exemple. L'infirmière examine la coloration et la consistance des sécrétions nasales. Des sécrétions purulentes ou malodorantes peuvent indiquer la présence d'un corps étranger ou d'une infection respiratoire comme la sinusite. Un écoulement séreux peut être secondaire à des allergies ou provenir du LCS. Cet écoulement serait une indication de consultation médicale immédiate. Un écoulement sanguinolent est possiblement attribuable à un traumatisme ou à la sécheresse ambiante. L'écoulement d'un mucus épais signale peut-être une infection.

Bouche et pharynx

À l'aide d'une source lumineuse adéquate, l'infirmière examine l'intérieur de la bouche, vérifie la coloration des muqueuses, repère les lésions et les kystes, note les signes de récession gingivale, de saignement et de mauvaise dentition. Elle examine la symétrie de la langue et note la présence de lésions. Elle observe le comportement du pharynx en pressant un abaisse-langue au milieu de la base de la langue. Si l'oropharynx est rigide, elle demande au client de bâiller pour rendre les structures plus visibles. Le pharynx devrait être souple et humide, exempt d'écoulement, d'exsudat, d'ulcères, d'œdème ou de sécrétions postnasales. L'infirmière note la coloration, la symétrie et les signes d'hypertrophie des tonsilles pharyngées. Elle provoque le réflexe pharyngé en plaçant un abaisse-langue sur la paroi latérale du pharynx, derrière les tonsilles. Un réflexe de haut-le-cœur (réaction nauséeuse) indique que le nerf crânien IX (nerf glossopharyngien) et le nerf crânien X (nerf vague) sont intacts et que les voies aériennes sont protégées.

Cou

L'infirmière examine le cou, s'assure que les côtés sont symétriques et repère les zones sensibles ou enflées. Elle demande au client de se tenir debout, le cou légèrement penché et palpe les ganglions lymphatiques. Elle commence par ceux situés sous les oreilles, descend vers les ganglions à la base du crâne, puis tâte ceux qui sont dans l'angle formé par la mandibule et le plan médian. Les ganglions de petite taille, mobiles et insensibles ne dénotent aucune pathologie. Par contre, les ganglions sensibles, durs et immobiles sont signe de maladie. L'infirmière doit noter l'emplacement et les caractéristiques de tout ganglion palpable.

Thorax et poumons

La représentation de lignes imaginaires sur le thorax aide à localiser les anomalies **FIGURE 33.3**. Selon Jarvis (2015), l'infirmière doit situer les anomalies décrites par rapport à ces lignes (p. ex., à 2 cm de la ligne médioclaviculaire droite).

L'examen du thorax nécessite un bon éclairage et une pièce tempérée où il est possible de préserver l'intimité du client. Toutes les manœuvres d'évaluation (inspection, palpation, percussion, auscultation) devront être effectuées sur une face du thorax, postérieure ou antérieure, avant de progresser à l'autre face. De plus, il vaut mieux commencer l'évaluation par la partie postérieure, en particulier avec une cliente, car on peut recueillir davantage de renseignements dès le départ sans l'interférence des tissus mammaires. La précaution est importante, car l'infirmière obtient ainsi un portrait plus complet du thorax ; sinon, la personne pourrait se fatiguer durant l'examen ou celui-ci pourrait être interrompu.

Inspection

L'infirmière expose la face antérieure du thorax du client lorsque celui-ci est assis ou que la tête du lit est relevée. Le client peut devoir se pencher en avant et prendre appui sur la table de lit pour s'aider à respirer. Il faut d'abord observer l'état du client et noter tout signe de détresse respiratoire, comme la **tachypnée** ou la sollicitation de la musculature respiratoire accessoire. L'infirmière évalue ensuite la configuration et la symétrie de la cage thoracique. Les mouvements latéraux de la cage thoracique doivent s'équivaloir, et le rapport du diamètre antéropostérieur et du diamètre transverse devrait être de 1:2. Une augmentation du diamètre antéropostérieur (comme dans le cas du thorax en tonneau) peut découler d'un changement normal lié au vieillissement ou indiquer une distension thoracique. L'infirmière doit noter les anomalies du sternum comme un thorax en carène (sternum saillant avec aplatissement latéral) ou un thorax en entonnoir (dépression du sternum avec protrusion antérieure).

L'infirmière observe ensuite la fréquence, l'amplitude et le rythme respiratoire. La fréquence normale de respirations (R) varie entre 12 et 20 R/min ; chez la personne âgée, la fréquence varie entre 16 et 25 R/min. La durée de l'inspiration (I) doit être la moitié de celle de l'expiration (E) (I:E = 1:2). L'infirmière doit observer les modes de respiration anormaux **TABLEAU 33.8** (i+).

La coloration de la peau fournit des indices du bilan respiratoire. La cyanose est un signe tardif de l'hypoxémie ; chez un sujet au teint déjà foncé, elle s'observe mieux dans la conjonctive, les paumes et le dessous de la langue. Outre l'hypoxémie, un débit cardiaque réduit peut également causer la cyanose. L'infirmière doit rechercher des signes d'hypoxémie chronique de longue date, comme des doigts en baguettes de tambour, une déformation appelée hippocratisme digital et caractérisée par une augmentation (de 180° et plus) de l'angle formé par la base de l'ongle et l'ongle et qui s'accompagne d'une hypertrophie d'apparence spongieuse des tissus aux extrémités des doigts (i+).

En examinant la face postérieure du thorax, l'infirmière doit demander au client de se tenir assis, la tête penchée vers l'avant et les bras croisés, mains sur les épaules. De cette façon, les omoplates s'écartent de la colonne vertébrale, dégageant la région à examiner. La séquence d'observation pour la face antérieure du thorax doit être la même que celle pour la face postérieure. L'infirmière doit aussi noter toute déviation de la courbure rachidienne. La cyphose, la scoliose et la cyphoscoliose sont toutes des déviations de la colonne vertébrale susceptibles d'entraver la fonction respiratoire.

Palpation

L'infirmière localise la trachée en plaçant ses index de chaque côté de celle-ci, dans le creux de la fourchette sternale, et en exerçant une pression délicate. En temps normal, la trachée est bien centrée, et une déviation vers la gauche ou la droite indique une anomalie. Toute déviation trachéale se produit dans le plan contraire d'un pneumothorax sous tension ou d'une masse cervicale, mais dans le plan d'une **pneumonectomie** ou d'une atélectasie lobaire.

C'est au niveau du diaphragme que l'on doit évaluer l'amplitude des mouvements respiratoires et la symétrie des mouvements thoraciques. L'infirmière place ses mains sur la face antéro-inférieure du thorax, à la lisière du rebord costal, puis glisse ses mains jusqu'à ce que ses pouces se rejoignent au centre. Elle demande au client d'inspirer profondément et observe l'écartement de ses pouces pendant le mouvement. Normalement, l'amplitude de l'expansion est de 2,5 cm. Dans le cas de la palpation de la face postérieure, l'infirmière repère la 10e côte de chaque côté et glisse ses mains vers la colonne vertébrale, jusqu'à ce que ses pouces se rejoignent **FIGURE 33.8**. On peut évaluer l'amplitude respiratoire soit sur la face antérieure, soit sur la face postérieure, mais il n'est pas nécessaire d'évaluer les deux faces.

Le mouvement de la cage thoracique doit être symétrique. Un mouvement asymétrique peut découler d'une obstruction de l'entrée de l'air dans le poumon (p. ex., dans le cas d'atélectasie, de pneumothorax) ou d'une compression de la cage thoracique. Des mouvements symétriques, mais d'amplitude réduite sont attribuables à un thorax en tonneau ou à une affection neuromusculaire comme la sclérose latérale amyotrophique ou à des lésions à la moelle épinière. Le

Tachypnée : Fréquence respiratoire accélérée.

Pneumonectomie : Opération chirurgicale qui consiste à enlever le poumon dans sa totalité ou partiellement.

33

Animation : *Types de respiration.*

Figure 33.2W : *Hippocratisme digital : élargissement et incurvation de l'ongle.*

TABLEAU 33.8 Principaux types de respiration anormale

TYPE DE RESPIRATION	DESCRIPTION
Bradypnée	< 12 R/min
Tachypnée	> 20 R/min
Kussmaul	Inspiration profonde, expiration brève
Cheyne-Stokes	Cycles respiratoires anormaux comprenant des cycles respiratoires d'amplitude variable en alternance avec des périodes d'apnée
Biot	Respiration irrégulière marquée d'apnée toutes les 4 ou 5 respirations

Jugement clinique

Vous mesurez les signes vitaux de monsieur Cohen et remarquez que sa fréquence respiratoire est à 26 R/min et que son amplitude a diminué. Indiquez deux signes qui démontreraient que sa respiration est inefficace.

mouvement peut être absent ou asymétrique dans un cas d'épanchement pleural, d'atélectasie ou de pneumothorax.

On appelle **frémissements** la perception tactile des vibrations vocales transmises à travers le thorax. Pour percevoir ces vibrations au toucher, l'infirmière place ses mains sur le thorax, paumes vers le bas, les doigts en hyperextension. Elle demande au client de répéter « trente-trois » d'une voix plus grave et forte qu'à la normale, car le fait de prononcer ce mot provoque de fortes vibrations ; si l'infirmière note la présence de vibrations, c'est que les poumons sont clairs, que rien n'obstrue le passage des ondes sonores. Elle palpe ainsi le thorax, en déplaçant ses mains de chaque côté et de haut en bas **FIGURE 33.9**. Dans la pratique clinique, la détection des frémissements a une utilité limitée, mais si l'on procède à l'examen, on doit palper toutes les zones du thorax et comparer entre elles les vibrations de régions similaires. Les frémissements les plus intenses sont perçus près du sternum et entre les omoplates, en raison de la proximité des grosses bronches. À l'inverse, les vibrations s'amenuisent si on s'éloigne de ces régions.

L'infirmière note si les frémissements sont forts, faibles ou s'ils sont tout simplement absents. Des frémissements plus forts s'expliquent par la présence de liquide dans les poumons. Les vibrations s'intensifient lorsque les bruits vocaux traversent un liquide ou des tissus denses. Ce sera le cas en présence d'une pneumonie, d'un cancer du poumon, de sécrétions bronchiques épaisses et d'un épanchement pleural. Les frémissements s'affaiblissent à mesure que la main s'éloigne du poumon ou si le poumon est hypertrophié (thorax en tonneau). L'absence de frémissements peut s'expliquer par un pneumothorax ou une atélectasie. On gardera à l'esprit que les frémissements sont moins perceptibles pendant l'auscultation de la face antérieure du thorax, à travers les grands muscles et les tissus mammaires.

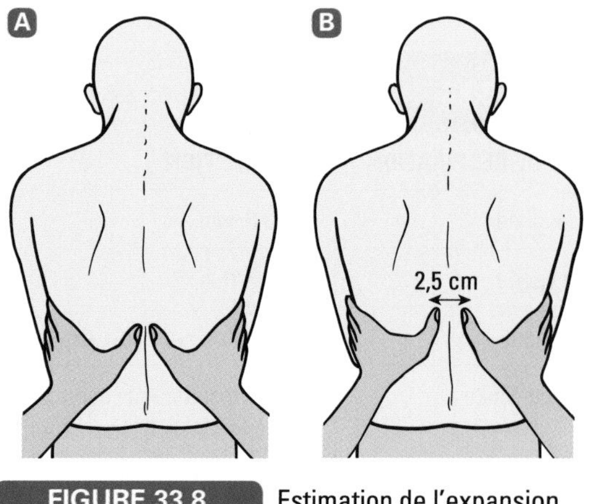

FIGURE 33.8 Estimation de l'expansion thoracique – **A** Expiration. **B** Inspiration maximale.

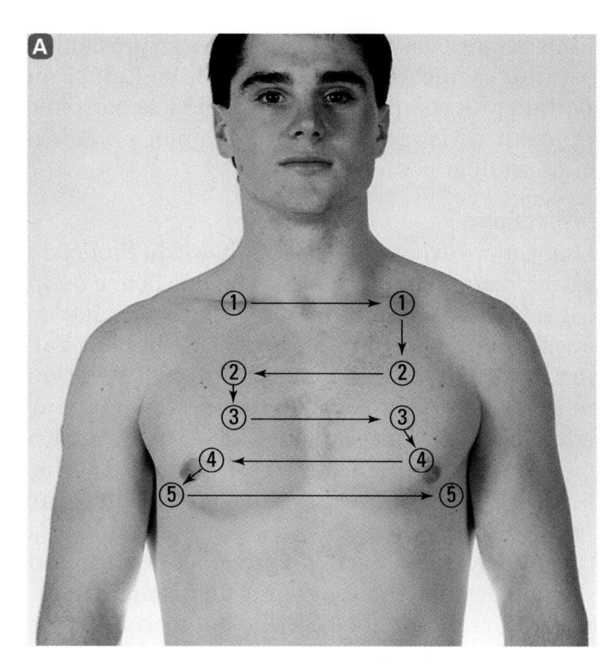

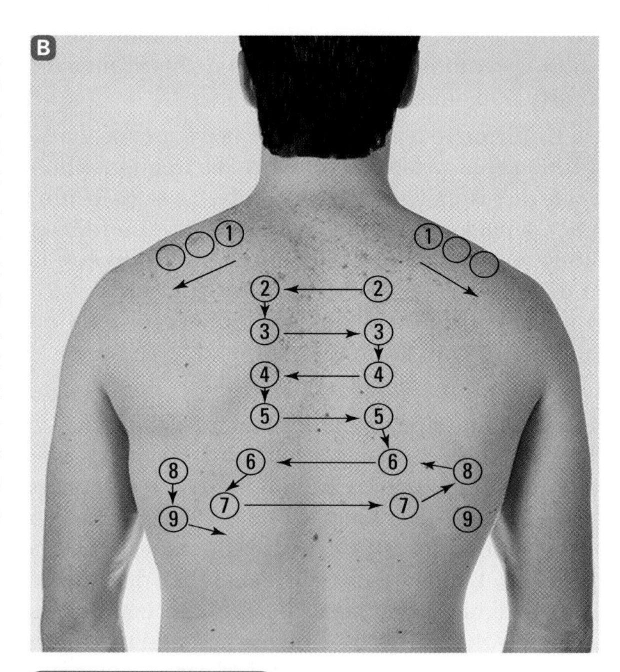

FIGURE 33.9 Séquences de l'examen du thorax – **A** Séquence antérieure. **B** Séquence postérieure. Pendant la palpation, placer les mains, paumes vers le bas, sur les sites « 1 » des côtés droit et gauche de la cage thoracique. Comparer l'intensité des vibrations. Continuer pour tous les sites de chaque séquence. Pendant la percussion, tapoter le thorax à chaque site désigné des deux côtés, de haut en bas. Comparer les sonorités de chaque site. Pendant l'auscultation, placer le stéthoscope sur chaque site et écouter au moins un cycle inspiratoire-expiratoire complet. Se rappeler que chez une femme, les tissus mammaires peuvent entraver le déroulement de l'examen de la face antérieure.

Percussion

La percussion du thorax sert à déterminer si les poumons sont remplis d'air ou s'ils sont denses (présence de sécrétions ou autres). Les sons révélés par la percussion sont présentés au **TABLEAU 33.9** ▶ 3 (i+).

Pour percuter la face antérieure, on demande au client de se placer en position demi-assise ou couchée. L'infirmière commence par la région sus-claviculaire et descend d'un espace intercostal à l'autre. La région au-dessus des poumons devrait résonner, à l'exception de la zone de matité du cœur **FIGURE 33.10**. Pour percuter la face postérieure du thorax, on demande au client de s'asseoir, de se pencher vers l'avant et de croiser les bras, mains sur les épaules. La face postérieure du thorax devrait résonner à la hauteur du diaphragme **FIGURE 33.11**.

Auscultation

Durant l'auscultation de la paroi thoracique, le client respire lentement et profondément par la bouche. L'infirmière ausculte chaque poumon en alternance, en utilisant une séquence en escalier, depuis l'apex jusqu'à la base du poumon, en faisant des comparaisons latérales. Dans le cas où le client risque de se fatiguer vite, elle ausculte d'abord les bases des poumons. Il faut appuyer le stéthoscope contre la paroi thoracique au niveau des espaces intercostaux et écouter au moins un cycle complet d'inspiration et d'expiration avant chaque déplacement. L'infirmière note la tonalité des bruits entendus, la durée du son et la présence de bruits adventices (ou surajoutés) (Jarvis, 2015). On peut localiser plus facilement les sites d'auscultation des bruits bronchiques, bronchovésiculaires et vésiculaires au moyen d'un diagramme du poumon **FIGURE 33.12**.

Les bruits respiratoires doivent être auscultés en débutant sur la face postérieure et en terminant sur la face antérieure. Afin de pouvoir situer la source des bruits entendus, l'infirmière cible des points de repère superficiels sur la cage thoracique. Sur la face postérieure, elle divise la paroi thoracique en deux portions verticales, gauche et droite, en utilisant la colonne vertébrale comme séparateur. Ensuite, elle divise la cage thoracique en trois segments horizontaux (supérieur, moyen et inférieur) délimités par la vertèbre cervicale saillante (C7), l'angle inférieur de l'omoplate et l'extrémité de la 12e côte **FIGURE 33.13**. Du côté antérieur, le sternum permet la division gauche-droite verticale de la paroi thoracique. À l'horizontale, l'infirmière trace une première ligne imaginaire au niveau de la fourchette sternale, une deuxième à l'**appendice xiphoïde** et une dernière à la base du rebord costal **FIGURE 33.14**. Cette méthode offre des points de repère assez faciles et précis pour déterminer les régions

TABLEAU 33.9 Bruits de percussion

BRUIT	DESCRIPTION
Résonance	Son grave présent dans les poumons normaux
Hypersonorité	Son fort, plus grave que la résonance normale, présent dans des poumons surdistendus (p. ex., dans le cas de MPOC, d'asthme aigu)
Tympanisme	Bruit fort, analogue à celui du tambour, présent dans un pneumothorax (aussi présent à la percussion d'un estomac ou d'un intestin rempli de gaz)
Matité	Son de tonalité et de durée moyennes présent dans les régions mixtes où se trouvent à la fois du tissu plein et du tissu pulmonaire (p. ex., au sommet du foie), lorsque le tissu pulmonaire est partiellement hépatisé (pneumonie) ou empli de liquide (épanchement pleural)
Matité franche	Son aigu et doux, de courte durée, présent dans un tissu très dense et sans air, comme sous le diaphragme sur la face postérieure du thorax

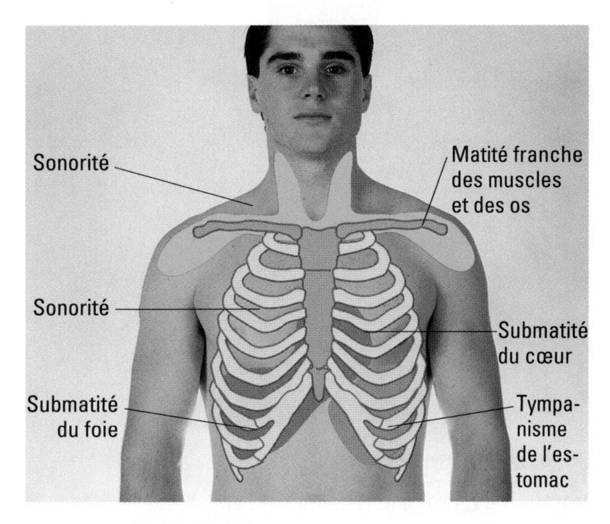

FIGURE 33.10 Diagramme des sites de percussion et de bruits de la région antérieure de la cage thoracique

3

La technique de percussion est expliquée dans le chapitre 3, *Examen clinique*.

Animation : *Son à la percussion du thorax.*

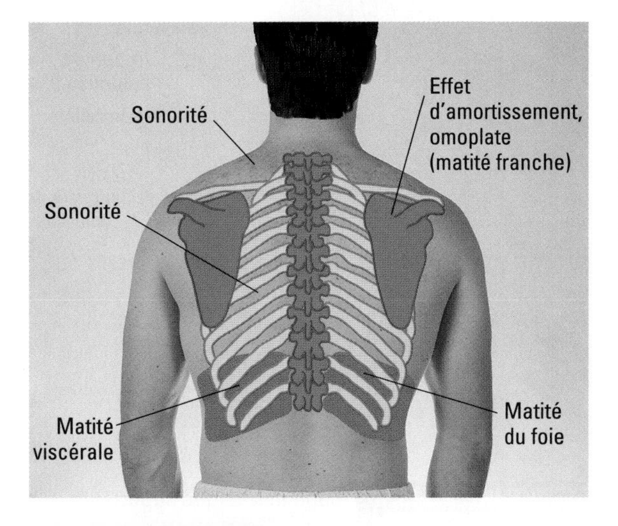

FIGURE 33.11 Diagramme des sites de percussions et de bruits de la face postérieure de la cage thoracique – La percussion débute par l'apex des poumons et se termine à la base, les bruits des deux côtés de la cage thoracique.

CE QU'IL FAUT RETENIR

On doit ausculter les bruits respiratoires en débutant sur la face postérieure et en terminant sur la face antérieure.

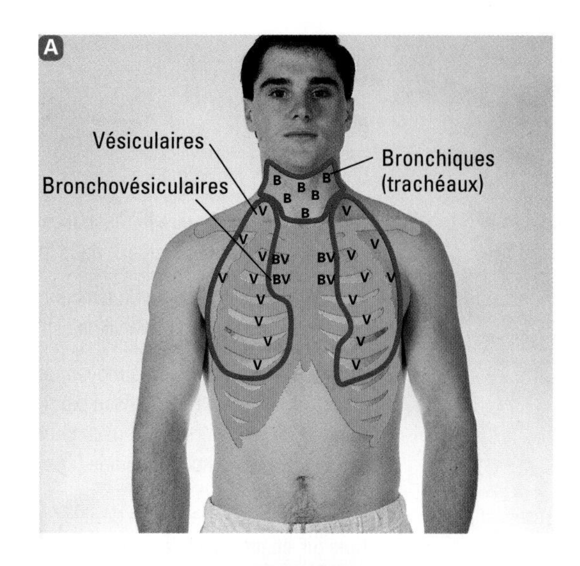

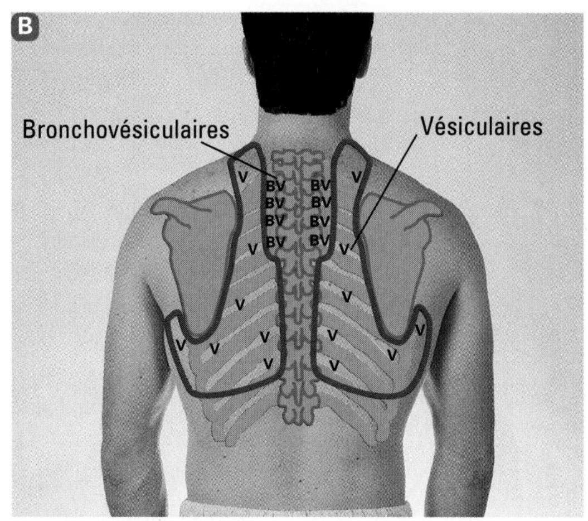

Animations : *Bruits pulmonaires (normaux et anormaux).*

FIGURE 33.12 Bruits auscultatoires normaux – **A** Face antérieure. **B** Face postérieure.

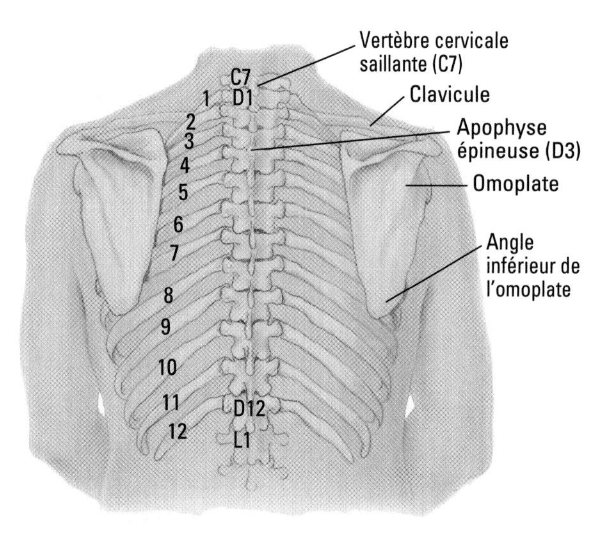

FIGURE 33.13 Cage thoracique supérieure

Réactivation des connaissances

Quels sont les éléments à consigner au dossier lorsqu'un client a une toux productive ?

pulmonaires à ausculter (Jarvis, 2015). À titre d'exemple, l'infirmière note la provenance d'un bruit de la façon suivante : « *Crépitants au poumon droit, face postérieure, champ inférieur* ». On ne s'attend pas à ce qu'elle détermine de quel lobe provient un bruit particulier.

On distingue trois types de bruits respiratoires normaux à l'auscultation : vésiculaires, bronchovésiculaires et bronchiques. Les bruits vésiculaires sont de légers bruissements, de tonalité plutôt faible. Ils sont audibles au niveau de tous les champs pulmonaires, sauf aux bronches principales. Le rapport inspiration-expiration des bruits vésiculaires est de 3:1, c'est-à-dire qu'ils sont trois fois plus longs à l'inspiration qu'à l'expiration. Les bruits bronchovésiculaires sont de tonalité et d'intensité moyennes ; on les entend sur la face antérieure du thorax, à la hauteur des bronches principales, de chaque côté du sternum et entre les omoplates sur la face postérieure du thorax. Le rapport inspiration-expiration des bruits bronchovésiculaires est de 1:1. Les bruits bronchiques sont de tonalité et d'intensité plus grandes ; ils se comparent aux bruits perçus lorsqu'on souffle dans un tube creux. Le rapport inspiration-expiration est de 2:3 ; l'écart entre l'inspiration et l'expiration s'explique par une courte pause entre les cycles respiratoires. Pour entendre les bruits bronchiques, l'infirmière place le stéthoscope près de la trachée, au niveau du cou.

Les termes bruits respiratoires anormaux décrivent des bruits bronchiques ou bronchovésiculaires audibles en périphérie des champs respiratoires. Il peut s'ajouter d'autres bruits anormaux que l'on appelle **bruits adventices** et que l'on définit de quatre manières : crépitants, ronchus (râles), sibilances (sifflements) et frottement pleural **TABLEAU 33.10** .

Plusieurs expressions désignent différents bruits respiratoires. Les bruits de la voix sont auscultés sur la paroi thoracique, et l'on peut en détecter les frémissements. On parle d'égophonie lorsque le client émet la lettre « e » et que l'infirmière entend la lettre « a ». La bronchophonie est une résonance inhabituellement forte de la voix lorsque le client dit « trente-trois ». La pectoriloquie provoque une modification de la voix lorsque le client doit murmurer « un, deux, trois » : l'infirmière entend nettement les mots à l'auscultation pourtant chuchotés par le client. Les pathologies qui se traduisent par une présence de cavités dans les poumons ou une densification pulmonaire, comme la pneumonie, se reconnaissent aux modifications des bruits de la voix du client.

Le **TABLEAU 33.11** offre en modèle un rapport d'examen physique du système respiratoire normal. Les anomalies du thorax et des troubles pulmonaires les plus courants sont présentées dans le **TABLEAU 33.10**. Les constats de l'examen du thorax associés aux affections pulmonaires courantes sont précisés dans le **TABLEAU 33.12**. Les changements du système respiratoire et les différences constatées à l'évaluation de la personne âgée sont présentés dans le **TABLEAU 33.4**.

33.3 Examens paracliniques du système respiratoire

De nombreux examens paracliniques permettent d'évaluer la fonction respiratoire ; le **TABLEAU 33.13** énumère les plus courants. Les examens spécialisés sont présentés en détail ci-après.

33.3.1 Examen des expectorations

On obtient des échantillons d'expectorations de diverses manières : crachats dans un récipient

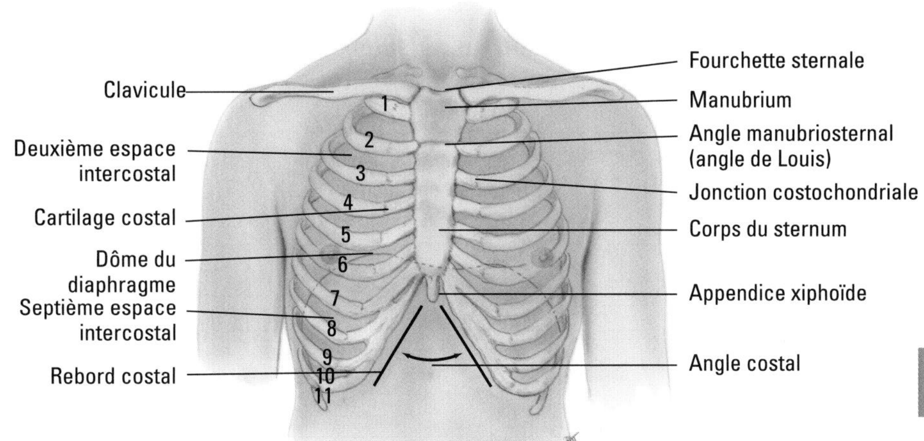

FIGURE 33.14 Cage thoracique inférieure

Anomalies courantes

TABLEAU 33.10 Système respiratoire

OBSERVATIONS	DESCRIPTION	ÉTIOLOGIE POSSIBLE ET SIGNIFICATION[a]
Inspection		
Respiration avec lèvres pincées	Expiration par la bouche, lèvres pincées, afin de ralentir l'expiration	• MPOC, asthme ; indique ↑ essoufflement • Technique enseignée pour ralentir l'expiration et ↓ dyspnée
Position du trépied ; incapacité de se coucher à plat	Inclinaison vers l'avant, bras et coudes appuyés sur la table de lit	• MPOC, aggravation de l'asthme, œdème pulmonaire • Signe de détresse respiratoire modérée à grave
Utilisation des muscles accessoires ; tirage intercostal	Utilisation des muscles du cou et des épaules pour respirer. Les muscles intercostaux sont attirés à l'intérieur durant l'inspiration.	• MPOC, aggravation de l'asthme, rétention des sécrétions • Signe de détresse respiratoire grave et d'hypoxémie
Contracture musculaire antalgique	↓ volontaire du Vt afin de ↓ douleur à l'inspiration	• Incision thoracique ou abdominale • Lésion au thorax, pleurésie, fracture de côtes
↑ diamètre thoracique antéropostérieur	Diamètre antéropostérieur égal au diamètre latéral. Les côtes forment un angle de 90° avec la colonne vertébrale.	• MPOC, asthme, fibrose kystique, hyperinflation • Âge avancé
Tachypnée	F.R. > 20 R/min ; > 25 R/min chez le client âgé	• Fièvre, anxiété, hypoxémie, détresse respiratoire • Importance de l'↑ par rapport à la F.R. normale de la personne reflétant l'↑ travail ventilatoire
Respiration de Kussmaul	Respirations régulières mais brèves et rapides, parfois profondes	• Acidose métabolique (↑ F.R. permet à l'organisme d'accroître l'expulsion de CO_2 pour normaliser l'équilibre acidobasique)
Cyanose	Coloration bleue de la peau, plus apparente aux lèvres et à la conjonctive palpébrale (à l'intérieur de la paupière inférieure)	• Indique que le sang capillaire contient plus que 5-6 g d'hémoglobine désaturée dans le sang artériel. Par exemple, ↓ transfert d'O_2 aux poumons ou ↓ débit cardiaque. Signe non spécifique, peu fiable sur le plan diagnostique
Hippocratisme digital	↑ épaisseur, bombement, aspect spongieux de l'extrémité des doigts	• Hypoxémie chronique. Par exemple, chez les clients atteints d'une MPOC, de fibrose kystique, de cancer du poumon ou de bronchiectasies

TABLEAU 33.10 Système respiratoire *(suite)*

OBSERVATIONS	DESCRIPTION	ÉTIOLOGIE POSSIBLE ET SIGNIFICATION[a]
Respiration paradoxale	Creusement (au lieu du gonflement habituel) de l'abdomen durant l'inspiration	• Respirations insuffisantes et inefficaces. Blessure médullaire haute. Signe non spécifique de détresse respiratoire grave
Palpation		
Déviation trachéale	Déplacement à gauche ou à droite de la position de la trachée normalement médiane	• Signe non spécifique de changement de position des structures du médiastin. Urgence médicale si causée par un pneumothorax sous tension. La trachée dévie du côté opposé au poumon affaissé.
Modification des vibrations vocales	↑ ou ↓ vibrations	• ↑ dans la pneumonie, œdème pulmonaire ; ↓ dans l'épanchement pleural, l'hyperinflation ; absence dans le pneumothorax, l'atélectasie
Modification des mouvements du thorax	Mouvements inégaux ou égaux, mais réduits des deux côtés du thorax à l'inspiration	• Mouvements inégaux causés par l'atélectasie, le pneumothorax, l'épanchement pleural ou la contracture musculaire antalgique ; mouvements égaux, mais réduits causés par un thorax en tonneau, un syndrome restrictif ou un trouble neuromusculaire
Percussion		
Hypersonorité	Son fort et grave dans des régions qui produisent normalement de la résonance	• Hyperinflation pulmonaire (MPOC), poumon affaissé (pneumothorax), trappage (asthme)
Matité	Son de tonalité moyenne dans des régions qui produisent normalement de la résonance	• ↑ densité (pneumonie, atélectasie grave), ↑ liquide dans la cavité pleurale (épanchement pleural)
Auscultation		
Crépitants fins	Série de bruits aigus, courts, discontinus, immédiatement avant la fin de l'inspiration ; résultat d'un équilibre rapide de la pression des gaz durant l'ouverture soudaine d'alvéoles affaissées ou de bronchioles terminales ; semblables au son émis par des cheveux frottés entre les doigts près de l'oreille	• Fibrose pulmonaire idiopathique, œdème interstitiel (œdème pulmonaire observé en phase précoce de l'insuffisance cardiaque), sécrétions dans les alvéoles (pneumonie), perte d'expansion pulmonaire (atélectasie)
Crépitants rudes	Série de bruits longs, graves, discontinus, causés par l'air qui passe dans des voies aériennes obstruées en intermittence par du mucus, une paroi bronchique instable ou un repli de muqueuse ; marqués à l'inspiration et parfois à l'expiration ; similaires au bruit produit quand on souffle dans une paille sous l'eau ; augmentation des gargouillements, selon la quantité de liquide	• Œdème pulmonaire alvéolaire (insuffisance cardiaque grave), pneumonie avec congestion alvéolaire importante, MPOC
Ronchus (râles)	Grondements continus, ronflements ou sons de crécelle résultant de l'obstruction des voies aériennes principales par des sécrétions ; plus fréquents à l'expiration ; modifiés par la toux ou une aspiration des sécrétions	• MPOC, fibrose kystique, pneumonie, bronchiectasie
Sibilances (sifflements)	Sons de haute tonalité, musicaux et grinçants ; marqués à l'expiration, mais pouvant se produire à l'inspiration ; entendus avec un stéthoscope	• Inflammation et bronchoconstriction (asthme, MPOC)
Wheezing	Son aigu continu, musical ou non, produit par une vibration rapide des parois bronchiques ; marqué à l'expiration, mais aussi à l'inspiration lorsque l'obstruction des voies aériennes augmente ; entendu sans stéthoscope	• Bronchospasme (asthme), obstruction des voies aériennes (corps étranger, tumeur), MPOC

TABLEAU 33.10	Système respiratoire *(suite)*	
OBSERVATIONS	**DESCRIPTION**	**ÉTIOLOGIE POSSIBLE ET SIGNIFICATION**[a]
Stridor	Son continu musical ou bruyant, de tonalité constante; résulte de l'obstruction incomplète du larynx ou de la trachée	• Croup, épiglottite, œdème des cordes vocales après extubation, présence d'un corps étranger
Absence de bruits respiratoires	Aucun bruit marqué dans les poumons et la région pulmonaire	• Épanchement pleural, obstruction des bronches, atélectasie, pneumonectomie, lobectomie
Frottement pleural	Bruit de raclement provenant du frottement des feuillets enflés ou rugueux de la plèvre l'un contre l'autre; marqué à l'inspiration, ou à l'expiration, possiblement les deux; aucun changement durant la toux; habituellement désagréable, surtout en inspiration profonde	• Pleurésie, pneumonie, infarctus pulmonaire
Bronchophonie, pectoriloquie	Perception exagérée de syllabes chuchotées ou mumurées à l'auscultation	• Pneumonie
Égophonie	Lettre «e» prenant la consonance d'un «a» durant l'auscultation en raison d'une transmission altérée du son de la voix	• Pneumonie, épanchement pleural

[a] Se limite aux facteurs étiologiques courants; un exposé détaillé des troubles énumérés se trouve aux chapitres 34, 35, 36.

Collecte des données

TABLEAU 33.11	Examen physique du système respiratoire normal
ORGANE	**OBSERVATIONS**
Nez	• Symétrique et sans déformation • Muqueuse nasale rose et humide, sans œdème, exsudat, sang ni polype • Cloison nasale droite, bilatéralité des narines
Muqueuse buccale	• Rosée, humide, sans exsudat ni ulcération
Pharynx	• Lisse, humide et rose
Cou	• Trachée médiane
Cage thoracique	• Rapport du diamètre antéropostérieur au diamètre latéral 1:2 • Respiration aisée, F.R. entre 12-20 R/min • Murmures vésiculaires avec absence de bruits adventices • Frémissement tactile identique de chaque côté sans augmentation des vibrations vocales

TABLEAU 33.12	Troubles détectés à l'examen du thorax dans les maladies pulmonaires courantes			
TROUBLE	**INSPECTION**	**PALPATION**	**PERCUSSION**	**AUSCULTATION**
MPOC	Thorax en tonneau; cyanose; position du trépied; utilisation des muscles accessoires	↓ mouvements de la cage thoracique	Hypersonorité ou matité en cas de consolidation	Crépitants; ronchus (râles); sibilances (sifflements); bruits respiratoires diminués
Asthme • Présence d'exacerbation	Expiration prolongée; position du trépied; lèvres pincées	↓ mouvements de la cage thoracique	Hypersonorité	Sibilances (sifflements); *wheezing*; ↓ bruits respiratoires à prévoir en l'absence d'amélioration (diminution grave de la ventilation)
• Sans exacerbation	Normal	Normal	Normal	Normal

TABLEAU 33.12	Troubles détectés à l'examen du thorax dans les maladies pulmonaires courantes *(suite)*			
TROUBLE	**INSPECTION**	**PALPATION**	**PERCUSSION**	**AUSCULTATION**
Pneumonie	Tachypnée ; utilisation des muscles accessoires ; cyanose	↑ vibrations vocales au-dessus de la région touchée	Matité au-dessus de la région touchée	Stade précoce : bruits bronchiques ; stade suivant : crépitants, ronchus (râles), égophonie, pectoriloquie
Atélectasie	Aucun changement ; asymétrie possible si atteinte d'un segment ou d'un lobe complet	Si légère, aucun changement ; si étendue, ↓ mouvements de la cage thoracique ; ↓ vibrations vocales	Matité au-dessus de la région touchée	Crépitants (peuvent disparaître durant les respirations profondes) ; disparition des murmures vésicaux si atteinte étendue
Œdème pulmonaire	Tachypnée ; respiration laborieuse ; cyanose	↓ mouvements de la cage thoracique ou mouvements normaux	Matité ou bruits normaux selon la quantité de liquide	Crépitants fins ou rudes à la base des poumons et qui montent dans l'arbre bronchique à mesure d'une aggravation
Épanchement pleural	Tachypnée ; utilisation des muscles accessoires	↑ mouvements de la cage thoracique ; ↓ ou absence de vibrations vocales au-dessus de l'épanchement	Matité	Diminution ou absence de bruits au-dessus de l'épanchement ; égophonie au-dessus de l'épanchement
Fibrose pulmonaire	Tachypnée	↓ mouvements de la cage thoracique	Normal	Crépitants ou ronchus (râles) dits « velcro » (comme à la séparation de bandes velcro)

stérile, aspiration endotrachéale ou bronchoscopie. Chez le client incapable d'expectorer spontanément, il est possible de provoquer une toux en lui faisant inhaler un aérosol irritant, habituellement une solution salée sursaturée. C'est ce qu'on appelle l'expectoration provoquée. On peut mettre en culture les échantillons ou les soumettre à des épreuves de sensibilité diagnostique pour identifier les micro-organismes infectieux (p. ex., le *Streptococcus pneumonia*, la *M. tuberculosis*, le *Pneumocystis jiroveci*) ou pour confirmer un diagnostic (détection de cellules malignes). Que des analyses plus poussées des expectorations aient été demandées ou non, il importe d'en noter la coloration, la quantité et la viscosité ou de signaler la présence de sang.

14

Le chapitre 14, *Réaction immunitaire et transplantation*, traite entre autres des réactions allergiques à divers agents.

33.3.2 Tests cutanés

Les tests cutanés permettent de dépister des réactions allergiques ▶ 14 ou une exposition au bacille de la tuberculose (TB) (*M. tuberculosis*). Ces tests consistent à inoculer un antigène dans le derme. Un résultat positif indique que le client a été exposé à l'antigène du bacille, ce qui ne signifie pas que la tuberculose soit présente. Un résultat négatif indique qu'il n'a pas

Examens paracliniques

TABLEAU 33.13	Système respiratoire	
EXAMEN	**DESCRIPTION ET BUT**	**RESPONSABILITÉS INFIRMIÈRES**
Sang		
Hémoglobine (Hb)	Ce test détermine la quantité d'Hb apte à transporter l'O_2. • Homme : 130-180 g/L • Femme : 120-160 g/L	• Expliquer la procédure de l'examen et son but.
Hématocrite (Ht)	Ce test détermine la proportion de globules rouges dans le plasma. Une augmentation de l'Ht (polyglobulie) est un signe d'hypoxémie chronique. • Homme : 42-52 % (0,42-0,52) • Femme : 37-48 % (0,37-0,48)	• Expliquer la procédure de l'examen et son but.

TABLEAU 33.13 **Système respiratoire *(suite)***

EXAMEN	DESCRIPTION ET BUT	RESPONSABILITÉS INFIRMIÈRES
Gaz sanguins artériels (GSA)	On obtient du sang artériel par ponction des artères fémorale ou radiale, ou au moyen d'un cathéter artériel. Les GSA servent à évaluer l'équilibre acidobasique, l'état de la ventilation, les besoins en oxygénothérapie, des changements dans l'oxygénothérapie ou dans les paramètres ventilatoires[a]. Il est aussi possible d'obtenir une gazométrie en continu par l'insertion d'une électrode ou d'un capteur dans un cathéter artériel.	• Indiquer si le client utilise de l'O_2 (pourcentage, L/min). Éviter de modifier l'oxygénothérapie ou les interventions (p. ex., par une aspiration, des changements de position) 20 minutes avant la prise d'un échantillon. Appliquer une pression sur l'artère pendant cinq minutes après la ponction pour éviter la formation d'un hématome au site de ponction artérielle.
Saturométrie	Cet examen mesure les saturations artérielle ou veineuse en oxygène. Un capteur est attaché au doigt, à l'orteil, au lobe de l'oreille ou sur le nez du client pour mesurer la SpO_2, ou dans un cathéter artériel pulmonaire pour mesurer la SvO_2. La saturométrie est employée pour la surveillance continue ou intermittente de l'oxygénation.	• Installer le capteur. Durant l'interprétation des données de la SpO_2 et de la SvO_2, évaluer d'abord l'état du client et les facteurs qui pourraient influer sur les résultats de la saturométrie. Les mouvements, une diminution de la perfusion, un refroidissement des extrémités, des lumières vives, des ongles en acrylique, une peau sombre, le monoxyde de carbone (CO) et l'anémie peuvent influencer la mesure de la SpO_2. Le changement de débit de l'O_2 et la consommation en O_2 peuvent modifier la SpO_2 et la SvO_2. • Lorsque la SpO_2 ou la SvO_2 est anormale, l'infirmière doit valider le résultat avec l'état clinique du client. En effet, les saturomètres peuvent donner des résultats erronés s'ils se déplacent ou s'ils sont mal branchés.
Capnométrie transcutanée ($PtcCO_2$)	Cet examen permet la mesure transcutanée de la pression partielle de dioxyde de carbone (PCO_2). Un capteur est collé à la peau, généralement sur le bras, pour mesurer la PCO_2. La captométrie est principalement employée pour surveiller la PCO_2 pendant la nuit. Les valeurs normales sont 37-50 mm Hg.	• Expliquer au client et à sa famille le but de la capnométrie transcutanée en insistant sur les bénéfices de la mesure en continu. Installer adéquatement le capteur. Consigner les données selon la procédure de l'établissement.
Examen des expectorations		
Culture et sensibilité diagnostique	Un prélèvement d'expectorations est recueilli dans un récipient stérile, dans le but de diagnostiquer une infection bactérienne, puis de choisir un antibiotique et un traitement. Les résultats sont obtenus en 48 à 72 heures.	• Expliquer au client comment fournir un échantillon valable (voir Coloration de Gram). Si le client ne peut fournir d'échantillon, on peut recourir à la bronchoscopie **FIGURE 33.15**.
Coloration de Gram	La coloration des expectorations permet de différencier les bactéries de types Gram négatif et Gram positif. On peut dès lors commencer un traitement en attendant les résultats de la culture et de la sensibilité.	• Demander au client de cracher dans le récipient après avoir toussé profondément. Il faut obtenir des expectorations muqueuses et non de la salive, et ce, tôt le matin après les soins d'hygiène buccale, car les sécrétions s'accumulent durant la nuit. En cas d'échec, augmenter l'absorption de liquide, sauf s'il y a contre-indication. Recueillir les expectorations dans le récipient stérile approprié durant l'aspiration des sécrétions trachéales. Envoyer l'échantillon au laboratoire sans délai.
Cytologie	On recueille un échantillon d'expectorations dans un récipient spécial contenant une solution de fixation; l'objectif est de détecter des cellules anormales qui peuvent signaler une affection maligne.	• Envoyer le prélèvement au laboratoire sans délai. Expliquer au client comment fournir un échantillon valable (voir Coloration de Gram). Utiliser la bronchoscopie si le client ne peut fournir d'échantillon **FIGURE 33.15**.
Radiologie		
Radiographie du thorax	L'examen permet de déceler, de diagnostiquer et d'évaluer les altérations du système respiratoire. Les faces antéropostérieure et latérales sont les plus souvent examinées.	• Demander au client de se dévêtir jusqu'à la taille, d'enfiler la chemise d'hôpital et de retirer tout objet métallique qu'il porte entre le cou et la taille.

TABLEAU 33.13 Système respiratoire *(suite)*

EXAMEN	DESCRIPTION ET BUT	RESPONSABILITÉS INFIRMIÈRES
Tomodensitométrie (TDM)	Ce test permet de diagnostiquer les lésions difficiles à évaluer par la radiographie classique (p. ex., dans le médiastin, le hile et la plèvre). Les plus employées sont la TDM hélicoïdale ou spiralée (généralement en association avec un produit de contraste) et la tomodensitométrie haute résolution (TDM-HR ; sans produit de contraste).	• Même procédure que pour la radiographie. L'agent de contraste peut être administré par voie intraveineuse (I.V.). La mesure de l'urée et de la créatinine sériques est effectuée avant l'introduction d'un agent de contraste afin d'évaluer la fonction rénale, car les produits de contraste sont filtrés par les reins et sont néphrotoxiques. Demander au client s'il est allergique aux fruits de mer, car l'agent de contraste contient de l'iode. S'assurer que le client est bien hydraté avant et après l'examen (pour faciliter l'élimination de l'agent de contraste). Informer le client que l'injection du produit de contraste peut provoquer une sensation de chaleur au site d'injection et, rarement, des bouffées vasomotrices. L'informer également qu'il doit rester immobile sur une surface dure et que l'appareil se déplacera autour de lui en émettant des « clics ».
Imagerie par résonance magnétique (IRM)	Ce test sert à diagnostiquer des lésions difficiles à examiner par TDM (p. ex., l'apex pulmonaire) et à distinguer les structures vasculaires et non vasculaires.	• Même procédure que pour la radiographie et la TDM, à la différence que l'agent de contraste ne contient pas d'iode. Si l'IRM est effectuée dans un appareil fermé et que le client souffre de claustrophobie, il faut recourir à une méthode de relaxation ou de diversion. Le client doit enlever tout objet métallique (p. ex., des bijoux, sa montre) avant l'examen. Cet examen est contre-indiqué pour le client porteur d'une pièce métallique implantée (p. ex., une vis, une prothèse, un stimulateur cardiaque, un défibrillateur à synchronisation automatique).
Scintigraphie de ventilation et perfusion (scan VQ)	Ce test permet d'évaluer la qualité de la ventilation et de la perfusion pulmonaire. Une injection de radio-isotope par voie I.V. révèle la circulation pulmonaire. L'inhalation concomitante d'un gaz radioactif (xénon ou krypton) permet également d'explorer la répartition de l'air dans les tissus alvéolaires. Une image radiographique normale illustre une radioactivité homogène. Une radioactivité partielle ou absente indique une insuffisance de ventilation ou de perfusion. Une ventilation normale sans perfusion est signe d'embolie pulmonaire.	• Même procédure que pour la radiographie. Aucune directive particulière après l'intervention, l'action du gaz et de l'isotope radioactifs étant de très courte durée.
Angiographie pulmonaire	Ce test sert à visualiser les vaisseaux pulmonaires, à localiser une obstruction ou le siège d'une pathologie (p. ex., une embolie). On injecte un produit de contraste par cathétérisme de l'artère pulmonaire ou du cœur droit. On prend une série de radiographies pour suivre le trajet du produit de contraste dans l'artère. La TDM, moins effractive, remplace progressivement l'angiographie.	• Même procédure que pour la radiographie et même précautions que pour la TDM concernant l'agent de contraste. Après l'intervention, vérifier l'état du pansement compressif au site d'insertion. Prendre la P.A., le pouls (P), vérifier la circulation distale au site d'insertion. Signaler et consigner tout changement notable.
Tomographie par émission de positrons (TEP)	Ce test permet de distinguer les nodules pulmonaires bénins et malins. La cellule cancéreuse est plus avide de glucose que la cellule normale ; la TEP, associée à l'injection d'une substance glucosée radioactive par voie I.V., permet de visualiser tout captage accru de glucose par des cellules.	• Même procédure que pour la radiographie. Aucune directive particulière après l'intervention, l'action de l'isotope radioactif étant de très courte durée. Inviter le client à boire beaucoup de liquide pour évacuer plus rapidement la substance radioactive.
Endoscopie		
Bronchoscopie	Le bronchofibroscope (souple) permet un examen endoscopique pour mieux poser un diagnostic, faire une biopsie, prélever des échantillons et suivre l'évolution d'une pathologie. Il peut également servir à l'aspiration de bouchons muqueux, au lavage bronchoalvéolaire et à l'extraction d'un corps étranger.	• Expliquer au client de ne rien prendre par voie orale (*nil per os* [NPO]) de 6 à 12 heures avant l'examen. Faire signer le consentement. Administrer tout sédatif prescrit. Après l'intervention, rappeler au client la consigne de NPO jusqu'au rétablissement du réflexe nauséeux. Surveiller les signes d'œdème de la glotte et la récupération à la suite de la sédation. Des expectorations sanguinolentes sont normales. En cas de biopsie, surveiller les signes d'hémorragie et de pneumothorax.

TABLEAU 33.13	Système respiratoire *(suite)*	
EXAMEN	**DESCRIPTION ET BUT**	**RESPONSABILITÉS INFIRMIÈRES**
Médiastinoscopie	Le médiatinoscope est introduit dans une petite incision faite au-dessus de la fourchette sternale et poussé jusqu'au médiastin afin d'explorer les ganglions lymphatiques ou de faire une biopsie. Cet examen sert à poser un diagnostic de cancer du poumon, d'un lymphome non hodgkinien, d'une infection granulomateuse ou d'une sarcoïdose.	• Intervention effectuée en salle d'opération et nécessitant une anesthésie générale. Préparer le client pour l'intervention chirurgicale. Faire signer le consentement. Au réveil, exercer la même surveillance que pour la bronchoscopie.
Biopsie		
Biopsie pulmonaire	Des prélèvements peuvent être effectués par biopsie transbronchique, percutanée, vidéoassistée ou à poumon ouvert. Les biopsies transbronchique et vidéoassistée peuvent être réalisées pendant la bronchoscopie. La biopsie percutanée s'effectue sous guidage tomodensitométrique en radiologie. La biopsie à poumon ouvert nécessite une intervention en salle d'opération. On peut également effectuer la biopsie vidéoassistée en salle d'opération. Ces examens servent à recueillir des prélèvements pour des analyses de laboratoire.	• Même procédure que pour la bronchoscopie si l'intervention se fait au moyen d'un brochofibroscope ; même procédure que pour la thoracotomie en cas de biopsie à poumon ouvert. • Dans le cas d'une biopsie percutanée, vérifier les bruits respiratoires toutes les 4 heures pendant 24 heures et signaler toute détresse respiratoire. Vérifier s'il y a saignement au site d'incision. Une radiographie pulmonaire est nécessaire après des biopsies transbronchique et percutanée en raison du risque de pneumothorax. • Dans le cas de la biopsie vidéoassistée, un drain thoracique peut s'avérer nécessaire après l'intervention, jusqu'à la réexpansion pulmonaire. Surveiller les bruits respiratoires pour suivre l'évolution de la réexpansion. Inciter le client à inspirer profondément pour favoriser la réexpansion. Faire signer le consentement pour tous ces examens.
Autres examens		
Thoracentèse	Cet examen est utilisé pour recueillir un échantillon de l'épanchement pleural à des fins diagnostiques, pour évacuer le liquide de la cavité pleurale ou pour perfuser un médicament. Une radiographie est nécessaire après l'examen en raison du risque de pneumothorax.	• Expliquer la procédure au client et faire signer le consentement avant le début de l'intervention, qui a généralement lieu dans la chambre du client. Faire asseoir la personne, les coudes appuyés sur la table de lit, les pieds contre un appui. Aider la personne durant l'intervention et lui rappeler de ne pas parler ni tousser. Surveiller les signes d'hypoxie ou de pneumothorax et ausculter les bruits respiratoires après l'intervention. Inciter la personne à inspirer profondément pour favoriser l'expansion pulmonaire. Envoyer les échantillons identifiés au laboratoire.
Test de spirométrie	Ce test évalue le fonctionnement du poumon. On utilise un spiromètre pour mesurer les volumes et les capacités respiratoires pendant que la personne procède aux exercices prescrits[b].	• Éviter de planifier l'intervention peu de temps après un repas. Éviter de faire inhaler un bronchodilatateur six heures avant l'intervention. Expliquer la procédure au client. Si des signes de détresse respiratoire surviennent avant l'intervention, le signaler au professionnel qui réalisera l'examen. Permettre au client de se reposer après l'intervention.

[a] Les valeurs normales sont présentées dans le tableau 33.1.

[b] Les valeurs normales sont présentées dans les tableaux 33.15 et 33.16.

été exposé ou que l'immunité à médiation cellulaire est compromise, comme c'est le cas chez la personne infectée par le VIH. Le **TABLEAU 33.14** énumère les réactions indiquant une réponse positive au test cutané de dépistage de la tuberculose.

Les responsabilités infirmières sont les mêmes pour tous les tests cutanés. D'abord pour éviter les résultats faux négatifs, l'infirmière doit s'assurer que l'injection est administrée par voie intradermique (I.D.) et non par voie sous-cutanée (S.C.). Après l'injection, il lui faut encercler les points d'injection et demander au client de ne pas effacer les marques. Pour situer l'emplacement des points d'injection de l'antigène, l'infirmière trace un diagramme de l'avant-bras et de la face externe de la main et marque les sites d'injection au dossier du client. Le diagramme est particulièrement utile dans le cas de tests multiples (VanLeeuwen & Poelhuis-Leth, 2009).

Les résultats doivent se lire, de 48 à 72 heures après l'injection, sous un éclairage adéquat. Chaque fois qu'une zone est indurée, l'infirmière marque les contours de l'induration au stylo afin d'en mesurer le diamètre en millimètres. Les zones irritées qui restent plates ne sont pas mesurées.

Examens paraclinIques

TABLEAU 33.14 **Interprétation des résultats du test cutané à la tuberculine (TCT)**

TYPES DE RÉACTIONS	
Taille de la réaction au TCT	**Situation où une réaction est considérée comme positive**
Induration 0-4 mm	• Infection par le VIH avec immunodéficience ET probabilité élevée d'infection tuberculeuse (p. ex., chez le client issu d'une population au sein de laquelle la prévalence de l'infection tuberculeuse est élevée, s'il y a contact étroit d'un cas contagieux actif ou anomalie à la radiographie)
Induration > 5 mm	• Infection par le VIH • Contact étroit d'un cas contagieux actif • Enfant soupçonné de souffrir d'une tuberculose active • Radiographie anormale avec maladie fibronodulaire • Autre déficience immunitaire : inhibiteurs du facteur de nécrose tumorale alpha (TNF-alpha), chimiothérapie
Induration > 10 mm	• Toutes les autres situations
Réactions faussées	**Causes possibles**
Réaction faussement négative (aucune réaction malgré une infection)	• Clients immunodéprimés • Infection récente par la TB (dans un délai de 8 à 10 semaines après l'exposition) • Infection massive par la TB • Infection de longue date par la TB (de nombreuses années) • Vaccination récente avec un virus actif (p. ex., la rougeole, la varicelle)
Réaction faussement positive (réaction malgré l'absence d'infection)	• Mycobactérie non tuberculeuse (p. ex., *M. avium-intracellulare* ou complexe *M. avium*) • Effet d'un vaccin bacille Calmette-Guérin (BCG)

Source : © Tous droits réservés. *Normes canadiennes pour la lutte antituberculeuse*, 7e édition, Agence de la santé publique du Canada, 2013. Reproduit avec la permission du ministre de la Santé et des Services sociaux, 2015.

33.3.3 Examens endoscopiques

Bronchoscopie

La bronchoscopie est un examen des bronches réalisé à l'aide d'un bronchofibroscope (ou fibroscope bronchique ou bronchoscope flexible). Elle peut servir à des fins diagnostiques pour obtenir un prélèvement de tissus ou de sécrétions et pour évaluer des changements résultant d'un traitement. À l'aide de ce tube, on peut effectuer un **lavage bronchoalvéolaire (LBA)** **FIGURE 33.15**, examen qui consiste à injecter dans les bronches et les alvéoles pulmonaires de petites quantités de sérum physiologique chauffé pour faciliter l'aspiration de cellules pulmonaires à analyser. La bronchoscopie sert aussi à des fins thérapeutiques, par exemple pour le retrait de bouchons muqueux ou de corps étrangers. On peut aussi utiliser le bronchofibroscope pour réaliser un traitement au laser, une **galvanocautérisation**, une **cryothérapie** ou la pose d'une **endoprothèse** (*stent*) afin de rendre sa perméabilité à une voie aérienne partiellement ou complètement obstruée par une tumeur.

Galvanocautérisation : Application indirecte de courant électrique par chauffage d'un élément conducteur qui brûle les tissus. À ne pas confondre avec l'électrochirurgie, qui implique l'application directe d'un courant électrique sur les tissus.

Cryothérapie : Méthode thérapeutique utilisant le froid sous différentes formes (glace, sachets congelés, azote liquide, neige carbonique), ainsi que le gaz (cryoflurane) pour atténuer une inflammation, lutter contre la douleur et l'œdème ou détruire certaines dermatoses (maladies de la peau).

La bronchoscopie peut s'effectuer en salle de chirurgie ambulatoire, en bloc opératoire, au chevet d'une personne admise aux soins intensifs ou dans un service de soins médicochirurgicaux. On demande au client de se coucher ou de s'asseoir. Après l'anesthésie du nasopharynx et de l'oropharynx à l'aide d'un anesthésique local, on enduit le bronchofibroscope de lidocaïne (Xylocaine[MD]) et on l'introduit dans les voies aériennes par le nez. La bronchoscopie peut aussi s'effectuer chez un client ventilé artificiellement par la sonde endotrachéale.

33.3.4 Biopsie pulmonaire

On distingue : 1) la biopsie pulmonaire transbronchique ; 2) la biopsie percutanée par aspiration à l'aiguille ; 3) la biopsie pulmonaire vidéoassistée ; 4) la biopsie pulmonaire à poumon ouvert. La biopsie pulmonaire a pour objectif de prélever des tissus, cellules ou sécrétions pour les analyser. La biopsie pulmonaire transbronchique consiste à obtenir un prélèvement en introduisant dans une bronche, à l'aide d'un bronchofibroscope, une pince ou une aiguille à biopsie **FIGURE 33.16**.

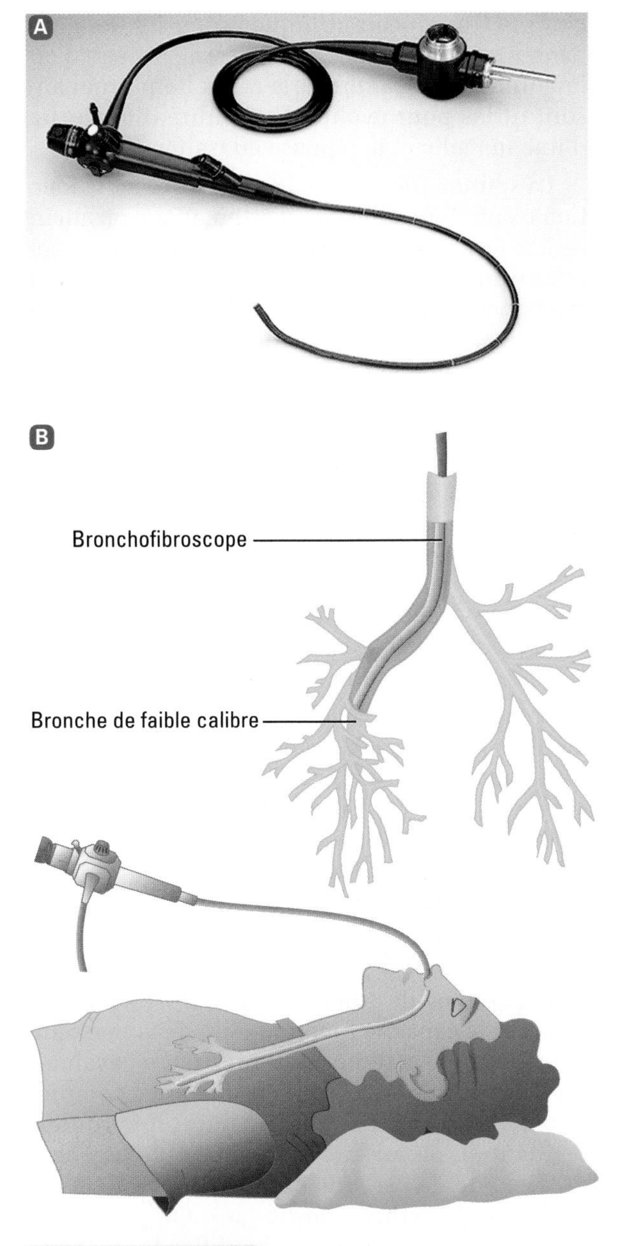

FIGURE 33.15 Bronchofibroscope – **A** Cathéter à ballonnet transbronchique et bronchofibroscope flexible. **B** Le cathéter est introduit dans une bronche de faible calibre, et le ballon est gonflé d'un volume de 1,5 à 2 mL d'air afin d'obstruer la lumière. On effectue le lavage bronchoalvéolaire en injectant une certaine quantité de solution saline stérile chauffée à 37 °C, puis en la réaspirant doucement. Les échantillons prélevés sont envoyés au laboratoire pour analyse.

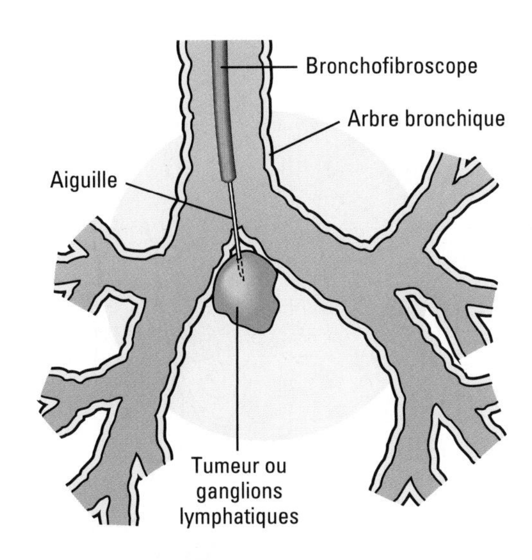

FIGURE 33.16 Biopsie transbronchique à l'aiguille – L'illustration montre une aiguille à biopsie qui pénètre la paroi bronchique et une masse de ganglions lymphatiques de la région sous-carénaire ou une tumeur.

Les prélèvements peuvent être mis en culture ou analysés à des fins de détection de cellules malignes. La biopsie pulmonaire transbronchique, en association avec le LBA, sert à différencier une infection d'un rejet de greffon pulmonaire. La biopsie percutanée par aspiration à l'aiguille est effectuée à l'aide d'une aiguille introduite à travers la paroi thoracique, habituellement sous guidage tomodensitométrique. À cause du risque de pneumothorax, une radiographie pulmonaire est demandée après la biopsie percutanée par aspiration à l'aiguille. Pour effectuer une biopsie pulmonaire vidéoassistée, le chirurgien pratique une ou deux petites incisions dans les muscles intercostaux ; il y insère ensite un trocart par lequel passe un endoscope rigide muni d'une lentille. Par cette lentille, le médecin peut visualiser les lésions et pratiquer la biopsie. On laisse une sonde pulmonaire en place jusqu'à ce que le poumon reprenne son expansion. Les lésions dans la plèvre ou les nodules en périphérie sont analysés par biopsie pulmonaire vidéoassistée. Ce type de chirurgie est moins effractif que la biopsie pulmonaire à poumon ouvert, et c'est la technique privilégiée lorsque le cas s'y prête. On pratique une biopsie pulmonaire à poumon ouvert lorsque les autres techniques exploratoires ont échoué à établir un diagnostic sûr quant à une atteinte pulmonaire. Les soins infirmiers subséquents à une biopsie sont les mêmes que ceux qui suivent une thoracotomie.

33.3.5 Thoracentèse (ponction pleurale)

La **thoracentèse** est la ponction de la paroi thoracique à l'aide d'une aiguille de gros calibre en vue d'aspirer du liquide pleural à des fins diagnostiques, d'évacuer le liquide de la cavité pleurale ou d'injecter un médicament dans la cavité pleurale **FIGURE 33.17**. Le client est en position assise, le dos droit, les coudes sur une table de lit, les pieds posés contre un appui. On nettoie la peau et on administre un anesthésique local par voie S.C. On peut placer un drain thoracique pour faciliter le drainage du liquide par la suite.

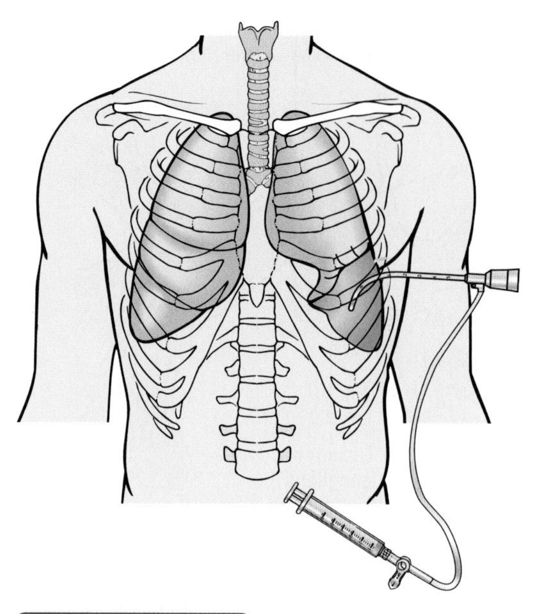

FIGURE 33.17 Thoracentèse (ponction pleurale) – Un cathéter est introduit dans l'espace pleural pour prélever le liquide accumulé.

33.3.6 Test de spirométrie

Méthodes liées à la fonction respiratoire : *Mesure du débit expiratoire de pointe (DEP).*

La spirométrie est un test de la fonction pulmonaire qui permet de mesurer les volumes respiratoires et le débit ventilatoire. Les résultats de l'examen permettent de poser un diagnostic, de suivre l'évolution de l'atteinte, de déterminer la gravité de l'incapacité et d'évaluer la réponse aux bronchodilatateurs. On mesure le débit ventilatoire à l'aide d'un spiromètre, sous la supervision d'un professionnel formé. On demande au client de placer l'embout d'un tube dans sa bouche, d'inspirer le plus profondément possible et d'expirer le plus rapidement, le plus vigoureusement et le plus longtemps possible. On s'assure que la personne expulse l'air jusqu'au terme de sa capacité d'expiration.

L'ordinateur de l'appareil calcule le rendement en pourcentage obtenu par la personne en comparaison des valeurs prévues en fonction de son âge, de son sexe, de son origine ethnique et de sa taille. Le client qui obtient 80 % et plus de la valeur prédite est considéré comme ayant un débit ventilatoire normal (Wilson, 2014). Les valeurs normales du test de spirométrie et des autres tests de la fonction respiratoire sont présentées aux **TABLEAUX 33.15** et **33.16** (i+).

Figure 33.3W : *Relation entre les volumes et les capacités pulmonaires.*

Pour mesurer la réponse à un traitement par bronchodilatateur, le médecin peut demander une spirométrie avant et après le traitement. La spirométrie peut aider à suivre la régression d'une maladie respiratoire obstructive comme l'asthme. Une réponse positive aux traitements par bronchodilatateur se traduit par une augmentation de plus de 200 mL (ou de plus de 12 %) par rapport aux valeurs obtenues avant le traitement.

Les valeurs des spirométries ne peuvent être interprétées de façon isolée et doivent tenir compte du tableau clinique en entier. Les tendances observées en ce qui concerne le débit d'air, le volume respiratoire et la capacité pulmonaire sont utiles pour évaluer la rapidité d'évolution d'une maladie et la réponse au traitement.

La spirométrie à domicile sert à évaluer la fonction respiratoire d'un client asthmatique ou atteint de fibrose kystique, de même que la fonction respiratoire du client avant et après une transplantation pulmonaire. Elle s'effectue à l'aide d'un instrument manuel appelé débitmètre de pointe. Après avoir pris une profonde inspiration, le client expire de manière forcée et rapide et expulse le maximum d'air possible de ses poumons. Le volume d'air expulsé est exprimé en millilitres. Des variations au test de spirométrie à domicile peuvent signaler un rejet précoce du greffon pulmonaire ou une infection. Les résultats offerts par le débitmètre – incluant les variations de valeur du débit expiratoire de pointe – favorisent l'autonomie chez le client asthmatique afin qu'il puisse modifier ses activités et ajuster sa médication en conséquence ▶ MS 2.1.

Les paramètres d'évaluation de la fonction pulmonaire permettent aussi de juger s'il faut recourir à un appareil de ventilation mécanique ou d'anticiper le sevrage d'une telle ventilation. Les mesures de la capacité vitale, la pression inspiratoire maximale et la ventilation minute servent à faire cette évaluation.

33.3.7 Épreuves de tolérance à l'effort

Les épreuves de tolérance à l'effort servent à mesurer la capacité fonctionnelle de la personne à soutenir une activité physique, tout en évaluant une incapacité. Au cours d'un exercice complet, la personne doit marcher sur un tapis roulant pendant qu'on mesure la quantité d'oxygène et de dioxyde de carbone expirés ainsi que la fréquence et le rythme cardiaques. On peut aussi lui faire subir une épreuve modifiée (épreuve de désaturation à l'effort), au cours de laquelle seule la SpO_2 est quantifiée. L'épreuve de désaturation à l'effort peut aussi servir à déterminer la quantité d'oxygène nécessaire pour maintenir la SpO_2 à une valeur sûre durant une activité physique chez le client sous oxygénothérapie à domicile.

Chez le client souffrant d'une affection pulmonaire d'intensité moyenne ou grave, la capacité fonctionnelle et la réponse aux traitements médicaux se mesurent par une épreuve de marche de six minutes. Un professionnel de la santé formé à cet effet demande au client de marcher autant que possible pendant six minutes, de s'arrêter au besoin en cas d'essoufflement et de reprendre la marche dès qu'il s'en sent capable. On procède généralement à une saturométrie durant l'épreuve. La distance parcourue en six minutes est mesurée et sert à déterminer les progrès de la personne en rééducation respiratoire ou à évaluer la progression de la maladie.

TABLEAU 33.15 Valeurs normales du volume et de la capacité pulmonaires

PARAMÈTRES	DÉFINITION	VALEURS NORMALES[a]
Volume[a]		
Volume courant (VC)	Volume d'air inhalé et expiré durant la respiration (représente une petite fraction de la capacité pulmonaire)	0,5 L
Volume de réserve expiratoire	Volume maximal d'air expulsé en supplément de l'expiration normale	1,0 L
Volume résiduel	Volume d'air qui reste dans les poumons après une expiration forcée ; quantité d'air encore disponible pour des échanges gazeux entre les respirations	1,5 L
Volume de réserve inspiratoire	Volume maximal d'air inspiré en supplément de l'inspiration normale	3,0 L
Capacité[a]		
Capacité pulmonaire totale	Volume total pulmonaire (c.-à-d. VC + volumes de réserve inspiratoire et expiratoire + volume résiduel)	6,0 L
Capacité résiduelle fonctionnelle	Volume d'air qui reste dans les poumons après une expiration normale (c.-à-d. volume de réserve expiratoire + volume résiduel) ; possibilité d'augmentation ou de diminution en présence d'une affection	2,5 L
Capacité vitale	Volume total d'air expiré après une inspiration forcée (c.-à-d. volumes de réserve inspiratoire et expiratoire + VC) ;	4,5 L
Capacité inspiratoire	Volume total d'air inspiré après une expiration normale (c.-à-d. VC + volume de réserve inspiratoire)	3,5 L

[a] Les valeurs normales varient selon la grandeur, le poids, l'origine ethnique, l'âge et le sexe de la personne. Tous les volumes sont 25 % moins importants chez la femme.

TABLEAU 33.16 Valeurs fréquemment mesurées au cours de l'évaluation de l'état respiratoire

MESURE	DESCRIPTION	VALEURS NORMALES[a]
Capacité vitale forcée (CVF)	Volume maximal d'air que l'on peut expulser rapidement après une inspiration forcée.	• > 80 % de la valeur normale
Volume expiratoire maximal à la première seconde ($VEMS_1$)	Volume maximal d'air que l'on peut expulser dans la première seconde d'un test de CVF ; mesure la gravité d'une obstruction des voies aériennes.	• > 80 % de la valeur normale
Rapport $VEMS_1$/CVF	Correspond à la valeur $VEMS_1$ divisée par la valeur CVF ; sert à distinguer, durant l'évaluation d'un trouble pulmonaire, une incapacité obstructive d'une incapacité restrictive.	• Âge < 50 : ≥ 75 % de la valeur normale • Âge ≥ 50 : ≥ 70 % de la valeur normale
Débit expiratoire maximal entre les valeurs de 25 % et de 75 % de la CVF ($DEM_{25\%-75\%}$)	Mesure du débit d'air quand on franchit la première moitié d'une expiration forcée ; peut être un signe précurseur d'une affection des petites voies aériennes.	• Âge < 50 : ≥ 75 % de la valeur normale • Âge ≥ 50 : ≥ 70 % de la valeur normale
Ventilation volontaire maximale (VVM)	Cycles ventilatoires aussi profonds et fréquents que possible pendant un intervalle déterminé ; test peu spécifique, mais révélateur néanmoins de la tolérance à l'effort ; épreuve utilisée en association avec une épreuve d'effort.	• Environ 170 L/min
Débit expiratoire de pointe (DEP)	Débit maximal d'air au cours d'une expiration forcée ; aide à surveiller l'évolution de la bronchoconstriction chez un client asthmatique ; peut être mesuré avec un débitmètre pour débit de pointe.	• Jusqu'à 600 L/min

[a] Les valeurs normales varient selon la grandeur, le poids, l'origine ethnique, l'âge et le sexe de la personne.

Chapitre

34

INTERVENTIONS CLINIQUES

Troubles des voies respiratoires supérieures

Écrit par:
Dorothy (Dottie) M. Mathers, RN, DNP, CNE

Adapté par:
France Paquet, inf., M. Sc.

Mis à jour par:
Josyane Pinard, inf., M. Sc.

MOTS CLÉS

Déviation de la cloison nasale 218
Épistaxis 219
Polypes nasaux 232
Rhinite allergique 221
Rhinoplastie.......................... 218
Sinusite 230
Trachéostomie 233
Voix œsophagienne 252

OBJECTIFS

Après avoir étudié ce chapitre, vous devriez être en mesure:

- de décrire les manifestations cliniques des troubles des voies respiratoires supérieures et la démarche de soins qui s'y rattache;
- de discuter de la démarche de soins relative au client qui requiert une trachéostomie;
- d'indiquer les étapes à suivre pour les soins de trachéostomie et l'aspiration des sécrétions des voies respiratoires;
- d'énoncer les facteurs de risque et les signes d'alerte associés au cancer de la tête et du cou;
- de procéder aux interventions infirmières relatives au client laryngectomisé;
- de décrire les méthodes utilisées pour la restauration de la voix chez le client qui a perdu l'usage de la parole de façon temporaire ou permanente.

Disponible sur 

- Animations
- Annexe Web
- À retenir
- Carte conceptuelle
- Encadrés Web
- Méthodes de soins: vidéos
- Pour en savoir plus
- Solutionnaire de l'Analyse d'une situation de santé
- Solutionnaire des questions de Jugement clinique
- Solutionnaire des questions Réactivation des connaissances
- Solutionnaire des questions Récemment vu dans ce chapitre

Concepts clés

Cette carte conceptuelle illustre schématiquement les principaux concepts décrits dans le présent chapitre. Sa lecture vous permettra d'avoir une vue d'ensemble des notions qui y sont présentées.

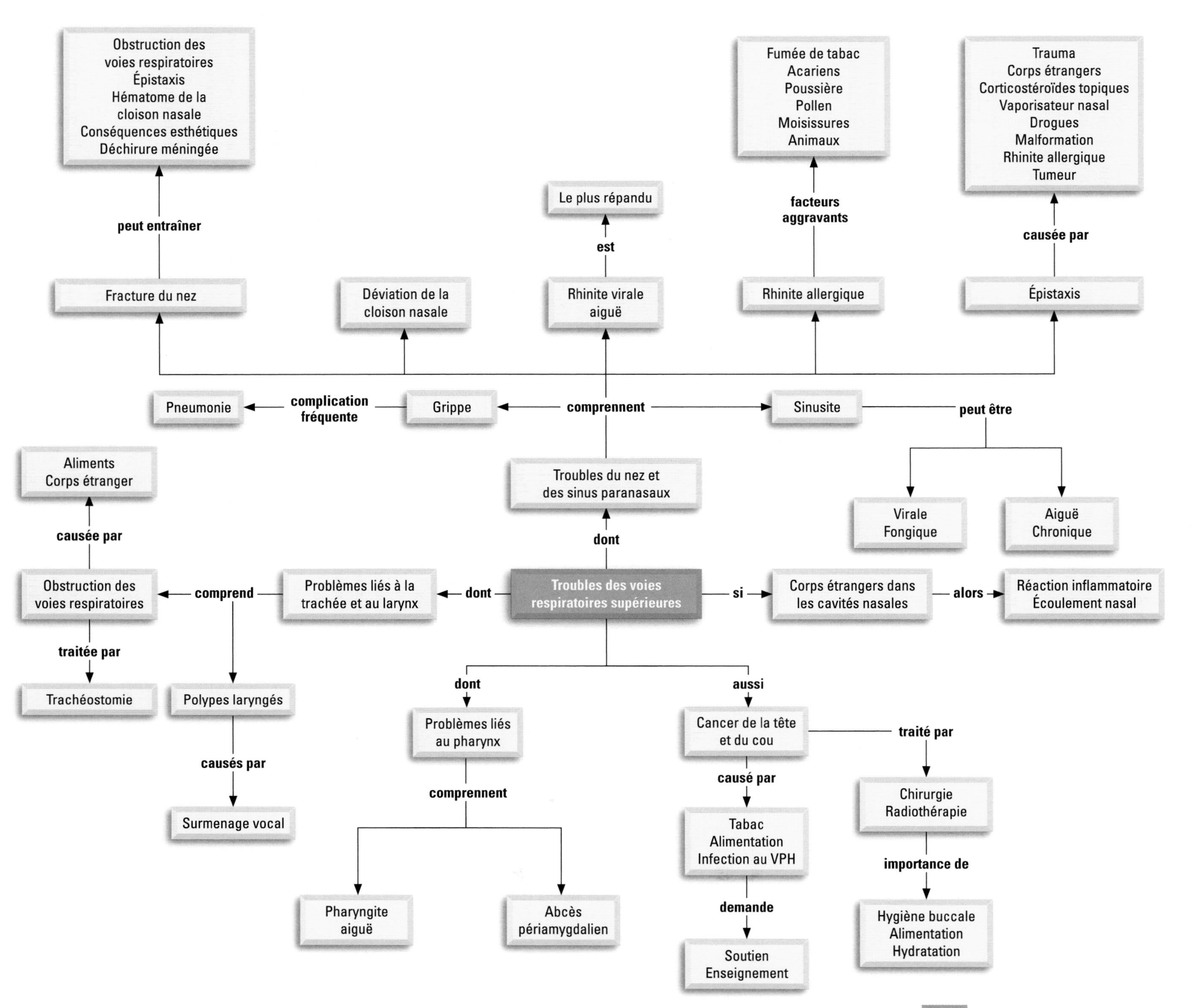

34.1 Troubles du nez et des sinus paranasaux

34.1.1 Déviation de la cloison nasale

CE QU'IL FAUT RETENIR

Même si les fractures du nez s'accompagnent souvent d'une déformation du visage, l'épistaxis en demeure généralement le seul signe apparent.

La déviation de la cloison nasale correspond à une déformation de celle-ci qui, normalement, est droite. La plupart du temps, cette déviation résulte d'un trauma au nez ou d'une disproportion congénitale (état où la taille de la cloison nasale n'est pas proportionnelle à celle du nez). À l'examen, la cloison apparaît fléchie d'un côté, ce qui nuit au passage de l'air. Les symptômes varient : le client peut éprouver une sensation de gêne en respirant par le nez, présenter un œdème nasal ou une muqueuse nasale sèche, en plus d'être incommodé par la formation de croûtes et par des épisodes de saignements (épistaxis). Il est essentiel de vérifier la présence de ces symptômes et l'histoire de santé du client avant de procéder à l'installation d'une sonde nasogastrique. L'infirmière pourra alors choisir le côté le plus favorable à sa mise en place.

La prise en charge médicale de la déviation de la cloison nasale comprend notamment la maîtrise des allergies nasales, comme dans le cas de la rhinite allergique. Chez les clients qui présentent des symptômes graves, il est possible de pratiquer une **septoplastie**, une technique chirurgicale pour modifier et aligner correctement la cloison du nez.

34.1.2 Fracture du nez

Réactivation des connaissances

Comment doit-on procéder pour évaluer la perméabilité nasale ?

Les fractures du nez comptent pour environ 40 % des blessures aux os associées aux traumas au visage. Elles sont souvent causées par un coup d'une force considérable assené au visage. Il est possible d'éviter certains de ces traumas par le port d'équipements sportifs de protection et par la prévention des chutes. Les complications liées à ces fractures comprennent l'obstruction des voies respiratoires, l'épistaxis, l'hématome de la cloison nasale, les conséquences sur le plan esthétique et les déchirures méningées, celles-ci augmentant le risque d'infection (Thiagarajan & Ulaganathan, 2013). Les fractures du nez sont classées comme étant unilatérales, bilatérales ou complexes. Une fracture unilatérale ne produit habituellement que peu ou pas de déplacement de la cloison nasale. La fracture bilatérale, plus courante, donne au nez une apparence aplatie. Les coups frontaux violents peuvent causer des fractures complexes, qui risquent, à leur tour, d'entraîner des dommages à certaines structures faciales adjacentes, comme les dents, les yeux ou d'autres os du visage.

Jugement clinique

C'est en jouant au hockey que Lee Valois, 16 ans, s'est fracturé le nez en tombant. Comment pouvez-vous assurer une perméabilité des voies respiratoires de l'adolescent et diminuer l'œdème de son visage ?

L'évaluation est fondée sur l'anamnèse et l'examen physique. Même si les fractures du nez s'accompagnent souvent d'une déformation du visage, l'épistaxis en demeure souvent le seul signe apparent. Lorsqu'une fracture du nez simple est soupçonnée, le recours à la radiographie s'avère rarement nécessaire. À l'examen, il suffit à l'infirmière d'évaluer la capacité du client de respirer par chaque narine, et elle note la présence d'œdème, de saignements ou d'hématomes.

La fracture du nez peut causer des ecchymoses sous un œil ou même sous les deux yeux, souvent appelées ecchymoses périorbitaires (ou yeux de raton laveur s'il y a ecchymoses sous les deux yeux). L'intérieur du nez doit être examiné pour y déceler tout signe de déviation de la cloison nasale, d'hémorragie ou d'écoulement clair qui laisserait supposer une fuite du liquide cérébrospinal (LCS) (liquide céphalorachidien [LCR]). Dans ce dernier cas, l'infirmière effectue un test rapide en prélevant un échantillon qui sera analysé. La présence de glucose atteste qu'il s'agit de LCS. Un coup d'une force suffisante pour fracturer les os nasaux entraîne une tuméfaction importante des tissus mous. En présence de tuméfaction étendue, il peut être nécessaire d'attendre de 5 à 10 jours avant de réduire la fracture, le temps que l'œdème diminue.

La démarche de soins a pour objectif d'assurer la perméabilité des voies respiratoires, de réduire l'œdème, de prévenir les complications et de procurer un soutien affectif. La meilleure façon d'assurer la perméabilité des voies respiratoires consiste à garder le client debout ou assis, la tête droite. L'application de glace sur le visage et le nez permet de réduire l'œdème et le saignement. L'infirmière évalue la cause et le mécanisme du trauma, puis elle en consigne la date et l'heure. De plus, elle note toute fracture ou intervention antérieure du nez ou du visage ainsi que l'information relative à la prise de drogue ou d'alcool avant le trauma (Kucik, Clenney & Phelan, 2004). Lorsqu'une fracture est confirmée, la prise en charge médicale vise à remettre en place les os déplacés, par réduction orthopédique ou chirurgicale (septoplastie, rhinoplastie), ainsi qu'à éviter la formation d'un hématome de la cloison nasale qui risquerait de causer une infection. Ces interventions permettent de rétablir l'apparence du nez et son fonctionnement normal, en plus d'assurer un passage adéquat de l'air.

34.1.3 Rhinoplastie

La **rhinoplastie**, c'est-à-dire la reconstruction chirurgicale du nez, est employée pour des raisons esthétiques ou pour améliorer la fonction des voies respiratoires lorsqu'un trauma ou des déformations liées à la croissance causent une obstruction nasale. Toute modification de l'image corporelle, réelle ou perçue (p. ex., un nez déformé ou élargi), peut nuire à l'estime de soi et aux relations interpersonnelles. L'évaluation des attentes du client constitue donc un volet important de la préparation à une rhinoplastie, particulièrement s'il s'agit de raisons esthétiques. Il est essentiel que l'infirmière discute des résultats attendus par le client. Il peut s'écouler jusqu'à un an après la chirurgie avant que le résultat final de l'intervention soit visible (Daniel, 2010).

Processus diagnostique et thérapeutique

La rhinoplastie est pratiquée en chirurgie ambulatoire et sous **anesthésie locorégionale**. Cette opération permet d'ajouter ou d'enlever du tissu nasal, en vue de rallonger ou de raccourcir le nez ou encore afin de réduire une fracture causée par un trauma. Des implants de plastique sont parfois utilisés pour le remodelage du nez. Après la chirurgie, une pression par tamponnement des fosses nasales est appliquée dans le but de prévenir le saignement ou la formation d'un hématome de la cloison nasale. Il est possible d'insérer des attelles septales (petits morceaux de plastique) pour prévenir la formation de tissu cicatriciel entre le champ opératoire et la paroi latérale du nez. Une attelle de plastique adaptée à la forme nouvelle du nez est placée sur celui-ci. Des bandelettes adhésives de rapprochement (de type Steri-Strip[MD]) permettent de maintenir la peau sur le cartilage septal. Habituellement, le tamponnement nasal est retiré le lendemain de la chirurgie, et l'attelle est enlevée au bout de trois à cinq jours. Dans certains cas, il est possible qu'un antibiotique soit prescrit en prophylaxie chez la clientèle à risque d'infection. L'infirmière surveille alors les signes d'infection et enseigne au client les symptômes qu'il devra reconnaître (Georgiou, Faber, Mendes *et al.*, 2008).

Soins et traitements infirmiers

CLIENT AYANT SUBI UNE CHIRURGIE NASALE

La rhinoplastie, la septoplastie et la réduction des fractures du nez sont des exemples de chirurgie nasale. Avant de subir une chirurgie, le client doit être informé de ne pas prendre de médicaments contenant de l'acide acétylsalicylique (AAS) ni d'anti-inflammatoires non stéroïdiens (AINS) durant les deux semaines qui précèdent l'intervention, afin de réduire le risque de saignement. Au cours de la phase postopératoire immédiate, les interventions infirmières consistent notamment à assurer la perméabilité des voies respiratoires, à évaluer l'état respiratoire, à soulager la douleur et à surveiller le site opératoire afin de déceler tout signe de saignement, d'infection ou d'œdème. L'enseignement au client est un élément important, car une fois de retour à la maison, il doit être en mesure de déceler tout signe de complications précoces ou tardives. Il faut un certain temps avant que l'œdème et les ecchymoses se résorbent et que le client puisse apprécier le résultat final de l'intervention.

Jugement clinique

Finalement, Lee a dû subir une rhinoplastie avec implant de plastique. Le chirurgien a inséré une mèche dans chaque narine, obligeant l'adolescent à respirer par la bouche. Quelle suggestion pouvez-vous lui faire pour qu'il arrive à bien dormir malgré la présence des mèches nasales ?

34.1.4 Épistaxis

L'**épistaxis** (saignement de nez) touche principalement les enfants de moins de 10 ans et les personnes âgées de 70 à 80 ans. Il est estimé que 60 % de la population subira un épisode durant sa vie (Pallin, Chng, McKay *et al.*, 2005). L'épistaxis peut être causée par la rhinite allergique, une infection, la sécheresse des muqueuses, la prise de certains médicaments, l'usage de corticostéroïdes topiques, l'utilisation excessive d'un vaporisateur nasal, la consommation de drogues illicites, une malformation anatomique, une tumeur, un trauma ou la présence de corps étrangers. Toute condition ou médication ayant pour effet de prolonger le temps de saignement ou de modifier la numération plaquettaire prédispose également à l'épistaxis. Par exemple, le temps de saignement peut être prolongé si le client prend de l'AAS (Aspirin[MD]) ou des AINS.

Les enfants et les jeunes adultes ont tendance à présenter un saignement de nez antérieur, alors que les personnes âgées présentent plutôt un saignement de nez postérieur. Les saignements antérieurs se manifestent par un saignement unilatéral, non massif, et ils représentent 90 % des cas d'épistaxis. Les saignements de la paroi postérieure ne représentent que 10 % des cas, mais requièrent une prise en charge médicale et des interventions généralement plus poussées (Barnes, Spielmann & White, 2012).

Soins et traitements en interdisciplinarité

CLIENT SOUFFRANT D'ÉPISTAXIS

Pour maîtriser l'épistaxis, l'infirmière applique les premiers soins qui consistent à : 1) calmer et rassurer le client ; 2) placer le client en position assise avec la tête penchée légèrement vers l'avant ; 3) appliquer une pression directe en pinçant la partie inférieure et souple du nez durant 10 à 15 minutes ; 4) obtenir de l'aide médicale si le saignement persiste (Rushing, 2009).

Si les premiers soins sont inefficaces, le traitement médical consiste à localiser l'origine du saignement, puis à appliquer un agent vasoconstricteur, ou à effectuer un tamponnement antérieur. De petites compresses (tampons nasaux) imprégnées de solution anesthésique ou d'agents vasoconstricteurs, comme la lidocaïne, peuvent être introduites dans la cavité nasale et doivent être maintenues en place de 10 à 15 minutes. Une fois le saignement maîtrisé, le médecin peut utiliser du nitrate d'argent pour cautériser.

Si le saignement persiste, le traitement médical peut exiger le recours au tamponnement postérieur. Celui-ci nécessite une simple bande de gaze enduite de vaseline, une éponge nasale préfabriquée ou un ballonnet d'épistaxis **FIGURE 34.1**. L'utilisation d'un cathéter à ballonnet afin de maîtriser le saignement est contre-indiquée.

Dans le cas d'un saignement postérieur, l'utilisation du tamponnement postérieur ou du ballonnet d'épistaxis a démontré une efficacité modérée. La chirurgie est alors envisagée ; elle s'avère habituellement efficace pour arrêter le saignement (Soyka, Nikolaou, Rufibach *et al.*, 2011).

Le tamponnement nasal peut perturber la condition respiratoire, en particulier chez les personnes âgées. L'infirmière doit donc surveiller attentivement la fréquence respiratoire (F.R.), la fréquence et le rythme cardiaques, la saturation pulsatile en oxygène (SpO_2) (au moyen d'un saturomètre, aussi appelé oxymètre de pouls ou sphygmooxymètre) et l'état de conscience, ainsi que tout signe d'aspiration. À cause du risque de complications, il arrive que le client soit admis dans une unité de soins pour être suivi de plus près.

Le tamponnement est un procédé douloureux, en raison de la pression qui doit être exercée pour faire cesser le saignement. Le tamponnement nasal prédispose le client à des infections, en raison de la présence de bactéries dans la cavité nasale (p. ex., le *Staphylococcus aureus*). Le client peut avoir besoin d'un analgésique opioïde faible pour contrer la douleur (p. ex., de l'acétaminophène avec codéine). La prise d'un antibiotique efficace contre les staphylocoques protège le client contre l'infection.

Le matériel de tamponnement nasal peut être laissé en place quelques jours. Avant de le retirer, l'infirmière peut administrer un analgésique au client, car cette intervention est très désagréable. Une fois les tampons retirés, l'infirmière voit à nettoyer délicatement les narines du client et à les lubrifier avec une gelée hydrosoluble.

Avant que le client quitte l'hôpital, l'infirmière lui fournira de l'information sur les soins à domicile et le préviendra d'éviter de se moucher fortement, de s'adonner à des activités ardues, de soulever des objets lourds et de faire des efforts physiques, et ce, durant quatre à six semaines. Elle enseignera au client comment éternuer en gardant la bouche ouverte et lui recommandera d'éviter de prendre des médicaments qui contiennent de l'AAS ou des AINS.

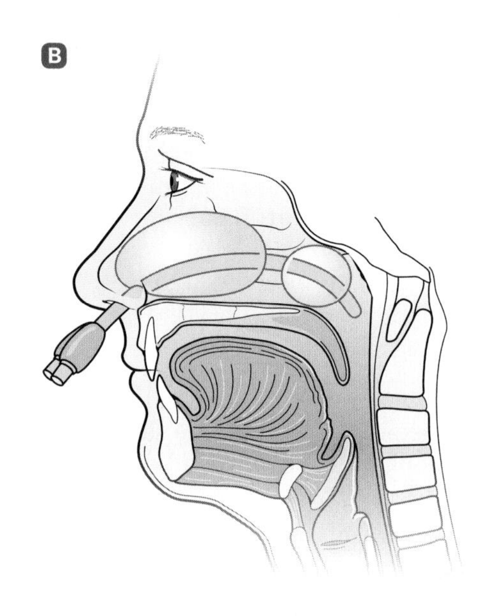

FIGURE 34.1 A Ballonnet d'épistaxis – Le ballonnet est gonflé après son insertion dans la narine. B Positionnement adéquat du ballonnet dans la narine.

34.1.5 Rhinite allergique

La rhinite allergique touche de 17 à 27 % de la population au Québec, sa prévalence la plus élevée étant chez les 25 à 44 ans, dont 21 % ont reçu ce diagnostic par un médecin (ministère de la Santé et des Services sociaux [MSSS], 2011). La **rhinite allergique** est la réaction de la muqueuse nasale à un allergène précis. Bien que les qualificatifs saisonnière et chronique soient encore largement utilisés pour décrire les deux types de rhinite allergique, les termes intermittente et persistante sont maintenant privilégiés. Une rhinite intermittente signifie que les symptômes sont présents moins de quatre jours par semaine ou moins de quatre semaines par année. Dans le cas d'une rhinite persistante, les symptômes se manifestent plus de quatre jours par semaine et plus de quatre semaines par année. Les crises de rhinite intermittente se produisent habituellement au printemps et à l'automne, et résultent d'une allergie au pollen des arbres, des fleurs ou des graminées. La crise typique s'étire sur plusieurs semaines, au moment où la densité pollinique est élevée, puis elle disparaît, pour réapparaître à la même période l'année suivante. La rhinite persistante se manifeste de façon sporadique ou continue.

Les symptômes de la rhinite allergique sont habituellement causés par des éléments déclencheurs environnementaux particuliers, comme la salive d'un animal de compagnie, des acariens détriticoles, des moisissures ou des coquerelles. Ces symptômes peuvent se manifester chaque fois que le client est exposé à un allergène précis. La sensibilisation à un allergène se développe à la suite d'une exposition initiale à celui-ci, qui entraîne la production d'immunoglobuline E (IgE) dirigée contre des antigènes précis ▶ 14. Quand le même allergène se présente de nouveau, les mastocytes et les basophiles libèrent de l'histamine, des prostaglandines et des leucotriènes, qui entraînent l'apparition de symptômes précoces comme l'éternuement, le prurit, la **rhinorrhée** et une congestion modérée. Il y a infiltration de cellules inflammatoires dans les tissus nasaux de deux à quatre heures après l'exposition, ce qui a pour effet de provoquer et d'entretenir la réaction inflammatoire. Comme les symptômes de la rhinite chronique ressemblent à ceux d'un rhume banal, il arrive que le client pense souffrir d'un rhume continu ou à répétition.

14

La sensibilisation aux allergènes est présentée dans le chapitre 14, *Réaction immunitaire et transplantation*.

Rhinorrhée : Écoulement de liquide par le nez.

Manifestations cliniques

Les premières manifestations cliniques de la rhinite allergique sont : des éternuements ; les yeux et le nez qui piquent et qui coulent ; une altération de l'odorat ; un léger écoulement nasal aqueux qui peut se transformer en une congestion nasale plus importante. Les cornets du nez sont pâles, œdémateux et enflés. Ils peuvent occuper tout l'espace et appuyer sur la cloison nasale. Les extrémités postérieures des cornets peuvent grossir au point de bloquer l'aération ou le drainage des sinus et d'entraîner une sinusite. Un client exposé continuellement à des allergènes peut présenter diverses réactions, comme des céphalées, de la congestion, une sensation de pression sur les sinus, des polypes nasaux et un écoulement rhinopharyngé (qui est la cause la plus fréquente de toux). Le client peut se plaindre d'une toux persistante, d'enrouement ou d'un besoin récurrent de s'éclaircir la voix. La congestion nasale peut également causer le ronflement.

Réactivation des connaissances

Comment peut-on déceler une douleur aux sinus chez une personne ?

Soins et traitements en interdisciplinarité

CLIENT ATTEINT DE RHINITE ALLERGIQUE

Pour prendre en charge la rhinite allergique, différentes mesures sont envisagées. La plus importante consiste à déterminer les éléments déclencheurs de réactions allergiques, puis à les éviter **TABLEAU 34.1** et **ENCADRÉ 34.1**. L'infirmière demandera au client de noter par écrit les moments où les réactions allergiques se manifestent et les événements qui les provoquent. Les clients portent souvent plus attention à une exposition sporadique à un allergène, comme celle associée à la présence d'un animal de compagnie, qu'à une exposition continue, par exemple à celle d'acariens détriticoles, de coquerelles ou de moisissures. Une fois que les éléments déclencheurs sont connus, le client peut prendre des mesures pour les éviter (MSSS, 2011).

La pharmacothérapie a pour objectif de réduire l'inflammation associée à la rhinite allergique et de diminuer les symptômes nasaux, afin que le client ne subisse pas d'effets indésirables, puisse bien dormir la nuit et évite la somnolence diurne. À cet effet, des antihistaminiques, des corticostéroïdes administrés par voie nasale ou des antagonistes des récepteurs des leucotriènes (ARLT) sont prescrits **TABLEAU 34.2**.

Les antihistaminiques de deuxième génération sont préférés à ceux de première génération en raison de leur sélectivité et de l'absence d'effet sédatif. L'infirmière doit rappeler au client qui prend des antihistaminiques de boire suffisamment pour en réduire les effets indésirables.

Antihistaminiques

- Les antihistaminiques de première génération (p. ex., le maléate de chlorphéniramine) peuvent causer de la somnolence et avoir un effet sédatif.
- Il faut avertir le client que la conduite automobile et la manœuvre de machinerie peuvent être dangereuses en raison de l'effet sédatif des antihistaminiques.

Enseignement au client et à ses proches

TABLEAU 34.1 Comment atténuer les symptômes de rhinite allergique

CONTACTS À ÉVITER	JUSTIFICATIONS OU ACTIONS À PRENDRE
Fumée du tabac et des feux de foyer	• Éviter le tabagisme et le contact avec la fumée de feux de foyer, car ils nuiront au meilleur des programmes de réduction des symptômes.
Poussière domestique	• Porter une attention particulière à la chambre. Enlever la moquette. Limiter le nombre de meubles. • Recouvrir les oreillers, le matelas et le sommier de housses de vinyle hermétiques. • Dans la chambre, ne garder que les vêtements portés fréquemment. • Passer l'aspirateur sur les tapis au moins une fois par semaine. • Éviter les rideaux, préférer des stores. • Faire l'époussetage une fois par semaine avec un chiffon humide. Porter un masque pendant l'époussetage. • Préférer un aspirateur muni d'un filtre HEPA (*High Efficiency Particulate Air Filter*) si possible.
Acariens détriticoles	• Laver la literie à l'eau très chaude (54 °C) chaque semaine. • Sécher la literie à température élevée pendant 45 minutes. • Éviter de dormir ou de s'étendre sur des meubles rembourrés. • Éviter de donner des jouets rembourrés aux enfants.
Spores de moisissures	• Éviter les humidificateurs. • Utiliser un déshumidificateur pour maintenir le taux d'humidité au-dessous de 50 %. Les déshumidificateurs doivent être vidés quotidiennement. • Aérer les pièces fermées et ouvrir les portes pour aérer toute la maison, y compris les espaces restreints et le grenier. • Utiliser une hotte au-dessus de la cuisinière pour éliminer la vapeur de cuisson. • Éviter les tapis dans les salles de bain et le sous-sol. • Nettoyer rapidement les dégâts sur les tapis. • Installer et utiliser un ventilateur d'évacuation dans la salle de bain. • Remplacer le rideau de douche régulièrement, surtout en présence de traces de moisissures. • Sécher les vêtements tout de suite après le cycle de lavage. • Limiter le nombre de plantes intérieures, en particulier dans les chambres à coucher. • Éviter d'avoir un aquarium de grande capacité.
Pollens	• Garder les fenêtres fermées pour empêcher le pollen de pénétrer dans la maison. • Pendant les périodes de grande chaleur, demeurer à l'intérieur, à l'air climatisé. • Éviter de passer beaucoup de temps à l'extérieur durant les périodes chaudes et humides, en particulier si la quantité de pollen est élevée.
Allergènes associés aux animaux de compagnie	• Retirer les animaux de compagnie du domicile. • Nettoyer à fond la surface habitable. • Ne pas s'attendre à un soulagement instantané. Il faut généralement patienter deux mois pour constater une amélioration notable des symptômes à la suite du retrait de l'animal. • Si l'animal de compagnie demeure, éviter qu'il n'entre dans la chambre à coucher. • Demander à une tierce personne de brosser et de laver l'animal de compagnie hebdomadairement.

Source : Adapté de Association pulmonaire du Canada (2010a, 2010b).

Pratique fondée sur des résultats probants

ENCADRÉ 34.1 Quel est l'effet d'une rhinite allergique chez les clients asthmatiques ?

QUESTION CLINIQUE

Les clients qui sont touchés à la fois par l'asthme et la rhinite allergique (P) sont-ils plus à risque (I) de faire des crises d'asthme (O) ?

RÉSULTATS PROBANTS

- Lignes directrices pour la pratique clinique

ANALYSE CRITIQUE ET SYNTHÈSE DES DONNÉES

- Les recommandations des experts en regard de la pratique reposent sur de solides résultats probants. Dans les cas où les résultats probants sont moins solidement appuyés, les experts émettent plutôt des suggestions. Les sources mentionnées ne sont pas liées à des recommandations précises.

CONCLUSION

- Une rhinite allergique non traitée peut exacerber l'asthme. Chez les clients atteints à la fois d'asthme et de rhinite allergique, il importe de mettre en place une stratégie combinée pour traiter simultanément les affections des voies respiratoires supérieures et inférieures.

RECOMMANDATIONS POUR LA PRATIQUE INFIRMIÈRE

- Questionner les clients asthmatiques sur des antécédents possibles ou des symptômes de rhinite allergique.
- Questionner les clients atteints de rhinite allergique persistante sur des antécédents possibles d'asthme.
- Expliquer aux clients asthmatiques que le traitement de la rhinite allergique, s'il est nécessaire, peut contribuer à limiter les crises d'asthme.

RÉFÉRENCES

Brozek, J.L., Baena-Cagnani, C.E., Bonini, S., *et al.* (2008). Methodology for development of the allergic rhinitis and its impact on asthma guideline 2008 update. *Allergy, 63*(1), 38.

Lemière, C., Bai, T., Balter, M., *et al.*, au nom du Canadian Adult Consensus Group of the Canadian Thoracic Society (2004). Adult asthma consensus guidelines update 2003. *Canadian Respiratory Journal, 11*(supp. A), 9A-18A.

Ministère de la Santé et des Services sociaux du Québec (2011). *La rhinite allergique au Québec*. Québec : Direction des communications.

World Health Organization (WHO) (2008). *Allergic Rhinitis and its Impact on Asthma*. Genève : WHO.

P : Population ; I : Intervention ; O : (*Outcome*) Résultat.

34

Pharmacothérapie

TABLEAU 34.2 Rhinite allergique et sinusite

MÉDICAMENTS	MÉCANISMES D'ACTION	EFFETS INDÉSIRABLES	INTERVENTIONS INFIRMIÈRES
Corticostéroïdes			
Vaporisateur nasal			
• Budésonide (Rhinocort[MD]) • Ciclésonide (Omnaris[MD]) • Proprionate de fluticasone (Flonase[MD]) • Furoate de fluticasone (Avamys[MD]) • Furoate de mométasone monohydraté (Nasonex[MD])	• Inhibe la réaction inflammatoire. • Aux doses recommandées, les effets secondaires systémiques sont rares en raison de la faible absorption systémique. • Certains effets systémiques peuvent se manifester à des doses supérieures à celles recommandées.	• Légère sensation transitoire de brûlure et de picotement dans le nez. • En de rares cas, infection fongique localisée due à *Candida albicans*.	• Recommander au client de commencer l'utilisation deux semaines avant le début de la saison pollinique et de continuer tout au long de celle-ci. • Expliquer au client l'importance de prendre le médicament sur une base régulière et non au besoin. • Rappeler au client que le produit agit en diminuant l'inflammation et que l'effet n'est pas immédiat, contrairement aux décongestionnants en vaporisation. • Aviser le client de cesser l'utilisation si une infection nasale survient (présence de sécrétions colorées, augmentation de la quantité des sécrétions).

TABLEAU 34.2 Rhinite allergique et sinusite *(suite)*

MÉDICAMENTS	MÉCANISMES D'ACTION	EFFETS INDÉSIRABLES	INTERVENTIONS INFIRMIÈRES
Stabilisateur de membrane			
Vaporisateur nasal			
• Cromoglycate sodique en vaporisation (Rhinaris CS^MD)	• Empêche la dégranulation des mastocytes, qui se produit par suite d'une exposition à des antigènes précis.	• Effets indésirables minimes. Sensation de brûlure ou irritation nasale occasionnelles.	• Souligner au client que le produit empêche l'expression des symptômes. • Recommander au client de commencer l'utilisation deux semaines avant le début de la saison pollinique et de continuer tout au long de celle-ci. • En cas d'allergie isolée, comme aux chats, demander au client d'employer de façon prophylactique (de 10 à 15 minutes avant l'exposition à l'allergène).
Antagonistes des récepteurs des leucotriènes (ARLT)			
• Zafirlukast (Accolate^MD) • Montélukast sodique (Singulair^MD)	• Contrarient ou inhibent l'activité des leucotriènes. • De ce fait, diminuent l'œdème des voies respiratoires et la bronchoconstriction, et modèrent le processus inflammatoire.	• Céphalées, étourdissements, éruption cutanée, modification des résultats d'examens de la fonction hépatique, douleur abdominale. • Avec le zafirlukast : suivre de près le temps de prothrombine et le taux de théophylline si le client prend de la warfarine sodique (Coumadin^MD) ou de la théophylline. • Avec le zafirlukast : rares cas de syndrome de Churg et Strauss (syndrome pseudogrippal : fièvre, douleurs et crampes musculaires, aggravation des symptômes respiratoires, perte de poids).	• Évaluer périodiquement la fonction hépatique durant le traitement. Cesser le traitement si les résultats sont élevés. • Aviser le client de prendre la médication à jeun. • Recommander au client de ne pas interrompre le traitement sans consulter un professionnel de la santé. • Aviser le client que la médication ne doit pas être utilisée dans les cas de crise aiguë. • Aviser le client de prévenir immédiatement un professionnel de la santé advenant des symptômes du syndrome de Churg et Strauss (syndrome pseudogrippal : fièvre, douleurs et crampes musculaires, aggravation des symptômes respiratoires, perte de poids).
Anticholinergique			
Vaporisateur nasal			
• Bromure d'ipratropium (Atrovent^MD)	• Bloque les effets d'hypersécrétion en compétionnant pour occuper les sites anticorps sur les cellules. • Réduit la rhinorrhée dans les cas de rhume banal et de rhinite non allergique.	• Peut occasionner de la sécheresse de la bouche et du nez. • Ne cause pas d'effets indésirables systémiques.	• Souligner au client que le produit prévient l'expression des symptômes. Le délai d'action est de moins de une heure. • Aviser le client que la médication peut réduire le besoin d'avoir recours à d'autres médicaments contre la rhinite.

TABLEAU 34.2 **Rhinite allergique et sinusite *(suite)***

MÉDICAMENTS	MÉCANISMES D'ACTION	EFFETS INDÉSIRABLES	INTERVENTIONS INFIRMIÈRES
Antihistaminiques			
Agents de première génération			
• Chlorhydrate de diphenhydramine (Benadryl[MD])	• Se lient aux récepteurs H1 des cellules cibles et empêchent ainsi les liaisons avec l'histamine. • Soulagent les symptômes aigus de la réaction allergique (démangeaison, éternuements, sécrétions excessives, légère congestion).	• Les agents de première génération franchissent la barrière hématoencéphalique, se lient aux récepteurs H1 dans le cerveau, ont à la fois des effets sédatifs (baisse de la vigilance, ralentissement du temps de réaction, somnolence) et stimulants (agitation, nervosité, insomnie). • Effets gastro-intestinaux : perte d'appétit, épigastralgie, constipation, diarrhée. • Palpitations, tachycardie, rétention urinaire.	• Prévenir le client que la manœuvre de machinerie et la conduite automobile peuvent être dangereuses en raison de l'effet sédatif du produit. • Expliquer au client qu'il est important de signaler l'apparition de palpitations, de changements dans la F.C. et de modifications dans les habitudes d'élimination intestinale ou urinaire. • Prévenir le client de ne pas consommer d'alcool s'il prend des antihistaminiques, en raison de l'effet dépresseur cumulatif des substances. • Court délai d'action, l'emploi prolongé n'entraîne pas de tolérance.
Agents de deuxième génération			
• Loratadine (Claritin[MD]) • Chlorhydrate de cétirizine (Reactine[MD]) • Chlorhydrate de fexofénadine (Allegra[MD]) • Desloratadine (Aerius[MD])	• Antagoniste sélectif des récepteurs H1 de l'histamine.	• Les agents de deuxième génération ont une affinité limitée pour les récepteurs H1 du cerveau. • Ils causent une sédation minimale, exercent peu d'effet sur les activités psychomotrices et la fonction vésicale.	• Informer le client que le produit occasionne peu ou pas d'effets indésirables. • Aviser le client que ces médicaments sont plus coûteux que les antihistaminiques classiques. • Informer le client du court délai d'action et lui préciser que l'emploi prolongé n'entraîne pas de tolérance. Interactions générales : • Aviser le client de ne pas utiliser avec de l'alcool ni aucun type de tranquillisants ou de sédatifs. • Aviser le client de ne pas utiliser le médicament avec un antidépresseur qui est un inhibiteur de la monoamine-oxydase (p.ex., le sulfate de tranylcypromine [Parnate[MD]]).
Décongestionnants			
Oral			
• Chlorhydrate de pseudoéphédrine (Sudafed[MD])	• Stimule les adrénorécepteurs des vaisseaux sanguins, favorise la vasoconstriction et réduit l'œdème nasal et la rhinorrhée.	• Stimulation du système nerveux central (SNC), causant de l'insomnie, de l'excitation, des céphalées, de l'irritabilité, une augmentation de la pression artérielle (P.A.) et oculaire, de la dysurie, des palpitations et de la tachycardie.	• Aviser le client de la possibilité d'effets indésirables. • Indiquer au client que certaines préparations sont contre-indiquées pour les personnes atteintes d'une maladie cardiovasculaire, d'hypertension artérielle, de diabète, de glaucome, d'hyperplasie de la prostate ou d'une maladie du foie ou du rein.
Topiques (vaporisateurs nasaux)			
• Chlorhydrate d'oxymétazoline (Dristan[MD]) • Chlorhydrate de phényléphrine (Neo-Synephrine[MD])	• Comme ci-dessus (décongestionnant oral).	• Comme ci-dessus (décongestionnant oral), avec en plus de la rhinite médicamenteuse (congestion nasale de rebond).	• Aviser le client de ne pas utiliser ces médicaments plus de trois jours d'affilée ou plus de trois ou quatre fois par jour.

Les corticostéroïdes et le cromoglycate de sodium en aérosols intranasaux sont efficaces contre la rhinite allergique. Les corticostéroïdes en aérosols nasaux sont utilisés pour réduire l'inflammation localement. Comme ce médicament est peu absorbé par la circulation, il provoque rarement des effets secondaires systémiques. Pour obtenir le soulagement désiré, il arrive qu'un corticostéroïde en aérosol nasal doive être utilisé en combinaison avec un antihistaminique. Lorsque cela est possible, le client devrait commencer à prendre un corticostéroïde administré par voie nasale deux ou trois semaines avant le début de la saison des allergies (Nathan, 2008). Lorsque le client tolère mal les médicaments ou si ceux-ci s'avèrent inefficaces, l'immunothérapie (injections contre les allergies) peut être utilisée, à condition toutefois de réussir à déceler un allergène précis que le client ne peut éviter. L'immunothérapie est un traitement où le client se trouve exposé à de petites doses d'un allergène connu, et ce, au moyen d'injections fréquentes et planifiées (au moins une fois par semaine), en vue de diminuer sa sensibilité ▶ 14.

14
L'immunothérapie est présentée dans le chapitre 14, *Réaction immunitaire et transplantation.*

34.1.6 Rhinite virale aiguë

La **rhinite virale aiguë** (rhume banal ou coryza) est causée par un adénovirus qui envahit les voies respiratoires supérieures. Elle accompagne souvent une infection aiguë de celles-ci. La rhinite virale aiguë est la maladie infectieuse la plus répandue, et elle se propage au moyen de gouttelettes aéroportées émises par une personne infectée lorsque celle-ci respire, parle, éternue ou tousse. La maladie se propage aussi par contact direct avec les mains. Le virus peut survivre sur des objets jusqu'à 48 heures (Weber & Stilianakis, 2008). La fréquence de l'infection augmente pendant les mois d'hiver, alors que les gens sortent peu à l'extérieur et se tiennent davantage dans des lieux bondés. D'autres facteurs, comme la fatigue, le stress physique et émotionnel ou un état immunitaire affaibli, diminuent la résistance à l'infection. En général, le client atteint de rhinite virale aiguë ressent d'abord un chatouillement et une irritation, suivis d'éternuements et de sécheresse du nez ou du nasopharynx, de sécrétions nasales abondantes, d'obstruction nasale, de larmoiements, d'hyperthermie, d'un malaise général et de céphalées. Après la phase de rhinorrhée claire, le nez devient davantage obstrué et l'écoulement s'épaissit. Puis, en l'espace de quelques jours, la condition générale s'améliore, les voies nasales se dégagent, et la respiration redevient normale.

Soins et traitements en interdisciplinarité

CLIENT ATTEINT DE RHINITE VIRALE AIGUË

Il est recommandé au client de se reposer, de boire beaucoup de liquides, de suivre un bon régime alimentaire et de prendre des antipyrétiques et des analgésiques. Il peut aussi recourir à certains traitements complémentaires **ENCADRÉ 34.2** (i+). Les complications de la rhinite virale aiguë comprennent la pharyngite, la sinusite, l'otite

Encadré 34.1W : *Approches complémentaires et parallèles en santé – Hydraste du Canada ;* encadré 34.2W : *Approches complémentaires et parallèles en santé – Zinc.*

Approches complémentaires et parallèles en santé

ENCADRÉ 34.2 *Echinacea purpurea*

RÉSULTATS PROBANTS

- L'*Echinacea purpurea* (échinacée pourpre) n'a pas d'effet notable sur la fréquence et la durée du rhume banal.
- Son efficacité quant à la prévention et au traitement des infections des voies respiratoires supérieures ne fait pas l'unanimité.

RECOMMANDATIONS POUR LA PRATIQUE INFIRMIÈRE

- L'échinacée est considérée comme sécuritaire si elle est utilisée selon les doses recommandées.
- Les clients qui ont des allergies aux plantes de la famille des astéracées, des composées (qui comprend l'herbe à poux) et des marguerites sont plus susceptibles de présenter des réactions allergiques.
- Les clients atteints d'une maladie systémique progressive telle que la tuberculose, la leucose, la collagénose ou la sclérose en plaques devraient consulter leur médecin avant d'en faire usage.
- L'échinacée peut interagir avec des médicaments immunosuppresseurs. Il faut faire preuve de prudence avec les clients qui ont une pathologie liée au système immunitaire.
- L'échinacée peut entraîner une inflammation du foie. Il faut faire preuve de prudence lorsqu'elle est utilisée avec des médicaments, des plantes médicinales ou des suppléments qui peuvent endommager le foie.

Source : Adapté de Linde, Barrett, Wölkart *et al.* (2006).

moyenne, l'amygdalite et les infections pulmonaires. À moins que des symptômes de complications ne soient présents, l'antibiothérapie n'est pas indiquée. Les antibiotiques n'ont aucun effet sur les virus et, employés de manière peu judicieuse, ils contribuent à l'émergence desouches de bactéries résistantes aux antibiotiques. Si les symptômes persistent plus de sept jours et qu'aucune amélioration n'est notable, il se peut que la personne souffre d'une sinusite bactérienne aiguë, et des antibiotiques seront alors prescrits.

Durant la saison froide, il faut aviser les clients atteints d'une maladie chronique ou dont l'état immunitaire est affaibli d'éviter les foules, les situations de promiscuité, ainsi que le contact avec toute personne qui manifeste des symptômes évidents de rhume. Le lavage fréquent des mains et le fait d'éviter de porter celles-ci au visage sont des mesures qui contribuent à prévenir la propagation directe du virus.

Les interventions de l'infirmière doivent viser à soulager les symptômes. Celle-ci doit inciter le client à boire beaucoup de liquides pour liquéfier les sécrétions. Le traitement aux antihistaminiques ou aux décongestionnants réduit l'écoulement rhinopharyngé et diminue de façon notable l'intensité de la toux et l'importance de l'obstruction nasale et de la rhinorrhée. L'infirmière avertira le client de ne pas prendre de décongestionnant nasal en aérosol durant plus de trois jours pour éviter l'apparition d'une rhinite médicamenteuse. Elle enseignera également au client à reconnaître les symptômes d'une infection bactérienne secondaire, tels qu'une température supérieure à 38 °C, un exsudat nasal purulent, des ganglions sensibles et enflés ainsi qu'une gorge rouge et douloureuse. Chez le client atteint d'une maladie pulmonaire, les signes d'infection comprennent un changement dans la consistance, la couleur ou le volume des expectorations. Étant donné qu'une infection peut progresser rapidement, il faut aviser le client atteint d'une maladie respiratoire chronique de commencer son plan de traitement ou de consulter promptement un professionnel de la santé en cas de changement dans l'aspect ou la quantité de ses expectorations, d'essoufflement accru ou de gêne respiratoire.

CE QU'IL FAUT RETENIR

Les antibiotiques n'ont aucun effet sur les virus et, employés de manière peu judicieuse, ils contribuent à l'émergence de souches de bactéries résistantes aux antibiotiques.

34

34.1.7 Grippe

Chaque année, la grippe cause une augmentation de la morbidité et de la mortalité. Au Canada, le risque de contracter le virus de la grippe pendant la saison grippale (de novembre à avril) est de 10 à 20 % chez les adultes et de 20 à 30 % chez les enfants (Comité consultatif national de l'immunisation, 2012). Par ailleurs, la grippe et ses complications entraîneraient jusqu'à 4 000 décès et 20 000 hospitalisations annuellement (Comité consultatif national de l'immunisation, 2012). La plupart de ces décès surviennent chez des personnes âgées de plus de 60 ans qui présentent une affection cardiaque ou pulmonaire sous-jacente, mais ces cas de grippe pourraient en grande partie être évités par la vaccination des personnes appartenant aux groupes à risque élevé (Comité consultatif national de l'immunisation, 2012) **ENCADRÉ 34.3**.

Trois types de virus grippaux (A, B et C) sont recensés, mais seuls les types A et B causent des maladies importantes chez l'humain. Le type A, qui comprend plusieurs sous-types, est le plus commun. Il est généralement responsable des épidémies les plus graves et des pandémies mondiales. Les virus grippaux de type A se divisent en sous-types qui se définissent en fonction de deux protéines de surface. Celles-ci sont l'hémagglutinine (H) et la neuraminidase (N). Les antigènes H permettent au virus de pénétrer dans la cellule, et les antigènes N en facilitent la transmission d'une cellule à l'autre. Les virus de type A sont désignés selon leur type de protéines H et N (p. ex., H3N2). La grippe A (H1N1), apparue en 2009, n'avait jamais été observée chez l'humain auparavant. Elle fut à l'origine d'une pandémie.

Les éclosions de virus de type B peuvent également causer des épidémies régionales, mais la maladie alors engendrée est généralement plus bénigne que celle causée par le virus de type A. Le virus grippal B ne se subdivise pas en sous-types.

Les distinctions entre le rhume et la grippe sont présentées au **TABLEAU 34.3**.

Étiologie et physiopathologie

Dans la nature, le virus de la grippe se retrouve souvent chez les oiseaux aquatiques sauvages comme les canards et les oiseaux de rivage. Le virus est sujet à des mutations et peut ainsi infecter différentes espèces. Habituellement, le virus se propage aux canards domestiques, puis aux porcs ou aux poulets, avant d'infecter les humains. Lorsqu'une nouvelle souche virale touche l'humain, l'absence d'immunité chez les personnes atteintes permet au virus de se propager rapidement dans le monde entier, causant ainsi une pandémie. Les pandémies peuvent aussi être provoquées par la résurgence d'une souche virale qui n'a pas circulé pendant de nombreuses années. Quant aux épidémies, elles consistent en des vagues plus locales de propagation, qui se produisent généralement chaque année, et qui sont causées par des variantes de souches déjà en circulation.

ENCADRÉ 34.3 Groupes cibles pour la vaccination antigrippale[a]

GROUPES À RISQUE ÉLEVÉ

- Les personnes présentant une immunosuppression ou un déficit immunitaire.
- Les enfants âgés de 6 à 59 mois, peu importe leur état de santé.
- Les personnes âgées de 65 ans ou plus.
- Les personnes ayant un problème de santé chronique tel qu'une maladie cardiaque, pulmonaire, hépatique, hématologique ou rénale, le diabète ou le cancer, sans égard à leur âge.
- Les personnes ayant une condition médicale pouvant diminuer la capacité de mobiliser les sécrétions pulmonaires ou augmenter les risques d'aspirations.
- Les personnes vivant en résidence et en centre d'hébergement et de soins de longue durée (CHSLD).
- Les enfants et les adolescents traités de façon prolongée avec l'AAS (Aspirin[MD]).
- Les femmes enceintes ayant une condition susmentionnée.
- Les voyageurs ayant une condition susmentionnée.

GROUPES À RISQUE MODÉRÉ

- Les travailleurs de la santé.
- L'entourage des personnes faisant partie des groupes à risque.
- L'entourage des enfants âgés de moins de six mois ; cela inclut les femmes enceintes dont l'accouchement est prévu pendant la saison de la grippe saisonnière.

[a] En général, toute personne qui veut réduire son risque de contracter la grippe saisonnière peut se faire vacciner contre celle-ci. Cependant, si la personne ne fait pas partie d'un groupe ciblé, elle doit payer le vaccin.

Source : Adapté de Comité consultatif national de l'immunisation (2012).

TABLEAU 34.3 Distinctions entre rhume et grippe

SYMPTÔMES	RHUME	GRIPPE
Fièvre	Rare	Habituellement forte (de 38 à 40 °C) avec apparition soudaine et pouvant durer de trois à quatre jours
Céphalées	Rares	Importantes
Douleurs musculaires généralisées	Bénignes	Courantes, parfois aiguës
Fatigue et faiblesse	Peu importantes	Extrêmes, pouvant durer jusqu'à un mois
Perte d'appétit	Jamais	Courante
Épuisement	Jamais	Rapide et important
Écoulement nasal	Courant	Exceptionnel
Éternuements	Courants	Exceptionnels
Maux de gorge	Courants	Courants
Douleurs thoraciques, toux	Faibles à modérées, toussotement	Courantes et pouvant devenir persistantes
Complications	Congestion des sinus ou maux d'oreilles	Bronchite et pneumonie pouvant mettre la vie en danger

Source : Adapté de Association pulmonaire du Québec (2010c).

CE QU'IL FAUT RETENIR

La grippe se transmet par contact avec des gouttelettes et l'inhalation de particules en suspension dans l'air.

Les virus grippaux ont une capacité remarquable de changer avec le temps. C'est ce qui explique le fait que la maladie soit si répandue et la nécessité de la vaccination annuelle pour se protéger contre de nouvelles souches. Lorsque le virus présente un changement mineur, il y a moins de cas de grippe, parce que la plupart des gens possèdent déjà une immunité partielle.

La grippe se transmet par contact avec des gouttelettes et l'inhalation de particules en suspension dans l'air. Le virus a une période d'incubation de un à quatre jours, et le risque de transmission est le plus élevé à partir de la veille de l'apparition des symptômes jusqu'à quatre à sept jours après celle-ci.

Manifestations cliniques

Le début d'une grippe est habituellement soudain et s'accompagne de symptômes généraux comme de la toux, de la fièvre et des myalgies, souvent doublés de céphalées et d'un mal de gorge. Des symptômes plus bénins, semblables à ceux d'un rhume banal, peuvent aussi se manifester. Les signes physiques sont généralement minimes, l'auscultation thoracique démontrant une évaluation normale. La dyspnée et les **bruits adventices** audibles à l'auscultation pulmonaire (p. ex., des crépitants, des sibilances, des ronchus, un frottement pleural) sont des signes de complications pulmonaires (i+). Dans les cas simples, les symptômes disparaissent en moins de sept jours. Certains clients, en particulier les personnes âgées, peuvent se sentir faibles ou fatigués durant plusieurs semaines. La convalescence peut s'accompagner d'hyperactivité des voies respiratoires et de toux persistante.

La pneumonie constitue la complication la plus fréquente de la grippe. Le client atteint d'une pneumonie bactérienne secondaire verra ses symptômes grippaux diminuer graduellement, puis il présentera une toux augmentée et des expectorations purulentes. Un traitement aux antibiotiques s'avère habituellement efficace s'il est entrepris rapidement.

Examens paracliniques

Les antécédents médicaux du client, les résultats de l'examen physique et des examens paracliniques qu'il a subis, ainsi que la présence d'autres cas de grippe dans la collectivité constituent des facteurs de diagnostic importants. Plusieurs méthodes peuvent aider à établir un diagnostic de grippe, comme les cultures virales, l'immunofluorescence, les examens de détection d'antigènes et la sérologie. Selon la période de l'année et l'indice d'activité grippale, il n'est pas toujours nécessaire de soumettre tous les clients à des examens paracliniques. Selon le type d'examen, un frottis de gorge ou du nasopharynx sera effectué, ou un prélèvement des sécrétions nasales par lavage ou par aspiration. Les examens rapides fournissent des résultats en 24 heures, tandis qu'une culture virale nécessite un délai de 3 à 10 jours. La plupart des examens rapides peuvent être réalisés au cabinet du médecin.

Jugement clinique

Claudia Perrotti, 25 ans, attrape la grippe facilement. Actuellement, elle a des symptômes qui persistent depuis 10 jours, l'obligeant à s'absenter de son travail. Madame Perrotti est-elle contagieuse à ce stade-ci de la grippe ? Justifiez votre réponse.

Animations : *Bruits pulmonaires.*

34

Soins et traitements en interdisciplinarité

CLIENT ATTEINT DE GRIPPE

Au Canada, les vaccins antigrippaux utilisés sont inactivés (MSSS, 2010). La composition des vaccins change annuellement selon les virus qui circuleront probablement pendant la saison grippale. Le vaccin se révèle plus efficace quand il est administré à l'automne (à la mi-octobre), avant que l'exposition au virus ne débute, mais les clients peuvent le recevoir plus tard s'il y a lieu.

En se faisant vacciner, l'infirmière réduit le risque de transmettre la grippe aux personnes qu'elle côtoie et qui sont moins en mesure de combattre cette affection. Malgré les avantages évidents de la vaccination, beaucoup de gens hésitent à se faire vacciner. Les vaccins actuels sont hautement purifiés, et les réactions s'avèrent extrêmement rares. Les effets secondaires habituellement rapportés peuvent être locaux ou systémiques. Les effets secondaires locaux les plus fréquents sont de la douleur, de la rougeur ou de l'œdème au site d'injection. Les effets secondaires systémiques les plus courants sont les myalgies, la céphalée ou la fatigue et, moins couramment, la fièvre, les douleurs articulaires, la rougeur oculaire, le mal de gorge, la gêne respiratoire ou la toux (MSSS, 2010). Une réaction anaphylactique à une dose du même vaccin, ou à l'une de ses composantes (incluant les œufs), est une contre-indication absolue à l'administration du vaccin. De plus, il serait préférable de ne pas vacciner le client atteint d'un **syndrome de Guillain-Barré** dans les six semaines suivant une vaccination antérieure contre la grippe. Le vaccin doit aussi être administré avec précaution chez le client atteint d'un **syndrome oculorespiratoire** avec des symptômes respiratoires graves (dyspnée, oppression thoracique, sifflement respiratoire) (MSSS, 2010).

Les objectifs principaux de la démarche de soins sont le soulagement des symptômes et la prévention des infections secondaires, et ce, par l'application de mesures de soutien. En général, le client atteint de la grippe ne requiert qu'un traitement des symptômes, sauf s'il est à risque élevé ou si des complications se manifestent. Il arrive que les personnes âgées et celles atteintes d'une maladie chronique doivent être hospitalisées. Certains médicaments antiviraux, comme l'amantadine, peuvent être prescrits pour la prévention et le traitement de la grippe.

Dans certaines circonstances, il est possible d'utiliser d'autres antiviraux, notamment le zanamivir (Relenza[MD]), pour prévenir et traiter la grippe de types A et B (Institut national de santé publique

CE QU'IL FAUT RETENIR

La composition des vaccins change annuellement selon les virus qui circuleront probablement pendant la saison grippale.

La vaccination est recommandée chez les personnes âgées de plus de 65 ans, et la priorité doit être donnée aux groupes de personnes susceptibles de transmettre la grippe aux personnes à risque élevé (p. ex., les travailleurs de la santé).

du Québec [INSPQ], 2009). Ces médicaments sont des inhibiteurs de la neuraminidase ; ils empêchent la libération de nouveaux virus et l'infection d'autres cellules. Pour obtenir une efficacité maximale pendant le traitement de la grippe, ces antiviraux doivent être administrés dès que possible, idéalement dans les deux jours suivant les débuts des symptômes. Ils ont pour effet d'écourter la durée de la grippe. Le zanamivir est administré au moyen d'un inhalateur. Le phosphate d'oseltamivir (Tamiflu[MD]) se présente sous forme de capsule administrée par voie orale (P.O.). Ces deux médicaments s'avèrent efficaces pour réduire la durée et la gravité des symptômes de la grippe.

34.1.8 Sinusite

Jugement clinique

Pierrette Martineau, âgée de 56 ans, est une directrice d'école. Elle souffre de sinusites à répétition manifestées par des céphalées frontales et des sécrétions nasales verdâtres et épaisses. Comment pouvez-vous vérifier si la muqueuse nasale de madame Martineau est hyperémiée et œdémateuse ?

Une **sinusite** se manifeste lorsque l'ostium des sinus (orifice donnant accès à une cavité) se trouve rétréci ou bloqué en raison de l'inflammation ou de l'œdème des muqueuses **FIGURE 34.2**. Les sécrétions qui s'accumulent derrière l'obstacle constituent un milieu propice à l'apparition de bactéries, de virus et de champignons, qui sont tous susceptibles de causer de l'infection. Le *Streptococcus pneumonia*, l'*Haemophilus influenzae* et le *Moraxella catarrhalis* sont les principaux agents de la sinusite bactérienne. La sinusite virale est consécutive à une infection des voies respiratoires supérieures au cours de laquelle un virus pénètre la muqueuse et réduit le transport ciliaire. La sinusite fongique est rare ; elle se manifeste habituellement chez des clients affaiblis ou immunodéprimés.

CE QU'IL FAUT RETENIR

La sinusite chronique résulte d'épisodes répétés de sinusite aiguë.

La sinusite aiguë résulte habituellement d'une infection des voies respiratoires supérieures, d'une rhinite allergique, de la pénétration d'agents pathogènes lors d'une baignade ou des suites d'une intervention dentaire : toutes ces situations sont susceptibles d'entraîner de l'inflammation et la rétention de sécrétions. Quand une sinusite aiguë se développe à la suite d'une rhinite virale, une exacerbation importante des symptômes de la rhinite sur une période de cinq à sept jours est observée. La sinusite chronique (qui dure plus de trois semaines) est une infection persistante souvent associée à des allergies et à des polypes nasaux. En général, la sinusite chronique résulte d'épisodes répétés de sinusite aiguë qui entraînent la perte irréversible de l'épithélium cilié normal qui tapisse la cavité sinusale.

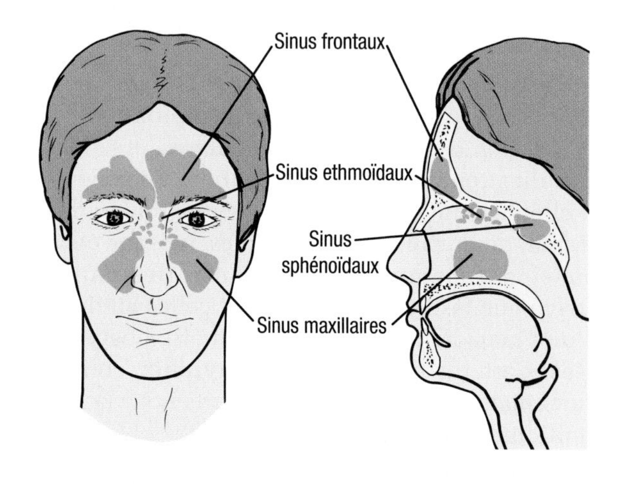

FIGURE 34.2 Emplacement des sinus

Manifestations cliniques

La sinusite aiguë entraîne une douleur considérable dans la région du sinus atteint, un écoulement nasal purulent, de l'obstruction nasale, de la congestion, de la fièvre et une sensation de malaise général. Le client a l'air mal en point et ne se sent pas bien. L'examen consiste à inspecter la muqueuse nasale et à palper au niveau des sinus pour y déceler de la douleur. Les signes qui indiquent la présence d'une sinusite aiguë sont, entre autres, une muqueuse hyperémiée et œdémateuse, un écoulement nasal jaunâtre et purulent, des cornets nasaux élargis et de la sensibilité audessus des sinus frontaux ou maxillaires atteints. Certains clients éprouvent des céphalées récurrentes, dont l'intensité varie selon la position de la tête, ou qui coïncident avec l'écoulement des sécrétions.

La sinusite chronique est difficile à diagnostiquer, car ses symptômes sont souvent non spécifiques. Il y a rarement présence de fièvre. Même si le client éprouve de la douleur faciale ou dentaire, de la congestion nasale et une augmentation de l'écoulement, il arrive souvent qu'il y ait absence de douleur intense et d'écoulement purulent. Certains symptômes sont semblables à ceux d'une allergie. Il est possible d'effectuer une radiographie ou une **tomodensitométrie** (TDM) des sinus pour confirmer le diagnostic. La TDM permet de vérifier si les sinus sont remplis de liquide ou si la muqueuse est épaissie. Une endoscopie nasale, effectuée à l'aide d'un endoscope flexible, permet d'examiner les sinus, de prélever un échantillon de sécrétions en vue d'une culture et de rétablir un écoulement nasal normal.

Les personnes asthmatiques sont nombreuses à souffrir de sinusite. Le lien entre ces maladies n'est pas clair. Il se peut que la sinusite déclenche l'asthme en stimulant le bronchospasme réflexe. Le traitement approprié de la sinusite a souvent pour effet de réduire les symptômes de l'asthme.

CE QU'IL FAUT RETENIR

Les personnes asthmatiques sont nombreuses à souffrir de sinusite.

Soins et traitements en interdisciplinarité

CLIENT ATTEINT DE SINUSITE

Si les allergies constituent le facteur déclenchant de la sinusite, l'infirmière enseignera au client comment réduire l'inflammation et l'infection des sinus, notamment la façon d'exercer une gestion environnementale sur les allergies et d'appliquer le traitement pharmacologique approprié.

Le traitement de la sinusite aiguë comprend des antibiotiques, pour lutter contre l'infection quand celle-ci persiste au-delà de sept jours. L'antibiothérapie à l'aide d'amoxicilline constitue le traitement de première intention, et elle se poursuit durant 10 à 14 jours pour empêcher la formation d'organismes antibiorésistants. La résistance aux antibiotiques survient lorsque ceux-ci sont utilisés de façon inadéquate. Par exemple, au début d'un traitement antibiotique, les bactéries les plus faibles sont éliminées, et les plus résistantes survivent. Lorsque l'antibiotique est cessé trop tôt ou pris à trop faible dose, les bactéries résistantes toujours présentes se multiplient, ce qui rend le traitement plus complexe (Santé Canada, 2013). Si les symptômes persistent, l'antibiotique doit être remplacé par un agent à spectre plus large, comme le triméthoprime-sulfaméthoxazole ou l'érythromycine. Dans le cas d'une sinusite chronique, une flore bactérienne mixte est souvent présente, et les infections sont difficiles à éliminer. Les antibiotiques à large spectre peuvent alors être utilisés pendant quatre à six semaines. Les symptômes peuvent aussi être soulagés par des médicaments auxiliaires, comme les décongestionnants oraux ou topiques (pour favoriser le drainage), les corticostéroïdes nasaux (pour réduire l'inflammation) et les antihistaminiques (Meltzer, Bachert & Staudinger, 2008) **TABLEAU 34.2**. L'infirmière préviendra le client qui a recours à des décongestionnants topiques de limiter leur emploi à un maximum de trois jours, pour éviter l'apparition d'une rhinite médicamenteuse due à la vasodilatation. Les antihistaminiques doivent être employés avec précaution parce qu'ils ont pour effet d'assécher les muqueuses et d'augmenter la viscosité du mucus. L'**ENCADRÉ 34.4** résume l'enseignement à fournir au client et à ses proches dans les cas de sinusite aiguë et de sinusite chronique.

L'infirmière incitera le client à consommer plus de liquides (de six à huit verres par jour), s'il n'est pas soumis à une restriction liquidienne, et à mettre en pratique les techniques de décongestion des voies nasales, comme le fait de prendre une douche très chaude matin et soir, et de bien se moucher par la suite. Irriguer le nez au moyen d'une solution saline en pulvérisation nasale ou effectuer des inhalations de vapeur sont d'autres mesures qui aident à soulager les symptômes.

Les solutions salines pour pulvérisation nasale sont offertes en vente libre et se présentent sous la forme d'une solution saline physiologique stérile contenue dans un flacon pulvérisateur. Il est recommandé d'administrer de deux à quatre jets de solution saline au moins trois fois par jour (Egan & Hickner, 2009 ; University of Wisconsin Department of Family Medicine, 2007).

Une autre méthode, la douche nasale, consiste à utiliser une bouteille facilement comprimable et d'irriguer les voies nasales tout en se penchant au-dessus d'un évier, la bouche ouverte (WebMD, 2014). Il est recommandé de laver ainsi les fosses nasales au moins deux fois par jour et de se moucher par la suite dans le cas où la pulvérisation de solution saline serait insuffisante pour déloger les sécrétions. Pour préparer la solution saline, le client se procure en pharmacie des sachets (Sinus Rinse[MD]) contenant un mélange de chlorure de sodium et de bicarbonate de soude auquel il ajoutera 240 mL d'eau distillée ou bouillie. Cette solution est placée dans la bouteille comprimable ou dans un contenant spécialement conçu à cette fin.

Il arrive que le traitement médical ne parvienne pas à soulager les symptômes de certains clients qui se plaignent de troubles de sinus persistants ou récurrents. Ces clients peuvent avoir besoin d'une chirurgie endoscopique pour soulager l'obstruction causée par l'hypertrophie des muqueuses ou par une déviation de la cloison nasale. Il s'agit d'une intervention ambulatoire généralement effectuée sous anesthésie locale.

Chlorhydrate de pseudoéphédrine (Sudafed[MD])

- Des doses importantes peuvent entraîner de la tachycardie et des palpitations, en particulier chez les clients atteints de cardiopathie.
- Chez les personnes âgées de plus de 60 ans, un dosage excessif peut provoquer une dépression du SNC, des convulsions et des hallucinations.

Jugement clinique

Pourquoi est-il important que vous demandiez à madame Martineau si elle utilise des vaporisateurs nasaux ?

Enseignement au client et à ses proches

ENCADRÉ 34.4 Sinusite aiguë ou chronique

- Maintenir une bonne hydratation en buvant de six à huit verres d'eau par jour, pour liquéfier les sécrétions.
- Prendre une douche chaude deux fois par jour ; utiliser un inhalateur de vapeur (vaporisation d'eau bouillie), un vaporisateur nasal de solution saline ou la douche nasale pour favoriser le drainage des sécrétions.
- Signaler au personnel soignant une température de 38 °C ou plus ; cela peut indiquer la présence d'infection.
- Respecter le traitement prescrit :
  - prendre les analgésiques pour soulager la douleur ;
  - prendre les décongestionnants / expectorants pour soulager l'œdème ;
  - prendre les antibiotiques, comme prescrit, contre l'infection. S'assurer de les prendre au complet et de signaler au personnel soignant tout symptôme persistant ou tout changement dans les symptômes ;
  - utiliser correctement les vaporisateurs nasaux.
- Administrer généreusement de l'eau saline dans le nez au moins trois fois par jour pour nettoyer les sinus.
- Ne pas fumer et éviter l'exposition à la fumée. Celle-ci constitue un irritant et peut aggraver les symptômes.
- Si certaines allergies prédisposent à la sinusite, suivre les directives relatives à la gestion du milieu environnant, à la pharmacothérapie et à l'immunothérapie, afin de réduire l'inflammation et de prévenir l'infection des sinus.

34.1.9 Obstruction du nez et des sinus

Polypes nasaux

Les **polypes nasaux** sont des évaginations bénignes de la muqueuse nasale qui se forment lentement en réaction à l'inflammation répétée de la muqueuse sinusale ou nasale. Les polypes sont localisés dans les narines et se présentent comme des projections luisantes, tirant sur le bleu, et dont la taille peut dépasser celle d'un raisin. Ils sont parfois cause d'anxiété chez le client, qui craint qu'ils ne soient malins. Les manifestations cliniques comprennent notamment l'obstruction nasale, l'écoulement nasal (habituellement composé de mucus clair) et une distorsion de la voix. Les polypes nasaux peuvent être enlevés par chirurgie endoscopique ou chirurgie au laser, mais leur récurrence est fréquente. Leur croissance peut être ralentie par la prise de corticostéroïdes topiques ou systémiques.

Corps étrangers

Divers corps étrangers peuvent se loger dans les voies respiratoires supérieures. Il arrive que des corps étrangers inorganiques, comme des perles ou des boutons, ne causent aucun symptôme, demeurent non détectés et soient découverts par hasard au cours d'un examen de routine. Les corps étrangers organiques, comme le bois, le coton, les fèves, les pois et le papier produisent une réaction inflammatoire locale et un écoulement nasal qui peut devenir purulent et nauséabond. Les corps étrangers doivent être retirés du nez par la voie d'entrée empruntée. Le fait d'éternuer en tenant la narine opposée fermée s'avère souvent efficace pour expulser un corps étranger. Si éternuer ou se moucher ne permet pas au client de retirer l'objet, il devra alors consulter un professionnel de la santé.

En présence d'un corps étranger, il faut éviter d'irriguer le nez ou de pousser l'objet vers l'arrière, car ces méthodes risquent de causer une aspiration du corps étranger et l'obstruction des voies respiratoires.

34.2 Problèmes liés au pharynx

34.2.1 Pharyngite aiguë

Une **pharyngite aiguë** consiste en une inflammation aiguë des parois pharyngées. Cette inflammation peut toucher les amygdales, le palais et la luette. Elle peut être causée par une infection virale, bactérienne ou fongique. La pharyngite virale représente environ 70 % des cas. La pharyngite streptococcique, causée par le streptocoque bêtahémolytique, compte pour 10 % des cas chez l'adulte (Bisno, 2003). La candidose oropharyngée peut se développer à la suite de l'usage prolongé d'antibiotiques ou de corticostéroïdes en inhalation ou chez les clients immunodéprimés, en particulier ceux qui sont porteurs du virus de l'immunodéficience humaine (VIH).

Manifestations cliniques

Les symptômes de la pharyngite aiguë varient en gravité, allant de la sensation de gorge irritée jusqu'à la douleur si forte que la déglutition devient difficile.

Dans les cas d'infections virales et d'infections à streptocoques, la gorge paraît rouge et œdémateuse, et elle présente parfois un exsudat jaunâtre. Mais l'aspect clinique ne suffit pas pour établir le diagnostic. Il faut effectuer une culture ou un test rapide de dépistage d'antigènes permettant de reconnaître le streptocoque pour préciser la cause de l'infection et déterminer les soins à apporter. Une prise en charge inadéquate de la pharyngite à streptocoques peut causer des séquelles comme une cardiopathie rhumatismale ou une **glomérulonéphrite**.

La présence de plaques blanches et irrégulières laisse suspecter une infection fongique par *Candida albicans*. Dans les cas de diphtérie, une maladie évitable par la vaccination et rare au Canada (Agence de la santé publique du Canada, 2014a), il y a souvent présence d'une fausse membrane gris-blanc, appelée pseudomembrane, qui recouvre l'oropharynx, le nasopharynx et le laryngopharynx et qui s'étend parfois jusqu'à la trachée.

Jugement clinique

Tommy Wright, 26 ans, croit qu'il commence une grippe parce qu'il a très mal à la gorge. Le médecin a cependant diagnostiqué une pharyngite. Monsieur Wright peut-il aussi présenter une difficulté à parler comme signe de sa pharyngite? Justifiez votre réponse.

Soins et traitements en interdisciplinarité

CLIENT ATTEINT DE PHARYNGITE AIGUË

Les objectifs de la démarche de soins sont la maîtrise de l'infection, le soulagement des symptômes et la prévention d'infections secondaires.

Le client chez qui une pharyngite à streptocoques a été diagnostiquée est traité à l'aide d'antibiotiques. La nystatine, un antifongique, est utilisée pour traiter les infections à *Candida*. Le client doit soigneusement se rincer la bouche avec la préparation, aussi longtemps qu'il le peut, avant de l'avaler, et le traitement doit se poursuivre de 7 à 14 jours (Pappas, Kauffman, Andes *et al.*, 2009). Le client qui prend des corticostéroïdes inhalés est à risque d'infection par le *Candida*. Le fait de bien se rincer la bouche avec de l'eau après avoir inhalé des corticostéroïdes permet de prévenir cette infection. L'infirmière incitera le client atteint de pharyngite à boire beaucoup de liquides. La gélatine et les liquides fades et froids sont doux pour la gorge, alors que les jus d'agrumes s'avèrent souvent irritants.

34.2.2 Phlegmon périamygdalien

Le **phlegmon (ou abcès) périamygdalien** est habituellement une complication de la pharyngite aiguë ou de l'amygdalite aiguë et se produit lorsque l'infection bactérienne envahit l'une ou l'autre des amygdales, ou même les deux. Celles-ci peuvent s'élargir au point d'obstruer les voies respiratoires. Le client présente une forte fièvre, des frissons, une leucocytose et une altération de la voix. Les soins consistent en une antibiothérapie intraveineuse (I.V.), conjuguée à l'aspiration de l'abcès par une aiguille ou à l'incision et au drainage de l'abcès. Dans certains cas, il faut procéder à une amygdalectomie d'urgence; dans d'autres situations, une amygdalectomie élective est prévue, une fois l'infection jugulée.

34.3 Problèmes liés à la trachée et au larynx

34.3.1 Obstruction des voies respiratoires

L'obstruction des voies respiratoires peut être complète ou partielle. L'obstruction complète des voies respiratoires constitue une urgence médicale.

L'obstruction partielle des voies respiratoires peut survenir en raison de l'aspiration d'un aliment ou d'un corps étranger. Elle peut aussi être due à un œdème laryngé consécutif à une extubation, à une **sténose laryngée** ou trachéale, à une dépression du système nerveux central ou à des réactions allergiques. Les symptômes comprennent notamment: la présence de **stridor**; l'utilisation des muscles accessoires; du tirage sus-sternal et intercostal; une respiration sifflante; de l'agitation; de la tachycardie; et la présence de cyanose. Il est essentiel d'évaluer rapidement la situation et d'agir promptement, car une obstruction partielle peut rapidement dégénérer en obstruction complète. Les interventions visant à libérer les voies respiratoires comprennent la manœuvre de Heimlich, la **cricothyroïdotomie**, l'intubation endotrachéale ou la trachéotomie (i+). Des symptômes récurrents ou inexpliqués indiquent la nécessité de procéder à des examens supplémentaires, comme une radiographie pulmonaire, des examens de la fonction pulmonaire ou une bronchoscopie.

Sténose laryngée: Rétrécissement du larynx.

Stridor: Bruit inspiratoire aigu, provoqué notamment par une obstruction incomplète du larynx ou de la trachée.

Cricothyroïdotomie: Technique chirurgicale utilisée en urgence, donnant un accès rapide à la trachée et permettant ainsi d'assurer une ventilation efficace.

Annexe 43.1W: *Réanimation cardiorespiratoire et soins de base à l'intention des professionnels de la santé.*

34.3.2 Trachéostomie

Une **trachéotomie** est une incision chirurgicale pratiquée dans la trachée dans le but de rétablir le passage de l'air. Une **trachéostomie** est la stomie (l'ouverture) qui résulte de la trachéotomie. La trachéostomie est indiquée pour: 1) contourner une obstruction des voies respiratoires supérieures; 2) faciliter l'aspiration des sécrétions; 3) permettre

CE QU'IL FAUT RETENIR

L'obstruction complète des voies respiratoires constitue une urgence médicale.

le recours à la ventilation mécanique à long terme; 4) permettre au client qui requiert une ventilation mécanique à long terme de s'alimenter oralement et de parler. La plupart des clients qui ont besoin de ventilation mécanique sont initialement porteurs d'un tube endotrachéal qui, en cas d'urgence, peut être introduit rapidement.

Les clients trachéotomisés ne se trouvent pas uniquement dans les unités de soins intensifs. Ils peuvent également être présents dans les unités de médecine et de chirurgie générales, ainsi qu'à domicile et dans la collectivité.

Il existe deux types de trachéotomie, aussi sécuritaire l'une que l'autre (Furtran, Dutcher & Roberts, 1993; Silvester, Goldsmith, Uchino *et al.*, 2006; Weissbrod & Merati, 2012): la trachéotomie chirurgicale et la trachéotomie percutanée. La **trachéotomie chirurgicale** est habituellement pratiquée en salle d'opération et sous anesthésie générale. La **trachéotomie percutanée** est pratiquée au chevet du client et sous anesthésie locale avec sédation ou analgésie. Cette intervention représente une solution de rechange intéressante à la trachéotomie chirurgicale pour de multiples raisons, notamment parce qu'elle évite le déplacement de clients nécessitant des soins critiques et qu'elle entraîne moins de saignement et d'infections postopératoires.

Dans un contexte de soins de longue durée, la trachéostomie offre plusieurs avantages: elle comporte moins de risques de lésions à long terme aux voies respiratoires que le port du tube endotrachéal; elle améliore le confort du client en raison de l'absence de tube dans la bouche; le client peut s'alimenter par la bouche puisque la canule est située plus bas dans les voies respiratoires; la mobilité du client est plus grande, car la canule trachéale est solidement fixée.

Soins et traitements infirmiers

CLIENT AYANT UNE TRACHÉOSTOMIE

Interventions cliniques

Soins de trachéostomie

Avant l'intervention, l'infirmière expliquera le but de la trachéostomie au client et à sa famille. Elle les informera également du fait que le client ne pourra pas parler lorsque le ballonnet sera gonflé.

MS 2.4 Vidéo i+

Méthodes liées à la fonction respiratoire: *Soins d'une trachéostomie.*

Il existe différents types de canules, qui répondent aux besoins particuliers des clients. Toutes les canules de trachéostomie comportent une plaque cervicale aussi appelée collerette ou bride, qui repose sur le cou, entre les clavicules et la canule externe. La canule est dotée d'un mandrin, utilisé au moment de son installation **FIGURE 34.3**. Au cours de l'insertion de la canule, le mandrin est placé à l'intérieur de la canule externe, le bout arrondi faisant saillie à l'extrémité de la canule pour en faciliter l'insertion. Une fois la canule insérée, il faut retirer immédiatement le mandrin pour que l'air puisse circuler par la canule. Le mandrin devra être rangé dans un endroit facile d'accès, à la tête du lit (p. ex., fixé au mur par du ruban adhésif) afin de pouvoir l'utiliser rapidement en cas de décanulation accidentelle (Higgins, 2009).

La plupart des canules de trachéostomie sont aussi dotées d'une canule interne, qu'il est possible de retirer pour le nettoyage. La procédure de nettoyage permet de déloger les sécrétions présentes à l'intérieur de la canule. Quand l'humidification est adéquate, que le client n'a pas besoin de ventilation mécanique et qu'il n'y a pas d'accumulation de sécrétions, une canule de trachéostomie sans canule interne peut être utilisée. Les soins à prodiguer au client trachéotomisé consistent à aspirer les sécrétions **FIGURE 34.4**, à nettoyer la région autour de la stomie et à changer les attaches (ou le cordon) de trachéostomie. Pour éviter de déplacer accidentellement la trachéostomie durant ces manipulations, particulièrement lorsque la trachéotomie est récente, il est préférable de procéder en équipe de deux personnes: l'une assure la stabilité de la trachéostomie pendant que l'autre change les attaches. Si une canule interne réutilisable est employée, il faut aussi prévoir son entretien ▶ MS 2.4.

Jugement clinique

Vous êtes seule au moment de faire les soins de trachéostomie d'un client et vous devez changer les cordons de collerette. Comment vous y prendrez-vous pour éviter que la canule de trachéostomie se déplace pendant cette opération?

Il existe des canules de trachéostomie avec ou sans ballonnet. La canule de trachéostomie munie d'un ballonnet gonflé est choisie si le client est à risque d'aspiration ou s'il a besoin de ventilation mécanique. Puisque le ballonnet gonflé exerce de la pression sur la muqueuse trachéale, il est important de le gonfler avec le volume minimum d'air requis pour sceller la voie respiratoire. La pression de gonflage ne doit pas dépasser 20 mm Hg ou 25 cm H_2O, car une pression plus élevée risquerait de comprimer les capillaires de la trachée, de restreindre le débit sanguin et d'entraîner une nécrose trachéale. Une autre méthode, appelée technique de fuite minimale (TFM) consiste à gonfler le ballonnet avec le volume minimum d'air requis pour sceller la voie respiratoire, puis à retirer 0,1 mL d'air. L'un des inconvénients de cette technique est le risque d'aspiration des sécrétions qui fuient autour du ballonnet. Il ne faut pas utiliser la TFM

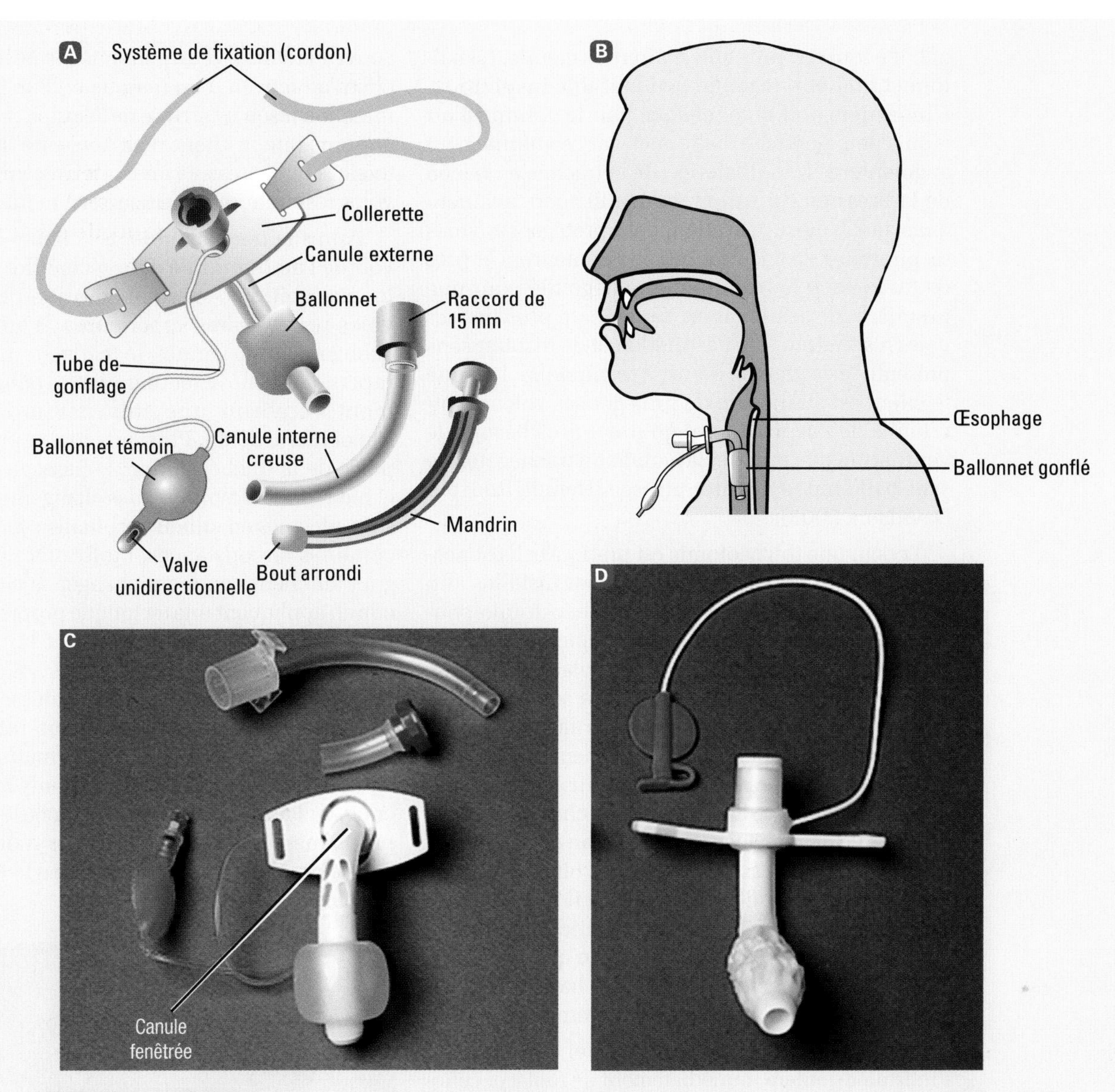

FIGURE 34.3 Types de canules de trachéostomie – A Parties d'une canule de trachéostomie. B Canule de trachéostomie insérée dans la voie respiratoire avec ballonnet gonflé. C Canule fenêtrée de trachéostomie avec ballonnet, canule interne, mandrin et ballonnet témoin. D Canule de trachéostomie dotée d'un ballonnet de mousse et d'un mandrin (le ballonnet de la canule est dégonflé).

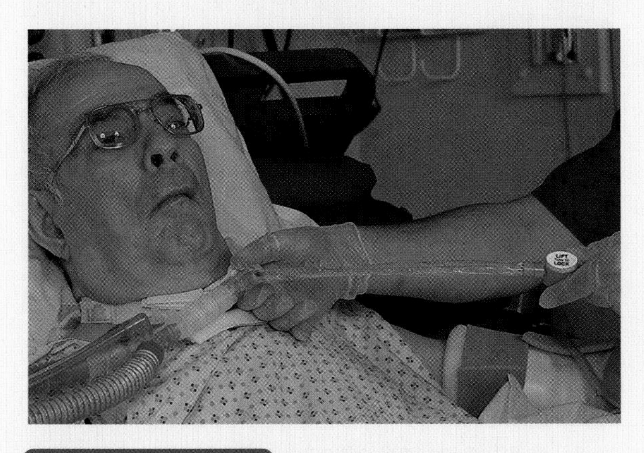

FIGURE 34.4 Une infirmière aspire des sécrétions d'une trachéostomie à l'aide d'un cathéter en circuit fermé.

si la trachéostomie a été mise en place pour contourner une obstruction des voies respiratoires supérieures, comme dans le cas de clients qui ont subi une chirurgie à la tête ou au cou.

Chez certains clients, le ballonnet est dégonflé pour enlever les sécrétions qui s'accumulent au-dessus de celui-ci. Avant de dégonfler le ballonnet, l'infirmière demandera au client d'expectorer les sécrétions, s'il en est capable, puis elle procédera à leur aspiration par la canicule trachéale ▶ MS 2.2. Cette étape est importante pour éviter que des sécrétions soient aspirées pendant le dégonflement. Le ballonnet doit être dégonflé pendant l'expiration, car l'air chassé alors contribue à propulser les sécrétions vers la bouche. Après avoir dégonflé le ballonnet, l'infirmière incitera le

MS 2.2 Vidéo 

Méthodes liées à la fonction respiratoire : *Aspiration des sécrétions par la canule trachéale*.

client à tousser, puis elle aspirera la canule. Le ballonnet doit être regonflé pendant une inspiration. L'infirmière doit noter chaque jour le volume d'air requis pour gonfler le ballonnet, car ce volume peut augmenter s'il y a dilatation de la trachée en raison de la pression du ballonnet. L'infirmière évaluera dans quelle mesure le client peut protéger ses voies respiratoires de l'aspiration ; elle demeurera auprès de lui lorsque le ballonnet sera dégonflé pour une première fois, sauf s'il est capable de protéger ses voies respiratoires de l'aspiration et de respirer sans présenter de signes de détresse respiratoire. Lorsque le client est en mesure de protéger ses voies respiratoires de l'aspiration et qu'il n'a plus besoin de ventilation mécanique, la canule de trachéostomie sans ballonnet est plutôt utilisée (Dennis-Rouse & Davidson, 2008).

Lorsqu'une trachéotomie est pratiquée, il est possible que des points de suture soient installés afin de maintenir la position de la trachéostomie pendant les premiers jours, advenant que la canule se déplace. Il faut veiller à ne pas déplacer la canule de trachéostomie durant les cinq à sept premiers jours qui suivent l'intervention, car la stomie n'est pas cicatrisée. Comme le remplacement de la canule constitue une opération délicate, plusieurs précautions s'imposent : 1) il faut garder au chevet du client une canule de rechange de dimension égale ou inférieure, facilement accessible au cas où une réinsertion d'urgence serait nécessaire ; 2) il faut attendre au moins 24 heures après l'intervention pour changer les cordons ; 3) c'est un médecin qui procédera au premier changement de canule, habituellement sept jours ou plus après la trachéotomie.

En cas de déplacement accidentel de la canule, l'infirmière tentera immédiatement de replacer celle-ci en saisissant les sutures de rétention (s'il y en a) et en écartant les côtés de l'ouverture et préviendra ensuite rapidement le médecin. Pour faciliter la réinsertion de la canule, l'infirmière peut aussi élargir l'ouverture au moyen d'une pince hémostatique. Elle placera le mandrin dans la canule de rechange, après en avoir lubrifié l'extrémité au moyen d'un lubrifiant hydrosoluble, et insérera la canule dans la stomie à un angle de 45° par rapport au cou. Si l'insertion réussit, l'infirmière enlèvera immédiatement le mandrin pour que l'air circule dans la canule. Une autre façon d'intervenir consiste à insérer un cathéter d'aspiration pour permettre le passage de l'air et à s'en servir comme guide durant l'insertion. L'infirmière enfilera la canule de trachéostomie par-dessus le cathéter, puis retirera ce dernier. Si la canule n'est toujours pas remise en place, l'infirmière évaluera le niveau de détresse respiratoire du client. Une légère dyspnée peut être atténuée en plaçant le client en position semi-Fowler. Une dyspnée grave peut rapidement évoluer vers l'arrêt respiratoire. Dans un tel cas, il faut couvrir la stomie d'un pansement stérile et ventiler le client au moyen d'un masque et d'un ballon de réanimation jusqu'à l'arrivée de l'équipe de réanimation, à moins que le client n'ait subi une laryngectomie totale et qu'il présente une scission complète entre les voies respiratoires supérieures et la trachée.

Après la trachéotomie, les clients doivent recevoir de l'air humidifié pour réchauffer et humidifier leurs sécrétions, en compensation de la perte des voies respiratoires supérieures. Après le premier changement de canule, le médecin ou l'inhalothérapeute certifié effectuera les prochains changements environ une fois par mois (Regan & Dallachiesa, 2009). Plusieurs mois après la mise en place de la trachéostomie, le passage sera cicatrisé et bien formé. La plupart des changements de canule sont effectués en milieu hospitalier ; cependant, dans certaines circonstances, l'infirmière pourra enseigner au client comment changer sa canule à domicile en appliquant une technique propre **FIGURE 34.5**. L'infirmière évaluera également la présence des signes de complications suivants : déplacement de la canule, fuites d'air, difficulté à tousser, obstruction des voies respiratoires, aspiration, infection respiratoire ou lésion, saignement, formation de fistules, sténose ou nécrose trachéale, emphysème sous-cutané, altération de l'image corporelle. Certains des problèmes infirmiers prioritaires relatifs au client trachéotomisé sont présentés dans le **PSTI 34.1**.

FIGURE 34.5 Une cliente procède au changement de la canule de trachéostomie à domicile. Une fois la trachéostomie en place depuis plusieurs mois, la voie d'insertion est bien formée. La personne peut alors apprendre à changer elle-même la canule, à domicile, en appliquant une technique propre.

Plan de soins et de traitements infirmiers

PSTI 34.1 Trachéotomie

PROBLÈME DÉCOULANT DE LA SITUATION DE SANTÉ	**Dégagement inefficace des voies respiratoires** lié à la présence d'une voie respiratoire artificielle et d'un excès d'expectorations, se manifestant par des bruits adventices, de l'agitation, une toux inefficace et de la dyspnée.
OBJECTIFS	• Le client aura une toux efficace et sera capable d'expectorer ses sécrétions. • Le client présentera des bruits respiratoires normaux.
RÉSULTATS ESCOMPTÉS	**INTERVENTIONS INFIRMIÈRES ET JUSTIFICATIONS**
État respiratoire : perméabilité des voies respiratoires • Mouvements respiratoires présents • Absence de bruits adventices (crépitants, ronchus, sibilances, frottement pleural) • Murmures vésiculaires présents dans toutes les plages pulmonaires • Augmentation de l'amplitude pulmonaire • Capacité de mobiliser ses sécrétions • F.R. ______ R/min • Absence d'utilisation des muscles accessoires • Mesure d'oxymétrie dans les normales attendues **Intégrité de la voie respiratoire artificielle** • Expectorations plus fluides • Dispositif de trachéostomie bien positionné et bien fixé • Ballonnet endotrachéal permettant l'étanchéité du dispositif sans blesser la trachée	**Dégagement des voies respiratoires** • Ausculter les voies respiratoires, en prenant note des régions où la ventilation est réduite ou absente, ainsi que de la présence de bruits adventices. • Installer le client de manière à soulager la dyspnée (p. ex., en élevant la tête du lit à un angle de 30 à 40°) pour permettre une expansion pulmonaire maximale et une toux plus énergique. • Permettre l'expulsion des sécrétions en favorisant la toux ou en les aspirant pour dégager les voies respiratoires. • Encourager le client à respirer lentement et profondément, à se tourner et à tousser pour favoriser le drainage des sécrétions. • Surveiller l'état respiratoire et l'état d'oxygénation du client pour déterminer l'efficacité des interventions. **Dégagement des voies respiratoires artificielles (trachéostomie ou tube endotrachéal)** • Veiller à ce que l'air ou le gaz inspiré ait un taux d'humidité de 100 % étant donné l'absence d'humidification normale par les voies respiratoires supérieures. • Assurer une hydratation suffisante par voie orale ou l'administration de solution I.V. afin de liquéfier les sécrétions. • Aspirer l'oropharynx et les sécrétions présentes au-dessus du ballonnet de la canule (si possible), et ce, avant même de dégonfler le ballonnet pour prévenir l'aspiration des sécrétions des voies respiratoires supérieures. • Fixer une seconde canule de trachéostomie (de même type et de même grosseur) à la tête du lit, ainsi qu'une pince, au cas où il faudrait procéder au remplacement de la canule et maintenir le passage de l'air advenant une décanulation accidentelle. • Maintenir le ballonnet endotrachéal ou de la trachéostomie gonflé à une pression < 20 mm Hg pendant la ventilation mécanique, ainsi que pendant et après l'ingestion d'aliments pour réduire au minimum la pression exercée sur la trachée.
PROBLÈME DÉCOULANT DE LA SITUATION DE SANTÉ	**Risque élevé d'aspiration** lié à la présence d'une canule de trachéostomie et à des difficultés de déglutition.
OBJECTIFS	• Le client sera capable d'ingérer des aliments par voie orale sans risque d'aspiration. • Le client saura quelles mesures appliquer pour prévenir l'aspiration.
RÉSULTATS ESCOMPTÉS	**INTERVENTIONS INFIRMIÈRES ET JUSTIFICATIONS**
Prévenir l'aspiration • Absence de somnolence • Présence du réflexe de déglutition et du réflexe de toux • Examen de la déglutition (phase buccale) normal • Absence de difficultés respiratoires	**Précautions contre l'aspiration** • Surveiller l'état de conscience, le réflexe de toux, le réflexe nauséeux et la capacité de déglutir du client. • Surveiller l'état pulmonaire pour déceler tout signe ou symptôme d'aspiration. • Installer le client assis à 90° ou le plus droit possible pour prévenir l'aspiration de nourriture à partir de l'œsophage. • Garder le ballonnet trachéal gonflé à la pression recommandée pour prévenir l'aspiration d'aliments et de liquides à partir de la bouche. • S'assurer que l'équipement nécessaire à l'aspiration des sécrétions est disponible et fonctionnel pour retirer les sécrétions que le client pourrait aspirer.

PSTI 34.1	Trachéotomie *(suite)*
RÉSULTATS ESCOMPTÉS	**INTERVENTIONS INFIRMIÈRES ET JUSTIFICATIONS**
Capacité de déglutition • Capacité de garder les aliments dans sa bouche • Capacité de maîtriser ses sécrétions buccales • Capacité de reconnaître les facteurs de risque d'aspiration • Capacité de se redresser lui-même pour manger et boire • Capacité de choisir ses aliments en fonction de son habileté à déglutir • Capacité de nettoyer la cavité buccale • Absence de signes et de symptômes d'aspiration : toux pendant l'alimentation, changement de la voix, changement de la coloration des sécrétions, présence de nourriture dans les sécrétions pulmonaires, etc. • Maintien d'un poids santé	**Soins relatifs à la déglutition** • Déterminer dans quelle mesure le client est capable de se concentrer sur l'apprentissage et l'exécution de tâches liées à la faculté de manger et de déglutir afin d'évaluer le potentiel de ce client de s'alimenter par voie orale. • Veiller à ce que la consistance des aliments et des liquides offerts tienne compte des conclusions de l'examen de la déglutition afin de facilliter celle-ci et de réduire au minimum le risque d'aspiration. • Surveiller l'apparition de tout signe ou symptôme d'aspiration susceptible d'indiquer un problème de déglutition. • Surveiller l'évolution du poids du client afin de déterminer s'il y a lieu d'administrer une alimentation entérale pour maintenir un état nutritionnel adéquat. Le poids idéal (de même que la perte de poids acceptable du client) devrait être déterminé avec le médecin et la nutritionniste.
PROBLÈME DÉCOULANT DE LA SITUATION DE SANTÉ	**Altération de la communication verbale** liée à une trachéostomie dotée d'un ballonnet, se manifestant par une incapacité de parler et par des signes de frustration.
OBJECTIF	Le client sera capable d'utiliser des techniques écrites et non verbales pour communiquer efficacement avec les autres.
RÉSULTATS ESCOMPTÉS	**INTERVENTIONS INFIRMIÈRES ET JUSTIFICATIONS**
Communication • Utilisation des modes de communication alternatifs proposés (langage écrit, images et dessins, langage non verbal) • Capacité d'échanger des messages efficacement avec les autres • Diminution de la frustration liée à la difficulté de communiquer	**Amélioration de la communication : déficit de la parole** • Écouter attentivement le client. • Fournir un tableau de pictogrammes. • Encourager la communication gestuelle. • Entretenir des conversations sous forme de monologues afin de prévenir l'isolement du client. **Enseignement post-trachéostomie** • Fournir de l'information au client relativement à son état. • Réconforter le client quant à son état afin d'apaiser sa peur et sa frustration. • Proposer le recours à des mesures qui aident à gérer ou à réduire certains symptômes (p. ex., une petite canule sans ballonnet, une canule fenêtrée, une valve de phonation, une canule de phonation) afin de rendre la parole possible.

PSTI 34.1 **Trachéotomie *(suite)***

PROBLÈME DÉCOULANT DE LA SITUATION DE SANTÉ	**Prise en charge inefficace des autosoins de trachéostomie** liée au manque de connaissances sur les soins de trachéostomie à domicile, se manifestant par du questionnement sur ces soins (de la part du client ou de la famille), de l'agitation et de l'instabilité psychomotrice au moment de la planification du congé.
OBJECTIFS	• Le client saura comment utiliser adéquatement les techniques de soins de trachéostomie, notamment ceux liés à l'aspiration. • Le client confirmera qu'il comprend les éléments clés du régime thérapeutique, notamment son état et son plan de traitement.
RÉSULTATS ESCOMPTÉS	**INTERVENTIONS INFIRMIÈRES ET JUSTIFICATIONS**
Connaissances : soins de trachéostomie • Capacité d'exécuter avec discernement les étapes propres à l'application des méthodes de traitement • Démonstration d'une utilisation adéquate du matériel • Confiance dans la prise en charge des autosoins liés à la trachéostomie • Recours aux ressources pertinentes selon la situation	**Enseignement : techniques des soins de trachéostomie et d'aspiration des sécrétions** • Enseigner au client la technique à utiliser. • Donner des instructions claires, étape par étape, afin que le client puisse exécuter lui-même ses soins à domicile. • Offrir des périodes de pratique (suffisamment espacées pour éviter la fatigue, mais tout de même assez rapprochées pour éviter que le client n'oublie trop de détails d'une période à l'autre), afin de favoriser l'acquisition des habiletés manuelles nécessaires. • Fournir fréquemment de la rétroaction au client sur ce qu'il fait adéquatement ou non afin d'éviter le développement de mauvaises habitudes. • Fournir de l'information écrite ou des diagrammes à titre de référence. • Observer le client pendant qu'il exécute la technique afin d'évaluer son degré d'habileté et, s'il y a lieu, de fournir plus d'enseignement. **Enseignement : post-trachéostomie** • Mettre en lumière l'étiologie possible de la maladie afin que le client comprenne ce qui a mené à la trachéostomie. • Décrire le processus de soins au client pour que celui-ci puisse planifier les traitements de routine. • Enseigner au client les signes et symptômes à signaler aux professionnels de la santé (p. ex., des changements dans les sécrétions [jaunâtres, verdâtres], la présence de sécrétions teintées de sang ou une élévation de la température corporelle), car ceux-ci peuvent constituer des signes d'infection respiratoire. • Orienter le client vers les organismes communautaires ou les groupes de soutien locaux pour l'obtention d'aide et de soutien sur une base continue.
PROBLÈME DÉCOULANT DE LA SITUATION DE SANTÉ	**Risque élevé d'infection** lié à l'altération des mécanismes de protection des voies respiratoires supérieures et au risque élevé d'atteinte à l'intégrité de la peau.
OBJECTIF	Le client ne présentera aucun signe ou symptôme d'infection.
RÉSULTATS ESCOMPTÉS	**INTERVENTIONS INFIRMIÈRES ET JUSTIFICATIONS**
Gravité de l'infection • Absence : – d'expectorations purulentes – de fièvre – de douleur / sensibilité – de malaise – de frissons – de léthargie – de colonisation bactérienne des expectorations – d'augmentation de la leucocytémie • Absence de signes et de symptômes d'inflammation ou d'infection au pourtour de la canule trachéale (p. ex., une rougeur, des lésions, un écoulement purulent)	**Prévention de l'infection** • Surveiller l'apparition de signes et de symptômes d'infection, localisés ou généralisés, afin de favoriser la détection précoce des infections. • Surveiller le nombre absolu de granulocytes, la leucocytémie, ainsi que les changements dans les valeurs de base du client afin de favoriser la détection précoce des infections. • Utiliser une technique stérile pour procéder à l'aspiration des sécrétions et prodiguer les soins de trachéostomie, afin de limiter l'exposition aux agents pathogènes. **Soins de la canule** • Prodiguer des soins trachéaux toutes les quatre à huit heures, au besoin : nettoyer la canule interne, maintenir la région de la stomie propre et sèche, et changer les attaches de trachéostomie régulièrement. • Examiner la région autour du site d'insertion de la canule, à la recherche de rougeurs ou de lésions de la peau pour déceler toute trace d'infection. • Changer la canule de manière systématique, selon les règles de l'établissement, pour éviter qu'une canule contaminée ne devienne source d'infection.

Troubles de déglutition

Le client trachéotomisé qui n'est pas en mesure de protéger ses voies respiratoires contre l'aspiration a besoin d'un ballonnet gonflé. Par contre, un tel ballonnet peut créer des troubles de déglutition, car il nuit à la fonction normale des muscles servant à avaler. C'est pourquoi il est important de bien évaluer le risque d'aspiration avec un ballonnet dégonflé. Il se peut que le client soit en mesure d'avaler sans problèmes d'aspiration quand le ballonnet est dégonflé, mais non lorsqu'il est gonflé. Dans un tel cas, le ballonnet peut être laissé dégonflé ou une canule sans ballonnet peut être installée.

Pour évaluer le risque d'aspiration, il faut demander au client d'ingérer un aliment coloré tel que du pudding au chocolat ou de la purée de bleuets. Après avoir dégonflé le ballonnet, le client doit ingérer une petite quantité de l'aliment choisi ; toute réaction de toux est notée et des succions des sécrétions bronchiques sont effectuées à des intervalles prédéterminés en commençant tout de suite après la déglutition. L'évaluation est réalisée par la nutritionniste, l'ergothérapeute ou l'orthophoniste. Certains établissements utilisent un colorant alimentaire bleu ajouté à un liquide clair au lieu d'un aliment coloré, mais cette méthode peut exposer le client à un risque de réaction allergique au colorant. S'il n'y a aucun signe d'aspiration, la fonction épiglottique du client est considérée comme satisfaisante et le risque d'aspiration est jugé nul.

En cas de doute, un examen radiologique, le repas baryté modifié, peut être réalisé. Pendant l'examen, le client ingère des aliments auxquels aura été ajouté du baryum liquide ou en pâte. L'étude de la déglutition est évaluée par **fluoroscopie**. Cet examen montre le transit des aliments de la bouche au pharynx et permet d'évaluer le risque d'aspiration de façon plus précise.

Fluoroscopie : Examen des téguments, rendus fluorescents par l'action des rayons ultraviolets.

Capacité de parler avec une canule de trachéostomie

Il existe plusieurs techniques visant à faciliter l'usage de la parole au client trachéotomisé. Le client qui respire naturellement peut être capable de parler en dégonflant le ballonnet ; cette mesure fait en sorte que l'air expiré glisse vers le haut, par-dessus les cordes vocales. Le client peut amplifier l'effet en tenant la canule fermée. Il est fréquent qu'une petite canule sans ballonnet soit insérée, de manière que l'air expiré passe librement autour de celle-ci. Si le client a besoin de ventilation mécanique, la parole demeure possible ; pour ce faire, il faut maintenir une fuite d'air constante autour du ballonnet. Par ailleurs, les canules et les valves de trachéostomie ont été conçues pour favoriser la parole. L'infirmière occupe une position privilégiée pour encourager le recours à ces appareils spécialisés. Leur utilisation peut se révéler très bénéfique sur le plan psychologique et faciliter les autosoins du client trachéotomisé.

Une **canule fenêtrée** comporte une ou plusieurs ouvertures à la surface de la canule externe qui permettent à l'air provenant des poumons de glisser par-dessus les cordes vocales **FIGURES 34.3C** et **34.6A**. La canule fenêtrée permet au client de respirer spontanément par le larynx, de parler et d'expectorer les sécrétions, même si la canule de trachéostomie demeure en place. Cette canule peut être utilisée par le client capable d'avaler sans risque d'aspiration, mais il faut l'aspirer pour en retirer les sécrétions. Elle peut également être utilisée par le client qui requiert une ventilation mécanique si celle-ci n'est pas permanente (p. ex., le client qui est ventilé seulement la nuit)

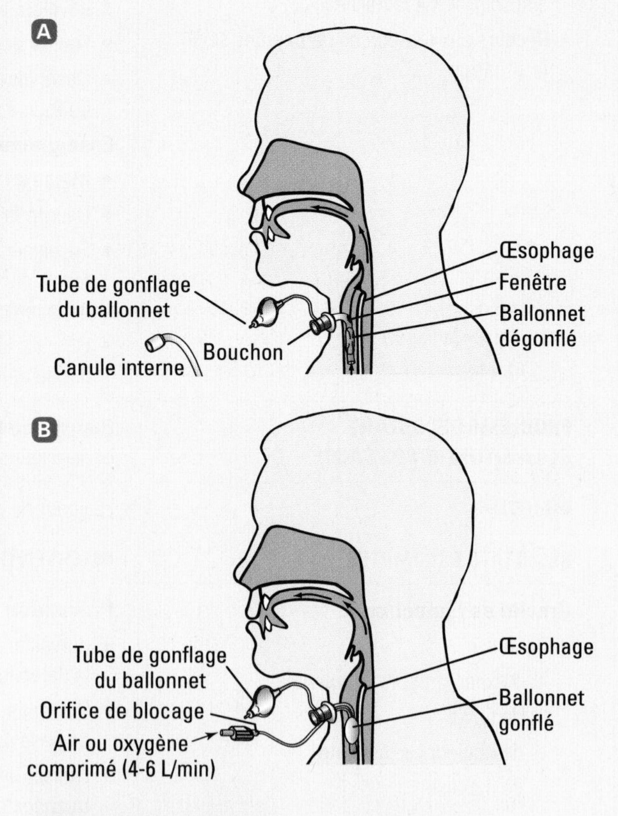

FIGURE 34.6 Canules de phonation – **A** Canule fenêtrée de trachéostomie avec ballonnet dégonflé. La canule interne est retirée, et la canule de trachéostomie est couverte d'un bouchon, ce qui permet à l'air de passer par-dessus les cordes vocales. **B** Canule de phonation – Un tube sert à gonfler le ballonnet. L'autre tube est branché à une source d'air ou d'oxygène comprimé. Lorsque l'orifice du second tube est bouché, l'air monte par-dessus les cordes vocales, ce qui rend la parole possible quand le ballonnet est gonflé.

(American Speech-Language-Hearing Association, 2010 ; The Voice and Swallowing Institute, 2010).

Avant d'avoir recours à une canule fenêtrée, l'infirmière doit s'assurer que le client est capable d'avaler sans risque d'aspiration (cette évaluation est faite par la nutritionniste, l'ergothérapeute ou l'orthophoniste) **ENCADRÉ 34.5**. Si tel est le cas : 1) elle retirera tout d'abord la canule interne ; 2) elle dégonflera le ballonnet ; 3) elle placera le bouchon de décanulation ou la canule interne fenêtrée dans la canule externe **FIGURE 34.6A**. Si une canule interne fenêtrée est utilisée, l'infirmière placera ensuite une valve de phonation sur la canule interne. Il importe d'exécuter ces étapes dans l'ordre, car une détresse respiratoire grave peut survenir si le bouchon est installé avant que la canule interne ne soit retirée et que le ballonnet ne soit dégonflé.

Quand une canule fenêtrée est insérée pour la première fois, l'infirmière doit évaluer fréquemment le client pour déceler rapidement tout signe de détresse respiratoire. Si le client n'est pas en mesure de supporter l'intervention, l'infirmière doit retirer le bouchon, réinsérer la canule interne non fenêtrée et regonfler le ballonnet. Les canules fenêtrées ont comme inconvénient d'occasionner l'apparition de polypes trachéaux, à cause de la granulation des tissus trachéaux qui se produit dans la fenestration. Pour cette raison, leur utilisation demeure peu fréquente.

Une canule de phonation comporte deux tubes en forme de tire-bouchon. L'un des tubes se raccorde au ballonnet et sert à gonfler celui-ci, et l'autre se raccorde à une ouverture située juste au-dessus du ballonnet **FIGURE 34.6B**. Lorsque le deuxième tube est raccordé à une source d'air à faible débit (4 à 6 L/min), il y a suffisamment d'air qui monte au-dessus des cordes vocales pour

Jugement clinique

Phil O'Dowd, âgé de 54 ans, souffre d'une maladie pulmonaire obstructive chronique (MPOC) grave et a subi une chirurgie cardiaque. Des complications postopératoires ont empêché le retrait du tube endotrachéal, et une trachéotomie a été faite. Monsieur O'Dowd va maintenant mieux, et son état est suffisamment stable pour qu'il puisse recommencer à manger. Pour s'assurer qu'il n'y a aucun risque d'aspiration, un test avec un colorant alimentaire a été fait, et il s'est avéré négatif. Pourquoi devez-vous continuer à surveiller les sécrétions de monsieur O'Dowd après ce test, même si celui-ci est négatif ?

Délégation de tâches

ENCADRÉ 34.5 Aspiration et soins de trachéostomie

Les infirmières auxiliaires peuvent s'occuper de l'aspiration des sécrétions bronchiques, ainsi que des soins de trachéostomie chez les clients n'utilisant pas la ventilation mécanique en permanence. Par contre, chez les clients qui souffrent de troubles aigus des voies respiratoires et qui portent un tube endotrachéal, ces interventions doivent être faites par l'infirmière.

RÔLE DE L'INFIRMIÈRE

- Évaluer le besoin d'aspiration des sécrétions bronchiques.
- Aspirer les sécrétions du tube endotrachéal ou de la canule de trachéostomie.
- Évaluer la présence d'effets indésirables causés par l'aspiration, comme la dysrhythmie et la désaturation.
- Évaluer si l'état du client s'améliore après avoir procédé à l'aspiration.
- Évaluer et maintenir la pression de gonflement du ballonnet entre 20 et 25 cm H_2O ou utiliser la technique de fuite minimale pour maintenir la pression du ballonnet.
- Évaluer l'état de la trachéostomie et de l'ensemble des sutures de rétention pour déceler tout signe de complication, comme l'infection.
- Réinsérer la canule de trachéostomie en cas de déplacement accidentel.
- Ventiler le client au moyen d'un masque et d'un ballon de réanimation, au besoin, après un déplacement accidentel de la canule de trachéostomie.
- Participer à l'évaluation de la capacité d'avaler du client trachéotomisé avec l'ergothérapeute, l'orthophoniste ou la nutritionniste.
- Évaluer les risques d'aspiration de sécrétions du client trachéotomisé.
- Prévoir un plan pour éviter l'aspiration de sécrétions chez le client trachéotomisé.
- Donner de l'enseignement au client en matière de soins de stomie à domicile.

RÔLE DE L'INFIRMIÈRE AUXILIAIRE

- Chez les clients dont l'état est stable :
  - valider le besoin d'aspiration ;
  - aspirer les sécrétions de la trachéostomie ;
  - vérifier si l'état du client s'améliore après avoir procédé à l'aspiration.
- Prodiguer les soins de stomie en utilisant une technique aseptique.
- Communiquer à l'infirmière tout changement dans l'état du client ou la présence de signes d'infection.

RÔLE DU PRÉPOSÉ AUX BÉNÉFICIAIRES OU DE L'AUXILIAIRE FAMILIAL

- Prodiguer des soins buccaux au client trachéotomisé.
- Signaler à l'infirmière tout changement dans l'état du client (p. ex., son état général, la couleur et la quantité des sécrétions, une odeur nauséabonde des sécrétions).

rendre la parole possible. Le client peut alors parler, même si le ballonnet est gonflé.

Jugement clinique

Le médecin a finalement enlevé la canule de trachéostomie de monsieur O'Dowd. Vous avez placé un pansement occlusif par-dessus l'ouverture trachéale. Quels sont les buts de ce pansement?

L'utilisation d'une valve de phonation (valve Passy-Muir[MD]) requiert une canule sans ballonnet, ou dont le ballonnet a été dégonflé, pour permettre au client d'expirer **FIGURE 34.7**. Aussi, l'infirmière doit évaluer dans quelle mesure le client peut supporter le dégonflement du ballonnet, sans aspiration ni détresse respiratoire. En l'absence de risque d'aspiration, l'infirmière dégonfle le ballonnet et installe la valve sur l'ouverture de la canule de trachéostomie. La valve de phonation comporte un mince diaphragme de plastique qui s'ouvre à l'inspiration et se ferme à l'expiration. Durant l'inspiration, l'air pénètre par la valve. Durant l'expiration, le diaphragme empêche l'air de sortir et le dirige vers le haut, vers les cordes vocales et dans la bouche.

CE QU'IL FAUT RETENIR

La canule de trachéostomie peut être retirée une fois que le client est en mesure de bénéficier d'un échange d'air adéquat et d'expectorer de façon satisfaisante.

Si le client n'utilise pas un appareil de phonation, l'infirmière verra à lui fournir du papier et un crayon. Il est habituellement possible d'obtenir un tableau de mots (de communication) du service d'ergothérapie ou d'orthophonie ou d'en produire un au moyen d'images illustrant les besoins courants et d'un alphabet pour épeler les mots.

Décanulation

La canule de trachéostomie peut être retirée une fois que le client est en mesure de bénéficier d'un échange d'air adéquat et d'expectorer de façon satisfaisante. La stomie est fermée à l'aide de bandes adhésives et recouverte d'un pansement occlusif. Il faut changer ce pansement dès qu'il est souillé ou mouillé. L'infirmière enseignera au client comment placer les doigts sur la stomie au moment de tousser, d'avaler ou de parler. Le tissu épithélial commencera à se former dans les 24 à 48 heures qui suivent, et l'ouverture prendra plusieurs jours à se refermer. Il n'y a pas lieu de pratiquer une chirurgie pour fermer une trachéostomie.

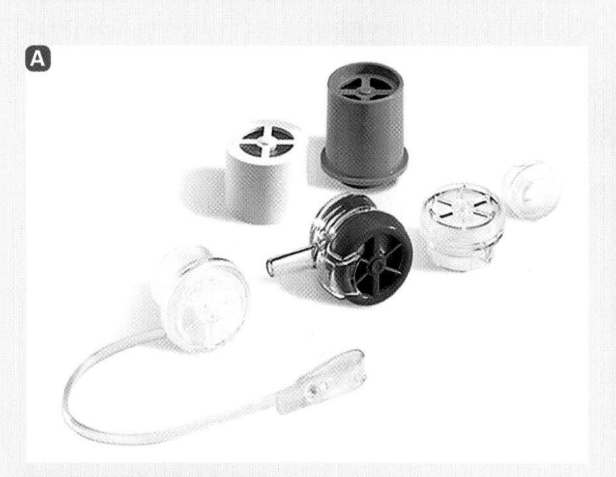

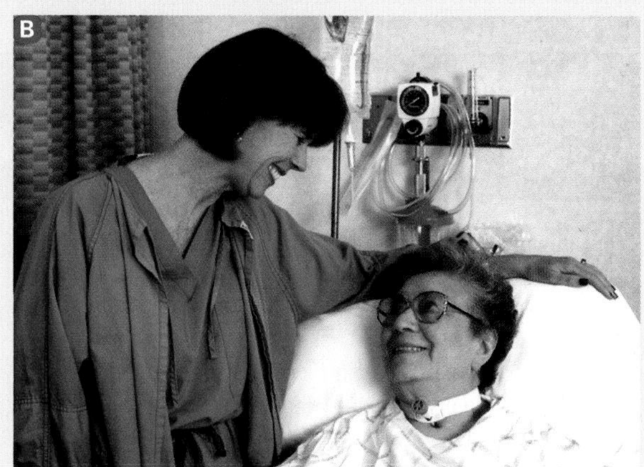

FIGURE 34.7 **A** Valve de phonation Passy-Muir[MD] – La valve est installée sur l'embout de la canule de trachéostomie une fois le ballonnet dégonflé. **B** Il en existe plusieurs modèles. Les valves de phonation peuvent être utilisées chez le client ventilé ou non ventilé. La valve de phonation comprend une valve antireflux qui permet à l'air d'entrer dans les poumons pendant l'inspiration, puis le redirige vers le haut par-dessus les cordes vocales et dans la bouche, pendant l'expiration.

34.3.3 Polypes laryngés

La formation de **polypes laryngés** sur les cordes vocales est observée à la suite d'un surmenage vocal (p. ex., après avoir trop parlé ou chanté) ou d'une irritation (p. ex., causée par une intubation ou l'habitude de fumer). L'enrouement en est le symptôme le plus courant. Le traitement classique des polypes consiste à mettre la voix au repos et à s'hydrater convenablement. L'ablation peut être indiquée dans le cas de gros polypes susceptibles de causer de la dyspnée et du stridor. Les polypes sont habituellement bénins, mais il est courant de les enlever, car ils risquent de devenir malins.

34.3.4 Cancer de la tête et du cou

Les cancers de la tête et du cou proviennent des surfaces muqueuses et sont généralement des carcinomes squameux. Cette catégorie de tumeurs touche notamment les sinus paranasaux, la cavité buccale, le nasopharynx, l'oropharynx et le larynx ▶ 56.

56

Le cancer de la cavité buccale est présenté dans le chapitre 56, *Interventions cliniques – Troubles du tractus gastro-intestinal supérieur*.

Selon Statistique Canada, environ 600 Canadiens reçoivent annuellement un diagnostic de cancer de la cavité buccale, du pharynx ou du larynx (Comité directeur de la Société canadienne du cancer, 2009). Au Québec, l'INSPQ rapporte que de 1995 à 1999, 2 312 personnes vivaient avec un cancer de la cavité buccale et du pharynx (Louchini, Beaupré, Bouchard *et al.*, 2005). Chez la plupart des gens, la maladie est localement avancée, c'est-à-dire que la lésion touche aussi les parties entourant la cavité buccale, le pharynx ou le larynx. L'invalidité qui en découle est importante en raison de la perte possible de l'usage de la voix, du défigurement de la personne et des conséquences sociales. La majorité des cas de cancer de la tête et du cou (80 %) se manifestent chez les gens qui ont longtemps fait usage de l'alcool et du tabac. Bien que ces deux facteurs soient indépendants, ils semblent avoir un effet synergique sur l'apparition du cancer. Parmi d'autres facteurs de risque, l'infection au virus du papillome humain (VPH) est responsable d'environ 50 % de ce type de cancers; figure également dans cette liste une alimentation pauvre en fruits et légumes. Les hommes sont touchés de deux à cinq fois plus que les femmes. Les taux de survie après 5 ans pour les cancers de la cavité buccale et du larynx est de 62 à 66 % (Agence de la santé publique du Canada, 2014b).

Manifestations cliniques

Les signes et symptômes précoces de cancer de la tête ou du cou varient selon l'emplacement de la tumeur. Un cancer de la cavité buccale peut se manifester sous forme d'une excroissance indolore dans la bouche, d'un ulcère qui tarde à guérir ou d'un besoin d'ajustement des prothèses dentaires. La douleur est un symptôme tardif qui peut être aggravé par l'ingestion d'aliments acides. Les cancers de l'oropharynx, de l'hypopharynx et du larynx supraglottique sont habituellement des carcinomes squameux. Ils présentent rarement des symptômes précoces et sont généralement diagnostiqués aux stades tardifs. Il se peut que le client se plaigne d'un mal de gorge unilatéral persistant ou d'otalgie (douleur d'oreille). L'enrouement peut être un symptôme de cancer précoce du larynx. Certains clients ressentent comme une boule dans la gorge ou un changement dans la qualité de leur voix. Une évaluation médicale est indiquée lorsque la présence d'une bosse dans le cou ou d'un enrouement dure plus de deux semaines.

Les stades tardifs de cancers de la tête et du cou s'accompagnent de signes et de symptômes faciles à déceler, notamment la douleur, la dysphagie, la mobilité réduite de la langue, l'obstruction des voies respiratoires et des neuropathies associées aux nerfs crâniens. L'infirmière examinera en détail la cavité buccale, y compris la région sublinguale et sous les prothèses dentaires, à l'aide d'une lampe de poche. Elle palpera à deux mains le plancher buccal, la langue et les ganglions lymphatiques du cou. La muqueuse buccale, qui est normalement lisse et souple, peut présenter un épaississement. Des signes de **leucoplasie** (présence de plaques blanches) ou d'**érythroplasie** (présence de plaques rouges) peuvent être observés et devraient être notés en vue d'une biopsie ultérieure. Une leucoplasie et un carcinome *in situ* (dans un endroit défini) peuvent précéder de bien des années un carcinome invasif.

Examens paracliniques

Si le médecin soupçonne la présence de lésions, il dirigera le client vers l'otorhinolaryngologiste (ORL) qui examinera les voies respiratoires supérieures en effectuant une laryngoscopie indirecte, au cours de laquelle il visualisera le larynx au moyen d'un miroir laryngé ou d'un nasopharyngoscope souple. L'ORL examinera ainsi le larynx et les cordes vocales, pour vérifier la présence de lésions et évaluer la mobilité des tissus. Le médecin ou un autre professionnel de la santé peut aussi avoir recours à la TDM ou à l'imagerie par résonance magnétique (IRM) pour déceler s'il y a dispersion locale et régionale. Le tissu néoplasique se reconnaît au fait qu'il est plus dense, ou parce qu'il déforme, déplace ou détruit les structures anatomiques normales. L'utilisation combinée de la tomographie par émission de positrons (TEP) et de la TDM s'est avérée efficace pour diagnostiquer les cas récurrents de cancer de la tête et du cou (Sager, Asa, Yilmaz *et al.*, 2014). Par ailleurs, le médecin prélève habituellement plusieurs échantillons à des fins de biopsie, pour déterminer l'étendue de la maladie.

Processus thérapeutique en interdisciplinarité

Le stade de la maladie est déterminé selon la taille de la tumeur (T), l'importance de l'envahissement des nœuds lymphatiques (N) et la présence ou non de métastases (M). Le système TNM classifie les tumeurs en stades numérotés de I à IV et permet d'orienter le traitement. Le choix du traitement dépend du type et des caractéristiques du cancer, du stade de la maladie, ainsi que de la situation et des préférences du client (Société canadienne du cancer, 2015c). Il existe plusieurs types de traitements, dont la radiothérapie, la chirurgie, la chimiothérapie et les approches thérapeutiques ciblées. Ces traitements peuvent être administrés en combinaison.

CE QU'IL FAUT RETENIR

L'enrouement peut être un symptôme de cancer précoce du larynx.

Les clients dont la maladie est au stade I ou II au moment du diagnostic peuvent subir une radiothérapie ou une chirurgie avec un objectif de guérison. Presque tous les clients dont la maladie est avancée auront besoin de radiothérapie, en traitement préopératoire ou postopératoire. La curiethérapie est parfois employée pour traiter les cancers de la tête et du cou. La **curiethérapie** est une forme de radiothérapie concentrée et localisée qui permet de placer une substance radioactive dans la tumeur ou à proximité de celle-ci. L'objectif consiste à administrer de fortes doses de radiation à la zone cible, tout en

16

La radiothérapie et la curiethérapie sont expliquées plus en détail dans le chapitre 16, *Cancer.*

limitant l'exposition des tissus environnants. De minces aiguilles creuses de plastique et contenant de l'iridium radioactif sont insérées dans la région de la tumeur. Ces aiguilles émettent une radiation continue. La curiethérapie peut être utilisée seule ou en combinaison avec la radiothérapie externe ou la chirurgie ▶ 16.

Il est possible de pratiquer différentes interventions chirurgicales. La **cordectomie** (ablation partielle d'une corde vocale) est effectuée lorsqu'une tumeur superficielle touche une corde vocale **FIGURE 34.8**. L'**hémilaryngectomie** consiste en l'ablation d'une corde vocale ou d'une partie de celle-ci et nécessite une trachéostomie temporaire. La **laryngectomie supraglottique** consiste en l'ablation des structures situées au-dessus des vraies cordes vocales, soit les fausses cordes vocales et l'épiglotte. Après cette intervention, le client est exposé à un risque élevé d'aspiration et requiert une trachéostomie temporaire. L'hémilaryngectomie et la laryngectomie supraglottique sont deux chirurgies qui permettent de sauvegarder la voix, qui demeure cependant rauque et voilée.

Les lésions avancées sont traitées par une laryngectomie totale, au cours de laquelle le larynx et la loge hyothyroépiglottique sont complètement enlevés, et une trachéostomie permanente est installée. La **FIGURE 34.9** illustre comment l'air circule avant et après une laryngectomie totale. Une dissection radicale du cou accompagne souvent cette intervention afin de réduire les risques de propagation aux ganglions lymphatiques. Selon le degré d'atteinte, la dissection et la reconstruction peuvent être longues et complexes. L'intervention consiste à effectuer une large excision des ganglions et des vaisseaux lymphatiques **FIGURE 34.10**. Dans certains cas, il faut aussi enlever ou sectionner les structures suivantes : le muscle sternocléidomastoïdien et d'autres muscles étroitement associés, la veine jugulaire interne, la mandibule, la glande sous-maxillaire, une partie des glandes thyroïde et parathyroïde ainsi que le nerf spinal accessoire (ou nerf crânien XI).

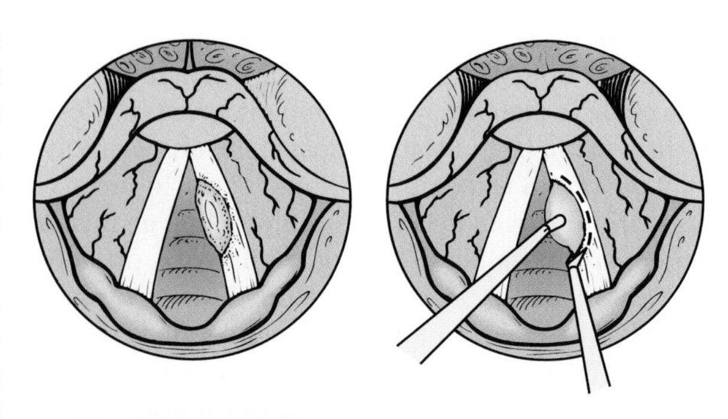

FIGURE 34.8 Ablation d'un cancer du larynx – Ce cancer de la corde vocale gauche répond aux critères de résection par cordectomie transorale. La corde est entièrement mobile, et la lésion est complètement découverte. Elle ne touche pas la commissure antérieure et ne la traverse pas non plus.

Lorsque cela est possible, une dissection modifiée du cou est pratiquée plutôt qu'une dissection radicale. Dans la dissection modifiée, le plus grand nombre de structures possible est épargné pour limiter le défigurement et la perte fonctionnelle.

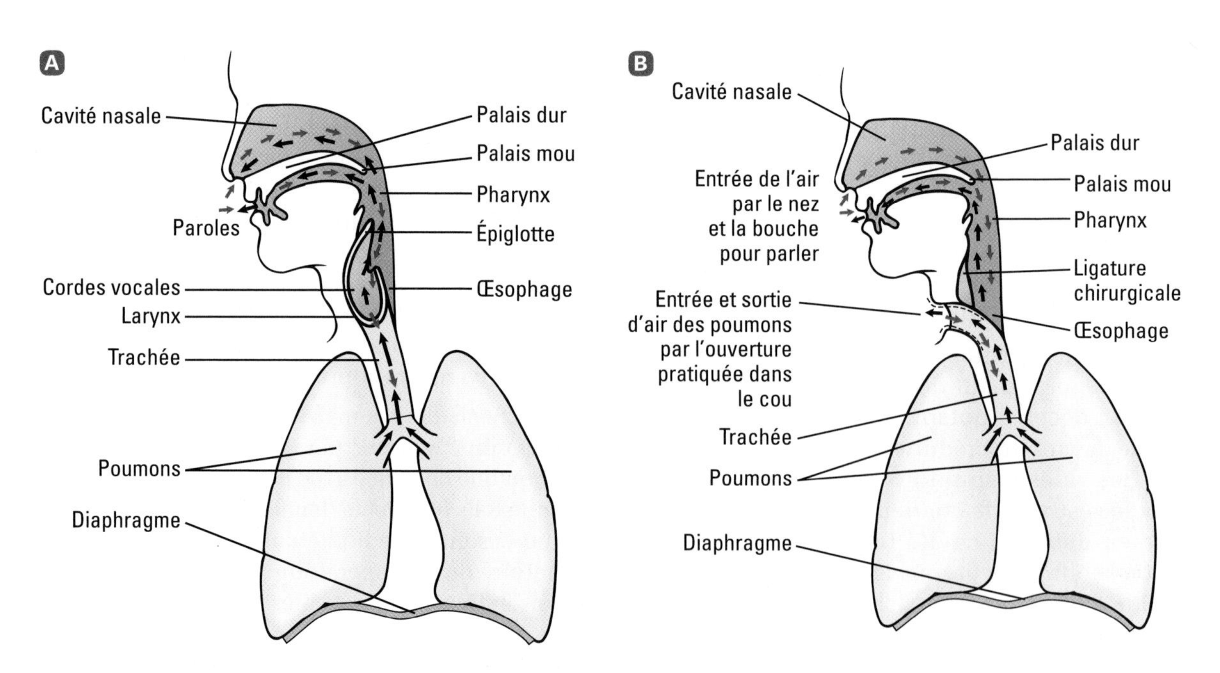

FIGURE 34.9 A Circulation normale de l'air qui entre dans les poumons et en ressort. B Circulation de l'air dans les poumons après une laryngectomie totale. Le client qui utilise la voix œsophagienne emprisonne l'air dans l'œsophage et le libère de manière à créer un son.

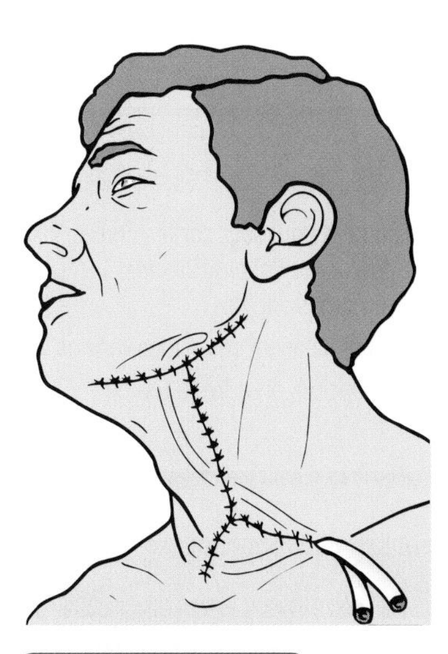

FIGURE 34.10 Incision cervicale radicale avec tube d'aspiration en place

L'intervention consiste généralement à disséquer les principaux groupes ganglionnaires et vaisseaux lymphatiques cervicaux, tout en préservant certaines structures non lymphatiques, notamment le nerf sympathique, le nerf vague, le nerf spinal accessoire, la veine jugulaire interne et le muscle sternocléidomastoïdien. La dissection du cou ne touche habituellement qu'un seul côté de celui-ci dans les cas de cancer des cordes vocales. Toutefois, il arrive que le chirurgien doive procéder à une dissection bilatérale si la lésion se situe plus au centre. Dans un tel cas, il effectue une dissection modifiée sur au moins un côté du cou, afin de réduire au minimum les déficits structuraux et fonctionnels.

Certains clients refusent l'intervention chirurgicale proposée dans le cas de lésions avancées, en raison de l'ampleur de l'intervention et des risques potentiels que celle-ci comporte. Dans de telles situations, le recours à la radiothérapie externe est possible, seule ou en combinaison avec la chimiothérapie. Le soutien au client et les conseils venant de l'infirmière prennent alors une importance majeure.

La chimiothérapie (p. ex., le cisplatine et le cétuximab [Erbitux[MD]]) est employée, comme approche thérapeutique ciblée, en combinaison avec la radiothérapie dans le cas de clients atteints de cancers non résécables. Le cétuximab est également utilisé comme monothérapie dans le traitement de carcinomes squameux de la tête et du cou qui se sont métastasés à la suite d'une chimiothérapie normale ▶ 16.

Thérapie nutritionnelle

Après une dissection radicale du cou, il se peut que le client ne soit pas en mesure de s'alimenter normalement en raison de l'enflure occasionnée, de l'emplacement des sutures ou de la difficulté à déglutir. Il reçoit donc des **solutions parentérales** durant les 24 à 48 premières heures. Par la suite, l'alimentation est assurée par le gavage, en général au moyen d'une sonde nasogastrique ou naso-intestinale, ou par une gastrostomie mise en place pendant l'intervention chirurgicale (MacMillan Cancer Support, 2010) ▶ 54. L'infirmière sera attentive à la tolérance que présente le client au gavage, et elle veillera à en faire ajuster la quantité, l'heure et la préparation, advenant des nausées, des vomissements, de la diarrhée ou de la distension abdominale. Elle expliquera au client et à sa famille en quoi consiste l'alimentation par sonde. Si le client peut avaler, l'infirmière lui donne de petites quantités d'eau, après l'avoir installé en position Fowler. Il est alors essentiel de le surveiller attentivement pour déceler tout signe d'étouffement. Une succion peut s'avérer nécessaire pour empêcher l'aspiration. Il est habituel que des problèmes de déglutition surgissent lorsque le client recommence à manger.

Le genre et le niveau des difficultés éprouvées varient en fonction de l'intervention subie. Au cours d'une laryngectomie supraglottique, le chirurgien excise la partie supérieure du larynx, y compris l'épiglotte et les fausses cordes vocales. Le client est en mesure de parler, car les cordes vocales inférieures ne sont pas touchées. Toutefois, il doit apprendre une nouvelle technique pour avaler, la **déglutition supraglottique**, et ce, pour compenser l'ablation de l'épiglotte et réduire au minimum les risques d'aspiration **ENCADRÉ 34.6**. Durant l'apprentissage de cette technique, il est souvent utile de commencer en offrant des boissons gazeuses au client, parce que l'effervescence permet de mieux suivre le liquide. À part cette exception, il est conseillé d'éviter de consommer des liquides légers et dilués parce qu'ils sont difficiles à avaler et augmentent le risque d'aspiration. Il est préférable d'opter pour des aliments solides en purée, car ils sont plus consistants et plus faciles à avaler. Le recours à un agent épaississant offert dans le commerce (ThickenUp[MD]) permet d'augmenter la viscosité des liquides et de les avaler plus facilement.

Il est important d'adopter une saine alimentation durant une radiothérapie, car l'organisme a besoin de calories et de protéines pour assurer la réparation des tissus. Des antiémétiques ou des analgésiques peuvent être administrés avant les repas pour réduire les nausées et la douleur buccale. Les clients tolèrent mieux les aliments fades. Il est possible d'augmenter l'apport calorique en ajoutant de la poudre de lait aux aliments durant leur préparation, en choisissant des aliments riches en calories et en ayant recours à des suppléments. L'addition de sauce aux aliments permet d'en augmenter la teneur calorique et l'humidité, ce qui facilite la déglutition. Si le client ne réussit pas à manger suffisamment, l'alimentation entérale peut être envisagée. Il faut veiller à ce que le client soit toujours installé dans une position où il a la tête surélevée.

L'alimentation par gavage est décrite dans le chapitre 54, *Interventions cliniques – Troubles nutritionnels.*

Réactivation des connaissances

Nommez au moins trois signes de dysphagie.

16

Les différentes approches thérapeutiques sont présentées dans le chapitre 16, *Cancer*.

CE QU'IL FAUT RETENIR

Après une dissection radicale du cou, l'enflure occasionnée, l'emplacement des sutures ou la difficulté à déglutir peuvent empêcher le client de s'alimenter normalement.

Enseignement au client et à ses proches

ENCADRÉ 34.6 Étapes pour réussir la déglutition supraglottique

1. Prendre une grande inspiration pour gonfler les poumons.
2. Effectuer la manœuvre de Valsalva pour rapprocher les cordes vocales.
3. Mettre des aliments dans la bouche et déglutir. Certains aliments pénétreront dans les voies respiratoires et resteront au-dessus des cordes vocales fermées.
4. Tousser pour déloger les aliments qui sont sur les cordes vocales. Inspirer pourrait provoquer l'aspiration des aliments se trouvant sur les cordes vocales.
5. Déglutir pour que les aliments se délogent des cordes vocales.
6. Après la séquence toux-déglutition, prendre le temps de respirer.

Soins et traitements infirmiers

CLIENT ATTEINT D'UN CANCER DE LA TÊTE OU DU COU

33 | ÉVALUATION CLINIQUE

L'étape d'évaluation du système respiratoire est décrite dans le chapitre 33, *Système respiratoire*.

Collecte des données

L'**ENCADRÉ 34.7** présente les données subjectives et objectives que l'infirmière doit recueillir auprès d'une personne atteinte d'un cancer de la tête ou du cou.

Analyse et interprétation des données

Certains des problèmes prioritaires relatifs au client atteint d'un cancer de la tête ou du cou sont présentés dans le **PSTI 34.2**.

Planification des soins

Les objectifs généraux pour le client qui souffre d'un cancer de la tête ou du cou sont: 1) d'assurer la perméabilité des voies respiratoires; 2) d'éviter que le cancer ne se propage; 3) de prévenir les complications liées au traitement; 4) de permettre un apport nutritionnel adéquat; 5) de minimiser la douleur; 6) de sauvegarder la capacité de communiquer; 7) de préserver une image corporelle acceptable.

Interventions cliniques

Promotion de la santé

L'apparition des cancers de la tête ou du cou est étroitement liée à certaines habitudes personnelles, en particulier à l'usage du tabac: cigarettes, cigares, tabac à chiquer ou à priser. Les usagers de longue date du tabac à priser et les fumeurs de

Collecte des données

ENCADRÉ 34.7 Cancer de la tête ou du cou

DONNÉES SUBJECTIVES

- Renseignements importants concernant la santé:
  - Antécédents de santé: antécédents familiaux positifs; usage prolongé de tabac (cigarette, pipe, cigare, tabac à chiquer ou à priser); consommation excessive et prolongée d'alcool; alimentation pauvre en fruits et légumes
  - Médicaments: usage prolongé de décongestionnants et de médicaments offerts en vente libre contre le mal de gorge
- Modes fonctionnels de santé:
  - Perception et gestion de la santé: client ne privilégiant pas l'application de mesures préventives en matière de santé
  - Nutrition et métabolisme: présence d'ulcères buccaux qui ne guérissent pas; besoin d'ajustement des prothèses dentaires; changements dans l'appétit; perte de poids; difficultés de déglutition (p. ex., une sensation de masse dans la gorge, de la douleur ou des problèmes d'aspiration à la déglutition)
  - Activités et exercices: fatigue au moindre effort
  - Cognition et perception: maux de gorge, douleur accompagnant la déglutition, douleur projetée à l'oreille

DONNÉES OBJECTIVES

- Système respiratoire: enrouement, changement dans la qualité de la voix, voix nasonnée, laryngite chronique; masse et ganglions lymphatiques palpables au cou (sensibles, durs et fixes); déviation de la trachée; dyspnée; stridor (signe tardif)
- Système gastro-intestinal: présence de plaques blanches (leucoplasie) ou rouges (érythroplasie) dans la bouche; ulcération de la muqueuse; langue asymétrique; présence d'exsudat dans la bouche ou le pharynx; muqueuse présentant une masse ou un épaississement
- Résultats possibles aux examens paracliniques: masse observée à la laryngoscopie directe ou indirecte; tumeur sur les tissus mous constatée par radiographie, TDM ou IRM; biopsie positive

Plan de soins et de traitements infirmiers

PSTI 34.2 Laryngectomie totale ou dissection radicale du cou

<table>
<tr><td>PROBLÈMES DÉCOULANT DE LA SITUATION DE SANTÉ</td><td>Dégagement inefficace des voies respiratoires[a]
Risque élevé d'infection[a]
Risque élevé d'aspiration[a]
Anxiété liée au manque de connaissances concernant l'intervention chirurgicale, le soulagement de la douleur et la prévention de complications, se manifestant par du questionnement sur la chirurgie imminente et les soins postopératoires, de l'agitation et de la nervosité.</td></tr>
<tr><td>OBJECTIFS</td><td>• Le client confirmera que l'information fournie avant l'opération contribue à réduire son anxiété.
• Le client sera capable de mettre en application certaines techniques de relaxation.</td></tr>
<tr><td>RÉSULTATS ESCOMPTÉS</td><td>INTERVENTIONS INFIRMIÈRES ET JUSTIFICATIONS</td></tr>
<tr><td>Autocontrôle de l'anxiété
• Explication de l'information donnée au sujet de sa condition
• Mise en application des stratégies d'adaptation efficaces
• Recours à des techniques de relaxation pour réduire son anxiété
• Diminution de l'anxiété
• Soutien de ses proches et desa famille</td><td>Réduction de l'anxiété
• Encourager l'expression des sentiments, des perceptions et des craintes, afin de comprendre comment le client voit la situation, le traitement et le pronostic et d'amorcer le cheminement sur la voie de l'adaptation et de l'acceptation.
• Fournir de l'information factuelle au sujet du diagnostic, du traitement et du pronostic afin de réduire le sentiment d'impuissance du client et d'augmenter son sentiment de maîtrise.
• Aider le client à avoir une idée claire et réaliste des événements à venir.
• Encourager la famille à demeurer auprès du client afin de lui procurer du soutien et des soins.</td></tr>
<tr><td>PROBLÈME DÉCOULANT DE LA SITUATION DE SANTÉ</td><td>Douleur aiguë liée aux lésions chirurgicales des tissus, se manifestant par le signalement de douleur ou d'un malaise, une expression faciale de douleur, des changements dans la P.A., le pouls (P) et la F.R.</td></tr>
<tr><td>OBJECTIFS</td><td>• Le client confirmera que sa douleur est soulagée.
• Le client aura recours à des techniques de soulagement de la douleur de manière efficace.</td></tr>
<tr><td>RÉSULTATS ESCOMPTÉS</td><td>INTERVENTIONS INFIRMIÈRES ET JUSTIFICATIONS</td></tr>
<tr><td>Contrôle de la douleur
• Description des liens entre le soulagement de la douleur et la bonne utilisation des méthodes pharmacologiques et non pharmacologiques
• Capacité de signaler l'apparition de sa douleur
• Recours à des mesures de soulagement de la douleur non pharmacologiques de façon appropriée
• Soulagement de la douleur
• Malgré l'incapacité à communiquer, absence d'indices cliniques qui démontrent de la douleur</td><td>Prise en charge de la douleur
• Observer le client pour déceler des indices non verbaux de malaise (p. ex., une expression faciale, de la répugnance à tousser ou à bouger), spécialement chez les clients qui sont incapables de communiquer efficacement, afin d'intervenir de façon appropriée.
• Procéder à une évaluation détaillée de la douleur, en précisant le site, les caractéristiques, le début, la durée, la fréquence, le genre, l'intensité ou l'importance de la douleur, ainsi que les facteurs précipitants.
• Enseigner au client comment avoir recours à certaines techniques non pharmacologiques de soulagement (p. ex., la relaxation, l'imagerie mentale dirigée, la musicothérapie, la distraction et le massage) avant, après, et, si possible, pendant les activités douloureuses, ainsi qu'avant que la douleur ne débute ou n'augmente, et ce, au même titre que les autres mesures de soulagement afin de gérer adéquatement la douleur.
• Assurer un niveau thérapeutique constant d'analgésiques prescrits afin d'optimiser le soulagement de la douleur.
• Avoir recours à des mesures de soulagement de la douleur avant que celle-ci ne s'aggrave.</td></tr>
</table>

[a] Puisque la trachéostomie est habituellement réalisée chez un client ayant subi une laryngectomie totale ou une dissection radicale du cou, il est indiqué de se reporter à la planification des soins du **PSTI 34.1** en ce qui a trait à ces problèmes découlant de la situation de santé.

PSTI 34.2 Laryngectomie totale ou dissection radicale du cou *(suite)*

PROBLÈME DÉCOULANT DE LA SITUATION DE SANTÉ	**Déficit nutritionnel** lié à l'intervention chirurgicale, à l'œdème et à la dysphagie, se manifestant par l'absence ou l'insuffisance d'absorption orale de nutriments.
OBJECTIFS	• Le client maintiendra son poids corporel. • Le client consommera suffisamment de liquides et de nutriments pour assurer ses besoins métaboliques durant la phase postopératoire.
RÉSULTATS ESCOMPTÉS	**INTERVENTIONS INFIRMIÈRES ET JUSTIFICATIONS**
État nutritionnel • Description des liens entre un régime thérapeutique adéquat et le rétablissement optimal de sa condition • Consommation de liquides et d'aliments répondant aux besoins évalués • Maintien du poids corporel • Absence de signes de déshydratation	**Thérapie nutritionnelle** • Procéder à une évaluation nutritionnelle. • Expliquer au client et à la famille la teneur du régime prescrit. • Faire un suivi de la quantité d'aliments et de liquides ingérés et calculer quotidiennement l'apport calorique afin d'évaluer l'efficacité de la thérapie. • Veiller à ce que le régime thérapeutique offert soit progressif afin de permettre au client de s'adapter à l'alimentation par voie orale. • Administrer une alimentation entérale afin d'assurer suffisamment de nutriments pendant la cicatrisation de la plaie.
PROBLÈME DÉCOULANT DE LA SITUATION DE SANTÉ	**Altération de la communication verbale** liée à l'ablation des cordes vocales, se manifestant par l'incapacité de parler.
OBJECTIF	Le client pourra exprimer ses besoins de base au moyen de techniques de communication écrites et non verbales.
RÉSULTATS ESCOMPTÉS	**INTERVENTIONS INFIRMIÈRES ET JUSTIFICATIONS**
Communication • Utilisation adéquate des appareils de phonation • Utilisation des modes de communication alternatifs proposés (langage écrit, images et dessins, langage des signes, langage non verbal) • Capacité d'échanger des messages efficacement avec les autres	**Amélioration de la communication : déficit de la parole** • Donner de l'information au client et à sa famille sur l'utilisation d'appareils de phonation (p. ex., la prothèse trachéo-œsophagienne et le larynx artificiel). • Utiliser un tableau de pictogrammes. • Écouter attentivement le client. • Rappeler la nécessité d'un suivi avec un orthophoniste après l'obtention du congé, pour apprendre à utiliser une prothèse trachéo-œsophagienne, un larynx artificiel ou la voix œsophagienne.
PROBLÈME DÉCOULANT DE LA SITUATION DE SANTÉ	**Perturbation de l'image corporelle** liée à une chirurgie qui défigure et à la perte de la capacité de parler, se manifestant par le retrait, la dépression, l'isolement, le refus de se regarder, de collaborer aux soins ou de recevoir des visiteurs.
OBJECTIFS	• Le client s'adaptera aux changements touchant son image corporelle. • Le client exprimera ses sentiments à l'égard des changements d'apparence physique qu'il a subis et ce que cela implique pour lui. • Le client prendra part aux autosoins.
RÉSULTATS ESCOMPTÉS	**INTERVENTIONS INFIRMIÈRES ET JUSTIFICATIONS**
Image corporelle • Acceptation de parler de sa condition • Mise en application des stratégies d'adaptation qui lui permettent de faire face aux changements qui touchent son apparence physique et ses fonctions corporelles	**Amélioration de l'image corporelle** • Avoir recours aux conseils préventifs pour préparer le client aux changements prévisibles de son image corporelle afin de faciliter la mise en œuvre de mécanismes d'adaptation efficaces. • Aider le client à discuter des changements causés par la maladie ou la chirurgie. • Indiquer des moyens pour diminuer l'impact des changements de l'image corporelle, comme le port de certains vêtements ou le recours à du maquillage afin d'aider le client à s'adapter. • Encourager le client à séparer les notions d'apparence physique et de perception de valeur personnelle afin de l'aider à accepter davantage son apparence physique modifiée.

PSTI 34.2	Laryngectomie totale ou dissection radicale du cou *(suite)*
Socialisation • Maintien des relations avec les autres **Gestion des autosoins** • Démonstration d'une volonté de collaborer à ses autosoins ou aux interventions liées à sa condition	**Amélioration de la socialisation** • Encourager le client à s'investir plus dans les relations déjà établies, car l'acceptation par les proches est un élément crucial de sa propre acceptation. **Aide aux autosoins** • Encourager le client à prendre part aux soins quotidiens, en fonction de ses capacités, puisque la participation aux autosoins est un signe d'adaptation positive.
PROBLÈME DÉCOULANT DE LA SITUATION DE SANTÉ	**Manque de connaissances** lié à un manque d'accès à l'information et à une méconnaissance des ressources informationnelles, se manifestant par l'expression d'inquiétudes à l'égard de la capacité de prendre en charge les autosoins à domicile.
OBJECTIFS	• Le client démontrera qu'il peut s'occuper correctement de l'entretien des canules et des soins relatifs aux incisions. • Le client confirmera qu'il comprend les éléments clés du régime thérapeutique et de la restauration de la voix, notamment sa condition, les complications possibles et le plan de traitement.
RÉSULTATS ESCOMPTÉS	**INTERVENTIONS INFIRMIÈRES ET JUSTIFICATIONS**
Préparation au congé: vie autonome • Capacité de décrire les traitements prescrits • Exécution des techniques pour l'entretien des canules et les soins relatifs aux incisions • Confiance dans la prise en charge de ses autosoins • Description des risques de complications • Description des signes et des symptômes à signaler aux professionnels de la santé • Prise en charge de l'administration de ses médicaments • Capacité de faire appel aux ressources de soutien social offertes	**Enseignement: soins à domicile** • Fournir de l'information écrite ou des diagrammes, car une documentation précise réduit le risque d'erreur. • Enseigner au client la technique à utiliser pour l'entretien des canules ou pour les soins relatifs aux incisions. • Observer le client pendant qu'il exécute les techniques afin de s'assurer qu'il le fait correctement. **Enseignement: postlaryngectomie** • Enseigner au client les signes et les symptômes à signaler à son médecin afin de déceler une éventuelle récurrence de tumeur ou de sténose trachéale. • Orienter le client vers les organismes communautaires ou les groupes de soutien locaux pour l'obtention d'aide et de soutien sur une base continue.

cigares sont à risque élevé de cancer de la bouche. La consommation prolongée d'alcool est une cause reconnue de cancer de la tête ou du cou (Société canadienne du cancer, 2015a).

La démarche d'éducation à la santé comportera des éléments d'information sur les facteurs de risque. Quand un diagnostic de cancer est établi, il demeure important de cesser de faire usage de tabac. Le client atteint d'un cancer de la tête ou du cou qui continue de fumer au cours de la radiothérapie a une réponse au traitement et un taux de survie plus faibles que celui qui cesse de fumer. De plus, le risque d'apparition d'un second cancer primaire est considérablement plus élevé chez les clients qui continuent de fumer (Société canadienne du cancer, 2015a). L'infirmière fournira de l'information au client sur les programmes d'abandon du tabac et sur les techniques pour réussir cette démarche.

Phase aiguë

L'infirmière renseignera le client et la famille sur le type de traitements et les soins requis. L'évaluation des préoccupations fait partie intégrante du plan de soins. Le client et sa famille doivent faire face au choc psychologique du diagnostic de cancer, à l'altération de l'apparence physique et à la nécessité de devoir apprendre à communiquer différemment en raison de la perte de la voix. Le plan de soins et de traitements infirmiers (PSTI) doit inclure une évaluation du réseau de soutien du client: le client peut n'avoir personne pour l'aider à sa sortie du centre hospitalier, ou encore être sans travail ou dans l'impossibilité de conserver son emploi.

| Radiothérapie | L'infirmière suggérera des moyens pour pallier les effets secondaires de la radiothérapie. La **xérostomie** (sécheresse de la bouche) est le problème le plus fréquent et le plus ennuyeux, et il se manifeste en général après quelques semaines de traitement. La quantité de salive du client diminue, et celle-ci s'épaissit. Le changement peut être temporaire ou permanent. Le chlorhydrate de pilocarpine (Salagen^{MD}) s'avère souvent efficace

CE QU'IL FAUT RETENIR

L'apparition des cancers de la tête ou du cou est étroitement liée à l'usage du tabac, et continuer de fumer augmente considérablement le risque d'apparition d'un second cancer primaire.

CE QU'IL FAUT RETENIR

La xérostomie est le problème le plus fréquent et le plus ennuyeux de la radiothérapie et il se manifeste après quelques semaines de traitement.

Stomatite : Inflammation de la muqueuse buccale.

pour augmenter la production de salive; la prise de ce médicament doit commencer avant le début de la radiothérapie et se poursuivre durant 90 jours. Le client peut également réduire ce symptôme en buvant plus de liquides (l'infirmière lui conseillera de toujours avoir une bouteille d'eau en sa possession), en mâchant de la gomme sans sucre, en suçotant un bonbon sans sucre ou en utilisant un rince-bouche sans alcool (comme une solution de bicarbonate de soude ou de glycérine).

La fatigue figure parmi les effets secondaires les plus courants de la radiothérapie, et elle se manifeste généralement quelques semaines après le début de la thérapie. L'infirmière encouragera le client à s'accorder de fréquentes périodes de repos durant la journée. Par ailleurs, le client se sentira plus énergique s'il peut faire régulièrement un peu d'exercice, comme la marche à pied.

Certains clients se plaignent de **stomatite**, en particulier si la cavité buccale fait partie du champ de traitement. L'irritation, l'ulcération et la douleur sont des plaintes couramment rapportées. L'infirmière encouragera le client à donner préférence aux aliments mous et fades durant cette période. Le fait de se rincer fréquemment la bouche avec de l'eau ou de sucer des glaçons aide à soulager la douleur. Il faut éviter les rince-bouche commerciaux et les aliments chauds ou épicés, car ils sont irritants. Si le problème est grave, un mélange à parts égales d'un antiacide, de diphenhydramine (Benadryl^MD) et de lidocaïne topique peut être employé. L'infirmière incitera le client à se rincer la bouche avec ce mélange, sans toutefois en avaler.

La peau devient souvent rouge et sensible au toucher dans la région traitée par la radiothérapie. L'infirmière donnera comme consigne au client de n'utiliser que les lotions et les produits pour la peau qui lui sont prescrits, et ce, pendant toute la durée de la radiothérapie, et de ne pas appliquer de lotion dans les deux heures qui précèdent le traitement. Advenant une réaction de desquamation humide, un type d'érythème causé par la radiothérapie et décrite comme une mise à nue du derme avec présence d'un exsudat (Société canadienne du cancer, 2015b), l'infirmière doit aviser le radiooncologue. Afin de réduire les malaises, le client devra éviter toute exposition au soleil et appliquer quotidiennement un écran solaire à indice de protection élevé.

| Traitement chirurgical | Les soins préopératoires d'un client qui s'apprête à subir une dissection radicale du cou prennent en compte ses besoins physiques et psychosociaux. La préparation physique est la même que pour n'importe quelle chirurgie importante, avec une attention particulière accordée à l'hygiène buccale. L'infirmière enseignera au client l'importance d'avoir une bonne hygiène buccale (bains de bouche, nettoyages réguliers à l'aide d'une brosse douce et de gel fluoré, hydratation et alimentation adéquate et, si nécessaire, prévoir les extractions dentaires deux semaines avant la chirurgie afin de favoriser la cicatrisation) (Institut national du cancer, 2008; Quinn, 2009).

Les explications et le soutien affectif revêtent également une importance particulière et doivent aussi porter sur les mesures postopératoires relatives à la communication et à l'alimentation. L'infirmière expliquera la teneur de l'intervention chirurgicale au client et à sa famille et s'assurera de leur bonne compréhension de l'information fournie.

L'enseignement doit être adapté à l'intervention chirurgicale prévue. Dans le cas d'une laryngectomie, il doit comprendre de l'information sur les changements auxquels il faut s'attendre sur le plan de la parole. L'infirmière ou l'orthophoniste devront enseigner au client des moyens de communication autres que la parole et susceptibles de servir de façon temporaire ou permanente. Ces moyens peuvent comprendre notamment l'utilisation d'un tableau de communication.

Après la chirurgie, il est essentiel d'assurer la perméabilité des voies respiratoires. Il se peut que l'inflammation de la région du site opératoire comprime la trachée, dans laquelle une canule de trachéostomie aura été insérée. Le client doit être installé dans une position semi-Fowler pour réduire l'œdème et limiter la tension exercée sur les sutures. L'infirmière vérifiera fréquemment les signes vitaux en raison du risque d'hémorragie et de détresse respiratoire. Pour le traitement de la plaie, des pansements compressifs, des mèches ou des drains (Hemovac^MD, Jackson-Pratt^MD) seront utilisés, selon le type de chirurgie effectuée. Dans le cas d'une dissection radicale du cou, le drainage de la plaie est aussi habituellement assuré au moyen d'un système portatif, tel que les drains Hemovac^MD et Jackson-Pratt^MD.

En présence de lambeaux greffés, il est généralement préférable de ne pas appliquer de pansements pour pouvoir mieux surveiller l'incision et éviter d'exercer une pression excessive sur les tissus **FIGURE 34.10**. Le drainage doit être sérosanguin et diminuer progressivement au cours des 24 heures qui suivent la chirurgie. L'infirmière vérifiera la perméabilité des drains toutes les 4 heures afin de s'assurer que le drainage séreux s'effectue correctement. Elle surveillera également la quantité et les caractéristiques de l'écoulement. En cas d'obstruction du drain, il y aura accumulation de liquide sous le lambeau, ce qui risque d'entraîner une mauvaise cicatrisation de la plaie ainsi que de l'infection. Une fois les drains retirés, l'infirmière surveillera attentivement le site opératoire pour déceler tout signe d'œdème. Advenant que du liquide continue de s'accumuler, l'aspiration peut s'avérer nécessaire.

Immédiatement après l'intervention chirurgicale, des aspirations fréquentes de la canule de trachéostomie doivent être effectuées. La consistance et la quantité des sécrétions changent habituellement avec le temps. Au début, les sécrétions peuvent être abondantes et teintées de sang, puis elles diminuent et épaississent progressivement. Il n'est pas recommandé d'administrer un bolus de solution physiologique salée par la canule de trachéostomie pour faciliter l'aspiration des sécrétions épaissies ; cette mesure risque de causer une hypoxie (Akgül & Akyolcu, 2002) et ne permet pas de rendre les sécrétions plus liquides (Ackerman & Mick, 1998). Par contre, l'utilisation d'un humidificateur, nettoyé quotidiennement, sera bénéfique au client, tant au centre hospitalier qu'à la maison.

À la suite d'une dissection du cou, le client devra apprendre, avec l'aide de la physiothérapeute, à utiliser ses membres supérieurs pour aider à soutenir et à bouger la tête. Après la phase postopératoire immédiate, il devra commencer un programme d'exercices pour pouvoir maintenir la force et la mobilité de l'épaule touchée et du cou. Cette démarche est particulièrement importante dans le cas où le nerf spinal accessoire et le muscle sternocléidomastoïdien sont enlevés ou lésés. Sans programme d'exercices, le client se retrouvera avec une épaule figée et une amplitude de mouvement du cou très limitée. Le client devra poursuivre ce programme d'exercices après avoir obtenu son congé du centre hospitalier, afin de prévenir toute incapacité fonctionnelle subséquente.

| Restauration de la voix | Après une laryngectomie totale, l'orthophoniste rencontrera le client pour évaluer avec lui les différentes options en matière de restauration de la voix. L'International Association of Laryngectomees, une association regroupant des personnes laryngectomisées, a pour objectif d'aider les personnes opérées à recouvrer l'usage de la parole. Au Québec, la Fédération québécoise des laryngectomisés est un regroupement offrant des visites préopératoires et postopératoires aux personnes soumises à une chirurgie de la tête ou du cou. Le regroupement offre également de l'information en anglais et en français sur la laryngectomie, son impact et les façons de communiquer après la chirurgie. Il existe plusieurs façons de recouvrer l'usage de la parole, par exemple, en ayant recours à la prothèse trachéo-œsophagienne, au larynx artificiel ou à la voix œsophagienne.

La prothèse trachéo-œsophagienne est un dispositif fait de plastique souple et inséré dans une fistule créée entre l'œsophage et la trachée **FIGURE 34.11**. La fistule peut être pratiquée au moment de l'intervention chirurgicale, ou après celle-ci, selon ce que choisit le chirurgien. Un cathéter de caoutchouc rouge est installé dans la fistule trachéo-œsophagienne et doit y rester intact jusqu'à ce que le passage soit formé. C'est à ce moment que la prothèse trachéo-œsophagienne peut être insérée. Cette prothèse permet à l'air des poumons de pénétrer dans l'œsophage par la stomie trachéale. Une valve antireflux empêche que des aliments ou de la salive de l'œsophage ne passent dans la stomie. Pour parler, le client doit fermer manuellement la stomie avec un doigt. L'air passe des poumons à l'œsophage, par la prothèse, puis sort par la bouche. La parole résulte de la vibration de l'air contre l'œsophage, et les mots sont articulés par le mouvement de la langue et des lèvres. Une valve peut également être ajoutée à ce dispositif, ce qui évite de devoir fermer la stomie avec un doigt pour parler. La prothèse doit être nettoyée régulièrement et remplacée lorsqu'elle devient obstruée par les sécrétions.

Le larynx artificiel est un dispositif à main qui fonctionne sur piles et qui permet de parler en utilisant des ondes sonores. L'un de ces dispositifs, le larynx artificiel buccal de Cooper-Rand, fonctionne avec un tube de plastique installé dans un coin de la voûte palatine pour créer des vibrations. Pour obtenir des sons les plus normaux possible au

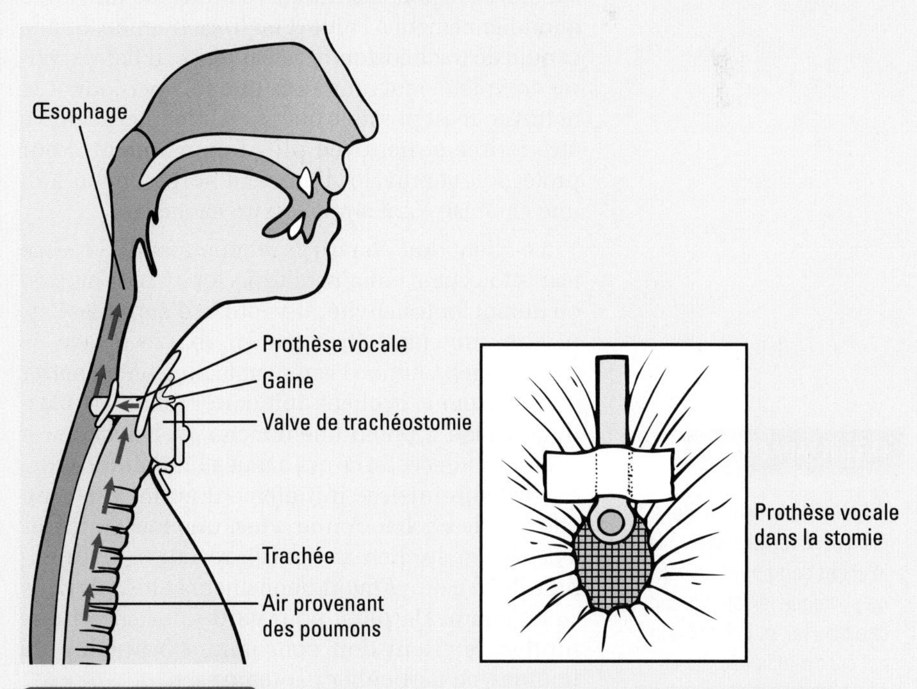

FIGURE 34.11 Prothèse trachéo-œsophagienne et valve de trachéostomie – Grâce à cette prothèse et à cette valve, le client laryngectomisé peut parler normalement. En médaillon : stomie de laryngectomie et prothèse vocale sans valve de trachéostomie.

moyen de ce dispositif, le client doit: 1) éviter de se servir de la langue pour maintenir le tube en place; 2) comprimer le générateur de tonalité pendant de courtes périodes et parler en utilisant des groupes de mots plutôt que des phrases complètes; 3) parler en faisant de grands mouvements avec les lèvres, la langue et la mâchoire, plutôt qu'en gardant la bouche partiellement fermée; 4) parler en se tenant en face de l'interlocuteur; 5) s'exercer avec détermination, parce que l'habileté vient avec l'entraînement.

Le larynx artificiel au cou est un autre type de dispositif qui se place contre le cou plutôt qu'à l'intérieur de la bouche. Ce dispositif est utilisé une fois que la plaie est complètement cicatrisée et qu'il n'y a plus d'œdème. Avec de l'entraînement, le client peut apprendre à bouger les lèvres de manière à produire des sons normaux. Ces deux dispositifs produisent une voix dont la tonalité est basse et le son, « robotisé ».

| Voix œsophagienne | La technique de la **voix œsophagienne** consiste à avaler de l'air, à l'emprisonner dans l'œsophage, puis à le libérer de manière à produire un son. L'air provoque une vibration du segment pharyngo-œsophagien et un son (qui ressemble initialement à un rot). Avec de l'entraînement, beaucoup de clients parviennent à développer certaines habiletés pour s'exprimer, mais peu réussissent à parler avec aisance.

| Soins de stomie | Avant que le client laryngectomisé n'obtienne son congé du centre hospitalier, l'infirmière lui donnera de la formation sur les soins de stomie. La région entourant la stomie doit être lavée quotidiennement à l'aide d'un linge humide. Si une canule de trachéostomie est en place, il faut la retirer complètement au moins une fois par jour et la nettoyer. Il est possible que la canule interne doive être retirée et nettoyée plus fréquemment. Pour protéger la stomie, le client peut porter un foulard, une chemise à col ample ou un cache-cou.

Le client doit couvrir la stomie lorsqu'il tousse (car la toux peut entraîner l'expectoration de mucus) ou durant toute activité susceptible d'entraîner l'aspiration de corps étrangers (p. ex., le rasage, le maquillage). Comme l'eau peut facilement pénétrer dans la stomie, le client doit porter un col de plastique lorsqu'il prend une douche. La baignade est contre-indiquée. En ce qui a trait à l'humidification, elle est administrée initialement au moyen d'un masque de trachéostomie. Puis, une fois de retour à la maison, le client peut avoir recours à un humidificateur, nettoyé quotidiennement et installé dans sa chambre. De plus, pour garder les sécrétions fluides, le client doit consommer beaucoup de liquides, en particulier par temps sec.

CE QU'IL FAUT RETENIR

Puisque l'eau peut facilement pénétrer dans la stomie, le client doit porter un col de plastique lorsqu'il prend une douche, et la baignade est contre-indiquée.

Le client doit être sensibilisé à l'importance de porter un bracelet MedicAlert[MD] ou un autre signe qui, en cas d'urgence, informera les personnes de la présence de la trachéostomie. Par ailleurs, étant donné que le client ne respire plus par le nez, il se peut qu'il n'ait plus la capacité de sentir l'odeur de la fumée ou des aliments. Il est donc important de lui recommander d'installer des détecteurs de fumée et de monoxyde de carbone à la maison. Il est également important que les aliments soient nutritifs, colorés et préparés de façon attrayante, car la capacité de goûter peut aussi être réduite en conséquence de la radiothérapie et de la perte de l'odorat.

| Dépression | La dépression est courante chez le client qui a subi une dissection radicale du cou pour de multiples raisons: il se peut que le client soit incapable de parler en raison de la laryngectomie et qu'il ne puisse retenir sa salive; son cou et ses épaules peuvent être insensibles en raison de la section transversale des nerfs; l'apparence du visage peut être considérablement transformée et présenter de l'enflure (œdème) et certaines difformités. Il faut expliquer au client que bon nombre de ces changements physiques disparaissent une fois l'œdème résorbé et la canule de trachéostomie retirée. La dépression peut aussi être liée à la crainte du pronostic. L'infirmière, avec ou sans le soutien d'un psychologue, peut aider le client à traverser un épisode de dépression en lui permettant d'exprimer ses émotions, en l'amenant à accepter la situation et en l'aidant à recouvrer une image de soi acceptable. Il est parfois indiqué d'adresser le client en psychiatrie si celui-ci vit une dépression prolongée ou grave (Newton, Hickey & Marrs, 2008).

| Sexualité | Les séquelles de la chirurgie et la présence d'accessoires comme les canules de trachéostomie et de gastrostomie sont des éléments qui perturbent considérablement l'image corporelle. Certains clients se sentent moins désirables sur le plan sexuel. L'infirmière peut aider le client en lui donnant la possibilité d'aborder le sujet de la sexualité et en l'encourageant à en discuter avec son ou sa partenaire intime. Compte tenu de la condition physique du client sur le plan de la communication verbale, il peut lui être difficile de discuter de problèmes liés à la sexualité. L'infirmière peut aider le client à préparer la façon dont il abordera le sujet avec le partenaire intime, et elle peut fournir du soutien et des conseils au partenaire. Le fait d'aider le client à considérer que la sexualité ne se limite pas seulement à l'apparence physique peut contribuer à atténuer son anxiété dans une certaine mesure.

Soins ambulatoires et soins à domicile

Il est fréquent que le client reçoive son congé tout en ayant encore besoin d'une canule de trachéostomie et d'une sonde d'alimentation nasogastrique ou gastrique. Certains clients ont donc besoin de soins à domicile au début, le temps d'évaluer leur capacité ou celle de leur famille à assumer les soins personnels. Le client et ses proches doivent apprendre comment utiliser les sondes et savoir qui joindre en cas de difficulté.

Le client peut recommencer à faire de l'exercice, à avoir des loisirs et des activités sexuelles lorsqu'il s'en sent capable. La plupart des clients sont en mesure de reprendre le travail de un à deux mois après la chirurgie. Toutefois, nombreux sont ceux qui ne réintègrent jamais un emploi à temps plein. Les changements qui découlent d'une laryngectomie totale sont difficiles à assumer. La perte de la parole, de la capacité de goûter et de sentir, l'incapacité de produire des sons audibles (y compris des rires et des pleurs) et la présence d'une stomie trachéale permanente qui produit un mucus indésirable constituent un poids accablant pour le client. Même si ces changements sont détaillés avant l'opération, bien souvent le client ne réalise pas d'avance l'ampleur de ceux-ci. S'il bénéficie de la présence d'un être cher, la réaction de cette personne devant les changements d'apparence sera déterminante. En effet, l'acceptation de ces changements par une autre personne peut contribuer à améliorer l'image que le client a de lui-même. Un autre volet important de la réadaptation consiste à encourager le client à développer son autonomie en ce qui a trait à ses soins personnels.

Une chirurgie reconstructive peut être pratiquée au moment de l'opération initiale ou peu après l'ablation de la tumeur. Divers types de lambeaux et de greffons peuvent alors être utilisés. Il peut s'avérer nécessaire de reconstruire le nez ou la mandibule ou de fermer certains orifices buccaux cutanés. Des matériaux prothétiques, comme le Silastic^MD et le Plastigel^MD (qui est mou), sont souvent utilisés pour corriger certaines difformités.

Malgré le recours à la chirurgie et à la radiothérapie, le taux de guérison des cancers avancés de la tête et du cou demeure malheureusement très faible. Un cancer métastatique est souvent très douloureux et laisse la personne atteinte dans un état de grande faiblesse. Il faut déterminer un plan de traitement destiné à mieux gérer la douleur et les symptômes invalidants, pour soulager le client et, s'il y a lieu, orienter celui-ci vers des services ou un établissement de soins palliatifs.

Évaluation des résultats

Le **PSTI 34.2** présente les résultats escomptés pour un client opéré d'un cancer de la tête ou du cou.

CE QU'IL FAUT RETENIR

La dépression est courante chez le client qui a subi une dissection radicale du cou.

Analyse d'une situation de santé — Jugement **clinique**

Crystelle Bel Amour chante depuis l'âge de six ans. Elle s'est produite dans les bars pendant plusieurs années et a participé à de nombreuses soirées artistiques. C'est à l'âge de 53 ans qu'est découvert un cancer de stade II à la corde vocale gauche s'étendant jusqu'au larynx, pour lequel elle a dû subir une hémilaryngectomie avec trachéostomie temporaire à la fin du mois d'octobre.

La cliente reçoit des traitements de radiothérapie et de chimiothérapie. Elle se plaint d'avoir la bouche sèche: « On dirait que je n'ai plus de salive », écrit-elle sur son ardoise magique. Elle peut manger, mais il lui arrive de tousser lorsqu'elle avale des liquides et a parfois le réflexe de vomir.

Madame Bel Amour pleure souvent malgré un pronostic encourageant. Elle dit craindre d'être obligée de mettre fin à sa carrière et de ne plus être en mesure de s'exprimer correctement. Pourtant, elle semble avoir un bon soutien psychologique de la part de son entourage personnel et professionnel, car elle reçoit beaucoup de visiteurs dans une journée.

Mise en œuvre de la démarche de soins

Collecte de données – Évaluation initiale – Analyse et interprétation

SOLUTIONNAIRE

1. Au cours de l'anamnèse, quelle information l'infirmière devrait-elle savoir concernant les facteurs possiblement en cause dans l'apparition du cancer de madame Bel Amour?
2. L'infirmière soupçonne un risque de dysphagie chez la cliente. Nommez deux signes, autres que ceux indiqués dans la mise en contexte, qui confirmeraient un tel soupçon.
3. En plus de la bouche sèche et de la sensation de ne plus avoir de salive, quel autre signe confirmerait de façon certaine un problème de xérostomie chez la cliente?
4. L'infirmière a-t-elle raison d'anticiper un risque d'aspiration pour cette cliente? Justifiez votre réponse.

Récemment vu dans ce chapitre

Quelle manifestation clinique madame Bel Amour aurait-elle probablement présentée comme indice précoce d'un cancer du larynx?

5. En tenant compte du temps de l'année où l'histoire de madame Bel Amour se situe, quel autre risque pourrait alerter l'infirmière?
6. Quelles sont les trois données de la mise en contexte qui permettent de déceler un problème de réaction dépressive chez cette cliente?

Planification des interventions – Décisions infirmières

7. L'infirmière a inscrit cette directive dans le plan thérapeutique infirmier (PTI) de la cliente pour le problème prioritaire de dysphagie: *Garder la tête inclinée à 45° vers l'avant pour manger et boire.* Qu'est-ce qui justifie une telle directive?

Extrait

CONSTATS DE L'ÉVALUATION

Date	Heure	N°	Problème ou besoin prioritaire	Initiales	RÉSOLU / SATISFAIT			Professionnels / Services concernés
					Date	Heure	Initiales	
2016-10-28	*11:30*	*2*	*Dysphagie*	*R.T.*				

SUIVI CLINIQUE

Date	Heure	N°	Directive infirmière	Initiales	CESSÉE / RÉALISÉE		
					Date	Heure	Initiales
2016-10-28	*11:30*	*2*	*Garder la tête inclinée à 45° vers l'avant pour manger et boire.*	*R.T.*			

Signature de l'infirmière	Initiales	Programme / Service	Signature de l'infirmière	Initiales	Programme / Service
Rina Treumer	*R.T.*	*Chirurgie – 3e Ouest*			

Récemment vu dans ce chapitre

Nommez deux autres signes que madame Bel Amour aurait probablement présentés en lien avec un cancer du larynx.

8. Trouvez une autre directive pour ce même problème prioritaire, en lien avec la source principale de la difficulté de déglutition de la cliente.

Extrait

SUIVI CLINIQUE

Date	Heure	N°	Directive infirmière	Initiales	CESSÉE / RÉALISÉE		
					Date	Heure	Initiales
2016-10-28	*11:30*	*2*	*Garder la tête inclinée à 45° vers l'avant pour manger*				
			et boire. (Dir. plan de trav. PAB + dir. verb. à la cliente)	*R.T.*			

Signature de l'infirmière	Initiales	Programme / Service	Signature de l'infirmière	Initiales	Programme / Service
Rina Treumer	*R.T.*	*Chirurgie – 3e Ouest*			
		Chirurgie – 3e Ouest			

Récemment vu dans ce chapitre

Quels détails doivent être notés au dossier concernant les sécrétions trachéales aspirées?

9. D'autres intervenants peuvent être mis à contribution pour résoudre le problème de dysphagie de la cliente. Nommez-les.
10. Concernant le problème de xérostomie, quelle raison justifierait l'intervention suivante: *Utiliser de la gomme sans sucre et de la salive artificielle*?
11. L'infirmière désire impliquer une autre professionnelle pour aider madame Bel Amour à surmonter sa crainte de ne plus s'exprimer correctement. Nommez cette intervenante.
12. Vers quel organisme d'entraide l'infirmière peut-elle diriger la cliente concernant sa condition psychologique actuelle?

Évaluation des résultats – Évaluation en cours d'évolution

13. Quelles données indiqueraient à l'infirmière que les directives appliquées pour le problème de dysphagie sont efficaces? que le problème de xérostomie se résorbe? qu'il n'y a pas de signes d'aspiration?

APPLICATION DE LA PENSÉE CRITIQUE

Dans l'application de la démarche de soins auprès de madame Bel Amour, l'infirmière a recours aux éléments du modèle de la pensée critique pour analyser la situation de santé de la cliente et en comprendre les enjeux. La **FIGURE 34.12** résume les caractéristiques de ce modèle en fonction des données de cette cliente, mais elle n'est pas exhaustive.

VERS UN JUGEMENT CLINIQUE

CONNAISSANCES

- Dysphagie et risques d'aspiration
- Soins de trachéostomie
- Réactions psychologiques possibles à la suite d'une laryngectomie avec trachéostomie
- Moyens de prévenir les infections respiratoires
- Soins d'hygiène buccale et produits utilisés
- Champ d'exercices des différents professionnels

EXPÉRIENCES

- Soins aux clients trachéotomisés
- Communication avec des clients ayant subi une laryngectomie avec trachéostomie
- Soins aux clients atteints de cancer
- Soins aux clients présentant un problème buccal
- Enseignement à la clientèle

NORMES

- Protocole local de soins buccaux et de soins de trachéostomie
- Constitution d'une équipe multidisciplinaire et champ d'exercices des différents intervenants

ATTITUDE

- Démontrer de l'empathie par rapport aux impacts de la laryngectomie sur la carrière de la cliente et son issue probable

PENSÉE CRITIQUE

ÉVALUATION

- Signes de dysphagie présentés par madame Bel Amour
- Importance des risques d'aspiration bronchique
- Risque de contracter la grippe, un rhume ou d'autres infections respiratoires
- Signes de réaction dépressive
- Signes et symptômes de xérostomie

JUGEMENT CLINIQUE

FIGURE 34.12 Application de la pensée critique à la situation de santé de madame Bel Amour

Chapitre

35

INTERVENTIONS CLINIQUES

Troubles des voies respiratoires inférieures

Écrit par :
Dorothy (Dottie) M. Mathers, RN, DNP, CNE

Adapté et mis à jour par :
Vitalie Perreault, inf., M. Sc.

MOTS CLÉS

Abcès pulmonaire 279
Bronchite aiguë...................... 258
Cœur pulmonaire 314
Effusion pleurale..................... 305
Embolie pulmonaire (EP)............. 307
Épanchement pleural 304
Fractures de côtes................... 295
Hypertension pulmonaire 312
Mycobactéries atypiques............ 278
Œdème aigu du poumon (OAP) 307
Pleurésie (pleurite).................. 306
Pneumoconioses 280
Pneumonie........................... 258
Pneumothorax 291
Thoracotomie........................ 299
Tuberculose (TB)..................... 269

OBJECTIFS

Après avoir étudié ce chapitre, vous devriez être en mesure :

- d'expliquer la physiopathologie et les manifestations cliniques des principaux types d'infections des voies respiratoires inférieures ;
- de décrire les causes, les facteurs de risque, la pathogenèse et les manifestations cliniques du cancer du poumon ;
- de comparer la physiopathologie et les manifestations cliniques du pneumothorax, d'une fracture de côtes et du volet costal ;
- de décrire l'utilité des drains thoraciques, les méthodes employées et les responsabilités de l'infirmière relatives à ce dispositif ;
- d'expliquer les types de chirurgie thoracique et les soins préopératoires et postopératoires appropriés ;
- de différencier les troubles restrictifs extrapulmonaires et intrapulmonaires ;
- de décrire la physiopathologie et les manifestations cliniques de l'embolie pulmonaire, de l'hypertension pulmonaire et du cœur pulmonaire ;
- de discuter du traitement par greffe pulmonaire de certaines maladies pulmonaires.

Disponible sur 

- Animations
- À retenir
- Carte conceptuelle
- Méthodes de soins – Grilles d'observation
- Méthodes de soins : vidéos
- Pour en savoir plus
- Solutionnaire de l'Analyse d'une situation de santé
- Solutionnaire des questions de Jugement clinique
- Solutionnaire des questions Réactivation des connaissances
- Solutionnaire des questions Récemment vu dans ce chapitre

Concepts clés

Cette carte conceptuelle illustre schématiquement les principaux concepts décrits dans le présent chapitre. Sa lecture vous permettra d'avoir une vue d'ensemble des notions qui y sont présentées.

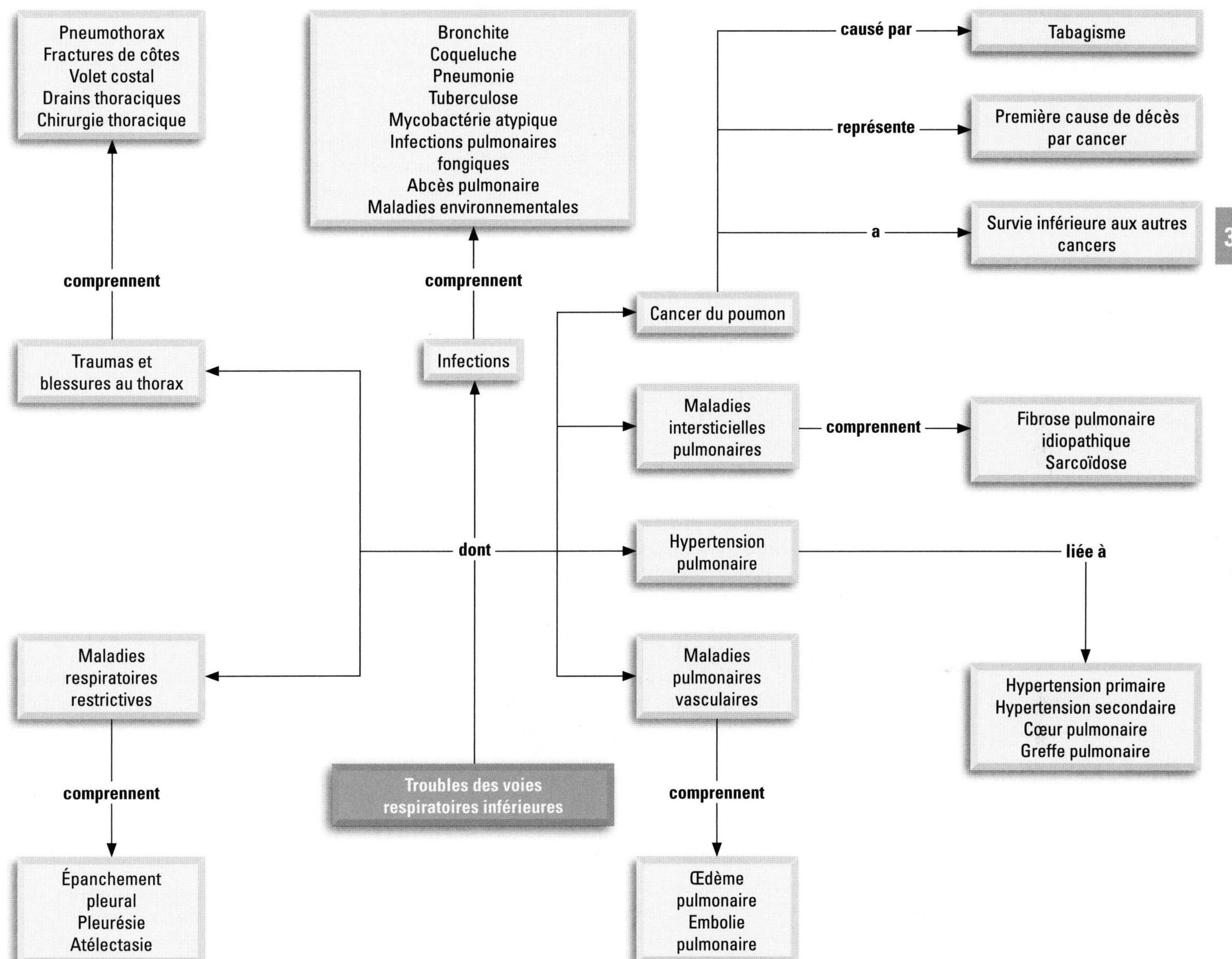

35

36

Les maladies pulmonaires chroniques comme l'asthme, les maladies pulmonaires obstructives chroniques (MPOC) et la fibrose kystique sont présentées en détail dans le chapitre 36, *Interventions cliniques – Maladies pulmonaires obstructives.*

Réactivation des connaissances

La trachée et l'arbre bronchique font partie des voies respiratoires inférieures. Quel est leur rôle principal ?

Animations : *Bruits pulmonaires.*

CE QU'IL FAUT RETENIR

En dépit de l'arrivée de nouveaux antibiotiques, la pneumonie est encore prévalente, et la morbidité et la mortalité associées à cette maladie sont considérables.

35.1 Infections des voies respiratoires inférieures

Un large éventail de maladies peut toucher les voies respiratoires inférieures ▶ 36. Le présent chapitre aborde celles qui ne sont pas principalement obstructives. Les infections des voies respiratoires inférieures sont courantes et peuvent être graves. Selon l'Agence de la santé publique du Canada (2012), les maladies chroniques des voies respiratoires inférieures représentent la deuxième cause d'hospitalisation au pays, après les maladies vasculaires, et la quatrième cause de décès en importance.

35.1.1 Bronchite aiguë

La **bronchite aiguë** est l'inflammation des bronches des voies respiratoires inférieures. En général, elle survient simultanément ou après une infection des voies respiratoires supérieures par un virus (p. ex., le rhinovirus ou virus de la grippe). La toux est le symptôme le plus courant. Elle peut durer de 10 à 20 jours et s'accompagne souvent d'expectorations translucides et mucoïdes, mais parfois purulentes chez certains clients. Les autres symptômes associés sont les céphalées, les malaises et l'essoufflement à l'effort en plus d'une fièvre occasionnelle. À l'examen physique, il est possible d'observer une légère augmentation de la température (T°), de la fréquence cardiaque (F.C.) et de la fréquence respiratoire (F.R.) accompagnée de bruits respiratoires normaux ou d'une respiration sifflante, habituellement à l'expiration ou à l'effort (i+). La radiographie pulmonaire permet de différencier la bronchite aiguë de la pneumonie. La radiographie de la bronchite aiguë ne démontre aucun signe de consolidation ou d'infiltrats comme c'est le cas avec la pneumonie.

La bronchite aiguë associée à la MPOC est appelée surinfection bronchique. Ainsi, chez une personne atteinte d'une MPOC, le terme surinfection bronchique représente une infection aiguë superposée à la bronchite chronique existante. C'est une affection potentiellement grave qui peut mener à une insuffisance respiratoire.

L'évolution de la bronchite aiguë est habituellement de courte durée. Le traitement inclut le repos, la prise de liquides et d'anti-inflammatoires. Des antitussifs ou des bronchodilatateurs peuvent être prescrits pour soulager les symptômes de toux nocturne ou de respiration sifflante. Les antibiotiques ne sont habituellement pas nécessaires sauf si l'infection se prolonge et qu'elle entraîne des symptômes plus marqués. Si la bronchite aiguë est due à un virus grippal, il peut être approprié d'administrer des antiviraux, comme le zanamivir (Relenza^MD) ou le phosphate d'oseltamivir (Tamiflu^MD), mais il faut entreprendre le traitement dans les 48 heures suivant le début des symptômes.

35.1.2 Coqueluche

La **coqueluche** est une infection hautement contagieuse des voies respiratoires inférieures causée par le bacille Gram négatif *Bordella pertussis*. L'Agence de la santé publique du Canada (2003) a même émis une déclaration selon laquelle la coqueluche est très contagieuse et dangereuse pour les enfants, en particulier pour les nourrissons, et elle est de plus en plus fréquente chez les adolescents et les adultes. L'immunité acquise par le vaccin DCT (diphtérie, coqueluche, tétanos) durant l'enfance pourrait décliner avec le temps, ce qui expliquerait l'apparition de l'infection dans certains cas, accompagnée de légers symptômes.

Ces symptômes sont semblables à ceux de la bronchite aiguë, sauf pour ce qui est de la toux caractéristique de la maladie, qui survient sous forme de **paroxysmes** (quintes de toux) suivis d'une sensation de suffocation ou de vomissements. Comme dans la bronchite aiguë, la toux est plus fréquente la nuit ; toutefois, elle peut durer plus longtemps et se prolonger pendant deux à quatre semaines. Le traitement consiste en l'administration d'antibiotiques, habituellement des macrolides (érythromycine ou dihydrate d'azithromycine [Zithromax^MD]). À ce jour, aucune méthode ne s'est révélée efficace pour éliminer la toux chez les adultes atteints de la coqueluche. Le ministère de la Santé et des Services sociaux (MSSS) préconise l'administration d'un vaccin de rappel contre la coqueluche chez les adolescents et de nouveau à l'âge adulte, ce qui réduit la fréquence et la gravité de la maladie (MSSS, 2015).

35.1.3 Pneumonie

Jusqu'en 1936, année de la découverte des sulfamides et de la pénicilline qui a marqué un tournant dans le traitement de la pneumonie, cette maladie était la principale cause de décès aux États-Unis. Depuis, les antibiotiques utilisés pour traiter la pneumonie ont été améliorés de façon prodigieuse. Pourtant, en dépit de l'arrivée de nouveaux antibiotiques, la pneumonie est encore prévalente, et la morbidité et la mortalité associées à la maladie sont considérables. La grippe et ses complications, comme la pneumonie, peuvent entraîner le décès de 2 000 à 8 000 Canadiens par année, selon la gravité de la saison grippale (Agence de la santé publique du Canada, 2010).

Étiologie

La **pneumonie** est une inflammation aiguë du parenchyme pulmonaire causée la plupart du temps par un microorganisme pathogène. En temps normal, les voies respiratoires en aval du larynx sont stériles à cause des mécanismes de protection intrinsèques, qui sont notamment la filtration de l'air, le réchauffement et l'humidification de l'air inspiré, la fermeture de l'épiglotte au-dessus de la trachée, le réflexe de toux, le mécanisme de clairance mucociliaire par escalier, la sécrétion de l'immunoglobuline A (IgA) et les macrophages dans les alvéoles.

La pneumonie est plus susceptible d'apparaître lorsque les mécanismes de défense deviennent inefficaces ou sont surchargés par la virulence ou la quantité de microorganismes pathogènes. La diminution du niveau de conscience affaiblit les réflexes de toux et de l'épiglotte, ce qui peut favoriser l'aspiration du contenu de l'oropharynx dans les poumons. L'intubation endotrachéale peut nuire au réflexe de toux normal et au mécanisme de clairance mucociliaire par escalier et ainsi entraver la filtration et l'humidification de l'air à cause du passage dans les voies respiratoires supérieures. La pollution de l'air, la fumée de cigarette, les infections des voies respiratoires supérieures et les changements normaux liés à l'âge peuvent aussi altérer le mécanisme de clairance mucociliaire. Les maladies telles que la leucémie, l'alcoolisme et le diabète seraient associées à une prolifération accrue de bacilles Gram négatif dans l'oropharynx. Ces derniers ne font pas partie de la flore résidente des voies respiratoires. La prise d'un antibiotique pour traiter une infection située ailleurs dans l'organisme peut également détériorer la flore oropharyngienne. Les facteurs de risque d'apparition de la pneumonie sont énumérés dans l'**ENCADRÉ 35.1**.

Les microorganismes pathogènes responsables de la pneumonie peuvent atteindre les poumons de trois façons, soit par :

1. aspiration de la flore résidente du nasopharynx ou de l'oropharynx (bon nombre de ces agents pathogènes sont normalement présents dans le pharynx des adultes en santé) ;
2. inhalation de microbes présents dans l'air (p. ex., le *Mycoplasma pneumoniæ* et les spores fongiques) ;
3. propagation hématogène d'une infection primaire présente ailleurs dans l'organisme (p. ex., le *Staphylococcus aureus*).

Types de pneumonies

Les différents types de pneumonies peuvent être classés selon l'étiologie de la maladie. Par exemple, les pneumonies d'aspiration apparaissent à la suite de l'aspiration de sécrétions ou de nourriture. Les agents causals de la pneumonie sont multiples : bactéries, virus, mycoplasmes, champignons, parasites et produits chimiques. Même si les pneumonies peuvent être distinguées selon les microorganismes responsables, sur le plan clinique, elles sont divisées en deux catégories : la pneumonie acquise dans la communauté et la pneumonie nosocomiale (liée aux soins de santé), car les microorganismes pathogènes potentiellement en cause peuvent différer, ce qui a une incidence sur le traitement optimal à administrer.

Jugement clinique

Simon Beaulieu, 18 ans, présente des quintes de toux lui causant parfois une sensation de suffocation et des nausées. Le médecin a diagnostiqué une coqueluche. Est-ce possible que, malgré sa vaccination de DCT, Simon souffre de coqueluche ? Justifiez votre réponse.

Pneumonie acquise dans la communauté

La **pneumonie acquise dans la communauté** est une infection des voies respiratoires inférieures acquise en communauté et qui débute à domicile ou au cours des deux premiers jours d'une hospitalisation (Mandell, Wunderink, Anzueto *et al.*, 2007). En 1997, Fine et ses collaborateurs ont mis au point une méthode permettant d'établir le risque de mortalité associé à une pneumonie acquise en communauté. Au Québec, cette méthode est connue sous le nom de règle de Fine. Celle-ci, combinée au jugement clinique de l'infirmière, aide à déterminer le lieu de traitement le mieux adapté pour le client (à domicile ou à l'hôpital) **TABLEAU 35.1**. Cette règle, basée sur de multiples facteurs, permet de connaître la classe de risque du client. Le traitement des pneumonies acquises dans la communauté demeure empirique, car il est impossible de connaître précisément l'agent pathogène en cause au moment de l'instauration du traitement.

Réactivation des connaissances

En quoi un alitement ou une immobilité prolongée peuvent-ils provoquer une pneumonie ? Quelle autre complication respiratoire peut être causée par l'immobilité prolongée ?

Facteurs de risque

ENCADRÉ 35.1 Facteurs de risque de la pneumonie

- Âge avancé
- Pollution de l'air
- Altération de l'état de conscience : alcoolisme, blessure à la tête, convulsions, anesthésie, surdosage médicamenteux et accident vasculaire cérébral (AVC)
- Altération de la flore oropharyngienne secondaire à la prise d'antibiotiques
- Alitement et immobilité prolongée
- Maladies chroniques : maladie pulmonaire chronique, diabète, maladie cardiaque, cancer et maladie rénale grave
- Maladie invalidante
- Infection par le virus de l'immunodéficience humaine (VIH)
- Prise de médicaments immunosuppresseurs (corticostéroïdes, chimiothérapie anticancéreuse, traitement immunosuppresseur à la suite d'une greffe d'organe)
- Inhalation ou aspiration de substances nocives
- Nutrition par voie intestinale ou gastrique au moyen de sondes nasogastriques ou naso-intestinales (pneumonies d'aspiration)
- Malnutrition
- Résidence dans un centre d'hébergement et de soins de longue durée ou dans tout endroit impliquant la cohabitation dans un espace restreint (p. ex., une prison, un dortoir)
- Tabagisme
- Intubation trachéale (intubation nasotrachéale ou endotrachéale, trachéotomie)
- Infection des voies respiratoires supérieures

TABLEAU 35.1 Utilisation de la règle de Fine pour l'établissement de la classe de risque du client[a]

CARACTÉRISTIQUES DU CLIENT	POINTS ATTRIBUÉS
Facteurs démographiques	
Âge : hommes	Âge en années
Âge : femmes	Âge en années – 10
Habite dans une résidence pour personnes âgées	+10
Facteurs de comorbidité	
Maladie néoplasique	+30
Maladie hépatique	+20
Insuffisance cardiaque	+10
Maladie vasculaire cérébrale	+10
Maladie rénale	+10
Observations à l'examen physique	
Altération de l'état mental	+20
F.R. ≥ 30 R/min	+20
Pression artérielle (P.A.) systolique < 90 mm Hg	+20
T° < 35 °C ou > 40 °C	+15
F.C. ≥ 125 bpm	+10
Résultats des analyses de laboratoire	
pH < 7,35	+30
Urée (BUN) > 10,7 mmol/L	+20
Sodium < 130 mEq/L	+20
Glycémie > 13,9 mmol/L	+10
Hématocrite < 30 %	+10
Saturation pulsatile en oxygène (SpO_2) < 60 %	+10
Épanchement pleural	+10
Score de risque (total des points)	

Le score du client permet de déterminer sa classe de risque et d'établir le lieu de traitement approprié.

TABLEAU 35.1 **Utilisation de la règle de Fine pour l'établissement de la classe de risque du client[a] *(suite)***

RISQUE	CLASSE DE RISQUE	TOTAL DES POINTS[b]	LIEU RECOMMANDÉ DE TRAITEMENT
Faible	I	Aucun point	Consultation externe
Faible	II	70 points ou moins	Consultation externe
Faible	III	71-90 points	Consultation externe
Modéré	IV	91-130 points	Hôpital
Élevé	V	Plus de 130 points	Hôpital

[a] Cet outil doit être utilisé en supplément au jugement clinique et ne peut s'y substituer.

[b] Le score de risque (total des points) pour un client donné est obtenu en additionnant l'âge du client en années (âge – 10 pour les femmes) et les points correspondant à chaque caractéristique applicable au client.

Source : Adapté et reproduit avec l'autorisation de Stanton (2002).

35

Pneumonie nosocomiale, pneumonie acquise sous ventilation assistée et pneumonie liée aux soins de santé

La **pneumonie nosocomiale** est un type de pneumonie survenant dans les 48 heures ou plus suivant l'admission à l'hôpital, donc qui n'est pas en incubation au moment de l'hospitalisation (Rotstein, Evans, Born *et al.*, 2008). La pneumonie acquise sous ventilation assistée est une pneumonie survenant plus de 48 heures après une intubation endotrachéale. La pneumonie liée aux soins de santé est une pneumonie d'apparition récente chez un client : 1) qui a été hospitalisé dans un établissement de soins de santé de courte durée pendant deux jours ou plus (90 jours précédant l'infection) ; 2) qui réside dans un centre d'hébergement et de soins de longue durée ; 3) qui a récemment reçu une antibiothérapie par voie intraveineuse (I.V.), une chimiothérapie ou des soins pour une plaie (30 jours précédant l'infection) ; ou 4) qui a fait un séjour récent dans un hôpital ou une clinique d'hémodialyse. Les facteurs qui augmentent le risque de pneumonie liée aux soins de santé sont présentés dans l'**ENCADRÉ 35.1**.

Ces trois types de pneumonies peuvent causer une comorbidité importante et accroître le risque de décès. Elles augmentent également les coûts des soins de santé à prodiguer en raison des séjours plus longs à l'hôpital. Il est important de différencier ces pneumonies des pneumonies acquises dans la communauté, car les microorganismes pathogènes en cause peuvent différer et, par conséquent, le traitement antibiotique sera adapté **ENCADRÉ 35.2**.

Une fois le diagnostic établi, le traitement empirique de la pneumonie peut être entrepris selon les facteurs de risque connus, le moment d'apparition de la maladie (précoce ou tardive) et le microorganisme pathogène probablement en cause. Un des problèmes majeurs liés aux pneumonies associées à des soins de santé est l'apparition de microorganismes multirésistants. Les examens de sensibilité aux antibiotiques peuvent aider à les identifier. La virulence de ces microorganismes peut restreindre de façon importante le choix des antibiotiques appropriés à offrir au

ENCADRÉ 35.2 **Microorganismes responsables de la pneumonie**

PNEUMONIE ACQUISE DANS LA COMMUNAUTÉ

- *Streptococcus pneumoniæ*[a]
- *Mycoplasma pneumoniæ*
- *Hæmophilus influenzæ*
- Virus respiratoires
- *Chlamydia pneumoniæ*
- *Legionella pneumophilia*
- Microorganismes anaérobies oraux
- *Moraxella catarrhalis*
- *Staphylococcus aureus*
- *Nocardia*
- Bactéries aérobies Gram négatif entériques (p. ex., *Klebsiella*)
- Champignons
- *Mycobacterium tuberculosis*

PNEUMONIE NOSOCOMIALE

- *Pseudomonas æruginosa*
- *Enterobacter*
- *Escherichia coli*
- *Proteus*
- *Klebsiella*
- *Staphylococcus aureus*
- *Streptococcus pneumoniæ*
- Microorganismes anaérobies oraux

[a] Cause la plus fréquente de la pneumonie acquise dans la communauté.

15

Le chapitre 15, *Infections et infection par le virus de l'immunodéficience humaine,* traite des microorganismes résistants aux antibiotiques et des moyens qui permettent aux infirmières d'en limiter l'apparition.

CE QU'IL FAUT RETENIR

Un des problèmes majeurs liés aux pneumonies associées à des soins de santé est l'apparition de microorganismes multirésistants.

Jugement clinique

Ingrid Williamson est âgée de 65 ans. Elle est hospitalisée pour fibrillation auriculaire. En plus d'être diabétique de type 2, elle souffre d'hyperthyroïdie et est traitée pour hypertension artérielle avec des inhibiteurs de l'enzyme de conversion de l'angiotensine. D'après son état de santé actuel, y a-t-il une condition qui rend la cliente à risque d'attraper une pneumonie nosocomiale par aspiration?

L'état de madame Williamson nécessite qu'elle soit transférée à l'unité des soins intensifs coronariens. Sera-t-elle alors plus susceptible d'attraper une pneumonie par aspiration? Justifiez votre réponse.

client. En outre, les microorganismes multirésistants peuvent accroître la morbidité et la mortalité associées à la pneumonie acquise dans la communauté et à la pneumonie nosocomiale ▶ 15.

Pneumonie par aspiration

La **pneumonie par aspiration** est une maladie résultant de l'entrée anormale de sécrétions ou de substances dans les voies respiratoires inférieures. Elle survient habituellement après l'aspiration de substances provenant de la bouche ou de l'estomac et qui entrent dans la trachée puis dans les poumons. Les états ou affections qui augmentent le risque d'aspiration comprennent la diminution de l'état de conscience (p. ex., l'épilepsie, l'anesthésie, la sédation, un trauma crânien, un AVC ou une forte consommation d'alcool), la dysphagie et l'intubation trachéale avec ou sans sonde d'alimentation entérale. Lorsqu'il y a perte de conscience, les réflexes nauséeux et de la toux sont diminués, et le risque d'aspiration augmente.

Le matériel aspiré, soit la nourriture, l'eau, les vomissures, la salive ou le contenu de la bouche, est à l'origine de la pneumonie par aspiration, qui peut être de trois types: obstructive, chimique ou bactérienne. Lorsque le matériel aspiré est une substance inerte (p. ex., le baryum), la cause des premières manifestations de la maladie est habituellement l'obstruction mécanique des voies respiratoires. Lorsque le matériel aspiré renferme du suc gastrique ayant un faible pH, une lésion chimique se forme d'abord dans les poumons, ce qui prédispose à l'infection, laquelle survient habituellement de 48 à 72 heures plus tard. Il s'agit alors d'une pneumonie chimique (non infectieuse). Le type le plus courant de pneumonie par aspiration est celui causé par une infection bactérienne. Le choix de l'antibiotique est fondé sur la gravité de la maladie, l'endroit où a été contractée l'infection (communauté ou hôpital) et le microorganisme pathogène probablement en cause (jusqu'à ce que les résultats des cultures soient connus). Le prélèvement des expectorations révèle habituellement des bactéries aérobiques et anaérobiques faisant partie de la flore résidente de l'oropharynx et ayant causé la pneumonie.

Pneumonie opportuniste

Les personnes à risque de pneumonie opportuniste sont celles dont le système immunitaire est altéré, à cause d'une malnutrition protéinocalorique, d'une immunodéficience grave (p. ex., une infection par le VIH), d'un traitement par radiothérapie ou chimiothérapie ou d'un traitement prolongé par des corticostéroïdes. En plus d'être exposée au risque de pneumonie bactérienne et virale, la personne immunodéprimée peut contracter une infection par *Pneumocystis jiroveci*, anciennement appelé *Pneumocystis carinii*, ou d'autres champignons ou par le cytomégalovirus (CMV).

Le champignon *P. jiroveci* entraîne rarement une pneumonie chez les personnes en santé, mais c'est le type le plus courant de pneumonie qui frappe les personnes atteintes du VIH. Cette pneumonie s'installe graduellement et subtilement. Les symptômes sont la fièvre, la tachypnée, la tachycardie, la dyspnée, la toux non productive et l'hypoxémie. La radiographie pulmonaire montre habituellement un infiltrat alvéolaire diffus et bilatéral. Une fois répandue, la maladie entraîne une consolidation massive dans les poumons. Il faut noter que les anomalies pulmonaires associées à cette pneumonie sont minimes par comparaison avec la gravité de celle-ci. Étant donné le tableau clinique vague de la maladie, il faut d'abord exclure la possibilité d'une pneumonie bactérienne ou virale. Le traitement consiste en un schéma de triméthoprime / sulfaméthoxazole par voie I.V. ou orale (P.O.) selon la gravité de la maladie et la réponse du client.

Le CMV, de la famille des virus herpétiques, peut causer une pneumonie virale chez les personnes immunodéprimées, en particulier les receveurs de greffe. Les dommages causés par le virus peuvent être particulièrement importants chez ces personnes. La pneumonie interstitielle qui résulte de l'infection est souvent légère, mais peut entraîner à l'occasion une insuffisance pulmonaire grave, laquelle est associée à un taux de mortalité élevé. Le traitement consiste en l'administration d'antiviraux.

Physiopathologie

La physiopathologie est la même pour tous les types de pneumonies. Il y a quatre phases caractéristiques.

1. La congestion. Cette réponse inflammatoire provoque l'augmentation de la perméabilité des capillaires pulmonaires: le flux de liquide suit l'entrée des microorganismes pathogènes dans les alvéoles. Les microorganismes se multiplient dans le liquide séreux, et l'infection se propage aux alvéoles adjacentes. La présence de liquide dans les alvéoles interfère avec les échanges gazeux en diminuant la surface d'échanges.
2. L'hépatisation rouge. Cette phase se caractérise par la dilatation massive des capillaires. Il y a présence de nombreux microorganismes, de

neutrophiles, de globules rouges et de fibrine dans les alvéoles **FIGURE 35.1**. Les poumons sont rouges et d'apparence granuleuse, comme le foie, d'où le nom de cette phase.

3. L'hépatisation grise. La diminution du débit sanguin et la consolidation du parenchyme par les leucocytes et la fibrine dans la région atteinte des poumons sont associées à cette troisième phase.
4. La résolution. En l'absence de complication, il y a résolution et guérison complètes de la maladie. L'exsudat est lysé, puis métabolisé par les macrophages. Les tissus des poumons sont restaurés, et les échanges gazeux du client redeviennent normaux.

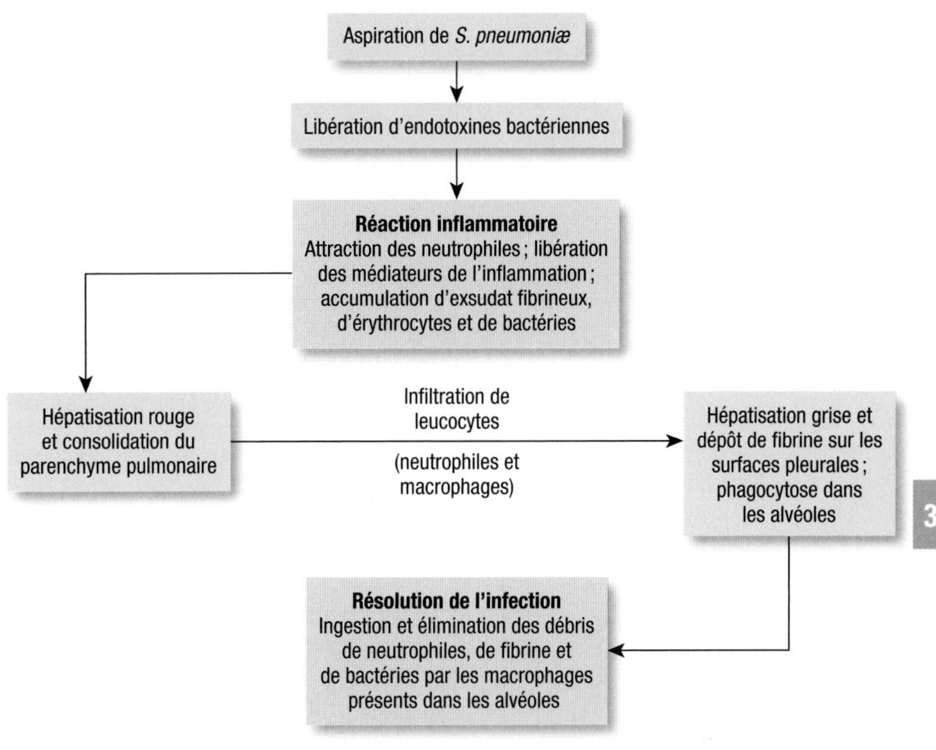

FIGURE 35.1 Évolution physiopathologique de la pneumonie à *S. pneumoniæ*

35

Manifestations cliniques

Habituellement, le début des symptômes est soudain. Il peut y avoir notamment de la fièvre, des frissons, des tremblements, un essoufflement, une toux productive, des expectorations purulentes (parfois de couleur rougeâtre dans les pneumonies à pneumocoque) et, à l'occasion, des douleurs thoraciques de type pleurétique. Chez les personnes âgées ou affaiblies, la confusion ou la stupeur (possiblement liées à l'hypoxie) peuvent être les seuls symptômes observés. À l'examen physique, les signes suivants de consolidation pulmonaire peuvent être notés: souffles tubaires, crépitants, matité à la percussion et augmentation des vibrations vocales dans la paroi thoracique. Cet ensemble de manifestations caractérise surtout les infections causées par les bactéries *S. pneumoniæ* et *H. influenza*.

La pneumonie peut aussi être atypique avec une apparition plus graduelle, une toux sèche et des manifestations extrapulmonaires telles que fièvre, céphalées, myalgies, fatigue, douleur à la gorge, nausées, vomissements et diarrhée. À l'examen physique, des crépitants sont souvent entendus. Ce type de symptomatologie caractérise davantage les infections causées par *M. pneumoniæ*, *Legionella* et *C. pneumoniæ*.

Les manifestations initiales de la pneumonie virale sont très variables. Les symptômes peuvent comprendre des frissons, de la fièvre, une toux sèche non productive et des symptômes extrapulmonaires. Le virus de la grippe peut en être la cause, mais la pneumonie virale peut aussi être une complication d'une maladie virale systémique comme la rougeole, le zona-varicelle et l'herpès simplex. Le **TABLEAU 35.2** énumère les complications de la pneumonie les plus fréquentes chez les personnes présentant une maladie chronique sous-jacente et certains facteurs de risque.

Examen clinique et examens paracliniques

Les examens paracliniques courants de la pneumonie sont présentés dans l'**ENCADRÉ 35.3**. L'anamnèse du client, l'examen physique et la radiographie pulmonaire fournissent en général suffisamment d'information pour décider du traitement et éviter de recourir à des analyses de laboratoire coûteuses.

La radiographie pulmonaire est indispensable au diagnostic de la pneumonie. L'image observée est habituellement typique du microorganisme infectieux. Une consolidation d'un lobe ou d'un segment des poumons suggère une cause bactérienne, *S. pneumoniæ* ou *Klebsiella* dans la plupart des cas. Un infiltrat diffus est habituellement indicatif d'une infection virale, comme *Legionella*, ou d'un champignon pathogène. Une ombre cavitaire suggère la présence d'une infection nécrosante accompagnée de destruction du tissu pulmonaire, souvent causée par *S. aureus*, une bactérie Gram négatif ou *M. tuberculosis*. La radiographie pulmonaire peut aussi montrer un épanchement pleural.

Jugement clinique

Pierre-Louis Poulin est âgé de 27 ans, et il est manœuvre dans une entreprise. Il a été en contact avec un collègue de travail qui avait la grippe. Ce matin, monsieur Poulin ne se sent pas bien. Il affirme faire de la température, il a des frissons et des tremblements. Il a une toux productive accompagnée de sécrétions purulentes avec de légers filets sanguins. Nommez quatre autres renseignements que vous pourrez recueillir par la percussion et l'auscultation du client.

Idéalement, avant le début de l'antibiothérapie, un échantillon d'expectorations est prélevé en vue d'une culture et d'une coloration de Gram permettant d'identifier le microorganisme en cause. Toutefois, il faut prendre garde de ne pas retarder l'administration de l'antibiotique si l'échantillon ne peut être obtenu rapidement. Un trop grand délai peut accroître la morbidité et la mortalité. Des hémocultures doivent être obtenues pour les

Réactivation des connaissances

Nommez trois techniques de toux que l'infirmière peut expliquer à un client présentant un problème respiratoire.

Facteurs de risque

TABLEAU 35.2 Complications de la pneumonie chez les personnes présentant une maladie chronique sous-jacente et certains facteurs de risque

COMPLICATION	OBSERVATION ET FRÉQUENCE
Pleurésie (inflammation de la plèvre)	• Il s'agit d'une complication courante.
Épanchement pleural (liquide transsudatif dans la cavité pleurale)	• Cette complication apparaît chez 40 % des personnes hospitalisées atteintes d'une pneumonie à pneumocoque. • Habituellement, l'épanchement est stérile et est réabsorbé en une à deux semaines. • Occasionnellement, les épanchements nécessitent une aspiration par thoracentèse (ponction pleurale).
Atélectasie (alvéoles affaissées et vidées de leur air) d'un lobe ou d'une partie d'un lobe	• Les régions touchées sont habituellement rétablies avec une technique de toux efficace et des respirations de grande amplitude.
Bactériémie (infection bactérienne du sang)	• Cette complication est plus susceptible de se produire en présence d'une pneumonie à pneumocoque.
Abcès pulmonaire	• Il s'agit d'une complication rare qui peut survenir en présence d'une pneumonie causée par *S. aureus* ou de microorganismes Gram négatif.
Empyème	• Une accumulation d'un exsudat purulent dans la cavité pleurale est notée ; le taux d'occurrence est inférieur à 5 % ; cet état nécessite une antibiothérapie et le drainage de l'exsudat au moyen d'un drain thoracique ou d'une intervention chirurgicale.
Péricardite	• Cette complication survient à la suite de la propagation d'un microorganisme pathogène infectant la plèvre adjacente ou de sa propagation par voie hématogène jusqu'au péricarde.
Endocardite	• L'infection de l'endocarde ou d'une valve cardiaque par un microorganisme pathogène peut entraîner cette complication.
Méningite	• Elle peut être causée par *S. pneumoniæ*. • Une personne atteinte d'une pneumonie qui est désorientée ou somnolente doit subir une ponction lombaire pour vérifier la présence possible d'une méningite.

Processus diagnostique et thérapeutique

ENCADRÉ 35.3 Pneumonie

EXAMEN CLINIQUE ET EXAMENS PARACLINIQUES

- Anamnèse et examen physique
- Radiographie pulmonaire
- Coloration Gram des expectorations
- Cultures des expectorations et test de sensibilité (si présence d'agents pathogènes résistants aux médicaments ou organismes non couverts par le traitement empirique)
- Saturométrie (SpO_2) ou GSA (SaO_2) (si indiqué)
- Formule sanguine complète, formule leucocytaire et tests biochimiques de routine (si indiqués)
- Hémocultures (si indiquées)

PROCESSUS THÉRAPEUTIQUE

- Antibiothérapie appropriée
- Apport hydrique accru (au moins 3 L/j) si absence de contre-indications
- Activités limitées et repos
- Antipyrétiques
- Analgésiques
- Oxygénothérapie (si indiquée)
- Exercices de spirométrie

clients gravement malades. Il peut être justifié de procéder à une analyse de la gazométrie du sang artériel (GSA) pour s'assurer de l'absence d'une hypoxémie (pression partielle de l'oxygène dans le sang artériel [PaO_2] inférieure à 80 mm Hg), d'une **hypercapnie** (pression partielle de dioxyde de carbone dans le sang artériel [$PaCO_2$] supérieure à 45 mm Hg) et d'une acidose (pH inférieur à 7,35). Une **leucocytose** est présente chez la majorité des clients atteint d'une pneumonie bactérienne ; le nombre de globules blancs est habituellement supérieur à 15 000/μL (15×10^9/L) avec présence de bandes (neutrophiles immatures).

Processus thérapeutique en interdisciplinarité

Les vaccins antipneumococciques sont utilisés pour prévenir les pneumonies causées par *S. pneumoniæ* (pneumocoque). Le vaccin antipneumococcique (Pneumovax[MD]) peut être administré tout au long de l'année et s'adresse en particulier aux personnes âgées de 65 ans et plus et à celles atteintes d'une maladie chronique (p. ex., une maladie cardiovasculaire, une MPOC, l'immunodéficience, le diabète) (MSSS, 2014) **ENCADRÉ 35.4**.

Le traitement rapide par un antibiotique adéquat réussit presque toujours à guérir les pneumonies bactériennes ou à mycoplasmes. Les cas non compliqués répondent habituellement au traitement pharmacologique à l'intérieur de 48 à 72 heures. Les signes d'amélioration sont entre autres la diminution de la température, l'amélioration de la respiration et la réduction de la douleur thoracique. Les anomalies à l'examen physique peuvent subsister plus de sept jours.

En plus de l'antibiothérapie, certaines mesures de soutien peuvent être fournies selon les besoins et l'état du client, notamment l'oxygénothérapie pour traiter l'hypoxémie, l'administration d'analgésiques pour soulager la douleur thoracique et l'administration d'antipyrétiques, comme l'Aspirin[MD] ou l'acétaminophène, pour maîtriser la fièvre. L'infirmière doit adapter les périodes de repos et d'activités selon la tolérance du client à l'effort. Les bienfaits d'une mobilité progressive comprennent l'amélioration des mouvements du diaphragme et l'expansion de la cage thoracique, la mobilisation des sécrétions et la prévention de la stase veineuse. Il n'existe actuellement aucun traitement précis contre la pneumonie virale. Les soins prodigués sont habituellement en lien avec la gestion des symptômes.

Pharmacothérapie

Une fois qu'il a déterminé le type de pneumonie, le médecin sélectionne le traitement empirique en fonction du microorganisme infectieux probablement en cause **ENCADRÉ 35.2**.

L'antibiothérapie empirique dans le traitement de la pneumonie nosocomiale, de la pneumonie acquise sous ventilation assistée et de la pneumonie liée aux soins de santé est basée sur les facteurs de risque de présence de microorganismes multirésistants. En outre, l'antibiotique doit être sélectionné en fonction des résistances connues de la région où se trouve le client. Il existe de nombreux schémas thérapeutiques. Ceux-ci doivent tous comprendre au moins un antibiotique qui soit efficace contre les microorganismes Gram négatif et Gram positif résistants.

La prévalence et le type de résistance des microorganismes multirésistants peuvent varier d'un établissement à l'autre. Par conséquent, l'antibiothérapie initiale appropriée à administrer contre une pneumonie nosocomiale, une pneumonie acquise sous ventilation assistée ou une pneumonie liée aux soins de santé peut varier de façon marquée selon le lieu géographique de l'hôpital.

Le traitement peut devoir être modifié selon les résultats de la culture des expectorations du client ou de l'absence de réponse clinique. Cette dernière est évaluée selon différents facteurs telles la fièvre, la purulence des expectorations, la leucocytose, la diminution de l'oxygénation et l'image radiographique anormale des poumons. L'amélioration clinique survient habituellement après trois à cinq jours. Chez le client dont l'état se détériore ou qui ne répond pas au traitement, il faut s'empresser d'évaluer la présence possible d'une étiologie non infectieuse, de complications, la présence d'un autre processus infectieux coexistant ou d'une pneumonie causée par un agent pathogène résistant.

Thérapie nutritionnelle

L'hydratation est primordiale dans le traitement de soutien de la pneumonie, car elle liquéfie les sécrétions et facilite ainsi leur expulsion. Si le client présente une insuffisance cardiaque ou rénale, la prise

Réactivation des connaissances

Certains antibiotiques ont un effet bactéricide, alors que d'autres procurent un effet bactériostatique. Qu'est-ce qui distingue ces deux types d'effets ?

Jugement clinique

Agnès Colbert, 61 ans, est hospitalisée pour une pneumonie causée par la bactérie *S. pneumoniæ*. Elle souffre d'insuffisance cardiaque gauche et doit respecter une limite liquidienne de 1 500 mL par jour, mais elle ne boit que 1 200 mL d'après le dosage des ingesta et excreta. En vous basant sur ces quelques données, que devriez-vous suggérer à la cliente pour optimiser le traitement de sa pneumonie ?

Promotion et prévention

ENCADRÉ 35.4 Recommandations concernant la vaccination par le vaccin Pneumovax[MD]

VACCINATION INITIALE RECOMMANDÉE

- Personnes âgées de 65 ans et plus
- Personnes âgées de 2 à 64 ans ayant des problèmes de santé chroniques (p. ex., une maladie cardiovasculaire ou pulmonaire chronique ou le diabète)
- Personnes âgées de 19 à 64 ans asthmatiques ou fumeuses
- Personnes âgées de 2 à 64 ans dont l'état ou une maladie diminue la résistance aux infections (p. ex., la maladie de Hodgkin, la leucémie, un lymphome, une insuffisance rénale, la drépanocytose, une infection par le VIH, le syndrome néphrotique, les personnes recevant une chimiothérapie immunosuppressive ou des stéroïdes à long terme, une asplénie et une greffe d'organe ou de moelle osseuse)
- Personnes âgées de 19 à 64 ans vivant dans un environnement particulier (p. ex., un centre d'hébergement et de soins de longue durée)

SECONDE VACCINATION RECOMMANDÉE

Personnes présentant une asplénie, un état d'immunosuppression, une insuffisance rénale chronique ou un syndrome néphrotique, cinq ans après la première dose reçue pour les adultes et trois ans après pour les enfants

Source : Adapté de MSSS (2014).

de liquide est personnalisée et étroitement surveillée. Si le client ne peut continuer de s'hydrater adéquatement par voie P.O., l'administration I.V. de liquides et d'électrolytes devient nécessaire. L'augmentation des besoins métaboliques et la difficulté à manger causée par l'essoufflement et la douleur pleurétique entraînent souvent une perte de poids chez les clients atteints d'une pneumonie. Il est important de fournir un apport nutritionnel qui répond aux besoins du client. Les personnes dyspnéiques ont plus de facilité à prendre des repas légers et fréquents.

Soins et traitements infirmiers

CLIENT ATTEINT DE PNEUMONIE

33 | ÉVALUATION CLINIQUE

L'étape d'évaluation du système respiratoire est décrite en détail au chapitre 33, *Système respiratoire*.

Collecte des données

L'**ENCADRÉ 35.5** présente les données subjectives et objectives à obtenir auprès du client atteint d'une pneumonie.

Analyse et interprétation des données

L'analyse et l'interprétation des données peuvent intégrer, sans s'y limiter, les éléments présentés dans le **PSTI 35.1**.

Planification des soins

Les objectifs généraux pour les clients atteints d'une pneumonie sont:

- l'absence de bruits respiratoires anormaux;
- une respiration normale;
- l'absence de signes d'hypoxie;
- une radiographie pulmonaire normale;
- l'absence de complications liées à la pneumonie.

Interventions cliniques

Promotion de la santé

L'adoption de bonnes habitudes en matière de santé peut aider à réduire le risque de contracter une pneumonie. L'infirmière joue un rôle important pour ce qui est des moyens d'éducation à la santé de la population, comme se laver les mains fréquemment, avoir un régime alimentaire équilibré, se reposer suffisamment, faire de l'exercice sur une base régulière, se couvrir la bouche

Collecte des données

ENCADRÉ 35.5 Pneumonie

DONNÉES SUBJECTIVES

- Renseignements importants concernant la santé:
  - Antécédents de santé: cancer du poumon, MPOC, diabète, maladie chronique invalidante, malnutrition, altération de l'état de conscience; infection par le VIH / syndrome d'immunodéficience acquise (sida); exposition à des toxines chimiques, poussières ou allergènes
  - Médicaments: prise d'antibiotiques, de corticostéroïdes, chimiothérapie ou tout autre immunosuppresseur
  - Chirurgie ou autres traitements: chirurgie abdominale ou thoracique récente, splénectomie, intubation trachéale; toute chirurgie avec anesthésie générale; alimentation entérale par sonde
  - Éléments complémentaires: promiscuité (p. ex., un centre d'hébergement et de soins de longue durée, un milieu carcéral, un dortoir)
- Modes fonctionnels de santé:
  - Perception et gestion de la santé: tabagisme, alcoolisme; infection récente des voies respiratoires supérieures, malaise
  - Nutrition et métabolisme: anorexie, nausées, vomissements, frissons
  - Activités et exercices: alitement ou immobilité prolongée, sédentarité, fatigue, faiblesse, dyspnée, toux (productive ou non), congestion nasale
  - Cognition et perception: douleur à la respiration, douleurs thoraciques, maux de gorge, céphalées, douleurs abdominales et musculaires

DONNÉES OBJECTIVES

- Observations générales: fièvre, agitation ou léthargie et immobilisation de la région atteinte
- Système respiratoire: tachypnée, infection des voies respiratoires supérieures; mouvements thoraciques asymétriques ou de rétraction, amplitude respiratoire réduite, utilisation des muscles accessoires (cou, abdomen); grognements, râles, crépitants, frottement à l'auscultation, matité à la percussion au-dessus des régions consolidées, vibrations à la palpation, diminution des murmures vésiculaires; expectorations rosées, rougeâtres, purulentes, vertes, jaunâtres ou blanchâtres (faible quantité ou abondante); battement des ailes du nez
- Système cardiovasculaire: tachycardie
- État mental: changement de l'état mental allant de la confusion au délirium
- Résultats possibles aux examens paracliniques: leucocytose; GSA anormale avec alcalose respiratoire et légère hypoxémie (↓ PaO_2 ou normale, ↓ $PaCO_2$ et ↑ pH) initialement, puis acidose respiratoire avec hypoxémie (↓ PaO_2, ↑ $PaCO_2$ et ↓ pH); culture et coloration Gram des expectorations positives; infiltrats diffus ou en foyers, abcès, épanchement pleural ou pneumothorax à la radiographie pulmonaire[a]

[a] Chez un client âgé et déshydraté, la radiographie pulmonaire peut ne pas suggérer une pneumonie jusqu'à ce que le client soit réhydraté.

Plan de soins et de traitements infirmiers

PSTI 35.1 Pneumonie

PROBLÈME DÉCOULANT DE LA SITUATION DE SANTÉ	**Altération des échanges gazeux** liée à l'accumulation de liquide et d'un exsudat dans la membrane séparant les capillaires des alvéoles, mise en évidence par une diminution des bruits respiratoires, une anomalie dans la GSA et des signes d'agitation, de confusion et de somnolence.
OBJECTIFS	• Le client maîtrisera sa respiration. • Le client utilisera efficacement la toux contrôlée.
RÉSULTATS ESCOMPTÉS	**INTERVENTIONS INFIRMIÈRES ET JUSTIFICATIONS**
Statut de la respiration : échange gazeux • Absence de bruits adventices • Murmures vésiculaires présents dans toutes les plages pulmonaires • F.R. ______/min. • Absence d'utilisation des muscles accessoires • Absence de signes d'hypoxémie (p. ex., une altération de l'état de conscience, une cyanose, la respiration de Kussmaul) • Absence de dyspnée au repos et à l'effort • Capacité du client à mobiliser ses sécrétions	**Surveillance de la respiration** • Ausculter les bruits respiratoires, noter les régions où la ventilation est réduite / absente ainsi que la présence de bruits adventices afin de suivre sur une base continue la réponse du client au traitement. • Surveiller la fréquence, le rythme et l'amplitude des respirations, ainsi que l'effort mis, afin de déterminer le statut de la respiration. • Être attentif à toute augmentation de l'agitation, de l'anxiété, de la dyspnée ou à la présence de respiration de Kussmaul suggérant une augmentation de l'hypoxémie. • Évaluer la dyspnée selon l'échelle de Borg. • Vérifier la capacité du client à tousser efficacement pour favoriser l'excrétion des sécrétions.
Impact de l'oxygénothérapie • Mesure d'oxymétrie dans les normales attendues • Résultats de la GSA dans les normales attendues (PaO_2, $PaCO_2$)	**Oxygénothérapie** • Installer l'équipement d'oxygénothérapie comme prescrit, puis administrer l'oxygène (O_2) humidifié afin de favoriser une oxygénation adéquate et de prévenir la sécheresse des voies respiratoires. • Vérifier l'efficacité de l'oxygénothérapie. • Vérifier périodiquement le dispositif d'administration de l'O_2 afin de s'assurer que le client en reçoit les concentrations voulues.
PROBLÈME DÉCOULANT DE LA SITUATION DE SANTÉ	**Respiration inefficace** causée par l'inflammation et la douleur et mise en évidence par la présence d'une dyspnée, d'une tachypnée, d'un changement de l'amplitude des mouvements thoraciques et de battements des ailes du nez.
OBJECTIF	Le client aura un rythme et une fréquence respiratoires dans les normales de même qu'une amplitude respiratoire suffisamment profonde.
RÉSULTATS ESCOMPTÉS	**INTERVENTIONS INFIRMIÈRES ET JUSTIFICATIONS**
Statut de la respiration : ventilation • F.R. ______/min. • Mesure d'oxymétrie dans les normales attendues • Absence de signes d'hypoxémie (p. ex., une altération de l'état de conscience, de l'agitation, une cyanose) • Augmentation de l'amplitude pulmonaire • Capacité du client à mobiliser ses sécrétions • Absence d'utilisation des muscles accessoires • Absence de dyspnée au repos et à l'effort (selon l'échelle de Borg)	**Aide à la ventilation** • Évaluer la respiration de même que l'oxygénation pour détecter toute variation. • Positionner le client pour faciliter l'inspiration (p. ex., élever la tête du lit et fournir une table permettant au client de s'y appuyer) afin d'augmenter l'expansion pulmonaire. • Encourager le client à respirer en utilisant la respiration à lèvres pincées, à se déplacer et à tousser afin d'améliorer la respiration. • Aider le client à utiliser le spiromètre pour favoriser la ventilation alvéolaire. • Surveiller la fatigue potentielle des muscles respiratoires afin de fournir un soutien supplémentaire au besoin. • Administrer des médicaments (p. ex., des bronchodilatateurs en inhalation) pour favoriser la perméabilité des voies respiratoires et les échanges gazeux.

PSTI 35.1 **Pneumonie *(suite)***

PROBLÈME DÉCOULANT DE LA SITUATION DE SANTÉ	**Douleur aiguë** causée par l'inflammation et une prise en charge inadéquate de la douleur, mise en évidence par des douleurs pleurétiques thoraciques rapportées par le client et la présence d'un frottement pleural et des respirations superficielles.
OBJECTIF	Le client rapportera un soulagement de la douleur après la mise en place des mesures de soutien.
RÉSULTATS ESCOMPTÉS	**INTERVENTIONS INFIRMIÈRES ET JUSTIFICATIONS**
Gestion de la douleur • Aptitude du client à décrire les liens entre le soulagement de la douleur et la bonne utilisation des méthodes pharmacologiques et non pharmacologiques • Capacité du client à signaler l'apparition de la douleur • Recours à des mesures de soulagement de la douleur non pharmacologiques de façon appropriée • Capacité du client à signaler le soulagement de la douleur	**Prise en charge de la douleur** • Effectuer une évaluation subjective de la douleur (méthode PQRTSU), y compris l'emplacement, les caractéristiques, le début, la durée, la fréquence, la nature, l'intensité ou la gravité de celle-ci et les facteurs déclenchants afin de décider des interventions appropriées. • Encourager le client à prendre en charge la gestion de sa douleur et à utiliser des interventions appropriées afin de favoriser son autonomie et préparer son retour à domicile. • Enseigner au client des moyens non pharmacologiques (p. ex., la relaxation, l'imagerie mentale dirigée, la musicothérapie, les distractions et les massages), en plus des autres mesures pour soulager la douleur, à faire avant l'apparition ou l'augmentation de celle-ci, ainsi qu'avant et après et, si possible, durant les activités provoquant la douleur afin de réduire le besoin d'analgésiques. • Utiliser des mesures de gestion de la douleur avant que celle-ci ne devienne intolérable parce qu'il est plus facile de soulager rapidement une douleur légère ou modérée. • Administrer des analgésiques avant certaines activités pour accroître la participation du client et réduire au minimum les douleurs potentielles, tout en tenant compte des risques associés à la sédation.

lorsqu'il y a toux et éternuement (et se laver les mains par la suite). Éviter de fumer est l'un des comportements en matière de santé les plus importants à favoriser **ENCADRÉ 35.6**. Si possible, les gens doivent éviter de s'exposer aux infections des voies respiratoires supérieures. La présence d'une telle infection nécessite une attention immédiate ainsi que des mesures de soutien (p. ex., du repos et la prise de liquides). Si les symptômes persistent pendant plus de sept jours, la personne doit consulter un médecin. L'infirmière doit encourager les personnes à risque de pneumonie (p. ex., les malades chroniques ou les personnes âgées de plus de 65 ans) à recevoir le vaccin contre la grippe et le vaccin antipneumococcique **ENCADRÉ 35.4**.

57

Les mesures de prévention de l'aspiration sont présentées dans le chapitre 57, *Interventions cliniques – Troubles du tractus gastro-intestinal inférieur.*

Promotion et prévention

ENCADRÉ 35.6 **Prévention des maladies respiratoires**

- Éviter de fumer et de s'exposer à la fumée secondaire.
- Éviter de s'exposer à des allergènes et à des polluants.
- Porter des vêtements de protection adéquats dans les milieux de travail où il y a exposition prolongée à des poussières, des vapeurs ou des gaz.

À l'hôpital, le rôle de l'infirmière consiste à reconnaître les clients à risque et à prendre les mesures nécessaires pour prévenir l'apparition d'une pneumonie. L'infirmière doit placer le client dont l'état de conscience est altéré dans une position qui prévient ou réduit au minimum le risque d'aspiration (p. ex., sur le côté ou assis). Elle doit mobiliser et repositionner le client au moins toutes les deux heures pour faciliter l'expansion adéquate des poumons et empêcher l'accumulation des sécrétions. Elle doit encourager les mouvements et la mobilité du client qui peut s'asseoir, et l'aider à prendre une bonne position dans son fauteuil. À l'unité des soins intensifs (USI), le respect strict des méthodes d'aspiration et d'entretien du système de ventilation assistée a démontré une diminution significative du nombre de pneumonies acquises sous ventilation assistée (Pogorzelska, Stone, Furuya *et al.*, 2011).

Tous les clients ayant une sonde orogastrique ou nasogastrique nécessitent des mesures pour prévenir l'aspiration ▶ 57. Même si elle est petite, la sonde d'alimentation entérale peut tout de même perturber l'intégrité du sphincter œsophagien inférieur, ce qui favorise le reflux du contenu gastrique. Pour prévenir les aspirations, l'infirmière doit élever la tête du lit à 30-45° et surveiller les volumes gastriques résiduels.

Le client qui a de la difficulté à avaler requiert une assistance lorsqu'il mange, boit ou prend ses médicaments, toujours pour prévenir l'aspiration. Chez le client qui a subi une anesthésie locale de la gorge, l'infirmière doit évaluer le réflexe nauséeux avant de donner de la nourriture ou des liquides. Le client ayant une mobilité réduite, quelle qu'en soit la cause, nécessite une assistance pour se déplacer régulièrement et de façon optimale, de même que des encouragements pour ce qui est de respirer profondément à intervalles fréquents ou de tousser. Le soulagement adéquat de la douleur est important pour favoriser ces actions de la part du client.

Les infirmières doivent suivre rigoureusement les mesures d'asepsie appropriées et les précautions universelles de contrôle des infections afin de réduire la fréquence des infections liées aux soins de santé. Le personnel infirmier et les visiteurs doivent se laver les mains lorsqu'ils entrent dans la chambre du client et quand ils la quittent. Le personnel infirmier doit se laver les mains avec du savon ou du gel antiseptique avant et après les soins et lorsque les gants sont retirés. Les appareils respiratoires, qui peuvent abriter de nombreux microorganismes pathogènes, ont été associés à des épidémies de pneumonie. L'infirmière doit utiliser des techniques aseptiques stériles strictes lorsqu'elle aspire la trachée d'un client et faire preuve de vigilance lorsqu'elle manipule les circuits du ventilateur ou du nébuliseur, ou la canule de trachéostomie, qui peuvent être contaminés par les sécrétions du client ▶ MS 2.2 MS 2.3 MS 2.4.

Intervention en phase aiguë

Même si bon nombre de clients atteints d'une pneumonie sont traités en consultation externe, la planification des soins est la même pour ceux-ci que pour les clients hospitalisés **PSTI 35.1**. Les composantes essentielles à la planification des soins pour les pneumonies comprennent la surveillance des paramètres physiques du client, l'administration du traitement et l'évaluation de la réponse du client à celui-ci. En plus de l'évaluation physique, il est très important de recueillir rapidement les expectorations et d'entreprendre l'antibiothérapie sans délai. L'oxygénothérapie, l'hydratation, le soutien nutritionnel et le positionnement thérapeutique font partie des soins infirmiers possibles à prodiguer aux clients.

Soins ambulatoires et soins à domicile

L'infirmière doit enseigner au client l'importance de prendre chaque dose de l'antibiotique qui a été prescrit, l'informer des interactions médicamenteuses et des interactions possibles avec les aliments ainsi que de la nécessité d'un repos suffisant pour assurer un prompt rétablissement. Elle doit mentionner au client qu'il pourrait s'écouler quelques semaines avant qu'il ne retrouve sa vigueur et son sentiment de bien-être habituels. Une période de convalescence prolongée est souvent nécessaire, en particulier chez les personnes âgées et les clients atteints d'une maladie chronique.

L'enseignement doit inclure aussi de l'information sur les vaccins antigrippaux et antipneumococciques offerts. Les clients peuvent recevoir ces deux vaccins en même temps sur un bras différent.

Évaluation des résultats

Les résultats escomptés chez un client atteint d'une pneumonie sont présentés dans le **PSTI 35.1**.

CE QU'IL FAUT RETENIR

Les infirmières doivent suivre rigoureusement les mesures d'asepsie appropriées et les précautions universelles de contrôle des infections afin de réduire la fréquence des infections liées aux soins de santé.

MS 2.2 à 2.4 Vidéo 

Méthodes liées à la fonction respiratoire.

35.1.4 Tuberculose

La **tuberculose (TB)** est une maladie infectieuse causée par la bactérie *M. tuberculosis*. Elle touche habituellement les poumons, mais d'autres parties du corps peuvent aussi être atteintes. La tuberculose est la deuxième principale cause de décès d'une maladie infectieuse après le virus VIH / sida (Organisation mondiale de la Santé [OMS], 2015). À l'échelle mondiale, elle est présente de façon disproportionnée chez les populations pauvres et mal desservies par le système de soins de santé et parmi les minorités. Selon l'Agence de la santé publique du Canada (2014), les personnes à risque comprennent les Amérindiens, les personnes nées à l'étranger qui sont originaires de pays où l'incidence de TB est élevée, les personnes démunies et les sans-abri, les toxicomanes de quartiers pauvres des grandes villes, les personnes âgées (particulièrement les hommes seuls) et les personnes infectées à la fois par le VIH et le *M. tuberculosis*. L'immunodépression, quelle qu'en soit la cause (p. ex., une infection par le VIH, une tumeur maligne, l'utilisation prolongée de corticostéroïdes), augmente le risque de TB. En 2013, au Canada, 1 640 nouveaux cas de tuberculose active et de retraitement ont été déclarés. Les trois provinces les plus peuplées (Colombie-Britannique, Ontario et Québec), qui regroupaient 75 % de la population canadienne en 2013, comptaient 68 % de tous les cas déclarés. C'est au Nunavut que le taux par habitant était le plus élevé, soit 143,3 cas pour 100 000 habitants **ENCADRÉ 35.7**. Les professionnels de la santé plus exposés à la tuberculose sont considérés comme à risque élevé.

Soins infirmiers interculturels

ENCADRÉ 35.7 Tuberculose

- Parmi tous les cas rapportés de tuberculose au Canada en 2013, 71 % touchent des personnes nées à l'étranger.
- L'incidence la plus élevée de tuberculose parmi la population canadienne est observée chez les personnes nées à l'étranger, puis chez les Autochtones.

  En 2013 :
  - plus de 60 % des cas déclarés par l'Alberta, la Colombie-Britannique, l'Ontario et le Québec touchaient des personnes nées à l'étranger ;
  - les Autochtones représentaient plus de 65 % des cas déclarés de tuberculose au Manitoba et en Saskatchewan ;
  - dans les Territoires du Nord-Ouest, au Nunavut et au Yukon, 98 % des cas déclarés touchaient des Autochtones.

Source : Adapté de Agence de la santé publique du Canada (2015).

L'incidence de la tuberculose dans le monde a diminué jusqu'au milieu des années 1980, au moment où est apparu le VIH. Les principaux facteurs qui ont contribué à la recrudescence de cette affection ont été le taux élevé de TB chez les personnes atteintes du VIH et l'émergence de souches multirésistantes de la bactérie *M. tuberculosis*. L'incidence de la maladie est maintenant de nouveau à la baisse.

Lorsqu'une souche de *M. tuberculosis* développe une résistance à l'isoniazide (INH) et à la rifampicine (RMP), la tuberculose est définie comme multirésistante. La résistance microbienne résulte de plusieurs problèmes, parmi lesquels figurent les prescriptions abusives d'antibiotiques, la prise en charge limitée des agences de santé publique et la non-adhésion au traitement prescrit au client (Gough & Kaufman, 2011).

Jugement clinique

Claudette Vallon a émigré de France au Québec alors qu'elle n'avait que deux ans. Âgée de 33 ans, elle est enceinte de son premier enfant. Elle a déjà consommé de la drogue, mais uniquement au cours de la difficile période de son adolescence. Madame Vallon fait-elle partie des personnes à risque de contracter la tuberculose ? Justifiez votre réponse.

Étiologie et physiopathologie

La bactérie *M. tuberculosis* est un bacille Gram positif acidorésistant qui se propage habituellement de personne à personne par des gouttelettes en suspension dans l'air émises par une personne infectée lorsqu'elle parle ou tousse. La TB se propage plus facilement lorsqu'il y a contact étroit (moins de 15 cm de la bouche de la personne) et répété avec une personne infectée. La TB n'est pas hautement contagieuse, et la transmission requiert habituellement une exposition étroite, fréquente ou prolongée. La maladie ne peut se transmettre par les mains ou le partage d'objets comme un verre, un livre ou un article de vaisselle.

CE QU'IL FAUT RETENIR

La transmission de la tuberculose requiert une exposition étroite et répétée (contact des mains ou partage d'objets comme un verre, un livre ou un article de vaisselle).

Les gouttelettes, mesurant de 1 à 5 µm, renferment la bactérie *M. tuberculosis*. À cause de leur taille, les particules restent en suspension dans l'air intérieur de quelques minutes à quelques heures. Une fois inhalées, ces petites particules se logent dans les bronchioles et les alvéoles. Les facteurs qui influencent la probabilité de transmission comprennent le nombre de microorganismes expulsés dans l'air, la concentration des microorganismes (un endroit restreint avec peu de ventilation signifie une plus grande concentration), la durée de l'exposition, et l'état du système immunitaire de la personne exposée. La bactérie *M. tuberculosis* se réplique lentement et se propage par le système lymphatique. Les milieux les plus favorables à sa croissance sont les lobes supérieurs des poumons, les reins, les épiphyses des os, le cortex cérébral et les glandes surrénales.

Classification

Le système de classification de la TB réalisé par l'American Thoracic Society (2000), qui est toujours en vigueur aujourd'hui, est présenté au **TABLEAU 35.3**. L'infection tuberculeuse survient lorsqu'il y a inhalation des mycobactéries responsables de la maladie. La majorité des gens réussissent à ériger une réponse immunitaire suffisamment efficace pour encapsuler et inactiver les microorganismes pour le restant de leur vie, ce qui empêche ainsi l'infection primaire d'évoluer et de se transformer en TB active.

L'infection tuberculeuse qui ne s'est pas transformée en maladie active est appelée **infection tuberculeuse latente (ITL) TABLEAU 35.4**. Les personnes qui ont une ITL ne sont pas malades, car les microorganismes sont inactifs. Ces personnes ne présentent aucun des symptômes de la tuberculose, et elles ne peuvent transmettre les germes à d'autres personnes. De 10 à 15 millions d'Américains présenteraient une ITL. Environ 10 % de ces personnes souffriront de la forme pathologique de la tuberculose au cours de leur vie ; voilà pourquoi le traitement de l'ITL est si important.

Si la réponse immunitaire initiale n'est pas adéquate, l'organisme ne peut continuer à maîtriser les microorganismes pathogènes et, par conséquent, la maladie primaire apparaît. De latente, la tuberculose devient active sous l'influence de la multiplication de la bactérie ; il s'agit alors de tuberculose clinique active. Certaines personnes ont plus de risque de contracter la maladie active, par exemple les personnes immunodéprimées (quelle que soit la cause de leur état) ou celles atteintes de diabète.

La bactérie *M. tuberculosis* à l'état latent peut le rester de nombreuses années. Il est possible que l'infection latente soit réactivée lorsque les

TABLEAU 35.3 Classification de la tuberculose

CATÉGORIE	TYPE	DESCRIPTION
Catégorie 0	Aucune exposition à la TB	Aucune exposition à la TB, aucune infection (aucune exposition antérieure et tests cutanés de sensibilité à la tuberculine négatifs)
Catégorie 1	Exposition à la TB, mais aucune infection	Exposition à la TB, mais aucun signe d'infection (exposition antérieure, mais tests cutanés de sensibilité à la tuberculine négatifs)
Catégorie 2	Infection tuberculeuse latente, mais absence de maladie	Infection à la TB, mais absence de maladie (réaction significative au test cutané de sensibilité à la tuberculine, études bactériologiques négatives, aucune manifestation typique de la tuberculose aux radiographies, aucun signe clinique de tuberculose)
Catégorie 3	TB cliniquement active	Infection tuberculeuse et maladie cliniquement active (études bactériologiques positives ou réaction significative au test cutané de sensibilité à la tuberculine avec signes cliniques ou radiographiques de la présence de la maladie)
Catégorie 4	Présence de la TB, mais non cliniquement active	Absence de maladie (épisode antérieur de TB ou radiographies pulmonaires anormales et stables chez une personne démontrant une réaction positive significative au test cutané de sensibilité à la tuberculine ; examens bactériologiques négatifs si effectués ; aucun signe clinique ou radiographique de maladies en cours)
Catégorie 5	Suspicion de TB	Infection tuberculeuse soupçonnée (diagnostic à venir) ; une personne ne peut rester dans cette catégorie plus de trois mois

Source : Adapté de American Thoracic Society (2000).

TABLEAU 35.4 Comparaison entre la tuberculose latente et la tuberculose active

TUBERCULOSE LATENTE	TUBERCULOSE ACTIVE
Le client ne présente aucun symptôme.	Les symptômes peuvent comprendre : • toux débilitante durant trois semaines ou plus ; • douleur à la poitrine ; • expectorations accompagnées de sang ; • faiblesse ou fatigue ; • perte de poids ; • perte d'appétit ; • frissons ; • fièvre ; • sueurs nocturnes.
Le client ne se sent pas malade.	Le client se sent malade.
Le client ne peut transmettre la TB à d'autres personnes.	Le client peut transmettre les bactéries de la TB à d'autres personnes.
Les résultats au test cutané ou aux tests sanguins indiquent une infection tuberculeuse.	Les résultats au test cutané ou les tests sanguins indiquent une infection tuberculeuse.
Les radiographies pulmonaires sont normales, et le frottis des expectorations est négatif.	Les radiographies pulmonaires sont possiblement anormales, ou le frottis ou la culture d'expectorations sont positifs.
L'infection tuberculeuse latente doit être traitée pour prévenir l'évolution de la maladie à la forme active.	La TB active doit être traitée.

Source : Adapté de Centers for Disease Control and Prevention (2009).

mécanismes de défense de l'organisme sont altérés. Les raisons à l'origine de la réactivation de l'infection latente sont mal comprises. En outre, il y aurait diminution des résistances chez les personnes âgées et les personnes présentant une maladie concomitante ou recevant un traitement immunosuppresseur.

Manifestations cliniques

Aux premiers stades de la TB, le client ne montre habituellement aucun symptôme. Les personnes présentant une ITL ont un résultat positif à l'examen cutané, mais elles restent asymptomatiques **TABLEAU 35.4**. La forme active de la TB peut d'abord se manifester par de la fatigue, des malaises, de l'anorexie, une perte de poids inexpliquée, une légère fièvre et des sueurs nocturnes. Une des manifestations pulmonaires caractéristiques de la maladie est la toux qui devient plus fréquente et qui peut s'accompagner d'expectorations mucoïdes ou mucopurulentes. La dyspnée est habituellement absente. L'**hémoptysie** demeure peu fréquente, et elle est plutôt associée aux stades avancés de la maladie. La TB peut être aiguë avec des symptômes soudains. Le client présente alors une fièvre élevée, des frissons, des symptômes pseudogrippaux généralisés, une douleur pleurétique et une toux productive.

L'examen physique et les examens paracliniques, comme les radiographies pulmonaires, d'un client atteint simultanément du VIH et de la TB présentent souvent certaines anomalies. Les signes classiques de la maladie, comme la fièvre, la toux et la perte de poids, sont souvent attribués à tort à la pneumonie à *P. jiroveci* ou à une autre maladie opportuniste associée au VIH. Il faut soigneusement examiner les manifestations cliniques de problèmes respiratoires chez les personnes atteintes du VIH pour en déterminer la cause.

Complications

Tuberculose miliaire

L'atteinte simultanée de plusieurs organes par la bactérie de la TB est appelée **tuberculose miliaire**. Elle peut se produire par suite de la maladie primaire ou par la réactivation de l'infection latente. Le client peut présenter soit la forme aiguë de la maladie avec de la fièvre, une dyspnée et une cyanose, soit la forme chronique avec des manifestations plutôt générales comme une perte de poids, de la fièvre et des troubles gastro-intestinaux. Une hépatomégalie, une splénomégalie et une lymphadénopathie généralisée peuvent aussi être présentes.

Épanchement pleural et empyème

La tuberculose pleurale peut résulter soit de la maladie primaire, soit de la réactivation d'une infection latente. L'épanchement pleural est causé par la présence de bactéries dans la cavité pleurale, lesquelles déclenchent une réaction inflammatoire et entraînent un exsudat pleural riche en protéines. L'empyème (ou pleurésie purulente) est moins courant que l'épanchement, mais peut survenir lorsqu'il y a un grand nombre de microorganismes tuberculeux dans la cavité pleurale.

Pneumonie tuberculeuse

La pneumonie tuberculeuse peut résulter de la libération d'un grand nombre de bacilles tuberculeux contenus dans les granulomes présents dans les poumons ou les ganglions lymphatiques. Les manifestations cliniques sont semblables à celles de la pneumonie bactérienne aiguë.

Atteinte d'autres organes

L'atteinte du système nerveux central avec inflammation des méninges est une complication grave de la tuberculose. Les autres organes qui peuvent être infectés sont les os (mal de Pott touchant la colonne vertébrale), les articulations, les glandes, les ganglions lymphatiques et le tractus génital de la femme et de l'homme.

Examen clinique et examens paracliniques

Test cutané de sensibilité à la tuberculine

Le test cutané de sensibilité à la tuberculine (test du Mantoux) au moyen de tuberculine dérivée de protéines purifiées est largement utilisé pour déterminer si une personne est infectée par la bactérie *M. tuberculosis*. Le test est administré en injectant 0,1 mL de dérivé protéinique purifié par voie intradermique sur la surface dorsale de l'avant-bras. La réaction est ensuite analysée par inspection et palpation de 48 à 72 heures plus tard pour confirmer la présence ou l'absence d'une induration. S'il y a lieu, la région indurée est mesurée et notée en millimètres (0 indique l'absence d'une induration). L'induration (et non la rougeur) au site d'injection signifie que la personne a été exposée à la TB et a développé des anticorps. Cette réponse immunitaire survient de 2 à 12 semaines après l'exposition initiale aux microorganismes pathogènes. Une fois l'induration mesurée, le résultat est interprété selon les normes diagnostiques pour déterminer si la réaction à l'examen a été positif (MSSS, 2014) ▶ 36. Si une personne présente une réaction positive, elle ne devrait pas être soumise de nouveau à un test puisque la sensibilité à la tuberculine persiste toute la vie.

La réponse au test de la tuberculine peut se révéler plus faible chez les personnes immunodéprimées, c'est pourquoi une réaction d'induration plus petite (entre 5 et 9 mm) peut être considérée comme positive. Chez les travailleurs de la santé (pour qui le test est répété) et les personnes dont la réponse aux allergènes est réduite, il est recommandé d'effectuer le test initial en deux étapes.

36

La procédure employée pour effectuer le test cutané de sensibilité à la tuberculine est décrite dans le chapitre 36, *Interventions cliniques – Maladies pulmonaires obstructives*.

C'est habituellement avec le deuxième test qu'une réponse (dite accélérée ou phénomène de rappel) peut être observée chez ces personnes. Il faut bien prendre garde de ne pas l'interpréter à tort comme une nouvelle infection.

Radiographie pulmonaire

Même si les observations à la radiographie pulmonaire s'avèrent importantes, il est impossible de baser le diagnostic de la TB uniquement sur celles-ci puisque d'autres maladies peuvent prendre l'apparence de la TB. Les observations évocatrices de la TB sont notamment la présence d'infiltrats dans le lobe supérieur, d'infiltrats cavitaires et une atteinte des ganglions lymphatiques.

Examens bactériologiques et autres tests

Le diagnostic de la TB requiert la démonstration bactériologique de la présence de bacilles tuberculeux. Le test initial comprend un examen microscopique des expectorations sur frottis coloré afin de détecter la présence du bacille acidorésistant. Trois échantillons d'expectorations consécutifs sont prélevés à 24 heures d'intervalle pour effectuer un frottis et une culture. La culture de croissance des microorganismes pour confirmer le diagnostic peut prendre jusqu'à huit semaines. Il est aussi possible de recueillir des échantillons d'autres sites soupçonnés de renfermer un foyer tuberculeux, par exemple un lavage gastrique, le liquide cérébrospinal (LCS) (liquide céphalorachidien [LCR]) ou le liquide d'un épanchement ou d'un abcès.

Le test QuantiFERON-TB (QFT) est un autre examen paraclinique rapide. Le sang du client est placé dans un contenant avec des antigènes mycobactériens. Si le client est infecté par des microorganismes tuberculeux, les lymphocytes dans le sang reconnaissent ces antigènes et sécrètent l'interféron-γ, une cytokine produite par les lymphocytes. Les résultats du test sont disponibles en quelques heures. Ce test ne remplace pas les frottis ni les cultures de routine des expectorations, mais il constitue une option de remplacement pour détecter la TB. Il peut être utilisé au lieu du test de sensibilité à la tuberculine dans les programmes de dépistage de la TB dans les établissements de soins de santé.

Processus thérapeutique en interdisciplinarité

La plupart des personnes atteintes de TB sont traitées en consultation externe **ENCADRÉ 35.8**. Bon nombre de clients peuvent continuer à travailler et garder sensiblement le même style de vie. Une hospitalisation peut s'avérer nécessaire pour les personnes gravement malades ou affaiblies. La pierre angulaire du traitement de la TB est de type pharmacologique **TABLEAU 35.5**. La promotion et la surveillance de l'adhésion thérapeutique sont essentielles à la réussite du traitement.

Pharmacothérapie

Tuberculose active La prévalence à la hausse de la TB multirésistante rend essentiel le traitement énergique des clients atteints de TB active. Comme le nombre de personnes présentant des microorganismes résistants à l'isoniazide est élevé, quatre médicaments sont administrés durant la phase initiale pour que le schéma thérapeutique d'une durée de six mois soit le plus efficace possible. La plupart du temps, le traitement des clients n'ayant jamais été soignés pour une tuberculose consiste en une phase initiale de deux mois comprenant quatre médicaments (isoniazide, rifampicine, pyrazinamide et éthambutol). Si les tests de sensibilité indiquent que la bactérie est sensible à tous les médicaments, l'administration de l'éthambutol peut être cessée. Advenant le cas où la pyrazinamide ne peut être incluse dans la phase initiale (en raison d'une maladie hépatique, d'une grossesse ou autre), les trois autres médicaments sont alors recommandés pour la phase initiale **TABLEAU 35.6**.

Les autres agents sont surtout utilisés pour le traitement des souches résistantes ou si le client développe une toxicité aux médicaments de premier choix. Les nouveaux produits, soit la rifamycine, la rifabutine et la rifampicine, doivent être considérés en première intention dans les situations particulières suivantes: la rifabutine pour les clients qui prennent un médicament ayant des interactions avec la rifampicine ou une intolérance à celle-ci, et la rifampicine associée à l'isoniazide, une fois par semaine, chez certains clients **TABLEAU 35.6**.

La **thérapie sous observation directe (TOD)** signifie l'administration directe des médicaments antituberculeux au client, c'est-à-dire que l'infirmière le regarde avaler le médicament. C'est la stratégie privilégiée chez tous les clients

Jugement clinique

Lydia Grenier, âgée de 30 ans, est revenue d'une mission humanitaire au Mali il y a un mois. Elle se présente à la clinique de vaccination pour une lecture du test de Mantoux; l'induration mesure 2 cm de diamètre. Que signifie ce résultat?

Isoniazide (INH)

- Aviser les clients de ne pas boire d'alcool pendant le traitement. L'alcool peut accroître l'hépatotoxicité du médicament.
- Surveiller les tests de fonction hépatique avant et pendant la prise du médicament.

35

Processus diagnostique et thérapeutique

ENCADRÉ 35.8 Tuberculose

EXAMEN CLINIQUE ET EXAMENS PARACLINIQUES

- Anamnèse et examen physique
- Test cutané de sensibilité à la tuberculine
- Test QuantiFERON-TB
- Radiographie pulmonaire
- Études bactériologiques
- Frottis des expectorations pour détecter la présence de bacilles acidorésistants
- Culture des expectorations

PROCESSUS THÉRAPEUTIQUE

- Traitement de longue durée par des antibiotiques **TABLEAUX 35.5** et **35.6**
- Études bactériologiques et radiographies pulmonaires de suivi

Pharmacothérapie

TABLEAU 35.5 Tuberculose

MÉDICAMENTS	EFFETS INDÉSIRABLES[a] ET REMARQUES
Isoniazide (INH)	Hépatite, élévation asymptomatique des aminotransférases. Évaluer la fonction hépatique tous les mois.
Rifampicine (RMP) (Rifadin[MD])	Hépatite, thrombocytopénie, coloration orangée des liquides organiques (expectorations, urines, sueurs et larmes).
Pyrazinamide (PZA)	Hépatite, arthralgies et hyperuricémie.
Chlorhydrate d'éthambutol (EMB)	Toxicité oculaire (diminution de la discrimination du rouge et du vert). Évaluer régulièrement l'acuité visuelle et la discrimination des couleurs.
Rifabutine (Mycobutin[MD])	Hépatite, thrombocytopénie, neutropénie, coloration orangée des liquides organiques (expectorations, urines, sueurs et larmes).
Aminoglycosides : sulfate d'amikacine et streptomycine	Ototoxicité et néphrotoxicité. Utilisés dans certains cas particuliers pour le traitement de souches résistantes.
Fluoroquinolones : lévofloxacine (Levaquin[MD]), chlorhydrate de moxifloxacine (Avelox[MD])	Malaises gastro-intestinaux, effets neurologiques (étourdissements et céphalées) et éruptions cutanées. Utilisées pour le traitement des souches tuberculeuses résistantes.

[a] Seuls les effets indésirables fréquents sont énumérés.

Pharmacothérapie

TABLEAU 35.6 Options thérapeutiques contre la tuberculose

SCHÉMA	PHASE INITIALE (DEUX PREMIERS MOIS)	PHASE DE CONTINUATION
Standard		
Schéma 1	• Schéma thérapeutique à quatre médicaments : INH, RMP, PZA et EMB[a] • Administration quotidienne OU 5 j/sem. en thérapie sous observation directe (TOD)	• Association INH-RMP pendant 4 mois 1 fois/j OU 3 j/sem. sous TOD
Schéma 2	• Schéma thérapeutique à trois médicaments : INH, RMP et EMB[a] • Administration quotidienne OU 5 j/sem. sous TOD	• Association INH-RMP pendant 7 mois 1 fois/j OU 3 j/sem. sous TOD
Personnes âgées (> 65 ans ou sujettes à d'autres facteurs de risque d'hépatotoxicité)		
	• Schéma thérapeutique à trois médicaments : INH-RMP-EMB[a] • Administration quotidienne OU 5 j/sem. sous TOD	• Association INH-RMP pendant 7 mois 1 fois/j OU 3 j/sem. sous TOD
Femmes enceintes		
	• Schéma thérapeutique à quatre médicaments : INH, RMP, PZA et EMB[a] ; OU schéma thérapeutique à trois médicaments : INH, RMP et EMB[a] • Administration quotidienne OU 5 j/sem. sous TOD	• Association INH-RMP pendant 7 mois si du PZA n'est pas utilisé • Association INH-RMP pendant 4 mois si du PZA est utilisé pendant les 2 premiers mois 1 fois/j OU 3 j/sem. sous TOD

[a] La prise d'EMB peut cesser dès que les résultats de l'antibiogramme sont connus si le bacille est sensible à tous les antituberculeux.

Source : Adapté de Agence de la santé publique du Canada (ASPC), Association pulmonaire & Société canadienne de thoracologie (2014).

atteints de TB pour assurer l'adhésion thérapeutique (MSSS, 2012). La non-adhésion constitue un facteur majeur dans les échecs thérapeutiques. Même s'ils comprennent le processus de la maladie et l'importance du traitement, de nombreux clients ne suivent pas correctement leur plan thérapeutique. La TOD est donc recommandée pour ces clients. C'est une mesure coûteuse, mais essentielle sur le plan de la santé publique. Terminer le traitement limite le risque de réactivation de la TB et l'apparition de souches multirésistantes. Souvent, la TOD est effectuée par une infirmière de santé publique dans une clinique.

S'il est impossible de traiter le client en TOD, l'administration d'une association de deux ou de plusieurs médicaments à dose fixe peut accroître l'adhésion thérapeutique. Diverses associations, soit INH-RMP et INH-RMP-PZA, sont offertes pour simplifier le traitement. Le traitement de la tuberculose chez les personnes atteintes du VIH est le même. Cependant, les autres schémas thérapeutiques de prolongation, qui comprennent des doses hebdomadaires d'INH-RMP ou bihebdomadaires d'INH-RMP ou de rifabutine chez les clients infectés par le VIH, ne doivent pas être utilisés si le nombre de cellules $CD4^+$ est inférieur à 100/µL. Les professionnels de la santé doivent être vigilants à l'égard des interactions médicamenteuses possibles entre les antirétroviraux (utilisés pour traiter le VIH) et les rifamycines.

Il est primordial de bien informer les clients au sujet des effets indésirables de ces médicaments et à quel moment il faut consulter un médecin sans attendre. L'effet indésirable majeur de l'isoniazide, de la rifampicine et de la pyrazinamide est l'hépatite, c'est pourquoi il faut surveiller les examens de la fonction hépatique ; ceux-ci sont effectués au début du traitement. En cas d'anomalies, ces examens sont répétés à un mois d'intervalle en prenant soin de vérifier les résultats.

Infection tuberculeuse latente Chez les personnes atteintes d'une ITL, le traitement médicamenteux peut aider à prévenir le passage de la tuberculose en maladie active. Comme le nombre de bactéries est moindre chez les personnes atteintes de l'ITL, le traitement est passablement simplifié et ne comprend qu'un médicament. Les schémas thérapeutiques médicamenteux pour l'ITL sont énumérés au **TABLEAU 35.7**.

Vaccin Le vaccin BCG (bacille Calmette-Guérin) est une souche vivante atténuée de la bactérie *Mycobacterium bovis*. Le vaccin est administré aux enfants dans les régions du monde où la prévalence de la TB est élevée. Au Canada, il n'est pas recommandé en temps normal en raison de l'efficacité variable du vaccin contre la TB pulmonaire chez les adultes et de l'interférence possible avec le test cutané de sensibilité à la tuberculine. En effet, le vaccin BCG peut provoquer une réaction positive à ce test, laquelle diminue par contre avec le temps.

CE QU'IL FAUT RETENIR

La non-adhésion constitue un facteur majeur dans les échecs thérapeutiques. Même s'ils comprennent le processus de la maladie et l'importance du traitement, de nombreux clients ne suivent pas correctement leur plan thérapeutique.

35

Pharmacothérapie

TABLEAU 35.7 Schémas thérapeutiques contre les infections tuberculeuses latentes

MÉDICAMENT	DURÉE (MOIS)	POSOLOGIE
Schéma standard		
Isoniazide (INH)	9	Quotidienne
Schémas alternatifs acceptables		
Isoniazide (INH)	6	Quotidienne
Isoniazide (INH) / Rifampicine (RMP)	3	Quotidienne
Rifampicine (RMP)	4	Quotidienne
Isoniazide (INH)	6-9	2 fois/semaine en thérapie sous observation directe (TOD)
Isoniazide (INH) / Rifampicine (RMP)	3	2 fois/semaine TOD

Soins et traitements infirmiers

CLIENT ATTEINT DE TUBERCULOSE

Collecte des données

L'infirmière doit vérifier la présence d'une toux productive, de sueurs nocturnes, d'une élévation de la température l'après-midi, d'une perte de poids, de douleurs thoraciques pleurétiques et de crépitants au-dessus de l'apex des poumons. Si le client a une toux productive, le temps idéal pour recueillir les échantillons des expectorations en vue d'un frottis pour détecter la présence d'un bacille acidorésistant est tôt le matin, car c'est à ce moment qu'elles sont les plus concentrées. Sinon, elles peuvent être diluées par les liquides pris au déjeuner.

Analyse et interprétation des données

Voici une liste non exhaustive des problèmes liés à la tuberculose que peut établir l'infirmière :

- mode de respiration inefficace lié à une diminution de la capacité pulmonaire ;

Jugement clinique

Kourouma Sangaré est âgé de 28 ans et est d'origine guinéenne. Il a séjourné récemment dans son pays pour visiter sa famille. À son retour, il a présenté des sueurs nocturnes, de la fièvre et une toux grasse productive. Lorsqu'il a consulté son médecin, ce dernier a soupçonné qu'il avait été en contact avec l'agent causal de la tuberculose. Monsieur Sangaré a fourni un échantillon d'expectorations recueilli après le déjeuner. Cet échantillon sera-t-il valable pour un frottis ? Justifiez votre réponse.

Réactivation des connaissances

Dans quelle situation clinique doit-on porter un masque comme pratique de base dans la prévention des infections ?

- besoins nutritionnels de l'organisme non comblés liés à une perte d'appétit chronique, à la fatigue ou à une toux productive ;
- problème de non-adhésion thérapeutique lié au manque d'information sur le processus de la maladie, au manque de motivation, au manque de ressources ou à la durée du traitement ;
- maintien de la santé inefficace lié au manque d'information sur le processus de la maladie et sur le traitement ;
- intolérance à l'effort due à la fatigue, à un état nutritionnel déficient ou à des épisodes fébriles chroniques.

Planification des soins

Les objectifs généraux pour le client atteint de tuberculose sont :

- d'assurer l'adhésion au traitement ;
- d'éliminer une récidive de la maladie ;
- de favoriser une fonction pulmonaire satisfaisante ;
- de prendre des mesures appropriées pour prévenir la propagation de la maladie.

Interventions cliniques

Promotion de la santé

L'objectif ultime est d'éradiquer la tuberculose dans le monde. Les programmes de dépistage auprès des groupes à risque connus sont utiles pour détecter les personnes atteintes de la maladie. Une personne qui a une réaction positive au test cutané de sensibilité à la tuberculine doit subir une radiographie pulmonaire pour vérifier si la TB est active. Celle-ci est une maladie à déclaration obligatoire : les personnes recevant un diagnostic confirmé de TB doivent être signalées aux autorités de santé publique afin de dépister et d'évaluer les personnes en contact étroit avec celle qui est atteinte et le risque pour la communauté.

Intervention en phase aiguë

Les personnes fortement soupçonnées d'être atteintes de TB doivent : 1) être placées dans une salle d'isolation pour infections à transmission aérienne ; 2) subir un bilan médical, qui comprend des radiographies pulmonaires, des frottis et cultures des expectorations ; 3) recevoir le traitement pharmacologique approprié. L'isolation pour prévenir les infections à transmission aérienne est indiquée chez les clients atteints d'une TB pulmonaire ou laryngée jusqu'à ce qu'ils soient jugés non contagieux, c'est-à-dire lorsque le traitement pharmacologique s'est révélé efficace, que l'état clinique s'est amélioré et que les résultats de trois frottis détectant la présence de bacilles acidorésistants sont négatifs. L'isolement pour les infections à transmission aérienne signifie l'isolation des clients infectés par des microorganismes se propageant par voie aérienne. La chambre doit être une chambre pour une personne, la pression doit y être négative, et le débit d'air de 6 à 12 échanges à l'heure. Toute personne qui entre dans la chambre du client doit porter un masque HEPA (haute efficacité pour particules aériennes ou N95), car ce dernier permet de bloquer plus de 90 % des petites particules de plus de 3 μm de diamètre. Il faut s'assurer que le masque est bien ajusté autour du nez et de la bouche (MSSS, 2014).

L'infirmière doit enseigner aux clients comment se couvrir le nez et la bouche avec un mouchoir lorsqu'ils toussent, éternuent ou produisent des expectorations. Il faut jeter les mouchoirs dans un sac en papier puis les déposer dans la poubelle, ou les brûler, ou les évacuer par la toilette. Il faut insister sur l'importance de se laver adéquatement les mains après être entré en contact avec des expectorations ou un mouchoir souillé. Si le client doit sortir de la chambre à pression négative, il doit porter un masque chirurgical standard pour prévenir toute exposition possible à autrui.

Les proches ou les personnes en contact étroit avec le tuberculeux doivent être évalués pour dépister la présence de TB (habituellement au moyen du test cutané de sensibilité à la tuberculine). Si une ITL ou la TB active est détectée, il faut traiter la personne avec des antituberculeux.

Soins ambulatoires et soins à domicile

Les clients qui présentent une bonne réponse clinique peuvent retourner à domicile (même si les cultures sont encore positives), mais seulement si les proches vivant sous le même toit ont déjà été exposés à la bactérie et qu'il n'y a aucun risque de transmission. Des cultures négatives sont nécessaires pour déclarer le client non contagieux.

L'infirmière doit enseigner au client et au proche aidant l'importance de respecter le plan thérapeutique. Cela est très important puisque la plupart des échecs thérapeutiques sont directement associés à la négligence du client qui oublie de prendre son médicament, le cesse prématurément ou le prend de manière irrégulière. S'il y a négligence, il faut en aviser les autorités de santé publique. Une infirmière du service de santé publique verra au suivi des personnes habitant sous le même toit que le client et à l'évaluation de l'adhésion

Dilemmes éthiques

ENCADRÉ 35.9 Adhésion thérapeutique des clients

SITUATION

L'infirmière d'une clinique de santé pour personnes en situation d'itinérance découvre qu'un de ses clients atteint de tuberculose ne respecte pas les directives liées à la prise de ses médicaments. Il lui explique qu'il est difficile pour lui de se rendre à la clinique pour prendre ses médicaments, et encore plus de respecter l'horaire de la prise de ceux-ci. Non seulement la situation du client inquiète l'infirmière, mais elle est aussi préoccupée par les risques de contagion des autres personnes fréquentant les mêmes refuges, parcs et centres de distribution de repas.

CONSIDÉRATIONS IMPORTANTES

- L'adhésion au traitement constitue un problème complexe lié à différents facteurs, notamment la culture et les valeurs du client, la perception de la maladie et des risques associés, l'accès aux traitements et les conséquences perçues des diverses options offertes.
- Pour favoriser l'adhésion au traitement, l'infirmière doit s'assurer que les directives sont compréhensibles et qu'elles s'accordent avec les objectifs du client. L'infirmière doit faire participer le client au traitement et interagir avec lui tout au long du processus, faire preuve d'une réelle empathie, lui manifester sa sollicitude et, finalement, connaître sa situation financière et son milieu de vie qui pourraient influer sur l'assiduité au traitement.
- L'infirmière doit prendre soin de ses clients, mais elle doit aussi penser au bien-être et à la santé de l'ensemble de la communauté. Un client qui ne respecte pas son traitement peut causer du tort aux autres, par exemple, en favorisant le développement de souches multirésistantes plus virulentes encore. De plus, selon la Direction de la santé publique, la tuberculose est une maladie à déclaration obligatoire au Québec.
- La défense des droits du client et de la communauté oblige l'infirmière à travailler avec les autres membres de l'équipe de professionnels de la santé, notamment les travailleurs sociaux, qui peuvent l'aider à trouver les ressources et le soutien nécessaires pour les clients qui ont de la difficulté à respecter le traitement prescrit.
- Si un client est incapable de se conformer au plan thérapeutique avec le maximum de soutien possible, la santé du public peut alors avoir préséance. Dans de tels cas, il peut être nécessaire de placer le client dans un environnement supervisé jusqu'à la fin du traitement.

QUESTIONS DE JUGEMENT CLINIQUE

1. Quelles sont les autres options thérapeutiques à offrir au client ?
2. Dans quelles circonstances les professionnels de la santé ont-ils le droit de passer outre l'autonomie du client ou sa liberté de choix ?

thérapeutique de celui-ci **ENCADRÉ 35.9**. Si l'adhésion thérapeutique pose problème, la Direction de la santé publique peut se porter garante d'une thérapie sous observation directe. La plupart des clients peuvent être considérés comme ayant été traités convenablement une fois que le plan thérapeutique est terminé, que les cultures sont négatives et qu'il y a amélioration clinique et à la radiographie pulmonaire. Il est souvent indiqué d'assurer un suivi du client au cours des 12 mois subséquents avec des études bactériologiques et des radiographies pulmonaires.

Comme environ 5 % des tuberculeux présentent une récidive, il faut enseigner au client comment reconnaître les symptômes évocateurs d'une récidive de la TB. S'il présente un ou plusieurs de ces symptômes, le client doit consulter immédiatement un professionnel de la santé. L'infirmière doit informer le client au sujet de certains facteurs susceptibles de réactiver la TB, par exemple un traitement immunosuppresseur, une tumeur maligne ou une maladie invalidante prolongée. En présence d'un de ces facteurs, le professionnel de la santé doit être avisé que le client a déjà eu la TB. Il pourra ainsi surveiller étroitement une possible réactivation de la maladie. Certaines situations exigent d'administrer des antituberculeux au client en prophylaxie.

Évaluation des résultats

Les résultats escomptés chez un client atteint de tuberculose sont les suivants :

- la résolution complète de la maladie ;
- une fonction pulmonaire satisfaisante ;
- l'absence de complications ;
- l'absence de transmission de la maladie.

35.1.5 Mycobactérie atypique

Cette maladie pulmonaire ressemble à la TB, mais elle est causée par une mycobactérie atypique acido-résistante. Ce type d'infection pulmonaire peut être difficile à différencier de la TB sur les plans clinique et radiologique; seules des cultures bactériologiques peuvent la distinguer. Le microorganisme responsable n'est pas en suspension dans l'air et ne se transmet donc pas par gouttelettes.

Bon nombre de mycobactéries atypiques peuvent infecter les poumons. Le complexe *Mycobacterium avium*, une mycobactérie opportuniste présente dans l'eau, cause une infection pulmonaire. La source est l'exposition aux aérosols conçus pour les bains, les cuves thermales et les piscines. Seul un petit nombre de personnes exposées au microorganisme souffrent de la maladie pulmonaire associée au complexe *M. avium*. Les personnes immunodéprimées ou atteintes d'une maladie pulmonaire chronique sont les plus vulnérables. Le traitement est similaire à celui de la TB.

35.1.6 Infections pulmonaires fongiques

Les infections pulmonaires fongiques sont causées par l'inhalation de spores. Une grande partie de la population est exposée à des champignons, mais la plupart des gens restent asymptomatiques. L'activation de l'infection survient la plupart du temps chez les personnes gravement malades et recevant des corticostéroïdes, des antinéoplasiques, des immunosuppresseurs ou de multiples antibiotiques, ou chez les personnes atteintes du VIH ou de fibrose kystique. Le **TABLEAU 35.8** présente les types d'infections pulmonaires fongiques. Ces infections ne sont pas transmises de personne à personne, et les clients atteints n'ont pas besoin d'être isolés. Les manifestations cliniques sont semblables à celles de la pneumonie bactérienne. Il existe plusieurs méthodes diagnostiques pour identifier le microorganisme infectieux, notamment les tests cutanés, les tests sérologiques et la biopsie.

TABLEAU 35.8 Infections pulmonaires fongiques

INFECTION	CARACTÉRISTIQUES DES SPORES ET DE LA MALADIE
Actinomycose (*Actinomyces israelii*)	N'est pas un véritable champignon; présence de pseudohyphes; bactérie anaérobie Gram positif évoluée pourvue d'hyphes ramifiés; pneumonie nécrosante si aspiration; pneumonite souvent présente dans les lobes inférieurs accompagnée d'un abcès ou d'un empyème
Aspergillose (*Aspergillus niger* ou *Aspergillus fumigatus*)	Moisissure faisant partie de la flore résidente de la bouche de la majorité des gens; invasion des tissus pulmonaires entraînant possiblement une pneumonie nécrosante; présente chez les personnes atteintes d'asthme; corticothérapie possiblement nécessaire chez les personnes atteintes d'aspergillose bronchopulmonaire allergique
Blastomycose (*Blastomyces dermatitidis*)	Espèce présente dans le sud-est et le midwest des États-Unis; inhalation du champignon dans les poumons; évolution de la maladie souvent insidieuse et atteinte cutanée possible
Candidose (*Candida albicans*)	Première cause d'infection mycosique chez les personnes hospitalisées et immunodéprimées ainsi que chez celles qui prennent des corticostéroïdes en inhalation et qui ne se rincent pas bien la bouche après chaque administration; colonisation fréquente des voies respiratoires supérieures et du tractus gastro-intestinal supérieur; infection souvent présente après une antibiothérapie à large spectre (action générale ou sous forme inhalée); apparition possible d'un infiltrat pulmonaire localisé allant même jusqu'à une consolidation bilatérale étendue accompagnée d'une hypoxémie
Coccidioïdomycose (*Coccidioides immitis*)	Espèce présente dans les régions semi-arides du sud-ouest des États-Unis; inhalation des arthrospores du champignon dans les poumons; réaction purulente et granulomateuse dans les poumons; infection symptomatique chez un tiers des personnes atteintes
Cryptococcose (*Cryptococcus neoformans*)	Levure véritable présente dans les sols partout dans le monde de même que dans les excréments des pigeons; inhalation du champignon dans les poumons; possibilité de méningite
Histoplasmose (*Histoplasma capsulatum*)	Espèce présente dans les sols avoisinant les rivières de l'Amérique du Nord; inhalation des mycéliums du champignon dans les poumons; personnes infectées souvent asymptomatiques; maladie chronique similaire à la tuberculose et généralement d'évolution autolimitée
Nocardiose (*Nocardia asteroides*)	N'est pas un véritable champignon; bactérie aérobie évoluée pourvue d'hyphes ramifiés; saprophyte des sols largement distribué dans la nature; acquisition ou infection contractée dans la nature; se trouve rarement dans les expectorations sans la présence concomitante d'une maladie
Pneumonie à *Pneumocystis* (*Pneumocystis jiroveci*)	Champignon présent dans l'environnement; cause rarement une pneumonie chez les personnes en santé; pneumonie opportuniste courante chez les personnes ayant un trouble immunitaire ou une infection par le VIH

L'amphotéricine B est encore, à ce jour, le traitement standard pour éradiquer les infections fongiques systémiques graves. Cet antifongique n'est pas absorbé dans le tractus gastro-intestinal, c'est pourquoi il doit être administré par voie I.V. pour atteindre les concentrations sanguines et tissulaires adéquates. Les infections moins graves peuvent être traitées au moyen d'antifongiques oraux comme le kétoconazole (Apo-Ketoconazole), le fluconazole (Diflucan^MD^), le voriconazole (Vfend^MD^) et l'itraconazole (Sporanox^MD^). L'efficacité du traitement peut être évaluée au moyen d'analyses sérologiques de reconnaissance des champignons (Hsu, Ng & Koh, 2010).

35.1.7 Abcès pulmonaire

Étiologie et physiopathologie

Un **abcès pulmonaire** est une cavité qui se forme dans le parenchyme pulmonaire et qui contient du matériel purulent. Il se forme par suite de la nécrose de tissu pulmonaire. De nombreux abcès pulmonaires sont causés par des bactéries aspirées du tractus gastro-intestinal ou de la cavité orale chez les personnes atteintes d'une maladie parodontale. Les abcès pulmonaires peuvent aussi résulter d'une tumeur maligne, d'une TB ou de diverses maladies parasitaires et fongiques. Les microorganismes en cause comprennent certaines bactéries Gram négatif (p. ex., *Klebsiella*), de même que *S. aureus* et certains bacilles anaérobies (p. ex., *Bacteroides*). Les régions du poumon les plus souvent touchées sont les segments supérieurs des lobes inférieurs et les segments postérieurs des lobes supérieurs. Du tissu fibreux se forme habituellement autour de l'abcès dans le but de l'enclaver. L'abcès peut s'éroder et entrer dans l'arbre bronchique, ce qui produit des expectorations fétides au goût infect. L'abcès peut s'étendre jusqu'à la plèvre et causer une douleur pleurétique. Par ailleurs, la maladie peut aussi se présenter sous forme de multiples abcès de petite taille logés dans les poumons.

Manifestations cliniques et complications

Le début de la maladie est habituellement graduel et très subtil, en particulier si la cause primaire est un microorganisme anaérobique. Les microorganismes aérobiques sont habituellement associés à une apparition plus soudaine. La manifestation la plus courante est une toux productive associée à des expectorations purulentes (souvent brunes foncées) fétides et ayant mauvais goût. Il y a souvent présence d'hémoptysie, en particulier lorsque l'abcès crève dans une bronche. Les autres manifestations courantes sont la fièvre, les frissons, la prostration, la douleur pleurétique, la dyspnée, la toux et la perte de poids.

L'examen physique des poumons révèle un bruit mat à la percussion et une diminution des bruits respiratoires à l'auscultation au-dessus des segments atteints du poumon. Les bruits bronchiques peuvent être transmis à la périphérie si les bronches communicantes sont rétablies et si le drainage du segment est à nouveau fonctionnel. Des crépitants peuvent aussi être entendus aux stades avancés de la maladie lorsqu'il y a écoulement de l'abcès.

Les complications sont notamment l'évolution chronique de la maladie, l'apparition de fistules bronchopleurales, de bronchiectasies et d'un empyème, ce dernier résultant de la perforation de l'abcès dans la cavité pleurale. L'infection peut aussi se propager au cerveau par la circulation sanguine créant un abcès cérébral.

Examen clinique et examens paracliniques

La radiographie pulmonaire peut révéler une lésion cavitaire solitaire remplie de liquide. La tomodensitométrie (TDM) s'avère parfois utile si la cavité n'est pas claire à la radiographie pulmonaire. Un abcès pulmonaire, contrairement aux autres types d'abcès, ne nécessite pas de drainage assisté tant que l'écoulement se fait par les bronches. Il faut recueillir régulièrement les expectorations pour procéder à des cultures. Il arrive que certains contaminants rendent difficile l'interprétation des résultats ; en outre, l'isolation des bactéries anaérobiques n'est pas aisée. Il peut être utile de faire des hémocultures et des cultures du liquide pleural. La bronchoscopie peut être utilisée si le drainage est retardé ou s'il y a possibilité d'une tumeur maligne sous-jacente.

Processus thérapeutique en interdisciplinarité

En présence d'un abcès, il est nécessaire d'utiliser un antibiotique à large spectre d'action étant donné la présence de bactéries mixtes. L'antibiothérapie est d'abord administrée par voie I.V. ; une fois que le client montre des signes d'amélioration clinique et radiographique, elle peut être changée pour la voie P.O.

Comme il s'agit d'un traitement antibiotique prolongé, le client doit être mis au courant de l'importance de l'adhésion au traitement pendant toute la période prescrite. Il faut l'informer des effets indésirables et lui mentionner de les signaler au professionnel de la santé s'ils se manifestent. Il est parfois recommandé au client de revenir à la clinique périodiquement pendant l'antibiothérapie pour des cultures et des examens de sensibilité répétés afin de s'assurer que l'agent infectieux n'est pas devenu résistant à l'antibiotique. Le client est réévalué une fois l'antibiothérapie terminée.

Réactivation des connaissances

Énumérez les trois étapes de la technique de toux contrôlée.

Jugement clinique

Angèle Lafortune, 50 ans, présente un abcès pulmonaire localisé au segment postérieur du lobe moyen droit. Dans quelle position faut-il installer la cliente pour procéder au drainage postural ?

36

L'asthme d'origine professionnelle ou environnementale, particulièrement prévalent, est discuté dans le chapitre 36, *Interventions cliniques – Maladies pulmonaires obstructives.*

L'infirmière doit montrer au client comment tousser adéquatement. Il est possible d'utiliser la physiothérapie thoracique et le drainage postural pour drainer les abcès situés dans les régions inférieures ou postérieures des poumons. Le drainage postural de la partie atteinte des poumons aide à éliminer les sécrétions. Le repos, une alimentation saine et un apport adéquat de liquides sont des mesures de soutien qui facilitent le rétablissement. Si la dentition ou l'hygiène dentaire sont mauvaises, il faut promouvoir une hygiène dentaire rigoureuse et encourager le client à consulter un dentiste. L'infirmière doit aussi envisager de collaborer avec un travailleur social pour évaluer les différentes options de soins dentaires possibles advenant que les ressources financières du client soient limitées.

La chirurgie est rarement indiquée, mais elle peut se révéler nécessaire à l'occasion lorsqu'il y a réinfection d'une large lésion cavitaire ou pour établir un diagnostic lorsqu'un problème sous-jacent, comme un néoplasme, est soupçonné. La procédure habituelle dans un tel cas est la lobectomie ou la pneumonectomie. La solution de rechange à la chirurgie est le drainage percutané, même s'il y a risque de contamination de la cavité pleurale.

35.1.8 Maladies pulmonaires environnementales ou professionnelles

Les maladies pulmonaires environnementales ou professionnelles résultent de l'inhalation de poussières ou de produits chimiques. La durée de l'exposition ou la quantité de substances inhalées ont une influence majeure sur le type de lésions causées ▶ 36. Les autres maladies d'importance sont les pneumoconioses, la pneumonie chimique et la pneumopathie d'hypersensibilité.

Les **pneumoconioses** regroupent des maladies pulmonaires causées par l'inhalation et la rétention des particules de poussières. Parmi ces maladies figurent la silicose, l'amiantose et la bérylliose. La réponse classique à l'inhalation d'une substance est l'infiltration parenchymateuse diffuse par des cellules phagocytaires qui entraîne à la longue une **fibrose pulmonaire** diffuse (excès de tissu conjonctif). La fibrose est le résultat de la réparation du tissu après l'inflammation. Les pneumoconioses et les autres maladies environnementales sont présentées au **TABLEAU 35.9**.

La pneumonie chimique résulte de l'exposition à des vapeurs chimiques toxiques. À la phase aiguë, il y a présence de lésions pulmonaires diffuses caractéristiques de l'œdème pulmonaire. En phase chronique, le tableau clinique est celui d'une **bronchiolite oblitérante** (obstruction des bronchioles due à l'inflammation et à la fibrose), qui est habituellement associée à une radiographie pulmonaire normale ou montrant une hyperinflation. Un exemple de ce type de maladie est la maladie des travailleurs des silos (ou maladie des silos).

La **pneumopathie d'hypersensibilité**, ou alvéolite allergique extrinsèque, est une forme de maladie pulmonaire parenchymateuse présente chez les personnes qui inhalent des antigènes auxquels elles sont allergiques. Un exemple de ce type de maladie est l'histoplasmose et le poumon du fermier.

Le cancer du poumon, c'est-à-dire le carcinome spinocellulaire ou l'adénocarcinome, est le cancer le plus fréquemment associé à une exposition à l'amiante. Les personnes plus exposées présentent un risque plus élevé d'être atteintes de la maladie. L'intervalle minimal de temps entre la première exposition et l'apparition du cancer du poumon est de 15 à 19 ans. Les mésothéliomes, touchant la plèvre ou le péritoine, sont aussi associés à une exposition à l'amiante.

Manifestations cliniques

L'œdème aigu du poumon (OAP) est le premier symptôme apparaissant après une exposition à des vapeurs chimiques. Les symptômes de nombreuses maladies pulmonaires environnementales prennent parfois jusqu'à 10 à 15 ans avant d'apparaître après l'exposition initiale à l'irritant inhalé. La dyspnée et la toux sont souvent les premières manifestations. La douleur thoracique et la toux accompagnée d'expectorations surviennent habituellement plus tard. Les tests de spirométrie montrent souvent une diminution de la capacité pulmonaire, et la radiographie des poumons indique une atteinte pulmonaire caractéristique de l'origine du problème. La TDM s'est révélée utile pour détecter une atteinte pulmonaire précoce. Le cœur pulmonaire (décrit plus loin dans le chapitre) est une complication tardive, en particulier lorsqu'il y a fibrose pulmonaire diffuse.

Les complications fréquentes des maladies pulmonaires environnementales sont la pneumonie, la bronchite chronique, l'emphysème et le cancer du poumon. Ces complications sont souvent la raison pour laquelle le client consulte un professionnel de la santé et souhaite recevoir des soins.

Processus thérapeutique en interdisciplinarité

La meilleure approche pour le traitement des maladies pulmonaires environnementales ou professionnelles est d'essayer de prévenir ou de diminuer l'exposition de la personne aux substances en cause

TABLEAU 35.9 **Maladies pulmonaires environnementales ou professionnelles**

MALADIE	AGENTS/INDUSTRIES	DESCRIPTION	COMPLICATIONS
Amiantose	Fibres d'amiante présentes dans le matériel d'isolation et de construction (tuiles de toit et produits du ciment), les chantiers navals, les textiles (agents ignifuges), les embrayages et les garnitures de frein des automobiles	La maladie apparaît de 15 à 35 ans après la première exposition. Une fibrose interstitielle s'installe. Il y a apparition de plaques pleurales (lésions calcifiées sur la plèvre). Les premières manifestations sont la dyspnée, les crépitants à la base des poumons et une diminution de la capacité pulmonaire.	Fibrose interstitielle diffuse dans les poumons; cancer du poumon, en particulier chez les fumeurs de cigarette; mésothéliome (type de cancer assez rare touchant la plèvre et la membrane péritonéale)
Bérylliose	Poussières de béryllium présentes dans les procédés de fabrication des avions, les activités métallurgiques et les carburants pour fusées	Formation de granulomes. Une pneumonite aiguë peut survenir en présence d'une exposition importante. Possibilité de fibrose interstitielle.	Possibilité d'évolution de la maladie après le retrait de l'agent stimulant
Byssinose	Poussière de coton, de lin ou de chanvre (industrie textile)	L'obstruction des voies respiratoires est causée par la contraction des muscles lisses. La maladie chronique résulte de l'obstruction importante des voies aériennes et de la diminution de la rétraction élastique des poumons.	Évolution continue de la maladie chronique après la fin de l'exposition aux poussières responsables
Histoplasmose	Excréments ou plumes d'oiseau	Présence d'une pneumopathie d'hypersensibilité.	Fibrose progressive des poumons
Maladie des travailleurs des silos	Oxydes d'azote issus de la fermentation des végétaux contenus dans les silos récemment remplis	Présence d'une pneumonie chimique.	Bronchiolite oblitérante avec organisation pneumonique
Pneumoconiose des mineurs de charbon (poumon noir)	Poussière de charbon	Fréquence élevée (20-30 %) chez les travailleurs du charbon. Les dépôts des poussières de charbon entraînent des lésions dans les bronchioles respiratoires. Les bronchioles se dilatent à cause de la perte de structure des parois. Une obstruction des voies respiratoires et une bronchite chronique s'installent. La dyspnée et la toux sont des symptômes précoces fréquents.	Fibrose des poumons massive et progressive; risque accru de MPOC avec le tabagisme
Poumon du fermier	Inhalation du matériel en suspension dans l'air provenant des moisissures du foin ou de matière similaire	Présence d'une pneumopathie d'hypersensibilité. La forme aiguë est similaire à la pneumonie, avec des manifestations de frissons, fièvre et malaises. La forme chronique, insidieuse, est un type de fibrose pulmonaire.	Fibrose progressive des poumons
Syndrome pulmonaire dû à l'hantavirus	Maladie causée par l'inhalation d'un virus présent dans les vapeurs d'excréments de rongeurs dans les régions infestées par ces animaux	Fièvre hémorragique aiguë associée à un collapsus pulmonaire et cardiovasculaire important entraînant possiblement le décès de la personne. La période d'incubation est de une à quatre semaines, et le prodrome, consistant en des symptômes pseudogrippaux, dure de trois à cinq jours. Il n'existe aucun traitement curatif ou spécifique.	Absence de traitement précis ou de vaccin contre l'hantavirus. Par contre, une identification rapide du virus et un transfert aux soins intensifs afin d'assurer l'aide respiratoire nécessaire peuvent favoriser la guérison. La recherche sur ce virus est effectuée dans des installations à confinement biologique élevé.

TABLEAU 35.9	Maladies pulmonaires environnementales ou professionnelles *(suite)*		
MALADIE	**AGENTS/INDUSTRIES**	**DESCRIPTION**	**COMPLICATIONS**
Silicose	Poussière de silice présente dans le quartz des mines d'or, de cuivre, d'étain, de charbon et de plomb ; aussi présente aux sites de sablage, dans les fonderies, les carrières, les ateliers de poterie et les maçonneries	Sous sa forme chronique, la maladie est caractérisée par l'apparition de nodules fibrotiques résultant de l'ingestion, puis de la destruction de la poussière par les macrophages. La forme aiguë de la maladie résulte d'une exposition intense sur une courte période. Au cours des cinq années qui suivent, la maladie évolue de façon importante entraînant une invalidité grave due à la fibrose des poumons.	Vulnérabilité accrue à la tuberculose ; fibrose progressive et massive ; fréquence élevée de bronchite chronique

Jugement clinique

Bao Tong est âgé de 47 ans et travaille dans une mine de charbon en Chine depuis 25 ans. Bojan Avramov, âgé de 41 ans, est soudeur en Bulgarie. Boris Alinovitch est âgé de 44 ans ; il manipule des substances volatiles toxiques dans le laboratoire où il travaille en Russie. Lesquels de ces travailleurs risquent de contracter une pneumoconiose ?

dans l'environnement ou sur les lieux de travail. Il faut éduquer le public au sujet des divers risques associés à ces maladies et sur le port d'un équipement de protection approprié pendant les activités à risque. Pour certains emplois et tâches ménagères, il peut être approprié d'avoir un système de ventilation bien conçu et efficace et de porter un masque. Les conséquences de l'inhalation de fumée par les travailleurs non fumeurs ont mené à l'adoption de certains règlements pour rendre la majorité des milieux de travail sans fumée. Les inspections périodiques et la surveillance des lieux de travail renforcent l'obligation des employeurs à assurer des conditions sécuritaires. Au Québec, depuis décembre 2001, la surveillance est inscrite dans le contexte légal de la Loi sur la santé publique. La Commission de la santé et de la sécurité du travail (CSST) est l'organisme gouvernemental responsable, entre autres, de la prévention et de l'inspection des lieux de travail afin d'assurer qu'ils soient sécuritaires pour les travailleurs.

Le diagnostic précoce est essentiel pour arrêter l'évolution de la maladie. Les stratégies thérapeutiques visent à soulager les symptômes. S'il y a des troubles concomitants, comme une pneumonie, une bronchite chronique, de l'emphysème ou de l'asthme, ils doivent être traités.

35.1.9 Cancer du poumon

CE QU'IL FAUT RETENIR

Le risque d'être atteint d'un cancer du poumon est directement lié à l'exposition totale à la fumée de cigarette.

Le cancer du poumon est la première cause de décès par cancer au Canada, et ce, autant chez les hommes que chez les femmes. Il compte pour 27 % de tous les décès par cancer au pays (Société canadienne du cancer, 2014). En moyenne, chaque semaine, 450 Canadiens (hommes ou femmes) recevront un diagnostic de cancer du poumon. L'incidence et les taux de mortalité de la maladie chez les hommes ont chuté au cours de la dernière décennie, mais cette tendance a différé chez les femmes. En effet, parmi celles-ci, le cancer du poumon a dépassé le cancer du sein comme cause principale de décès dû à un cancer. Selon la Société canadienne du cancer (2014), les taux de survie du cancer du poumon sont nettement inférieurs à ceux de la plupart des autres cancers.

Étiologie

L'usage de la cigarette est le facteur de risque le plus important d'apparition du cancer du poumon. Selon Santé Canada (2011), la cigarette contient plus de 70 agents carcinogènes en plus des substances perturbant la croissance normale des cellules (monoxyde de carbone et nicotine). La fumée de la cigarette, un irritant des voies respiratoires inférieures, altère l'épithélium des bronches. Celui-ci redevient normal lorsque la personne cesse le tabagisme. Le risque de cancer du poumon diminue alors graduellement de façon continue avec le temps. Dix ans après l'arrêt du tabagisme, le risque de mortalité attribuable au cancer du poumon est réduit de 30 à 50 %.

Les personnes à risque de cancer du poumon sont divisées en trois catégories : 1) les fumeurs, soit les personnes qui fument actuellement ; 2) les non-fumeurs, soit les personnes qui fumaient auparavant ; 3) les personnes n'ayant jamais fumé de leur vie.

Le risque d'être atteint d'un cancer du poumon est directement lié à l'exposition totale à la fumée de la cigarette, qui est mesurée par le nombre total de cigarettes fumées au cours de la vie, l'âge du début du tabagisme, la profondeur de l'inhalation, le contenu en goudron et en nicotine, ainsi que l'utilisation de cigarettes sans filtre. La fumée secondaire (fumée de cigarettes ou de cigares) contient les mêmes agents carcinogènes que la fumée directe (fumée inhalée ou expirée par le fumeur). Cette exposition à la fumée secondaire constitue un risque pour la santé des adultes et des enfants non fumeurs (Santé Canada, 2011).

Un autre facteur de risque du cancer du poumon est l'inhalation de substances carcinogènes, notamment l'amiante, le radon, le nickel, le fer et les oxydes de fer, l'uranium, les hydrocarbures aromatiques polycycliques, les chromates, l'arsenic et l'air pollué. L'exposition à ces substances est courante chez les employés travaillant dans les mines, les fonderies ou les usines chimiques ou pétrolières. La cigarette a des effets synergiques sur ces produits chimiques. Cela signifie que l'exposition à ces produits chimiques combinée au tabagisme ou à l'inhalation de la fumée secondaire augmente davantage le risque.

Le risque de contracter un cancer du poumon peut varier beaucoup d'une personne à l'autre. Jusqu'à maintenant, aucune anomalie génétique n'a été indéniablement liée à ce cancer. En revanche, il est reconnu que les carcinogènes présents dans la fumée de cigarette endommagent directement l'ADN. Il pourrait donc exister des différences génétiques quant à la voie métabolique qu'empruntent les divers agents carcinogènes d'une personne à l'autre.

À cet égard, il existe des différences substantielles entre les hommes et les femmes auxquelles pourraient contribuer des facteurs génétiques, hormonaux et moléculaires **TABLEAU 35.10**. Chez les fumeurs, les femmes présentent un risque relatif plus élevé de souffrir d'un cancer du poumon que les hommes.

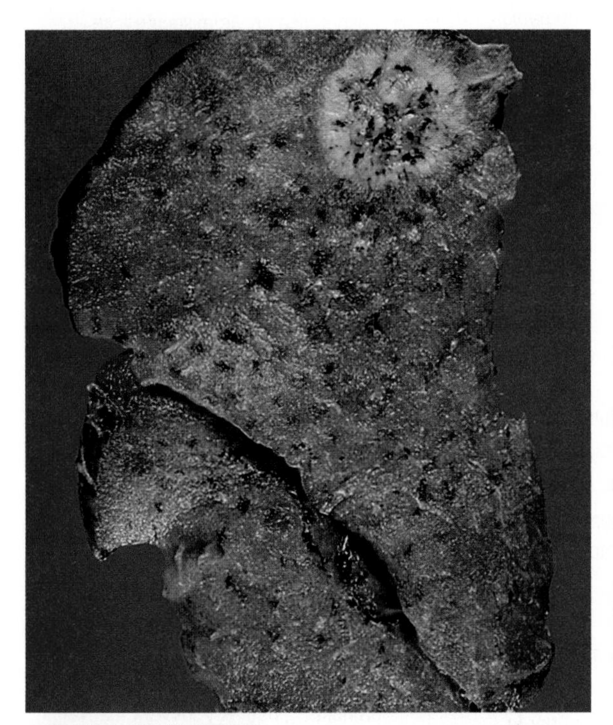

FIGURE 35.2 Cancer du poumon (adénocarcinome périphérique) – La tumeur présente une pigmentation noire marquée suggérant l'évolution en cicatrice anthracotique.

Différences hommes-femmes

TABLEAU 35.10 Cancer du poumon

HOMMES	FEMMES
• Plus d'hommes que de femmes reçoivent un diagnostic de cancer du poumon. • Plus d'hommes que de femmes meurent d'un cancer du poumon. • Le risque de contracter un cancer du poumon chez les hommes fumeurs est 10 fois plus élevé que chez les non-fumeurs. • Le pronostic chez les hommes atteints d'un cancer du poumon est plus grave que chez les femmes. • L'incidence de cancer du poumon chez les hommes ainsi que les décès liés à la maladie sont à la baisse.	• L'incidence de cancer du poumon ainsi que sa mortalité est en progression chez les femmes. • Les femmes : – doivent fumer moins longtemps en moyenne que les hommes avant de développer un cancer du poumon ; – sont atteintes d'un cancer du poumon à un plus jeune âge en moyenne que les hommes ; – présentent un risque plus élevé de carcinome à petites cellules que les hommes. • Les femmes non fumeuses ont un risque plus élevé de cancer du poumon que les hommes. • Les femmes atteintes d'un cancer du poumon vivent en moyenne 12 mois de plus que les hommes.

Physiopathologie

La pathogenèse des cancers primaires du poumon n'est pas entièrement élucidée. La plupart de ces cancers prennent naissance dans les cellules épithéliales des bronches (cancers bronchogéniques). Ces cellules croissent lentement, et il peut s'écouler de 8 à 10 ans avant que la tumeur n'atteigne la taille de 1 cm, soit la plus petite lésion décelable à la radiographie pulmonaire. Les cancers du poumon surviennent surtout dans les bronches segmentaires ou plus petites et ont une préférence pour les lobes supérieurs des poumons **FIGURES 35.2** et **35.3**. Les changements pathologiques dans le système bronchique sont de type

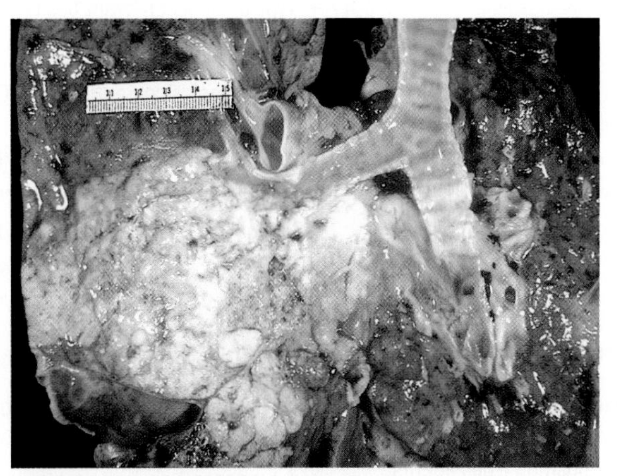

FIGURE 35.3 Carcinome pulmonaire – Le tissu tumoral gris-blanc s'infiltre dans les poumons. L'histologie de cette tumeur révèle un carcinome spinocellulaire.

inflammatoire et non spécifique, et ils sont caractérisés par une hypersécrétion de mucus, une desquamation cellulaire, une hyperplasie réactive des cellules basales et une métaplasie de l'épithélium normal en cellules squameuses stratifiées.

Les cancers primaires du poumon sont classés en deux catégories générales : les cancers du poumon non à petites cellules (CPNPC) (80 %) et les cancers du poumon à petites cellules (CPPC) (20 %) (Zugazagoitia, Enguita, Nuñez *et al.*, 2014) **TABLEAU 35.11**. Les cancers du poumon métastasent principalement par contact direct avec les organes adjacents ou par la circulation sanguine et lymphatique. Les sites courants des métastases sont le foie, le cerveau, les os, les ganglions lymphatiques thoraciques et cervicaux et les glandes surrénales.

Manifestations cliniques

En temps normal, les cancers du poumon demeurent cliniquement silencieux pendant la majeure partie de leur évolution. La découverte d'une masse cancéreuse à la radiographie pulmonaire de routine compte pour environ 10 % des nouveaux cas. Les manifestations cliniques du cancer du poumon sont habituellement non spécifiques et apparaissent tardivement au cours de l'évolution de la maladie. Les symptômes peuvent

TABLEAU 35.11 Comparaison entre les types de cancers primaires du poumon

TYPE DE CELLULE	FACTEURS DE RISQUE	CARACTÉRISTIQUES	TRAITEMENTS ET RÉPONSES
Cancers du poumon non à petites cellules (CPNPC)			
Adénocarcinome	• Associé au tabagisme et à la fibrose interstitielle chronique	• Type de cancer du poumon le plus fréquent, comptant pour environ 30 à 40 % de tous les cas ; cancer du poumon le plus fréquent chez les personnes n'ayant jamais fumé ; plus fréquent chez les femmes • Absence fréquente de manifestations cliniques avant l'envahissement métastatique généralisé	• La résection chirurgicale est effectuée selon le stade du cancer. • La chimiothérapie est peu efficace pour ce type de cancer du poumon.
Carcinome spino-cellulaire	• Presque toujours associé au tabagisme • Associé à une exposition à des agents carcinogènes dans l'environnement (p. ex., l'uranium, l'amiante)	• Deuxième type de cancer du poumon pour ce qui est de la fréquence ; compte pour environ 30 % de tous les cas ; plus fréquent chez les hommes • Prend naissance dans l'épithélium bronchique (cellules à la surface) des poumons ou des bronches • Cancer à croissance lente qui débute normalement dans les bronches ; tendance des nodules cancéreux à être regroupés ; apparition plus précoce des symptômes à cause de l'obstruction bronchique • Type de cancer n'ayant pas une forte tendance à former des métastases	• La résection chirurgicale peut constituer une option. • L'espérance de vie associée à ce cancer, selon son stade, est meilleure que celle associée au CPPC.
Carcinome à grandes cellules (non différenciées)	• Corrélation élevée avec le tabagisme et l'exposition à des agents carcinogènes dans l'environnement	• Type le moins courant de CPNPC ; compte pour 5 à 15 % de tous les cas • Cancer composé de grandes cellules anaplasiques provenant souvent des bronches • Provoque souvent la formation de cavités • Souvent associé à des métastases se propageant par les vaisseaux sanguins et lymphatiques	• La chirurgie est rarement indiquée en raison du taux élevé de métastases. • La tumeur peut être sensible à la radiothérapie, mais elle récidive souvent.
Cancer du poumon à petites cellules (CPPC)			
Carcinome à petites cellules	• Presque toujours associé au tabagisme et à l'exposition à des agents carcinogènes dans l'environnement	• Compte pour environ 20 % de tous les cas • Type le plus malin des cancers du poumon • A tendance à se propager rapidement par le système lymphatique et la circulation sanguine • Est fréquemment associé à des troubles endocriniens	• Le principal traitement utilisé demeure la chimiothérapie, mais le pronostic global est souvent mauvais. • La radiothérapie est utilisée comme traitement adjuvant et comme mesure palliative.

aussi être masqués par la toux chronique qui est attribuée à la cigarette ou à une maladie pulmonaire liée au tabagisme. Les manifestations dépendent du type de cancer primaire du poumon, de son foyer et de ses métastases. Une des manifestations précoces est une pneumonite persistante résultant de l'obstruction des bronches et qui entraîne de la fièvre, des frissons et de la toux.

L'un des symptômes les plus courants, et souvent signalé en premier, est une toux persistante produisant des expectorations. Celles-ci peuvent être sanguinolentes en raison du saignement causé par la tumeur maligne, mais l'hémoptysie n'est pas un symptôme courant. Le client peut présenter une douleur thoracique. Elle est la plupart du temps localisée ou unilatérale, et elle varie de légère à intense. Il peut également y avoir une dyspnée et présence de *wheezing* s'il y a obstruction bronchique.

Les manifestations plus tardives comprennent certains symptômes généraux non spécifiques comme l'anorexie, la fatigue, la perte de poids, les nausées et les vomissements. La voix peut être enrouée à cause de l'atteinte d'un nerf laryngé. Par ailleurs, il est possible d'observer une paralysie unilatérale du diaphragme, une dysphagie et une obstruction de la veine cave supérieure en raison de la propagation intrathoracique de la tumeur maligne. Des ganglions lymphatiques au cou ou à l'aisselle peuvent parfois être palpés. L'atteinte du médiastin peut entraîner un épanchement péricardique, une tamponnade cardiaque et des arythmies.

Examen clinique et examens paracliniques

Les radiographies pulmonaires peuvent révéler initialement une masse ou un infiltrat dans les poumons, ou une obstruction causée par une atélectasie ou une pneumonie. La radiographie pulmonaire peut aussi montrer des signes de métastase aux côtes ou aux vertèbres et la présence d'un épanchement pleural. La TDM est la technique non invasive la plus efficace pour évaluer le cancer du poumon. Cet examen permet de préciser le lieu et l'étendue des masses dans la poitrine, de même que toute atteinte médiastinale ou hypertrophie des ganglions lymphatiques. La TDM du cerveau ou des os est utilisée pour déterminer la présence d'une maladie métastatique. L'imagerie par résonance magnétique (IRM) est parfois utilisée en plus de la TDM ou en remplacement de celle-ci. La **tomographie par émission de positrons (TEP)** mesure l'activité métabolique dans les tissus. Un tissu malin a une activité métabolique supérieure à celle du tissu normal, c'est pourquoi il contraste plus facilement.

La cytologie des expectorations permet d'isoler les cellules malignes, mais les résultats ne sont positifs que dans 20 à 30 % des cas, car ces cellules ne sont pas toujours présentes dans les expectorations. La biopsie s'avère nécessaire pour établir le diagnostic définitif. Si la masse est facilement repérable à la TDM, en plus d'être accessible, les cellules cancéreuses sont aspirées en effectuant une biopsie percutanée guidée avec une aiguille fine. Si la masse est trop petite ou difficile à atteindre, la solution de rechange est la bronchoscopie, qui permet d'effectuer une aspiration, un brossage ou un lavage bronchique. La **médiastinoscopie** est une autre technique qui nécessite l'insertion d'un endoscope dans une petite incision pratiquée sur la face antérieure de la poitrine dans le médiastin. Elle permet de recueillir du tissu des ganglions lymphatiques médiastinaux pour évaluer la présence de métastases. La thoracoscopie vidéo-assistée nécessite l'insertion d'un endoscope dans une petite incision de la paroi thoracique en vue d'obtenir des échantillons de tissu inaccessibles par la médiastinoscopie. S'il faut pratiquer une thoracentèse (ponction pleurale) pour soulager un épanchement pleural, le liquide est analysé pour détecter la présence de cellules malignes. L'**ENCADRÉ 35.10** résume la prise en charge diagnostique du cancer du poumon.

Jugement clinique

Gaétane Tintoret est âgée de 61 ans, et elle est atteinte d'un cancer du poumon gauche. Elle fume depuis l'âge de 16 ans. Vous devez faire une cytologie des expectorations et vous expliquez à la cliente qu'elle doit se brosser les dents sans dentifrice et se rincer la bouche avec de l'eau avant le prélèvement. Pourquoi est-ce important d'insister sur cette préparation ?

Stadification

La stadification du CPNPC peut se faire au moyen de la classification TNM. Les éléments de l'évaluation sont les suivants : T désigne la taille de la tumeur, le site touché et le degré d'invasion ; N indique une atteinte des ganglions lymphatiques régionaux ;

Processus diagnostique et thérapeutique

ENCADRÉ 35.10 Cancer du poumon

EXAMEN CLINIQUE ET EXAMENS PARACLINIQUES

- Anamnèse et examen physique
- Radiographie pulmonaire
- Expectorations en vue d'un examen cytologique
- Bronchoscopie
- TDM
- IRM
- TEP
- Test de spirométrie (préopératoire)
- Médiastinoscopie
- Thoracoscopie vidéo-assistée
- Angiographie pulmonaire
- Aspiration par aiguille fine (ponction pleurale)

PROCESSUS THÉRAPEUTIQUE

- Chirurgie
- Radiothérapie
- Chimiothérapie
- Traitements biologiques ciblés
- Radiothérapie crânienne prophylactique
- Traitement au laser par bronchoscopie
- Traitement photodynamique
- Endoprothèse des voies respiratoires
- Cryothérapie

11

Le rôle de l'infirmière dans la promotion de l'arrêt du tabagisme est discuté dans le chapitre 11, *Troubles liés à une substance*.

et M représente la présence ou l'absence de métastases distantes. La stadification de la tumeur au moyen de cette classification aide à estimer le pronostic et à déterminer le traitement approprié. Le **TABLEAU 35.12** présente une version simplifiée de la stadification des CPNPC. Les personnes aux stades I, II et IIIA de la maladie sont candidates à une chirurgie. En revanche, les stades IIIB et IV sont habituellement inopérables et associés à un mauvais pronostic.

TABLEAU 35.12 Stades du cancer du poumon non à petites cellules

STADE		CARACTÉRISTIQUES
I	A	Tumeur < 3 cm et localisée aux poumons ; aucune atteinte des ganglions lymphatiques
	B	Tumeur > 3 cm et envahissement des régions locales avoisinantes
II	A	Tumeur < 3 cm avec invasion des ganglions lymphatiques du même côté de la poitrine
	B	Tumeur > 3 cm touchant les bronches et les ganglions lymphatiques du même côté de la poitrine et les tissus d'autres organes locaux
III	A	Propagation de la tumeur aux structures avoisinantes (paroi thoracique, plèvre et péricarde) et aux ganglions lymphatiques régionaux
	B	Tumeur étendue touchant le cœur, la trachée, l'œsophage et le médiastin et associée à un épanchement pleural malin ; envahissement des ganglions lymphatiques controlatéraux thoraciques et cervicaux
IV	–	Présence de métastases distantes

La stadification des CPPC par le système TNM n'est pas utile, car ce cancer est très envahissant et toujours considéré comme généralisé ; c'est pourquoi le CPPC est qualifié de limité ou d'étendu. Un CPPC limité signifie que la tumeur reste confinée au thorax et aux ganglions lymphatiques régionaux. Seulement 10 % des clients recevant un traitement énergique contre ce type de cancer survivent deux ans ou plus après l'établissement du diagnostic. Un CPPC étendu signifie que le cancer s'est propagé dans la cage thoracique ou à d'autres parties du corps. Les clients atteints d'un CPPC étendu ne survivent que 12 mois avec un traitement et 6 semaines sans traitement (Winston, 2011).

Dépistage

Une étude nationale américaine a démontré que le dépistage du cancer du poumon fait par TDM, comparativement à une radiographie pulmonaire, permet de réduire la mortalité par cancer du poumon de 20 % (Jett & Midthun, 2011). Selon la Société canadienne du cancer (2015), reconnaître les symptômes et subir un examen de santé régulier demeurent les moyens de dépistage précoce les plus efficaces.

Le rôle de l'infirmière est notamment de donner de l'information aux clients sur les moyens de dépistage et de détection précoce du cancer du poumon. Son enseignement portera entre autres sur l'importance de l'arrêt et de la prévention du tabagisme pour diminuer la morbidité et la mortalité associées à ce type de cancer ▶ 11 **ENCADRÉ 35.11**.

Pratique fondée sur des résultats probants

ENCADRÉ 35.11 Quelles interventions permettent d'accroître le bien-être du client atteint d'un cancer du poumon ?

QUESTION CLINIQUE

Chez les clients atteints d'un cancer du poumon (P), quelle est l'efficacité des interventions non pharmacologiques (I) quant aux symptômes, au fonctionnement psychologique et à la qualité de vie (O) ?

RÉSULTATS PROBANTS

- Revue systématique d'essais cliniques à répartition aléatoire et quasi aléatoire.

ANALYSE CRITIQUE ET SYNTHÈSE DES DONNÉES

- Quinze études (n = 1 440) ont été menées auprès de clients qui ont reçu un diagnostic de cancer du poumon et qui ont bénéficié de diverses interventions non pharmacologiques, dont l'exercice physique, l'alimentation saine, le soulagement de l'essoufflement et de la dyspnée, la relaxation musculaire progressive, la réflexologie plantaire et la consultation psychologique.
- Les clients ont grandement tiré profit des programmes de soulagement de l'essoufflement menés par des infirmières.
- La consultation psychologique peut aider les clients à composer avec leurs symptômes d'ordre émotionnel.
- Les interventions liées à l'exercice et à l'alimentation saine n'ont pas amélioré la qualité de vie du client à long terme.
- La réflexologie peut contribuer à un soulagement à court terme de la douleur et de l'anxiété.

CONCLUSION

- Les interventions non pharmacologiques peuvent réduire l'anxiété, la dépression et les symptômes comme l'essoufflement.

RECOMMANDATIONS POUR LA PRATIQUE INFIRMIÈRE

- Inciter les clients à prendre part aux programmes de soulagement de l'essoufflement et d'autres symptômes pénibles.
- Effectuer un suivi auprès des clients qui assurent eux-mêmes la prise en charge de leurs symptômes.
- Prendre part aux programmes de formation afin d'améliorer sa capacité à prodiguer des soins d'entretien de grande qualité.

P : Population ; I : Intervention ; O : (*Outcome*) Résultat.
Source : Rueda, Sola, Pascual *et al.* (2011).

Processus thérapeutique en interdisciplinarité

Traitement chirurgical

La résection chirurgicale est le traitement de choix du CPNPC de stade I et II sans atteinte médiastinale, car la maladie est potentiellement curable au moyen de cette technique. La survie à 5 ans du cancer du poumon de stade I et II varie de 30 à 60 %. Les facteurs ayant une incidence sur la survie sont notamment la taille de la tumeur primaire et la présence de comorbidités. Une chirurgie, conjuguée à la radiothérapie ou à la chimiothérapie, peut être nécessaire aux autres stades de la maladie. Cinquante pour cent de tous les CPNPC ne sont pas résécables au moment du diagnostic. Les procédures chirurgicales possibles comprennent la pneumonectomie (ablation d'un poumon), la lobectomie (ablation de un ou de plusieurs lobes du poumon) ou la résection segmentaire ou cunéiforme (d'une petite partie d'un segment pulmonaire). Lorsque la tumeur est opérable, il faut évaluer l'état cardiorespiratoire du client pour déterminer sa capacité à tolérer l'intervention. Les contre-indications à la chirurgie sont l'hypertension pulmonaire, le cœur pulmonaire et certaines conditions cardiovasculaires, rénales ou hépatiques.

Radiothérapie

La radiothérapie est un des traitements utilisés contre le CPNPC et le CPPC. Le traitement peut être de type curatif ou palliatif (les doses de radiation sont cependant plus faibles que celles utilisées dans le traitement curatif). Finalement, la radiothérapie peut être associée à certaines interventions chirurgicales ou chimiothérapies comme traitement adjuvant.

Inversement, la radiothérapie peut servir de traitement primaire chez un client incapable de tolérer une résection chirurgicale en raison d'une maladie concomitante. La radiothérapie permet aussi de soulager les symptômes de dyspnée et d'hémoptysie résultant d'une tumeur bronchique obstructive en plus de traiter le syndrome de la veine cave supérieure, qui est une complication possible du cancer du poumon. Elle peut aussi être utilisée pour traiter la douleur causée par les lésions métastatiques osseuses ou cérébrales. Parfois, la radiothérapie est employée avant une intervention chirurgicale pour réduire la masse tumorale avant la résection. Les complications de la radiothérapie sont notamment l'œsophagite, l'irritation cutanée et la pneumonite liée aux radiations.

Radiothérapie stéréotaxique La radiothérapie stéréotaxique, aussi appelée chirurgie stéréotaxique ou radiochirurgie, est un nouveau type de traitement contre le cancer du poumon. Il s'agit d'une radiothérapie utilisant des doses élevées de radiation dirigées de façon précise vers la tumeur. Cette technique représente une option intéressante chez les personnes âgées, les clients atteints d'une maladie pulmonaire ou cardiaque grave ou les autres clients dont l'état de santé est précaire et qui ne sont pas de bons candidats à la chirurgie. La radiothérapie stéréotaxique est une procédure effectuée en consultation externe ; elle requiert un positionnement et des manœuvres radiologiques spéciales afin que les doses élevées de radiation atteignent directement la tumeur et exposent le moins possible les régions intactes des poumons.

Chimiothérapie

La chimiothérapie est le traitement de première intention du CPPC. Dans le cas des CPNPC, la chimiothérapie peut être utilisée pour traiter les tumeurs non résécables ou comme traitement adjuvant à la chirurgie. Tout un éventail de chimiothérapies et de plans de traitement à plusieurs médicaments (protocoles) a été utilisé à ce jour. Les procédés de **chimiothérapie** utilisés contre le cancer du poumon comprennent habituellement une association de un ou de plusieurs des agents suivants : étoposide (Vepesid^MD^), paclitaxel (Taxol^MD^), tartrate de vinorelbine (Navelbine^MD^), ifosfamide (Ifex^MD^), docetaxel (Taxotere^MD^), chlorhydrate de gemcitabine (Gemzar^MD^) et pemetrexed disodique (Alimta^MD^).

Traitement biologique ciblé

Les traitements biologiques ciblés sont des médicaments qui bloquent spécifiquement les messages stimulant la croissance de certaines molécules participant à des étapes précises de la croissance d'une tumeur ; c'est pourquoi ils peuvent se révéler moins toxiques que la chimiothérapie ▶ 16. Un des traitements ciblés utilisés chez les personnes atteintes d'un CPNPC inhibe l'enzyme tyrosine kinase associée au récepteur du facteur de croissance épidermique. Le chlorhydrate d'erlotinib (Tarceva^MD^) en est un exemple. Un autre type de traitement ciblé inhibe l'angiogenèse prévenant ainsi la croissance des cellules cancéreuses. Le bevacizumab (Avastin^MD^) en est un exemple.

Autres traitements

Radiothérapie crânienne prophylactique Les clients atteints d'un CPPC présentent souvent des métastases précocement dans l'évolution de leur maladie, en particulier dans le système nerveux central (SNC). Le traitement systémique peut sembler avoir réussi chez un client, mais comme la plupart des chimiothérapies ne traversent pas la barrière hématoencéphalique, le risque de métastases cérébrales demeure, c'est pourquoi ce type de radiothérapie prophylactique est utilisé. Il a été démontré qu'elle diminuait la migration des métastases au cerveau et augmentait la survie

Les étapes de croissance d'une tumeur sont abordées en détail dans le chapitre 16, *Cancer*.

des personnes atteintes du CPPC (O'Hanlon, Choy, Sisson *et al.*, 2013).

Traitement bronchoscopique au laser Le traitement bronchoscopique au laser permet d'enrayer les lésions bronchiques obstructives. Le laser au grenat d'yttrium et d'aluminium dopé au néodyme (Nd-YAG) est celui le plus utilisé pour les résections au laser. Un bronchoscope flexible ou rigide est employé. L'énergie thermique du laser est transmise au tissu cible. Il s'agit d'une technique sécuritaire et efficace pour traiter les obstructions endobronchiques associées à certaines tumeurs. Le soulagement des symptômes dus à l'obstruction des voies respiratoires après la nécrose et le rétrécissement thermiques de la tumeur est significatif. De plus, la procédure peut être répétée au besoin (American Cancer Society, 2015a).

Traitement photodynamique Le traitement photodynamique est une technique au laser par bronchoscopie sécuritaire pour traiter le cancer du poumon. Le porfimer sodique (Photofrin[MD]) est injecté dans une veine et se concentre par la suite de façon sélective dans les cellules tumorales. Après un intervalle de temps établi (habituellement 48 heures), la tumeur est exposée à la lumière d'un laser, ce qui produit une forme toxique d'oxygène qui détruit les cellules tumorales. Le tissu nécrotique est ensuite retiré à l'aide d'un bronchoscope.

Endoprothèse respiratoire Les endoprothèses sont utilisées seules ou en combinaison avec d'autres techniques pour le soulagement de la dyspnée, de la toux et de l'insuffisance respiratoire. L'avantage des endoprothèses respiratoires est leur capacité à soutenir les parois des voies aériennes et à prévenir l'affaissement ou la compression externe. Par conséquent, elles peuvent retarder l'extension de la tumeur dans la lumière des voies respiratoires.

Ablation par radiofréquence L'ablation par radiofréquence est utilisée pour traiter les petites tumeurs d'un CPNPC qui sont près du bord externe du poumon. Il s'agit d'une thérapie alternative à la chirurgie destinée aux clients dont la situation de santé augmente significativement les risques reliés à une chirurgie. Une fine sonde, semblable à une aiguille, est insérée à travers la peau et dirigée par image radiologique jusqu'à l'intérieur de la tumeur. Une fois à l'intérieur de la tumeur, un courant électrique est administré afin de détruire les cellules cancéreuses avec de la chaleur. Cette procédure se déroule sous anesthésie locale, dans un contexte de soins ambulatoires (American Cancer Society, 2015b).

Soins et traitements infirmiers

CLIENT ATTEINT DE CANCER DU POUMON

Collecte des données

Il est important de vérifier la compréhension globale du client et de son proche aidant au sujet de sa maladie, notamment en ce qui a trait aux examens paracliniques (effectués et à faire), à sa situation de santé actuelle ou potentielle, aux options thérapeutiques et au pronostic. L'infirmière peut, en même temps, évaluer le degré d'anxiété du client et le soutien que lui fournissent ses proches. L'**ENCADRÉ 35.12** présente les données subjectives et objectives à obtenir auprès d'un client atteint d'un cancer du poumon.

Analyse et interprétation des données

Les problèmes prioritaires pour le client atteint d'un cancer du poumon peuvent inclure, sans toutefois s'y limiter, les éléments suivants :

- dégagement incomplet des voies respiratoires lié à une augmentation des sécrétions trachéobronchiques ou à la présence d'une tumeur ;
- anxiété liée à l'annonce du diagnostic, à un manque d'information sur le pronostic ou sur les traitements ;
- douleur aiguë liée à la pression exercée par la tumeur sur les structures avoisinantes et à l'érosion des tissus ;
- besoins nutritionnels non comblés en raison d'une augmentation des demandes métaboliques, d'une augmentation des sécrétions respiratoires, d'une faiblesse générale ou d'anorexie ;
- maintien de la santé inefficace lié à un manque d'information sur le processus de la maladie ou sur le traitement ;
- respiration non optimale liée à une diminution de la capacité pulmonaire.

Planification des soins

Les objectifs généraux pour le client atteint d'un cancer du poumon sont :

- d'arriver à respirer efficacement ;
- d'être capable de dégager adéquatement ses voies respiratoires ;
- de ne présenter aucune cyanose ;
- de gérer efficacement sa douleur analogue (idéalement 0/10 sur l'échelle visuelle analogique [EVA]) ;
- d'avoir une attitude positive à l'égard de son pronostic et de son traitement.

Collecte des données

ENCADRÉ 35.12 Cancer du poumon

DONNÉES SUBJECTIVES

- Renseignements importants concernant la santé :
  - Antécédents de santé : exposition à la fumée secondaire, à des agents carcinogènes en suspension dans l'air (p. ex., l'amiante, le radon et les hydrocarbures) ou à d'autres polluants ; environnement urbain ; maladie pulmonaire chronique, y compris TB, MPOC et bronchiectasie
  - Médicaments : prise de médicaments contre la toux ou pour d'autres problèmes respiratoires
  - Éléments complémentaires : métier à risque
- Modes fonctionnels de santé :
  - Perception et gestion de la santé : antécédents de tabagisme, y compris la quantité de cigarettes par jour et le nombre d'années ; antécédents familiaux de cancer du poumon ; infections des voies respiratoires fréquentes
  - Nutrition et métabolisme : anorexie, nausées, vomissements, dysphagie (symptôme tardif), perte de poids, frissons
  - Activités et exercices : fatigue, toux persistante (productive ou non productive), dyspnée au repos ou à l'effort, hémoptysie (symptôme tardif)
  - Cognition et perception : douleurs thoraciques ou sensation d'oppression, douleurs aux épaules et aux bras, céphalées et douleurs osseuses (symptôme tardif)

DONNÉES OBJECTIVES

- Observations générales : fièvre, lymphadénopathie axillaire ou au cou, syndrome paranéoplasique
- Système tégumentaire : ictère (métastases au foie) ; œdème facial et du cou (syndrome de la veine cave supérieure), hippocratisme digital, cyanose
- Système respiratoire : respiration sifflante, enrouement de la voix, stridor ; paralysie unilatérale du diaphragme ; épanchements pleuraux (signes tardifs) ; diminution des murmures vésiculaires
- Système cardiovasculaire : épanchement péricardique, tamponnade cardiaque, arythmies (symptômes tardifs)
- Système nerveux : altération de l'état de conscience, des fonctions cognitives et de la coordination (démarche instable) (métastases au cerveau)
- Système musculosquelettique : fractures pathologiques (métastases osseuses) ; atrophie musculaire (symptôme tardif)
- Résultats possibles aux examens paracliniques : lésions notées sur les radiographies pulmonaires, la TDM ou la TEP ; invasion de la colonne vertébrale, de la moelle épinière et du médiastin observée à l'examen par IRM ; cultures des expectorations ou des lavages bronchiques positives ; biopsie et bronchofibroscopie positives

Interventions cliniques

Promotion de la santé

La meilleure façon de contrer l'épidémie de cancers du poumon est de prévenir le tabagisme et d'aider les fumeurs à cesser de fumer. Les activités importantes de l'infirmière en ce sens sont notamment de montrer l'exemple en ne fumant pas, de faire la promotion des programmes d'abandon du tabac et d'appuyer activement l'éducation et les politiques de modification des comportements liés au tabagisme. D'importants changements ont eu lieu par suite de l'acceptation du fait que la fumée secondaire représente un danger pour la santé. Les lois québécoise et canadienne interdisent l'usage du tabac dans les lieux publics intérieurs et en limitent l'usage dans certains endroits désignés. L'infirmière doit déconseiller activement le tabagisme chez les jeunes femmes et mettre l'accent sur les risques potentiels pour leur santé et celle de leurs enfants. Puisque la majorité des fumeurs commencent à fumer à l'adolescence, la prévention du tabagisme chez les jeunes représente probablement la mesure la plus importante pour réduire le risque de cancer du poumon. Il existe un large éventail de matériel et d'outils accessibles aux fumeurs qui souhaitent cesser leur consommation de tabac. Au Québec, les programmes de cessation tabagique sont très présents dans l'actualité. En effet, l'Association pulmonaire du Québec propose une ligne d'aide téléphonique, ACTI-MENU lance le « Défi J'arrête, j'y gagne ! » chaque printemps depuis 1999, plusieurs centres d'abandon du tabagisme offrent des services partout au Québec, et le programme « J'arrête » propose des moyens pour se libérer de cette habitude.

Intervention en phase aiguë

Durant la phase d'évaluation, il faut d'abord soutenir et rassurer le client atteint d'un cancer du poumon.

Une façon d'aider le client est de bien connaître les multiples facteurs de stress qui peuvent perturber une personne aux prises avec ce diagnostic. Les réactions de stress peuvent être normales et bien adaptées, mais elles peuvent aussi devenir nuisibles au client si elles sont trop envahissantes

CE QU'IL FAUT RETENIR

Puisque la majorité des fumeurs commencent à fumer à l'adolescence, la prévention du tabagisme chez les jeunes représente probablement la mesure la plus importante pour réduire le risque de cancer du poumon.

ou intenses. D'abord, le client peut être angoissé par ses symptômes de dyspnée et de toux incommodants. Par ailleurs, les procédures diagnostiques et thérapeutiques génèrent de l'anxiété chez le client qui se retrouve dans un environnement inaccoutumé et qui doit subir des manœuvres inhabituelles et parfois douloureuses. Le stress peut aussi venir de la connaissance du taux de mortalité élevé lié au cancer du poumon et de la possibilité que la cigarette en soit la cause. Bon nombre de femmes ressentent un stress supplémentaire associé à leur changement de rôle, c'est-à-dire qu'elles ont été en position d'aidante ou de soignante pendant une bonne partie de leur vie et, maintenant, elles doivent accepter de recevoir des soins. Il est possible aussi qu'elles s'inquiètent au sujet de l'avenir de leur famille et des personnes qui s'occuperont des enfants. Il est important de bien évaluer chaque client, car les facteurs de stress peuvent passablement varier de l'un à l'autre. Les observations de l'infirmière durant l'évaluation l'aideront à guider le client et son proche aidant sur la façon de faire face aux différents stress causés par la maladie (Lehto, 2011).

16

Les soins à prodiguer aux clients recevant une radiothérapie et une chimiothérapie sont expliqués dans le chapitre 16, *Cancer*.

Les mesures utilisées pour soulager la douleur sont présentées en détail dans le chapitre 9, *Douleur*.

Les soins sont personnalisés en fonction du plan de traitement. Les évaluations et les interventions dans la prise en charge des symptômes sont essentielles, tout autant que l'enseignement au client, qui doit reconnaître les signes et les symptômes indiquant une possible progression ou récidive de la maladie. Le rôle de l'infirmière est important à plusieurs égards : favoriser le confort du client, enseigner des méthodes pour réduire la douleur, surveiller les effets indésirables des médicaments prescrits, favoriser des stratégies d'adaptation pour le client et son proche aidant, évaluer la motivation du client à cesser de fumer et, finalement, aider celui-ci à trouver les ressources nécessaires pour faire face à la maladie.

Soutien psychologique

L'annonce d'un diagnostic de cancer ainsi que toutes les étapes de la maladie représentent un stress important pour le client et sa famille. L'infirmière doit assurer une présence et offrir un soutien psychologique au client et à sa famille au cours de toutes ces étapes. L'expression des peurs, de la tristesse ou d'autres sentiments reliés au cancer doit être encouragée par l'infirmière. Par ailleurs, l'infirmière doit s'assurer de répéter les enseignements, car l'attention du client et de sa famille peut être perturbée par leur anxiété reliée au diagnostic de cancer.

Soins ambulatoires et soins à domicile

L'enseignement au client doit comprendre des explications sur les signes et les symptômes à signaler, tels que l'hémoptysie, la dysphagie, la douleur thoracique et l'enrouement de la voix. En outre, il faut encourager le client et sa famille à vivre dans un environnement sans fumée, ce qui signifie entre autres la cessation tabagique pour les autres membres de la famille. Si le plan de traitement comprend l'utilisation d'oxygène à domicile, l'enseignement doit aussi porter sur l'usage sécuritaire du matériel d'oxygénothérapie.

Pour de nombreux clients atteints d'un cancer du poumon, l'espoir de voir leur vie prolongée demeure mince. La radiothérapie et la chimiothérapie peuvent être utilisées pour soulager les symptômes incommodants de façon palliative ▶ 16. La douleur continue devient parfois un problème majeur ▶ 9. En outre, les soins infirmiers comprennent la possibilité de diriger le client vers un travailleur social dont le rôle est d'évaluer ses besoins et ceux de sa famille. Le travailleur social peut leur communiquer certains renseignements sur les programmes d'invalidité, la planification financière ou les ressources communautaires offrant des soins d'hébergement ou de fin de vie.

Évaluation des résultats

Les résultats escomptés chez un client atteint d'un cancer du poumon sont :

- un mode de respiration adéquat ;
- une absence de douleur ou une douleur minimale ;
- une attitude positive devant le pronostic.

Autres types de tumeurs aux poumons

Les CPNPC et les CPPC représentent 95 % des tumeurs pulmonaires. Les tumeurs suivantes composent le 5 % restant :

- hamartome : tumeur bénigne la plus courante ; il s'agit d'une tumeur congénitale à évolution lente composée de tissus fibreux, de gras et de vaisseaux sanguins ;
- chondrome : tumeur bénigne rare prenant naissance dans le cartilage des bronches ;
- léiomyome : myome du muscle lisse non strié ;
- mésothéliome : tumeur maligne ou bénigne provenant de la plèvre viscérale. Les mésothéliomes sont associés à une exposition à l'amiante, qu'ils soient bénins ou malins ; la particularité des mésothéliomes bénins est qu'ils développent des lésions localisées ;

- métastases secondaires provenant d'autres tumeurs malignes: les cellules malignes d'une autre région du corps envahissent les poumons par les capillaires pulmonaires ou par le réseau lymphatique. Les tumeurs malignes primaires qui métastasent aux poumons prennent souvent naissance dans le tractus gastro-intestinal, le tractus génito-urinaire ou les seins. Les symptômes généraux associés aux métastases pulmonaires sont les douleurs thoraciques et la toux non productive.

35.2 Traumas et blessures au thorax

Les accidents avec trauma thoracique représentent 75 % de toutes les causes de décès par trauma (Mancini, 2014). Les blessures à la paroi thoracique et aux organes de la cavité thoracique peuvent être séparées en deux catégories selon le mécanisme de l'impact: les traumatismes contondants et les traumatismes pénétrants.

Un **traumatisme contondant** survient lorsque la poitrine est projetée contre un objet ou est heurtée par un objet. Les types de forces qui peuvent être présentes dans un traumatisme contondant de la paroi thoracique sont la décélération, l'accélération, le cisaillement et la compression. Les blessures externes peuvent sembler mineures, mais les organes internes sont gravement atteints. Les forces d'accélération et de décélération appliquées par l'objet contondant sur les poumons, le cœur et les gros vaisseaux sanguins dans la poitrine provoquent des contusions et des blessures de cisaillement aux tissus. Les blessures peuvent survenir simultanément du côté de l'impact et du côté opposé à celui-ci à cause du déplacement des tissus. S'il y a fracture d'une structure osseuse, les pointes acérées des côtes fracturées ou des rebords du sternum peuvent déchirer le tissu pulmonaire. Lors d'un impact à haute vitesse, les forces de cisaillement peuvent causer des lacérations ou le sectionnement de l'aorte. La compression de la poitrine peut causer des contusions, une blessure par écrasement ou la rupture d'organes.

Les **traumatismes pénétrants** sont des blessures ouvertes provoquées par des corps étrangers empalés dans le corps ou qui en traversent les tissus. Les blessures par coup de couteau, balle ou autres objets pointus en sont des exemples. Le **TABLEAU 35.13** décrit les blessures traumatiques selon le mécanisme de l'impact et les blessures associées. Les soins d'urgence à prodiguer au client présentant une blessure à la poitrine sont décrits au **TABLEAU 35.14**.

Les blessures thoraciques vont de la simple fracture de côte à la rupture complexe d'organes qui peut être mortelle. Les cas de blessures thoraciques d'urgence les plus courants, ainsi que les traitements correspondants sont présentés au **TABLEAU 35.15**.

35.2.1 Pneumothorax

La cavité pleurale n'est pas un espace réel, mais plutôt un espace potentiel. Cet espace entre la plèvre viscérale entourant les poumons et la plèvre pariétale à l'intérieur de la cavité thoracique contient quelques millilitres de liquide lubrifiant qui permet de réduire la friction entre les tissus lorsque la cage thoracique prend de l'expansion. Un **pneumothorax** signifie la présence d'air dans

TABLEAU 35.13 Blessures thoraciques traumatiques courantes et blessures associées

MÉCANISME D'IMPACT	BLESSURES ASSOCIÉES FRÉQUENTES
Traumatisme contondant	
Blessure au thorax causée par le volant d'un véhicule	Fractures de côtes, volet costal, pneumothorax, hémopneumothorax, contusion myocardique, contusion pulmonaire, tamponnade cardiaque, rupture de grands vaisseaux
Blessure à l'épaule causée par le harnais de la ceinture de sécurité d'un véhicule	Fracture de la clavicule, luxation de l'épaule, fractures de côtes, contusion pulmonaire, contusion péricardique, tamponnade cardiaque
Blessure par écrasement (p. ex., par un équipement lourd)	Pneumothorax et hémopneumothorax, volet costal, lésions et rupture de grands vaisseaux, diminution du retour veineux au cœur accompagnée d'une diminution du débit cardiaque
Traumatisme pénétrant	
Blessure au thorax par balle ou coup de couteau	Pneumothorax ouvert, pneumothorax sous tension, hémopneumothorax, tamponnade cardiaque, lésion à l'œsophage, rupture de la trachée, rupture de grands vaisseaux

Évaluation et interventions en situation d'urgence

TABLEAU 35.14 **Trauma thoracique**

ÉTIOLOGIE	MANIFESTATIONS CLINIQUES	INTERVENTIONS
Traumatisme contondant • Accident d'automobile • Accident de piéton • Chute • Agression physique avec un objet contondant • Blessure par écrasement • Explosion **Traumatisme pénétrant** • Couteau • Balle • Bâton • Flèche • Autres projectiles	**Système respiratoire** • Dyspnée et détresse respiratoire • Toux avec ou sans hémoptysie • Cyanose buccale, faciale, du lit des ongles ou des muqueuses • Déviation de la trachée • Fuite d'air de la blessure thoracique audible • Diminution des bruits respiratoires du côté de la blessure • Diminution de la saturation en O_2 • Sécrétions spumeuses **Système cardiovasculaire** • F.C. augmentée et pouls filant • Diminution de la P.A. • P.A. pincée • P.A. différente aux deux bras • Distension des veines jugulaires • Bruits du cœur assourdis • Douleur thoracique • Crépitants synchrones avec les bruits cardiaques • Arythmies **Inspection**[a] • Ecchymoses • Abrasions • Lésion thoracique ouverte • Mouvements thoraciques asymétriques • Emphysème sous-cutané	**Interventions initiales** • S'assurer que les voies respiratoires sont perméables. • Administrer de l'O_2 pour garder la SpO_2 > 90 %. • Établir deux accès I.V. avec des cathéters de gros calibre. Entreprendre l'administration de solutés selon le protocole de l'établissement. • Retirer les vêtements pour évaluer la blessure. • Couvrir la plaie thoracique d'aspiration avec des pansements non poreux sur trois côtés. • Stabiliser l'objet empalé avec de gros pansements. Ne pas retirer l'objet. • Vérifier la présence d'autres lésions majeures et les prendre en charge. • Stabiliser le segment de côte mobile avec les mains, puis poser de longs morceaux horizontaux de ruban sur le segment mobile (ne pas enrouler le ruban autour du thorax). • Placer le client en position semi-Fowler ou sur le côté blessé si la respiration est plus facile, après s'être assuré que le client ne souffre pas d'une blessure à la colonne cervicale. **Surveillance continue** • Surveiller les signes vitaux, l'état de conscience, la saturométrie, le rythme cardiaque, l'état respiratoire et la quantité d'urine produite. • Prévoir une intubation en cas de détresse respiratoire. • Prévoir l'installation d'un drain thoracique. • Prendre en charge les blessures associées, s'il y a lieu[a].

[a] Toute personne en évaluation initiale à la suite d'un trauma quelconque doit faire l'objet d'une inspection particulière pour déceler les autres traumas possibles, apparents ou non.

la cavité pleurale. Lorsque le volume d'air emprisonné dans la cavité pleurale augmente, le volume des poumons diminue, et il est possible que les poumons s'affaissent partiellement ou complètement. Un pneumothorax doit être soupçonné après tout traumatisme contondant de la paroi thoracique. Il y a deux types de pneumothorax : fermé ou ouvert. Un pneumothorax secondaire à un trauma peut être accompagné d'un hémothorax, une affection appelée **hémopneumothorax**.

Types de pneumothorax

Pneumothorax fermé

Les pneumothorax fermés ne sont associés à aucune blessure externe. Le type le plus courant est le pneumothorax spontané, qui est l'accumulation d'air dans la cavité pleurale en l'absence de manifestations ou de maladies prédisposantes antérieures. Il est causé par la rupture de petites bulles qui se sont formées sur la plèvre viscérale, résultat d'une inflammation des voies respiratoires et le plus souvent secondaire au tabagisme. Le risque augmente avec la quantité de cigarettes fumées. Les grands fumeurs de sexe masculin (plus de 22 cigarettes/jour) sont plus vulnérables aux pneumothorax spontanés que les non-fumeurs. Les autres facteurs de risque sont notamment la présence d'antécédents familiaux et de pneumothorax spontanés antérieurs.

Une lésion au poumon attribuable à une fracture de côte peut aussi entraîner un pneumothorax, tout comme les lacérations ou les perforations des poumons à la suite de l'insertion d'un cathéter dans l'artère sous-clavière. Aussi, lorsque la ventilation manuelle ou mécanique est trop forte, la pression excessive peut rompre les

CE QU'IL FAUT RETENIR

Un pneumothorax doit être soupçonné après tout traumatisme contondant de la paroi thoracique.

Évaluation et interventions en situation d'urgence

TABLEAU 35.15 **Blessures thoraciques**

LÉSION	DÉFINITION	MANIFESTATIONS CLINIQUES	TRAITEMENT D'URGENCE
Pneumothorax	Présence d'air dans la cavité pleurale **FIGURE 35.4**	Dyspnée, diminution des mouvements de la paroi thoracique atteinte, diminution ou absence des bruits respiratoires du côté atteint, hyperrésonance à la percussion	Insertion d'un drain thoracique muni d'une valve flottante ou d'un système de drainage
Hémothorax	Présence de sang dans la cavité pleurale avec ou sans pneumothorax	Dyspnée, diminution ou absence des bruits respiratoires, matité à la percussion, diminution du taux d'hémoglobine, possibilité de choc selon le volume de l'hémothorax	Insertion d'un drain thoracique avec système de drainage thoracique ; autotransfusion avec le sang recueilli du client ; traitement de l'hypovolémie au besoin
Pneumothorax sous tension	Présence d'air dans la cavité pleurale qui ne peut s'échapper. L'augmentation continue de la quantité d'air déplace les organes intrathoraciques et augmente la pression intrathoracique (refoulement médiastinal) **FIGURE 35.5**.	Cyanose, respiration de Kussmaul, dyspnée, agitation, déviation de la trachée du côté opposé au pneumothorax, emphysème sous-cutané, distension des veines jugulaires, hyperrésonance à la percussion, hypotension soudaine et tachycardie	Urgence médicale : décompression au moyen d'une aiguille suivie par l'insertion d'un drain thoracique connecté à un système de drainage thoracique
Volet costal	Fracture de deux ou de plusieurs côtes adjacentes à deux ou à plusieurs endroits accompagnée d'une perte de la stabilité de la paroi thoracique **FIGURE 35.6**	Mouvements paradoxaux de la paroi thoracique, détresse respiratoire, peut être associé à un hémothorax, à un pneumothorax ou à des contusions pulmonaires	Administration d'O_2 pour maintenir une saturation en O_2 > 90 % ; analgésie ; stabilisation du segment mobile avec une ventilation à pression positive (ventilation spontanée en pression positive à deux niveaux de pression [CPAP], BiPAP) ou intubation et ventilation mécanique ; traitement des blessures associées
Tamponnade cardiaque	Accumulation rapide de sang dans le sac péricardique, compression du myocarde par le péricarde qui ne peut s'étirer, ce qui entrave le remplissage du ventricule	Bruits cardiaques assourdis et distants, hypotension, dilatation des veines jugulaires, augmentation de la pression veineuse centrale	Urgence médicale : ponction du péricarde (péricardiocentèse) avec chirurgie correctrice au besoin

alvéoles ou les bronchioles. L'œsophage peut aussi causer un pneumothorax, par exemple lorsqu'il se rupture après des vomissements violents ou une intubation gastrique traumatique. L'air de l'œsophage entre alors dans le médiastin et la cavité pleurale.

Pneumothorax ouvert

Il y a pneumothorax ouvert lorsque l'air entre dans la cavité pleurale par une ouverture de la paroi thoracique, par exemple après une blessure par coup de couteau ou par balle ou après une thoracotomie chirurgicale **FIGURE 35.4**. Une blessure thoracique pénétrante peut être autrement appelée blessure thoracique d'aspiration puisque l'air entre dans la cavité pleurale à travers la paroi thoracique à l'inspiration. Le traitement d'urgence consiste à couvrir la blessure avec un pansement occlusif scellé sur trois côtés. Durant l'inspiration, comme une pression négative est créée dans le thorax, le pansement est aspiré dans le trou de la blessure, ce qui prévient l'entrée d'air dans la cavité pleurale. Durant l'expiration, lorsque la pression augmente dans la cavité pleurale, le pansement est poussé vers l'extérieur, et l'air s'échappe à travers l'ouverture et le pansement.

Si l'objet qui a causé la blessure ouverte au thorax est encore en place, il ne faut pas le retirer avant l'arrivée du médecin, mais plutôt le stabiliser avec un gros pansement.

Pneumothorax sous tension

Un pneumothorax sous tension est caractérisé par une accumulation rapide d'air dans la cavité pleurale ou par un emprisonnement de l'air qui entre dans la cavité pleurale à l'inspiration, mais qui ne peut s'en échapper ; en présence d'une blessure thoracique ouverte, il peut se créer une sorte de volet qui agit comme une valve unidirectionnelle. Cela cause une élévation importante de la pression intrapleurale qui crée une compression

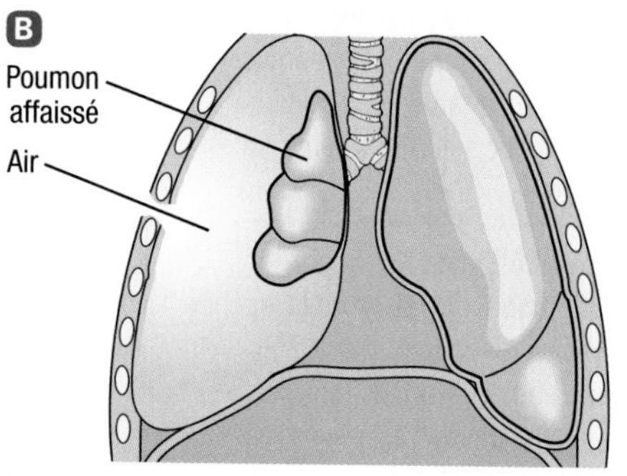

FIGURE 35.4 Affections de la plèvre – A Fibrothorax au poumon droit consécutif à la collection d'un exudat inflammatoire et épanchement pleural au poumon gauche. B Affaissement du poumon à la suite d'un pneumothorax ouvert résultant d'un trauma thoracique qui crée une communication entre le poumon et l'air de l'extérieur.

38

Le chapitre 38, *Interventions cliniques – Troubles hématologiques,* présente les interventions infirmières relatives à l'autotransfusion.

sur le poumon du côté atteint ainsi que sur le cœur et les gros vaisseaux sanguins. La pression intrathoracique augmente, le poumon s'affaisse, et le médiastin est déplacé vers le côté intact, ce qui comprime l'autre poumon. Cette condition est appelée refoulement médiastinal **FIGURE 35.5**. À mesure que la pression intrathoracique augmente, le retour veineux diminue, et le débit cardiaque chute. Les pneumothorax sous tension peuvent être ouverts ou fermés.

Par ailleurs, la ventilation mécanique ou les efforts de réanimation peuvent aussi causer un pneumothorax sous tension, de même que le clampage ou l'occlusion d'un drain thoracique chez un client qui présente déjà un pneumothorax. La situation se corrige par le déverrouillage du drain ou par le retrait de la source de l'obstruction. Les symptômes du pneumothorax sous tension sont notamment la dyspnée, la douleur thoracique qui irradie à l'épaule, la déviation de la trachée, la diminution ou l'absence de bruits respiratoires du côté atteint, la distension des veines du cou, la cyanose et l'hypotension (Mason, Broaddus, Martin *et al.*, 2010). Il est important de rappeler qu'un pneumothorax sous tension met la vie du client en danger ; l'infirmière doit impérativement déceler les signes précurseurs du danger, car le client devra alors être pris en charge rapidement.

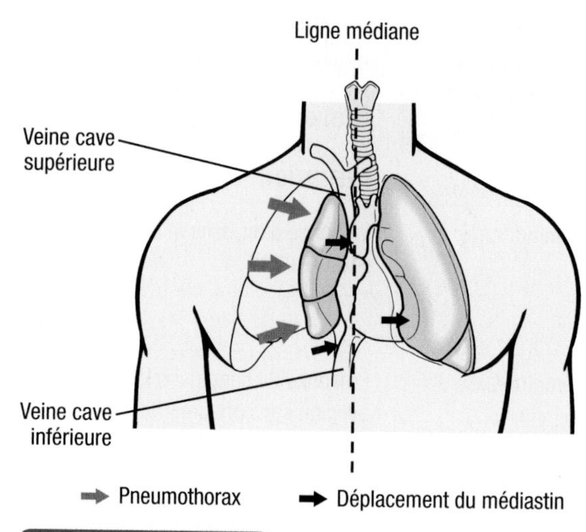

FIGURE 35.5 Pneumothorax sous tension – L'augmentation continue de la pression dans la plèvre du côté atteint entraîne un déplacement du médiastin qui compromet les fonctions respiratoire et cardiovasculaire.

Hémothorax

L'**hémothorax** est l'accumulation de sang dans la cavité pleurale provenant d'un vaisseau sanguin intercostal, d'une artère mammaire interne, des poumons, du cœur ou de gros vaisseaux sanguins. Lorsqu'il y a un hémothorax surajouté à un pneumothorax, il est alors question d'hémopneumothorax. Il est possible de recueillir le sang contenu dans un hémothorax fermé pour le transfuser au même client, mais cela doit être fait peu de temps après la blessure ▶ 38.

Chylothorax

Un **chylothorax** est la présence de liquide lymphatique dans la cavité pleurale. Le canal thoracique peut être lésé, soit par un trauma soit par une tumeur maligne. Il en résulte une sortie de liquide lymphatique qui remplit la cavité pleurale. Ce liquide blanc laiteux a une teneur élevée en lipides. Le débit lymphatique normal dans le canal thoracique est de 1 500 à 2 400 mL/jour. Cinquante pour cent des cas guérissent avec un traitement classique, soit par drainage thoracique, mise au repos de l'intestin et nutrition parentérale. Il a été démontré que l'acétate d'octréotide (Sandostatin[MD]) peut réduire le débit du liquide lymphatique dans certains cas (National Comprehensive Cancer Network, 2012). Si le traitement classique n'est pas satisfaisant, les options restantes sont la pleurodèse ou l'intervention chirurgicale. La **pleurodèse** est la production d'adhérences artificielles entre la plèvre pariétale et la plèvre viscérale. Un agent sclérosant chimique, comme le talc ou la doxycycline, est habituellement utilisé.

Manifestations cliniques

Si le pneumothorax (ou l'hémothorax ou le chylothorax) est léger, il est possible que seules une tachycardie et une dyspnée légères soient présentes. Si le pneumothorax (ou l'hémothorax ou le chylothorax) occupe une grande superficie, il peut y avoir détresse respiratoire qui se manifeste notamment par une respiration rapide et superficielle, une dyspnée (y compris de type Kussmaul) et une désaturation en oxygène en raison de la diminution de la surface des échanges gazeux. Le client peut présenter une douleur thoracique et une toux avec ou sans hémoptysie. À l'auscultation, il y a absence de bruits respiratoires au-dessus de la région touchée. La radiographie pulmonaire montre la présence d'air ou de liquide dans la cavité pleurale et une diminution du volume du ou des poumons atteints.

Processus thérapeutique en interdisciplinarité

Le pneumothorax sous tension constitue une urgence médicale, car tant le système respiratoire que le système cardiovasculaire sont touchés. Si la pression dans la cavité pleurale n'est pas réduite, le client peut mourir d'un débit cardiaque insuffisant ou d'une hypoxémie grave. Il faut insérer d'urgence une aiguille de gros calibre dans la paroi thoracique antérieure entre le quatrième ou le cinquième espace intercostal pour libérer l'air emprisonné. Un drain thoracique est ensuite inséré et relié à un système de drainage scellé sous eau.

Le traitement dépend de la gravité du pneumothorax (ou de l'hémothorax ou du chylothorax) et de la nature de la maladie sous-jacente. Si l'état du client est stable et que la quantité d'air ou de liquide accumulé dans la cavité intrapleurale est minime, aucun traitement n'est nécessaire puisque la maladie peut se résorber spontanément. Si la quantité d'air ou de liquide est minime, la cavité pleurale peut aussi être aspirée avec une aiguille de gros calibre ; cette procédure se nomme thoracentèse. Le traitement le plus efficace et le plus courant du pneumothorax et de l'hémothorax est l'insertion d'un drain thoracique relié à un système de drainage scellé sous eau. Les pneumothorax spontanés à répétition peuvent être traités au moyen d'une chirurgie, c'est-à-dire par pleurectomie partielle, agrafage ou pleurodèse pour favoriser l'adhérence entre les plèvres.

35.2.2 Fracture de côtes

Les fractures de côtes sont le type le plus courant de blessure thoracique résultant d'un traumatisme contondant. Les côtes 5 à 10 sont celles le plus souvent fracturées, car elles se trouvent moins protégées par les muscles de la poitrine. Lorsqu'une côte fracturée est déplacée, elle peut endommager la plèvre et les poumons.

Les manifestations cliniques des fractures de côtes sont notamment la douleur au site de la lésion, en particulier à l'inspiration et à la toux. Pour réduire la douleur, le client tente de protéger le côté atteint en immobilisant sa poitrine et en prenant des inspirations superficielles. Comme il évite les respirations profondes, des problèmes tels que l'atélectasie et la pneumonie peuvent survenir en raison de la faible ventilation et de l'accumulation des sécrétions.

Le principal objectif du traitement est de diminuer la douleur afin que le client puisse bien respirer et que l'expansion des poumons soit adéquate. Il est généralement déconseillé d'enrouler la poitrine avec du ruban ou un bandage, puisque cela limite l'expansion du thorax et prédispose le client à l'atélectasie. Les anti-inflammatoires non stéroïdiens (AINS), les analgésiques opioïdes ou l'anesthésie tronculaire (bloc d'un tronc nerveux) peuvent réduire la douleur et favoriser les respirations profondes et la toux. L'enseignement au client doit surtout porter sur le bien-fondé des respirations profondes et de la toux, ainsi que sur l'utilisation d'un spiromètre et sur la gestion de la douleur.

Jugement clinique

Jean-René Viger, 32 ans, se présente à l'urgence à la suite d'une chute qu'il a faite dans l'escalier de son appartement. Il présente une douleur à la poitrine accompagnée d'une respiration rapide et superficielle. Il tousse abondamment, et les sécrétions sont teintées de sang. Sa SpO_2 est à 88 %. À l'auscultation, vous remarquez l'absence de bruits respiratoires du côté gauche. À la lumière de ces données cliniques, que devez-vous soupçonner ?

MAIS SI ...

Si monsieur Viger avait une fracture de côtes, qu'il était dyspnéique et que vous entendiez des crépitants à l'auscultation près des côtes fracturées, que devriez-vous alors soupçonner ?

Réactivation des connaissances

Quelle est la différence entre les tests de spirométrie et les exercices de spirométrie ?

35.2.3 Volet costal

Il y a **volet costal** en présence d'une fracture de deux côtes ou plus, à deux endroits séparés ou plus, ce qui produit un segment instable **FIGURE 35.6**. Les volets costaux, ou segments mobiles, sont souvent associés aux fractures des côtes antérieures (séparation du sternum) ou latérales. La cage thoracique ne peut plus fournir le support structural nécessaire pour maintenir la ventilation et l'action des organes respiratoires. La région atteinte (mobile) se déplace paradoxalement par rapport à la portion intacte du thorax durant la respiration : à l'inspiration, la portion atteinte est aspirée vers l'intérieur, et à l'expiration, elle fait saillie. Le mouvement paradoxal de la poitrine empêche la ventilation adéquate du poumon du côté atteint, ce qui augmente le travail respiratoire. Le poumon qui se trouve sous le volet costal peut également être contusionné, ce qui aggrave l'hypoxémie.

Le volet costal est habituellement visible à l'œil nu chez un client inconscient : les respirations sont rapides, superficielles et paradoxales, avec présence de tachycardie. En revanche, chez le client conscient, le volet costal peut ne pas être apparent initialement étant donné que le client pallie légèrement les problèmes respiratoires en immobilisant sa poitrine. En général, la personne présentant un volet costal a de la difficulté à

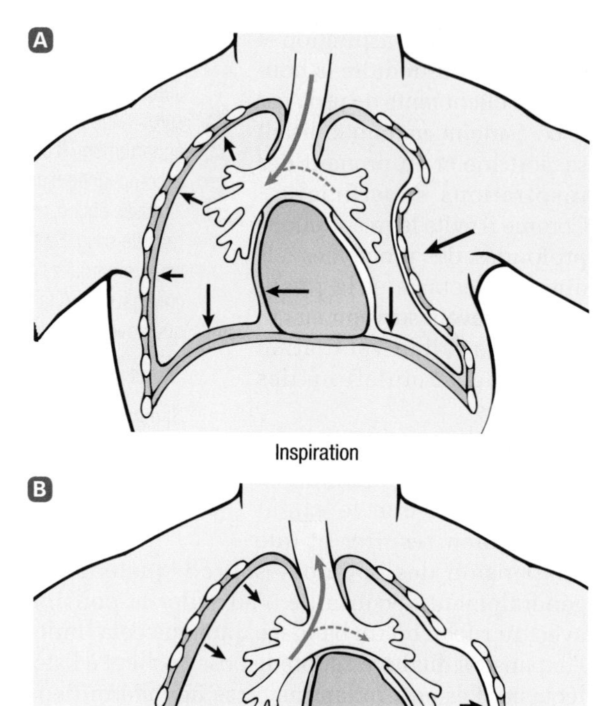

FIGURE 35.6 Volet costal produisant une respiration paradoxale – **A** À l'inspiration, la section atteinte est aspirée vers l'intérieur, et le médiastin est déplacé vers le côté intact. **B** À l'expiration, la section atteinte fait saillie vers l'extérieur, et le médiastin est déplacé du côté atteint.

respirer, et ses mouvements thoraciques sont asymétriques et non coordonnés. Le diagnostic est facilité par la palpation de mouvements respiratoires anormaux, la présence de crépitants à l'auscultation près des côtes fracturées et par l'observation de la radiographie pulmonaire et de la GSA.

Le traitement initial consiste à rétablir la perméabilité des voies aériennes, assurer une ventilation adéquate, administrer une oxygénothérapie d'appoint et soulager la douleur. Le traitement définitif vise à faire reprendre de l'expansion aux poumons pour qu'ils retrouvent leur volume normal et à assurer une oxygénation adéquate. Même si bon nombre de clients peuvent être traités sans ventilation mécanique, une intubation et une ventilation mécanique peuvent toutefois s'avérer nécessaires dans certains cas. Le parenchyme pulmonaire et les côtes fracturées guérissent avec le temps. Certains clients continuent cependant d'éprouver des douleurs intercostales après la résolution du volet costal.

35.2.4 Drains thoraciques

Les drains thoraciques peuvent être insérés dans la cavité pleurale (drain pleural) pour retirer l'air et les liquides et permettre au poumon de reprendre son volume normal. Ils peuvent également drainer le médiastin (drain médiastinal) et les cavités pulmonaires à la suite d'une chirurgie cardiaque ou pulmonaire.

Insertion du drain thoracique

L'insertion d'un drain thoracique est un acte médical qui peut se faire au service des urgences, au chevet du client hospitalisé ou dans la salle d'opération. Dans les deux premiers cas, le client doit s'asseoir sur le bord du lit avec ses bras appuyés sur une table de chevet ou se coucher en exposant la ligne axillaire du côté atteint. La radiographie pulmonaire peut être utilisée pour confirmer le côté atteint. La région est nettoyée avec une solution antiseptique. La paroi thoracique est préparée avec un anesthésique local, et une petite incision est pratiquée au-dessus de la côte. Le drain thoracique est inséré au-dessus d'une côte pour éviter le contact avec les nerfs intercostaux et les vaisseaux sanguins qui sont situés sous la côte **FIGURE 35.7**.

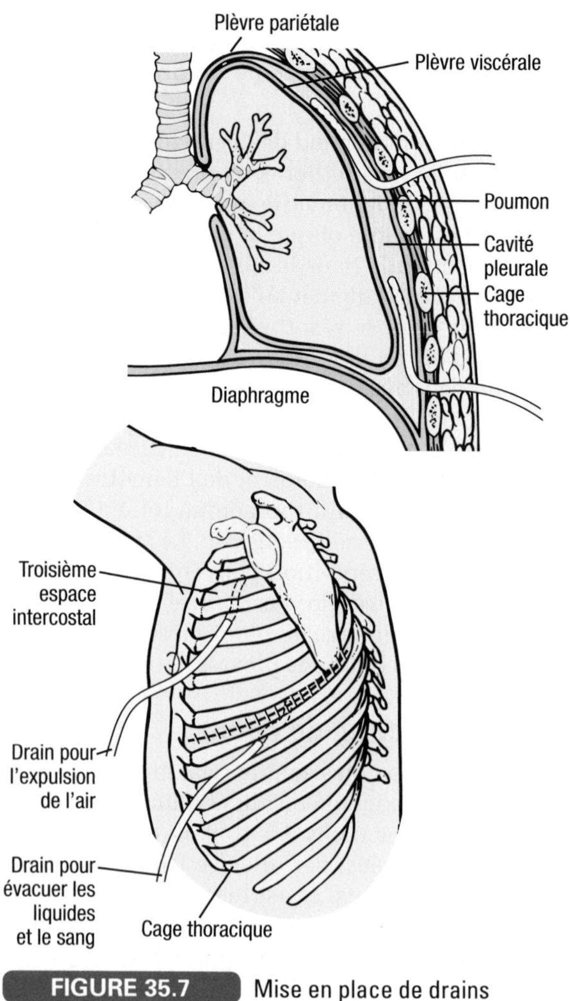

FIGURE 35.7 Mise en place de drains thoraciques

Après une thoracotomie, le drain thoracique est inséré dans la plaie laissée par l'incision chirurgicale. Si le but du drain est de retirer de l'air, le calibre utilisé peut être plus petit (de 14 à 22 Fr), et le drain est dirigé vers l'avant et le haut. Si le but est de retirer du liquide, un calibre plus gros peut être utilisé (de 28 à 40 Fr), et le drain est dirigé vers le bas et l'arrière. Le drain est fixé à la peau par une suture, puis connecté à un système de drainage. Deux drains peuvent être connectés au même système de drainage au moyen d'un connecteur en Y.

L'incision est refermée avec des points de suture; il faut s'assurer que le drain thoracique est stable et bien en place et que la blessure est couverte avec un pansement occlusif. L'insertion d'un drain thoracique et sa présence dans la cavité pleurale sont douloureuses, c'est pourquoi il faut vérifier à intervalles fréquents le degré de confort du client et utiliser toute intervention appropriée pour soulager la douleur.

Types de systèmes de drainage thoracique

Il existe deux types de systèmes de drainage thoracique. Le premier contient une valve flottante connectée à un sac de drainage. Le deuxième type de système est plus grand et contient trois compartiments de base, chacun ayant une fonction unique.

Valve de Heimlich

La valve de Heimlich est un autre appareil qui sert à évacuer l'air de la cavité pleurale **FIGURE 35.8**. Ce dispositif est fait d'une tubulure rigide en plastique qui contient une valve flottante à sens unique. Elle est attachée à l'extrémité externe du drain thoracique. La valve s'ouvre lorsque la pression intrathoracique est supérieure à la pression atmosphérique (comme à l'expiration) et se referme lorsque la pression intrathoracique est inférieure à la pression atmosphérique (comme durant l'inspiration). Ce dispositif à valve flottante peut être utilisé pour les transports d'urgence ou pour les pneumothorax légers à modérés. Ses avantages sont notamment la facilité de déplacement et la sécurité pour les clients en consultation externe. Il permet une certaine mobilité puisque le client peut se déplacer avec le sac de drainage logé sous ses vêtements. Le client peut même retourner à son domicile avec la valve de Heimlich en place ▶ MS 2.7.

Appareil de drainage thoracique

Le premier compartiment, ou chambre de recueil, de l'appareil de drainage pleural (ou thoracique) reçoit le liquide et l'air de la plèvre ou de la cavité médiastinale **FIGURE 35.9**. Le liquide reste dans cette chambre pendant que l'air s'échappe dans le deuxième compartiment. Celui-ci, appelé chambre scellée sous eau, contient 2 cm d'eau, qui agit comme une valve à sens unique. L'air qui entre de la chambre de recueil fait des bulles dans l'eau.

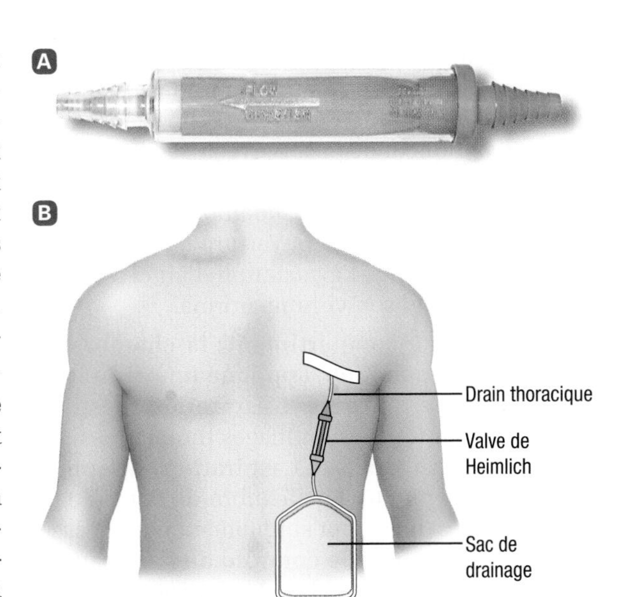

FIGURE 35.8 **A** Drain thoracique muni d'une valve de Heimlich – Dispositif à valve flottante spécialement conçu et utilisé à la place des appareils de drainage thoracique dans les cas de pneumothorax non compliqué nécessitant peu ou pas de drainage ni aspiration. La valve permet à l'air de s'échapper à l'extérieur, mais prévient l'entrée d'air dans la cavité pleurale. **B** Insertion de la valve entre le drain thoracique et le sac de drainage. Le sac peut être porté sous les vêtements de la personne.

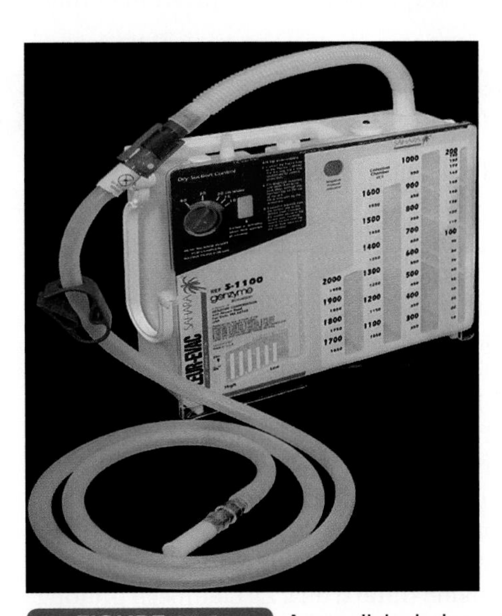

FIGURE 35.9 Appareil de drainage thoracique

L'eau empêche le retour de l'air de l'appareil dans le corps du client. Lorsqu'un pneumothorax est évacué, il peut y avoir beaucoup de bulles au début dans cette chambre. En temps normal, un bullage intermittent peut être observé à l'expiration ou lorsqu'il y a toux ou éternuements à cause de l'augmentation de la pression intrathoracique du client. Habituellement, le niveau de l'eau fluctue, reflétant la pression intrapleurale à l'inspiration et à

MS 2.7

Méthodes liées à la fonction respiratoire : *Installation d'une valve de Heimlich (assistance au médecin).*

l'expiration. Ces fluctuations de l'eau sont appelées mouvements ondulatoires. À mesure que la quantité d'air diminue dans la cavité pleurale, la pression intrapleurale positive requise pour expulser l'air à l'extérieur doit être de plus en plus grande, et le bullage de la chambre scellée sous eau cesse. Finalement, l'ouverture dans la plèvre viscérale se referme, l'évacuation d'air cesse, et le poumon reprend son volume normal.

Le troisième compartiment, la chambre de contrôle de l'aspiration, applique une aspiration à l'appareil de drainage. L'aspiration n'est pas indiquée pour tous les drainages thoraciques. Un drainage thoracique sans aspiration est appelé drainage par gravité. La chambre de contrôle de l'aspiration est alors tout simplement non utilisée. Il existe deux types de contrôle de l'aspiration : sous eau et sec. La chambre de contrôle de l'aspiration dans l'appareil sous eau contient une colonne d'eau dont le haut est ouvert à l'air atmosphérique grâce à un évent pour contrôler l'aspiration venant du régulateur mural. La chambre est habituellement remplie de 20 cm d'eau afin de créer une force d'aspiration de –20 cm d'eau. Lorsque la pression négative générée par l'aspiration murale dépasse les 20 cm d'eau établis, l'air atmosphérique entre dans le compartiment par l'ouverture du haut et fait des bulles dans l'eau, ce qui coupe la source d'aspiration et libère l'excédent de pression. La force de l'aspiration appliquée est régulée par la quantité d'eau présente dans ce compartiment et non par la force de l'aspiration ajustée de l'appareil. Une augmentation de l'aspiration murale n'entraîne pas une hausse de la pression négative dans l'appareil, car tout excès d'aspiration ne fait qu'augmenter la sortie de l'air par l'évent situé sur le dessus du troisième compartiment. La pression d'aspiration est habituellement établie à –20 cm H_2O, bien que des pressions supérieures (–40 cm H_2O) soient parfois nécessaires pour évacuer la cavité pleurale. Pour mettre en route l'aspiration, le vide créé doit être élevé jusqu'à l'apparition de petites bulles dans le compartiment. Un bullage excessif n'indique pas l'augmentation de l'aspiration et ne fait que hausser le taux d'évaporation de la colonne d'eau ainsi que le bruit fait par l'appareil. La chambre de contrôle de l'aspiration dans un appareil de drainage sec ne contient pas d'eau. C'est un repère visuel qui indique si l'aspiration fonctionne. Pour augmenter la pression d'aspiration, il suffit de régler le régulateur de l'appareil de drainage à la pression négative souhaitée.

Plusieurs dispositifs commerciaux de drainage thoracique en plastique jetables sont offerts sur le marché. Les fabricants fournissent des directives sur la façon de monter et d'utiliser chaque appareil ▶ MS 2.5.

MS 2.5 Vidéo i+

Méthodes liées à la fonction respiratoire : *Changement et surveillance d'un appareil de drainage pleural de type Pleur-Evac[MD].*

Soins et traitements infirmiers

CLIENT PORTEUR D'UN DRAINAGE THORACIQUE

Il n'est plus recommandé de clamper le drain thoracique durant les déplacements ou lorsque le drain est déconnecté par inadvertance. Lorsque le drain est clampé, il y a danger d'une accumulation rapide d'air dans la cavité pleurale, entraînant un pneumothorax sous tension. C'est une conséquence potentiellement beaucoup plus grave que de permettre l'entrée d'une petite quantité d'air atmosphérique dans la cavité pleurale en ne clampant pas le drain. Par contre, le drain thoracique peut être momentanément clampé pour changer le système de drainage ou pour vérifier les bris dans ce système (fuite d'air). Le clampage prolongé du drain est indiqué seulement pour vérifier si le client peut tolérer le retrait du drain thoracique (ou si le drain est installé à la suite d'une pneumonectomie). Une telle manœuvre est habituellement effectuée de quatre à six heures avant le retrait définitif du drain, et il faut surveiller étroitement le client.

Si le drain thoracique se déconnecte, l'intervention la plus importante est le rétablissement immédiat du système scellé sous eau et le raccord à un nouveau système de drainage le plus tôt possible. Lorsqu'il y a déconnexion, certains hôpitaux recommandent de submerger le drain thoracique dans de l'eau stérile (environ 2 cm) jusqu'à ce que le système soit rétabli. Il est important de connaître le protocole de l'établissement, de même que le tableau clinique particulier du client et d'en discuter avec le médecin avant de décider de clamper le drain thoracique de façon prolongée.

En plus de l'évaluation faite par l'infirmière, la radiographie pulmonaire est employée pour vérifier à intervalles réguliers la position du drain et la réexpansion des poumons. Si un volume de 1 à 1,5 L de liquide pleural est retiré rapidement, il peut se produire un œdème pulmonaire de réexpansion ou une réponse vasovagale avec hypotension symptomatique.

Une infection au site cutané d'insertion du drain est également possible. L'utilisation de techniques stériles méticuleuses durant les changements de pansement peut réduire la fréquence des infections à cet endroit ; les soins infirmiers et l'enseignement aux clients peuvent réduire au minimum le risque d'atélectasie et les douleurs associées au drain (p. ex., une douleur à la toux, la raideur des épaules, etc.) ▶ MS 2.6.

Méthodes liées à la fonction respiratoire : *Drainage pleural : réfection du pansement.*

Retrait du drain thoracique

En général, un drain thoracique est retiré lorsque les poumons ont repris leur volume normal et qu'il n'y a plus aucune évacuation d'air ou de liquide. L'aspiration est interrompue, et le drain thoracique est placé de telle sorte que le drainage se fait par gravité pendant 24 heures avant le retrait définitif du drain. Après avoir réuni le matériel nécessaire, l'infirmière doit expliquer la procédure au client et administrer les antidouleurs environ 15 minutes avant le retrait du drain. La plupart du temps, le drain thoracique est retiré par le médecin ou une infirmière en pratique avancée. La suture est coupée, et un pansement de gaze stérile et étanche avec de la gelée de pétrole est préparé. Le client doit alors retenir sa respiration ou faire la manœuvre de Valsalva, et le drain est retiré. L'augmentation de pression intrathoracique empêche l'air de pénétrer par l'insertion du drain pendant son retrait. Le site est immédiatement recouvert d'un pansement hermétique pour empêcher l'air d'entrer dans la cavité pleurale. Après quelques jours, la plèvre s'obstrue, et la plaie cutanée guérit. Une radiographie pulmonaire peut être effectuée si la présence d'un pneumothorax ou d'une nouvelle accumulation de liquide est soupçonnée. La plaie laissée par l'insertion du drain doit être examinée, et il faut consolider le pansement, si nécessaire. L'infirmière évalue ensuite l'état du client à la recherche d'un problème respiratoire qui pourrait signifier une récidive du trouble primaire.

35.2.5 Chirurgie thoracique

Plusieurs maladies peuvent nécessiter une intervention chirurgicale thoracique, y compris les troubles non pulmonaires. Par exemple, la thoracotomie est pratiquée pour les chirurgies du cœur comme pour les chirurgies de l'œsophage. Le **TABLEAU 35.16** présente les différents types de chirurgie thoracique.

Soins préopératoires

Avant une chirurgie thoracique, l'infirmière doit évaluer les paramètres respiratoires et cardiovasculaires du client. Les examens paracliniques à effectuer sont les suivants : tests de spirométrie, radiographies pulmonaires, électrocardiogramme (ECG), urée sérique, créatinine sérique, glycémie, électrolytes sériques et hémogramme complet. Une consultation auprès d'un anesthésiste a lieu avant l'opération. Les clients qui doivent subir une pneumonectomie passent souvent quelques tests de la fonction cardiaque supplémentaires. Un examen physique minutieux des poumons, incluant la palpation et l'auscultation, doit être effectué. Cela permet de comparer les résultats avant et après l'opération.

Même s'il peut être difficile pour le client de cesser de fumer, surtout pour le fumeur régulier, à cause de l'anxiété avant la chirurgie, il faut l'encourager en ce sens afin de diminuer les sécrétions et augmenter la saturation en oxygène. L'enseignement au client avant l'opération comprend notamment la démonstration d'exercices de respiration profonde et l'utilisation du spiromètre. Si le client s'exerce à effectuer ces techniques avant l'intervention chirurgicale, elles seront plus faciles à exécuter après l'opération. Dans son enseignement, l'infirmière précisera au client qu'il recevra des médicaments efficaces pour réduire ses douleurs et elle lui montrera comment soutenir la région entourant l'incision avec un oreiller pour faciliter les respirations profondes.

Dans la plupart des interventions thoraciques, un drain thoracique est inséré et relié à un système de drainage scellé sous eau. Il faut expliquer l'utilité des tubulures au client et les précautions à prendre. En outre, une oxygénothérapie de soutien est fréquemment administrée au cours des 24 premières heures suivant la chirurgie. L'infirmière doit montrer au client comment faire des exercices d'amplitude de mouvement du côté opéré comme ceux enseignés aux femmes ayant subi une mastectomie.

L'idée de perdre une partie d'un organe vital est souvent angoissante. Il faut rassurer le client en lui disant que les poumons ont des réserves fonctionnelles suffisamment grandes. Même après l'ablation d'un poumon, le tissu pulmonaire restant peut maintenir une oxygénation adéquate.

L'infirmière doit rester disponible pour répondre à toute question posée par le client ou son proche aidant et essayer d'être le plus honnête possible. Il est souhaitable de favoriser l'expression de toute inquiétude, émotion ou question ▶  46.

46

Les soins généraux préopératoires et l'enseignement au client sont discutés dans le chapitre 46, *Interventions cliniques – Soins préopératoires*.

Traitement chirurgical

La **thoracotomie** (ouverture chirurgicale de la cavité thoracique) est une intervention majeure. L'incision est large et passe au travers d'os, de muscles et de cartilages. Il existe deux types d'incision possible dans le thorax : la sternotomie médiane (ouverture du sternum) et la thoracotomie latérale. La sternotomie médiale est surtout utilisée pour les chirurgies cardiaques. Les thoracotomies latérales sont soit

TABLEAU 35.16 Chirurgies thoraciques

TYPE ET DESCRIPTION	INDICATIONS	COMMENTAIRES
Lobectomie		
Résection d'un lobe du poumon	Cancer du poumon, bronchiectasie, tuberculose, bulles emphysémateuses, tumeurs bénignes du poumon et infections fongiques	Intervention chirurgicale des poumons la plus courante ; nécessite la mise en place d'un drain thoracique après l'opération ; le tissu pulmonaire prend de l'expansion pour remplir l'espace laissé vacant par le lobe réséqué ; positionner le client sur le côté opposé à la résection permet l'expansion du poumon touché
Pneumonectomie		
Ablation d'un poumon complet	Cancer du poumon (cas le plus fréquent)	Effectuée uniquement lorsque la lobectomie ou la résection de segments n'a pas été suffisante pour enlever toute trace de cancer ; possibilité de mise en place d'un drain thoracique clampé après l'opération ; l'espace laissé par le poumon réséqué se remplit graduellement de liquide ; positionner le client sur le côté ayant été opéré pour faciliter l'expansion du poumon restant
Résection d'un segment		
Résection de un ou de plusieurs segments pulmonaires	Cancer du poumon et bronchiectasie	Effectuée pour enlever un segment pulmonaire bronchovasculaire ; nécessite la mise en place d'un drain thoracique après l'opération ; le tissu pulmonaire restant prend de l'expansion pour remplir l'espace laissé vacant par le ou les segments réséqués ; indiquée chez un client incapable de supporter une opération plus étendue
Résection cunéiforme		
Résection d'une petite lésion localisée qui n'occupe qu'une partie d'un segment	Biopsie du poumon et excision de petits nodules	Approche la plus classique ; nécessite la mise en place d'un drain thoracique après l'opération ; effectuée pour enlever les petits nodules périphériques ou pour les clients incapables de supporter une opération plus étendue
Décortication		
Résection ou extraction de la membrane fibreuse épaisse accolée à la plèvre viscérale	Emphysème ne répondant pas aux traitements classiques	Nécessite la mise en place d'un drain thoracique après l'opération
Thoracotomie exploratrice		
Incision dans le thorax à la recherche de tissus lésés ou sanguinolents	Trauma thoracique	Nécessite la mise en place d'un drain thoracique après l'opération
Thoracotomie ne touchant pas les poumons		
Incision dans le thorax pour une chirurgie d'autres organes	Correction d'une hernie hiatale, chirurgie cardiaque, intervention chirurgicale pour un trouble œsophagien, résection de la trachée, réparation de l'aorte thoracique	Soins postopératoires associés à la thoracotomie de même qu'à la raison primaire de l'intervention chirurgicale ; nécessite la mise en place d'un drain thoracique après l'opération
Chirurgie thoracique vidéo-assistée (CTVA)	Biopsie des poumons, lobectomie, résection de nodules et réparation de fistules	Nécessite l'utilisation d'un endoscope rigide muni d'une lentille à l'extrémité distale insérée dans la plèvre pour visualiser les organes internes sur un écran ; permet au chirurgien de manipuler des instruments insérés dans la cavité pleurale à travers de petites incisions intercostales séparées ; nécessite la mise en place d'un drain thoracique après l'opération
Chirurgie de réduction du volume pulmonaire	Emphysème bulleux avancé, emphysème lié à une carence en α_1-antitrypsine	Réduction du volume des poumons au moyen de multiples excisions cunéiformes ou par CTVA

postérolatérales, soit antérolatérales. La thoracotomie postérolatérale est utilisée dans la plupart des chirurgies pulmonaires. L'incision va de l'avant du thorax à l'arrière et dans le quatrième, cinquième ou sixième espace intercostal. Les côtes sont rarement enlevées. Des rétracteurs mécaniques robustes sont employés pour accéder au poumon. L'incision antérolatérale est pratiquée dans le quatrième ou le cinquième espace intercostal et part de l'extrémité du sternum pour finir à la ligne axillaire moyenne. Cette procédure est fréquemment utilisée dans les chirurgies, dans les interventions médiastinales et les résections cunéiformes des lobes supérieur et moyen des poumons.

La région thoracique (côtes, ligaments, muscles) est très sensible à la douleur. L'incision de la thoracotomie est douloureuse, de même que l'insertion des cathéters dans la cavité pleurale. Le traitement de la douleur postopératoire au moyen d'une analgésie contrôlée par le patient (ACP) et d'une anesthésie tronculaire intercostale permet au client de respirer profondément, de tousser et de bouger le bras et l'épaule du côté opéré. Dans le cas d'une pneumonectomie, un drain clampé peut être inséré dans l'espace laissé vacant par le poumon réséqué. Seul le chirurgien peut le déverrouiller pour régler le volume du liquide sanguinolent remplissant l'espace laissé vacant par le poumon. Si la cavité se remplit de façon excessive, elle pourrait comprimer le poumon restant et compromettre les fonctions cardiovasculaire et pulmonaire. Les radiographies pulmonaires effectuées tous les jours permettent d'évaluer le volume et l'espace vacant.

Chirurgie thoracique vidéo-assistée

Ce type d'approche chirurgicale est largement utilisé et minimalement invasif. Une image vidéo à deux dimensions et en temps réel permet de visualiser la cavité thoracique. Elle est utilisée pour diagnostiquer et traiter les maladies de la plèvre ou des poumons, les masses et les nodules pulmonaires, les masses médiastinales et les maladies pulmonaires interstitielles.

Au moyen d'une incision juste assez large pour insérer les instruments, le chirurgien peut inspecter la cavité thoracique et les régions suspectes à la biopsie, obtenir des échantillons de liquide en vue d'une analyse et réséquer certains tissus. La chirurgie thoracique vidéo-assistée est de plus en plus utilisée chez les clients présentant un trauma thoracique. Le chirurgien peut inspecter, diagnostiquer et traiter les lésions intrathoraciques résultant d'un traumatisme contondant ou pénétrant, y compris les lésions du diaphragme. Un drain thoracique est inséré dans la cavité pleurale à la fin de la procédure en passant par une ou plusieurs des incisions.

Le client est moins incommodé par une chirurgie peu effractive ; ses autres avantages sont la rapidité du retour aux activités quotidiennes normales, le raccourcissement du séjour à l'hôpital et la diminution des complications et de la morbidité postopératoires. Les priorités des soins infirmiers après l'opération comprennent l'évaluation de la fonction respiratoire, notamment l'observation de la fréquence, du rythme et de l'effort respiratoires, du volume et de la couleur des expectorations, des bruits respiratoires, ainsi que le drainage du drain thoracique. L'évaluation de la douleur, la surveillance de la température et l'observation du site chirurgical postopératoires sont les mêmes que pour les autres types d'intervention chirurgicale.

Soins postopératoires

Les soins à prodiguer après une thoracotomie sont présentés dans le **PSTI 35.2**. Les soins de suivi spécifiques dépendent du type de procédure chirurgicale ▶ 48.

35

Réactivation des connaissances

En plus de la fréquence et du rythme respiratoires, quel autre paramètre de la respiration doit être évalué objectivement ? Comment doit-on procéder pour évaluer ce paramètre ?

48

Les soins postopératoires généraux sont discutés dans le chapitre 48, *Interventions cliniques – Soins postopératoires.*

Plan de soins et de traitements infirmiers

PSTI 35.2 Thoracotomie

PROBLÈME DÉCOULANT DE LA SITUATION DE SANTÉ	**Mode de respiration inadéquat** lié à l'accumulation de liquide dans la cavité pleurale, à l'emplacement du drain thoracique, à la douleur et à la position du corps, et mis en évidence par des amplitudes superficielles, un changement de la morphologie du thorax pendant la respiration et une dyspnée.
OBJECTIF	Le client aura un rythme et une fréquence respiratoires efficaces de même qu'une respiration suffisamment profonde.

RÉSULTATS ESCOMPTÉS	INTERVENTIONS INFIRMIÈRES ET JUSTIFICATIONS
État respiratoire • F.R. _____/min. • Mesure d'oxymétrie dans les normales attendues	**Aide à la ventilation** • Surveiller l'état respiratoire et l'état d'oxygénation du client pour déterminer l'efficacité des interventions. • Ausculter les bruits respiratoires, noter les régions où la ventilation est réduite ou absente ainsi que la présence de bruits adventices.

▼

PSTI 35.2 Thoracotomie *(suite)*

RÉSULTATS ESCOMPTÉS	INTERVENTIONS INFIRMIÈRES ET JUSTIFICATIONS
• Absence d'utilisation des muscles accessoires • Absence de bruits adventices • Murmures vésiculaires présents dans toutes les plages pulmonaires • Capacité de mobiliser ses sécrétions • Augmentation de l'amplitude pulmonaire	• Aider le client à changer fréquemment de position pour favoriser le drainage des liquides. • Encourager le client à respirer en utilisant la respiration à lèvres pincées, à se déplacer et à tousser afin de faciliter sa respiration. • Encourager l'utilisation du spiromètre en fournissant une rétroaction visuelle au client sur l'efficacité de ses respirations. • Administrer les médicaments appropriés contre la douleur afin de prévenir l'hypoventilation. • Positionner le client pour faciliter l'inspiration (p. ex., élever la tête du lit et fournir une table sur laquelle il peut s'appuyer) afin d'augmenter l'expansion pulmonaire. • Encourager la mobilisation afin de favoriser la respiration profonde et la réexpansion des poumons.
PROBLÈME DÉCOULANT DE LA SITUATION DE SANTÉ	**Risque d'infection** lié à une lésion tissulaire et à l'emplacement des drains thoraciques.
OBJECTIF	Le client ne présentera aucune manifestation d'infection.
RÉSULTATS ESCOMPTÉS	**INTERVENTIONS INFIRMIÈRES ET JUSTIFICATIONS**
Prévention de l'infection • Absence de : – fièvre – expectorations purulentes – malaise – frissons – léthargie • Colonisation bactérienne du site d'insertion du drain • Colonisation bactérienne du liquide drainé • Augmentation de la leucocytémie	**Protection contre les infections** • Surveiller les signes et les symptômes locaux et généraux d'infection afin de détecter et de traiter l'infection précocement. • Encourager la mobilisation et l'exercice afin de favoriser la circulation et la cicatrisation. • Effectuer des cultures bactériennes afin de permettre l'identification des agents responsables et le choix des antibiotiques appropriés.
Intégrité du drain et du site d'insertion du drain • Absence de fuites d'air au site d'insertion et aux sites des connexions du drain • Coloration normale des liquides drainés • Absence de signes et de symptômes d'inflammation ou d'infection au site d'insertion du drain (p. ex., une rougeur, des lésions, un écoulement purulent)	**Soins liés au drain thoracique** • S'assurer que toutes les connexions des drains sont bien fixées et étanches afin de prévenir les fuites d'air. • Garder le système de drainage sous le niveau du thorax du client afin de prévenir le retour du liquide drainé dans la plèvre. • Observer et bien consigner le volume, la teinte, la couleur et la consistance du liquide drainé des poumons afin de détecter la présence de toute infection. • Changer les pansements autour du drain thoracique toutes les 48 à 72 heures, au besoin, afin d'examiner le site d'insertion et de le protéger en cas de problème. • Nettoyer la région autour du site d'insertion du drain afin de diminuer l'exposition aux agents pathogènes.

35.3 Maladies respiratoires restrictives

Les maladies qui altèrent la capacité de la cage thoracique et du diaphragme à suivre les mouvements de la respiration sont appelées maladies respiratoires restrictives. Elles sont divisées en deux catégories : les maladies extrapulmonaires, dans lesquelles le tissu pulmonaire demeure normal, et les maladies intrapulmonaires, dont la cause est pulmonaire ou pleurale.

Les tests de spirométrie sont le meilleur moyen de différencier les maladies respiratoires restrictives des maladies obstructives **TABLEAU 35.17**. Certaines maladies sont parfois mixtes, c'est-à-dire qu'elles ont une composante à la fois obstructive et restrictive. Par exemple, un client peut avoir une bronchite chronique (problème obstructif) et aussi présenter une fibrose pulmonaire (problème restrictif). Le **TABLEAU 35.18** énumère les causes de certaines des maladies extrapulmonaires.

TABLEAU 35.17 **Relation entre les volumes pulmonaires et les troubles de la ventilation**

VOLUME PULMONAIRE	RESTRICTIF	OBSTRUCTIF	RESTRICTIF ET OBSTRUCTIF
Capacité vitale (CV)	↓	Normale ou ↓	↓
Capacité pulmonaire totale (CPT)	↓	↑	Variable
Volume résiduel (VR)	Normal ou ↓	↑	Variable
Volume expiratoire maximal par seconde (VEMS)	Normal ou ↓	↓	↓
VEMS / capacité vitale fonctionnelle	Normal ou ↑	↓	↓

TABLEAU 35.18 **Causes de maladies extrapulmonaires restrictives**

MALADIE OU ALTÉRATION	DESCRIPTION	COMMENTAIRES
Système nerveux central		
Blessure à la tête, lésion du SNC (p. ex., une tumeur, un AVC)	Blessure ou lésion du centre respiratoire entraînant une hypoventilation, une hyperventilation ou une respiration anormale (p. ex., de Kussmaul, de Cheynes-Stokes)	Ces conditions nécessitent la prise en charge directe de la maladie par le traitement des causes sous-jacentes, le maintien du fonctionnement des voies respiratoires au moyen d'une ventilation mécanique d'assistance et la surveillance des manifestations possibles d'une augmentation de la pression intracrânienne.
Usage d'analgésiques opioïdes et de barbituriques	Dépression du centre respiratoire; F.R. inférieure à 12 R/min	La dépression du centre respiratoire peut être causée par un surdosage médicamenteux.
Système neuromusculaire		
Trauma médullaire	Limitation de la ventilation par les lésions cervicales et thoraciques supérieures de la moelle épinière; réduction de l'amplitude respiratoire à cause de la faiblesse des muscles inspiratoires	Ce trauma peut nécessiter une ventilation mécanique temporaire ou permanente selon le type de lésion.
Syndrome de Guillain-Barré	Inflammation aiguë des nerfs et ganglions périphériques; paralysie progressive des nerfs intercostaux entraînant une respiration de type diaphragmatique; paralysie des fibres vagales préganglionnaires et postganglionnaires entraînant une diminution de la capacité des bronchioles à se contracter, à se dilater et à réagir aux agents irritants	La prise en charge de ce syndrome peut nécessiter une assistance au moyen d'une ventilation mécanique.
Sclérose latérale amyotrophique	Maladie dégénérative progressive des neurones moteurs de la colonne vertébrale, du tronc cérébral et du cortex moteur; atteinte des muscles respiratoires due à l'interruption de la transmission nerveuse aux muscles de la respiration, en particulier le diaphragme	–
Myasthénie grave	Anomalie de la jonction neuromusculaire; atteinte des muscles respiratoires due à l'interruption de la transmission nerveuse aux muscles de la respiration	–
Dystrophie musculaire	Maladie héréditaire touchant progressivement l'ensemble des muscles squelettiques; paralysie des muscles respiratoires incluant les muscles intercostaux, le diaphragme et les muscles accessoires	Les problèmes pulmonaires apparaissent plus tardivement en cours d'évolution de la maladie.

TABLEAU 35.18	Causes de maladies extrapulmonaires restrictives *(suite)*	
MALADIE OU ALTÉRATION	**DESCRIPTION**	**COMMENTAIRES**
Paroi thoracique		
Trauma de la paroi thoracique (p. ex., un volet costal et une fracture de côte)	Fracture de côte causant des douleurs à l'inspiration ; immobilisation volontaire du thorax entraînant une respiration rapide et superficielle ; altération de la capacité ventilatoire à cause de la respiration paradoxale	Il n'est pas recommandé d'enrouler la paroi thoracique au moyen d'un bandage dans le but de la stabiliser puisque cela accroît l'effet de restriction.
Syndrome d'hypoventilation lié à l'obésité (syndrome de Pickwick)	Excès de tissus adipeux causant une interférence avec les mouvements de la paroi thoracique et du diaphragme ; somnolence causée par l'hypoxémie et la rétention de dioxyde de carbone (CO_2) ; polycythémie secondaire à l'hypoxie chronique ; apnée obstructive du sommeil (AOS) fréquemment en cause dans ce syndrome	La perte de poids cause généralement une diminution des symptômes. Il est important de prévenir et de traiter rapidement les infections des voies respiratoires. La maladie est aggravée en position couchée. L'utilisation d'un CPAP ou d'un BiPAP peut aider à gérer les symptômes liés à l'AOS.
Cyphoscoliose	Déformation angulaire postérieure et latérale de la colonne vertébrale réduisant les mouvements thoraciques ; augmentation du travail respiratoire ; type de respiration rapide et superficielle ; diminution du volume des poumons	Une faible proportion des personnes atteintes de cette affection souffrent de graves problèmes respiratoires. L'atélectasie et la pneumonie sont des complications courantes.

Les causes intrapulmonaires des maladies pulmonaires restrictives sont des maladies intrinsèques des poumons touchant soit la plèvre, soit le tissu pulmonaire. Les lésions peuvent être causées par l'inflammation et la cicatrisation du tissu pulmonaire (maladie pulmonaire interstitielle), de zones d'air (pneumonite) ou de la plèvre (empyème) **TABLEAU 35.19**.

35.3.1 Épanchement pleural

Types

La cavité pleurale contient normalement de 5 à 15 mL de liquide qui agit comme lubrifiant entre la paroi thoracique (plèvre pariétale) et les poumons (plèvre viscérale). L'**épanchement pleural** est l'accumulation anormale de liquide dans cette cavité

TABLEAU 35.19	Causes de maladies intrapulmonaires restrictives
MALADIE OU ALTÉRATION	**DESCRIPTION**
Maladies de la plèvre	Inflammation, cicatrisation ou présence de liquide dans la cavité pleurale causant une restriction pulmonaire
Épanchement pleural	Accumulation de liquide dans la cavité pleurale secondaire à l'altération de la pression oncotique ou hydrostatique ; accumulation de plus de 250 mL de liquide mise en évidence sur les radiographies pulmonaires
Pleurésie (pleurite)	Inflammation de la plèvre ; fibreuse (sèche) ou sérofibreuse (humide) ; pleurésie humide accompagnée d'une augmentation du liquide dans la cavité pleurale entraînant possiblement un épanchement pleural
Pneumothorax	Accumulation d'air dans la cavité pleurale accompagnée d'un affaissement des poumons
Troubles du parenchyme	Inflammation, affaissement ou cicatrisation du tissu pulmonaire
Atélectasie	Affection des poumons caractérisée par un affaissement des alvéoles qui sont vidées de leur air ; aiguë (p. ex., après une opération) ou chronique (p. ex., une tumeur maligne)
Pneumonie	Inflammation aiguë du tissu pulmonaire causée par des bactéries, virus, champignons, produits chimiques, poussières ou autres facteurs
Maladies interstitielles pulmonaires (MIP)	Terme générique englobant un éventail de maladies pulmonaires chroniques caractérisées par différents types de lésions, d'inflammations ou de cicatrisations (ou fibrose) ; processus ayant lieu dans l'interstitium (tissu situé entre les alvéoles) et rigidifiant les poumons (poumons fibreux)
Syndrome de détresse respiratoire aiguë (SDRA)	Atélectasie, œdème et congestion pulmonaire, perte de surfactant et développement d'une membrane hyaline tapissant la paroi alvéolaire en entraînant divers troubles pathologiques graves

FIGURE 35.4A. Ce n'est pas une maladie, mais plutôt une indication de la présence d'une maladie. L'équilibre des pressions intrapleurales ainsi que la perméabilité des plèvres régissent le va-et-vient des liquides dans l'espace pleural. Quatre processus peuvent entraîner un épanchement pleural : 1) l'effet transsudatif (le liquide de l'espace vasculaire se déplace vers l'espace extravasculaire) provenant de l'augmentation de la pression hydrostatique ; 2) l'effet transsudatif provenant de la diminution de la pression oncotique systémique ; 3) l'augmentation de la perméabilité des plèvres pulmonaires ; 4) l'obstruction de la circulation lymphatique (McGrath & Anderson, 2011).

L'épanchement pleural peut être qualifié de transsudatif ou d'exsudatif selon le contenu protéique. Les transsudats surviennent surtout en présence d'une maladie non inflammatoire. Il y a accumulation d'un liquide faible en protéines et en cellules. Les épanchements pleuraux transsudatifs (aussi appelés hydrothorax) sont jaunes pâles et limpides ; ils sont causés par une augmentation de la pression hydrostatique en présence d'une insuffisance cardiaque ou par une diminution de la pression oncotique (secondaire à une hypoalbuminémie) en présence d'une maladie hépatique ou rénale chronique. Dans de tels cas, le liquide sort plus facilement des capillaires et entre aussi plus aisément dans la cavité pleurale. L'insuffisance cardiaque est la cause la plus courante d'épanchement pleural transsudatif. Un épanchement exsudatif résulte d'une augmentation de la perméabilité des capillaires caractéristique d'une réaction inflammatoire. Il peut être secondaire à une tumeur maligne ou à des métastases, à une infection ou à une nécrose pulmonaire, à une pancréatite ou à une perforation de l'œsophage.

L'**effusion pleurale** est l'accumulation de liquide purulent dans la cavité pleurale. Les maladies qui peuvent mener à ce type d'affection sont notamment la pneumonie, la tuberculose, l'abcès pulmonaire et l'infection de lésions consécutives à une chirurgie du thorax. Une des complications de l'effusion pleurale est le **fibrothorax**, qui se caractérise par la fusion fibreuse de la plèvre viscérale et pariétale **FIGURE 35.4A**.

En présence d'un épanchement ou d'une effusion pleurale, le poumon peut devenir « emprisonné ». La plèvre viscérale se couvre d'une pellicule ou d'une croûte fibreuse, qui peut causer un trouble restrictif grave des poumons. Il s'agit d'un processus pathologique d'encapsulation qui touche la plèvre viscérale et qui empêche le poumon de prendre de l'expansion et de remplir la cavité thoracique.

Manifestations cliniques

Les manifestations cliniques courantes de l'épanchement pleural sont la dyspnée progressive et la réduction des mouvements de la cage thoracique du côté atteint. Il y a parfois présence d'une douleur pleurétique secondaire à une maladie sous-jacente. L'examen physique du thorax peut révéler un bruit mat à la percussion et l'absence de bruits respiratoires ou la présence de bruits distants au-dessus de la région touchée. La radiographie pulmonaire et la TDM permettent de localiser l'épanchement et d'estimer le volume de celui-ci. Les manifestations de l'effusion pleurale sont les mêmes que celles de l'épanchement pleural, en plus de la fièvre, des sueurs nocturnes, de la toux et de la perte de poids.

Thoracentèse

La **thoracentèse** est l'aspiration du liquide intrapleural à des fins diagnostiques et thérapeutiques. Le client est alors assis sur le bord du lit et est penché vers l'avant au-dessus d'une table de chevet. La radiographie pulmonaire permet de déterminer le site de la ponction, et la percussion du thorax permet d'évaluer où il y a le plus de matité. La peau est nettoyée avec une solution antiseptique, et le site est anesthésié. L'aiguille de la thoracentèse est insérée dans l'espace intercostal. Le liquide est aspiré avec une seringue ou une tubulure est connectée pour permettre au liquide de s'écouler dans un contenant stérile. Une fois le liquide retiré, l'aiguille est enlevée, et un bandage est appliqué au-dessus du site d'insertion.

Habituellement, il est possible de retirer un maximum de 1 000 à 1 200 mL de liquide pleural en une seule fois. Le retrait rapide d'un volume important peut entraîner une hypotension, une hypoxémie ou un œdème pulmonaire. La radiographie pulmonaire de suivi permet de détecter la présence possible d'un pneumothorax induit par la perforation de la plèvre viscérale. Durant et après la procédure, il faut surveiller les signes vitaux, la saturométrie et observer le client à la recherche de toute manifestation de détresse respiratoire. Par ailleurs, lorsque la quantité de liquide pleural retirée excède 500 mL, il est préférable de vérifier l'hémoglobine si le liquide drainé contient du sang.

Processus thérapeutique en interdisciplinarité

La prise en charge des épanchements pleuraux consiste d'abord à traiter la cause sous-jacente. Par exemple, le traitement approprié d'une insuffisance cardiaque au moyen de diurétiques et d'une restriction sodique peut diminuer l'épanchement pleural. Le traitement des épanchements pleuraux secondaires à une tumeur maligne pose davantage problème. Ce type d'épanchement pleural récidive plus fréquemment et reprend du volume rapidement après une thoracentèse. La pleurodèse chimique peut être utilisée pour oblitérer la cavité

Jugement clinique

Gladys Roswell a 57 ans. Elle est à l'urgence, car elle ressent une douleur au côté droit du thorax. Elle est dyspnéique et souffre d'insuffisance cardiaque. Dans le passé, elle a déjà été hospitalisée pour un épanchement pleural. Au moment de l'évaluation initiale, vous procédez à l'auscultation pulmonaire. Que faut-il rechercher par cette technique d'examen physique dans le cas de madame Roswell ?

Réactivation des connaissances

Nommez deux signes de dépression respiratoire à surveiller chez un client recevant des analgésiques opioïdes.

pleurale et prévenir la réaccumulation de liquide dans les cas d'épanchement pleural secondaire à une tumeur maligne ou à d'autres causes non malignes. Le talc semble être l'agent le plus efficace dans les pleurodèses, bien que la doxycycline soit aussi utilisée avec succès. La thoracoscopie est employée pour effectuer la pleurodèse avec le talc après l'inspection de la cavité pleurale. Les drains thoraciques sont laissés en place après la pleurodèse jusqu'à ce que le débit de drainage soit inférieur à 150 mL/jour et qu'il n'y ait plus aucune fuite d'air.

Le traitement de l'effusion pleurale se fait généralement au moyen d'un drain thoracique. Une antibiothérapie appropriée est également nécessaire pour éradiquer le microorganisme pathogène en cause. Un traitement fibrinolytique intrapleural (instillé par le drain thoracique) peut être envisagé chez certains clients pour dissoudre les adhérences fibreuses. Si le client présente un poumon emprisonné, une procédure chirurgicale appelée **décortication** peut être nécessaire pour retirer la pellicule formée sur la plèvre.

35.3.2 Pleurésie

La **pleurésie (pleurite)** est une inflammation de la plèvre. Les causes les plus fréquentes de cette affection sont les pneumonies, la tuberculose, les traumas au thorax, les infarctus pulmonaires et les néoplasmes. L'inflammation disparaît habituellement après le traitement efficace de la maladie primaire. La douleur associée à la pleurésie, souvent soudaine et aiguë, est aggravée par l'inspiration. La respiration du client est superficielle et rapide afin d'éviter les mouvements inutiles de la plèvre et de la cage thoracique. Un frottement pleural peut être détecté. Ce bruit caractéristique est audible au-dessus des régions enflammées et provient du frottement de la plèvre viscérale avec la plèvre pariétale à l'inspiration. Le bruit ressemble à un grincement de porte et est habituellement plus fort avec une inspiration maximale, bien qu'il puisse aussi être entendu à l'expiration.

Le traitement de la pleurésie consiste à soigner la maladie sous-jacente et à soulager la douleur par la prise d'analgésiques. La position couchée sur le côté enflammé permet l'immobilisation de la région atteinte et peut aussi apporter un certain soulagement. L'infirmière peut montrer au client comment soutenir sa cage thoracique lorsqu'il tousse. En cas de douleur intense, une anesthésie tronculaire intercostale peut être effectuée.

Jugement clinique

Julius Roméo, 70 ans, exerce son métier de boulanger depuis 52 ans. Est-il à risque de souffrir d'une fibrose pulmonaire ? Justifiez votre réponse.

35.3.3 Atélectasie

L'**atélectasie** est une affection des poumons caractérisée par l'affaissement des alvéoles vidées de leur air. La cause la plus fréquente est l'obstruction des petites voies respiratoires par des sécrétions. Cette affection survient souvent chez les clients alités ou ayant subi une chirurgie abdominale ou thoracique en raison d'une amplitude respiratoire diminuée. Les principaux signes et symptômes de l'atélectasie sont la dyspnée, la toux, l'anxiété et la cyanose péribuccale. En temps normal, les pores de Kohn assurent le passage collatéral de l'air d'une alvéole à une autre. L'inspiration profonde est nécessaire pour ouvrir efficacement ces pores. Les exercices de respiration profonde et de toux sont donc importants pour prévenir l'atélectasie, par exemple chez les clients à risque.

35.4 Maladies interstitielles pulmonaires

De nombreuses maladies pulmonaires aiguës ou chroniques présentent divers degrés d'inflammation et de fibrose pulmonaires. Elles sont regroupées sous le nom de **maladies interstitielles pulmonaires (MIP)** ou de maladies pulmonaires diffuses du parenchyme. Il est difficile de les classer plus précisément, car il en existe plus de 200. L'atteinte pulmonaire peut résulter soit d'un trouble primaire, soit d'un processus secondaire, par exemple une défaillance de multiples organes dans les maladies du tissu conjonctif (lupus érythémateux disséminé ou polyarthrite rhumatoïde).

Parmi les MIP d'étiologie connue, le sous-groupe le plus important comprend toutes les maladies associées à l'exposition à des substances dans l'environnement ou au travail, en particulier l'inhalation de poussières et de divers gaz ou vapeurs. Les MIP les plus courantes et d'étiologie inconnue sont la fibrose pulmonaire idiopathique et la sarcoïdose.

35.4.1 Fibrose pulmonaire idiopathique

La **fibrose pulmonaire idiopathique** est une maladie chronique et évolutive qui touche les personnes âgées. Ses caractéristiques sont l'inflammation chronique et la formation de tissu cicatriciel dans le tissu conjonctif. Un des facteurs de risque fréquents de cette maladie est l'inhalation – qui peut remonter à plusieurs années – de substances organiques et inorganiques dans l'environnement ou au travail. Un autre facteur de risque est le tabagisme. Certains facteurs génétiques pourraient aussi jouer un rôle.

Les manifestations cliniques de la fibrose pulmonaire idiopathique sont notamment la dyspnée à l'effort, la toux non productive et les crépitants inspiratoires avec ou sans hippocratisme. La radiographie pulmonaire peut montrer certaines lésions caractéristiques de la maladie. La TDM de haute résolution est l'examen paraclinique le plus concluant. Les tests de la fonction pulmonaire montrent les caractéristiques typiques d'une maladie pulmonaire restrictive **TABLEAU 35.18**. La biopsie à poumon ouvert par CTVA aide souvent à différencier la pathologie précise.

Le tableau clinique est variable, et le pronostic n'est pas encourageant, avec un taux de survie de 30 à 50 %, cinq ans après le diagnostic. Le traitement comprend des corticostéroïdes, des agents cytotoxiques (azathioprine [Imuran[MD]]) et des agents antifibrotiques (colchicine). Toutefois, les données scientifiques ne permettent pas de confirmer que ces traitements augmentent la survie ou améliorent la qualité de vie. La greffe pulmonaire constitue une option pour les clients qui satisfont aux critères (la transplantation pulmonaire est expliquée plus loin dans ce chapitre).

35.4.2 Sarcoïdose

La **sarcoïdose** est une maladie granulomateuse chronique qui touche de multiples organes, mais surtout les poumons, et dont la cause est inconnue. Il peut également y avoir une atteinte de la peau, des yeux, du foie, des reins, du cœur et des ganglions lymphatiques. Elle est présente partout dans le monde, mais elle est trois ou quatre fois plus prévalente chez les personnes d'origine africaine et elle survient souvent au sein d'une même famille. Les symptômes sont notamment la dyspnée, la toux et la douleur thoracique. Paradoxalement, de nombreux clients ne présentent aucun symptôme.

La maladie peut être stadifiée, et les décisions relatives au traitement se fondent sur les tests de la fonction pulmonaire et sur l'évolution de la maladie. Certains clients peuvent présenter une rémission spontanée. Le traitement vise à supprimer la réponse inflammatoire. Les clients sont suivis tous les trois à six mois ; ils doivent subir des tests de la fonction pulmonaire, des radiographies pulmonaires et des TDM afin de surveiller l'évolution de la maladie.

35.5 Maladies pulmonaires vasculaires

35.5.1 Œdème aigu du poumon

L'**œdème aigu du poumon (OAP)** est une accumulation anormale de liquide dans les alvéoles et les espaces interstitiels pulmonaires. Il s'agit d'une complication de diverses maladies cardiaques et pulmonaires, et elle est considérée comme une urgence médicale qui peut mettre la vie du client en danger **ENCADRÉ 35.13**.

En temps normal, il existe un équilibre entre la pression hydrostatique et la pression oncotique colloïdale dans les capillaires pulmonaires. Si la pression hydrostatique augmente ou si la pression oncotique colloïdale diminue, l'effet net est une sortie de liquide des capillaires pulmonaires vers l'espace interstitiel. Au cours de cette phase caractérisée par la présence d'un **œdème interstitiel**, les vaisseaux lymphatiques sont encore capables de drainer l'excès de liquide. Le liquide peut cependant continuer à sortir des capillaires pulmonaires et finalement inonder les alvéoles. C'est ce qui est appelé la phase d'**œdème alvéolaire**. En présence d'un OAP, les échanges gazeux sont altérés à cause des contraintes à la diffusion créées par l'augmentation de la distance entre les alvéoles et les capillaires pulmonaires. La cause la plus fréquente d'OAP est l'insuffisance cardiaque gauche ▶ 42.

ENCADRÉ 35.13 Causes de l'œdème aigu du poumon

- Insuffisance cardiaque gauche
- Surhydration par des liquides intraveineux
- Hypoalbuminémie : syndromes néphrotiques, maladie hépatique et problèmes nutritionnels
- Altération de la perméabilité des capillaires pulmonaires : inhalation de toxines, inflammation (p. ex., une pneumonie), hypoxie grave et quasi-noyade
- Tumeurs malignes du système lymphatique
- SDRA
- Toxicité par l'oxygène
- Autres causes : maladies neurogéniques, surdosage d'analgésiques opioïdes, œdème pulmonaire de réexpansion et haute altitude

42

La physiopathologie, les manifestations cliniques et le traitement de l'OAP sont abordés dans le chapitre 42, *Interventions cliniques – Insuffisance cardiaque*.

35.5.2 Embolie pulmonaire

Étiologie et physiopathologie

L'**embolie pulmonaire (EP)** est l'obstruction des artères pulmonaires par un thrombus, une embolie graisseuse ou d'air ou un tissu tumoral. Le terme embolie dérive du mot grec *embolus* qui signifie caillot ou bouchon. Les emboles sont des caillots de sang mobiles qui poursuivent leur route jusqu'à ce qu'ils se logent à un endroit plus étroit de la circulation. Un embole pulmonaire est un amas de matériel se formant d'abord dans le système veineux et qui entre ensuite dans la circulation pulmonaire. L'embole circule et avance dans des vaisseaux sanguins de calibre toujours plus petit jusqu'à ce qu'il s'y loge et obstrue la perfusion des alvéoles **FIGURE 35.10**. En raison du débit sanguin qui y est plus élevé, les lobes inférieurs des poumons sont le plus souvent touchés. L'EP est associée à un taux de mortalité qui peut atteindre 30 % chez les clients non traités. Ce taux est réduit à moins de 5 % si elle est diagnostiquée et qu'une anticoagulothérapie est administrée (Bryan, 2015).

La plupart des embolies pulmonaires ont comme origine une thrombose veineuse profonde (TVP) formée dans les veines profondes des jambes. La thromboembolie veineuse est le terme

CE QU'IL FAUT RETENIR

L'œdème aigu du poumon est une complication de diverses maladies cardiaques et pulmonaires ; il est considéré comme une urgence médicale qui peut mettre la vie du client en danger.

FIGURE 35.10 Embole de taille importante ; il provient de la veine fémorale et est logé dans les artères pulmonaires principales droite et gauche.

CE QU'IL FAUT RETENIR

La plupart des embolies pulmonaires ont comme origine une thrombose veineuse profonde (TVP) formée dans les veines profondes des jambes.

à privilégier pour décrire le spectre des pathologies allant de la thrombose veineuse profonde à l'embolie pulmonaire. Les embolies pulmonaires mortelles sont issues le plus souvent des veines fémorales ou iliaques. En général, les TVP situées sous les genoux ne sont pas considérées comme un facteur de risque d'EP, puisque les emboles migrent rarement dans la circulation pulmonaire ; en temps normal, elles se manifestent d'abord dans la région au-dessus du genou. Selon Ouellette (2015), le taux le plus élevé de TVP est observé chez les personnes présentant une lésion de la moelle épinière (de 60 à 80 %).

Les autres sites d'origine des EP comprennent les cavités droites du cœur (en particulier en présence d'une fibrillation auriculaire), les extrémités supérieures (rares) et les veines pelviennes (en particulier après une chirurgie ou un accouchement). Une TVP dans les membres supérieurs peut découler de la présence d'un cathéter veineux central ou des fils d'un stimulateur cardiaque. Ces cas peuvent être résolus par le retrait du cathéter ou des fils.

Les thrombus dans les veines profondes peuvent se déloger spontanément, mais le plus souvent, cela prend une force mécanique (p. ex., une contraction musculaire brusque) ou un changement du débit sanguin (p. ex., à la suite de la manœuvre de Valsalva). La majorité des clients présentant une embolie pulmonaire due à une TVP n'ont aucun symptôme dans les jambes au moment du diagnostic (Perry, 2008).

En plus des thrombus délogés, les autres causes moins courantes d'EP sont les embolies graisseuses (en présence d'une fracture d'un os long), les embolies gazeuses (en présence d'un traitement I.V. mal administré ou à la suite d'une chirurgie cardiaque), les colonies bactériennes, le liquide amniotique et les tumeurs. Les tumeurs à l'origine d'une embolie peuvent être primaires ou métastatiques.

Les facteurs de risque les plus importants des EP sont l'immobilité, une intervention chirurgicale au cours des trois derniers mois (en particulier les chirurgies du bassin et des membres inférieurs), les AVC, les parésies, les paralysies, les antécédents de thrombose veineuse profonde, les tumeurs malignes, l'obésité chez les femmes, le tabagisme et l'hypertension artérielle.

Manifestations cliniques

Les signes et symptômes de l'EP varient et ne sont pas spécifiques, ce qui complique le diagnostic. La triade classique (dyspnée, douleur thoracique et hémoptysie) ne survient que chez environ 20 % des clients. Les symptômes peuvent apparaître graduellement ou soudainement. Chez de nombreux clients, une hypoxémie de légère à modérée avec une faible $PaCO_2$ (hypocapnie) est observée. Les autres manifestations sont la toux, la douleur thoracique pleurétique, l'hémoptysie, la présence de crépitants à l'auscultation, la fièvre, la présence de bruits cardiaques pulmonaires accentués à l'auscultation et le changement soudain de l'état mental secondaire à l'hypoxémie.

Une embolie massive peut produire une hypotension soudaine, une pâleur, une dyspnée grave et une hypoxémie. Il peut y avoir ou non une douleur thoracique. Des signes de surcharge ventriculaire droite peuvent être présents, par exemple, le tracé cardiaque peut montrer des signes de tachycardie, et les veines jugulaires peuvent être distendues. Lorsqu'il y a obstruction rapide de 50 % ou plus du lit vasculaire pulmonaire, le ventricule droit défaille à cause de la résistance d'éjection trop élevée. Le taux de mortalité chez les personnes présentant une EP massive et un choc est de 30 à 60 %, et la majorité des décès se produisent dans les 2 heures qui suivent l'apparition des symptômes (Ouellette, 2015).

Les embolies de taille moyenne causent souvent une douleur thoracique pleurétique, une dyspnée, une légère fièvre et une toux productive accompagnée d'expectorations sanguinolentes. L'examen physique peut révéler une tachycardie et un frottement pleural. Les petites embolies ne sont pas toujours détectées ou produisent des symptômes vagues et transitoires, sauf chez les clients ayant une maladie cardiopulmonaire sous-jacente. Chez ces derniers, même de petites ou de moyennes embolies peuvent entraîner un trouble cardiopulmonaire grave. Il faut noter toutefois que de petites embolies à répétition peuvent causer une réduction graduelle du débit sanguin dans les capillaires, ce qui entraîne à la longue une hypertension pulmonaire. L'échographie cardiaque et la radiographie pulmonaire peuvent révéler une hypertrophie ventriculaire droite secondaire à l'hypertension pulmonaire.

Complications

Un **infarctus pulmonaire** (nécrose du tissu pulmonaire) est plus susceptible de se produire lorsqu'il y a présence des facteurs suivants :

- l'occlusion d'un vaisseau pulmonaire de calibre moyen à large (supérieur à 2 mm de diamètre);
- un débit sanguin collatéral insuffisant dans la circulation bronchique;
- une maladie pulmonaire préexistante.

L'infarctus entraîne une nécrose alvéolaire et une hémorragie. À l'occasion, le tissu nécrotique s'infecte et forme un abcès. La présence concomitante d'un épanchement pleural est fréquente.

L'hypertension pulmonaire est causée par l'atteinte de plus de 50 % du lit pulmonaire normal, souvent en raison d'une hypoxémie. Une embolie à elle seule ne peut causer une hypertension pulmonaire sauf si elle est massive. Des embolies à répétition peuvent cependant produire une hypertension pulmonaire chronique. Celle-ci entraîne finalement une dilatation et une hypertrophie du ventricule droit. L'issue varie selon le degré de l'hypertension pulmonaire et son type d'évolution; certains clients meurent dans les mois suivant le diagnostic, alors que d'autres vivent pendant des décennies.

Examen clinique et examens paracliniques

La **tomodensitométrie spiralée** (hélicoïdale) est l'examen le plus fréquemment utilisé pour diagnostiquer l'EP **ENCADRÉ 35.14**. Elle nécessite l'injection d'un colorant de contraste dans les veines pour visualiser les vaisseaux sanguins. L'appareil prend différentes coupes en tournant autour du client. Toutes les régions anatomiques des poumons peuvent ainsi être visualisées. Un logiciel spécialisé reconstruit les données pour fournir une image à trois dimensions en plus d'aider à visualiser l'embolie.

Si le client ne peut recevoir un produit de contraste, une tomoscintigraphie de ventilation / perfusion est effectuée au département de médecine nucléaire. Cet examen comporte deux volets.

1. La tomographie de perfusion nécessite l'injection I.V. d'un radio-isotope. Le tomodensitogramme prend des images de la circulation pulmonaire;
2. La tomographie de ventilation nécessite l'inhalation d'un gaz radioactif tel le xénon. Le tomodensitogramme permet de visualiser la distribution des gaz dans les poumons. La composante de ventilation nécessite la collaboration du client, c'est pourquoi elle peut être difficile à effectuer chez les clients très malades, en particulier s'ils sont intubés.

Le dosage des D-dimères est une analyse de laboratoire permettant de mesurer la quantité de fragments de fibrine réticulés. Ces fragments sont présents dans la circulation lorsqu'il y a un trouble de coagulation dans le sang et la formation d'un caillot, par exemple en présence d'une thrombose veineuse profonde, d'un infarctus aigu du myocarde, d'une angine instable ou d'un AVC aigu. Ce produit de dégradation est rarement observé chez les personnes en santé. Le test D-dimère a toutefois un désavantage : il n'est ni spécifique (d'autres affections peuvent causer une élévation) ni sensible, puisque jusqu'à 50 % des personnes présentant une petite

Processus diagnostique et thérapeutique

ENCADRÉ 35.14 Embolie pulmonaire

EXAMEN CLINIQUE ET EXAMENS PARACLINIQUES

- Anamnèse et examen physique
- Radiographie pulmonaire
- Surveillance continue du tracé cardiaque
- GSA
- Échographie des veines (Doppler)
- Hémogramme complet comprenant une formule leucocytaire
- TDM spiralée (hélicoïdale)
- Tomographie des poumons par ventilation / perfusion
- Concentrations des D-dimères
- Concentrations des troponines et du PNB
- Angiographie pulmonaire

PROCESSUS THÉRAPEUTIQUE

- Oxygénothérapie de soutien, intubation si nécessaire
- Agent fibrinolytique
- Héparine non fractionnée par voie I.V. (héparine)
- Héparine de faible poids moléculaire (p. ex., l'énoxaparine sodique [Lovenox[MD]])
- Traitement prolongé par les anticoagulothérapies orales (ACO)
- Surveillance du temps de céphaline activée (TCA) et du rapport international normalisé (RIN)
- Activité physique limitée
- Analgésiques opioïdes pour le soulagement de la douleur
- Filtre dans la veine cave inférieure
- Embolectomie pulmonaire dans les situations menaçant le pronostic

embolie pulmonaire ont des résultats normaux. Les clients soupçonnés d'avoir une EP et présentant des taux élevés de D-dimère, mais une échographie veineuse normale, peuvent nécessiter une TDM des poumons pour confirmer la pathologie.

L'angiographie pulmonaire est un examen sensible et spécifique pour détecter la présence d'une EP. Cependant, il s'agit d'une procédure invasive qui nécessite l'insertion d'un cathéter dans une veine antébrachiale ou fémorale, qu'il faut faire cheminer jusqu'à l'artère pulmonaire, et l'injection d'un produit de contraste. Cet examen permet de visualiser le système vasculaire pulmonaire et de localiser l'embolie. Avec l'arrivée de la TDM hélicoïdale, il est cependant de moins en moins utilisé.

50

Les symptômes de choc sont abordés en détail dans le chapitre 50, *Interventions cliniques – État de choc, syndrome de réaction inflammatoire systémique et syndrome de défaillance multiorganique.*

La GSA est importante, mais non diagnostique. La PaO_2 est faible en raison de l'oxygénation inadéquate secondaire à l'occlusion d'un vaisseau pulmonaire qui perturbe l'équilibre entre la perfusion et la ventilation. Le pH reste normal sauf s'il y a alcalose respiratoire consécutive à une hyperventilation prolongée ou pour compenser une acidose métabolique causée par un choc (production accrue d'acide lactique). Certaines anomalies sont souvent visibles à la radiographie pulmonaire (atélectasie et épanchement pleural) et à l'ECG (changements du segment ST et de l'onde T), mais elles ne sont pas diagnostiques de l'EP. Les concentrations sériques de la troponine sont élevées chez 30 à 50 % des personnes atteintes d'une EP. Même si cet examen n'est pas diagnostique, le résultat peut être prédictif d'un mauvais pronostic. Les concentrations sériques du peptide natriurétique de type B (PNB), bien que non diagnostiques, peuvent aider à juger de la gravité clinique de la maladie.

44

Le traitement fibrinolytique est abordé dans le chapitre 44, *Interventions cliniques – Troubles inflammatoires et structuraux du cœur.*

Processus thérapeutique en interdisciplinarité

La prévention des EP commence par celle des thromboses veineuses profondes chez les personnes à risque. La prophylaxie anti-TVP comprend l'utilisation d'appareils de compression séquentielle des membres inférieurs, la reprise précoce des mouvements et des déplacements ainsi que l'utilisation d'anticoagulants. Dans certaines conditions, la mise en place d'un filtre dans la veine cave inférieure s'avère nécessaire.

Afin de réduire la mortalité, le traitement est entrepris dès les premiers soupçons d'une EP **ENCADRÉ 35.14**. Les objectifs sont les suivants: 1) prévenir la croissance ou le déplacement du thrombus dans les membres inférieurs; 2) prévenir le passage des emboles situés dans les membres supérieurs ou inférieurs au système vasculaire pulmonaire; et 3) fournir un soutien cardiorespiratoire au besoin.

Le traitement cardiopulmonaire de soutien varie selon la gravité de l'EP. L'administration supplémentaire d'oxygène par masque ou canule est appropriée chez certains clients. La concentration d'oxygène administrée est déterminée par la saturométrie et la GSA. Dans certaines situations, l'intubation endotrachéale et la ventilation mécanique sont nécessaires pour maintenir une oxygénation adéquate. Les mesures respiratoires comme la mobilisation, la toux contrôlée, les respirations profondes et l'utilisation d'un spiromètre aident à prévenir ou à traiter l'atélectasie. Si des symptômes de choc sont présents, des liquides I.V. sont administrés, suivis par des agents vasopresseurs au besoin pour favoriser la perfusion ▶ 50. En cas d'insuffisance cardiaque, un diurétique peut être administré. Les douleurs résultant de l'irritation de la plèvre ou de la diminution du débit sanguin dans les coronaires peuvent être soulagées avec des analgésiques opioïdes, habituellement de la morphine.

Pharmacothérapie

Les agents fibrinolytiques, comme l'activateur tissulaire du plasminogène (alteplase [Activase^MD]), permettent de dissoudre l'embolie pulmonaire et la source du thrombus dans une veine du bassin ou une veine profonde des jambes, ce qui réduit par conséquent la probabilité de survenue d'une autre embolie. Les indications du traitement thrombolytique des EP comprennent l'instabilité hémodynamique et l'insuffisance ventriculaire droite ▶ 44.

Comme la plupart des décès sont dus à des EP récidivantes, le traitement doit être instauré immédiatement. Une anticoagulothérapie efficace peut prévenir la formation d'autres embolies. L'héparine est utilisée comme anticoagulothérapie I.V. pour prévenir la formation d'autres caillots, mais elle ne dissout pas les caillots existants. Traditionnellement, l'héparine non fractionnée (anticoagulothérapie sous-cutanée [S.C.]) est employée, mais l'héparine de faible poids moléculaire (p. ex., l'énoxaparine sodique [Lovenox^MD]) est de plus en plus utilisée. L'anticoagulothérapie orale (ACO) demeure le traitement de maintien privilégié. La warfarine sodique (Coumadin^MD) est l'ACO la plus utilisée et peut être instaurée dans les 24 premières heures suivant l'événement thrombotique. Cette ACO est habituellement administrée pendant trois à six mois. Certains médecins utilisent les inhibiteurs du facteur xa (un facteur de coagulation) ou les inhibiteurs directs de la thrombine pour traiter les EP.

La dose d'héparine est ajustée selon le temps de céphaline activée, alors que la dose d'ACO est déterminée en fonction du rapport international normalisé (RIN). Il faut changer et ajuster fréquemment les doses d'héparine au début pour obtenir un temps de céphaline activée thérapeutique. L'anticoagulothérapie peut être contre-indiquée si le client présente une **dyscrasie** sanguine, une dysfonction hépatique

Dyscrasie: Perturbation des éléments figurés du sang (globules rouges, plaquettes, etc.).

altérant le mécanisme de la coagulation, des lésions dans les intestins, des saignements manifestes, des antécédents d'AVC hémorragique ou une affection neurologique, ou tout trouble de la coagulation.

Traitement chirurgical

Si le degré d'obstruction de l'artère pulmonaire est important et que le client ne répond pas à un traitement traditionnel, une embolectomie immédiate peut être indiquée. L'embolectomie pulmonaire, une procédure rare, est associée à un taux de mortalité de 50 %. Avant l'intervention, il faut effectuer une angiographie pulmonaire pour distinguer et localiser l'embole. Lorsqu'une embolectomie pulmonaire est effectuée, un filtre est également placé dans la veine cave inférieure du client.

La mise en place d'un filtre est le traitement de choix pour prévenir les embolies subséquentes chez les clients qui demeurent à risque élevé de tels événements et chez ceux ayant une contre-indication aux anticoagulants. En passant d'abord par la veine fémorale, le dispositif est monté, puis déployé dans la veine cave inférieure près du diaphragme. Il prévient la migration de gros caillots dans le système pulmonaire. Les complications associées à ce dispositif, notamment un mauvais placement, la migration ou la perforation, sont rares.

Soins et traitements infirmiers

35

CLIENT ATTEINT D'EMBOLIE PULMONAIRE

Interventions cliniques

Promotion de la santé

Les soins infirmiers pour prévenir les EP sont similaires au traitement prophylactique des TVP.

Intervention en phase aiguë

Le pronostic d'un client présentant une EP est efficace si le traitement est instauré rapidement. Il faut garder le client au lit en position semi-Fowler pour faciliter la respiration. Un cathéter intraveineux doit être installé pour l'administration de médicaments I.V. (p. ex., l'héparine) et de solutés appropriés. L'infirmière doit connaître les effets secondaires des médicaments et surveiller leur apparition. Elle administre l'oxygénothérapie comme prescrit et surveille étroitement les signes vitaux, la présence d'arythmies cardiaques, la saturométrie, les GSA et les bruits pulmonaires. Ces interventions sont essentielles pour assurer le suivi du client. L'infirmière doit s'assurer que les résultats du TCA et du RIN sont thérapeutiques. Les soins infirmiers comprennent la détection des complications liées à l'anticoagulothérapie (p. ex., des saignements, des hématomes et des ecchymoses) et aux EP (p. ex., l'hypoxie et l'hypotension). La planification des soins inclut les interventions liées à la mobilité et à la prévention des chutes.

Le client est habituellement anxieux à cause de la douleur, de la sensation d'oppression, de l'incapacité à respirer et de la peur de la mort. Il faut prendre le temps d'expliquer la situation, fournir du soutien émotionnel et rassurer le client pour l'aider à gérer son anxiété.

Soins ambulatoires et soins à domicile

Le client atteint d'un trouble thromboembolique peut nécessiter un soutien émotionnel. En plus de cet état, certains clients présentent une maladie chronique sous-jacente qui requiert un traitement prolongé. Avant de fournir le traitement de soutien, l'infirmière doit comprendre et différencier les divers problèmes causés par la maladie sous-jacente et ceux liés à la maladie thromboembolique. Il est essentiel de donner de l'enseignement au client sur l'anticoagulothérapie à long terme. Le traitement par ACO est poursuivi pendant au moins trois à six mois. Les clients présentant des embolies récurrentes sont traités indéfiniment. Les valeurs du RIN sont vérifiées à intervalles réguliers (généralement tous les 28 jours), et la dose d'ACO est ajustée par le médecin en fonction du résultat. Au Québec, certains clients peuvent être suivis en collaboration avec leur pharmacien. Le RIN est effectué dans un établissement du CISSS du client, et le résultat est transmis à son pharmacien qui ajuste le dosage d'ACO par la suite. Le traitement à long terme s'apparente à celui des clients atteints d'une TVP. La planification du congé de l'hôpital comprend les mesures visant à limiter la progression de la maladie et à prévenir les complications et les récidives. Il faut renforcer le besoin pour les clients de revoir leur professionnel de la santé pour des examens de suivi réguliers.

Évaluation des résultats

Les résultats escomptés chez un client atteint d'une embolie pulmonaire sont les suivants :

- une perfusion tissulaire et une fonction respiratoire adéquates ;
- un débit cardiaque adéquat ;
- la gestion de la douleur ;
- l'absence de récidive d'EP.

Jugement clinique

Rolande Descœurs est âgée de 69 ans. Elle est présentement hospitalisée en raison d'une embolie pulmonaire traitée avec héparine I.V. Le résultat du dernier TCA est de 58 secondes (témoin 29 secondes). Que signifie ce résultat ?

MAIS SI ...

Si le résultat du TCA était de 50 secondes, qu'est-ce que cela signifierait ?

Jugement clinique

Madame Descœurs prend maintenant de la warfarine (Coumadin^{MD}). Le résultat du RIN de la cliente est de 12,4 secondes par rapport au témoin de 9,4 secondes. Le dosage de la warfarine devrait-il être modifié ? Justifiez votre réponse.

35.6 Hypertension pulmonaire

L'**hypertension pulmonaire** est l'élévation de la pression dans les vaisseaux pulmonaires résultant d'une augmentation de la résistance vasculaire périphérique au débit sanguin. La maladie se manifeste souvent sous forme d'essoufflement et de fatigue. L'hypertension pulmonaire peut être de type primaire (hypertension pulmonaire primaire) ou être une complication d'un trouble respiratoire, cardiaque, auto-immun, hépatique ou du tissu conjonctif (hypertension pulmonaire secondaire).

35.6.1 Hypertension pulmonaire primaire

L'**hypertension pulmonaire primaire** (HPP) est une maladie grave et évolutive. Elle se caractérise par une pression pulmonaire artérielle moyenne supérieure à 25 mm Hg au repos (les valeurs normales sont de 12 à 16 mm Hg) ou supérieure à 30 mm Hg à l'épreuve d'effort en l'absence d'une cause démontrable. Jusqu'à récemment, soit la dernière décennie, cette maladie évoluait rapidement et culminait en insuffisance cardiaque droite et en décès. La survie médiane est de quelques années si la maladie n'est pas traitée. Même si l'arrivée de nouveaux médicaments a grandement amélioré la survie, la maladie demeure malheureusement incurable.

Étiologie et physiopathologie

La cause exacte de l'HPP demeure inconnue. Il s'agit d'une maladie rare et potentiellement mortelle. Elle touche plus les femmes que les hommes.

En temps normal, la circulation pulmonaire est caractérisée par une faible résistance et une faible pression. En présence d'une hypertension pulmonaire, la pression dans la circulation artérielle et capillaire pulmonaire s'élève. Jusqu'à tout récemment, la physiopathologie de l'HPP était mal comprise. Toutefois, selon Oudiz (2015), une atteinte hormonale ou mécanique de l'endothélium pulmonaire pourrait expliquer une série d'événements qui entraîneraient l'HPP comme des troubles vasculaires, des lésions endothéliales ainsi qu'un remodelage des parois des vaisseaux sanguins pulmonaires et du cœur droit **FIGURE 35.11**.

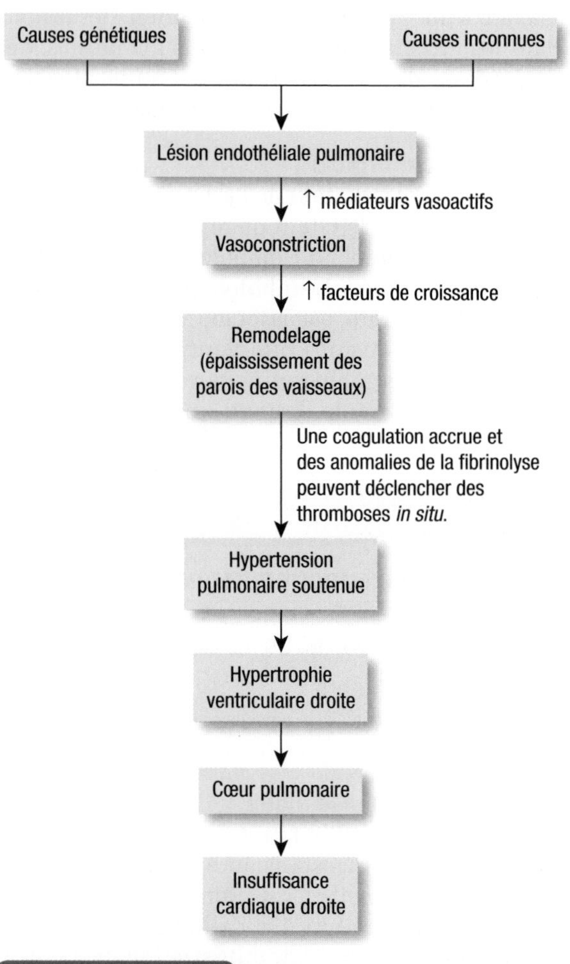

FIGURE 35.11 Pathogenèse de l'hypertension pulmonaire et du cœur pulmonaire

Manifestations cliniques et examens paracliniques

Les symptômes classiques de l'HPP sont la dyspnée à l'épreuve d'effort et la fatigue. Une douleur thoracique au cours d'un effort, des étourdissements et une syncope à l'épreuve d'effort sont les autres symptômes qui peuvent se manifester. Ils découlent de l'incapacité du débit cardiaque à augmenter en réponse à la demande accrue d'oxygène. À la longue, une dyspnée au repos s'installe avec la progression de la maladie. L'HPP augmente la charge de travail du ventricule droit et provoque une hypertrophie ventriculaire droite, maladie appelée cœur pulmonaire et, par la suite, une insuffisance cardiaque droite. La radiographie pulmonaire montre généralement une hypertrophie des artères pulmonaires centrales ainsi que des champs pulmonaires clairs. Une hypertrophie du cœur droit n'est pas inhabituelle. L'échographie cardiaque révèle habituellement une hypertrophie ventriculaire droite. Les valeurs de pression veineuse centrale (PVC) sont habituellement élevées. L'intervalle de temps moyen séparant le début des symptômes et l'établissement du diagnostic est de deux ans. À l'apparition des symptômes, la maladie a déjà atteint un stade avancé, et la pression dans l'artère pulmonaire est de deux ou trois fois plus élevée que la normale.

Processus thérapeutique en interdisciplinarité

L'HPP est un diagnostic d'exclusion ; il faut s'assurer d'éliminer toute autre maladie. Le diagnostic se fait au moyen de divers examens, notamment l'échographie cardiaque, la radiographie pulmonaire, les tests de la fonction pulmonaire, l'échocardiographie et la TDM hélicoïdale. La mise en place d'un cathéter cardiaque permet de mesurer la pression dans l'artère pulmonaire, de même que le débit cardiaque et la pression de remplissage dans le ventricule gauche. La détection précoce de l'HPP est essentielle pour interrompre le cercle vicieux responsable de la progression de la maladie **FIGURE 35.11**. Les clients sont stadifiés selon la classification fonctionnelle de la New York Heart Association ▶ 42.

Pharmacothérapie

L'HPP ne se guérit pas, et le traitement vise à soulager les symptômes, améliorer la qualité de vie et prolonger la durée de vie. Le traitement classique consiste à administrer des diurétiques, des anticoagulants, une oxygénothérapie ainsi que des bloqueurs des canaux calciques. Les diurétiques soulagent l'œdème périphérique et peuvent être utiles pour réduire la surcharge volémique du ventricule droit. L'anticoagulothérapie prévient la formation de thrombus et les thromboses veineuses. L'hypoxie agit comme puissant vasoconstricteur pulmonaire, c'est pourquoi l'utilisation d'oxygène à faible débit peut soulager les symptômes. L'objectif est de garder une SaO_2 égale ou supérieure à 90 %. Les bloqueurs des canaux calciques (nifédipine à libération prolongée [Adalat XL^MD] et chlorhydrate de diltiazem [Cardizem^MD]) dilatent les artères pulmonaires rétrécies et réduisent ainsi l'hypertension pulmonaire. Toutefois, de nombreux clients atteints d'une HPP ne répondent pas aux bloqueurs des canaux calciques.

Au cours de la dernière décennie, six nouveaux médicaments ont été approuvés pour le traitement de l'HPP. Tous accroissent la vasodilatation des vaisseaux sanguins pulmonaires, réduisent la surcharge du ventricule droit et renversent le processus de remodelage.

La classe des analogues de la prostacycline fait partie de ces médicaments. Ils accroissent la vasodilatation pulmonaire et réduisent la résistance vasculaire pulmonaire. La prostacycline injectable est le traitement de référence des hypertensions artérielles pulmonaires idiopathiques graves et réfractaires, car elle améliore la qualité de vie et la survie des clients (Duong-Quy, 2010). L'époprosténol sodique (Flolan^MD) est administré au moyen d'un cathéter central inséré en permanence et d'une pompe à perfusion continue. Le client et son proche aidant doivent recevoir une formation pour savoir comment utiliser la pompe à perfusion I.V. portable, mélanger les médicaments, manipuler le cathéter central et surveiller les complications **FIGURE 35.12**. La demi-vie de cet agent est de moins de six minutes. Si le cathéter central est brisé, obstrué ou déplacé, l'état clinique peut se détériorer en raison de l'arrêt brusque de l'administration de l'époprosténol sodique. Il s'agit d'un événement grave qui peut entraîner une hypertension pulmonaire de rebond et une détérioration de l'état clinique en quelques minutes. Le client présente des signes et des symptômes d'insuffisance cardiaque droite, dont de la dyspnée, une cyanose, de la toux, une syncope et de la faiblesse. Si le client maigrit beaucoup, la dose, qui est fonction du poids, peut devenir excessive. Les symptômes d'un surdosage comprennent les bouffées vasomotrices (rougeur au visage), l'hypotension et la tachycardie. Les infections associées à l'accès vasculaire et aux bris des cathéters centraux constituent des problèmes majeurs.

La deuxième classe de médicaments utilisés pour traiter l'HPP regroupe les bloqueurs des récepteurs de l'endothéline, qui sont des antagonistes des récepteurs de l'endothéline active et qui agissent en bloquant l'hormone endothéline, ce qui cause une constriction des vaisseaux sanguins. Les deux médicaments appartenant à cette classe sont le monohydrate de bosentan (Tracleer^MD) et l'ambrisentan (Volibris^MD), qui peuvent être administrés par voie P.O. Comme ils sont liés à un risque d'hépatotoxicité, il faut procéder mensuellement à des tests sériques de la fonction hépatique.

La troisième classe de médicaments utilisés pour traiter l'HPP comprend les inhibiteurs de la phosphodiestérase, comme le citrate de sildénafil (Revatio^MD). Ces agents prolongent les effets vasodilatateurs de l'oxyde nitrique et réduisent efficacement la résistance vasculaire pulmonaire. Les personnes recevant des nitrates (p. ex., la nitroglycérine contre l'angine de poitrine) ne doivent pas prendre ce médicament en raison de la possibilité d'une hypotension grave.

FIGURE 35.12 Un client atteint d'une hypertension pulmonaire reçoit une perfusion continue d'époprosténol sodique. L'infirmière lui explique comment utiliser la pompe à perfusion I.V. portative.

42

La classification fonctionnelle de la maladie cardiaque de la New York Heart Association et les stades d'insuffisance cardiaque de l'American College of Cardiology et de l'American Heart Association sont présentés dans le chapitre 42, *Interventions cliniques – Insuffisance cardiaque.*

35

Réactivation des connaissances

Qu'est-ce que la demi-vie sérique d'un médicament ?

Les interventions chirurgicales pour traiter l'hypertension pulmonaire sont notamment la septostomie auriculaire, la thromboendartériectomie pulmonaire et la transplantation pulmonaire. Dans la septostomie, un conduit de dérivation intra-auriculaire est créé de droite à gauche pour décomprimer le ventricule droit. Cette intervention n'est pratiquée que chez un groupe sélectionné de clients en attente d'une greffe de poumon. L'endartériectomie peut guérir les clients atteints d'une hypertension pulmonaire thromboembolique chronique. Cette intervention n'est recommandée que chez les personnes ayant des sites opérables et chez qui l'embole peut être retiré par embolectomie.

La greffe de poumon est le traitement principal de l'HPP chez les personnes ne répondant pas aux traitements pharmacologiques et progressant vers une insuffisance cardiaque droite grave. Aucun cas de récidive de cette maladie n'a été signalé chez les personnes ayant subi une transplantation.

35.6.2 Hypertension pulmonaire secondaire

Shunt intracardiaque : Communication pathologique entre le cœur droit et le cœur gauche qui permet le mélange du sang oxygéné et du sang non oxygéné.

Polycythémie : Augmentation anormale du nombre de globules rouges.

L'**hypertension pulmonaire secondaire** (HPS) est une maladie qui survient lorsqu'une affection primaire entraîne une augmentation chronique de la pression dans les artères pulmonaires. L'HPS peut résulter d'une maladie parenchymateuse des poumons, d'une dysfonction ventriculaire gauche, d'un **shunt intracardiaque**, d'embolies pulmonaires chroniques ou d'une maladie du tissu conjonctif systémique. Le processus pathologique de la maladie primaire peut entraîner des changements anatomiques ou vasculaires qui causent l'HPS. Les changements anatomiques qui entraînent une augmentation de la résistance vasculaire dans les poumons sont notamment la perte de capillaires consécutive aux lésions touchant la paroi des alvéoles (p. ex., une MPOC), le durcissement des vaisseaux pulmonaires (p. ex., la fibrose pulmonaire secondaire à une maladie du tissu conjonctif) et l'obstruction du débit sanguin pulmonaire (embolies à répétition).

Certaines affections entraînent une hypoxie alvéolaire et peuvent parfois accroître la résistance vasculaire pulmonaire. L'hypoxie entraîne une vasoconstriction localisée aux alvéoles atteintes et une dérivation du sang vers des alvéoles mieux ventilées. Un large éventail de maladies peut causer une hypoxie alvéolaire. Certaines affections peuvent aussi présenter une combinaison des phénomènes, c'est-à-dire des hangements anatomiques et une vasoconstriction. Cela se produit souvent chez les personnes atteintes d'une bronchite chronique de longue date présentant une hypoxie chronique en plus de la perte de tissu pulmonaire.

Les symptômes peuvent refléter une maladie sous-jacente, mais certains sont directement attribuables à l'HPS, y compris la dyspnée, la fatigue, la léthargie et la douleur thoracique. Les observations physiques initiales peuvent comprendre une hypertrophie du ventricule droit et des signes d'insuffisance cardiaque droite (augmentation des bruits pulmonaires cardiaques, apparition d'un quatrième bruit cardiaque, œdème périphérique et hépatomégalie). Le diagnostic de l'HPS est similaire à celui de l'HPP. Le traitement consiste principalement à corriger le trouble primaire sous-jacent. S'il y a présence de lésions vasculaires pulmonaires irréversibles, il est recommandé d'administrer le même traitement que celui utilisé contre l'HPP. L'efficacité des traitements contre l'hypertension pulmonaire a surtout été évaluée chez des personnes atteintes d'une HPP ; les données sur l'efficacité de ces traitements dans l'HPS sont limitées.

35.6.3 Cœur pulmonaire

Le **cœur pulmonaire** est l'hypertrophie du ventricule droit consécutive à une maladie des poumons, du thorax ou de la circulation pulmonaire. Il y a habituellement une hypertension pulmonaire préexistante chez les personnes atteintes. Le cœur pulmonaire peut être accompagné ou non d'une insuffisance cardiaque symptomatique. La cause la plus courante d'un cœur pulmonaire est la MPOC, mais tout type de maladie touchant les voies respiratoires peut le causer. La **FIGURE 35.11** présente l'étiologie et la pathogenèse de l'hypertension pulmonaire et du cœur pulmonaire.

Manifestations cliniques

Les manifestations cliniques sont subtiles et souvent masquées par les symptômes d'une autre maladie pulmonaire. Les symptômes courants sont la dyspnée à l'épreuve d'effort, la léthargie et la fatigue. Les signes physiques sont notamment une hypertrophie du ventricule droit à l'échographie cardiaque et une augmentation du deuxième bruit cardiaque. L'hypoxémie chronique entraîne une **polycythémie** et une augmentation du volume total et de la viscosité du sang (il y a souvent présence concomitante d'une polycythémie dans les cœurs pulmonaires secondaires à une MPOC). Les épisodes de cœur pulmonaire chez une personne présentant un trouble respiratoire chronique sous-jacent sont souvent déclenchés par une infection aiguë des voies respiratoires.

Si une insuffisance cardiaque accompagne le cœur pulmonaire, les manifestations suivantes peuvent être présentes : œdème périphérique, gain de poids, distension des veines jugulaires, tachycardie et hépatomégalie. La radiographie pulmonaire montre une hypertrophie du ventricule droit et de l'artère pulmonaire.

Processus thérapeutique en interdisciplinarité

Le but premier du traitement du cœur pulmonaire est de corriger le problème pulmonaire sous-jacent **ENCADRÉ 35.15**. Une oxygénothérapie à faible

Processus diagnostique et thérapeutique

ENCADRÉ 35.15 Cœur pulmonaire

EXAMEN CLINIQUE ET EXAMENS PARACLINIQUES	PROCESSUS THÉRAPEUTIQUE
• Anamnèse et examen physique	• Oxygénothérapie à faible débit
• GSA	• Bronchodilatateurs
• Électrolytes sériques et urinaires ; Ht	• Diurétiques
• Surveillance du tracé cardiaque, de l'ECG et de la SaO_2	• Diète réduite en sodium
• Radiographie pulmonaire	• Vasodilatateurs (si indiqués)
• Échographie cardiaque	• Bloqueurs des canaux calciques (si indiqués)

débit et à long terme pour corriger l'hypoxémie permet de réduire la vasoconstriction localisée et réduit l'hypertension pulmonaire. S'il y a déséquilibre acidobasique, liquidien ou électrolytique, il faut les corriger. L'administration de diurétiques et une diète réduite en sodium peuvent aider à diminuer le volume plasmatique circulant et réduire la charge de travail du cœur. L'utilisation de bronchodilatateurs est indiquée si le trouble respiratoire sous-jacent est dû à un problème obstructif. Les autres traitements possibles sont ceux qui visent à contrer l'hypertension pulmonaire, par exemple les vasodilatateurs, les bloqueurs des canaux calciques et les anticoagulants. La théophylline peut être bénéfique à cause de ses faibles effets inotropes sur le cœur. La phlébotomie est indiquée chez les clients atteints d'un cœur pulmonaire et d'une hypoxie chronique causant une polycythémie grave (hématocrite égal ou supérieur à 65 %). La prise en charge à long terme du cœur pulmonaire résultant d'une MPOC est similaire à celle décrite pour la MPOC ▶ 36.

35.6.4 Greffe pulmonaire

La greffe pulmonaire est un traitement de plus en plus envisagé chez les clients atteints d'une maladie pulmonaire terminale. Le facteur limitant de ce traitement est le nombre de donneurs. Divers troubles pulmonaires peuvent être traités par greffe pulmonaire **ENCADRÉ 35.16**. Les taux de survie ont augmenté grâce à l'amélioration des critères de sélection des clients, mais aussi grâce aux avancées techniques et à l'amélioration des traitements immunosuppresseurs.

Les clients considérés pour une transplantation pulmonaire doivent subir une évaluation étendue. Les candidats à une greffe du poumon ne doivent pas être atteints d'une tumeur maligne ou en avoir présenté une récemment (au cours des deux dernières années) ni être atteints d'une insuffisance rénale ou hépatique. Le candidat et sa famille doivent subir un examen psychologique pour déterminer leur capacité à respecter les procédures postopératoires, qui nécessitent une adhésion stricte au traitement immunosuppresseur, la surveillance continue des signes précoces d'une infection et le signalement rapide de toute manifestation d'infection en vue d'une évaluation médicale. Bon nombre de centres de transplantation exigent des clients qu'ils se soumettent à un programme préopératoire de réadaptation pulmonaire en consultation externe pour optimiser leur condition physique.

Au Québec, le MSSS a mandaté l'organisme Québec-Transplant pour constituer et maintenir une liste unique de personnes en attente d'organes. Les critères d'inscription et les règles de gestion de la liste d'attente sont définis avec les programmes des centres hospitaliers de transplantation par l'entremise du comité médical de consultation scientifique de Québec-Transplant et de ses sous-comités. Ainsi, les clients en attente sont classés selon l'urgence de la transplantation à venir. La liste d'attente est mise à jour par Québec-Transplant selon les renseignements reçus des centres hospitaliers traitant la clientèle en attente.

Les receveurs potentiels qui ont été acceptés comme candidats à une transplantation doivent porter sur eux un téléavertisseur en tout temps au cas où un organe d'un donneur serait disponible. Ils doivent aussi être prêts à se rendre à leur centre de transplantation à tout moment. Ils sont encouragés à limiter leurs déplacements dans une certaine région géographique donnée afin de faciliter le transport rapide vers ce centre.

Il existe quatre types de greffe pulmonaire : 1) greffe d'un seul poumon ; 2) greffe bilatérale de poumon ; 3) transplantation cœur-poumon ; 4) greffe de lobes d'un donneur vivant membre de la famille du receveur (ce dernier type de greffe n'est pas

36

Les interventions liées à la MPOC sont discutées dans le chapitre 36, *Interventions cliniques – Maladies pulmonaires obstructives.*

ENCADRÉ 35.16 Indications courantes de la greffe pulmonaire

- MPOC
- Fibrose kystique
- Carence en α_1-antitrypsine
- Hypertension pulmonaire

Anastomose : Technique utilisée pour contourner un obstacle sur la voie digestive.

pratiqué au Canada). La transplantation d'un seul poumon nécessite une incision sur le côté de la poitrine. Le poumon opposé est ventilé pendant que le poumon malade est excisé. Le poumon est ensuite réséqué, puis le poumon du donneur inséré.

Trois **anastomoses** sont pratiquées : la bronche, l'artère pulmonaire et les veines pulmonaires. Dans le cas des transplantations bilatérales de poumons, une incision est pratiquée dans le sternum, et les poumons du donneur sont insérés séparément. Dans les cas des transplantations cœur-poumon, une sternotomie est effectuée au moyen d'une incision médiane. Les drains thoraciques sont placés autour des poumons du donneur pour favoriser leur réexpansion et l'entrée d'air. Les transplantations de lobes de donneurs vivants sont réservées aux candidats en urgence d'une greffe et qui ont peu de chance de survie avant qu'un nouveau poumon ne soit disponible. La majorité de ces receveurs de greffe sont des personnes atteintes de la fibrose kystique, et les donneurs sont l'un des parents ou un membre de la famille.

Les soins postopératoires précoces comprennent l'assistance ventilatoire, la régulation des liquides et la surveillance hémodynamique, l'immunosuppression, la détection d'un rejet aigu potentiel et la prévention ou le traitement des infections. Pour réduire au minimum les complications potentielles, les mesures suivantes sont utilisées pour favoriser le dégagement des poumons : utilisation de bronchodilatateurs en aérosol, physiothérapie respiratoire et techniques de respiration profonde et de toux. Le maintien de l'équilibre hydrique est essentiel au cours de la phase postopératoire.

CE QU'IL FAUT RETENIR

Les receveurs d'une greffe de poumon présentent tous un risque élevé d'infection bactérienne, virale, fongique ou par un protozoaire. Les infections représentent la première cause de décès au cours de la période suivant immédiatement la transplantation.

Les receveurs d'une greffe de poumon présentent tous un risque élevé d'infection bactérienne, virale, fongique ou par un protozoaire. Les infections représentent la première cause de décès au cours de la période suivant immédiatement la transplantation. Les pneumonies bactériennes à Gram négatif sont courantes. Parmi les causes potentielles d'infection virale, le cytomégalovirus (CMV) est l'agent pathogène le plus important à surveiller chez les clients receveurs d'une greffe de poumon ; ce type d'infection apparaît habituellement de quatre à huit semaines après l'opération. Les manifestations cliniques d'une infection par le CMV sont notamment la fièvre, la suppression de la moelle osseuse, l'hépatite, l'entérite et les pneumopathies. L'*aspergillus* est l'infection fongique la plus fréquente.

14

Les mécanismes d'action des médicaments dans la thérapie immunosuppressive sont présentés dans le chapitre 14, *Réaction immunitaire et transplantation.*

Le traitement immunosuppresseur comprend habituellement trois médicaments, soit la cyclosporine ou le tacrolimus, l'azathioprine (Imuran[MD]) ou le mofétilmycophénolate (CellCept[MD]) et la prednisone ▶ 14.

En raison du large éventail d'effets indésirables et d'interactions médicamenteuses potentiels, les traitements immunosuppresseurs présentent certaines limites. Par exemple, les concentrations des médicaments doivent être surveillées régulièrement. De plus, les doses du traitement immunosuppresseur administrées aux receveurs d'une greffe de poumon sont habituellement plus élevées que celles administrées aux receveurs d'autres organes.

Le rejet aigu est passablement courant dans les greffes de poumon et peut survenir aussi tôt que de cinq à sept jours après la chirurgie. Les signes de rejet sont une fièvre légère, la fatigue et une désaturation en oxygène à l'épreuve d'effort. La biopsie transtrachéale permet de poser un diagnostic précis. Le traitement consiste à administrer des doses élevées de corticostéroïdes par voie I.V. pendant trois jours. Chez les clients présentant un rejet aigu persistant ou récurrent, les autres stratégies comprennent l'administration d'anticorps antilymphocytes ou le changement du traitement immunosuppresseur d'entretien.

La bronchiolite oblitérante (maladie obstructive des voies respiratoires causant une occlusion progressive) est une manifestation de rejet chronique chez les clients receveurs d'une greffe pulmonaire (Song, Dabbs, Studer *et al.*, 2008). L'apparition est souvent subaiguë avec une obstruction graduelle et progressive du passage de l'air, associée notamment à une toux, à une dyspnée et à des infections récurrentes des voies respiratoires inférieures. Le traitement consiste en une immunosuppression d'entretien optimale.

La planification du congé de l'hôpital commence dès la phase préopératoire. Avant son congé, le client doit être autonome pour ce qui est de ses activités personnelles, comme prendre en charge la prise de ses médicaments et accomplir les activités de la vie quotidienne (AVQ), en plus d'être parfaitement au courant du moment ou de la situation exigeant qu'il communique avec le médecin de l'équipe de transplantation. Les clients sont intégrés à un programme de réadaptation ambulatoire pour améliorer leur endurance physique. La spirométrie à domicile est une mesure qui permet de surveiller les fluctuations de la fonction pulmonaire. Il faut enseigner au client comment garder un journal pour noter toute information liée aux médicaments, aux résultats d'analyses de laboratoire et à ceux de la spirométrie. Après le congé de l'hôpital, l'équipe de transplantation continue à suivre le client pour s'assurer de corriger tout problème lié à la transplantation. Les clients continuent à revoir leur équipe de soins primaires (médecin de famille ou autres) pour leur bilan de santé ou pour toute maladie légère. Lorsque les procédures liées à la transplantation deviennent plus fréquentes, il est possible que le greffé retourne à l'hôpital pour les autres procédures de routine. La coordination des soins entre l'équipe de transplantation, l'équipe des soins primaires et les différentes autres équipes à l'hôpital est essentielle pour parvenir à bien traiter ces clients.

Analyse d'une situation de santé — Jugement clinique

Gontran de Bellefeuille est âgé de 59 ans. S'étant rendu en Floride en voiture pour de longues vacances, il a dû être rapatrié par avion, car il a soudainement présenté une douleur thoracique aiguë au côté droit accompagnée de dyspnée. Il avait remarqué auparavant qu'il toussait et que ses expectorations étaient épaisses et abondantes. Comme cela durait depuis deux semaines, il a consulté un médecin sur place qui a aussitôt demandé une radiographie pulmonaire, une tomodensitométrie et une cytologie des expectorations. Ces examens paracliniques ont révélé un épanchement pleural au poumon droit (hémothorax), un pneumothorax et un carcinome à petites cellules au lobe supérieur droit.

Le client est maintenant hospitalisé à l'unité de pneumologie. Il n'est pas dyspnéique actuellement. Le pneumologue a installé un drain thoracique au côté droit et entrevoit la possibilité de procéder à une pneumonectomie, non sans avoir avisé le client et sa conjointe du sombre pronostic. Sans le recours à la chirurgie, des soins palliatifs devront être envisagés. Monsieur de Bellefeuille est atterré par cette nouvelle, lui qui n'a jamais fumé et qui demeurait très actif depuis qu'il avait pris sa retraite il y a deux ans. Le couple voit ses projets s'évanouir et anticipe l'avenir avec pessimisme.

35

Mise en œuvre de la démarche de soins

Collecte des données – Évaluation initiale – Analyse et interprétation

SOLUTIONNAIRE

1. Comme monsieur de Bellefeuille n'a jamais fumé, quelle donnée subjective l'infirmière devrait-elle rechercher concernant une autre cause possible du carcinome pulmonaire ?
2. Nommez le signe objectif d'un hémothorax détectable à la percussion et celui décelable à l'auscultation.
3. En plus de la consistance et de la couleur, quelle autre caractéristique des sécrétions l'infirmière devrait-elle rechercher au moment de l'évaluation ?
4. En plus des caractéristiques des expectorations, des données présentées dans la mise en contexte et de celles obtenues par l'auscultation, nommez cinq points élémentaires à vérifier pour évaluer l'état respiratoire de monsieur de Bellefeuille.
5. Quel risque l'infirmière peut-elle anticiper concernant la réaction du couple quant au pronostic sombre ?

▶ Sans s'en rendre compte, le client a tendance à se coucher sur le drain thoracique empêchant l'écoulement normal du liquide. Il dit qu'il a parfois de la difficulté à respirer à 2 sur 10, mais il attribue cela à son cancer. ▶

MISE EN ŒUVRE DE LA DÉMARCHE DE SOINS

6. Expliquez pourquoi il est justifié que l'infirmière inscrive *Risque de pneumothorax sous tension* dans l'extrait du plan thérapeutique infirmier (PTI) du client.

Extrait

CONSTATS DE L'ÉVALUATION								
Date	Heure	N°	Problème ou besoin prioritaire	Initiales	RÉSOLU / SATISFAIT			Professionnels / Services concernés
					Date	Heure	Initiales	
2016-02-27	*09:45*	*2*	*Risque de pneumothorax sous tension*	*R.V.*				

Signature de l'infirmière	Initiales	Programme / Service	Signature de l'infirmière	Initiales	Programme / Service
Rachel Vaudois	*R.V.*	*Pneumologie*			

Récemment vu dans ce chapitre

Serait-il bon de vérifier si monsieur de Bellefeuille a déjà inhalé de la poussière d'amiante, de fer ou de nickel ? Justifiez votre réponse.

Pourquoi est-ce important de demander au client s'il a souffert de pneumonie persistante récemment ?

MISE EN ŒUVRE DE LA DÉMARCHE DE SOINS

Planification des interventions – Décisions infirmières

7. Trouvez une directive applicable par tout le personnel infirmier pour le problème prioritaire numéro 2. N.B. Cette directive pourrait également être applicable par la conjointe du client.

Extrait

CONSTATS DE L'ÉVALUATION								
Date	Heure	N°	Problème ou besoin prioritaire	Initiales	RÉSOLU / SATISFAIT			Professionnels / Services concernés
					Date	Heure	Initiales	
2016-02-27	*09:45*	*2*	*Risque de pneumothorax sous tension*	*R.V.*				

SUIVI CLINIQUE							
Date	Heure	N°	Directive infirmière	Initiales	CESSÉE / RÉALISÉE		
					Date	Heure	Initiales
2016-02-27	*09:45*	*2*					

Signature de l'infirmière	Initiales	Programme / Service	Signature de l'infirmière	Initiales	Programme / Service
Rachel Vaudois	*R.V.*	*Pneumologie*			

8. Les éléments de surveillance relative au drain thoracique devraient-ils se retrouver dans les directives infirmières ? Justifiez votre réponse.

Évaluation des résultats – Évaluation en cours d'évolution

9. Comme monsieur de Bellefeuille a un drain thoracique et qu'un pneumothorax a été décelé, l'infirmière doit toujours se souvenir du danger que le client souffre d'un pneumothorax sous tension. Nommez trois signes indiquant qu'une telle complication s'installe.

10. Par quelles manifestations cliniques l'infirmière pourrait-elle détecter que monsieur de Bellefeuille a une obstruction bronchique ? Nommez-en deux.

Récemment vu dans ce chapitre

Faut-il clamper le drain thoracique lorsqu'on aide monsieur de Bellefeuille à se lever au fauteuil ? Justifiez votre réponse.

Puisque monsieur de Bellefeuille a un drain thoracique, en plus de l'évaluation en cours d'évolution faite par l'infirmière, quel résultat d'examen diagnostique faut-il consulter au dossier pour vérifier le degré de réexpansion des poumons ?

▶ Devant la réaction du couple à l'égard du pronostic sombre, l'infirmière demeure en alerte pour suivre l'état psychologique du client et de son épouse. ◀

MISE EN ŒUVRE DE LA DÉMARCHE DE SOINS

11. Qu'est-ce qui indiquerait que monsieur de Bellefeuille et sa conjointe prennent une décision éclairée concernant les options de traitements proposés par le pneumologue (pneumonectomie) ?

APPLICATION DE LA PENSÉE CRITIQUE

Dans l'application de la démarche de soins auprès de monsieur de Bellefeuille, l'infirmière a recours aux éléments du modèle de la pensée critique pour analyser la situation de santé du client et en comprendre les enjeux. La **FIGURE 35.13** résume les caractéristiques de ce modèle en fonction des données de ce client, mais elle n'est pas exhaustive.

VERS UN JUGEMENT CLINIQUE

CONNAISSANCES

- Anatomie des poumons
- Différence entre une tumeur bénigne et une tumeur maligne
- Effets néfastes du tabac et d'autres agents cancérigènes
- Manifestations cliniques d'un cancer du poumon
- Méthodes diagnostiques du cancer du poumon
- Traitement du cancer du poumon
- Signes et symptômes d'un épanchement pleural et d'un pneumothorax sous tension
- Éléments de surveillance standard pour un client porteur d'un drain thoracique

EXPÉRIENCES

- Soins aux clients atteints de cancer
- Expérience en soins palliatifs
- Soins aux clients porteurs d'un drain thoracique et d'un système de drainage
- Habileté à procéder à la percussion et à l'auscultation
- Soutien et relation d'aide

NORMES

- Protocole de soins et lignes directrices pour les soins au client porteur d'un drain thoracique et d'un système de drainage
- Critères d'un consentement libre et éclairé

ATTITUDES

- Être attentif aux réactions émotives du client et de son épouse
- Respecter le choix du client quant aux options de traitements
- Impliquer l'épouse du client dans les discussions

PENSÉE CRITIQUE

ÉVALUATION

- Signes vitaux, et plus précisément les paramètres de la respiration
- Caractéristiques des expectorations du client
- Caractéristiques du drainage pleural
- Son de matité à la percussion
- Bruits normaux ou surajoutés à l'auscultation
- Signes de pneumothorax sous tension
- État psychologique de monsieur de Bellefeuille et de son épouse
- Indicateurs d'adaptation du couple devant la situation actuelle
- Façon d'entrevoir l'avenir

JUGEMENT CLINIQUE

FIGURE 35.13 Application de la pensée critique à la situation de santé de monsieur de Bellefeuille

Chapitre 36

INTERVENTIONS CLINIQUES

Maladies pulmonaires obstructives

Écrit par :
Jane Steinman Kaufman, RN, MS, ANP-BC, CRNP

Adapté et mis à jour par :
Vitalie Perreault, inf., M. Sc.

MOTS CLÉS

Asthme 322
Bronchectasie 396
Bronchite chronique 355
Cœur pulmonaire 362
Déficit en α_1-antitrypsine (AAT) 357
Drainage postural 376
Emphysème 355
Exacerbation de la MPOC 363
Fibrose kystique (FK) 389
Oxygénothérapie 367
Maladie pulmonaire obstructive chronique (MPOC) 355
Respiration à lèvres pincées 350

OBJECTIFS

Après avoir étudié ce chapitre, vous devriez être en mesure :

- de décrire l'étiologie, la physiopathologie et les manifestations cliniques de l'asthme ainsi que les soins en interdisciplinarité de son traitement;
- d'expliquer les interventions infirmières à appliquer pour le client qui présente de l'asthme ;
- de distinguer l'étiologie, la physiopathologie, les manifestations cliniques et les soins et traitements en interdisciplinarité du client atteint d'une maladie pulmonaire obstructive chronique ;
- d'expliquer les interventions infirmières à appliquer pour le client qui présente une maladie pulmonaire obstructive chronique ;
- de préciser les effets du tabagisme sur les poumons ;
- d'énumérer les indications de l'oxygénothérapie, les modes d'administration et les complications liées à l'administration d'oxygène ;
- de décrire la physiopathologie et les manifestations cliniques de la fibrose kystique, ainsi que les soins et traitements infirmiers pour le client qui en est atteint;
- de décrire la physiopathologie et les manifestations cliniques de la bronchectasie, ainsi que les soins en interdisciplinarité et les interventions infirmières pour le client qui en est atteint.

Disponible sur 

- À retenir
- Carte conceptuelle
- Figure Web
- Méthodes de soins : vidéos
- Pour en savoir plus
- Solutionnaire de l'Analyse d'une situation de santé
- Solutionnaire des questions de Jugement clinique
- Solutionnaire des questions Réactivation des connaissances
- Solutionnaire des questions Récemment vu dans ce chapitre
- Solutionnaires du Guide d'études

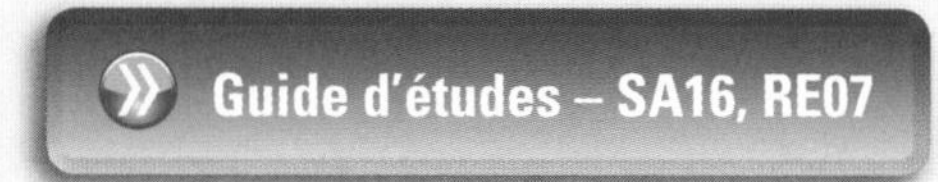

Concepts clés

Cette carte conceptuelle illustre schématiquement les principaux concepts décrits dans le présent chapitre. Sa lecture vous permettra d'avoir une vue d'ensemble des notions qui y sont présentées.

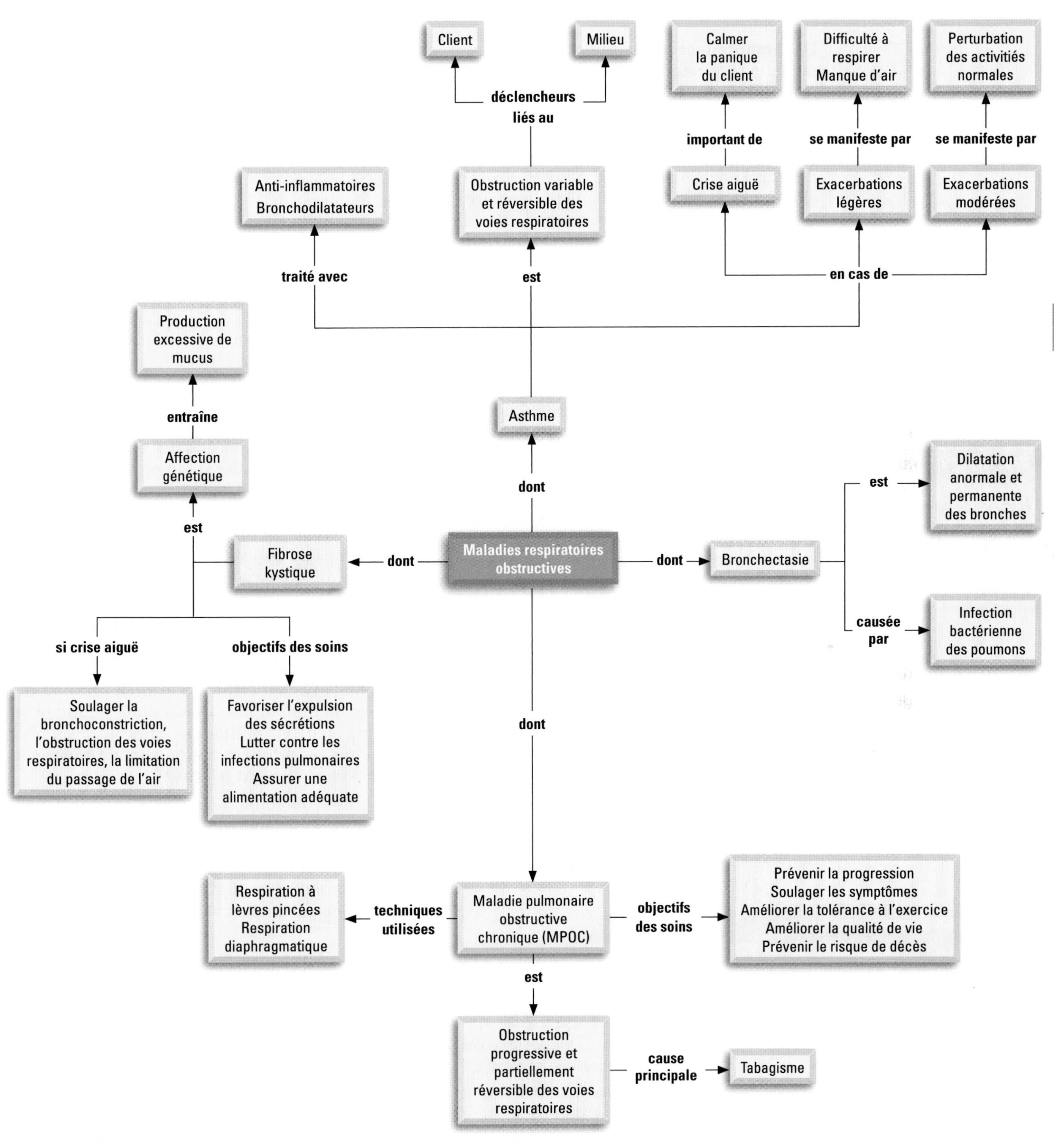

36.1 Présentation générale des maladies pulmonaires obstructives

De nombreuses personnes atteintes d'une maladie respiratoire obstructive vivent l'expérience de devoir penser consciemment à chacune de leurs respirations. L'Agence de la santé publique du Canada (ASPC) (2012) estime que près de 3,5 millions de Canadiens souffrent d'asthme ou de maladie pulmonaire obstructive chronique (MPOC). La maladie pulmonaire obstructive, la plus courante des maladies chroniques respiratoires, comprend les affections qui se caractérisent par une résistance accrue au passage de l'air dans les poumons attribuable à une obstruction ou à un rétrécissement des voies respiratoires. Les types de maladies respiratoires obstructives sont l'asthme, la MPOC, la fibrose kystique et la bronchectasie. L'asthme est une pneumopathie inflammatoire chronique qui donne lieu à des crises d'obstruction variable des voies respiratoires, mais cette obstruction est généralement réversible (Global Initiative for Asthma [GINA], 2015a). La MPOC est une maladie respiratoire obstructive caractérisée par une obstruction progressive des voies respiratoires qui n'est pas entièrement réversible (Global Initiative for Chronic Obstructive Lung Desease [GOLD], 2015). La MPOC inclut l'emphysème et la bronchite chronique.

CE QU'IL FAUT RETENIR

Les types de maladies respiratoires obstructives sont l'asthme, la MPOC, la fibrose kystique et la bronchectasie.

Chez le client asthmatique, le degré d'obstruction des voies respiratoires fluctue dans le temps et, généralement, la fonction pulmonaire redevient normale entre les exacerbations, tandis que la limitation du débit expiratoire chez le client atteint d'une MPOC est généralement plus constante. La pathologie de l'asthme et sa réaction au traitement diffèrent de celles de la MPOC. Toutefois, le client qui reçoit un diagnostic de maladie respiratoire obstructive peut présenter à la fois des manifestations cliniques de l'asthme et de la MPOC. Les clients asthmatiques qui sont moins sensibles à la réversibilité de l'obstruction des voies respiratoires sont très difficiles à distinguer de ceux atteints d'une MPOC (GOLD, 2015).

La fibrose kystique est une autre forme de maladie respiratoire obstructive ; il s'agit d'une affection génétique qui entraîne une obstruction des voies respiratoires en raison de modifications dans les sécrétions des glandes exocrines qui se traduisent par une production accrue de mucus. La bronchectasie est une maladie obstructive caractérisée par une dilatation des bronchioles qui résulte très souvent d'une infection pulmonaire non traitée ou mal traitée et qui provoque une augmentation des expectorations.

36.2 Asthme

L'**asthme** est une affection inflammatoire chronique des voies respiratoires. Cette inflammation chronique entraîne des épisodes récurrents de respiration sifflante, d'essoufflement, d'oppression thoracique et de toux, surtout la nuit ou tôt le matin. Ces épisodes sont associés à une obstruction étendue, mais fluctuante des voies respiratoires qui est généralement réversible, soit spontanément ou au moyen d'un traitement. L'évolution clinique de l'asthme est imprévisible, allant de périodes de maîtrise adéquate à des exacerbations où les symptômes sont très difficiles à gérer (GINA, 2015a).

L'asthme touche quelque trois millions de Canadiens (Asthma Society of Canada, 2015). Chez les adultes, les femmes courent 66 % plus de risques d'en souffrir que les hommes **TABLEAU 36.1**. Aux États-Unis, l'asthme constitue un sujet de préoccupation en matière de santé publique et compte pour 14,2 millions de jours de travail perdus chez les adultes chaque année (American Lung Association [ALA], 2012).

Après avoir connu une longue période d'augmentation constante, les taux de mortalité et de morbidité liés à l'asthme semblent avoir atteint un palier ou ont commencé à diminuer. Toutefois, plus de 3 300 décès liés à l'asthme sont comptés annuellement aux États-Unis (ALA, 2012).

Différences hommes-femmes

TABLEAU 36.1 Asthme

HOMMES	FEMMES
• Avant la puberté, touche davantage les garçons que les filles.	• Après la puberté et à l'âge adulte, touche davantage les femmes que les hommes. • Les femmes admises à l'urgence risquent plus de devoir être hospitalisées. • Le taux de mortalité attribuable à l'asthme est plus élevé chez la femme que chez l'homme.

36.2.1 Facteurs de risque de l'asthme et facteurs déclencheurs des crises

Les facteurs de risque de l'asthme et les facteurs déclencheurs des crises peuvent être liés au client (p. ex., sur le plan génétique) ou au milieu **ENCADRÉ 36.1**. Le fait d'être un garçon constitue un facteur de risque de l'asthme chez l'enfant (mais non chez l'adulte) pour des raisons qui demeurent inexpliquées. Il a également été démontré que l'obésité constitue un facteur de risque de cette affection (GINA, 2015a). La présente section décrit d'autres facteurs de risque et éléments déclencheurs.

Génétique

L'asthme a une composante héréditaire, mais sa génétique est très complexe. De nombreux gènes sont responsables de l'apparition de l'asthme, et ils diffèrent d'une ethnie à l'autre (GINA, 2015a). L'**atopie**, qui est une prédisposition génétique à manifester une réaction allergique (à médiation IgE) à des allergènes courants, constitue un facteur de risque important de l'asthme.

Réponse immunitaire

D'après l'hypothèse hygiéniste, il faut « éduquer » le système immunitaire d'un nouveau-né pour qu'il puisse fonctionner de manière satisfaisante tout au long de la petite enfance et de la vie. Si une personne est exposée dès l'enfance à certaines infections, prend peu d'antibiotiques, côtoie d'autres enfants (p. ex., la fratrie, en garderie), vit à la campagne ou possède des animaux de compagnie, elle sera moins susceptible d'être atteinte d'asthme. En l'absence de ces facteurs au cours de l'enfance, une personne court un risque accru d'être atteinte d'asthme (National Heart, Lung, and Blood Institute [NHLBI] & National Asthma Education and Prevention Program [NAEPP], 2007).

Allergènes

Les allergènes d'intérieur et d'extérieur déclenchent des symptômes d'asthme, mais leur rôle dans l'apparition de celui-ci demeure mal connu. Les acariens de la poussière de maison constituent un problème omniprésent, car leur élimination est presque impossible. Les coquerelles, les squames animales, les champignons et les moisissures peuvent déclencher des crises d'asthme, mais leur action dans la survenue proprement dite de l'asthme reste nébuleuse (GINA, 2015a).

Exercice

L'asthme provoqué ou exacerbé par un effort physique se nomme asthme d'effort. En général, l'asthme d'effort survient après un exercice intense (p. ex. du jogging, de la danse aérobique, une marche rapide, la montée d'escaliers) et non pendant celui-ci. Les symptômes de l'asthme d'effort sont prononcés au cours des activités où il y a une exposition à de l'air froid et sec. Par exemple, la natation pratiquée dans une piscine intérieure chauffée est moins susceptible de provoquer des symptômes que le ski alpin. L'exercice physique entraîne l'augmentation de la fréquence respiratoire (F.R.) qui permet à l'air froid d'entrer rapidement sans pouvoir se réchauffer dans les voies respiratoires, ce qui peut provoquer une bronchoconstriction.

Facteurs de risque

ENCADRÉ 36.1 Éléments déclencheurs des crises d'asthme aiguës

- Inhalation d'allergènes
  - Squames animales (p. ex., de chat, de souris, de cochon d'Inde)
  - Acariens de la poussière de maison
  - Coquerelles
  - Pollens
  - Moisissures
- Polluants atmosphériques
  - Gaz d'échappement des véhicules
  - Parfums
  - Oxydants
  - Dioxyde de soufre
  - Fumée de cigarette
  - Produits en aérosol
  - Farine
- Infection virale des voies respiratoires supérieures
- Sinusite
- Activité physique pratiquée à l'air froid et sec
- Stress
- Médicaments
  - Acide acétylsalicylique (Aspirin[MD])
  - Anti-inflammatoires non stéroïdiens (AINS)
  - Bêtabloquants
- Exposition professionnelle
  - Travail agricole
  - Peinture, solvants
  - Détergents à lessive
  - Sels métalliques
  - Poussières de bois et de végétaux
  - Produits chimiques industriels et plastiques
  - Agents pharmaceutiques
- Additifs alimentaires
  - Sulfites (bisulfite et métabisulfite)
  - Bière, vin, fruits séchés, crevettes, pommes de terre transformées
  - Glutamate monosodique
  - Tartrazine
- Hormones / menstruations
- Reflux gastro-œsophagien (RGO)

Polluants atmosphériques

Divers polluants atmosphériques, la fumée de cigarette et de combustibles, les gaz d'échappement des véhicules, les concentrations élevées d'ozone troposphérique, le dioxyde de soufre et le dioxyde d'azote peuvent déclencher des crises d'asthme. Dans les régions fortement industrialisées ou densément peuplées, les conditions climatiques sont souvent à l'origine de la présence d'une concentration élevée de pollution dans l'atmosphère (*smog*) surtout en raison des inversions thermiques et des masses d'air stagnantes. Régulièrement, les médias préviennent la population de journées d'alerte à l'ozone, et les personnes susceptibles d'être incommodées doivent limiter leurs activités extérieures pendant ces périodes.

Le tabagisme est associé à un déclin accéléré de la fonction pulmonaire chez la personne asthmatique. Il accroît le degré de gravité de la maladie, peut rendre le client moins réceptif au traitement par corticostéroïdes (tant par voie systémique qu'en inhalation) et diminue les chances de bien maîtriser l'asthme (GINA, 2015a).

Rhinorrhée : Écoulement de liquide par le nez.

Angiœdème (œdème de Quincke) : Réaction allergique se caractérisant par une éruption s'accompagnant d'un œdème sous-cutané.

Quels sont les principaux agents microbiens responsables du rhume chez l'humain ?

Les soins et traitements en interdisciplinarité auprès du client souffrant de sinusite sont abordés dans le chapitre 34, *Interventions cliniques – Troubles des voies respiratoires supérieures.*

Le reflux gastro-œsophagien est abordé en détail dans le chapitre 56, *Interventions cliniques – Troubles du tractus gastro-intestinal supérieur.*

Facteurs professionnels

L'asthme professionnel représente l'affection respiratoire la plus courante, atteignant 15 % des nouveaux cas issus d'expositions liées au travail (GINA, 2015a). Des irritants provoquent une modification de la réactivité des voies respiratoires. Le travail agricole, la peinture (notamment la peinture au pistolet), la farine, les parfums, les produits assainisseurs d'air, la fabrication de plastiques et l'entretien ménager sont des activités professionnelles ou des produits utilisés en milieu de travail qui présentent un risque élevé. Généralement, les clients disent se sentir bien en arrivant au travail, mais des symptômes apparaissent progressivement au cours de la journée.

Infections respiratoires

Les infections respiratoires (d'origine virale seulement) constituent souvent le principal facteur qui déclenche une crise d'asthme aiguë. Les infections augmentent l'hyperréactivité de l'appareil bronchique qui peut durer de deux à huit semaines après l'infection tant chez la personne normale que chez l'asthmatique. Les virus provoqueraient des exacerbations d'asthme en activant le système immunitaire. En définitive, ils entraînent la production de médiateurs de l'inflammation, ce qui provoque l'apparition des symptômes d'asthme.

Problème nasal ou sinusal

La rhinite allergique est un facteur de prédiction important de l'asthme chez l'adulte (Brozek, Bousquet, Baena-Cagnani *et al.*, 2010). Son traitement réduit la fréquence des exacerbations de l'asthme. Certains clients asthmatiques présentent des problèmes chroniques de sinus qui causent une inflammation des muqueuses. Même si la cause n'est généralement pas infectieuse (p. ex., des allergies), cette inflammation peut également provenir d'une infection bactérienne. Pour assurer une bonne maîtrise de l'asthme, il faut traiter la sinusite et retirer les polypes nasaux importants ▶ 34.

Médicaments et additifs alimentaires

Une sensibilité à certains médicaments peut survenir chez certaines personnes, particulièrement si elles présentent des polypes nasaux et une sinusite. Certains asthmatiques présentent le **syndrome de Widal**, un état associé à une présence concomitante de polypes nasaux, d'asthme et d'une sensibilité à l'acide acétylsalicylique (Aspirin^MD^) et aux AINS. Beaucoup de médicaments vendus sans ordonnance et certains aliments, aromatisants et boissons contiennent de l'acide salicylique. Chez certains asthmatiques qui prennent de l'acide acétylsalicylique ou des AINS (p. ex., l'ibuprofène [Motrin^MD^]), la respiration devient sifflante dans les deux heures qui suivent la prise du médicament. De plus, ils présentent généralement une **rhinorrhée** profonde, de la congestion et des larmoiements. Il peut également se produire des congestions subites, des symptômes gastro-intestinaux et de l'**angiœdème (œdème de Quincke)**. Même si la sensibilité aux salicylés persiste pendant de nombreuses années, la nature et la gravité de la réaction peuvent fluctuer dans le temps. Ces clients doivent éviter de prendre de l'acide acétylsalicylique et des AINS. Toutefois, s'ils sont suivis par un allergologue, les clients sensibles à l'acide acétylsalicylique peuvent être désensibilisés par une prise quotidienne du médicament sous supervision.

Les bêtabloquants offerts sous forme orale (p. ex., le tartrate de métoprolol [Lopresor^MD^]) ou de gouttes ophtalmiques (p. ex., le maléate de timolol [Timoptic^MD^]) peuvent déclencher de l'asthme en raison du bronchospasme qu'ils produisent. Les inhibiteurs de l'enzyme de conversion de l'angiotensine peuvent occasionner de la toux chez les personnes sensibles, ce qui exacerbe l'asthme. D'autres agents peuvent également déclencher des symptômes de l'affection chez le client sensible, notamment la tartrazine (colorant jaune n° 5 présent dans de nombreux aliments) et les sulfites, grandement utilisés dans l'industrie alimentaire et pharmaceutique comme agents de conservation et désinfectants. Les sulfites se retrouvent couramment dans les fruits, la bière et le vin, et ils sont d'usage courant dans les comptoirs à salades pour empêcher l'oxydation des légumes. Des exacerbations de l'asthme ont été rapportées après l'administration de gouttes ophtalmiques, de corticostéroïdes par voie intraveineuse (I.V.) et de certains bronchodilatateurs en inhalation qui contenaient des sulfites comme agent de conservation. L'asthme déclenché par des allergies alimentaires demeure rare chez l'adulte. Il n'est pas recommandé de suivre un régime alimentaire d'évitement tant que l'allergie n'a pas été démontrée, généralement au moyen de provocations orales (GINA, 2015a).

Reflux gastro-œsophagien

Le mécanisme par lequel le RGO peut déclencher une crise d'asthme n'est pas bien connu. Le reflux de l'acide gastrique dans l'œsophage pourrait être aspiré dans les poumons, ce qui provoque une stimulation du réflexe vagal et une bronchoconstriction. Bien que le RGO intervienne surtout dans les cas d'asthme nocturne, il peut également déclencher des symptômes de l'asthme au cours de la journée ▶ 56.

Facteurs psychologiques

L'asthme n'est pas une maladie psychosomatique. Toutefois, le stress émotionnel observé dans les cas d'émotions extrêmes comme les pleurs, le rire, la colère et la peur peut mener à une hyperventilation et à une **hypocapnie**, susceptibles de provoquer un rétrécissement des voies respiratoires (GINA, 2015a). Une crise d'asthme générée par un élément déclencheur peut causer de la panique, du stress et de l'anxiété, qui sont des émotions prévisibles au cours d'une telle expérience. La panique est une réaction très normale à l'incapacité de respirer. Le degré de contribution des facteurs psychologiques au déclenchement et à la persistance d'une crise d'asthme aiguë est inconnu, mais cela varie probablement d'un client à l'autre, et d'une crise à l'autre chez un même client.

36.2.2 Physiopathologie

Le principal processus physiopathologique de l'asthme est une inflammation persistante, mais variable des voies respiratoires. Le passage de l'air est limité, car l'inflammation entraîne une bronchoconstriction ainsi qu'une hyperréactivité et un œdème des voies respiratoires. L'exposition à des allergènes ou à des irritants déclenche ce processus **FIGURE 36.1**. Divers types de cellules interviennent dans cette cascade inflammatoire, notamment les mastocytes, les macrophages, les éosinophiles, les neutrophiles, les lymphocytes T et B et les cellules épithéliales des voies respiratoires (NHLBI & NAEPP, 2007).

Au début du processus inflammatoire, les mastocytes (situés sous la membrane basale de la paroi bronchique) se dégranulent et libèrent de nombreux médiateurs de l'inflammation **FIGURE 36.2**. Les anticorps IgE se lient aux mastocytes, et l'allergène se fixe aux IgE par liaison croisée. Par la suite, il y a libération des médiateurs courants de l'inflammation, notamment les leucotriènes, l'histamine, les cytokines (p. ex., les interleukines 4 et 5), les prostaglandines et l'oxyde nitrique. Certains médiateurs de l'inflammation agissent sur les vaisseaux sanguins, entraînant une vasodilatation et une augmentation de la perméabilité capillaire. D'autres médiateurs provoquent une infiltration d'éosinophiles, de lymphocytes et de neutrophiles dans les voies respiratoires. Ce processus inflammatoire entraîne une congestion vasculaire, un œdème, une production de mucus épais et tenace, un bronchospasme, un épaississement des parois des voies respiratoires et une augmentation de l'hyperréactivité bronchique (Brashers, 2010) **FIGURE 36.3**. L'ensemble de ce processus se nomme parfois phase précoce de l'asthme. Sur le plan clinique, elle peut survenir dans les 30 à 60 minutes qui suivent l'exposition à un allergène ou à un irritant.

Les symptômes peuvent réapparaître de 4 à 10 heures après la crise initiale en raison de l'activation des éosinophiles et des lymphocytes et

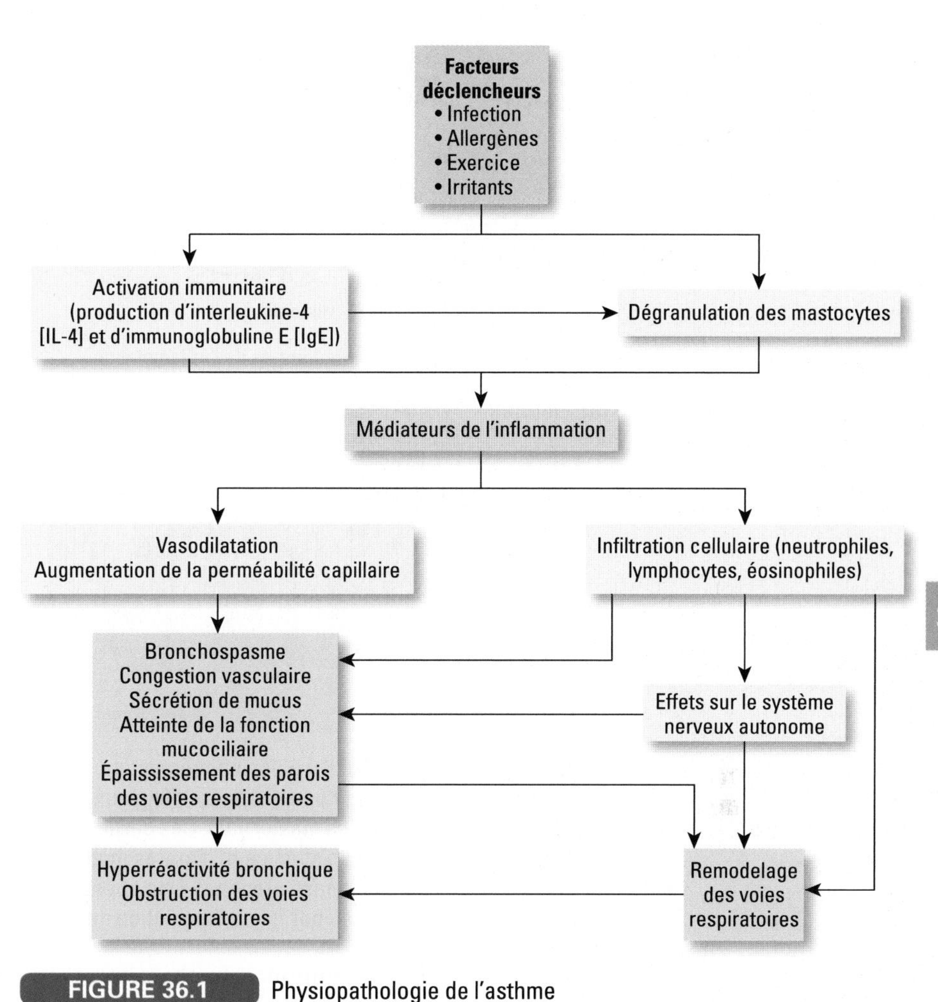

FIGURE 36.1 Physiopathologie de l'asthme

d'une autre libération de médiateurs de l'inflammation. Les cellules épithéliales sécrètent également des cytokines et d'autres médiateurs de l'inflammation. Cette réponse retardée se nomme phase tardive de l'asthme. De 30 à 50 % seulement des clients éprouvent cette réaction tardive. Cette réaction peut être plus grave que celle de la phase précoce et persister au-delà de 24 heures. Elle se caractérise par un cycle autoentretenu de l'inflammation. Le passage de l'air peut être limité en raison de la présence d'un œdème des voies respiratoires accompagné ou non d'une bronchoconstriction. Les corticostéroïdes se révèlent efficaces dans le traitement de ce type d'inflammation.

En présence d'asthme, des changements surviennent aussi dans le contrôle neuronal des voies respiratoires. Le système nerveux autonome, qui comprend les systèmes parasympathique et sympathique, innerve les bronches. Le système nerveux parasympathique assure la régulation du tonus musculaire lisse des voies respiratoires. En présence d'asthme, il y a suractivité du système nerveux parasympathique. Lorsque les terminaisons nerveuses des voies respiratoires sont

Hypocapnie : Diminution de la pression partielle en CO_2 dans le sang artériel ($PaCO_2$).

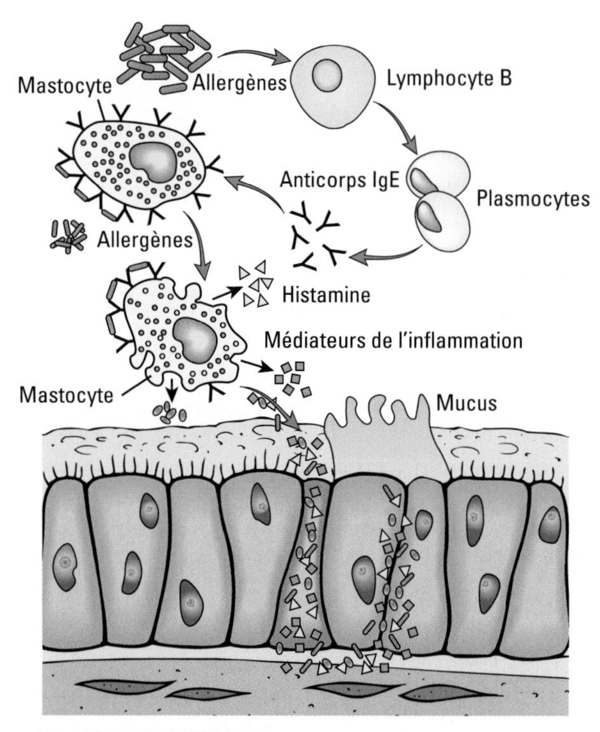

FIGURE 36.2 Il y a déclenchement de l'asthme allergique lorsqu'un allergène se fixe aux IgE présentes à la surface des mastocytes. Ces derniers s'activent et libèrent de l'histamine et d'autres médiateurs de l'inflammation (phase précoce). Une phase tardive peut survenir, causée par une inflammation accrue.

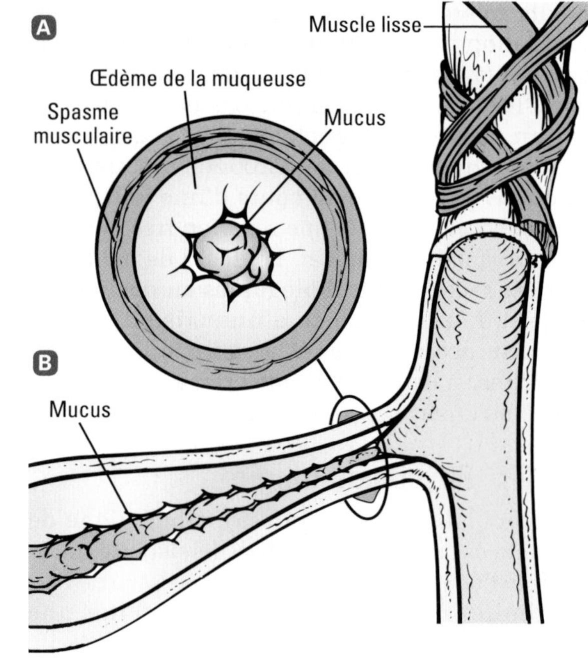

FIGURE 36.3 Facteurs d'obstruction des voies respiratoires (principalement une obstruction expiratoire) dans les cas d'asthme – **A** Coupe transversale d'une bronchiole présentant une obstruction causée par un spasme musculaire, un œdème de la muqueuse et une présence de mucus dans la lumière. **B** Coupe longitudinale d'une bronchiole.

stimulées mécaniquement ou chimiquement (p. ex., par la pollution atmosphérique, de l'air froid, de la poussière, des allergènes), il se produit une libération accrue d'acétylcholine entraînant une augmentation de la contraction des muscles lisses et de la sécrétion de mucus, ce qui aboutit à une bronchoconstriction.

L'inflammation chronique peut entraîner des altérations structurales de la paroi bronchique appelées remodelage bronchique. Une perte progressive de la fonction pulmonaire se produit alors, et aucun traitement ne peut la prévenir ni la rétablir complètement. Les altérations de structure comprennent la fibrose du sous-épithélium, l'hypertrophie des muscles lisses des voies respiratoires, l'hypersécrétion des muqueuses, l'inflammation constante et l'angiogenèse (prolifération de nouveaux vaisseaux sanguins). Le remodelage bronchique expliquerait pourquoi certaines personnes présentent un asthme persistant et répondent moins bien au traitement (GINA, 2015a; NHLBI & NAEPP, 2007).

Jugement clinique

Gustave Bélair est âgé de 52 ans. Il habite dans un quartier industriel où le degré de pollution est relativement élevé, surtout en été. Il travaille dans une usine de produits chimiques depuis plus de 20 ans. Il se trouve actuellement en observation à l'urgence pour une crise d'asthme qui perdure. Il s'inquiète beaucoup de l'issue de sa maladie. Il fume encore plus que d'habitude même s'il lui a été fortement recommandé d'arrêter. Il aime bien faire de la randonnée, mais il s'en abstient lorsqu'il fait froid. Relevez les quatre facteurs qui peuvent déclencher une crise d'asthme chez monsieur Bélair.

Une hyperventilation se produit au cours d'une crise d'asthme, car les récepteurs des poumons réagissent à l'augmentation du volume pulmonaire causée par un emprisonnement de l'air et une limitation de son débit expiratoire. Une diminution de la perfusion et de la ventilation des alvéoles et une augmentation de la pression alvéolaire provoquent des anomalies de ventilation et de perfusion dans les poumons (diminution des échanges gazeux). Le client deviendra rapidement hypoxémique en raison d'une baisse de la pression partielle de l'oxygène dans le sang artériel (PaO_2) causée par l'hyperventilation. À mesure que la limitation du passage de l'air s'aggrave, accompagnée de la rétention d'air, le client doit faire de plus en plus d'efforts pour parvenir à respirer. La PaO_2 redevient normale à mesure que le client se fatigue, car il prendra des respirations plus lentes et par conséquent plus profondes (Brashers, 2010).

36.2.3 Manifestations cliniques

L'asthme se caractérise par une évolution imprévisible et variable qui, chez une même personne, peut passer d'une gêne apparemment bénigne de la respiration à des crises pouvant mettre sa vie en danger. Selon la façon dont réagit la personne, l'asthme peut passer rapidement d'une respiration normale à de l'asthme aigu grave. Des épisodes récurrents de respiration sifflante, d'essoufflement, d'oppression thoracique et de toux, surtout la nuit et tôt le matin, sont typiques de cette affection. Une crise d'asthme peut commencer soudainement, mais en général, les symptômes apparaissent graduellement. Les crises peuvent durer de quelques minutes à plusieurs heures. Entre les crises, le client peut être asymptomatique et présenter une fonction pulmonaire normale ou aux limites de la normale, selon la gravité de l'affection. Toutefois, certaines personnes dont la fonction pulmonaire est gravement touchée peuvent présenter un état asthmatique permanent et un affaiblissement chronique caractérisés par une atteinte irréversible des voies respiratoires.

Les manifestations cliniques caractéristiques de l'asthme sont la respiration sifflante, la toux, la **dyspnée** et l'oppression thoracique par suite d'une exposition à un facteur déclencheur ou précipitant. L'expiration peut être prolongée. Au lieu d'un rapport normal inspiration/expiration de 1:2, il peut s'allonger à 1:3 ou 1:4. Normalement, les bronchioles se resserrent au cours de l'expiration. Toutefois, en raison du bronchospasme et de la présence d'œdème et de mucus dans les bronchioles, les voies respiratoires deviennent plus étroites qu'en temps normal. Donc, l'air prend plus de temps à ressortir des bronchioles. C'est ce qui produit la respiration sifflante, la rétention de l'air dans les alvéoles et l'hyperdistension qui sont typiques de l'asthme.

La respiration sifflante constitue un signe peu fiable pour mesurer la gravité d'une crise. De nombreux clients qui connaissent des crises bénignes présentent une respiration très sifflante, tandis que d'autres dont les crises sont plus graves ne produisent aucun bruit en respirant. Le client qui subit des crises importantes d'asthme peut ne produire aucun son en raison d'une réduction marquée ou l'obstruction complète du passage de l'air. Pour produire une respiration sifflante, il faut que le client soit capable de faire circuler suffisamment d'air dans ses poumons pour engendrer ce son. En général, la respiration sifflante survient d'abord à l'expiration. À mesure que l'asthme progresse, elle peut se manifester également à l'inspiration.

La diminution ou l'absence de bruits respiratoires peut indiquer une baisse marquée de la circulation de l'air dans les poumons, occasionnée par l'épuisement et l'incapacité de produire une force musculaire suffisante pour respirer. Une forte baisse des bruits respiratoires, souvent nommée thorax silencieux, est de mauvais augure, car elle annonce une obstruction grave et un arrêt respiratoire imminent.

Chez certains clients asthmatiques, la toux constitue le seul symptôme. Cette affection se nomme asthme de type toux. Le bronchospasme peut ne pas être suffisamment important pour causer une obstruction du passage de l'air, mais il peut accroître le tonus bronchique et provoquer une irritation et une stimulation des récepteurs de la toux. Cette toux peut être inefficace. Les sécrétions de mucus peuvent être épaisses, tenaces, blanches et gélatineuses, ce qui rend leur expulsion difficile.

Jugement clinique

Les derniers résultats de l'analyse des gaz sanguins artériels de monsieur Bélair indiquent une pression partielle en dioxyde de carbone dans le sang artériel ($PaCO_2$) à 47 mm Hg, un pH de 7,33 et des bicarbonates (HCO_3^-) à 25 mEq/L. Que signifient ces résultats ?

La personne asthmatique éprouve de la difficulté à faire circuler l'air vers l'intérieur et l'extérieur de ses poumons, ce qui lui donne l'impression de suffoquer. Par conséquent, au cours d'une crise aiguë, la personne s'assoit généralement en maintenant le dos droit ou incliné légèrement vers l'avant et utilise ses muscles respiratoires accessoires pour tenter d'inspirer suffisamment d'air. Plus la respiration devient difficile, plus le client se sent anxieux.

L'examen effectué au cours d'une crise aiguë révèle généralement des signes d'**hypoxémie** : de l'agitation, une anxiété accrue, des changements de comportement, un pouls accéléré, une pression artérielle (P.A.) élevée et un pouls paradoxal (chute de plus de 10 mm Hg de la pression systolique au cours du cycle inspiratoire). À mesure que l'état du client se détériore, il devient difficile pour lui de s'exprimer sans entrecouper ses phrases par des respirations. La fréquence respiratoire augmente considérablement (plus de 30 respirations par minute [R/min]), et les muscles accessoires sont mis à contribution. La percussion des poumons révèle une hypersonorité, et l'auscultation montre la présence de **sibilances** à l'inspiration ou à l'expiration. Lorsque la crise se résorbe, la toux produit un mucus épais et filant.

Dyspnée : Difficulté à respirer, s'accompagnant d'une sensation de gêne ou d'oppression ; essoufflement.

Sibilance : Bruits respiratoires de haute tonalité, musicaux et grinçants ; plus fréquents à l'expiration, et perçus à l'auscultation pulmonaire.

36.2.4 Classification de l'asthme

L'asthme peut être classé comme étant intermittent, persistant léger, persistant modéré ou persistant grave (NHLBI & NAEPP, 2007) **TABLEAU 36.2**. Ce système de classification est utilisé au moment du diagnostic pour déterminer le traitement initial. Cette classification repose sur l'atteinte actuelle de la personne (c.-à-d. ses symptômes, les mesures de sa fonction pulmonaire) et le risque d'exacerbations futures qui nécessiteront la prise de corticostéroïdes par voie orale (P.O.). Les clients peuvent passer d'une classe d'asthme à l'autre au cours de leur maladie.

36.2.5 Complications

Asthme aigu grave et asthme menaçant la vie du client

Des exacerbations graves d'asthme surviennent lorsque le client est dyspnéique au repos et incapable de formuler des phrases complètes sans les

TABLEAU 36.2	Classification de l'asthme selon le degré de gravité				
COMPOSANTES DE GRAVITÉ		**DEGRÉ DE GRAVITÉ**			
		Intermittent	**Persistant léger**	**Persistant modéré**	**Persistant grave**
Atteinte	Symptômes	• ≤ 2 jours/semaine	• > 2 jours/semaine, pas quotidiennement	• Quotidiennement	• Continuellement
	Réveils nocturnes	• ≤ 2 fois/mois	• 3-4 fois/mois	• > 1 fois/semaine, pas quotidiennement	• Souvent, 7 fois/semaine
	Prise d'un bêtaagoniste à courte durée d'action (BACA) pour soulager les symptômes	• ≤ 2 jours/semaine	• > 2 jours/semaine, pas quotidiennement	• Quotidiennement	• Plusieurs fois par jour
	Perturbation des activités normales	• Aucune	• Légère	• Modérée	• Extrême
	Fonction pulmonaire[a]	• Volume expiratoire maximal par seconde ($VEMS_1$) normal entre les exacerbations • $VEMS_1$ > 80 % • $VEMS_1$/ Capacité vitale forcée (CVF) normal	• $VEMS_1$ > 80 % de la valeur prévue • $VEMS_1$/CVF normal	• $VEMS_1$ de 60 à 80 % de la valeur prévue • $VEMS_1$/CVF réduit de 5 %	• $VEMS_1$ < 60 % de la valeur prévue • $VEMS_1$/CVF réduit de 5 %
Risque	Exacerbations exigeant la prise de corticostéroïdes P.O.	• 0-1 fois/année	• ≥ 2 fois/année même en l'absence d'atteinte grave		
		• Tenir compte de la gravité et du temps écoulé depuis la dernière exacerbation. • La fréquence et la gravité peuvent fluctuer avec le temps. • Le risque relatif annuel d'exacerbation peut être lié au $VEMS_1$.			
Étape recommandée pour le traitement initial **FIGURE 36.4**		ÉTAPE 1	ÉTAPE 2	Étape 3[b]	ÉTAPE 4 OU 5[b]
		Réévaluer la maîtrise de l'asthme de deux à six semaines après le début du traitement et l'adapter en conséquence.			

Lignes directrices relatives à l'utilisation du tableau

- Il faut assigner le client à l'étape la plus grave d'une manifestation quelconque. Pour chaque client, il peut y avoir chevauchement des manifestations cliniques entre les étapes. Le degré de gravité est déterminé en évaluant à la fois l'altération et le risque. L'évaluation de l'altération s'effectue en interrogeant le client sur les événements survenus au cours des deux à quatre dernières semaines et en se servant des résultats du test de la fonction respiratoire.
- Le classement d'un client devrait changer au fil du temps à partir du moment où le traitement est entrepris. À la suite du traitement, l'attention se tourne vers le degré de maîtrise et non plus sur la classification du degré de gravité.
- Quel que soit le degré de gravité de l'asthme chronique, le client peut présenter des exacerbations bénignes, modérées ou graves. Certains clients atteints d'asthme intermittent peuvent présenter des exacerbations graves qui mettent leur vie en danger, entrecoupées de longues périodes où la fonction pulmonaire est normale et où ils ne présentent aucun symptôme.

[a] Pourcentage par rapport aux valeurs prévues du $VEMS_1$ ou le rapport $VEMS_1$/CVF.
$VEMS_1$/CVF normaux :
8 à 19 ans : 85 %
20 à 39 ans : 80 %
40 à 59 ans : 75 %
60 à 80 ans : 70 %
[b] Envisager un traitement par corticostéroïdes de courte durée.
Source : Adapté de NHLBI & NAEPP (2007).

entrecouper par des respirations. Il est généralement assis, penché vers l'avant pour maximiser le mouvement du diaphragme, et il présente une respiration sifflante importante, une fréquence respiratoire supérieure à 30 R/min et une fréquence cardiaque (F.C.) supérieure à 120 battements par minute (batt./min). Les muscles accessoires du cou fournissent de gros efforts pour tenter de soulever la cage thoracique, et le client est souvent agité. Un débit expiratoire de pointe (DEP) inférieur à 40 % de la meilleure valeur personnelle du client ou une chute de 150 L/min représente un déclin important. Le **TABLEAU 36.3** présente entre autres les variations de la gazométrie du sang artériel. Il peut en résulter une turgescence des veines du cou. Souvent, ces types de clients se trouvent au service des urgences ou sont hospitalisés (GINA, 2015a; NHLBI & NAEPP, 2007).

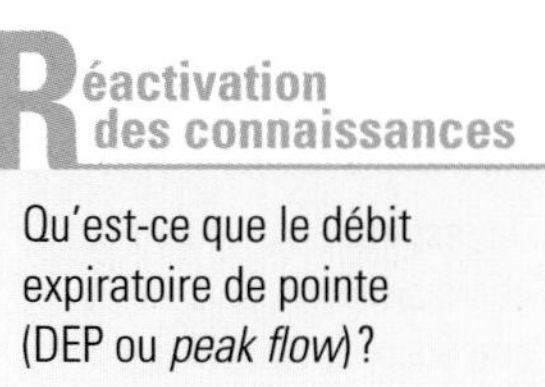

Qu'est-ce que le débit expiratoire de pointe (DEP ou *peak flow*)?

TABLEAU 36.3 Comparaison entre l'asthme et la maladie pulmonaire obstructive chronique[a]

CARACTÉRISTIQUE OU EXAMEN	ASTHME	MPOC
Caractéristiques cliniques		
Âge	Généralement < 40 ans (début)	Généralement de 40 à 50 ans (début)
Antécédents de tabagisme	Pas un facteur de causalité	Depuis longtemps (> 10-20 paquets-années)
Antécédents médicaux et familiaux	Présence d'allergies, de rhinites, d'eczéma; antécédents familiaux d'asthme	Allergies rares. Exposition aux polluants environnementaux possible; déficit en α_1-antitrypsine, antécédents familiaux de maladie pulmonaire ou hépatique, sans antécédents de tabagisme
Symptômes cliniques	Intermittents, variables d'un jour à l'autre, présents la nuit ou tôt le matin	Persistants et évolution lente
Dyspnée	Absente sauf dans les cas d'exacerbations ou d'asthme mal maîtrisé	Dyspnée à l'effort augmentant progressivement jusqu'à présence au repos
Expectorations	Rarement	Souvent
Évolution de la maladie	Stable (avec exacerbations)	Aggravation progressive (avec exacerbations)
Résultats des examens paracliniques		
Gazométrie du sang artériel	Normale entre les exacerbations	Entre les exacerbations dans les cas de MPOC de stade avancé: • pH et PaO_2 souvent de bas à normal • $PaCO_2$ normale à élevée et HCO_3^- élevé (acidose respiratoire compensée)
pH	↑ tôt au cours de l'exacerbation, ensuite ↓ si exacerbation prolongée ou grave	Normal à ↓
PaO_2	↓	Normal à ↓
$PaCO_2$	↓ tôt au cours de l'exacerbation, ensuite ↑ si exacerbation prolongée ou grave	Normal à ↑
Radiographie pulmonaire	Distension thoracique possible	Distension thoracique; hypertrophie cardiaque possible, diaphragme aplati
Volumes pulmonaires	Normalisations fréquentes	Absence de normalisation
Capacité pulmonaire totale	↑	↑
Volume résiduel	↑	↑
$VEMS_1$	↓	↓
$VEMS_1$/CVF	Normal ou ↓	↓ (< 70 %)

[a] Certains clients peuvent présenter des caractéristiques à la fois de l'asthme et de la MPOC.

ALERTE CLINIQUE

Si la respiration du client est d'abord sifflante, puis suivie d'une absence de sifflement (thorax silencieux) accompagnée de difficultés respiratoires observables, il s'agit d'une situation critique pour la vie du client et qui peut nécessiter un recours à la ventilation mécanique assistée.

MS 2.1 Vidéo 

Méthodes liées à la fonction respiratoire : *Mesure du débit expiratoire de pointe (DEP).*

Certains clients perçoivent difficilement les symptômes de l'asthme et peuvent présenter une diminution importante de la fonction pulmonaire sans toutefois observer de changement dans les symptômes. Le client qui présente un asthme pouvant mettre sa vie en danger (*status asthmaticus*) est généralement trop dyspnéique pour parler et sue abondamment. Il peut même devenir somnolent ou désorienté, car les valeurs obtenues par la gazométrie du sang artériel se détériorent de plus en plus. Il peut être très difficile de percevoir des bruits respiratoires, et aucune respiration sifflante n'est apparente, car le passage de l'air dans les poumons devient extrêmement restreint. Le débit expiratoire de pointe est inférieur à 25 % de sa meilleure valeur personnelle. La personne devient bradycardique, et elle frôle l'arrêt respiratoire. Ce type de client nécessite des soins au service des urgences ou aux soins intensifs et peut avoir besoin d'une intubation et d'une ventilation mécanique assistée.

36.2.6 Examen clinique et examens paracliniques

Un sous-diagnostic de l'asthme demeure fréquent. L'obtention d'une anamnèse détaillée est importante pour déterminer si le client a déjà connu des crises de même nature, dont il connaît souvent la cause ou le facteur déclencheur. Comme diverses affections présentent également des symptômes de respiration sifflante et de toux, le diagnostic de l'asthme devient compliqué. Ces affections sont la MPOC, l'embolie pulmonaire, le RGO, l'obésité, le dysfonctionnement des cordes vocales et l'insuffisance cardiaque.

Il existe une certaine controverse quant à la meilleure façon d'établir le diagnostic d'asthme. L'**ENCADRÉ 36.2** présente des examens paracliniques courants. En général, le médecin doit envisager la possibilité d'un diagnostic d'asthme si plusieurs indicateurs s'avèrent positifs (c.-à-d. des manifestations cliniques, des antécédents médicaux et des variations des tests de la fonction respiratoire). Les tests de la fonction respiratoire peuvent servir à déterminer la réversibilité de la bronchoconstriction et, ainsi, à établir le diagnostic d'asthme.

Le débit expiratoire de pointe, mesuré au moyen d'un débitmètre de pointe, est généralement en corrélation avec le $VEMS_1$, et il représente un outil utile dans le diagnostic et la prise en charge de l'asthme (GINA, 2015a) ▶ MS 2.1. Toutefois, pour confirmer ce diagnostic, le professionnel de la santé préfère se servir du test de la fonction respiratoire, car il existe toute une gamme de débitmètres de pointe sur le marché, mais il n'y a aucune valeur de référence normalisée. D'ailleurs, en général, les débitmètres de pointe sont mieux conçus pour surveiller l'asthme que pour poser des diagnostics (NHLBI & NAEPP, 2007).

Si le client ne présente aucune autre maladie pulmonaire sous-jacente, les résultats des tests de la fonction respiratoire sont généralement normaux entre les crises. Toutefois, en présence d'asthme, le client peut montrer un profil d'obstruction qui comprend une diminution de la CVF, du $VEMS_1$, du DEP et du rapport $VEMS_1$/CVF.

Lorsqu'un test de la fonction respiratoire est prévu, il faut demander au client de ne prendre aucun bronchodilatateur de 6 à 12 heures avant les examens. Ce test peut être réalisé avant et après la prise d'un bronchodilatateur pour déterminer le degré de réaction au traitement. Cela peut s'avérer utile pour constater la réversibilité de l'obstruction des voies respiratoires, qui constitue un renseignement essentiel dans le diagnostic de l'asthme. Une réaction positive au bronchodilatateur correspond à une augmentation supérieure à 200 mL ou de plus de 12 % par rapport aux valeurs obtenues avant l'administration du médicament.

Au cours d'une exacerbation asthmatique, les tests de la fonction respiratoire diminuent par rapport à leurs valeurs à l'état basal. Certains clients

Processus diagnostique et thérapeutique

ENCADRÉ 36.2 Asthme

EXAMEN CLINIQUE ET EXAMENS PARACLINIQUES

- Anamnèse et examen physique
- Examens fonctionnels respiratoires, y compris la réaction au traitement par bronchodilatateur
- Débit expiratoire de pointe
- Radiographie pulmonaire
- Mesures de saturométrie
- Tests d'allergie cutanée (si indiqués)
- Taux sanguins des éosinophiles et des IgE (si indiqués)

PROCESSUS THÉRAPEUTIQUE

- Asthme intermittent ou persistant
  - Détermination et évitement ou élimination des facteurs déclencheurs
  - Enseignement au client et à ses proches
  - Pharmacothérapie **FIGURE 36.4**, **ENCADRÉ 36.3** et **TABLEAU 36.5**
  - Plan d'action contre l'asthme **TABLEAU 36.7**
  - Désensibilisation (immunothérapie) si indiquée
  - Évaluation du degré de maîtrise (p. ex., l'Asthma Control Test[MD] [ACT]) **FIGURE 36.5**
- Exacerbation d'asthme grave ou pouvant mettre la vie en danger
  - Surveillance de la saturation du sang artériel en oxygène (SaO_2)
  - Gazométrie du sang artériel
  - Bêtaagonistes en inhalation
  - Anticholinergiques en inhalation (traitement initial seulement)
  - Administration d'oxygène (O_2) au moyen d'un masque ou de lunettes nasales
  - Corticostéroïdes par voie I.V. ou P.O.
  - Liquides par voie I.V.
  - Magnésium par voie I.V. ou héliox ou les deux
  - Intubation et ventilation mécanique assistée

peuvent présenter des symptômes similaires à l'asthme, mais avoir une fonction pulmonaire normale. Par conséquent, des mesures de la réactivité des voies respiratoires à des irritants bronchiques connus comme la métacholine, l'histamine ou l'exercice peuvent aider à établir un diagnostic d'asthme (NHLBI & NAEPP, 2007).

La présence d'un nombre élevé d'**éosinophiles** et des taux élevés d'IgE dans le sang sont très évocateurs d'une atopie (tendance allergique), qui peut être un facteur de risque de l'asthme. Les tests d'allergie cutanée peuvent servir à déterminer la sensibilité à des allergènes précis. Toutefois, un test cutané positif ne veut pas forcément dire que l'allergène en question a provoqué la crise d'asthme. En revanche, un test d'allergie négatif ne signifie pas que l'asthme n'est pas d'origine allergique. Un **test de RadioAllergoSorbent** (test RAST), qui est une analyse sanguine, est parfois utilisé pour déterminer des causes allergiques chez certains clients qui montrent des résultats négatifs aux tests cutanés et chez ceux qui ne peuvent subir de tests cutanés (p. ex., les cas d'eczéma grave) ▶ 14.

Une radiographie pulmonaire effectuée chez un client asthmatique asymptomatique est généralement normale, mais il faut tout de même la réaliser à titre de référence au moment du diagnostic initial. Une radiographie pulmonaire effectuée au cours d'une crise aiguë montre généralement une distension pulmonaire et peut révéler d'autres complications liées à l'asthme comme une accumulation de mucus, un pneumothorax, une atélectasie ou un **pneumomédiastin**.

Si le client présente une respiration sifflante et une détresse respiratoire aiguë, il est impossible d'obtenir un relevé détaillé de ses antécédents médicaux, à moins qu'un membre de la famille puisse fournir ces renseignements. Au cours d'une crise d'asthme aiguë, le test de la fonction respiratoire peut être effectuée au chevet du client (en particulier le $VEMS_1$ ou la capacité vitale forcée, mais habituellement le débit expiratoire de pointe) pour surveiller l'obstruction. Les résultats de l'examen clinique et des tests de la fonction respiratoire, la mesure d'une série de paramètres spirométriques, l'oxymétrie et la gazométrie du sang artériel fournissent des renseignements sur le degré de gravité de la crise et sur la réaction au traitement. Un hémogramme avec décompte leucocytaire et une mesure des électrolytes sériques sont également effectués pour établir une référence de base et surveiller le cours du traitement.

Un échantillon d'expectoration peut être prélevé pour effectuer une culture et un antibiogramme afin d'écarter la présence d'une infection bactérienne, surtout si le client présente des expectorations purulentes, des antécédents d'infection des voies respiratoires supérieures, de la fièvre ou une leucocytémie élevée. Toutefois, la grande majorité des exacerbations d'asthme sont de nature virale, et il est rare que des cultures d'expectoration soient effectuées en consultation externe.

Il est possible de mesurer l'inflammation des voies respiratoires liée à l'asthme au moyen d'un outil d'intervention portatif appelé Niox Mino[MD]. Cet appareil mesure la fraction d'oxyde nitrique (NO) présent dans l'air expiré (FE_{NO}). L'haleine des asthmatiques contient un taux élevé d'oxyde nitrique, et des variations dans la FE_{NO} permettent de montrer s'il y a présence d'inflammation et si le traitement contre l'asthme fonctionne. Cet appareil ne remplace pas le test de la fonction respiratoire, qui mesure la fonction pulmonaire, mais la mesure de la FE_{NO} permet de détecter plus rapidement les changements inflammatoires que le test de la fonction respiratoire.

Éosinophile : Type de leucocyte s'attaquant spécifiquement aux parasites de l'organisme ; aussi appelé granulocyte éosinophile.

36.2.7 Processus thérapeutique en interdisciplinarité

Le National Asthma Education and Prevention Program (NAEPP) du National Heart, Lung, and Blood Institute (NHLBI) a réuni des groupes d'experts pour élaborer des lignes directrices relatives au diagnostic et à la prise en charge de l'asthme (NHLBI & NAEPP, 2007). Le premier rapport du NAEPP a servi de base à l'élaboration d'autres rapports produits par des experts de l'asthme à l'échelle internationale, et la Global Initiative for Asthma (GINA) a alors vu le jour. Les objectifs de la GINA consistent à diminuer les taux de morbidité et de mortalité liés à l'asthme et à améliorer la prise en charge de celle-ci dans le monde entier (GINA, 2015a). Les rapports du NAEPP et de la GINA se ressemblent beaucoup. Le présent chapitre expose les lignes directrices du NAEPP **TABLEAU 36.2**.

Le but du traitement de l'asthme est d'atteindre et de maintenir la maîtrise de cette affection (GINA, 2015a) **TABLEAU 36.4**. Une fois le diagnostic établi, les lignes directrices donnent des directives quant à la classification selon le degré de gravité de l'affection et aux médicaments que doit prendre le client (selon les étapes 1 à 6). Les lignes directrices actuelles mettent d'abord l'accent sur l'évaluation de la gravité au moment du diagnostic et du traitement initial, puis sur la surveillance périodique pour parvenir à maîtriser l'affection. Au moment du diagnostic initial, un client peut présenter un asthme grave qui nécessite la prise de médicaments contre l'asthme correspondant à l'étape 4 ou 5. Après le traitement, il faut évaluer le client selon le degré de maîtrise (c.-à-d. l'asthme bien maîtrisé, mal maîtrisé ou très mal maîtrisé). Le médecin fait passer la médication à une étape inférieure lorsque le client parvient à supprimer ses symptômes, mais à une étape supérieure s'il y

14

Les tests d'allergie sont décrits dans le chapitre 14, *Réaction immunitaire et transplantation.*

Pneumomédiastin : Présence d'air à l'intérieur des tissus du médiastin. Le médiastin est la zone située entre les poumons de chaque côté, la colonne vertébrale en arrière et le sternum en avant.

a aggravation de ceux-ci. Le but est de parvenir rapidement à maîtriser les symptômes pour que le client puisse reprendre ses activités quotidiennes dans les meilleures conditions possible (NHLBI & NAEPP, 2007) **FIGURE 36.4**. Le degré de maîtrise de l'asthme repose sur les réactions du client aux symptômes, les réveils nocturnes, les perturbations des activités normales et la prise de médicaments de secours ou de soulagement.

Plusieurs questionnaires validés, comme l'Asthma Control Test[MD] (ACT) (test de maîtrise de l'asthme), fournissent des données sur les questions qui touchent la qualité de vie des asthmatiques **FIGURE 36.5**. Le débit expiratoire de pointe ou le $VEMS_1$ actuel du client aident également à déterminer le degré de maîtrise de l'asthme. De plus, toute exacerbation ou tout effet indésirable lié au traitement déterminera ce degré. La réaction au traitement est propre à chaque client; de plus, elle varie constamment à mesure qu'il tente de maîtriser son asthme et de limiter le risque d'apparition d'autres exacerbations.

Asthme intermittent et persistant

La classification de l'asthme selon le degré de gravité au moment du diagnostic initial aide à déterminer quels types de médicaments conviennent le mieux pour atténuer les symptômes. Peu importe où se situe le client dans cette classification, il devra prendre un médicament à courte durée d'action (de secours ou de soulagement). Les bêtaagonistes à courte durée d'action (BACA) (p. ex., le salbutamol [Ventolin[MD]]) sont les produits de référence et les plus efficaces. Le client atteint d'asthme persistant doit prendre un médicament d'entretien pour soulager l'inflammation. Les corticostéroïdes en inhalation (CSI) (p. ex., le fluticasone [Flovent[MD]]) constituent la classe de médicaments la plus efficace pour combattre l'inflammation.

TABLEAU 36.4 Composantes de la maîtrise de l'asthme

COMPOSANTES DE LA MAÎTRISE		CLASSIFICATION DU DEGRÉ DE MAÎTRISE DE L'ASTHME		
		Bien maîtrisé	**Mal maîtrisé**	**Très mal maîtrisé**
Atteinte	Symptômes	≤ 2 jours/semaine	> 2 jours/semaine	Toute la journée
	Réveils nocturnes	≤ 2 fois/mois	1-3 fois/semaine	≥ 4 fois/semaine
	Perturbation des activités normales	Aucune	Modérée	Extrême
	Prise d'un BACA	≤ 2 jours/semaine	> 2 jours/semaine	Plusieurs fois/jour
	$VEMS_1$ ou débit expiratoire de pointe	> 80 % de la valeur prévue/ meilleure valeur personnelle	60-80 % de la valeur prévue/ meilleure valeur personnelle	< 60 % de la valeur prévue/ meilleure valeur personnelle
Risque	Exacerbations exigeant la prise de corticostéroïdes P.O.	0-1 fois/année	≥ 2 fois/année	
		Il faut tenir compte de la gravité et du temps écoulé depuis la dernière exacerbation.		
	Perte progressive de la fonction pulmonaire	L'évaluation nécessite un suivi de longue durée.		
	Effets indésirables liés au traitement	Les effets indésirables peuvent varier en intensité allant de aucunement à très incommodants et préoccupants. Le degré d'intensité ne correspond pas aux degrés particuliers de la maîtrise, mais il faut en tenir compte dans l'évaluation globale du risque.		
Mesures de traitement recommandées (en fonction de l'évaluation de la maîtrise)		• Rester à l'étape actuelle. • Assurer un suivi régulier tous les un à six mois pour maintenir cette maîtrise. • Envisager de passer à l'étape inférieure si l'asthme est bien maîtrisé depuis au moins trois mois.	• Passer à l'étape supérieure. • Réévaluer de deux à six semaines plus tard. • Envisager d'autres options de traitement en présence d'effets indésirables.	• Envisager l'administration de corticostéroïdes P.O. • Passer à une ou à deux étapes supérieures et réévaluer la situation deux semaines plus tard. • Envisager d'autres options de traitement en présence d'effets indésirables.

Source : Adapté de NHLBI & NAEPP (2007).

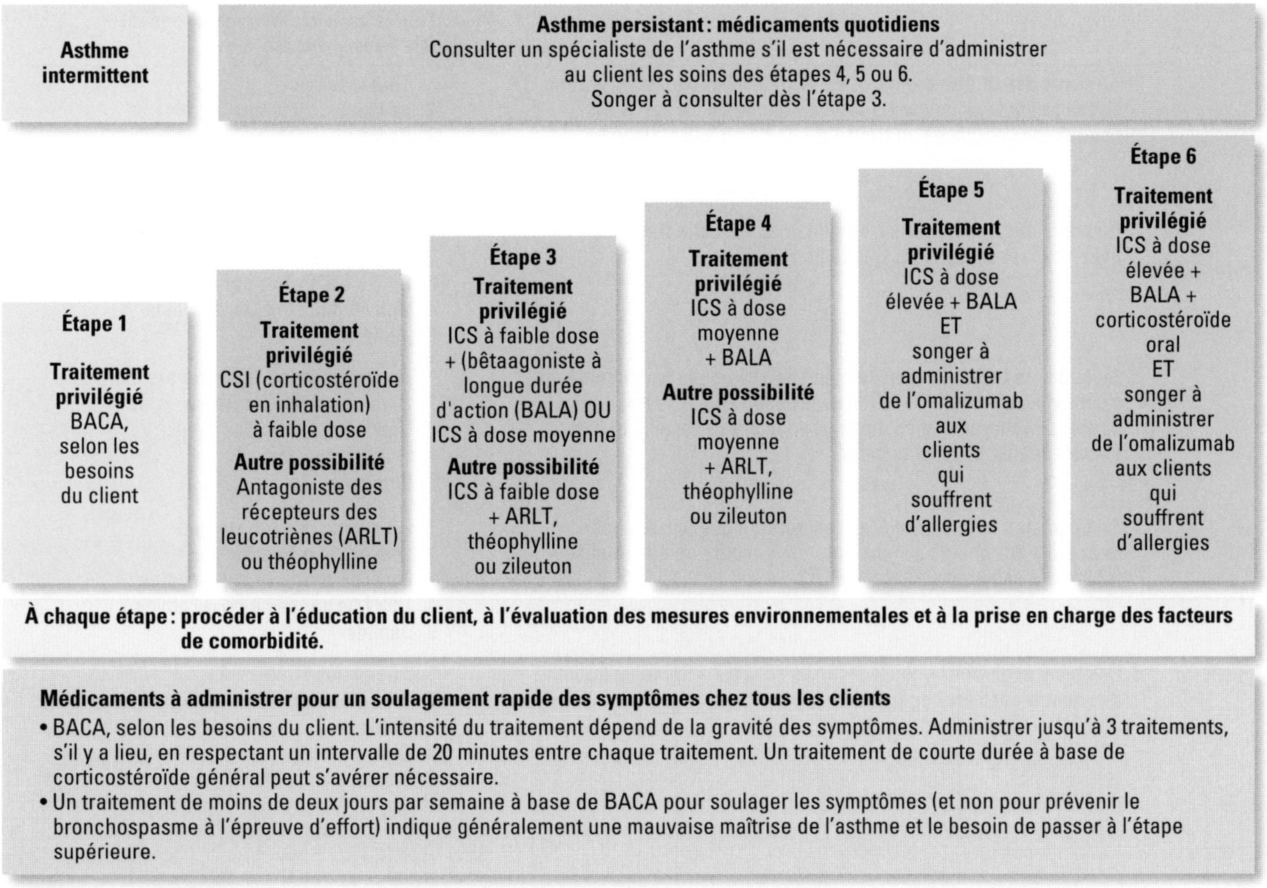

Asthme intermittent	Asthme persistant : médicaments quotidiens Consulter un spécialiste de l'asthme s'il est nécessaire d'administrer au client les soins des étapes 4, 5 ou 6. Songer à consulter dès l'étape 3.				
Étape 1 **Traitement privilégié** BACA, selon les besoins du client	**Étape 2** **Traitement privilégié** CSI (corticostéroïde en inhalation) à faible dose **Autre possibilité** Antagoniste des récepteurs des leucotriènes (ARLT) ou théophylline	**Étape 3** **Traitement privilégié** ICS à faible dose + (bêtaagoniste à longue durée d'action (BALA) OU ICS à dose moyenne **Autre possibilité** ICS à faible dose + ARLT, théophylline ou zileuton	**Étape 4** **Traitement privilégié** ICS à dose moyenne + BALA **Autre possibilité** ICS à dose moyenne + ARLT, théophylline ou zileuton	**Étape 5** **Traitement privilégié** ICS à dose élevée + BALA ET songer à administrer de l'omalizumab aux clients qui souffrent d'allergies	**Étape 6** **Traitement privilégié** ICS à dose élevée + BALA + corticostéroïde oral ET songer à administrer de l'omalizumab aux clients qui souffrent d'allergies

À chaque étape : procéder à l'éducation du client, à l'évaluation des mesures environnementales et à la prise en charge des facteurs de comorbidité.

Médicaments à administrer pour un soulagement rapide des symptômes chez tous les clients

- BACA, selon les besoins du client. L'intensité du traitement dépend de la gravité des symptômes. Administrer jusqu'à 3 traitements, s'il y a lieu, en respectant un intervalle de 20 minutes entre chaque traitement. Un traitement de courte durée à base de corticostéroïde général peut s'avérer nécessaire.
- Un traitement de moins de deux jours par semaine à base de BACA pour soulager les symptômes (et non pour prévenir le bronchospasme à l'épreuve d'effort) indique généralement une mauvaise maîtrise de l'asthme et le besoin de passer à l'étape supérieure.

FIGURE 36.4 Pharmacothérapie : démarche par étapes successives de la prise en charge de l'asthme

Exacerbations aiguës de l'asthme

Les exacerbations de l'asthme peuvent varier de légères à menaçantes pour la vie du client. Dans les cas d'exacerbations légères, le client éprouve de la difficulté à respirer seulement à l'effort et peut avoir l'impression de manquer d'air. Son débit expiratoire de pointe est supérieur à 70 % de sa meilleure valeur personnelle, et en général, le soulagement des symptômes s'effectue rapidement à domicile par la prise d'un BACA, tel que le salbutamol, au moyen d'un nébuliseur ou d'un aérosol doseur muni d'une chambre d'inhalation (Aérochamber[MD]).

Peu importe où se situe le client dans la classification de l'asthme, en situation de plan d'urgence, il doit prendre de deux à quatre inhalations de salbutamol toutes les 20 minutes, et ce, à trois reprises pour obtenir une suppression rapide des symptômes. Parfois, un traitement de courte durée par corticostéroïdes (P.O.) est nécessaire pour diminuer l'inflammation des voies respiratoires.

Dans les cas d'exacerbations modérées, la dyspnée nuit aux activités normales, et le débit expiratoire de pointe se situe entre 40 et 60 % de la meilleure valeur personnelle. Généralement, il s'agit d'une situation où le client se présente au service des urgences ou chez le médecin. Le soulagement des symptômes s'effectue par la prise d'un BACA, comme dans le cas d'une exacerbation légère, et de corticostéroïdes par voie P.O. En général, cette voie d'administration est aussi efficace que la voie I.V., en plus d'être moins envahissante et moins coûteuse. Les symptômes peuvent persister encore plusieurs jours après le début du traitement par corticostéroïdes.

Dans les cas d'exacerbations légères et modérées, il est possible d'administrer de l'oxygène pour maintenir la saturation artérielle ou pulsatile en O_2 (SaO_2 ou SpO_2) à au moins 90 %. Il faut surveiller les symptômes et le débit expiratoire de pointe du client et ausculter ses poumons pour s'assurer que l'air circule bien dans ces derniers. Une bonne réaction au traitement se traduit par un débit expiratoire de pointe (ou un $VEMS_1$) qui atteint 70 % de la meilleure valeur personnelle, un déplacement normal de l'air dans les poumons à l'examen physique, un soulagement de la détresse du client et des résultats qui persistent plus de une heure après le dernier traitement (NHLBI & NAEPP, 2007).

Exacerbations graves d'asthme et asthme menaçant la vie du client

La prise en charge du client qui présente des exacerbations graves d'asthme ou d'asthme qui

	Encerclez le chiffre correspondant à la bonne réponse
1. Au cours des quatre dernières semaines, dans quelle proportion du temps votre asthme vous a-t-il empêché de vaquer à vos occupations normales au travail, à l'école ou à la maison?	1. Tout le temps 2. La plupart du temps 3. Parfois 4. Rarement 5. Jamais
2. Au cours des quatre dernières semaines, à quelle fréquence avez-vous ressenti de l'essoufflement?	1. Plus de une fois par jour 2. Une fois par jour 3. De trois à six fois par semaine 4. Une ou deux fois par semaine 5. Jamais
3. Au cours des quatre dernières semaines, à quelle fréquence vos symptômes d'asthme (respiration sifflante, toux, essoufflement, oppression thoracique ou douleur) vous ont-ils réveillé la nuit ou plus tôt que d'habitude le matin?	1. Au moins quatre nuits par semaine 2. Deux ou trois nuits par semaine 3. Une fois par semaine 4. Une ou deux fois 5. Jamais
4. Au cours des quatre dernières semaines, à quelle fréquence avez-vous eu recours à l'inhalateur de secours ou au nébuliseur (comme le salbutamol [Ventolin[MD]])?	1. Au moins trois fois par jour 2. Une ou deux fois par jour 3. Deux ou trois fois par semaine 4. Une fois par semaine ou moins 5. Jamais
5. Comment évalueriez-vous la maîtrise de votre asthme au cours des quatre dernières semaines?	1. Aucunement maîtrisé 2. Très peu maîtrisé 3. Quelque peu maîtrisé 4. Bien maîtrisé 5. Entièrement maîtrisé
	Pointage total[a] :

[a] Si le pointage total est égal ou inférieur à 19, l'asthme n'est peut-être pas bien maîtrisé. Le client doit consulter son médecin.

FIGURE 36.5 Enquête sur la santé Asthma Control Test[MD] 2003-2004 menée par QualityMetric Incorporated

menace sa vie vise la correction de l'hypoxémie et l'amélioration de la ventilation. L'objectif est de maintenir la SaO_2 (ou la SpO_2) à au moins 90 %. Il faut absolument assurer une surveillance continue du client. Il est généralement impossible d'obtenir un débit expiratoire de pointe au cours d'une crise grave d'asthme. Toutefois, si sa mesure peut être prise et qu'elle est inférieure à 200 L/min, il s'agit d'un signe d'obstruction grave, sauf chez l'adulte de très petite taille. Bon nombre des mesures thérapeutiques sont identiques à celles prises dans les cas d'asthme aigu.

L'administration répétitive ou continuelle d'un BACA a lieu au service des urgences. Tout d'abord, trois traitements par BACA sont administrés avec chambre d'inhalation (intervalle de 20 à 30 minutes entre chaque traitement). Par la suite, l'administration du BACA avec chambre d'inhalation se poursuit en fonction du débit d'air dans les poumons du client, du soulagement obtenu et des effets indésirables du médicament. Chez le client qui présente une exacerbation grave d'asthme, l'administration d'un BACA et d'ipratropium (Atrovent[MD]) ne procure généralement qu'un soulagement partiel. Toutefois, ces mêmes médicaments ne produiront qu'un soulagement minime, voire aucun soulagement, dans les cas où l'asthme menace la vie du client.

Après le traitement initial, l'administration d'ipratropium (Atrovent[MD]) est cessée pendant la durée du séjour au centre hospitalier, car ce médicament n'a démontré aucun effet bénéfique supplémentaire. L'administration du BACA avec chambre d'inhalation se poursuit pendant plusieurs jours, même après avoir observé une amélioration notable de l'état du client (Lougheed, Lemière, Dell *et al.*, 2010).

Dans les cas d'asthme grave, l'administration de corticostéroïdes à action générale par voie P.O. aux clients qui ne réagissent pas au traitement initial par BACA est entreprise. Il n'est plus recommandé aux clients adultes de prendre une double dose de corticostéroïdes en inhalation lorsque survient une exacerbation, car ce n'est pas efficace et cela augmente les effets indésirables. Dans les cas d'asthme qui menace la vie du client, les corticostéroïdes (acétate de méthylprednisolone) sont administrés par voie I.V. Cette administration s'effectue toutes les 4 à 6 heures, même si l'effet maximal prend de 4 à 12 heures à se faire sentir. Par la suite, il faut rapidement diminuer les doses et amorcer l'administration de corticostéroïdes par voie P.O.

Après la sortie du centre hospitalier, la durée du traitement de prednisone par voie P.O., tant dans les cas d'asthme grave que dans ceux pouvant menacer la vie du client, est d'environ 10 jours. L'administration de corticostéroïdes en inhalation est généralement ajoutée pendant que le client est encore hospitalisé. De fortes doses de corticostéroïdes en inhalation préviennent la récidive d'asthme et sont prescrites jusqu'à ce que le client puisse revenir à des doses plus faibles.

Dans les cas d'asthme grave et d'asthme qui menace la vie du client, il est possible d'administrer des médicaments d'appoint comme le sulfate de magnésium par voie I.V. chez certains adultes dont le $VEMS_1$ ou le débit expiratoire de pointe est très faible (inférieur à 40 % de la valeur prévue ou de la meilleure valeur personnelle à l'arrivée) ou chez ceux qui n'ont pas bien réagi au traitement initial. De plus, chez le client hospitalisé, il est possible de se servir de l'héliox (mélange d'hélium et d'oxygène) pour administrer le salbutamol nébulisé, car l'hélium, de densité moindre, permet d'améliorer l'efficacité de ce médicament à dilater les bronches (GINA, 2015a).

Dans le cas d'exacerbation grave, de l'oxygène d'appoint est administré au moyen d'un masque ou de lunettes nasales pour atteindre une PaO_2 d'au moins 60 mm Hg ou une SaO_2 supérieure à 90 %. Dans les unités de soins spécialisés, il est possible d'insérer un cathéter artériel pour pouvoir surveiller fréquemment la gazométrie du sang artériel. Il faut administrer des liquides par voie I.V. à un débit nécessaire pour permettre une hydratation optimale, en raison de l'augmentation de la perte liquidienne insensible et de l'accélération du métabolisme du client. Généralement, le but de l'administration de bicarbonate de sodium se limite à corriger l'acidose métabolique ou respiratoire (pH < 7,29) chez le client placé sous ventilation mécanique, car en présence d'acidose extrême, les bêtaagonistes n'arrivent pas à assurer une bronchodilatation efficace. La bronchoscopie, bien qu'effectuée rarement en cas de crise aiguë, peut s'avérer nécessaire pour éliminer des bouchons de mucus épais.

Parfois, les exacerbations d'asthme mettent en danger la vie du client, et un arrêt respiratoire peut survenir. Par conséquent, il faut intuber le client et le placer sous ventilation mécanique si aucune réaction au traitement initial n'est obtenue. Le client reçoit alors de l'oxygène à forte concentration (jusqu'à 100 %), un BACA nébulisé toutes les heures ou en continu, des corticostéroïdes par voie I.V. et possiblement d'autres traitements d'appoint comme ceux mentionnés plus haut.

L'administration de théophylline, d'agents mucolytiques ou de sédatifs n'est plus recommandée dans les cas d'exacerbation d'asthme. Il faut éviter les sédatifs, car ils peuvent entraîner une dépression respiratoire et même la mort chez les clients qui ne sont pas sous ventilation mécanique. L'administration d'antibiotiques dans le traitement de l'asthme n'est pas conseillée à moins qu'il y ait des manifestations de pneumonie bactérienne, de fièvre et d'expectorations purulentes, signes évocateurs d'une infection bactérienne. La kinésithérapie de drainage ne joue aucun rôle dans les cas d'asthme, et elle n'est généralement pas recommandée, car elle s'avère trop stressante pour le client à bout de souffle (GINA, 2015a; NHLBI & NAEPP, 2007). Bien qu'elle ne figure plus dans les directives relatives au traitement des exacerbations d'asthme, l'épinéphrine est donnée à l'occasion pour le traitement aigu de l'**anaphylaxie** lorsque les bêtaagonistes sélectifs ne sont pas disponibles. Dans ce cas, il faut surveiller étroitement la P.A. et le tracé cardiaque du client.

Anaphylaxie : Réaction allergique grave accompagnée de difficultés respiratoires et circulatoires mettant en danger la vie de la personne.

36.2.8 Pharmacothérapie

La pharmacothérapie consiste en une démarche par étapes, fondée tout d'abord sur la gravité de l'asthme puis sur le degré de maîtrise de l'affection. L'asthme persistant nécessite un traitement d'entretien quotidien en plus d'une prise de médicaments qui visent à soulager les symptômes aigus. Les médicaments se divisent en deux classes générales : 1) les médicaments à soulagement rapide ou de secours pour traiter les symptômes et les exacerbations, comme les BACA ; 2) les médicaments d'entretien pour atteindre et maintenir la maîtrise de l'asthme persistant, comme les corticostéroïdes en inhalation **ENCADRÉ 36.3**. Certains médicaments d'entretien sont administrés en association pour obtenir une meilleure maîtrise de l'asthme (p. ex., le fluticasone/salmétérol [Advair[MD]] et le budésonide/formotérol dihydraté [Symbicort[MD]]) **TABLEAU 36.5**.

CE QU'IL FAUT RETENIR

Les exacerbations d'asthme mettent en danger la vie du client, et un arrêt respiratoire peut survenir.

Anti-inflammatoires

Corticostéroïdes

L'inflammation chronique constitue l'une des principales composantes de l'asthme. Les corticostéroïdes sont des anti-inflammatoires qui réduisent l'hyperréactivité bronchique, bloquent la phase tardive de la réponse aux IgE et inhibent la migration des cellules inflammatoires. Ils sont plus efficaces pour améliorer la maîtrise de l'asthme que tout autre médicament d'entretien. Les corticostéroïdes en inhalation (CSI) constituent le traitement de première intention chez les clients atteints d'asthme persistant et qui nécessitent un traitement correspondant aux étapes 2 à 6 **FIGURE 36.4**. Généralement, il faut de une à deux

Jugement clinique

Comme la crise d'asthme de monsieur Bélair (*pages 326 et 327*) s'aggrave, le médecin prescrit l'administration I.V. de sulfate de magnésium. Quel est le but d'une telle prescription ?

Pharmacothérapie

ENCADRÉ 36.3 **Médicaments d'entretien et de soulagement rapide de l'asthme**

MÉDICAMENTS D'ENTRETIEN

- Anti-inflammatoires
  - Corticostéroïdes
    - En inhalation (p. ex., le fluticasone [Flovent[MD]])
    - Voie P.O. (p. ex., la prednisone)
  - Inhibiteurs des mastocytes (p. ex., le cromoglycate sodique [Nalcrom[MD]])
  - Modificateurs des leucotriènes (p. ex., le montélukast sodique [Singulair[MD]])
  - Anti-IgE (p. ex., l'omalizumab [Xolair[MD]])
- Bronchodilatateurs
  - Bêtaagonistes à action prolongée en inhalation (p. ex., le salmétérol [Serevent[MD]])
  - Bêtaagonistes à action prolongée en inhalation (p. ex., le formotérol [Oxeze[MD]])
  - Méthylxanthines par voie P.O. (p. ex., la théophylline [Uniphyl[MD]])
  - Anticholinergiques en inhalation (p. ex., le tiotropium [Spiriva[MD]])

MÉDICAMENTS DE SOULAGEMENT RAPIDE

- Bronchodilatateurs
  - BACA en inhalation (p. ex., le salbutamol [Ventolin[MD]])
  - Anticholinergiques en inhalation (p. ex., l'ipratropium [Atrovent[MD]])
- Anti-inflammatoires
  - Corticostéroïdes par voie P.O. (p. ex., la prednisone)[a]

[a] Considérés comme médicaments de soulagement rapide lorsqu'ils sont administrés sur une courte période (de 3 à 10 jours) en début de traitement ou pendant une phase de détérioration graduelle. Les corticostéroïdes ne sont pas administrés pour obtenir un soulagement immédiat au cours d'une crise.

semaines de traitement par CSI avant d'observer un maximum d'effets thérapeutiques. Certains CSI (p. ex., le fluticasone [Flovent[MD]], le budésonide [Pulmicort[MD]]) commencent à avoir un effet thérapeutique après 24 heures. L'administration de ces médicaments doit se faire selon un horaire fixe.

Candidose oropharyngée: Infection opportuniste de la cavité buccale. Cette candidose peut être développée notamment par des clients atteints du VIH, des clients souffrant de cancer ou des clients immunodéprimés.

Grâce aux dispositifs utilisés pour administrer les CSI, l'absorption systémique du médicament est faible, ce qui permet, en général, d'atteindre une maîtrise de l'asthme sans qu'il y ait d'effets indésirables systémiques importants. Toutefois, administrés aux doses les plus fortes, ils produisent des effets indésirables comme une tendance aux ecchymoses et une accélération de la perte osseuse (GINA, 2015a). L'inhalation de corticostéroïdes cause des effets indésirables locaux comme la **candidose oropharyngée**, l'enrouement et la toux sèche. Il est possible d'atténuer ou de prévenir ces problèmes en fixant une chambre d'inhalation à l'aérosol doseur et en se gargarisant avec de l'eau ou un rince-bouche après chaque prise du médicament. L'utilisation d'une chambre d'inhalation ou d'un dispositif de fixation pour l'inhalation des corticostéroïdes peut contribuer à faire pénétrer davantage le produit dans les poumons. Toutefois, la mise au point de nouveaux médicaments (p. ex., le ciclésonide [Alvesco[MD]]), dont l'activation s'effectue dans les poumons (au lieu du pharynx), semble minimiser ces effets indésirables sans que le client ait recours à la chambre d'inhalation ni au rinçage de la bouche (GINA, 2015a).

Les effets indésirables du traitement prolongé aux corticostéroïdes sont détaillés dans le chapitre 61, *Interventions cliniques – Troubles endocriniens*.

L'ostéoporose est décrite dans le chapitre 26, *Interventions cliniques – Troubles musculosquelettiques*.

Un traitement de courte durée aux corticostéroïdes administrés par voie P.O. est indiqué pour maîtriser rapidement les cas d'exacerbations d'asthme. Chez une minorité de clients atteints d'asthme chronique grave, un traitement d'entretien aux corticostéroïdes par voie P.O. peut s'avérer nécessaire. Les effets indésirables sont moins nombreux si l'administration du médicament a lieu en une seule dose, un jour sur deux, le matin, au moment où l'organisme produit lui-même du cortisol ▶ 61. Les femmes asthmatiques qui prennent des corticostéroïdes, surtout les femmes ménopausées, doivent consommer des quantités suffisantes de calcium et de vitamine D et pratiquer régulièrement des exercices de renforcement musculaire pour contrer l'ostéoporose ▶ 26.

Stabilisateurs de membrane

Le cromoglycate sodique (Nalcrom[MD]) et le nédocromil sodique (Alocril[MD]) stabilisent les mastocytes. Chez l'adulte, le rôle de ces médicaments demeure limité, car l'effet anti-inflammatoire est faible, et ils sont moins efficaces que les CSI administrés à faible dose (GINA, 2015a). Ces médicaments ne servent pas à traiter le bronchospasme aigu. Ils sont utilisés comme solution de remplacement chez le client qui nécessite des soins correspondant à l'étape 2. Ils peuvent s'avérer efficaces dans les cas d'asthme d'effort lorsqu'ils sont administrés de 10 à 20 minutes avant une activité physique. Il est également possible de les administrer lorsqu'une exposition à des allergènes connus est inévitable (p. ex., la visite d'une personne allergique aux chats chez quelqu'un qui en possède un). Peu d'effets indésirables sont associés à ces médicaments.

Modificateurs des leucotriènes

Les modificateurs des leucotriènes comprennent les antagonistes (bloqueurs) des récepteurs des leucotriènes comme le zafirlukast (Accolate[MD]) et le montélukast sodique (Singulair[MD]). Ces médicaments gênent la synthèse des leucotriènes ou bloquent leur action. Les leucotriènes sont des médiateurs de l'inflammation, produits à partir du métabolisme de l'acide arachidonique. Ce sont des bronchoconstricteurs puissants, et certains d'entre eux entraînent également un œdème et une inflammation des voies respiratoires, ce qui accentue les symptômes de l'asthme. Comme ces médicaments bloquent la libération de certaines substances des mastocytes et des éosinophiles, ils produisent à la fois des effets bronchodilatateurs et anti-inflammatoires. Ces médicaments ne sont pas indiqués pour soulager le bronchospasme en cas de crise d'asthme aiguë. Ils sont administrés dans les cas de traitement prophylactique et d'entretien. L'un des avantages des modificateurs des leucotriènes est qu'ils se prennent par voie P.O. Les modificateurs des leucotriènes sont utilisés avec succès comme traitement d'appoint pour permettre de diminuer les doses de CSI et non de remplacer ceux-ci.

Pharmacothérapie

TABLEAU 36.5 Asthme et maladie pulmonaire obstructive chronique

MÉDICAMENTS	VOIE D'ADMINISTRATION	EFFETS INDÉSIRABLES	COMMENTAIRES[a]
Agents anti-inflammatoires			
Corticostéroïdes			
Succinate sodique d'hydrocortisone (Solu-Cortef[MD])	I.V.	• Usage prolongé : apparence cushingoïde, modifications cutanées (acné, vergetures, ecchymoses), ostéoporose, augmentation de l'appétit, obésité, ulcère gastroduodénal, hypertension artérielle, hypokaliémie, cataractes, cycle menstruel irrégulier, faiblesse musculaire, immunosuppression, catabolisme • Usage de courte durée (p. ex., < 2 semaines) : troubles du sommeil, augmentation de l'appétit	• Le traitement administré un jour sur deux atténue les effets indésirables. Le médicament par voie P.O. doit se prendre le matin avec du lait ou de la nourriture. S'il y a administration de fortes doses, surveiller la présence de douleurs épigastriques. Un traitement prolongé par des corticostéroïdes exige la prise de suppléments de vitamine D et de calcium pour prévenir l'ostéoporose. • Cesser la prise de corticostéroïdes de façon progressive pour éviter l'insuffisance surrénale. Si les symptômes réapparaissent au cours de cette période, il faut le signaler au médecin.
Méthylprednisolone (Medrol[MD]), succinate sodique de méthylprednisolone (Solu-Medrol[MD])	P.O., I.V.		
Prednisone	P.O.		
Fluticasone (Flovent[MD] HFA, Flovent[MD] Diskus[MD])	Aérosol doseur, inhalateur de poudre sèche	• Candidose buccale (muguet), enrouement, irritation de la gorge, céphalées, infection des sinus, infection des voies respiratoires supérieures	• N'est pas recommandé pour les crises d'asthme aiguës. Rincer la bouche avec de l'eau ou un rince-bouche après la prise du médicament pour prévenir les infections fongiques buccales. L'utilisation d'une chambre d'inhalation avec l'aérosol doseur peut diminuer la fréquence des candidoses buccales. L'effet des corticostéroïdes en inhalation peut n'être visible qu'après au moins deux semaines de traitement régulier.
Béclométhasone (Qvar[MD])	Aérosol doseur	• Candidose buccale, enrouement, irritation de la gorge, sécheresse buccale, toux, peu d'effets systémiques sauf la céphalée	• Comme pour le fluticasone, sauf qu'il y a moins de cas de candidose buccale, car ce sont des particules de très petite taille qui se déposent plus profondément dans les voies respiratoires.
Budésonide (Pulmicort Turbuhaler[MD])	Inhalateur de poudre sèche		
Ciclésonide (Alvesco[MD])	Aérosol doseur	• Céphalées, rhinopharyngite	• Candidose buccale et autres effets oropharyngés localisés (p. ex., l'enrouement). Moins d'effets indésirables qu'avec d'autres CSI en raison de la petite taille des particules et d'une activation minimale dans l'oropharynx.
Stabilisant mastocytaire			
Cromoglycate sodique (Nalcrom[MD])	Nébuliseur, aérosol doseur	• Irritation de la gorge, effets peu toxiques, bronchospasme	• Utilisé contre l'asthme en prophylaxie (p. ex., avant l'exercice physique) si un allergène est l'agent causal. Montrer au client comment bien utiliser l'inhalateur. Se gargariser avec de l'eau après le traitement peut aider à diminuer l'irritation de la gorge. Plusieurs semaines peuvent s'écouler avant d'observer une réaction au traitement ou son effet maximal.

TABLEAU 36.5	Asthme et maladie pulmonaire obstructive chronique *(suite)*		
MÉDICAMENTS	**VOIE D'ADMINISTRATION**	**EFFETS INDÉSIRABLES**	**COMMENTAIRES**[a]
Anticholinergiques			
Courte durée d'action			
Ipratropium (Atrovent[MD])	Nébuliseur, aérosol doseur	• Sécheresse buccale, toux, rougeur de la peau, goût désagréable	• Un schéma posologique en alternance entre la prise du bêtaagoniste et celle de l'atropine peut être utile chez certains clients. Vision brouillée passagère s'il y a vaporisation dans les yeux. Utiliser avec prudence chez le client atteint d'un glaucome à angle fermé ou d'une hypertrophie de la prostate.
Action prolongée			
Tiotropium (Spiriva[MD])	Inhalateur de poudre sèche	• Sécheresse buccale, infection des voies respiratoires supérieures	• Vision brouillée s'il y a contact de la poudre avec les yeux. Il faut cesser la prise d'ipratropium pendant celle de Spiriva[MD]. Le client doit prendre un BACA comme médicament de soulagement rapide. Voir plus loin pour les risques liés à la classe.
Anti-IgE			
Omalizumab (Xolair[MD])	Sous-cutanée	• Réaction au point d'injection (p. ex., une ecchymose, une rougeur, de la chaleur, une douleur)	• Seulement dans les cas d'asthme allergique persistant modéré ou grave dont les symptômes ne sont pas suffisamment bien maîtrisés par les CSI. Ne pas utiliser dans les cas de bronchospasme aigu. Administrer seulement sous surveillance médicale directe et garder le client en observation au moins deux heures après, car des cas de choc anaphylactique ont été rapportés.
Modificateurs des leucotriènes[b]			
Antagonistes des récepteurs des leucotriènes (Contre-indiqués dans les cas de crise d'asthme aiguë)			
Zafirlukast (Accolate[MD])	Comprimés par voie P.O.	• Céphalées, étourdissements ; nausées, vomissements, diarrhée, fatigue, douleur abdominale	• Administrer au moins une heure avant ou deux heures après les repas. Perturbe le métabolisme de l'érythromycine et de la théophylline. Ne pas administrer pour traiter les crises d'asthme aiguës.
Montélukast sodique (Singulair[MD])	Comprimés par P.O., comprimés à croquer et granulés par voie P.O.	• Bien toléré	• Ne pas utiliser pour traiter les crises d'asthme aiguës.

TABLEAU 36.5 Asthme et maladie pulmonaire obstructive chronique *(suite)*

MÉDICAMENTS	VOIE D'ADMINISTRATION	EFFETS INDÉSIRABLES	COMMENTAIRES[a]
Bêtaagonistes			
En inhalation : courte durée d'action (BACA)			
Salbutamol (Ventolin[MD] HFA)	Nébuliseur, aérosol doseur	• Tachycardie, variations de la P.A., nervosité, palpitations, tremblements, nausées, vomissements, vertige, insomnie, sécheresse buccale, céphalées, hypokaliémie	• Utiliser avec prudence chez le client atteint de troubles cardiaques, car les bêtaagonistes peuvent causer une ↑ P.A. et de la fréquence cardiaque, une stimulation ou excitation du système nerveux central (SNC) et une ↑ risque d'arythmie. Possède un délai d'action rapide (1-3 min). La durée d'action se situe entre quatre et huit heures.
En inhalation : longue durée d'action (BALA)[c]			
Salmétérol (Serevent[MD])	Inhalateur de poudre sèche	• Céphalées, sécheresse de la gorge, tremblements, étourdissements, pharyngite	• Ne pas dépasser 2 inhalations toutes les 12 heures. Ne pas utiliser dans les cas d'exacerbations aiguës. Possède un compteur de doses.
Formotérol (Foradil[MD])	Inhalateur de poudre sèche (Aerolizer[MD])	• Angine de poitrine, tachycardie, nervosité, céphalées, tremblements, étourdissements	• Peut perturber la glycémie. Administrer avec prudence chez le diabétique.
Méthylxanthines			
I.V. : Aminophylline (traitement de deuxième intention) P.O. : Théophylline (Uniphyl[MD])	Comprimés par voie P.O., I.V., élixir, comprimés à libération prolongée	• Tachycardie, variations de la P.A., arythmie, anorexie, nausées, vomissements, nervosité, irritabilité, céphalées, tremblements musculaires, bouffées congestives, douleur épigastrique, diarrhée, insomnie, palpitations	• Les réactions au métabolisme du médicament varient. Demi-vie ↓ par le tabagisme et ↑ par l'insuffisance cardiaque et l'hépatopathie. La cimétidine, la ciprofloxacine, l'érythromycine et d'autres médicaments peuvent ↑ rapidement les concentrations de théophylline. Prendre ce médicament avec de la nourriture ou des antiacides pour atténuer les effets gastro-intestinaux. Encourager le client à prendre ces médicaments même s'il se sent bien.
Médicaments d'association[d]			
Ipratropium et salbutamol (Combivent UDV[MD])	Aérosol doseur, nébuliseur	• Douleur thoracique, pharyngite, diarrhée, nausées	• Le client doit faire attention au surdosage. Respecter les doses prescrites.
Fluticasone/salmétérol (Advair[MD] Diskus[MD])	Inhalateur de poudre sèche, aérosol doseur	• Céphalées, pharyngite, candidose buccale	• Voir chacun des composants dans la section des corticostéroïdes et des BALA. Possède un compteur de doses. Offert en trois dosages différents.
Budésonide/formotérol dihydraté (Symbicort[MD] Turbuhaler[MD])	Aérosol doseur	• Arythmie, hypertension artérielle, bronchospasme paradoxal	• Voir chacun des composants dans la section des corticostéroïdes et des BALA. Possède un compteur de doses.

[a] L'institut thoracique de Montréal (2015) a préparé un guide présentant des directives à l'intention des clients sur les dispositifs.

[b] La Food and Drug Administration (FDA) aux États-Unis poursuit son examen des données d'essais cliniques pour évaluer les événements indésirables liés à l'humeur et au comportement se rapportant aux médicaments qui agissent en passant par la voie des leucotriènes.

[c] Asthme : ne jamais administrer en monothérapie. Administrer en combinaison avec des stéroïdes en inhalation.
MPOC : peut être administré en monothérapie. Ne pas administrer pour obtenir un soulagement rapide de la dyspnée.

[d] Voir également les effets indésirables de chaque composante des médicaments.

Bêtaagonistes

- Administrer avec précaution chez le client qui présente des troubles cardiaques, car ils peuvent entraîner une stimulation du SNC (hausse de la P.A. et de la fréquence cardiaque) et accroître le risque d'arythmie (autant ceux à courte durée d'action qu'à action prolongée).
- Utiliser de façon modérée, car un usage excessif peut causer des bronchospasmes de rebond (BACA).

CE QU'IL FAUT RETENIR

Les bêtaagonistes à courte durée d'action (BACA) en inhalation sont les médicaments les plus efficaces pour soulager le bronchospasme.

Bêtaagonistes à longue durée d'action (BALA)

- Ne doit pas être le premier médicament administré pour traiter l'asthme.
- Ne jamais les utiliser en monothérapie pour traiter l'asthme ; il faut plutôt les ajouter au plan de traitement seulement si l'asthme n'est pas maîtrisé par d'autres médicaments d'entretien.
- Ne pas administrer ces médicaments pour traiter une aggravation de la respiration sifflante.
- Toujours administrer un BACA pour soulager l'apparition soudaine d'une respiration sifflante.

Anticorps anti-IgE

L'omalizumab (Xolair[MD]) est un anticorps monoclonal dirigé contre les IgE qui permet d'abaisser le taux d'IgE libres dans la circulation. L'omalizumab empêche les IgE de se fixer aux mastocytes, entravant ainsi la libération de médiateurs chimiques. Ce médicament est indiqué chez le client atteint d'asthme persistant modéré ou grave d'origine allergique ou chez celui qui nécessite des soins correspondant aux étapes 5 et 6 et dont l'asthme persistant ne peut être maîtrisé par les CSI (GINA, 2015a ; NHLBI & NAEPP, 2007). L'omalizumab s'administre par voie sous-cutanée toutes les deux à quatre semaines et coûte environ 10 000 $ par année, mais la plupart des régimes d'assurance médicaments le remboursent. Ce médicament présente un risque d'anaphylaxie. Le client doit donc recevoir cette injection chez un professionnel de la santé qui dispose de ce qu'il faut pour répondre à cette situation d'urgence.

Bronchodilatateurs

À l'heure actuelle, le traitement de l'asthme fait appel à trois classes de bronchodilatateurs. Il s'agit des bêtaagonistes (aussi appelés agonistes des récepteurs β_2-adrénergiques), des méthylxanthines et de ses dérivés ainsi que des anticholinergiques **TABLEAU 36.5**.

Bêtaagonistes

Les bêtaagonistes peuvent être soit à courte durée d'action (BACA) ou à longue durée d'action (BALA). Comme les BACA en inhalation sont les médicaments les plus efficaces pour soulager le bronchospasme aigu (observé dans les cas d'exacerbations aiguës de l'asthme), il s'agit alors de médicaments de secours, comme le salbutamol (Ventolin[MD]) et la terbutaline (Bricanyl Turbuhaler[MD]). Ces médicaments ont un délai d'action de quelques minutes et agissent pendant quatre à huit heures. Ils stimulent les récepteurs bêtaadrénergiques des bronchioles, ce qui entraîne une bronchodilatation. Ils augmentent également la clairance mucociliaire.

Les bêtaagonistes servent également à prévenir le bronchospasme provoqué par l'exercice ou par d'autres stimulus, car ils empêchent la libération des médiateurs de l'inflammation par les mastocytes. Ils n'inhibent pas la phase tardive de la réponse aux IgE et n'ont aucun effet anti-inflammatoire. S'ils sont administrés fréquemment, les bêtaagonistes en inhalation peuvent provoquer des tremblements, de l'anxiété, de la tachycardie, des palpitations et des nausées. Un usage excessif de ces médicaments peut causer un bronchospasme de rebond, surtout dans le cas du salbutamol (Ventolin[MD]). Une prise trop fréquente de bêtaagonistes est le signe d'un asthme mal maîtrisé. Elle peut dissimuler la gravité de l'affection et mener à une baisse d'efficacité du médicament. L'objectif du traitement vise à ce que le client atteint d'asthme persistant obtienne une maîtrise efficace de celui-ci grâce au médicament d'entretien, sans avoir recours au BACA pour soulager des symptômes aigus.

Le BACA ne sert pas à obtenir une maîtrise de longue durée de l'asthme et ne s'administre pas en monothérapie pour traiter l'asthme persistant. Il s'administre à tous les stades de l'asthme pour obtenir un soulagement rapide, et le client doit toujours l'avoir sur lui à cette fin. Les bêtaagonistes sont rarement administrés par voie P.O. en raison des effets indésirables cardiovasculaires importants, mais ils sont utilisés pour obtenir une maîtrise de longue durée. Toutefois, il ne faut pas les prendre seuls ou comme traitement de première intention contre l'asthme.

Les BALA comprennent le salmétérol (Serevent[MD]) et le formotérol (Oxeze[MD]) et sont efficaces pendant 12 heures. Un BALA est ajouté à la prise quotidienne de CSI pour obtenir une maîtrise de longue durée de l'asthme persistant modéré ou grave (c.-à-d. à l'étape 3 ou plus dans la maîtrise de longue durée) et prévenir les symptômes, surtout ceux présents la nuit. De plus, les BALA diminuent le besoin d'avoir recours au BACA, réduisent le nombre d'exacerbations et permettent au client d'atteindre une meilleure maîtrise de son asthme tout en prenant des doses plus faibles de CSI (GINA, 2015a ; NHLBI & NAEPP, 2007).

Un BALA ne doit jamais être utilisé en monothérapie pour traiter l'asthme, et il faut l'administrer seulement si le client prend déjà un CSI. Il importe de dire au client que les BALA ne servent pas à traiter les symptômes aigus de l'asthme et de lui enseigner que ce médicament ne se prend qu'une fois toutes les 12 heures et qu'il ne vise pas à obtenir un soulagement rapide du bronchospasme.

Plusieurs inhalateurs offrent l'association médicamenteuse d'un CSI avec un BALA (p. ex., le fluticasone/salmétérol [Advair[MD]] et le budésonide/formotérol dihydraté [Symbicort Turbuhaler[MD]]). Ces associations sont plus commodes, améliorent l'adhésion au traitement et donnent l'assurance que les clients prennent bien le BALA avec un CSI.

Méthylxanthines

Les préparations de méthylxanthine (théophylline) à libération prolongée ne constituent pas un médicament d'entretien de première intention. Ils s'administrent par voie P.O. seulement comme solution de rechange thérapeutique dans les cas d'asthme persistant léger correspondant aux soins de l'étape 2. Il s'agit d'un bronchodilatateur ayant des effets anti-inflammatoires légers, dont le mécanisme d'action exact demeure inconnu.

Le principal problème de la théophylline est la fréquence relativement élevée des interactions médicamenteuses et des effets indésirables comme les nausées, les céphalées, l'insomnie, les troubles gastro-intestinaux, la tachycardie, l'arythmie et les convulsions. Comme la marge d'innocuité de la théophylline est étroite, il faut surveiller régulièrement sa concentration sérique pour s'assurer qu'elle se situe dans la marge thérapeutique.

Anticholinergiques

Les anticholinergiques (p. ex., l'ipratropium [Atrovent[MD]]) inhibent la portion de la bronchoconstriction induite par le système nerveux parasympathique. Ces médicaments sont moins efficaces que les bêtaagonistes. Ils sont administrés pour obtenir un soulagement rapide chez les clients intolérants aux BACA ou dans les cas d'exacerbations graves de l'asthme, souvent nébulisés avec un BACA, au cours du traitement initial. Le délai d'action de l'ipratropium est moins rapide que celui des bêtaagonistes ; son effet maximal survient au bout de 30 à 60 minutes et dure pendant 4 à 6 heures. Les effets indésirables systémiques des anticholinergiques en inhalation sont rares, car leur absorption est faible. L'effet indésirable le plus fréquent de ces médicaments est la sécheresse buccale.

Inhalateurs pour l'administration des médicaments

Il existe sur le marché une multitude de dispositifs pour administrer les médicaments contre l'asthme, ce qui peut créer une certaine confusion. La plupart des médicaments contre l'asthme sont administrés uniquement ou de préférence par inhalation, car les effets secondaires sont moindres, et le délai d'action est plus rapide. Ces inhalateurs sont l'aérosol doseur, l'inhalateur de poudre sèche et le nébuliseur.

Aérosol doseur

L'aérosol doseur est un petit dispositif portatif sous pression qui libère une dose précise de médicament à chaque activation. Il suffit généralement de une ou de deux inhalations pour atteindre la dose prescrite. Les personnes qui présentent des problèmes de coordination peuvent utiliser l'aérosol doseur en y fixant une chambre d'inhalation (Aérochamber[MD], InspirEase[MD]) **FIGURE 36.6**. L'ajout de la chambre d'inhalation accroît également la quantité de médicament qui atteint les poumons.

Au regard du droit international, il est obligatoire que tous les aérosols doseurs (à moins qu'il n'existe aucun équivalent sur le marché) utilisent un gaz propulseur qui ne présente aucun danger pour la couche d'ozone. Ce gaz propulseur est l'hydrofluoroalcane (HFA). Il n'est pas toxique, s'évapore presque instantanément une fois qu'il a propulsé le médicament hors de la cartouche de l'aérosol doseur et est inoffensif pour le client. Avant l'arrivée du HFA, les chlorofluorocarbures (CFC), aujourd'hui reconnus pour endommager la couche d'ozone terrestre, étaient utilisés. La taille des particules de HFA est environ 50 % plus petite que celle des CFC, ce qui permet de propulser une quantité plus importante de médicament dans les poumons. La pulvérisation est plus chaude que celle produite par l'aérosol doseur avec CFC, ce qui entraîne moins de toux après l'administration du médicament. De plus, le jet pulvérisé est plus lent que celui émis par le CFC, ce qui entraîne moins de conséquences fâcheuses si la technique d'utilisation est défaillante. Le goût laissé par le HFA après la pulvérisation est différent de celui du CFC, meilleur ou pire selon les personnes. Certains aérosols doseurs HFA ne nécessitent pas de chambre d'inhalation, d'agitation ou d'amorce préalable. Il faut rassurer le client qui doit maintenant utiliser un aérosol doseur HFA sur le fait que ce dernier libère des doses appropriées et sûres du médicament, même s'il observe une différence dans le goût et dans ce qu'il ressent. L'infirmière doit être vigilante dans l'évaluation de l'utilisation de ces médicaments par les clients, car comme ils sont différents, certaines personnes ne croient pas que ces nouveaux aérosols doseurs soient vraiment efficaces.

Il faut nettoyer la chambre d'inhalation et l'aérosol doseur en retirant le capuchon protecteur et en les rinçant à l'eau tiède au moins deux fois par semaine **FIGURE 36.7**. Le client qui doit utiliser plusieurs aérosols doseurs ne sait pas toujours dans quel ordre il doit les prendre. Il a longtemps été recommandé de prendre le BACA en premier pour dégager

FIGURE 36.6 Une cliente utilise une chambre d'inhalation avec l'aérosol doseur.

CE QU'IL FAUT RETENIR

La plupart des médicaments contre l'asthme sont administrés uniquement ou de préférence par inhalation, car les effets indésirables sont moindres, et le délai d'action est plus rapide.

36

Théophylline

- Inviter le client à signaler tout signe d'intoxication (nausées, vomissements, convulsions et insomnie).
- Éviter la caféine pour prévenir l'intensification des effets indésirables.
- Préciser au client que la cigarette diminue l'effet de la théophylline ; il doit informer son médecin de tout changement dans ses habitudes tabagiques.

Il paraît facile d'utiliser un aérosol doseur, mais la plupart des clients ne s'y prennent pas de la bonne façon. Lorsqu'il n'est pas utilisé correctement, une quantité moindre du médicament atteint les poumons. (Il est possible que le médecin prescrive d'autres types d'aérosols doseurs).

Au cours des deux prochaines semaines, lire les étapes qui suivent à voix haute tout en les réalisant ou demander à quelqu'un de les lire. Demander au médecin ou à l'infirmière de vérifier si l'aérosol doseur est utilisé de la bonne façon.

Utiliser l'aérosol doseur en suivant l'une des trois méthodes illustrées ci-dessous (A et B sont à privilégier, mais il est possible d'utiliser la méthode décrite en C si les deux autres sont trop difficiles).

Étapes d'utilisation de l'aérosol doseur

Se préparer

1. Retirer le capuchon et agiter l'aérosol doseur.
2. Expirer à fond.
3. Tenir l'aérosol doseur selon l'indication du médecin (A, B ou C ci-dessous).

Inspirer lentement

4. Tout en inspirant **lentement** par la bouche, appuyer sur l'aérosol doseur **une** fois. (Si une chambre d'inhalation est utilisée, appuyer d'abord sur l'aérosol doseur. Dans les cinq secondes qui suivent, commencer à inspirer lentement. Si le sifflet de la chambre d'inhalation se fait entendre, c'est que l'inspiration est faite trop rapidement).
5. Continuer à inspirer **lentement**, aussi profondément que possible.

Retenir sa respiration

6. Retenir sa respiration en comptant lentement jusqu'à 10, si possible.
7. Pour les médicaments de soulagement rapide en inhalation (bêtaagonistes), attendre environ une minute entre les inhalations. Dans le cas des autres médicaments, cette attente n'est pas nécessaire.
Répéter les étapes 1 à 6 pour la deuxième inhalation.

A. Tenir l'aérosol doseur à une distance de 2,5 à 5 cm de la bouche (environ la largeur de deux doigts).

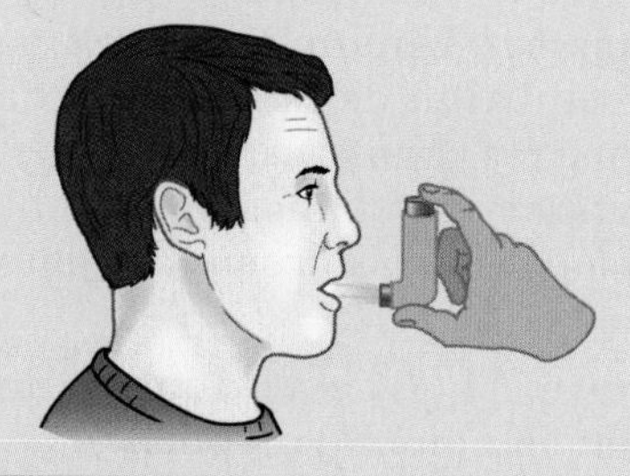

B. Utiliser une chambre d'inhalation. Il en existe de différentes formes, et elles peuvent être utiles pour n'importe quel client.

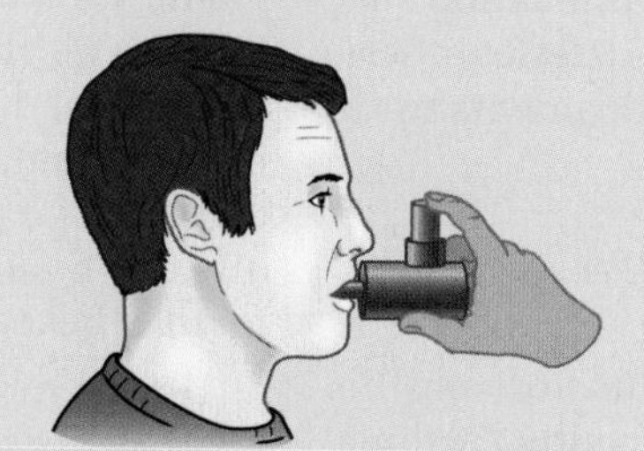

C. Placer l'embout de l'aérosol doseur directement dans la bouche. Ne pas utiliser cette méthode pour les stéroïdes.

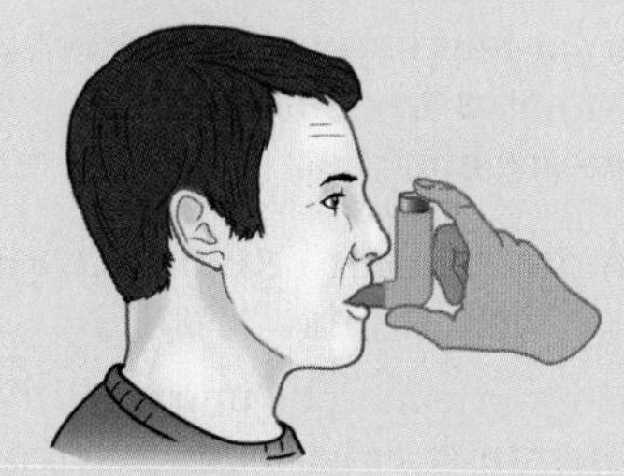

Nettoyer l'aérosol doseur au besoin

Examiner l'embout d'où sort le médicament de l'aérosol doseur. Le nettoyer s'il y a présence de poudre à l'intérieur ou autour de l'orifice. Retirer la cartouche métallique de l'embout buccal de plastique en forme de L. Ne rincer que l'embout et le capuchon à l'eau tiède. Les laisser sécher pendant la nuit. Le lendemain matin, remettre la cartouche dans le support de plastique et le capuchon sur l'embout buccal.

Savoir quand remplacer l'aérosol doseur

Pour les médicaments à prise quotidienne (exemple):
Supposons qu'une nouvelle cartouche contient 200 inhalations (le nombre d'inhalations est inscrit sur la cartouche) et qu'il faut prendre 8 inhalations par jour.

200 inhalations dans la cartouche
÷ 8 inhalations par jour
= 25 jours

La cartouche durera donc 25 jours. Si la première utilisation a lieu le 1er mai, par exemple, il faudra la remplacer au plus tard le 25 mai.

Il est possible d'inscrire la date de remplacement sur la cartouche.

Dans le cas d'un **médicament de soulagement rapide, le prendre au besoin** et compter les inhalations.

Il ne faut pas immerger la cartouche dans l'eau pour vérifier si elle est vide. Cette méthode ne fonctionne pas.

FIGURE 36.7 Façon correcte d'utiliser et d'entretenir l'aérosol doseur

les voies respiratoires et ainsi améliorer l'administration des autres médicaments. Toutefois, ce n'est plus le cas, car aucune donnée probante ne démontre qu'il est avantageux de procéder ainsi, et cette façon de faire peut créer une certaine confusion chez le client, car en général, il ne faut prendre les BACA qu'au besoin (p.r.n.) (Williams & Self, 2004).

L'un des principaux problèmes liés aux médicaments en aérosol doseur est la possibilité d'une surutilisation, c'est-à-dire de les prendre beaucoup plus souvent que prescrit (plus de deux cartouches par mois) au lieu de consulter le médecin **ENCADRÉ 36.4**. Si d'autres symptômes d'asthme apparaissent, le client peut avoir tendance à prendre le bêtaagoniste en aérosol doseur à plusieurs reprises. Les bêtaagonistes soulagent le bronchospasme, mais ils ne traitent pas la réaction inflammatoire. Par conséquent, il faut donner des instructions précises au client sur l'usage thérapeutique de ces médicaments. Le client doit connaître la façon de déterminer si l'aérosol doseur est vide. Auparavant, l'aérosol doseur était immergé dans l'eau pour vérifier s'il restait du médicament dans la cartouche. Maintenant, cette méthode n'est plus recommandée, car elle n'est pas précise, et de l'eau peut s'infiltrer dans l'aérosol doseur. L'infirmière doit enseigner au client que l'agitation de la cartouche n'est pas non plus une façon précise de savoir si l'aérosol doseur est vide, car le bruit perçu peut ne correspondre qu'au gaz propulseur lorsque la cartouche est presque vide.

Inhalateur de poudre sèche

L'inhalateur de poudre sèche est plus facile à utiliser que l'aérosol doseur **FIGURE 36.8** et **ENCADRÉ 36.5**. L'inhalateur de poudre sèche contient un médicament sous forme de poudre qui s'active à l'inspiration. Aucun gaz propulseur n'est nécessaire ; il se crée plutôt un aérosol lorsque le client inhale une dose de poudre contenue dans un réservoir. Plus commode à transporter, le Advair Diskus[MD] présente plusieurs avantages par rapport à l'aérosol doseur : 1) il exige moins de dextérité manuelle ; 2) aucune coordination n'est nécessaire entre les inhalations du dispositif et l'inspiration ; 3) un système bien visible de couleurs ou de chiffres indique le nombre de doses restantes dans l'inhalateur ; 4) aucune chambre d'inhalation n'est requise. Toutefois, les médicaments

FIGURE 36.8 Une cliente utilise un inhalateur de poudre sèche.

couramment prescrits ne sont pas encore offerts sous forme de poudre sèche, et le médicament peut s'agglutiner s'il est exposé à l'humidité, ce qui constitue deux désavantages de ce produit. Comme ce type de médicament ne s'administre qu'en utilisant l'effort inspiratoire du client, ceux qui présentent un $VEMS_1$ faible (inférieur à 1 L) peuvent ne pas être en mesure d'inspirer le médicament en quantité suffisante.

Le **TABLEAU 36.6** présente les différences entre les aérosols doseurs et les inhalateurs de poudre sèche. Utilisés avec des doses comparables de médicaments, les dispositifs d'administration sous forme d'aérosol démontrent une efficacité équivalente à celle de la poudre sèche. Par conséquent, le client doit utiliser le dispositif qui répond le mieux à ses besoins.

Nébuliseur

Le nébuliseur est un appareil qui libère une suspension de fines particules de liquide dans un gaz. Le médicament est nébulisé, c'est-à-dire qu'il est transformé en fines gouttelettes. Généralement, les

ENCADRÉ 36.4 Problèmes observés au cours de l'utilisation de l'aérosol doseur

- Manque de coordination entre l'activation et l'inspiration
- Activation de l'aérosol doseur dans la bouche, tout en respirant par le nez
- Inspiration trop rapide
- Souffle non retenu pendant 10 secondes (ou le plus près possible de 10 secondes)
- Aérosol doseur tenu à l'envers ou sur le côté
- Aspiration de plus de une inhalation par inspiration
- Aucune agitation de l'aérosol doseur avant l'utilisation
- Temps d'attente trop court entre chaque inhalation
- Ouverture insuffisante de la bouche, ce qui fait ricocher le médicament sur les dents, la langue ou le palais
- Manque de force pour activer l'aérosol doseur
- Incapacité de comprendre et d'assimiler les instructions

Enseignement au client et à ses proches

ENCADRÉ 36.5 Inhalateur de poudre sèche

L'enseignemet au client et à ses proches sur l'utilisation d'un inhalateur de poudre sèche devrait comporter les indications suivantes.

1. Retirer le capuchon de l'embout buccal ou ouvrir le dispositif selon les directives du fabricant. Vérifier la présence de poussière ou de saleté. Si le dispositif comporte un compteur de doses, remarquer le nombre de doses restantes.
2. Remplir l'inhalateur de médicament ou enclencher le levier pour rendre le médicament prêt à l'inhalation. Certains inhalateurs de poudre sèche doivent être maintenus à la verticale pendant le remplissage. D'autres doivent être maintenus sur le côté ou à l'horizontale.
3. Ne pas agiter le médicament.
4. Incliner la tête légèrement vers l'arrière et expirer normalement. Ne pas respirer dans l'inhalateur, car cette action peut modifier la dose administrée.
5. Bien refermer les lèvres autour de l'embout buccal de l'inhalateur.
6. Inspirer profondément et rapidement pour permettre au médicament de descendre profondément dans les poumons. Il se peut qu'il n'y ait aucun goût particulier ou aucune sensation et que le médicament s'est bien rendu aux poumons.
7. Retenir sa respiration pendant 10 secondes ou le plus longtemps possible pour assurer la dispersion du médicament dans les poumons.
8. Si l'inhalateur comporte un compteur de doses, noter le nombre de doses restantes. Il devrait en compter une de moins que le nombre noté à l'étape 1.
9. Ne pas ranger l'inhalateur de poudre sèche dans un endroit humide comme une salle de bain, car le médicament pourrait s'agglutiner.

nébuliseurs fonctionnent au moyen d'un compresseur d'air ou d'oxygène. À domicile, le client peut utiliser un compresseur à air comprimé ; en milieu hospitalier, le personnel utilise une source murale d'oxygène ou d'air comprimé pour faire fonctionner le nébuliseur.

Les ordonnances de médicaments en aérosol doivent indiquer le nom du médicament, la dose, le diluant et le gaz utilisé pour la nébulisation (oxygène ou air comprimé). L'avantage du traitement par nébulisation est sa facilité d'utilisation. Les médicaments couramment nébulisés sont le salbutamol (Ventolin[MD]) et l'ipratropium (Atrovent[MD]).

Le client alité est installé en position assise pour permettre une respiration plus efficace et ainsi assurer une bonne pénétration et un dépôt suffisant du médicament en aérosol dans l'arbre bronchique. Le client doit respirer lentement et profondément par la bouche et retenir son inspiration pendant deux ou trois secondes. Une respiration diaphragmatique profonde contribue à assurer le dépôt du médicament. L'infirmière doit indiquer au client de respirer normalement entre ces grandes respirations forcées pour éviter l'hypoventilation alvéolaire et les étourdissements. Après le traitement, elle invite le client à tousser efficacement.

TABLEAU 36.6 Différences entre l'aérosol doseur et l'inhalateur de poudre sèche

ÉLÉMENT DE COMPARAISON	AÉROSOL DOSEUR	INHALATEUR DE POUDRE SÈCHE
Agitation avant usage	Oui, bien agiter[a]	Aucune
Inspiration	Lente	Rapide
Chambre d'inhalation	Oui, au moins avec les corticostéroïdes en inhalation[a]	Aucun
Compteur de doses	Quelques-uns avec dispositif externe	Dans la plupart des formes préremplies
Inhalations par dose	Souvent deux	Souvent une
Nettoyage	Rincer le boîtier de plastique (capuchon protecteur) à l'eau deux fois / semaine	Éviter l'humidité

[a] La plupart des aérosols doseurs utilisent le HFA comme gaz propulseur. Donc, il n'est peut-être pas nécessaire de l'agiter ou d'utiliser une chambre d'inhalation. La Global Initiative for Asthma (GINA) (2015b) présente sur son site (www.ginasthma.org) un guide téléchargeable à l'intention des clients.

L'utilisation du matériel nécessaire à la nébulisation présente comme désavantage la possibilité d'une prolifération bactérienne. Comme le client atteint d'asthme se sert de la nébulisation à domicile, il est important que l'infirmière passe en revue avec lui les procédures de nettoyage du matériel respiratoire. Une méthode de nettoyage maison efficace et souvent utilisée consiste à laver quotidiennement le nébuliseur à l'eau savonneuse, à le rincer à fond et à le laisser tremper de 20 à 30 minutes dans une solution de vinaigre blanc et d'eau, dans un rapport 1:1. Il faut ensuite le rincer à l'eau et le laisser sécher à l'air. Il est également possible d'utiliser des produits de nettoyage vendus expressément à cette fin, en suivant rigoureusement le mode d'emploi. Le nettoyage du nébuliseur peut aussi se faire en le plaçant dans le panier supérieur du lave-vaisselle, ce qui permet d'économiser du temps. De plus, l'eau chaude détruit la plupart des microorganismes pathogènes.

Enseignement au client relatif à la pharmacothérapie

Les renseignements à fournir concernant chaque médicament à prendre sont le nom, la fonction, la posologie, le mode d'administration et l'horaire, en tenant compte des activités de la vie quotidienne (AVQ) qui exigent une dépense d'énergie, et donc une augmentation de la consommation d'oxygène (p. ex., prendre un bain, s'habiller). L'enseignement doit également porter sur les effets indésirables et les mesures à prendre s'ils surviennent, la bonne façon d'utiliser et de nettoyer les dispositifs et les conséquences sur la respiration si les médicaments ne sont pas pris selon le schéma thérapeutique prescrit. L'un des principaux facteurs qui déterminent une prise en charge réussie de l'asthme est l'administration correcte des médicaments.

La mauvaise adhésion au traitement constitue une difficulté importante dans le traitement d'entretien de l'asthme chronique. Souvent, le manque d'adhésion survient parce que le client ne ressent aucun symptôme. Par conséquent, il ne se rend pas compte que le processus inflammatoire est toujours présent et qu'il doit continuer de prendre des corticostéroïdes en inhalation. De plus, les médicaments en inhalation coûtent cher, et certains clients n'ont peut-être pas les moyens de se les procurer. L'infirmière doit s'assurer que les médicaments prescrits au client sont payés par le Régime d'assurance maladie du Québec (RAMQ).

Il faut expliquer au client l'importance et le but de suivre le traitement d'entretien de façon régulière, en insistant sur le fait qu'il peut s'écouler plus de une semaine avant d'observer une amélioration maximale. Il est important d'insister sur le fait que sans une prise régulière du médicament, l'œdème des voies respiratoires peut progresser, et l'asthme s'aggravera sans doute au fil du temps.

En plus des aérosols doseurs et des inhalateurs de poudre sèche courants, il existe d'autres types de dispositifs pour administrer les médicaments respiratoires en inhalation. L'infirmière doit s'assurer que le client comprend bien la façon de se servir du dispositif, et elle peut lui remettre une version imprimée du mode d'emploi. Le Réseau québécois de l'asthme et de la MPOC offre des modules d'enseignement destinés aux clients atteints d'une MPOC; en outre, le module « Prévenir vos symptômes et prendre vos médicaments » explique le mode de fonctionnement de chacun des dispositifs pour les médicaments en inhalation. La plupart des médicaments en inhalation comportent des directives très claires à l'intention des clients. L'infirmière peut utiliser soit un dispositif placébo ou le vrai médicament pour évaluer la capacité du client à s'administrer le médicament. À chaque visite, l'infirmière doit réévaluer cette capacité auprès du client.

De nouveaux dispositifs d'administration de médicaments arrivent de plus en plus rapidement sur le marché, et l'infirmière doit se tenir informée sur la bonne façon de les utiliser. Si des notices accompagnent les dispositifs, il est possible pour l'infirmière de les étudier avant de donner des instructions au client. Les sites Web des sociétés pharmaceutiques regorgent aussi d'excellentes vidéos éducatives.

Médicaments vendus sans ordonnance

Certains médicaments vendus sans ordonnance contiennent de l'éphédrine (ingrédient de nombreux décongestionnants offert en vente libre) qui stimule les systèmes nerveux central et cardiovasculaire. Les effets indésirables sont de la nervosité, des palpitations cardiaques et des arythmies, des tremblements, de l'insomnie et une élévation de la P.A. Depuis le mois de septembre 2006, de nombreux produits respiratoires offerts sans ordonnance qui contiennent de l'éphédrine se trouvent derrière le comptoir de prescriptions dans les pharmacies, ou il faut une ordonnance pour les obtenir. Cet accès limité a pour but d'empêcher la production illicite de méthamphétamines à

CE QU'IL FAUT RETENIR

Les bêtaagonistes soulagent le bronchospasme, mais ils ne traitent pas la réaction inflammatoire.

Jugement clinique

Maximilien Joubert est asthmatique depuis l'âge de 22 ans; sa P.A. moyenne est de 142/90 mm Hg. Il est aujourd'hui âgé de 42 ans. Il travaille comme musicien et a des revenus instables. Pour économiser de l'argent, il a pris l'habitude de prendre des médicaments offerts en vente libre. Il pense que cela ne peut pas être dangereux dans la mesure où tout le monde peut s'en procurer. Pourquoi diriez-vous à monsieur Joubert de ne pas utiliser des médicaments contre l'asthme vendus sans ordonnance?

partir de l'éphédrine. De plus, beaucoup de ces produits vendus sans ordonnance ont été reformulés en remplaçant l'éphédrine par la phényléphrine. Cette molécule se révèle efficace lorsqu'elle est administrée par voie topique, mais par voie P.O., ses effets demeurent très modestes.

Un enseignement important consiste à prévenir le client des dangers liés aux médicaments d'association vendus sans ordonnance. Ces médicaments sont surtout dangereux chez le client qui présente des problèmes cardiaques sous-jacents, car ils provoquent souvent de la tachycardie et une élévation de la P.A. Il faut mettre en garde le client qui persiste à prendre l'un de ces médicaments de bien lire et de suivre le mode d'emploi inscrit sur l'étiquette. Souvent, le client recherche les médicaments offerts en vente libre, car ils coûtent moins cher que ceux vendus sur ordonnance.

Soins et traitements infirmiers

CLIENT ATTEINT D'ASTHME

Collecte des données

33 | ÉVALUATION CLINIQUE

L'étape d'évaluation du système respiratoire est décrite dans le chapitre 33, *Système respiratoire*.

Si le client est capable de parler et n'est pas en détresse aiguë, il faut recueillir ses antécédents de santé complets, y compris les facteurs déclencheurs de son asthme et les éléments qui ont contribué à soulager ses crises par le passé. L'**ENCADRÉ 36.6** présente les données subjectives et objectives à recueillir auprès du client asthmatique. L'infirmière peut également évaluer le degré de maîtrise de l'asthme du client au moyen d'un questionnaire validé autoadministré (p. ex., le questionnaire Asthma Control Test^MD de la **FIGURE 36.5**).

Analyse et interprétation des données

L'analyse et l'interprétation des données relatives au client asthmatique peuvent comprendre, sans y être limitées, les éléments présentés dans le **PSTI 36.1**.

Planification des soins

Les objectifs généraux pour le client qui souffre d'asthme sont :

- de réduire ses symptômes diurnes et nocturnes ;
- de conserver un niveau d'activité acceptable (y compris l'exercice et autres activités physiques) ;
- de maintenir son débit expiratoire de pointe (DEP) ou son $VEMS_1$ à plus de 80 % de la meilleure valeur personnelle ;
- de présenter peu d'effets indésirables liés au traitement, voire aucun ;
- d'éviter toute récidive des exacerbations de l'asthme ;
- d'acquérir des connaissances suffisantes pour participer au traitement et le mettre en œuvre.

Interventions cliniques

Promotion de la santé

Le rôle de l'infirmière dans la prévention des crises d'asthme ou dans la diminution de leur gravité consiste surtout à prodiguer un enseignement au client et au proche aidant. Il faut enseigner au client à reconnaître et à éviter ses propres facteurs déclencheurs de l'asthme (p. ex., la fumée de cigarette, les squames animales) et irritants (p. ex., l'air froid, l'acide acétylsalicylique, certains aliments, les chats, les polluants de l'air ambiant) **ENCADRÉ 36.1**. L'utilisation de housses de matelas et d'oreillers antiallergènes peut réduire l'exposition aux acariens et atténuer les symptômes. Un certain effet sur les taux d'allergènes est observé en lavant la literie à l'eau chaude ou tiède avec un détergent et de l'eau de Javel. Les contacts avec les animaux à fourrure sont à éviter, mais il est presque impossible de se soustraire aux allergènes des animaux domestiques. Ces allergènes se trouvent dans beaucoup d'endroits publics, et leur présence peut même persister pendant des mois après le retrait de l'animal en cause. Beaucoup de gens sont allergiques aux restes et aux excréments séchés de coquerelles ; par conséquent, des mesures pour éviter ou exterminer ces insectes sont efficaces dans une certaine mesure pour éliminer les allergènes (GINA, 2015a).

S'il est impossible d'éviter l'air froid, le risque d'une crise d'asthme peut être réduit en s'habillant suffisamment et en portant un foulard ou un masque. La personne doit éviter de prendre de l'acide acétylsalicylique et des AINS si elle sait qu'ils peuvent déclencher une crise. Beaucoup de médicaments offerts en vente libre contiennent de l'acide acétylsalicylique. L'infirmière devra donc conseiller au client de bien lire les étiquettes. La prise de bêtabloquants non sélectifs (p. ex., le chlorhydrate de propranolol [Inderal-LA^MD]) est contre-indiquée, car ils inhibent la

Collecte des données

ENCADRÉ 36.6 Asthme

DONNÉES SUBJECTIVES

- Renseignements importants concernant la santé :
  - Antécédents de santé : rhinite allergique, sinusite ou allergies cutanées ; antécédents de crise d'asthme et d'hospitalisation ou d'intubation ; aggravation de symptômes par des facteurs déclencheurs présents dans l'environnement ; RGO ; exposition professionnelle à des irritants chimiques (p. ex., la peinture, la poussière)
  - Médicaments : adhésion au traitement médicamenteux, technique d'inhalation ; prise d'antibiotiques ; profil d'utilisation et nombre de prises par semaine du BACA ; médicaments qui peuvent déclencher une crise chez les asthmatiques sensibles comme l'acide acétylsalicylique, les AINS et les bêtabloquants
- Modes fonctionnels de santé :
  - Perception et gestion de la santé : antécédents familiaux d'allergies ou d'asthme ; infection récente des voies respiratoires supérieures ou des sinus
  - Activités et exercices : fatigue, baisse ou absence de tolérance à l'exercice ; dyspnée, toux (surtout la nuit), toux productive avec expectorations jaunes, vertes ou collantes ; oppression thoracique, sensation de suffocation, phrases entrecoupées par des respirations, client assis bien droit pour pouvoir respirer
  - Sommeil et repos : sommeil interrompu par la toux ou des difficultés respiratoires, insomnie
  - Adaptation et tolérance au stress : détresse émotionnelle, stress au travail ou à la maison

DONNÉES OBJECTIVES

- Observations générales : agitation ou épuisement, confusion, posture droite ou inclinée vers l'avant
- Système tégumentaire : diaphorèse, cyanose (péribuccale, lit des ongles), eczéma
- Système respiratoire : sécrétions nasales, polypes nasaux, œdème des muqueuses ; respiration sifflante, à l'auscultation, sibilances, crépitants, diminution ou absence des bruits respiratoires, râles ; hypersonorité à la percussion ; expectorations (épaisses, blanches, tenaces), travail respiratoire accru avec utilisation des muscles accessoires, tirage intercostal et sus-claviculaire ; tachypnée avec hyperventilation ; expiration prolongée
- Système cardiovasculaire : tachycardie, pouls paradoxal, turgescence des veines jugulaires, hypertension artérielle ou hypotension, extrasystoles ventriculaires
- Résultats possibles aux examens paracliniques : gazométrie du sang artériel anormale pendant les crises ; baisse de la SaO_2 ; éosinophilie dans le sang et les expectorations ; taux élevé des IgE sériques ; résultats positifs aux tests cutanés de dépistage des allergènes ; distension du thorax au cours des crises visible sur les radiographies pulmonaires ; tests de la fonction respiratoire anormaux montrant une baisse du débit expiratoire ; amélioration de la CVF, du $VEMS_1$, du débit expiratoire de pointe et du rapport $VEMS_1$/CVF entre les crises et avec la prise de bronchodilatateurs

bronchodilatation. L'utilisation des bêtabloquants sélectifs (p. ex., l'aténolol [Tenormin[MD]]) doit s'effectuer avec prudence. La désensibilisation (immunothérapie) est partiellement efficace dans certains cas pour diminuer la sensibilité du client à des allergènes connus ▶ 14.

Le diagnostic et le traitement précoces des infections des voies respiratoires supérieures et des sinusites peuvent prévenir une exacerbation de l'asthme. Si des substances irritantes liées au milieu de travail font partie des facteurs étiologiques, le client devra peut-être songer à changer d'emploi. Souvent, les personnes obèses constatent qu'une perte de poids apporte une meilleure maîtrise de l'asthme. Le traitement du RGO et les mesures préventives à cet effet peuvent également améliorer celle-ci. Il faut encourager le client à boire de deux à trois litres de liquides par jour, à maintenir une saine alimentation et à se reposer suffisamment. Si le client prévoit faire de l'exercice ou s'il ne présente de l'asthme que lorsqu'il en fait, le médecin peut lui recommander un régime thérapeutique en guise de prétraitement ou de suppression de longue durée des symptômes pour prévenir le bronchospasme.

Phase aiguë

L'un des objectifs des soins de l'asthme vise à maximiser la capacité du client à traiter en toute sécurité les crises d'asthme aiguës au moyen d'un plan d'action contre l'asthme élaboré en collaboration avec le médecin **TABLEAU 36.7**. Les plans d'action sont particulièrement importants pour les personnes qui présentent de l'asthme persistant modéré à grave ou des exacerbations graves.

14

Les troubles allergiques sont abordés dans le chapitre 14, *Réaction immunitaire et transplantation.*

Le plan d'action dicte quels symptômes ou quelles valeurs de DEP nécessitent une modification des soins à apporter pour parvenir à une maîtrise de l'asthme. En guise de plan d'urgence, le client peut prendre de deux à quatre inhalations de son BACA toutes les 20 minutes, à trois reprises. À ce stade, si ce traitement apporte un soulagement des symptômes ou une amélioration du DEP, la prise continue du BACA et de corticostéroïdes par voie P.O. peut faire partie du plan de traitement à domicile. Par contre, si les symptômes persistent ou si le DEP du client est inférieur à 50 % de sa meilleure valeur personnelle, il faut joindre immédiatement le médecin ou les services d'urgence.

Lorsque le client se trouve dans un établissement de soins de santé et qu'il présente une crise d'asthme aiguë, il est important d'évaluer d'abord la perméabilité de ses voies respiratoires, ainsi que ses fonctions respiratoire et cardiovasculaire. Pour ce faire, il faut ausculter les bruits respiratoires, prendre la fréquence respiratoire, la fréquence

TABLEAU 36.7 Plan d'action contre l'asthme

Renseignements généraux				
Nom ______				
Personne à joindre en cas d'urgence ______				N° de téléphone ______
Médecin / professionnel de la santé ______				N° de téléphone ______
Signature du médecin ______				Date ______
CLASSIFICATION PAR GRAVITÉ	**FACTEURS DÉCLENCHEURS**			**EXERCICE**
☐ Intermittent léger ☐ Persistant léger ☐ Persistant modéré ☐ Persistant grave	☐ Rhumes	☐ Fumée	☐ Température extérieure	1. Prémédication (combien et quand) ______ ______
	☐ Exercice	☐ Poussière	☐ Pollution de l'air	
	☐ Animaux	☐ Aliments		2. Modifications apportées à l'exercice ______ ______
	☐ Autre ______			
Zone verte : se porte bien	**Meilleure valeur personnelle sur le débitmètre de pointe =** ______			
Symptômes	**Médicaments d'entretien**			
• Bonne respiration • Aucune toux ou respiration sifflante • Peut travailler et jouer • Ne se réveille pas la nuit	Médicament ______ ______ ______	Quantité à prendre ______ ______ ______	Moment où le prendre ______ ______ ______	
Débitmètre de pointe				
Plus de 80 % de la meilleure valeur personnelle ou ______				

TABLEAU 36.7 Plan d'action contre l'asthme *(suite)*

<table>
<tr><th>Zone jaune : aggravation</th><th colspan="3">Consulter un médecin si prise du médicament de soulagement rapide plus de deux fois / semaine</th></tr>
<tr><th>Symptômes</th><th colspan="3">Continuer la prise des médicaments d'entretien et ajouter :</th></tr>
<tr><td>• Certaine difficulté à respirer
• Toux, respiration sifflante ou oppression thoracique
• Difficulté à travailler ou à jouer
• Se réveille la nuit</td><td>Médicament
______
______
______</td><td>Quantité à prendre
______
______
______</td><td>Moment où le prendre
______
______
______</td></tr>
<tr><th>Débitmètre de pointe</th><td rowspan="2">Si les symptômes (et le DEP, si mesuré) correspondent à la zone verte une heure après le traitement de soulagement rapide, ALORS :
• Prendre le médicament de soulagement rapide toutes les quatre heures pendant un jour ou deux.
• Remplacer les médicaments d'entretien par ______.
• Consulter son médecin pour des soins de suivi.</td><td colspan="2" rowspan="2">Si les symptômes (et le DEP, si mesuré) NE correspondent PAS à la ZONE VERTE, une heure après le traitement de soulagement rapide, ALORS :
• Prendre de nouveau le traitement de soulagement rapide.
• Remplacer les médicaments d'entretien par ______.
• Appeler son médecin ou sa clinique dans les ______ heures qui suivent les changements apportés à la médication courante.</td></tr>
<tr><td>Entre 50 et 80 % de la meilleure valeur personnelle ou ______ et ______</td></tr>
<tr><th>Zone rouge : alerte médicale</th><th colspan="3">Numéro de téléphone des services ambulanciers ou d'urgence : ______</th></tr>
<tr><th>Symptômes</th><th colspan="3">Continuer la prise des médicaments d'entretien et ajouter : ______</th></tr>
<tr><td>• Beaucoup de difficulté à respirer
• Incapable de travailler ou de jouer
• Aggravation au lieu d'amélioration
• Aucun effet du médicament</td><td>Médicament
______
______
______</td><td>Quantité à prendre
______
______
______</td><td>Moment où le prendre
______
______
______</td></tr>
<tr><th>Débitmètre de pointe</th><td rowspan="2">Se rendre au centre hospitalier ou appeler les services ambulanciers si :
• toujours dans la zone rouge après 15 minutes ;
• incapable de joindre son médecin ou sa clinique pour obtenir de l'aide.</td><td colspan="2" rowspan="2">Appeler les services ambulanciers immédiatement s'il y a présence des signes de danger suivants :
• difficulté à marcher et à parler en raison de l'essoufflement ;
• lèvres et ongles cyanosés.</td></tr>
<tr><td>Entre 0 et 50 % de la meilleure valeur personnelle ou ______ et ______</td></tr>
</table>

Source : Adapté de ALA (2015).

cardiaque, la P.A. et la saturométrie. Des mesures de la gazométrie du sang artériel et du DEP seront d'autres indicateurs importants.

Il faut noter qu'une aggravation de la respiration sifflante peut être une réaction positive au traitement en raison de l'augmentation du passage de l'air dans les voies respiratoires. À mesure que l'état du client s'améliore et que le passage de l'air augmente, il se produit une augmentation des bruits respiratoires et une diminution de la respiration sifflante. Même si le client commence à réagir au traitement et que les symptômes commencent à disparaître, il ne faut pas oublier que malgré la disparition du bronchospasme, il peut s'écouler plusieurs jours avant que l'œdème, l'infiltration cellulaire de la muqueuse des voies respiratoires et les bouchons muqueux visqueux se résorbent. Par conséquent, il ne faut pas cesser le traitement intensif, même après avoir constaté une amélioration clinique.

CE QU'IL FAUT RETENIR

Un objectif important des soins infirmiers au cours d'une crise aiguë est d'apaiser le sentiment de panique du client.

Un objectif important des soins infirmiers au cours d'une crise aiguë est d'apaiser le sentiment de panique du client. Une attitude calme et rassurante peut l'aider à se détendre. L'infirmière installe le client dans une position confortable (généralement assis) pour maximiser l'expansion de la cage thoracique. Il est important de rester auprès de lui pour qu'il se sente réconforté. Décrire ce qu'il doit faire avec des mots simples peut aider le client à rester calme; par exemple, lui dire « Respirez avec moi » permet au client de fixer sa concentration sur cette tâche et non sur sa difficulté respiratoire. Cette technique permet aussi d'obtenir un contact visuel avec le client. D'une voix calme, mais ferme, l'infirmière lui démontre comment utiliser la **respiration à lèvres pincées**, qui permet de garder les voies respiratoires ouvertes en maintenant une pression positive **ENCADRÉ 36.7**. L'infirmière ou le proche aidant doit rester auprès du client jusqu'à ce que la fréquence respiratoire ait diminué (avec l'aide des médicaments).

Lorsqu'une crise aiguë s'apaise, l'infirmière doit fournir au client un environnement qui favorise le repos, le calme et la tranquillité. Lorsqu'il ne se sent plus épuisé, l'infirmière doit tenter d'obtenir des renseignements sur ses antécédents de santé et sur la façon dont l'asthme a l'habitude de se manifester, et procéder à une évaluation des données physiques. Si le proche aidant ou d'autres membres de la famille sont présents, ils peuvent être en mesure de fournir des renseignements sur les antécédents de santé du client **ENCADRÉ 36.6**. Ces renseignements sont importants pour établir un plan de soins personnalisé et aider le client à atteindre son objectif de maîtrise de l'asthme.

Soins ambulatoires et soins à domicile

La suppression des symptômes peut également s'obtenir en évaluant la compréhension du client et en le renseignant sur les médicaments qu'il prend. Le régime posologique est parfois complexe et peut prêter à confusion. Il faut enseigner au client la nécessité et l'importance de surveiller sa réaction aux médicaments. Sans une surveillance étroite et constante, il est facile de faire l'objet d'une sous-médicalisation ou d'une surmédicalisation. Certains clients peuvent avoir intérêt à tenir un journal dans lequel ils notent la prise de leurs médicaments, la présence de respiration sifflante ou de toux, le DEP, les effets secondaires des médicaments et les activités pratiquées. Ces renseignements seront utiles au médecin pour ajuster la médication.

Il est important d'avoir une alimentation saine. L'exercice physique (p. ex., la natation, la marche, le vélo stationnaire), pratiqué selon la tolérance du client, est également bénéfique et peut nécessiter un prétraitement par un BACA, comme mentionné précédemment. Il faut viser un sommeil qui n'est pas interrompu par des symptômes de l'asthme. Si le client asthmatique se réveille la nuit en raison d'une présence de symptômes, son asthme est mal maîtrisé, et il faut réévaluer son plan de traitement.

En collaboration avec le client et le proche aidant, l'infirmière rédige un plan d'action contre l'asthme qui sera signé par le médecin **TABLEAU 36.7**. L'infirmière élabore ce plan en fonction des symptômes et des valeurs de DEP du client. Pour suivre le plan de traitement, le client doit mesurer son DEP au moins une fois par jour. Malheureusement, dans l'autogestion de leur maladie, certains clients ne voudront se soucier que des symptômes. Toutefois, le client asthmatique ne perçoit pas toujours les changements qui se produisent dans sa respiration. Par conséquent, si elle est effectuée convenablement, la surveillance du DEP peut s'avérer une mesure objective du degré de maîtrise de l'asthme **ENCADRÉ 36.8**.

Si le DEP d'un client se situe dans la zone verte (généralement de 80 à 100 % de sa meilleure valeur personnelle), il maintient sa médication habituelle. Si le DEP se situe dans la zone jaune (généralement de 50 à 80 % de sa meilleure valeur personnelle), cette situation invite à la prudence. Un facteur quelconque déclenche alors l'asthme (p. ex., une infection virale). Le client doit

Enseignement au client et à ses proches

ENCADRÉ 36.7 Respiration à lèvres pincées

L'enseignement au client et à ses proches sur la respiration à lèvres pincées devrait comporter les indications suivantes.

- Utiliser la respiration à lèvres pincées avant, pendant et après toute activité qui provoque un essoufflement.
- Inspirer lentement et profondément par le nez.
- Expirer lentement par les lèvres pincées, un peu comme en sifflant.
- Relâcher les muscles faciaux, sans gonfler les joues (comme pour siffler) pendant l'expiration.
- Faire durer l'expiration de deux à quatre fois plus longtemps que l'inspiration sans forcer les poumons à se vider.
- Les exercices suivants peuvent aider à saisir la sensation de la respiration à lèvres pincées :
  - souffler dans une paille placée dans un verre d'eau avec l'intention de former de petites bulles ;
  - souffler sur une chandelle allumée suffisamment fort pour incliner la flamme sans l'éteindre ;
  - souffler avec régularité sur une balle de tennis de table pour la faire rouler d'un bout à l'autre d'une table ;
  - souffler sur un mouchoir tenu dans la main jusqu'à ce qu'il s'agite doucement.
- Effectuer de 8 à 10 répétitions de respiration à lèvres pincées, 3 ou 4 fois par jour.

Enseignement au client et à ses proches

ENCADRÉ 36.8 **Débitmètre de pointe**

L'enseignement au client et à ses proches sur l'utilisation du débitmètre de pointe devrait porter sur les aspects suivants.

POURQUOI UTILISER UN DÉBITMÈTRE DE POINTE

Le débitmètre de pointe est utilisé pour vérifier l'asthme tout comme le brassard de tensiomètre est utilisé pour vérifier la P.A. Le débitmètre de pointe est un dispositif qui mesure l'efficacité des poumons à expulser l'air qu'ils contiennent (débit expiratoire de pointe ou DEP).

Au cours d'une crise d'asthme, les voies respiratoires commencent à rétrécir lentement. Le débitmètre de pointe peut signaler la présence d'un rétrécissement des voies respiratoires des heures, voire des jours, avant l'apparition des symptômes de l'asthme.

Si le client prend ses médicaments précocement (avant l'apparition des symptômes), il se peut que la crise s'apaise rapidement, ce qui permet d'éviter une crise d'asthme grave.

Le débitmètre de pointe peut également être utilisé pour aider le client ainsi que les professionnels de la santé à :

- trouver ce qui aggrave l'asthme du client ;
- vérifier si le plan de traitement fonctionne bien ;
- décider du moment où ajouter ou cesser la prise d'un médicament ;
- décider du moment où il faut faire appel aux services médicaux d'urgence.

COMMENT UTILISER LE DÉBITMÈTRE DE POINTE

Effectuer les cinq étapes suivantes à l'aide du débitmètre de pointe.

1. Déplacer l'indicateur au bas de l'échelle graduée.
2. Se lever.
3. Inspirer profondément pour remplir complètement les poumons.
4. Placer l'embout buccal dans la bouche et refermer les lèvres autour de celui-ci. Ne pas insérer la langue dans l'orifice.
5. Expirer aussi fort et aussi vite que possible, d'un seul souffle.

Inscrire la valeur obtenue, sauf s'il y a eu toux ou erreur dans la procédure. Dans ce cas, recommencer l'opération.

6. Répéter les étapes 1 à 5 deux fois et inscrire le meilleur résultat des trois expirations dans le journal de bord sur l'asthme.

TROUVER LA MEILLEURE VALEUR PERSONNELLE DE DÉBIT EXPIRATOIRE DE POINTE

La meilleure valeur personnelle de DEP est la valeur la plus élevée de débit que le client a obtenue sur une période de deux semaines, lorsque son asthme est bien maîtrisé.

La meilleure valeur de DEP d'un client peut être plus élevée ou plus basse que celle d'une personne dont la taille, le poids et le sexe sont les mêmes que lui. Il est donc important que le client trouve sa meilleure valeur personnelle de DEP, car le plan de traitement doit se fonder sur celle-ci.

Pour trouver sa meilleure valeur personnelle de DEP, le client doit mesurer le débit :

- au moins deux fois par jour sur une période de deux à trois semaines ;
- au lever et en fin d'après-midi ou tôt en soirée, de 15 à 20 minutes après avoir pris son BACA en inhalation pour un soulagement rapide des symptômes ;
- selon les directives de son médecin.

LES ZONES DU DÉBIT EXPIRATOIRE DE POINTE

Une fois que le client connaît sa meilleure valeur personnelle de DEP, le médecin lui donnera les valeurs qui lui permettront de savoir ce qu'il faut faire. Ces valeurs de DEP sont placées dans des zones organisées comme des feux de circulation **TABLEAU 36.7**. Ce système aide le client à savoir quoi faire lorsque sa valeur de DEP change. Par exemple :

- La zone verte (plus de __L/min [80 % de sa meilleure valeur personnelle]) indique une bonne maîtrise de l'asthme. Aucun symptôme de l'asthme n'est présent. Le client continue de prendre ses médicaments comme d'habitude.
- La zone jaune (entre __L/min et __L/min [de 50 à moins de 80 % de sa meilleure valeur personnelle]) indique une aggravation de l'asthme. S'il demeure dans la zone jaune après plusieurs mesures du débit expiratoire de pointe, le client prend un BACA en inhalation. Si les lectures du DEP se trouvent toujours dans la zone jaune, son asthme n'est peut-être pas bien maîtrisé. Il demande alors à son médecin s'il doit changer ses médicaments à prise quotidienne ou en augmenter la posologie.
- La zone rouge (moins de __L/min [inférieur à 50 % de sa meilleure valeur personnelle]) indique un état d'alerte médicale. Le client doit prendre immédiatement un BACA en inhalation (médicament de soulagement rapide). Il doit appeler son médecin ou le service des urgences et demander ce qu'il faut faire ou il se rend directement à l'urgence.

TENIR UN JOURNAL DE BORD POUR SUIVRE L'ÉVOLUTION DU DÉBIT EXPIRATOIRE DE POINTE

- Le client inscrit sa meilleure valeur personnelle et les différentes zones de DEP dans son journal de bord sur l'asthme.
- Il mesure son DEP au réveil, **avant** de prendre ses médicaments. Tous les jours, il doit inscrire la valeur obtenue dans le journal ou selon les directives du médecin.

ACTIONS À PRENDRE LORSQUE LES VALEURS DU DÉBIT EXPIRATOIRE DE POINTE CHANGENT

Le DEP se situe entre __L/min et __L/min (de 50 à moins de 80 % de sa meilleure valeur personnelle, zone jaune) :

- prendre le BACA en inhalation (médicament de soulagement rapide) selon l'ordonnance du médecin.

Le client observe une augmentation de 20 % ou plus du DEP après la prise du BACA en inhalation (médicament de soulagement rapide) :

- discuter avec le médecin de la possibilité d'ajouter un médicament pour mieux maîtriser son asthme (p. ex., un anti-inflammatoire).

Source : Adapté de NHLBI & NAEPP (2007).

CE QU'IL FAUT RETENIR

Le débitmètre de pointe est un dispositif qui mesure l'efficacité des poumons à expulser l'air qu'ils contiennent.

posséder par écrit un plan d'action personnalisé contre l'asthme qui prescrit une augmentation par paliers de la médication au cours de la phase aiguë de l'infection. Le client peut avoir recours à différentes stratégies selon son plan de traitement, par exemple, il pourrait utiliser plus souvent le BACA. Une fois que les symptômes de l'exacerbation ont disparu, il revient à la dose habituelle du médicament.

Si le DEP se situe dans la zone rouge (50 % ou moins de sa meilleure valeur personnelle), il s'agit d'un problème grave. Un plan d'urgence clair doit faire partie du plan d'action contre l'asthme. L'infirmière doit encourager le client et le proche aidant à bien connaître le plan d'action. Il est important d'insister sur la nécessité de surveiller le DEP au moins une fois par jour pour obtenir une mesure objective pouvant être mise en corrélation avec les symptômes. Il est rare que le DEP passe rapidement de la zone verte à la zone rouge, bien que ce ne soit pas impossible. En général, le client a le temps d'apporter des changements à sa médication, d'éviter les facteurs déclencheurs et d'avertir le personnel de sa clinique d'asthme.

Il est très important d'impliquer le proche aidant ou un membre de la famille du client. Cette personne doit savoir où se trouvent les inhalateurs, les médicaments oraux et les numéros de téléphone à composer en cas d'urgence. L'infirmière peut indiquer à cette personne comment apaiser l'anxiété du client lorsqu'une crise d'asthme survient. Lorsque l'état du client s'est stabilisé, le proche aidant peut rappeler au client de mesurer son DEP chaque jour en lui demandant régulièrement, par exemple, dans quelle zone il se trouve et quel est son DEP. Le **TABLEAU 36.8** présente un guide d'enseignement au client asthmatique et au proche aidant.

De plus en plus de personnes âgées reçoivent un diagnostic d'asthme. Il s'agit d'une situation préoccupante, car ces personnes présentent des problèmes de santé plus compliqués que les clients asthmatiques plus jeunes. Les problèmes auxquels font face les personnes âgées (surtout en milieu minoritaire et urbain) sont le coût élevé des médicaments, le manque d'adhésion au traitement et la difficulté d'accès au système de santé. L'infirmière ne doit pas oublier ces facteurs lorsqu'elle élabore un plan de traitement à l'intention de ces personnes.

Divers facteurs peuvent contribuer à l'obtention de taux plus élevés d'asthme mal maîtrisé et de décès chez certaines populations. Parmi ces facteurs figurent les disparités socioéconomiques et l'accès adéquat à des soins de santé, les croyances culturelles concernant la prise en charge de l'asthme et la sous-utilisation des médicaments d'entretien en raison de leur coût élevé. L'infirmière doit s'efforcer d'explorer et d'éliminer toute entrave aux soins de santé. Elle doit également trouver des ressources culturelles appropriées et du matériel éducatif offerts en d'autres langues que le français pour améliorer la maîtrise de l'asthme des personnes allophones.

Enseignement au client et à ses proches

TABLEAU 36.8 Asthme

L'enseignement au client et à ses proches sur la prise en charge de l'asthme devrait porter sur les aspects suivants.

SUJETS D'ENSEIGNEMENT	RESSOURCES
Qu'est-ce que l'asthme ?	
• Anatomie et physiologie élémentaires du poumon • Physiopathologie de l'asthme • Rapports entre la physiopathologie et les signes et symptômes • Mesure et corrélation des tests de la fonction respiratoire et du DEP • Qu'est-ce qu'une bonne maîtrise de l'asthme ?	• Info-Asthme (Association pulmonaire du Québec), présenté au www.pq.poumon.ca/services • Asthme (Association pulmonaire du Canada), présenté au www.poumon.ca/asthme • Carnet de suivi-DEP (Association pulmonaire du Québec), présenté au www.pq.poumon.ca/diseases-maladies/asthma-asthme • Asthma Control Test MD (test de maîtrise de l'asthme) (ALA), présenté en anglais au www.asthmacontrol.com et en français à la **FIGURE 36.5**
Obstacles au traitement et à la maîtrise de l'asthme	
• Nature intermittente des symptômes • Déni de la réalité • Mauvaise perception de la gravité de l'asthme par le client	• Discussion avec le client et la famille au sujet des obstacles possibles

TABLEAU 36.8	**Asthme *(suite)***
SUJETS D'ENSEIGNEMENT	**RESSOURCES**
Maîtrise de l'environnement et des facteurs déclencheurs	
• Dépistage des facteurs déclencheurs et mesures préventives • Mesures visant à éviter les allergènes et autres facteurs déclencheurs • Besoin de maintenir une bonne hydratation	• Facteurs déclenchants (Association pulmonaire du Québec), présentés au www.pq.poumon.ca/diseases-maladies/asthma-asthme • Prévisions quotidiennes de pollen pour toutes les régions du Québec (MétéoMédia), présentées au www.meteomedia.com • Journal tenu par le client sur ses facteurs déclencheurs
Médicaments	
• Types (y compris le mécanisme d'action) : – Bêtaagonistes – Cromoglycate sodique / nédocromil – Corticostéroïdes – Méthylxanthines – Modificateurs des leucotriènes • Établissement d'un horaire de prise de médicaments • Prise de médicaments préventifs ou d'entretien (p. ex., les anti-inflammatoires)	• *Pocket Guide for Asthma Management and Prevention* (Guide de poche du traitement et de la prévention de l'asthme) (Global Initiative for Asthma), présenté en anglais seulement au www.ginasthma.org, sous l'onglet « Guidelines and Resources » • Plan d'action contre l'asthme **TABLEAU 36.7** • Rédaction de la liste des médicaments et de l'horaire de prise
• Utilisation adéquate des inhalateurs, de la chambre d'inhalation et du nébuliseur	• Enseignement et démonstration au client de la façon de faire ; exécution par ce dernier à l'aide de dispositifs placébo **FIGURES 36.6**, **36.7** et **36.8** ; **ENCADRÉS 36.4**, et **36.5** ; **TABLEAU 36.6** • *Prévenir vos symptômes et prendre vos médicaments* (Mieux vivre avec une MPOC), présenté au http://livingwellwithcopd.com • *Instructions for Inhaler and Spacer Use* (Directives d'utilisation de l'inhalateur et de la chambre d'inhalation) (Global Initiative for Asthma), présentées en anglais seulement au www.ginasthma.org, sous l'onglet « Guidelines and Resources »
Techniques de respiration	
• Respiration à lèvres pincées	**ENCADRÉ 36.7**
• Utilisation adéquate du débitmètre de pointe	• Comment utiliser le débitmètre de pointe (Association pulmonaire du Québec) **ENCADRÉ 36.8**, présenté au www.pq.poumon.ca/diseases-maladies/asthma-asthme
Plan d'action contre l'asthme	
• Zones du DEP • Plan personnalisé • Reconnaissance précoce de l'infection • Maintien d'une collaboration avec la clinique d'asthme • Questions que peut se poser le client au sujet de l'asthme, s'il n'arrive pas à joindre son médecin	• Établissement d'un plan d'action contre l'asthme par le client et discussion avec son médecin **TABLEAU 36.7** • Plan d'action pour l'asthme (Association pulmonaire du Québec), présenté au www.pq.poumon.ca/diseases-maladies/asthma-asthme • Programme Info-Asthme (Association pulmonaire du Québec), présenté au www.pq.poumon.ca/services/info-asthme • Recherches sur l'asthme (ALA), présentées en anglais seulement au www.lungusa.org (rechercher « Lung disease/asthma »)

Des activités de relaxation (p. ex., le yoga, la méditation, des techniques de relaxation et de respiration) peuvent être utiles pour aider le client à détendre ses muscles respiratoires et à diminuer sa fréquence respiratoire ▶ 7. Un contexte émotionnel équilibré est également un facteur important dans la prévention des crises d'asthme. Divers sites Web présentent d'excellentes ressources éducatives. Certaines collectivités comptent des groupes de soutien pour les asthmatiques.

Évaluation des résultats

Le **PSTI 36.1** présente les résultats escomptés pour le client asthmatique.

La respiration de détente et d'autres stratégies de relaxation sont abordées dans le chapitre 7, *Stress et gestion du stress.*

Plan de soins et de traitement infirmiers

PSTI 36.1 Asthme

PROBLÈME DÉCOULANT DE LA SITUATION DE SANTÉ	**Dégagement inefficace des voies respiratoires** lié à un bronchospasme, à une production excessive de mucus, à des sécrétions tenaces et à la fatigue, se manifestant par une toux inefficace, une incapacité d'expectorer et la présence de bruits respiratoires adventices.
OBJECTIFS	• Le client maintiendra ses voies respiratoires dégagées et expectorera les sécrétions excessives. • Le client présentera une fréquence respiratoire et des bruits respiratoires normaux.
RÉSULTATS ESCOMPTÉS	**INTERVENTIONS INFIRMIÈRES ET JUSTIFICATIONS**
État respiratoire • Mouvements respiratoires présents • Fréquence respiratoire _____R/min • Mesure d'oxymétrie dans les normales attendues • Absence de dyspnée • Absence d'utilisation des muscles accessoires • Capacité de mobiliser ses sécrétions • Absence de bruits adventices • Murmures vésiculaires présents dans toutes les plages pulmonaires • Diminution de l'anxiété liée aux difficultés respiratoires	**Prise en charge de l'asthme** • Déterminer le besoin d'intervention et évaluer l'efficacité des interventions. • Observer les mouvements thoraciques, notamment la symétrie, l'utilisation des muscles accessoires et les rétractions des muscles sus-claviculaires et intercostaux, pour évaluer l'état respiratoire. • Ausculter les bruits respiratoires et noter les régions présentant des bruits adventices et une diminution ou une absence de ventilation, pour évaluer l'état respiratoire. • Administrer les médicaments prescrits par le médecin ou selon l'ordonnance collective ou les protocoles en vigueur pour améliorer la fonction respiratoire. • Montrer des techniques de respiration et de relaxation pour améliorer la régularité et la fréquence respiratoires. • Offrir des boissons chaudes pour liquéfier les sécrétions et favoriser la bronchodilatation.
PROBLÈME DÉCOULANT DE LA SITUATION DE SANTÉ	**Anxiété** liée à une respiration difficile, à une perte de maîtrise perçue ou réelle et à la peur de suffoquer, se manifestant par de l'agitation et une élévation de la fréquence respiratoire, de la P.A. et de la fréquence cardiaque.
OBJECTIFS	• Le client parviendra à diminuer son anxiété et à mieux maîtriser ses respirations. • Le client présentera des signes vitaux dans les limites normales.
RÉSULTATS ESCOMPTÉS	**INTERVENTIONS INFIRMIÈRES ET JUSTIFICATIONS**
Diminution de l'anxiété • Diminution des signes d'anxiété (agitation, augmentation de la P.A., de la fréquence cardiaque et de la fréquence respiratoire, tensions faciales, etc.) • Diminution de l'anxiété, reconnue par le client	**Diminution de l'anxiété** • Utiliser une approche calme et rassurante pour apporter du réconfort. • Rester avec le client pour favoriser un sentiment de sécurité et atténuer les craintes.
Autocontrôle de l'anxiété • Détermination des facteurs qui précipitent l'anxiété • Compréhension et verbalisation de l'information donnée par l'infirmière • Application de stratégies d'adaptation efficaces • Recours à des techniques de relaxation pour réduire l'anxiété	**Autocontrôle de l'anxiété** • Encourager la verbalisation des sentiments, des perceptions et des craintes pour cerner les aspects qui posent problème en vue d'établir un plan de soins personnalisé. • Repérer les moments où le degré d'anxiété change pour déterminer les facteurs précipitants possibles. • Donner des renseignements concrets concernant le diagnostic, le traitement et le pronostic pour aider le client à savoir à quoi s'attendre. • Inviter le client à utiliser des techniques de relaxation pour soulager la tension et faciliter la respiration.

PSTI 36.1	Asthme *(suite)*
PROBLÈME DÉCOULANT DE LA SITUATION DE SANTÉ	**Manque de connaissances** lié au manque d'information sur l'asthme et son traitement, se manifestant par des questions fréquentes concernant tous les aspects de la prise en charge de longue durée.
OBJECTIFS	• Le client décrira le processus morbide et le régime de traitement de l'asthme. • Le client démontrera la bonne façon de prendre ses médicaments en inhalation. • Le client exprimera de la confiance en sa capacité d'assurer une prise en charge de longue durée de son asthme.
RÉSULTATS ESCOMPTÉS	**INTERVENTIONS INFIRMIÈRES ET JUSTIFICATIONS**
Autogestion de l'asthme • Description des facteurs causals de l'asthme • Prise des mesures pour éviter et gérer les facteurs déclencheurs • Utilisation des ressources de soutien social offertes • Surveillance régulière du DEP • Prise en charge de l'administration des médicaments • Utilisation adéquate de l'inhalateur, de la chambre d'inhalation ou du nébuliseur • Consultation rapide d'un professionnel de la santé pour traiter les infections • Prise en charge des exacerbations de façon adéquate (p. ex., par une autoévaluation de sa condition, le choix des médicaments) et indication des symptômes persistants aux professionnels de la santé	**Prise en charge de l'asthme** • Évaluer le degré de compréhension du client et de ses proches aidants par rapport à la maladie et à sa prise en charge pour évaluer les besoins en matière d'enseignement. • Enseigner au client à déceler les facteurs déclencheurs et à les éviter autant que possible pour prévenir les crises d'asthme. • Encourager la verbalisation des sentiments au sujet du diagnostic, du traitement et des répercussions sur les habitudes de vie pour apporter du soutien et accroître l'adhésion au traitement. Enseigner au client comment utiliser le débitmètre de pointe à domicile pour favoriser l'autogestion des symptômes. • Renseigner le client et la famille sur les anti-inflammatoires et les bronchodilatateurs et leur utilisation appropriée pour favoriser la compréhension des effets. • Enseigner les techniques d'utilisation des médicaments et du matériel (p. ex., l'aérosol-doseur, le nébuliseur, le débitmètre de pointe) pour favoriser l'autotraitement. • Aider à reconnaître les signes et symptômes d'une réaction asthmatique imminente et à appliquer les mesures appropriées pour les atténuer afin de prévenir l'intensification des crises. • Rédiger avec le client un plan de prise en charge des exacerbations et un plan d'urgence pour planifier le bon traitement à suivre au moment des exacerbations.

36.3 Maladie pulmonaire obstructive chronique

Selon l'ASPC (2011), 772 200 Canadiens ont reçu un diagnostic de **maladie pulmonaire obstructive chronique (MPOC)** en 2009-2010. La MPOC est une affection incurable, mais maîtrisable ; elle se caractérise par une obstruction chronique du passage de l'air dans les poumons qui est partiellement réversible. Cette obstruction est généralement progressive et associée à une réponse inflammatoire anormale des poumons à des particules ou à des gaz nocifs. La principale cause de la MPOC est le tabagisme. Cette affection peut entraîner certains effets systémiques importants qui contribuent à la gravité de la maladie (GOLD, 2015).

La MPOC englobe deux types de maladies obstructives des voies respiratoires, à savoir la bronchite chronique et l'emphysème. La **bronchite chronique** se caractérise par la présence d'une toux productive chronique qui dure trois mois et survient au cours de deux années consécutives chez un client pour qui les autres causes de toux chronique ont été écartées. L'**emphysème** est un élargissement anormal et permanent des cavités distales des bronchioles terminales, accompagné d'une destruction des parois alvéolaires. Seulement 10 % des clients atteints de MPOC présentent un emphysème pur. Il existe plusieurs autres altérations structurales liées à la MPOC. Chez les clients atteints de ce type de maladie, la toux et les expectorations peuvent précéder l'obstruction des voies respiratoires, mais certains d'entre eux peuvent souffrir d'une obstruction importante des voies respiratoires sans avoir de toux chronique ni d'expectorations. Le client peut présenter une prédominance de l'une de ces affections, mais en réalité, il est souvent difficile de le déterminer, car en général, leur coexistence est observée.

CE QU'IL FAUT RETENIR

La maladie pulmonaire obstructive chronique (MPOC) est une affection incurable, mais maîtrisable.

La présente partie du manuel aborde la MPOC comme une seule et unique affection du point de vue de sa physiopathologie et de sa prise en charge (GOLD, 2015).

Les clients atteints de MPOC peuvent présenter de l'asthme, et certains clients asthmatiques peuvent manifester à la longue une obstruction fixe ou irréversible des voies respiratoires. Il peut être presque impossible de distinguer l'asthme de la MPOC, surtout si la personne présente des antécédents de tabagisme (Celli, MacNee & ATS/ERS Task Force, 2004). Malgré le manque de données probantes sur le sujet, l'asthme pourrait tout de même être considéré comme un facteur de risque pour le développement de la MPOC.

Réactivation des connaissances

Comment évalue-t-on l'histoire tabagique d'une personne ?

Selon les estimations, 12,7 millions d'Américains âgés de plus de 18 ans seraient atteints de MPOC (ALA, 2013 ; Qaseem, Wilt, Weinberger *et al.*, 2011). Le nombre de personnes touchées est largement sous-estimé, car généralement, un diagnostic de MPOC n'est posé que lorsque la personne se situe déjà à un stade relativement avancé de la maladie.

Le chapitre 11, *Troubles liés à une substance*, traite entre autres du tabagisme.

Le nombre de femmes atteintes de MPOC est à la hausse, probablement en raison du grand nombre d'entre elles qui fument et qui sont également exposées aux polluants présents dans l'environnement (Celli, 2009). Au Canada, le nombre de femmes décédées des suites d'une MPOC a rejoint celui des hommes au tournant des années 2010 (Statistique Canada, 2015).

CE QU'IL FAUT RETENIR

Le tabagisme est le principal facteur de risque de la MPOC.

La MPOC est la troisième cause de décès aux États-Unis, et plus de femmes que d'hommes en meurent. D'ici 2030, la MPOC deviendra la troisième cause de décès au monde en raison de l'augmentation du tabagisme et de l'espérance de vie (Organisation mondiale de la Santé, 2015) **TABLEAU 36.9**.

Différences hommes-femmes

TABLEAU 36.9 Maladie pulmonaire obstructive chronique

HOMMES	FEMMES
• La maladie est plus répandue chez l'homme que chez la femme, mais cet écart tend à diminuer. • La maladie est moins mortelle chez l'homme que chez la femme.	• Le nombre de femmes atteintes de cette maladie est à la hausse. • Cette croissance est probablement attribuable à l'augmentation du nombre de fumeuses et à une prédisposition accrue (p. ex., des voies respiratoires et des poumons plus petits, une élasticité pulmonaire moins grande). • Les femmes atteintes de cette maladie présentent une moins bonne qualité de vie, des exacerbations plus fréquentes et une dyspnée plus importante, mais répondent mieux à l'oxygénothérapie.

36.3.1 Étiologie

La présente partie aborde les nombreux facteurs qui interviennent dans l'étiologie de la MPOC.

Tabagisme

Il s'agit du principal facteur de risque de contracter la MPOC. Cette affection est au moins quatre fois plus répandue chez les fumeurs que chez les non-fumeurs. Elle touche environ 15 % des fumeurs contre 3 % des non-fumeurs. Cela soulève la question à savoir pourquoi le nombre de fumeurs qui contractent la MPOC n'est-il pas plus élevé (GOLD, 2015 ; Workman & Winkelman, 2008).

La fumée de cigarette exerce plusieurs effets directs sur les voies respiratoires **TABLEAU 36.10**. L'effet irritant de la fumée provoque une **hyperplasie** des cellules, notamment des cellules caliciformes, ce qui entraîne par la suite une production accrue de mucus. L'hyperplasie réduit le diamètre des voies respiratoires et rend plus difficile l'expulsion des sécrétions. Le tabagisme réduit l'activité ciliaire et peut même entraîner une perte de cils vibratiles. Le tabagisme produit également une dilatation anormale des cavités respiratoires distales et une destruction des parois alvéolaires. Les noyaux de nombreuses cellules grossissent et deviennent atypiques, ce qui est considéré comme un état précancéreux.

Peu de temps après un début de tabagisme, des changements sont déjà observables dans le fonctionnement des voies respiratoires de petit calibre. Au début, ces changements sont surtout de nature inflammatoire et comportent un œdème de la muqueuse et une infiltration de cellules inflammatoires. À un stade plus avancé, cependant, il se produit un épaississement de la paroi des voies respiratoires causé par un processus de remodelage lié à la réparation tissulaire et à l'incapacité des cils vibratiles d'expulser le mucus, ce qui entraîne une accumulation d'exsudats inflammatoires dans la lumière des voies respiratoires. L'abandon du tabac peut prévenir ou retarder l'apparition de l'obstruction des voies respiratoires ou ralentir son évolution (GOLD, 2015) ▶ 11.

Le tabagisme passif est l'exposition des non-fumeurs à de la fumée de cigarette, aussi appelée fumée de tabac ambiante ou fumée secondaire. Chez les adultes, l'exposition involontaire à la fumée est associée à une diminution de la fonction pulmonaire, à une augmentation des symptômes respiratoires et à des infections graves des voies respiratoires inférieures comme la pneumonie. La fumée de tabac ambiante est également liée à un risque accru de cancer du poumon et des sinus.

Produits chimiques et poussières en milieu de travail

Si une personne est exposée de façon prolongée ou intense à diverses poussières, vapeurs,

TABLEAU 36.10 Effets de la fumée de tabac sur le système respiratoire

RÉGION TOUCHÉE		EFFETS À COURT TERME	EFFETS À LONG TERME
Muqueuse respiratoire	• Rhinopharynx	↓ odorat	Cancer
	• Langue	↓ goût	Cancer
	• Cordes vocales	Enrouement	Toux chronique, cancer
	• Bronches et bronchioles	Bronchospasme, toux	Bronchite chronique, MPOC, asthme, cancer
Cils vibratiles		Paralysie, accumulation de sécrétions, toux	Bronchite chronique, cancer
Glandes muqueuses		↑ sécrétions, ↑ toux	Hyperplasie et hypertrophie des glandes, bronchite chronique
Macrophages alvéolaires		↓ fonctionnement	Fréquence accrue des infections
Fibres d'élastine et de collagène		↑ destruction de ces fibres par les protéases, ↓ fonctionnement des antiprotéases (α_1-antitrypsine), ↓ synthèse de l'élastine et ↓ réparation de l'élastine	Emphysème

substances irritantes ou fumées dans son milieu de travail, la MPOC peut apparaître même si cette personne ne fume pas. Si elle fume, le risque d'être atteinte de MPOC augmente (GOLD, 2015).

Pollution atmosphérique

Des taux élevés de polluants atmosphériques urbains sont dangereux pour les personnes atteintes d'une maladie pulmonaire. Toutefois, comme facteur de risque de la MPOC, l'effet de la pollution de l'air extérieur semble être faible par rapport à celui du tabagisme. La fumée produite par l'utilisation de combustibles fossiles pour le chauffage et la cuisson constitue un autre facteur de risque de la MPOC. Beaucoup de femmes qui n'ont jamais fumé contractent la MPOC parce qu'elles utilisent ces combustibles pour cuisiner dans des endroits mal ventilés (GOLD, 2015).

Infection

Les infections constituent un facteur de risque lié à la MPOC. Les infections répétitives graves des voies respiratoires contractées au cours de l'enfance sont associées à une réduction de la fonction pulmonaire et à une augmentation des symptômes respiratoires une fois à l'âge adulte. Par suite d'expositions à des facteurs initiateurs, comme les infections respiratoires contractées au cours de l'enfance ou le tabagisme, les mécanismes pulmonaires normaux de défense s'altèrent, et les microorganismes pathogènes se multiplient, ce qui met en place un cycle d'inflammation et d'infection chroniques. Ces mêmes microorganismes sont la cause d'exacerbations aiguës de la MPOC qui accentuent la détérioration des tissus pulmonaires et l'évolution de la maladie. Les microorganismes pathogènes le plus souvent à l'origine de ces exacerbations sont l'*Haemophilus influenzæ*, le *Streptococcus pneumoniæ*, le *Moraxella catarrhalis* et le rhinovirus (GOLD, 2015).

Hérédité

Le fait qu'un pourcentage relativement faible de fumeurs souffre d'une MPOC laisse fortement entendre que des facteurs génétiques ont une incidence sur l'apparition de la maladie chez les fumeurs. En raison de l'interaction entre la génétique et le milieu, deux personnes peuvent présenter les mêmes antécédents de tabagisme, mais seulement l'une d'entre elles souffrira d'une MPOC. Une autre explication possible est la prédisposition génétique de certaines personnes à vivre plus longtemps. Cette prédisposition a une incidence sur ceux qui, parmi les fumeurs ou les non-fumeurs, seront atteints d'une MPOC (GOLD, 2015).

Jusqu'à présent, un seul facteur génétique en lien avec la MPOC a été découvert, soit le déficit en α_1-antitrypsine (AAT). Des travaux de recherche sont en cours pour trouver des gènes qui prédisposent à la MPOC (GOLD, 2015).

Déficit en α_1-antitrypsine

Le déficit en α_1-antitrypsine (AAT) est un facteur de risque génétique qui mène à la MPOC **ENCADRÉ 36.9**. Le déficit en AAT est une affection autosomique récessive qui peut toucher les poumons ou le foie. Environ 3 % des gens qui ont

Génétique et pratique clinique

ENCADRÉ 36.9 Déficit en α_1-antitrypsine

FONDEMENTS GÉNÉTIQUES
- Il s'agit d'une maladie autosomique récessive (deux copies du gène récessif défectueux sont nécessaires pour que la maladie apparaisse).
- Des mutations dans le gène SERPIN1 (situé sur le chromosome 14) entraînent un déficit en AAT.
- Ce gène commande la production de la protéine AAT.

INCIDENCE
- Un cas sur 1 700 à 3 500 naissances vivantes est rapporté aux États-Unis.
- Les personnes d'ascendance européenne septentrionale sont les plus touchées.

TESTS GÉNÉTIQUES
- Une analyse de l'ADN est possible.
- Le dépistage au sein de la fratrie est utile.
- Le dosage sérique est possible pour déterminer la quantité produite d'AAT.

CONSÉQUENCES CLINIQUES
- L'AAT est surtout produite dans le foie ; un déficit peut entraîner une pneumopathie ou une hépatopathie.
- La maladie se manifeste chez l'adulte âgé de 20 à 40 ans.
- Le traitement comporte l'administration d'un agent de recharge en AAT en (Prolastin^MD).
- Cette maladie prédispose à l'apparition précoce d'emphysème.
- Le tabagisme accélère de 15 ans l'apparition des symptômes respiratoires.

Hépatopathie chronique : Terme générique qui désigne toute affection du foie.

reçu un diagnostic de MPOC peuvent présenter un déficit en AAT sans le savoir (Alpha-1 Foundation, 2007). Inhibiteur de la protéase α_1, l'AAT est une protéine sérique produite par le foie et normalement présente dans les poumons. Un déficit grave en AAT mène à un emphysème bulleux visible par radiographie pulmonaire. L'AAT inhibe la lyse des tissus pulmonaires par les enzymes protéolytiques des neutrophiles et des macrophages. De faibles taux d'AAT rendent cette inhibition insuffisante, ce qui entraîne la destruction des tissus pulmonaires. L'emphysème survient en raison d'un déficit en AAT, et le tabagisme exacerbe considérablement le processus de la maladie chez ces clients.

Réactivation des connaissances

Nommez quatre configurations du thorax que l'on peut observer lors de l'inspection de ce dernier.

Les **allèles** de déficience les plus fréquents sont les allèles S et Z, et les gènes normaux sont étiquetés M. Le génotype le plus fréquemment associé au déficit en AAT est ZZ. Il existe de nombreuses variations dans les allèles du gène identifié pour l'AAT, mais cinq combinaisons semblent les plus importantes sur le plan clinique. Les gens qui présentent le phénotype ZZ montrent des concentrations d'AAT qui n'atteignent qu'entre 10 et 15 % des valeurs normales, et ils sont atteints d'une MPOC grave généralement accompagnée d'une atteinte hépatique. À l'autre bout du spectre, ceux qui présentent le phénotype MS montrent des concentrations d'AAT qui atteignent 80 % des valeurs normales, mais ils ne manifestent aucun signe de MPOC, car ils ne sont que porteurs génétiques (Workman & Winkelman, 2008).

Les indices permettant de diagnostiquer un déficit en AAT sont une apparition de symptômes liés à la MPOC, souvent vers l'âge de 40 ans. Généralement, la personne atteinte a une histoire tabagique minime, voire absente, et des antécédents familiaux d'emphysème. Une **hépatopathie chronique** peut également être observée chez l'enfant ou chez l'adulte, accompagnée d'une élévation du taux d'enzymes hépatiques. Les gens atteints de ce type d'emphysème sont principalement d'ascendance européenne septentrionale. Une simple analyse sanguine permet de déceler des concentrations d'AAT faibles. Les personnes qui présentent des concentrations faibles ou à la limite de la normale peuvent ensuite se soumettre à un dépistage génétique.

Chez le client atteint d'un déficit en AAT, un traitement qui vise l'augmentation de l'AAT (p. ex., le Prolastin^MD) est administré par voie I.V. Les injections ont lieu une fois par semaine. Des évaluations sont en cours pour déterminer si ce traitement parvient à ralentir efficacement la progression de la maladie.

Vieillissement

Le vieillissement entraîne des changements prévisibles dans la structure des poumons, la cage thoracique et les muscles respiratoires. Avec l'âge, le poumon perd graduellement de son élasticité. Il s'arrondit et devient plus petit. Le nombre d'alvéoles fonctionnels diminue à mesure que les voies respiratoires périphériques perdent de leur structure de soutien. Un certain degré d'emphysème est donc fréquent chez la personne âgée, même chez le non-fumeur. Toutefois, la cause d'un emphysème important sur le plan clinique n'est généralement pas liée au seul vieillissement.

Les changements associés au vieillissement qui touchent la cage thoracique sont attribuables à l'ostéoporose et à la calcification des cartilages costaux. La cage thoracique devient rigide, et les côtes perdent de leur mobilité. En raison d'une augmentation du volume résiduel (VR), la cage thoracique change de forme progressivement pour devenir plus ronde et prendre de l'expansion. La diminution de la compliance thoracique et de l'élasticité des poumons causée par le vieillissement touche les aspects mécaniques de la ventilation et augmente le travail respiratoire. La réserve ventilatoire est réduite en raison du manque d'élasticité des poumons, et la capacité d'expulser les sécrétions diminue avec l'âge (McKinley, O'Loughlin & Stouter Bidle, 2014).

36.3.2 Physiopathologie

La MPOC se caractérise par une inflammation chronique des voies respiratoires, du parenchyme pulmonaire (bronchioles et alvéoles) et des vaisseaux sanguins pulmonaires **FIGURE 36.9**.

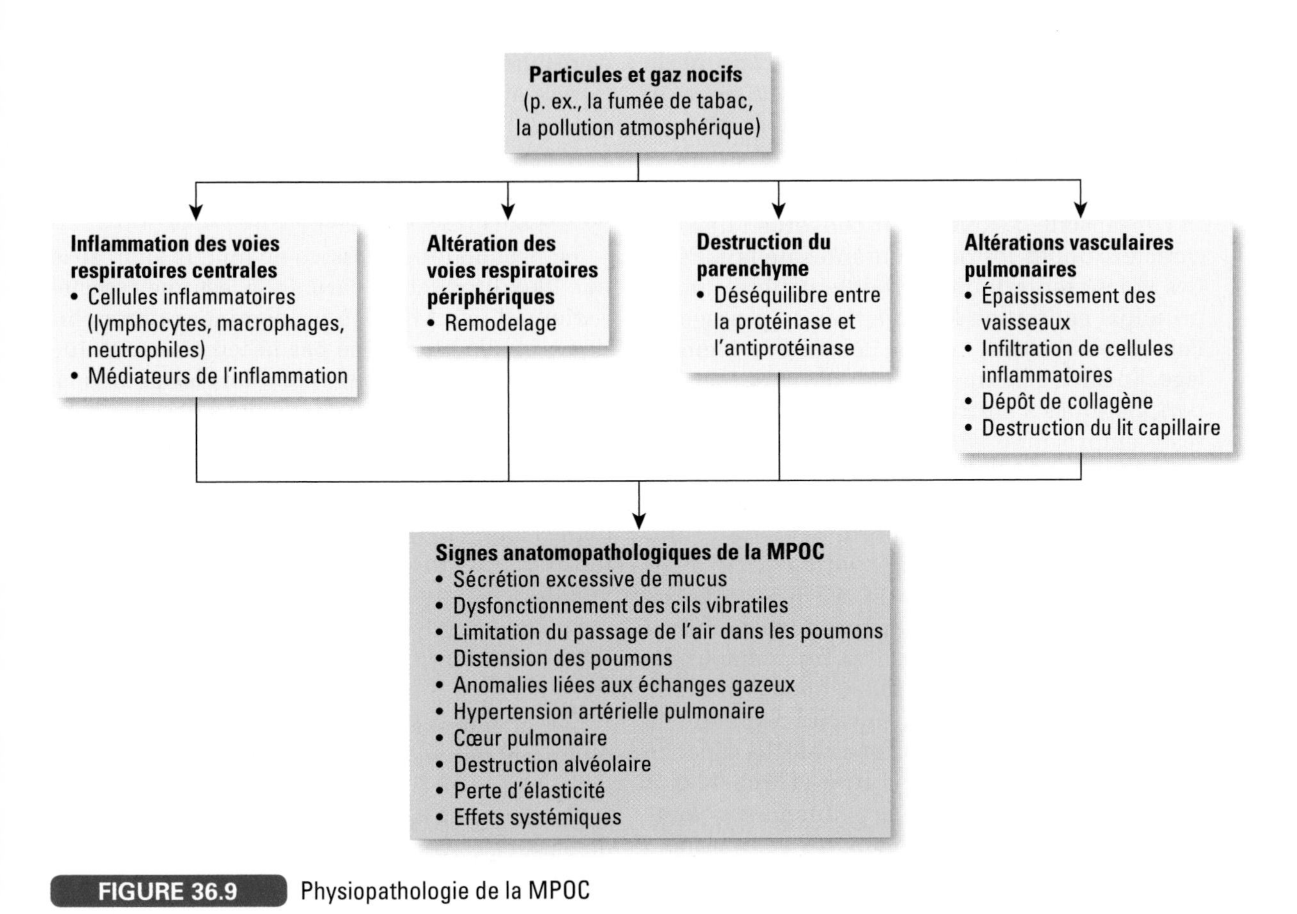

FIGURE 36.9 Physiopathologie de la MPOC

La pathogenèse de la MPOC est complexe et comprend de nombreux mécanismes. Les caractéristiques distinctives de la MPOC sont :

- la limitation irréversible du passage de l'air dans les poumons au cours de l'expiration forcée, causée par une perte d'élasticité des poumons ;
- l'obstruction des voies respiratoires causée par une sécrétion excessive de mucus, un œdème de la muqueuse et un bronchospasme.

En présence de MPOC, différents processus morbides se produisent comme une limitation du passage de l'air dans les poumons, une rétention d'air, des anomalies liées aux échanges gazeux, une sécrétion excessive de mucus et, dans les cas graves, une hypertension artérielle pulmonaire, une insuffisance cardiaque droite et des symptômes systémiques. La MPOC se traduit par une répartition inégale des changements pathologiques où se côtoient des régions pulmonaires très gravement atteintes et d'autres relativement normales (Celli, 2009).

Le processus inflammatoire déclenché par l'inhalation de particules et de gaz nocifs (p. ex., la fumée de cigarette) se trouve amplifié chez la personne atteinte d'une MPOC. Ce processus entraîne une destruction tissulaire et perturbe les mécanismes normaux de défense et celui de la réparation des tissus pulmonaires.

Les cellules inflammatoires prédominantes dans les cas de MPOC sont les neutrophiles, les macrophages et les lymphocytes. Cette combinaison de cellules inflammatoires est différente de celle de l'asthme. Ces cellules inflammatoires attirent d'autres médiateurs de l'inflammation (p. ex., les leucotriènes, les interleukines). Le processus inflammatoire en cascade qui s'ensuit entraîne l'activation de cytokines pro-inflammatoires comme le facteur de nécrose tumorale. De plus, la mobilisation et l'activation de facteurs de croissance dans la région touchée entraînent des changements dans la structure des poumons.

Le stress oxydatif peut également amplifier le processus inflammatoire. La fumée de cigarette et d'autres particules inhalées produisent des oxydants. Les cellules inflammatoires comme les macrophages et les neutrophiles en libèrent également au cours de l'inflammation. Le stress oxydatif altère les poumons, car il inactive les **antiprotéases** (qui préviennent la détérioration naturelle des poumons), stimule la sécrétion de mucus et augmente le volume de liquide dans les poumons (GOLD, 2015).

Après l'inhalation d'oxydants présents dans le tabac ou la pollution atmosphérique, l'activité des protéases (enzymes qui lysent le tissu conjonctif des poumons) augmente tandis que celle des antiprotéases (molécules qui protègent contre la lyse) est inhibée. Par conséquent, il y a rupture de l'équilibre naturel entre l'activité des protéases et celle des antiprotéases, ce qui entraîne la destruction des alvéoles et la perte d'élasticité des poumons (GOLD, 2015).

CE QU'IL FAUT RETENIR

L'incapacité d'expirer l'air est l'une des caractéristiques les plus courantes de la MPOC. Les voies respiratoires périphériques étant obstruées, l'air reste emprisonné au cours de l'expiration.

L'incapacité d'expirer l'air constitue l'une des caractéristiques les plus courantes de la MPOC. Les voies respiratoires de faible calibre sont le principal endroit où la limitation du passage de l'air est observée, et celle-ci découle du remodelage. En effet, à mesure que les voies respiratoires périphériques s'obstruent, de plus en plus d'air reste emprisonné au cours de l'expiration. Le volume d'air résiduel devient important dans les cas graves de la maladie, car les attaches (semblables à des élastiques) qui relient les alvéoles aux voies respiratoires de petit calibre sont détruites. L'air résiduel, combiné à la perte d'élasticité, rend difficile l'expiration passive de l'air, et une rétention d'air se forme dans les poumons. La cage thoracique augmente de volume et prend la forme d'un tonneau, car les muscles respiratoires ne sont pas utilisés de façon normale. La capacité résiduelle fonctionnelle est accrue, et le client doit essayer d'inspirer lorsque ses poumons sont dans un état d'hyperinflation pulmonaire. Cela entraîne de la dyspnée et une capacité limitée de faire de l'exercice (GOLD, 2015).

Les anomalies liées aux échanges gazeux entraînent une hypoxémie et une **hypercapnie** (augmentation du dioxyde de carbone [gaz carbonique] [CO_2] dans le sang) au fil de l'aggravation de la maladie. À mesure qu'augmentent la rétention d'air et la destruction des alvéoles, des bulles pulmonaires peuvent se former **FIGURE 36.10**. Ces bulles ne sont pas efficaces pour effectuer les échanges gazeux, car elles ne sont pas entourées d'un lit capillaire comme dans le cas des alvéoles. Par conséquent, il existe un déséquilibre important dans le rapport (ventilation/perfusion V/Q), et il en résulte une hypoxémie. L'obstruction des voies respiratoires périphériques entraîne également un déséquilibre du rapport V/Q et, combinée à l'atteinte des muscles respiratoires, elle peut générer une rétention de dioxyde de carbone, surtout dans les cas graves de la maladie (GOLD, 2015).

La production excessive de mucus, qui cause une toux productive chronique, est une caractéristique d'une MPOC à prédominance bronchitique, et elle n'entraîne pas nécessairement une limitation du passage de l'air dans les poumons. La production excessive de mucus découle d'un nombre accru de cellules caliciformes sécrétrices de mucus et d'une tuméfaction des glandes sous-muqueuses qui résultent de l'irritation chronique causée par la fumée ou d'autres particules inhalées. De plus, le dysfonctionnement des cils vibratiles entraîne une toux chronique et une production d'expectorations. Quelques médiateurs de l'inflammation stimulent également la production de mucus.

Des altérations vasculaires pulmonaires qui se traduisent par une hypertension artérielle pulmonaire légère ou modérée peuvent survenir à un stade avancé de la MPOC. Les artères pulmonaires de petit calibre se contractent en raison de l'hypoxémie, et leur structure change, ce qui se traduit par un épaississement du muscle lisse vasculaire à mesure qu'évolue la maladie. La perte des parois alvéolaires et des capillaires qui les entourent entraîne une augmentation de la pression dans la circulation pulmonaire. En règle générale, le client n'éprouve pas vraiment d'hypoxémie au repos avant d'avoir atteint un stade avancé de la maladie. Toutefois, l'hypoxémie peut se manifester au cours de l'exercice, et il peut être profitable pour le client de recevoir de l'oxygène d'appoint durant certaines activités physiques.

L'hypertension artérielle pulmonaire peut évoluer et mener à une hypertrophie du ventricule

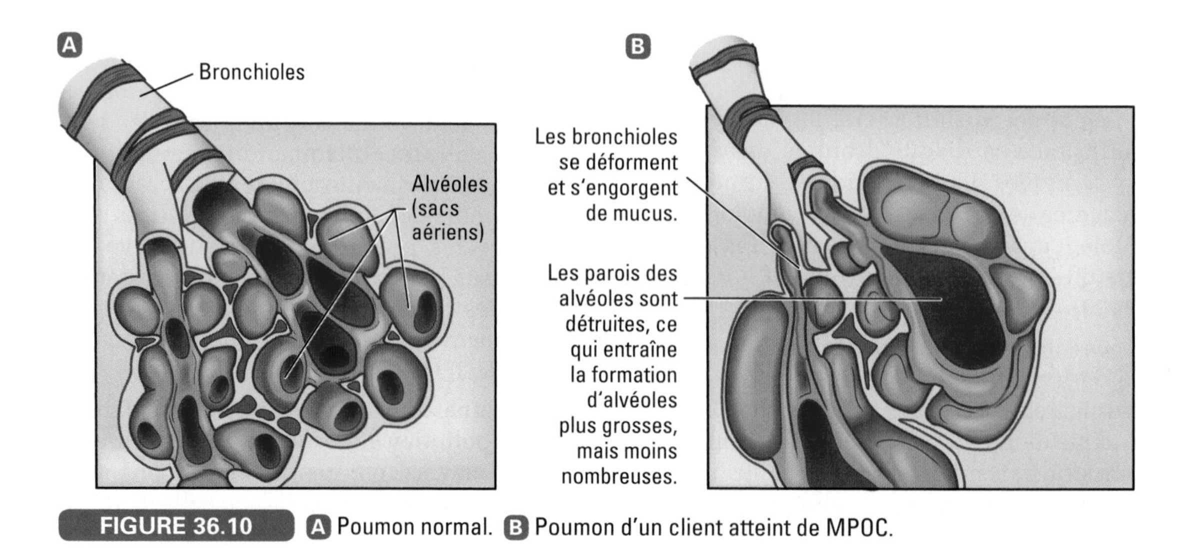

FIGURE 36.10 A Poumon normal. B Poumon d'un client atteint de MPOC.

droit ou au **cœur pulmonaire** (dilatation et hypertrophie du ventricule droit), avec ou sans insuffisance cardiaque droite. La MPOC a des effets systémiques, surtout dans les cas graves de la maladie. Ces effets extrapulmonaires contribuent grandement aux signes cliniques du client et ont une incidence sur sa survie et sur le traitement de la maladie. Les mécanismes qui causent ces effets sont mal connus et probablement à multiples facettes, mais la réaction inflammatoire systémique et la sédentarité sont sans doute des facteurs importants (Nussbaumer-Ochsner & Rabe, 2011). La **cachexie** est fréquente. Le client peut ressentir de la faiblesse dans tous les muscles de ses membres supérieurs et inférieurs (GOLD, 2015). La faiblesse est probablement attribuable à une augmentation de l'**apoptose** (mort cellulaire programmée) ou à un manque d'activité musculaire (GOLD, 2015). La personne peut également présenter une intolérance à l'exercice, un déconditionnement et de l'ostéoporose. Le client atteint d'une MPOC grave peut aussi souffrir d'anémie chronique, d'anxiété, de dépression et d'une aggravation d'une maladie cardiovasculaire. Cette dernière est probablement attribuable à une production accrue de la protéine C réactive, un marqueur inflammatoire lié à la maladie cardiovasculaire (GOLD, 2015).

Sur le plan clinique, il est fréquent d'observer chez une même personne la présence à la fois d'emphysème et de bronchite chronique avec une prédominance de l'une des deux affections. Le client atteint d'une MPOC peut également présenter de l'asthme, et s'il éprouve une obstruction des voies respiratoires difficilement réversible, les symptômes de l'asthme peuvent être impossibles à distinguer de ceux de la MPOC.

36.3.3 Manifestations cliniques

Les manifestations cliniques de la MPOC apparaissent peu à peu, généralement autour de l'âge de 40 ans et après 10 paquets-années (unité de mesure de la consommation cumulée de tabac) de tabagisme (Corbridge, Wilken, Kapella *et al.*, 2012). Il faut envisager un diagnostic de MPOC chez tout client qui fume et qui présente des symptômes de toux, de production d'expectorations ou de dyspnée. Une toux intermittente chronique survient généralement le matin, sans produire d'expectorations collantes ou seulement en petite quantité. Ces symptômes peuvent apparaître plusieurs années avant l'obstruction proprement dite des voies respiratoires (GOLD, 2015).

La dyspnée est la principale manifestation clinique de la MPOC. Elle est principalement causée par la présence de mucus dans les bronches et l'emprisonnement de l'air dans les alvéoles. En règle générale, la dyspnée est progressive, apparaît normalement à l'effort et est présente quotidiennement. Les clients ne prêtent généralement aucune attention à ces symptômes et les rationalisent en se disant qu'ils vieillissent ou qu'ils ne sont pas en forme. Ils modifient leurs comportements pour éviter la dyspnée. Par exemple, ils prennent l'ascenseur au lieu de l'escalier. Progressivement, la dyspnée nuit aux activités quotidiennes. Par exemple, ils ont de la difficulté à transporter des sacs d'épicerie ou à suivre le rythme de marche de la personne qui les accompagne. Toutefois, comme la dyspnée s'aggrave, ils finissent par consulter un professionnel de la santé et reçoivent alors un diagnostic de MPOC. D'autres personnes ne présentent ni dyspnée, ni toux, ni production d'expectorations, et elles consulteront un professionnel de la santé seulement lorsqu'elles contracteront une infection respiratoire.

Aux stades avancés de la MPOC, la dyspnée peut être présente au repos. À mesure que le nombre d'alvéoles hyperdistendus augmente, de plus en plus d'air reste emprisonné. Cela a pour effet d'aplatir le diaphragme, et le client doit respirer avec des poumons toujours partiellement gonflés. La respiration abdominale est moins efficace en raison de l'aplatissement du diaphragme causé par la distension excessive des poumons. Le client utilise alors la respiration thoracique en faisant appel à ses muscles intercostaux et accessoires. Toutefois, ce type de respiration n'est pas très efficace.

La respiration sifflante et l'oppression thoracique peuvent être présentes, mais de façon variable au cours de la journée et d'une journée à l'autre, surtout dans les cas plus graves. La respiration sifflante peut provenir de la région laryngée ou ne pas être présente au moment de l'auscultation. L'oppression thoracique, qui suit souvent une activité, peut être perçue comme une contraction musculaire.

La personne atteinte d'une MPOC subit souvent une perte de poids et souffre d'anorexie. Même si l'apport calorique du client est suffisant, il risque de perdre tout de même du poids en raison de l'augmentation des demandes métaboliques liées à la dépense énergétique de sa respiration laborieuse. La fatigue résultant de cette dépense énergétique est un symptôme très fréquent qui se répercute sur ses AVQ. Une **hémoptysie** peut survenir au cours d'infections des voies respiratoires.

L'examen physique révèle une phase expiratoire prolongée, et une respiration sifflante est possible. À l'auscultation, une diminution des bruits respiratoires dans tous les champs pulmonaires est décelable, et des ronchi peuvent être entendus aux bases. Pour que l'infirmière arrive à percevoir des bruits respiratoires à l'auscultation, le client devra peut-être respirer plus fort qu'il ne le fait normalement. Le diamètre antéropostérieur de la cage thoracique est accru (thorax en forme de tonneau) en raison de la rétention d'air chronique. Il se peut que le client s'assoie en

Cachexie : Dégradation profonde de l'état général, accompagnée d'une maigreur importante.

Hémoptysie : Émission par la bouche d'une certaine quantité de sang en provenance des voies respiratoires.

CE QU'IL FAUT RETENIR

La dyspnée est la principale manifestation clinique de la MPOC. Elle est principalement causée par la présence de mucus dans les bronches et l'emprisonnement de l'air dans les alvéoles.

Cyanose : Coloration bleutée de la peau, du lit unguéal et des muqueuses, causée par la présence d'hémoglobine désaturée dans les capillaires ; elle constitue un signe tardif d'hypoxie.

Érythropoïèse : Processus de formation des globules rouges.

Emphysème bulleux : Forme d'affection pulmonaire se caractérisant par la présence de bulles en plus ou moins grand nombre et de plus ou moins grande taille. Ces bulles sont quelquefois très grandes et à l'origine d'une compression sur les tissus pulmonaires de voisinage (diminution du calibre bronchique).

Hépatomégalie : Augmentation anormale du volume du foie.

maintenant le dos droit et en appuyant ses bras sur une surface fixe comme une table de lit (position tripode). Il se peut qu'il pince les lèvres naturellement à l'expiration et se serve de ses muscles accessoires, comme ceux du cou, pour faciliter l'inspiration. La présence d'œdème aux chevilles peut constituer le seul indice d'une atteinte du côté droit du cœur.

Avec le temps, une hypoxémie (PaO_2 inférieure à 60 mm Hg ou SaO_2 inférieure à 88 %) peut apparaître, suivie d'une hypercapnie ($PaCO_2$ supérieure à 45 mm Hg), plus tard au cours de la maladie. Le teint rouge bleuâtre résulte d'une **polyglobulie** et d'une **cyanose**. La polyglobulie apparaît en raison d'une production accrue de globules rouges, car l'organisme tente de compenser l'hypoxémie chronique. Les concentrations d'hémoglobine peuvent atteindre 200 g/L ou plus. Toutefois, en raison d'une anémie chronique, le client peut également présenter des concentrations d'hémoglobine ou un taux d'hématocrite plus faibles.

Comme mentionné précédemment, il est parfois très difficile pour le professionnel de la santé de distinguer la MPOC de l'asthme. Toutefois, certaines différences dans les caractéristiques cliniques peuvent être observées **TABLEAU 36.3**.

36.3.4 Classification de la maladie pulmonaire obstructive chronique

Il faut envisager la possibilité d'une MPOC chez toute personne exposée à des facteurs de risque comme la cigarette, les polluants présents dans l'environnement ou dans le milieu de travail, la dyspnée et la toux chronique. Le diagnostic est confirmé par le test de la fonction respiratoire, peu importe si le client présente des symptômes chroniques ou non. La MPOC est classée de la façon suivante : légère, modérée, grave ou très grave. Un rapport $VEMS_1$/CVF inférieur à 70 % établit le diagnostic d'une MPOC, et le stade est déterminé selon la gravité de l'obstruction (indiquée par le $VEMS_1$). La prise en charge de la MPOC repose surtout sur les symptômes du client, mais la détermination du stade fournit une ligne de conduite générale relativement au type d'intervention à effectuer **TABLEAU 36.11**.

TABLEAU 36.11 Classification de la gravité de la maladie pulmonaire obstructive chronique[a]

La présente classification est basée sur le $VEMS_1$ après administration d'un bronchodilatateur.

CLASSIFICATION	GRAVITÉ	$VEMS_1$
GOLD 1	Légère	≥ 80 % de la valeur prédite
GOLD 2	Modérée	50 à 80 % de la valeur prédite
GOLD 3	Grave	30 à 50 % de la valeur prédite
GOLD 4	Très grave	< 30 % de la valeur prédite

[a] Un diagnostic de MPOC est posé lorsqu'un client présente un rapport $VEMS_1$/CVF < 70 %.

Source : *Global strategy for diagnosis, management, and prevention of chronic obstructive pulmary disease* (Mise à jour 2015). Repéré à www.goldcopd.org/uploads/users/files/GOLD_Report_2015_Apr2.pdf. Reproduit avec la permission de The Global Initiative for Chronic Obstructive Lung Disease (GOLD).

36.3.5 Complications

Cœur pulmonaire

Le cœur pulmonaire est une manifestation tardive de la MPOC qui résulte d'une hypertension artérielle pulmonaire attribuable à des affections qui touchent les poumons ou les vaisseaux sanguins pulmonaires **FIGURE 36.11**. En Amérique du Nord, la MPOC compte pour 50 % des cas de cœur pulmonaire (Mann, 2008). Une fois que le client présente un cœur pulmonaire, le pronostic s'assombrit. En présence d'une MPOC, l'hypertension artérielle pulmonaire est causée principalement par la constriction des vaisseaux pulmonaires en réaction à l'hypoxie alvéolaire. L'acidose accentue la puissance de cette vasoconstriction. L'hypoxie alvéolaire chronique entraîne le remodelage vasculaire. Elle stimule également l'**érythropoïèse**, qui génère la polyglobulie et augmente la viscosité du sang. En présence de MPOC, il est possible d'observer une réduction anatomique du lit vasculaire pulmonaire, comme dans les cas d'**emphysème bulleux**. Ces clients présentent une résistance vasculaire pulmonaire accrue, ce qui entraîne donc une hypertension artérielle pulmonaire.

Normalement, la pression dans le ventricule droit et dans la circulation pulmonaire est plus basse que celle du ventricule gauche et de la circulation systémique. En cas d'hypertension artérielle pulmonaire, les pressions du côté droit du cœur doivent augmenter pour pousser le sang vers les poumons. Il s'ensuit donc, à la longue, une insuffisance cardiaque droite.

La dyspnée est le symptôme le plus fréquent du cœur pulmonaire en raison de la distension excessive des poumons attribuable à la MPOC. Les bruits respiratoires sont normaux ou des crépitants à la base des deux poumons sont perçus. Des changements se produisent dans les bruits du cœur, mais en général, ils sont masqués par l'affection pulmonaire sous-jacente. D'autres signes d'insuffisance cardiaque droite peuvent se manifester, comme une distension des veines du cou (turgescence des veines jugulaires), une **hépatomégalie** accompagnée d'une sensibilité du quadrant supérieur droit, un œdème périphérique qui entraîne une prise de poids. Il est également possible d'observer des variations à l'électrocardiogramme (ECG) comme une tendance à la déviation axiale droite. Typiquement, le client présentera de gros vaisseaux pulmonaires sur la radiographie pulmonaire et une augmentation de la pression artérielle pulmonaire révélée par le cathétérisme du cœur droit. L'échocardiographie peut révéler une hypertrophie du cœur droit. Les taux sériques du peptide natriurétique de type B, utilisés pour déterminer les sources cardiaques de l'insuffisance cardiaque, seront faussement élevés, car la cause de cette insuffisance n'est pas liée au cœur, mais à l'affection pulmonaire, à moins que le côté gauche du cœur ne soit également défaillant.

Le traitement du cœur pulmonaire comprend l'administration continue d'oxygène à faible débit. Dès 1980, le Nocturnal Oxygen Therapy Trial Group a permis de démontrer que l'oxygénothérapie de longue durée améliore la survie des clients hypoxémiques, surtout si elle est administrée plus de 15 heures par jour. En général, comme dans les cas d'insuffisance cardiaque chronique, des diurétiques sont administrés pour diminuer la surcharge volémique du cœur droit (Mann, 2008) ▶ 35.

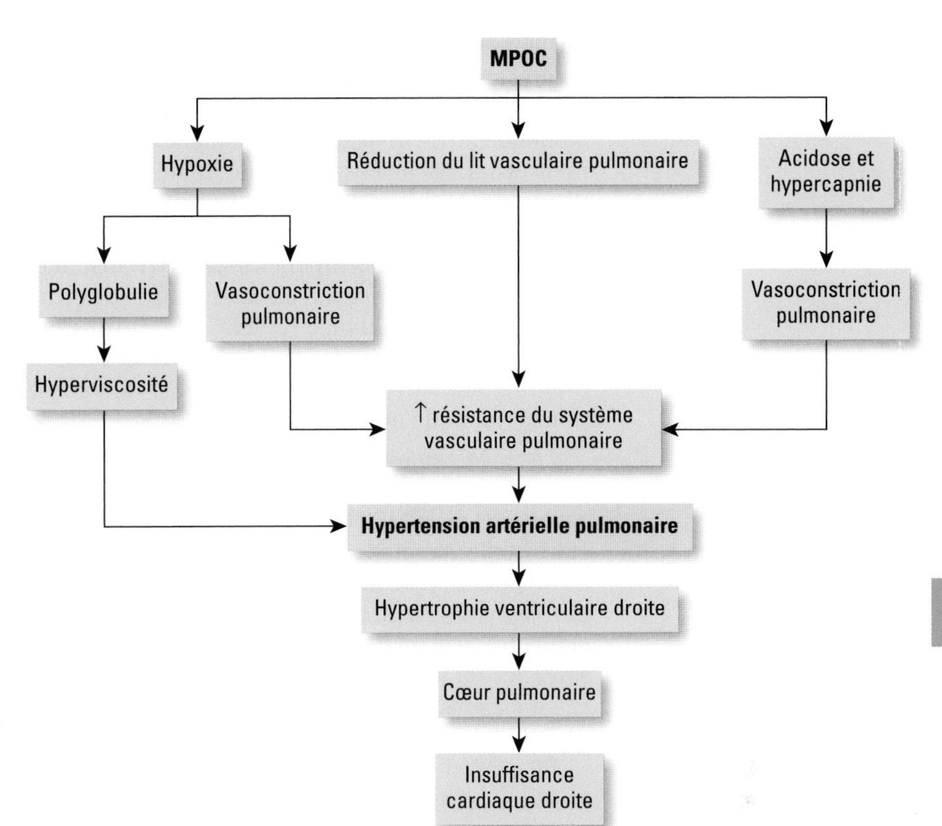

FIGURE 36.11 Mécanismes intervenant dans la physiopathologie du cœur pulmonaire consécutif à la maladie pulmonaire obstructive chronique

Exacerbations de la maladie pulmonaire obstructive chronique

Selon la Société canadienne de thoracologie (Criner, Bourbeau, Diekemper *et al.*, 2015), une exacerbation de la MPOC est un événement qui survient au cours de l'évolution naturelle de la maladie, caractérisée par un changement dans la dyspnée ou les expectorations du client plus important que les variations observées quotidiennement. Son apparition est soudaine et peut justifier une modification de la médication courante du client atteint d'une MPOC sous-jacente.

Les exacerbations de la MPOC sont normales dans l'évolution de la maladie, et leur fréquence (une ou deux en moyenne par année) augmente à mesure qu'elle progresse. Criner et ses collaborateurs (2015) notent que les principales causes des exacerbations sont les infections bactériennes (50 %) ou virales et les polluants présents dans l'air ou provenant d'autres sources environnementales (de 15 à 20 %). Les exacerbations de la MPOC se manifestent par un changement soudain dans la dyspnée, la toux ou les expectorations habituelles du client. Il faut évaluer celui-ci pour déceler des signes classiques d'exacerbation comme une augmentation de la dyspnée, du volume des expectorations et de leur purulence. Il y a déjà une trentaine d'années, Anthonisen et son équipe (1987) expliquaient à la communauté scientifique que le client pouvait également se plaindre de malaises, d'insomnie, de fatigue, de dépression, de confusion, d'une diminution de la tolérance à l'exercice, d'une respiration sifflante plus importante ou de fièvre sans autres causes apparentes.

À mesure que la MPOC s'aggrave, les exacerbations sont associées à des issues moins favorables. Le traitement des exacerbations s'effectue à domicile ou en milieu hospitalier selon leur gravité. Celle-ci est déterminée d'après les antécédents médicaux du client avant l'exacerbation, la présence d'autres affections, les symptômes, la gazométrie du sang artériel et d'autres analyses de laboratoire. Généralement, dans les stades avancés de la MPOC, le client présente un pH qui tend vers la limite inférieure de la normale, une $PaCO_2$ au-dessus de la normale et une concentration de HCO_3^- qui tend vers la limite supérieure de la normale. Ces résultats indiquent une acidose respiratoire compensée, car le client retient le dioxyde de carbone de façon chronique, et les reins conservent les ions HCO_3^- pour élever le pH vers des valeurs normales **TABLEAU 36.3**.

Il faut suivre attentivement la gazométrie du sang artériel du client pour détecter tout mouvement vers une acidose respiratoire et une aggravation de l'hypoxémie qui peuvent être le signe d'une insuffisance respiratoire. Les antécédents médicaux du client sont également évalués pour obtenir le stade de la MPOC qui est constaté par la valeur du $VEMS_1$ et la présence de nouveaux symptômes ou l'aggravation des symptômes habituels. Il faut vérifier le nombre d'exacerbations subies antérieurement par année et l'endroit où a eu lieu le

35

Le traitement du cœur pulmonaire est décrit dans le chapitre 35, *Interventions cliniques – Troubles des voies respiratoires inférieures.*

traitement (à domicile ou en milieu hospitalier). La présence d'autres facteurs de comorbidité complique l'exacerbation. De plus, le type de traitement que le client reçoit actuellement influence la prise en charge de l'exacerbation. Il faut être attentif aux signes de gravité comme une utilisation des muscles accessoires, une cyanose centrale, un œdème des membres inférieurs, une P.A. instable, des signes d'insuffisance cardiaque droite et une altération de la vigilance (GOLD, 2015). Tous ces signes ont une incidence sur les décisions à prendre en matière de prise en charge de l'affection, à domicile ou en milieu hospitalier.

Les médicaments administrés pour diminuer la résistance des voies respiratoires au cours des exacerbations de la MPOC sont les bronchodilatateurs et les corticostéroïdes à action générale par voie P.O. Si un client présente des signes cliniques d'infection des voies respiratoires (p. ex., un volume accru et un changement de couleur des expectorations en présence ou en absence de fièvre, surtout dans les cas de stades avancés de la MPOC qui comptent plus de trois ou quatre exacerbations par année), il reçoit généralement un traitement par antibiotiques. Les traitements administrés pour soulager les exacerbations de la MPOC en milieu hospitalier sont semblables à ceux prodigués à domicile, sauf l'oxygénothérapie qu'il faut administrer en fonction de la gazométrie du sang artériel (GOLD, 2015). Il est préférable d'utiliser des méthodes mécaniques non effractives (p. ex., la ventilation spontanée avec pression positive continue) pour assister la ventilation au lieu d'une assistance ventilatoire effractive (p. ex., l'intubation). L'infirmière doit enseigner au client et au proche aidant à reconnaître rapidement les signes et les symptômes d'une exacerbation pour favoriser un traitement précoce et ainsi éviter l'hospitalisation et prévenir la possibilité d'une insuffisance respiratoire.

51

Les soins et traitements en interdisciplinarité auprès du client souffrant d'insuffisance respiratoire sont abordés dans le chapitre 51, *Interventions cliniques – Insuffisance respiratoire et syndrome de détresse respiratoire aiguë*.

Insuffisance respiratoire aiguë

Les clients atteints de MPOC grave et qui présentent des exacerbations risquent de manifester une insuffisance respiratoire. Souvent, les clients aux prises avec cette affection attendent trop longtemps avant de consulter leur médecin lorsqu'ils présentent une aggravation de la dyspnée ou des sécrétions purulentes. Une exacerbation de cœur pulmonaire peut également mener à une insuffisance respiratoire aiguë. De plus, l'interruption de la prise du bronchodilatateur ou des corticostéroïdes peut précipiter l'insuffisance respiratoire. La prise de bêtabloquants cardiosélectifs (p. ex., l'aténolol, le tartrate de métoprolol) est sécuritaire et peut améliorer la survie en plus de réduire le risque d'exacerbations de la MPOC (GOLD, 2013; Rutten, Zuithoff, Hak *et al.*, 2010).

L'utilisation systématique de sédatifs, de benzodiazépines et d'analgésiques opioïdes, surtout en situation préopératoire ou postopératoire chez le client qui présente une rétention de dioxyde de carbone, peut inhiber le réflexe respiratoire et entraîner une insuffisance respiratoire. L'administration d'oxygène à débit élevé inhibe le centre de la respiration et peut causer une diminution ou un arrêt de la respiration chez le client. C'est pourquoi il faut maintenir le niveau d'oxygène administré au débit le plus faible possible selon les résultats de la gazométrie du sang artériel, de manière à oxygéner le client sans inhiber le centre de la respiration.

Une intervention chirurgicale ou une affection douloureuse ou grave qui touche la cage thoracique ou des organes abdominaux peut entraîner une contracture musculaire antalgique, une ventilation inefficace et une insuffisance respiratoire. Pour prévenir les complications pulmonaires postopératoires chez le client qui présente des antécédents de grand fumeur ou une MPOC, il est important de procéder à des examens préopératoires approfondis qui comprennent les tests de la fonction respiratoire et l'analyse de la gazométrie du sang artériel. Il est aussi préférable d'enseigner et de faire pratiquer au client les techniques de spirométrie avant la chirurgie pour optimiser leur efficacité en phase postopératoire ▶ 51.

Dépression et anxiété

Le client atteint de MPOC vit de nombreuses pertes à mesure que la maladie évolue. L'infirmière doit faire preuve d'écoute attentive et répondre aux préoccupations des clients concernant la progression de la maladie. Environ 50 % des personnes atteintes de MPOC traversent une phase de dépression (Narsavage & Chen, 2008). Cette clientèle éprouve souvent de l'anxiété. L'infirmière doit évaluer ces deux conditions de santé mentale. Elle doit demander au client s'il « broie du noir » ou s'il se sent déprimé la plupart du temps. Semble-t-il anxieux au sujet de sa capacité à maîtriser ses symptômes d'essoufflement ou de savoir quoi faire si une exacerbation survenait ? Manifeste-t-il des inquiétudes par rapport à une difficulté accrue d'effectuer des tâches d'hygiène personnelle comme prendre un bain ? L'infirmière peut aider le client en lui montrant des exercices de relaxation tels que la respiration profonde, l'imagerie mentale, la pensée positive ou la visualisation qui permettent de diminuer l'anxiété. De plus, elle peut fournir un enseignement au sujet du traitement et de la maladie. Cet enseignement peut donner au client une sensation de maîtrise qui lui permet de gérer ses activités quotidiennes de

Jugement clinique

Laurence Dajou, âgée de 72 ans, est atteinte de MPOC depuis plusieurs années. Elle a un problème de perte de poids récurrent, mais aujourd'hui elle est contente, car elle a l'impression qu'elle a repris du poids, même si elle ne mange pas plus. Vous êtes inquiète, car vous avez remarqué une légère turgescence des veines du cou et un faible œdème périphérique aux chevilles. D'après les données cliniques observées, quelle complication vous paraît probable ?

même que son régime médicamenteux, souvent complexe. Il est important que le proche aidant assiste aux séances d'enseignement pour qu'il puisse aider le client à s'adapter à la situation tant physiquement qu'émotionnellement.

Une consultation auprès d'un spécialiste en santé mentale peut s'avérer nécessaire pour dépister et diagnostiquer adéquatement une dépression ou d'autres problèmes de cet ordre. Il a été constaté qu'un traitement comportant une thérapie cognitivocomportementale et de l'enseignement sur la MPOC améliore la qualité de vie (Kunik, Veazey, Cully *et al.*, 2008). Il se peut que l'administration de médicaments pour soulager la dépression et l'anxiété soit nécessaire. Le chlorhydrate de buspirone (BuSpar[MD]), administré pour atténuer l'anxiété, n'a que peu ou pas d'effets sur la dépression respiratoire. Il faut éviter d'administrer des benzodiazépines, car elles peuvent inhiber le réflexe respiratoire et créer une dépendance. Lorsque le client devient anxieux en raison de la dyspnée, il peut être indiqué d'utiliser un bronchodilatateur à courte durée d'action et la respiration à lèvres pincées **ENCADRÉ 36.7**.

36.3.6 Examen clinique et examens paracliniques

Les tests de la fonction respiratoire permettent de confirmer le diagnostic de MPOC. Les objectifs de l'élaboration du diagnostic sont de confirmer celui de MPOC par des tests de la fonction respiratoire, d'évaluer le degré de gravité de la maladie et de déterminer ses répercussions sur la qualité de vie du client. Ces facteurs permettent au professionnel de la santé de concevoir un plan de traitement personnalisé. En plus des tests de la fonction respiratoire, d'autres examens paracliniques sont réalisés **ENCADRÉ 36.10**. La radiographie pulmonaire effectuée à un stade précoce de la maladie sert rarement à établir le diagnostic, à moins de déceler la présence d'un emphysème bulleux. Les clients peuvent présenter une obstruction importante des voies respiratoires, établie par le test de la fonction respiratoire, sans toutefois éprouver de toux chronique. La plupart des clients consultent un professionnel de la santé lorsque la dyspnée commence à se répercuter sur leurs activités quotidiennes. À un stade plus avancé de la maladie, il se peut que les résultats présentés dans le **TABLEAU 36.3** soient observés.

L'anamnèse et l'examen physique sont extrêmement importants dans l'élaboration du diagnostic. Les tests de la fonction respiratoire servent à diagnostiquer la MPOC et à en déterminer le degré de gravité. En général, les tests de la fonction respiratoire sont effectués avant et après la bronchodilatation. Les résultats les plus caractéristiques sont liés à la résistance accrue du débit de l'air au cours de l'expiration. Les résultats types sont les suivants :

- diminution du $VEMS_1$, du rapport $VEMS_1/CVF$ et de la capacité de diffusion du monoxyde de carbone ;
- augmentation du volume résiduel et de la capacité résiduelle fonctionnelle.

Lorsque le rapport $VEMS_1/CVF$ est inférieur à 70 % et qu'il s'accompagne des symptômes appropriés, le diagnostic de MPOC est établi. La valeur du $VEMS_1$ exprimée en pourcentage par rapport à la normale fournit une indication quant au degré de gravité et au stade de l'affection pulmonaire du client **TABLEAUX 36.11** et **36.12**.

Processus diagnostique et thérapeutique

ENCADRÉ 36.10 Maladie pulmonaire obstructive chronique

EXAMEN CLINIQUE ET EXAMENS PARACLINIQUES

- Anamnèse et examen physique
- Tests de la fonction respiratoire
- Saturométrie
- Radiographie pulmonaire
- Scan thoracique (tomodensitométrie du thorax)
- ECG et échocardiographie
- Dosage de l'α_1-antitrypsine sérique
- Gazométrie du sang artériel
- Test de marche de six minutes

PROCESSUS THÉRAPEUTIQUE

- Abandon du tabac
- Enseignement au client et au proche aidant
- Traitement des exacerbations
- Traitement par bronchodilatateur
  - Bêtaagonistes
  - Anticholinergiques
  - Préparations de théophylline à action prolongée
- Corticostéroïdes
  - Par voie P.O. pour les exacerbations
  - En inhalation pour un traitement d'entretien
- Techniques de dégagement des voies respiratoires
- Exercices et rééducation respiratoires
- Hydratation à raison de 3 L/jour (sauf contre-indication)
- Vaccination annuelle contre la grippe
- Vaccination contre la pneumonie (Pneumovax[MD])
- Oxygénothérapie de longue durée (si indiqué)
- Plan d'exercices progressifs, surtout la marche et le renforcement des muscles du haut du corps
- Programme de réadaptation pulmonaire
- Suppléments nutritifs si indice de masse corporelle (IMC) faible
- Chirurgie
- Réduction du volume pulmonaire
- Greffe de poumon

TABLEAU 36.12 Corrélation entre le $VEMS_1$ et les manifestations cliniques probables

$VEMS_1$ APPROXIMATIF	MANIFESTATION CLINIQUE PROBABLE
1 500 mL	Essoufflement commençant à peine à être perceptible
1 000 mL	Essoufflement au cours d'une activité
500 mL	Essoufflement au repos

L'indice de masse corporelle (IMC) et le degré de la dyspnée aident à établir le pronostic. Les directives actuelles de pratique recommandent d'évaluer l'IMC et la dyspnée chez tous les clients. L'IMC est obtenu en divisant le poids (en kilogrammes [kg]) de la personne par sa taille (en mètres carrés [m^2]). Un IMC inférieur à 21 kg/m^2 est associé à un taux de mortalité plus élevé. En général, la gazométrie du sang artériel est analysée aux stades graves de la maladie, et il est également surveillé chez les clients hospitalisés en raison d'exacerbations aiguës. En présence de stades avancés de la MPOC, les résultats types sont une PaO_2 basse, une $PaCO_2$ élevée, une réduction du pH qui tend vers la limite inférieure de la normale et une élévation de la concentration de bicarbonate (HCO_3^-). Aux stades précoces de la maladie, il est possible d'observer une PaO_2 normale ou légèrement basse et une $PaCO_2$ normale. Un test de marche de six minutes peut être réalisé pour déterminer la SpO_2 dans le sang au moyen d'un saturomètre, ce qui permet d'évaluer le degré de désaturation en oxygène qui se produit au cours de l'exercice. L'ECG se révélera normal dans la majorité des cas mais un ECG de référence peut être utile pour suivre l'évolution clinique du client. Il est possible d'évaluer la fonction ventriculaire gauche et droite au moyen de l'échocardiogramme ou de la ventriculographie isotopique à l'équilibre. Un échantillon d'expectoration peut également être prélevé pour effectuer une culture et un antibiogramme si le client est hospitalisé pour une exacerbation aiguë et qu'il ne réagit pas au traitement empirique par antibiotiques.

CE QU'IL FAUT RETENIR

Le client atteint de MPOC est extrêmement vulnérable aux infections pulmonaires.

36.3.7 Processus thérapeutique en interdisciplinarité

Le rapport de la Global Initiative for Chronic Obstructive Lung Disease (GOLD, 2015) constitue la principale référence utilisée en Amérique du Nord pour les soins prodigués aux clients atteints d'une MPOC. Il présente un résumé des traitements recommandés pour chaque stade de la maladie. Les principaux objectifs des soins pour le client atteint de MPOC sont les suivants :

- prévenir la progression de la maladie ;
- soulager les symptômes et améliorer la tolérance à l'exercice ;
- prévenir et traiter les complications ;
- encourager la participation du client aux soins ;
- prévenir et traiter les exacerbations ;
- améliorer la qualité de vie et réduire le risque de décès.

La majorité des clients reçoivent un traitement en consultation externe. L'hospitalisation pour une exacerbation de la MPOC et la possibilité de complications est nécessaire lorsque le client présente une insuffisance respiratoire, une pneumonie ou un cœur pulmonaire.

L'infirmière évalue l'exposition du client aux substances irritantes liées à son milieu de travail ou à l'environnement et trouve des façons de les limiter ou de ne pas y être exposé. Par exemple, elle conseille au client d'éviter l'utilisation de fixatifs en aérosol et de se trouver dans des pièces enfumées. Le client atteint de MPOC est extrêmement vulnérable aux infections pulmonaires. Les fumeurs et les clients atteints de MPOC doivent donc recevoir le vaccin antigrippal chaque automne et le vaccin antipneumococcique (Pneumovax^MD^) tous les cinq ans. De plus, la Société canadienne de thoracologie recommande de commencer à prendre des antibiotiques dès l'apparition de sécrétions purulentes (jaunes ou vertes) (Criner *et al.*, 2015).

Il faut traiter rapidement les exacerbations de la MPOC, surtout si le client se situe à un stade grave de la maladie. Certains clients se font prescrire des antibiotiques et reçoivent comme directive de commencer à les prendre dès l'apparition des premiers signes ou symptômes d'exacerbation. Les antibiotiques prescrits le plus souvent en consultation externe sont les macrolides (p. ex., le dihydrate d'azithromycine [Zithromax^MD^]), la doxycycline et les céphalosporines (p. ex., la clarithromycine [Biaxin^MD^]). Si cette antibiothérapie ne fonctionne pas ou si le client est hospitalisé, les antibiotiques administrés couramment sont alors une combinaison d'amoxicilline (Amoxil^MD^) et d'acide clavulanique (Clavulin^MD^) ou les fluoroquinolones respiratoires (p. ex., la lévofloxacine [Levaquin^MD^]) (GOLD, 2015).

Abandon du tabac

Peu importe le stade où se trouve le client atteint de MPOC, cesser de fumer constitue l'intervention la plus efficace et la plus rentable pour réduire le risque de contracter une MPOC et pour arrêter la progression de la maladie (GOLD, 2015). Dès que le client cesse de fumer, le déclin accéléré de la fonction pulmonaire ralentit, et la fonction pulmonaire s'améliore généralement.

Pharmacothérapie

Les médicaments administrés pour traiter la MPOC sont palliatifs ; ils visent à atténuer ou à supprimer les symptômes, à augmenter la capacité de faire de l'exercice, à améliorer la santé en général et à réduire le nombre d'exacerbations et leur gravité (Celli, Thomas, Anderson *et al.*, 2008). Une pharmacothérapie par bronchodilatateur décontracte les muscles lisses des voies respiratoires et améliore la ventilation des poumons, diminuant ainsi le degré d'essoufflement. Même si les clients atteints d'une MPOC ne réagissent pas de façon aussi radicale au traitement par bronchodilatateur que les asthmatiques, ils parviennent généralement à diminuer leur dyspnée et à accroître légèrement leur $VEMS_1$. Le médicament en inhalation est préféré, qu'il soit administré régulièrement ou au besoin. L'administration des médicaments s'effectue également en suivant un plan par étapes successives, mais contrairement à l'asthme, il n'y a aucun retour possible vers une étape antérieure, car dans les cas de MPOC, les symptômes sont chroniques.

Les médicaments bronchodilatateurs administrés couramment sont les bêtaagonistes, les anticholinergiques et les méthylxanthines **TABLEAU 36.5**. Le choix du bronchodilatateur dépend de sa disponibilité et de la réaction du client. Toutefois, lorsque celui-ci présente une MPOC légère ou des symptômes intermittents, un BACA est administré au besoin. Les BACA augmentent la tolérance à l'exercice. Il est possible d'administrer le salbutamol (Ventolin[MD]) ou l'ipratropium (Atrovent[MD]) en monothérapie, mais l'association de ces deux bronchodilatateurs renforce leur effet et diminue le risque d'effets indésirables, comparativement à l'administration d'un seul des deux agents. Comme agent simple, l'ipratropium (Atrovent[MD]) est supérieur au salbutamol (Ventolin[MD]), car en général, son seul effet indésirable est la sécheresse buccale. Il est possible de nébuliser les deux agents à la fois (Combivent[MD]).

Si les symptômes persistent ou si la MPOC évolue vers un stade modéré, un bronchodilatateur à action prolongée est administré en plus du BACA. Le salmétérol (Serevent[MD]) et le formotérol (Foradil[MD]) sont des bêtaagonistes à action prolongée largement utilisés, et ils peuvent être pris en monothérapie dans les cas de MPOC (contrairement à l'asthme) **TABLEAU 36.13**.

Il est possible d'administrer le tiotropium (Spiriva[MD]), un anticholinergique à action prolongée, une fois par jour pour soulager la dyspnée causée par la MPOC.

L'administration de théophylline à action prolongée dans le traitement de la MPOC ne fait pas l'unanimité, car elle interagit avec de nombreux médicaments. Bien qu'elle démontre un léger effet bronchodilatateur, elle est surtout utilisée pour améliorer la contractilité du diaphragme et atténuer la fatigue diaphragmatique.

Le traitement par corticostéroïdes en inhalation (CSI) est bénéfique chez le client qui présente une MPOC de stade 3 (grave) ou de stade 4 (très grave), car il permet de diminuer la fréquence des exacerbations. L'association d'un CSI à un BALA (p. ex., le salmétérol et le fluticasone [Advair[MD]]) s'avère plus efficace que la monothérapie pour réduire les exacerbations et améliorer la fonction pulmonaire (GOLD, 2015). Les corticostéroïdes par voie P.O. sont à proscrire dans le traitement prolongé de la MPOC, mais ils s'avèrent efficaces dans le traitement de courte durée des exacerbations.

Pharmacothérapie

TABLEAU 36.13 Lignes directrices du traitement pharmacologique d'une maladie pulmonaire obstructive chronique stable

$VEMS_1$	LIGNES DIRECTRICES DU TRAITEMENT[a]
$VEMS_1$ de 60 à 80 % par rapport à la valeur prévue (en présence de symptômes d'ordre respiratoire)	Traitement à base de bronchodilatateurs en inhalation.
$VEMS_1$ < 60 % par rapport à la valeur prévue (en présence de symptômes d'ordre respiratoire)	Traitement à base de bronchodilatateurs en inhalation : anticholinergiques ou bêtaagonistes à action prolongée OU Monothérapie à base d'anticholinergiques en inhalation à action prolongée ou de bêtaagonistes à action prolongée OU Multithérapie combinant un anticholinergique en inhalation à action prolongée, un bêtaagoniste à action prolongée ou un corticostéroïde en inhalation

[a] La prise occasionnelle d'un bronchodilatateur en inhalation à action rapide pour traiter les symptômes aigus n'est-pas abordée dans les présentes recommandations.

Source : Adapté de Qaseem *et al.* (2011).

CE QU'IL FAUT RETENIR

Les médicaments pour la MPOC sont palliatifs. Ils visent à atténuer ou à supprimer les symptômes, à améliorer la tolérance à l'exercice et la santé en général, et à réduire le nombre et la gravité des exacerbations.

Oxygénothérapie

L'oxygénothérapie est souvent utilisée pour traiter la MPOC et d'autres problèmes liés à l'hypoxémie. L'oxygénothérapie de longue durée améliore les chances de survie, la capacité à faire de l'exercice, la performance cognitive et le sommeil des clients hypoxémiques (Corbridge *et al.*, 2012 ; Qaseem *et al.*, 2011). L'oxygène est un gaz incolore, inodore et sans saveur qui est présent dans 21 % de l'air ambiant. L'administration d'oxygène d'appoint permet d'en augmenter la quantité dans l'air inspiré par le client. Sur le plan clinique, il est considéré comme un médicament. Le régime d'assurance maladie du Québec en rembourse le coût lorsque son utilisation répond à certains critères cliniques (c'est-à-dire que la SaO_2 du client sans oxygène d'appoint doit être égale ou inférieure à 88 % et que sa PaO_2 soit égale ou inférieure à 55 mm Hg) **ENCADRÉ 36.11**.

Indications thérapeutiques

Les buts de l'oxygénothérapie sont de réduire le travail respiratoire, de maintenir la PaO_2 supérieure à 60 mm Hg et de diminuer la charge de travail du cœur en maintenant une SaO_2 supérieure à 90 % au repos, à l'effort et pendant le sommeil. En général, l'oxygène est administré pour traiter l'hypoxémie causée par : 1) des affections respiratoires comme la MPOC, l'hypertension

Délégation de tâches

ENCADRÉ 36.11 Administrer de l'oxygène

Tous les membres de l'équipe soignante doivent être attentifs aux problèmes possibles liés aux échanges gazeux chez le client qui reçoit de l'oxygène. Le client hypoxémique doit être pris en charge par l'infirmière jusqu'à ce que la SaO_2 atteigne de manière constante une valeur égale ou supérieure à 90 %.

RÔLE DE L'INFIRMIÈRE

- Évaluer le besoin de régler le débit d'O_2.
- Évaluer la réaction à l'oxygénothérapie.
- Vérifier le débit d'O_2 et la SpO_2.
- Surveiller l'apparition de signes d'effets indésirables de l'oxygénothérapie chez le client.
- Dans de nombreux cas, il faut choisir le dispositif optimal d'administration de l'O_2 (p. ex., des lunettes nasales ou un masque facial simple).
- Enseigner au client et au proche aidant l'administration de l'O_2 à domicile.

RÔLE DE L'INFIRMIÈRE AUXILIAIRE

- Chez le client stable, ajuster le débit d'O_2 selon le taux souhaité de SpO_2.
- Se servir du saturomètre pour obtenir la SpO_2.
- Communiquer le taux de SpO_2 à l'infirmière s'il est anormal.

RÔLE DU PRÉPOSÉ AUX BÉNÉFICIAIRES

Le préposé au bénéficiaires est autorisé à faire les interventions suivantes s'il a reçu la formation appropriée.

- Chez le client stable, installer le client et l'aider à ajuster le dispositif d'administration d'O_2[a] (p. ex., les lunettes nasales, le masque facial) et le débit d'O_2 selon les directives de l'infirmière ou de l'inhalothérapeute.
- Signaler à l'infirmière tout changement relatif à l'état de conscience ou aux symptômes d'essoufflement du client.

[a] Excluant le masque à 100 %.

artérielle pulmonaire, le cœur pulmonaire, la pneumonie, l'atélectasie, le cancer du poumon et l'embolie pulmonaire ; 2) des affections cardiovasculaires comme l'infarctus du myocarde, les arythmies, l'angine de poitrine et le choc cardiogénique ; 3) des troubles du SNC comme la surdose d'analgésiques opioïdes et le trauma crânien.

Méthodes d'administration

L'oxygénothérapie a pour but de fournir suffisamment d'oxygène au client pour maximiser la capacité de transport de ce gaz par le sang. Il existe diverses méthodes d'administration de l'oxygène **TABLEAU 36.14**.

La méthode choisie dépend de certains facteurs comme de la fraction d'oxygène inspiré (FiO_2) requise par le client et administrée par le dispositif, de l'humidification requise, de la mobilité du client, de sa coopération, de son degré de confort, de ses ressources financières et des coûts de l'oxygénothérapie.

Les dispositifs d'administration d'oxygène se divisent en deux classes : à faible débit et à haut débit. La plupart des dispositifs sont à faible débit et administrent des concentrations d'oxygène qui varient selon le mode de respiration du client. Les concentrations d'oxygène administrées peuvent être prescrites en pourcentage ou en nombre de litres par minute. Comme l'air ambiant est mélangé à l'oxygène dans le cas des dispositifs à faible débit, le pourcentage d'oxygène administré au client n'est pas aussi précis que lorsque des dispositifs à haut débit sont utilisés. Par contre, le masque Venturi est un dispositif à haut débit qui administre des concentrations fixes d'oxygène (p. ex., 24 % ou 28 %), peu importe le mode de respiration du client. Le ventilateur mécanique permet aussi l'administration de concentrations fixes d'oxygène à haut débit.

CE QU'IL FAUT RETENIR

L'oxygène sec irrite les muqueuses et assèche les sécrétions. Il est donc important de l'humidifier.

Humidification et nébulisation

L'oxygène en bouteille ou distribué par les sources murales est sec. Or, l'oxygène sec irrite les muqueuses et assèche les sécrétions. Il est donc important de l'humidifier s'il est administré à haut débit et à des concentrations qui dépassent de 35 à 50 %. Pour ce faire, il faut recourir à l'humidification ou à la nébulisation. Un des dispositifs couramment utilisés pour humidifier l'oxygène administré par les lunettes nasales ou le masque est l'humidificateur barboteur. Il s'agit d'un petit flacon de plastique rempli d'eau distillée stérile et raccordé à la source d'oxygène par un débitmètre. L'oxygène entre dans le flacon, forme des bulles dans l'eau et passe dans la tubulure pour atteindre les lunettes nasales ou le masque. L'humidificateur barboteur vise à reconstituer les conditions d'humidité de l'air ambiant. Toutefois, la nécessité d'utiliser un humidificateur barboteur lorsque le débit se situe

Réactivation des connaissances

Pourquoi est-il important d'utiliser de l'eau stérile dans un humidificateur barboteur servant à l'administration d'oxygène ?

Pratiques infirmières suggérées

TABLEAU 36.14 Administrer de l'oxygène : les principales méthodes

DESCRIPTION	INTERVENTIONS INFIRMIÈRES	
Dispositifs d'administration à faible débit		
Lunettes nasales		
• Ce dispositif est le plus couramment utilisé. • L'administration de l'O_2 se fait par des tubes en plastique placés à l'entrée des narines. • C'est une méthode simple et sûre qui permet au client une certaine liberté de mouvement et de pouvoir manger, parler ou tousser tout en recevant de l'O_2. • Ce dispositif est utile pour le client qui a besoin de recevoir de faibles concentrations d'O_2. • Il y a possibilité d'obtenir des concentrations d'O_2 de 24 % (1 L/min) à 44 % (6 L/min).	• Les lunettes nasales devront être sécurisées pour rester en place si le client est agité. • La quantité d'O_2 inhalée dépend de l'air ambiant et du mode de respiration du client. • Il importe de surveiller l'apparition de lésions aux narines et aux oreilles. Il faudra peut-être rembourrer la portion de la tubulure qui repose derrière les oreilles. • Si le débit est supérieur à 5 L/min, les membranes nasales peuvent s'assécher et provoquer de la douleur aux sinus frontaux.	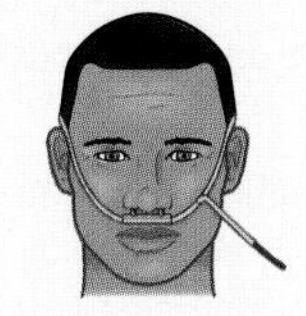 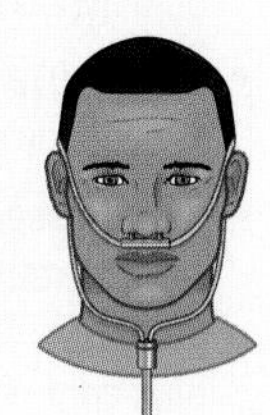
Masque facial simple		
• Ce masque couvre le nez et la bouche du client. • Il est utilisé seulement pendant de courtes périodes, surtout au moment du transport des clients. • Une utilisation prolongée n'est généralement pas tolérée, car le masque est inconfortable à cause de l'étanchéité requise entre le visage et le masque et de la chaleur produite autour du nez et de la bouche. • Il est possible d'obtenir des concentrations d'O_2 de 35 à 50 % en utilisant des débits atteignant de 6 à 12 L/min. • Le masque permet une bonne humidification de l'air inspiré.	• Il faut laver et assécher le masque et la peau du visage toutes les deux heures. • Il faut bien ajuster le masque. • Des lunettes nasales peuvent être fournies au client pendant qu'il s'alimente. • Si le client porte le masque pendant une période prolongée, il faut surveiller la présence de nécrose par manque d'irrigation sanguine derrière les oreilles causée par les bandes élastiques. Se servir d'une compresse de gaze ou d'un autre moyen de rembourrage pour atténuer le problème.	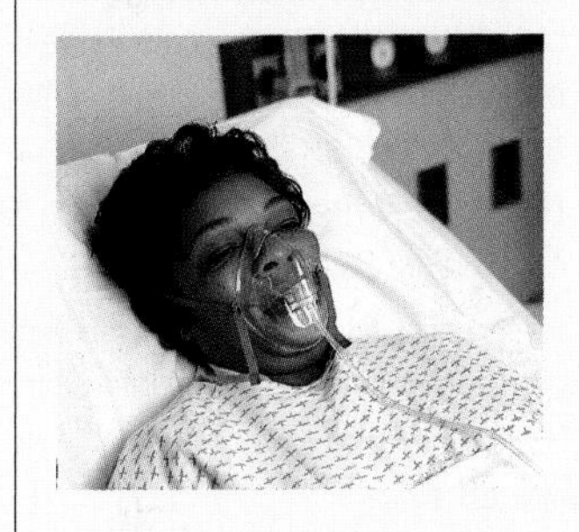
Masque à réinspiration partielle ou sans réinspiration (ventimasque 100 %)		
• Ces masque sont utiles pour les traitements de courte durée (24 heures) chez les clients nécessitant des concentrations plus élevées d'O_2 (de 60 à 90 % à un débit de 10 à 15 L/min). • L'O_2 circule dans le sac-réservoir et le masque au cours de l'inspiration. • Ce sac permet au client de réinspirer environ le premier tiers de l'air expiré (riche en O_2) en même temps que l'arrivée d'O_2. • Les évents restent ouverts seulement sur le masque partiel ; certains établissements le préfèrent au masque sans réinspiration pour des questions de sécurité.	• Le débit d'O_2 doit être assez élevé pour empêcher le sac de s'affaisser au cours de l'inspiration et pour éviter l'accumulation de CO_2. • Si le sac s'affaisse, il faut augmenter le débit d'O_2 pour maintenir le sac gonflé. • Le masque doit être bien ajusté. • Dans le cas du masque sans réinspiration, il faut s'assurer que les valves sont ouvertes durant l'expiration et fermées durant l'inspiration pour prévenir une chute draconienne de la FiO_2. • Il importe de surveiller étroitement la fonction respiratoire du client, car l'intubation pourrait être la prochaine intervention nécessaire.	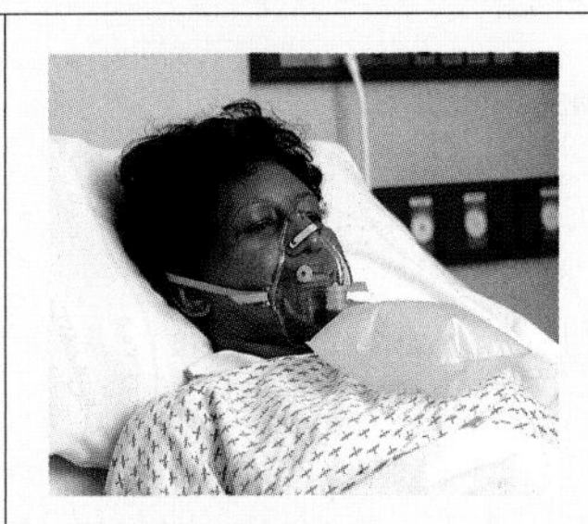

TABLEAU 36.14	Administrer de l'oxygène : les principales méthodes *(suite)*	
DESCRIPTION	**INTERVENTIONS INFIRMIÈRES**	
Lunettes nasales à conservation d'oxygène		
• Ces lunettes sont indiquées en général pour l'oxygénothérapie de longue durée à domicile plutôt qu'en milieu hospitalier (p. ex., dans les cas de fibrose pulmonaire ou d'hypertension artérielle pulmonaire). • Elles peuvent être de type « moustache » (Oxymizer[MD]) ou « suspendu ». • Elles possèdent un réservoir intégré qui augmente la concentration d'O_2 et permet au client de recevoir un débit plus faible, généralement de 30 à 50 %, ce qui est plus confortable et économique. Il est possible d'augmenter le débit en fonction des activités pratiquées par le client. • Elles fournissent un débit d'O_2 qui peut atteindre 8 L/min.	• Elles peuvent causer une nécrose derrière les oreilles ; il y a possibilité de rembourrer la tubulure. • Elles ne sont pas lavables ; les fabricants recommandent de les changer une fois par semaine. • Elles coûtent plus cher que les lunettes nasales ordinaires, et il faut mesurer la gazométrie du sang artériel et la saturométrie pour déterminer le débit à administrer. • Elles sont très visibles.	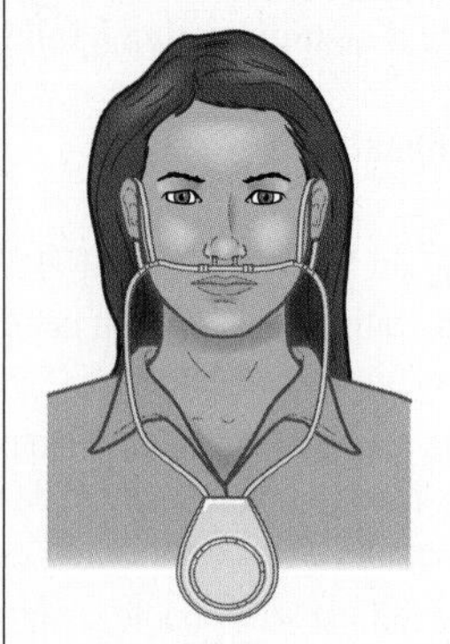
Dispositifs d'administration à haut débit		
Collier ou masque trachéal		
• Le collier s'attache au cou à l'aide d'une bande élastique et permet d'administrer de l'O_2 à humidité élevée par la trachéostomie. • De l'O_2 se perd dans l'air ambiant, car l'ajustement du collier n'est pas étanche. • Il est possible de fixer un dispositif Venturi au débitmètre, ce qui permet d'administrer des quantités précises d'O_2 par le collier.	• Il faut nettoyer l'intérieur et l'extérieur du collier et la trachéostomie au moins toutes les quatre heures pour éliminer l'accumulation de sécrétions et pour prévenir l'aspiration de liquides et l'infection. • De la condensation se forme dans la tubulure, et il faut la drainer périodiquement par le bout opposé de la trachéostomie.	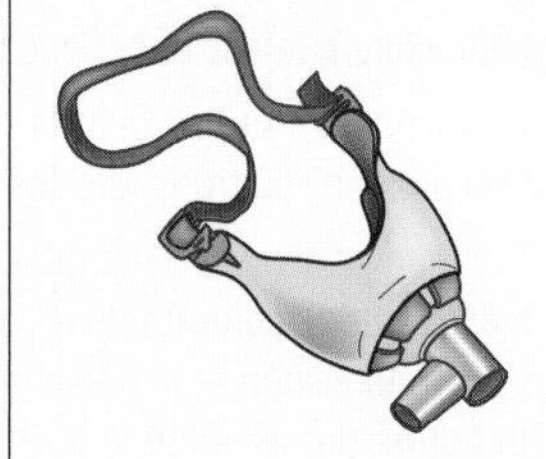
Barre en T		
• Tubulure qui possède un évent et un raccord en T permettant, par exemple, l'administration de médicaments sous forme de nébuliseur à un client sous ventilation mécanique. • L'ajustement étanche permet une meilleure administration d'O_2 et d'humidité que le collier trachéal.	• Il faut vider le tube au besoin. • Voir les interventions qui s'appliquent à la tubulure du collier trachéal ci-dessus.	
Masque Venturi		
• Ce masque peut administrer des débits précis et élevés d'O_2. • Un dispositif léger en plastique de forme conique s'ajuste au visage. • Il existe des masques pour administrer des concentrations d'O_2 de 24, 28, 33, 35, 40 et 50 %. • Cette méthode sert surtout à administrer des concentrations faibles et constantes d'O_2 aux clients atteints d'une MPOC. • Des adaptateurs peuvent être utilisés pour augmenter l'humidité.	• Il faut changer l'adaptateur de débit sur le masque pour administrer des concentrations plus élevées d'O_2. • Les orifices de l'adaptateur de débit ne doivent pas être obstrués. • Le masque est inconfortable, et il faut le retirer lorsque le client s'alimente (des lunettes nasales peuvent être installées durant cette période). • Le client peut parler, mais sa voix est étouffée. • Voir plus haut les interventions qui s'appliquent au masque facial simple.	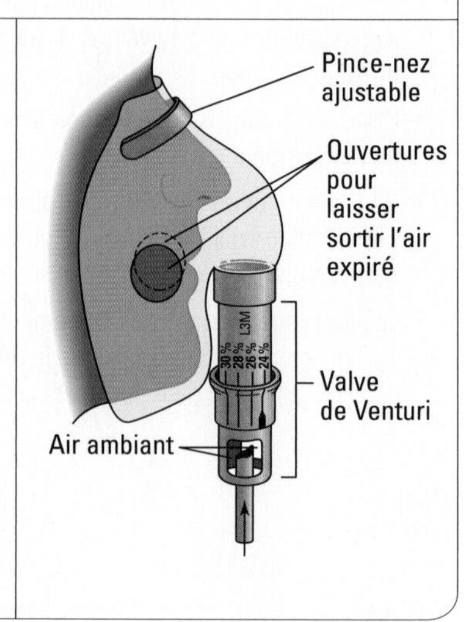

entre un et quatre litres par minute dépend du degré de confort ressenti par le client.

Le nébuliseur est un autre moyen d'administrer de l'oxygène humidifié. Il produit de très fines particules d'eau (aérosol) dont le taux d'humidité atteint près de 100 %. L'humidité peut être augmentée en chauffant l'eau, ce qui accroît la capacité du gaz à la retenir. L'humidification du gaz est nécessaire lorsque les voies respiratoires supérieures sont contournées par une intubation trachéale ou une trachéostomie. Toutefois, les clients qui ont une trachéostomie établie et permanente ne nécessitent pas toujours une humidité de 100 %. Le nébuliseur nécessite l'emploi d'une tubulure de gros calibre pour raccorder le dispositif au masque facial ou à la barre en T, sinon la condensation formée risque de gêner le passage de l'oxygène.

Complications

Combustion L'oxygène entretient et accélère la combustion. Il est donc important d'interdire de fumer dans les endroits où de l'oxygène est administré.

Narcose au dioxyde de carbone Les **chémorécepteurs** du centre respiratoire qui gouvernent le réflexe de la respiration réagissent au dioxyde de carbone et à l'oxygène. Normalement, l'accumulation de dioxyde de carbone est le principal stimulant du centre respiratoire. Avec le temps, certains clients atteints de MPOC manifestent une tolérance aux taux élevés de dioxyde de carbone (le centre respiratoire perd sa sensibilité à l'élévation du taux de ce gaz). Théoriquement, chez ces personnes, le réflexe de la respiration devient l'hypoxémie. Il faut donc s'inquiéter des dangers d'administrer de l'oxygène aux clients atteints de MPOC et de réduire ainsi leur réflexe de la respiration. Il faut prendre garde de mesurer les gaz sanguins artériels chez un client hypercanique à qui la quantité d'oxygène est augmentée. La ligne est mince, car ne pas fournir suffisamment d'oxygène à ces clients s'avère nocif, et il est possible pour l'équipe de soins d'abaisser un taux élevé de dioxyde de carbone. Bien que l'administration d'oxygène doive être réglée au plus faible débit efficace, de nombreux clients atteints de MPOC en phase terminale nécessitent des concentrations et des débits élevés d'oxygène pour survivre. En fait, ils peuvent présenter des taux sanguins de dioxyde de carbone plus élevés que la normale, mais cela n'est pas préoccupant. Il importe plutôt d'évaluer continuellement et rigoureusement ces clients lorsqu'ils reçoivent de l'oxygène, en en surveillant les effets physiques et cognitifs.

Il est crucial de commencer l'administration d'oxygène à faible débit jusqu'à l'obtention des résultats de la gazométrie du sang artériel. Ces derniers servent de guide pour déterminer la FiO_2 qui sera suffisante et que le client pourra tolérer. Avant d'amorcer l'oxygénothérapie, et régulièrement par la suite, il faut évaluer la SaO_2 du client, son état mental et vérifier ses signes vitaux.

Intoxication à l'oxygène L'intoxication pulmonaire à l'oxygène peut résulter d'une exposition prolongée à des concentrations élevées de ce gaz. L'apparition d'une intoxication à l'oxygène demeure relativement rare, mais elle est déterminée par l'intolérance du client, le temps d'exposition prolongée et la concentration trop élevée. De fortes concentrations d'oxygène inhalé peuvent entraîner une réaction inflammatoire grave en raison de la présence de radicaux d'oxygène et altérer les membranes alvéolocapillaires, ce qui provoque un œdème pulmonaire grave, un effet de shunt droit-gauche qui apporte une plus grande quantité de sang dans la circulation pulmonaire et une hypoxémie. Il y a alors apparition d'un syndrome de détresse respiratoire aiguë. Il est important de prévenir l'intoxication chez le client qui reçoit de l'oxygène. La quantité administrée doit être tout juste suffisante pour maintenir la PaO_2 et la SaO_2 dans les valeurs normales ou acceptables pour le client. Il faut surveiller souvent la saturométrie et la gazométrie du sang artériel pour évaluer l'efficacité du traitement et guider la diminution progressive de l'oxygène d'appoint. Les limites sécuritaires de concentration d'oxygène n'ont pas encore été établies, mais il faut considérer toute concentration supérieure à 50 % et administrée pendant plus de 24 heures comme étant potentiellement toxique. Les concentrations inférieures ou égales à 40 % sont alors considérées comme étant relativement sécuritaires, et elles n'entraînent pas d'intoxication importante à l'oxygène si l'exposition est de courte durée.

Atélectasie de dénitrogénation Normalement, l'azote (qui représente 78 % de l'air ambiant) n'est pas diffusé des alvéoles vers la circulation sanguine; il demeure dans les alvéoles, ce qui évite ainsi leur affaissement. Lorsque de fortes concentrations d'oxygène sont administrées, l'azote est moins présent dans l'air inspiré. Il est remplacé dans les alvéoles par de l'oxygène. Si une obstruction des voies respiratoires survient, il y a une diffusion rapide de l'oxygène dans la circulation sanguine, et les alvéoles s'affaissent puisqu'aucun autre gaz n'est présent. Ce processus est appelé **atélectasie de dénitrogénation**.

Infection L'administration d'oxygène peut présenter un danger important d'infection. Les nébuliseurs chauffants entraînent le risque le plus élevé. L'utilisation constante d'humidité favorise la prolifération bactérienne, et le microorganisme infectieux le plus souvent responsable est *P. æruginosa*. Il faut donc utiliser du matériel à usage unique qui fonctionne en circuit fermé comme le système clos d'aspiration trachéale

33

La saturométrie est décrite dans le chapitre 33, *Évaluation clinique – Système respiratoire.*

CE QU'IL FAUT RETENIR

Pour surmonter la résistance de certains client, l'infirmière doit leur expliquer que l'oxygénothérapie ne crée pas de dépendance.

Ballard. Chaque établissement a une politique qui précise la fréquence de rotation du matériel en fonction de son type.

Oxygénothérapie continue à domicile L'oxygénothérapie a pour but de maintenir une saturation en oxygène (SaO_2 ou SpO_2) supérieure à 90 % au repos, à l'effort et pendant le sommeil. Une amélioration de la longévité est observée chez les clients atteints de MPOC qui reçoivent une oxygénothérapie de longue durée (plus de 15 heures par jour) pour soulager l'hypoxémie (GOLD, 2015). L'amélioration du pronostic résulte de la prévention de la progression de la maladie et du développement du cœur pulmonaire. Les avantages de l'oxygénothérapie de longue durée comprennent l'amélioration de l'acuité mentale, de la mécanique ventilatoire, du sommeil et de la tolérance à l'exercice, ainsi que la diminution du taux d'hématocrite et de l'hypertension artérielle pulmonaire. Certains clients croient qu'ils deviendront dépendants de l'oxygène et sont très réticents à suivre ce traitement. L'infirmière doit les rassurer sur le fait que l'oxygénothérapie ne crée pas de dépendance et qu'il faut y avoir recours parce que ce traitement entraîne des effets positifs sur le cœur, les poumons et le cerveau.

L'oxygénothérapie à domicile de courte durée (de 1 à 30 jours) peut être indiquée chez le client dont l'hypoxémie persiste après sa sortie du centre hospitalier. Par exemple, en cas d'infection respiratoire grave chez un client atteint d'une MPOC sous-jacente, les symptômes de l'infection ne sont pas entièrement disparus après la fin de son traitement par antibiotiques. Ce client peut également montrer une hypoxémie persistante pendant quatre à six semaines après sa sortie du centre hospitalier. De 30 à 90 jours après un épisode aigu, il est important de mesurer l'état d'oxygénation du client au moyen de la saturométrie pour déterminer si l'oxygénothérapie est encore justifiée.

Si une désaturation est observée uniquement pendant l'exercice ou le sommeil, l'oxygénothérapie peut être envisagée dans ces situations particulières. Il faut évaluer les besoins en oxygène au cours de ces périodes au moyen du test de marche de six minutes ou de la saturométrie nocturne ▶ 33.

L'oxygénothérapie permanente nécessite des réévaluations périodiques. Généralement, il est recommandé de réévaluer le client tous les 30 à 90 jours au cours de la première année de traitement et annuellement par la suite, tant et aussi longtemps que le client demeure stable.

Généralement, des lunettes nasales ordinaires ou munies d'un réservoir sont utilisées pour administrer de l'oxygène à domicile à partir d'une source centrale **TABLEAU 36.14**. Celle-ci peut être un concentrateur ou un extracteur d'oxygène ou des bouteilles d'oxygène comprimé, selon l'environnement du domicile du client, sa couverture d'assurance, son niveau d'activité et la proximité des compagnies d'approvisionnement en oxygène **TABLEAU 36.15**. Le client peut utiliser une tubulure de rallonge (jusqu'à 15 mètres de long) sans affaiblir le débit d'oxygène pour pouvoir se déplacer à l'intérieur de sa résidence. Il existe de petits appareils portatifs à oxygène comprimé, qui permettent au client de demeurer actif à l'extérieur du domicile.

En général, il est possible de louer les dispositifs d'oxygénothérapie à domicile auprès d'entreprises qui se chargent également d'envoyer un

TABLEAU 36.15 Dispositifs d'administration d'oxygène à domicile

DISPOSITIF	DESCRIPTION
Bouteille d'oxygène comprimé	• Ce sont des bouteilles ou des réservoirs de différentes tailles. • La durée D, M, E, H ou J varie selon la taille du réservoir et le débit. Par exemple, un réservoir J dure environ 50 heures à raison de 2 L/min. • Le système peut être portatif à l'aide d'un chariot pour transporter les bouteilles, et certaines d'entre elles, plus petites, peuvent être remplies à partir de gros réservoirs. • Une petite bouteille pèse environ 4,5 kg, et la personne peut la transporter en bandoulière, dans un sac à dos ou un sac banane, ou la placer sur un chariot portatif.
Concentrateur ou extracteur	• Comme l'O_2 est produit à partir de l'air ambiant, il n'y a jamais de bouteilles à remplir. • Monté sur roulettes, il se déplace d'une pièce à l'autre, mais est généralement installé dans un endroit central et comprend une longueur suffisante de tubulure de rallonge pour atteindre le point le plus éloigné dans la résidence. • Le client doit faire attention à ne pas trébucher sur la tubulure. • Il s'agit d'un appareil compact idéal pour le client en milieu rural ou confiné à domicile. Il est commode, sûr et fiable. • Le client doit garder une bouteille d'O_2 en réserve en cas de panne de courant. • Le concentrateur peut être bruyant. Il faut donc l'installer ailleurs que dans la chambre à coucher.

TABLEAU 36.15	Dispositifs d'administration d'oxygène à domicile *(suite)*
DISPOSITIF	**DESCRIPTION**
Concentrateur d'oxygène portatif	• Il s'agit d'un dispositif léger (de 4 à 8 kg) qui se transporte à l'aide d'un chariot ou en bandoulière et qui administre de l'O_2 en mode soufflé ou continu. • Le débit est de 5 ou 6 L/min selon le modèle. • Les piles rechargeables en courant alternatif ou en courant continu fournissent huit heures d'autonomie, et ces dispositifs sont acceptés par de nombreuses compagnies aériennes. • Cet appareil, combiné à une autre installation fixe à domicile, procure au client une liberté de mouvement exceptionnelle, car il fournit en tout temps une source renouvelable d'O_2 à l'extérieur du domicile. • Ces appareils sont : EverGo[MD], Inogen One[MD] et le générateur d'oxygène Eclipse[MD].
Dispositif de conservation d'oxygène à dose pulsée	• Ce dispositif fournit de l'O_2 seulement au cours de l'inspiration pour conserver le gaz. • Il augmente la mobilité du client, il est relativement léger (de 1,5 à 3 kg) et fournit une réserve d'O_2 d'environ 20 heures. • Il se fixe à la ceinture ou se transporte dans un sac à dos ou en bandoulière. • Les impulsions audibles peuvent être agaçantes. Certains dispositifs peuvent nécessiter des piles. • Il fonctionne moins bien à des débits élevés d'O_2. • Il vaut généralement mieux l'utiliser lorsque le niveau d'activité est faible. • Il faut surveiller la saturation en O_2 du client au repos et pendant l'exercice pour vérifier si l'oxygénation est adéquate.

inhalothérapeute chez le client **FIGURE 36.12**. Ce professionnel enseigne au client et au proche aidant comment utiliser l'appareil, assurer son entretien et savoir quand il est temps de commander de l'oxygène. L'**ENCADRÉ 36.12** présente un guide d'enseignement au client et à ses proches sur l'utilisation de l'oxygène à domicile.

Il faut encourager le client qui utilise de l'oxygène à domicile à demeurer actif et à se déplacer normalement. S'il fait des déplacements en voiture, il est possible de prendre des dispositions pour obtenir de l'oxygène une fois rendu à destination. Souvent, les compagnies qui fournissent l'oxygène peuvent venir en aide au client pour ce qui concerne ces dispositions. S'il se déplace en autobus, en train ou en avion, il doit avertir les compagnies de transport, au moment de la réservation des billets, du besoin d'oxygène pendant le trajet. S'il y a un risque que le client devienne hypoxique en avion, il est possible de déterminer les besoins en oxygène pendant le vol au moyen du test d'hypoxie ou d'une formule mathématique. Le concentrateur d'oxygène portatif constitue une source facilement accessible d'oxygène renouvelable, et il est possible de le recharger à domicile ou au moyen d'une source d'alimentation en courant continu (p. ex., en voiture). La plupart des compagnies aériennes autorisent l'utilisation de ces appareils pendant le vol. Le client doit communiquer avec sa compagnie aérienne pour vérifier les arrangements particuliers et ses politiques relatives à l'utilisation de l'oxygène pendant l'envolée.

Jugement clinique

Benoît Germain, âgé de 75 ans, est atteint de MPOC depuis de nombreuses années, et il doit maintenant recevoir une oxygénothérapie à domicile. Il est très inquiet, car il était autonome et il craint de ne plus pouvoir faire son voyage annuel pour rendre visite à sa fille à Vancouver. Quel problème pouvez-vous reconnaître par l'analyse de ces données ?

FIGURE 36.12 Le concentrateur d'oxygène est la méthode d'oxygénothérapie à domicile la plus répandue.

Traitement chirurgical de la MPOC

Trois types d'intervention chirurgicale sont pratiqués dans les cas graves de MPOC. Le premier type est la chirurgie de réduction du volume pulmonaire. Cette intervention a pour but de réduire la taille des poumons en enlevant les tissus pulmonaires les plus atteints pour que les tissus sains restants puissent mieux fonctionner. La justification de ce type d'intervention est qu'en réduisant la taille des poumons emphysémateux distendus, l'obstruction des voies respiratoires est diminuée, ce qui crée plus d'espace pour permettre aux alvéoles normaux restants de bien

Enseignement au client et à ses proches

ENCADRÉ 36.12 **Oxygénothérapie à domicile**[a]

L'enseignement au client et à ses proches sur l'oxygénothérapie à domicile devrait porter sur les aspects suivants.

DIMINUER LES RISQUES D'INFECTION

- Se brosser les dents ou utiliser un rince-bouche plusieurs fois par jour.
- Laver les lunettes nasales une ou deux fois par semaine en utilisant du savon liquide et rincer à fond.
- Remplacer les lunettes nasales toutes les deux à quatre semaines.
- En cas de rhume, remplacer les lunettes nasales après la disparition des symptômes.
- Toujours enlever les sécrétions séchées sur la lunette.
- Dans les cas d'utilisation d'un concentrateur d'O_2, débrancher l'appareil tous les jours et essuyer le boîtier à l'aide d'un chiffon humide et l'assécher.
- Demander au fournisseur du matériel la fréquence à laquelle il faut changer le filtre.

QUESTIONS RELATIVES À LA SÉCURITÉ

- Préciser que l'oxygène n'explose pas, mais qu'il entretient la combustion ; il joue le rôle d'un accélérant.
- Placer des affiches d'interdiction de fumer à l'extérieur de la résidence pour aviser les visiteurs.
- Interdire de fumer dans la résidence et ne pas fumer soi-même pendant l'administration de l'O_2. Les lunettes nasales et les masques peuvent s'enflammer et provoquer de graves brûlures au visage et aux voies respiratoires.
- Ne pas utiliser de liquides inflammables comme des diluants à peintures, des produits de nettoyage, de l'essence, du kérosène, de la peinture à l'huile, des produits en aérosol, etc., pendant l'administration de l'O_2. Ne pas utiliser de couvertures ni de tissus qui produisent de l'électricité statique comme de la laine ou des matières synthétiques.
- Informer le fournisseur d'électricité de l'utilisation d'un concentrateur d'O_2 en cas de panne de courant, pour qu'il soit au fait de l'urgence médicale de le rétablir.

[a] L'entreprise qui fournit le matériel d'oxygénothérapie au client se charge de lui montrer comment entretenir le matériel.
Source : Adapté de YourLungHealth.org (2015).

fonctionner. Cette intervention chirurgicale réduit le volume pulmonaire et améliore la mécanique pulmonaire et thoracique. Il y a un avantage certain lié à la survie chez ceux qui subissent cette intervention comparativement au traitement médical, en plus d'une amélioration de la capacité de travail et de la qualité de vie et d'une diminution du nombre d'exacerbations de la MPOC. Toutefois, les critères de sélection des clients sont très stricts, et il s'agit d'une intervention palliative coûteuse.

Le deuxième type d'intervention chirurgicale est la **bullectomie**. Cette intervention est pratiquée chez certains clients atteints d'une MPOC emphysémateuse et qui présentent de grosses bulles d'emphysème (taille supérieure à 1 cm). Généralement, le chirurgien pratique une résection de ces bulles par thoracoscopie. Cette intervention se traduit par une amélioration de la fonction pulmonaire et une diminution de la dyspnée (GOLD, 2015).

Le troisième type d'intervention chirurgicale est la greffe de poumon, qui profitera à des clients qui présentent une MPOC très avancée et qui répondent à des critères de sélection stricts. Même si la greffe d'un seul poumon reste la technique la plus couramment pratiquée en raison du manque de donneurs, il est possible de réaliser une greffe bilatérale. Le phénomène de rejet d'organe, les effets du traitement immunosuppresseur et les coûts élevés de l'intervention demeurent des obstacles à une pratique généralisée de la greffe dans les cas de MPOC ▶ 14.

14

Il est question de la greffe de poumon dans le chapitre 14, *Réaction immunitaire et transplantation*.

Jugement clinique

Alida Perreault, 82 ans, souffre d'emphysème pulmonaire depuis plusieurs années. Elle habite dans son logement avec un de ses fils. Malgré l'oxygénothérapie en permanence, elle éprouve souvent de l'essoufflement lorsqu'elle fait un effort même léger, comme marcher pour se rendre à la toilette. Elle doit alors s'arrêter et reprendre son souffle. Serait-il approprié de proposer à madame Perreault de respirer avec les lèvres pincées pendant l'effort ? Justifiez votre réponse.

Rééducation respiratoire

Chez le client atteint d'une MPOC, la fréquence respiratoire s'accélère, et l'expiration se prolonge pour compenser l'obstruction des voies respiratoires qui se traduit par de la dyspnée. De plus, les muscles accessoires du cou et de la partie supérieure du thorax sont extrêmement sollicités pour favoriser le mouvement de la paroi thoracique. Ces muscles ne sont pas faits pour une utilisation prolongée et de ce fait, le client se fatigue rapidement. Des exercices de respiration peuvent aider celui-ci pendant les périodes de repos et d'activité (p. ex., se lever, marcher, monter un escalier) en diminuant la dyspnée, en améliorant l'oxygénation et en ralentissant la fréquence respiratoire. Les principaux types d'exercices respiratoires couramment enseignés sont la respiration à lèvres pincées et la respiration diaphragmatique.

La respiration à lèvres pincées a pour but de prolonger l'expiration et, donc, de prévenir l'affaissement bronchique et la rétention d'air. Cette technique de respiration est simple et facile à enseigner. Elle permet au client de mieux maîtriser sa respiration, surtout au cours de l'exercice physique et des épisodes de dyspnée **ENCADRÉ 36.7**. Il faut enseigner au client à créer juste assez de pression positive en pinçant les lèvres, car une résistance excessive peut augmenter le travail respiratoire. La respiration à lèvres pincées peut réduire considérablement la dyspnée (Institut thoracique de Montréal, 2015). Elle ralentit la fréquence respiratoire et est plus facile à apprendre que la respiration diaphragmatique. En situation de dyspnée aiguë extrême, il est primordial d'aider le client à ralentir sa fréquence respiratoire en ayant recours à cette technique.

La respiration diaphragmatique (ou abdominale) met l'accent sur l'utilisation du diaphragme plutôt que des muscles accessoires du thorax pour permettre d'exécuter une inspiration maximale et de ralentir la fréquence respiratoire. Par contre, la respiration diaphragmatique chez les clients atteints d'une MPOC peut augmenter le travail respiratoire et la dyspnée. Ainsi, les clients avec une MPOC modérée à sévère sont de mauvais candidats pour la respiration diaphragmatique (Celli & Stoller, 2012).

Techniques de dégagement des voies respiratoires

De nombreux clients atteints d'une MPOC ou d'autres affections qui retiennent les sécrétions (p. ex., la fibrose kystique, la bronchectasie) ont besoin d'aide pour dégager de manière adéquate leurs voies respiratoires. Les techniques de dégagement des voies respiratoires permettent de décoller le mucus et les sécrétions des bronches pour pouvoir les expulser par la toux. Il existe diverses techniques pour y parvenir. L'inhalothérapeute, le physiothérapeute ou l'infirmière interviennent dans l'exécution de ces techniques.

Souvent, les techniques de dégagement des voies respiratoires sont pratiquées en combinaison avec d'autres traitements. En général, le client reçoit d'abord un traitement bronchodilatateur au moyen d'un inhalateur (en général, un nébuliseur). S'ensuit la technique de dégagement des voies respiratoires, puis une toux productive (p. ex., la toux contrôlée).

Technique de toux contrôlée

De nombreux clients atteints de MPOC ont développé des mécanismes de toux inefficaces qui ne leur permettent pas de dégager convenablement les sécrétions qui encombrent leurs voies respiratoires. De plus, ils craignent les quintes de toux qui entraînent une augmentation de la dyspnée. Même si d'autres techniques (p. ex., la kinésithérapie de drainage, les dispositifs par aérosol) peuvent être utilisées pour décoller les sécrétions et le mucus, le client doit tousser efficacement pour amener les sécrétions vers les voies respiratoires centrales en vue de les expectorer.

Une technique d'expiration forcée, la toux contrôlée, est efficace et facile à enseigner au client. Cette technique expulse les sécrétions en causant moins de changements dans la pression pleurale et moins de risque de collapsus bronchique (Carrieri-Kohlman & Donesky-Cuenco, 2009). Avant de faire tousser le client, l'infirmière doit s'assurer qu'il respire profondément en utilisant le diaphragme. Pour ce faire, elle fait placer les mains du client sur la partie inférieure latérale de sa cage thoracique et lui demande de respirer profondément par le nez. Au même moment, elle doit constater que les mains du client bougent vers l'extérieur, signe d'une respiration par le diaphragme. L'**ENCADRÉ 36.13** présente les directives pour obtenir une toux efficace.

Kinésithérapie de drainage

La **kinésithérapie de drainage** est surtout utilisée chez le client qui présente des sécrétions bronchiques excessives et qui éprouve de la difficulté à les expulser (p. ex., dans le cas de fibrose kystique, de bronchectasie). La kinésithérapie de drainage comprend le drainage postural, la percussion et la vibration.

La percussion et la vibration sont des techniques manuelles ou mécaniques qui servent à accroître le drainage postural. Elles sont utilisées une fois que le client s'est mis en position de drainage postural pour aider à déloger les accumulations de sécrétions (i+). La percussion, la vibration et le drainage postural contribuent à diriger les sécrétions vers les voies respiratoires centrales de plus gros

CE QU'IL FAUT RETENIR

La respiration à lèvres pincées permet au client de mieux maîtriser sa respiration, surtout au cours de l'exercice physique et des épisodes de dyspnée.

Figure 36.1W : *Positions de drainage postural.*

36

Enseignement au client et à ses proches

ENCADRÉ 36.13 Technique de toux contrôlée

L'enseignement au client et à ses proches sur la technique de toux contrôlée pour produire une toux efficace devrait comporter les indications suivantes.

1. Aider le client à se mettre en position assise, la tête légèrement inclinée, les épaules détendues, les genoux pliés, les avant-bras posés sur un oreiller et, si possible, les pieds posés au sol.
2. Inspirer profondément par la bouche et retenir l'inspiration pendant 2-3 secondes.
3. Expirer rapidement et avec force, comme pour faire de la buée dans un miroir. Cela fait décoller les sécrétions.
4. Répéter l'expiration rapide et forte une ou deux fois en évitant de tousser. Cela mobilise les sécrétions vers les bronches.
5. Tousser lorsqu'on sent les sécrétions dans ses voies respiratoires.
6. Cracher ces sécrétions dans un mouchoir blanc et en vérifier la couleur. Si les sécrétions sont blanches ou jaunâtres, aucune intervention n'est nécessaire. Par contre, des sécrétions brunes ou vertes indiquent une infection qui nécessite une médication.
7. Prendre une pause de 5 à 10 respirations normales. Au besoin, recommencer les étapes 1 à 7 jusqu'à 2 reprises mais pas plus afin d'éviter la fatigue causée par cet effort.

calibre. Une technique de toux contrôlée est ensuite nécessaire pour aider à expectorer les sécrétions.

Drainage postural Le **drainage postural** consiste à adopter différentes positions pour permettre le drainage des sécrétions provenant de segments pulmonaires et bronchiques précis vers la trachée. Les positions utilisées au cours du drainage postural dépendent des régions pulmonaires atteintes. Ces positions sont déterminées par l'évaluation du client (et selon ses préférences), les radiographies pulmonaires et l'auscultation thoracique. Par exemple, un client présentant une atteinte du lobe inférieur gauche nécessitera un drainage postural uniquement de la région touchée, tandis qu'une personne souffrant de fibrose kystique peut nécessiter un drainage postural de tous les segments des poumons.

L'utilisation des différentes positions au cours du drainage postural a pour but de drainer le contenu de chaque segment vers les voies respiratoires de plus gros calibre. Il est possible d'utiliser une position couchée sur le côté si le client ne tolère pas d'avoir la tête vers le bas. Avant d'effectuer le drainage postural, le client reçoit généralement un bronchodilatateur en aérosol et un traitement d'hydratation. Au cours des percussions ou des vibrations, le client doit maintenir la position choisie pendant environ cinq minutes. La fréquence de ces séances est habituellement de deux à quatre fois par jour. En situation aiguë, le drainage postural peut s'effectuer toutes les quatre heures. Il faut planifier les séances pour qu'elles aient lieu et se terminent au moins une heure avant ou trois heures après les repas.

Il existe également sur le marché des lits qui pivotent et qui effectuent les percussions dans diverses positions de drainage postural, et ils sont très efficaces. Certaines positions de drainage postural (p. ex., la position de Trendelenburg) sont à proscrire chez le client qui présente un trauma thoracique, une hémoptysie, une cardiopathie, une embolie pulmonaire ou un trauma crânien, ainsi que dans d'autres situations où l'état de la personne est instable.

Percussion La percussion (ou *clapping*) s'effectue dans la position appropriée de drainage postural. Chaque main de la personne qui effectue la percussion forme un creux en refermant légèrement les doigts et le pouce. La main doit créer ainsi une « poche d'air » entre celle-ci et la cage thoracique du client **FIGURE 36.13**. Il faut utiliser les deux mains légèrement refermées en alternance, de façon rythmique. La percussion s'effectue par flexion et extension des poignets. Si elle est effectuée de la bonne façon, la percussion devrait produire un son sourd. Le choc du coussin d'air facilite le déplacement du mucus épais. Il faut placer une serviette mince sur la région à percuter ou le client peut porter un t-shirt ou une chemise d'hôpital.

Jugement clinique

Madame Perreault a dû être hospitalisée à la suite d'une infection bronchique. L'auscultation pulmonaire révèle la présence de sécrétions dans le lobe moyen droit postérieur, confirmée par la radiographie pulmonaire. Dans quelle position devriez-vous placer la cliente pour qu'elle puisse évacuer les sécrétions par un drainage postural ?

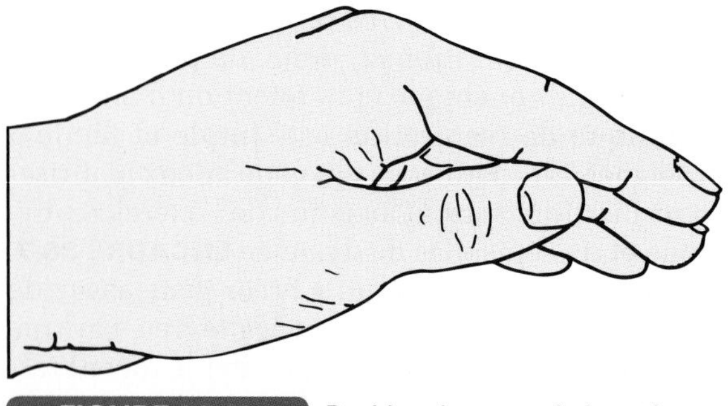

FIGURE 36.13 Position du creux de la main pour les percussions – La main est refermée comme pour recueillir de l'eau.

Vibration La vibration s'effectue en contractant les muscles des mains et des bras, de manière répétitive, dans un mouvement de pression légère avec la paume de la main sur la région atteinte pendant que le client expire lentement et profondément. Les vibrations facilitent le déplacement des sécrétions vers les voies respiratoires de gros calibre. Une vibration légère est mieux tolérée que la percussion, et elle peut être utilisée dans les situations où la percussion est contre-indiquée. Des appareils à vibrations sont offerts sur le marché pour une utilisation en milieu hospitalier et à domicile.

La kinésithérapie de drainage doit être effectuée par une personne qui a reçu une formation adéquate (infirmière, physiothérapeute ou inhalothérapeute). Ses contre-indications sont une fragilité ou une blessure à la tête, au cou, à la cage thoracique ou au dos, des malformations anatomiques, une spasticité grave, des problèmes cognitifs ou une incapacité du client à tolérer la position pour d'autres raisons. Les complications liées à une mauvaise technique de kinésithérapie de drainage sont des côtes fracturées, des ecchymoses, une hypoxémie et un malaise ressenti par le client. La kinésithérapie de drainage peut être stressante ou ne pas être bénéfique pour certains clients. Elle peut parfois causer de l'hypoxémie et des bronchospasmes.

Appareils pour dégager les voies respiratoires

Il existe différents appareils pour dégager les voies respiratoires qui servent à drainer les sécrétions (Osadnik, McDonald, Jones *et al.*, 2012). Ces appareils sont le Flutter^MD, l'Acapella^MD et le TheraPEP^MD. Ces dispositifs utilisent le principe de la pression expiratoire positive et peuvent être très bénéfiques pour les clients atteints d'une MPOC.

L'appareil d'expulsion de mucus portatif Flutter^MD a la forme d'une courte pipe ronde **FIGURE 36.14**. Il utilise la pression expiratoire positive (PEP) pour soulager les clients aux prises avec

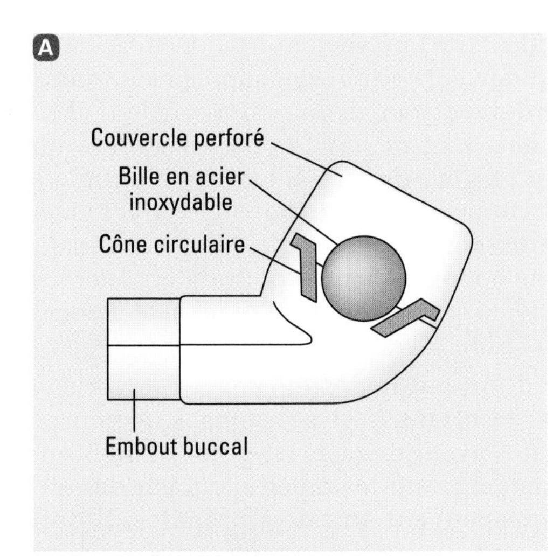

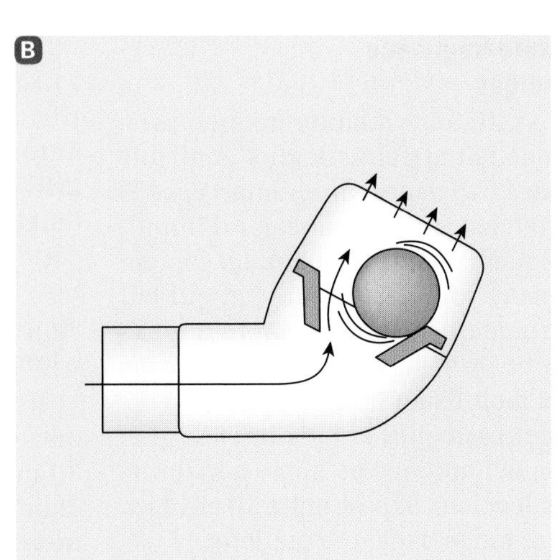

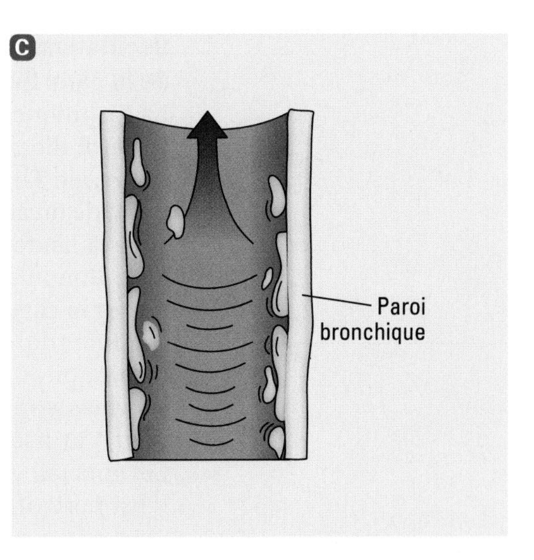

FIGURE 36.14 L'appareil d'expulsion de mucus Flutter^MD^ est un petit appareil portatif qui fournit un traitement par PEP. Il est utilisé pour faciliter l'expulsion du mucus retenu dans les poumons. **A** L'appareil comprend un embout buccal en plastique dur, un couvercle perforé en plastique et une bille en acier inoxydable de forte densité qui repose au fond d'un cône circulaire. **B** Les effets du Flutter^MD^ se font sentir au cours de l'expiration. Avant l'expiration, la bille d'acier bloque le canal conique de l'appareil. Au cours de l'expiration, la position que prend la bille d'acier dans le cône résulte d'un équilibre entre la pression de l'air expiré, la force de gravité qui agit sur la bille et l'angle du cône où a lieu le contact avec la bille. À mesure que la bille roule et se déplace de haut en bas, il se crée un cycle d'ouverture et de fermeture qui se répète de nombreuses fois au cours de chaque expiration. Le résultat est la production de vibrations dans les voies respiratoires qui donne une sensation de palpitations. **C** Ces vibrations délogent les sécrétions des parois des voies respiratoires et facilitent leur déplacement vers le haut de celles-ci.

des affections qui entraînent une production de mucus. Le Flutter^MD^ comporte un embout buccal, une bille en acier inoxydable de forte densité et un cône dans lequel repose la bille. Lorsque le client expire dans l'appareil, la bille d'acier bouge, ce qui provoque des oscillations (vibrations) dans les voies respiratoires et fait décoller le mucus. Cet appareil aide à faire remonter le mucus dans les voies respiratoires vers la bouche pour que le client soit ensuite en mesure de l'expectorer. Le client doit se tenir bien droit, et il est très important de tenir compte de l'angle dans lequel le Flutter^MD^ est tenu.

L'Acapella^MD^ est un autre petit appareil portatif qui allie les avantages du traitement par PEP et des vibrations des voies respiratoires pour drainer les sécrétions pulmonaires **FIGURE 36.15A**. Il est utilisé dans presque n'importe quelle situation, puisque le client peut être assis, couché ou debout. Il est également possible d'inspirer par l'Acapella^MD^ et d'y fixer un nébuliseur. Cette dernière option permet d'économiser du temps, car il n'est plus nécessaire de faire précéder le traitement d'une séance de nébulisation.

L'appareil de traitement TheraPEP^MD^ peut également fournir une PEP soutenue et administrer en même temps des aérosols. Le client peut donc inspirer et expirer par l'appareil **FIGURE 36.15B**. Le TheraPEP^MD^ comporte un embout buccal fixé à une tubulure raccordée à une petite résistance de forme cylindrique dotée d'un indicateur de pression. L'indicateur de pression sert de renforcement visuel quant à la pression que doit tenir le client au cours de l'expiration pour recevoir la PEP. Au début, c'est le thérapeute qui détermine la pression à exercer, et l'infirmière peut consolider le traitement ; le travail en interdisciplinarité est encore déterminant ici pour le bien-être du client.

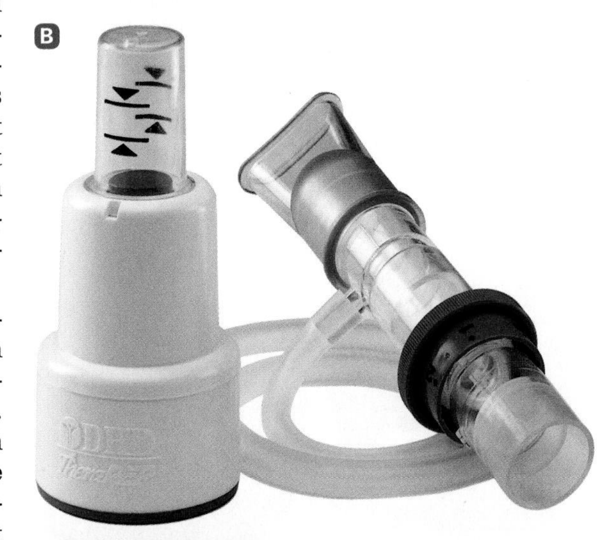

FIGURE 36.15 Appareils pour dégager les voies respiratoires – **A** Appareil portatif Acapella^MD^. **B** Appareil de traitement TheraPEP^MD^.

Oscillations à haute fréquence de la paroi thoracique

La technique d'oscillations à haute fréquence de la paroi thoracique fait appel à un gilet gonflable (p. ex., le The Vest[MD] System ou le SmartVest[MD]) muni de tuyaux rattachés à un générateur d'impulsions à haute fréquence **FIGURE 36.16**. Le générateur d'impulsions envoie de l'air au gilet qui fait vibrer la cage thoracique. Les ondes à haute fréquence délogent les sécrétions des voies respiratoires, les mobilisent et les déplacent vers les voies respiratoires de plus gros calibre. Le gilet peut s'utiliser sans l'aide d'une autre personne. Cet appareil est silencieux et pèse entre 10 et 14 kg. Il est portatif et se range dans une mallette.

Thérapie nutritionnelle

Environ le tiers des clients atteints d'une MPOC présentent un poids insuffisant, accompagné d'une perte de masse musculaire et de cachexie, surtout dans les cas de MPOC grave (Morrison & Agnew, 2009). La perte de poids est un facteur de prédiction de mauvais pronostic et de fréquence accrue des exacerbations de MPOC. Un gain de poids obtenu grâce à un soutien nutritionnel permet de diminuer la mortalité. La cause de cette perte de poids n'est pas tout à fait connue. S'alimenter devient un effort en raison de l'apparition d'une dyspnée consécutive à l'énergie dépensée pour mâcher, à la diminution du passage de l'air vers les poumons causée par la déglutition et à la désaturation en oxygène, ce qui risque d'entraîner une perte pondérale et musculaire. La perte de poids pourrait aussi survenir en raison de l'inflammation systémique qui provoque une augmentation du métabolisme. Cet hypermétabolisme expliquerait pourquoi certaines personnes atteintes d'une MPOC perdent du poids malgré un apport nutritionnel suffisant.

Jugement clinique

Maritza Rodrigues, âgée de 52 ans, vient de recevoir un diagnostic de MPOC. Elle mesure 1,65 m et pèse 92 kg. Elle est très vite essoufflée, et comme elle habite au troisième étage d'un immeuble sans ascenseur, elle ne sort pas beaucoup. Elle pense que son surpoids n'est pas un problème à cause de la fréquence de la dénutrition dans les cas de MPOC. De plus, elle a bon appétit depuis qu'elle prend ses corticostéroïdes. Quels sont les risques associés au surpoids de madame Rodrigues ?

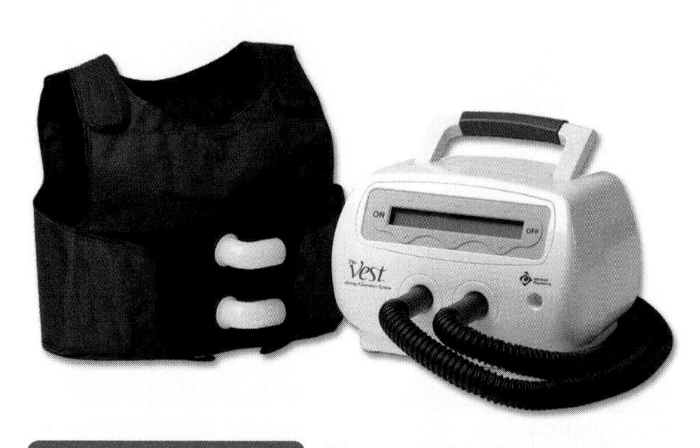

FIGURE 36.16 Gilet gonflable The Vest[MD]

Les clients qui présentent un IMC inférieur à 21 kg/m^2 doivent prendre des suppléments nutritifs. Ils doivent tenter de maintenir leur IMC autour de 25 kg/m^2. Si le client présente un IMC de 25 kg/m^2, mais qu'il maigrit, l'infirmière doit alors trouver les causes possibles pour freiner cette perte de poids. Les nutritionnistes constituent une bonne ressource pour déterminer les suppléments qui conviennent le mieux au client (Grodner, Roth & Walkingshaw, 2012).

Pour diminuer la dyspnée et conserver son énergie, le client doit se reposer au moins 30 minutes avant de manger, prendre un bronchodilatateur avant les repas et choisir des aliments qui peuvent être déjà préparés. Il doit prendre cinq ou six petits repas par jour pour éviter les ballonnements et la sensation de satiété précoce. Une alimentation à base de liquides et d'aliments réduits en purée ou les préparations vendues dans le commerce peuvent s'avérer utiles. Il faut éviter les aliments qui nécessitent beaucoup de mastication ou il faut les servir d'une autre façon (p. ex., râpés, en purée). Parfois, les aliments froids donnent moins l'impression de satiété que les aliments chauds. L'infirmière doit enseigner au client à éviter l'exercice physique et les traitements au moins une heure avant et après les repas. L'effort nécessaire à la préparation et à la consommation de la nourriture est souvent source de fatigue. L'utilisation d'aliments congelés et d'un four à micro-ondes peut aider le client à dépenser moins d'énergie pour préparer les repas.

L'infirmière doit examiner la dentition du client, car des dents cassées ou manquantes ou des prothèses dentaires qui bougent peuvent rendre la mastication plus difficile. Des activités légères comme marcher ou se lever de son lit au cours de la journée peuvent stimuler l'appétit et favoriser une prise de poids. De nombreux clients atteints d'une MPOC éprouvent des ballonnements et une sensation de satiété précoce lorsqu'ils s'alimentent. Ces sensations peuvent être attribuables à de l'air avalé en mangeant, aux effets secondaires des médicaments (surtout des corticostéroïdes et de la théophylline) et à la position anormale du diaphragme qui vient s'appuyer sur l'estomac en raison de la distension excessive des poumons. Il faut éviter la consommation d'aliments qui produisent des gaz dans les intestins comme le chou, les choux de Bruxelles et les légumineuses.

Le client atteint d'une MPOC emphysémateuse et qui présente une insuffisance pondérale a des besoins nutritionnels protéiques et caloriques supérieurs à la normale. Une alimentation hypercalorique et hyperprotéinée, qui compte une consommation modérée de glucides et modérée ou élevée de lipides et que le client divise en cinq ou six petits repas par jour, est recommandée (Payne, Wiffen & Martin, 2012). Des suppléments nutritifs riches en calories et en protéines peuvent être consommés entre les repas. Le nombre de calories peut également être augmenté en ajoutant de la crème glacée à ces suppléments. De plus, le fait de remplacer le lait entier par du lait écrémé ou à 1 % de matière grasse peut entraîner une production moindre de mucus **ENCADRÉ 36.14** ▶ 54. Dans la plupart des cas, simplement amener le client à manger suffisamment peut s'avérer difficile. Si le client a une ordonnance d'oxygénothérapie, il peut être profitable de continuer à administrer de l'oxygène par des lunettes nasales pendant qu'il mange, car s'alimenter est énergivore.

À moins d'une contre-indication liée à d'autres problèmes de santé comme une insuffisance cardiaque ou rénale, l'apport liquidien doit être d'au moins trois litres par jour. Il faut prendre les liquides entre les repas (plutôt que pendant ceux-ci) pour prévenir la distension excessive de l'estomac et pour diminuer la pression exercée sur le diaphragme. En présence d'insuffisance cardiaque, une alimentation faible en sodium est indiquée.

54

Les suppléments nutritionnels à haute teneur en calories sont présentés dans le chapitre 54, *Interventions cliniques – Troubles nutritionnels*.

Thérapie nutritionnelle

ENCADRÉ 36.14 Optimisation de l'apport alimentaire chez le client atteint de maladie pulmonaire obstructive chronique

Il est parfois difficile pour les clients atteints d'une MPOC de consommer les éléments nutritifs en quantité suffisante. L'infirmière peut enseigner à ses clients comment simplifier leurs repas et les rendre plus nutritifs à l'aide de mesures simples qui augmentent la teneur en calories et en protéines des repas sans augmenter la quantité des aliments consommés.

- Manger d'abord les aliments les plus riches en calories.
- Limiter la quantité de liquides consommés à l'heure des repas.
- Se reposer avant les repas.
- Opter pour un plus grand nombre de repas et de collations.
- Accroître le nombre de calories en ajoutant à ses repas de la margarine, du beurre, de la mayonnaise, des sauces ou du beurre d'arachides.
- Conserver ses aliments et collations préférés à portée de la main.
- Opter pour des aliments froids, lesquels peuvent sembler moins rassasiants que les aliments chauds.
- Avoir à sa disposition des mets préparés pour les occasions où le client est plus essoufflé que d'habitude.
- Manger un plus gros repas lorsque le client se sent moins fatigué.
- Éviter les aliments reconnus pour provoquer des gaz (p. ex., le chou, les fèves et le chou-fleur).
- Ajouter du lait écrémé en poudre (2 c. à table) à son verre de lait (250 mL) pour une plus grande teneur en protéines et en calories.
- Remplacer l'eau par du lait ou de la crème 11,5 % M.G. dans la soupe, les céréales, les crèmes dessert instantanées, le chocolat chaud ou les soupes en conserve.
- Ajouter du fromage râpé aux sauces, aux plats de légumes, aux soupes et aux plats en cocotte.
- Opter pour des recettes de desserts qui contiennent des œufs (p. ex., un gâteau éponge, un gâteau des anges, un flan à base d'œufs, un pouding au pain perdu, un pouding au riz).

Soins et traitements infirmiers

CLIENT ATTEINT DE MALADIE PULMONAIRE OBSTRUCTIVE CHRONIQUE

Collecte des données

L'**ENCADRÉ 36.15** contient les données subjectives et objectives à recueillir auprès du client qui présente une MPOC.

Analyse et interprétation des données

L'analyse et l'interprétation des données relatives au client qui présente une MPOC peuvent comprendre, sans y être limitées, les éléments présentés dans le **PSTI 36.2**.

Planification des soins

Les objectifs généraux concernant le client atteint d'une MPOC sont :

- de prévenir la progression de la maladie ;
- de pouvoir effectuer ses AVQ et améliorer sa tolérance à l'exercice ;
- de soulager les symptômes ;
- de ne présenter aucune complication liée à la MPOC ;
- de connaître le régime thérapeutique de longue durée et être en mesure de l'appliquer ;
- d'améliorer sa qualité de vie en général.

Interventions cliniques

Promotion de la santé

L'incidence de la MPOC diminuerait considérablement si les gens ne commençaient pas à fumer ou s'ils cessaient de fumer. Une autre mesure de prévention pour préserver la santé des poumons consiste à éviter ou à maîtriser l'exposition à des substances polluantes et irritantes liées au travail ou présentes dans l'environnement.

Le dépistage précoce de la MPOC est important. Toutefois, l'utilisation des tests de la fonction respiratoire n'est pas recommandée pour dépister la MPOC dans l'ensemble de la population qui ne présente aucun symptôme respiratoire, car elle ne démontre pas un rapport avantages / risques favorable. Il est essentiel de conseiller au client de cesser de fumer, car il s'agit de la seule façon de ralentir la progression de la MPOC. Certaines personnes croient que le fait de placer un fumeur devant ses résultats spirométriques anormaux l'incitera à cesser de fumer. Toutefois, cette méthode peut être menaçante pour le client et ne fonctionne pas toujours. En tant que professionnelle de la santé, l'infirmière qui fume doit réfléchir à son propre comportement à l'égard du tabagisme et à ses effets sur sa santé. Les infirmières et autres professionnels de la santé qui fument doivent être conscients du fait que l'odeur du tabac reste imprégnée dans leurs vêtements et que cela risque d'être désagréable ou de représenter une source de tentation pour les clients.

CE QU'IL FAUT RETENIR

Il est essentiel de conseiller au client de cesser de fumer, car il s'agit de la seule façon de ralentir la progression de la MPOC.

Le diagnostic et le traitement précoces des infections des voies respiratoires et des exacerbations de la MPOC constituent d'autres façons de diminuer l'incidence de la MPOC. Il peut s'avérer nécessaire d'éviter les foules nombreuses au cours des périodes de pointe de la grippe, surtout chez les personnes âgées et celles qui présentent des antécédents de problèmes respiratoires. La vaccination contre la grippe et la pneumonie est recommandée aux clients atteints de MPOC.

Les familles qui ont des antécédents aussi bien de MPOC que de déficit en α_1-antitrypsine doivent être conscientes de la nature génétique de la maladie, et ces personnes doivent subir un dépistage spirométrique régulièrement au cours de leur vie adulte même si elles ne présentent aucun symptôme (GOLD, 2015). De plus, une consultation génétique est indiquée si le client atteint d'un déficit en AAT souhaite avoir des enfants.

Phase aiguë

Le client atteint d'une MPOC aura besoin d'une intervention rapide en cas de complications comme une exacerbation de la MPOC, une pneumonie, un cœur pulmonaire ou une insuffisance respiratoire aiguë ▶ 51. La Société canadienne de thoracologie (Criner *et al.*, 2015) recommande l'établissement d'un plan d'action personnalisé pour les clients atteints de MPOC. Ce plan d'action comprend une prescription d'antibiotiques et de prednisone (cortisone) en comprimés. L'infirmière enseigne au client à dépister ses symptômes d'infections respiratoires de manière à ce qu'il puisse entreprendre son traitement dès l'apparition de sécrétions purulentes (jaunes ou vertes). Dès que la crise liée à ces affections est passée, l'infirmière peut évaluer le stade et la gravité du trouble respiratoire sous-jacent. Les renseignements obtenus aideront à planifier les soins infirmiers **ENCADRÉ 36.15**.

51

Les soins et traitements infirmiers auprès du client atteint d'insuffisance respiratoire aiguë sont présentés dans le chapitre 51, *Interventions cliniques – Insuffisance respiratoire et syndrome de détresse respiratoire aiguë.*

Soins ambulatoires et soins à domicile

L'enseignement est de loin l'aspect le plus important des soins de longue durée du client atteint d'une MPOC **TABLEAU 36.16**.

Collecte des données

ENCADRÉ 36.15 Maladie pulmonaire obstructive chronique

DONNÉES SUBJECTIVES

- Renseignements importants concernant la santé :
  - Antécédents de santé : histoire tabagique, exposition prolongée à des polluants chimiques, à des irritants respiratoires, à des émanations professionnelles, à de la poussière ; infections respiratoires répétitives ; hospitalisations antérieures
  - Médicaments : utilisation d'O_2 et durée d'administration, bronchodilatateurs, corticostéroïdes, antibiotiques, anticholinergiques, médicaments offerts en vente libre, plantes médicinales, médicaments provenant de l'extérieur des États-Unis ou du Canada

▼

ENCADRÉ 36.15 **Maladie pulmonaire obstructive chronique *(suite)***

- Modes fonctionnels de santé :
  - Perception et gestion de la santé : tabagisme (paquets-années, y compris tabagisme passif, volonté de cesser de fumer et tentatives antérieures) ; antécédents familiaux de maladies respiratoires (surtout déficit en α_1-antitrypsine)
  - Nutrition et métabolisme : perte ou gain de poids, anorexie
  - Activités et exercices : augmentation de la dyspnée et du volume ou de la purulence des expectorations (pour déceler l'exacerbation) ; fatigue, incapacité d'effectuer les AVQ ; œdème aux membres inférieurs ; dyspnée progressive, surtout à l'effort ; incapacité de monter une volée de marches sans s'arrêter ; respiration sifflante ; toux persistante ; production d'expectorations (surtout le matin) ; orthopnée
  - Élimination : constipation, flatulences, ballonnement
  - Sommeil et repos : insomnie ; position assise pour dormir, dyspnée paroxystique nocturne
  - Cognition et perception : céphalées, douleur thoracique ou abdominale
  - Adaptation et tolérance au stress : anxiété, dépression

DONNÉES OBJECTIVES

- Observations générales : affaiblissement, agitation, orthostatisme
- Système tégumentaire : cyanose (péribuccale, lit des ongles), teint pâle ou rougeâtre, signe du pli cutané, peau mince, hippocratisme digital, tendance aux ecchymoses ; œdème périphérique (cœur pulmonaire)
- Système respiratoire : respiration superficielle et rapide ; incapacité de parler ; phase expiratoire prolongée ; respiration à lèvres pincées ; respiration sifflante ; râles ; crépitants ; sibilances ; bruits bronchiques ou diminution des bruits respiratoires ; diminution de l'amplitude thoracique et du mouvement du diaphragme ; utilisation des muscles accessoires ; hypersonorité ou bruit sourd thoracique à la percussion
- Système cardiovasculaire : tachycardie ; arythmie ; turgescence des veines jugulaires ; bruits cardiaques distants ; B_3 du côté droit (cœur pulmonaire) ; œdème (surtout des pieds)
- Système gastro-intestinal : ascite, hépatomégalie (cœur pulmonaire)
- Système musculosquelettique : atrophie musculaire, ↑ diamètre antéropostérieur (thorax en forme de tonneau)
- Résultats possibles aux examens paracliniques : gazométrie du sang artériel (acidose respiratoire compensée, ↓ PaO_2 ou ↑ SaO_2, ↑ $PaCO_2$) ; polyglobulie ; tests de la fonction respiratoire mettant en évidence une obstruction du débit aérien expiratoire (p. ex., un $VEMS_1$ faible, un rapport $VEMS_1$/CVF faible, un VR important, une radiographie pulmonaire montrant un diaphragme aplati et une distension pulmonaire excessive ou des infiltrats)

Plan de soins et de traitements infirmiers

PSTI 36.2 **Maladie pulmonaire obstructive chronique**

PROBLÈME DÉCOULANT DE LA SITUATION DE SANTÉ	**Mode de respiration inefficace** lié à une hypoventilation alvéolaire, à de l'anxiété, à des altérations de la paroi thoracique et à une hyperventilation se manifestant par la dyspnée, un diamètre antéropostérieur accru, le battement des ailes du nez, l'orthopnée, une expiration prolongée et l'utilisation des muscles accessoires pour respirer.
OBJECTIF	Le client retrouvera sa fonction respiratoire de référence.
RÉSULTATS ESCOMPTÉS	**INTERVENTIONS INFIRMIÈRES ET JUSTIFICATIONS**
État respiratoire : ventilation • Fréquence respiratoire ______ R/min • Mesure d'oxymétrie dans les normales attendues • Absence de dyspnée au repos (essoufflement) • Absence de signes d'hypoxémie (p. ex., une altération de l'état de conscience, de l'agitation, une cyanose)	**Assistance ventilatoire** • Évaluer et instaurer des techniques de respiration efficaces.

PSTI 36.2 Maladie pulmonaire obstructive chronique *(suite)*

RÉSULTATS ESCOMPTÉS	INTERVENTIONS INFIRMIÈRES ET JUSTIFICATIONS
État respiratoire : ventilation • Résultats de l'exploration fonctionnelle respiratoire dans les normales attendues • Absence de bruits adventices (p. ex., des crépitants, des ronchis, des sibilances, un frottement pleural) • Murmures vésiculaires présents dans toutes les plages pulmonaires • ↑ amplitude pulmonaire • Capacité de mobiliser ses sécrétions • Absence ou ↓ utilisation des muscles accessoires	**Assistance ventilatoire** • Évaluer et instaurer des techniques de respiration efficaces.
PROBLÈME DÉCOULANT DE LA SITUATION DE SANTÉ	**Dégagement inefficace des voies respiratoires** lié à une obstruction du débit expiratoire, à une toux inefficace, à une humidification réduite des voies respiratoires et à des sécrétions tenaces se manifestant par une toux inefficace ou absente, la présence de bruits respiratoires anormaux ou une absence de bruits respiratoires.
OBJECTIFS	• Le client gardera ses voies respiratoires dégagées en toussant de manière efficace. • Le client présentera des bruits respiratoires normaux.
RÉSULTATS ESCOMPTÉS	**INTERVENTIONS INFIRMIÈRES ET JUSTIFICATIONS**
État respiratoire : perméabilité des voies respiratoires • Mouvements respiratoires présents • ↑ amplitude pulmonaire • Capacité de mobiliser ses sécrétions et à les expectorer • Absence de bruits adventices • Murmures vésiculaires présents dans toutes les plages pulmonaires • Absence de dyspnée (sensation de suffocation)	**Stimulation de la toux** • Aider le client à s'asseoir avec la tête légèrement inclinée vers l'avant, les épaules détendues et les genoux pliés pour permettre une ampliation thoracique suffisante. • Demander au client d'inspirer profondément, de se pencher légèrement vers l'avant et d'effectuer trois ou quatre expirations forcées (sans fermer la glotte) pour prévenir l'affaissement des voies respiratoires au cours de l'expiration. • Demander au client d'inspirer profondément plusieurs fois, d'expirer lentement et de tousser à la fin de l'expiration pour aider à déloger les sécrétions. • Demander au client de faire suivre la toux de plusieurs inspirations maximales pour réoxygéner les poumons.
RÉSULTATS ESCOMPTÉS	**INTERVENTIONS INFIRMIÈRES ET JUSTIFICATIONS**
Dégagement des voies respiratoires • Expectorations plus fluides	**Dégagement des voies respiratoires** • Encourager une respiration lente et profonde. Administrer les bronchodilatateurs et les traitements par aérosol pour favoriser le décollement des sécrétions et leur expulsion et faciliter la respiration.
PROBLÈME DÉCOULANT DE LA SITUATION DE SANTÉ	**Perturbation des échanges gazeux** liée à une hypoventilation alvéolaire se manifestant par une céphalée au réveil, une $PaCO_2 \geq 45$ mm Hg, une $PaO_2 < 60$ mm Hg ou une $SaO_2 < 90$ % au repos.
OBJECTIF	Le client reviendra à ses valeurs normales de $PaCO_2$ et de PaO_2.
RÉSULTATS ESCOMPTÉS	**INTERVENTIONS INFIRMIÈRES ET JUSTIFICATIONS**
État respiratoire : échanges gazeux • Fréquence respiratoire _____ R/min • Mesure d'oxymétrie dans les normales attendues (SaO_2) • Résultats de la gazométrie du sang artériel dans les normales attendues (PaO_2, $PaCO_2$)	**Oxygénothérapie** • Utiliser l'oxygénothérapie et administrer l'oxygène au moyen d'un système qui permet de le réchauffer et de l'humidifier. • Vérifier périodiquement le dispositif d'administration d'oxygène pour s'assurer qu'il administre la concentration prescrite. • Surveiller l'efficacité de l'oxygénothérapie (p. ex., l'oxymétrie pulsée, la gazométrie du sang artériel) pour évaluer la réaction du client au traitement. • Surveiller la présence de signes d'hypoventilation induite par l'oxygène, car elle se produit dans les cas de narcose au CO_2.

PSTI 36.2 **Maladie pulmonaire obstructive chronique *(suite)***

RÉSULTATS ESCOMPTÉS	INTERVENTIONS INFIRMIÈRES ET JUSTIFICATIONS
État respiratoire : échanges gazeux • Absence de signes d'hypoxémie (p. ex., une altération de l'état de conscience, une cyanose)	**Oxygénothérapie** • Informer le client et la famille sur l'administration d'oxygène à domicile pour favoriser une oxygénothérapie de longue durée sûre.
PROBLÈME DÉCOULANT DE LA SITUATION DE SANTÉ	**Déséquilibre nutritionnel (besoins de l'organisme non comblés)** lié à un faible appétit, à une baisse d'énergie, à un essoufflement, à une distension gastrique, à une production d'expectorations ou à une dépression se manifestant par une perte de poids équivalant à plus de 10 % du poids santé, un taux d'albumine sérique inférieur aux valeurs normales et un manque d'intérêt pour la nourriture.
OBJECTIFS	• Le client maintiendra son poids dans les valeurs normales par rapport à sa taille et à son âge. • Le client consommera suffisamment d'éléments nutritifs pour combler ses besoins métaboliques.
RÉSULTATS ESCOMPTÉS	**INTERVENTIONS INFIRMIÈRES ET JUSTIFICATIONS**
État nutritionnel : apport d'éléments nutritifs • Maintien d'un poids santé • Consommation de liquides et d'aliments qui répond aux besoins métaboliques évalués (apports caloriques, protéiniques, vitaminiques et minéraux) • Résultats d'analyse biochimiques dans les normales attendues	**Recommandations nutritionnelles** • Peser le client à des intervalles appropriés pour évaluer l'état nutritionnel. • Surveiller les aliments et les liquides consommés et calculer l'apport calorique quotidien pour vérifier si le client se nourrit suffisamment. • Fournir au client des bouchées et des boissons nutritives, hypercaloriques et riches en protéines, faciles à consommer pour fournir suffisamment de calories et de protéines sans trop dépenser d'énergie pour les consommer. • Choisir des suppléments alimentaires qui permettent de fournir des collations nutritives entre les repas. • Surveiller les analyses de laboratoire pour déceler une éventuelle malnutrition. **Prise en charge nutritionnelle** • Prodiguer des soins buccaux avant les repas pour humecter la bouche et enlever le goût des expectorations. • Fournir des choix d'aliments pour stimuler l'appétit. • Adapter l'alimentation au mode de vie du client pour réduire les ballonnements. • Fournir de l'information pertinente sur les besoins nutritionnels et les façons de les combler pour s'assurer que le client s'alimente suffisamment une fois retourné chez lui.
PROBLÈME DÉCOULANT DE LA SITUATION DE SANTÉ	**Risque à l'égard de la santé** lié au tabagisme se manifestant par la minimisation du fait que le tabagisme contribue à l'altération de l'état de santé.
OBJECTIFS	• Le client reconnaîtra que le tabagisme contribue à l'apparition de la MPOC et à d'autres problèmes de santé. • Le client s'engagera à cesser de fumer. • Le client cessera de fumer.
RÉSULTATS ESCOMPTÉS	**INTERVENTIONS INFIRMIÈRES ET JUSTIFICATIONS**
Gestion des risques : tabagisme • Reconnaissance des conséquences personnelles liées au tabagisme • Établissement de stratégies efficaces pour cesser de fumer et engagement à les mettre en œuvre • Application avec succès des stratégies choisies pour cesser de fumer	**Aide pour cesser de fumer** • Évaluer la volonté du client à essayer de cesser de fumer pour déterminer les étapes du changement de comportement. • Aider le client à déterminer les raisons pour lesquelles il veut cesser de fumer et les barrières qui l'en empêchent pour personnaliser les stratégies d'abandon du tabac. • Informer le client sur les produits de remplacement de la nicotine (p. ex., le timbre transdermique, la gomme, la pulvérisation nasale, l'inhalateur) pour aider à réduire les symptômes physiques de sevrage. • Aider le client à concevoir un plan pour cesser de fumer qui tient compte des aspects psychosociaux qui influencent le tabagisme pour cerner les émotions liées à cette habitude. • Aider le client à établir des méthodes pratiques pour résister à l'état de manque (p. ex., passer du temps avec des amis non fumeurs, fréquenter des endroits où il est interdit de fumer) pour prévenir les rechutes. • Aider le client motivé à se fixer une date de renoncement au tabac pour réaffirmer son engagement à cesser de fumer. • Encourager le client à joindre un groupe hebdomadaire de soutien à l'abandon du tabac pour augmenter ses chances de réussite. • Aider le client à faire face à toute rechute (p. ex., le rassurer sur le fait que cette régression temporaire peut s'avérer riche en enseignement et l'aider à trouver les raisons de cette rechute).

Enseignement au client et à ses proches

TABLEAU 36.16 **Maladie pulmonaire obstructive chronique**

L'enseignement au client et à ses proches sur la prise en charge de la MPOC devrait porter sur les aspects suivants.

SUJETS D'ENSEIGNEMENT	RESSOURCES
• Guide général	• Tous les modules d'enseignement de la série *Mieux vivre avec une MPOC*, présentés au www.livingwellwithcopd.com • Guide du client intitulé *Patient Guide What You Can Do about a Lung Disease Called COPD* (Ce que vous pouvez faire au sujet de la MPOC) de la Global Initiative for Lung Disease (GOLD), présenté en plusieurs langues mais pas en français au www.goldcopd.org
Qu'est-ce que la MPOC ?	
• Anatomie et physiologie élémentaires du poumon • Physiopathologie élémentaire de la MPOC • Signes et symptômes de la MPOC, exacerbation, rhume, grippe, pneumonie • Examens pour évaluer la respiration	• Information sur la MPOC (*COPD*) sous l'onglet « Patients » (American Thoracic Society [ATS]), présentée en anglais seulement au www.thoracic.org • Bronchite chronique, emphysème et MPOC (Association pulmonaire du Québec), présenté au www.pq.poumon.ca/diseases-maladies/copd-mpoc/
Exercices de respiration et de dégagement des voies respiratoires	
• Respiration à lèvres pincées	**ENCADRÉ 36.7**
• Technique de dégagement des voies respiratoires : toux contrôlée	**ENCADRÉ 36.13**
Techniques de conservation d'énergie	
• Activités quotidiennes (p. ex., se lever, prendre son bain, faire sa toilette, faire des courses, se déplacer)	• Consultation auprès d'un physiothérapeute et d'un ergothérapeute • Module « Maîtriser sa respiration et conserver son énergie » de la série *Mieux vivre avec une MPOC*, présenté au www.livingwellwithcopd.com
Médicaments	
• Types (y compris le mécanisme d'action et les types de dispositifs) : – Méthylxanthines – Bêtaagonistes – Corticostéroïdes – Anticholinergiques – Antibiotiques – Autres médicaments • Établissement d'un horaire de prise de médicaments	• Module « Prévenir vos symptômes et prendre vos médicaments » de la série *Mieux vivre avec une MPOC*, présenté au www.livingwellwithcopd.com • *Quels sont les traitements de la MPOC ?* (Association pulmonaire du Québec), présenté au www.pq.poumon.ca/diseases-maladies/copd-mpoc/
• Cessation tabagique	• Module « Vivre dans un environnement sans fumée » de la série *Mieux vivre avec une MPOC*, présenté au www.livingwellwithcopd.com • *Défi j'arrête, j'y gagne*, présenté au www.defitabac.qc.ca

TABLEAU 36.16 Maladie pulmonaire obstructive chronique *(suite)*	
SUJETS D'ENSEIGNEMENT	**RESSOURCES**
• Utilisation adéquate des inhalateurs, de la chambre d'inhalation et du nébuliseur	**FIGURES 36.6**, **36.7** et **36.8** ; **ENCADRÉS 36.4** et **36.5** ; **TABLEAU 36.6**
Oxygénothérapie à domicile	
• Explication de la raison qui justifie son utilisation • Renseignements utiles sur l'administration d'O_2 à domicile et sur le matériel nécessaire	• Module « Oxygénothérapie à long terme à domicile » de la série *Mieux vivre avec une MPOC*, présenté au www.livingwellwithcopd.com • Article *Traveling with COPD* (La MPOC en voyage) (ALA), présenté en anglais seulement dans la section « COPD » (MPOC) au www.lungusa.org
Questions psychosociales et émotionnelles	
• Préoccupations concernant les relations interpersonnelles : – Dépendance – Intimité • Problèmes émotionnels : – Dépression, anxiété, panique • Décisions relatives au traitement : – Groupes de soutien et de réadaptation • Questions relatives aux soins de fin de vie	• Discussion ouverte (communication avec le client, la personne la plus proche du client et la famille) • Module « Gérer votre stress et anxiété » de la série *Mieux vivre avec une MPOC*, présenté au www.livingwellwithcopd.com • Programme *Actionair* (Association pulmonaire du Canada), présenté au 1-888-717-MPOC ou en ligne au www.poumon.ca / (rechercher « Actionair »)
Plan de traitement de la MPOC	
• Action ciblée sur l'autogestion de la maladie • Nécessité de signaler les changements • Cause des poussées ou des exacerbations • Reconnaissance des signes et des symptômes de l'infection respiratoire et de l'insuffisance cardiaque • Application d'un plan d'action en cas d'infection respiratoire • Maîtrise de la respiration, conservation de l'énergie, gestion de l'anxiété et du stress • Fidélité aux médicaments • Réduction des facteurs de risque, surtout l'abandon du tabac • Programme d'exercices de marche et de musculation des bras • Suivi annuel	• Élaboration et rédaction par l'infirmière et le client d'un plan de traitement de la MPOC répondant aux besoins du client • Module « Intégrer un plan d'action dans votre vie » de la série *Mieux vivre avec une MPOC*, présenté au www.livingwellwithcopd.com
Alimentation	
• Stratégies pour perdre du poids (si excès de poids) • Stratégies pour prendre du poids (si poids insuffisant)	• Consultation auprès d'une nutritionniste • Modules « Nutrition – MPOC volet 1 » et « Nutrition – MPOC volet 2 » de la série *Mieux vivre avec une MPOC* présentés au www.livingwellwithcopd.com

| Réadaptation pulmonaire | La définition généralement acceptée de la réadaptation pulmonaire est une intervention fondée sur des données probantes qui comprend la collaboration de nombreuses disciplines pour personnaliser le traitement du client atteint d'une maladie respiratoire chronique qui présente des symptômes et une diminution de sa qualité de vie. La réadaptation pulmonaire est conçue pour atténuer les symptômes et améliorer les capacités fonctionnelles du client tout en réduisant les coûts liés aux soins de santé à mesure que le client est stabilisé ou que les aspects systémiques de la maladie sont supprimés (Harrison, Greening, Williams *et al.*, 2012 ; Pomidori, Contoli, Mandolesi *et al.*, 2012). Il faut envisager la réadaptation pulmonaire chez tout client dont les symptômes pulmonaires perturbent les activités de la vie quotidienne ou domestique malgré le fait qu'il reçoive les soins médicaux courants appropriés. Les avantages de la réadaptation chez le client atteint d'une MPOC sont qu'elle améliore la capacité de faire de l'exercice et la qualité de vie liée à la santé. Une réduction de la perception de l'intensité de l'essoufflement, du nombre d'hospitalisations et de leur durée, de l'anxiété et de la dépression est également observée (GOLD, 2015). Il ne faut plus percevoir la réadaptation pulmonaire comme une thérapie de dernier recours pour les clients atteints d'une MPOC grave.

La réadaptation pulmonaire peut s'effectuer en milieu hospitalier, en consultation externe ou à domicile. Une des composantes obligatoires de tout programme de réadaptation pulmonaire est l'exercice axé sur l'utilisation des muscles nécessaires pour se déplacer (GOLD, 2015). La réadaptation pulmonaire se compose idéalement d'un entraînement physique, de conseils en matière de nutrition et d'enseignement. D'autres sujets importants touchent la promotion de la santé, l'aide psychologique et la réadaptation professionnelle. Les infirmières sont des intervenantes pivots ou gestionnaires de cas auprès des clients en réadaptation pulmonaire. Une réadaptation pulmonaire réussie passe nécessairement par l'abandon du tabac. Certains programmes de réadaptation n'acceptent pas les clients qui fument et qui ne veulent pas cesser de fumer. Les physiothérapeutes ou les infirmières qui possèdent de l'expérience en soins pulmonaires sont souvent responsables de la gestion des centres de réadaptation pulmonaire. Une grande partie du rôle de l'infirmière est d'enseigner au client l'autogestion de sa maladie. Les programmes de réadaptation pulmonaire durent généralement de 8 à 12 semaines.

CE QU'IL FAUT RETENIR

Une réadaptation pulmonaire réussie passe par l'abandon du tabac ; certains programmes de réadaptation en font même un prérequis.

| Facteurs liés à l'activité | L'entraînement physique mène à la conservation de l'énergie, ce qui constitue un élément important de la réadaptation pulmonaire. En règle générale, le client atteint de MPOC respire en se servant des muscles accessoires de la partie supérieure de la cage thoracique et du cou au lieu du diaphragme. Il éprouve donc de la difficulté à accomplir les activités qui font appel à ses membres supérieurs, surtout celles qui demandent de lever les bras au-dessus de sa tête. L'entraînement physique des membres supérieurs peut améliorer la fonction motrice et réduire la dyspnée. Souvent, le client a déjà adopté certaines pratiques dans ses activités quotidiennes qui lui permettent d'économiser de l'énergie. Il peut être bon de chercher d'autres façons de se coiffer, de se raser, de se doucher et d'atteindre des objets en tendant les bras. Un ergothérapeute peut formuler des recommandations à ce sujet. Lorsque le client se rase ou se sèche les cheveux, la position tripode (coudes appuyés sur une table et cage thoracique immobile) avec un miroir posé sur la table lui fait dépenser beaucoup moins d'énergie que s'il se tient debout devant le miroir. Si le client utilise l'oxygénothérapie à domicile, il est essentiel qu'il s'en serve pendant qu'il effectue sa toilette, car cette activité est énergivore. L'infirmière doit inciter le client à se préparer un emploi du temps et à planifier ses activités quotidiennes et hebdomadaires afin de se garder suffisamment de temps pour se reposer. Il doit également essayer de s'asseoir le plus souvent possible pour accomplir ses activités. Un autre conseil pour économiser de l'énergie est d'expirer en fournissant un effort au cours d'une activité, en poussant ou en tirant, et d'inspirer au repos.

La marche, ou d'autres exercices d'endurance (p. ex., le vélo), accompagnée d'un entraînement musculaire constitue sans doute la meilleure intervention pour raffermir les muscles et améliorer l'endurance du client. La marche coordonnée à une respiration à lèvres pincées lente, sans retenir la respiration, est un bon exercice, mais il constitue une tâche difficile qui exige un effort conscient et des encouragements fréquents. Lorsqu'il coordonne la marche à sa respiration, le client doit apprendre à faire un pas en inspirant par le nez, puis à faire de deux à quatre pas en expirant par les lèvres pincées (le nombre de pas dépend de sa tolérance). Il doit marcher lentement et se reposer au besoin en s'asseyant ou en s'appuyant contre un objet comme un arbre ou un poteau. Le client a parfois besoin d'oxygène d'appoint en marchant. Il doit être en mesure de bien réussir la marche coordonnée à la respiration à lèvres pincées. L'infirmière doit marcher avec le client et lui rappeler au besoin les étapes de la respiration (inspiration et expiration) jumelée aux pas qu'il doit faire. Le fait de marcher à côté du client diminue son anxiété et l'aide à garder un rythme lent. Cela permet également à l'infirmière d'observer le client et ses réactions physiologiques à cette activité. De nombreux clients qui présentent une MPOC modérée ou grave sont anxieux et ont peur de marcher ou de faire de l'exercice. Ces clients et leur proche aidant ont besoin d'un soutien accru avant d'acquérir la confiance nécessaire pour marcher ou accomplir les exercices quotidiens.

Dans nombre de situations, aucun programme de réadaptation pulmonaire n'est offert, et il est conseillé aux clients de faire de l'exercice par eux-mêmes. L'infirmière doit inciter le client à marcher de 15 à 20 minutes par jour au moins 3 fois par semaine en augmentant graduellement la durée. Les clients gravement atteints peuvent commencer lentement en marchant pendant 2 à 5 minutes trois fois par jour, puis augmenter graduellement la durée pour atteindre 20 minutes par jour, si possible, en prévoyant des périodes de repos suffisantes. Chez certains clients, il peut être profitable de prendre un BACA environ 10 minutes avant de commencer l'exercice. Les paramètres à surveiller chez le client atteint d'une MPOC sont la dyspnée au repos et après la marche. Le client évalue sa dyspnée en utilisant l'échelle de Borg. Sa dyspnée au repos ne devrait pas dépasser 2/10 et à l'effort, il est acceptable d'augmenter jusqu'à 4/10 sans le dépasser. Le client apprendra graduellement à doser son rythme afin de maîtriser sa dyspnée à l'effort. Chez cette clientèle, la dyspnée et la fatigue sont généralement les facteurs qui limitent l'exercice plutôt qu'une fréquence cardiaque élevée chez une personne en bonne santé. Il est donc préférable d'utiliser l'intensité de la dyspnée ressentie par le client comme indicateur de tolérance à l'exercice.

Il faut avertir le client que son essoufflement augmentera probablement au cours de l'exercice (tout comme chez la personne en santé), mais qu'il n'effectue pas un effort excessif si cet essoufflement accru revient à la normale dans les cinq minutes qui suivent la fin de l'exercice. Il faut recommander au client d'attendre cinq minutes après la fin de l'exercice avant de prendre son bêtaagoniste pour donner le temps à son organisme de récupérer. En attendant, il doit respirer lentement avec les lèvres pincées. Si le retour à la normale prend plus de cinq minutes, cela signifie que le client a probablement fourni un effort excessif. Il devra donc ralentir son rythme au cours de la séance suivante. Il peut être utile pour le client de tenir un journal de son programme d'exercice physique pour obtenir une évaluation réaliste de ses progrès. De plus, ce journal constitue un élément de motivation et lui donne l'impression d'accomplissement. Le client peut également faire du vélo stationnaire comme seule activité ou en plus de la marche. Ce type de vélo et le tapis roulant sont particulièrement utiles lorsque les conditions météorologiques ne permettent pas de marcher dehors.

La fatigue, les troubles du sommeil et la dyspnée sont les symptômes courants qui touchent le client atteint d'une MPOC. De ces symptômes, la dyspnée semble être le seul qui empêche l'accomplissement des activités quotidiennes. Par conséquent, l'infirmière et les autres membres de l'équipe soignante doivent axer leurs interventions sur la maîtrise de la dyspnée, ce qui entraînera par la suite une amélioration du rendement fonctionnel du client. Les conseils en matière de nutrition font partie intégrante du programme de réadaptation pulmonaire ; il en a été question plus tôt dans le présent chapitre. L'enseignement constitue un élément important de la réadaptation pulmonaire, et il doit comprendre de l'information sur l'autogestion, la prévention et le traitement des exacerbations **TABLEAU 36.16**.

Jugement clinique

La pulsation de madame Perreault (*voir pages 374 et 376*) est de 96 après une marche de 10 minutes dans le corridor. Est-ce acceptable pour elle ? Justifiez votre réponse.

CE QU'IL FAUT RETENIR

La fatigue, les troubles du sommeil et la dyspnée sont les symptômes courants qui touchent le client atteint d'une MPOC. Seule la dyspnée semble empêcher l'accomplissement des activités quotidiennes.

| Sexualité et activité sexuelle | Le fait de modifier les activités sexuelles, sans s'abstenir, peut également contribuer au bien-être psychologique du client. La plupart des clients atteints d'une MPOC sont âgés. L'infirmière doit évaluer ses propres attitudes et sentiments envers la sexualité, le dysfonctionnement sexuel et le vieillissement et y avoir réfléchi avant d'aborder les questions d'ordre sexuel avec le client âgé. Elle doit d'abord évaluer le client pour ce qui touche sa sexualité et ses préoccupations liées au dysfonctionnement. Elle pose des questions ouvertes pour évaluer si le client désire aborder l'une ou l'autre de ces préoccupations. Elle peut poser la question suivante : De quelle façon votre problème respiratoire a-t-il une incidence sur la perception de vous-même en tant qu'homme [ou femme] ? Ou bien : Jusqu'à quel point votre essoufflement a-t-il une incidence sur votre désir d'intimité avec votre partenaire ? Le fait de cheminer dans ce type de questions donnera au client l'occasion d'aborder ses préoccupations. Bon nombre des soucis du client atteint d'une MPOC qui concernent la performance sexuelle sont des changements liés au vieillissement ; si l'infirmière est au fait de ceux-ci, il lui est possible d'enseigner leur caractère normal au client.

La dyspnée est le symptôme prédominant de la MPOC, mais elle ne devrait pas constituer une entrave majeure au fonctionnement sexuel, sauf chez le client de stade 3 ou 4. Un dysfonctionnement érectile peut survenir en lien avec le degré de gravité de la maladie sous-jacente. La prise d'un bronchodilatateur en inhalation avant les relations sexuelles peut améliorer la ventilation. Le client atteint d'une MPOC peut également trouver ces recommandations utiles : 1) planifier ses activités sexuelles à un moment de la journée où la respiration est la plus facile, soit généralement en fin de matinée ou en début d'après-midi (de plus, les hommes âgés obtiennent souvent une érection plus facilement le matin) ; 2) respirer lentement avec les lèvres pincées ; 3) éviter toute activité sexuelle après les repas ou après avoir consommé de l'alcool ; 4) choisir des positions moins exigeantes au cours des relations sexuelles ; 5) effectuer une vidange bronchique avant l'activité sexuelle ; 6) prendre de l'oxygène si cela est prescrit ; 7) comprendre que la cigarette peut accroître l'impuissance masculine. Souvent, le client présente également une cardiopathie. Il lui est donc recommandé de demander des conseils auprès d'un professionnel de la santé concernant le niveau d'activité souhaitable (Selecky, 2009). Ces aspects de l'activité sexuelle demandent une bonne communication entre les partenaires concernant leurs besoins, leurs attentes et les changements qui peuvent être nécessaires en raison de la présence d'une maladie chronique (p. ex., la modification de l'image corporelle, l'inversion des rôles).

CE QU'IL FAUT RETENIR

Le client doit savoir qu'il est possible de maîtriser les symptômes de la MPOC dans la plupart des cas, mais qu'il est impossible d'en guérir.

| Sommeil | Il est extrêmement important de dormir suffisamment. Le client atteint d'une MPOC peut éprouver des difficultés à obtenir un sommeil de bonne qualité. La distension excessive des poumons et la diminution de la ventilation peuvent entraîner des chutes importantes de la saturation en O_2 (SaO_2 ou SpO_2) (saturation atteignant 60 % ou moins) au cours du sommeil paradoxal. Cette situation entraîne une demande indue sur le cœur. De plus, un trouble du sommeil provoqué par l'hypercapnie apparaît, et le client se réveille plus souvent. Il en résulte un sommeil de piètre qualité où le client se réveille fatigué et aucunement reposé. Les bêtaagonistes provoquent souvent de l'agitation et de l'insomnie. La théophylline peut perturber le sommeil en allongeant le temps nécessaire pour s'endormir (Rodenstein, 2009). De nombreux clients atteints d'une MPOC présentent des sécrétions postnasales ou une congestion nasale provoquant de la toux ou une respiration sifflante la nuit. L'administration d'une solution saline nasale en gouttes ou par vaporisation avant le coucher et le matin peut les aider à mieux dormir. Si le client présente un sommeil agité, ronfle, cesse de respirer pendant le sommeil et a tendance à s'assoupir pendant la journée, il peut être nécessaire qu'il subisse un examen de dépistage de l'apnée obstructive du sommeil ▶ 8.

10

Les questions relatives aux soins de fin de vie et aux directives préalables sont abordées dans le chapitre 10, *Soins palliatifs et soins de fin de vie.*

L'apnée obstructive du sommeil est abordée dans le chapitre 8, *Sommeil et troubles du sommeil.*

| Facteurs psychosociaux | S'adapter de façon saine est généralement la tâche la plus difficile à accomplir pour le client atteint d'une MPOC. Il doit souvent faire face à de nombreux changements dans ses habitudes de vie qui peuvent comprendre une diminution de la capacité à prendre soin de lui-même, une baisse d'énergie pour participer à des activités sociales et la perte de son emploi. L'infirmière doit faire preuve de compréhension et de compassion envers lui. Le client atteint d'une MPOC peut tirer profit de techniques de gestion du stress (p. ex., le massage, la relaxation musculaire progressive). Il peut également participer à des groupes de soutien offerts par les centres hospitaliers, les cliniques et l'Association pulmonaire du Canada.

Lorsqu'un client reçoit un diagnostic de MPOC ou qu'il présente des complications qui nécessitent une hospitalisation, l'infirmière doit s'attendre à observer diverses réactions émotionnelles, comme la culpabilité, la dépression, l'anxiété, l'isolement social, le déni de la réalité ou la dépendance. La culpabilité peut résulter du fait de savoir que cette maladie est en grande partie attribuable au tabagisme. Ces réactions sont normales. Par contre, de nombreux clients souffrent de dépression (Emery, Huffman & Busby, 2009). L'infirmière doit être à l'affût des symptômes de dépression, qui doivent être traités.

Le client demande souvent s'il n'a pas intérêt à déménager dans un endroit où le climat est plus chaud et sec. En général, un tel déplacement n'en vaut pas la peine. Il faut toutefois éviter de déménager à des altitudes de 1 200 mètres et plus en raison de la baisse de pression partielle d'oxygène dans l'atmosphère des hautes altitudes. Les déménagements peuvent présenter des inconvénients, car la personne quitte un emploi, des amis et un environnement familier, ce qui peut être stressant d'un point de vue psychologique. Tout avantage apporté par le changement de climat risque d'être atténué par les effets psychologiques du déménagement.

Le client doit savoir qu'il est possible de maîtriser les symptômes de la MPOC dans la plupart des cas, mais qu'il est impossible d'en guérir. Les traitements sont palliatifs à tous les stades de la maladie. Les questions relatives aux soins de fin de vie et aux directives préalables sont des sujets importants à aborder lorsque le client atteint la phase terminale de la MPOC ▶ 10. Toutefois, il peut être difficile pour lui et sa famille de les envisager en raison du caractère incertain de la maladie et de sa trajectoire dite en dents de scie (alternance d'exacerbations et de stabilité) **ENCADRÉ 36.16**.

Évaluation des résultats

Le **PSTI 36.2** présente les résultats escomptés pour le client atteint d'une MPOC.

Dilemmes éthiques

ENCADRÉ 36.16 Mandat en cas d'inaptitude

SITUATION

Une femme âgée de 50 ans reçoit des soins pour des complications liées à la MPOC. Elle est actuellement branchée à un appareil de ventilation mécanique et ne s'exprime pas de façon cohérente en raison des médicaments qu'elle reçoit. Sa partenaire de vie, une autre femme, n'a pas quitté son chevet depuis qu'elle est hospitalisée. Avant son hospitalisation, la cliente avait préparé un mandat en cas d'inaptitude valide pour les décisions en matière de soins de santé et avait nommé sa compagne comme première mandataire. Toutefois, les parents et la fratrie de la cliente se sont présentés et ont exigé d'être chargés de prendre les décisions relatives aux traitements. Ils n'acceptent pas la conjointe et refusent la désignation de cette femme par la cliente pour prendre les décisions à sa place.

CONSIDÉRATIONS IMPORTANTES

- Un mandat en cas d'inaptitude est un type de directive préalable dans laquelle une personne, lorsqu'elle en est encore capable, en nomme une autre pour prendre les décisions à sa place si jamais, plus tard, elle devait perdre sa capacité de prendre des décisions ▶ 10.
- Le mandataire, nommé en vertu du mandat en cas d'inaptitude, est souvent choisi parce que la personne qui l'a désigné croit que ses valeurs, ses croyances et ses désirs personnels seront respectés lorsqu'il devra prendre pour elle des décisions relatives à des traitements.
- Le mandat en cas d'inaptitude est un document légal qui peut prendre deux formes. 1) Le mandat notarié est rédigé devant un notaire qui sera responsable de garder l'original et de l'inscrire au registre de la Chambre des notaires. 2) Le mandat devant témoins va être signé par la personne ainsi que deux témoins qui vont confirmer que la personne est saine d'esprit au moment de le rédiger. Ce document doit contenir tous les éléments nécessaires pour qu'il soit valide. À cet effet, le Curateur public du Québec offre de l'information pour guider la rédaction de mandat. Toutefois, les professionnels de la santé se retrouvent souvent dans une situation difficile lorsque les membres de la famille et les personnes désignées ne s'entendent pas.
- Afin de rendre exécutoire le mandat en cas d'inaptitude, la personne doit être déterminée comme étant inapte à la suite d'une évaluation médicale et psychologique. Ensuite, le mandataire doit faire homologuer le mandat en s'adressant à un notaire ou à un tribunal.

QUESTIONS DE JUGEMENT CLINIQUE

- De quelle façon aborderiez-vous une situation où la famille et le mandataire du client ne s'entendent pas ?
- De quelle façon pouvez-vous évaluer le degré de compréhension du client et de la famille concernant le mandat en cas d'inaptitude et les aider à comprendre leur rôle dans la prise de décision ?

36

10

Les documents juridiques associés aux soins de fin de vie sont présentés dans le chapitre 10, *Soins palliatifs et soins de fin de vie.*

36.4 Fibrose kystique

La fibrose kystique (FK), ou mucoviscidose, est une maladie à transmission autosomique récessive touchant plusieurs systèmes ; elle se caractérise par une altération du fonctionnement des glandes exocrines qui touchent surtout les poumons, le pancréas et les glandes sudoripares (Boyle, 2007) ▶ 13. La production par les glandes muqueuses de sécrétions anormalement abondantes et épaisses mène à une maladie pulmonaire obstructive diffuse et chronique chez presque tous les clients. L'insuffisance pancréatique exocrine est associée à la plupart des cas de FK. Les glandes sudoripares sécrètent des quantités élevées de sodium et de chlore. La pneumopathie en phase terminale constitue la principale cause de décès chez les personnes atteintes.

Selon Fibrose kystique Canada (2013), plus de 3 900 Canadiens sont atteints de fibrose kystique, dont 57,2 % sont âgés de plus de 18 ans. Environ un Canadien sur 25 est porteur du gène de la FK sans présenter la maladie. Par ailleurs, selon les estimations, un nouveau-né canadien sur 3 600 est atteint de la fibrose kystique (Fibrose kystique Canada, 2015).

Les premiers signes et symptômes apparaissent généralement pendant l'enfance, mais il arrive que le diagnostic ne soit posé qu'à l'âge adulte. La gravité et l'évolution de la maladie varient d'une personne à l'autre.

Grâce à un diagnostic précoce et aux progrès réalisés pour traiter la maladie, le pronostic des clients atteints de FK s'est grandement amélioré. L'âge médian de survie s'est accru de 12 ans depuis 2002 et atteint maintenant 48,5 ans (Fibrose kystique Canada, 2013). Ainsi, les infirmières qui travaillent dans des établissements de soins pour adultes auront de plus en plus à prendre en charge des clients atteints de FK.

13

Les affections autosomiques récessives sont abordées dans le chapitre 13, *Génétique et génomique.*

36.4.1 Étiologie et physiopathologie

Le gène de la maladie se situe sur le chromosome 7 et produit une protéine transmembranaire régulatrice de la FK appelée *cystic fibrosis transmembrane regulator* (CFTR) **ENCADRÉ 36.17**. La protéine CFTR est présente dans la muqueuse qui tapisse la portion exocrine d'organes précis comme les voies respiratoires, le canal pancréatique de Wirsung, les canaux sudorifères et l'appareil reproducteur. La CFTR régule les canaux sodium et chlore. Des mutations dans le gène de la CFTR modifient cette protéine de façon à bloquer ces canaux. En conséquence, les cellules qui tapissent les conduits des poumons, du pancréas et d'autres organes sécrètent un mucus anormalement épais et collant. Ce mucus obstrue les glandes de ces organes, ce qui provoque une atrophie des glandes et finalement une défaillance des organes touchés. Les concentrations élevées de sodium et de chlore dans la sueur du client atteint de FK résultent d'une diminution de la réabsorption du chlore par les canaux sudorifères (McKinley *et al.*, 2014).

Dans le système respiratoire, la FK peut toucher les voies respiratoires supérieures et inférieures. Les manifestations qui touchent les voies respiratoires supérieures sont la sinusite chronique et la polypose nasale. Ce qui caractérise l'atteinte respiratoire par la FK est son effet sur les voies respiratoires. La maladie touche d'abord celles de petit calibre (bronchiolite chronique) et atteint ensuite celles de gros calibre pour finir par détruire le tissu pulmonaire. Le mucus devient déshydraté et tenace en raison de l'anomalie liée à la sécrétion du chlore et de l'absorption du sodium en excès. La mobilité des cils vibratiles est réduite, ce qui permet au mucus d'adhérer aux voies respiratoires. Le mucus épais bouche les bronchioles, entraînant la rétention de l'air et la distension excessive des poumons.

La FK se caractérise par une infection chronique des voies respiratoires, difficile à éliminer. Les microorganismes pathogènes le plus souvent trouvés dans les cultures d'expectorations provenant des clients atteints de FK sont *Staphylococcus aureus*, *H. influenzæ*, *Burkholderia cepacia* et *P. aeruginosa*, qui est de loin le plus fréquent. La personne manifeste souvent une résistance aux antibiotiques. L'inflammation pulmonaire peut précéder l'infection chronique et provoquer une diminution de la fonction respiratoire. Il se produit alors une augmentation des médiateurs de l'inflammation (p. ex., les interleukines, les oxydants et les protéases libérées par les neutrophiles) qui contribuent à l'évolution de la pneumopathie (McKinley *et al.*, 2014).

Au début, les troubles pulmonaires qui se manifestent sont la bronchiolite et la bronchite chroniques, mais après des mois ou des années, les altérations des parois bronchiques conduisent à la bronchectasie. Sur une longue période, il se produit un remodelage vasculaire pulmonaire causé par l'hypoxie locale et la vasoconstriction artériolaire, ce qui entraîne de l'hypertension artérielle pulmonaire et un cœur pulmonaire aux dernières phases de la maladie. L'apparition de bulles sous-pleurales

Génétique et pratique clinique

ENCADRÉ 36.17 Fibrose kystique

FONDEMENTS GÉNÉTIQUES

- Il s'agit d'une maladie autosomique récessive.
- Des mutations dans le gène CFTR sont responsables de la FK.
- Ce gène est situé sur le chromosome 7.
- Plusieurs mutations différentes ont été trouvées dans ce gène.

INCIDENCE

- Un cas sur 3 600 naissances est rapporté au Canada.
- La FK est plus fréquente chez les Blancs.
- Un Canadien sur 25 est porteur du gène défectueux.
- Si les deux parents sont porteurs, il y a 25 % de risques que l'enfant soit atteint de la maladie.

TESTS GÉNÉTIQUES

- Des analyses sanguines de l'ADN sont utilisées pour dépister la maladie et l'état de porteur.
- Le dépistage s'effectue généralement chez les enfants si la présence d'une FK est soupçonnée ou s'il y a possibilité que les parents soient porteurs de la maladie.
- Chez les parents porteurs connus, il peut être utile d'effectuer une amniocentèse ou un prélèvement des villosités choriales chez la femme enceinte en vue d'un dépistage prénatal.

CONSÉQUENCES CLINIQUES

- Il s'agit de la maladie autosomique récessive la plus fréquente chez les personnes blanches.
- L'expression clinique de la maladie est très diverse.
- La FK exige une prise en charge médicale de longue durée.
- Les progrès réalisés en soins médicaux ont amélioré significativement l'espérance de vie.
- La plupart des gens qui ont un enfant atteint de FK ne sont pas au courant des antécédents familiaux de la maladie.

et de gros kystes dans les poumons est également une manifestation grave de la détérioration pulmonaire, et un **pneumothorax spontané** peut se produire. Parmi d'autres complications pulmonaires, figure l'hémoptysie qui apparaît en raison de l'érosion des artères pulmonaires dilatées. L'hémoptysie peut se manifester sous diverses formes allant de filets de sang peu abondants à des hémorragies majeures. Elle peut parfois être mortelle.

Les glandes sudoripares des clients atteints de FK sécrètent des volumes normaux de sueur, mais les canaux sudorifères sont incapables de réabsorber le chlorure de sodium présent dans la sueur. Par conséquent, la sueur contient quatre fois plus de sodium et de chlore que la normale. En règle générale, cette anomalie ne perturbe pas l'état de santé général du client, mais elle est utile aux fins de diagnostic.

L'insuffisance pancréatique provient principalement de l'accumulation de mucus dans les canaux pancréatiques exocrines, ce qui entraîne une atrophie de la glande et la formation progressive de kystes fibreux. En raison du dysfonctionnement exocrine, les enzymes pancréatiques comme la lipase, l'amylase et les protéases (trypsine et chymotrypsine) n'atteignent pas l'intestin pour assurer la digestion des aliments ingérés. S'ensuit alors une malabsorption des lipides, des protéines et des vitamines liposolubles (vitamines A, D, E et K). La malabsorption des lipides entraîne une stéatorrhée tandis que la malabsorption des protéines se traduit par un retard de croissance et un poids insuffisant.

Le diabète lié à la FK résulte de la destruction des cellules formant les îlots pancréatiques (Cystic Fibrosis Foundation Patient Registry, 2012). La prévalence de ce type de diabète augmente avec l'âge chez les personnes atteintes de FK. Le diabète lié à la FK constitue un type unique de diabète qui présente des caractéristiques à la fois du diabète de type 1 et du diabète de type 2. Le pancréas du client atteint de FK sécrète de l'insuline, mais en quantité insuffisante pour répondre pleinement à l'apport de glucides.

L'ostéopénie et l'ostéoporose sont d'autres affections courantes qui apparaissent dans les cas de FK. L'étiologie se rapporte à la malnutrition, à des taux insuffisants de testostérone, à une élévation chronique des cytokines inflammatoires et à l'effet direct de la mutation du gène CFTR sur la croissance des os (Boyle, 2007).

Les personnes atteintes de FK présentent souvent d'autres problèmes gastro-intestinaux, dont des douleurs abdominales attribuables à des affections comme le RGO. Une altération du foie et de la vésicule biliaire peut survenir, causée par des dépôts de mucus. Une élévation chronique des enzymes hépatiques peut se produire et entraîner l'apparition d'une cirrhose avec le temps. Il est également possible de voir apparaître des calculs biliaires, une pancréatite et de l'hypertension portale (Gott & Froh, 2010). Le syndrome d'occlusion intestinale distale résulte d'occlusions intermittentes qui surviennent fréquemment dans l'iléon terminal. Il est généralement attribuable à l'épaississement des selles et du mucus, et le client semble présenter une occlusion de l'intestin grêle. Ce syndrome peut se présenter en raison de la malabsorption chronique liée au dysfonctionnement exocrine, à la non-adhésion de la supplémentation enzymatique, à la déshydratation, à la déglutition de mucus et à la prise d'analgésiques opioïdes.

Presque tous les hommes atteints de FK présentent des problèmes de reproduction caractérisés par l'absence congénitale du canal déférent qui assure le transport du sperme du testicule vers l'urètre pénien. Toutefois, ils fabriquent tout de même des spermatozoïdes. Par conséquent, grâce aux techniques de procréation médicale assistée, ils peuvent avoir des enfants. À l'inverse, une minorité de femmes sont stériles, et cette stérilité est liée à l'épaississement de la glaire cervicale (Fibrose kystique Canada, 2014).

36.4.2 Manifestations cliniques

Les manifestations cliniques de la FK varient selon la gravité de la maladie. Les signes pathologiques de cette affection sont attribuables à la production de mucus anormalement épais et collant dans les organes de l'organisme. La mutation ne touche pas les porteurs. Les manifestations cliniques peuvent varier grandement d'une famille à l'autre.

La FK est souvent diagnostiquée dès l'âge de cinq mois, et les symptômes les plus fréquents sont respiratoires ou gastro-intestinaux (Cystic Fibrosis Foundation Patient Registry, 2012). Le constat initial d'un **iléus méconial** chez le nouveau-né conduit au diagnostic dans 20 % des cas de personnes atteintes de FK (Froh & Huether, 2008). Les premières manifestations au cours de l'enfance sont un retard de croissance, une toux persistante avec production de mucus, une **tachypnée** et des selles fréquentes et abondantes. L'abdomen peut devenir protubérant et distendu, et les membres prennent un aspect émacié. Une respiration sifflante, de la toux et des pneumonies fréquentes peuvent également conduire au diagnostic de la maladie.

Chez l'adulte, le premier symptôme de la maladie est une toux fréquente. Avec le temps, cette toux devient persistante et produit des expectorations visqueuses, purulentes et souvent verdâtres. Des infections pulmonaires comme la bronchiolite, la bronchite et la pneumonie sont d'autres problèmes respiratoires susceptibles d'indiquer la présence d'une FK. À mesure que la maladie évolue, les périodes de stabilité clinique sont interrompues par des exacerbations caractérisées par

Pneumothorax spontané : Présence d'air ou de gaz dans la cavité constituée par les deux plèvres pulmonaires. Le pneumothorax spontané survient en l'absence de traumatisme du thorax.

CE QU'IL FAUT RETENIR

Les signes pathologiques de la fibrose kystique sont attribuables à la production de mucus anormalement épais et collant dans les organes de l'organisme.

Iléus méconial : Occlusion anténatale et néonatale qui survient lorsque le mucus, trop épais dans le tube digestif, entraîne une malabsorption intestinale.

Tachypnée : Fréquence respiratoire accélérée.

une aggravation de la toux, une perte de poids, une augmentation des expectorations et une diminution de la fonction pulmonaire. Avec le temps, les exacerbations deviennent de plus en plus fréquentes, une bronchectasie s'installe, et le rétablissement de la perte de la fonction pulmonaire est moins complet, ce qui peut finalement entraîner une insuffisance respiratoire **ENCADRÉ 36.18**.

Si le client atteint de FK présente un syndrome d'occlusion intestinale distale, il peut manifester des douleurs dans le quadrant inférieur droit, une perte d'appétit et des vomissements ; souvent, une masse est perçue à la palpation. La sécrétion insuffisante d'enzymes pancréatiques entraîne le profil type de malabsorption des protéines et des lipides où la personne est mince et présente un IMC faible et des selles fréquentes, volumineuses et nauséabondes.

Hippocratisme digital : Déformation des doigts et des ongles, qui présentent un élargissement, une incurvation des extrémités, consécutivement à certaines affections pulmonaires, cardiovasculaires, etc.

La fonction de reproduction est perturbée. Ce constat s'avère important, car de plus en plus de clients atteints de FK se rendent à l'âge adulte. L'homme est généralement stérile (mais non impuissant). Au cours des exacerbations de la maladie, un cycle menstruel irrégulier et une aménorrhée secondaire sont souvent observés. Une majorité de femmes atteintes de FK peuvent toutefois devenir enceintes, et grâce à une santé pulmonaire et à une alimentation suffisantes, elles s'en tirent assez bien (Boucher, 2012). Le bébé est alors hétérozygote (et donc porteur) si le père n'est pas porteur du gène de la FK. Si le père est porteur, la probabilité que le bébé soit atteint de FK est de 50 %.

36.4.3 Complications

Le pneumothorax est fréquent en raison de la formation de bulles pulmonaires et sous-pleurales. La présence de petites quantités de sang dans les expectorations est fréquente dans les cas d'infection pulmonaire. Une hémoptysie massive met la vie du client en danger. Dans les cas de pneumopathie avancée, l'**hippocratisme digital** devient évident chez la plupart des clients. Parmi les complications fréquentes, figurent également le diabète lié à la FK, une maladie des os et une hépatopathie (Fondation canadienne de la fibrose kystique, 2011). L'insuffisance respiratoire et le cœur pulmonaire sont des complications tardives. Les complications multisystémiques liées à la fibrose kystique sont présentées plus en détail au **TABLEAU 36.17**.

Pratique fondée sur des résultats probants

ENCADRÉ 36.18 Comment apporter un soulagement au client essoufflé qui se trouve à un stade avancé de sa maladie ?

QUESTION CLINIQUE

Dans les cas de clients présentant un essoufflement attribuable au stade avancé de la maladie (P), quelles interventions non pharmacologiques et non effractives (I) peuvent atténuer la détresse subjective liée à l'essoufflement (O) ?

RÉSULTATS PROBANTS

- Examen systématique d'essais cliniques à répartition aléatoire ou d'essais comparatifs sans répartition aléatoire.

ANALYSE CRITIQUE ET SYNTHÈSE DES DONNÉES

- Quarante-sept essais cliniques à répartition aléatoire (n = 2 532) de clients présentant de l'essoufflement attribuable à la MPOC, à un cancer avancé, à une pneumopathie interstitielle, à une insuffisance cardiaque chronique ou à une sclérose latérale amyotrophique
- Principal paramètre évalué : essoufflement subjectif
- Preuves éloquentes pour la neurostimulation transcutanée et la vibration de la paroi de la cage thoracique et preuves modérées pour l'utilisation d'aides à la marche et l'entraînement respiratoire pour soulager l'essoufflement
- Faibles preuves pour l'acupuncture ou la digitopuncture

CONCLUSION

- L'entraînement respiratoire, les aides à la marche, la neurostimulation transcutanée et la vibration de la paroi de la cage thoracique semblent soulager l'essoufflement dans les cas de stades avancés de ces maladies.

RECOMMANDATIONS POUR LA PRATIQUE INFIRMIÈRE

- Il se peut que les clients essoufflés éprouvent des malaises intenses et que les membres de la famille montrent des signes de détresse.
- Conseiller aux clients des options non pharmacologiques pour soulager l'essoufflement.
- Consulter les membres de l'équipe soignante pour ce qui concerne les traitements, le matériel et la formation infirmière spécialisés.

RÉFÉRENCE

Bausewein, C., Booth, S., & Gysels, M. (2008). Non-pharmacological interventions for breathlessness in advanced stages of malignant and non-malignant diseases. *Cochrane Database of Syst Rev, 2,* CD005623.

P : Population ; I : Intervention ; O : (*Outcome*) Résultat.

36.4.4 Examen clinique et examens paracliniques

Les examens paracliniques de la FK combinent le tableau clinique, les analyses de laboratoire et le dépistage génétique pour confirmer le diagnostic. Même si le test de la sueur constitue la méthode de diagnostic de référence de la FK, il n'est pas toujours possible d'établir le diagnostic avec certitude, surtout chez l'adulte. Le test de la sueur s'effectue par la méthode de l'iontophorèse à la pilocarpine. De la pilocarpine est appliquée sur la peau, et un faible courant électrique la fait pénétrer pour stimuler la production de sueur. Cette partie du processus prend environ cinq minutes pendant lesquelles le client ressent un picotement léger ou de la chaleur. La sueur est recueillie sur un papier filtre ou une compresse de gaze pour ensuite effectuer un dosage du chlore. Ce test prend environ une heure. Des valeurs supérieures à 60 mmol/L de chlore concordent avec le diagnostic de la FK. Toutefois, il est recommandé de reprendre le test de la sueur une seconde fois pour confirmer le diagnostic.

Le dépistage génétique consiste à prélever un échantillon de sang ou de cellules provenant de l'intérieur de la joue et à l'envoyer à un laboratoire spécialisé en dépistage génétique. La plupart des laboratoires ne recherchent que les mutations les plus fréquentes du gène responsable de la FK. Comme il existe plus de 1 400 mutations possibles, le dépistage de toutes ces mutations demeure irréalisable. Souvent, un dépistage génétique est effectué lorsque les résultats du test de la sueur ne s'avèrent pas concluants.

36.4.5 Processus thérapeutique en interdisciplinarité

Les soins prodigués au client atteint de FK doivent faire appel à une équipe interdisciplinaire. La Fondation canadienne de la fibrose kystique finance la recherche et appuie les cliniques de soins pour la FK dans tout le pays. La haute qualité des soins spécialisés offerts dans l'ensemble du réseau des cliniques de soins a entraîné une amélioration de la longévité et de la qualité de vie des personnes atteintes de FK. Situées dans des centres de santé partout au pays, ces cliniques offrent des soins et traitements de haute qualité et le meilleur soutien pour les personnes atteintes de FK. L'équipe interdisciplinaire doit comprendre une infirmière, un médecin, un inhalothérapeute, un physiothérapeute, une nutritionniste, un pharmacien et un travailleur social. Les principaux objectifs de traitement de la FK sont les suivants : 1) favoriser l'expulsion des sécrétions ; 2) lutter contre les infections pulmonaires ; 3) assurer une alimentation adéquate.

TABLEAU 36.17 Complications multisystémiques possibles de la fibrose kystique

MANIFESTATION	EXPLICATION
Cœur pulmonaire	Causé par une réduction du lit vasculaire pulmonaire.
Diabète (apparaît à l'âge adulte)	Probablement causé par des lésions pancréatiques liées à la FK.
Hémoptysie légère	Causée par une infection pulmonaire.
Hémoptysie massive (met la vie du client en danger)	Causée par la rupture d'un vaisseau sanguin dans l'arbre bronchique, généralement dans la zone infectée qui est dilatée.
Hippocratisme digital (doigts en baguettes de tambour)	Causé par une mauvaise oxygénation chronique du sang artériel.
Insuffisance respiratoire	Causée par l'obstruction chronique des voies respiratoires par la viscosité du mucus.
Maladie hépatique	Causée par l'accumulation anormale de mucus dans les voies biliaires.
Ostéopénie évoluant vers l'ostéoporose (apparaît à l'adolescence)	Causée par la mauvaise absorption de la vitamine D.
Pneumothorax	Causé par l'éclatement de bulles pulmonaires.

La prise en charge des problèmes pulmonaires liés à la FK vise à soulager l'obstruction des voies respiratoires et à lutter contre l'infection. L'administration de médicaments par inhalation et nébulisation contribue au drainage du mucus bronchique épais en le liquéfiant et en facilitant la toux productive. La viscosité anormale des sécrétions chez le client atteint de FK est attribuable à une présence concentrée d'ADN provenant des neutrophiles qui jouent un rôle dans l'infection chronique. Les agents qui dégradent l'ADN qui se trouve dans les expectorations (p. ex., la dornase alfa recombinante [Pulmozyme[MD]]) améliorent la circulation de l'air dans les poumons et diminuent le nombre d'exacerbations pulmonaires aiguës. L'utilisation d'une solution saline hypertonique en inhalation (7 %) est efficace pour drainer le mucus et diminuer la fréquence des exacerbations. La solution saline hypertonique est sûre, mais certains clients doivent prendre un bronchodilatateur en même temps pour éviter la bronchoconstriction. Il est possible d'administrer un bronchodilatateur (p. ex., un bêtaagoniste) pour maîtriser cette bronchoconstriction, mais aucun avantage n'a été démontré relativement à la prise prolongée de ce médicament.

Le recours à des techniques de dégagement des voies respiratoires est essentiel. Ces techniques comprennent la kinésithérapie de drainage, les appareils qui utilisent la pression expiratoire positive (p. ex., Flutter[MD] **FIGURE 36.14**, Acapella[MD] **FIGURE 36.15A**), les exercices de respiration et les systèmes d'oscillations à haute fréquence de la paroi thoracique. Chaque client peut avoir une technique ou un appareil préféré qu'il utilise quotidiennement et qui fonctionne bien pour lui. Il n'existe aucune preuve évidente qui permette de montrer la supériorité d'une technique de dégagement des voies respiratoires par rapport à une autre. Le client fait suivre cette technique d'une toux contrôlée pour expulser les sécrétions **ENCADRÉ 36.13**.

CE QU'IL FAUT RETENIR

Plus de 95 % des clients atteints de FK meurent des suites de complications résultant d'une infection pulmonaire.

Plus de 95 % des clients atteints de FK meurent des suites de complications résultant de l'infection pulmonaire (Boucher, 2012). Le traitement type comprend la prise d'antibiotiques pour limiter les exacerbations et la gestion des symptômes chroniques. L'administration des antibiotiques doit s'effectuer avec précaution en tenant compte des résultats des cultures des expectorations. Une intervention rapide par antibiotiques se révèle utile, et une antibiothérapie de longue durée est courante. Il peut être nécessaire d'administrer un traitement prolongé à fortes doses, car de nombreux médicaments ne sont pas métabolisés normalement, et le client les élimine rapidement. Il n'existe aucune donnée probante qui appuie la prise prolongée d'antibiotiques par voie P.O. chez l'adulte atteint de FK.

La plupart des clients présentent une infection à *Pseudomonas*, laquelle est difficile à prendre en charge. Les soins courants pour traiter les clients atteints d'une infection chronique consistent à administrer une solution de tobramycine en inhalation (TOBI[MD]) deux fois par jour, un mois sur deux, ce qui permet d'améliorer la fonction pulmonaire et de diminuer la fréquence des exacerbations. De plus, des doses quotidiennes d'azithromycine sont souvent administrées. Les antibiotiques fréquemment pris par voie P.O. dans les cas d'exacerbations légères (c.-à-d. avec une toux et des expectorations accrues) sont la pénicilline semi-synthétique ou l'association triméthoprime-sulfaméthoxazole. Les quinolones par voie P.O., particulièrement le chlorhydrate de ciprofloxacine (Cipro[MD]), sont rarement administrées en raison de l'apparition rapide d'une résistance microbienne. Les exacerbations plus graves exigent un traitement antimicrobien par voie I.V. d'une durée de deux à quatre semaines. L'azithromicine utilisée sur une période de plus de six mois réduit la fréquence des infections pulmonaires, particulièrement les infections à Pseudomonas. L'efficacité de ce médicament est probablement liée à son effet anti-inflammatoire (Sanders & Farrell, 2012).

Jugement clinique

Mireille Lemieux, une adolescente âgée de 17 ans, est atteinte de fibrose kystique diagnostiquée dans l'enfance. Actuellement, elle vit une période de révolte où elle rejette sa maladie et refuse d'utiliser les techniques de dégagement des voies respiratoires qu'elle trouve « nulles ». Quel risque immédiat court-elle en refusant d'exécuter ces techniques ?

Si les ressources et le soutien sont suffisants, le client et le proche aidant peuvent choisir de poursuivre l'antibiothérapie par voie I.V. à domicile. Selon Yousef et Jaffe (2010), le traitement habituel consiste à administrer deux antibiotiques qui possèdent des mécanismes d'action différents (p. ex., la céphalosporine et l'aminoside). Le client qui présente un cœur pulmonaire ou de l'hypoxémie peut avoir besoin d'une oxygénothérapie à domicile. Le client aux prises avec un pneumothorax important aura besoin d'un drainage pleural, souvent à plusieurs reprises. La sclérose de la cavité pleurale ou la pleurectomie partielle et l'abrasion pleurale par voie chirurgicale peuvent être indiquées dans les cas de récidives de pneumothorax. Dans les cas d'hémoptysie massive, une embolisation des artères bronchiques est réalisée. La FK est devenue une indication majeure de la greffe de poumon (Cystic Fibrosis Foundation Patient Registry, 2012).

Le traitement de l'insuffisance pancréatique comprend l'enzymothérapie de remplacement qui consiste à administrer les enzymes lipase, protéase et amylase (p. ex., le Pancrease MT[MD], le Creon[MD], l'Ultrase[MD]) avant chaque repas et collation. Il est important d'obtenir un apport suffisant de lipides, de calories, de protéines et de vitamines. Il faut également assurer la prise de suppléments vitaminiques liposolubles (vitamines A, D, E et K). L'administration de suppléments caloriques améliore l'état nutritionnel. L'ajout de sel dans l'alimentation est indiqué en cas de transpiration excessive, comme par temps chaud, en présence de fièvre ou au cours d'une activité physique intense. L'hyperglycémie peut nécessiter un traitement à l'insuline.

Si le client présente un syndrome d'occlusion intestinale distale accompagné d'une occlusion intestinale totale, il peut s'avérer nécessaire d'avoir recours à une décompression gastrique et à une intervention chirurgicale. Les épisodes d'occlusion partielle sans complication sont traités par l'ingestion d'une solution de polyéthylène glycol équilibrée en électrolytes (Klean-Prep[MD], PegLyte[MD]) pour ramollir le contenu intestinal. Des lavements barytés hydrosolubles peuvent également être administrés (Boyle, 2007). La constipation apparaît dans le côlon sigmoïde, et sa progression est proximale, tandis que le syndrome d'occlusion intestinale distale se manifeste dans l'iléon terminal, et sa progression est distale. Il faut absolument surveiller étroitement les habitudes d'élimination intestinale du client atteint de FK.

Les exercices d'aérobie semblent efficaces pour dégager les voies respiratoires. Il faut toutefois tenir compte d'éléments importants dans la planification d'un programme d'exercices d'aérobie pour le client atteint de FK : 1) intercaler des périodes fréquentes de repos au cours de la séance d'exercices ; 2) satisfaire les besoins nutritionnels accrus en raison de l'exercice; 3) surveiller les manifestations d'hyperthermie; 4) faire boire de grandes quantités de liquide et remplacer les pertes d'électrolytes.

Plus de 20 % des adultes atteints de FK souffrent de dépression, car cette maladie impose un lourd fardeau au client et à sa famille. Les problèmes de fertilité, l'espérance de vie réduite, les coûts des soins de santé et les choix de carrière ne sont que quelques-unes des préoccupations auxquelles le client doit faire face (Cystic Fibrosis Foundation Patient Registry, 2012).

Soins et traitements infirmiers

CLIENT ATTEINT DE FIBROSE KYSTIQUE

Collecte des données

L'**ENCADRÉ 36.19** contient les données subjectives et objectives à recueillir auprès du client atteint de FK.

Analyse et interprétation des données

L'analyse et l'interprétation des données relatives au client atteint de FK peuvent comprendre, sans y être limitées, les éléments suivants:

- dégagement inefficace des voies respiratoires lié à la présence de mucus bronchique épais et abondant, à la faiblesse et à la fatigue;
- mode de respiration inefficace lié à la bronchoconstriction, à l'anxiété et à l'obstruction des voies respiratoires;
- perturbation des échanges gazeux liée aux infections pulmonaires répétitives;
- déséquilibre nutritionnel: besoins de l'organisme non comblés liés à des intolérances alimentaires, à la présence de gaz intestinaux et à l'altération de la production d'enzymes pancréatiques;
- adaptation inefficace liée aux multiples facteurs de stress personnel de la vie comme l'espérance de vie réduite, les coûts de traitement et les limites dans les choix de carrière.

Collecte des données

ENCADRÉ 36.19 Fibrose kystique

DONNÉES SUBJECTIVES

- Renseignements importants concernant la santé:
  - Antécédents de santé: infections répétitives des voies respiratoires et des sinus, toux persistante avec production excessive d'expectorations
  - Médicaments: prise de bronchodilatateurs, d'antibiotiques et de plantes médicinales et adhésion au traitement
- Modes fonctionnels de santé:
  - Perception et gestion de la santé: antécédents familiaux de FK; diagnostic de FK durant l'enfance; dépistage génétique chez la descendance
  - Nutrition et métabolisme: intolérances alimentaires, appétit vorace, perte de poids, brûlures d'estomac
  - Élimination: gaz intestinaux; défécation fréquente et abondante, constipation
  - Activités et exercices: fatigue, ↓ tolérance à l'exercice, quantité et type d'exercices; dyspnée, toux, production excessive de mucus ou d'expectorations, toux avec expectorations sanguinolentes, techniques de dégagement des voies respiratoires
  - Cognition et perception: douleurs abdominales
  - Sexualité et reproduction: apparition retardée des règles, cycle menstruel irrégulier, problèmes de fertilité ou de procréation
  - Adaptation et tolérance au stress: anxiété, dépression, problèmes d'adaptation au diagnostic

DONNÉES OBJECTIVES

- Observations générales: agitation; retard de croissance
- Système tégumentaire: cyanose (péribuccale, lit des ongles), hippocratisme digital; peau salée
- Système visuel: ictère sclérotique
- Système respiratoire: problèmes de sinus; écoulement nasal persistant; ↓ bruits respiratoires, expectorations (épaisses, blanches ou verdâtres, tenaces), hémoptysie, ↑ travail respiratoire, utilisation des muscles respiratoires accessoires; thorax en forme de tonneau
- Système cardiovasculaire: tachycardie
- Système gastro-intestinal: abdomen protubérant; distension abdominale; selles grasses et nauséabondes
- Résultats possibles aux examens paracliniques: résultats anormaux de la gazométrie du sang artériel et des tests de la fonction respiratoire; résultats anormaux du test de la sueur, de la radiographie pulmonaire et de l'analyse des lipides fécaux

Planification des soins

Les objectifs généraux pour le client qui souffre de FK sont :

- de dégager efficacement ses voies respiratoires ;
- de diminuer les facteurs de risque des infections respiratoires ;
- d'avoir un apport nutritionnel suffisant pour maintenir un IMC adéquat ;
- de pouvoir effectuer ses AVQ ;
- de reconnaître et traiter rapidement les complications liées à la FK ;
- de participer activement à la planification et à l'exécution d'un plan de traitement.

Interventions cliniques

L'infirmière et les autres professionnels de la santé peuvent amener les jeunes adultes à devenir autonomes en les encourageant à prendre en charge leurs propres soins et à poursuivre leurs objectifs scolaires ou professionnels. La sexualité est un aspect important à aborder. Il arrive fréquemment que les menstruations soient retardées ou que le cycle menstruel soit irrégulier. Un retard dans l'apparition de caractères sexuels secondaires, comme les seins chez les filles, est parfois observé. La personne peut prétexter la maladie pour éviter certaines activités ou relations. De plus, la personne en bonne santé peut hésiter à se lier d'amitié avec une personne malade. Il faut également aborder d'autres crises et transitions que traversera le jeune adulte et qui l'amèneront à acquérir la confiance en soi et le respect de soi grâce à ses accomplissements, à persévérer dans l'atteinte de ses objectifs professionnels, à gagner la motivation nécessaire pour réussir, à s'adapter au plan de traitement et à accepter de devoir dépendre d'une tierce personne si sa santé se détériore. Le fait de révéler à des amis, à un conjoint potentiel ou à un employeur qu'il est atteint de FK peut constituer une démarche difficile sur le plan émotionnel et financier pour le jeune adulte.

La question du mariage et des enfants demeure délicate. Il est parfois approprié de suggérer une consultation génétique aux couples qui désirent avoir des enfants. La courte espérance de vie du parent atteint de FK constitue une autre préoccupation dont il faut tenir compte, de même que sa capacité à prendre soin d'un enfant.

L'intervention aiguë chez le client atteint de FK consiste à soulager la bronchoconstriction, l'obstruction des voies respiratoires et la limitation du passage de l'air dans les poumons. Pour ce faire, la kinésithérapie de drainage vigoureuse, l'administration d'antibiotiques et l'oxygénothérapie dans les cas graves sont employées. Il est également important d'avoir une alimentation saine. Les progrès réalisés en matière d'accessibilité vasculaire sous-cutanée de longue durée (p. ex., les chambres implantables) et d'antibiotiques en inhalation ont grandement facilité l'administration des médicaments ainsi que le passage vers les traitements à domicile.

Le traitement à domicile de la FK consiste en un plan énergique de dégagement des voies respiratoires qui peut comprendre le drainage postural avec percussions et vibrations, l'Acapella[MD], le Flutter[MD], les oscillations à haute fréquence de la paroi thoracique (gilet), le traitement par nébulisation ou aérosol et la rééducation respiratoire. L'infirmière doit enseigner au client la toux contrôlée **ENCADRÉ 36.13**, la respiration à lèvres pincées **ENCADRÉ 36.7** et les exercices progressifs de conditionnement physique comme la marche et le vélo.

La FK impose un fardeau financier et émotionnel important au client et à sa famille. Le coût des médicaments, du matériel spécialisé et des soins de santé entraîne souvent des difficultés financières. Comme la plupart des clients atteints de FK atteignent l'âge de procréer, il est important d'avoir recours à des séances de planification familiale et à des consultations génétiques. Pour un jeune, le fait de vivre avec une maladie chronique peut être un fardeau difficile à surmonter émotionnellement. Il existe souvent des ressources dans la collectivité pour venir en aide aux familles. De plus, la Fondation canadienne de la fibrose kystique peut apporter de l'aide. À mesure que le client évolue vers l'âge adulte et poursuit sa vie, l'infirmière et d'autres professionnels de la santé qualifiés doivent être disponibles pour l'aider, ainsi que sa famille, à faire face aux complications de la maladie.

36.5 | Bronchectasie

36.5.1 Étiologie et physiopathologie

La bronchectasie se caractérise par une dilatation anormale et permanente des bronches de moyen calibre selon une répartition localisée ou diffuse. Cette modification physiopathologique est le résultat de changements inflammatoires qui détruisent les structures élastiques et musculaires de soutien des parois bronchiques, ce qui entraîne une dilatation des bronches atteintes. Une stase du mucus épaissi se produit en même temps qu'une altération du processus d'évacuation assuré par les cils vibratiles. Cette situation entraîne une diminution de la capacité à expulser le mucus des poumons et une réduction du débit expiratoire. La bronchectasie fait donc partie des maladies respiratoires obstructives. De plus, en raison de l'inflammation chronique des bronches, les vaisseaux sanguins de la paroi bronchique prennent de l'expansion, si bien que la progression continue de l'affection peut entraîner l'apparition d'une hémoptysie (Gott & Brashers, 2012).

Divers processus physiopathologiques peuvent provoquer la bronchectasie. Une infection bactérienne des poumons qui n'a pas été traitée ou dont le traitement a été retardé constitue la principale cause de la bronchectasie diffuse. Parmi les causes de la bronchectasie se trouvent également l'obstruction endobronchique localisée ou la compression extrinsèque de la bronche (tumeur), l'altération généralisée des défenses pulmonaires (FK, déficience en immunoglobuline, trouble des cils vibratiles), les effets systémiques des maladies inflammatoires (colite ulcéreuse) ou des causes non infectieuses (intoxication aux métaux lourds).

L'infection constitue la raison première du cycle continu de l'inflammation, de l'atteinte des voies respiratoires et du remodelage. La bronchectasie peut suivre une pneumonie grave, et elle est attribuable à divers agents infectieux, dont l'adénovirus, le virus grippal, *S. aureus*, *Klebsiella* et les anaérobies. Ces infections entraînent un affaiblissement des parois bronchiques, et des poches d'infection commencent à se former **FIGURE 36.17**. Lorsqu'il y a atteinte des parois de l'appareil bronchique, le mécanisme mucociliaire est endommagé, ce qui produit une accumulation de bactéries et de mucus dans ces poches. L'infection s'aggrave et entraîne l'apparition de la bronchectasie. Plusieurs maladies systémiques comme les maladies inflammatoires de l'intestin, la polyarthrite rhumatoïde ou une maladie auto-immune comme le syndrome d'immunodéficience acquise (SIDA) peuvent être associées à la bronchectasie (Brashers, 2010).

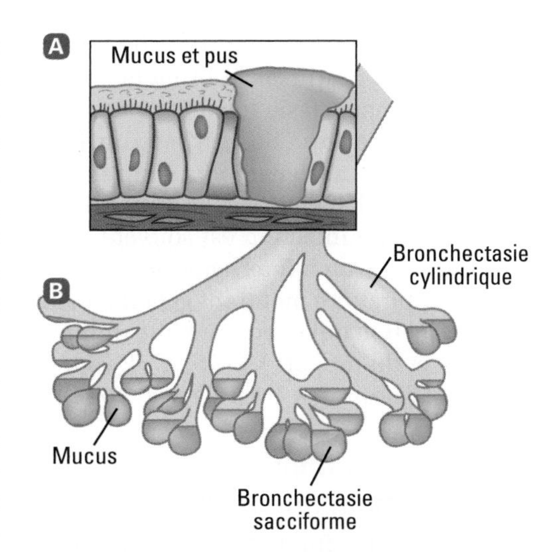

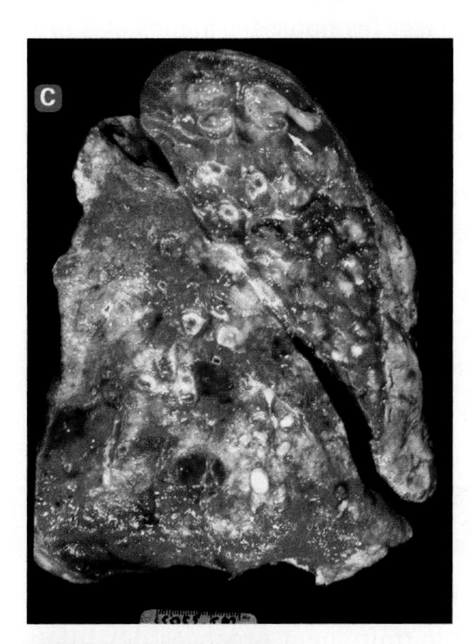

FIGURE 36.17 Changements pathologiques observés dans la bronchectasie – **A** Coupe longitudinale d'une paroi bronchique endommagée par une infection chronique. **B** Accumulation de sécrétions mucopurulentes dans des bronchioles dilatées, qui mène à une infection persistante. **C** Bronchectasie chez une personne atteinte de fibrose kystique qui a subi une greffe de poumon. Des coupes de poumon permettent de voir des bronches périphériques nettement distendues, remplies de sécrétions mucopurulentes.

36.5.2 Manifestations cliniques

Le signe distinctif de la bronchectasie est la toux persistante ou récurrente accompagnée d'une production d'expectorations purulentes. Toutefois, certains clients dont l'atteinte est grave et touche les lobes pulmonaires supérieurs peuvent ne présenter aucune expectoration et peu de toux. Des infections récurrentes consécutives à des blessures aux vaisseaux sanguins et des hémoptysies sont fréquentes. Les cas les plus sévères peuvent nécessiter des soins médicaux d'urgence. Les autres manifestations de la bronchectasie sont la dyspnée, la fatigue, la perte de poids, la **myalgie** et la fièvre. L'auscultation des poumons révèle divers bruits adventices (p. ex., des crépitants, des sibilances, des râles).

CE QU'IL FAUT RETENIR

Le signe distinctif de la bronchectasie est la toux persistante ou récurrente accompagnée d'une production d'expectorations purulentes.

36.5.3 Examen clinique et examens paracliniques

Il faut soupçonner la bronchectasie chez le client qui présente une toux productive chronique, accompagnée d'expectorations abondantes et purulentes (elles peuvent être striées de sang). Les radiographies pulmonaires peuvent montrer certaines anomalies non spécifiques. La tomodensitométrie haute résolution de la cage thoracique constitue

Myalgie : Douleurs des muscles striés squelettiques.

CE QU'IL FAUT RETENIR

La bronchectasie est difficile à traiter. Le traitement vise à soulager les poussées aiguës et à prévenir la perte progressive de la fonction pulmonaire.

Embolisation de l'artère bronchique : Procédure où un angioradiologiste, sous contrôle scopique, injecte des fragments de spongel (plaquette de gélatine, résorbable en environ trois semaines) mélangés à un produit de contraste iodé, directement dans l'artère bronchique de manière à y bloquer la circulation sanguine.

l'examen de référence du diagnostic de la bronchectasie. Il est possible d'utiliser la bronchoscopie dans les cas de bronchectasie localisée pour diagnostiquer l'obstruction. Les expectorations peuvent fournir des renseignements supplémentaires sur la gravité de l'atteinte et la présence d'une infection active. Cette infection est souvent attribuable à *H. influenzæ* ou à *P. æruginosa*. Les tests de la fonction respiratoire montrent généralement un profil d'obstruction qui comprend une diminution du $VEMS_1$ et du rapport $VEMS_1/CVF$ (Baron & Bartlett, 2012 ; Chesnutt & Prendergast, 2012).

36.5.4 Processus thérapeutique en interdisciplinarité

La bronchectasie est difficile à traiter. Le traitement vise à soulager les poussées aiguës et à prévenir la perte progressive de la fonction pulmonaire. Les antibiotiques constituent l'élément principal du traitement, et ils sont souvent administrés de manière empirique, mais il est préférable d'effectuer une mise en culture des prélèvements d'expectorations. Le traitement suppressif prolongé par antibiotiques est réservé aux clients qui présentent une réapparition des symptômes quelques jours après l'arrêt des antibiotiques. Les antibiotiques sont administrés par voie P.O., I.V. ou en inhalation. La solution de tobramycine en inhalation (TOBI[MD]) s'avère très efficace dans les cas d'infection à *P. æruginosa*.

Un traitement concomitant par bronchodilatateurs au moyen de BALA, de BACA ou d'anticholinergiques est administré pour prévenir le bronchospasme et stimuler la clairance mucociliaire. De plus, un corticostéroïde en inhalation peut être pris. Il importe de maintenir une bonne hydratation pour éclaircir les sécrétions. La kinésithérapie de drainage et d'autres techniques de dégagement des voies respiratoires sont importantes pour faciliter l'expectoration des sécrétions. L'infirmière doit conseiller au client de diminuer ses expositions à de grandes quantités de polluants atmosphériques et d'irritants, d'éviter de fumer et de se faire vacciner contre la pneumonie et la grippe.

Des antibiothérapies et des traitements d'appoint plus efficaces ont remplacé la **lobectomie** fréquemment pratiquée auparavant. La greffe de poumon constitue une option pour les clients choisis dont l'invalidité persiste malgré un traitement optimal. L'hémoptysie massive peut nécessiter une lobectomie ou l'**embolisation de l'artère bronchique** en cause (Baron & Bartlett, 2012).

Soins et traitements infirmiers

CLIENT ATTEINT DE BRONCHECTASIE

La détection et le traitement précoces des infections des voies respiratoires inférieures contribuent à prévenir les complications comme la bronchectasie. Il faut retirer sans délai toute lésion obstructive ou tout corps étranger.

L'un des principaux objectifs infirmiers est de favoriser le drainage et l'expulsion du mucus bronchique. Différentes techniques efficaces de dégagement des voies respiratoires peuvent être utilisées pour faciliter l'expulsion des sécrétions. La kinésithérapie de drainage, accompagnée du drainage postural, est largement employée chez le client atteint de bronchectasie. Celui-ci doit comprendre l'importance de suivre le régime médicamenteux prescrit pour obtenir un maximum d'efficacité. Il lui faut se reposer pour éviter le surmenage. Le repos au lit est parfois indiqué au cours de la phase aiguë de la maladie, surtout en présence d'une hémoptysie. Si celle-ci survient, le client doit savoir quand il doit joindre son médecin. Il est normal que certains clients présentent un peu de sang dans leurs expectorations. Le professionnel de la santé donnera des consignes explicites quant au moment où il faut joindre les services d'urgence. Dans les établissements de soins de longue durée, si le client présente une hémoptysie, l'infirmière doit joindre immédiatement le médecin, surélever la tête du lit et placer le client en décubitus latéral, du côté où elle soupçonne l'origine de l'hémorragie.

Il est important d'avoir une saine alimentation, mais il peut être difficile de la maintenir, car le client est souvent anorexique. La pratique d'une hygiène buccale qui vise à nettoyer la bouche et à la débarrasser des expectorations séchées peut améliorer l'appétit du client. Offrir des aliments qui sont appétissants peut également augmenter le désir de manger. Il est extrêmement important d'assurer une hydratation suffisante pour aider à éclaircir les sécrétions et, par le fait même, à faciliter leur expulsion. À moins de contre-indications (p. ex., la présence d'une néphropathie ou d'une cardiopathie), l'infirmière recommande au client de boire au moins trois litres de liquide par jour. Pour y arriver, elle lui conseille d'augmenter progressivement sa consommation de liquide en ajoutant un verre de plus par jour jusqu'à l'atteinte de son objectif. En général, il faut recommander au client de prendre des liquides à faible teneur en sodium pour éviter la rétention d'eau.

L'humidification directe du système respiratoire peut également s'avérer bénéfique pour expectorer les sécrétions. Habituellement, un nébuliseur pneumatique est utilisé pour administrer une solution saline normale en aérosol. Il est également possible d'utiliser une solution saline hypertonique pour obtenir un effet plus agressif. À domicile, la vapeur générée par une douche chaude peut s'avérer efficace ; dans ce cas, aucun besoin de se procurer du matériel coûteux qui demande un entretien fréquent. L'infirmière enseigne au client et au proche aidant à reconnaître les manifestations cliniques importantes à signaler au médecin. Ces manifestations sont une production accrue d'expectorations, des **expectorations hémoptoïques**, une aggravation de la dyspnée, de la fièvre, des frissons et une douleur thoracique.

Expectoration hémoptoïque : Crachat sanguinolent.

Analyse d'une situation de santé — Jugement clinique

36

Réjean Legendre est âgé de 54 ans. Il travaille depuis 30 ans dans une cimenterie et habite dans l'est de Montréal, près d'une autoroute. Il fume environ un paquet de cigarettes par jour depuis l'âge de 15 ans. Depuis trois ans, il a des bronchites deux ou trois fois par an, et le médecin vient de confirmer le diagnostic de MPOC. Il est présentement hospitalisé pour une exacerbation de son problème respiratoire.

Pour l'instant, il est très dyspnéique. Sa respiration est encombrée, et il a du mal à évacuer ses sécrétions malgré une toux importante, surtout le matin. Pourtant, il dit boire au moins un litre de liquide par jour.

De plus, il se sent très anxieux, car il est actuellement en congé de maladie. Il craint que sa MPOC ne soit pas reconnue comme maladie professionnelle à cause du tabagisme et il s'inquiète beaucoup quant à son rôle familial. Pour le moment, c'est surtout sa conjointe qui pourvoit à tout, même si elle dit qu'il est normal de le soutenir. ◀

Mise en œuvre de la démarche de soins

Collecte des données – Évaluation initiale – Analyse et interprétation

SOLUTIONNAIRE

1. Lors de l'évaluation de la condition de monsieur Legendre, relevez trois données précises qui permettent d'évaluer son atteinte respiratoire.
2. Formulez trois questions que l'infirmière peut poser pour évaluer les vraies sources de l'inquiétude de monsieur Legendre.
3. Monsieur Legendre pourrait éprouver d'autres symptômes en lien avec la MPOC. Citez-en trois.
4. Nommez trois données qui confirment le problème prioritaire *Anxiété* pour monsieur Legendre.

Extrait

CONSTATS DE L'ÉVALUATION

Date	Heure	N°	Problème ou besoin prioritaire	Initiales	RÉSOLU / SATISFAIT			Professionnels / Services concernés
					Date	Heure	Initiales	
2016-04-12	*08:45*	*2*	*Anxiété*	*A.P.*				

Signature de l'infirmière	Initiales	Programme / Service	Signature de l'infirmière	Initiales	Programme / Service
Angèle Patenaude		*2e sud – Pneumologie*			

Récemment vu dans ce chapitre

Du point de vue physiopathologique, et en tenant compte des effets nocifs du tabagisme, comment s'explique la production accrue de mucus dans les voies respiratoires ?

5. En analysant les données du deuxième paragraphe de la mise en contexte, quel problème prioritaire pouvez-vous inscrire dans l'extrait du plan thérapeutique infirmier (PTI) de monsieur Legendre ?

Planification des interventions – Décisions infirmières

6. Pour le problème prioritaire déjà inscrit dans l'extrait du PTI de monsieur Legendre (la réponse à la question 5), que manque-t-il à la directive infirmière *Faire pratiquer les exercices de toux contrôlée* pour qu'elle soit précise et facilement applicable ?

Extrait

CONSTATS DE L'ÉVALUATION								
Date	Heure	N°	Problème ou besoin prioritaire	Initiales	RÉSOLU / SATISFAIT			Professionnels / Services concernés
					Date	Heure	Initiales	
2016-04-12	*08:45*	*2*	*Anxiété*	*A.P.*				

SUIVI CLINIQUE							
Date	Heure	N°	Directive infirmière	Initiales	CESSÉE / RÉALISÉE		
					Date	Heure	Initiales
2016-04-12	*08:45*	*3*	*Faire pratiquer les exercices de toux contrôlée.*	*A.P.*			

Signature de l'infirmière	Initiales	Programme / Service	Signature de l'infirmière	Initiales	Programme / Service
Angèle Patenaude	*A.P.*	*2ᵉ sud – Pneumologie*			

7. Ajoutez une nouvelle directive infirmière dans l'extrait du PTI qui contribuerait à rendre les sécrétions du client plus aqueuses et plus faciles à expectorer. Justifiez votre décision.

Évaluation des résultats – Évaluation en cours d'évolution

8. Comment l'infirmière pourrait-elle vérifier que le problème prioritaire nº 3 inscrit dans l'extrait du PTI est résolu ou en voie de l'être ?
9. Quelles sont les trois observations qui indiqueraient que monsieur Legendre s'engage dans une prise en charge de sa situation de santé ?

Récemment vu dans ce chapitre

Outre le tabagisme, quel est le principal facteur de risque lié à la MPOC qui est présent chez monsieur Legendre ?

Récemment vu dans ce chapitre

Quelles sont les caractéristiques de la dyspnée dans une MPOC ? Nommez-en trois.

APPLICATION DE LA PENSÉE CRITIQUE

Dans l'application de la démarche de soins auprès de monsieur Legendre, l'infirmière a recours aux éléments du modèle de la pensée critique pour analyser la situation de santé du client et en comprendre les enjeux. La **FIGURE 36.18** résume les caractéristiques de ce modèle en fonction des données de ce client, mais elle n'est pas exhaustive.

VERS UN JUGEMENT CLINIQUE

CONNAISSANCES

- Physiopathologie et évolution de la MPOC
- Facteurs favorisants
- Manifestations cliniques
- Traitement (incluant l'oxygénothérapie)
- Réactions psychologiques d'une personne vivant avec une maladie chronique

EXPÉRIENCES

- Soins aux clients ayant un problème respiratoire chronique
- Contact avec des personnes aux prises avec des démarches administratives
- Expérience personnelle de tabagisme

NORME

- Protocole local de suivi systématique pour un client présentant un problème respiratoire obstructif

ATTITUDES

- Ne pas juger monsieur Legendre quant à sa part de responsabilité dans sa maladie en raison de son tabagisme
- Encourager le client à prendre en charge sa maladie et ses traitements, à manifester des sentiments positifs sur ses capacités, à valider les perceptions de sa conjointe

PENSÉE CRITIQUE

ÉVALUATION

- Habitudes de tabagisme de monsieur Legendre
- Antécédents de problèmes respiratoires
- Symptômes de MPOC présents chez le client (caractéristiques de la toux, des expectorations, des bruits respiratoires auscultés)
- Moyens pris par monsieur Legendre pour dégager ses voies respiratoires
- Perception qu'il a de sa situation (niveau de connaissances et de compréhension des symptômes)
- Motivation à changer ses habitudes de tabagisme
- Motivation à gérer son problème de santé de façon autonome
- Indices du degré d'anxiété du client
- Impacts de la condition clinique du client sur la dynamique familiale

JUGEMENT CLINIQUE

FIGURE 36.18 Application de la pensée critique à la situation de santé de monsieur Legendre

Chapitre 37

ÉVALUATION CLINIQUE

Système hématologique

Écrit par:
Sandra Irene Rome, RN, MN, AOCN, CNS

Adapté par:
Sylvie Bélanger, inf., M. Sc., CSIO(C)

Mis à jour par:
Andréane Chevrette, inf., B. Sc., MGP, CSIO(C)

MOTS CLÉS

Ecchymoses 420
Érythropoïèse 405
Fibrinolyse 410
Hématopoïèse 404
Hémolyse 406
Leucopénie 428
Neutropénie 428
Pancytopénie 428
Pétéchies 420
Réticulocyte 406
Thrombocytose 429

OBJECTIFS

Après avoir étudié ce chapitre, vous devriez être en mesure:

- de décrire l'anatomie et la physiologie du système hématologique;
- de différencier les types de cellules sanguines et leur fonction;
- d'expliquer le mécanisme de l'hémostase;
- de décrire les répercussions liées au vieillissement qui se produisent dans le système hématologique;
- de décrire les données d'évaluation subjectives et objectives pertinentes à l'exploration du système hématologique d'une personne;
- de décrire les composantes d'une évaluation du système hématologique;
- de différencier les résultats normaux des résultats anormaux courants de l'évaluation du système hématologique;
- de décrire les objectifs, l'interprétation des résultats et les interventions infirmières liées aux examens du système hématologique.

Disponible sur 

- Animations
- À retenir
- Carte conceptuelle
- Pour en savoir plus
- Solutionnaire des questions de Jugement clinique
- Solutionnaire des questions Réactivation des connaissances
- Solutionnaires du Guide d'études

Concepts clés

Cette carte conceptuelle illustre schématiquement les principaux concepts décrits dans le présent chapitre. Sa lecture vous permettra d'avoir une vue d'ensemble des notions qui y sont présentées.

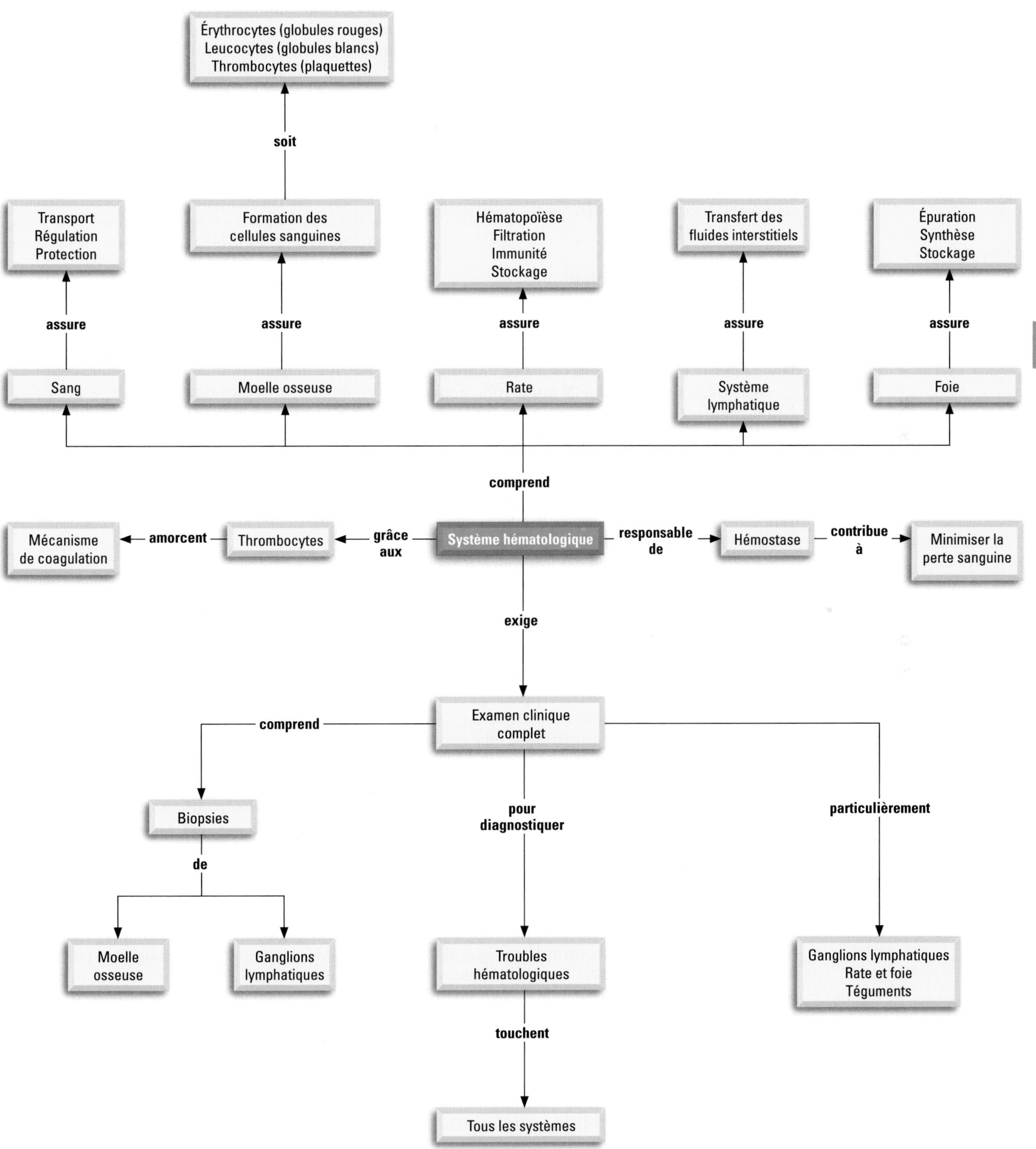

CE QU'IL FAUT RETENIR

Le sang est un tissu de type conjonctif qui remplit trois fonctions principales : le transport (oxygène, nutriments, hormones, déchets), la régulation (liquides, électrolytes, équilibre acidobasique) et la protection (coagulation, protection contre les infections).

37.1 Anatomie et physiologie du système hématologique

L'hématologie est le domaine médical qui s'intéresse au système sanguin et aux tissus hématopoïétiques tels que la moelle osseuse, la rate et le système lymphatique. Des connaissances de base en hématologie sont requises pour pouvoir évaluer la capacité de transport de l'oxygène et du dioxyde de carbone (gaz carbonique ; CO_2) ainsi que les capacités de coagulation sanguine et de lutte contre les infections. L'évaluation du système hématologique est basée sur les antécédents médicaux, l'examen physique et les résultats des examens paracliniques.

37.1.1 Moelle osseuse

La formation de cellules sanguines, ou **hématopoïèse**, a lieu à l'intérieur de la moelle osseuse. La moelle osseuse est une substance molle située dans la cavité médullaire des os. Chez l'adulte, il en existe deux types : la moelle jaune (non active, dite adipeuse) et la moelle rouge (active, dite hématopoïétique), laquelle est responsable de la formation des globules. Chez l'adulte, la moelle rouge se trouve dans les os suivants : bassin (34 %), vertèbres (28 %), crâne et maxillaire inférieur (13 %), sternum et côtes (10 %), têtes de l'humérus et du fémur (de 4 à 8 %). La moelle osseuse jaune prédomine dans les cavités des autres os (McCance, 2006).

Les trois types de cellules sanguines, les érythrocytes ou globules rouges, les leucocytes ou globules blancs et les plaquettes, aussi appelées thrombocytes, ont un « ancêtre commun » : les cellules souches hématopoïétiques pluripotentes. Ces cellules souches sont des cellules sanguines immatures et indifférenciées qui se trouvent dans la moelle osseuse. Les différents types de cellules sanguines issues de ces cellules souches apparaissent durant les processus de maturation et de différenciation cellulaires. Les cellules souches **myéloïdes** produisent les érythrocytes, les plaquettes, et quatre des cinq types de leucocytes : les monocytes, les neutrophiles, les éosinophiles et les basophiles. Les cellules souches **lymphoïdes** produisent le cinquième type de leucocytes, soit les lymphocytes B et les lymphocytes T **FIGURE 37.1**. La moelle osseuse peut répondre à un accroissement de la demande en cellules sanguines de divers types en augmentant leur production par un système de rétroaction négative. La moelle osseuse est stimulée par divers facteurs, dont l'**érythropoïétine**, ce qui entraîne la différenciation des cellules souches en cellules hématopoïétiques déterminées comme les globules rouges.

Myéloïde : Qui concerne la moelle osseuse.

Lymphoïde : Qui a trait ou qui ressemble à la lymphe ou aux éléments de la série lymphocytaire.

37.1.2 Sang

Le sang est un tissu de type conjonctif qui remplit trois fonctions primordiales : le transport, la régulation et la protection **TABLEAU 37.1**. Le sang est responsable du transport de l'oxygène, des nutriments, des hormones et des déchets dans l'organisme. Le sang joue un rôle dans la régulation des liquides, des électrolytes et de l'équilibre acidobasique. Le sang possède aussi un rôle de protection par sa capacité à coaguler et à combattre les infections. Il comprend deux éléments principaux : le plasma et les cellules sanguines.

Plasma

Le plasma constitue environ 55 % du sang **FIGURE 37.2**. Il contient surtout de l'eau, mais aussi des protéines, des électrolytes, des gaz, des nutriments et des déchets. Le terme sérum désigne le plasma, sans ses facteurs de coagulation. Les protéines plasmatiques comprennent l'albumine, les globulines et les facteurs de coagulation, surtout le **fibrinogène** (McCance & Huether, 2006). La plupart des protéines du plasma sont produites par le foie, sauf les anticorps (immunoglobulines), qui sont produites par les plasmocytes. L'albumine, qui constitue environ 60 % des protéines plasmatiques (McCance, 2006), aide à maintenir la pression oncotique du sang (Howard & Hamilton, 2008 ; McCance & Huether, 2010).

Cellules sanguines

Environ 45 % du sang est composé d'éléments figurés, ou cellules sanguines **FIGURE 37.2**. Le rôle principal des érythrocytes est le transport de l'oxygène, alors que les leucocytes interviennent dans la défense de l'organisme contre les infections. Les plaquettes, quant à elles, sont impliquées dans la coagulation du sang.

Érythrocytes

Parmi les éléments figurés du sang, les érythrocytes (globules rouges [GR]) sont les plus nombreux. Ils ont comme rôles principaux le transport des gaz (oxygène et dioxyde de carbone) et la conservation de l'équilibre acidobasique. La composition et les caractéristiques d'un érythrocyte facilitent son rôle de transport des gaz. C'est une cellule souple possédant une forme biconcave particulière. Sa flexibilité lui permet de changer de forme afin de traverser les minuscules vaisseaux capillaires. Sa membrane cellulaire est très mince, ce qui facilite la diffusion des gaz. Les érythrocytes sont composés principalement d'une grosse molécule appelée **hémoglobine (Hb)**. L'hémoglobine, hémoprotéine complexe composée d'hème (un composé de fer) et de globine (une protéine simple), se combine à l'oxygène et au dioxyde de carbone. Pendant que les GR circulent dans les capillaires qui irriguent les alvéoles pulmonaires, l'oxygène se lie au fer de l'hémoglobine. L'hémoglobine oxygénée,

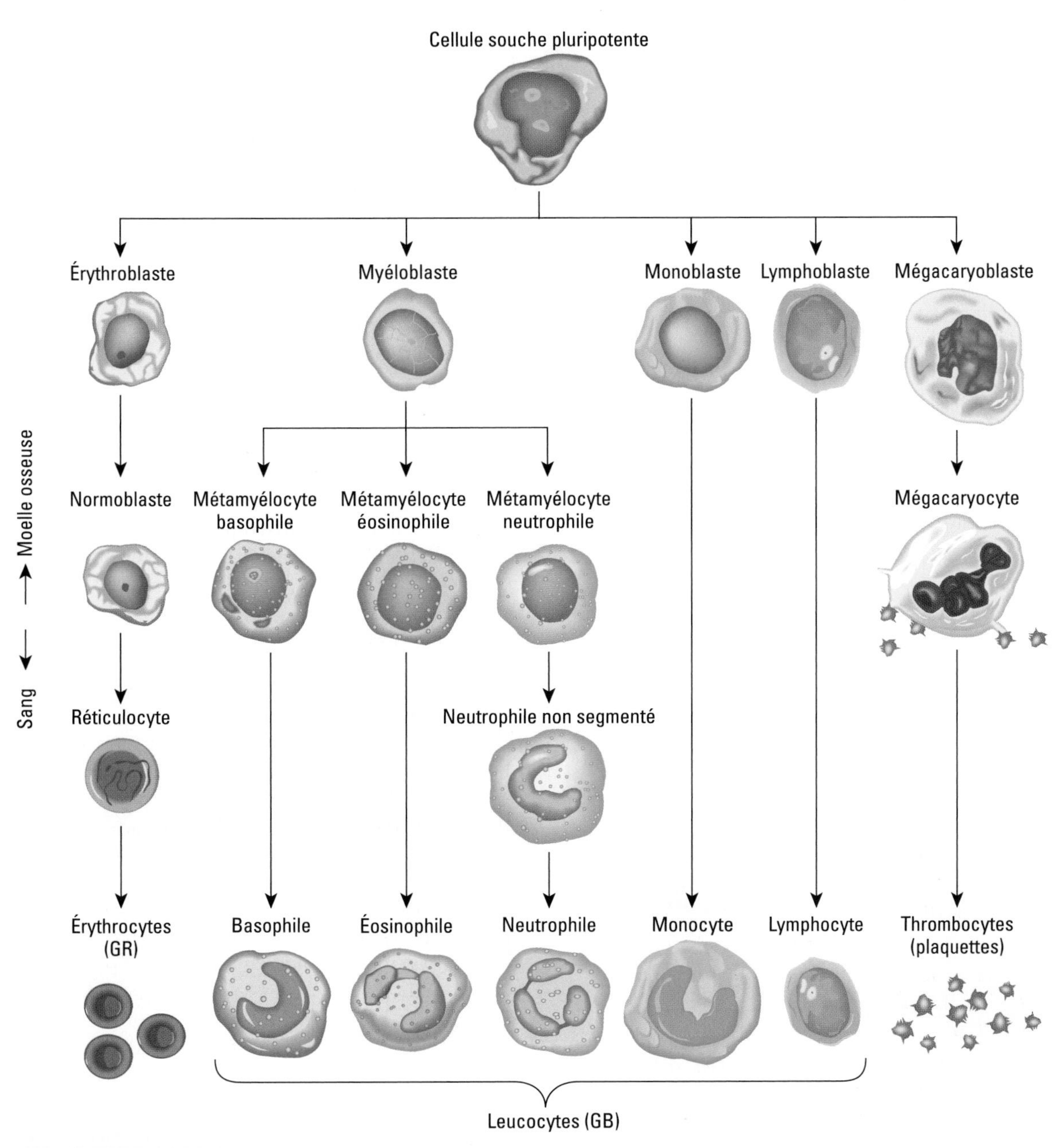

FIGURE 37.1 Maturation des cellules sanguines

appelée oxyhémoglobine, est à l'origine de la couleur rouge vif du sang artériel. Pendant que les GR circulent dans les tissus de l'organisme, l'oxygène se détache de l'hémoglobine et diffuse des capillaires vers les tissus. Le dioxyde de carbone, qui diffuse des tissus vers les capillaires, se lie à la partie globine de l'hémoglobine et retourne aux poumons pour être éliminé. L'hémoglobine exerce aussi un effet tampon et joue un rôle dans le maintien de l'équilibre acidobasique ▶ 17.

L'**érythropoïèse** est influencée par les besoins en oxygène des cellules et par l'activité métabolique générale. L'érythropoïèse est stimulée par l'hypoxie et régulée par l'érythropoïétine, facteur de croissance glycoprotéique synthétisé et libéré par le rein. L'érythropoïétine stimule la moelle osseuse, ce qui fait augmenter la synthèse d'érythrocytes. En temps normal, la moelle osseuse libère 3×10^9 GR/kg de la masse corporelle par jour. La durée de vie normale des érythrocytes est d'environ 120 jours (McKinley, O'Loughlin & Bidle, 2014). L'érythropoïèse est aussi influencée par la disponibilité de nutriments, et beaucoup d'entre eux sont essentiels à la formation des globules rouges. C'est le cas des protéines, du fer, du folate ou acide folique, de la cobalamine (vitamine B_{12}), de la riboflavine (vitamine B_2), de la pyridoxine (vitamine B_6), de l'acide pantothénique (vitamine B_5), de la niacine (vitamine B_3), de l'acide ascorbique (vitamine C) et du tocaphérol (vitamine E) (McCance & Huether, 2010). La formation d'érythrocytes est aussi influencée par des hormones endocrines comme la

Le rôle de l'hémoglobine dans l'équilibre acidobasique est traité dans le chapitre 17, *Déséquilibres hydroélectrolytiques et acidobasiques.*

TABLEAU 37.1	Rôles du sang
RÔLE	**EXEMPLES**
Transport	• Oxygène, des poumons aux cellules • Nutriments, du tractus gastro-intestinal aux cellules • Hormones, des glandes endocrines vers les tissus et les cellules • Déchets métaboliques (p. ex., le CO_2, l'ammoniac [NH_3], l'urée), des cellules aux poumons, au foie et aux reins
Régulation	• Équilibre hydrique et électrolytique • Équilibre acidobasique • Température corporelle • Maintien de la pression oncotique intravasculaire
Protection	• Maintien de l'homéostasie de la coagulation sanguine • Lutte contre l'invasion d'agents pathogènes et d'autres corps étrangers

thyroxine, les corticostéroïdes et la testostérone. L'hypothyroïdie, par exemple, est souvent associée à l'anémie (Porter & Kaplan, 2011).

La maturation de l'érythrocyte résulte de l'évolution de plusieurs types distincts de cellules **FIGURE 37.1**. Le réticulocyte est un érythrocyte immature. La numération des réticulocytes mesure la vitesse de formation de nouveaux GR dans la circulation. Après 48 heures, ils deviennent des GR matures. Le décompte des réticulocytes est donc utile pour évaluer le taux et la capacité de formation des érythrocytes.

L'**hémolyse** par les monocytes et les macrophages permet d'éliminer de la circulation les GR anormaux, défectueux, endommagés et vieillis. L'hémolyse se produit principalement dans la rate, et plus accessoirement dans le foie et la moelle osseuse. L'hémolyse provoque une augmentation de la bilirubinémie, car les GR contiennent de la

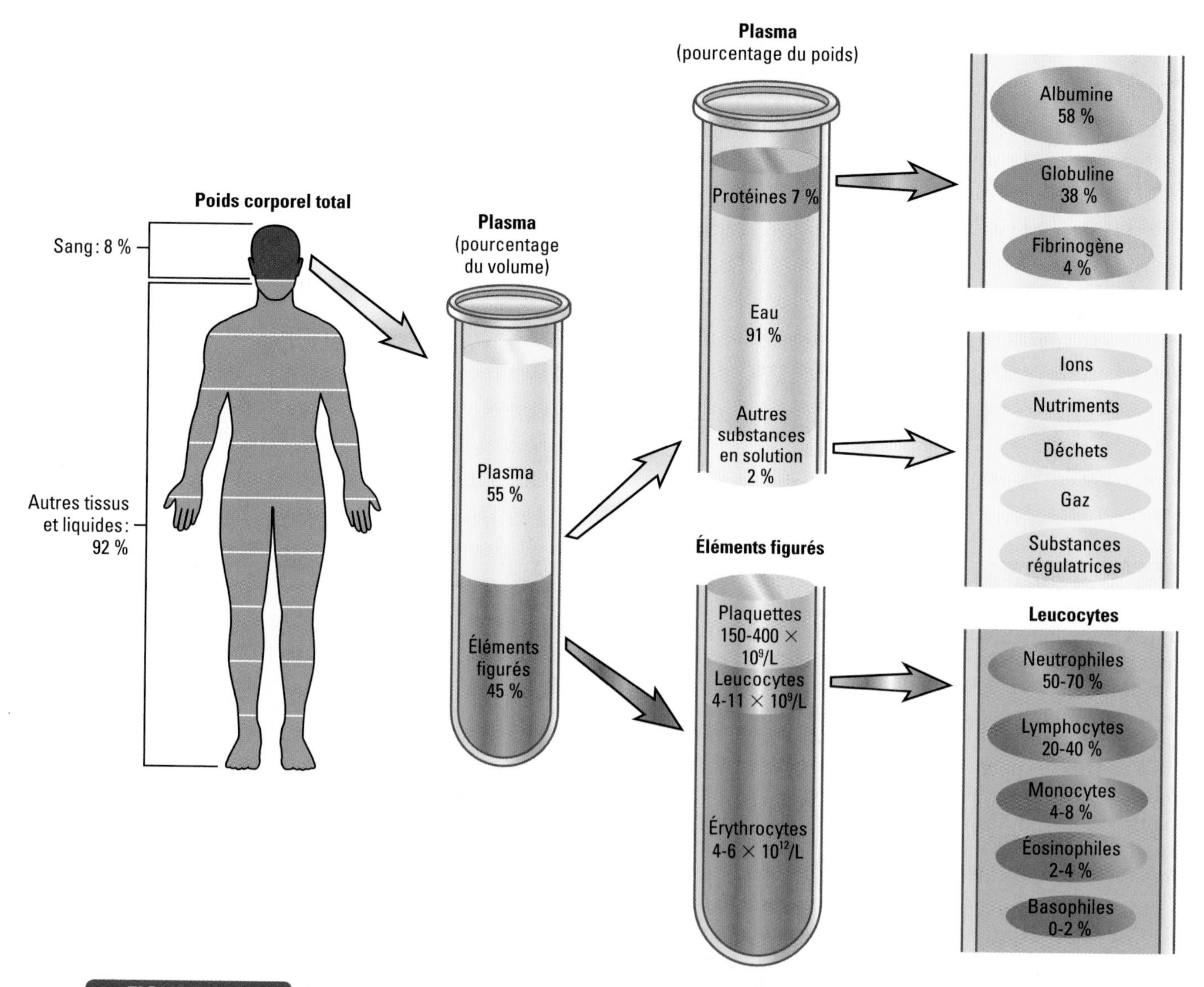

FIGURE 37.2 Composition du sang chez l'adulte, valeurs approximatives – Normalement, 45 % du sang est composé de cellules sanguines et 55 %, de plasma.

bilirubine, qu'ils libèrent lorsqu'ils sont détruits. La bilirubine est souvent indiquée comme totale, indirecte (bilirubine non conjuguée) et directe (bilirubine conjuguée). La bilirubine non conjuguée (libérée par la rate et la moelle osseuse à partir de la destruction des GR) est captée par le foie, conjuguée et excrétée dans la bile. Durant un processus d'hémolyse normal, le foie peut conjuguer et éliminer toute la bilirubine libérée. En présence d'un mauvais fonctionnement de la rate ou si la personne a subi une **splénectomie**, l'hémolyse s'effectuera par les macrophages (cellules de Kupffer) situés dans le foie. Dans le dosage de la bilirubine du sang, un excès de bilirubine non conjuguée (indirecte) peut être un signe de destruction excessive des GR. Un excès de bilirubine conjuguée (directe) peut être un signe d'une atteinte hépatique (p. ex., une hépatite, une cirrhose, une cholestase).

TABLEAU 37.2 Types de leucocytes et leurs rôles

TYPE	RÔLES
Granulocytes	
Neutrophile	Phagocytose, surtout durant la phase précoce de l'inflammation
Éosinophile	Phagocytose (moins efficace que le neutrophile); réaction allergique; protection contre les maladies parasitaires
Basophile	Réaction inflammatoire et allergique; libération de bradykinine, d'héparine, d'histamine, de sérotonine; phagocytose limitée
Agranulocytes	
Lymphocyte	Réaction immunitaire à médiation cellulaire et humorale
Monocyte	Phagocytose; réaction immunitaire cellulaire

Leucocytes

Tout comme les GR, les leucocytes (globules blancs [GB]) proviennent des mêmes cellules souches hématopoïétiques pluripotentes **FIGURE 37.1**. Il existe cinq différents types de leucocytes, répartis historiquement en deux groupes en fonction de leur noyau et de leurs granules cytoplasmiques. Les leucocytes dont le cytoplasme contient des granules sont appelés granulocytes ou leucocytes polynucléaires. On distingue trois types de granulocytes : les neutrophiles, les basophiles et les éosinophiles. De la même façon, le terme agranulocyte a été utilisé pour distinguer les lymphocytes et les monocytes des granulocytes, car leurs granules cytoplasmiques n'étaient pas mises en évidence par les techniques microscopiques de l'époque **TABLEAU 37.2**. Les lymphocytes et les monocytes sont aussi appelés cellules mononucléaires, car ils contiennent un noyau arrondi non plurilobé. D'une manière générale, tous les leucocytes exercent leurs fonctions dans les tissus et n'utilisent le sang que comme voie de transport entre les sites de formation, de stockage et d'activités. Tous les leucocytes peuvent traverser les vaisseaux sanguins et les tissus grâce à des **mouvements amiboïdes** (McKinley *et al.*, 2014). Les leucocytes ont une durée de vie très variable. Les granulocytes ne peuvent vivre que quelques heures, mais certains lymphocytes T peuvent vivre pendant des années.

Granulocytes La **phagocytose** est le rôle principal des granulocytes qui ingèrent ou enveloppent tout organisme indésirable, le digèrent et l'éliminent. Les granulocytes les plus nombreux sont les neutrophiles, qui représentent de 50 à 70 % de tous les GB. Les neutrophiles sont les principales cellules phagocytaires à intervenir en cas d'inflammation aiguë. La formation et la maturation des neutrophiles sont stimulées par les facteurs de croissance hématopoïétiques (*colony-stimulating factor*) (p. ex., le facteur de croissance de colonies de granulocytes [G-CSF], et le facteur de croissance de colonies de granulocytes et de macrophages [GM-CSF]) (Kurkjian & Ozer, 2008; McCance & Huether, 2010) ▶ 14.

Un neutrophile mature est appelé neutrophile segmenté ou neutrophile polynucléaire, car son noyau est divisé (segmenté) en deux à cinq lobes liés par des filaments. Un neutrophile immature est appelé neutrophile non segmenté à noyau incurvé en raison de la forme de son noyau. Bien que des neutrophiles immatures puissent parfois se trouver dans la circulation périphérique de personnes en santé et soient capables de phagocytose, les neutrophiles matures se montrent beaucoup plus efficaces. Une augmentation du taux de neutrophiles constitue un indicateur d'une infection tissulaire ou d'un traumatisme (Howard & Hamilton, 2008).

Les éosinophiles représentent seulement de 2 à 4 % de tous les GB. Leur habileté de phagocytose est similaire, mais leur capacité est moindre. Un de leurs rôles principaux est d'envelopper les complexes antigène-anticorps formés au cours d'une réaction allergique. Une augmentation du nombre d'éosinophiles est aussi notée dans certains types de cancer (lymphome de Hodgkin, cancers de l'utérus et de l'ovaire), diverses dermatoses et des maladies des tissus conjonctifs (Howard & Hamilton, 2008; Kumar & Abbas, 2010). Les éosinophiles sont aussi capables de combattre les infections parasitaires.

Les basophiles représentent moins de 2 % de tous les leucocytes. Leur rôle au moment de la phagocytose est limité. Ces cellules possèdent des granules cytoplasmiques qui contiennent de l'héparine et de l'histamine. Si un basophile est stimulé par un antigène ou un traumatisme, il réagira en libérant les substances contenues dans ses granules. Ce phénomène fait partie des réactions allergiques et inflammatoires.

14

De plus amples renseignements au sujet de la fonction lymphocytaire sont présentés dans le chapitre 14, *Réaction immunitaire et transplantation*.

CE QU'IL FAUT RETENIR

La phagocytose est le rôle principal des granulocytes qui ingèrent ou enveloppent tout organisme indésirable, le digèrent et l'éliminent.

Lymphocytes Les lymphocytes, qui font partie des leucocytes agranulocytes, représentent de 20 à 40 % des GB. Le rôle principal des lymphocytes est lié à la réaction immunitaire. Les réactions immunitaires à **médiation cellulaire** et à **médiation humorale** dépendent des lymphocytes. Il existe deux sous-types, les lymphocytes B et les lymphocytes T. Bien que les précurseurs des lymphocytes T naissent dans la moelle osseuse, ces cellules migrent ensuite vers le thymus pour se différencier en lymphocytes T. Les cellules tueuses naturelles (aussi appelées cellules NK [*natural killers*]) sont des lymphocytes qui ne nécessitent pas d'être préalablement exposés à des antigènes pour détruire les cellules infectées par un virus ou pour activer les lymphocytes T et les phagocytes. La plupart des lymphocytes circulent de manière transitoire dans le sang et sont également présents dans les tissus lymphoïdes.

Monocytes Les monocytes font aussi partie des leucocytes agranulocytes. Ces cellules représentent environ de 4 à 8 % de tous les GB. Les monocytes sont des phagocytes puissants. Ils peuvent ingérer toutes sortes de substances, peu importe leur grosseur, comme les bactéries, les cellules mortes, les débris tissulaires et les GR vieillis ou défectueux. Les monocytes sont les deuxièmes types de GB à se manifester à l'endroit touché par un traumatisme. Ces cellules ne sont présentes dans le sang que durant une courte période avant de migrer vers les tissus pour y devenir des macrophages ▶ 12. En plus des macrophages différenciés à partir des monocytes, les tissus renferment aussi des macrophages tissulaires. Ces macrophages portent des noms spécifiques, comme les cellules de Kupffer dans le foie, les ostéoclastes dans les os et les macrophages alvéolaires dans les poumons. Ces macrophages protègent l'organisme des pathogènes à des points d'entrée précis et sont plus phagocytaires que les autres monocytes. Les macrophages interagissent aussi avec les lymphocytes afin de faciliter les réactions immunitaires à médiation cellulaire et humorale.

12

Le rôle des macrophages dans le processus de cicatrisation est expliqué plus en détail dans le chapitre 12, *Inflammation et soin des plaies*.

Santé Canada dresse la liste exhaustive des aliments contenant du fer. Elle peut être consultée au www.hc-sc.gc.ca.

Thrombocytes

Le rôle principal des thrombocytes, ou plaquettes, est d'amorcer le mécanisme de la coagulation en formant un clou plaquettaire durant les phases initiales de l'hémostase (hémostase primaire). Les plaquettes doivent exister en quantité suffisante, et être saines sur les plans structural et métabolique pour qu'il y ait coagulation. Les plaquettes maintiennent l'intégrité capillaire en formant des agrégations afin de fermer toute brèche des parois capillaires. L'activation des plaquettes débute lorsque survient une lésion des capillaires. Un nombre croissant de plaquettes s'accumule alors pour former un clou plaquettaire, qui sera ensuite stabilisé par les facteurs de coagulation. Les plaquettes interviennent aussi dans le processus de rétraction du caillot.

CE QU'IL FAUT RETENIR

Le rôle principal des thrombocytes, ou plaquettes, est d'amorcer le mécanisme de la coagulation.

Les plaquettes, comme les autres cellules sanguines, proviennent des cellules souches hématopoïétiques **FIGURE 37.1**. La cellule souche myéloïde se différencie en mégacaryocyte, puis en plaquettes par la fragmentation de son cytoplasme (McKinley *et al.*, 2014 ; Wheater, Young & Heath, 2004). La production des plaquettes est en partie contrôlée par la thrombopoïétine, un facteur de croissance qui agit sur la moelle pour stimuler la formation de plaquettes (Shaheen & Broxmeyer, 2009). Ce facteur est fabriqué dans le foie, les reins, les muscles lisses et la moelle. Environ un tiers des plaquettes du corps humain sont contenues dans la rate. En général, les plaquettes ont une durée de vie de 8 à 11 jours seulement (Karlin & Coman, 2009 ; McKinley *et al.*, 2014).

37.1.3 Métabolisme normal du fer

Le fer est obtenu dans l'alimentation ou les suppléments alimentaires **TABLEAU 37.3**. Environ 1 mg des 10 à 20 mg du fer ingéré est absorbé dans le duodénum et le jéjunum proximal. Ainsi, seulement de 5 à 10 % du fer ingéré est absorbé, alors que près des deux tiers des réserves totales de fer de l'organisme sont destinés à l'hème des érythrocytes (hémoglobine) et aux cellules musculaires (myoglobine).

Le dernier tiers est stocké sous forme de ferritine et d'hémosidérine (ferritine dégradée) dans la moelle osseuse, la rate, le foie et les macrophages **FIGURE 37.3**. Or, si le fer stocké n'est pas remplacé, la production d'hémoglobine diminue.

La transferrine, qui est synthétisée dans le foie, est une protéine plasmatique de transport du fer. Le degré de saturation en fer de la transferrine est un indicateur fiable des réserves de fer qui pourront servir à la production d'érythrocytes.

Dans le métabolisme normal du fer, cette substance est recyclée après que les macrophages du foie et de la rate phagocytent (ingèrent et dégradent) les érythrocytes sénescents ou endommagés. Le fer se lie à la transferrine du plasma ou est stocké sous forme de ferritine ou d'hémosidérine **FIGURE 37.3**. Environ 3 % du fer est perdu quotidiennement dans l'urine, la transpiration, la bile et les cellules épithéliales du tractus gastro-intestinal. Par conséquent, la perte en fer correspond normalement à une très faible quantité, excepté en présence d'une perte sanguine.

37.1.4 Mécanismes normaux de la coagulation

On appelle **hémostase** (hémostase primaire et coagulation) l'ensemble des processus physiologiques déclenchés par une brèche vasculaire afin de

TABLEAU 37.3 **Apport alimentaire en fer de divers aliments**

ALIMENT	mg/100 g	ALIMENT	mg/100 g	ALIMENT	mg/100 g
Boudin noir cuit	22	Pruneaux	2,9	Groseilles, framboises	1,2
Bigorneaux cuits	13	Fenouil, épinards	2,4	Riz	0,6
Moules	7,3	Œuf	2,1	Vin rouge	0,4
Foie de veau	7	Crevettes	1,8	Pomme de terre, tomate	0,3-0,4
Haricots blancs, lentilles	7	Mangue	1,8	Poires, pommes, oranges	0,3
Huîtres	5,8	Dinde, poulet rôti	1,3	Bière	0,03
Pain	5,6	Pâtes crues	1,3	–	–
Bœuf	3	Thon cuit	1,3	–	–

Source : Adapté de Cadet, Rochette & Capron (2006).

limiter les pertes de sang. Il s'agit d'un phénomène rapide par ses capacités d'autoamplification et limité par ses capacités d'autorégulation (Karlin & Coman, 2009). L'hémostase se déroule en quatre étapes : 1) la réaction vasculaire ; 2) la formation du clou plaquettaire ; 3) le développement du caillot de fibrine sur le clou plaquettaire, ou coagulation proprement dite, par les facteurs de coagulation plasmatiques ; 4) la dissolution du caillot, ou fibrinolyse.

Réaction vasculaire

La lésion d'un vaisseau sanguin provoque une vasoconstriction locale immédiate. Cette vasoconstriction atténue la perte de sang par spasme vasculaire, mais aussi par l'augmentation du contact entre les surfaces endothéliales. Ce dernier mécanisme favorise l'adhésion des parois vasculaires et assure la fermeture du vaisseau, même après l'arrêt de la vasoconstriction. Les spasmes vasculaires peuvent subsister de 20 à 30 minutes. Cela laisse aux plaquettes le temps de réagir, et permet l'activation des facteurs de la coagulation. La réponse des plaquettes et des facteurs de coagulation plasmatiques est stimulée par la lésion endothéliale et la libération de substances comme la thromboplastine (facteur tissulaire) (McCance & Huether, 2010).

Formation du clou plaquettaire

Lorsqu'un vaisseau subit une lésion, les plaquettes sont activées, car elles sont mises en contact avec le collagène du tissu conjonctif dénudé de vaisseaux lésés. Une fois activées, les plaquettes adhèrent alors au collagène (phénomène appelé adhésion) à l'endroit de la lésion, puis les unes aux autres. Ce mécanisme entraîne l'agrégation plaquettaire. Cette rencontre amène les plaquettes à libérer des substances chimiques telles que le facteur plaquettaire 3 (FP3) et la sérotonine, lesquels facilitent la coagulation. Les plaquettes libèrent aussi l'adénosine diphosphate (ADP), qui augmente leur adhérence à de nouvelles plaquettes et, ce faisant, leur agrégation, favorisant ainsi la formation d'un clou plaquettaire. Le facteur de von Willebrand (fvW) favorise aussi l'adhésion des plaquettes à la couche interne du vaisseau. Ce facteur est synthétisé par les cellules endothéliales et par les mégacaryocytes, et il sert de transporteur pour le facteur VIII (Ginsburg & Wagner, 2009).

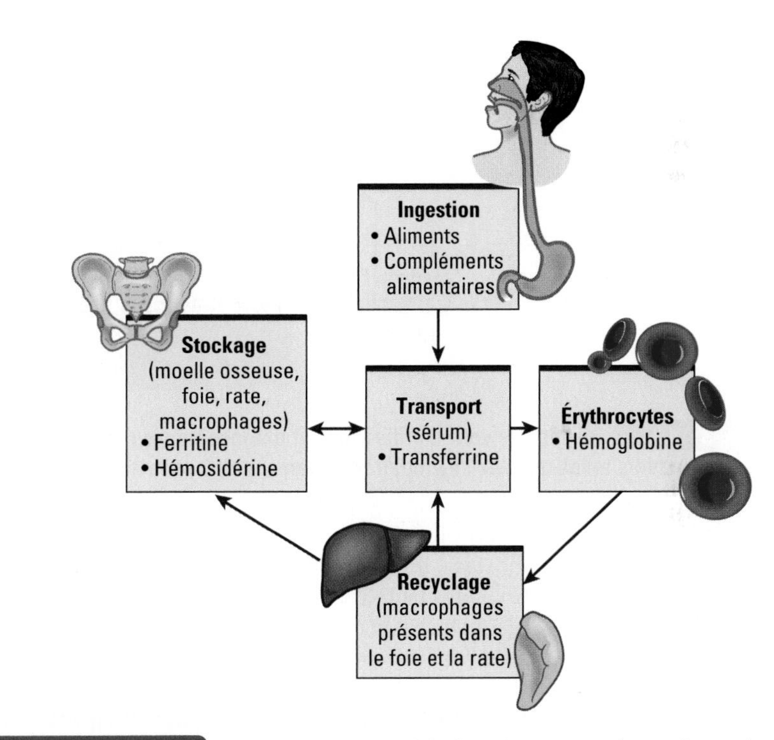

FIGURE 37.3 Métabolisme normal du fer – Les macrophages lysent les GR phagocytés. Le fer retourne au sang sous une forme liée à la transferrine, ou est stocké en ferritine (principalement) ou en hémosidérine.

CE QU'IL FAUT RETENIR

L'hémostase est le processus qui permet de minimiser la perte sanguine en cas de traumatisme.

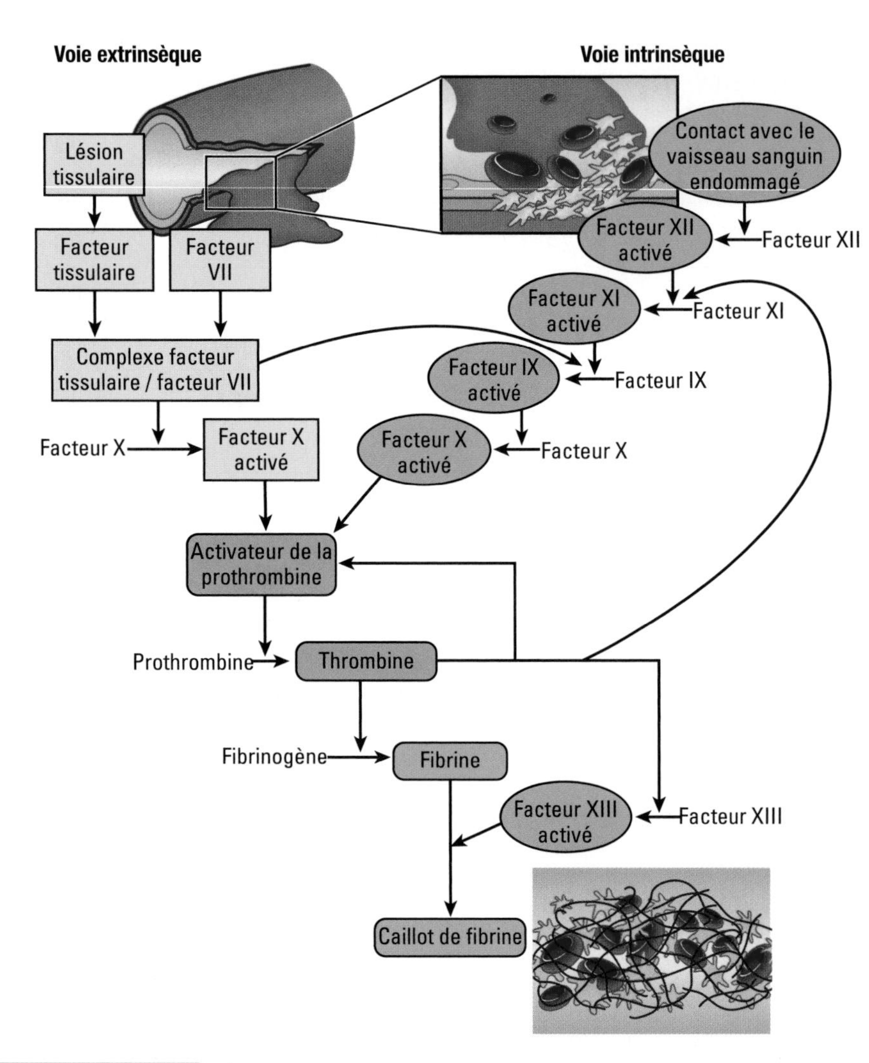

FIGURE 37.4 Étapes des voies intrinsèques et extrinsèques du mécanisme de la coagulation, telles qu'elles se produiraient dans une éprouvette.

38

La coagulation intravasculaire disséminée est présentée dans le chapitre 38, *Interventions cliniques – Troubles hématologiques.*

CE QU'IL FAUT RETENIR

La fibrinolyse provoque la dissolution du caillot de fibrine.

Cataboliser: En biochimie, dissocier (une matière organique) en ses éléments les plus simples, au cours du processus métabolique.

En plus de leur contribution individuelle à l'hémostase, les plaquettes facilitent la cascade de réactions des facteurs de coagulation. Les lipoprotéines plaquettaires activent les transformations nécessaires au mécanisme de coagulation **FIGURE 37.4**.

Facteurs de coagulation plasmatiques

La formation d'un caillot de **fibrine** visible est le résultat d'une cascade complexe de réactions impliquant différents facteurs de coagulation. Les facteurs de coagulation plasmatiques portent à la fois des noms et des chiffres romains **TABLEAU 37.4**. Les facteurs de coagulation circulent sous une forme inactive jusqu'à leur stimulation, laquelle peut amorcer le processus de coagulation selon deux voies, l'une intrinsèque et l'autre extrinsèque **FIGURE 37.4**. La voie intrinsèque est activée par l'exposition du collagène dénudé de la zone lésée, alors que la voie extrinsèque débute quand la thromboplastine tissulaire est formée à partir de cellules endothéliales lésées.

Que la coagulation soit amorcée par des substances internes ou externes au vaisseau sanguin, les deux voies (intrinsèque et extrinsèque) aboutissent à une voie finale commune de la coagulation. La **thrombine**, qui fait partie de cette voie finale commune, constitue l'enzyme le plus puissant du mécanisme de coagulation **FIGURE 37.4**. Elle convertit le fibrinogène soluble en fibrine insoluble, composante essentielle du caillot.

Fibrinolyse

S'il existe des facteurs sanguins qui favorisent la coagulation (profacteurs de la coagulation), d'autres éléments s'opposent à la coagulation (anticoagulants). Ces substances permettent au sang de rester à l'état liquide. La coagulation peut être empêchée de deux façons: par les antithrombines et par la fibrinolyse. Comme leur nom l'indique, les antithrombines sont des antagonistes de la thrombine, laquelle possède un effet coagulant puissant. L'héparine endogène, l'antithrombine III, et les protéines C et S sont des exemples d'anticoagulants.

La deuxième façon de garder le sang à l'état liquide est la **fibrinolyse**, qui provoque la dissolution du caillot de fibrine. La fibrinolyse débute lorsque le plasminogène est transformé en plasmine **FIGURE 37.5**. La thrombine peut activer la conversion de **plasminogène** en plasmine et ainsi favoriser la fibrinolyse. La plasmine s'attaque soit à la fibrine, soit au fibrinogène en réduisant les molécules en plus petits éléments, à savoir les produits de dégradation de la fibrine et du fibrinogène (PDF) ▶ 38.

Un excès de fibrinolyse prédispose la personne au saignement. Ce phénomène résulte de la destruction de la fibrine contenue dans les clous plaquettaires ainsi que de l'effet anticoagulant d'une augmentation des PDF. Une telle augmentation entraîne une altération de l'agrégation plaquettaire, une diminution de la prothrombine et une incapacité à stabiliser la fibrine.

37.1.5 Rate

La rate constitue un autre élément du système hématologique et se trouve dans le quadrant supérieur gauche de la cavité abdominale. La rate a quatre fonctions principales: l'hématopoïèse, la filtration, l'immunité et le stockage. Son rôle hématopoïétique se manifeste par son habileté à produire des GR durant le développement fœtal. Son rôle de filtration lui permet d'éliminer de la circulation les GR défectueux et vieillis par le système de phagocytes mononucléés. Cette filtration entraîne aussi la réutilisation du fer. La rate peut **cataboliser** l'hémoglobine libérée par l'hémolyse et recycler le fer qui reste en le retournant vers la moelle osseuse. La rate peut aussi jouer un rôle important de filtration des bactéries circulantes, surtout celles qui sont encapsulées, comme les coques à Gram positif. Sa fonction immunitaire est favorisée par sa réserve importante de lymphocytes, de

TABLEAU 37.4 **Facteurs de coagulation**

FACTEUR DE COAGULATION	NOM	REMARQUE ET ACTION
I	Fibrinogène	Est créé dans le foie. Source de fibrine pour former un caillot. Si on enlève le fibrinogène du plasma, on obtient du sérum.
II	Prothrombine	Est convertie en thrombine, ce qui permet d'activer par la suite le fibrinogène en fibrine.
III	Thromboplastine	Libérée par les cellules endommagées de l'endothélium, elle active la voie intrinsèque en réagissant avec le facteur VII. Est aussi appelée facteur tissulaire.
IV	Calcium	Est le cofacteur requis à plusieurs moments de la cascade de coagulation.
V	Proaccélérine	Est nécessaire dans les deux voies de coagulation : intrinsèque et extrinsèque. Se lie avec le facteur X pour activer la prothrombine.
VII	Proconvertine	Est nécessaire dans la première phase de la voie extrinsèque ; ce facteur a une courte demi-vie. Forme un complexe avec le facteur III et active les facteurs IX et X.
VIII	Facteur antihémophilique A	Travaille avec le facteur IX et le calcium afin d'activer le facteur X. En cas de déficit, l'hémophilie A se manifeste.
IX	Facteur antihémophilique B	Avec le facteur VIII, active le facteur X. En cas de déficit, l'hémophilie B se manifeste.
X	Facteur Stuart	Active la conversion du facteur II (prothrombine) en thrombine. Est nécessaire dans les deux voies de coagulation.
XI	Facteur antihémophilique C	Active le facteur XI quand le calcium est présent. En cas de déficit, l'hémophilie C se manifeste.
XII	Facteur Hageman	Est nécessaire dans la première phase de la voie intrinsèque, en activant le facteur XI.
XIII	Facteur stabilisateur de la fibrine	Est nécessaire pour la phase finale de consolidation du caillot.
PK	Prékallicréine	Est nécessaire dans la première phase de la voie intrinsèque de la coagulation.
HMWK (*high molecular weight kininogen*)	Kininogène de haut poids moléculaire	Est nécessaire dans la première phase de la voie intrinsèque de la coagulation.

Source : Adapté de Furger (2005).

monocytes et d'immunoglobulines. Son rôle de stockage consiste à entreposer des GR et des plaquettes. Environ 30 % des plaquettes sont stockées dans la rate. Par conséquent, le nombre de plaquettes circulantes d'une personne qui a subi une splénectomie est supérieur à celui d'une personne qui a encore sa rate.

37.1.6 Système lymphatique

Le système lymphatique, qui comprend la lymphe, les capillaires lymphatiques, les canaux et les ganglions lymphatiques, a pour rôle de transférer les fluides des espaces interstitiels vers le sang (i+). C'est grâce à la lymphe que les protéines et les lipides qui viennent du tractus gastro-intestinal ainsi que certaines hormones peuvent retourner dans le système circulatoire. Le système lymphatique renvoie aussi le surplus de liquide interstitiel vers le sang, ce qui contribue à prévenir l'œdème.

La lymphe est un liquide interstitiel jaune pâle qui est diffusé par les parois des capillaires lymphatiques. Elle circule dans un appareil vasculaire particulier, tout comme le sang le fait dans les vaisseaux sanguins. La formation de lymphe augmente parallèlement à l'augmentation de liquide interstitiel, qui force ainsi l'entrée de liquide dans le système lymphatique. Lorsque la quantité de liquide interstitiel est trop importante, ou lorsqu'un obstacle empêche la réabsorption de la lymphe, on parle de lymphœdème. Le lymphœdème, secondaire à la mastectomie ou à la tumorectomie avec évidement ganglionnaire axillaire, est souvent causé par l'obstruction du flux lymphatique due à l'exérèse de ganglions lymphatiques.

CE QU'IL FAUT RETENIR

La rate assure quatre fonctions principales : l'hématopoïèse, la filtration, l'immunité et le stockage.

Animation : *Drainage lymphatique du sein.*

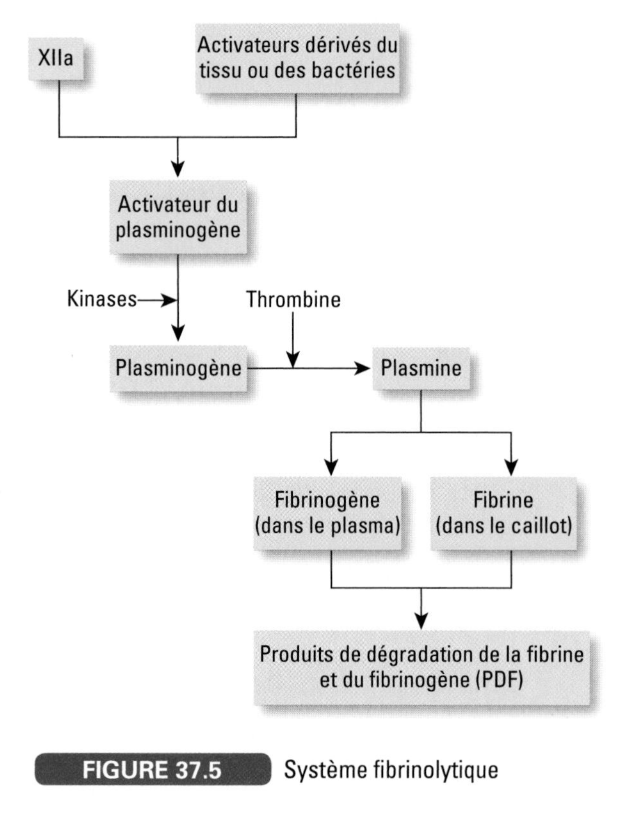

FIGURE 37.5 Système fibrinolytique

Les capillaires lymphatiques sont des vaisseaux aux parois minces et au diamètre irrégulier. Ils atteignent un diamètre supérieur à celui des vaisseaux sanguins, mais ne contiennent pas de valve.

Les ganglions lymphatiques font aussi partie du système lymphatique : ils ont une forme ronde, ovale ou de haricot, et leur grosseur varie selon leur emplacement. Ils sont constitués d'un petit amas de tissu lymphatique et sont regroupés à différents endroits sur le trajet des vaisseaux lymphatiques. Le corps contient plus de 200 ganglions lymphatiques, dont la plus grande partie se trouve dans l'abdomen, autour du tube digestif. Les ganglions peuvent être situés tant en surface qu'en profondeur. Les ganglions superficiels peuvent être palpés, mais l'examen des ganglions profonds nécessite le recours à différentes techniques d'imagerie médicale (p. ex., l'échographie, la tomodensitométrie, l'imagerie par résonance magnétique [IRM]) (Bickley & Szilagy, 2003 ; Monahan, 2009). Un des rôles principaux de ces ganglions est la filtration des agents pathogènes et des corps étrangers transportés par la lymphe.

Animation : *Ganglions lymphatiques du cou.*

37.1.7 Foie

Le foie agit comme un filtre. Il synthétise aussi les profacteurs de la coagulation essentiels à l'hémostase et à la coagulation. De plus, il contient le surplus de fer non utilisé par les tissus, ce qui se produit en cas de transfusions sanguines fréquentes ou de pathologies qui entraînent une surcharge en fer. L'hepcidine, protéine synthétisée par le foie, joue un rôle majeur de régulateur dans l'équilibre du fer. La synthèse de l'hepcidine est stimulée par une surcharge en fer ou par l'inflammation (Andrews, 2009 ; Ganz & Nemeth, 2011 ; Rubin & Rubin, 2008). L'augmentation de la production de l'hepcidine diminue l'absorption intestinale du fer ainsi que la libération du fer stocké dans les entérocytes de l'intestin et les macrophages, d'où une diminution du fer plasmatique (Ganz & Nemeth, 2011). À l'inverse, une baisse de production de l'hepcidine augmente l'absorption intestinale du fer et la libération du fer à partir des sites de stockage, d'où une augmentation du fer plasmatique (Cadet *et al.*, 2006).

Considérations gérontologiques

EFFETS DU VIEILLISSEMENT SUR LE SYSTÈME HÉMATOLOGIQUE

Le vieillissement physiologique est un phénomène graduel qui entraîne une perte de cellules et une atrophie des organes. La quantité de moelle rouge et le nombre de cellules souches diminuent avec l'âge (Beerman, Maloney, Weissman *et al.*, 2010). Par contre, chez les adultes plus âgés en santé, la concentration des cellules sanguines périphériques est la même que chez les plus jeunes adultes (Hurria, Muss & Cohen, 2010). Les cellules souches résiduelles gardent la capacité de se diviser, mais le pourcentage de l'espace occupé par les tissus hématopoïétiques diminue graduellement à partir de 70 ans, environ. Bien que l'adulte âgé soit encore capable de maintenir une concentration suffisante de cellules sanguines, la diminution des réserves le rend vulnérable aux troubles de coagulation, de transport de l'oxygène et de lutte contre les infections, surtout durant les périodes de demande accrue. Un adulte âgé présentera donc une capacité diminuée de récupérer à la suite d'une maladie aiguë ou chronique (Beerman *et al.*, 2010).

L'anémie est toujours pathologique, quel que soit l'âge de la personne, mais l'incidence de l'anémie augmente avec l'âge en raison des facteurs de comorbidité. Chez l'homme, l'hémoglobine peut légèrement diminuer à l'andropause en raison de l'effet des hormones masculines sur l'érythropoïèse pour se rapprocher des valeurs d'hémoglobine chez la femme. La déficience en fer est souvent responsable du taux diminué d'hémoglobine, mais la cause de l'anémie reste inconnue chez beaucoup de personnes âgées. En réaction à une hémorragie ou à une hypoxémie, les personnes âgées en santé ne peuvent pas produire autant de réticulocytes que les jeunes adultes. Cette diminution pourrait être due à une érythropoïèse inefficace, à des changements de la moelle osseuse et de ses éléments hématopoïétiques, ou à des facteurs de croissance; toutefois, la cause exacte reste inconnue.

L'absorption du fer n'est pas diminuée chez la personne âgée, mais l'apport nutritionnel peut être insuffisant. Il est essentiel de tenir compte des symptômes d'un processus pathogénique comme un saignement gastro-intestinal avant de conclure que la diminution du taux d'hémoglobine est causée seulement par le vieillissement. L'anémie ferriprive ne doit donc être diagnostiquée qu'après avoir écarté les autres causes.

La fragilité osmotique des GR augmente chez les personnes âgées. Ce phénomène peut expliquer une légère augmentation du volume globulaire moyen (VGM) et une légère diminution de la teneur globulaire moyenne en hémoglobine (TGMH) chez certaines personnes âgées.

Habituellement, la leucocytémie (leucocytes ou GB) totale et différentielle ne change pas durant le vieillissement. Cependant, une diminution de la réponse immunitaire humorale (production d'anticorps) et de l'efficacité des lymphocytes T peut survenir (Beers, 2008). La leucocytémie d'une personne âgée souffrant d'une infection peut n'augmenter que modérément . Ces données suggèrent une diminution de la réserve en granulocytes de la moelle osseuse chez les personnes âgées et un trouble de stimulation de l'hématopoïèse. Les plaquettes ne sont pas influencées par le vieillissement, mais fonctionnellement, elles peuvent avoir une augmentation de leur adhésivité (Taffet, 2015). Toutefois, un changement dans l'intégrité vasculaire durant le vieillissement peut se manifester par la formation accrue d'ecchymoses.

Les répercussions du vieillissement sur le système hématologique sont décrites dans le **TABLEAU 37.5**.

CE QU'IL FAUT RETENIR

La diminution des réserves de cellules sanguines chez l'adulte âgé le rend vulnérable aux troubles de coagulation, de transport de l'oxygène et de lutte contre les infections, surtout durant les périodes de demande accrue.

14

Les modifications immunitaires liées au vieillissement sont décrites dans le chapitre 14, *Réaction immunitaire et transplantation.*

37

Changements liés à l'âge

TABLEAU 37.5 Système hématologique

EXAMENS		CHANGEMENT
Formule sanguine	Hb	Normale; possibilité de diminution légère chez l'homme
	VGM	Possibilité d'augmentation légère
	TGMH	Possibilité de diminution légère
	Leucocytémie	Diminution de la réaction à l'infection
	Plaquettes	Inchangé, mais augmentation de l'adhésivité
Tests de coagulation	Temps de céphaline (PTT)	Diminution
	Fibrinogène	Augmentation possible
	Facteurs V, VII, VIII, IX	Augmentation possible
	Vitesse de sédimentation (VS)	Augmentation importante
	D-dimères	Augmentation possible
Tests du fer	Fer sérique	Diminution
	Capacité totale de fixation du fer	Diminution
	Ferritine	Augmentation
	Érythropoïétine	Diminution possible

37.2 Évaluation du système hématologique

La plus grande partie de l'évaluation du système hématologique est basée sur la condition clinique du client et son histoire de santé. Il faut connaître les éléments importants de l'histoire de santé afin de formuler des questions permettant de recueillir les renseignements les plus pertinents relatifs aux troubles hématologiques. Afin de faciliter le déroulement de l'évaluation, l'infirmière devra utiliser les outils mnémotechniques PQRSTU et AMPLE.

37.2.1 Données subjectives

Renseignements importants concernant l'évaluation d'un symptôme (PQRSTU)

Les troubles hématologiques peuvent se manifester par divers signes et symptômes. L'évaluation des symptômes permet de tracer un portrait global de la condition d'un client et de faire des liens avec des troubles hématologiques possibles. Le PQRSTU permet de recueillir l'information pertinente relative à cette évaluation. La fatigue étant un symptôme fréquent chez les personnes souffrant de troubles hématologiques, elle est utilisée à titre d'exemple pour l'évaluation d'un symptôme dans le **TABLEAU 37.6**.

Histoire de santé (AMPLE)

Les renseignements importants sur la santé donnent un aperçu des problèmes et des traitements médicaux passés et actuels. Les allergies, les médicaments, les antécédents médicaux, une chirurgie ou tout autre traitement font tous partie de l'histoire de santé d'une personne. Ce sont des indices qui permettent d'envisager la façon dont la personne réagit à la maladie et oriente l'infirmière sur son état de santé. Ces données peuvent être recueillies à l'aide de l'outil mnémotechnique AMPLE.

Collecte des données

TABLEAU 37.6 Étapes de l'évaluation de symptômes liés au système hématologique (PQRSTU)

P PROVOQUER / PALLIER / AGGRAVER	**EXEMPLES DE QUESTIONS**
L'infirmière cherche à connaître les éléments qui ont provoqué la fatigue.	• Qu'est-ce qui a provoqué votre fatigue ?
L'infirmière tente de déterminer ce qui contribue à diminuer ou à aggraver la fatigue. Les troubles hématologiques associés à la fatigue sont majoritairement liés à l'anémie. Celle-ci peut être primaire (p. ex., l'anémie ferriprive) ou être une manifestation d'un trouble systémique (leucémie), ou encore être une conséquence d'un traitement (chimiothérapie). Les réponses du client aux questions ci-contre peuvent donc varier en fonction de la cause de l'anémie. Ainsi, il est possible que le repos soit une stratégie efficace de maintien de l'énergie chez les personnes recevant de la chimiothérapie, chez qui la fatigue est un effet secondaire du traitement. Chez une personne souffrant d'un trouble hématologique chronique comme l'anémie ferriprive, un besoin de repos augmenté est plutôt un signe de détérioration de l'état général et devrait entraîner un examen plus approfondi.	• Que faites-vous pour diminuer votre fatigue ? Est-ce efficace ? • Le repos est-il récupérateur et vous aide-t-il à soulager ou à diminuer votre fatigue ? • Certaines activités contribuent-elles à augmenter votre fatigue ?
Q QUALITÉ / QUANTITÉ	**EXEMPLES DE QUESTIONS**
L'infirmière tente d'obtenir une description de la sensation éprouvée par le client. La fatigue est souvent décrite comme un manque d'énergie, une difficulté ou une incapacité à réaliser les activités quotidiennes à la maison et au travail.	• Pouvez-vous me décrire comment vous vous sentez ? • Pouvez-vous me décrire votre fatigue ?
Il est aussi pertinent de connaître l'intensité de la fatigue. L'intensité de la fatigue varie selon la nature du problème hématologique. Elle varie également dans le temps et en fonction des traitements mis en place (certains traitements provoquent de la fatigue, d'autres la diminuent). L'interprétation de l'intensité de la fatigue doit tenir compte de ces aspects. Mesurer l'intensité de la fatigue peut avoir comme but, dans certains cas, d'évaluer l'efficacité d'un traitement, alors que dans d'autres, elle permet de suivre la progression d'un trouble hématologique. Puisque la fatigue est un symptôme fréquent (mais non spécifique) des troubles hématologiques, et qu'elle est souvent invalidante pour la personne, il est important d'utiliser les échelles de mesure comme l'échelle numérique ou l'échelle visuelle analogue, plutôt que des échelles descriptives comme « fatigue modérée ou sévère ».	• Sur une échelle de 0 à 10, où 0 correspond à aucune fatigue et 10 à la pire fatigue imaginable, à combien évaluez-vous l'intensité ou le niveau de votre fatigue ? • Comment décririez-vous l'intensité de votre fatigue ?

TABLEAU 37.6	Étapes de l'évaluation de symptômes liés au système hématologique (PQRSTU) *(suite)*
R RÉGION / IRRADIATION	**EXEMPLES DE QUESTIONS**
L'infirmière tente de déterminer si la fatigue est ressentie de façon généralisée ou bien localisée (l'irradiation n'est pas applicable pour la fatigue). La fatigue localisée peut être définie comme une fatigue musculaire, une difficulté à lire (fatigue oculaire) ou encore une fatigue liée à l'environnement, comme l'intolérance au bruit ou aux mouvements. La fatigue généralisée est plus globale et est souvent perçue comme un ensemble d'incapacités.	• Où ressentez-vous votre fatigue ? • Votre fatigue est-elle associée à des régions particulières ? Si oui, précisez lesquelles.
S SYMPTÔMES ET SIGNES ASSOCIÉS / SÉVÉRITÉ	**EXEMPLES DE QUESTIONS**
La fatigue est un symptôme non spécifique, qui peut s'accompagner d'autres signes et symptômes. La détermination des symptômes associés permet d'évaluer la sévérité de la fatigue. Il est donc important que l'infirmière les dépiste au cours de son évaluation. La leucémie est un exemple de trouble hématologique qui peut amener des signes et symptômes divers, comme des nausées ou des douleurs, en plus de la fatigue. Tous les troubles hémorragiques (p. ex., la thrombocytopénie) peuvent entraîner une anémie consécutive à la perte de sang dans les selles ou les urines et ainsi causer de la fatigue. La fatigue peut également être associée à une perte d'appétit.	• Ressentez-vous d'autres malaises en plus de votre fatigue ? Si oui, lesquels ? • Avez-vous remarqué d'autres changements ?
T TEMPS / DURÉE	**EXEMPLES DE QUESTIONS**
L'infirmière tente de déterminer le moment d'apparition de la fatigue et son cycle. Préciser le moment d'apparition de la fatigue et sa durée ne permet pas de déterminer la cause possible de la fatigue, mais cela permet de proposer des stratégies plus adaptées à la personne. Par exemple, on peut revoir le déroulement d'une journée en planifiant des périodes de repos qui permettent au client de faire plus d'activités, de façon plus satisfaisante ou plus efficace.	• Depuis quand vous sentez-vous fatigué ? • La fatigue est-elle apparue progressivement ou soudainement ? • Votre fatigue est-elle constante ou intermittente ? • Votre fatigue varie-t-elle selon le moment de la journée ? Avez-vous des regains d'énergie pendant la journée ?
U (*UNDERSTANDING*) COMPRÉHENSION ET SIGNIFICATION POUR LE CLIENT	**EXEMPLES DE QUESTIONS**
L'infirmière veut connaître la signification de la fatigue pour le client. La cause de cette fatigue lui est peut-être connue. En effet, les clients souffrant de problèmes chroniques connaissent bien leurs symptômes et sont capables de les associer à leur trouble de santé. L'infirmière tente également d'évaluer les répercussions de la fatigue sur la vie et le fonctionnement du client.	• Selon vous, quelle est la cause de votre fatigue ? • Comment la fatigue influence-t-elle la réalisation de vos activités quotidiennes, votre travail et vos activités sociales ?

A Allergies / réactions

L'infirmière recueille de l'information sur les allergies connues de la personne (médicamenteuses, alimentaires et environnementales) de même que sur les réactions qu'elles produisent. Il ne faut pas confondre une réaction allergique (p. ex., la présence d'un exanthème cutané et d'une difficulté respiratoire), une intolérance (p. ex., une diarrhée causée par le lactose contenu dans le lait) et les effets secondaires attribuables à la médication (p. ex., une céphalée, des nausées).

M Médicaments

L'histoire médicamenteuse, comprenant la prise de médicaments avec ou sans ordonnance, occupe une place importante dans l'évaluation. Il faut demander précisément à la personne si elle prend des vitamines, des produits à base d'herbes médicinales ou des suppléments alimentaires, car beaucoup de personnes ne considèrent pas ces substances comme des médicaments. Beaucoup de médicaments peuvent influencer le fonctionnement normal du système hématologique **TABLEAU 37.7**. Les produits à base d'herbes médicinales peuvent aussi influer sur la coagulation

Pharmacothérapie

TABLEAU 37.7 **Médicaments qui affectent le système hématologique** [a]

CLASSE PHARMACOLOGIQUE	EFFETS HÉMATOLOGIQUES
Antagonistes du récepteur H_2 de l'histamine (p. ex., la ranitidine [Zantac[MD]], la cimétidine)	Altération de la formation de plaquettes
Antiarythmisants (p. ex., la procaïnamide, la quinidine)	Agranulocytose, anémie, anémie hémolytique, thrombopénie
Anticonvulsivants (p. ex., la phénytoïne [Dilantin[MD]], la carbamazépine [Tegretol[MD]])	Anémie
Antidépresseurs tricycliques	Altération de la fonction plaquettaire
Antihypertenseurs (p. ex., le méthyldopa)	Anémie hémolytique
Anti-inflammatoires non stéroïdiens (p. ex., l'ibuprofène [Motrin[MD], Advil[MD]], la phénylbutazone [Apo[MD]-Phénylbutazone])	Anémie, leucopénie, neutropénie, thrombopénie, inhibition de l'agrégation plaquettaire
Antimicrobiens • Aminoglycosides • Amphotéricine B (Fungizone[MD]) • Chloramphénicol (Chloromycetin[MD]) • Flucytosine (Ancobon[MD]) • Isoniazide (Isotamine[MD], Rifater[MD]) • Triméthoprime sulfaméthoxazole (Apo[MD]-Sulfatrim, Septra[MD] injection)	 • Altération de la fonction plaquettaire • Anémie • Anémie, neutropénie, thrombopénie • Anémie, neutropénie, thrombopénie • Neutropénie • Anémie, leucopénie, neutropénie, thrombopénie
Antinéoplasiques (p. ex., les agents alkylants, les antibiotiques antitumoraux, les analogues des platines)	Anémie, neutropénie, leucopénie, thrombopénie
Antiplaquettaires (p. ex., l'abciximab [ReoPro[MD]], le clopidogrel [Plavix[MD]])	Altération de la fonction plaquettaire, thrombopénie
Antirétroviraux (p. ex., la zidovudine [AZT[MD], Retrovir[MD]])	Neutropénie, anémie
Corticostéroïdes (p. ex., la dexaméthasone, l'hydrocortisone [Solu-Cortef[MD]], la prednisolone)	Lymphopénie, neutropénie
Diurétiques (p. ex., les diurétiques de l'anse, les diurétiques thiazidiques)	Altération de la fonction plaquettaire
Hormones (p. ex., le diéthylstilbestrol [Stilbestrol[MD]], l'acétate de mégestrol [Megace[MD]], les contraceptifs oraux)	Augmentation des facteurs II, V, VII, VIII, IX, X ; augmentation du fibrinogène ; augmentation de la thrombine ; diminution des temps de prothrombine et de céphaline ; augmentation de la coagulation et de la formation de thromboembolie
Immunosuppresseurs (p. ex., l'azathioprine [Imuran[MD]], la cyclosporine [Neoral[MD], Sandimmune[MD]], le tacrolimus [Prograf[MD]])	Lymphopénie
Phénothiazines (p. ex., la chlorpromazine [Teva-Chlorpromazine[MD]], la prochlorpérazine [Apo[MD]-Prochlorazine])	Altération de la fonction plaquettaire
Salicylates (p. ex., l'aspirine et les médicaments qui en contiennent)	Altération de la fonction plaquettaire

TABLEAU 37.7 Médicaments qui affectent le système hématologique[a] *(suite)*

CLASSE PHARMACOLOGIQUE	EFFETS HÉMATOLOGIQUES
Sympathomimétiques (p. ex., le chlorhydrate de dopamine, le chlorhydrate d'épinéphrine [Adrenalin[MD]])	Leucocytose
Divers • Allopurinol • Dextran	 • Neutropénie • Altération de la fonction plaquettaire

[a] Ce tableau ne présente qu'une liste partielle des médicaments qui affectent le système hématologique.

(Hodgson & Kizior, 2012; Sivilotti, 2009). Les antinéoplasiques utilisés en oncologie ▶ 16 et les antirétroviraux destinés à traiter le virus de l'immunodéficience humaine (VIH) peuvent entraîner une **aplasie médullaire**. Une personne qui a déjà été traitée par un agent chimiothérapeutique, surtout par un agent alkylant (p. ex., le cyclophosphamide [Procytox[MD]]), court un risque plus élevé de contracter une affection maligne secondaire comme la leucémie ou le lymphome. Une personne traitée par des anticoagulants de façon chronique, comme la warfarine (Coumadin[MD]), peut présenter des saignements. La consommation de drogues injectables augmente aussi le risque de troubles hématologiques.

P Passé

Il est important de savoir si la personne a déjà souffert de troubles hématologiques ou s'il existe des troubles héréditaires dans la famille comme l'anémie falciforme (**drépanocytose**), qui affecte surtout les Noirs, et l'**anémie de Biermer** (anémie pernicieuse) qui touche plus particulièrement les personnes originaires du nord de l'Europe et leurs descendants. Pour l'établissement des antécédents familiaux, il faut poser des questions sur les troubles suivants: l'ictère, l'anémie, les affections malignes, les troubles érythrocytaires comme la drépanocytose et les troubles de saignement comme l'hémophilie. Il faut aussi noter tous les troubles médicaux pertinents comme la malabsorption ou les troubles hépatiques, dont l'hépatite ou la cirrhose, ainsi que les maladies du rein et de la rate. Les infections récurrentes ou récentes de même que les troubles récents de coagulation doivent aussi être notés.

Il faut demander à la personne si elle a des antécédents de maladie cardiaque ou pulmonaire. Les troubles cardiovasculaires comme la maladie valvulaire ou l'hypertension artérielle peuvent prédisposer la personne à l'hémolyse. Beaucoup de médicaments utilisés pour traiter les maladies cardiovasculaires peuvent causer des anomalies de la coagulation ou de la production de cellules hématopoïétiques. Les maladies pulmonaires qui causent de l'hypoxémie peuvent engendrer une stimulation chronique de l'érythropoïétine qui entraînerait de la polycythémie (excès de GR circulants).

Il faut questionner la personne à propos des interventions chirurgicales qu'elle a subies, notamment en ce qui touche la greffe du rein, la splénectomie, l'ablation d'une tumeur, l'installation d'une valve prothétique, l'ablation du duodénum (à l'endroit où le fer est absorbé), la gastrectomie partielle ou totale (ce qui élimine les cellules pariétales et diminue les concentrations du facteur intrinsèque nécessaire à l'absorption de la cobalamine [vitamine B_{12}]), la dérivation gastrique (le duodénum peut alors être contourné et la surface occupée par les cellules pariétales diminuée) et la résection iléale (là où la cobalamine est absorbée). Il faut aussi obtenir des renseignements sur la rapidité de cicatrisation des plaies après la chirurgie et sur tout trouble de saignement lié aux interventions chirurgicales. Il faut s'informer de la guérison des plaies et des saignements occasionnés par d'anciens traumatismes, y compris les blessures superficielles et les extractions dentaires. Finalement, il faut déterminer le nombre de transfusions sanguines reçues et les complications survenues pendant leur administration, s'il y a lieu, car le risque de problème de surcharge ferrique augmente en fonction du nombre de transfusions.

L (*Last meal*) Dernier repas

L'infirmière détermine la quantité et la qualité des aliments et des liquides consommés. Ce bilan donne un aperçu de l'ingestion, de la digestion, de l'absorption et du métabolisme. L'infirmière demande à la personne ce qu'elle a mangé depuis 24 heures. L'anémie affecte fréquemment des personnes qui se nourrissent mal. Une alimentation carencée en fer, en vitamine B_9

16

La détection du cancer, les traitements médicaux et les soins infirmiers en oncologie sont présentés dans le chapitre 16, *Cancer*.

Jugement clinique

Jules Roy, 57 ans, prend les médicaments suivants: lévothyroxine (Synthroid[MD]), pantoprazole (Pantoloc[MD]), chlorhydrate de labétalol (Apo-Labetalol[MD]) et métolazone (Zaroxolyn[MD]). Parmi ces médicaments, y en a-t-il qui affectent le système hématologique? Si oui, lesquels?

Aplasie médullaire: Hémopathie (maladie du sang) caractérisée par la raréfaction (altération quantitative) de la moelle osseuse, dont la conséquence est une diminution des trois lignées normales que sont les globules rouges, les globules blancs et les plaquettes.

Anémie de Biermer: Maladie due à une carence en vitamine B_{12}, elle-même consécutive à un manque de sécrétion de facteur intrinsèque.

(acide folique) ou en vitamine B_{12} représente un facteur de risque. Il faut également déterminer les conséquences que l'état de santé de la personne entraîne sur son alimentation et son appétit. L'infirmière évalue également les répercussions sur la nutrition que peuvent avoir des facteurs psychologiques tels que la dépression, l'anxiété et l'image de soi. Elle s'informe si la personne doit suivre une diète particulière et si elle la respecte.

Si ces renseignements révèlent un problème, l'infirmière demandera au client de noter par écrit tout ce qu'il consommera pendant une période de trois jours afin d'analyser son alimentation plus en détail.

Les facteurs de risque comme la consommation d'alcool et le tabagisme, qui peuvent influencer le système hématologique, doivent faire partie de l'évaluation. Il faut faire preuve de délicatesse dans les questions sur la consommation d'alcool. L'alcool est une substance caustique pour la muqueuse des voies gastro-intestinales ; les lésions du tube digestif causées par l'alcool peuvent entraîner des saignements gastro-intestinaux, des varices œsophagiennes, ainsi qu'une diminution de l'absorption de la cobalamine et d'autres nutriments. Le tabagisme entraîne une augmentation du cholestérol LDL (lipoprotéine de faible densité) et de la concentration de dioxyde de carbone, ce qui cause une hypoxie et modifie les propriétés anticoagulantes de l'endothélium. Le tabagisme augmente aussi la réactivité des plaquettes, le fibrinogène, l'hématocrite et la viscosité sanguine.

L'hématémèse (vomissement de sang rouge clair, brun ou noir) est le signe d'une atteinte sous-jacente et doit toujours faire l'objet d'un examen. L'ulcère gastroduodénal est une cause fréquente d'hématémèse. Les alcooliques présentent souvent des carences vitaminiques. L'alcool cause aussi une altération de la fonction plaquettaire et de la synthèse hépatique des facteurs de coagulation. Des saignements peuvent apparaître dans les cas connus d'abus d'alcool. L'usage illicite de drogues doit être documenté, car beaucoup de ces drogues peuvent influencer l'hématopoïèse.

E Événements / environnement

Les questions clés à poser à une personne souffrant d'un trouble hématologique sont énumérées au **TABLEAU 37.8**. Il faut questionner la personne sur son exposition présente ou passée, au travail ou à la maison, à des facteurs environnementaux, à des rayonnements ionisants ou à des produits chimiques. Le cas échéant, il s'agit de déterminer le type, la quantité et la durée de l'exposition.

Une personne qui a été exposée à des rayons ionisants dans le cadre d'un traitement ou par accident court plus de risques de souffrir de certains troubles hématologiques. Il en est de même pour une personne exposée à des produits chimiques comme le benzène, le plomb, le naphtalène et la phénylbutazone. Ces substances sont fréquemment manipulées par les potiers, les nettoyeurs à sec et les travailleurs qui utilisent des adhésifs.

Histoire de santé

TABLEAU 37.8 Modes fonctionnels de santé – Éléments complémentaires : système hématologique

MODES FONCTIONNELS DE SANTÉ	QUESTIONS À POSER
Perception et gestion de la santé	• Avez-vous des difficultés à accomplir vos activités quotidiennes à cause d'un manque d'énergie[a] ? • Consommez-vous des boissons alcoolisées ou fumez-vous[a] ? • Prenez-vous des médicaments d'ordonnance ou en vente libre[a] ? • Prenez-vous des produits à base d'herbes médicinales ou des produits naturels[a] ? des remèdes maison[a] ? • Avez-vous déjà fait usage de drogues illicites ou le faites-vous actuellement ? Quelles substances ? Par quelle voie ? À quelle fréquence ? Quand l'avez-vous fait pour la dernière fois[a] ? • Avez-vous déjà reçu une transfusion sanguine[a] ? • Y a-t-il dans votre famille des antécédents d'anémie, de cancer, de saignement ou des troubles de la coagulation[a] ? • Avez-vous subi des interventions chirurgicales[a] ?

TABLEAU 37.8	Modes fonctionnels de santé – Éléments complémentaires : système hématologique *(suite)*
MODES FONCTIONNELS DE SANTÉ	**QUESTIONS À POSER**
Nutrition et métabolisme	• Éprouvez-vous des difficultés à manger, à mâcher ou à avaler[a] ? • Avez-vous souffert de douleurs à la bouche, à la langue, aux gencives, d'enflure ou de saignement buccal important[a] ? • De quoi se compose votre alimentation ? (Si la personne est végétarienne : Mangez-vous des œufs, des produits laitiers, du poisson et du poulet ?) • Avez-vous remarqué des changements d'appétit[a] ? • Votre poids a-t-il changé durant la dernière année[a] ? • Prenez-vous des vitamines, des compléments alimentaires ou du fer[a] ? • Souffrez-vous de nausées ou de vomissements[a] ? • Avez-vous déjà subi des ecchymoses sans raison ou perdu du sang de façon anormale[a] ? • Votre peau a-t-elle changé de couleur ou de texture dernièrement[a] ? • Éprouvez-vous des sueurs nocturnes ou de l'intolérance au froid[a] ? • Avez-vous remarqué de l'enflure aux aisselles, au cou ou à l'aine[a] ?
Élimination	• Avez-vous eu des selles noires ou poisseuses[a] ? Avez-vous eu des selles décolorées[a] ? • Avez-vous remarqué du sang dans votre urine ou une coloration foncée[a] ? • Est-ce que votre urine est trouble ? Sent-elle mauvais ? • Avez-vous remarqué une diminution de votre volume urinaire[a] ? • Souffrez-vous parfois de diarrhée ou avez-vous eu des changements dans vos habitudes intestinales[a] ?
Activités et exercices	• Avez-vous parfois le souffle court au repos ou en faisant de l'exercice[a] ? • Éprouvez-vous des difficultés à faire bouger vos articulations[a] ? Avez-vous déjà souffert d'inflammation aux articulations[a] ? • Avez-vous une démarche instable ? Avez-vous fait une chute dernièrement[a] ? • Avez-vous déjà remarqué des saignements ou des ecchymoses après une activité[a] ?
Sommeil et repos	• Vous êtes-vous senti très fatigué dernièrement sans cause apparente[a] ? • Êtes-vous plus fatigué que d'habitude[a] ? • Vous sentez-vous reposé au réveil ? Si la réponse est non, pourquoi ?
Cognition et perception	• Avez-vous déjà ressenti des engourdissements ou des fourmillements[a] ? • Avez-vous éprouvé des troubles de vision, d'audition ou de goût[a] ? • Avez-vous remarqué des modifications de vos fonctions mentales[a] ? • Éprouvez-vous des douleurs osseuses, articulaires ou abdominales, ou des sensations de plénitude gastrique[a] ? • Éprouvez-vous de la douleur lorsque vous faites bouger vos articulations[a] ? • Avez-vous éprouvé des raideurs ou des douleurs musculaires dernièrement[a] ?
Perception et concept de soi	• Votre problème de santé a-t-il modifié l'image que vous avez de vous-même[a] ? • Avez-vous subi des changements physiques qui vous ont causé de la détresse[a] ?
Relations et rôles	• Êtes-vous en contact avec des substances dangereuses à cause de votre emploi[a] ? • Est-ce que votre maladie actuelle a modifié vos rôles et vos relations[a] ?

TABLEAU 37.8 **Modes fonctionnels de santé – Éléments complémentaires : système hématologique *(suite)***

MODES FONCTIONNELS DE SANTÉ	QUESTIONS À POSER
Sexualité et reproduction	• Votre trouble hématologique vous a-t-il causé des difficultés d'ordre sexuel qui vous inquiètent[a] ? • Pour les femmes : Quand ont eu lieu vos dernières règles ? Est-ce que votre cycle est régulier ? Combien de jours durent vos règles ? Avez-vous remarqué une augmentation de la douleur ou des caillots[a] ? Avez-vous remarqué des changements quant à la quantité de vos règles[a] ? • Pour les hommes : Souffrez-vous d'impuissance[a] ? • Avez-vous eu des relations non protégées au cours des six derniers mois[a] ? Est-ce que c'était avec un nouveau partenaire ou avec un partenaire avec qui vous entretenez une relation à long terme ?
Adaptation et tolérance au stress	• Avez-vous l'impression d'avoir un soutien adéquat à la maison, en cas de besoin[a] ? • Quelles sont vos stratégies lorsque vos symptômes s'aggravent ? • Votre stress est-il accompagné de symptômes spécifiques ?
Valeurs et croyances	• Avez-vous des raisons religieuses ou personnelles de refuser une transfusion de sang ou de produits sanguins ? • Avez-vous des croyances ou des valeurs qui vous empêchent de suivre votre traitement ?

[a] Si la réponse est affirmative, demandez au client d'expliciter.

RISQUE GÉNÉTIQUE

- Certains problèmes comme l'anémie à cellules falciformes, l'hémophilie, la thalassémie et l'hémochromatose sont des problèmes hématologiques d'origine génétique.
- Les personnes ayant une histoire familiale marquée par l'un de ces problèmes risquent davantage d'en être atteintes.
- D'autres troubles hématologiques comme la leucémie ou l'anémie pernicieuse peuvent avoir une origine génétique.

Perception et gestion de la santé Il faut demander à la personne de décrire son état de santé actuel et habituel.

Nutrition et métabolisme Au moment de remplir le questionnaire (p. ex., le profil de santé) et d'évaluer l'état de santé de la personne, il est important de lui demander son poids et de vérifier si elle a déjà souffert d'anorexie, de nausées, de vomissements ou d'un problème buccal. L'anamnèse alimentaire peut fournir des indices sur la cause de l'anémie. Le fer, la cobalamine et l'acide folique sont essentiels à la formation de GR. Les carences en fer et en acide folique sont associées à une ingestion insuffisante d'aliments qui en sont riches. Les carences en acide folique peuvent être corrigées par une diète comprenant des aliments qui sont également riches en fer (Alpers, Stenson, Taylor *et al.*, 2008) **TABLEAU 37.3**.

Il faut tenir compte de tout changement de texture ou de couleur de la peau ainsi que de tout saignement des gencives, et questionner la personne à ce sujet. Toute présence de **pétéchies** ou d'ecchymoses doit être notée. Il faut aussi déterminer leur fréquence de survenue, leur grosseur et leur cause. La localisation des pétéchies peut indiquer une accumulation de sang dans la peau ou les muqueuses. Lorsqu'ils sont soumis à des pressions, les petits vaisseaux peuvent subir des fuites et si la numération plaquettaire est insuffisante pour arrêter le saignement, il y a alors présence de pétéchies. Les pétéchies peuvent aussi survenir là où les vêtements gênent la circulation.

Il faut aussi s'informer de la présence de toute bosse ou enflure au cou, aux aisselles et à l'aine. Il faut formuler des questions précises sur l'aspect de la tuméfaction (est-elle molle ou dure, sensible ou non ?), et noter si elle semble se déplacer ou rester fixe. Les tumeurs primaires du tissu lymphatique ne sont habituellement pas douloureuses. Un ganglion lymphatique enflé et insensible peut indiquer la présence d'un lymphome de Hodgkin ou d'un lymphome non hodgkinien. Les ganglions lymphatiques hypertrophiés et sensibles sont habituellement associés à une infection aiguë. Tout épisode de fièvre doit être évalué attentivement. Il faut faire une distinction entre un épisode de fièvre, une fièvre récurrente, des frissons et des sueurs nocturnes.

Élimination Il faut savoir s'il y a présence de sang dans les urines (possibles troubles de l'hémostase et de la coagulation), ou si la personne a noté des selles noires et poisseuses. Il convient de s'informer si une recherche de sang occulte dans les selles a été effectuée récemment ou encore si la personne a subi une coloscopie. Toute diminution du volume urinaire et toute diarrhée devraient être évaluées.

Activités et exercices Il faut évaluer la présence de fatigue, puisque c'est un symptôme qui domine dans beaucoup de troubles hématologiques. La faiblesse et la sensation de lourdeur aux extrémités doivent aussi être notées. Il faut s'informer de toute présence d'apathie, de malaise, de dyspnée ou de palpitations. Tout changement dans la capacité à exercer les activités de la vie quotidienne (AVQ) doit être consigné, surtout si la sécurité de la personne est mise en jeu ou si celle-ci a déjà fait une chute.

Sommeil et repos Il faut déterminer si la personne se sent reposée après une nuit de sommeil. La fatigue secondaire à un trouble hématologique ne disparaît pas après avoir dormi. Des sueurs nocturnes peuvent aussi être liées à un problème hématologique, comme le lymphome ; elles font partie des symptômes B (fièvre inexpliquée, sueurs nocturnes importantes, perte de poids inexpliquée) (Société canadienne du cancer, 2015).

Cognition et perception L'**arthralgie**, ou douleur articulaire, peut être causée par un trouble hématologique et doit être évaluée. Une douleur articulaire peut indiquer une maladie auto-immune comme la polyarthrite rhumatoïde, ou être causée par la goutte secondaire à l'augmentation d'acide urique conséquente à une affection hématologique maligne ou à une anémie hémolytique. Des douleurs osseuses peuvent être causées par la pression exercée par l'expansion de la moelle osseuse dans le cas de maladies comme la leucémie. L'hémarthrose, un épanchement sanguin dans une articulation, survient parfois chez une personne souffrant de troubles de l'hémostase et peut causer de la douleur.

Des paresthésies, des engourdissements (p. ex., causés par une amylose primitive) et des picotements peuvent aussi être liés à un trouble hématologique et doivent être notés, de même qu'un changement de vision, d'audition, de goût ou de l'état mental.

Perception et concept de soi Il faut évaluer les répercussions du problème de santé sur la perception que la personne a d'elle-même et de ses capacités personnelles. Il faut aussi déterminer les répercussions de certains problèmes comme les ecchymoses, les pétéchies et l'inflammation des ganglions lymphatiques sur l'apparence de la personne.

Relations et rôles L'infirmière doit également déterminer l'influence de la maladie actuelle sur les responsabilités et les rôles habituels de la personne. Elle doit vérifier les conséquences de la maladie sur les relations interpersonnelles du client.

Sexualité et reproduction Les femmes doivent être questionnées sur leurs antécédents de menstruations, dont l'âge d'apparition des premières règles et de la ménopause, la durée et la quantité des saignements, la présence de caillots et de douleur, et sur tout problème de la sphère génitale. Tous les troubles de saignement précédant ou suivant l'accouchement doivent être notés. Les hommes doivent être questionnés sur l'impuissance, car un tel problème n'est pas rare chez les hommes souffrant de troubles hématologiques. Il est pertinent de connaître le comportement sexuel de la personne, car une infection par le VIH est possible, surtout chez les groupes à risques élevés.

Quel terme désigne l'apparition des premières menstruations ?

Adaptation et tolérance au stress La personne souffrant d'un trouble hématologique a souvent besoin d'aide pour ses AVQ. Il faut s'informer si elle reçoit l'aide nécessaire pour combler ses besoins quotidiens. Il faut aussi connaître les stratégies qu'elle utilise pour gérer son stress. La possibilité de faire une hémorragie, pour une personne souffrant de troubles plaquettaires ou d'hémophilie, peut lui faire peur au point de limiter certaines habitudes et affecter ainsi sa qualité de vie. Il faut s'assurer que la personne comprend bien sa maladie et lui fournir l'enseignement nécessaire.

Valeurs et croyances Certains troubles hématologiques sont traités par des transfusions sanguines ou par une greffe de cellules souches hématopoïétiques. Il faut évaluer si ces traitements s'opposent aux croyances ou aux valeurs de la personne, en particulier à ses croyances religieuses et culturelles liées au sang et aux transfusions. En cas de conflit, le médecin doit être avisé.

37.2.2 Données objectives

Examen physique

Un examen physique complet est nécessaire afin d'évaluer tous les systèmes qui affectent ou sont affectés par le système hématologique **TABLEAU 37.9**. Les troubles hématologiques peuvent se manifester de différentes façons ; certains symptômes peuvent donc ne pas mener immédiatement à un constat de trouble hématologique. Par exemple, une paresthésie des extrémités des membres inférieurs n'est pas liée automatiquement à un trouble hématologique, mais si elle est accompagnée d'autres résultats cliniques ou facteurs de risque, une déficience en cobalamine et l'anémie pernicieuse qui en découle seront envisagées. Même si un examen complet devrait être effectué sur toute personne qu'on croit atteinte d'un trouble hématologique, certains aspects de l'examen physique sont particulièrement pertinents : les ganglions lymphatiques, la rate et le foie, la peau.

Examen des ganglions lymphatiques

Les ganglions lymphatiques se trouvent partout dans le corps. Au moment de l'examen physique, les ganglions superficiels peuvent être examinés par palpation légère. Les ganglions profonds ne peuvent être palpés, et il est préférable d'utiliser

Anomalies courantes

TABLEAU 37.9 Système hématologique

OBSERVATIONS	DESCRIPTION	ÉTIOLOGIE POSSIBLE ET SIGNIFICATION
Peau		
Pâleur de la peau ou du lit de l'ongle	• Aspect blanchâtre ; diminution ou absence de coloration de la peau	• Diminution de l'Hb (anémie)
Bouffées vasomotrices	• Rougeurs passagères de la peau (habituellement au visage et au cou)	• Augmentation de l'Hb (polyglobulie), congestion des capillaires • Rougeurs des paumes de la main ou de la plante du pied pouvant indiquer une anémie
Ictère	• Coloration jaunâtre de la peau et des muqueuses	• Accumulation de bilirubine causée par une hémolyse excessive ou rapide, ou par un trouble du foie
Cyanose	• Coloration bleuâtre de la peau et des muqueuses	• Diminution de l'Hb, concentration excessive de l'hémoglobine désoxygénée (désoxyHb) sanguine
Excoriation	• Écorchure ou érosion de la peau	• Grattage de la peau lié à un prurit intense
Prurit	• Sensation cutanée déplaisante qui provoque l'envie de frotter ou de gratter la peau	• Lymphome de Hodgkin, lymphomes cutanés, leucémie aiguë avec infiltration de la peau (rare), augmentation de la bilirubine
Ulcère de jambe	• Plaie généralement localisée sur les malléoles des chevilles	• Anémie falciforme (drépanocytose)
Angiome	• Tumeur vasculaire bénigne (vaisseaux sanguins ou lymphatiques)	• Origine congénitale pour la plupart ; disparition spontanée possible
Télangiectasie	• Petit angiome avec tendance à saigner ; lésions rouges circonscrites, lésions linéaires minces ou plus épaisses	• Dilatation des petits vaisseaux sanguins
Angiome stellaire	• Forme de télangiectasie caractérisée par une lésion centrale ronde et rouge, et par de fines branches qui s'écartent comme les pattes d'une araignée ; habituellement au visage, au cou ou à la poitrine	• Concentration élevée en œstrogènes, par exemple durant la grossesse ou causée par un trouble hépatique
Purpura	• Tout trouble caractérisé par des ecchymoses ou par d'autres petites hémorragies intracutanées ou dans les muqueuses	• Diminution des plaquettes ou des facteurs de coagulation se manifestant par des hémorragies intracutanées • Anomalies vasculaires • Lésions des parois vasculaires résultant d'un trauma
Pétéchie	• Lésion circulaire supérieure à 2 mm, punctiforme, plane ; rouge violacé foncé ou brune	• Même que purpura
Ecchymoses	• Taches hémorragiques, plus grandes que les pétéchies ; non surélevées ; rondes ou diffuses	• Même que purpura
Hématome	• Amas de sang localisé, habituellement coagulé	• Même que purpura
Chlorome	• Tumeur provenant de la moelle osseuse et contenant un pigment vert pâle	• Leucémie myéloïde aiguë avec infiltration de la peau

TABLEAU 37.9	Système hématologique *(suite)*	
OBSERVATIONS	**DESCRIPTION**	**ÉTIOLOGIE POSSIBLE ET SIGNIFICATION**
Plasmocytome	• Tumeur provenant de cellules plasmatiques anormales	• Myélome multiple avec infiltration de tissu
Yeux		
Ictère sclérotique	• Aspect jaunâtre de la sclérotique	• Accumulation de bilirubine qui résulte d'une hémolyse rapide ou excessive, d'un trouble hépatique ou d'une infiltration
Pâleur conjonctivale	• Pâleur ; coloration absente ou diminuée de la conjonctive	• Diminution de l'Hb (anémie)
Vision brouillée, diplopie, perte du champ visuel	• Diminution de l'acuité visuelle ou cécité partielle (modifications du champ visuel)	• Anémie, hyperleucocytose – Polyglobulie pouvant causer des anomalies visuelles – Thrombopénie pouvant causer des hémorragies intraoculaires et des anomalies visuelles – Coagulation excessive pouvant causer des thromboses dans la circulation cérébrale et entraîner des pertes de champ visuel
Nez		
Épistaxis	• Saignement spontané du nez	• Survenue possible en cas de numération plaquettaire basse, surtout si la personne reste inclinée pendant de longues périodes, essaie de soulever un objet lourd ou durant une manœuvre de Valsalva intense
Bouche		
Altération des membranes muqueuses et gingivales	• Pâleur • Ulcération gingivale ou de la muqueuse, enflure ou saignement	• Diminution de l'Hb (anémie) • Neutropénie ; incapacité pour les leucocytes de combattre les infections buccales ; thrombopénie ; certains types de leucémies à l'origine de l'hyperplasie gingivale
Langue dépapillée	• Surface de la langue lisse et brillante ; muqueuse mince et rouge en raison de la diminution des papilles	• Anémie de Biermer (anémie pernicieuse), anémie ferriprive
Ganglions lymphatiques		
Lymphadénopathie	• Hypertrophie des ganglions (supérieure à 1 cm) ; sensibilité possible	• Infections, infiltrations de corps étrangers ou maladie systémique comme la leucémie, les lymphomes non hodgkiniens, le lymphome hodgkinien, les cancers avec envahissement ganglionnaire
Cœur et poumons		
Tachycardie	• Pouls supérieur à 100 battements par minute (bpm)	• Mécanisme compensatoire en présence d'anémie afin d'augmenter le débit cardiaque
Palpitations	• Impression de sentir son cœur battre ou flutter ; battement thoracique	• Anémie, surcharge de volume, hypotension, syncope imminente, hypertension artérielle ou arythmie

TABLEAU 37.9	Système hématologique *(suite)*	
OBSERVATIONS	**DESCRIPTION**	**ÉTIOLOGIE POSSIBLE ET SIGNIFICATION**
Trouble de la pression artérielle	• Hypotension orthostatique : élévation de la fréquence cardiaque de plus de 20 bpm ou diminution de la pression artérielle de plus de 20 mm Hg à partir des valeurs normales durant les passages de la position couchée à la position assise ou debout	• Hypotension orthostatique courante en cas d'anémie, surtout si le volume sanguin est diminué
	• Hypotension : pression artérielle inférieure à 90 mm Hg (systolique) ou diminution de plus de 40 mm Hg de la valeur normale	• Signe d'une infection, d'une perte de sang ou de mécanismes cardiovasculaires compensatoires altérés
	• Hypertension : pression artérielle supérieure à 140/90 mm Hg	• Survenue possible chez les personnes anémiques comme mécanisme compensatoire de l'anémie
Sensibilité sternale	• Sensibilité anormale au toucher ou à la suite d'une pression sur le sternum	• Résultat de l'augmentation de la densité cellulaire de la moelle (leucémie) causant une augmentation de la pression et l'érosion de l'os ; extension du périoste (myélome multiple)
↓ saturation en oxygène	• Capacité de transport de l'oxygène conditionnée par la saturation en oxygène mesurée par un saturomètre	• Anémie grave
Abdomen		
Hépatomégalie	• Foie palpable	• Leucémie, cirrhose ou fibrose secondaire à une surcharge en fer liée à l'anémie falciforme (drépanocytose) ou à la thalassémie
Splénomégalie	• Rate palpable	• Anémie, thrombopénie, leucémie, lymphomes, leucopénie, mononucléose, paludisme, cirrhose, traumatisme, hypertension portale
Abdomen distendu	• Abdomen plus gros que la normale ; souple ou ferme, sensible ou non, et possiblement accompagné de symptômes comme des nausées, des vomissements ou de la douleur à la palpation profonde	• Lymphome causant une adénopathie abdominale, une ou des masses, ou une occlusion intestinale
Système nerveux		
Paresthésie des pieds et des mains ; ataxie	• Engourdissement et sensibilité accrue des nerfs centraux et périphériques ; mouvement musculaire restreint	• Déficience en cobalamine (vitamine B_{12}) ou en folate
Faiblesse	• Manque de force physique ou d'énergie	• Valeur basse de l'Hb (anémie)
Céphalée, raideur de la nuque	• Douleur dans la tête qui peut être restreinte à une région ou qui peut s'étendre de la région frontale à la nuque	• Anémie de légère à modérée (céphalée généralisée) • Hémorragie intracrânienne causée par une thrombopénie (céphalée grave, avec ou sans troubles de la vision)
Appareil musculosquelettique		
Ostéalgie	• Douleur osseuse au niveau pelvien, costal, spinal et sternal	• Myélome multiple lié à des tumeurs volumineuses qui causent une extension du périoste ; invasion des os par des cellules de la leucémie ; déminéralisation osseuse résultant d'une affection maligne ; anémie falciforme (drépanocytose)
Gonflement articulaire	• Épanchement de liquide dans une articulation	• Symptôme d'hémophilie et d'anémie falciforme (drépanocytose) lorsque le sang se répand dans la cavité articulaire (hémarthrose) et provoque de l'inflammation
Arthralgie	• Douleur articulaire	• Anémie falciforme (drépanocytose) causant une hémarthrose

des techniques d'imagerie médicale (p. ex., la tomodensitométrie, l'échographie, l'IRM) pour les examiner. Les ganglions lymphatiques doivent être examinés de façon symétrique selon leur localisation, leur grosseur (en centimètres), leur degré de mobilité (p. ex., fixes ou mobiles), leur sensibilité et leur texture. Pour examiner des ganglions superficiels, il faut les palper légèrement en utilisant la partie charnue des doigts **FIGURE 37.6**. Puis il faut faire rouler doucement la peau sur la région et essayer de déterminer si le volume des ganglions a augmenté. Habituellement, les ganglions ne peuvent être palpés chez l'adulte. Si un ganglion est palpable, il devrait être petit (de 0,5 à 1 cm), mobile, ferme et insensible pour pouvoir affirmer qu'il est normal. Un ganglion suspect, qui nécessite des examens plus approfondis, devrait présenter une des caractéristiques suivantes : la sensibilité, la dureté, l'immobilité ou un volume augmenté (qu'il soit sensible ou non). La présence de ganglions sensibles indique habituellement une inflammation, alors que des ganglions durs ou fixes et non douloureux sont plutôt un signe d'affection maligne (Bickley & Szilagy, 2003 ; Jarvis, 2015).

Il est important d'examiner les ganglions dans un certain ordre. Il est plus pratique de débuter par la tête et le cou. Il faut d'abord palper les ganglions suivants : parotidiens sus-aponévrotiques (préauriculaires), mastoïdiens, occipitaux, tonsillaires, sous-maxillaires, sous-mentonniers, cervicaux superficiels, cervicaux postérieurs, cervicaux profonds et supraclaviculaires. Puis c'est au tour des ganglions axillaires, pectoraux, sous-scapulaires et latéraux. Viennent ensuite les ganglions épitrochléens, localisés dans le pli du coude, entre les biceps et les triceps. Les ganglions lymphatiques inguinaux, situés à l'aine, sont palpés à la fin.

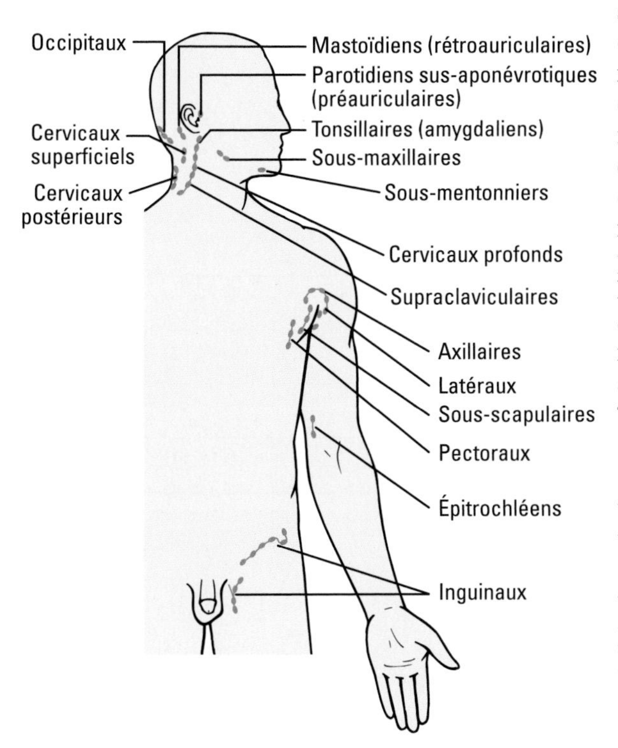

FIGURE 37.6 Ganglions lymphatiques superficiels palpables

Palpation du foie ou de la rate

Normalement, le foie et la rate ne sont pas détectables par la palpation de l'abdomen. Lorsqu'ils sont hypertrophiés, ils peuvent être détectés par percussion ou palpation. Le degré d'hypertrophie du foie est mesuré selon la portion qui dépasse sous la limite des côtes, en nombre de largeurs de doigt. La rate peut être plus difficile à détecter, puisqu'elle est située dans le quadrant supérieur gauche de l'abdomen ▶ 53.

Examen de la peau

L'examen de la peau peut fournir des renseignements précieux sur le système circulatoire dans les troubles hématologiques ▶ 30. La peau de tout le corps doit être examinée de façon systématique ; on procède par exemple en débutant par le visage et la cavité buccale, et en descendant. Les personnes souffrant de troubles des GR peuvent avoir la peau pâle ou le teint terreux, ou encore présenter une teinte cyanosée dans les cas d'anémie grave (concentration excessive de l'hémoglobine désoxygénée [désoxyHb] sanguine). L'**érythrose** provoque souvent des occlusions des petits vaisseaux, ce qui donne une couleur pourpre marbrée au visage, au nez, aux doigts ou aux orteils. L'hippocratisme digital peut être observé chez les personnes souffrant d'anémie chronique comme dans la drépanocytose. Les troubles leucocytaires peuvent causer des lésions cutanées infectieuses ou des lésions nodulaires malignes. Ces phénomènes peuvent se produire partout, et leur répartition est variable. Durant l'examen physique de la peau, il faut être attentif aux pétéchies (petites lésions punctiformes rouge violacé), aux ecchymoses (contusions) et aux angiomes stellaires, une forme de **télangiectasie** **TABLEAU 37.9**, car ils peuvent indiquer un trouble de coagulation. Habituellement, un saignement de la peau et des muqueuses est un indice de trouble plaquettaire, mais des saignements spontanés dans les articulations ou les muscles sont le signe d'un trouble des facteurs de la coagulation ; un saignement excessif résultant d'un traumatisme peut être causé par un des deux troubles, ou par les deux (Collar & Schneiderman, 2009 ; Howard & Hamilton, 2008).

Un examen ciblé est effectué pour évaluer le degré de gravité des troubles hématologiques antérieurs et pour trouver des indices de troubles récents **TABLEAU 37.10**.

CE QU'IL FAUT RETENIR

La présence de ganglions sensibles indique habituellement une inflammation, alors que des ganglions durs ou fixes et non douloureux sont plutôt un signe d'affection maligne.

53

Les techniques de palpation du foie et de la rate sont expliquées dans le chapitre 53, *Évaluation clinique – Système gastro-intestinal*.

30

L'examen de la peau est décrit en détail dans le chapitre 30, *Évaluation clinique – Système tégumentaire*.

CE QU'IL FAUT RETENIR

Un saignement de la peau et des muqueuses est un indice de trouble plaquettaire, mais des saignements spontanés dans les articulations ou les muscles sont le signe d'un trouble des facteurs de la coagulation.

Collecte des données

TABLEAU 37.10 Évaluation ciblée du système hématologique

CETTE LISTE DE CONTRÔLE PERMET DE VÉRIFIER QUE LES ÉTAPES CLÉS DE L'ÉVALUATION ONT ÉTÉ RÉALISÉES.		
Données subjectives		
Interroger le client sur les éléments suivants :		
Saignement inhabituel ou ecchymoses	Oui	Non
Selles noires, poisseuses	Oui	Non
Hématémèse	Oui	Non
Œdème au cou, aux aisselles ou à l'aine	Oui	Non
Urine foncée	Oui	Non
Fatigue	Oui	Non
Palpitations	Oui	Non
Données objectives – Examen physique		
Inspecter :		
Peau : couleur, lésions, cicatrices, pétéchies, texture		☐
Contour abdominal : symétrie, distension		☐
Anus et rectum : peau intacte, présence ou absence d'hémorroïdes		☐
Ausculter :		
Pression artérielle, pour déceler une altération ou un trouble orthostatique		☐
Palper :		
Pouls, pour déceler une tachycardie		☐
Foie et rate, pour en vérifier l'hypertrophie		☐
Ganglions lymphatiques, pour déceler une adénopathie		☐
Données objectives – Examens paracliniques		
Vérifier les résultats des examens suivants :		
Formule sanguine complète		☐
Coagulation : TP, RIN, PTT		☐

37.3 Examens paracliniques du système hématologique

Les moyens les plus directs pour évaluer le système hématologique sont les analyses de laboratoire et les autres examens paracliniques.

37.3.1 Analyses de laboratoire

Formule sanguine complète

La formule sanguine complète nécessite plusieurs analyses de laboratoire **TABLEAU 37.11**. En plus de la formule sanguine, un **frottis sanguin** peut être demandé. Le frottis sert à examiner la

Examens paracliniques

TABLEAU 37.11 Formule sanguine complète

EXAMEN	DESCRIPTION ET BUT	VALEURS NORMALES
Hb	• Mesure de la capacité des GR à transporter l'oxygène et le dioxyde de carbone	• Femme : 120-160 g/L • Homme : 130-180 g/L
Ht	• Mesure du rapport du volume relatif des GR au sang	• Femme : 37-48 % • Homme : 42-52 %
Érythrocytes	• Décompte des GR circulants	• Femme : 4,2-5,4 $\times 10^{12}$/L • Homme : 4,7-6,1 $\times 10^{12}$/L
Indices globulaires • VGM = $\frac{Ht \times 10}{GR \times 10^6}$	• Détermination du volume globulaire moyen des GR ; VGM faible : indication de microcytose, VGM élevé : indication de macrocytose, anémie pernicieuse	• 86-98 μ^3 • VGM (fL) = $\frac{Ht}{\text{Nombre de GR } (\times 10^{12}\text{ L})}$
• TGMH = $\frac{Hb \times 10}{GR \times 10^6}$	• Mesure de la quantité moyenne d'Hb/GR ; TGMH faible : indication de microcytose, TGMH élevée : indication de macrocytose	• 28-33 pg • TGMH (pg) = $\frac{Hb}{\text{Nombre de GR } (\times 10^{12}\text{ L})}$
• CGMH = $\frac{Hb \times 10}{Ht}$	• Évaluation de la saturation des GR avec Hb ; CGMH faible : indication d'hypochromie, CGMH élevée : preuve de sphérocytose	• 30-36 %
Morphologie GR	• Étude de la forme et de la grosseur des GR	• Pas de variations dans la morphologie des GR
Numération GB	• Décompte du nombre total de leucocytes	• 4 200-10 000/mm^3
Numération leucocytaire et formule leucocytaire	• Numération leucocytaire : mesure de la quantité de leucocyte dans 1 mm^3 de sang • Formule leucocytaire : pourcentage de chaque type de leucocyte dans un échantillon de 100 GB	• Numération leucocytaire : 4 200-10 000/mm^3 • Neutrophiles : 40-60 % (3 000-7 000 cellules/mm^3) – segmentés : 45-55 % – non segmentés : 5-15 % • Éosinophiles : 1-4 % (< 450 cellules/mm^3) • Basophiles : 0,5-1 % (15-100 cellules/mm^3) • Lymphocytes (B et T) : 20-40 % (1 000-4 000 cellules/mm^3) • Monocytes : 2-8 % (< 850 cellules/mm^3)
Numération plaquettaire	• Mesure du nombre de plaquettes pouvant assurer le rôle de la coagulation plaquettaire (n'est pas une évaluation de la qualité des plaquettes)	• 150 000-400 000/mm^3

Source : Adapté de Furger (2005).

Jugement clinique

Réal Côté, 59 ans, a consulté son médecin de famille, car il a constaté du sang dans ses selles. En plus de demander une recherche de sang occulte, le médecin désire obtenir la formule sanguine complète comme examen paraclinique. Monsieur Côté ne comprend pas pourquoi ce dernier examen est nécessaire puisqu'il n'est pas anémique. Quelle en est la raison alors ?

Pancytopénie : Diminution du nombre des globules rouges, des globules blancs et des plaquettes en présence d'une pathologie (maladie) sanguine associée.

38

Les traitements pour l'anémie, les infections et les hémorragies sont présentés dans le chapitre 38, *Interventions cliniques – Troubles hématologiques*.

morphologie (forme et apparence) des cellules sanguines et peut aider au diagnostic. Par exemple, un grand nombre de leucocytes blastiques (immatures) peut indiquer une leucémie aiguë (Howard & Hamilton, 2008).

Bien que l'état de chaque type de cellules soit important, le système au complet peut être affecté par des maladies et aussi par des traitements. Lorsqu'une forte diminution du nombre de cellules dans les trois lignées sanguines (GR, GB et plaquettes) est observée, on parle de **pancytopénie** ▶ 38.

Globules rouges

Les valeurs normales de certains examens des globules rouges sont différentes chez les femmes et chez les hommes, car ces valeurs sont basées sur la masse corporelle (celle des hommes est habituellement supérieure).

La valeur de l'hémoglobine est diminuée dans les cas d'anémie, d'hémorragie et d'hémodilution qui surviennent lorsque le volume des liquides administrés est très important. Une élévation de l'hémoglobine survient dans les cas de polycythémie ou d'hémoconcentration qui peuvent se produire au moment de la **déplétion** du volume des liquides (déshydratation).

L'hématocrite (Ht) est obtenu par centrifugation du sang, procédé qui sépare les GR et le plasma. Les GR, étant plus lourds, se déposent au fond. L'hématocrite correspond au rapport du volume relatif des GR et du volume total du sang. L'augmentation et la diminution de l'hématocrite sont observées dans les mêmes troubles que ceux qui font augmenter ou diminuer l'hémoglobine.

La numération des globules rouges s'exprime en GR × 10^{12}/L. Cependant, cette valeur n'est pas toujours fiable pour évaluer le rôle des GR. En conséquence, d'autres données comme l'hémoglobine, l'hématocrite et les **indices globulaires** doivent aussi être examinées. La numération des GR est modifiée par les mêmes troubles qui font augmenter ou diminuer les valeurs de l'hémoglobine et de l'hématocrite.

Les indices globulaires (indices GR) sont des valeurs particulières qui indiquent le volume, la couleur et la saturation en oxygène des GR. Ces paramètres peuvent donner un aperçu des causes de l'anémie.

Globules blancs

La numération des globules blancs fournit deux différents types d'information. Le premier type d'information est la numération totale des globules blancs dans le sang périphérique. Une leucocytémie supérieure à 11 000/mm^3 indique une infection, une inflammation, une lésion ou la mort de tissus, ou encore une affection maligne (p. ex., une leucémie ou un lymphome). Même si le degré d'élévation des GB ne traduit pas nécessairement la gravité d'une maladie, il peut fournir des indices étiologiques. Certains types de leucémies sont plus susceptibles de produire une leucocytémie très élevée (supérieure à 25 000/mm^3). Une leucocytémie inférieure à 4 000/mm^3 (leucopénie) indique une déplétion de la moelle osseuse, une maladie grave ou chronique, ou certains types de leucémie.

Le deuxième type d'information est la numération différentielle des globules blancs, ou formule leucocytaire, qui permet de connaître le pourcentage de chaque type de globules blancs. Cette formule procure des indices appréciables dans la recherche des causes des maladies. Dans le cas d'infections graves, un plus grand nombre de granulocytes est libéré de la moelle osseuse pour compenser. Afin de suffire à la demande, beaucoup de neutrophiles jeunes et immatures, à noyau incurvé, sont libérés. La procédure habituelle du laboratoire est de noter les GB par ordre de maturité et d'indiquer les formes moins matures du côté gauche du rapport écrit. C'est pourquoi la présence de beaucoup de globules immatures est appelée déviation à gauche.

La formule leucocytaire est d'une importance capitale, car il est possible que la leucocytémie reste normale malgré un changement appréciable d'un type de leucocyte. Par exemple, une personne peut avoir une leucocytémie normale de 8 800/mm^3, mais la formule leucocytaire peut aussi indiquer un taux de lymphocytes aussi bas que 10 %. Ce résultat anormal nécessite un examen approfondi. L'interprétation de la formule leucocytaire doit se faire à partir des valeurs absolues et non pas des pourcentages. Si la numération lymphocytaire est également basse, d'autres examens paracliniques doivent être effectués pour trouver la cause sous-jacente.

Une numération normale de neutrophiles devrait se situer entre 3 000 et 7 000 cellules/mm^3. Quand la moelle osseuse ne produit pas assez de neutrophiles, une neutropénie se produit. La **neutropénie** (*penia* = pauvreté) est un trouble lié à la numération des neutrophiles. La numération absolue de neutrophiles est obtenue en multipliant la numération totale des GB par le pourcentage de neutrophiles (p. ex., 4 000/mm^3 [GB] × 69 % [neutrophiles] = 2 760). Une neutropénie existe lorsque la numération absolue de neutrophiles est inférieure à 2 000/mm^3 (Mansen & McCance, 2006). Différents systèmes de classification, dont celui conçu par l'Organisation mondiale de la Santé (World Health Organization, 1979), permettent d'évaluer la gravité de la neutropénie. Le CTCAE (*Common Terminology Criteria for Adverse Events*) du National Cancer Institute est aussi largement utilisé.

La neutropénie peut résulter de processus morbides comme la leucémie, de la déplétion de la moelle ou être d'origine médicamenteuse, et elle est liée à un risque élevé d'infections et de décès dus à une septicémie.

Numération plaquettaire

La numération plaquettaire correspond au nombre de plaquettes par millimètre cube de sang. Une numération plaquettaire normale se situe entre 150 000 et 400 000/mm^3. Un résultat inférieur à 100 000/mm^3 indique une **thrombopénie**. La thrombopénie peut causer des saignements. Une hémorragie spontanée peut survenir lorsque la numération plaquettaire devient inférieure à 10 000/mm^3 (Babic & Kaufman, 2009). Le **TABLEAU 37.12** contient une description détaillée des examens de coagulation. La **thrombocytose** (numération plaquettaire supérieure à 450 000/mm^3) se définit comme le résultat d'un excès de plaquettes survenant durant le processus inflammatoire et les affections malignes ▶ 38. La complication la plus fréquente de la thrombocytose est l'hypercoagulabilité.

Groupes sanguins et facteur Rh

Les agglutinogènes (antigènes) des groupes sanguins A et B se trouvent sur la membrane des GR et sont les principaux éléments du système classique de groupes sanguins ABO. La présence ou l'absence de l'un ou des deux antigènes sert à

38

La thrombocytose est décrite dans le chapitre 38, *Interventions cliniques – Troubles hématologiques*.

Thrombopénie : Diminution du nombre des plaquettes audessous de 150 000/mm^3 dans le sang circulant.

CE QU'IL FAUT RETENIR

La complication la plus fréquente de la thrombocytose est l'hypercoagulabilité.

Examens paraclinique

TABLEAU 37.12 Examens de coagulation

EXAMEN	DESCRIPTION ET BUT	VALEURS NORMALES
Antithrombine	• Qualifie une protéine naturelle synthétisée par le foie, qui inhibe la coagulation par l'inactivation de prothrombine et d'autres facteurs ; diminuée dans la coagulation intravasculaire disséminée (CIVD).	• 210-300 mg/L (21-30 mg/dL) ou 80-120 %
Dosage des D-dimères	• Mesure les fragments de fibrine formés durant l'étape de dégradation du caillot ; utilisé dans le constat des troubles d'hypercoagulabilité (p. ex., la CIVD, l'embolie pulmonaire).	• < 250 ug/L
Fibrinogène	• Indique le taux de fibrinogène ; une augmentation signifie une probable élévation de la synthèse de fibrine, ce qui rend la personne sujette à l'hypercoagulabilité ; une diminution prédispose la personne au saignement.	• 2-4 g/L (200-400 mg/dL)
Numération plaquettaire	• Consiste en le décompte du nombre de plaquettes dans la circulation.	• 150 000-400 000/mm^3
Produits de dégradation de la fibrine (PDF)	• Indique le taux de fibrinolyse et la prédisposition au saignement, s'il y a lieu ; examen utilisé dans le constat de la CIVD ; valeur élevée associée à la CIVD, affection maligne grave et inflammation grave.	• < 10 mg/mL
Rapport international normalisé (RIN) plus connu sous l'abréviation INR (*International Normalized Ratio*)	• Est un système de standardisation des temps de prothrombine fondé sur la détermination d'un rapport entre la valeur de la personne et celle d'un plasma témoin. • Explore la voie extrinsèque de coagulation. • Est utilisé dans la surveillance d'un traitement par la prise d'antivitamine K (Coumadin^MD).	• 0,8-1,2
Rétraction du caillot	• Évalue la rétraction du caillot formé sur les bords après 24 heures ; examen utilisé pour confirmer un trouble plaquettaire.	• Débute après 1 heure ; maximum de 24 heures

TABLEAU 37.12	Examens de coagulation *(suite)*	
EXAMEN	**DESCRIPTION ET BUT**	**VALEURS NORMALES**
Temps de coagulation activée (KAOLIN / ACT)	• Est surtout utilisé en salle d'opération pour surveiller l'héparinothérapie en cas de circulation extracorporelle.	• 70-120 sec.
Temps de céphaline activée (TCA)	• Évalue la voie intrinsèque de la coagulation en mesurant les facteurs I, II, V, VIII, IX, X, XI, XII.	• Résultat comparé au temps du plasma témoin • 25-35 sec. (varie selon les réactifs)
Temps de Quick (TQ) ou temps de prothrombine (TP)	• Évalue la voie extrinsèque de coagulation en mesurant les facteurs I, II, V, VII, X.	• 8,8-11,6 sec. • Valeur servant à générer le RIN
Temps de saignement	• Est une mesure du temps de saignement de petites incisions sur la peau ; témoin de la capacité de contraction des petits vaisseaux. • Explore l'hémostase primaire. • Test peu sensible. • Devrait toujours être pratiqué par la méthode d'Ivy à l'avant-bras. • Est peu ou non prédictif du risque hémorragique spontané ou provoqué.	• < 10 min
Temps de thrombine (TT)	• Évalue la phase finale de la cascade de coagulation : la formation de fibrine. • Mesure l'efficacité de la thrombine ; un temps de thrombine élevé indique que la coagulation est altérée en raison d'une diminution de l'activité de la thrombine.	• 15-20 sec.
Test de fragilité capillaire (épreuve du lacet)	• Mesure la fragilité capillaire lorsqu'une pression positive ou négative est appliquée sur diverses régions du corps ; un test positif révèle une thrombopénie, des réactions vasculaires toxiques.	• Pas de pétéchies ou négatif

distinguer les quatre groupes sanguins : A, B, AB et O. La présence d'agglutinogènes A indique le groupe A, celle d'agglutinogènes B indique le groupe B, la présence des deux types d'agglutinogènes indique le groupe AB, et l'absence des deux types d'agglutinogènes indique le groupe O. Chaque personne possède des agglutinines nommées anti-A et anti-B (anticorps naturels présents dans le plasma), qui réagissent avec les agglutinogènes A ou B. Ces anticorps sont trouvés lorsque l'antigène correspondant est absent de la surface des GR. Par exemple, une personne du groupe A possède des agglutinines anti-B **TABLEAU 37.13**.

Les réactions transfusionnelles d'incompatibilités ABO proviennent de l'hémolyse intravasculaire des GR. Les GR s'agglutinent lorsqu'une agglutinine est présente et qu'elle réagit avec les agglutinogènes de la membrane des GR. Par exemple, l'agglutination se produira dans le sang d'une personne du groupe A si elle reçoit du sang d'une personne qui possède des agglutinogènes B (groupe B ou AB). Les agglutinines anti-B présentes dans le sang du groupe A réagissent avec les agglutinogènes B, ce qui provoque l'hémolyse des GR. L'administration d'une transfusion de sang incompatible peut être fatale.

Le facteur Rh repose sur un troisième agglutinogène, D, qui se trouve aussi sur la membrane des GR. Les personnes possédant l'agglutinogène D sont Rh positif, mais ceux qui ne possèdent pas cet agglutinogène sont Rh négatif. Le sang Rh positif est indiqué par un signe « + » après le groupe ABO (p. ex., AB+).

TABLEAU 37.13 Groupes sanguins ABO et compatibilités [a]

GROUPE SANGUIN DU RECEVEUR	AGGLUTINOGÈNES (ANTIGÈNES)	AGGLUTININES (ANTICORPS NATURELS)	DONNEUR COMPATIBLE POUR LES GR (CULOT GLOBULAIRE)	DONNEUR COMPATIBLE POUR LE PLASMA
A	A	Anti-B	A et O	A et AB
B	B	Anti-A	B et O	B et AB
AB (receveur universel pour les GR seulement)	A et B	Aucun	A, B, AB, O	AB (donneur universel pour le plasma seulement)
O	Aucun	Anti-A, anti-B	O (donneur universel pour les GR seulement)	A, B, AB, O

[a] Les groupes ABO sont nommés d'après les agglutinogènes à la surface des GR. La compatibilité est établie selon les agglutinines présentes dans le plasma.

Une femme Rh négatif peut être en contact avec le sang Rh positif de son bébé durant la grossesse et l'accouchement. Après ce contact, le système immunitaire de la mère produit des agglutinines anti-D (anticorps) qui réagissent avec les agglutinogènes Rh du fœtus / bébé. Dans les grossesses subséquentes, les agglutinines anti-D (anticorps) de la mère peuvent traverser le placenta et attaquer les GR d'un fœtus Rh positif, ce qui entraîne l'hémolyse des GR chez le fœtus. Une femme Rh négatif devrait recevoir des injections d'immunoglobulines anti-D (WinRho[MD]) durant sa grossesse ou juste après l'accouchement afin d'empêcher la formation d'agglutinines anti-D. En se fixant aux agglutinogènes D des globules rouges du fœtus, les immunoglobulines anti-D (WinRho[MD]) injectées empêchent l'apparition d'une réponse immunitaire dans le sang de la mère (McKinley *et al.*, 2014).

Métabolisme du fer

Les analyses de laboratoire servant à évaluer le métabolisme du fer comprennent généralement la sidérémie, la capacité totale de fixation du fer (TIBC), la ferritinémie, et le taux ou coefficient de saturation de la transferrine. La sidérémie (mesure du fer sérique) représente la quantité de fer liée à une protéine circulant dans le sang. La TIBC est la capacité maximale de transport du fer par la transferrine exprimée en quantité de fer par volume de sang. Bien que cette mesure indirecte reflète de façon générale la quantité de transferrine présente dans la circulation sanguine, elle surestime le taux de transferrine de 16 à 20 % étant donné qu'elle tient également compte d'autres protéines qui se lient au fer. D'ailleurs, ces protéines se lient au fer uniquement lorsque le taux de saturation de la transferrine dépasse les 50 %. La TIBC se comporte de façon contraire aux réserves de fer tissulaire : plus elle est élevée, plus le fer stocké est bas, et l'inverse est aussi vrai. Ainsi, la saturation de la transferrine constitue un indicateur plus fiable de la disponibilité du fer pour intervenir dans l'érythropoïèse que la sidérémie. En effet, contrairement à cette dernière, le fer lié à la transferrine est prêt à être utilisé par l'organisme. La saturation de la transferrine se calcule en divisant la sidérémie par la TIBC, puis en multipliant ce résultat par 100. Par exemple, chez un client qui présente une sidérémie de 100 µg/dL et une TIBC de 300 µg/dL, le taux de saturation de la transferrine s'élève environ à 33 %. Chez une personne sans déficit, une concentration de 1 ng/mL de ferritine sérique correspond à 8 à 10 mg de fer stocké. D'autres examens pour détecter les déficiences nutritionnelles qui provoquent un trouble de la production de GR peuvent aussi être réalisés (McCance & Huether, 2006) **TABLEAU 37.14**.

37.3.2 Examens radiologiques

Les examens radiologiques du système hématologique peuvent nécessiter, entre autres, l'utilisation de la tomographie par ordinateur ou de l'IRM afin d'évaluer la rate, le foie et les ganglions lymphatiques. Les interventions du personnel infirmier liées à ces examens sont décrites au **TABLEAU 37.15**.

37.3.3 Biopsies

Les types de biopsies spécifiques de l'évaluation hématologique sont l'examen de la moelle osseuse et la biopsie des ganglions lymphatiques. Ces examens sont effectués parce qu'un frottis sanguin n'est pas spécifique et que, habituellement, un constat ne peut être établi à la suite d'un frottis sanguin. De plus, une biopsie fournit des renseignements additionnels nécessaires au constat d'un trouble hématologique et permet aussi d'envisager toutes les possibilités de traitement.

Examens paracliniques

TABLEAU 37.14	Analyses de laboratoire et examens sanguins	
EXAMEN	**DESCRIPTION ET BUT**	**VALEURS NORMALES**
Acide folique	• Quantité d'acide folique ou de folate qui peut servir à synthétiser les GR.	• 2,7-17 ng/mL
Acide méthylmalonique (MMA) (peu utilisé en clinique)	• Mesure indirecte de la cobalamine. • Son métabolisme nécessite de la cobalamine ; aide à différencier la carence en cobalamine et celle en acide folique. • Renseigne sur les métabolismes de la vitamine B_{12} et de l'acide folique.	• < 0,2 µmol/L (< 2,4 mcg/dL)
Bilirubine	• Mesure du taux d'hémolyse des GR ou de l'incapacité du foie à excréter des quantités normales de bilirubine ; augmentation de la bilirubine indirecte dans les troubles hémolytiques.	• Totale : 0,3-1,0 mg/dL (5-17 µmol/L SI) • Directe : 0,0-0,4 mg/dL (0-7 µmol/L SI) • Indirecte : 0,1-1,0 mg/dL (1-17 µmol/L SI)
Cobalamine (vitamine B_{12})	• Concentration de vitamine B_{12} servant à la synthèse de nouveaux GR. • Une carence en vitamine B_{12} provoque une anémie pernicieuse.	• 150-850 pg/mL
Électrophorèse de l'Hb	• Les protéines qui participent à la synthèse de l'hémoglobine ont un comportement spécifique durant l'électrophorèse. Ce comportement est altéré dans la thalassémie ou l'anémie falciforme, car de l'hémoglobine anormale est synthétisée et l'HbS est augmentée. • Permet de déceler des formes anormales d'hémoglobine.	• HbA normale : > 95 % • HbA : 2-3 % • HbF : < 2 % • HbS : 0 % • HbC : 0 %
Électrophorèse des protéines sériques (SPEP)	• Sépare les protéines sanguines selon leur charge électrique ; aide au constat des troubles d'hyperglobulinémie comme le myélome multiple ou certains lymphomes.	• Spectre normal de l'albumine et des globulines • Albumine = 3,3-5,5 g/dL • α_1-Globulines = 0,1-0,4 g/dL • α_2-Globulines = 0,5-1,0 g/dL • α-Globulines = 6,0-8,0 g/dL (Tout pic ou élévation d'une protéine est anormal.)
Érythropoïétine	• Mesure du degré de stimulation hormonale de la moelle osseuse pour provoquer la libération de GR.	• 5-30 mU/mL (5-30 unités/L)
Fer • Fer sérique (sidérémie) • Capacité totale de fixation du fer (TIBC)	• Indique la quantité de fer lié aux protéines sériques ; indice des réserves de fer et de son utilisation. • Mesure de toutes les protéines qui peuvent se lier au fer ; la transferrine possède la plus grande capacité de transport ; c'est donc une mesure indirecte de la transferrine ; évaluation de la quantité supplémentaire de fer qui peut être transporté.	• 50-160 µg/dL (9,0-28,8 µmol/L SI) • 24-150 µg/dL (43-81 µmol/L SI)

TABLEAU 37.14	Analyses de laboratoire et examens sanguins *(suite)*	
EXAMEN	**DESCRIPTION ET BUT**	**VALEURS NORMALES**
Ferritinémie	• Reflète les réserves de fer ; sa concentration sanguine est directement liée aux réserves. • Marqueur précoce d'un état ferriprive.	• Homme : 12-300 ng/mL • Femme : 12-150 ng/mL
Homocystéine	• Acide aminé formé à partir de la L-méthionine ; métabolisé rapidement par des voies qui nécessitent la cobalamine (vitamine B_{12}) et l'acide folique ; augmenté dans les carences en cobalamine et en acide folique.	• Homme : 1-2,12 mg/L (7,4-15,7 µmol/L SI) • Femme : 0,53-2 mg/L (3,9-14,8 µmol/L SI)
Numération réticulocytaire	• Décompte des GR immatures ; évaluation de l'activité de la moelle osseuse dans la synthèse de GR. • Il sert aussi à la classification des anémies.	• Chez l'adulte : 10-75 × 10^9/L (0,5-2 % des GR)
Coefficient de saturation de la transferrine (%)	• Taux de fer sérique × 100 TIBC. • Est diminué dans l'anémie ferriprive à moins de 15 %, et peut être augmenté dans l'anémie hémolytique et aussi dans les cas d'hémochromatose.	• 15-50 %
Transferrine	• Protéine de transport. • La plus grosse protéine qui se lie au fer ; son taux est augmenté (phénomène compensatoire) chez la plupart des gens souffrant d'anémie ferriprive.	• Homme : 215-365 mg/dL (2,15-3,65 g/L SI) • Femme : 250-380 mg/dL (2,5-3,8 g/L SI)
Test de Coombs (TC)	• Différenciation des anémies hémolytiques ; détection des autoanticorps et des alloanticorps, du facteur Rh.	• Négatif
• Direct	• Recherche des anticorps fixés sur les globules rouges et susceptibles d'entraîner leur destruction (hémolyse).	• Négatif
• Indirect	• Recherche des anticorps présents dans le plasma ou le sérum, et non pas ceux fixés sur les globules rouges (test de Coombs direct).	• Négatif
Vitesse de sédimentation (VS)	• Mesure de la sédimentation ou décantation (chute) des GR dans une solution saline ou le plasma par unité de temps (une heure) ; une réaction inflammatoire entraîne une altération des protéines plasmatiques, ce qui provoque l'agrégation des GR et les rend plus lourds ; plus la sédimentation est rapide, plus la valeur est élevée. • Une VS augmentée reflète l'existence d'un état inflammatoire.	• Homme : 0-20 mm/h • Femme : 0-30 mm/h

Examens paracliniques

TABLEAU 37.15	Système hématologique	
EXAMEN	**DESCRIPTION ET BUT**	**RESPONSABILITÉS INFIRMIÈRES**
Analyse d'urine		
Protéine de Bence-Jones	• Cette méthode électrophorétique détecte la présence de la protéine de Bence-Jones qu'on trouve dans la plupart des cas de myélome multiple. Un résultat négatif est considéré comme normal.	• Expliquer le but de l'examen. • Obtenir un échantillon d'urine.

37

TABLEAU 37.15	Système hématologique *(suite)*	
EXAMEN	**DESCRIPTION ET BUT**	**RESPONSABILITÉS INFIRMIÈRES**
Examens de radio-isotopes		
Scintigraphie du foie et de la rate	• Un isotope est injecté par voie intraveineuse. Les images résultant des émissions radioactives sont utilisées pour évaluer l'aspect de la rate et du foie. La personne n'est pas une source de radioactivité.	• Expliquer le but et le déroulement de l'examen.
Scintigraphie osseuse	• La scintigraphie osseuse ressemble à l'examen précédent, mais elle évalue les os pour détecter la présence de métastases osseuses ou de fractures.	• Avant la scintigraphie, encourager la personne à boire de quatre à six verres d'eau pour faciliter l'élimination rénale du radio-isotope non capté par les os. La personne doit uriner avant l'examen, car une vessie pleine peut masquer les os pelviens. • Durant l'examen, demander à la personne de se coucher sans bouger. Une fois l'examen terminé, encourager la personne à boire pour faciliter l'excrétion de la substance.
Examens de radiologie		
Radiographie osseuse	• La série osseuse sert à détecter la présence de lésions ostéolytiques associées au myélome multiple. Les scintigraphies osseuses ne peuvent les détecter, car les isotopes radio-isotopes ne sont pas captés en raison de l'absence d'irrigation sanguine.	• Expliquer le but et le déroulement de l'examen.
Échographie du foie et de la rate, ou de l'abdomen	• Une sonde lubrifiée parcourt l'abdomen en glissant afin de détecter les densités et les contours des organes abdominaux. Des contours irréguliers, des masses, les vaisseaux et l'arbre biliaire peuvent être observés.	• Expliquer le but de l'examen. Aviser la personne qu'elle devra se coucher sur le dos pendant que la sonde appuie sur son abdomen et qu'il s'agit d'une procédure non douloureuse.
Tomographie par émission de positrons (TEP)	• Le marqueur radioactif le plus utilisé est un analogue du glucose (fluodésoxyglucose ou 18F-FDG). Une fois injecté par voie intraveineuse, il chemine vers les tissus où l'activité métabolique est intense (tumeurs, sièges d'inflammation ou d'infection, sites ayant subi un traumatisme). • La tomographie montre des tissus de couleur différente selon leur vitesse de métabolisme. Des zones sensibles montrent une consommation augmentée de glucose, typique du métabolisme accéléré des tumeurs. La tomographie peut aussi être assistée par ordinateur.	• Aviser la personne de ne rien absorber par la bouche à part de l'eau ou des médicaments pendant les quatre heures qui précèdent l'examen. • Une personne diabétique ou intolérante au glucose pourrait avoir à modifier sa médication. • Une préparation pour les intestins peut aussi être nécessaire, selon la région à examiner.

TABLEAU 37.15 **Système hématologique *(suite)***

EXAMEN	DESCRIPTION ET BUT	RESPONSABILITÉS INFIRMIÈRES
Tomographie assistée par ordinateur ou tomodensitométrie (TDM)	• Examen radiologique qui utilise des rayons X à l'aide d'un ordinateur pour examiner, entre autres, les ganglions lymphatiques. Un agent de contraste est souvent utilisé pour un examen du foie ou de la rate.	• S'assurer que la personne n'est pas allergique à l'iode, s'il s'agit de l'agent de contraste utilisé.
Imagerie par résonance magnétique (IRM)	• Ce procédé fournit des images sensibles des tissus mous sans agent de contraste ni rayonnement ionisant. Cette technique permet, entre autres, d'examiner la rate, le foie et les nœuds lymphatiques.	• Demander à la personne d'enlever tout ce qui est métallique, et s'informer de tout antécédent chirurgical qui a nécessité l'installation de plaques, de broches ou de tout autre objet métallique. Informer la personne de la nécessité de s'étendre sans bouger dans un espace restreint.
Biopsies		
Biopsie de la moelle osseuse	• Cette technique permet de prélever de la moelle par un point d'insertion sous anesthésie locale afin d'examiner le tissu qui fabrique les éléments figurés du sang. Elle est utilisée pour diagnostiquer le myélome multiple, tous les types de leucémies et certains lymphomes. Elle permet aussi de vérifier l'efficacité du traitement contre la leucémie.	• Expliquer la façon de procéder à la personne. Chez l'adulte, la prise d'un anxiolytique et d'un analgésique *per os* peut être indiquée avant l'intervention afin de diminuer l'anxiété et la douleur. Appliquer un pansement compressif après la biopsie. Vérifier s'il y a présence de saignement.
Biopsie des ganglions lymphatiques	• Cet examen permet d'obtenir du tissu lymphatique pour en faire une étude histologique et préciser le constat et le traitement.	• Expliquer le déroulement de la procédure à la personne.
• Ouverte	• Elle est pratiquée dans une salle d'opération avec utilisation d'un anesthésique local ou général. Une incision est faite, et le ganglion et les tissus qui l'entourent sont excisés, si possible.	• S'assurer que des techniques stériles sont utilisées aux changements de pansements.
• Par aspiration (aiguille ou aiguille fine)	• Elle est pratiquée le plus souvent en radiologie d'intervention. Une aiguille très fine est utilisée afin de diminuer le risque de répandre des cellules malignes dans des tissus sous-cutanés sains.	• Appliquer une pression directe sur le site après la biopsie afin de faciliter l'hémostase. S'assurer qu'il n'y a pas de saignement et surveiller les signes vitaux, surtout si la numération plaquettaire est basse. La compresse stérile doit être changée, et la plaie doit être examinée pour s'assurer qu'il n'y a pas d'infection et qu'elle guérit bien.
Examens moléculaires, cytogénétiques et analyse génétique		
• Hybridation *in situ* en fluorescence • Hybridation comparative génomique • Caryotype spectral (SKY)	• Les examens sont effectués sur des cellules malignes, soit dans le sang périphérique (p. ex., la leucémie) ou sur un prélèvement (p. ex., la moelle osseuse, un ganglion lymphatique, du tissu) afin de vérifier les anomalies chromosomiques ou génétiques des cellules cancéreuses. Peut être utile pour confirmer le constat ainsi que pour déterminer le traitement et le pronostic.	• Expliquer le but de l'examen à la personne.

CE QU'IL FAUT RETENIR

Les avantages d'un examen de la moelle osseuse comprennent une évaluation complète de l'hématopoïèse, ainsi que la capacité d'obtenir des prélèvements destinés à la cytopathologie et permettant de déterminer les anomalies chromosomiques.

Examen de la moelle osseuse

L'examen de la moelle osseuse est important dans l'évaluation de nombreux troubles hématologiques. Cet examen peut nécessiter l'aspiration seule ou la biopsie (aussi appelée biopsie osseuse). Les avantages d'un examen de la moelle osseuse comprennent une évaluation complète de l'hématopoïèse, ainsi que la capacité d'obtenir des prélèvements destinés à la cytopathologie et permettant de déterminer les anomalies chromosomiques. Le site recommandé pour l'aspiration et la biopsie est l'épine iliaque postérosupérieure (Howard & Hamilton, 2008 ; Venes, 2009). Habituellement, la biopsie complète l'aspiration lorsque les renseignements fournis par l'aspiration seule sont insuffisants. Il est aussi possible d'utiliser l'épine iliaque antérosupérieure et le sternum ; cependant, le sternum est habituellement utilisé seulement pour l'aspiration et non pour la biopsie. Ces techniques (aspiration et biopsie) de prélèvement de moelle sont effectuées par un médecin. L'anesthésie locale avec ou sans sédation peut être utilisée afin de minimiser l'anxiété et la douleur éprouvées par la personne. Chez un adulte, cette forme de sédation est rarement utilisée. La prise d'un anxiolytique par la bouche avant la procédure fait davantage partie de la pratique clinique courante.

Réactivation des connaissances

Quelle est la différence entre un agent bactéricide et un agent bactériostatique ?

Au moment de procéder à l'aspiration de moelle osseuse, la peau autour du point d'insertion est nettoyée à l'aide d'un agent bactéricide. Un anesthésique local est injecté dans la peau, le tissu sous-cutané et le périoste. La personne peut ressentir un certain désagrément durant l'infiltration du périoste. Une fois que la région est anesthésiée, une aiguille pour ponction de moelle osseuse est insérée dans le cortex de l'os. Puis le stylet de l'aiguille est enlevé, la garde d'aiguille est liée à une seringue de 10 mL, et entre 0,2 et 0,5 mL de moelle est aspiré **FIGURE 37.7**. La personne ressentira de la douleur durant l'aspiration. Bien que cette douleur ne dure que quelques secondes, elle peut grandement incommoder la personne. Après l'aspiration, l'aiguille est retirée. Une pression est appliquée sur le site afin de faciliter l'hémostase.

Jugement clinique

Annette Valcourt, 68 ans, vient tout juste de subir une ponction de moelle osseuse à la crête iliaque gauche. Elle a été amputée du pied gauche en raison d'un grave problème circulatoire. De quel côté devrait-elle se coucher après la ponction ? Justifiez votre réponse.

Bien que les risques de complication liés à l'aspiration de moelle osseuse soient minimes, il est possible d'endommager les structures sous-jacentes. Ce risque augmente si l'aspiration est effectuée au sternum (Fischbach & Dunning, 2009). D'autres complications peuvent survenir, dont l'hémorragie (surtout si la personne est thrombopénique) et l'infection (particulièrement si la personne est neutropénique). Le point d'insertion ou le site de biopsie sont recouverts d'un pansement compressif stérile. Il faut examiner le site en cas d'écoulement ou de saignement excessif. En présence de saignement, il faut

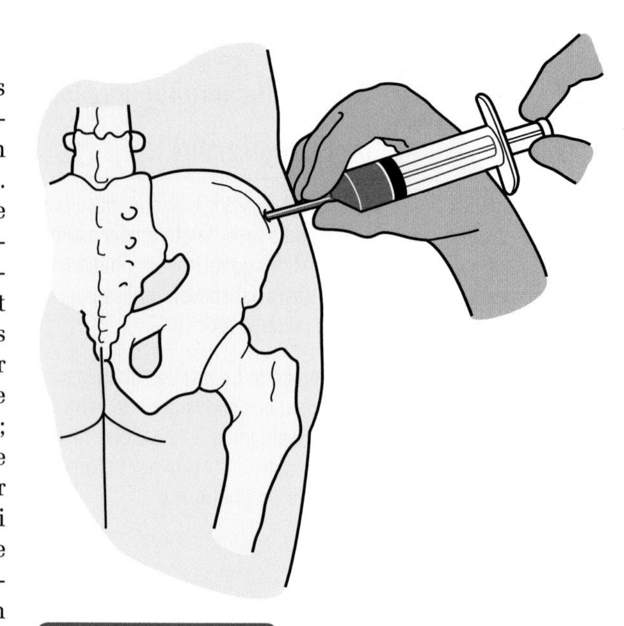

FIGURE 37.7 Aspiration de moelle osseuse de l'épine iliaque postérosupérieure

recommander à la personne de s'allonger sur le côté pendant 30 à 60 minutes afin de maintenir une pression sur le site. Si le lit est trop mou, la personne peut s'étendre sur une serviette roulée afin d'ajouter de la pression sur le site. Un analgésique qui soulage la douleur après l'intervention peut être administré. Une douleur au point d'insertion qui persiste de trois à quatre jours suivant l'intervention est normale (Fischbach & Dunning, 2009).

Biopsie des ganglions lymphatiques

La biopsie des ganglions lymphatiques sert à obtenir du tissu lymphatique pour le soumettre à un examen histologique afin d'établir un diagnostic et de planifier un traitement. Elle peut être ouverte ou fermée (à l'aide d'une aiguille).

Un résultat négatif après une biopsie à l'aiguille indique seulement que des cellules cancéreuses ne faisaient pas partie du prélèvement tissulaire. Cependant, un résultat positif est suffisant pour confirmer un diagnostic. Ce procédé est rarement utilisé pour confirmer un premier diagnostic, car habituellement, de plus grands échantillons sont nécessaires afin d'effectuer des tests cytopathologiques. Cependant, une biopsie à l'aiguille peut servir à confirmer une rechute ou la présence d'un nouveau foyer métastatique.

37.3.4 Cytogénétique moléculaire et analyse génétique

Effectuer des examens pour déceler des variations génétiques spécifiques ou des mutations chromosomiques en cas de troubles hématologiques permet souvent de fournir des renseignements précieux pour le diagnostic et la stadification. Ces renseignements aident aussi à établir les choix de traitements et le pronostic. Si un grand nombre de cellules anormales circulent dans le sang, comme dans le cas d'une leucémie aiguë, ces examens devraient être effectués en utilisant du sang périphérique. Cependant, des prélèvements de moelle osseuse ou la biopsie des ganglions lymphatiques sont habituellement utilisés. Par exemple, l'hybridation *in situ* en fluorescence (FISH) peut servir à localiser des régions spécifiques à l'aide d'une sonde exploratrice attachée à une séquence choisie de l'ADN. Cet examen peut être utilisé pour déterminer la présence d'un chromosome 8 anormal et en excès, commun à certaines leucémies. Le caryotype spectral (SKY) permet de peindre chaque paire de chromosomes d'une couleur différente. Ce procédé peut permettre de confirmer la translocation de 22 à 9 dans le chromosome Philadelphie (chromosome Ph) de la leucémie myéloïde chronique (McCance & Huether, 2006).

Chapitre 38

INTERVENTIONS CLINIQUES

Troubles hématologiques

Écrit par:
Sandra Irene Rome, RN, MN, AOCN, CNS

Adapté par:
Sylvie Bélanger, inf., M. Sc., CSIO(C)

Mis à jour par:
Andréane Chevrette, inf., B. Sc., MGP, CSIO(C)

MOTS CLÉS

Anémie 440
Anémie hémolytique 456
Asthénie 463
Chéilite 446
Cobalamine 450
Érythropoïèse 446
Hémolyse 456
Leucémie 492
Leucopénie 485
Lymphadénopathie 505
Lymphomes 502
Pancytopénie 453
Thalassémie 449
Thrombocytopénie 466

OBJECTIFS

Après avoir étudié ce chapitre, vous devriez être en mesure:

- de comparer l'étiologie des troubles hématologiques;
- de comparer la physiopathologie, les manifestations cliniques, les complications, les examens paracliniques et le processus thérapeutique en interdisciplinarité des différentes formes d'anémie;
- de décrire la physiopathologie, les manifestations cliniques, les examens paracliniques et le processus thérapeutique en interdisciplinarité des troubles hématologiques suivants: la polycythémie, la thrombocytopénie, l'hémophilie et la maladie de von Willebrand, la coagulation intravasculaire disséminée, la neutropénie, les syndromes myélodysplasiques, les principaux types de leucémie, le lymphome de Hodgkin et les lymphomes non hodgkiniens, le myélome multiple;
- de décrire les troubles de la rate et le processus thérapeutique en interdisciplinarité à fournir aux personnes qui en souffrent;
- de décrire les différentes réactions transfusionnelles et les manifestations cliniques qui y sont associées.

Disponible sur 

- Animation
- À retenir
- Carte conceptuelle
- Méthodes de soins: grilles d'observation
- Méthodes de soins: vidéo
- Pour en savoir plus
- PSTI Web
- Solutionnaire de l'Analyse d'une situation de santé
- Solutionnaire des questions de Jugement clinique
- Solutionnaire des questions Réactivation des connaissances
- Solutionnaire des questions Récemment vu dans ce chapitre
- Solutionnaires du Guide d'études

 **Guide d'études – SA21, SA22, RE03**

Concepts clés

Cette carte conceptuelle illustre schématiquement les principaux concepts décrits dans le présent chapitre. Sa lecture vous permettra d'avoir une vue d'ensemble des notions qui y sont présentées.

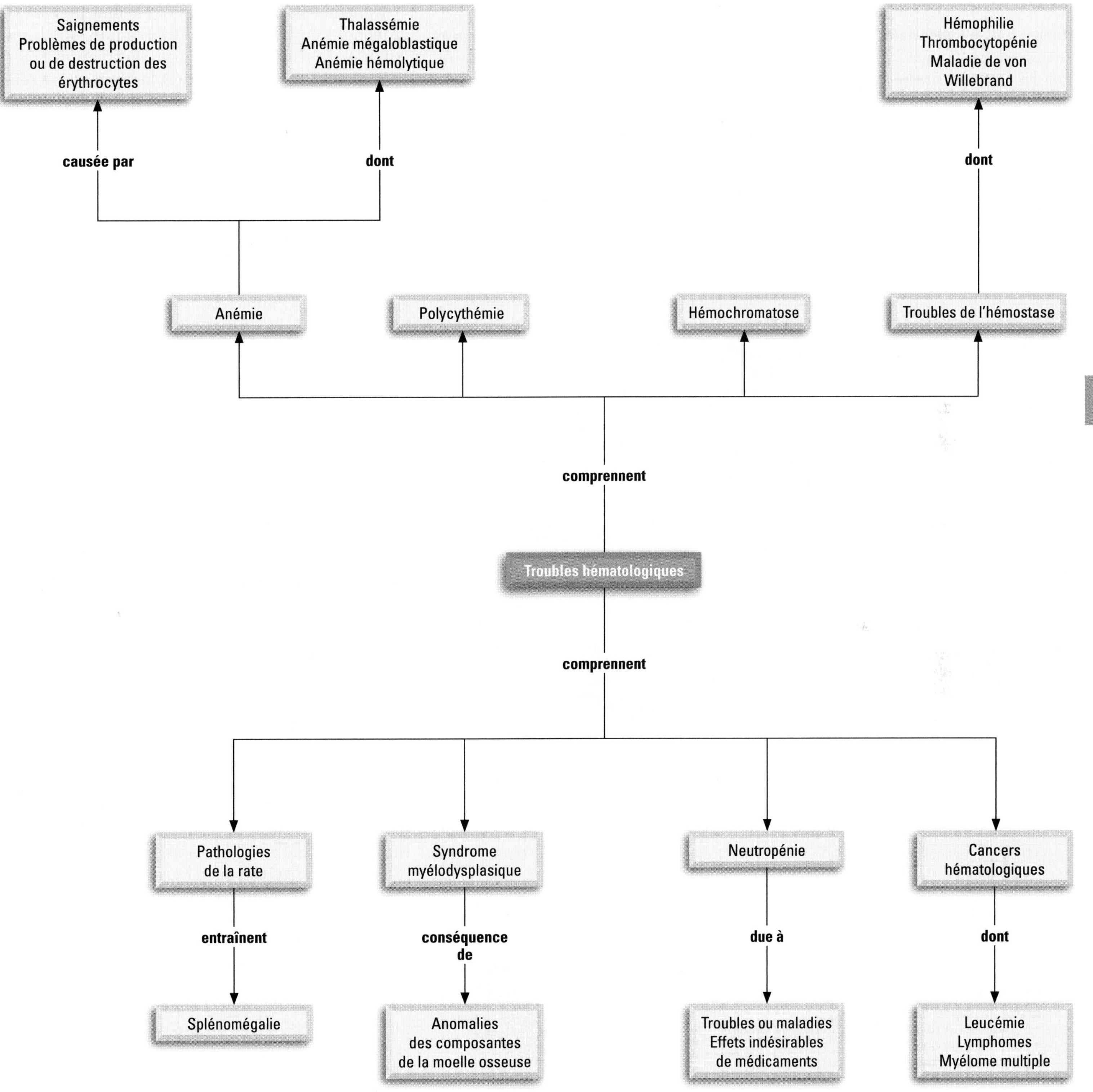

38

38.1 | Anémie

38.1.1 Généralités

Définition et classification

Numération réticulocytaire : Correspond au nombre de globules rouges immatures circulant dans le sang.

L'**anémie** est une diminution au-dessous des valeurs normales de la numération érythrocytaire, du taux d'hémoglobine (Hb), de l'hématocrite (Ht) (rapport du volume des éléments figurés du sang à son volume total) ou des trois à la fois. Il s'agit d'une affection courante causée entre autres par des saignements, un défaut de production des érythrocytes (globules rouges ou GR) ou une destruction accrue des érythrocytes **FIGURE 38.1**. La fonction des GR étant de transporter l'oxygène (O_2) aux tissus, les troubles érythrocytaires risquent de mener à l'hypoxie, l'un des nombreux signes cliniques de l'anémie. L'anémie n'est pas une maladie en elle-même, mais plutôt la manifestation d'une pathologie sous-jacente.

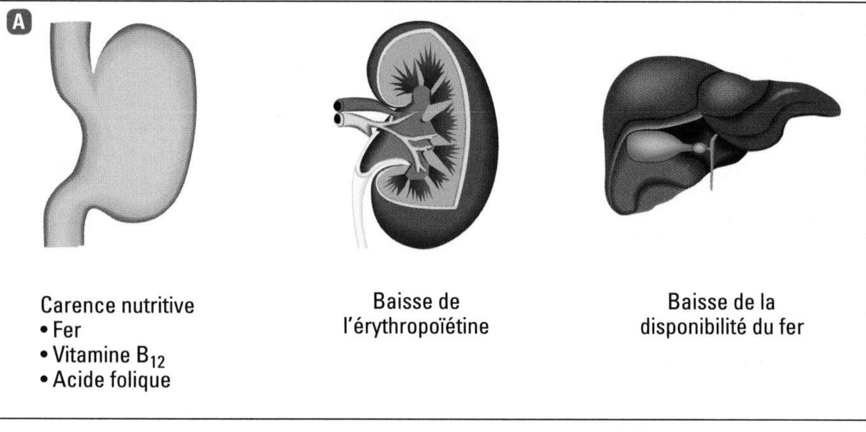

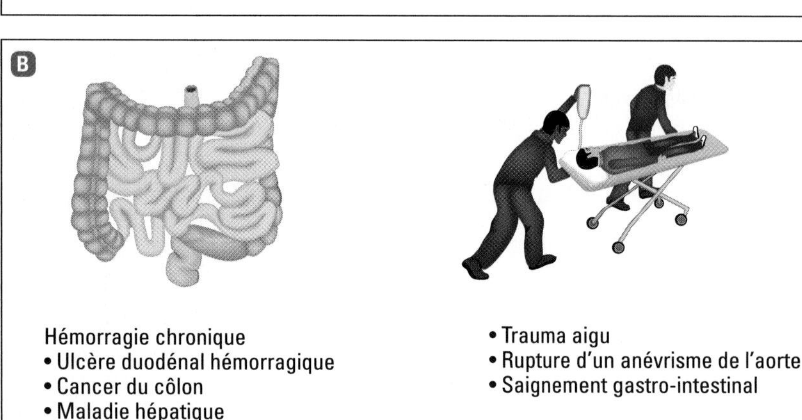

C
Hémolyse
• Anémie falciforme
• Médicaments (p. ex., le méthyldopa [Methyldopa[MD]])
• Sang incompatible
• Trauma (p. ex., la circulation extracorporelle)

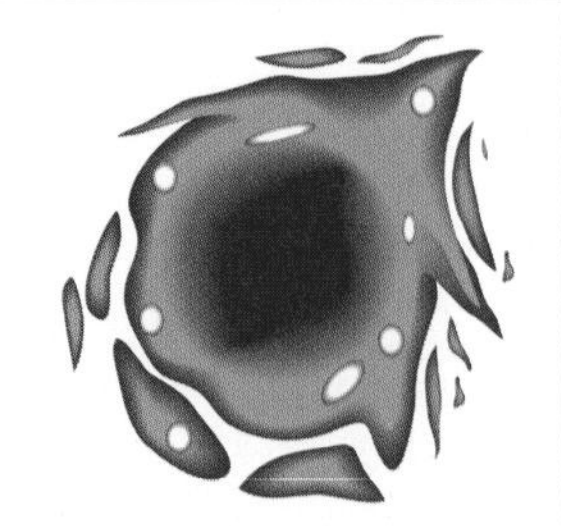

FIGURE 38.1 Causes de l'anémie – A Baisse de production des GR. B Perte de sang. C Hausse de la destruction des GR.

L'anémie est dépistée par l'étude minutieuse des antécédents médicaux et un examen physique complet. Elle est ensuite catégorisée d'après la formule sanguine complète (FSC), la **numération réticulocytaire** et les résultats de l'examen au microscope d'un frottis de sang périphérique. Une fois que l'anémie a été diagnostiquée, il est nécessaire d'avoir recours à d'autres examens pour en définir la cause.

L'anémie peut être causée par un trouble hématologique primaire ou être secondaire à une affection ou à un trouble non hématologique. Il existe deux types de classification des anémies : la classification morphologique, selon la forme des cellules, et la classification étiologique, selon la cause sous-jacente. La classification morphologique se fonde sur la taille et la couleur des érythrocytes **TABLEAU 38.1** (Lichtman, Kaushansky, Kipps *et al.*, 2010 ; Rote & McCance, 2010a). La classification étiologique est étroitement liée aux causes cliniques de l'anémie **ENCADRÉ 38.1**. La classification morphologique est la plus précise, mais la classification étiologique permet de mieux définir les soins à prodiguer à la personne.

Manifestations cliniques

Les manifestations cliniques de l'anémie sont des réactions de l'organisme à l'hypoxie, et leur vitesse d'apparition dépend de la présence ou non de mécanismes compensatoires. Les manifestations cliniques varient selon la durée d'évolution (progressive ou soudaine) de l'anémie, sa gravité (taux sanguin d'hémoglobine) et la présence ou non d'une affection concomitante. La sévérité des manifestations cliniques dépend davantage de leur vitesse d'évolution et moins de leur gravité. Une pâleur de la peau et des muqueuses, une fatigabilité, de la léthargie, des étourdissements, des palpitations, de la dyspnée à l'effort, des céphalées, des bourdonnements d'oreilles, des évanouissements et des palpitations cardiaques sont des symptômes de l'anémie (Lichtman *et al.*, 2010 ; Rote & McCance, 2010a). L'anémie légère (grade 1) (Hb inférieure à la limite inférieure de la normale [LIN] 100 g/L) (National Cancer Institute [NCI], 2010) peut n'occasionner aucun symptôme. L'anémie modérée (grade 2) (Hb entre 80 et 100 g/L) cause des symptômes cardiopulmonaires plus prononcés, ressentis autant au repos que pendant l'activité physique. L'anémie sévère (grade 3) (Hb inférieure à 80 g/L) a de nombreuses manifestations cliniques touchant plusieurs systèmes ou appareils de l'organisme **TABLEAU 38.2**.

TABLEAU 38.1 Classification morphologique et étiologique des anémies

MORPHOLOGIE	ÉTIOLOGIE
Anémie de type normocytaire et normochrome (cellules de taille et de couleur normales) • Volume globulaire moyen (VGM) 86-98 μ^3, teneur globulaire moyenne en hémoglobine (TGMH) 27-34 pg	• Hémorragie aiguë, hémolyse aiguë causée par des facteurs intrinsèques ou extrinsèques, anémie de l'insuffisance rénale chronique, maladie chronique, cancers, leucémie aiguë, syndrome myélodysplasique (SMD), anémie réfractaire, troubles endocriniens, anémie aplasique, anémie falciforme, anémie de grossesse
Anémie de type microcytaire, hypochrome (cellule de petite taille et de couleur pâle) • VGM < 86 μ^3, TCMH < 27 pg	• Anémie ferriprive, anémie sidéroblastique, thalassémie, empoisonnement au plomb, déficit en vitamine B_6, déficit en cuivre
Anémie de type macrocytaire (mégaloblastique et non mégaloblastique), normochrome (cellule de grande taille, de couleur normale) • VGM > 98 μ^3, TCMH > 34 pg	• Mégaloblastique : déficit en cobalamine (vitamine B_{12}), déficit en acide folique. • Non mégaloblastique : SMD, maladie hépatique (y compris les effets de l'abus d'alcool), postsplénectomie, hypothyroïdie, grossesse

CE QU'IL FAUT RETENIR

Les manifestations cliniques de l'anémie sont des réactions de l'organisme à l'hypoxie.

ENCADRÉ 38.1 Classification étiologique des anémies

DIMINUTION DE LA PRODUCTION DES GR

- Diminution de la synthèse de l'hémoglobine
  - Carence en fer
  - Thalassémies (anomalies héréditaires de la synthèse des chaînes alpha et bêta de la globine)
  - Anémie sidéroblastique (diminution de la synthèse des porphyrines)
- Défaut de la synthèse de l'acide désoxyribonucléique (ADN)
  - Carence en cobalamine (vitamine B_{12})
  - Carence en acide folique
- Diminution du nombre de précurseurs des GR
  - Anémie aplasique
  - Anémie des maladies myéloprolifératives (p. ex., la leucémie et le SMD)
  - Maladies ou troubles chroniques
  - Traitements par médicaments (p. ex., la chimiothérapie)

PERTE DE SANG

- Aiguë
  - Traumatisme
  - Rupture d'un vaisseau sanguin
- Chronique
  - Gastrite
  - Menstruations
  - Hémorroïdes

DESTRUCTION ACCRUE DES GR (ANÉMIES HÉMOLYTIQUES)

- Causes intrinsèques
  - Hémoglobine anormale (p. ex., l'anémie falciforme causée par un gène défectueux de l'hémoglobine S [HbS])
  - Carence en glucose-6-phosphate déshydrogénase (enzyme G-6-PD)
  - Anomalies membranaires (p. ex., l'hémoglobinurie paroxystique nocturne, la microsphérocytose héréditaire)
- Causes extrinsèques[a]
  - Traumatismes physiques (valves prosthétiques, circulation extracorporelle)
  - Anticorps (iso-immuns et auto-immuns)
  - Agents infectieux (p. ex., la malaria) et toxines
  - Coagulation intravasculaire disséminée (CIVD)
  - Purpura thrombopénique immunologique

[a] À l'origine de l'anémie hémolytique acquise.

Quelles sont les deux composantes principales de l'hémoglobine ?

Altérations tégumentaires

Les altérations de la peau sont la pâleur, l'ictère et le prurit. La pâleur de la peau est engendrée par la diminution du taux d'hémoglobine dans le sang et de l'apport sanguin aux tissus cutanés. L'ictère est attribuable à l'hémolyse des GR, ce qui cause une augmentation de la concentration sérique de bilirubine. Le prurit est provoqué par une hausse des sels biliaires dans la concentration sérique et les tissus cutanés. Pour dépister un ictère, l'examen de la peau ne suffit pas. Il faut aussi examiner la sclère des yeux et des muqueuses, car l'état de chacune est un indice plus précis d'altérations tégumentaires, notamment chez la personne au teint foncé.

TABLEAU 38.2 Manifestations cliniques de l'anémie

SYSTÈME OU APPAREIL	ANÉMIE LÉGÈRE (Hb < LIN[a]-100 g/L)	ANÉMIE MODÉRÉE (Hb entre 80 et 100 g/L)	ANÉMIE SÉVÈRE (Hb < 80 g/L)
Système tégumentaire	Aucune	Possibilité de pâleur de la peau et des muqueuses	Pâleur de la peau et des muqueuses, ictère[b], prurit[b]
Yeux	Aucune	Aucune	Conjonctive et sclère ictériques[b], hémorragie rétinienne, vision floue
Bouche	Aucune	Aucune	Glossite, langue lisse
Système cardiovasculaire	Palpitations	Palpitations accrues, pouls bondissant	Tachycardie, augmentation de la pression différentielle, souffles systoliques, claudication intermittente, angine
Système respiratoire	Dyspnée à l'effort	Dyspnée	Tachypnée, orthopnée, dyspnée au repos
Système nerveux	Aucune	Bourdonnement d'oreilles	Céphalée, vertiges, irritabilité, dépression, altérations de la pensée
Système gastro-intestinal	Aucune	Aucune	Anorexie, hépatomégalie, splénomégalie, difficulté de déglutition, langue sensible
Système musculosquelettique	Aucune	Aucune	Douleur osseuse
Multisystémique	Aucune ou fatigue légère	Fatigue	Hypersensibilité au froid, perte de poids, léthargie

[a] Limite inférieure de la normale.

[b] Manifestations causées par l'hémolyse.

Ascite : Épanchement liquidien intra-abdominal ou accumulation de liquide dans la cavité péritonéale.

Jugement clinique

Après avoir accouché de son troisième enfant à l'âge de 33 ans, Ninon Léveillée a perdu beaucoup de sang, ce qui a entraîné une baisse de l'hémoglobine (Hb à 114 g/L). Vous remarquez que madame Léveillée est plus pâle que d'habitude. Quel test non effractif pouvez-vous faire relativement à la pâleur de la peau ? Nommez trois signes ou symptômes que vous pourriez observer chez madame Léveillée.

Manifestations cardiopulmonaires

Les manifestations cardiopulmonaires de l'anémie sévère sont causées par l'effort supplémentaire que doivent fournir le cœur et les poumons pour procurer des quantités suffisantes d'oxygène aux tissus. Le débit cardiaque est maintenu par une augmentation de la fréquence cardiaque et du volume d'éjection systolique. Un faible indice de viscosité sanguine contribue à l'apparition de souffles systoliques. Dans les cas d'anémie sévère ou en présence d'une cardiopathie concomitante, un apport insuffisant d'oxygène au cœur risque de provoquer des douleurs rétrosternales ou un infarctus du myocarde (IDM). Une surcharge cardiaque pendant une période prolongée risque de provoquer une insuffisance cardiaque (IC), une cardiomégalie, une congestion pulmonaire ou systémique, de l'**ascite** ou un œdème périphérique.

Soins et traitements infirmiers

37 | ÉVALUATION CLINIQUE

L'étape d'évaluation du système hématologique est décrite en détail dans le chapitre 37, *Système hématologique*.

CLIENT ATTEINT D'ANÉMIE

Cette partie présente la démarche générale de soins à entreprendre auprès d'un client anémique. Les soins spécifiques à fournir dans divers types d'anémie sont présentés plus loin.

Collecte des données

L'**ENCADRÉ 38.2** résume les données subjectives et objectives à recueillir auprès d'une personne anémique.

Collecte des données

ENCADRÉ 38.2 Anémie

DONNÉES SUBJECTIVES

- Renseignements importants concernant la santé:
  - Antécédents de santé: hémorragie ou traumatisme récent; trouble hépatique chronique, endocrinien ou rénal récent (y compris l'hémodialyse); maladie gastro-intestinale (syndrome de malabsorption, ulcères, gastrite ou hémorroïdes); troubles inflammatoires (particulièrement la maladie de Crohn); tabagisme, exposition à des rayonnements ou à des substances chimiques toxiques (arsenic, plomb, benzènes, cuivre); maladies infectieuses (infection par le virus de l'immunodéficience humaine [VIH]) ou voyage récent laissant supposer une exposition à un agent infectieux; angine, infarctus du myocarde; antécédents de chute
  - Médicaments: prise de suppléments vitaminiques et de fer; acide acétylsalicylique (AAS; Aspirin[MD]), anticoagulants, contraceptifs oraux, phénobarbital, pénicilline, anti-inflammatoires non stéroïdiens (AINS), phénacétine, quinine, quinidine, phénytoïne (Dilantin[MD]), méthyldopa (Methyldopa[MD]), sulfamidés, produits de phytothérapie
  - Interventions chirurgicales ou autres traitements: intervention chirurgicale récente, résection de l'intestin grêle, gastrectomie, prothèse valvulaire cardiaque, chimiothérapie, radiothérapie, transfusion sanguine
  - Antécédents alimentaires: régime alimentaire général, consommation d'alcool, perversion du goût
- Modes fonctionnels de santé:
  - Perception et gestion de la santé: antécédents familiaux d'anémie
  - Nutrition et métabolisme: nausées, vomissements, anorexie, perte de poids; dysphagie, dyspepsie, brûlements d'estomac, sueurs nocturnes, intolérance au froid
  - Élimination: hématurie, oligurie; diarrhée, constipation, flatulences, selles goudronneuses, selles sanguinolentes, méléna
  - Activités et exercices: fatigue, faiblesse musculaire et force réduite; dyspnée, orthopnée, toux, hémoptysie; palpitations; essoufflement
  - Perception et concept de soi: céphalée, douleur abdominale, thoracique et osseuse; langue douloureuse; paresthésie des pieds et des mains; prurit; troubles de la vision, du goût ou de l'audition; vertiges; hypersensibilité au froid; étourdissements
  - Sexualité et reproduction: ménorragie, métrorragie, grossesse récente ou en cours; dysfonction érectile

DONNÉES OBJECTIVES

- Observations générales: léthargie, apathie, lymphadénopathie généralisée, fièvre
- Système tégumentaire: pâleur de la peau et des muqueuses; sclères bleues, blanc pâle ou ictériques; chéilite; sécheresse des muqueuses; ongles cassants, ongles en cuillère; ictère; pétéchies; ecchymoses; saignement de nez ou des gencives; cicatrisation lente; cheveux secs, cassants, clairsemés
- Système respiratoire: tachypnée
- Système cardiovasculaire: tachycardie, souffle systolique, arythmies; hypotension orthostatique, augmentation de la pression différentielle, souffles (notamment souffle carotidien); claudication intermittente, œdème des chevilles
- Système gastro-intestinal: hépatosplénomégalie; glossite; langue rouge et douloureuse; stomatite; ballonnement abdominal; inappétence
- Système nerveux: céphalée, bourdonnement d'oreilles; confusion, troubles du jugement, irritabilité; ataxie, démarche instable, paralysie, perte de la sensation vibratoire
- Résultats possibles aux examens paracliniques: ↓ GR, ↓ Hb; ↓ Ht; ↑ ou ↓ réticulocytes, VGM, ferritine ou transferrine; ↓ fer sérique, folate, ou cobalamine (vitamine B_{12}); présence de sang occulte dans les selles (dépistage par test au gaïac); ↓ concentration sérique d'érythropoïétine; ↑ lacticodéshydrogénase (LDH), bilirubine **TABLEAU 38.4**.

Analyse et interprétation des données

L'analyse et l'interprétation des données relatives au client qui souffre d'anémie peuvent mener aux constats présentés dans le **PSTI 38.1**.

Planification des soins

Les objectifs généraux pour le client qui souffre d'anémie sont:

- d'exercer les activités de la vie quotidienne;
- d'assurer une nutrition adéquate;
- d'éviter les complications de l'anémie.

Interventions cliniques

L'anémie ayant plusieurs causes, la gestion de cette affection nécessite diverses interventions infirmières adaptées en fonction des besoins particuliers de la personne. Cependant, certaines composantes de soins généraux conviennent à toutes les personnes anémiques. Elles sont présentées au **PSTI 38.1**.

L'objectif du traitement consiste à corriger la cause de l'anémie. Les transfusions de produits sanguins, la pharmacothérapie (p. ex., l'administration d'érythropoïétine et de suppléments vitaminiques),

Plan de soins et de traitements infirmiers

PSTI 38.1 **Anémie**

<table>
<tr><td>PROBLÈME DÉCOULANT DE LA SITUATION DE SANTÉ</td><td>Fatigue liée à un défaut d'oxygénation du sang, comme le prouvent la fréquence cardiaque accélérée et la pression artérielle élevée durant l'activité physique, et le fait que la personne se plaigne d'un manque d'énergie accablant.</td></tr>
<tr><td>OBJECTIFS</td><td>• Le client exercera ses activités quotidiennes sans subir de hausse de pression artérielle ou de fréquence cardiaque.
• Le client augmentera son degré d'endurance à l'activité.</td></tr>
<tr><td>RÉSULTATS ESCOMPTÉS</td><td>INTERVENTIONS INFIRMIÈRES ET JUSTIFICATIONS</td></tr>
<tr><td>Tolérance à l'activité
• Fréquence respiratoire ______ R/min durant l'activité
• Mesure de la saturation en O_2 dans les normales attendues durant l'activité
• Fréquence cardiaque ______ batt./min durant l'activité
• Mesure de la pression artérielle systolique et diastolique dans les normales attendues durant l'activité
• Absence de dyspnée à l'effort (échelle de Borg)
• Absence de signes d'hypoxémie (fatigue, cyanose, etc.)
• Dosage des efforts pour éviter la fatigue
• Accomplissement des activités de la vie quotidienne sans dyspnée ou douleur
• Augmentation de la capacité à l'effort et aisance dans les activités physiques quotidiennes</td><td>Gestion de l'énergie
• Conseiller au client de prendre des pauses durant ses périodes d'activité physique pour éviter de s'épuiser.
• Surveiller la réaction cardiorespiratoire à l'activité physique (tachycardie, arythmie, dyspnée, diaphorèse, pâleur, fréquence respiratoire) pour mesurer le degré d'intolérance à l'activité physique.
• Aider le client à établir l'ordre de priorité de ses activités en fonction de son énergie de manière à favoriser sa tolérance durant les activités importantes.
• Planifier les activités physiques de manière à ne pas appauvrir les réserves d'énergie nécessaires aux fonctions vitales (p. ex., en évitant l'activité physique immédiatement après un repas).
• Encourager le client à exercer ses activités physiques habituelles (p. ex., l'aider à marcher, à faire des transferts, à se donner des soins personnels) pour réduire le risque de fatigue et de blessures causées par des chutes.
• Enseigner au client et aux proches aidants comment reconnaître les symptômes de la fatigue qui nécessitent une réduction de l'activité pour favoriser ses soins personnels.</td></tr>
<tr><td>PROBLÈME DÉCOULANT DE LA SITUATION DE SANTÉ</td><td>Déficit nutritionnel : apport alimentaire insuffisant pour combler les besoins de l'organisme lié à une alimentation inappropriée et à l'anorexie, comme le prouvent une perte de poids, un faible taux d'albumine sérique, un faible taux de fer et des carences en vitamines.</td></tr>
<tr><td>OBJECTIFS</td><td>• Le client maintiendra une alimentation permettant de combler ses besoins quotidiens minimaux.
• Le client atteindra les concentrations sériques de nutriments qui sont nécessaires pour prévenir l'anémie.</td></tr>
<tr><td>RÉSULTATS ESCOMPTÉS</td><td>INTERVENTIONS INFIRMIÈRES ET JUSTIFICATIONS</td></tr>
<tr><td>État nutritionnel
• Consommation des quantités de liquides et d'aliments qui répondent aux besoins évalués
• Maintien d'un poids santé
État nutritionnel : valeurs biochimiques et hématologiques
• Résultats d'analyses sanguines (albumine sérique, hémoglobine, hématocrite, capacité totale de fixation de fer, calcémie, magnésémie, etc.) dans les normales attendues</td><td>Gestion de l'alimentation
• En collaboration avec une diététiste, déterminer le nombre de calories et le type d'éléments nutritifs nécessaires pour combler les besoins nutritionnels, et planifier les interventions.
• Montrer au client comment tenir un journal alimentaire pour évaluer ses apports alimentaires.
• Examiner les apports alimentaires consignés pour connaître la valeur nutritive et calorique des aliments consommés et pour évaluer l'état nutritionnel.
• Inciter le client à augmenter son apport en protéines, en fer et en vitamine C pour obtenir les éléments nutritifs nécessaires à la production d'hémoglobine et pour favoriser une absorption maximale du fer.
• Fournir de l'information sur les médicaments et les aliments susceptibles d'inhiber l'absorption du fer comme les antiacides, les tétracyclines, les boissons gazeuses, les crèmes en poudre pour le café ainsi que les sels de calcium, de phosphore et de magnésium.
• Fournir de l'information sur les besoins nutritionnels et sur la façon de les combler pour augmenter l'apport d'éléments essentiels.</td></tr>
</table>

PSTI 38.1	Anémie *(suite)*
PROBLÈME DÉCOULANT DE LA SITUATION DE SANTÉ	**Mauvaise gestion de la santé** liée à un manque de connaissances sur la bonne alimentation et la pharmacothérapie.
OBJECTIF	Le client énoncera les connaissances nécessaires pour assurer une saine alimentation et une bonne gestion de la pharmacothérapie.
RÉSULTATS ESCOMPTÉS	**INTERVENTIONS INFIRMIÈRES ET JUSTIFICATIONS**
Connaissance : régime alimentaire • Description des liens entre un régime alimentaire adéquat et le maintien optimal de son état de santé • Modification des habitudes alimentaires en tenant compte des aliments permis **Connaissance : médicaments** • Capacité à citer le nom exact du ou des médicaments et leur mécanisme d'action, et à décrire leurs effets indésirables • Prise en charge de l'administration de ses médicaments de façon sécuritaire	**Conseils sur l'alimentation** • Faciliter la reconnaissance des habitudes alimentaires à modifier. • Vérifier les connaissances du client sur les quatre principaux groupes d'aliments et discuter de la façon dont il perçoit les changements à apporter à son alimentation. • Discuter des habitudes d'achat de produits alimentaires et des contraintes budgétaires. • Utiliser les normes reconnues en matière d'alimentation pour aider le client à juger si son apport alimentaire est approprié (p. ex., le *Guide alimentaire canadien*). • Discuter des besoins nutritifs du client et de sa perception du régime alimentaire prescrit ou recommandé. • Diriger le client vers d'autres membres de l'équipe soignante pour l'aider à acquérir et à conserver ses gains et ses nouvelles habitudes pendant toute la durée de son rétablissement. • Surveiller les ingesta et excreta de liquides, le taux d'hémoglobine, les valeurs hémodynamiques, les gains et les pertes de poids. **Enseignement : médicaments prescrits** • Expliquer au client le but et le mécanisme d'action de chaque médicament. • Expliquer au client la posologie, la voie d'administration et la durée d'action de chaque médicament pour favoriser l'adhésion. • Expliquer au client les éventuels effets indésirables de chaque médicament afin de favoriser leur détection précoce.

la restauration du volume sanguin et l'oxygénothérapie comptent parmi les interventions intensives permettant de stabiliser l'état de la personne. Les modifications au régime alimentaire et au mode de vie (propres à certains types d'anémie) peuvent neutraliser certaines anémies et permettre à la personne de recouvrer son état de santé initial. Il faut évaluer les connaissances de la personne quant à l'apport nutritionnel approprié et à la prévention des blessures et des chutes.

Considérations gérontologiques

ANÉMIE

Chez la personne âgée, l'anémie se caractérise par une légère altération de la masse érythrocytaire. Chez l'homme âgé en bonne santé, le taux de Hb baisse avec l'âge, en partie en raison d'une baisse de la production de testostérone. Entre l'âge de 70 et 88 ans, la baisse du taux de Hb est de l'ordre de 10 g/L. Par contre, chez la femme âgée en bonne santé, cette baisse est seulement d'environ 2 g/L aux mêmes âges (Marks & Glader, 2009). Chez les personnes âgées, le tiers des cas d'anémie est attribuable à une carence nutritionnelle, particulièrement une carence en acide folique, en cobalamine, en fer. Un autre tiers des cas est attribuable à une insuffisance rénale, à une inflammation chronique, ou aux deux à la fois. Dans les autres cas, l'anémie est d'étiologie inconnue. La carence en cobalamine (vitamine B_{12}) qui cause l'anémie pernicieuse, un apport nutritionnel insuffisant ou un trouble de l'absorption imputable à un faible taux d'acidité gastrique pourraient compter pour 14 % des cas d'anémie chez la personne âgée (Balducci, 2010). La présence de multiples facteurs de comorbidité augmente le risque de plusieurs types d'anémie.

Chez la population âgée, les symptômes de l'anémie sont la pâleur, la confusion, l'**ataxie**, la

CE QU'IL FAUT RETENIR

Chez les personnes âgées, un tiers des cas d'anémie est attribuable à une carence nutritionnelle (acide folique, cobalamine ou fer) et un tiers est dû à une insuffisance rénale ou à une inflammation chronique.

Ataxie : Incoordination des mouvements due à une atteinte du système nerveux central sans atteinte de la force musculaire.

fatigue, l'angine évolutive et l'insuffisance cardiaque (Rote & McCance, 2010a). Malheureusement, l'anémie passe parfois inaperçue parce que ses manifestations sont confondues avec des conséquences inévitables du vieillissement ou les symptômes d'une autre affection. En reconnaissant les signes et symptômes de l'anémie, l'infirmière peut jouer un rôle primordial dans l'évaluation de l'état de santé de la personne âgée et le suivi clinique infirmier nécessaire.

38.1.2 Anémie par diminution de la production d'érythrocytes

En temps normal, il se crée un équilibre entre la production de GR (érythropoïèse) et la destruction ou la perte de GR. Ainsi, le nombre d'érythrocytes dans le sang est toujours suffisant. La durée de vie moyenne du GR est de 120 jours. La diminution de la production d'érythrocytes est attribuable à trois troubles de l'érythropoïèse : 1) une diminution de la synthèse de l'hémoglobine en cause dans l'anémie ferriprive, la thalassémie ou l'anémie sidéroblastique ; 2) un défaut de synthèse de l'acide désoxyribonucléique (ADN) dans le GR (p. ex., une carence en cobalamine [vitamine B_{12}] ou en acide folique) pouvant entraîner une anémie mégaloblastique ; et 3) une diminution du nombre des précurseurs des érythrocytes causant l'anémie aplasique ou l'anémie associée aux maladies chroniques **ENCADRÉ 38.1**.

Anémie ferriprive

L'anémie ferriprive compte parmi les affections hématologiques chroniques les plus répandues. Elle touche environ de 20 à 25 % de la population mondiale ; au Canada, sa prévalence chez les jeunes et les adultes est de 2 à 5 % pour les femmes et de 1 à 2 % pour les hommes (Santé Canada, 2012). Les individus plus à risque d'anémie ferriprive sont les personnes en bas âge, celles qui souffrent d'une carence nutritionnelle et les femmes en âge de procréer (Goddard, James, McIntyre *et al.*, 2011 ; National Heart, Lung, and Blood Institute, U.S. Department of Health and Human Services & National Institutes of Health, 2014). En temps normal, l'homme adulte élimine quotidiennement 1 mg de fer par les selles, la transpiration et l'urine (Rote & McCance, 2010c). Pendant ses menstruations, la femme perd 1,5 mg de fer par jour.

CE QU'IL FAUT RETENIR

Chez l'adulte, l'anémie ferriprive est principalement imputable à des pertes de sang d'origine gastro-intestinale et génito-urinaire.

Étiologie

L'anémie ferriprive est imputable à un apport alimentaire inadéquat, à la malabsorption, aux saignements ou à l'hémolyse ▶ 37. La quantité de fer obtenue par l'alimentation est suffisante pour combler les besoins de la femme et de l'homme ; toutefois, elle peut être insuffisante chez le client dont les besoins en fer sont accrus (femme enceinte ou ayant des règles abondantes. Le **TABLEAU 38.3** présente les nutriments essentiels à l'érythropoïèse (Alpers, Stenson, Taylor *et al.*, 2008).

37

Le métabolisme du fer est expliqué dans le chapitre 37, *Évaluation clinique – Système hématologique*.

La malabsorption du fer peut survenir après certaines chirurgies gastro-intestinales, comme l'ablation du duodénum ou la dérivation duodénale, et dans des syndromes de malabsorption. Le fer est absorbé dans le duodénum ▶ 56. Les syndromes de malabsorption peuvent donc être causés par une affection duodénale détruisant ou altérant la surface d'absorption.

56

Les chirurgies gastro-intestinales sont expliquées dans le chapitre 56, *Interventions cliniques – Troubles du tractus gastro-intestinal supérieur.*

L'anémie ferriprive chez l'adulte est principalement imputable à des pertes de sang. Deux millilitres de sang entier contiennent 1 mg de fer. Les saignements gastro-intestinaux et génito-urinaires constituent les principales causes des pertes de sang chroniques. Il arrive souvent qu'il faille beaucoup de temps pour dépister un saignement gastro-intestinal. Le **méléna** (selles noires) révèle une perte d'au moins 50 à 75 mL de sang provenant du tractus gastro-intestinal. Le fer contenu dans les GR donne la coloration noire aux selles. Les ulcères gastroduodénaux, la gastrite, l'œsophagite, la diverticulite, les hémorroïdes et la présence d'une tumeur sont des causes fréquentes de saignement gastro-intestinal. Les pertes menstruelles constituent le principal site de spoliation génito-urinaire.

Les saignements menstruels occasionnent une perte sanguine moyenne d'environ 45 mL et une perte de fer d'environ 22 mg par mois. Le saignement postménopausique peut contribuer à l'anémie chez la femme âgée prédisposée. L'insuffisance rénale chronique et l'hémodialyse à long terme sont aussi des causes de l'anémie ferriprive ; en effet, l'équipement de dialyse et les fréquents prélèvements sanguins entraînent des pertes de sang.

Manifestations cliniques

Au début, l'anémie ferriprive peut n'occasionner aucun symptôme. À mesure qu'elle devient chronique, toute manifestation clinique parmi celles qui sont énumérées au **TABLEAU 38.2** peut apparaître. Certains symptômes spécifiques de l'anémie ferriprive peuvent aussi se manifester. La peau et les muqueuses peuvent être pâles. Il faut surtout examiner les endroits où les vaisseaux sont proches de la surface, notamment les muqueuses, les ongles et les plis palmaires (National Heart, Lung and Blood Institute, 2014a). Après la pâleur, la **glossite** (inflammation de la langue) est le symptôme spécifique le plus fréquent. La **chéilite** (inflammation des lèvres) en est une autre. La personne peut se plaindre de céphalées, d'une paresthésie et d'une sensation de brûlure à la langue. Ces symptômes traduisent tous une carence en fer dans les tissus.

Examens paracliniques

Les anomalies hématologiques révélées par les analyses de laboratoire en cas d'anémie ferriprive sont présentées au **TABLEAU 38.4**. D'autres examens paracliniques, notamment la recherche de sang occulte dans les selles par le **test au gaïac**, servent à trouver la cause de la carence en fer. Il est aussi possible d'avoir recours à l'endoscopie et à la coloscopie pour dépister un saignement gastro-intestinal. Une biopsie de la moelle osseuse est pratiquée si les résultats des autres examens paracliniques ne sont pas concluants.

Processus thérapeutique en interdisciplinarité

L'objectif principal consiste à traiter l'affection sous-jacente à l'origine du déficit en fer (p. ex., la malnutrition, l'alcoolisme) ou de la malabsorption du fer. Les efforts doivent viser la réplétion des pertes de fer **ENCADRÉ 38.3**. Il faut informer la personne des sources de fer contenues dans l'alimentation **TABLEAU 38.3**. Si l'alimentation est déjà adéquate, une augmentation de l'apport en fer par l'alimentation peut être irréaliste. Il faut donc avoir recours à des suppléments de fer par voie orale ou parfois par voie parentérale. Si la carence en fer est consécutive à une hémorragie massive, la transfusion de culots globulaires peut s'imposer ▶ MS 8.1.

Pharmacothérapie Autant que possible, le fer doit être administré par voie orale, car ce mode d'administration est peu coûteux et pratique. Bon nombre de préparations de fer sont offertes sur le marché. Voici cinq conseils à retenir concernant la prise de suppléments de fer:

- Le fer est mieux absorbé par le duodénum et le jéjunum proximal. Par conséquent, les préparations de fer gastrorésistantes ou à libération lente, qui libèrent le fer dans l'intestin, sont inefficaces et inutilement coûteuses.
- La posologie quotidienne doit fournir un apport de 150 à 200 mg de fer élémentaire. Cette quantité peut être absorbée en 3 ou 4 doses, chaque comprimé ou capsule devant contenir entre 50 et 100 mg de fer (p. ex., un comprimé de 300 mg de sulfate ferreux contenant 60 mg de fer élémentaire).
- Le fer est mieux absorbé à l'état de sulfate ferreux (Fe^{2+}) en milieu acide. C'est pour cette raison, et pour éviter qu'il ne se lie aux aliments, que le supplément de fer doit être pris environ une heure avant les repas, au moment où le degré d'acidité de la muqueuse duodénale est le plus élevé. La prise de fer avec de la vitamine C (acide ascorbique) ou du jus d'orange favorise

Fer

- Le fer administré par voie intraveineuse (I.V.) peut provoquer des réactions allergiques; une supervision clinique est nécessaire.
- Le fer en préparation orale doit être pris environ une heure avant les repas.
- La vitamine C (acide ascorbique) favorise l'absorption intestinale du fer.

MS 8.1

Méthodes liées à l'administration de produits sanguins: *Administration d'un culot globulaire.*

38

Thérapie nutritionnelle

TABLEAU 38.3 Nutriments essentiels à l'érythropoïèse

NUTRIMENT	RÔLE JOUÉ DANS L'ÉRYTHROPOÏÈSE	SOURCES ALIMENTAIRES
Acide ascorbique (vitamine C)	Conversion de l'acide folique dans ses formes actives; accroissement de l'absorption du fer	Agrumes, légumes-feuilles, fraise, cantaloup, poivron, kiwi, mangue, papaye
Acide folique	Maturation des GR	Légumes-feuilles, foie, viande, poisson, légumineuses, grains entiers, avocat, cantaloup
Aminoacides	Synthèse des nucléoprotéines	Œufs, viande, lait, produits laitiers (fromage, crème glacée), volaille, poisson, légumineuses, noix
Cobalamine (vitamine B_{12})	Maturation des GR	Viandes rouges, notamment le foie, poisson, œufs, produits laitiers et produits céréaliers enrichis
Cuivre[a]	Régulation de l'absorption intestinale du fer et de la libération du fer dans le plasma	Fruits de mer, grains entiers, haricots, noix, pommes de terre, abats, légumes à feuilles vert foncé, prunes séchées
Fer	Synthèse de l'hémoglobine	Foie et viande, œufs, fruits déshydratés, légumineuses, légumes-feuilles, pain de blé entier, pain complet et enrichi, céréales, pommes de terre
Pyridoxine (vitamine B_6)	Synthèse de l'hémoglobine	Viande, poisson, germe de blé, légumineuses, pommes de terre, semoule de maïs, banane

[a] Un supplément de cuivre est rarement nécessaire; un apport important en cuivre est toxique.

Examens paracliniques

TABLEAU 38.4 Résultats des analyses de laboratoire en cas d'anémie

CAUSE DE L'ANÉMIE	Hb/Ht	VGM	RÉTICULOCYTES	FER SÉRIQUE	CAPACITÉ TOTALE DE FIXATION DU FER (CTFF)	SATURATION DE LA TRANSFERRINE	FERRITINE	BILIRUBINE	B_{12}	ACIDE FOLIQUE
Carence en fer	↓	↓	Normal (N) ou légèrement ↓ ou ↑	↓	↑	N ou ↓	↓	N ou ↓	N	N
Thalassémie majeure	↓	N ou ↓	↑	↑	↓	↓	N ou ↑	↑	N	↓
Carence en cobalamine	↓	↑	N ou ↓	N ou ↑	N	Légèrement ↑	↑	N ou légèrement ↑	↓	N
Carence en acide folique	↓	↑	N ou ↓	N ou ↑	N	Légèrement ↑	↑	N ou légèrement ↑	N	↓
Anémie aplasique	↓	N ou légèrement ↑	↓	N ou ↑	N ou ↑	N	N	N	N	N
Affection chronique	↓	N ou ↓	N ou ↓	N ou ↓	↓	N ou ↓	N ou ↑	N	N	N
Hémorragie massive	↓	N ou ↓	N ou ↑	N	N	N	N	N	N	N
Hémorragie chronique	↓	↓	N ou ↑	↓	↓	N	N	N ou ↓	N	N
Anémie falciforme	↓	N	↓	N ou ↑	N ou ↓	N	N	↑	N	↓
Anémie hémolytique	↓	N ou ↑	↑	N ou ↑	N ou ↓	N	N ou ↑	↑	N	N

Processus diagnostique et thérapeutique

ENCADRÉ 38.3 Anémie ferriprive

EXAMEN CLINIQUE ET EXAMENS PARACLINIQUES

- Histoire de santé et examen physique
- Ht et taux de Hb
- Nombre et morphologie des globules rouges
- Nombre de réticulocytes
- Fer sérique
- Ferritine sérique
- Transferrine sérique
- Capacité totale de fixation du fer (CTFF)
- Recherche de sang occulte dans les selles

PROCESSUS THÉRAPEUTIQUE

- Détermination de la cause sous-jacente et intervention
- Sels de fer par voie orale (p. ex., le Fer-In-Sol[MD], le Palafer[MD]), fer-dextran (Infufer[MD]) par voie I.M.[a] ou I.V.[b]
- Thérapie nutritionnelle et régime alimentaire **TABLEAU 38.3**
- Transfusion de culots globulaires (pour la personne symptomatique seulement)

[a] En raison des réactions anaphylactoïdes possibles, tous les clients devraient recevoir une dose d'essai avant de recevoir la première dose thérapeutique.

[b] La voie I.V. ne devrait pas être utilisée chez les personnes ayant des antécédents d'asthme.

l'absorption intestinale du fer. Cependant, les effets indésirables gastro-intestinaux peuvent obliger la personne à prendre le supplément en mangeant.

- Les préparations de fer liquides peuvent tacher les dents. Il est donc préférable de les diluer et de les boire à l'aide d'une paille.
- Les suppléments de fer peuvent occasionner des effets indésirables gastro-intestinaux : brûlures d'estomac, constipation et diarrhée. En cas d'effets indésirables, il faut modifier la dose et changer de préparation de fer. Beaucoup de personnes ne tolèrent pas les préparations de sulfate ferreux en raison des effets de la base sulfate. Pour ces personnes, le gluconate ferreux peut être une solution de rechange valable. La personne doit être informée que les préparations de fer rendent les selles noires parce que l'excès de fer est excrété par le tractus gastro-intestinal.
- Les préparations de fer provoquent souvent la constipation. Il est alors possible de recommander la prise d'un émollient ou d'un laxatif au moment d'entreprendre un tel traitement.
- Le fer doit être administré par voie parentérale dans les cas suivants : malabsorption, intolérance aux préparations de fer orales, nécessité d'une dose supérieure aux doses orales maximales permises ou non-adhésion au traitement par préparation de fer orale. Les préparations de fer parentérales s'administrent par voie intramusculaire (I.M.) ou intraveineuse (I.V.). Les préparations de gluconate ferreux et de fer saccharose sont des options comportant le moins de risques de réactions anaphylactiques mettant en danger la vie de la personne (Beutler, 2010).

L'injection intramusculaire de fer (Infufer[MD]) risque de tacher la peau. Il faut donc utiliser deux aiguilles : la première pour aspirer le médicament de la fiole et la seconde pour faire l'injection. Le supplément de fer doit être administré selon la technique d'injection en Z.

CE QU'IL FAUT RETENIR

Pour une absorption optimale, le supplément de fer doit être pris une heure avant les repas. Cela peut cependant entraîner des effets indésirables gastro-intestinaux.

38

Soins et traitements infirmiers

CLIENT ATTEINT D'ANÉMIE FERRIPRIVE

Il est important de connaître les groupes à risque d'anémie ferriprive : les femmes en préménopause, les femmes enceintes, les personnes à faible revenu, les personnes âgées et les personnes souffrant de saignements. Il est important de les encourager à avoir une bonne alimentation, de leur indiquer quels sont les aliments riches en fer et comment favoriser l'absorption du fer.

Les interventions infirmières sont présentées dans le **PSTI 38.1**. Il faut expliquer à la personne pourquoi les examens paracliniques sont importants pour trouver la cause de l'anémie. Il est important de refaire le dosage de l'hémoglobine et la numération érythrocytaire après le traitement pour évaluer la réponse thérapeutique. Il faut souligner l'importance de l'adhésion au régime alimentaire et à la pharmacothérapie. Pour reconstituer les réserves de fer de l'organisme, la personne doit continuer de prendre le supplément de fer pendant les deux ou trois mois qui suivent le retour à un taux d'hémoglobine normal. Celle qui doit prendre un supplément de fer pendant toute sa vie devrait faire l'objet d'une surveillance en raison du risque de troubles hépatiques liés à une surcharge en fer.

Réactivation des connaissances

Quelle voie d'administration offre une absorption plus rapide des médicaments : la voie sous-cutanée ou la voie intramusculaire ? Quelle longueur d'aiguille devez-vous utiliser pour administrer du fer par la technique en z dans le muscle fessier ?

Thalassémie

Étiologie

La thalassémie est une autre cause de la baisse de la production d'érythrocytes. Le terme **thalassémie** désigne un groupe d'affections transmises sur le mode autosomique récessif et caractérisées par une production insuffisante de Hb. La thalassémie se caractérise aussi par une hémolyse, mais la production de Hb en quantité insuffisante constitue la principale caractéristique. Contrairement à l'anémie ferriprive qui est causée par un défaut de synthèse de l'hème, les syndromes thalassémiques (α-thalassémie et β-thalassémie) résultent d'une accumulation déséquilibrée des chaînes alpha et bêta de la globine puisque la synthèse des chaînes non atteintes se poursuit à un niveau normal. La gravité des signes cliniques est variable. Elle dépend du degré d'atteinte de la synthèse de la chaîne concernée, de l'atteinte des autres chaînes et de la présence d'anomalies héréditaires associées touchant les autres allèles de la globine. Dans l'α-thalassémie, les chaînes alpha de la globine sont absentes ou leur nombre est réduit ; dans la β-thalassémie, les chaînes bêta de la globine sont absentes ou leur nombre est réduit. La principale conséquence est la destruction des érythroblastes de la moelle osseuse entraînant un défaut de synthèse de l'Hb.

La thalassémie est répandue chez les groupes originaires du bassin méditerranéen, des régions équatoriales ou quasi équatoriales d'Asie, du Moyen-Orient et d'Afrique. La personne atteinte de thalassémie peut avoir la forme hétérozygote (porteuse d'un gène thalassémique et d'un gène normal) ou la forme homozygote de la maladie (porteuse de deux gènes thalassémiques). La thalassémie mineure, la forme bénigne de la maladie, affecte les personnes hétérozygotes tandis que la forme grave de la maladie, désignée sous le nom de β-thalassémie majeure, affecte les personnes homozygotes (Kline, 2010).

Manifestations cliniques

La β-thalassémie majeure est une affection mettant la vie en danger. Les symptômes apparaissent vers l'âge de deux ans et occasionnent souvent un retard de croissance et une déficience mentale. Le client est pâle et présente d'autres symptômes généraux de l'anémie **TABLEAU 38.2**. Il présente aussi une splénomégalie et une hépatomégalie prononcées. L'ictère causé par l'hémolyse des GR est manifeste. Comme la moelle osseuse réagit à une diminution de la capacité du sang à transporter l'oxygène, la production de GR est stimulée et la moelle osseuse est envahie par des précurseurs d'érythrocytes qui ne deviennent pas matures et meurent. Ce processus stimule encore plus la production d'érythropoïétine, ce qui mène à l'**hyperplasie** chronique de la moelle osseuse et à l'expansion de l'espace médullaire. L'expansion très forte de la moelle osseuse provoque un épaississement des os du crâne et du maxillaire **FIGURE 38.2**. L'hypercoagulabilité est possible (Nienhuis & Nathan, 2012). La personne atteinte de thalassémie mineure est souvent asymptomatique. La thalassémie mineure peut donner lieu à une anémie légère ou moyenne, une **microcytose** (diminution anormale de la taille des érythrocytes) et une **hypochromie** (diminution anormale du taux d'hémoglobine des érythrocytes).

Hyperplasie : Prolifération excessive d'un tissu organique par multiplication de ses cellules qui conservent toutefois une forme et une fonction normales.

Processus thérapeutique en interdisciplinarité

Les anomalies hématologiques relatives à la thalassémie majeure révélées par les analyses de laboratoire sont résumées au **TABLEAU 38.4**. Aucun médicament ni régime alimentaire particulier n'est efficace pour traiter la maladie. La thalassémie mineure ne nécessite aucun traitement parce que l'organisme s'adapte à la réduction du taux d'hémoglobine. Les cas de thalassémie majeure sont traités par transfusions sanguines ou par transfusions d'échange, en association avec l'administration d'un chélateur de fer : le déférasirox (Exjade^MD^) par voie orale ou le mésylate de déféroxamine (Desferal^MD^) par perfusion I.V. ou sous-cutanée (S.C.). Le traitement par chélation a pour but d'alléger la surcharge en fer (hémochromatose) causée par les transfusions sanguines répétées (Kline, 2010). Puisque le traitement par chélation augmente l'excrétion de vitamines et minéraux, l'administration de suppléments (p. ex., du zinc, de l'acide ascorbique [vitamine C]) peut être nécessaire. De l'acide folique est administré si l'hémolyse est confirmée. Les transfusions sanguines servent à maintenir le taux de Hb autour de 100 g/L, ce qui permet de préserver l'érythropoïèse sans que celle-ci provoque l'hypertrophie de la rate. Les GR étant séquestrés dans la rate hypertrophiée, la splénectomie peut être efficace dans certains cas de thalassémie majeure. Dans tous les traitements, la prise de suppléments de fer est à proscrire.

Les complications cardiaques de la surcharge en fer, la maladie pulmonaire et l'hypertension artérielle peuvent aussi diminuer l'espérance de vie. Il convient donc de surveiller les fonctions hépatique, cardiaque et pulmonaire, et de traiter les dysfonctions de façon appropriée. Les **endocrinopathies** (hypogonadisme hypogonadotrophique) et la thrombose comptent aussi parmi les complications de la thalassémie.

La greffe de cellules souches hématopoïétiques demeure l'unique traitement curatif de la thalassémie. Cependant, les risques associés à cette intervention l'emportent sur les bienfaits. Grâce à un traitement par chélation approprié, il est possible de prolonger la vie des personnes atteintes de cette maladie (Poggiali, Cassinerio, Zanaboni *et al.*, 2014).

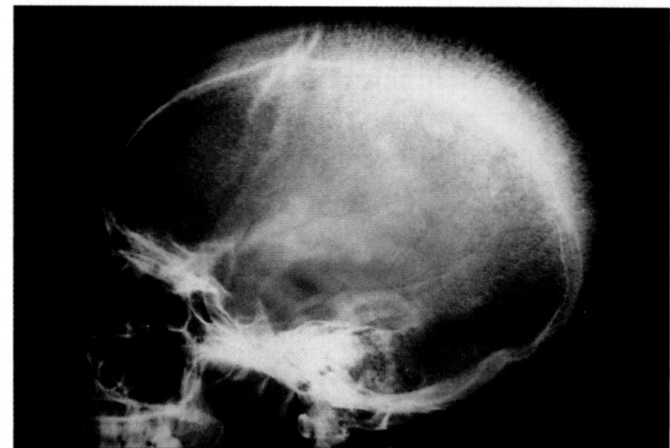

FIGURE 38.2 L'expansion très forte de la moelle osseuse, due à la β-thalassémie majeure, provoque un épaississement des os du crâne et du maxillaire.

CE QU'IL FAUT RETENIR

Les mégaloblastes sont des érythrocytes matures anormaux de grande taille (macrocytaires) et de forme anormale.

Anémies mégaloblastiques

L'expression **anémies mégaloblastiques** désigne des troubles causés par des anomalies de synthèse de l'ADN et qui se caractérisent par des érythrocytes de grande taille et de forme anormale. Lorsque la synthèse de l'ADN est défectueuse, les érythrocytes matures sont anormaux. Ils sont de grande taille (macrocytaires) et de forme anormale, et ils sont appelés mégaloblastes. En raison de la fragilité de la membrane cellulaire, les érythrocytes macrocytaires sont détruits dans la moelle osseuse. Bien que les anémies mégaloblastiques soient majoritairement causées par une carence en cobalamine (vitamine B_{12}), en acide folique, ou les deux à la fois, ce type d'anomalie peut aussi être attribuable à l'inhibition de la synthèse de l'ADN par certains médicaments, à des erreurs innées du métabolisme de la cobalamine et de l'acide folique ou à l'érythroleucémie, une affection hématologique maligne caractérisée par une prolifération de cellules érythropoïétiques dans la moelle osseuse (Antony, 2013) **ENCADRÉ 38.4**.

Anémie par carence en cobalamine (vitamine B_{12})

Normalement, une protéine appelée facteur intrinsèque (FI) est sécrétée par les cellules pariétales de la muqueuse gastrique. Le FI est essentiel à l'absorption de la cobalamine (facteur extrinsèque). En l'absence du FI, la cobalamine n'est pas absorbée normalement dans l'iléon distal. La carence en cobalamine a plusieurs causes, la plus fréquente étant l'**anémie pernicieuse**, une affection caractérisée par l'absence de sécrétion du FI par la muqueuse gastrique en raison de la présence d'anticorps dirigés contre les cellules pariétales, le FI lui-même, ou les deux à la fois. Parmi les autres causes de la carence en cobalamine, il convient de mentionner la gastrectomie, la gastrite, la carence nutritionnelle, l'alcoolisme chronique, les maladies affectant l'absorption intestinale et les défauts enzymatiques héréditaires de l'utilisation de la cobalamine **ENCADRÉ 38.4**.

L'anémie pernicieuse est une affection sournoise qui touche l'adulte d'âge moyen (habituellement âgé de plus de 40 ans). La plupart du temps, la maladie est diagnostiquée vers l'âge de 60 ans. Elle est répandue chez les personnes originaires du nord de l'Europe, surtout chez les Scandinaves et les Afro-Américains chez qui la maladie a tendance à être précoce et souvent grave. En outre, elle est plus répandue chez la femme.

Étiologie La cobalamine se retrouve uniquement dans les aliments d'origine animale. Les végétaliens stricts sont donc à risque de présenter une carence en cobalamine. Cette carence peut également survenir chez les personnes ayant subi une chirurgie gastro-intestinale (p. ex., une gastrectomie, une dérivation gastrique) ou une résection de l'intestin grêle incluant l'iléon, qui souffrent de la maladie de Crohn, d'une iléite, de diverticules dans l'intestin grêle ou d'une gastrite atrophique chronique. Chez ces personnes, la carence en cobalamine est causée par la perte de cellules de la muqueuse gastrique sécrétrices de FI ou un défaut d'absorption de la cobalamine dans l'iléon distal. La carence en cobalamine est aussi observée chez les utilisateurs chroniques d'antagonistes des récepteurs H_2 de l'histamine (Ranitidine^MD^, Zantac^MD^) et chez les utilisateurs d'inhibiteurs de la pompe à protons (Pantoloc^MD^), car les sécrétions gastriques acides sont nécessaires à la liaison entre la cobalamine et le FI (Lichtman *et al.*, 2010 ; Rote & McCance, 2010a).

L'anémie pernicieuse peut aussi être causée par l'absence du FI en raison de l'atrophie de la muqueuse gastrique ou de la destruction auto-immune des

ENCADRÉ 38.4 Classification des anémies mégaloblastiques

CARENCE EN COBALAMINE (VITAMINE B_{12})
- Carence alimentaire (végétarisme strict)
- Carence en facteur intrinsèque
  - Anémie pernicieuse (ou de Biermer)
  - Malabsorption gastrique : hypochlorhydrie gastrique (antiacides, gastrite atrophique)
  - Gastrectomie totale ou partielle
- Malabsorption intestinale (insuffisance pancréatique exocrine, résection de l'iléon distal)
- Manque ou besoin accru en vitamine B_{12}
- Alcoolisme chronique

CARENCE EN ACIDE FOLIQUE
- Apport alimentaire insuffisant
- Syndromes de malabsorption
- Médicaments inhibiteurs du métabolisme de l'acide folique
  - Méthotrexate, aminoptérine, triméthoprime
  - Anticonvulsivants (phénobarbital, diphénylhydantoïne [Dilantin^MD^])
- Besoin accru d'acide folique (grossesse, allaitement, anémie hémolytique)
- Alcoolisme chronique
- Anorexie
- Personne sous hémodialyse (perte d'acide folique au cours de l'hémodialyse)

SUPPRESSION DE LA SYNTHÈSE DE L'ADN CAUSÉE PAR UN MÉDICAMENT
- Antagonistes des folates
- Inhibiteurs du métabolisme
- Agents alkylants

ERREURS INNÉES DU MÉTABOLISME
- Trouble du métabolisme des folates
- Défaut de transport de la cobalamine

ÉRYTHROLEUCÉMIE
- Leucémie aiguë myéloïde

cellules pariétales, car celle-ci entraîne une diminution de la sécrétion d'acide chlorhydrique par l'estomac.

Manifestations cliniques Les symptômes généraux de l'anémie par carence en cobalamine sont attribuables à l'hypoxie **TABLEAU 38.2**. La langue douloureuse, rouge et luisante, l'anorexie, les nausées et les vomissements ainsi que les douleurs abdominales sont au nombre des manifestations gastro-intestinales. Les manifestations neuromusculaires les plus courantes sont la faiblesse, la paresthésie des pieds et des mains, la perte de proprioception et de la sensibilité vibratoire, l'ataxie, la faiblesse musculaire ainsi que l'altération de l'état mental qui va de la confusion à la démence. L'anémie par carence en cobalamine étant une maladie sournoise, plusieurs mois peuvent s'écouler avant l'apparition de ces manifestations.

Examens paracliniques Les résultats des analyses de laboratoire relatives à l'anémie par carence en cobalamine sont présentés au **TABLEAU 38.4**. Les érythrocytes sont de grande taille et de forme anormale. Comme la membrane cellulaire est fragile, les érythrocytes sont détruits. La concentration de cobalamine sérique est réduite. Une concentration normale de folates sériques est aussi mesurée. Une concentration normale de folates sériques et une diminution de la concentration de cobalamine traduisent une anémie mégaloblastique par carence de cobalamine. Il existe un test de dépistage des anticorps anti-FI spécifique de l'anémie pernicieuse (Antony, 2013). Le risque de cancer de l'estomac

Réactivation des connaissances

Dans quel type d'aliments retrouve-t-on la cobalamine ?

étant élevé chez le client atteint d'anémie pernicieuse, une gastroscopie et une biopsie de la muqueuse gastrique peuvent aussi être effectuées.

Le test de Schilling permet de déterminer le taux d'absorption de la vitamine B_{12}. Normalement, la vitamine B_{12} se combine au facteur intrinsèque produit par la muqueuse gastrique et elle est absorbée dans la partie distale de l'iléon. À l'état normal, l'iléon absorbe plus de vitamine B_{12} que l'organisme en a besoin, et l'excès est éliminé dans l'urine. Si l'absorption est déficiente, il y a peu ou pas d'excrétion urinaire de la vitamine B_{12} (Wilson, 2014). Une dose de cobalamine radioactive est d'abord administrée, puis la quantité de cobalamine excrétée dans l'urine est mesurée. Il est possible d'effectuer le même test en ajoutant le FI à la cobalamine administrée. Le taux d'absorption de cobalamine observé, après l'ajout du FI, permet de confirmer le diagnostic de l'anémie pernicieuse. Il est possible d'effectuer des dosages de l'acide méthylmalonique sérique (concentration élevée en cas de carence en cobalamine) et de l'homocystéine sérique (concentration élevée en cas de carences en cobalamine et d'acide folique) si les résultats des autres tests ne sont pas concluants.

CE QU'IL FAUT RETENIR

La dyspepsie ainsi qu'une langue rouge et douloureuse sont des symptômes gastro-intestinaux communs d'une carence en acide folique.

Processus thérapeutique en interdisciplinarité Peu importe la quantité ingérée, l'absorption de la cobalamine est inhibée en l'absence de FI ou en présence d'un trouble d'absorption dans l'iléon. Un apport accru de cobalamine alimentaire ne permet donc pas de corriger l'anémie. Il faut cependant informer le client de l'apport quotidien recommandé afin de favoriser une bonne alimentation **TABLEAU 38.3**. L'administration de cyanocobalamine-hydroxocobalamine (vitamine B_{12}) constitue le traitement de choix. À défaut d'un traitement par la cobalamine, le décès peut survenir au bout de un à trois ans. Plusieurs régimes de remplacement parentéral sont possibles. Une posologie fréquemment utilisée consiste en une injection intramusculaire quotidienne de 1 000 mcg de cobalamine pendant 2 semaines, puis une dose par semaine jusqu'à ce que l'hématocrite redevienne normal, et finalement une dose par mois, à vie. La prise de cobalamine à fortes doses ou l'administration de cobalamine par voie sublinguale sont des options possibles pour les clients chez qui l'absorption gastro-intestinale est intacte. L'anémie est réversible tant qu'un supplément de cobalamine est administré. Toutefois, chez les clients souffrant de complications neuromusculaires chroniques, ces dernières pourraient être irréversibles.

Anémie par carence en acide folique

Une carence en acide folique (folates) peut aussi causer l'anémie mégaloblastique. L'acide folique est essentiel à la synthèse de l'ADN de même qu'à la production et à la maturation des érythrocytes. Les causes fréquentes de la carence en acide folique sont énumérées à l'**ENCADRÉ 38.4**.

Les manifestations cliniques de la carence en acide folique sont semblables à celles de la carence en cobalamine. La maladie se présente de façon insidieuse, et ses manifestations peuvent être attribuées à des troubles concomitants comme une cirrhose ou des varices œsophagiennes. Parmi les troubles gastro-intestinaux possibles, il convient de mentionner une dyspepsie et une langue rouge et douloureuse. L'absence ou la présence de troubles neurologiques permet de déterminer s'il s'agit d'une carence en acide folique ou d'une carence en cobalamine.

Les résultats des analyses de laboratoire relatives à l'anémie par carence en acide folique sont présentés au **TABLEAU 38.4**. La concentration de folates sériques est faible, celle de la cobalamine sérique est normale et il y a présence d'acide chlorhydrique dans l'estomac.

L'anémie par carence en acide folique est traitée par l'administration de substituts. La dose habituelle d'acide folique est de 1 mg par jour par voie orale. En cas de malabsorption, la dose quotidienne peut atteindre 5 mg. La durée du traitement dépend de la cause de la carence. Il faut inciter la personne à consommer des aliments riches en acide folique **TABLEAU 38.3**.

Soins et traitements infirmiers

CLIENT ATTEINT D'ANÉMIE MÉGALOBLASTIQUE

L'anémie pernicieuse, qui est le type de carence en cobalamine le plus fréquent, peut être héréditaire. Il faut donc surveiller l'apparition de symptômes chez le client ayant des antécédents familiaux d'anémie pernicieuse. L'apparition de la maladie est impossible à prévenir, mais le dépistage et le traitement précoces peuvent faire régresser les symptômes. Les médecins de famille et les professionnels de la santé qui travaillent en première ligne devraient surveiller l'apparition des symptômes d'autres formes d'anémie mégaloblastique.

Les interventions infirmières faisant partie du plan de soins et de traitements infirmiers (PSTI) d'une personne souffrant d'anémie s'appliquent dans les cas de l'anémie par carence en cobalamine et de l'anémie par carence en acide folique

PSTI 38.1. En plus de ces interventions, l'infirmière doit s'assurer qu'aucune blessure ne résulte d'une perte de sensibilité à la chaleur ou à la douleur causée par un déficit neurologique. Il faut protéger la personne contre les chutes, les brûlures et les traumatismes. Si la personne doit suivre une thermothérapie, il faut examiner régulièrement sa peau pour déceler les rougeurs.

Les soins continus consistent à s'assurer que la personne comprend bien son traitement et à porter une attention aux symptômes neurologiques et à leur évolution au cours du traitement. Le risque de cancer de l'estomac est élevé chez la personne atteinte d'anémie pernicieuse liée à la gastrite atrophique. Celle-ci devrait donc se soumettre à de fréquents examens de dépistage.

Anémie consécutive à une affection chronique

L'anémie consécutive à une affection chronique apparaît en présence de certaines atteintes chroniques comme une maladie inflammatoire chronique, une maladie auto-immune, une maladie infectieuse ou une affection maligne. Appelée aussi anémie inflammatoire, l'anémie consécutive à une affection chronique est une anémie de type normochrome, normocytaire et hypoprolifératif, et elle est associée à une sous-production de GR de même qu'à une diminution modérée de leur durée de vie. Bien que généralement bénigne, cette maladie peut être grave. Ce type d'anémie est surtout à médiation immune. La sécrétion de cytokines causée par ces affections inhibe la prolifération des progéniteurs, d'où l'anémie normochrome microcytaire. Cela fait aussi augmenter le captage et la rétention de fer dans les macrophages, ce qui entraîne dans un deuxième temps une anémie hypochrome microcytaire, car le fer circulant devient moins disponible pour les progéniteurs érythrocytaires (Little, Benz & Gardner, 2013). Dans toute affection chronique, d'autres facteurs sont à considérer. En cas de maladie rénale, par exemple, la principale cause d'anémie est une diminution de la concentration d'érythropoïétine, l'hormone sécrétée par les reins qui stimule l'érythropoïèse (Ganz, 2010).

Tout trouble causant une destruction accrue des érythrocytes (p. ex., une hémolyse auto-immune) qui est accompagné d'un défaut de stimulation de l'érythropoïèse contribue à l'anémie. La dépression médullaire, la réduction de l'érythropoïèse causée par la maladie et la prise de médicaments (p. ex., la chimiothérapie ou la radioexposition) contribuent à l'anémie de type normochrome et normocytaire. L'infection par le virus de l'immunodéficience humaine (VIH) et ses traitements, l'hépatite, la malaria et les épisodes hémorragiques sont d'autres éléments qui contribuent à ce type d'anémie (Brittenham, 2013; Little *et al.*, 2013).

L'**hypopituitarisme** et l'hypothyroïdie peuvent tous deux mener à une réduction du métabolisme et, par conséquent, à une diminution des besoins en oxygène des tissus et à une baisse de la production d'érythropoïétine par les reins. L'insuffisance surrénalienne provoquée par une surrénalectomie ainsi que la **maladie d'Addison** sont aussi des causes d'anémie.

Pour traiter l'anémie consécutive à une affection chronique, il faut d'abord la reconnaître et la différencier des anémies ayant d'autres étiologies. L'anémie consécutive à une affection chronique se distingue de l'anémie ferriprive par une concentration élevée de ferritine sérique et une augmentation des réserves de fer. Elle se distingue aussi des autres types d'anémie par des concentrations normales de folates et de cobalamine sériques. Le meilleur traitement de l'anémie consécutive à une affection chronique consiste à corriger l'anomalie sous-jacente. En cas d'anémie sévère, la transfusion de culots globulaires peut être indiquée, mais celle-ci n'est pas recommandée sur une période prolongée. L'administration d'érythropoïétine permet de traiter l'anémie causée par une maladie rénale et peut servir à traiter l'anémie causée par un cancer et ses traitements ▶ 16 et 69. Au Canada, les deux molécules disponibles sont l'époétine alfa (Eprex[MD]) et la darbapoétine (Aranesp[MD]). Cependant, ce type de traitement doit être administré avec prudence, car il augmente le risque de thromboembolie et de décès chez certains clients (Rogers, Becker, Bennett *et al.*, 2012). Lorsque nécessaire, il est possible d'administrer une préparation de fer par voie I.V. pour augmenter la réponse au traitement par l'érythropoïétine (Cullis, 2011).

Anémie aplasique

L'**anémie aplasique** est associée à une **pancytopénie** (diminution de tous les éléments cellulaires du sang circulant : GR, leucocytes [globules blancs] et plaquettes) et une pauvreté cellulaire de la moelle osseuse. Les symptômes sont variables, allant d'un trouble chronique traité par de l'érythropoïétine ou des transfusions à un trouble grave accompagné d'hémorragie et de sepsie.

Étiologie

La fréquence de l'anémie aplasique est faible ; elle touche annuellement environ deux personnes sur un million (Young, Scheinberg & Calado, 2008).

CE QU'IL FAUT RETENIR

L'anémie consécutive à une affection chronique se caractérise par une concentration élevée de ferritine sérique et une augmentation des réserves de fer.

16 et 69

Les chapitres 16, *Cancer*, et 69, *Interventions cliniques – Insuffisance rénale aiguë et insuffisance rénale chronique*, présentent en détail les traitements de l'anémie relative à ces affections.

Jugement clinique

Auguste Lefebvre est âgé de 70 ans. D'après les signes et les symptômes qu'il présente, le médecin soupçonne qu'il est atteint d'anémie aplasique. Les résultats des analyses de laboratoire indiquent un temps de saignement de 11 minutes (méthode d'Ivy) et un taux de réticulocytes de 0,4 %. Est-ce que ces valeurs peuvent confirmer le soupçon du médecin ? Expliquez votre réponse.

Épistaxis : Hémorragie extériorisée par les fosses nasales, communément appelée saignement de nez.

Il existe plusieurs types de classification de l'anémie aplasique, dont les deux principales sont l'anémie aplasique congénitale et l'anémie aplasique acquise **ENCADRÉ 38.5**. De 70 à 80 % des anémies aplasiques acquises sont idiopathiques et réputées auto-immunes (Marsh, Ball, Cavenagh *et al.*, 2009).

Manifestations cliniques

L'anémie aplasique peut apparaître de façon soudaine (en quelques jours) ou de façon insidieuse (sur une période de quelques semaines ou de quelques mois). Elle est légère ou modérée. Ses symptômes peuvent être attribués à la suppression de l'un des constituants de la moelle osseuse ou de tous les constituants à la fois. Les manifestations les plus courantes sont la fatigue, la dyspnée, les réactions cardiovasculaires et les troubles neurologiques **TABLEAU 38.2**. Le client souffrant d'une neutropénie (baisse du nombre des neutrophiles) est vulnérable à l'infection et à la sepsie, lesquels risquent de lui être fatals. Toute fièvre doit être considérée comme une priorité médicale. Selon le système de classification des toxicités du National Cancer Institute (NCI, 2010), une numération absolue de neutrophiles (NAN) inférieure à 1 000/mm^3 (1×10^9/L) accompagnée d'une température supérieure ou égale à 38,3 °C, ou supérieure ou égale à 38 °C depuis plus d'une heure, constitue un risque grave d'infection. La thrombocytopénie, ou thrombocytopénie, est caractérisée par une prédisposition aux hémorragies (pétéchies, ecchymoses, **épistaxis**).

ENCADRÉ 38.5 Causes de l'anémie aplasique

TROUBLE CONGÉNITAL

(anomalies chromosomiques)

- Anémie de Fanconi
- Dyskératose congénitale
- Thrombocytopénie mégacariocytaire
- Syndrome de Shwachman-Diamond

TROUBLE ACQUIS

- Trouble idiopathique / auto-immun
- Exposition à des substances chimiques ou toxiques (benzène, insecticides, arsenic, alcool, métaux lourds)
- Médicaments cytotoxiques (agents alkylants, antimitotiques, antimétabolites, certains antibiotiques) ; anticonvulsivants (hydantoïne, carbamazépine) ; AINS
- Rayonnements (travailleurs des centrales nucléaires, des hôpitaux et de l'industrie ; personnes de l'extérieur exposées à des sources mal utilisées ou utilisées à des fins terroristes)
- Infections virales ou bactériennes (p. ex., l'hépatite virale, le virus herpétique Epstein-Barr, le parvovirus, le VIH-1)

Examens paracliniques

Le diagnostic de l'anémie aplasique est confirmé par des analyses de laboratoire. Comme toutes les lignées sanguines sont touchées, un déficit en hémoglobine, en leucocytes et en plaquettes est souvent observé. Les indices globulaires sont habituellement normaux **TABLEAU 38.4**. La maladie est donc de type normochrome, normocytaire. Une faible teneur en réticulocytes est observée.

L'anémie aplasique peut aussi être diagnostiquée à l'aide de diverses analyses du fer sérique. La teneur en fer sérique et la capacité totale de fixation du fer (CTFF) peuvent être les premiers signes de la suppression de l'érythropoïèse. Une biopsie médullaire, une ponction de moelle osseuse et des examens de cytopathologie peuvent être effectués dans tous les types d'anémie. Cependant, en cas d'anémie aplasique, les résultats de ces examens sont particulièrement importants, car ce sont eux qui permettent d'attester une moelle osseuse hypocellulaire et une quantité de moelle jaune accrue.

Soins et traitements en interdisciplinarité

CLIENT ATTEINT D'ANÉMIE APLASIQUE

Le traitement de l'anémie aplasique consiste à déterminer l'agent causal et à le supprimer, autant que possible, puis à fournir des soins de soutien jusqu'à ce que la pancytopénie régresse. Les interventions infirmières auprès d'un client atteint de pancytopénie causée par l'anémie aplasique sont résumées dans le PSTI à suivre en cas d'anémie **PSTI 38.1** et dans le PSTI à suivre en cas de thrombocytopénie **PSTI 38.2**. Les interventions infirmières doivent viser la prévention des complications de l'infection et de l'hémorragie.

Le pronostic de l'anémie aplasique sévère non traitée est sombre (décès dans environ 70 % des cas). En effet, en absence de traitement, la survie moyenne est de 3 à 6 mois ; 20 % des personnes atteintes survivent plus de 1 an (Lichtman *et al.*, 2010). Cependant, les percées en matière de traitements médicaux, dont la greffe de cellules souches hématopoïétiques, l'immunosuppression par une globuline antithymocyte (ATG) et la cyclosporine ou la cyclophosphamide à fortes doses, permettent d'améliorer considérablement les résultats. L'ATG est un sérum de cheval ou de lapin contenant des anticorps polyclonaux dirigés contre les lymphocytes T humains (Feng, Scheinberg, Biancotto *et al.*, 2014). Le traitement par une ATG peut causer une réaction anaphylactique et une maladie sérique. Il s'appuie sur le principe selon lequel l'anémie aplasique idiopathique est attribuable à la destruction des cellules souches hématopoïétiques par des sous-populations de lymphocytes T cytotoxiques soumis à une régulation positive ▶ 14.

14

La thérapie immunosuppressive par la cyclosporine est expliquée dans le chapitre 14, *Réaction immunitaire et transplantation.*

La greffe de cellules souches hématopoïétiques constitue le traitement de choix chez un client adulte âgé de moins de 40 ans pour lequel un donneur compatible a été trouvé (Gupta, Eapen, Brazauskas *et al.*, 2010). Les meilleurs résultats sont obtenus chez le client jeune n'ayant jamais subi de transfusions sanguines. Les antécédents de transfusions sanguines augmentent le risque de rejet des cellules transplantées.

Chez la personne âgée ou chez une personne sans donneur compatible, le traitement de choix est l'immunosuppression par une ATG, la cyclosporine ou la cyclophosphamide à fortes doses. Cependant, ce type de traitement ne donne que des résultats partiels. Le client requérant des transfusions sanguines d'entretien pourrait recevoir un chélateur du fer (p. ex., le déférasirox [Exjade^MD])) pour alléger la surcharge en fer.

38.1.3 Anémie d'origine hémorragique

L'anémie d'origine hémorragique peut être attribuable à un trouble aigu ou chronique.

Hémorragie aiguë

L'hémorragie aiguë est une perte sanguine soudaine attribuable à un traumatisme, à des complications chirurgicales, à un trouble ou à une affection portant atteinte à l'intégrité vasculaire. Deux situations peuvent se présenter. Premièrement, l'hémorragie aiguë peut causer une réduction soudaine de la quantité de sang entier, ce qui risque de causer un choc hypovolémique. Deuxièmement, si l'hémorragie est progressive, l'organisme maintient la quantité de sang à l'intérieur des vaisseaux en augmentant lentement la quantité de plasma sanguin. Bien que la quantité de liquide circulant soit préservée, le nombre de GR disponibles pour transporter l'oxygène est considérablement diminué.

Manifestations cliniques

Les manifestations cliniques de l'anémie consécutive à une perte sanguine aiguë traduisent les efforts que l'organisme déploie pour maintenir une quantité de sang suffisante dans les vaisseaux et combler les besoins d'oxygène. Le **TABLEAU 38.5** résume les manifestations cliniques selon la gravité de la perte sanguine. Il est primordial de comprendre que les manifestations cliniques sont de meilleurs indices que les valeurs de laboratoire. À titre d'exemple, un adulte souffrant d'un ulcère gastroduodénal hémorragique, qui aurait eu une **hématémèse** de 750 mL (15 % de la quantité de sang entier) au cours des 30 dernières minutes, pourrait avoir une hypotension orthostatique avec une concentration de Hb et un hématocrite normaux. Au cours des 36 à 48 heures suivantes, la plus grande partie du sang perdu est remplacée par un afflux de liquide du compartiment extravasculaire vers le compartiment intravasculaire. Ce n'est qu'après cette période que la concentration de Hb et l'hématocrite peuvent révéler une perte sanguine.

L'infirmière doit prêter attention à la façon dont la personne décrit sa douleur. L'hémorragie interne peut causer de la douleur en raison de la turgescence des tissus, le déplacement d'un organe ou une compression nerveuse. La douleur peut être localisée ou irradiée. En cas d'hémorragie rétropéritonéale, la personne peut ne ressentir aucune douleur abdominale, mais un engourdissement et une douleur à un membre inférieur en raison de la compression d'un nerf cutané latéral situé dans la région comprise entre les première et troisième vertèbres lombaires. La principale complication de l'hémorragie aiguë est le collapsus cardiovasculaire consécutif à un choc hypovolémique ▶ 50.

TABLEAU 38.5 Manifestations cliniques de l'hémorragie aiguë

QUANTITÉ PERDUE (%)	QUANTITÉ PERDUE (mL)	MANIFESTATIONS CLINIQUES
10	500	Aucune
20	1 000	Aucun symptôme décelable au repos, tachycardie à l'effort et légère hypotension orthostatique
30	1 500	Pression artérielle normale en décubitus, fréquence cardiaque normale au repos, hypotension orthostatique et tachycardie à l'effort
40	2 000	Pression artérielle, pression veineuse centrale et débit cardiaque inférieurs aux valeurs normales ; pouls rapide et filant ; peau moite et froide
50	2 500	État de choc et décès éventuel

50

Le choc hypovolémique est expliqué dans le chapitre 50, *Interventions cliniques – État de choc, syndrome de réaction inflammatoire systémique et syndrome de défaillance multiorganique.*

Examens paracliniques

En cas d'hémorragie soudaine, l'organisme n'a pas le temps de compenser par une augmentation de la quantité de plasma. Par conséquent, la perte d'érythrocytes n'est pas reflétée par les résultats des analyses de laboratoire, et les valeurs peuvent rester normales ou élevées pendant deux ou trois jours. Cependant, dès que la quantité de plasma a été remplacée, la masse érythrocytaire est moins concentrée. La formule sanguine complète, le taux de Hb et l'hématocrite sont alors faibles et reflètent la perte sanguine.

Jugement clinique

Parce qu'elle a été renversée par une voiture qui a brûlé un feu rouge, Amanda Villers, âgée de 25 ans, a percuté le pare-brise de l'automobile. Elle présente une rupture de la rate. Pourquoi ce traumatisme entraîne-t-il une hémorragie aiguë ?

CE QU'IL FAUT RETENIR

En cas d'hémorragie aiguë, les soins prioritaires visent à remplacer le volume de sang perdu, à déterminer l'origine de l'hémorragie et à l'arrêter. On tentera de combler la perte de GR, de plaquettes et de plasma le cas échéant.

Processus thérapeutique en interdisciplinarité

Le processus thérapeutique en interdisciplinarité consiste d'abord à remplacer le volume de sang perdu pour éviter le choc hypovolémique, à déterminer l'origine de la perte sanguine et à arrêter l'hémorragie. En cas d'urgence, le maintien ou l'expansion volémique est primordial. Différentes solutions visent à maintenir la capacité de remplissage intravasculaire, notamment le plasma, les solutions cristalloïdes (lactate Ringer[MD], NaCl 0,9%) et les colloïdes (Pentaspan[MD], Voluven[MD]). La sélection et la quantité de solutions perfusées varient selon l'état du client.

Une fois que le remplacement liquidien a été effectué, les soins doivent viser à corriger la perte de GR. L'organisme met de deux à cinq jours pour produire plus de GR en réaction à une sécrétion accrue d'érythropoïétine. Par conséquent, des transfusions sanguines (culots globulaires) peuvent être nécessaires si l'hémorragie est massive pendant cet intervalle de temps. Par ailleurs, si l'hémorragie est liée à un trouble plaquettaire ou à un trouble de la coagulation, il faut corriger ce trouble. Des transfusions de plaquettes peuvent s'avérer nécessaires.

La personne peut aussi avoir besoin d'un supplément de fer, car la disponibilité en fer sérique conditionne la production d'érythrocytes par la moelle osseuse. En cas d'anémie consécutive à une hémorragie aiguë, l'apport en fer alimentaire ne suffira pas à maintenir la réserve de fer. Voilà pourquoi l'administration de préparations de fer par voie orale ou parentérale s'impose.

Soins et traitements infirmiers

CLIENT ATTEINT D'HÉMORRAGIE AIGUË

Il peut être impossible de prévenir l'hémorragie d'origine traumatique. Après une intervention chirurgicale, il faut évaluer la quantité de sang perdu sur les pansements et dans les divers types de tubes de drainage, et prendre les mesures qui s'imposent. Il y a de fortes chances que le traitement en cas d'anémie consécutive à une hémorragie aiguë comprenne l'administration de produits sanguins (présentés à la fin du présent chapitre). De plus, si le saignement provient d'une blessure, il faudra faire un bandage compressif pour arrêter le saignement. Si le client devient hypotendu, il peut être utile d'élever les jambes et d'augmenter le débit du soluté, selon l'ordonnance du médecin.

Lorsque l'origine de l'hémorragie a été déterminée, que l'hémorragie est réprimée et que le sang et les liquides perdus ont été remplacés, l'anémie devrait se corriger d'elle-même. Puisque cette forme d'anémie est circonstancielle, un traitement à long terme ne sera pas nécessaire.

CE QU'IL FAUT RETENIR

Les causes de l'hémorragie chronique sont identiques à celles de l'anémie ferriprive : ulcère hémorragique, hémorroïdes, menstruations et pertes de sang postménopausiques.

Hémorragie chronique

Les causes de l'hémorragie chronique sont identiques à celles de l'anémie ferriprive : ulcère hémorragique, hémorroïdes, menstruations et pertes de sang postménopausiques. Les effets de l'hémorragie chronique sont habituellement liés à la déplétion des réserves. Le traitement de l'anémie consécutive à une hémorragie chronique consiste à déterminer l'origine de l'hémorragie et à réprimer celle-ci. La prise d'un supplément de fer pourrait être nécessaire.

38.1.4 Anémie causée par la destruction accrue des érythrocytes

L'**anémie hémolytique** est causée par la destruction (hémolyse) des érythrocytes à un rythme supérieur à celui de la production. L'hémolyse peut être attribuable à des troubles intrinsèques ou extrinsèques liés aux érythrocytes. Les anémies hémolytiques intrinsèques sont imputées à des érythrocytes anormaux **ENCADRÉ 38.1**. En règle générale, elles sont congénitales. Les anémies hémolytiques extrinsèques, plus courantes, sont acquises. Dans ces anémies, les érythrocytes sont normaux, mais les dommages sont causés par des facteurs extérieurs **ENCADRÉ 38.1**. La rate est le principal site de destruction des érythrocytes âgés, défectueux ou moyennement endommagés. La **FIGURE 38.3** indique la séquence des événements se produisant dans l'hémolyse extravasculaire.

La personne atteinte d'anémie hémolytique présente les symptômes généraux de l'anémie en plus des manifestations cliniques de ce type spécifique d'anémie **TABLEAU 38.2**. Il y a risque d'ictère parce que la destruction accrue des érythrocytes occasionne une hausse de la bilirubinémie. La rate et le foie peuvent être hypertrophiés en raison de l'hyperactivité liée à la phagocytose des érythrocytes défectueux par les macrophages.

Quelle que soit la cause de l'hémolyse, le traitement doit viser à maintenir la fonction rénale. L'hémolyse des érythrocytes provoque la libération de molécules d'hémoglobine qui sont filtrées par les reins. L'accumulation de molécules d'hémoglobine risque alors d'obstruer les tubules rénaux et d'entraîner une **nécrose tubulaire aiguë**.

Réactivation des connaissances

Est-il possible de palper la rate d'un client au moment de l'examen abdominal ? Justifiez votre réponse.

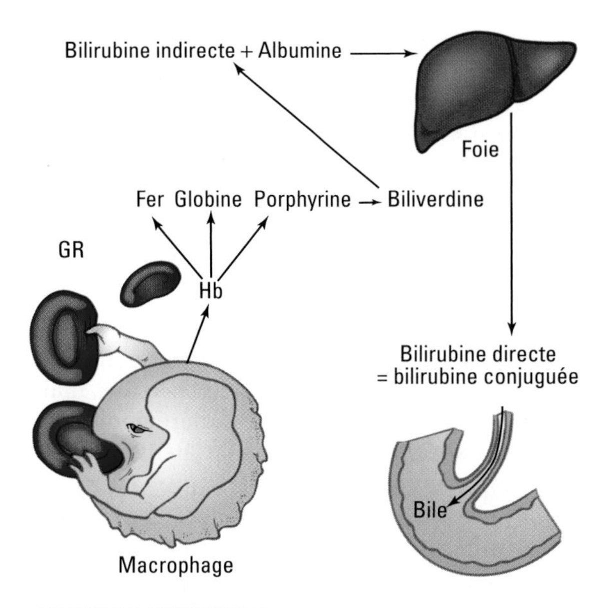

FIGURE 38.3 Séquence des événements se produisant dans l'hémolyse extravasculaire

Anémie falciforme

La fonction de l'hémoglobine consiste à transporter l'oxygène aux tissus. Sa concentration élevée dans les GR lui donne un rôle dans le maintien de la forme des cellules, dans leur déformabilité et dans leur viscosité. Dans les syndromes drépanocytaires, la structure de l'Hb est touchée. L'**anémie falciforme** est la forme typique et la plus grave des syndromes drépanocytaires. Il s'agit d'affections héréditaires (Yawn, Buchanan, Afenyi-Annan *et al.*, 2014). La transmission de la mutation génétique s'effectue sur le mode autosomique récessif, et son expression est très variable ▶ 13.

L'origine de l'altération génétique se trouve dans les pays où la malaria était courante, notamment le continent africain et les Caraïbes, et parfois chez les populations arabe, grecque, italienne, portuguaise et turque. Elle se trouve également chez les habitants d'Amérique centrale, d'Israël, d'Arabie saoudite, du Yémen, du Koweït et de l'Inde (Association d'anémie falciforme du Québec [AAFQ], 2015). L'anémie falciforme est habituellement diagnostiquée chez le nourrisson ou au cours de la petite enfance. Il s'agit d'une maladie incurable. La personne décède souvent avant l'âge de 50 ans en raison d'une insuffisance rénale ou respiratoire chronique, ou encore d'un accident vasculaire cérébral (Lichtman *et al.*, 2010). Au Canada, environ 5 000 enfants sont atteints, et le nombre de porteurs du trait falciforme (forme hétérozygote) pourrait se chiffrer à 45 000. Dans la région de Montréal, la communauté haïtienne est la plus touchée par l'anémie falciforme, sans oublier les communautés issues de pays d'Afrique (AAFQ, 2012) **ENCADRÉ 38.6**.

Étiologie et physiopathologie

Syndromes drépanocytaires Les syndromes drépanocytaires sont dus à une mutation du gène de la chaîne β-globine, qui aboutit au remplacement de l'acide glutaminique par une valine. Cette altération génétique modifie la structure de

13

Les affections génétiques se transmettant sur le mode autosomique récessif sont présentées dans le chapitre 13, *Génétique et génomique.*

38

Génétique et pratique clinique

ENCADRÉ 38.6 Anémie falciforme

FONDEMENTS GÉNÉTIQUES

- L'affection est transmise sur le mode autosomique récessif.
- Il y a mutation du gène de la β-globine situé sur le chromosome 11.
- Dans l'hémoglobine S, une valine remplace l'acide glutamique sur la chaîne β-globine de l'hémoglobine.

INCIDENCE

- Une personne d'origine africaine sur 350 à 500 est atteinte.
- L'affection touche 8 personnes sur 100 000 dans le monde.

TESTS GÉNÉTIQUES

- Des tests de dépistage génétique sont offerts; depuis 2013, un test de dépistage chez le nouveau-né est aussi offert au Québec.
- L'électrophorèse de l'hémoglobine et le test de dépistage de falciformation sont les examens les plus courants.

CONSÉQUENCES CLINIQUES

- Nécessite des soins continus et un vaste plan d'enseignement au client et à ses proches.
- Le trait falciforme est le vecteur de l'anémie falciforme. Il s'agit du type d'anémie falciforme le plus bénin.
- Lorsque les 2 parents ont hérité du trait falciforme, la probabilité que l'enfant issu de ce couple soit atteint d'anémie falciforme est estimée à 25 %.
- Le traitement de l'anémie falciforme vise la prévention des crises vaso-occlusives (c.-à-d. la prévention de la déshydratation et de l'infection).
- La consultation génétique est recommandée aux personnes ayant des antécédents familiaux d'anémie falciforme. Ces personnes doivent savoir qu'ils risquent de transmettre un gène défectueux.

l'hémoglobine nommée alors hémoglobine S (HbS). L'érythrocyte renfermant l'hémoglobine S devient rigide et allongé, et il prend la forme d'une faucille déformée en réaction à une teneur en oxygène insuffisante.

CE QU'IL FAUT RETENIR

L'anémie falciforme est la forme typique et la plus grave des syndromes drépanocytaires.

Les affections suivantes font partie des syndromes drépanocytaires : l'anémie falciforme (ou anémie drépanocytaire), le trait falciforme (ou trait drépanocytaire), les S/β^0-thalassémie et S/β^+-thalassémie ainsi que l'hémoglobine SC (Benz, 2002). L'anémie falciforme survient chez la personne homozygote pour l'hémoglobine S (Hb SS), c'est-à-dire qu'elle a hérité d'un gène muté de l'hémoglobine S de ses deux parents. Le trait falciforme est le phénotype d'une personne hétérozygote pour l'hémoglobine S (Hb AS), c'est-à-dire qu'elle a hérité du gène muté de l'hémoglobine S d'un parent et du gène de l'hémoglobine normale (HbA) de l'autre. Le trait falciforme est le type d'anémie falciforme le plus bénin. La personne est habituellement asymptomatique ou présente des symptômes légers (hématurie indolore).

À l'état hétérozygote, des associations sont possibles avec la β-thalassémie et l'hémoglobine C (Benz, 2002). Ces affections surviennent chez la personne qui a hérité d'un gène défectueux de l'HbS d'un parent et le gène d'une autre hémoglobine anormale de l'autre (p. ex., l'HbC ou celle qui cause la thalassémie). Ces deux formes de syndrome drépanocytaire sont moins répandues et moins graves que l'anémie falciforme.

Crise vaso-occlusive La falciformation de l'érythrocyte constitue le principal processus physiopathologique de l'anémie falciforme et, de façon plus générale, des syndromes drépanocytaires. La **crise vaso-occlusive**, ou crise drépanocytaire, est habituellement déclenchée par une faible concentration en oxygène dans le sang. L'hypoxémie (désoxygénation des érythrocytes) peut être la conséquence d'une infection virale ou bactérienne, d'un séjour en haute altitude, d'un stress émotionnel ou physique, d'une intervention chirurgicale ou d'une hémorragie. L'élément déclencheur le plus fréquent est l'infection. La crise vaso-occlusive peut aussi survenir sans raison évidente.

Tachypnée : Fréquence respiratoire accélérée.

Les érythrocytes falciformes deviennent rigides et prennent la forme d'une faucille déformée, rendant plus difficile leur passage dans les capillaires **FIGURE 38.4**. Ils obstruent les capillaires, et ils adhèrent de manière anormale à l'endothélium des veinules (Sauntharararajah & Vichinsky, 2013). Des phénomènes vaso-occlusifs peuvent donc se produire et entraîner des lésions graves ou chroniques aux tissus. L'hémostase qui en résulte favorise un cycle auto-entretenu d'hypoxie locale, de désoxygénation et de falciformation. Au début de la maladie, la réoxygénation permet de renverser le processus de falciformation, mais avec le temps, celui-ci devient irréversible en raison des dommages tissulaires d'ordre ischémique causés par la répétition du processus de falciformation.

Jugement clinique

Jean-Level Achille, âgé de 12 ans, est d'origine haïtienne. Il est atteint d'anémie falciforme (drépanocytose). Lorsqu'il présente une crise vaso-occlusive, la coloration de sa peau change. Nommez deux endroits privilégiés pour évaluer la pâleur caractéristique de ce type d'anémie chez Jean-Level.

La crise vaso-occlusive peut toucher n'importe quelle partie du corps, ou plusieurs à la fois, mais les sièges principaux sont le dos, la région thoracique, les extrémités et l'abdomen (Benz, 2002).

La fréquence, la durée et la gravité des crises vaso-occlusives sont très variables et absolument imprévisibles, mais elles dépendent en grande partie de la concentration sérique de HbS. Une concentration de HbS plus élevée peut provoquer des crises plus fréquentes et plus sévères. L'anémie falciforme déclenche les crises les plus graves, car la concentration de HbS est élevée.

Manifestations cliniques Le tableau clinique, dans ses manifestations aiguës et chroniques, varie beaucoup d'une personne à l'autre, étant donné que la gravité de l'anémie falciforme peut être liée au polymorphisme génétique. Les personnes qui en sont atteintes sont, la majorité du temps, relativement en bonne santé. Cependant, elles peuvent souffrir de troubles et de douleurs chroniques à cause de l'hypoxie et des lésions tissulaires des reins, du foie, ou des deux à la fois. La personne est habituellement anémique, mais asymptomatique, sauf pendant les crises vaso-occlusives. Puisque la plupart des personnes souffrant d'anémie falciforme ont le teint foncé, il est plus facile de détecter une pâleur en examinant les muqueuses. Toutefois, la peau peut aussi prendre une teinte grisâtre. Les principales manifestations aiguës de l'anémie falciforme sont la crise vaso-occlusive douloureuse, le syndrome thoracique aigu (STA) et l'anémie hémolytique.

La douleur est la principale manifestation clinique de la crise vaso-occlusive. Les douleurs peuvent aller de légères à très sévères. Les crises vaso-occlusives douloureuses s'accompagnent souvent de fièvre, d'œdème, de sensibilité au toucher, de **tachypnée**, d'hypertension artérielle, de nausées et de vomissements. Les principaux signes et symptômes du STA sont la fièvre, la toux, la douleur thoracique et la dyspnée. Ce tableau clinique résulte d'une occlusion des capillaires pulmonaires par les globules rouges drépanocytaires, accompagnée de phénomènes inflammatoires et d'une hypoxémie qui conduisent à une aggravation du phénomène occlusif. Comme l'hypoxémie est le stimulus principal de la crise vaso-occlusive, qui mène elle-même à une occlusion des capillaires, une atteinte pulmonaire initiale même minime peut dégénérer en détresse respiratoire, puis en syndrome de détresse respiratoire aiguë avec ses conséquences dramatiques (Charbonney, Terrettaz, Vuilleumier *et al.*, 2006). Les cellules falciformes circulantes sont hémolysées dans la rate, ce qui entraîne une anémie hémolytique. Les crises vaso-occlusives peuvent débuter soudainement et persister de plusieurs jours à plusieurs semaines.

L'**asplénie**, les risques infectieux, la nécrose osseuse, l'hypertension pulmonaire, les atteintes vasculaires avec séquelles au système nerveux central (SNC) et les atteintes ophtalmiques sont parmi les manifestations chroniques de cette affection. Une des raisons de la très grande vulnérabilité aux infections est l'atrophie de la rate, conséquence des multiples lésions subies, au point de disparaître complètement. En raison de l'hémolyse, l'ictère est fréquent et la cholélithiase (calculs biliaires) est liée à l'hémolyse chronique.

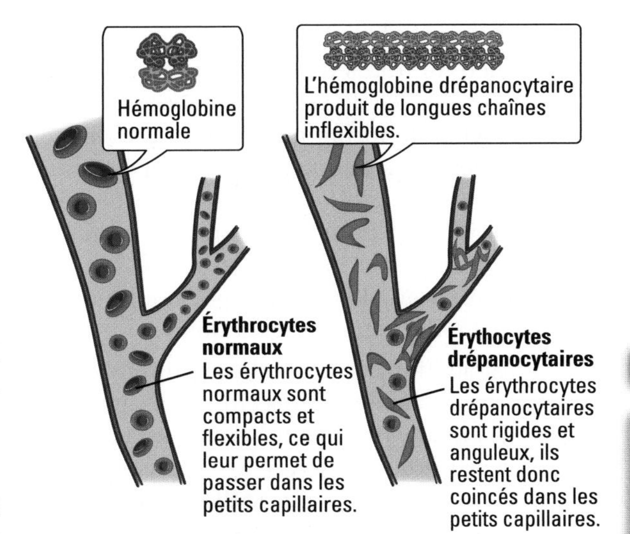

FIGURE 38.4 L'hémoglobine drépanocytaire produit de longues chaînes inflexibles et modifie la forme des érythrocytes. Les érythrocytes drépanocytaires restent ensuite coincés dans les petits capillaires et réduisent le flux sanguin.

Asplénie : Absence ou dysfonctionnement de la rate.

CE QU'IL FAUT RETENIR

L'infection et le STA sont les principales causes de décès des personnes atteintes d'anémie falciforme. Les signes du STA sont la fièvre, la toux, la douleur thoracique et la dyspnée causées par l'occlusion des capillaires pulmonaires.

Complications

Avec la répétition des crises vaso-occlusives, la maladie touche graduellement tous les systèmes et organes de l'organisme. Les organes nécessitant le plus d'oxygène sont les plus souvent touchés et à l'origine de nombreuses complications **FIGURE 38.5**. L'infection est l'une des principales causes de morbidité et de décès chez les personnes atteintes d'anémie falciforme. La pneumonie, souvent à pneumocoque, est l'infection la plus fréquente.

Le syndrome thoracique aigu est la première cause de mortalité chez les personnes atteintes d'anémie falciforme et la deuxième raison d'hospitalisation après la crise vaso-occlusive douloureuse (Charbonney *et al.*, 2006). L'infarctus pulmonaire peut mener à l'hypertension artérielle pulmonaire, à l'insuffisance cardiaque et, finalement, à une maladie pulmonaire obstructive chronique (MPOC). Le cœur devient en effet ischémique et hypertrophique, ce qui mène à l'insuffisance cardiaque. L'obstruction des vaisseaux rétiniens risque de provoquer des hémorragies, des cicatrices, un décollement de la rétine et la cécité. L'élévation de la viscosité sanguine et le manque d'oxygène peuvent endommager les reins et entraîner une insuffisance rénale. La thrombose des vaisseaux sanguins cérébraux ou une embolie cérébrale peuvent provoquer un accident vasculaire cérébral. L'ischémie des os et des articulations peut causer des nécroses aseptiques, principalement des têtes humérales et fémorales, des arthropathies chroniques et une plus grande susceptibilité aux ostéomyélites. Les ulcères de jambe, au niveau des chevilles, sont favorisés par l'ischémie et des infections de la circulation distale. Le syndrome pieds-mains résulte des infarctus douloureux des doigts et des orteils. Le **priapisme**, une érection prolongée par congestion des sinus caverneux, peut conduire à une impuissance définitive (Saunthararajah & Vichinsky, 2013).

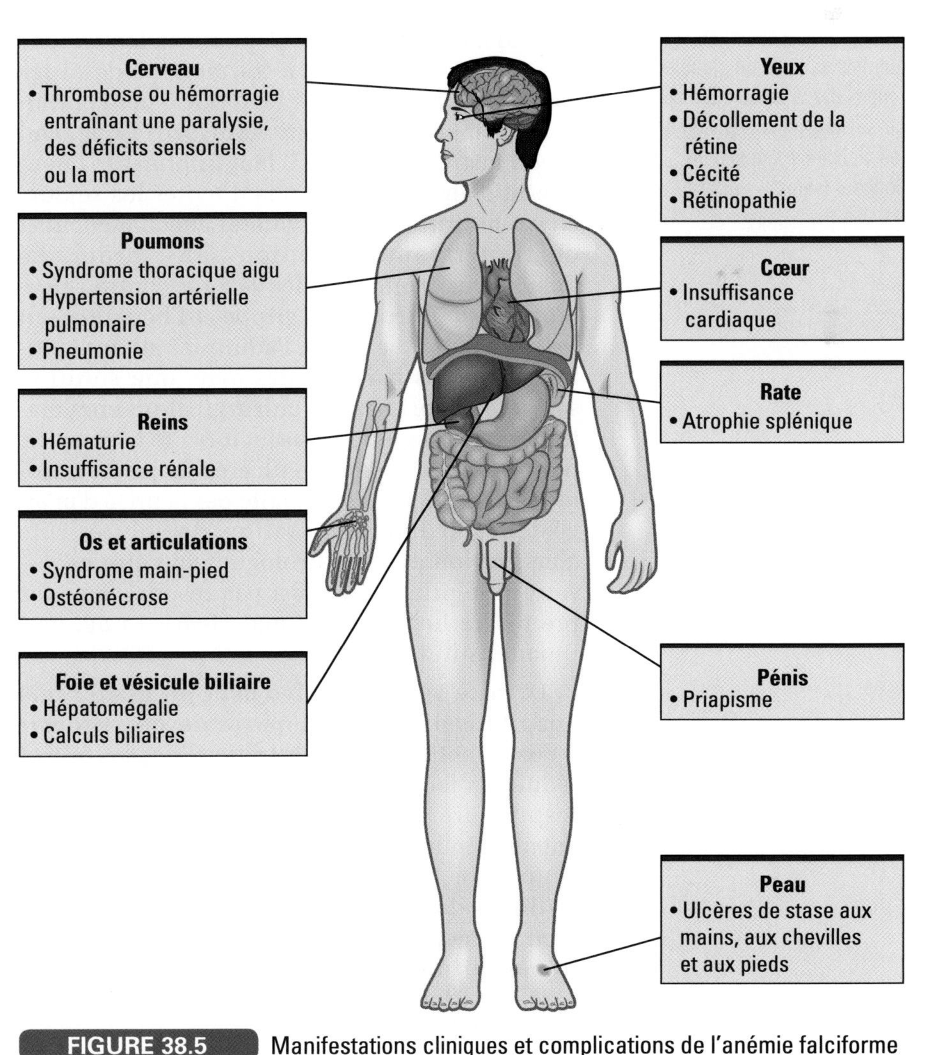

FIGURE 38.5 Manifestations cliniques et complications de l'anémie falciforme

Examens paracliniques

L'examen d'un frottis de sang périphérique peut révéler la présence de cellules falciformes et des réticulocytes de forme anormale. La présence d'une hémoglobine anormale peut aussi être décelée par le test de falciformation, qui met en évidence *in vitro* la transformation des hématies drépanocytaires sous l'influence de la baisse de la concentration en oxygène après l'ajout au sang d'un agent réducteur d'oxygénation.

La dégradation accélérée des érythrocytes fait apparaître les manifestations cliniques caractéristiques de l'hémolyse : ictère, hausse de la concentration de bilirubine sérique et résultats anormaux des analyses de laboratoire **TABLEAU 38.4**. Il est possible de recourir à l'électrophorèse de l'hémoglobine pour mesurer la concentration de HbS. Les examens radiologiques du squelette révèlent des déformations et un aplatissement des os et des articulations. Les examens d'imagerie par résonance magnétique (IRM) permettent de diagnostiquer un accident vasculaire cérébral provoqué par l'occlusion de vaisseaux cérébraux par des cellules falciformes. L'appareil d'échographie doppler permet d'obtenir une image du système veineux et révèle la perméabilité ou l'occlusion veineuse (thrombose veineuse profonde). D'autres examens, comme la radiographie pulmonaire, peuvent être indiqués pour diagnostiquer une infection ou une altération du fonctionnement d'un organe.

Soins et traitements en interdisciplinarité

CLIENT ATTEINT D'ANÉMIE FALCIFORME

Exsanguino-transfusion : Remplacement d'une grande quantité (jusqu'à deux à trois fois la totalité du volume sanguin) de sang ou de globules rouges d'une personne malade par le sang (plus précisément les globules rouges) d'un donneur (sain).

Le processus thérapeutique en interdisciplinarité dans l'anémie falciforme vise à soulager les symptômes causés par les complications de la maladie, à réduire le plus possible les lésions des organes atteints et à traiter sans délai les séquelles graves, comme le STA qui peut entraîner une mort subite (National Heart, Lung, and Blood Institute, 2014b). Il faut informer le client atteint d'anémie falciforme d'éviter les séjours en haute altitude, de s'hydrater adéquatement et de traiter toute infection sans tarder. Le Pneumovax^MD ainsi que les vaccins contre l'*Haemophilus influenzae*, la grippe et l'hépatite sont recommandés. Le repos, l'administration d'antibiotiques, les bains tièdes avec une solution saline, le débridement chirurgical ou enzymatique, voire la greffe de peau, lorsque nécessaire, permettent de traiter les ulcères de jambe chroniques. Le priapisme est traité par la prise d'analgésiques et l'administration de soluté. Une consultation avec un urologue peut être nécessaire si le priapisme n'est pas résorbé dans les premières heures (National Heart, Lung, and Blood Institute, 2014b).

La crise vaso-occlusive peut nécessiter une hospitalisation. Il est possible de recourir à l'oxygénothérapie pour traiter l'hypoxémie et réduire la falciformation. Comme l'insuffisance respiratoire est la cause de décès la plus fréquente, l'infirmière doit surveiller attentivement l'apparition de changements de l'état respiratoire (Williams-Johnson & Williams, 2011). Le repos peut permettre de réduire les besoins métaboliques, et une prophylaxie de la thrombose veineuse profonde à l'aide d'anticoagulants peut être proposée. Des liquides et des électrolytes sont administrés pour réduire la viscosité du sang et préserver la fonction rénale. La transfusion sanguine est indiquée en cas de crise aplasique. Un programme régulier d'**exsanguino-transfusion** peut être entrepris chez les personnes ayant des crises fréquentes ou souffrant de graves complications, comme le STA. Chez ces personnes, comme chez celles qui souffrent de thalassémie majeure, un traitement chélateur de fer peut être nécessaire pour réduire la surcharge en fer causée par les nombreuses transfusions sanguines.

Des connaissances insuffisantes de la part des professionnels de la santé et une approche de soins non intégrée sont des obstacles majeurs à une gestion optimale de la symptomatologie. Les professionnels de la santé peu familiers avec l'anémie falciforme peuvent sous-estimer l'intensité des douleurs. En cas de crise aiguë, le meilleur soulagement des douleurs est habituellement obtenu par l'administration continue d'analgésiques opioïdes à fortes doses, en association avec une analgésie intermittente, souvent sous forme d'analgésie contrôlée par le patient. La morphine et l'hydromorphone sont les médicaments de choix ; l'administration de mépéridine (Demerol^MD) est contre-indiquée parce qu'à forte dose, cet agent peut causer une surcharge de norméperidine, un métabolite toxique de la mépéridine pouvant provoquer des convulsions. Comme les types de douleurs et les foyers douloureux sont nombreux, il convient d'opter pour une démarche thérapeutique multimodale et interdisciplinaire englobant les aspects émotionnels de la douleur (National Heart, Lung, and Blood Institute, 2014b) ▶ 9. Des traitements d'appoint, comme les anti-inflammatoires non stéroïdiens (AINS), les médicaments contre les douleurs neuropathiques (p. ex., des antidépresseurs tricycliques, des agents anticonvulsivants), les anesthésiques locaux, de même que l'anesthésie par bloc nerveux peuvent être utiles **ENCADRÉ 38.7**.

La personne souffrant d'anémie falciforme cherche le plus souvent à obtenir un soulagement de ses douleurs. Cependant, il faut aussi traiter l'infection, qui est une complication fréquente. La personne souffrant du STA est traitée par l'administration d'antibiotiques à large spectre, l'oxygénothérapie, une thérapie liquidienne et, éventuellement, une exsanguino-transfusion. Les transfusions sanguines ne sont pas efficaces, ou très peu, pour traiter la maladie entre les crises, car la personne sécrète des anticorps dirigés contre les globules rouges et présente une surcharge en fer. L'hémolyse chronique cause une déplétion des réserves d'acide folique qui justifie l'administration d'un traitement de routine d'acide folique par voie orale.

De nombreux agents pour contrer la falciformation ont été testés ; toutefois, seule l'hydroxyurée (Hydrea[MD]), un agent antinéoplasique, s'est révélée bénéfique sur le plan clinique. Il reste à déterminer le moment optimal pour commencer l'administration de cet agent (Heeney & Ware, 2010). L'hydroxyurée permet de hausser la production d'hémoglobine fœtale (HbF), de réduire le nombre de neutrophiles réactifs, d'accroître le volume érythrocytaire et l'hydratation, et de modifier le degré d'adhérence des érythrocytes falciformes à l'endothélium vasculaire. La hausse de concentration de HbF est accompagnée d'une réduction de l'hémolyse, d'une augmentation de la concentration d'hémoglobine et d'une diminution du nombre de cellules falciformes et de la fréquence des crises vaso-occlusives douloureuses (Kline, 2010).

La greffe de cellules souches hématopoïétiques (GCSH) est l'unique traitement pouvant guérir certains clients atteints d'anémie falciforme. L'utilité de ce traitement est cependant limitée par la sélection et la rareté des donneurs, ainsi que par la toxicité prohibitive induite par cette modalité thérapeutique ▶ 16. À ce jour, ce traitement doit être validé par des études prospectives afin de déterminer si une amélioration de la survie des clients est notée (National Heart, Lung, and Blood Institute, 2014b).

L'enseignement et le soutien sont des composantes importantes d'une approche intégrée. Le client et ses proches doivent comprendre la nature de la maladie et l'importance des suivis cliniques et des examens requis (p. ex., les examens de la vue). Le client doit apprendre, dans la mesure du possible, comment éviter les crises, comment prendre les mesures nécessaires pour éviter la déshydratation et les risques d'hypoxie, notamment en évitant les hautes altitudes, et comment obtenir sans délai des soins médicaux en cas d'infection des voies respiratoires. Il faut aussi l'informer sur la façon de soulager ses

Les traitements pharmacologiques et non pharmacologiques de la douleur sont présentés dans le chapitre 9, *Douleur*.

La greffe de cellules souches hématopoïétiques est présentée dans le chapitre 16, *Cancer*.

38

Dilemmes éthiques

ENCADRÉ 38.7 Gestion de la douleur

SITUATION

Une jeune Haïtienne âgée de 21 ans, en pleine crise vaso-occlusive et souffrant de douleurs atroces, est admise au service des urgences. Elle est connue de plusieurs infirmières et médecins du service. L'une des infirmières fait observer que cette cliente doit simplement vouloir sa « dose » d'analgésiques.

CONSIDÉRATIONS IMPORTANTES

- Les symptômes signalés par la personne elle-même constituent l'unique indicateur fiable de la douleur.
- La douleur aiguë ou chronique a de graves effets invalidants autant sur le plan physique que mental.
- La douleur chronique peut modifier les réactions physiologiques et psychologiques à la douleur et aux analgésiques.
- Les personnes souffrant de douleurs chroniques sont souvent étiquetées par des professionnels de la santé qui manquent de connaissances sur la douleur et l'usage à long terme d'opioïdes ou d'analgésiques.

QUESTIONS DE JUGEMENT CLINIQUE

- Comment l'infirmière peut-elle enseigner à ses pairs ce qu'est la douleur et leur faire comprendre la nécessité d'assurer une gestion optimale de la douleur ?
- Quels sont les facteurs dont l'infirmière doit tenir compte dans son évaluation de l'état de santé de la personne et la prise en charge de la douleur ?

douleurs parfois intenses qui nécessitent de fortes doses d'analgésiques. Les épisodes douloureux qui ne sont pas associés à une infection ou à des symptômes nécessitant des soins donnés en milieu hospitalier peuvent parfois être traités à la maison.

Les épisodes récurrents de douleur aiguë et la douleur chronique tenace risquent d'être très invalidants et d'entraîner un état dépressif. C'est pour cette raison que toutes les méthodes de gestion de la douleur doivent être explorées avec le client, incluant les méthodes non pharmacologiques. L'ergothérapie et la physiothérapie peuvent aider la personne à vivre le plus normalement possible et à préserver son autonomie ; la thérapie cognitive comportementale peut aider certains clients à maîtriser leur anxiété et leur dépression ; les groupes de soutien peuvent aussi être utiles. Comme certaines questions sur la qualité de vie se posent souvent, l'infirmière joue un rôle important en dirigeant le client vers les ressources appropriées.

Anémie hémolytique acquise

L'anémie hémolytique acquise est une hémolyse des GR causée par des facteurs extrinsèques pouvant se répartir en trois catégories : 1) les traumatismes physiques ; 2) le phénomène immun ; et 3) les agents infectieux et les toxines **ENCADRÉ 38.1**.

La destruction des GR peut être causée par une force extrême exercée sur les cellules. Parmi les événements traumatiques causant la rupture de la membrane des GR, il convient de mentionner l'hémodialyse, la circulation extracorporelle nécessaire au cours d'une dérivation cardiopulmonaire et la présence d'une valve prosthétique. Un endothélium vasculaire pathologique peut aussi entraîner un bris mécanique des globules rouges.

Splénectomie : Ablation de la rate.

La destruction des GR peut être causée par des anticorps impliqués dans des réactions de type iso-immun ou auto-immun. Les réactions iso-immunes sont celles impliquant des anticorps dirigés contre les antigènes d'un individu différent, mais de même espèce. Les réactions aux transfusions sanguines sont des exemples de réactions iso-immunes se produisant lorsque les anticorps du receveur détruisent les cellules du donneur. Les réactions auto-immunes sont causées par la sécrétion, par un individu, d'anticorps dirigés contre ses propres globules rouges. Ces réactions peuvent être idiopathiques, c'est-à-dire indépendantes de tout autre état morbide hémolytique, et elles résultent du recouvrement des GR par une immunoglobuline IgG ou sont secondaires à une autre affection auto-immune (p. ex., un lupus érythémateux aigu disséminé), à une leucémie, à un lymphome ou à l'usage de certains médicaments (p. ex., la pénicilline, l'indométhacine, le phénylbutazone [Apo-Phenylbutazone^MD], la phénacétine, la quinidine, la quinine et le méthyldopa).

L'anémie hémolytique acquise peut aussi être causée par des agents infectieux et des toxines. Les agents infectieux causent l'hémolyse en envahissant les GR et en détruisant leur contenu (p. ex., les parasites de la malaria), en libérant des substances hémolytiques (p. ex., le *Clostridium perfringens*), en déclenchant une réaction antigène-anticorps et en contribuant à la splénomégalie, ce qui favorise l'élimination des GR endommagés de la circulation sanguine. Divers agents peuvent être toxiques et causer l'hémolyse des GR. Les médicaments oxydants, l'arsenic, le plomb, le cuivre et le venin de serpent sont des toxines causant l'anémie hémolytique.

Les résultats des analyses de laboratoire dans les anémies hémolytiques sont présentés au **TABLEAU 38.4**. Le traitement des anémies hémolytiques acquises consiste à donner des soins de soutien jusqu'à ce que l'agent causal soit supprimé ou, du moins, jusqu'à ce que le processus hémolytique diminue. Comme la crise hémolytique est une complication possible, il faut être prêt à administrer un traitement d'urgence approprié. Les soins de soutien peuvent aussi comprendre l'administration de corticostéroïdes et de produits sanguins, ou la **splénectomie**.

En présence d'une anémie hémolytique chronique, l'acide folique doit parfois être remplacé. Afin de mettre fin à l'hémolyse, un immunosuppresseur peut être utilisé, dont le rituximab (Rituxan^MD), un anticorps monoclonal dirigé contre le marqueur CD20 des lymphocytes B, ou l'éculizumab (Soliris^MD), un anticorps monoclonal dirigé contre le complément C5.

38.2 Autres troubles hématologiques

38.2.1 Hémochromatose

L'**hémochromatose** se caractérise par une absorption accrue de fer par la muqueuse intestinale, avec pour conséquence le dépôt du fer excédentaire dans les tissus et les organes (Ganz & Nemeth,

2011). Il s'agit d'une maladie génétique due à l'altération de un ou de plusieurs gènes et transmise sur le mode autosomique récessif **ENCADRÉ 38.8**. Il existe plusieurs types d'hémochromatose selon la mutation en cause. La forme la plus fréquente de la maladie est l'hémochromatose héréditaire HFE (ou de type 1) due à une mutation d'un gène, le HFE, situé sur le chromosome 6. Deux types d'altérations existent : la mutation C282Y et la mutation H63D (Scotet, Saliou, Mérour *et al.*, 2011). L'hémochromatose héréditaire HFE (ou de type 1) est le désordre génétique le plus répandu chez les individus d'origine caucasienne ; il touche de 3 à 5 personnes sur 1 000 personnes de descendance nord-européenne. La quantité totale normale de fer de l'organisme est de 2 à 6 g. Chez le client atteint d'hémochromatose héréditaire, le fer s'accumule à raison de 0,5 à 1 g par année, et la teneur en fer totale peut excéder 50 g. L'homme est plus souvent atteint que la femme dans une proportion de trois hommes pour une femme. Les symptômes apparaissent le plus souvent après l'âge de 40 ans chez l'homme et de 50 ans chez la femme (Scotet *et al.*, 2011).

Il s'agit d'une maladie qui évolue lentement. Au début, il y a une accumulation progressive de fer qui n'est pas très importante et qui ne donne pas de symptômes. Entre 20 et 40 ans, il existe une véritable surcharge de fer. Si la maladie n'est pas diagnostiquée et si elle n'est pas traitée, les manifestations cliniques apparaissent. La maladie peut se manifester par une **asthénie**, c'est-à-dire une fatigue chronique marquée, et des douleurs articulaires aux petites articulations des doigts, provoquant ainsi ce que l'on appelle la poignée de main douloureuse. D'autres articulations plus importantes (poignets, hanches) peuvent aussi être touchées. Une diminution de la libido est constatée. La peau prend une coloration plus foncée (mélanodermie). En l'absence de traitements, l'accumulation progressive de fer se dépose dans les différents organes et les tissus, engendrant des atteintes au foie, aux glandes endocrines ou au cœur. L'examen physique peut révéler une hépatomégalie pouvant occasionner des douleurs abdominales. La détérioration de la fonction hépatique peut évoluer vers la cirrhose et, ce faisant, augmenter le risque de contracter un cancer du foie. Sur le plan hormonal, un diabète peut se manifester ou encore d'autres glandes endocrines peuvent être touchées, provoquant ainsi une diminution des hormones correspondantes qui générera différents désordres, notamment sur le plan sexuel (impuissance). La fonction cardiaque peut également être touchée avec une augmentation du volume du cœur et l'apparition de signes d'insuffisance cardiaque. En ce qui concerne le dépistage, le coefficient de saturation de la transferrine est le résultat le plus important. Le dosage de la ferritine (reflet des réserves de fer dans l'organisme) montre également des valeurs très élevées qui peuvent être secondaires à une atteinte hépatique. Les tests

38

Génétique et pratique clinique

ENCADRÉ 38.8 Hémochromatose héréditaire HFE (ou de type 1)

FONDEMENTS GÉNÉTIQUES

- L'affection se transmet sur le mode autosomique récessif :
  - Mutation du gène HFE situé sur le chromosome 6 ;
  - Deux types d'altérations : C282Y et H63D.

INCIDENCE

- Ce trouble génétique est très répandu chez les personnes de descendance européenne.
- Il touche 1 Canadien de descendance nord-européenne sur 300 (Canadian Hemochromatosis Society, 2011 ; Doig, 2012).
- Sa fréquence est très faible dans les autres groupes ethniques.

TESTS GÉNÉTIQUES

- Le dépistage génétique est recommandé à tous les parents du premier degré du client atteint de la maladie.
- Le dosage du fer sérique, l'étude de la capacité de fixation du fer et la mesure de coefficient de saturation de la transferrine sont des examens paracliniques utiles.
- La biopsie du foie, autrefois considérée comme l'examen paraclinique par excellence, sert surtout à mesurer la quantité de fer dans le foie et à porter un jugement sur l'évolution et la gravité de la maladie.

CONSÉQUENCES CLINIQUES

- Le traitement précoce peut prévenir de graves complications.
- Les signes cliniques sont variables, selon la quantité de fer alimentaire absorbé, l'importance des pertes de sang et d'autres facteurs qui modifient l'évolution de la maladie.
- Si la maladie n'est pas traitée, l'accumulation progressive de fer dans les tissus risque de causer la défaillance de plusieurs organes.

moléculaires qui décèlent les mutations de gènes connues permettent de confirmer le diagnostic. L'**hépatosidérose** (surcharge du foie en fer) peut être évaluée par l'IRM ou par la biopsie hépatique. La biopsie hépatique permet également d'évaluer l'apparition ou le développement d'une cirrhose (Salgia & Brown, 2015).

Réactivation des connaissances

Nommez cinq aliments riches en fer.

Le traitement vise à éliminer le fer excédentaire dans l'organisme et à réduire les symptômes. La fréquence des phlébotomies (saignées) et la quantité de sang prélevé varient d'une personne à l'autre, selon le degré de surcharge en fer et le niveau de tolérance. Puis, les saignées sont espacées de façon à maintenir les concentrations de fer dans les limites de la normale. Le traitement des conséquences de l'hémochromatose (p. ex., le diabète, l'insuffisance cardiaque) est celui qui est habituellement utilisé pour ces affections. Le changement de régime alimentaire peut aider à réduire l'accumulation de fer ; toutefois, à lui seul, il ne permet pas d'éviter ou de limiter le nombre de saignées. Il convient entre autres d'éviter les suppléments de vitamine C et de fer ainsi que les aliments riches en fer. La personne doit éviter les fruits de mer crus en raison du risque d'infection qu'ils présentent. Les causes de décès les plus fréquentes sont la cirrhose, l'insuffisance hépatique, le carcinome hépatique et l'insuffisance cardiaque.

CE QU'IL FAUT RETENIR

Chez le client atteint de polycythémie, la viscosité du sang et le volume sanguin sont accrus, et les organes et les tissus sont congestionnés.

L'hémochromatose héréditaire HFE a un bon pronostic, et les personnes présentent une espérance de vie normale à condition qu'elles aient reçu un traitement suffisamment tôt, avant l'apparition de complications viscérales sévères comme une cirrhose, un cancer du foie, un diabète insulinodépendant et une cardiomyopathie.

38.2.2 Polycythémie

La **polycythémie** (ou polyglobulie) est un syndrome caractérisé par une augmentation du nombre de GR circulants au point d'entraver la circulation sanguine et d'augmenter la viscosité du sang (hyperviscosité) et le volume sanguin circulant (hypervolémie).

Étiologie et physiopathologie

Il convient de distinguer la polycythémie vraie de la polycythémie secondaire **FIGURE 38.6**. Ces deux formes de polycythémie ont des étiologies et des pathogenèses différentes, mais leurs complications et leurs manifestations cliniques sont semblables. La polycythémie vraie est considérée comme un trouble myéloprolifératif chronique causé par une mutation récurrente du gène JAK2 dans une seule cellule souche pluripotente. Le défaut génétique touche donc non seulement les GR, mais aussi les leucocytes et les plaquettes, ce qui peut provoquer une production accrue de ces types de cellules sanguines. La maladie survient de façon insidieuse et évolue en dents de scie. L'âge du diagnostic est de 60 ans en moyenne. La maladie est légèrement plus fréquente chez les hommes. Chez le client atteint de ce trouble myéloprolifératif, la viscosité du sang et le volume sanguin sont accrus, et les organes et les tissus sont congestionnés. Une hypercoagulation qui prédispose à la thrombose est également observée. La splénomégalie et l'hépatomégalie sont fréquentes.

La polycythémie secondaire peut être induite ou non par l'hypoxie. Dans le premier cas, l'hypoxie stimule la production d'érythropoïétine (EPO) dans le rein, qui stimule à son tour la

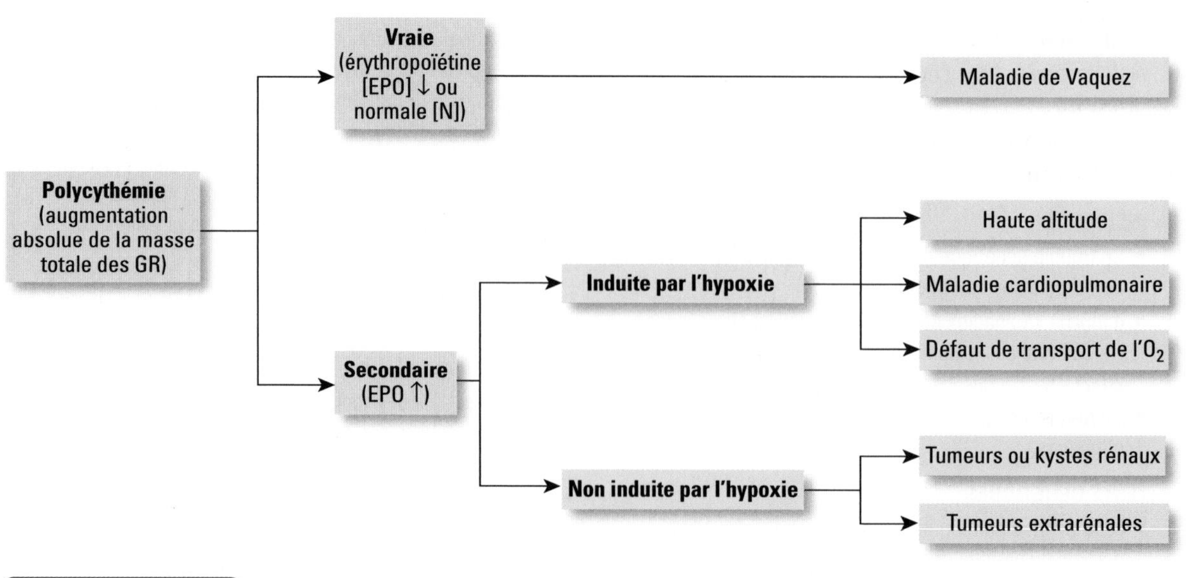

FIGURE 38.6 Distinctions entre la polycythémie vraie et la polycythémie secondaire

production de GR. Le besoin accru en O_2 peut être causé par un séjour prolongé en haute altitude, une affection pulmonaire, une maladie cardiovasculaire, une hypoventilation alvéolaire, un défaut de transport de l'O_2 ou une hypoxie tissulaire. Les concentrations d'EPO peuvent revenir à la normale une fois que la concentration d'hémoglobine est élevée et stable. La polycythémie secondaire est une réponse physiologique de l'organisme qui tente de compenser un trouble plutôt qu'une réaction pathologique ▶ 36. Dans le cas de la polycythémie secondaire qui n'est pas causée par l'hypoxie, l'EPO est alors produite par du tissu tumoral malin ou bénin. Les concentrations sériques d'EPO restent souvent élevées.

Manifestations cliniques et complications

Les manifestations circulatoires de la polycythémie vraie sont causées par l'hypertension résultant de l'hypervolémie et de l'hyperviscosité. Souvent, les premiers symptômes de la maladie sont des céphalées, des vertiges, des étourdissements, des acouphènes et des troubles visuels. Le prurit généralisé, souvent exacerbé par les bains chauds, est lié à une libération accrue d'histamine provenant de l'augmentation du nombre de basophiles. Les thromboses abdominales sont fréquentes. Une paresthésie et une **érythromélalgie** (sensation de brûlure aux mains et aux pieds) sont parfois observées. La polycythémie vraie peut aussi causer l'angine, l'insuffisance cardiaque, une claudication intermittente ou une thrombose veineuse profonde qui peut être compliquée par une embolie. Toutes ces manifestations sont causées par la distension des vaisseaux sanguins, un trouble circulatoire, une stase sanguine, une thrombose ou une hypoxie tissulaire provoquée par l'hyperviscosité du sang. La complication grave la plus courante est l'accident vasculaire cérébral secondaire à une thrombose.

Les phénomènes hémorragiques causés par la rupture d'un vaisseau sanguin trop distendu ou par une anomalie fonctionnelle des plaquettes se manifestent sous forme de pétéchies, d'ecchymoses, d'épistaxis ou de saignements gastro-intestinaux. Les hémorragies peuvent être aiguës et massives. En raison d'une hépatomégalie et d'une splénomégalie, la personne peut se plaindre d'une sensation de satiété et de lourdeur gastrique. Elle peut aussi se plaindre d'une douleur causée par un ulcère gastroduodénal attribuable à une hypersécrétion gastrique ou à un engorgement du foie ou de la rate. La **pléthore** sanguine (teint érythrosique) peut aussi être présente. L'hyperuricémie est due à la destruction accrue des GR qui provoque une hausse de production d'acide urique et, éventuellement, la goutte.

Bien que leur fréquence soit faible, une myélofibrose et une leucémie apparaissent parfois dans certains cas de polycythémie vraie. Ces complications peuvent être attribuables à la chimiothérapie utilisée pour traiter la maladie ou être secondaires à un trouble des cellules souches hématopoïétiques menant à une forme particulière de leucémie aiguë myéloïde. La thrombose (p. ex., un accident vasculaire cérébral) est la principale cause de morbidité et de mortalité liée à la polycythémie vraie.

Examens paracliniques

Les analyses de laboratoire dans la polycythémie vraie révèlent: 1) une augmentation du taux d'hémoglobine et du nombre des GR avec microcytose; 2) une concentration d'EPO de faible à normale (en cas de polycythémie secondaire, une hausse de la concentration d'EPO); 3) une augmentation du nombre des leucocytes avec basophilie; 4) une augmentation du nombre de plaquettes (thrombocytose) et un dysfonctionnement plaquettaire; 5) une hausse de la concentration de phosphatase alcaline leucocytaire, d'acide urique et de cobalamine; et 6) une hausse de la concentration d'histamine. Dans la polycythémie vraie, l'examen de la moelle osseuse révèle une hypercellularité des GR, des leucocytes et des plaquettes. Une splénomégalie est observée dans 90 % des cas de polycythémie vraie, mais elle n'est pas présente chez les clients souffrant de polycythémie secondaire.

Processus thérapeutique en interdisciplinarité

Le traitement vise à réduire le volume sanguin, la viscosité sanguine et l'activité de la moelle osseuse. La phlébotomie (saignée) est le pilier du traitement. La phlébotomie vise à réduire l'hématocrite et à le maintenir légèrement sous 45 à 48 %. En règle générale, au moment du diagnostic, de 300 à 500 mL de sang sont retirés tous les 2 jours, jusqu'à ce que l'hématocrite revienne à la normale. Les saignées répétitives finissent par provoquer une carence en fer, ce qui se manifeste rarement par des symptômes. L'administration de suppléments de fer doit être évitée. L'hydratation permet de réduire la viscosité du sang. Des agents myélosuppresseurs comme l'hydroxyurée (Hydrea[MD]), le busulfan (Myleran[MD]), le melphalan (Alkeran[MD]) et le mésylate d'imatinib (Gleevec[MD]) peuvent être administrés. Le ruxolitinib (Jakavi[MD]), une nouvelle molécule qui inhibe l'expression de la mutation JAK2, est utilisé chez les clients présentant une myélofibrose liée à la polycythémie. La prise d'acide acétylsalicylique

La polycythémie secondaire causée par l'hypoxie est présentée dans le chapitre 36, *Interventions cliniques – Maladies pulmonaires obstructives.*

38

Réactivation des connaissances

Au moment de l'examen physique d'un client chez qui vous suspectez une thrombose veineuse profonde, quel signe pourriez-vous observer?

(AAS) à faibles doses constitue la principale prophylaxie des événements vasculaires. L'interféron alpha (IFN-α) est particulièrement utile chez les femmes en âge de procréer ou chez les personnes souffrant de prurit rebelle. L'administration d'anagrélide (Agrylin^MD) peut diminuer le nombre de plaquettes et inhiber l'agrégation plaquettaire. L'allopurinol peut être administré pour réduire le nombre de crises aiguës de goutte (Prchal & Prchal, 2010).

Soins et traitements en interdisciplinarité

CLIENT ATTEINT DE POLYCYTHÉMIE VRAIE

Il est impossible de prévenir la polycythémie vraie. Cependant, la polycythémie secondaire étant causée par l'hypoxie, il est possible d'éviter certaines complications en assurant une oxygénation adéquate. Voilà pourquoi il est important de contrôler les affections pulmonaires chroniques, de cesser de fumer et d'éviter les séjours en haute altitude.

En cas d'exacerbation de la polycythémie, différentes interventions infirmières sont nécessaires. L'infirmière doit notamment effectuer les saignées prescrites, mesurer les apports de liquide et la diurèse durant le traitement d'hydratation pour éviter les risques de surcharge liquidienne (qui complique la congestion circulatoire) et de sous-hydratation (qui peut rendre le sang encore plus visqueux), administrer les agents myélosuppresseurs prescrits, informer le client au sujet des effets indésirables des médicaments administrés et assurer le suivi clinique infirmier requis permettant un environnement de soins sécuritaire.

En cas de symptômes gastro-intestinaux (sensation de satiété, douleurs gastriques et dyspepsie), l'infirmière doit évaluer, en collaboration avec une diététiste, l'état nutritionnel de la personne afin de lui permettre d'apporter les modifications nécessaires. La personne devrait aussi entreprendre un programme d'activité physique, une pharmacothérapie, ou les deux à la fois pour réduire le risque de formation de caillots. L'infirmière doit s'assurer que la personne marche ou que des exercices passifs des jambes sont faits.

La polycythémie vraie étant une affection chronique, l'infirmière doit surveiller l'évolution de l'état de santé de la personne. Il peut être nécessaire d'effectuer une saignée tous les 2 ou 3 mois pour réduire, chaque fois, la masse sanguine d'environ 500 mL. Le but des saignées est de rendre la personne ferriprive afin de diminuer l'érythropoïèse. Il faut aussi surveiller l'apparition de complications.

38.3 | Troubles de l'hémostase

Le processus d'hémostase fait intervenir l'endothélium vasculaire, les plaquettes et les facteurs de coagulation qui, ensemble, permettent l'arrêt des saignements et la réparation des lésions vasculaires ▶ 37. Toute défaillance de l'une ou l'autre des composantes de l'hémostase peut provoquer un saignement ou un trouble thrombotique.

37

L'hémostase est expliquée dans le chapitre 37, *Évaluation clinique – Système hématologique.*

38.3.1 Thrombocytopénie

Étiologie et physiopathologie

La **thrombocytopénie** (thrombopénie) est caractérisée par une diminution du nombre des plaquettes circulantes au-dessous de 150 000/mm^3 (ou 150 $\times$ 10^9/L). Les diminutions aiguës, graves ou prolongées par rapport à la numération normale peuvent entraîner un trouble de l'hémostase, qui se manifeste par un saignement prolongé à la suite d'un traumatisme léger, ou encore d'un saignement spontané.

Certains troubles plaquettaires comme le syndrome de Wiskott-Aldrich sont héréditaires, mais la grande majorité est acquise **ENCADRÉ 38.9**. Les troubles acquis sont souvent attribués à l'ingestion de certains aliments ou à la prise de certaines plantes médicinales ou de médicaments (Diz-Kucukkaya, Chen, Geddis *et al.*, 2010 ; Konkle, 2011) **ENCADRÉ 38.10**. La chimiothérapie et le traitement par ganciclovir (Cytovene^MD), par exemple, sont des causes directes de dépression médullaire. Par contre, habituellement, la thrombocytopénie causée par des aliments, des plantes médicinales ou des médicaments est liée à une destruction accélérée des plaquettes due à des anticorps médicaments-dépendants. Ces autoanticorps se lient à une glycoprotéine de surface des plaquettes, et cette **opsonisation** facilite leur phagocytose par les macrophages.

Opsonisation : Processus se caractérisant par la fixation d'opsonine à la surface des plaquettes ou des bactéries.

L'entrevue et l'histoire de santé de la personne aident à déterminer si la thrombocytopénie est attribuable à l'une des causes mentionnées précédemment. La quinine contenue dans le soda tonique ainsi que de nombreuses préparations à base de plantes médicinales peuvent altérer l'agrégation plaquettaire, tout comme certains médicaments ; c'est le cas de l'AAS (Aspirin^MD), même pris à des doses aussi peu élevées que 80 mg. Tout médicament nouvellement introduit doit être suspecté. La production de nouvelles plaquettes permet de rétablir la fonction plaquettaire.

Purpura thrombopénique immunologique

La thrombocytopénie acquise la plus fréquente est un syndrome de destruction des plaquettes circulantes appelé purpura thrombopénique immunologique ou encore purpura thrombopénique auto-immun (PTAI). Cette maladie était autrefois appelée purpura thrombopénique idiopathique parce que sa cause est inconnue. Il ne s'agit pas d'une maladie génétique et elle peut survenir à tout âge. Le PTAI se définit par une thrombocytopénie due à la présence d'autoanticorps antiplaquettes entraînant la destruction des plaquettes par les phagocytes mononucléés et à un défaut de production médullaire d'origine immunologique (Haute Autorité de santé, 2009). Ces plaquettes continuent d'être fonctionnelles, mais en atteignant la rate, elles sont prises pour des corps étrangers et détruites par les macrophages. Une production réduite de plaquettes et l'infection, telle celle à *Helicobacter pylori* ou une infection virale, peuvent également contribuer à l'apparition de cette maladie (Diz-Kucukkaya *et al.*, 2010).

La durée de vie des plaquettes se situe entre 8 et 10 jours. Pendant un PTAI, la durée de vie des plaquettes est écourtée. Ce syndrome clinique se manifeste comme une condition aiguë chez l'enfant et comme une condition chronique chez l'adulte (Diz-Kucukkaya *et al.*, 2010). La forme chronique de la maladie est plus fréquente chez la femme âgée de 20 à 40 ans et la personne âgée. L'évolution du PTAI est progressive et peut être espacée de rémissions transitoires.

ENCADRÉ 38.9 Causes de la thrombocytopénie

TROUBLES HÉRÉDITAIRES
- Anémie de Fanconi (pancytopénie)
- Thrombocytopénie héréditaire

TROUBLES ACQUIS
- Maladies immunes
  - Purpura thrombopénique immunologique ou purpura thrombopénique auto-immun (PTAI)
  - Thrombocytopénie allo-immune néonatale
- Affections non immunes
  - Déplétion plaquettaire (augmentation de la consommation)
    - Purpura thrombopénique thrombotique (PTT)
    - Coagulation intravasculaire disséminée (CIVD)
    - Thrombocytopénie induite par l'héparine (TIH)
    - Splénomégalie / séquestration splénique
  - Turbulence du flot sanguin (hémangiomes, défaillance des valvules cardiaques, ballon intra-aortique)
  - Diminution de production
    - Suppression de la production de la moelle osseuse causée par des médicaments
    - Chimiothérapie
    - Infection virale (virus de l'hépatite C, VIH, cytomégalovirus [CMV])
    - Infection bactérienne (sepsie, *Helicobacter pylori*)
    - Alcoolisme
    - Syndrome myélodysplasique
    - Myélofibrose
    - Anémie aplasique
    - Affection hématologique maligne (leucémie, lymphomes, myélome)
    - Tumeur solide infiltrant la moelle osseuse
    - Exposition des os à des rayonnements

Purpura thrombopénique thrombotique

Le purpura thrombopénique thrombotique (PTT) est une maladie fulminante (c.-à-d. qui évolue rapidement) et souvent fatale qui peut débuter par une blessure endothéliale entraînant la libération du facteur de von Willebrand (fvW) et d'autres

ENCADRÉ 38.10 Médicaments, aliments et végétaux en cause dans la thrombocytopénie[a]

MÉDICAMENTS
- Diurétiques thiazidiques
- Œstrogènes
- Chimiothérapie
- Digoxine
- AINS : ibuprofène (Advil[MD], Motrin[MD]), indométhacine, naproxène (Naprosyn[MD], Aleve[MD])
- Antibiotiques : pénicillines, céphalosporines, sulfamides
- Autres agents anti-infectieux : rifampine (Rifampin[MD]), ganciclovir (Cytovene[MD]), amphotéricine B
- Analgésiques : AAS et les médicaments qui en contiennent, acétaminophène
- Antipsychotiques et anticonvulsivants : halopéridol, acide valproïque (Depakene[MD]), lithium
- Inhibiteurs des récepteurs des glycoprotéines plaquettaires : abciximab (ReoPro[MD]), tirofiban (Aggrastat[MD]), eptifibatide (Integrilin[MD]), clopidogrel (Plavix[MD])
- Antagonistes des récepteurs H_2 de l'histamine : cimétidine (Tagamet[MD]), ranitidine (Zantac[MD])
- Héparine
- Sels d'or : auranofine (Ridaura[MD])

ALIMENTS ET VÉGÉTAUX
- Épices : cumin, curcuma, clou de girofle
- Vitamines : vitamine C, vitamine E
- Végétaux : angélique, myrtille, primevère, chrysanthème-matricaire, ail, gingembre, ginkgo biloba, ginseng, hydraste du Canada
- Substances à base de quinine : soda tonique, bois de Panama, quinquina, quinquina jaune
- Alcool

[a] Cette liste n'est pas exhaustive.

substances procoagulantes à partir de la cellule endothéliale (Handin, 2002). Le plus souvent, le PTT est attribuable à l'anomalie d'une enzyme plasmatique (ADAMTS13) qui, en temps normal, réduit le fvW dans sa forme normale. Le fvW est la plus importante protéine favorisant l'adhésion plaquettaire des cellules endothéliales endommagées. Sans cette enzyme, une grande quantité du fvW s'attache aux plaquettes, ce qui favorise leur agrégation.

Ce syndrome rare est caractérisé par une anémie hémolytique, une thrombocytopénie, des signes neurologiques, de la fièvre (en l'absence d'infection) et une atteinte rénale. Ces manifestations ne sont pas toujours observées chez les clients atteints de la maladie. Presque toujours associée au syndrome hémolytique et urémique (SHU), cette maladie est souvent appelée PTT-SHU. La maladie se caractérise par une agglutination accrue des plaquettes, ce qui provoque la formation de microthrombus se déposant dans les artérioles et les capillaires. Le SHU peut être secondaire à une infection par une souche particulière d'*Escherichia coli* (0157:H7) et responsable, entre autres, de la maladie du hamburger.

Jugement clinique

Jonas Marcel est âgé de 40 ans. Il présente un purpura thrombocytopénique avec des ecchymoses. Nommez cinq éléments que vous pouvez évaluer concernant cette manifestation.

Le PTT touche principalement les adultes âgés de 20 à 50 ans. Sa fréquence est légèrement plus élevée chez la femme. Le syndrome peut être idiopathique. Il pourrait être attribué à un trouble auto-immun dirigé contre une enzyme plasmatique (ADAMTS13) ou à la toxicité de certains médicaments (p. ex., la chimiothérapie, la cyclosporine, la quinine, les contraceptifs oraux, le valacyclovir [Valtrex^MD], le clopidogrel [Plavix^MD]), ou encore être causé par la grossesse ou la **prééclampsie**, l'infection ou une maladie auto-immune connue, notamment le lupus érythémateux aigu disséminé ou la sclérodermie. Le PTT est une urgence médicale, car le saignement et la coagulation surviennent simultanément (Sadler & Poncz, 2010).

Prééclampsie : Maladie caractérisée par l'association d'une hypertension artérielle (HTA), d'une protéinurie, d'une prise de poids avec œdème. Elle est plus fréquente en cas de grossesses gémellaire et de première grossesse.

Thrombocytopénie induite par l'héparine

Il existe deux types de thrombocytopénie induite par l'héparine (TIH). La TIH de forme non immunitaire (type 1) apparaît de 12 à 48 heures après l'instauration d'un traitement d'héparine et ne cause pas de séquelles importantes. La TIH de forme immunitaire (type 2), qui apparaît après cinq à huit jours de traitement d'héparine, est cliniquement beaucoup plus grave mais plus rare, et elle nécessite une intervention rapide et efficace afin d'en diminuer la morbidité et la mortalité. Tous les types d'héparine peuvent précipiter le syndrome de type 2 selon un risque variable (Furger, 2005 ; Martel, Lee & Wells, 2005). Quoique différentes incidences soient rapportées, environ 3 % des clients traités avec de l'héparine non fractionnée manifesteront ce syndrome. La fréquence est environ 10 fois moindre chez des clients traités avec des héparines de faible poids moléculaire (Martel *et al.*, 2005). La principale manifestation clinique de la TIH de type 2 est une thrombose veineuse, mais une thrombose artérielle peut aussi survenir. Les thromboses veineuses profondes et les embolies pulmonaires en sont les manifestations cliniques les plus courantes. Les infarctus artériels qui peuvent entraîner une nécrose cutanée, un accident vasculaire cérébral ou l'atteinte à un organe récepteur, comme les reins, sont d'autres complications thrombotiques. Le nombre de plaquettes tombant rarement audessous de 60 000/mm^3, des symptômes de saignements sont rarement observés.

CE QU'IL FAUT RETENIR

La TIH de type 2 (immunitaire) est beaucoup plus grave que la TIH de type 1 (non immunitaire). Le type 1 apparaît de 12 à 48 h après un traitement d'héparine, tandis que le type 2 apparaît après 5 à 8 jours de traitement.

La TIH est causée par la sécrétion d'anticorps IgG qui se lient à des complexes formés par l'héparine et le facteur plaquettaire 4 (FP4). Cette interaction cause une destruction des plaquettes et le relâchement de microparticules thrombotiques. Ces microparticules, par leurs propriétés prothrombotiques, contribuent à un état d'hypercoagulation favorisant la formation de thromboses. D'autres facteurs, dont l'activation des plaquettes et certains mécanismes impliquant les cellules endothéliales et les monocytes activés, contribuent également à l'état procoagulant observé en cas de TIH (Warkentin, 2013).

Manifestations cliniques

De nombreuses personnes atteintes d'une thrombocytopénie sont asymptomatiques. Le symptôme le plus fréquent est le saignement cutané ou des muqueuses. Le saignement des muqueuses peut provenir des fosses nasales (épistaxis) ou des gencives. Les hémorragies provenant des muqueuses buccales peuvent être abondantes, car le tissu sous-muqueux n'assure plus de protection vasculaire. Les hémorragies sous-cutanées se manifestent sous la forme de **pétéchies**, de **purpura** ou d'**ecchymoses** superficielles **FIGURE 38.7**. Les pétéchies sont des petites taches rouges ou rouge-brun. De taille variable, ces microhémorragies mesurent moins de 3 mm et peuvent être aussi petites que la tête d'une épingle. Lorsque la numération plaquettaire est faible et qu'il se produit une rupture de vaisseau sanguin, l'extravasation de globules rouges provoque une pétéchie. Quand elles sont nombreuses, les pétéchies donnent à la peau une coloration rouge foncé, lésion qui se nomme purpura. Les lésions de grande taille, d'un rouge violacé, causées par un saignement sont appelées ecchymoses. Les ecchymoses peuvent être planes ou surélevées ; elles peuvent parfois être douloureuses et sensibles.

Le saignement prolongé, par exemple après une ponction veineuse ou une injection intramusculaire, peut être un signe de thrombocytopénie. Le saignement peut aussi être interne. L'infirmière doit savoir reconnaître les signes de ce type de saignement : faiblesse, perte de conscience,

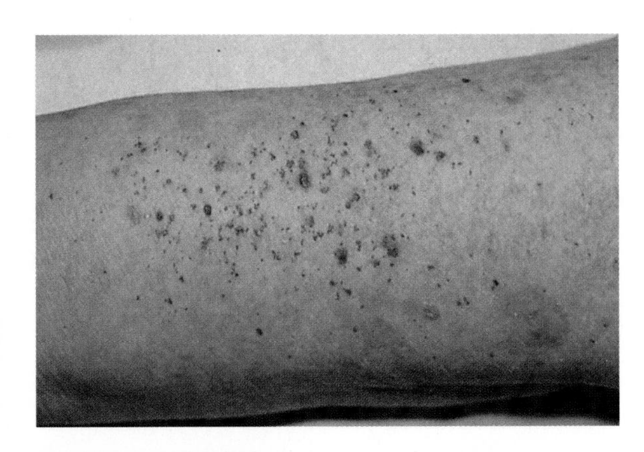

FIGURE 38.7 Le purpura thrombocytopénique essentiel aigu se manifeste habituellement par des lésions purpuriques.

étourdissements, tachycardie, douleurs abdominales et hypotension artérielle.

De toutes les complications de la thrombocytopénie, l'hémorragie est la plus grave. Insidieuse ou aiguë, interne ou externe, elle peut affecter n'importe quelle partie du corps, y compris les articulations, la rétine et le cerveau. L'hémorragie cérébrale risque d'être fatale. Le premier signe d'une hémorragie insidieuse peut être l'anémie accompagnant la perte sanguine.

La thrombocytopénie peut s'accompagner d'une thrombose vasculaire, et des symptômes de lésions ischémiques vasculaires peuvent apparaître, entre autres une confusion légère, des céphalées, ou des signes plus graves comme la convulsion et le coma ▶ 45 . Comme ces signes peuvent être subtils, une évaluation et complète de l'état du client est essentielle.

Examens paracliniques

La thrombocytopénie est caractérisée par une diminution du nombre des plaquettes circulantes. Une thrombocytopénie est diagnostiquée chaque fois que la numération plaquettaire est inférieure à 150 000/mm^3. Cependant, le saignement causé par un traumatisme ou une blessure ne persiste que lorsque la numération plaquettaire chute au-dessous de 50 000/mm^3. Lorsque le nombre des plaquettes passe sous la barre des 20 000/mm^3, des hémorragies spontanées et fatales (p. ex., l'hémorragie intracrânienne) peuvent se produire. En règle générale, la transfusion de plaquettes n'est recommandée que lorsque le nombre de plaquettes est inférieur à 10 000/mm^3, sauf en cas d'hémorragie, de saignement spontané ou en prévision d'une technique effractive ou d'un geste chirurgical. L'examen d'un frottis de sang périphérique peut aider à distinguer les troubles acquis (p. ex., le PTAI et le PTT) des troubles congénitaux, lesquels peuvent se manifester par une taille anormale des plaquettes. L'anamnèse, les résultats des examens cliniques et la comparaison avec les paramètres de laboratoire permettent de déterminer la cause d'une thrombocytopénie. Le **TABLEAU 38.6** compare les divers types de thrombocytopénie.

Les résultats des analyses de laboratoire permettant d'évaluer la coagulation (hémostase secondaire), comme le temps de prothrombine (TP) et le temps de céphaline activée (TCA), peuvent être normaux même en cas de thrombocytopénie sévère. Des valeurs élevées peuvent être des indices de coagulation intravasculaire disséminée (CIVD). Il faut examiner la moelle osseuse pour écarter un trouble de production de la moelle osseuse (leucémie, anémie aplasique ou autre trouble myéloprolifératif) à l'origine de la thrombocytopénie. Une augmentation de la lacticodéhydrogénase peut aider au diagnostic.

Un myélogramme est réalisé lorsque les résultats des autres examens ne sont pas concluants, notamment lorsqu'une personne âgée est fortement soupçonnée d'avoir un trouble médullaire sous-jacent. Lorsqu'une destruction des plaquettes circulantes est en cause, le myélogramme révèle alors une production normale ou une prolifération de mégacaryocytes (précurseurs des plaquettes sanguines), même si le nombre de plaquettes circulantes est faible. L'absence de mégacaryocytes médullaires ou une réduction de leur nombre permet d'évoquer une thrombocytopénie causée par une réduction de production de moelle osseuse (p. ex., l'anémie aplasique). Des examens hématologiques spéciaux faisant intervenir la cytométrie et d'autres techniques permettent de déceler la présence d'anticorps antiplaquettaires.

Il convient de surveiller étroitement la numération plaquettaire, les résultats des examens de la coagulation ainsi que les taux de Hb et de Ht, qui fournissent tous des renseignements utiles sur les risques de saignements ou les saignements réels. Lorsque la thrombocytopénie est accompagnée d'une anémie caractérisée par une anomalie de forme des globules rouges, des sphérocytes (érythrocytes de petite taille, de forme sphérique, chargés en hémoglobine), des fragments érythrocytaires (schizocytes) et une **réticulocytose** prononcée, un PTT doit être suspecté. Ces anomalies résultent en partie de la formation de dépôts intravasculaires de fibrine, ce qui déforme les globules rouges. Dans le PTT, la thrombocytopénie peut être sévère, même si les résultats des examens de la coagulation sont normaux.

Processus thérapeutique en interdisciplinarité

Le processus thérapeutique en interdisciplinarité pour la thrombocytopénie varie en fonction de l'étiologie de la maladie. Les stratégies thérapeutiques associées aux diverses causes sont présentées à l'**ENCADRÉ 38.11**.

CE QU'IL FAUT RETENIR

L'infirmière doit savoir reconnaître les signes de saignement interne : faiblesse, perte de conscience, étourdissements, tachycardie, douleurs abdominales et hypotension artérielle.

45

La thrombose vasculaire et les lésions ischémiques vasculaires sont expliquées dans le chapitre 45, *Interventions cliniques – Troubles vasculaires.*

Examens paracliniques

TABLEAU 38.6 Comparaison des anomalies en cause dans la thrombocytopénie

ANALYSE DE LABORATOIRE		PURPURA THROMBOPÉNIQUE IMMUNOLOGIQUE	PURPURA THROMBOPÉNIQUE THROMBOTIQUE	THROMBOCYTOPÉNIE INDUITE PAR L'HÉPARINE	COAGULATION INTRAVASCULAIRE DISSÉMINÉE
Plaquettes		↓↓↓	↓↓↓	↓↓	↓↓↓
Hémolyse	Hb	Normal (N)	↓↓	N	N, ↓
	Lacticodéshydrogénase (LDH)	N	↑↑↑	N	↑
	Réticulocytes	N	↑	N	N, ↑
	Haptoglobine	N	↓	N	↓
	Bilirubine indirecte	N	↑	N	N, ↑
	Schizocytes	N	↑↑↑	N, ↑	N, ↑
Coagulopathie	Temps de prothrombine (TP)	N	N	N	↑
	Temps de céphaline activée (TCA)	N	N	N	↑
	D-dimères	N	N, ↑	↑	↑↑
Autres analyses		Dosage des antigènes spécifiques du PTAI ; test de libération de la sérotonine marquée au ^{14}C ; infection à *Helicobacter pylori*	ADAMTS13	Test de libération de la sérotonine marquée au ^{14}C ; dosage immuno-enzymatique (ELISA) pour le dépistage du complexe facteur plaquettaire 4 (FP4)/héparine	–

Méthodes liées à l'administration de produits sanguins : *Administration d'immunoglobuline humaine.*

Purpura thrombopénique immunologique

Il existe de nombreux traitements du PTAI (Neunert, Lim, Crowther *et al.*, 2011). Chez une personne asymptomatique, le traitement ne s'impose que si la numération plaquettaire est inférieure à 30 000/mm^3. Il est recommandé de débuter par une corticothérapie (p. ex., la prednisone) pour supprimer la réponse phagocytaire des macrophages de la rate en inhibant la reconnaissance des plaquettes par la rate, ce qui accroît leur durée de vie. De plus, les corticostéroïdes bloquent la formation d'anticorps tout en réduisant la fragilité capillaire et le temps de saignement. Le mécanisme d'action de cette réponse n'est pas élucidé. En cas de manifestations neurologiques liées à une hémorragie intracrânienne, il convient d'administrer par voie I.V. de fortes doses de méthylprednisolone (Solu-Medrol^MD^). La méthylprednisolone a aussi été utilisée chez des personnes réfractaires à la prednisone.

L'administration de fortes doses d'immunoglobulines intraveineuses (IgIV) et d'immunoglobulines anti-Rh_0(D) (anti-D, WinRho^MD^) représente une solution si la personne est réfractaire à la corticothérapie, si elle présente une rechute postsplénectomie ou encore si cette intervention ne peut pas être proposée ▶ MS 8.4. Ces agents compétitionnent avec la liaison des anticorps antiplaquettaires aux récepteurs des macrophages (Crow & Lazarus, 2008). Ils permettent d'augmenter le nombre de plaquettes, mais leurs bienfaits ne sont que temporaires. Le rituximab (Rituxan^MD^), par sa capacité à fragmenter les cellules B activées, entraîne une diminution de la reconnaissance auto-immune des plaquettes.

La splénectomie peut être indiquée chez la personne réfractaire à la prednisone et aux immunoglobines ou qui requiert des doses trop élevées pour maintenir un nombre suffisant de plaquettes. En règle générale, cette intervention chirurgicale peut être pratiquée par laparoscopie ; dans au moins 80 % des cas, elle est bénéfique et la rémission est complète ou partielle (Rote & McCance, 2010b). L'efficacité de la splénectomie se justifie de quatre façons. En premier lieu, la rate renferme une grande quantité de macrophages qui séquestrent et détruisent les plaquettes. En deuxième lieu, les caractéristiques structurelles de la rate favorisent l'interaction entre les plaquettes recouvertes d'anticorps et les macrophages. En troisième lieu, une partie de la synthèse des anticorps a lieu dans la rate ; la destruction par les anticorps antiplaquettaires diminue après la splénectomie. Et pour terminer, la rate séquestre environ le tiers des plaquettes ; son ablation permet donc une hausse du nombre des plaquettes circulantes.

Le romiplastin (Nplate^MD^) et l'eltrombopag (Revolade^MD^) sont de nouveaux agents servant à traiter le PTAI chronique lorsque la réponse aux corticostéroïdes ou aux immunoglobulines est insuffisante ou que le client est réfractaire à la splénectomie. Ces agents sont des agonistes du récepteur de la thrombopoïétine qui font augmenter la production plaquettaire (Imbach & Crowther, 2011). Le danazol (Cyclomen^MD^), qui est un androgène, peut être administré en association avec des corticostéroïdes chez certains clients. Bien que son mécanisme d'action ne soit pas tout à fait élucidé, il semble que le danazol augmente la production des lymphocytes $T\text{-}CD4^+$, ce qui réduit la réponse immune. La thérapie immunosuppressive peut être une solution chez certains clients réfractaires (Diz-Kucukkaya *et al.*, 2010) **ENCADRÉ 38.11**.

En cas d'hémorragie qui menacerait la vie du client ou avant des procédures effractives augmentant considérablement le risque de saignement (p. ex., la gastroscopie), il est possible d'avoir recours à des transfusions de plaquettes pour augmenter leur nombre. Mais l'administration de plaquettes à titre de traitement prophylactique est à éviter en raison des risques de production d'anticorps. La transfusion de plaquettes est habituellement indiquée lorsque le nombre de plaquettes est inférieur ou égal à 10 000/mm^3 ou qu'un saignement se produit avant une intervention. À la suite de l'administration de 5 unités de concentré plaquettaire chez un adulte de 70 kg, la numération de plaquettes devrait augmenter de 30 000 à 60 000/mm^3 (Héma-Québec, 2014). Après avoir reçu de multiples transfusions de plaquettes, la personne peut fabriquer des anticorps anti-HLA dirigés contre les plaquettes transfusées.

Grâce au typage lymphocytaire permettant de vérifier la compatibilité du donneur et du receveur, il est possible d'administrer de multiples transfusions de plaquettes en réduisant les complications. Avant la transfusion, une prémédication peut être utilisée, c'est-à-dire que la personne peut recevoir des antihistaminiques (p. ex., la diphenhydramine [Benadryl^MD^]) et de l'hydrocortisone pour réduire les risques de réactions à la transfusion de plaquettes. L'acide aminocaproïque, un agent antifibrinolytique, peut être utile dans le traitement des hémorragies sévères. Le client atteint d'une thrombocytopénie doit s'abstenir de prendre de l'AAS (Aspirin^MD^) ou d'autres médicaments altérant la fonction plaquettaire.

Processus diagnostique et thérapeutique

ENCADRÉ 38.11 Thrombocytopénie

EXAMEN CLINIQUE ET EXAMENS PARACLINIQUES

- Anamnèse et examen physique
- Ponction et biopsie médullaires
- Formule sanguine complète
- Examens spécifiques **TABLEAU 38.6**

PROCESSUS THÉRAPEUTIQUE

- Purpura thrombopénique immunologique
  - Corticostéroïdes
  - Splénectomie
  - Immunoglobulines intraveineuses (IgIV)
  - Immunoglobulines anti-Rh_0(D)
  - Romiplostim (Nplate^MD^)
  - Eltrombopag
  - Danazol
  - Immunosuppresseurs (p. ex., le rituximab [Rituxan^MD^], la cyclosporine, la cyclophosphamide [Procytox^MD^], l'azathioprine [Imuran^MD^], le mofétilmycophénolate [CellCept^MD^])
  - Doses élevées de cyclophosphamide ou chimiothérapie par association
  - Transfusions de plaquettes
- Purpura thrombopénique thrombotique
  - Détermination de la cause et intervention
  - Plasmaphérèse (échange plasmatique)
  - Prednisone à fortes doses
  - Dextran
  - Chimiothérapie (vincristine, vinblastine)
  - Immunosuppresseurs (cyclophosphamide [Procytox^MD^], rituximab [Rituxan^MD^])
  - Splénectomie
- Thrombocytopénie induite par l'héparine
  - Inhibiteur direct de la thrombine (lépirudine [Refludan^MD^], argatroban)
  - Inhibiteur indirect de la thrombine (fondaparinux [Arixtra^MD^])
  - Warfarine (Coumadin^MD^)
  - Plasmaphérèse (échange plasmatique)
  - Sulfate de protamine
  - Agents thrombolytiques
- Diminution de la production des plaquettes
  - Détermination de la cause et intervention
  - Corticostéroïdes
  - Transfusions de plaquettes
  - Romiplostim (Nplate^MD^)
  - Eltrombopag

Purpura thrombopénique thrombotique

Le PTT peut être traité de diverses façons. Il faut d'abord traiter la maladie sous-jacente (p. ex., une infection) ou éliminer l'agent causal, s'il est connu. En l'absence de prise en charge, le PTT aboutit habituellement à une insuffisance rénale irréversible ou même à la mort. Il faut avoir recours à la plasmaphérèse, ou échanges plasmatiques ▶ 14, pour contrer la consommation de plaquettes en fournissant le fvW et l'enzyme ADAMTS13 adéquats et en débarrassant le sang des molécules de fvW de trop grande taille fixées aux plaquettes. Le traitement doit être administré quotidiennement jusqu'à ce que le nombre de plaquettes redevienne normal et que l'hémolyse cesse. L'administration de corticostéroïdes peut être ajoutée au traitement. Récemment, le rituximab (Rituxan^MD^) a été utilisé chez des personnes réfractaires à la plasmaphérèse. Le nombre d'anticorps inhibant l'ADAMTS13 a été réduit. D'autres immunosuppresseurs comme la cyclosporine et le cyclophosphamide peuvent aussi être utiles. La splénectomie peut être une solution chez les personnes jugées réfractaires à

14

La plasmaphérèse est expliquée dans le chapitre 14, *Réaction immunitaire et transplantation.*

Rituximab (Rituxan[MD])

- Administrer la prémédication selon la prescription.
- Surveiller l'apparition de signes de réaction d'hypersensibilité pendant l'administration, notamment au moment de la première perfusion I.V.
- Ajuster le débit d'administration en fonction du respect des paliers de progression.
- Surveiller l'apparition d'effets indésirables comme l'hypotension, le bronchospasme, l'arythmie, l'angiœdème (œdème de Quincke) et le choc cardiogénique.
- Examiner les antécédents d'hépatite, car le médicament est susceptible de réactiver cette affection.

l'échange plasmatique ou à l'immunosuppression. La transfusion de plaquettes est généralement contre-indiquée en raison des risques de formation de nouveaux complexes de fvW/plaquettes entraînant la formation de nouveaux caillots.

Thrombocytopénie induite par l'héparine

Le traitement à l'héparine doit être interrompu dès que la TIH est attestée. Il faut aussi cesser l'administration d'héparine comme solution de rinçage pour cathéters I.V.

Pour maintenir l'anticoagulation, le client doit d'abord prendre un inhibiteur direct de la thrombine, comme la lépirudine (Refludan[MD]) ou l'argatroban. L'utilisation de fondaparinux sodique (Arixtra[MD]), qui inhibe le facteur Xa (inhibiteur indirect de la thrombine), de danaparoïde (Orgaran[MD]) et de bivalirudine (Angiomax[MD]) est également possible. Le traitement par warfarine (Coumadin[MD]) ne devrait commencer que lorsque le nombre de plaquettes atteint les 150 000/mm^3. Si les risques de thromboembolies sont élevés, les traitements les plus couramment utilisés sont la plasmaphérèse, qui débarrasse le sang des IgC et engendre l'agrégation plaquettaire, l'administration de sulfate de protamine, qui neutralise l'héparine circulante, l'administration d'agents thrombolytiques pour traiter les événements thromboemboliques et l'intervention chirurgicale pour éliminer les caillots. Les transfusions de plaquettes ne sont d'aucune utilité parce qu'elles risquent d'augmenter le processus pathologique. Il ne faut jamais administrer d'héparine ou d'héparine de faible poids moléculaire à un client ayant déjà souffert d'une TIH. D'ailleurs, une note à cet effet devrait être clairement indiquée dans le dossier médical du client au profil pharmacologique ainsi qu'une directive infirmière inscrite au plan thérapeutique infirmier (PTI) particulièrement si le client est porteur d'un cathéter veineux central.

Thrombocytopénie acquise induite par une baisse de production des plaquettes

La prise en charge de la thrombocytopénie acquise consiste à déterminer la cause de la maladie et à traiter cette maladie, ou à éliminer l'agent causal. Lorsque le facteur déclenchant est inconnu, la personne peut être traitée à l'aide de corticostéroïdes. Il convient d'avoir recours aux transfusions de plaquettes lorsqu'une hémorragie met en danger la vie du client.

Il n'est pas rare que la thrombocytopénie acquise soit attribuable à un trouble sous-jacent (p. ex., l'anémie aplasique, la leucémie) ou au traitement d'une autre maladie. À titre d'exemple, dans la leucémie aiguë, il est possible d'observer une diminution de tous les types de cellules sanguines. Par ailleurs, certaines chimiothérapies causent une aplasie médullaire (p. ex., la carboplatine, les agents alkylants, les anthracyclines, les antimétabolites). La mise en place d'interventions visant la prévention des saignements et leur détection précoce permet l'instauration d'un environnement de soins sécuritaire dans une période de plus haute vulnérabilité aux saignements causée par la chimiothérapie.

L'oprelvekine, un facteur de croissance plaquettaire qui est une forme recombinante d'interleukine 11, stimule la production de plaquettes par la moelle osseuse. Cet agent peut servir dans le traitement de la thrombocytopénie induite par la chimiothérapie ▶ 16. Le romiplostim (Nplate[MD]) peut aussi être utile. Depuis la découverte de l'existence de la thrombopoïétine, un facteur de croissance hématopoïétique stimulant la production de plaquettes par la moelle osseuse, des recherches semblent démontrer que l'administration d'une thrombopoïétine recombinante augmente la numération plaquettaire (Lim, Jeon, Kim *et al.*, 2012; Wu, Ren, Wu *et al.*, 2014).

16

Les facteurs de croissance hématopoïétiques utilisés dans le traitement du cancer sont résumés dans le chapitre 16, *Cancer*.

Soins et traitements infirmiers

CLIENT ATTEINT DE THROMBOCYTOPÉNIE

Collecte des données

Les données subjectives et objectives à recueillir auprès d'un client atteint de thrombocytopénie sont présentées à l'**ENCADRÉ 38.12**.

Analyse et interprétation des données

L'analyse et l'interprétation des données relatives au client atteint de thrombocytopénie peuvent mener, sans s'y limiter, aux constats présentés dans le **PSTI 38.2**.

Planification des soins

Les objectifs à atteindre chez le client atteint de thrombocytopénie sont:

- de préserver l'intégrité vasculaire;
- d'appliquer les interventions nécessaires permettant de diminuer le risque accru de saignement;
- de diriger rapidement la personne vers une ressource médicale en présence de saignements (occultes ou macroscopiques);

ALERTE CLINIQUE

Il ne faut jamais administrer d'héparine ou d'héparine de faible poids moléculaire à un client ayant déjà souffert d'une thrombocytopénie induite par l'héparine.

- de renseigner le client et ses proches sur les soins personnels à adopter en vue de diminuer le risque de saignement;
- d'informer le client et ses proches des signes et des symptômes annonciateurs d'un saignement, et de la nécessité de consulter sans délai.

Interventions cliniques

Promotion de la santé

Il est important que l'infirmière mette en garde la personne contre l'abus de certains médicaments en vente libre susceptibles de causer une thrombocytopénie acquise. De plus, de nombreux médicaments renferment de l'AAS (Aspirin[MD]), un agent qui réduit l'adhésivité des plaquettes et qui favorise donc le saignement.

L'infirmière doit aussi inciter la personne sujette aux hémorragies (épistaxis, pétéchies) à subir un examen médical complet. Elle doit aussi surveiller l'apparition des signes précoces de thrombocytopénie chez la personne à la suite d'une chimiothérapie.

Soins en phase aiguë

En cas d'épisode aigu de thrombocytopénie, le traitement vise à prévenir ou à réprimer l'hémorragie **PSTI 38.2**. Chez une personne thrombocytopénique, les saignements sont habituellement superficiels; les saignements profonds (dans les muscles, les articulations et l'abdomen) ne se produisent généralement que lorsque le nombre des facteurs de coagulation est réduit. Un saignement de nez en apparence bénin ou des pétéchies nouvellement apparues peuvent être des indices de risque d'hémorragie. La personne doit donc en informer le professionnel de la santé. Le saignement provenant du nasopharynx peut être difficile à déceler parce que le sang est avalé. La prévention est la meilleure intervention pour éviter les saignements. Lorsqu'une injection sous-cutanée est nécessaire chez un client thrombocytopénique, il faut utiliser une aiguille de petit calibre et appliquer sur le point d'injection une pression directe pendant au moins 5 à 10 minutes; l'application d'une compresse glacée peut aussi être utile. Les injections par voie I.M. doivent être évitées, car les muscles sont plus vascularisés que les tissus sous-cutanés. L'infirmière doit expliquer à la personne pourquoi il est important de respecter les mesures visant à réduire les risques de saignement **ENCADRÉ 38.13**. Lorsque la numération des plaquettes est inférieure à 20 000/mm^3, il est alors recommandé de remplacer la brosse à dents souple par une brosse éponge (Singh & Malik, 2007). Il faut retenir que de nombreux troubles hématologiques peuvent s'accompagner de caillots vasculaires; il convient donc de bien évaluer l'état de la personne et de prendre les mesures qui s'imposent ▶ 45.

Jugement clinique

Paul Bourget, 38 ans, présente une thrombocytopénie induite par l'héparine. Comme il a un bouchon à injections I.V. intermittentes, quelle solution peut alors être utilisée pour l'irriguer?

MAIS SI ...

Si monsieur Bourget avait plutôt un cathéter central, quelle solution pourriez-vous utiliser pour l'irriguer?

45

Le chapitre 45, *Interventions cliniques – Troubles vasculaires*, explique les caillots vasculaires.

Les injections par voie I.M. doivent être évitées chez un client thrombocytopénique, car les muscles sont plus vascularisés que les tissus sous-cutanés.

Collecte des données

ENCADRÉ 38.12 Thrombocytopénie

DONNÉES SUBJECTIVES

- Renseignements importants concernant la santé:
  - Antécédents de santé: hémorragie, maladie virale ou saignements abondants récents; infection par le VIH; cancer (notamment leucémie ou lymphome); anémie aplasique; lupus érythémateux aigu disséminé, cirrhose; exposition à des rayonnements ou à des substances chimiques toxiques; coagulation intravasculaire disséminée
  - Médicaments: **ENCADRÉ 38.10**
- Modes fonctionnels de santé:
  - Perception et gestion de la santé: antécédents familiaux de troubles hémorragiques
  - Nutrition et métabolisme: gingivorragie; vomissements hémoptoïques ou d'aspect marc de café; fragilité cutanée aux traumatismes
  - Élimination: hématurie, selles noires ou sanguinolentes
  - Activités et exercices: fatigue, faiblesse, évanouissement; épistaxis, hémoptysie; dyspnée
  - Perception et concept de soi: douleur et sensibilité aux sites de saignement (p. ex., l'abdomen, la tête, les extrémités); céphalée
  - Sexualité et reproduction: ménorragie, métrorragie

DONNÉES OBJECTIVES

- Observations générales: fièvre, léthargie
- Système tégumentaire: pétéchies, ecchymoses, purpura
- Système gastro-intestinal: splénomégalie, ballonnement abdominal; sang occulte dans les selles
- Résultats possibles aux examens paracliniques: numération plaquettaire $< 150\,000/mm^3$, allongement du temps de saignement, hémoglobine et hématocrite ↓; nombre de mégacaryocytes normal ou ↑ à l'examen de la moelle osseuse

CE QU'IL FAUT RETENIR

La thrombocytopénie peut entraîner des menstruations plus abondantes et plus longues que la normale. La cliente doit surveiller toute perte de sang excessive.

Chez la femme thrombocytopénique, les menstruations risquent d'être plus abondantes et plus longues que la normale. Il est donc important qu'elle compte les serviettes hygiéniques utilisées pour déceler une perte de sang excessive. La serviette hygiénique est complètement imbibée par une perte sanguine de 50 mL. L'administration d'agents hormonaux pour supprimer les règles peut être indiquée au cours des périodes prévisibles de thrombocytopénie pour réduire la perte sanguine (p. ex., au moment des menstruations, de la chimiothérapie ou de la greffe de cellules souches hématopoïétiques).

Plan de soins et de traitements infirmiers

PSTI 38.2 Thrombocytopénie (thrombopénie)

PROBLÈME DÉCOULANT DE LA SITUATION DE SANTÉ	**Hémorragies des muqueuses** liées à une diminution du nombre des plaquettes ou des troubles se manifestant par le saignement des muqueuses buccales et la présence de bulles hémorragiques buccales.
OBJECTIF	Le client maintiendra l'intégrité de ses muqueuses.
RÉSULTATS ESCOMPTÉS	**INTERVENTIONS INFIRMIÈRES ET JUSTIFICATIONS**
Hygiène buccodentaire • Absence de saignement gingival ou buccal • Absence de lésions aux muqueuses buccales	**Rétablissement de la santé buccodentaire** • Examiner les lèvres, la langue, les muqueuses, la fosse tonsillaire ; vérifier le degré d'humidité, la couleur et la texture du tissu gingival ; vérifier s'il n'y a pas de débris alimentaires et de signes d'infection en utilisant un bon éclairage et un abaisse-langue afin de recueillir des renseignements utiles pour la planification des interventions. • Aider la personne à choisir des aliments mous, non assaisonnés et non acides pour réduire l'irritation des muqueuses buccales. • Retirer les débris alimentaires entre les dents en utilisant une brosse à dents à poils souples. • Utiliser des bâtonnets interdentaires ou des écouvillons en mousse pour stimuler la circulation sanguine dans le tissu gingival et nettoyer la cavité buccale en causant le moins de traumatismes possible. • Enseigner à la personne comment se donner les soins d'hygiène buccodentaire. Lui demander de se nettoyer la bouche après les repas et aussi souvent que possible pour empêcher la dégradation des muqueuses buccales. • Éviter l'emploi de cotons-tiges imbibés de glycérine citronnée pour ne pas dessécher les muqueuses buccales.
PROBLÈME DÉCOULANT DE LA SITUATION DE SANTÉ	**Risque d'hémorragie** lié à une diminution du nombre de plaquettes, aux effets des traitements et des coagulopathies.
OBJECTIF	Le client maintiendra l'intégrité des tissus.
RÉSULTAT ESCOMPTÉ	**INTERVENTIONS INFIRMIÈRES ET JUSTIFICATIONS**
Coagulation sanguine • Absence de signes de saignement (hémorragie, contusions, pétéchies, ecchymoses, purpura, hématurie, hémoptysie)	**Mesures de précaution contre l'hémorragie** • Rechercher les signes d'hémorragie persistante (examiner les sécrétions et le liquide biologique pour y déceler la présence de sang occulte ou visible) pour dépister une hémorragie interne. • Examiner les résultats des études de la coagulation, le temps de prothrombine, le temps de céphaline, le taux de fibrinogène et de produits de la dégradation de la fibrine, et le nombre de plaquettes pour déterminer le risque d'hémorragie. • Éviter les ponctions veineuses et les injections (par voie I.M. ou sous-cutanée) pour ne pas provoquer de saignements au point d'injection. • Se servir d'un rasoir électrique et non d'un rasoir à lames pour se raser afin de réduire les risques de coupures. • Protéger la personne contre les traumatismes pour réduire le risque de lésions cutanées et de saignements intratissulaires. • Transfuser des produits sanguins (plaquettes, plasma frais congelé) pour remplacer des facteurs de coagulation déficitaires. • Informer la personne d'éviter de prendre de l'AAS ou des anticoagulants pour prévenir les saignements, et demander aux soignants de ne pas administrer ces agents. • Informer la personne d'éviter les activités avec sauts (p. ex., les exercices d'aérobie, les sports de contact) pour prévenir les saignements.

PSTI 38.2	Thrombocytopénie (thrombopénie) *(suite)*
PROBLÈME DÉCOULANT DE LA SITUATION DE SANTÉ	**Manque de connaissances** lié à un manque d'information sur le mode d'évolution de la maladie, les activités à éviter et le mode d'action des médicaments, comme le démontrent les questions fréquentes du client.
OBJECTIF	Le client énoncera les connaissances et les habiletés nécessaires à l'administration des autosoins à domicile.
RÉSULTATS ESCOMPTÉS	**INTERVENTIONS INFIRMIÈRES ET JUSTIFICATIONS**
Connaissance de la maladie et des traitements • Description de l'évolution attendue de sa maladie • Modification de ses habitudes de vie pour prévenir les complications • Description des signes et des symptômes à mentionner aux professionnels de la santé • Confiance dans la prise en charge de ses autosoins	**Enseignement sur la maladie et les effets indésirables de la maladie et des traitements** • Évaluer le besoin d'information du client. • Évaluer le degré de connaissance actuel du client afin d'établir un plan d'information et d'enseignement approprié. • Décrire le processus physiopathologique. • Décrire les symptômes habituels de la maladie. • Expliquer les options thérapeutiques pour réduire l'anxiété et prévenir les complications. • Examiner les changements d'habitudes qui pourraient s'imposer pour prévenir d'éventuelles complications ou ralentir le processus morbide de façon à aider la personne à se donner les soins (autosoins) requis par son état de santé, ou montrer à d'autres comment les lui donner. • Informer le client des services offerts par les organismes communautaires ou les groupes de soutien de la localité. • Encourager le client à contacter les ressources communautaires, au besoin. • Fournir les numéros de téléphone à utiliser en cas de complications ou d'urgence.

Il est important que l'infirmière connaisse le mode d'administration des transfusions de plaquettes ▶ MS 8.2 . Les méthodes de transfusion sont expliquées dans la section intitulée « Thérapie transfusionnelle » du présent chapitre.

Soins ambulatoires et soins à domicile

La réponse au traitement doit être surveillée chez la personne atteinte de PTAI. Il faut montrer à la personne atteinte d'une thrombocytopénie acquise comment éviter le plus possible les agents qui déclenchent la maladie **ENCADRÉ 38.10**. Si elle ne peut pas éviter ces agents (p. ex., une chimiothérapie), elle doit être informée sur la façon d'éviter les risques de blessures ou de traumatismes pendant certaines périodes et sur les moyens de reconnaître les manifestations cliniques des saignements causés par la thrombocytopénie **ENCADRÉ 38.13**. En cas de PTAI ou de thrombocytopénie acquise, il faut prévoir des examens médicaux périodiques pour évaluer l'état de santé de la personne et intervenir en cas d'exacerbation et de saignement. Il faut aussi explorer avec elle les répercussions aiguës ou chroniques de la maladie sur sa qualité de vie.

Évaluation des résultats

Pour le client atteint de thrombocytopénie, les résultats escomptés à la suite des soins et des interventions cliniques sont résumés dans le **PSTI 38.2**.

MS 8.2

Méthodes liées à l'administration de produits sanguins : *Administration de concentré plaquettaire ou de plasma.*

Enseignement au client et à ses proches

ENCADRÉ 38.13 Thrombocytopénie

Le risque de saignement s'accroit lorsque la numération plaquettaire est égale ou inférieure à 50 000/mm^3. Lorsqu'elle est inférieure à 20 000/mm^3, le risque hémorragique est important. En présence d'une numération plaquettaire diminuée, la personne doit connaître les précautions à prendre pour éviter les saignements et connaître les signes annonciateurs d'une hémorragie. L'enseignement au client et à ses proches devrait donc porter sur les aspects suivants.

- Avertir le professionnel de la santé de la présence des signes et des symptômes suivants :
  - selles noires, goudronneuses ou sanguinolentes ;
  - vomissements, urine ou crachats noirs ou sanguinolents ;
  - ecchymoses ou petits points rouges ou pourpres sur la peau (pétéchies) ;
  - saignement de la bouche, du nez (surtout si les deux narines saignent) ou de n'importe quelle partie du corps ;
  - mal de tête inhabituel (par son intensité ou sa durée) ou changements de la vue ;

ENCADRÉ 38.13 Thrombocytopénie *(suite)*

- difficulté à parler, faiblesse soudaine d'un bras ou d'une jambe, ou sentiment de confusion;
- hématome important pour des traumatismes minimes.

- Éviter la pratique de toute activité physique représentant un risque important de traumatisme physique (p. ex., éviter les sports violents, le soulèvement de poids, la plongée sous-marine). En général, la personne peut marcher en toute sécurité avec des chaussures bien adaptées aux pieds. En cas de faiblesse ou de risque de chute, demander de l'aide ou une assistance au lever du lit.
- Ne pas se moucher fort; tapoter délicatement avec un mouchoir, si nécessaire. Dans le cas d'un épitaxis, tenir la tête haute et appliquer une pression ferme sur les narines et à l'arête du nez. Si le saignement se poursuit, placer un sac de glace sur l'arête du nez et sur la nuque. Si le saignement de nez ne cesse pas après 10 minutes, appeler un professionnel de la santé. Ne pas baisser la tête au-dessous de la taille.
- Prévenir la constipation en buvant de grandes quantités de liquide et ne pas forcer au moment d'aller à la selle. Un médecin peut prescrire un laxatif émollient. Ne pas utiliser de suppositoires, de lavement ou de thermomètre rectal sans en avoir parlé avec un professionnel de la santé.
- Ne se raser qu'avec un rasoir électrique; ne pas utiliser de lames.
- Ne pas s'épiler les sourcils ou autres poils.
- Ne pas percer la peau (tatouage ou perçage corporel).
- Ne pas prendre de médicaments susceptibles d'interférer avec l'hémostase (AAS, AINS, héparine). D'autres médicaments et produits naturels peuvent aussi retarder la coagulation. En cas de doute, s'informer auprès d'un professionnel de la santé (pharmacien, médecin, infirmière) pour connaître les effets indésirables du médicament ou du produit naturel sur la thrombocytopénie. Les injections intramusculaires sont contre-indiquées.
- Utiliser une brosse à dents à poils souples pour ne pas blesser les gencives. L'utilisation de la soie dentaire ne présente normalement aucun danger si elle est employée délicatement. Ne pas utiliser de rince-bouche à base d'alcool; il risque d'assécher les gencives et d'augmenter le risque de saignement. En présence de saignements gingivaux ou lorsque les plaquettes sont inférieures à 20 000/mm^3, remplacer la brosse à dents par une brosse éponge et interrompre l'utilisation de la soie dentaire.
- La femme qui a ses règles doit surveiller le nombre de serviettes hygiéniques qu'elle utilise chaque jour. Si elle commence à utiliser plus de serviettes que d'habitude ou si les menstruations durent plus longtemps, avertir le professionnel de la santé. Les contraceptifs sont utiles en cas de ménométrorragies. Ne pas utiliser de tampons.
- Demander l'avis de son médecin avant de recevoir des soins dentaires. La numération plaquettaire doit être établie pour évaluer le risque de saignement.

38.3.2 Hémophilie et maladie de von Willebrand

13

Les troubles héréditaires liés au chromosome X sont présentés dans le chapitre 13, *Génétique et génomique.*

L'**hémophilie** est une maladie héréditaire récessive causée par l'absence ou un défaut de l'un des facteurs de coagulation (antihémophilique) **ENCADRÉ 38.14**. Les gènes responsables de la fabrication du facteur VIII et du facteur IX se situent sur le chromosome X, faisant de l'hémophilie une maladie héréditaire liée au sexe (chromosome X) ▶ 13. Il convient de distinguer deux formes principales d'hémophilie: l'hémophilie A (forme classique, causée par un déficit en facteur VIII) et l'hémophilie B (causée par un déficit en facteur IX). L'hémophilie B est également connue sous le nom de maladie de Christmas, du nom de Steven Christmas, un Canadien qui, en 1952, a été le premier homme à recevoir un diagnostic de ce type distinct d'hémophilie (Société canadienne de l'hémophilie, 2015a). L'hémophilie est classée sous trois catégories, selon sa gravité (légère, modérée, grave).

Les formes les plus graves d'hémophilie affectent presque exclusivement les hommes. Les femmes ne seront gravement touchées que si leur père est hémophile et que leur mère est porteuse, ou encore lorsque la capacité de production de facteur VIII ou IX de leur chromosome X normal se trouve inactivée par un phénomène extrêmement rare appelé inactivation de l'X. Par contre, de nombreuses femmes porteuses manifestent des symptômes d'une hémophilie légère (Société canadienne de l'hémophilie, 2015a). L'hémophilie A et B sont toutes deux des maladies très rares. L'hémophilie A affecte moins de 1 personne sur 10 000, soit environ 2 500 Canadiens. L'hémophilie B est encore moins fréquente, n'affectant qu'environ 1 personne sur 150 000, soit près de 600 Canadiens.

Génétique et pratique clinique

ENCADRÉ 38.14 **Hémophilie par déficit en facteurs VIII ou IX**

FONDEMENTS GÉNÉTIQUES

- L'affection est transmise sur le mode récessif et liée au chromosome X.
- Il y a mutations ou délétion (absence) du gène qui code le facteur VIII (hémophilie A) ou mutations ou délétion du gène qui code le facteur IX (hémophilie B).
- Il existe des degrés de gravité de l'hémophilie.

INCIDENCE

- La maladie touche 1 naissance d'enfant mâle sur 5 000 à 10 000 (hémophilie A).
- L'affection touche 1 naissance d'enfant mâle sur 30 000 à 50 000 (hémophilie B).

TESTS GÉNÉTIQUES

- Il y a une possibilité de dépistage par technique d'analyse de l'ADN.

CONSÉQUENCES CLINIQUES

- Une femme porteuse du gène altéré pourra le transmettre, avec un risque de 50 %, aussi bien à ses fils qui seront atteints de la maladie (hémophiles) et à ses filles qui seront à leur tour porteuses.
- L'homme hémophile ne transmet pas la maladie à ses fils, mais il va transmettre le gène altéré à toutes ses filles qui, à leur tour, deviendront porteuses.
- L'hémophilie chez la femme est rare. Toutefois, la maladie peut survenir si un homme hémophile a un enfant avec une femme porteuse du gène altéré.
- Les manifestations cliniques de l'hémophilie A et de l'hémophilie B sont très semblables. Les saignements sont la principale manifestation de l'hémophilie.
- Il existe des traitements de remplacement en cas de déficit en facteur VIII et en facteur IX **TABLEAU 38.9**.

Pour sa part, la maladie de von Willebrand est causée par un déficit en facteur von Willebrand (fvW), une protéine essentielle à la coagulation. Le facteur VIII est synthétisé dans le foie et associé au fvW. Il existe trois grands types de la maladie : les types 1, 2 et 3. Peu importe le type, la maladie de von Willebrand est toujours causée par une anomalie du facteur du même nom. La maladie de von Willebrand est considérée comme la maladie hémorragique congénitale la plus répandue chez l'humain. Elle affecterait environ 1 personne sur 100. Toutefois très peu d'entre elles se savent atteintes de la maladie. Des recherches ont montré que jusqu'à 9 personnes sur 10 atteintes de la maladie de von Willebrand n'ont jamais reçu de diagnostic (Société canadienne de l'hémophilie, 2015b). Cependant, comme le degré de gravité de cette maladie est très variable, l'hémorragie mortelle est rare. Les déficits et les modes de transmission de ces trois coagulopathies héréditaires sont présentés au **TABLEAU 38.7**.

Manifestations cliniques et complications

Parmi les manifestations cliniques et les complications de l'hémophilie, il convient de mentionner : 1) des saignements lents, persistants et prolongés à la suite d'un traumatisme léger ou d'une coupure superficielle ; 2) un retard de saignement après une blessure légère (le retard peut varier de quelques heures à quelques semaines) ; 3) une hémorragie rebelle au traitement après une extraction dentaire ou une irritation des gencives causée par l'usage d'une brosse à dents à poils rigides ; 4) l'épistaxis après un coup au visage ; 5) des saignements gastro-intestinaux causés par un ulcère ou une gastrite ; 6) l'hématurie secondaire à un traumatisme

CE QU'IL FAUT RETENIR

La maladie de von Willebrand, causée par un déficit en fvW, une protéine essentielle à la coagulation, affecterait près d'une personne sur 100.

TABLEAU 38.7 **Comparaison des divers types d'hémophilie**

MALADIE	DÉFICIT	MODES DE TRANSMISSION
Hémophilie A	Facteur VIII	• Mode récessif lié au sexe (chromosome X) (maladie transmise par la mère porteuse et observée presque exclusivement chez des hommes)
Hémophilie B	Facteur IX	• Mode récessif lié au sexe (chromosome X) (maladie transmise par la mère porteuse et observée presque exclusivement chez des hommes)
Maladie de von Willebrand	fvW, déficits en facteurs de coagulation particuliers et dysfonctionnement plaquettaire	• Mode autosomique dominant, maladie observée chez les deux sexes • Mode autosomique récessif (dans les formes graves de la maladie)

génito-urinaire ou une rupture de la rate consécutive à une chute ou à un traumatisme à l'abdomen; 7) des ecchymoses et des hématomes sous-cutanés **FIGURE 38.8**; 8) des signes neurologiques, notamment la douleur, la paresthésie et la paralysie causées par la compression d'un nerf par un hématome; et 9) des **hémarthroses** (épanchements de sang dans des cavités articulaires) qui peuvent causer des blessures et des déformations assez graves (le plus souvent aux genoux, aux coudes, aux épaules, aux hanches et aux chevilles) **FIGURE 38.9**.

CE QU'IL FAUT RETENIR

Pour la personne hémophile, tout saignement risque de mener à une hémorragie mortelle, et ce, peu importe la sévérité de la maladie.

Chez l'enfant, ces symptômes peuvent permettre de diagnostiquer l'hémophilie. Chez l'adulte, les premiers signes d'une forme légère de la maladie peuvent apparaître chez le client n'ayant pas subi de blessures graves, d'interventions dentaires ou d'interventions chirurgicales dans son enfance. Chez la personne hémophile, tout saignement ou épanchement sanguin risque de mener à une hémorragie mortelle. En cas de traumatismes ou d'interventions chirurgicales, une personne avec une hémophilie légère peut saigner autant que la personne avec une hémophilie sévère (Furger, 2005). Dans le passé, l'hémophilie était une maladie de l'enfant, car ses complications entraînaient une mort précoce. Au début des années 1900, l'espérance de vie moyenne des hémophiles était de 11 ans. Dans les années 1970, elle est passée à 68 ans grâce à l'amélioration des traitements de la maladie. Avec un traitement adéquat, l'espérance de vie des clients vivant avec l'hémophilie est de seulement 10 ans de moins que les personnes en bonne santé (National Hemophilia Council, 2015).

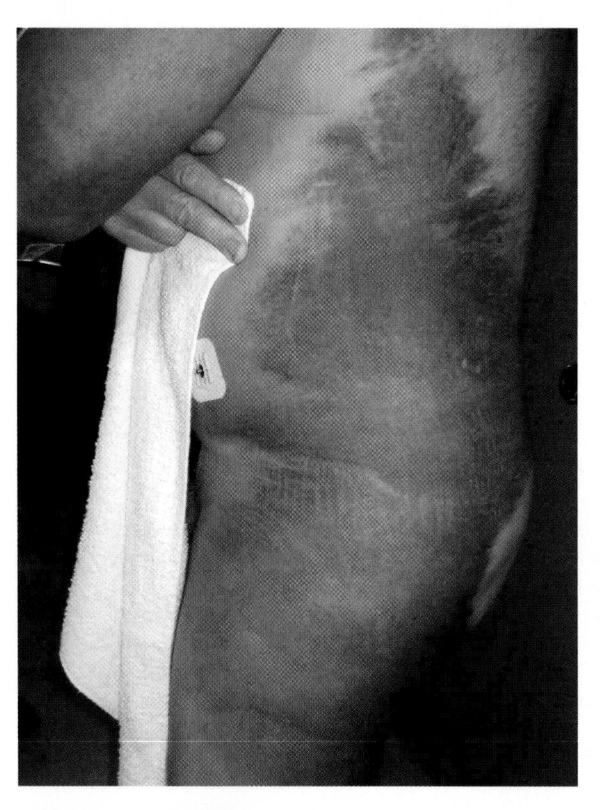

FIGURE 38.8 Ecchymoses graves chez un hémophile après une chute

Examens paracliniques

Des analyses de laboratoire permettent de déterminer le type d'hémophilie dont souffre le client. Tout déficit du système intrinsèque (facteurs VIII, IX, XI, XII ou fvW) est reflété par les résultats de laboratoire présentés au **TABLEAU 38.8**.

Processus thérapeutique en interdisciplinarité

Chez la personne atteinte d'hémophilie ou de la maladie de von Willebrand, le processus thérapeutique en interdisciplinarité vise à prévenir et à traiter les hémorragies. Cela comprend des mesures préventives, l'administration d'une thérapie de remplacement durant les épisodes hémorragiques aigus et à titre prophylactique, ainsi que le traitement des complications liées à la maladie et à son traitement.

Le remplacement des facteurs de coagulation déficients constitue le principal axe du traitement de l'hémophile. La thérapie de remplacement, qui sert à traiter les crises aiguës, peut aussi être utile à titre de mesure prophylactique avant une intervention chirurgicale ou des soins dentaires (Fritsma, 2012a). Des exemples de thérapie de remplacement sont présentés au **TABLEAU 38.9**. La transfusion de plasma frais congelé, qui était courante dans le passé, est rarement utilisée de nos jours.

Dans les cas d'hémophile A de forme légère et de certains sous-types de maladie de von Willebrand, l'administration d'acétate de desmopressine (aussi appelé DDAVP^MD^), un analogue synthétique de la vasopressine, peut servir à provoquer une élévation de l'activité du facteur VIII et du fvW. Cet agent agit sur les cellules endothéliales en causant la libération du fvW et du facteur VIII, faisant ainsi accroître leurs concentrations. Le DDAVP^MD^ peut s'administrer par voie I.V., sous-cutanée ou sous forme d'aérosol intranasal. Lorsqu'il est administré par perfusion I.V.,

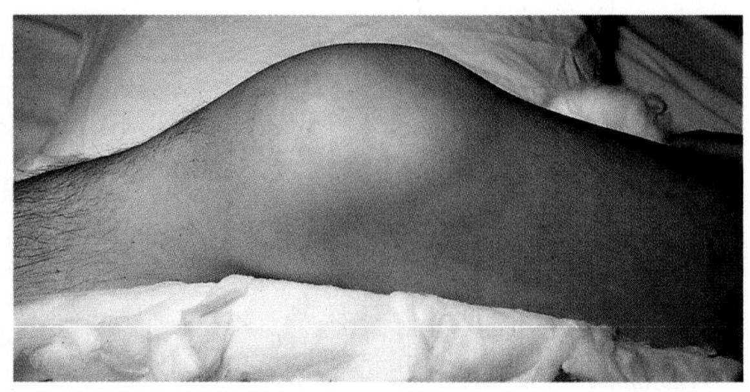

FIGURE 38.9 L'hémarthrose du genou est une complication fréquente de l'hémophilie.

Examens paracliniques

TABLEAU 38.8 Résultats des analyses de laboratoire en cas d'hémophilie

EXAMEN PARACLINIQUE	COMMENTAIRES
Temps de prothrombine	Aucune intervention de système extrinsèque
Temps de thrombine	Aucune altération de la réaction thrombine-fibrinogène
Numération plaquettaire	Production plaquettaire adéquate
Temps de céphaline	Allongement du temps de céphaline causé par un déficit d'un facteur de coagulation intrinsèque, peu importe lequel
Temps de saignement	Temps normal dans l'hémophilie A et B, les plaquettes n'étant pas touchées
Études de facteurs	Réduction de la concentration du facteur VIII dans l'hémophilie A ; présence du fvW dans la maladie de von Willebrand ; réduction de la concentration du facteur IX dans l'hémophilie B

CE QU'IL FAUT RETENIR

Le remplacement des facteurs de coagulation déficients constitue le principal axe du traitement de l'hémophilie.

ses effets bénéfiques, notamment la diminution du temps de saignement, s'observent dans les 30 minutes suivant l'administration et peuvent durer de 8 à 12 heures. Comme l'effet est relativement de courte durée, il convient de surveiller étroitement l'état de la personne et d'administrer des doses supplémentaires, au besoin. L'administration de DDAVP[MD] est appropriée avant une intervention dentaire et pour traiter les saignements mineurs. La desmopressine n'est toutefois pas indiquée pour le traitement de l'hémophilie B, car elle n'exerce aucun effet sur les niveaux des facteurs IX.

Les agents antifibrinolytiques, comme l'acide tranexamique (Cyklokapron[MD]) et l'acide epsilon aminocaproïque, inhibent la fibrinolyse en neutralisant l'activation du plasminogène dans le caillot fibrineux, ce qui favorise sa stabilité. Ces agents sont des appoints thérapeutiques utiles pour stabiliser les caillots se formant aux endroits où la fibrinolyse est accrue, comme dans la cavité buccale, et chez la personne ayant des épisodes d'épistaxis ou de **ménorragie** (Chitlur & Kulkarni, 2012).

Parmi les complications du traitement de l'hémophilie, il convient de mentionner la formation d'inhibiteurs du facteur VIII ou du facteur IX, les infections transmises par transfusion sanguine, les réactions allergiques et les complications thrombotiques liées à l'utilisation du facteur IX, puisque les préparations de ce facteur renferment des facteurs de coagulation activés. La personne souffrant de la maladie de von Willebrand risque aussi de sécréter des alloanticorps dirigés contre le fvW susceptibles de provoquer une anaphylaxie pouvant mettre sa vie en danger. Les facteurs de remplacement doivent donc être exempts de fvW. Grâce à l'amélioration des méthodes de détection des virus et de dépistage chez les donneurs, le risque de transmission du VIH et des virus des hépatites B et C pendant une transfusion sanguine est considérablement réduit.

Le traitement aigu présente deux problèmes principaux : l'instauration tardive d'interventions appropriées à l'hémorragie hémophilique et l'arrêt prématuré des traitements, dès que l'hémorragie s'atténue. En règle générale, les hémorragies mineures devraient être traitées pendant au moins 72 heures. Les plaies et les traumatismes chirurgicaux peuvent nécessiter un traitement de plus longue durée. La sécrétion chronique d'inhibiteurs contre les facteurs de remplacement nécessite un traitement spécialisé et individualisé ; le facteur VIIa recombinant peut alors être utilisé (Lentz, Ehrenforth, Abdul Karim *et al.*, 2014). Au Canada et dans de nombreux autres pays, les soins et les traitements pour personnes atteintes d'hémophilie et de troubles apparentés sont donnés par des équipes interdisciplinaires travaillant dans des centres désignés. Une liste des centres canadiens

Ménorragie : Exagération de l'écoulement de sang durant les règles (les menstrues), tant en quantité qu'en durée (saignements anormalement abondants et prolongés).

Pharmacothérapie

TABLEAU 38.9 Facteurs de remplacement utilisés dans le traitement de l'hémophilie

FACTEUR VIII	FACTEUR IX	FACTEUR VIIA[a]
• Advate[MD] • Eloctate[MD] • Humate P[MD] • Kogenate FS[MD] • Wilate[MD] • Xyntha[MD]	• Alprolix[MD] • BeneFIX[MD] • FEIBA VH[MD] • Immunine VH[MD] • Thrombate III[MD]	• Niastase RT[MD]

[a] Chez le client atteint d'une hémophilie congénitale et ayant des inhibiteurs dirigés contre certains facteurs de coagulation.

et québécois ainsi que les *Normes canadiennes de soins complets pour l'hémophilie et autres troubles héréditaires de la coagulation* peuvent être consultées sur le site de la Société canadienne de l'hémophilie.

La thérapie génique est utilisée à titre expérimental pour traiter l'hémophilie. Les essais cliniques réalisés jusqu'ici consistent : 1) à prélever des cellules chez le client et à les modifier génétiquement pour qu'elles sécrètent le facteur VIII ou IX ; et 2) à injecter des vecteurs contenant les gènes des facteurs VIII et IX. Des résultats prometteurs ont été obtenus pour l'hémophilie B (Nathwani, Reiss, Tuddenham *et al.*, 2014).

Soins et traitements infirmiers

CLIENT ATTEINT D'HÉMOPHILIE

Syndrome du compartiment : Résultat d'une augmentation de la pression dans le compartiment (fascia) secondaire à l'augmentation du contenu (p. ex., à cause d'une hémorragie, d'un œdème) ou à une limitation de l'expansion du fascia (p. ex., à cause d'un pansement, d'un plâtre), pouvant mener à une lésion nerveuse ou musculaire.

Interventions cliniques

Promotion de la santé

L'hémophilie étant une maladie héréditaire, il est primordial de diriger le client hémophile vers un service de consultation génétique pour recevoir des conseils sur les mesures préventives, d'autant plus que bon nombre d'hémophiles atteignent maintenant l'âge adulte. Le plan thérapeutique devrait inclure une discussion sur les questions touchant la reproduction et les effets à long terme de la maladie.

Soins en phase aiguë

Les interventions visent principalement à obtenir l'hémostase. Il faut notamment :

- Arrêter le saignement cutané aussi rapidement que possible par une pression directe ou par l'application de glace sur la plaie, en comprimant la plaie à l'aide d'une éponge Gelfoam[QH] ou en appliquant une mousse de fibrine coagulante, et en appliquant ensuite un agent hémostatique topique comme la thrombine.
- Administrer le facteur de coagulation déficitaire pour augmenter sa concentration sérique, tout en surveillant l'apparition des symptômes indésirables, comme les réactions d'hypersensiblité.
- En cas d'hémorragie dans une cavité articulaire, administrer des facteurs de remplacement et immobiliser complètement l'articulation pour empêcher les déformations causées par l'hémarthrose. Il faut également appliquer de la glace sur l'articulation, administrer un analgésique (p. ex., la morphine ou le dilaudid) pour soulager la douleur intense. Il ne faut jamais utiliser d'AAS (Aspirin[QH]) ou une préparation qui en contient. Dès que l'hémorragie est réprimée, il est important d'encourager le client à mobiliser l'articulation touchée en faisant des exercices d'amplitude et de la physiothérapie. Le client doit éviter de solliciter des articulations importantes tant que l'œdème n'est pas résorbé et qu'il n'a pas recouvré sa force musculaire.
- Traiter toutes les complications d'une hémorragie ou les effets indésirables du traitement par facteurs de coagulation ou autres médicaments, par exemple l'hyponatrémie causée par la desmopressine (DDAVP[QH]). Les interventions infirmières comprennent les mesures visant à prévenir l'obstruction des voies respiratoires par un épanchement de sang dans la gorge et le pharynx, le dépistage du **syndrome du compartiment** à une extrémité, ainsi que l'évaluation et le traitement précoces de l'hémorragie intracrânienne.

Jugement clinique

Nathan Goldman est âgé de 11 ans. Il est hémophile. Dans ses soins d'hygiène buccale, peut-il utiliser de la soie dentaire ? Justifiez votre réponse.

Soins ambulatoires et soins à domicile

L'hémophilie étant une maladie évolutive et chronique, il est primordial que le client hémophile apprenne en quoi consistent les soins personnels. La qualité et la durée de vie de la personne hémophile peuvent être considérablement améliorées si elle comprend la nature de sa maladie et s'y adapte. L'infirmière peut diriger le client et les membres de sa famille vers une division provinciale de la Société canadienne de l'hémophilie et les encourager à se joindre à un groupe de soutien de personnes aux prises avec cette maladie. La capacité du client à s'adapter à sa maladie doit être évaluée de façon continue, et celui-ci devrait pouvoir bénéficier d'un soutien psychosocial en cas de besoin.

Les soins à long terme sont en grande partie liés à l'enseignement. Le client doit apprendre à reconnaître les troubles liés à sa maladie et distinguer ceux qui se traitent sur une base ambulatoire de ceux qui nécessitent une hospitalisation. Il doit recevoir sans délai des soins médicaux en cas de douleur ou d'œdème grave à un muscle ou à une articulation limitant le mouvement ou gênant le sommeil, d'œdème au cou ou à la bouche, de douleur abdominale, d'hématurie, de méléna ou de plaie nécessitant des points de suture.

Les soins quotidiens d'hygiène buccale ne doivent pas causer de traumatisme. Le client hémophile doit connaître les méthodes de prévention des blessures. Il doit entre autres pratiquer des sports sans contact (p. ex., le golf) et porter des gants pour effectuer des travaux domestiques afin d'éviter de se couper ou de s'érafler avec un couteau, un marteau ou d'autres outils. Il doit aussi porter un bracelet MedicAlert^{MD} afin que les soignants soient tout de suite informés de sa maladie en cas d'accident.

Le client hémophile doit être informé des divers examens médicaux de routine faisant partie du plan de surveillance. L'adhésion à son programme de consultations médicales doit être évaluée. De plus, l'infirmière devrait encourager et faciliter l'apprentissage de l'autoadministration de certains traitements de remplacement à domicile afin de conserver et de préserver le plus d'autonomie possible.

Évaluation des résultats

Pour le client atteint d'hémophilie, les résultats escomptés à la suite des soins et des interventions cliniques sont identiques à ceux à obtenir en cas de thrombocytopénie, et ils sont résumés dans le **PSTI 38.2**.

38.3.3 Coagulation intravasculaire disséminée

La **coagulation intravasculaire disséminée (CIVD)** est un syndrome hémorragique et thrombotique grave causé par l'apparition précoce et l'accélération de la coagulation. La diminution des facteurs de coagulation et des plaquettes qui s'ensuit peut provoquer une hémorragie incontrôlable. L'expression coagulation intravasculaire disséminée prête à confusion parce qu'elle laisse supposer qu'il y a coagulation. Paradoxalement, le trouble se caractérise par un saignement profus causé par la déplétion des plaquettes et des facteurs de coagulation. La CIVD est toujours la conséquence d'une pathologie sous-jacente. Il faut donc traiter cette pathologie pour maîtriser la CIVD.

Étiologie et physiopathologie

La CIVD n'est pas une maladie; il s'agit d'une réaction anormale à la cascade de coagulation, qui est stimulée par une pathologie (Fritsma, 2012b). Les maladies ou troubles prédisposant à la CIVD sont énumérés dans l'**ENCADRÉ 38.15**. La CIVD peut se présenter sous une forme aiguë et catastrophique mettant en jeu le pronostic vital, sous une forme subaiguë, plus discrète, ou encore sous une forme chronique. Dans tous les cas, un ou plusieurs mécanismes de déclenchement de la coagulation peuvent être observés. À titre d'exemple, les tumeurs et les tissus lésés ou nécrotiques libèrent un facteur tissulaire dans la circulation. Les endotoxines des bactéries à Gram négatif activent, quant à elles, plusieurs étapes de la cascade de coagulation.

La libération du facteur tissulaire au site de la lésion tissulaire et par certaines affections malignes, comme la leucémie, active les mécanismes de coagulation normaux. La thrombine intravasculaire est produite en quantité excessive, ce qui accélère la conversion du fibrinogène en fibrine et favorise l'agrégation plaquettaire **FIGURE 38.10**. La formation en nombre excessif de dépôts de fibrine et de

Facteurs de risque

ENCADRÉ 38.15 Facteurs prédisposant à la coagulation intravasculaire disséminée (CIVD)

CIVD AIGUË

- Choc
  - Hypovolémique
  - Cardiogénique
  - Anaphylactique
- Sepsie
  - Infections bactériennes (staphylocoques, streptocoques, pneumocoques, méningocoques, bacilles à Gram négatif), virales, parasitaires et fongiques
- Accidents hémolytiques
  - Incompatibilité ABO au moment de la transfusion d'un produit sanguin
  - Hémolyse aiguë causée par une infection ou un trouble immunologique
- Accidents obstétricaux
  - Décollement placentaire
  - Embolie amniotique
  - Avortement septique
  - Syndrome HELLP (*hemolysis, elevated liver enymes, low platelets counts*, soit « hémolyse, augmentation des enzymes hépatiques, numération plaquettaire faible »)
- Affections malignes
  - Leucémie aiguë
  - Lymphome
  - Syndrome de lyse tumorale
- Lésions tissulaires
  - Brûlures et traumatismes étendus
  - Coup de chaleur
  - Traumatisme craniocérébral grave
  - Rejet du greffon
  - Traumatisme postchirurgical, notamment après circulation extracorporelle
  - Embolie graisseuse et embolie pulmonaire
  - Morsure de serpent
  - Glomérulonéphrite
  - Anoxie aiguë (p. ex., après un arrêt cardiaque)
  - Prothèses
  - Hépatite fulminante

CIVD SUBAIGUË

- Maladies malignes
  - Maladies myéloprolifératives ou lymphoprolifératives
  - Cancer métastatique
- Accident obstétrical
  - Fœtus mort *in utero*

CIVD CHRONIQUE

- Maladies hépatiques
  - Lupus érythémateux aigu disséminé
  - Affection maligne

plaquettes dans les capillaires et les artérioles provoque une thrombose susceptible d'aboutir à une ischémie partielle ou totale dans plusieurs organes. De plus, une déplétion de certaines substances s'opposant à la coagulation, comme l'antithrombine III (AT III) et la protéine C, est observée. La coagulation excessive active le système fibrinolytique qui, à son tour, lyse les caillots nouvellement formés. Cela entraîne comme conséquence la formation de produits de dégradation de la fibrine. Ces produits ont des propriétés anticoagulantes et inhibent les mécanismes normaux de coagulation. En fin de compte, c'est l'accumulation de produits de dégradation de la fibrine et la déplétion des facteurs de coagulation qui font perdre au sang sa capacité de coaguler. Un caillot stable ne peut pas se former aux points de lésion, ce qui prédispose le client aux hémorragies.

CE QU'IL FAUT RETENIR

Dans les cas de CIVD, l'accumulation de produits de dégradation de la fibrine et la déplétion des facteurs de coagulation empêchent le sang de coaguler.

La CIVD chronique ou subaiguë touche le plus souvent les personnes atteintes d'une affection chronique, comme une pathologie maligne ou auto-immune. Chez ces personnes, parfois seuls des résultats d'analyses de laboratoire anormaux révèlent une forme subclinique de la maladie. Cependant, les manifestations cliniques sont variables, pouvant aller de la simple ecchymose à l'hémorragie, ou de l'hypercoagulabilité à la thrombose.

Manifestations cliniques

La séquence des événements dans la CIVD aiguë n'est pas bien définie. Chez une personne sans antécédents ou chez qui l'étiologie n'est pas évidente, un saignement doit être évalué, car il peut être l'une des premières manifestations d'une CIVD aiguë. La faiblesse, les malaises et la fièvre comptent parmi les autres manifestations non spécifiques.

La CIVD se manifeste à la fois par un saignement et des événements thrombotiques. Le saignement est attribuable à de multiples facteurs **FIGURE 38.10**. Il peut résulter d'une déplétion des plaquettes et des facteurs de coagulation, de la lyse d'un caillot ou de la formation de produits de dégradation de la fibrine ayant des propriétés anticoagulantes.

Parmi les signes hémorragiques, il convient de mentionner : 1) les manifestations tégumentaires comme la pâleur, les pétéchies, le purpura **FIGURE 38.11**, les suintements hémorragiques, le saignement au site de ponction veineuse, les hématomes et les saignements occultes ; 2) les manifestations respiratoires comme la tachypnée, l'hémoptysie et l'orthopnée ; 3) les manifestations cardiovasculaires comme la tachycardie et l'hypotension artérielle ; 4) les manifestations gastro-intestinales comme les hémorragies digestives supérieures ou basses, le ballonnement abdominal et le méléna ; 5) les troubles urinaires comme l'hématurie ; 6) les troubles neurologiques comme les troubles visuels, les étourdissements, les céphalées, l'altération de l'état mental et l'irritabilité ; 7) les manifestations oculaires, parmi lesquelles l'hémorragie sous-conjonctivale est la plus fréquente.

Les douleurs osseuses ou articulaires peuvent être secondaires à la présence d'un hématome ou à des microthrombus. Elles ne sont toutefois pas

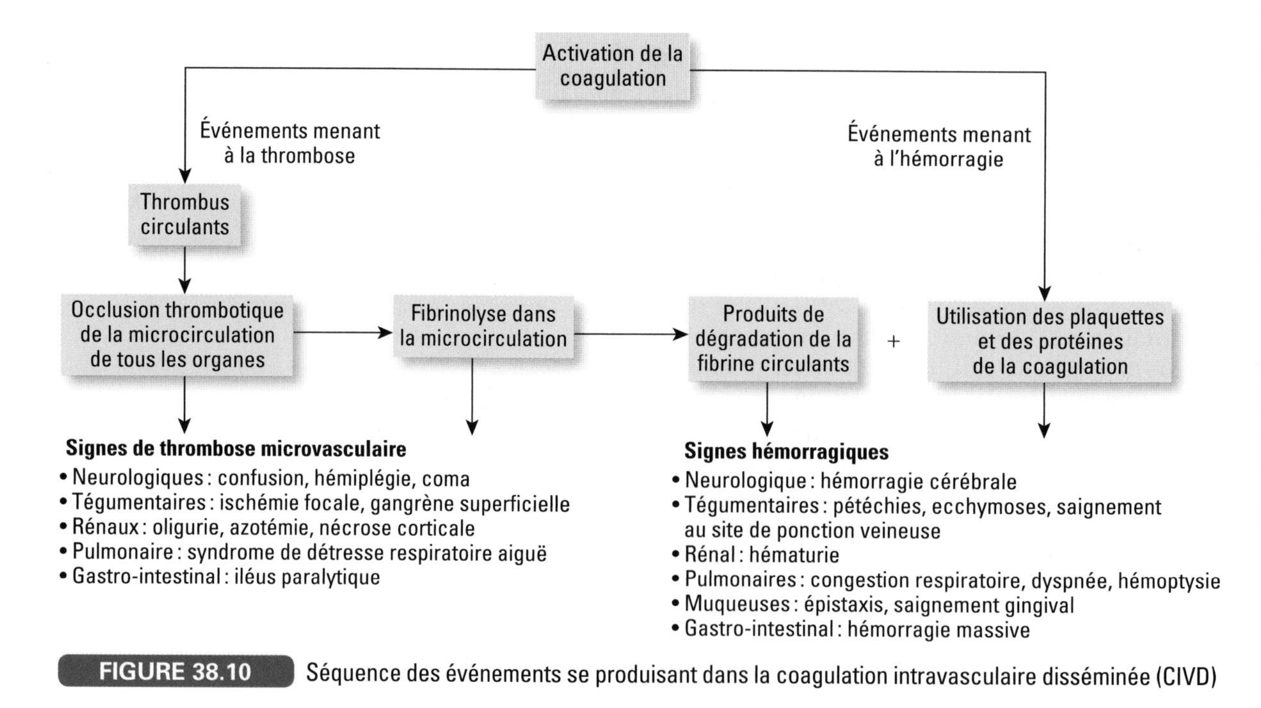

FIGURE 38.10 Séquence des événements se produisant dans la coagulation intravasculaire disséminée (CIVD)

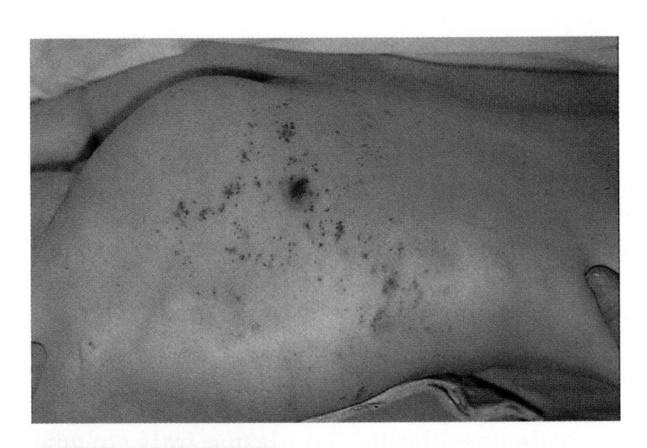

FIGURE 38.11 Coagulation intravasculaire disséminée résultant d'une sepsie à staphylocoque – À noter les épanchements de sang, une caractéristique de gravité variable allant des petites lésions purpuriques jusqu'aux ecchymoses graves.

des manifestations classiques d'une CIVD. Les manifestations thrombotiques sont attribuables à la formation de dépôts de fibrine ou de plaques dans la microcirculation **FIGURE 38.10**. Elles s'accompagnent de changements tégumentaires comme la cyanose, la nécrose tissulaire ischémique (p. ex., la gangrène) et la nécrose hémorragique ; de troubles respiratoires comme la tachypnée, la dyspnée, l'embolie pulmonaire et le syndrome de détresse respiratoire aiguë (SDRA) ; de troubles cardiovasculaires attestés par des anomalies du tracé électrocardiographique et la turgescence de veines ; des troubles gastro-intestinaux comme les douleurs abdominales et l'iléus paralytique ; des troubles rénaux et l'**oligurie** menant à l'insuffisance rénale.

Examens paracliniques

Les examens de dépistage de la CIVD aiguë et leurs résultats sont présentés au **TABLEAU 38.10**. Les produits de dégradation de la fibrine ou du fibrinogène (PDF) sont des substances qui s'opposent à la coagulation de trois façons : premièrement, en recouvrant les plaquettes et en gênant la fonction plaquettaire ; deuxièmement, en inhibant l'action de la thrombine, ce qui perturbe la coagulation ; et troisièmement, en se liant au fibrinogène, ce qui inhibe sa polymérisation nécessaire à la formation d'un caillot stable. Le dosage immunologique des D-dimères est un test de dépistage plus précis. Les D-dimères sont des produits de la dégradation des filaments de fibrine. Ils reflètent donc de manière spécifique le degré de fibrinolyse. En règle générale, les examens permettant de doser les substances nécessaires à la coagulation (p. ex., les plaquettes et le fibrinogène) révèlent une réduction de ces substances et un allongement du temps de coagulation. Il est également possible d'observer dans les frottis sanguins la présence de GR fragmentés (schizocytes), ce qui est un indice d'une occlusion partielle des vaisseaux de petit calibre.

Processus thérapeutique en interdisciplinarité

Le diagnostic de la CIVD doit être établi rapidement en vue de stabiliser l'état du client (p. ex., par l'oxygénothérapie et la restauration du volume sanguin), d'amorcer un traitement permettant de supprimer la cause ou de guérir la pathologie sous-jacente et de prodiguer les soins de soutien servant à traiter les manifestations de la maladie elle-même. Le traitement de la CIVD reste controversé et fait toujours l'objet d'études. Les chercheurs tentent de trouver quelles seraient les meilleures stratégies thérapeutiques. Il est donc impératif que l'infirmière maintienne à jour ses connaissances afin que la personne présentant une CIVD puisse recevoir les soins infirmiers en fonction des signes cliniques qu'elle présente. Il est primordial de diagnostiquer et de traiter la pathologie principale pour corriger la CIVD.

CE QU'IL FAUT RETENIR

Plus le taux de fibrinogène est bas, plus le risque d'hémorragie est grand.

Oligurie : Diminution de la production d'urine (moins de 30 mL/h).

Examens paracliniques

TABLEAU 38.10 Anomalies en cause dans la coagulation intravasculaire disséminée

EXAMEN PARACLINIQUE	OBSERVATION
Examens de dépistage	
D-dimères (fragments de fibrine réticulée)	Taux élevé
Plaquettes	Réduit
Taux de fibrinogène	Réduit
Temps de céphaline	Allongement
Temps de céphaline activée	Allongement
Temps de prothrombine	Allongement
Temps de thrombine	Allongement
Examens spéciaux	
Antithrombine III	Taux réduit
Dosage de facteurs (V, VII, VIII, X, XIII)	Taux réduit
Protéine C	Taux réduit
Protéine S	Taux réduit
Taux des produits de dégradation de la fibrine	Élevé

Selon la gravité des manifestations cliniques, le professionnel de la santé a recours à diverses méthodes pour prodiguer les soins de soutien et traiter la CIVD chez la personne symptomatique **FIGURE 38.12**. Lorsque la CIVD ne cause pas d'hémorragie, aucun traitement ne s'impose. Le traitement de la pathologie sous-jacente peut suffire pour faire rétrocéder la CIVD (p. ex., la chimiothérapie lorsque la CIVD est causée par une tumeur maligne). Lorsqu'un saignement survient chez un client qui présente une CIVD, le traitement doit consister à donner des soins de soutien et à administrer des produits sanguins prescrits tout en traitant la pathologie principale. Les produits sanguins utilisés au cours des transfusions doivent être sélectionnés sur la base des carences en facteurs spécifiques lorsque la personne présente un saignement important, qu'elle est sujette aux saignements (p. ex., durant une intervention chirurgicale) ou lorsqu'elle doit subir une intervention effractive. Les transfusions de plaquettes, de cryoprécipité ou de plasma frais congelé sont habituellement réservées à une personne dont la vie est menacée par l'hémorragie ▶ MS 8.2. Le problème réside dans le fait que le traitement revient à stimuler une coagulation déjà activée. Il reste que c'est l'unique moyen d'éviter une hémorragie fatale dans certains cas. Le traitement vise à stabiliser l'état de santé du client, à empêcher l'exsanguination ou la thrombose massive et à amorcer un traitement pour corriger définitivement la pathologie sous-jacente. En règle générale, la transfusion de plaquettes est instaurée pour corriger une thrombocytopénie lorsque leur nombre est inférieur à 20 000/mm^3 ou à 50 000/mm^3 en présence d'une hémorragie. Le plasma frais congelé, quant à lui, permet de remplacer plusieurs facteurs de coagulation. Le plasma frais congelé constitue une source d'antithrombine.

MS 8.2

Méthodes liées à l'administration de produits sanguins : *Administration de concentré plaquettaire ou de plasma.*

En présence des symptômes d'une thrombose, le traitement par héparine non fractionnée ou par héparine à faible poids moléculaire (HFPM) est habituellement indiqué. Cependant, le traitement à l'héparine dans la CIVD reste controversé. L'antithrombine III est parfois utile dans la CIVD fulminante, bien qu'elle fasse augmenter le risque d'hémorragie. Les anticoagulants oraux n'ont aucune efficacité dans la CIVD chronique. Cependant, un traitement de longue durée à l'héparine permet de maîtriser la maladie.

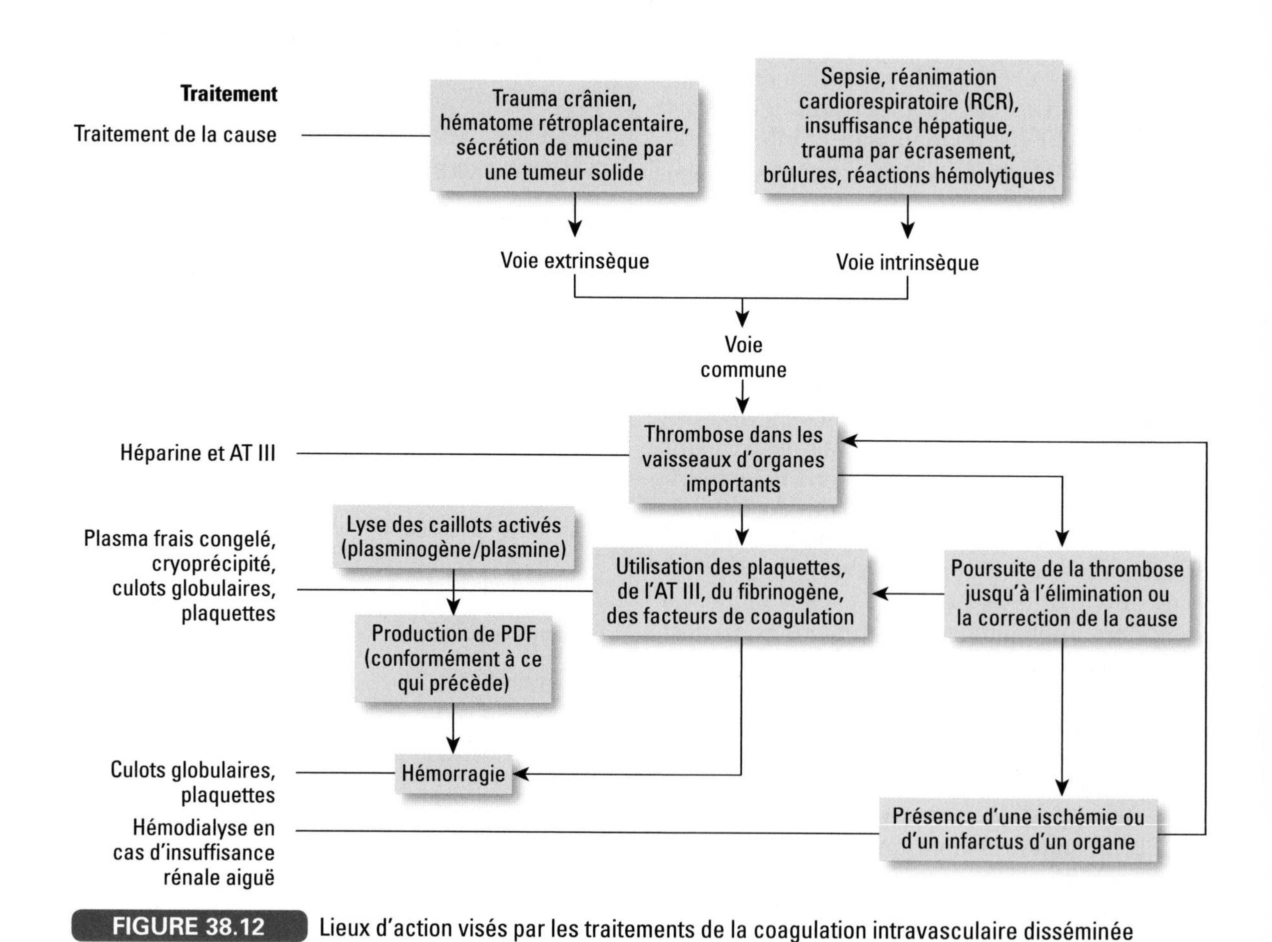

FIGURE 38.12 Lieux d'action visés par les traitements de la coagulation intravasculaire disséminée

Soins et traitements infirmiers

CLIENT ATTEINT DE COAGULATION INTRAVASCULAIRE DISSÉMINÉE

Analyse et interprétation des données

L'analyse et l'interprétation des données relatives au client souffrant de CIVD peuvent mener aux observations suivantes, sans s'y limiter:

- l'irrigation insuffisante dans les tissus périphériques associée à une hémorragie ainsi qu'à une circulation réduite secondaire à une thrombose;
- la douleur aiguë associée à un hématome ou à des microthrombus;
- la diminution du débit cardiaque associée à un déficit de volume liquidien et à l'hypotension artérielle;
- l'anxiété associée à la peur de l'inconnu, de la maladie, des examens paracliniques et du traitement.

Interventions cliniques

L'infirmière doit surveiller les signes de CIVD et connaître les facteurs prédisposant au syndrome qui sont énumérés à l'**ENCADRÉ 38.15**. Comme la CIVD est secondaire à une pathologie sous-jacente, il faut fournir non seulement les soins appropriés pour résoudre le problème sous-jacent, mais aussi les soins de soutien liés aux manifestations de la CIVD (Levi & van der Poll, 2013).

Des interventions infirmières sont essentielles pour assurer la survie de la personne qui présente une CIVD aiguë. Il est primordial de surveiller attentivement les manifestations du syndrome et d'administrer sans délai les traitements prescrits. Selon l'évolution du tableau clinique, l'infirmière doit établir un ordre de priorité dans ses interventions. Les évaluations et les interventions qui s'imposent en cas de CIVD sont présentées dans le **PSTI 38.2**. L'objectif premier est de déceler précocement les saignements, qu'ils soient occultes ou apparents. Il faut surveiller l'apparition des signes d'une hémorragie externe (pétéchies, saignement au site de ponction veineuse ou d'injection), des signes d'une hémorragie interne (tachycardie, hypotension artérielle, altérations de l'état mental, augmentation du volume de l'abdomen, douleur) et de tout indice qui porte à croire que des microthrombus causent d'importantes lésions à des organes (p. ex., une réduction de la diurèse). Il faut réduire le plus possible les risques de lésions tissulaires et protéger la personne contre d'autres sources hémorragiques.

L'infirmière doit aussi administrer les produits sanguins et les médicaments prescrits. Même si la situation nécessite de nombreuses interventions urgentes et un suivi serré, elle doit prendre le temps d'expliquer au client et à ses proches les différentes actions afin de diminuer la peur de l'inconnu. Tout au long des interventions, l'infirmière doit prendre en considération l'anxiété du client.

CE QU'IL FAUT RETENIR

L'infirmière doit surveiller l'apparition des signes d'une hémorragie externe ou interne et tout indice de lésions aux organes.

38

38.4 | Neutropénie

Une leucopénie est une baisse du nombre total de globules blancs (granulocytes, monocytes et lymphocytes). La granulocytopénie est une affection caractérisée par un déficit en granulocytes, lesquels comprennent les polynucléaires neutrophiles, les éosinophiles et les basophiles. Les granulocytes neutrophiles, qui jouent un rôle important dans la phagocytose des microbes pathogènes, font l'objet d'une surveillance étroite en pratique clinique, car ils donnent des indices quant au risque d'infection. Une baisse du nombre de granulocytes neutrophiles est appelée **neutropénie**. Certains cliniciens utilisent indifféremment les termes granulocytopénie et neutropénie, car les granulocytes sont majoritairement des neutrophiles.

Si la numération des leucocytes reflète une numération absolue de neutrophiles (NAN) inférieure à 500/mm^3, la neutropénie est sévère. Une NAN inférieure à 100/mm^3 signifie que la neutropénie est profonde. La NAN (aussi appelée TAN: taux absolu de neutrophiles) est établie en multipliant la numération totale des GB par le pourcentage de neutrophiles (p. ex., 2 500/mm^3 × 0,22 [% de neutrophiles] = 550/mm^3).

La neutropénie traduit un trouble ou une maladie **ENCADRÉ 38.16**. Elle peut aussi être un effet indésirable ou inattendu de la prise de certains médicaments. La neutropénie est le plus souvent iatrogénique, c'est-à-dire qu'elle survient après l'administration d'agents cytotoxiques ou immunosuppresseurs pour traiter une tumeur ou une maladie auto-immune. Le nadir est souvent utilisé pour décrire le taux le plus bas des cellules sanguines des clients traités avec des agents antinéoplasiques

Lorsqu'il s'agit de déterminer la gravité d'une neutropénie sur le plan clinique, il est important de savoir si la diminution du taux des polynucléaires neutrophiles est graduelle ou accélérée, et de connaître l'importance et la durée de la neutropénie. Plus la diminution est importante et de durée prolongée, plus les risques d'infection, de

CE QU'IL FAUT RETENIR

Plus la diminution des polynucléaires neutrophiles est importante et prolongée, plus les risques d'infection, de sepsie et de décès sont élevés.

ENCADRÉ 38.16 Causes de la neutropénie

MÉDICAMENTS
- Antibiotiques antitumoraux (daunorubicine [Cerubidine^MD], doxorubicine [Adriamycin^MD])
- Agents alkylants (moutarde azotée [Mustagren^MD], busulfan [Myleran^MD])
- Antimétabolites (méthotrexate, 6-mercaptopurine [Purinethol^MD])
- Anti-inflammatoires (phénylbutazone)
- Psychotropes et antidépresseurs (clozapine, imipramine [Tofranil^MD])
- Autres (or, pénicillamine, mépacrine, amodiaquine)
- Antimicrobiens (zidovudine [AZT^MD, Retrovir^MD], triméthoprim-sulfaméthoxazole [Septra^MD])

TROUBLES HÉMATOLOGIQUES
- Neutropénie idiopathique
- Neutropénie congénitale
- Neutropénie cyclique
- Anémie aplasique
- Anémie de Fanconi
- Leucémie
- Syndrome myélodysplasique

TROUBLES AUTO-IMMUNS
- Lupus érythémateux disséminé
- Syndrome de Felty
- Polyarthrite rhumatoïde

INFECTIONS
- Infections virales (p. ex., l'hépatite, la grippe, l'infection par le VIH, la rougeole)
- Infections bactériennes fulminantes (p. ex., la fièvre typhoïde, la tuberculose miliaire)
- Infections parasitaires
- Rickettsiose

CAUSES DIVERSES
- Sepsie sévère
- Infiltration de la moelle osseuse (carcinome, tuberculose, lymphome)
- Hypersplénisme (hypertension portale, syndrome de Felty, maladie de surcharge [p. ex., la maladie de Gaucher])
- Carences alimentaires (déficits en cobalamine, en acide folique)
- Réaction transfusionnelle
- Hémodialyse

- Chez la personne neutropénique, à défaut d'une intervention rapide, une fièvre même légère (38 °C) est un signe majeur, car elle traduit une infection pouvant mener à un choc septique ou à la mort.
- Les hémocultures doivent être prélevées immédiatement (stat.) et une antibiothérapie appropriée doit être amorcée dans l'heure suivant l'apparition de la fièvre.
- La fièvre ≥ 38,3 °C (ou > 38 °C depuis plus d'une heure) et une NAN inférieure à 1 000/mm^3 (neutropénie) constituent un cas d'urgence médicale (Afable & Lyon, 2008).

sepsie et de décès sont élevés. D'autres facteurs de comorbidité comme l'hospitalisation, le diabète, le fait d'être âgé de plus de 60 ans ou une infection concomitante peuvent aussi faire augmenter le risque d'infection grave (Latto, 2008).

38.4.1 Manifestations cliniques

La neutropénie prédispose à l'infection par des microorganismes opportunistes ou non pathogènes constituant normalement la flore intestinale. Lorsque le nombre de leucocytes est faible ou en présence de leucocytes immatures, les mécanismes phagocytaires sont perturbés. Les signes classiques de l'inflammation (rougeur, chaleur, œdème et douleur) peuvent être absents. Le pus est majoritairement composé de leucocytes altérés. Chez une personne neutropénique, la formation de pus (observable dans une plaie apparente ou sous forme d'infiltrats pulmonaires visibles à la radiographie pulmonaire) est absente. La neutropénie fébrile se définit par une NAN inférieure à 1 000/mm^3 en présence d'une température égale ou supérieure à 38,3 °C ou d'une température supérieure à 38 °C depuis plus d'une heure. Elle est qualifiée d'urgence médicale, et elle est une indication d'hospitalisation ou de sa prolongation (NCI, 2010).

Chez une personne présentant une neutropénie fébrile, il faut présumer que la fièvre est causée par une infection et intervenir sans délai. Par conséquent, toute infection bénigne risque de dégénérer rapidement en sepsie. Les muqueuses de la gorge et de la bouche, de la peau, de la région périanale et de l'appareil respiratoire sont des portes d'entrée pour les microorganismes pathogènes chez l'hôte vulnérable. Le système génito-urinaire peut aussi être la source d'une infection. Les maux de gorge et la dysphagie, les ulcères des muqueuses du pharynx et de la bouche, la diarrhée, la sensibilité au rectum, les démangeaisons ou les pertes vaginales, l'essoufflement et la toux non productive sont parmi les manifestations cliniques de l'infection de ces régions. En présence de courbatures, de fatigue ou d'autres symptômes, il faut informer le client de prendre sa température. Toute douleur ou tout autre symptôme doit être pris au sérieux, évalué et signalé sans délai au médecin. Au début, les manifestations peuvent sembler bénignes. Si elles ne sont pas reconnues et traitées dès le début, elles peuvent s'aggraver. Les frissons, la sepsie et le choc septique peuvent s'ensuivre.

Les infections systémiques d'origine bactérienne, fongique ou virale sont fréquentes chez une personne neutropénique. La flore de cette dernière (qui n'est habituellement pas pathogène) contribue grandement à l'apparition d'infections pouvant menacer la vie, comme la pneumonie. Le *Staphylococcus aureus* à Gram négatif et les microorganismes aérobies à Gram négatif (comme l'*Escherichia coli* et le *Pseudomonas aeruginosa*) comptent parmi les microorganismes réputés pour être des sources fréquentes d'infection (Baden, Bensinger, Angarone *et al.*, 2011; Klastersky, Awada, Paesmans *et al.*, 2011). Le *Candida* (habituellement *C. albicans*) et l'*Aspergillus* sont des champignons en cause dans ce type d'infection. Les infections virales causées par la réactivation de l'herpès simplex et du virus du zona sont fréquentes et elles suivent un épisode prolongé de neutropénie, comme c'est le cas chez le client ayant subi une greffe de cellules souches hématopoïétiques.

38.4.2 Examens paracliniques

Les principaux tests diagnostiques pour évaluer la présence d'une neutropénie sont la formule sanguine complète ainsi que la ponction et la biopsie de moelle osseuse **ENCADRÉ 38.17**. Une numération des leucocytes de moins de 4 000/mm^3 révèle une leucopénie. Cependant, seule une numération différentielle de neutrophiles permet de confirmer la neutropénie (NAN inférieure à 1 000/mm^3). Si la NAN se situe entre 500 et 1 000/mm^3, le client présente un risque modéré d'infection bactérienne. Une NAN de moins de 500/mm^3 entraîne un risque grave.

Processus diagnostique et thérapeutique

ENCADRÉ 38.17 Neutropénie

EXAMEN CLINIQUE ET EXAMENS PARACLINIQUES

- Anamnèse et examen physique
- Formule sanguine complète
- Morphologie leucocytaire
- Ponction ou biopsie médullaire
- Hémocultures stat.
- Culture d'urine
- Cultures des sécrétions du nez, de la gorge, du pus, des selles, des lésions apparentes (s'il y a lieu)
- Radiographie pulmonaire

PROCESSUS THÉRAPEUTIQUE

- Détermination de la cause de la neutropénie et suppression de l'agent causal (si possible)
- Détermination du foyer d'infection (s'il y a lieu) et du microorganisme en cause
- Antibiothérapie (démarrer sans délai une antibiothérapie à large spectre même si le client n'est que légèrement fiévreux [38 °C] et ne présente aucun autre signe d'infection)
- Facteurs de croissance hématopoïétiques (facteur stimulant la formation et le développement de colonies de granulocytes [G-CSF], filgrastim [Neupogen[MD]] ; pegfilgrastim [Neulasta[MD]])
- Hygiène et lavage des mains rigoureux du client, des visiteurs et du personnel soignant
- Chambre individuelle, appareil de protection respiratoire filtrant à haute efficacité (filtre HEPA) contre les particules, en cas de risque

Le frottis sanguin périphérique permet de déceler la présence de leucocytes qui ne parviennent pas à maturité (granulocytes basophiles non segmentés). L'hématocrite, la numération réticulocytaire et la numération plaquettaire servent à évaluer la fonction médullaire. Il faut aussi examiner les antécédents médicaux récents et le dossier pharmacologique du client. Lorsque la cause de la neutropénie est inconnue, il faut effectuer une aspiration et une biopsie de la moelle osseuse pour examiner la cellularité et la morphologie cellulaire. D'autres examens permettant d'évaluer la fonction de la rate et celle du foie peuvent s'imposer.

Soins et traitements en interdisciplinarité

CLIENT ATTEINT DE NEUTROPÉNIE

Les soins infirmiers et le processus thérapeutique en interdisciplinarité en présence de neutropénie consistent entre autres à :

- déterminer la cause de la neutropénie ;
- administrer les facteurs de croissance hématopoïétique prescrits (G-CSF) ;
- prendre les mesures de protection nécessaires : lavage des mains strict, restriction des visites, chambre privée en cas d'hospitalisation ; un client ayant subi une greffe de cellules souches hématopoïétiques sera placé dans une chambre munie d'un dispositif de filtration à haute efficacité (HEPA) **ENCADRÉ 38.17** ;
- en présence d'une neutropénie fébrile, effectuer les prélèvements requis en vue de leur mise en culture permettant de déterminer les microorganismes en cause ;
- amorcer sans tarder l'antibiothérapie à large spectre prescrite.

Il est parfois facile d'enrayer la cause de la neutropénie (p. ex., une carence nutritionnelle). Toutefois, la neutropénie peut aussi être un effet indésirable mais prévisible d'un traitement (chimiothérapie, radiothérapie). Dans certains cas, la neutropénie régresse lorsque la pathologie principale (p. ex., la tuberculose) est traitée.

L'infirmière doit surveiller l'apparition de signes d'infection (température égale ou supérieure à 38,3 °C ou supérieure à 38 °C depuis plus d'une heure) et de manifestations précoces de choc septique. Lorsqu'une personne atteinte de cancer reçoit des traitements en clinique ambulatoire, l'infirmière doit l'informer des signes et des symptômes annonciateurs d'une infection à surveiller. Elle doit également l'aviser de prendre sa température buccale et de consulter rapidement en présence d'une température égale ou supérieure à 38,3 °C ou supérieure à 38 °C depuis plus d'une heure, de toux, de maux de gorge, de brûlement mictionnel, de fatigue inhabituelle ou de courbatures. Elle doit l'informer de ne pas prendre d'antipyrétiques tels que des comprimés d'acétaminophène, des AINS ou de l'AAS durant la période de nadir (lorsque les taux de neutrophiles sont au plus bas). Ces agents risquent de masquer

Réactivation des connaissances

À partir de quelle valeur considère-t-on qu'il y a hyperthermie chez la personne âgée ?

CE QU'IL FAUT RETENIR

En présence d'une neutropénie, l'infirmière doit amorcer le traitement sans délai et surveiller l'apparition d'effets indésirables causés par les agents antimicrobiens.

une augmentation de la température et d'empêcher le diagnostic précoce d'une infection. La détermination du microorganisme potentiellement infectieux dépend de la possibilité de mettre en culture des cellules d'origines diverses. Les hémocultures sériées (au moins deux) effectuées à partir d'échantillons sanguins prélevés par ponction veineuse, ou une hémoculture effectuée à partir d'un échantillon sanguin prélevé par ponction veineuse et une autre effectuée à partir d'un échantillon sanguin prélevé au point d'accès d'un cathéter veineux central, doivent être effectuées rapidement avant d'amorcer l'antibiothérapie. Il est indispensable de faire des cultures d'expectorations, de sécrétions de gorge, de lésions, de plaies, d'urine et de matières fécales pour bien surveiller l'état de la personne. Il peut également être nécessaire de pratiquer une aspiration trachéale, une bronchoscopie avec brossage bronchique ou une biopsie pulmonaire pour établir la cause des infiltrats pulmonaires. Les examens paracliniques effractifs sont souvent contre-indiqués parce qu'ils risquent de déclencher une infection et aussi parce que la personne est souvent thrombocytopénique. Malgré tous ces examens, le microorganisme en cause n'est déterminé que chez environ la moitié des personnes neutropéniques. En raison de la grande vulnérabilité de la personne aux infections, certaines procédures de soins usuels (prise de température rectale, insertion de suppositoires, pose d'une sonde urinaire ou gastrique) augmentent le risque d'infection en contexte de neutropénie. Si ces interventions sont requises, il importe d'en discuter avec le médecin afin de bien évaluer le risque par rapport au bénéfice recherché.

Jugement clinique

À la suite des traitements de chimiothérapie pour traiter un cancer du sein, Édith Lacerte a présenté de la neutropénie. « J'ai 41 ans et j'ai toujours mangé de la viande », dit-elle. Elle vous demande pourquoi elle doit éviter de manger de la viande crue. Qu'est-ce qui justifie cette restriction alimentaire dans son cas ?

En présence d'une neutropénie fébrile, il faut amorcer une antibiothérapie sans délai (dans l'heure qui suit le début de la fièvre), avant même d'avoir déterminé le microorganisme en cause. Les antibiotiques à large spectre sont habituellement administrés par voie I.V. en raison de la rapidité des effets létaux de l'infection. L'emploi de pipéracilline-tazobactam (Tazocin^MD^), d'une céphalosporine de troisième ou de quatrième génération (p. ex., la céfépime [Maxipime^MD^], la ceftazidime) ou d'un carbapénème (p. ex., l'imipénem-cilastatine [Primaxin^MD^]) assure une protection étendue pour le traitement de première intention (Freifeld, Bow, Sepkowitz *et al.*, 2011). Quelle que soit l'association médicamenteuse utilisée, l'infirmière doit amorcer le traitement sans délai et surveiller l'apparition d'effets indésirables causés par ces agents antimicrobiens. Parmi les effets indésirables fréquents des aminosides, il convient de mentionner les effets néphrotoxiques et ototoxiques ; l'éruption cutanée, la fièvre et le prurit sont, quant à eux, au nombre des effets indésirables des céphalosporines. En cas d'épisodes fébriles persistants ou de changements dans l'état de santé de la personne, le médecin doit prescrire d'autres cultures, des examens paracliniques ou l'ajout d'autres traitements antimicrobiens.

Le risque d'infection augmente avec la durée de la neutropénie. Plus la neutropénie persiste, plus le risque d'infection fongique s'élève. Un traitement antifongique est amorcé lorsque les cultures sont positives ou quand la fièvre est persistante malgré le traitement par une antibiothérapie à large spectre.

Le facteur de croissance de colonies de granulocytes (G-CSF) (p. ex., le filgrastim [Neupogen^MD^], le pegfilgrastim [Neulasta^MD^]) et le facteur de croissance de colonies de granulocytes et de macrophages (GM-CSF) (non disponible au Canada) peuvent être utiles pour prévenir la neutropénie ou pour en réduire la gravité ou la durée, ou les deux à la fois (Baden *et al.*, 2011). La pertinence de leur emploi chez les clients ayant suivi une chimiothérapie doit être évaluée en fonction des facteurs de risque de neutropénie (Freifeld *et al.*, 2011). Des recommandations sont disponibles quant à l'utilisation des facteurs de croissance dans une perspective de prévention primaire et secondaire de la neutropénie chez les personnes atteintes de cancer (Smith, Bohlke, Lyman *et al.*, 2015). En règle générale, ces facteurs sont moins efficaces une fois que la neutropénie est déclarée. Le G-CSF stimule la production et l'activité des polynucléaires neutrophiles. Le GM-CSF stimule la production et l'activité des polynucléaires neutrophiles et des monocytes. Le G-CSF est administré par voie sous-cutanée. Le facteur de croissance des kératinocytes (palifermine) peut être utile, lui aussi, pour réduire la durée et la gravité de l'inflammation des muqueuses qui contribue à l'infection. Au Canada, son indication est toutefois restreinte aux personnes atteintes d'une hématopathie maligne qui suivent un traitement myélotoxique nécessitant une greffe de cellules souches hématopoïétiques. Ce facteur de croissance s'administre par voie I.V. (Santé Canada, 2007).

Il est important de trouver les meilleures stratégies pour protéger la personne neutropénique immunodéprimée. C'est pourquoi il faut retenir que :

1. la flore résidente est la principale cause de contamination et d'infection microbienne ;
2. la transmission de microorganismes pathogènes par l'être humain résulte le plus souvent d'un contact direct avec les mains ;

3. l'air, la nourriture, l'eau et le matériel médical peuvent transmettre une infection;
4. les professionnels de la santé atteints d'une affection transmissible ainsi que les autres clients souffrant d'une infection peuvent transmettre l'infection sous certaines conditions.

L'hygiène des mains constitue la mesure la plus importante pour réduire le risque d'infection chez le client neutropénique. Un lavage des mains strict par les membres du personnel et les visiteurs, avant et après le contact, est le meilleur moyen d'empêcher la transmission de microorganismes pathogènes (Freifeld *et al.*, 2011). Malgré cette mesure scientifiquement reconnue et à la portée de tous, le lavage des mains n'est pas toujours appliqué tel qu'il le devrait par les différents membres des équipes de soins.

Il est d'usage courant de recommander aux personnes neutropéniques d'éviter de manger certains aliments. Quoique l'efficacité voulant que les restrictions alimentaires diminuent le risque d'infection ne soit pas démontrée, la quasi-totalité des centres hospitaliers émettent un certain nombre de recommandations. Les recommandations les plus fréquentes sont d'éviter de manger de la viande crue, des fruits de mer, des œufs ainsi que des fruits et des légumes non lavés (van Dalen, Mank, Leclercq *et al.*, 2012).

Les personnes immunodéprimée doivent éviter les personnes infectées ou à risque de transmettre une infection. La neutropénie n'est pas une condition sine qua non d'hospitalisation. Le client et son entourage doivent connaître et appliquer les mesures de protection contre les infections, reconnaître les signes et les symptômes d'une infection et consulter sans délai dans un établissement de soins de santé **ENCADRÉ 38.18**. En cas d'hospitalisation, le client doit être placé dans une chambre privée. Les dispositifs de filtration HEPA peuvent réduire le nombre de microorganismes pathogènes en suspension dans l'air. Bien qu'ils soient coûteux, ces dispositifs sont souvent installés dans les chambres de personnes atteintes d'une neutropénie sévère et de longue durée (p. ex., des personnes ayant subi une greffe de cellules souches hématopoïétiques). Les soins usuels à donner au client en chambre équipée d'un dispositif de filtration HEPA sont essentiellement les mêmes que ceux administrés à une personne hospitalisée en

CE QU'IL FAUT RETENIR

En cas de neutropénie, la flore résidente est la principale cause de contamination et d'infection microbienne. La transmission de microorganismes pathogènes par l'humain résulte le plus souvent d'un contact direct avec les mains.

Enseignement au client et à ses proches

ENCADRÉ 38.18 Neutropénie

L'enseignement au client et à ses proches sur la prise en charge de la neutropénie devrait porter sur les aspects suivants:

- Se laver souvent les mains et s'assurer que les personnes de l'entourage en font autant. L'emploi d'un gel antibactérien peut remplacer le lavage au savon en l'absence de contact avec des liquides biologiques.
- Aviser l'infirmière ou le médecin si:
  - la température dépasse 38,3 °C ou est supérieure à 38° C depuis plus d'une heure[a];
  - des frissons ou de la fièvre apparaissent;
  - des rougeurs, de l'enflure, des écoulements ou de nouvelles douleurs surviennent;
  - des changements dans les mictions ou dans les selles surviennent, ou s'il y a présence de toux, de maux de gorge ou d'ulcères des muqueuses de la bouche.
- Éviter de prendre un antipyrétique comme des comprimés d'acétaminophène, des AINS ou de l'AAS durant la période de nadir.
- À domicile, prendre la température en suivant les directives du médecin et de l'infirmière, et respecter les consignes s'il y a présence de fièvre.
- Éviter les foules et le contact avec des personnes enrhumées, grippées ou infectées. Porter un masque dans les endroits publics.
- Éviter de consommer de la viande crue, des fruits de mer, des œufs, des fruits et des légumes non lavés. Demander au professionnel de la santé de donner des consignes particulières sur l'alimentation à adopter.
- Prendre un bain ou une douche quotidiennement. L'emploi d'un agent hydratant peut empêcher la déshydratation de la peau et les gerçures.
- Éviter les travaux de jardinage et le toilettage des animaux. Il n'y a aucun problème à nourrir et à caresser un chien ou un chat, pourvu que ce soit suivi d'un lavage des mains après le contact.
- Utiliser une brosse à dents à poils souples au moment du brossage de dents (après les repas et au coucher). La soie dentaire peut être utilisée si cela n'engendre pas de douleur ni de saignements excessifs. Il n'est pas recommandé d'utiliser des rinces bouche à base d'alcool.

[a] Vérifier auprès du médecin ou de l'infirmière le seuil supérieur de température à ne pas dépasser.

PSTI 38.1W : *Neutropénie.*

CE QU'IL FAUT RETENIR

L'infirmière doit évaluer régulièrement l'état de santé de la personne, détecter de façon précoce les infections et déterminer les sources potentielles d'infections liées à l'environnement.

chambre privée qui ne dispose pas d'un tel filtre. Il est possible d'appliquer d'autres mesures de précaution ; entre autres, administrer des antibiotiques à titre prophylactique et des agents antifongiques, et éviter la consommation de viande crue.

Il ne faut pas négliger les questions touchant la qualité de vie. La fatigue, les malaises, la diminution de la capacité de fonctionner et l'isolement social nécessitent des interventions appropriées.

Il convient d'insister sur l'importance des soins infirmiers visant à réduire le risque d'infection ou à limiter sa propagation. Le rôle de l'infirmière consiste à évaluer régulièrement l'état de santé de la personne, à détecter de façon précoce les manifestations cliniques d'infection et à déterminer les sources potentielles d'infections liées à l'environnement en vue de contribuer à réduire les taux de morbidité et de décès causés par l'infection **ENCADRÉ 38.19**.

Délégation de tâches

ENCADRÉ 38.19 Soins à la personne neutropénique

Les membres de l'équipe soignante ont tous un rôle important à jouer pour empêcher la transmission d'infections à une personne neutropénique. Un lavage méticuleux des mains est une importante mesure de prévention contre la transmission de l'infection, qui doit être suivie par tous et en tout temps.

RÔLE DE L'INFIRMIÈRE

- Évaluer l'état de santé du client en portant une attention particulière à la détection précoce de signes et de symptômes d'infection.
- Surveiller l'apparition de signes d'infection comme la confusion et la fatigue chez la personne âgée.
- Inscrire et mettre à jour les directives infirmières requises au PTI.
- Établir les mesures qui s'imposent pour isoler le client.
- Enseigner au client les soins personnels à appliquer en vue d'éviter ou de diminuer les risques d'infection (lavage des mains, soins d'hygiène de la peau et soins buccaux).
- Commencer le bilan septique (ensemble des examens paracliniques permettant la recherche du microorganisme causal) selon la prescription, s'il y a lieu.
- Administrer la médication I.V. selon la prescription.
- Appliquer les recommandations en vigueur dans l'établissement en matière de restrictions alimentaires.
- S'assurer du respect des mesures de prévention des infections de la part de l'ensemble des membres du personnel et des visiteurs.
- Enseigner au client ambulatoire et aux proches aidants comment reconnaître les symptômes de l'infection et leur demander de les signaler à un professionnel de la santé sans attendre.

RÔLE DE L'INFIRMIÈRE AUXILIAIRE

- Prendre connaissance du plan thérapeutique infirmier.
- Administrer les médicaments et les facteurs de croissance hématopoïétiques (conformément à la règle de soins sur l'administration sécuritaire des médicaments en vigueur dans l'établissement).
- Examiner la peau, les muqueuses de la bouche et la région périnéale pour s'assurer de l'intégrité de la peau, et aviser l'infirmière de toute lésion, le cas échéant.
- Surveiller l'apparition de signes d'infection (rougeur, écoulement, brûlure mictionnelle, toux) et les signaler à l'infirmière.
- Prendre les signes vitaux et signaler tout changement à l'infirmière.

RÔLE DU PRÉPOSÉ AUX BÉNÉFICIAIRES

- Assister le client dans ses soins d'hygiène personnelle et d'hygiène buccale.
- Respecter les mesures de prévention d'infection en vigueur pendant les contacts avec le client.

Considérations gérontologiques

THROMBOCYTOPÉNIE ET NEUTROPÉNIE

Actuellement, 89 % des cancers sont diagnostiqués chez des personnes âgées de 50 ans et plus (Société canadienne du cancer, 2015d). Chez la personne âgée, la réponse immunitaire diminue ; les lymphocytes B et T sont produits en moins grande quantité et leur efficacité est moindre (Montecino-Rodriguez, Berent-Maoz & Dorshkin, 2013). Sous l'impact d'un stress (p. ex., une chimiothérapie ou une radiothérapie), la capacité médullaire à répondre peut alors être altérée et résulter en une myélosuppression plus marquée. Une étude menée auprès d'une clientèle de personnes atteintes de lymphomes non hodgkiniens a révélé que l'âge est un facteur de risque de développer une neutropénie fébrile. Cette étude a démontré qu'il existe une corrélation significative entre le risque de souffrir d'une neutropénie fébrile et le fait d'être âgé de 65 ans et plus. Elle a aussi démontré que chez 50 % de cette clientèle, le premier épisode de neutropénie fébrile est survenu au cours du premier cycle de chimiothérapie (Lyman, Morrison, Dale *et al.*, 2003). Ainsi, l'utilisation de facteurs de croissance à des fins de prévention auprès de personnes à risque de contracter une neutropénie fébrile en raison de leur âge permet de diminuer les risques de morbidité de même qu'elle rend possible l'administration de chimiothérapie à des concentrations optimales chez la personne âgée de plus de 65 ans. L'infirmière doit savoir que la personne âgée peut présenter des symptômes post-traitement différents de ceux d'une personne plus jeune. Par exemple, comme manifestation clinique de la pneumonie, la personne âgée peut être confuse au lieu de présenter une toux.

38.5 Syndromes myélodysplasiques

Les **syndromes myélodysplasiques (SMD)** constituent un ensemble d'affections hématologiques qui se caractérisent par une cytopénie périphérique (causée par une production inefficace de cellules sanguines) et des transformations cellulaires dysplasiques de la moelle osseuse. Les SMD prédominent chez les personnes âgées, et l'incidence augmente avec l'âge. Ils sont rares chez l'adulte plus jeune. L'âge médian de survenue est de 80 ans (Goossen, 2012). Les cas observés avant l'âge de 50 ans sont rares.

38.5.1 Étiologie et physiopathologie

L'étiologie des SMD est souvent inconnue. Dans 15 à 20 % des cas, les SMD sont secondaires à des traitements reçus (chimiothérapie ou radiothérapie) pour traiter une maladie, généralement un cancer. Plus rarement, les SMD peuvent être secondaires à une exposition au benzène ou à d'autres solvants, ou éventuellement à des produits utilisés dans l'agriculture (pesticides, herbicides, engrais).

Il existe deux grandes catégories de SMD : ils peuvent être primaires ou secondaires. Cette distinction est établie à partir de l'histoire clinique et de la notion d'exposition à des agents toxiques, à des radiations ionisantes ou à une chimiothérapie. Les SMD primaires n'ont pas d'étiologie précise. Ils surviennent en l'absence d'antécédents connus ou d'exposition évidente à des agents toxiques. L'apparition d'une myélodysplasie secondaire, quant à elle, est liée à l'association d'irradiation et de chimiothérapie. Les SMD survenant après un traitement à base d'agents alkylants (melphalan, cyclophosphamide, chlorambucil, busulfan) apparaissent trois à sept ans après la chimiothérapie. Une prédisposition génétique, dont la trisomie 8 ou 21 et l'**anémie de Fanconi**, augmente le risque de SMD chez l'enfant (Alter, Giri, Savage *et al.*, 2010).

Les SMD sont des désordres clonaux. Cette hématopoïèse anormale résulte d'une cellule souche hématopoïétique dysfonctionnelle. Contrairement aux cellules leucémiques observées dans la leucémie aiguë dont un très faible nombre connaît une maturation normale, dans les SMD, les cellules clonales atteignent toujours un certain degré de maturation.

38.5.2 Manifestations cliniques

Le tableau hématologique des SMD se caractérise par un trouble de production des GR, des granulocytes et des plaquettes, et les manifestations cliniques sont liées à l'expression des cytopénies. Le plus souvent, les symptômes permettant leur diagnostic sont l'anémie, mais aussi des syndromes infectieux ou hémorragiques. Le client peut présenter un état général altéré avec une asthénie prédominante, une infection ou un syndrome hémorragique. Plusieurs clients étant asymptomatiques, les SMD sont souvent découverts au moment d'un bilan sanguin de routine.

CE QU'IL FAUT RETENIR

L'anémie et les syndromes infectieux ou hémorragiques sont des symptômes fréquents de SMD.

38.5.3 Examens paracliniques

L'examen d'un échantillon prélevé par aspiration de moelle osseuse ainsi qu'une biopsie de moelle osseuse sont essentiels pour diagnostiquer la myélodysplasie et déterminer de quel type il s'agit. Dans les SMD, la moelle osseuse est plus souvent hypercellulaire, et plus rarement normocellulaire ou hypocellulaire. Les analyses de laboratoire et les examens de la moelle osseuse aident à éliminer d'autres causes de dysplasie comme un trouble non malin, un déficit en cobalamine ou en folate, ou encore une infection (Greenberg, Gordeuk, Issaraqrisil *et al.*, 2012 ; Kurtin, 2011).

L'évolution du SMD est déterminée d'après les résultats cliniques et les analyses de laboratoire. Afin d'établir le pronostic, différents scores peuvent être utilisés, dont l'International Prognosis Scoring System (IPSS) et le WHO classification-based Prognostic Scoring System (WPSS). Ces scores tiennent compte de la formule sanguine complète (type de cytopénies), du taux de blastes (dans la moelle osseuse et en circulation) et des anomalies cytogénétiques. Ils permettent une évaluation du

Anémie de Fanconi : Maladie congénitale affectant les éléments de la moelle osseuse, ayant pour conséquence une anémie, une leucopénie et une thrombocytopénie, associée à des malformations cardiaques, rénales et des membres ainsi qu'à des modifications pigmentaires du derme. La rupture chromosomique spontanée et la prédisposition à la leucémie sont des traits caractéristiques de cette maladie.

risque d'évolution (bas, intermédiaire, élevé) vers une leucémie aiguë ou vers le décès, et donnent une approximation de la médiane de survie. Dans 30 à 40 % des cas, le SMD évolue vers une leucémie aiguë myéloïde (LAM) ou vers une aggravation des cytopénies (Greenberg *et al.*, 2012 ; Lindsay & Beavers, 2010). Cette progression est liée à l'expansion clonale anormale.

Soins et traitements en interdisciplinarité

CLIENT ATTEINT DE SYNDROMES MYÉLODYSPLASIQUES

Le traitement de soutien du SMD est basé sur la prémisse selon laquelle le traitement doit être aussi soutenu que la maladie est grave. Il comprend une surveillance hématologique (examens réguliers de la moelle osseuse et du sang périphérique), une antibiothérapie ou des transfusions de produits sanguins conjuguées à l'administration de chélateurs du fer afin d'éviter une surcharge. L'allogreffe de cellules souches hématopoïétiques est, à ce jour, le seul traitement potentiellement curatif des SMD. Ce traitement est généralement réservé au SMD de haut risque (Haute Autorité de santé, 2015). L'âge du client (non recommandé chez les personnes âgées de plus de 60 ans) et la disponibilité d'un donneur compatible sont les principaux facteurs limitant l'accès à cette modalité thérapeutique.

Le traitement des SMD de faible risque vise avant tout à corriger les cytopénies, et principalement l'anémie, par l'utilisation d'un facteur de croissance de l'érythropoïétine (Eprex^MD^, Aranesp^MD^). L'ajout du G-CSF peut parfois potentialiser l'effet de l'EPO. Seulement le tiers des clients à haut risque sont traités avec des chimiothérapies à haute dose ou par l'allogreffe de cellules souches hématopoïétiques. L'utilisation d'agents hypométhylants, notamment l'azacitidine (Vidaza^MD^), contribue au rétablissement de la croissance cellulaire normale et à la différenciation des cellules hématopoïétiques, tout en réduisant le risque de la transformation du SMD en leucémie aiguë. La myélosuppression, les nausées, les vomissements, la constipation ou la diarrhée, l'insuffisance rénale et l'érythème au point d'injection sont au nombre des effets indésirables de ces médicaments. Le lénalidomide (Revlimid^MD^) et la thalidomide peuvent également être utilisés (Haute Autorité de santé, 2015). Parmi les autres agents thérapeutiques des SMD, il convient de mentionner la cytarabine (Cytosar^MD^), administrée seule ou en combinaison (anthracyclines), la globuline antithymocytaire, la cyclosporine.

Le traitement symptomatique, principalement l'anémie par les transfusions de culots globulaires et les infections par des antibiothérapies, est fondamental dans la plupart des SMD. Chez les personnes régulièrement transfusées, l'utilisation de chélateurs de fer est indiquée selon certains paramètres cliniques (ferritinémie, pronostic, etc.). En présence de thrombocytopénie, et compte tenu du besoin à long terme de transfusions de plaquettes avec un risque d'inefficacité rapide par allo-immunisation, les transfusions plaquettaires doivent être réduites en dehors des traitements myélosuppresseurs, d'une chirurgie ou de syndrome hémorragique (Haute Autorité de santé, 2015).

Les soins infirmiers des SMD sont les mêmes que ceux de l'anémie **PSTI 38.1**, de la thrombocytopénie **PSTI 38.2** et de la neutropénie.

CE QU'IL FAUT RETENIR

La leucémie désigne un groupe de processus malins touchant le sang, les tissus hématopoïétiques de la moelle osseuse, du système lymphatique et de la rate.

16

Les oncogènes et les bases génétiques du cancer sont étudiés dans le chapitre 16, *Cancer.*

38.6 | Cancers hématologiques

38.6.1 Leucémie

La **leucémie** est un terme général servant à désigner un groupe de processus malins touchant le sang et les tissus hématopoïétiques de la moelle osseuse, du système lymphatique et de la rate. Elle touche tous les groupes d'âge. Elle est causée par l'accumulation de cellules dysfonctionnelles à la suite d'une perte de régulation de la division cellulaire. Elle est progressive et devient fatale en l'absence de traitement. Au Canada, on estime que pour l'année 2015, 6 200 Canadiens auront reçu un diagnostic de leucémie (Société canadienne du cancer, 2015e). La leucémie est souvent considérée comme une maladie de l'enfant. En fait, la maladie touche environ 12 fois plus d'adultes que d'enfants (Leukemia and Lymphoma Society, 2015).

Étiologie et physiopathologie

Quel que soit son type, la leucémie, en règle générale, est attribuable à plusieurs facteurs. Dans la plupart des cas, la maladie est causée par une combinaison de facteurs, entre autres génétiques et environnementaux. L'observation d'altérations chromosomiques, qui ont été reconnues dans le cas de la leucémie myéloïde chronique (LMC), a permis de découvrir comment des gènes normaux peuvent se transformer en gènes anormaux (oncogènes) incriminés dans plusieurs types de cancers, dont les leucémies ▶ 16. Certains agents chimiques (p. ex., le benzène), des agents de chimiothérapie (p. ex., les agents alkylants), des virus, des rayonnements et des déficits immunitaires ont été associés à l'apparition d'une leucémie chez des hôtes vulnérables. Une fréquence élevée de leucémie est observée chez les radiologues, les personnes vivant à proximité d'une zone d'essai de bombes nucléaires ou d'une région où s'est produit un accident nucléaire (p. ex., Tchernobyl), les survivants des bombardements de Nagasaki et d'Hiroshima, et les personnes ayant déjà suivi une radiothérapie ou une chimiothérapie. Bien que des rétrovirus (virus à acide ribonucléique [ARN]) soient en cause dans un certain nombre de leucémies chez l'animal, chez l'être humain, la cause virale n'a été diagnostiquée que chez certains adultes atteints de leucémie à lymphocytes T. Cette forme de leucémie, qui est endémique dans le sud-ouest du Japon, dans certaines îles des Caraïbes et dans certaines régions d'Afrique centrale, est causée par le virus de la leucémie à lymphocytes T humaine de type 1 (HTLV-1) (Zelenetz, Abramson, Advani *et al.*, 2011).

Classification

Les leucémies sont classées selon qu'elles sont aiguës ou chroniques, et selon le type de globules blancs incriminés. Les termes aigu et chronique indiquent le degré de maturation cellulaire et le mode d'apparition de la maladie. Les leucémies aiguës se caractérisent par la prolifération de clones de cellules hématopoïétiques qui ne deviennent pas matures. Ces leucémies se manifestent à la suite de la transformation d'un seul type de cellules hématopoïétiques en cellules malignes, et cette transformation est suivie d'une réplication cellulaire et de l'expansion du clone malin. Dans les leucémies chroniques, les leucocytes atteignent un degré de maturité plus avancé, et l'apparition de la maladie se fait plus graduellement.

Les leucémies peuvent aussi se classer selon le type de leucocytes en cause en leucémies myéloïdes ou lymphoïdes. Certains types de leucémies sont caractérisés par une combinaison des deux systèmes de classification (aiguë-chronique et type de leucocytes en cause). Les quatre principaux types de leucémies sont la leucémie aiguë lymphoblastique, aussi appelée leucémie aiguë lymphoïde (LAL), la leucémie aiguë myéloïde (LAM), la leucémie myéloïde chronique (LMC) et la leucémie lymphoïde chronique (LLC). Les caractéristiques de ces sous-types de leucémies sont présentées au **TABLEAU 38.11**.

Leucémie aiguë myéloïde

La **leucémie aiguë myéloïde (LAM)** ne compte que pour le quart de toutes les leucémies, mais elle représente environ 85 % des leucémies aiguës chez l'adulte. Son apparition est souvent soudaine et ses manifestations, sévères. La personne peut avoir de graves infections et être sujette aux saignements dès l'apparition de la maladie (NCI, 2015) **FIGURE 38.13**.

La LAM se caractérise par une prolifération incontrôlée des myéloblastes (précurseurs des granulocytes) et par une hyperplasie médullaire. Les manifestations cliniques sont habituellement associées au remplacement de cellules hématopoïétiques normales par des myéloblastes leucémiques et, à un moindre degré, à l'envahissement d'autres organes ou tissus par des cellules leucémiques **TABLEAU 38.11**.

Leucémie aiguë lymphoblastique

La **leucémie aiguë lymphoblastique (LAL)** est le type de leucémie le plus répandu chez l'enfant. Elle compte pour environ 15 % des leucémies aiguës chez l'adulte (Leukemia and Lymphoma Society, 2013). Le taux de survie à 5 ans oscille entre 17 et 60 % chez l'adulte (Pui, Robison & Look, 2008). Une prolifération de lymphocytes immatures dans la moelle osseuse est observée, et la plupart sont des lymphocytes B. Les symptômes apparaissent brutalement, s'accompagnent de saignements ou de fièvre, ou sont insidieux et s'accompagnent de faiblesse, de fatigue, de douleurs osseuses ou articulaires et d'une tendance à l'hémorragie. Au moment du diagnostic, la personne présente souvent de la fièvre.

Particulièrement fréquentes dans la LAL, les manifestations nerveuses centrales constituent un problème grave. Une atteinte méningée causée par la prolifération de cellules leucémiques dans l'arachnoïde est observée chez bon nombre de personnes atteintes de LAL.

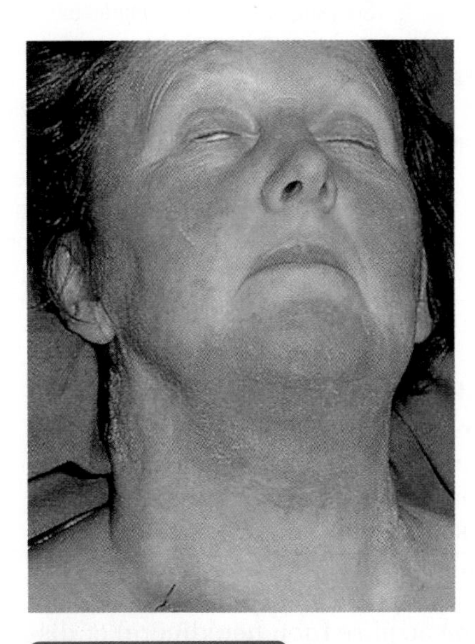

FIGURE 38.13 Complications de la leucémie aiguë – Dissémination d'une cellulite au cou et au menton causée par une infection à streptocoque et à *Candida* chez une femme atteinte de leucémie myéloïde

TABLEAU 38.11 Types de leucémies

TYPE	ÂGE D'APPARITION	MANIFESTATIONS CLINIQUES	ANALYSES DE LABORATOIRE
Leucémie aiguë myéloïde (LAM)	La fréquence augmente avec l'âge, le plus grand nombre de cas étant enregistrés chez les personnes âgées de 60 à 70 ans.	Fatigue et faiblesse, céphalées, ulcères des muqueuses de la bouche, anémie, saignements, fièvre, infection, sensibilité sternale, hyperplasie gingivale, hépatosplénomégalie et lymphadénopathie imperceptibles	Diminution au-dessous des valeurs normales de la numération érythrocytaire, de la concentration en Hb, de l'Ht, de la numération plaquettaire ; numération leucocytaire variable de faible à élevée avec myéloblastes ; concentration élevée de LDH, moelle osseuse riche avec prolifération des myéloblastes
Leucémie aiguë lymphoblastique (LAL)	Le plus grand nombre de cas sont enregistrés chez les enfants âgés de 2 à 9 ans, et chez les personnes âgées.	Fièvre ; pâleur, saignements ; anorexie ; fatigue et faiblesse ; douleurs osseuses, articulaires et abdominales ; lymphadénopathie généralisée ; infections ; perte de poids ; hépatosplénomégalie ; céphalées ; ulcères des muqueuses de la bouche ; manifestations neurologiques, y compris des atteintes du SNC ; hypertension intracrânienne (nausées, vomissements, léthargie, dysfonctionnement de nerfs crâniens) secondaire à l'infiltration méningée	Diminution au-dessous des valeurs normales de la numération érythrocytaire, de la concentration en Hb, de l'Ht, de la numération plaquettaire ; numération leucocytaire au-dessous des valeurs normales, normale ou au-dessus des valeurs normales ; concentration élevée de LDH ; lignes transversales de raréfaction osseuse aux extrémités de la métaphyse des os longs sur les radiogrammes ; moelle osseuse riche avec prolifération des lymphoblastes ; présence possible de lymphoblastes dans le liquide cérébrospinal (liquide céphalorachidien) ; présence du chromosome Philadelphie (dans une proportion de 20 à 25 % des personnes)
Leucémie myéloïde chronique (LMC)	Personnes âgées entre 25 et 60 ans, le plus grand nombre de cas étant enregistrés chez les personnes âgées d'environ 45 ans.	Absence de symptômes au début de la maladie, fatigue et faiblesse, fièvre, sensibilité sternale, douleurs articulaires, douleurs osseuses, splénomégalie massive, diaphorèse	Diminution au-dessous des valeurs normales de la numération érythrocytaire, de la concentration en Hb et de l'Ht ; au début de la maladie, numération plaquettaire au-dessus des valeurs normales, par la suite au-dessous ; augmentation du nombre des polynucléaires neutrophiles, nombre normal de lymphocytes, nombre des monocytes normal ou inférieur aux valeurs normales dans la formule leucocytaire ; diminution de la concentration de phosphatase alcaline leucocytaire ; présence du chromosome Philadelphie chez 90 % des personnes
Leucémie lymphoïde chronique (LLC)	Personnes âgées entre 50 et 70 ans ; quelques cas rares sont observés chez des personnes qui sont âgées de moins de 30 ans ; prédominance chez les hommes.	Souvent, absence de symptômes, dépistage de la maladie souvent au cours d'un examen pour un trouble non apparenté, fatigue chronique, anorexie, splénomégalie et lymphadénopathie ; maladie pouvant évoluer et causer de la fièvre, des sueurs nocturnes, une perte de poids, de la fatigue et des infections fréquentes	Apparition d'une anémie et d'une thrombocytopénie bénignes à mesure que la maladie progresse ; numération leucocytaire > 100 000/mm^3 ; prolifération des lymphocytes périphériques ; prolifération en présence de lymphocytes dans la moelle osseuse ; hypogammaglobulinémie ; risque d'anémie hémolytique auto-immune (dans 4 à 11 % des cas), risque de purpura thrombocytopénique immunologique (dans 2 à 4 % des cas)

Leucémie myéloïde chronique

La **leucémie myéloïde chronique (LMC)** est causée par la prolifération de granulocytes néoplasiques matures dans la moelle osseuse. Ces granulocytes néoplasiques se déversent dans le sang périphérique en grand nombre et finissent par envahir le foie et la rate. Ces cellules présentent une anomalie chromosomique acquise (non héréditaire) et distinctive (chromosome Philadelphie) résultant de la translocation du matériel génétique entre les chromosomes 9 et 22.

La LMC se caractérise par une phase stable chronique suivie d'une phase aiguë et agressive appelée « phase blastique ». La phase chronique de la leucémie myéloïde chronique peut durer plusieurs années et s'avère généralement bien maîtrisée par le traitement. Cependant, la phase chronique de la maladie finit par s'accélérer (malgré le traitement) et se muter en une phase blastique. Une fois à cette étape, la maladie requiert un traitement plus soutenu, qui s'apparente à celui de la leucémie aiguë.

Leucémie lymphoïde chronique

La **leucémie lymphoïde chronique (LLC)** est la plus fréquente des leucémies en Occident. Elle représente 30 % des leucémies de l'adulte. Elle touche principalement les lymphocytes B qui synthétisent les anticorps (immunoglobulines). Cette présentation de LLC à cellules B est la plus fréquente dans une proportion de 95 %. L'âge moyen est de 65 ans. Il s'agit d'une maladie à prédominance masculine et son incidence augmente avec l'âge (Société canadienne du cancer, 2015a). En dehors de l'agent orange (utilisé pendant la guerre du Vietnam) associé à une augmentation du risque de LLC, il n'y a pas de facteurs de risque environnementaux formellement déterminés qui favoriseraient l'apparition d'une LLC. Des chercheurs estiment que des altérations génétiques (acquises et non héréditaires) seraient présentes dans près de 80 % des cas. Le risque de contracter une LLC est augmenté dans les familles dont certains membres ont souffert d'une LLC (Société canadienne du cancer, 2015a).

La maladie se caractérise par une accumulation progressive des lymphocytes malins d'aspect mature en apparence, mais peu fonctionnels, dans la moelle osseuse, le sang périphérique, les ganglions et les organes lymphoïdes (rate et foie). Cette accumulation résulte de la perte de la capacité d'**apoptose** (mort cellulaire programmée). Le début de la maladie est insidieux et plusieurs personnes sont asymptomatiques au moment du diagnostic (Nabhan & Rosen, 2014). La maladie est découverte fortuitement au cours d'un prélèvement de routine de la formule sanguine complète. Une augmentation du nombre des lymphocytes est découverte, alors que les autres lignées sanguines sont normales. La présence d'adénopathies périphériques, d'infections récidivantes, un zona et une fatigue anormale sont aussi des symptômes d'alerte (i+).

L'hétérogénéité des LLC (présentation, évolution) varie grandement d'une personne à l'autre. Les complications de la LLC en phase initiale sont rares, mais peuvent apparaître à mesure que la maladie progresse. La pression sur les nerfs par les ganglions tuméfiés cause de la douleur et même une paralysie. La tuméfaction des ganglions médiastinaux peut provoquer des troubles pulmonaires. La LLC touche habituellement les personnes dans la soixantaine, c'est pourquoi les décisions relatives au traitement doivent tenir compte de l'évolution de la maladie et des effets indésirables du traitement. Au stade initial, la LLC ne nécessite aucun traitement dans bon nombre de cas. Certains clients peuvent être surveillés de près (observation vigilante) et ne suivre de traitement que si la maladie progresse. Au moment du diagnostic, une intervention immédiate ne s'impose que dans environ le tiers des cas.

Leucémies inclassables

Il arrive que le sous-type de leucémie ne puisse pas être déterminé. Les cellules leucémiques malignes peuvent être lymphoïdes, myéloïdes ou les deux à la fois. Souvent, la personne est réfractaire au traitement et le pronostic est sombre. Parmi les types rares de leucémie, il convient de mentionner les leucémies à tricholeucocytes et les leucémies biphénotypiques.

Manifestations cliniques

Les manifestations cliniques des leucémies sont variées **TABLEAU 38.11**. Essentiellement, elles sont associées aux troubles causés par une déficience médullaire et la formation d'infiltrats leucémiques **FIGURE 38.14**. La déficience médullaire s'explique par un envahissement de la moelle osseuse par des cellules anormales et par un défaut de production des cellules normales de la moelle osseuse. La personne est prédisposée à l'anémie, à la thrombocytopénie, à une déplétion et à une défaillance leucocytaire.

À mesure que la leucémie progresse, de moins en moins de cellules normales sont produites. Des leucocytes anormaux s'accumulent parce que leur cycle normal est perturbé et ne se termine pas par l'apoptose. Les cellules leucémiques envahissent les organes, causant ainsi une splénomégalie, une hépatomégalie, une adénopathie, des douleurs osseuses, une atteinte méningée et des lésions buccales. Il est également possible d'observer l'apparition de **chloromes**, c'est-à-dire des tumeurs cutanées résultant de l'accumulation de cellules leucémiques. Finalement, un décompte très élevé des globules blancs immatures (leucémie), supérieur à 100 000/mm^3, peut engendrer une augmentation de la viscosité du sang et bloquer la circulation. Cette condition, appelée leucostase, peut être mortelle.

Examens paracliniques

Les analyses du sang périphérique et la biopsie de la moelle osseuse constituent les principaux examens permettant de diagnostiquer et de classer les leucémies. L'étude de la morphologie cellulaire ainsi que les tests histochimiques, immunologiques et cytogénétiques permettent tous de déterminer les sous-types cellulaires et de connaître le stade de développement des populations de cellules leucémiques. Il est important d'effectuer ces tests, car l'évolution naturelle de la maladie, le pronostic et l'approche thérapeutique varient selon le sous-type de cellules. La ponction lombaire et la tomodensitométrie (TDM) peuvent permettre de déceler la présence de cellules leucémiques ailleurs que dans le sang et la moelle osseuse.

Chez la plupart des personnes atteintes de leucémie, les cellules malignes présentent des anomalies chromosomiques et cytogénétiques associées

RISQUE GÉNÉTIQUE

Le chromosome de Philadelphie, dont sont porteuses 90 à 95 % des personnes atteintes de LMC, est un critère diagnostique clé de la LMC. Sa présence est en outre un indicateur important de maladie résiduelle ou de récidive après traitement. Cependant, le chromosome de Philadelphie n'est pas spécifique à la LMC ; il est aussi associé à la LAL et parfois à la LAM.

CE QU'IL FAUT RETENIR

La personne leucémique est prédisposée à l'anémie, à la thrombocytopénie, à une déplétion et à une défaillance leucocytaire.

Animation : *Activation des lymphocytes B.*

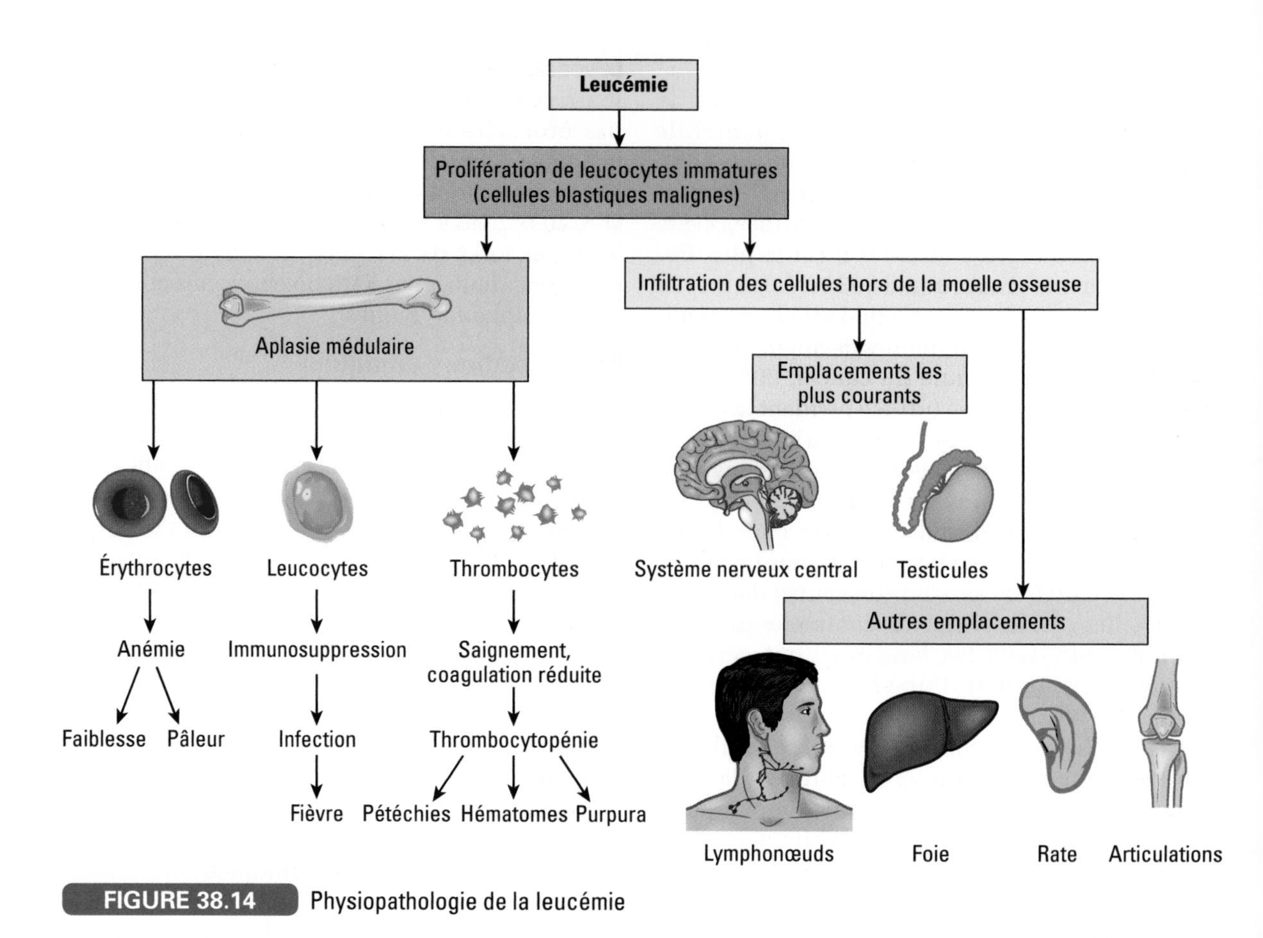

FIGURE 38.14 Physiopathologie de la leucémie

à des sous-classes de leucémie. Ces anomalies cytogénétiques ont une importance sur les plans diagnostique, pronostique et thérapeutique.

Processus thérapeutique en interdisciplinarité

Au moment du diagnostic, le processus thérapeutique en interdisciplinarité vise en premier lieu la rémission. L'âge, les résultats de l'analyse chromosomique de même que le stade de la maladie au moment du diagnostic servent souvent de base sur laquelle se fonderont les importantes décisions relatives au traitement. Comme la chimiothérapie cytotoxique constitue le pivot du traitement, l'infirmière doit comprendre les principes de la chimiothérapie pour le traitement du cancer, la cinétique cellulaire, les raisons pour lesquelles il faut avoir recours aux traitements par association de médicaments plutôt que par un seul médicament et connaître le cycle cellulaire.

Par exemple, chez certaines personnes asymptomatiques atteintes de LLC, il pourrait être approprié de surveiller attentivement l'évolution de la maladie par une observation vigilante. Bien que la leucémie soit parfois incurable, la rémission ou la maîtrise de la maladie sont réalistes dans la majorité des cas. Chez certaines personnes, la guérison est un objectif réaliste. La personne est dite en rémission complète lorsque les signes cliniques de la maladie sont absents à l'examen physique et que les résultats de l'examen de la moelle osseuse et du sang périphérique semblent normaux. Elle est en rémission partielle lorsque les cellules cancéreuses ne sont pas décelables par étude de la morphologie cellulaire, mais qu'elles le sont par test moléculaire. En rémission partielle, les symptômes sont absents et les résultats de l'examen du sang périphérique sont normaux; toutefois, la biopsie de la moelle osseuse révèle encore des signes cliniques de la maladie. En rémission moléculaire, les résultats du test moléculaire sont négatifs pour la leucémie résiduelle. Le pronostic est directement lié à la capacité de la personne de rester en rémission. Il devient de plus en plus défavorable avec les récidives, qui rendent la rémission plus difficile et de plus courte durée.

Chez certaines personnes, la numération leucocytaire est si élevée (p. ex., supérieure ou égale à 100 000/mm^3) que le traitement d'attaque doit faire intervenir la leucophérèse et l'administration d'hydroxyurée (Hydrea^{MD}). Ces traitements visent à réduire le nombre de leucocytes et le risque de thrombose causée par la leucémie.

Étapes de la chimiothérapie

La chimiothérapie de la leucémie aiguë comporte souvent plusieurs étapes. La première, appelée traitement d'induction, vise à obtenir une rémission complète. Il s'agit d'un traitement visant la destruction des cellules leucémiques des tissus,

CE QU'IL FAUT RETENIR

Auprès d'un client sous chimiothérapie, l'infirmière doit assurer un environnement sécuritaire en matière de prévention des infections, ainsi que le suivi de l'anémie et de la thrombocytopénie.

du sang périphérique et de la moelle osseuse pour rétablir la fonction hématopoïétique de la moelle osseuse. Le client peut alors être très malade parce que la chimiothérapie provoque une dépression médullaire grave. Durant les différentes phases du traitement, surtout au moment de la phase d'induction, le rôle de l'infirmière consiste à assurer un environnement de soins sécuritaire en matière de prévention des infections ainsi que le suivi de l'anémie et de la thrombocytopénie. Le suivi consiste en outre à assurer une administration sécuritaire de la chimiothérapie et une gestion optimale des effets indésirables par une détection précoce et des interventions rapides, de même qu'à offrir un soutien psychosocial au client et à ses proches. Il existe plusieurs combinaisons possibles de différents médicaments pour traiter une LAM. Le traitement d'induction courant de la LAM est habituellement constitué de la cytarabine (Cytosar^MD^) combinée à la daunorubicine (Cerubidine^MD^), à l'idarubicine (Idamycin^MD^) ou au chlorhydrate de mitoxantrone. Le traitement d'induction permet d'obtenir une rémission complète pour environ 70 % des personnes chez qui le diagnostic est récent. Dans un type de LAM, la leucémie aiguë promyélocytaire (M3), l'acide trans-rétinoïque (Vesanoid^MD^) est administré en association pour obtenir la rémission. En règle générale, il semble que des cellules leucémiques restent dans le sang et qu'elles sont indécelables après le traitement d'induction. À défaut de traitement complémentaire, une rechute est à craindre au cours des mois qui suivent (Estey, 2013).

Après la chimiothérapie d'induction viennent les traitements de consolidation et d'entretien, également appelés traitements d'intensification. D'autres agents, qui ciblent la cellule leucémique de manière différente, peuvent s'ajouter.

Le traitement de consolidation (ou d'intensification) commence après l'obtention d'une première rémission et dure plusieurs mois. Il consiste à administrer une ou deux fois les mêmes agents reçus pendant la phase d'induction ou un traitement à fortes doses (consolidation intensive). Ce traitement de consolidation a comme objectif d'éradiquer les cellules leucémiques résiduelles non décelables sur le plan clinique ou pathologique une fois la rémission atteinte pour ainsi prévenir les rechutes.

Le traitement d'entretien consiste à administrer, en doses moins fortes, les mêmes médicaments reçus en phase d'induction ou d'autres agents, toutes les trois ou quatre semaines, pendant une période prolongée. À l'exemple du traitement de consolidation et du traitement d'intensification, le traitement d'entretien a comme objectif d'empêcher la récidive. Chaque type de leucémie exige un traitement d'entretien particulier. Dans la LAM, le traitement d'entretien est rarement efficace, et aucune étude n'a démontré à ce jour un bénéfice. Par conséquent, il est rare d'y avoir recours.

Outre la chimiothérapie, le traitement par corticostéroïdes et la radiothérapie peuvent aussi faire partie du plan de traitement complexe de la leucémie. L'irradiation totale corporelle peut servir à préparer la personne à une greffe de cellules souches hématopoïtiques. Il est également possible de limiter l'irradiation aux organes touchés (p. ex., le foie ou la rate) par des infiltrats leucémiques. Dans le traitement des leucémies aiguës, l'administration intrathécale de chimiothérapie (Méthotrexate^MD^ ou Cytarabine^MD^) permet de diminuer le risque de subir une rechute du SNC. En cas d'atteinte prouvée du SNC, un traitement soutenu par voie intrathécale ou par **réservoir Ommaya** s'avère nécessaire. L'irradiation craniospinale est également possible. L'utilisation de thérapies biologiques ou ciblées peut être indiquée dans certains types de leucémie ▶ 16.

Réservoir Ommaya : Dispositif inséré par voie chirurgicale sous le cuir chevelu afin d'administrer des médicaments anticancéreux directement dans la partie entourant le cerveau et la moelle épinière.

16

Les thérapies biologiques et ciblées utilisées contre le cancer sont expliquées dans le chapitre 16, *Cancer*.

Pharmacothérapie

Plusieurs agents thérapeutiques sont utilisés dans les cas de leucémie. Le **TABLEAU 38.12** donne des exemples de traitements utilisés selon le type de leucémie.

Le traitement en association est la pièce maîtresse du traitement de la leucémie. Il vise trois objectifs : 1) réduire la résistance aux médicaments ; 2) réduire la toxicité des médicaments grâce à l'utilisation de plusieurs agents dont le degré de toxicité est variable ; et 3) inhiber la croissance de la cellule à diverses étapes du cycle cellulaire.

De nouveaux agents thérapeutiques ciblent des molécules de petite taille qui favorisent la multiplication et la différenciation des cellules leucémiques. À titre d'exemple, le trioxyde d'arsenic est utilisé dans le traitement de la M3. Il provoque des altérations morphologiques cellulaires, la fragmentation de l'ADN et l'apoptose. De plus, il inhibe la prolifération et l'angiogenèse tumorale. L'imatinib, un anticorps monoclonal (Gleevec^MD^), cible la version anormale d'une protéine (protéine kinase BCR-ABL) qui est observée chez presque tous les clients atteints de la LMC. Cette protéine anormale est probablement en cause dans la maladie. Le gène de la protéine kinase est situé sur le chromosome Philadelphie. L'imatinib ne détruit que les cellules cancéreuses ; il ne cible pas les cellules saines.

La thérapie ciblée sous forme d'anticorps monoclonaux est une modalité thérapeutique importante dans les affections hématopoïétiques malignes. Cependant, l'administration d'anticorps monoclonaux seuls est rare. Le rituximab

Pharmacothérapie

TABLEAU 38.12 **Agents thérapeutiques des leucémies**[a]

PHARMACOTHÉRAPIE	AUTRES TRAITEMENTS
Leucémie aiguë myéloïde	
Cytarabine (Cytosar[MD]), daunorubicine (Cérubidine[MD]), idarubicine (Idamycin[MD]), 6-thioguanine (Lanvis[MD]), mitoxantrone (Novantrone[MD]), trétinoïne (Vesanoid[MD])[b], étoposide (Vepesid[MD]), clofarabine (Clolar[MD]), fludarabine (Fludara[MD]). Une chimiothérapie d'association par la cytarabine et un antibiotique antitumoral est très fréquente.	Greffe de cellules souches hématopoïétiques allogéniques ou autologues
Leucémie aiguë lymphoblastique	
Daunorubicine (Cérubidine[MD]), doxorubicine (Adriamycin[MD]), vincristine (Oncovin[MD]), prednisone (Winpred[MD]), dexaméthasone (Decadron[MD]), L-asparaginase (Kidrolase[MD]), dasatinib (Sprycel[MD]), cyclophosphamide (Procytox[MD]), méthotrexate (Metoject[MD]), 6-mercaptopurine (Purinethol[MD]), cytarabine (Cytosar[MD]), nélarabine (Atriance[MD]), imatinib (Gleevec[MD]), clofarabine (Clolar[MD]).	Radiothérapie crânienne, méthotrexate ou cytarabine par voie intrathécale, greffe de cellules souches hématopoïétiques
Leucémie myéloïde chronique	
Imatinib (Gleevec[MD]), dasatinib (Sprycel[MD]), nilotinib (Tasigna[MD]), hydroxyurée (Hydrea[MD]). Une chimiothérapie par association comprenant l'un ou l'autre des agents suivants : cytarabine (Cytosar[MD]), thioguanine (Lanvis[MD]), daunorubicine (Cérubidine[MD]), méthotrexate (Metoject[MD]), prednisone (Winpred[MD]), vincristine (Oncovin[MD]), L-asparaginase (Kidrolase[MD]), carmustine (BiCNU[MD]), 6-mercaptopurine (Purinethol[MD]).	Radiothérapie, greffe de cellules souches hématopoïétiques, α-interféron, leucaphérèse
Leucémie lymphoïde chronique	
Chlorambucil (Leukeran[MD]), cyclophosphamide (Procytox[MD]), prednisone (Winpred[MD]), vincristine (Oncovin[MD]), fludarabine (Fludara[MD]), rituximab (Rituxan[MD]), alemtuzumab (MabCampath[MD]), bendamustine (Winpred[MD]).	Radiothérapie, splénectomie, facteurs stimulant la formation de colonies de granulocytes [G-CSF], greffe de cellules souches hématopoïétiques

[a] La classification et les mécanismes d'action de ces médicaments sont présentés dans le chapitre 16, *Cancer*.

[b] Utilisée dans la leucémie promyélocytaire aiguë.

Jugement clinique

Laurence Fortin, 44 ans, doit recevoir une greffe de cellules souches hématopoïétiques. Le donneur est son frère jumeau. Y a-t-il risque de rejet du greffon dans ce cas ? Justifiez votre réponse.

(Rituxan[MD]), qui se lie à l'antigène CD20 des lymphocytes B, est utilisé notamment dans le traitement de la LLC. L'alemtuzumab (MabCampath[MD]), qui se lie à la glycoprotéine de surface CD52 (antigène situé à la surface des lymphocytes périphériques T et B), sert aussi dans le traitement de la LLC.

Greffe de cellules souches hématopoïétiques

La greffe de cellules souches hématopoïétiques est une autre modalité thérapeutique utilisée dans certaines formes de leucémie. De façon générale, la GCSH vise à reconstituer, par l'administration de cellules souches hématopoïétiques (CSH), une moelle osseuse qui a préalablement été détruite par l'administration d'une thérapie myéloablative composée de chimiothérapie avec ou sans irradiation. Une fois transplantées, ces cellules souches vont migrer dans la moelle osseuse où elles vont se différencier en différents types de cellules, reconstituant ainsi la moelle osseuse qui a été préalablement détruite. Il existe deux types de GCSH : la greffe autologue et la greffe allogénique. La principale différence entre ces deux types de greffe réside dans le fait qu'en greffe autologue le client se voit transplanter ses propres cellules souches, alors qu'en greffe allogénique les CSH du receveur sont remplacées par l'administration de CSH d'un donneur HLA (*human leukocyte antigens*) compatible. Si ce donneur est trouvé au sein de la fratrie du receveur, il s'agira d'une greffe allogénique apparentée ; sinon, elle sera qualifiée de greffe allogénique non apparentée. Si le donneur est une personne génétiquement identique (jumeau monozygote), il sera alors question de greffe syngénique. Il est à noter que la greffe autologue n'est pas un premier choix dans le traitement des leucémies aiguës.

Les cellules qui circulent dans le sang périphérique sont dérivées des CSH. Ces CSH ont la capacité de se différencier en différents types de cellules, répondant ainsi aux besoins de l'organisme en globules rouges, en globules blancs et en plaquettes. Au moment d'une greffe autologue, comme le client reçoit ses propres cellules souches, il n'existe aucune réaction immunitaire pouvant entraîner des manifestations de rejet du greffon. Toutefois, en allogreffe, les CSH du receveur ayant été remplacées par celles d'un donneur HLA compatible, des manifestations de rejet sont au nombre des complications possibles. La réaction du greffon contre l'hôte (GVH) est une complication exclusive à une greffe allogénique de CSH ▶ 14. Indépendamment du type de greffe envisagé (allogénique ou autologue), il importe de s'assurer que le client détient les informations nécessaires à une prise de décisions éclairée et d'en vérifier sa compréhension.

14

La réaction du greffon contre l'hôte est présentée dans le chapitre 14, *Réaction immunitaire et transplantation.*

Soins et traitements infirmiers

CLIENT ATTEINT DE LEUCÉMIE

Collecte des données

Les données subjectives et objectives que l'infirmière doit obtenir auprès d'un client atteint de leucémie sont présentées à l'**ENCADRÉ 38.20**.

Analyse et interprétation des données

Chez le client atteint de leucémie, les données à analyser et à interpréter sont celles qui se rapportent à l'anémie, à la thrombocytopénie et à la neutropénie **PSTI 38.1** et **38.2** (i+).

Planification des soins

Les objectifs généraux pour le client qui souffre de leucémie sont:

- de vérifier la compréhension des informations transmises au cours des différents épisodes de soins;
- d'assurer le suivi clinique requis en matière de prévention, de détection et de gestion des complications liées à la maladie ou aux traitements;
- de soutenir le client et ses proches durant les périodes de traitement, de rémission et de rechute.

Interventions cliniques

Soins en phase aiguë

Pendant les phases aiguës de leucémie, le rôle de l'infirmière est un véritable défi, car les besoins de la personne atteinte et de ses proches sur les plans physique et psychosocial sont multiples. En apprenant qu'elle est atteinte de leucémie, la personne peut être saisie de frayeur et penser qu'elle va mourir. À ses yeux, cette maladie peut être sans espoir, horrible, et être associée à beaucoup de douleur. Le traitement et le pronostic dépendent de bon nombre de facteurs, dont l'âge et la présence d'anomalies chromosomiques et cytogénétiques. Chaque cas est unique. L'infirmière doit donc connaître le type de leucémie en cause, le pronostic, le traitement et la visée thérapeutique. Elle sera ainsi en mesure d'aider le client et ses proches à comprendre que même si l'avenir est incertain, une qualité de vie est possible pendant les périodes de rémission ou pendant les périodes où l'évolution est maîtrisée. Dans plusieurs cas, il est raisonnable d'espérer la guérison.

PSTI 38.1W: *Neutropénie.*

Une maladie grave est génératrice de stress non seulement pour la personne atteinte, mais également pour les membres de sa famille. L'apparition soudaine de la maladie et l'incertitude liée à son évolution, l'évocation des traitements médicaux et des effets indésirables, la peur d'une récidive ou de la mort, la modification des rôles, des responsabilités et des habitudes de vie, les préoccupations financières et la perte d'autonomie figurent parmi les sources de stress avec lesquelles le client et ses proches doivent apprendre à composer. Il est reconnu que la famille peut atténuer les sources de stress en procurant du soutien à la personne atteinte de manière à favoriser son adaptation à la maladie. Toutefois, ce rôle de proche aidant est un rôle exigeant qui peut représenter une menace à la santé physique et mentale des personnes qui l'assument. Il est donc essentiel que des interventions infirmières s'exercent (écouter, valider, expliquer, renseigner, vulgariser, corriger, etc.) auprès des familles afin de les soutenir de façon à ce qu'elles puissent, en retour, poursuivre leur rôle de soutien auprès du client atteint et, ce faisant, faciliter le processus d'adaptation à la maladie (Duhamel, 2015).

La personne atteinte de leucémie pourrait aussi souffrir de troubles concomitants pouvant avoir une incidence sur les décisions liées au traitement. La personne âgée a souvent appris à vivre avec les privations, les déceptions et les pertes. Le professionnel de la santé doit surveiller l'apparition des symptômes de la dépression, donner les soins appropriés et, si nécessaire, diriger la personne vers des professionnels de l'équipe de soutien (p. ex., un psychologue, un psychiatre). Les interventions infirmières importantes visent entre autres à permettre au client de fonctionner le mieux possible tant au plan physique qu'émotionnel, à permettre d'espérer que les symptômes aigus vont régresser et à explorer la notion de la qualité de vie avec la personne. L'infirmière joue un rôle important en aidant le client et ses proches à comprendre la complexité des décisions liées au traitement, en expliquant les effets indésirables et la

Collecte des données

ENCADRÉ 38.20 Leucémie

DONNÉES SUBJECTIVES

- Renseignements importants concernant la santé :
  - Antécédents de santé : exposition à des substances chimiques toxiques (p. ex., le benzène, l'arsenic), à des rayonnements ou à des virus (virus herpétique Epstein-Barr, virus du lymphome humain à cellules T de type 1 [HTLV-1]) ; anomalies chromosomiques (syndrome de Down, syndrome de Klinefelter, anémie de Fanconi), déficits immunitaires ; transplantation d'organes ; infections fréquentes ; tendance hémorragique ; cancer
  - Médicaments : phénylbutazone, chloramphénicol, chimiothérapie
  - Chirurgie ou autres traitements : radiothérapie, chimiothérapie
- Modes fonctionnels de santé :
  - Perception et gestion de la santé : antécédents familiaux de leucémie
  - Nutrition et métabolisme : ulcères des muqueuses de la bouche ; perte de poids ; frissons, sueurs nocturnes ; nausées, vomissements, anorexie, dysphagie, satiété précoce ; tendance aux ecchymoses
  - Élimination : hématurie, diminution de la diurèse ; diarrhée, selles noires ou sanguinolentes
  - Activités et exercices : fatigue et faiblesse progressive ; dyspnée, épistaxis, toux
  - Perception et concept de soi : céphalées ; crampes musculaires ; mal de gorge ; angine de poitrine, douleurs osseuses, articulaires, abdominales ; paresthésies, engourdissement, fourmillements, troubles visuels
  - Sexualité et reproduction : menstruations prolongées, ménorragie ; dysfonction érectile

DONNÉES OBJECTIVES

- Observations générales : fièvre, lymphadénopathie généralisée, léthargie
- Système tégumentaire : pâleur ou ictère ; pétéchies, ecchymoses, purpura, infiltrations cutanées pouvant aller d'un brun rougeâtre à un rouge foncé (pourpre), macules et papules
- Système cardiovasculaire : tachycardie, souffles systoliques
- Système gastro-intestinal : saignements et hypertrophie des gencives ; ulcères des muqueuses de la bouche, herpès et infections par *Candida* ; irritation et infection périrectales ; hépatomégalie, splénomégalie
- Système nerveux : convulsions, désorientation, confusion, déficit de coordination, paralysie de nerfs crâniens ; œdème papillaire
- Système musculosquelettique : atrophie musculaire ; douleurs osseuses, douleurs articulaires
- Résultats possibles aux examens paracliniques : numération leucocytaire normale, inférieure ou supérieure aux valeurs normales (↑ cellules blastiques) ; anémie, ↓ hématocrite et concentration en hémoglobine, thrombocytopénie, présence du chromosome Philadelphie ; richesse anormalement élevée de la moelle osseuse prélevée par ponction ou biopsie avec présence de myéloblastes, lymphoblastes et ↓ marquée du nombre des cellules normales

toxicité des médicaments, et en assurant un suivi clinique infirmier permettant une gestion optimale des différents symptômes physiques et psychosociaux. Si l'hospitalisation ou un transfert vers un centre de traitement spécialisé s'impose, la personne peut se sentir isolée des siens. L'infirmière devra en être consciente et tenter d'apaiser son sentiment d'isolement en reconnaissant ce qu'elle vit, en l'aidant à apprivoiser ce nouvel environnement de soins, en déterminant non seulement ses besoins, mais également les ressources internes dont elle dispose, ainsi que les ressources externes présentes dans ce nouveau milieu.

Au Québec, la pratique en cancérologie s'appuie sur une équipe composée de professionnels de différentes disciplines. Au sein de cette équipe, la tenue de réunions interdisciplinaires permet la présentation et la discussion des situations cliniques complexes. Les sujets qui y sont abordés sont aussi variés que l'apparition ou la récurrence de symptômes complexes, les demandes particulières du client ou de ses proches, ou les observations qui amènent les cliniciens aux limites de leur pratique. Ces réunions ont pour but d'analyser globalement les problématiques complexes de soins en permettant un accès simultané aux expertises de chacun des professionnels représentés dans l'équipe et la rédaction d'un plan d'intervention interdisciplinaire.

En ce qui a trait à l'état de santé physique, l'infirmière doit recueillir des données pertinentes, évaluer l'état de santé de la personne et émettre les directives infirmières requises au PTI afin d'assurer le suivi clinique infirmier permettant une gestion optimale des effets indésirables liés à la maladie ou aux traitements. Les effets de la **myélosuppression** (neutropénie, thrombocytopénie et anémie) peuvent mettre en danger la vie de la personne et nécessitent des soins infirmiers attentifs et soutenus. Les clients myélosupprimés risquent, entre autres, de souffrir du syndrome de la lyse tumorale, d'une CVID ou d'un choc septique ; toutes ces complications sont des urgences oncologiques. La chimiothérapie risque aussi d'avoir des effets sur le tractus gastro-intestinal, l'état nutritionnel, la peau, les muqueuses, l'appareil cardiopulmonaire,

Myélosuppression : Suppression de l'activité de la moelle osseuse entraînant une diminution du nombre de globules rouges, de globules blancs et de plaquettes dans le sang.

le foie, les reins et le système nerveux. Il est à noter que les directives infirmières inscrites au PTI ne doivent pas se limiter aux problématiques d'ordre physique ; elles doivent également porter sur les symptômes psychosociaux qui interpellent l'équipe des soins infirmiers.

L'infirmière doit connaître tous les médicaments prescrits, y compris leur mécanisme d'action, leur utilité, leurs voies d'administration, leur posologie, leurs effets indésirables éventuels, leurs effets toxiques et les mesures à prendre pour assurer une manipulation sécuritaire. Elle doit aussi savoir interpréter les résultats de laboratoire qui traduisent leurs effets. Contrairement au traitement des tumeurs solides, la chimiothérapie doit être administrée à une personne atteinte de leucémie même si les fonctions de la moelle osseuse sont sévèrement ralenties, car l'aplasie médullaire est un trouble sous-jacent qui persiste en l'absence de traitement. Au cours d'une chimiothérapie soutenue, la qualité des soins infirmiers influe grandement sur la survie et le bien-être du client.

Soins ambulatoires et soins à domicile

Le traitement de la leucémie nécessite des soins continus. Il faut surveiller attentivement les manifestations cliniques de la maladie ou des traitements et les signes et symptômes de rechute. Lorsque le client doit suivre une chimiothérapie à long terme (chimiothérapie d'entretien), la fatigue causée par le traitement de longue durée peut devenir décourageante et difficile à supporter. Le client et ses proches doivent comprendre pourquoi la fidélité aux traitements et le suivi clinique sont importants. Ils doivent aussi être informés des médicaments et des autosoins à adopter, ainsi que des signes et des symptômes nécessitant une attention médicale rapide.

La réadaptation du survivant à long terme, qu'il s'agisse d'un enfant ou d'un adulte, vise à faciliter l'adaptation aux conséquences de la maladie sur les plans physique, psychologique, social et spirituel, et aux effets tardifs de la maladie et de son traitement. Le client pourrait avoir besoin d'aide pour rétablir un lien avec des personnes faisant partie de sa vie. La participation à des groupes de soutien de survivants du cancer ou à d'autres groupes communautaires offrant du soutien aux personnes touchées par le cancer (p. ex., la Société canadienne contre la leucémie et les lymphomes, la Société canadienne du cancer, la Fondation québécoise du cancer) peut, après une maladie aussi sévère, faciliter ce cheminement. Une connaissance des programmes d'aide peut contribuer à trouver des moyens de réduire le fardeau financier. Un soutien spirituel devrait aussi être offert.

Une surveillance attentive de la part des professionnels de la santé connaissant bien les besoins particuliers d'une personne qui survit au cancer est de toute première importance pour le dépistage précoce et le traitement des effets physiques, psychologiques et sociaux de la maladie, et ce, qu'ils soient tardifs ou à long terme. Cette personne doit souvent être dirigée vers des ressources spécialisées. Elle peut, par exemple, avoir besoin d'un programme de physiothérapie pour éviter les déficits causés par une neuropathie périphérique induite par la prise de médicaments. Dans la plupart des cas, la personne devrait recevoir le vaccin antipneumococcique (Pneumovax[MD]) au moment du diagnostic et tous les cinq ans par la suite, ainsi que le vaccin annuel contre la grippe **FIGURE 38.15**. Une réintégration du marché du travail pourrait nécessiter une réorientation professionnelle. Si la personne est en âge de procréer, elle pourrait désirer consulter un spécialiste pour discuter des questions touchant la reproduction.

Évaluation des résultats

Pour le client atteint de leucémie, les résultats escomptés à la suite des soins et des interventions cliniques sont :

- de s'adapter le mieux possible au diagnostic ;
- d'obtenir un soulagement optimal de la douleur et des autres symptômes ;
- d'éviter les complications liées au traitement et, si possible, celles liées à la maladie ;
- de réussir à maintenir une alimentation adéquate ;
- de maintenir une qualité de vie acceptable ;
- de se sentir soutenu au cours des différentes phases de la maladie.

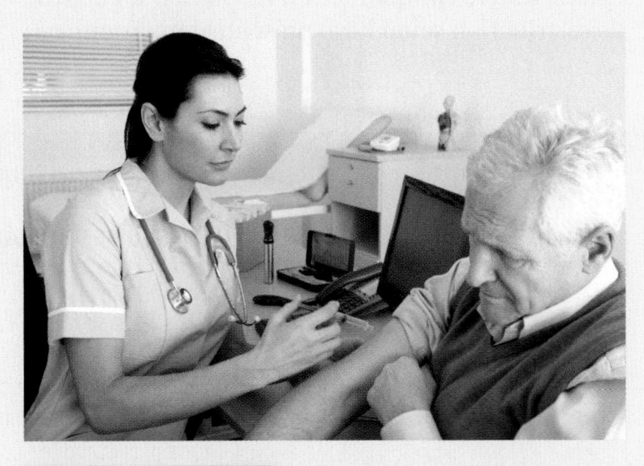

FIGURE 38.15 Le vaccin antipneumococcique (Pneumovax[MD]) doit être administré au client atteint de leucémie au moment du diagnostic et tous les cinq ans par la suite, ainsi que le vaccin annuel contre la grippe.

CE QU'IL FAUT RETENIR

Les directives infirmières inscrites au PTI doivent inclure les symptômes psychosociaux qui interpellent l'équipe des soins infirmiers.

38.6.2 Lymphomes

Les **lymphomes** sont des néoplasmes malins qui apparaissent dans la moelle osseuse et les ganglions lymphatiques en raison d'une prolifération de lymphocytes. Les deux types les plus courants sont le lymphome de Hodgkin (LH) et les lymphomes non hodgkiniens (LNH), ces derniers étant nettement plus fréquents. Ils représentent le sixième type de cancer le plus répandu au Canada (Société canadienne du cancer, 2015d).

Au Canada, tant chez les hommes que chez les femmes, le taux d'incidence du LNH a augmenté d'environ 50 % entre 1978 et la fin des années 1990. Depuis ce temps, le taux s'est stabilisé. Le facteur de risque le plus nettement associé au LNH est l'immunosuppression. Les autres facteurs de risque sont encore méconnus, mais ils pourraient comprendre l'exposition professionnelle aux pesticides et aux composés organochlorés (p. ex., les herbicides phénoxy, les dioxines). Depuis 2001, chaque année, une légère baisse de mortalité statistiquement significative de l'ordre de 2 % chez les hommes et les femmes est enregistrée. Cette baisse peut s'expliquer notamment par une amélioration des traitements comme l'immunothérapie (p. ex., le rituximab) (Société canadienne du cancer, 2015d).

Une comparaison des caractéristiques de ces deux types de cancer est présentée au **TABLEAU 38.13**.

Lymphome de Hodgkin

CE QU'IL FAUT RETENIR

Plusieurs clients atteints du LH présentent les symptômes B (fièvre, sueurs nocturnes ou amaigrissement).

Le **lymphome de Hodgkin (LH)**, autrefois appelé maladie de Hodgkin, compte pour environ 11 % de tous les lymphomes. Il s'agit d'une maladie maligne caractérisée par la présence de cellules de Reed-Sternberg, cellules dérivées d'un lymphocyte B trouvé uniquement dans le LH. La courbe de distribution selon l'âge présente deux sommets : le premier entre 15 à 39 ans, et le second, après 55 ans (Lymphome Canada, 2015). Au Canada, pour l'année 2015, le nombre estimé de nouveaux cas est de 540 chez les hommes et de 460 chez les femmes (Société canadienne du cancer, 2015d).

Étiologie et physiopathologie

L'étiologie du LH est encore inconnue. Cependant, plusieurs facteurs pourraient intervenir dans son apparition, les principaux étant l'infection par le virus herpétique Epstein-Barr (VEB), une prédisposition génétique ou l'exposition à certains produits chimiques au travail. La fréquence du LH est accrue chez les clients infectés par le VIH (Horning, 2010).

Le ganglion lymphatique est un petit réseau de fibres réticulaires et de cellules entouré de tissu conjonctif. Dans le LH, la structure du ganglion lymphatique est détruite par une hyperplasie des monocytes et des macrophages. Le LH se caractérise principalement par la présence de cellules de Reed-Sternberg dans les ganglions affectés.

Manifestations cliniques

Les symptômes du LH apparaissent habituellement de façon insidieuse. Le plus souvent, des ganglions hypertrophiés localisés préférentiellement dans les régions cervicale, supraclaviculaire, axillaire et, moins souvent, inguinale sont observés **FIGURE 38.16**. Les ganglions touchés par la maladie sont habituellement indolores. Dans les deux tiers des cas de LH, les ganglions lymphatiques cervicaux sont les premiers atteints. Il existe, dans plus de la moitié des cas, une localisation médiastinale qui peut représenter la manifestation initiale faisant découvrir la maladie. Au moment du diagnostic, plusieurs clients présentent de la fièvre, des sueurs nocturnes ou un amaigrissement, des manifestations connues sous le nom de symptômes B (American Cancer Society, 2014). Ces symptômes sont associés à un pronostic inférieur.

TABLEAU 38.13 Lymphome de Hodgkin et lymphomes non hodgkiniens

CARACTÉRISTIQUE	LYMPHOME DE HODGKIN	LYMPHOMES NON HODGKINIENS
Cellules sanguines en cause	Lymphocytes B	Lymphocytes B (90 % des cas) Lymphocytes T (10 % des cas)
Étendue de la maladie	Localisée, limitée à un territoire anatomique en particulier ou à une zone plus étendue	Disséminée
Symptômes B[a]	Fréquents	40 % des cas
Atteinte de territoires extra-ganglionnaires	Rare	Fréquente

[a] Symptômes B : fièvre récurrente ou persistante, inexpliquée, avec des températures supérieures à 38 °C durant le mois précédent ; sueurs nocturnes récurrentes durant le mois précédent ; perte de poids inexpliquée de plus de 10 % du poids corporel durant les six mois qui ont précédé le bilan.

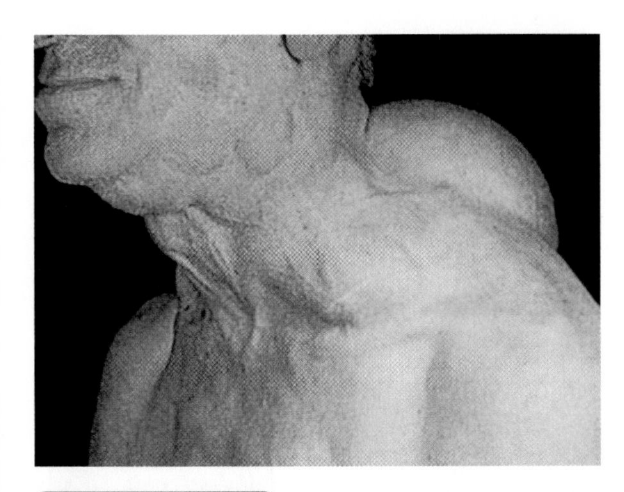

FIGURE 38.16 Lymphome de Hodgkin (stade IIA) – Hypertrophie des ganglions lymphatiques cervicaux

Il arrive que certains clients ressentent un inconfort localisé aux ganglions touchés par la maladie immédiatement après avoir consommé de l'alcool, même en petite quantité. La cause de cette douleur est inconnue. Un prurit généralisé sans lésions cutanées peut apparaître. La toux, la dyspnée, le stridor et la dysphagie peuvent tous indiquer une atteinte des ganglions médiastinaux.

La maladie n'apparaît probablement qu'à un seul endroit (dans les ganglions lymphatiques, dans 90 % des cas) et se dissémine le long des vaisseaux lymphatiques efférents. Cependant, dans le LH avancé, les cellules malignes peuvent être plus disséminées, et ce, pas nécessairement de façon contiguë. Elles finissent par envahir d'autres organes. Aux stades avancés de la maladie, une hépatomégalie et une splénomégalie peuvent être observées. La destruction accrue et la diminution de production d'érythrocytes entraînent une anémie. D'autres signes physiques se manifestent selon la zone atteinte, par exemple : une atteinte intrathoracique peut provoquer l'apparition du syndrome de compression de la veine cave supérieure ; une atteinte des ganglions rétropéritonéaux peut causer des masses abdominales palpables ou entraver la fonction rénale ; une atteinte du foie peut provoquer un ictère ; l'atteinte extradurale peut entraîner une compression de la moelle épinière avec une paraplégie ; des lésions osseuses peuvent être source de douleur.

Examens paracliniques et classement du stade clinique de la maladie

Les analyses de sang périphérique, l'exérèse et la biopsie de ganglions lymphatiques, de même que l'examen de la moelle osseuse et les examens radiologiques sont d'importants moyens qui permettent de déterminer le stade d'évolution du LH. Les analyses de sang périphérique révèlent souvent une anémie hypochrome microcytaire, une leucocytose neutrophilique (entre 15 000 et 28 000/mm^3), qui peut être associée à une lymphocytopénie, et une augmentation de la numération plaquettaire. Une leucopénie ou une thrombocytopénie peuvent se manifester, mais d'habitude, celles-ci découlent du traitement, de la progression de la maladie ou d'un hypersplénisme surajouté. D'autres analyses sanguines peuvent révéler une diminution du fer sérique, une élévation des phosphatases alcalines leucocytaires causée par une atteinte hépatique et osseuse, une hypercalcémie provoquée par une atteinte osseuse et une hypoalbuminémie causée par une atteinte hépatique.

Les examens par imagerie médicale peuvent aider à situer toutes les zones atteintes et à déterminer le stade clinique de la maladie. Les examens densitométriques ou par IRM sont utiles pour une première stadification clinique. La tomographie par émission de positrons (TEP) avec ou sans tomodensitométrie (TDM) sert à évaluer la réponse thérapeutique et à distinguer la présence de tumeurs résiduelles après le traitement. Ces examens peuvent révéler un captage accru du glucose (par la TEP). Une TDM peut démontrer la persistance d'amas ganglionnaires supra ou intradiaphragmatiques et une infiltration du foie, des os, du cerveau ou de la rate (Horning, 2010).

Jugement clinique

Brad Thompson, 39 ans, a récemment reçu un diagnostic de lymphome de Hodgkin avancé. Quels signes et symptômes pourriez-vous déceler à l'examen physique chez monsieur Thompson ? Identifiez-en au moins cinq.

Soins et traitements en interdisciplinarité

CLIENT ATTEINT D'UN LYMPHOME DE HODGKIN

Le stade clinique de la maladie est établi à l'aide des résultats des divers examens paracliniques (Hoppe, Advanti, Ai *et al.*, 2011) **FIGURE 38.17**. Le classement final est fondé sur le stade clinique (étendue de la maladie) et la présence des symptômes B. Le traitement varie en fonction de la nature et de l'étendue de la maladie. Le stade de la maladie inclut la lettre A ou B (selon la présence ou l'absence de symptômes B au moment du diagnostic) et un chiffre romain (I à IV) indiquant la zone et l'étendue de la maladie. D'autres caractéristiques, notamment un taux de sédimentation élevé, l'âge (plus de 50 ans), la présence d'une masse médiastinale de grande taille, une faible concentration en albumine sérique, en hémoglobine ou en lymphocytes, peuvent mener à un pronostic défavorable et justifier un traitement plus soutenu (Hoppe *et al.*, 2011).

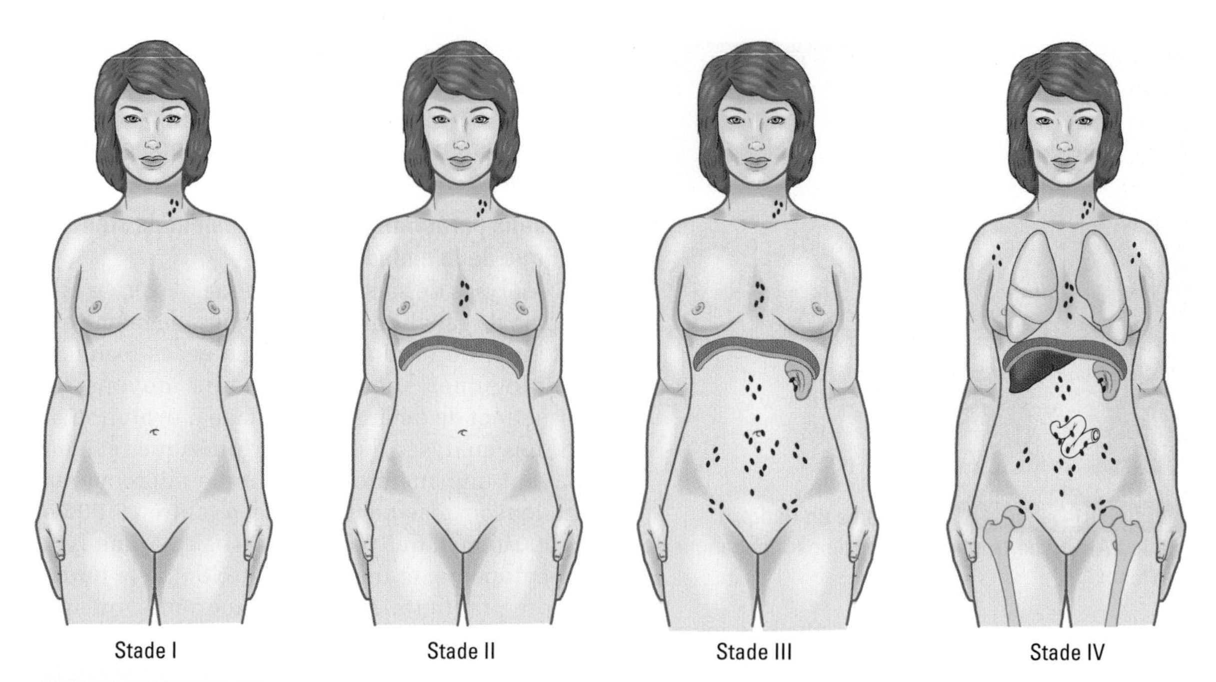

FIGURE 38.17 Évolution du lymphome de Hodgkin et des lymphomes non hodgkiniens – Stade I : atteinte d'un seul ganglion lymphatique (comme un ganglion cervical). Stade II : atteinte d'au moins deux ganglions lymphatiques dans la région diaphragmatique. Stade III : atteinte des ganglions lymphatiques dans les régions sous-diaphragmatique et sus-diaphragmatique. Stade IV : atteinte en dehors de la région diaphragmatique (foie, moelle osseuse). Le stade est suivi de la lettre A (absence) ou B (présence) pour indiquer la gravité des symptômes B (fièvre, diaphorèse nocturne, perte de poids).

Une fois le stade du LH déterminé, il s'agit principalement d'établir un plan thérapeutique. Un régime de chimiothérapie couramment utilisé est une combinaison de médicaments regroupés sous le nom d'ABVD. Ce régime comprend la doxorubicine (**A**driamycin[MD]), la **b**léomycine, la **v**inblastine et la **d**acarbazine. Le nombre de cycles de chimiothérapie à recevoir variera selon différents paramètres, dont le stade de la maladie au moment du diagnostic et la présence de symptômes B. Une autre combinaison de médicaments couramment utilisée est le BEACOPP (**b**léomycine, **é**toposide, doxorubicine [**A**driamycin[MD]], **c**yclophosphamide, vincristine [**O**ncovin[MD], qui n'est plus sur le marché], **p**rocarbazine et **p**rednisone) ; (Hoppe *et al.*, 2011). Le rôle de la radiothérapie en complément à la chimiothérapie dépend des sièges de la maladie ou de la présence d'une affection réfractaire après la chimiothérapie. La réponse au traitement est évaluée à l'aide des résultats des examens tomodensitométriques, des examens par TEP et d'autres examens paracliniques (p. ex., une biopsie de la moelle osseuse). Une variété de protocoles de chimiothérapie et de nouveaux agents, comme le brentuximab vedotin (Adcetris[MD]), sont utilisés chez les clients en rechute ou atteints d'une maladie réfractaire.

La chimiothérapie avec ou sans greffe autologue ou allogénique de cellules souches hématopoïétiques constitue le traitement de choix dans le cas du LH avancé (stades IIIB et IV) ou réfractaire. La greffe de cellules souches hématopoïétiques (autogreffe) permet l'administration d'une chimiothérapie à des doses plus élevées, potentiellement curatives, tout en réduisant les risques d'une neutropénie pouvant menacer la vie du client. La polychimiothérapie est efficace, car l'association de médicaments a un effet additif sans pour autant augmenter les effets indésirables. Comme pour la chimiothérapie utilisée pour traiter la leucémie, la chimiothérapie dans le LH doit être soutenue. Par conséquent, les tentatives visant l'obtention d'une rémission sont ponctuées de problèmes pouvant menacer la vie de la personne.

Parmi les séquelles possibles du traitement du LH, il faut mentionner l'apparition tardive d'affections malignes secondaires ▶ 16 et les éventuels effets toxiques à long terme, notamment les troubles endocriniens, cardiaques et pulmonaires (Hoppe *et al.*, 2011 ; Horning, 2010). Le risque estimé d'un cancer secondaire se situe entre 2 et 6 %. En règle générale, celui-ci survient au cours des 10 années qui suivent le traitement (Horning, 2010). Les **néoplasies secondaires** les plus fréquentes sont les LAM, les SMD, les LNH et l'apparition de tumeurs solides (poumon, thyroïde, sein) (Eichenauer, Engert & Diehl, 2013).

Les soins infirmiers d'une personne atteinte de LH visent principalement à traiter les effets indésirables liés à la maladie et aux traitements (p. ex., la douleur, une pancytopénie). La survie de la

16

Les affections malignes secondaires sont présentées dans le chapitre 16, *Cancer*.

Néoplasie secondaire : Foyer secondaire d'un cancer, métastasé par voie sanguine ou lymphatique à partir d'un foyer primaire.

personne sera tributaire de sa réponse au traitement. Par conséquent, le suivi clinique est de toute première importance.

Les préoccupations d'ordre psychosocial liées au LH sont aussi très importantes. Le pronostic du LH est meilleur que celui de la leucémie et de plusieurs autres types de cancer. Aux stades initiaux (I et II), le taux de survie à 5 ans est supérieur à 90 %. Même dans les stades avancés, ce taux est supérieur à 80 % avec une chimiothérapie soutenue (Hoppe *et al.*, 2011 ; Horning, 2010). Les conséquences de la maladie sur les plans physique, psychologique, social et spirituel doivent être abordées. Il est important d'aborder la question de la reproduction avant de commencer les traitements, car la maladie touche souvent de jeunes adultes en âge de procréer ou qui envisagent d'avoir des enfants plus tard. Certains agents de chimiothérapie peuvent provoquer la stérilité (infertilité masculine, ménopause prématurée). La radiothérapie, selon la zone irradiée et la dose administrée, peut également affecter le système reproducteur. Les hommes doivent envisager la congélation de sperme. Les femmes peuvent être dirigées vers des centres spécialisés pour discuter des différentes possibilités qui s'offrent à elles. L'infirmière doit s'assurer que ces questions seront abordées peu de temps après le diagnostic et avant d'entreprendre les traitements. Il est important d'évaluer les effets à long terme du traitement, car les séquelles tardives de la maladie et du traitement peuvent mettre de nombreuses années à apparaître.

CE QU'IL FAUT RETENIR

Les soins infirmiers d'une personne atteinte de LH visent principalement à traiter les effets indésirables liés à la maladie et aux traitements. Le suivi clinique est donc primordial.

Lymphomes non hodgkiniens

Les **lymphomes non hodgkiniens (LNH)** regroupent au moins trente cancers étroitement apparentés touchant le système lymphatique. Ils sont classés en lymphomes B ou T, selon le type de lymphocyte (B ou T) en cause (Société canadienne du cancer, 2015c). Ils touchent tous les groupes d'âge. Les lymphomes à cellules B comptent pour environ 85 % de tous les LNH (American Cancer Society, 2015). Ils sont classés d'après les diverses caractéristiques des cellules et des ganglions lymphatiques. Il est possible de distinguer un certain nombre de manifestations cliniques et de modes de progression, en partant des types à évolution lente jusqu'aux types à progression rapide. De tous les cancers hématologiques, les LNH sont les plus fréquents. Pour l'année 2015, on prévoyait 8 200 nouveaux cas diagnostiqués et 2 700 décès liés aux LNH (Société canadienne du cancer, 2015d).

Étiologie et physiopathologie

Comme pour le LH, la cause des LNH est habituellement inconnue. Cependant, à mesure que la population vieillit et que la fréquence de l'infection par le VIH augmente, la fréquence des LNH augmente de 2 à 3 % chaque année, et ce, depuis les 30 dernières années. De plus, la fréquence des LNH est encore plus élevée chez les clients traités par des immunosuppresseurs (après une transplantation ou pour le traitement d'une affection autoimmune), de la chimiothérapie ou de la radiothérapie. L'infection par le virus herpétique Epstein-Barr est associée au lymphome de Burkitt, au LH, au lymphome immunoblastique et à certains carcinomes. Toutefois, ce ne sont pas toutes les personnes ayant contracté ce virus qui présentent ces lymphomes.

Les LNH n'ont pas de particularités bien précises, comme la prolifération de cellules de Reed-Sternberg qui caractérise le LH. Cependant, dans tous les LNH, il est possible d'observer l'arrêt du développement des lymphocytes à divers stades de formation et des anomalies pouvant s'apparenter à celles d'une leucémie. Par exemple, le lymphome à petits lymphocytes et la leucémie lymphoïde chronique sont tous deux causés par la prolifération de petits lymphocytes B. Il s'agit de la même maladie, mais avec des manifestations différentes. La différence réside dans le fait que dans la LLC, la maladie touche principalement la moelle osseuse, alors que dans le cas du lymphome à petits lymphocytes, la plupart des cellules cancéreuses se trouvent dans les ganglions et les organes lymphoïdes (Zelenetz *et al.*, 2011). Le lymphome diffus à grandes cellules B, une forme agressive de LNH et sa forme la plus fréquente, prend généralement naissance dans les ganglions lymphatiques (Société canadienne du cancer, 2015b). Le lymphome de Burkitt est une forme de haut grade de malignité de LNH. Il serait causé par une prolifération de blastes B dans les ganglions lymphatiques.

Manifestations cliniques

Les LNH peuvent prendre naissance en dehors des nœuds lymphatiques. Le mode de dissémination des cellules anormales est imprévisible. Dans la majorité des cas, ces cellules sont disséminées dans tout l'organisme au moment où la maladie est diagnostiquée **FIGURE 38.18**. Les LNH se manifestent d'abord par une **lymphadénopathie** (maladie des ganglions lympathiques) indolore. Dans le type à évolution lente, les ganglions lymphatiques peuvent croître et décroître en taille dans le temps. Comme la maladie est habituellement disséminée au moment du diagnostic, divers symptômes sont observés, selon les zones où la maladie est disséminée (hépatomégalie en cas d'atteinte du foie, symptômes neurologiques en cas d'atteinte du SNC). Les

CE QU'IL FAUT RETENIR

Les LNH sont les cancers hématologiques les plus fréquents. Les lymphomes à cellules B comptent pour environ 85 % de tous les LNH.

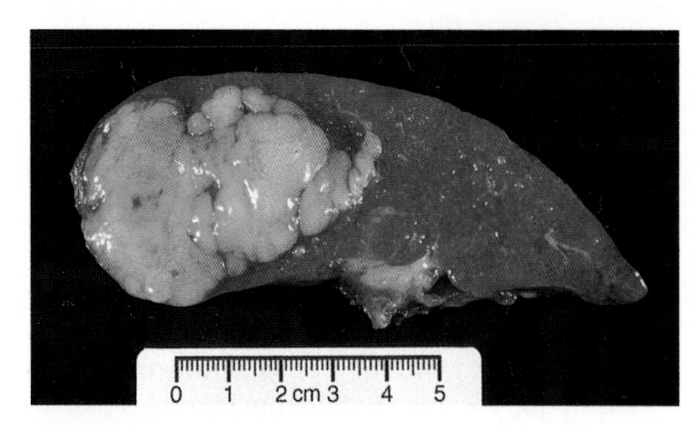

FIGURE 38.18 Lymphome non hodgkinien touchant la rate – La présence d'une tumeur isolée est caractéristique.

LNH peuvent aussi se manifester par divers symptômes non spécifiques comme l'obstruction des voies aériennes, l'hyperuricémie et l'insuffisance rénale associées au syndrome de lyse tumorale, la tamponnade péricardique ou encore les malaises gastro-intestinaux.

Dans les lymphomes de stade avancé, il est possible d'observer des adénopathies et la présence des symptômes B : fièvre, sueurs nocturnes et perte pondérale. Le sang périphérique est habituellement normal, mais dans certains cas de lymphome, une phase leucémique est occasionnellement observée.

Examens paracliniques et classement du stade clinique de la maladie

Les examens paracliniques des LNH sont les mêmes que ceux utilisés pour le LH. Toutefois, comme les LNH siègent le plus souvent dans des zones extraganglionnaires, d'autres examens paracliniques peuvent s'imposer, notamment un examen par IRM, l'endoscopie digestive haute ou l'examen tomodensitométrique, si une atteinte du tractus gastro-intestinal est suspectée. Comme pour celui du LH, le traitement d'un LNH se fonde sur le stade clinique de la maladie **FIGURE 38.17**, mais la détermination précise du sous-type histologique est aussi très importante. La biopsie est l'une des interventions diagnostiques les plus importantes pour déterminer le type de LNH en cause. La majorité des clients subissent deux types de biopsie : une biopsie des ganglions lymphatiques et une biopsie de la moelle osseuse. La biopsie ganglionnaire permet de confirmer un diagnostic de LNH, de préciser le sous-type histologique et de classer le LNH selon des caractéristiques morphologiques, génétiques, cliniques et immunophénotypiques (antigènes de surface CD20 et CD52). La biopsie de moelle osseuse permet de vérifier si la maladie a envahi la moelle osseuse.

Une fois le diagnostic posé et le type de lymphome connu (classification), il faut déterminer l'étendue de la maladie dans l'organisme (stadification) **FIGURE 38.17** et la **gradation clinique** (grade de malignité de la tumeur). La gradation clinique permet également de prédire l'évolution de la maladie **TABLEAUX 38.14** et **38.15**. Le grade est établi en fonction de l'aspect des cellules cancéreuses, de leurs caractéristiques, de leur fonctionnement et de la vitesse à laquelle elles prolifèrent et se divisent. Un lymphome peut être

TABLEAU 38.14 Tableau récapitulatif de la caractérisation du LNH

CARACTÉRISATION DU LNH	SIGNIFICATION
Classification	Type de LNH
Stades : I à IV	Étendue de la maladie
Grade de malignité : faible ; intermédiaire ; élevé	Grade de malignité : • LNH indolent (faible grade, croissance lente) • LNH agressif (grades intermédiaire et élevé, croissance rapide)

TABLEAU 38.15 Tableau comparatif des LNH indolent et agressif

CRITÈRE DE COMPARAISON	LNH INDOLENT	LNH AGRESSIF
Pourcentage des cas de LNH	40 à 50 %	50 à 60 %
Vitesse de prolifération	Lente	Rapide
Symptômes	Les clients ne présentent généralement pas de symptômes au moment du diagnostic.	En général, la présence de symptômes incite les clients à consulter un médecin, et le diagnostic est établi.
Délai d'instauration du traitement	L'instauration immédiate d'un traitement n'est généralement pas nécessaire. L'attente sous surveillance est souvent envisagée.	L'instauration immédiate d'un traitement soutenu peut être nécessaire.
Pronostic	Bonne réponse au traitement. Les récidives sont fréquentes et exigent souvent un traitement subséquent.	Excellente réponse au traitement.

Source : Lymphome Canada (2007).

de grade faible, de grade intermédiaire ou de grade élevé de malignité. Le terme indolent est également utilisé pour qualifier un LNH de faible grade ou à croissance tumorale lente. Les LNH de grade élevé et certains LNH de grade intermédiaire sont qualifiés d'agressifs ou à croissance rapide (Fondation Lymphome Canada, 2007).

Le National Comprehensive Cancer Network (NCCN) a établi des directives relatives au diagnostic, au traitement et au suivi des types les plus répandus de LNH (Zelenetz *et al.*, 2011) **ENCADRÉ 38.21**.

Le système de classification de LNH est celui de l'Organisation mondiale de la Santé (OMS). D'autres facteurs, connus sous le nom d'index pronostique international (IPI), peuvent aussi servir à classer chaque sous-type et à déterminer un traitement approprié. Parmi ces facteurs figurent le stade clinique, le nombre de sites extranganglionnaires atteints, le taux de lacticodéshydrogénase sérique, la numération leucocytaire, le taux d'hémoglobine, l'âge du client et son état de santé général. Les analyses immunologiques, cytogénétiques et moléculaires sont aussi utiles à la prise des décisions thérapeutiques et au pronostic. Il est également possible d'avoir recours aux analyses sanguines pour le dépistage du syndrome de lyse tumorale, aux tests de dépistage de l'hépatite, de l'infection par le VIH et de l'infection par *Helicobacter pylori*, aux biopsies cutanées et aux ponctions lombaires. En règle générale, le pronostic des LNH est moins favorable que celui du LH.

ENCADRÉ 38.21 Classification des lymphomes non hodgkiniens[a]

LYMPHOMES À CELLULES B

- Lymphomes indolents (de stade I)
  - Lymphome lymphocytique (caractérisé par la prolifération de petits lymphocytes), lymphome lymphoplasmacytoïde
  - Lymphome cytologique
  - Lymphome de la zone marginale (lymphome du MALT[b]), lymphome de la zone marginale splénique, lymphome de la zone marginée extranodale
- Lymphomes agressifs (de stade II)
  - Lymphome diffus (caractérisé par la prolifération de grands lymphocytes B)
  - Lymphome du manteau[c]
- Lymphomes très agressifs (de stade III)
  - Lymphome de Burkitt
  - Lymphome immunoblastique à grandes cellules
  - Lymphome lymphoblastique
  - Lymphome à lymphocytes B associé au sida

LYMPHOMES À LYMPHOCYTES T

- Lymphome causé par la prolifération de lymphocytes T périphériques
- Lymphome causé par une mycose fongoïde (syndrome de Sézary)
- Lymphome à cellule T anaplastique

[a] Liste partielle.
[b] Tissu lymphoïde associé aux muqueuses.
[c] Se comporte soit comme un lymphome indolent soit comme un lynphome agressif.

Soins et traitements en interdisciplinarité

CLIENT ATTEINT DE LYMPHOMES NON HODGKINIENS

Le traitement des LNH comprend la chimiothérapie, le traitement par anticorps monoclonaux et parfois la radiothérapie **TABLEAU 38.16**. Ironiquement, plus le lymphome est agressif, meilleure est la réponse au traitement et meilleures sont les chances de guérison. Par contre, les lymphomes indolents, qui évoluent lentement, sont difficiles à traiter (Kipps & Wang, 2010).

Un LNH de faible grade est incurable, et son évolution est marquée par des périodes d'exacerbations et de rémissions plus ou moins longues entre les traitements. Un lymphome de grade élevé est associé à un certain pourcentage de guérison qui dépend du sous-type, du stade et du pronostic. L'observation vigilante chez un client asymptomatique d'un LNH de faible grade peut être une stratégie utilisée pendant un certain temps. L'autogreffe de cellules souches hématopoïétiques et l'allogreffe (beaucoup moins fréquente) font partie des modalités thérapeutiques (Zelenetz *et al.*, 2011).

Les anticorps monoclonaux (AcM) font maintenant partie de protocoles thérapeutiques utilisés pour traiter différentes formes de cancer, y compris les lymphomes, les leucémies et le myélome multiple. Le rituximab (Rituxan[MD]), un anticorps monoclonal, a pour cible l'antigène CD20 situé à la surface des lymphocytes B matures et tumoraux, ce qui permet de détruire plus particulièrement

Réactivation des connaissances

Plus le LNH est agressif, meilleure est la réponse au traitement et meilleures sont les chances de guérison. Expliquez pourquoi.

TABLEAU 38.16	Traitement des lymphomes non hodgkiniens	
STADE	**TRAITEMENTS RECOMMANDÉS**	**CHIMIOTHÉRAPIES PAR ASSOCIATION COURAMMENT UTILISÉES**
Stade I (indolent)	• Observation vigilante jusqu'à ce que la maladie progresse pour les personnes asymptomatiques chez qui les tumeurs sont de petite taille et la numération globulaire est normale • Radiothérapie externe pour les lymphomes localisés, peu étendus • Monochimiothérapie par le rituximab (Rituxan^{MD}) • Monochimiothérapie (chlorambucil, cyclophosphamide, bendamustine, fludarabine, cladribine ou alemtuzumab) • Chimiothérapie par le rituximab en association avec un autre agent (bendamustine, cyclophosphamide, fludarabine, chlorambucil, denileukin diftitox) • Chimiothérapies par association (R-CHOP ou autre) • Radio-immunothérapie • Greffe de cellules souches hématopoïétiques	• R-CHOP = rituximab, cyclophosphamide, hydrochlorure de doxorubicine, sulfate de vincristine (Oncovin^{MD}, dont la fabrication a cessé), prednisone • R-CVP = rituximab, cyclophosphamide, vincristine, prednisone, • FC = fludarabine, cyclophasphamide
Stade II (agressif)	• Chimiothérapies par association avec irradiation localisée, si nécessaire • Chimiothérapies par association, à raison de trois à huit cycles, avec anticorps monoclonaux (rituximab) et irradiation localisée, si nécessaire • Chimiothérapie par voie intrathécale, si nécessaire (méthotrexate) • Greffe autologue de cellules souches hématopoïétiques	• GDP (avec ou sans rituximab)= gemcitabine, dexaméthasone et cisplatin • R-CHOP avec haute dose méthotrexate pour la prophylaxie du SNC • R-CHOP (voir la signification ci-dessus) • ICE (ou RICE en association avec le rituximab) = ifosfamide, cyclophosphamide, étoposide • R-EPOCH = rituximab, étoposide, prednisone, vincristine, cyclophosphamide, hydrochlorure de doxorubicine • ESHAP = étoposide, prednisone, cytarabine à fortes doses, cisplatine • Hyper-CVAD ± R = cyclophosphamide hyperfractionné, vincristine, doxorubicine (Adriamycin^{MD}), dexaméthasone en alternance avec le méthotrexate et la cytarabine à fortes doses, avec ou sans rituximab
Stade III (très agressif)	• Chimiothérapie par association avec anticorps monoclonaux (rituximab) et irradiation localisée, si nécessaire • Chimiothérapie par voie intrathécale, si nécessaire • Greffe autologue de cellules souches hématopoïétiques	• Hyper-CVAD ± R (voir la signification ci-dessus) • CODOX-M = cyclophosphamide, vincristine, doxorubicine, méthotrexate avec ou sans ribuximab (comprend l'administration de méthotrexate par voie intrathécale) • Cytarabine à fortes doses et méthotrexate à fortes doses avec l'emploi d'un antidote électif • Ifosfamide, mesna, étoposide, cytarabine avec ou sans rituximab (le CODOX-M et le IVAC forment un protocole en soi)

les cellules malignes. Une fois fixé aux cellules cibles, il cause la lyse et la mort cellulaires. Il est utilisé dans le traitement des LNH. De nombreuses chimiothérapies d'association ont été essayées pour surmonter le problème de la résistance des LNH **TABLEAU 38.16**. La rémission complète n'est pas fréquente, mais la majorité des clients obtiennent un soulagement de leurs symptômes.

Parmi les autres traitements de certains types de LNH figurent l'ibritumomab tiuxétan (Zevalin^{MD}) et le tositumomab (Bexxar^{MD}), tous deux des AcM qui sont fixés à un radio-isotope (yttrium 90 et iode 131, respectivement). Les différents AcM ont des modes d'action particuliers et des toxicités spécifiques. L'infirmière doit connaître les manifestations indésirables et intervenir par des mesures de prévention et de gestion des symptômes. Elle doit informer la personne des autosoins requis, lui apprendre à reconnaître les symptômes associés à la thérapie et l'informer dans quelles circonstances elle doit contacter un professionnel de la santé.

Identiques à ceux du LH, les soins infirmiers des LNH consistent à évaluer l'état de santé du client, à assurer le suivi clinique (p. ex., une douleur causée par la tumeur, une compression de la moelle épinière, un syndrome de lyse tumorale) et à émettre les directives infirmières requises permettant une gestion optimale des effets indésirables du traitement ou de la maladie. L'extension de la tumeur à de multiples organes (SNC, rate, foie, tractus gastro-intestinal, moelle osseuse) peut également générer des signes et des symptômes spécifiques. Par exemple, une personne atteinte du lymphome de Burkitt qui commence une chimiothérapie risque fort de présenter un syndrome de lyse tumorale. Certains de ses paramètres de laboratoire devraient donc être fréquemment surveillés ainsi que ses ingesta et excreta. Comme la thérapie est potentiellement myélodépressive dans la plupart des cas, les PSTI devraient être suivis de façon rigoureuse pour ces clients **PSTI 38.1** et **38.2**.

Le client sous radiothérapie a besoin de soins infirmiers spécifiques. L'infirmière doit porter une attention particulière à la peau soumise au champ d'irradiation. Elle doit aussi connaître les principes et les mesures de sécurité liés à la radiothérapie ▶ 16.

Les questions d'ordre psychosocial sont aussi très importantes. Il est essentiel de vérifier la nature des informations détenues par le client et ses proches concernant la maladie et les effets indésirables éventuels du traitement, ainsi que la compréhension qu'ils en ont. Il convient aussi d'évaluer régulièrement leurs besoins, y compris celui d'information, et leur niveau de satisfaction. Les questions touchant la fertilité doivent être abordées avec les clients en âge de procréer. Comme pour le traitement du LH, il est important que les personnes atteintes de LNH aient accès à un suivi à long terme, car la maladie et son traitement ont des conséquences tardives qui peuvent mettre plusieurs années à se manifester.

16

Les consignes de sécurité s'appliquant à la radiothérapie sont fournies dans le chapitre 16, *Cancer*.

38.6.3 Myélome multiple

Le **myélome multiple**, appelé aussi myélome plasmocytaire, se caractérise par l'envahissement et la destruction de la moelle osseuse par des plasmocytes néoplasiques. Annuellement, cette maladie représente 1 % des cas d'affections malignes et environ 10 % de toutes les affections hématologiques malignes (Siegel, Ward, Brawley *et al.*, 2011). Le myélome est plutôt rare avant l'âge de 40 ans, et la plupart des personnes atteintes sont dans la soixantaine lorsque le diagnostic est posé. L'incidence du myélome varie d'un pays à l'autre (Myélome Canada, 2010). Au Canada, le nombre de nouveaux cas pour l'année 2015 était estimé à 2 700. Les hommes sont légèrement plus nombreux que les femmes, tant pour le nombre de nouveaux cas diagnostiqués (1 500 hommes, 1 150 femmes) que pour les décès (740 hommes, 640 femmes). Le myélome multiple représente 1,4 % de tous les nouveaux cas de cancer et 1,9 % de tous les décès par cancer (Société canadienne du cancer, 2015d). Le myélome multiple est un cancer incurable, c'est-à-dire qu'il ne guérit pas, mais il peut être traité. De nos jours, nombreuses sont les personnes atteintes qui vivent 10 ans et même plus grâce aux divers traitements administrés pendant toute la progression de la maladie (Van Rhee, Anaissie, Angtuaco *et al.*, 2010).

Étiologie et physiopathologie

L'étiologie du myélome multiple est inconnue, mais il semble que l'exposition à des rayonnements, à des substances chimiques comme le benzène, à des métaux, à des herbicides ou à des insecticides jouerait un certain rôle. Les facteurs génétiques et l'infection virale pourraient aussi avoir une certaine influence sur le risque de contracter la maladie.

Les plasmocytes sont des lymphocytes B activés. Leur rôle consiste à fabriquer des anticorps, à savoir des protéines appelées immunoglobulines (Ig) G (IgG), A (IgA), D (IgD), E (IgE) et M (IgM) qui interviennent dans les mécanismes d'immunité humorale de l'organisme. Chaque plasmocyte est spécialisé dans la fabrication d'un seul type d'Ig. Dans le myélome multiple, les cellules malignes issues de la prolifération du plasmocyte néoplasique forment un clone de cellules identiques qui continuent de faire ce pour quoi elles sont programmées : fabriquer une immunoglobuline. Elles produisent donc toutes la même Ig (IgG, le plus souvent, mais aussi IgA et, exceptionnellement, IgD ou IgE) ou un fragment d'Ig spécifique du plasmocyte à l'origine du myélome. La conséquence est une surabondance de cette Ig dont l'organisme n'a pas besoin puisqu'elle n'a pas été fabriquée pour défendre l'organisme contre une substance étrangère. Il est alors question de protéine monoclonale (protéine M), de pic monoclonal ou de paraprotéine.

Par ailleurs, une production plasmocytaire excessive de cytokines (interleukines [IL] ; IL-4, IL-5 et IL-6) joue un rôle important dans le processus de destruction osseuse. À mesure que la production de la protéine monoclonale augmente, le nombre de plasmocytes normaux diminue, ce qui compromet la réponse immunitaire. Chez certaines personnes, une protéine à chaîne légère, appelée protéine de Bence-Jones, sécrétée en excès par la cellule myélomateuse est observable et décelable dans l'urine. La prolifération de plasmocytes malins et la production en excès de l'Ig finissent par provoquer une destruction de la moelle

38

CE QU'IL FAUT RETENIR

Le myélome multiple se caractérise par l'envahissement et la destruction de la moelle osseuse par des plasmocytes néoplasiques. La douleur osseuse en est la principale manifestation.

osseuse, des os, des reins, et possiblement de la rate, des ganglions lymphatiques, du foie et même du muscle cardiaque.

Manifestations cliniques

Le myélome multiple survient et progresse de façon insidieuse. Les symptômes n'apparaissent souvent qu'au moment où la maladie atteint un stade avancé ; la douleur osseuse constitue en général la principale manifestation. La douleur au bassin, à la colonne vertébrale et aux côtes, qui est particulièrement fréquente, est déclenchée par les mouvements. L'ostéoporose diffuse croît à mesure que la protéine monoclonale détruit les os. Des lésions ostéolytiques au crâne, aux vertèbres et aux côtes sont observées. La destruction osseuse de la colonne vertébrale peut entraîner le tassement des vertèbres et, de ce fait, une compression de la moelle épinière. La perte de l'intégrité osseuse cause des fractures pathologiques.

La dégénérescence osseuse peut aussi provoquer une décalcification des os et, finalement, une hypercalcémie, laquelle, à son tour, engendre des troubles rénaux, gastro-intestinaux et neurologiques (polyurie, anorexie, confusion, convulsions, coma et troubles cardiaques). Le dépôt dans le rein de chaînes légères, éléments constituants de l'Ig, peut également compromettre la capacité de filtration du rein et engendrer une insuffisance rénale, en raison de l'obstruction des tubules rénaux, et une néphrite interstitielle. Du fait de l'envahissement de la moelle osseuse par des plasmocytes, l'anémie, la thrombocytopénie et la neutropénie sont des symptômes pouvant se manifester.

Examens paracliniques

Le diagnostic du myélome multiple est confirmé par des analyses de laboratoire, des examens radiologiques et une biopsie de la moelle osseuse. La présence de la protéine monoclonale dans le sang ou dans l'urine est observée. La pancytopénie, l'hypercalcémie, la présence de la protéine de Bence-Jones dans l'urine et une concentration élevée de créatine sérique sont d'autres anomalies possibles.

Les radiographies, l'IRM, la TDM et la TEP montrent des lésions osseuses caractéristiques de l'ostéolyse, à savoir un amincissement généralisé des os, des fractures, ou les deux à la fois, notamment aux vertèbres, aux côtes, au bassin, au fémur et à l'humérus. L'examen de la moelle osseuse révèle une augmentation considérable du nombre des plasmocytes dans la moelle osseuse.

L'International Staging System tient compte de la bêta-2-microglobuline et du taux d'albumine pour stratifier le pronostic. En règle générale, plus la concentration de bêta-2-microglobuline est élevée et celle de l'albumine est faible, plus le pronostic est défavorable.

Processus thérapeutique en interdisciplinarité

Le processus thérapeutique en interdisciplinarité consiste à traiter autant la maladie que ses symptômes. La surveillance étroite sans traitement (dans le myélome multiple précoce, aussi appelé gammapathie monoclonale de signification indéterminée [GMSI]), l'administration de corticostéroïdes, de chimiothérapie, d'une thérapie biologique et la greffe de cellules souches hématopoïétiques comptent parmi les stratégies thérapeutiques. Le myélome multiple est une maladie incurable, mais dont le traitement peut soulager les symptômes et contrôler l'évolution, permettant ainsi des rémissions prolongées. L'activité physique de faible intensité, comme la marche, et une hydratation adéquate permettent de traiter l'hypercalcémie, la déshydratation et les éventuelles lésions rénales. La mobilisation des articulations portantes favorise la réabsorption d'une certaine quantité de calcium par les os. L'absorption de liquides permet la dilution du calcium et empêche la formation de précipités de protéines qui causent l'obstruction des tubules rénaux. Le soulagement de la douleur et la prévention des fractures pathologiques sont aussi des objectifs thérapeutiques. Les analgésiques, les supports orthopédiques et l'irradiation localisée aident à réduire la douleur osseuse.

Les bisphosphonates comme le pamidronate (Aredia^MD) et l'acide zolédronique (Zometa^MD) sont utilisées dans le traitement des douleurs osseuses et de l'hypercalcémie. Ces agents inhibent la résorption (désagrégation) de l'os sans pour autant inhiber la formation osseuse et la minéralisation. Ils s'administrent chaque mois par perfusion I.V. La radiothérapie est une autre composante importante du traitement du myélome multiple, car elle a un effet sur les lésions osseuses. Les interventions chirurgicales, notamment la vertébroplastie, peuvent être utiles pour renforcer des vertèbres fragilisées par le processus de dégénérescence osseuse.

La chimiothérapie en association avec des corticostéroïdes est habituellement le premier traitement recommandé dans le myélome multiple. Ce traitement sert à réduire le nombre de plasmocytes. Le traitement initial dépend de l'admissibilité du client à une éventuelle greffe de cellule souches hématopoïétiques ainsi que de sa tolérance prévue au traitement. Ce dernier comprend généralement un traitement à base de corticostéroïdes (dexaméthasone ou prednisone) conjugués à un ou deux autres médicaments tels le cyclophosphamide (Procitox^MD), le lénalidomide (Revlimid^MD), la

Pamidronate (Aredia^MD)

- Les signes d'ostéonécrose de la mâchoire doivent être évalués chez les clients recevant ce médicament.
- Le médicament risque d'avoir des effets néphrotoxiques si la perfusion I.V. est administrée en moins de 2 heures.

thalidomide (Thalomid^MD^), le pomalidomide (Pomalyst^MD^), la doxorubicine (Adriamycin^MD^) ou le melphalan (Alkeran^MD^). La chimiothérapie à doses élevées suivie d'une greffe de cellules souches hématopoïétiques constituent maintenant la norme chez les clients admissibles.

Le traitement ciblé du myélome multiple peut comprendre l'administration de bortézomib (Velcade^MD^). Ce médicament inhibe le protéasome, un complexe multienzymatique intracellulaire qui dégrade les protéines. Les inhibiteurs du protéasome peuvent causer une accumulation de protéines, ce qui peut perturber le fonctionnement cellulaire. Les cellules saines sont capables de récupérer à la suite de l'inhibition du protéasome, mais ce n'est pas le cas des cellules cancéreuses qui en meurent.

Certains médicaments peuvent servir à traiter les complications du myélome multiple. À titre d'exemple, l'allopurinol permet d'atténuer l'hyperuricémie, et le furosémide (Lasix^MD^) favorise l'élimination du calcium par les reins. Ce médicament doit cependant être utilisé avec prudence à cause des risques d'insuffisance rénale.

Soins et traitements infirmiers

CLIENT ATTEINT DE MYÉLOME MULTIPLE

Le soulagement de la douleur et des séquelles de lésions osseuses est de première importance chez la personne atteinte d'un myélome multiple. Il est primordial d'assurer une bonne hydratation pour éviter le plus possible les complications de l'hypercalcémie. Il est possible de recourir à l'administration de liquides par voie I.V. pour maintenir la diurèse entre 1,5 et 2 L par jour. Bien que la lyse tumorale soit rare une fois la chimiothérapie commencée, l'allopurinol peut prévenir les lésions rénales. La présence de la protéine du myélome expose le client à l'insuffisance rénale. L'infirmière doit surveiller le bilan hydroélectrolytique. En raison des risques de fractures pathologiques, l'infirmière doit faire preuve de prudence pendant les positionnements et la mobilisation de la personne. La moindre torsion ou pression exercée sur une zone affaiblie du squelette pourrait suffire à provoquer une fracture. Par ailleurs, plusieurs traitements du myélome multiple sont associés à l'apparition d'une neuropathie périphérique, une source d'inconfort et de limitations de certaines activités de la vie quotidienne qui est un facteur de risque de chutes et de blessures.

La gestion de la douleur nécessite des connaissances et un suivi clinique infirmier. Les analgésiques, notamment les AINS, l'acétaminophène et l'association acétaminophène et opioïde en coanalgésie, peuvent être plus efficaces pour soulager la douleur qu'un opioïde utilisé seul. Les appareils orthopédiques peuvent aider à soulager la douleur, notamment les corsets servant à soutenir la colonne vertébrale. Comme dans tous les cas où il s'agit de traiter la douleur, l'infirmière doit évaluer l'état de santé de la personne et prendre toutes les mesures nécessaires pour la soulager. La personne atteinte d'un myélome multiple étant à risque de thrombose veineuse profonde secondaire à la chimiothérapie et à l'immobilité, il convient de prendre les mesures préventives qui s'imposent (Anderson, Becker, Bennett *et al.*, 2012).

Le diagnostic et le traitement précoces des infections occupent une place importante dans les soins à donner à la personne atteinte du myélome multiple. Les infections récidivantes peuvent être imputables à la réduction de production des immunoglobulines normales, à l'inefficacité des immunoglobulines anormales et produites en excès, au traitement par corticostéroïdes, à une neutropénie découlant de l'infiltration de la moelle osseuse ou aux effets indésirables du traitement. Les PSTI de l'anémie **PSTI 38.1** et de la thrombocytopénie **PSTI 38.2** doivent tous deux être suivis dans le cas d'une personne atteinte de myélome multiple.

PSTI 38.1W: *Neutropénie.*

La détermination des besoins psychosociaux de la personne atteinte d'un myélome multiple nécessite une évaluation initiale et continue de la part de l'infirmière. Un suivi clinique régulier permet de s'assurer du niveau de satisfaction. Il est important d'aider le client et ses proches à s'adapter aux pertes et aux changements causés par la maladie chronique, et d'outiller le client de façon à lui permettre de fonctionner le mieux possible et de conserver une certaine qualité de vie (Rome, 2011). Les symptômes du myélome multiple peuvent s'atténuer temporairement, puis s'exacerber. L'insuffisance rénale causée par la maladie peut nécessiter une hémodialyse d'entretien. Par conséquent, le client requiert des soins spécifiques pendant les épisodes aigus, et ce, à diverses périodes de la trajectoire de sa maladie. En phase terminale de la maladie, qui est généralement de courte durée, le client ne répond plus au traitement. La manière dont le client et ses proches ont appris à composer avec la chronicité influe sur la façon dont ils feront face à cette dernière étape de vie.

CE QU'IL FAUT RETENIR

En raison des risques de fractures pathologiques, l'infirmière doit faire preuve de prudence pendant les positionnements et la mobilisation de la personne atteinte d'un myélome multiple.

38.7 | Pathologies de la rate

La rate peut être touchée par plusieurs pathologies, la plupart susceptibles de mener à une splénomégalie (hypertrophie de la rate) de gravité variable **ENCADRÉ 38.22**. L'**hypersplénisme** est un syndrome caractérisé par une splénomégalie et une cytopénie périphérique (anémie, leucopénie ou thrombocytopénie). Le degré de distension splénique varie selon le type de maladie. Une splénomégalie volumineuse est observée dans la leucémie myéloïde chronique, la tricholeucémie et la thalassémie majeure. L'hypertrophie est légère dans la défaillance cardiaque et le lupus érythémateux disséminé aigu. Une rate saine contient 350 mL de sang et environ le tiers des plaquettes en circulation.

La splénomégalie augmente le phénomène de filtration par la rate et de capture d'hématies anormales. Par conséquent, une réduction du nombre des globules rouges, des globules blancs et des plaquettes est souvent observée. Des anomalies dans le frottis sanguin périphérique, comme des érythrocytes contenant des inclusions (corps de Howell-Jolly), sont aussi notées. Ces anomalies aident à diagnostiquer un dysfonctionnement de la rate. Une hypertrophie légère ou modérée de la rate ne cause habituellement pas de symptômes. Elle est souvent détectée à l'examen physique (palpation) de routine de l'abdomen. Même une hypertrophie très marquée peut être bien tolérée, mais la personne peut aussi se plaindre de malaises abdominaux et d'une sensation de satiété précoce. Outre l'examen physique, certains examens paracliniques permettent d'apprécier la taille de la rate : scintigraphie hépatosplénique au colloïde de soufre et de technétium 99^{m}, TDM ou TEP, IRM et échographie.

CE QU'IL FAUT RETENIR

La splénomégalie augmente la filtration par la rate et la capture d'hématies anormales. Une réduction du nombre des globules rouges, des globules blancs et des plaquettes en découle souvent.

La splénectomie par laparoscopie ou par laparotomie est parfois indiquée pour le traitement de la splénomégalie. Après la splénectomie, il est possible d'observer une augmentation importante du nombre d'érythrocytes, de leucocytes et de plaquettes dans le sang périphérique. La rupture de la rate, qui peut être causée par un trauma, une déchirure accidentelle au cours d'une intervention chirurgicale ou une maladie comme la mononucléose, la malaria ou la néoplasie lymphoïde, est une autre indication de la splénectomie.

Les soins que l'infirmière doit donner à une personne souffrant d'une affection de la rate varient selon la nature du trouble. La splénomégalie peut être douloureuse et nécessiter l'administration d'analgésiques ; il faut faire preuve de vigilance et de prudence durant la mobilisation, les déplacements, le positionnement et pendant les examens d'évaluation de l'amplitude thoracique, car l'hypertrophie splénique peut gêner la mobilité du diaphragme. En cas d'anémie, de thrombocytopénie ou de leucopénie consécutive à l'hypersplénisme, certaines mesures doivent être prises pour soutenir la personne et prévenir les complications menaçant sa vie. Lorsque la splénectomie est pratiquée, l'infirmière doit offrir les mêmes soins attentifs qu'après toute intervention chirurgicale. Elle doit surveiller particulièrement l'apparition des signes d'une hémorragie qui pourrait causer un choc hypovolémique, une fièvre ou un ballonnement abdominal.

La personne ayant subi une splénectomie peut souffrir d'un déficit immunitaire. La concentration de l'IgM est réduite, mais celles de l'IgG et de l'IgA restent dans les limites de la normale. La personne peut rester vulnérable à l'infection toute sa vie et être sujette aux infections par des microorganismes encapsulés comme le pneumocoque. Le vaccin antipneumococcique (Pneumovax[MD]) prévient ce risque d'infection.

ENCADRÉ 38.22 Causes de la splénomégalie

ANÉMIES HÉMOLYTIQUES HÉRÉDITAIRES
- Drépanocytose (anémie falciforme)
- Thalassémie

CYTOPÉNIES AUTO-IMMUNES
- Anémie hémolytique acquise
- Thrombocytopénie immune

INFECTIONS ET INFLAMMATIONS
- Infection bactérienne : endocardite
- Infection mycobactérienne : tuberculose
- Infections à spirochètes : syphilis, maladie de Lyme
- Infections virales : hépatite, infection par le VIH, infection par un cytomégalovirus, mononucléose
- Infections parasitaires : malaria, trypanosomiase, schistosomiase, leishmaniose, toxoplasmose
- Infections à rickettsies : fièvre pourprée des montagnes Rocheuses, fièvre typhoïde
- Infection fongique : histoplasmose
- Lupus érythémateux aigu disséminé, polyarthrite rhumatoïde

INFILTRATIONS NÉOPLASIQUES
- Leucémie aiguë et leucémie chronique
- Lymphomes
- Polyglobulie essentielle
- Myélome multiple, amyloïdose
- Autres néoplasmes et kystes primaires ou secondaires
- Sarcoïdose

CONGESTION
- Cirrhose
- Insuffisance cardiaque
- Thrombose de la veine porte ou de la veine splénique

38.8 | Thérapie transfusionnelle

La thérapie transfusionnelle fait souvent partie de l'arsenal thérapeutique des affections hématologiques. Bon nombre de traitements et d'interventions chirurgicales sont tributaires d'une transfusion sanguine. Cependant, la thérapie transfusionnelle en tant que thérapie de soutien permet de soutenir temporairement la personne en attendant la résolution du trouble sous-jacent. La transfusion sanguine n'est pas exempte de risques ; le recours à cette méthode ne devrait se faire qu'en cas de nécessité.

Des travaux de recherche portant sur des substituts d'hématies sont en cours de réalisation. Pour réduire la fréquence d'utilisation de produits sanguins, il est possible d'administrer, dans certains cas, des agents antifibrinolytiques ou d'autres produits.

Au Canada, les recommandations du juge Krever (reprises dans Société canadienne du sang, 2008) soulignent l'importance d'obtenir le consentement éclairé d'une personne avant de lui transfuser des produits sanguins. À cet effet, le juge recommande que :

- les clients, sauf lorsqu'il y a contre-indication ou qu'une intervention chirurgicale est requise de toute urgence, soient informés des risques et des avantages d'une transfusion de sang allogénique ainsi que des méthodes de rechange possibles ;
- l'information sur les risques, les avantages et les méthodes de rechange soit diffusée dans une langue facile à comprendre pour les clients et de façon à autoriser les questions et les répétitions, et à laisser aux clients le temps voulu pour assimiler la matière.

Au Québec, la responsabilité d'obtenir un consentement libre et éclairé à la transfusion de produits sanguins appartient au médecin traitant (ministère de la Santé et des Services sociaux [MSSS], 2015). Pour leur part, les centres hospitaliers sont responsables de la qualité et de la sécurité de la transfusion sanguine de même que de la qualité de l'acte transfusionnel aux clients (Héma-Québec, 2015a). Il est donc de la responsabilité de chaque établissement de concevoir et de mettre à jour les procédures requises lui permettant d'assumer ses responsabilités. De plus, il faut savoir que certaines personnes, notamment les Témoins de Jéhovah, refusent toute transfusion sanguine **ENCADRÉ 38.23**.

Partout au Canada, tous les dons de sang sont volontaires et gratuits. La Société canadienne du sang est l'organisme responsable de la collecte de sang sur l'ensemble du territoire canadien, à l'exception du Québec où cette responsabilité est assumée par Héma-Québec. La mission de cette dernière est : de fournir avec efficience des composants et des substituts sanguins, des tissus humains et du sang de cordon sécuritaires, de qualité optimale et en quantité suffisante pour répondre aux besoins de la population québécoise ; de développer et d'offrir une expertise de même que des services et des produits spécialisés et novateurs dans les domaines de la médecine transfusionnelle et de la greffe de tissus humains (Héma-Québec, 2012).

Une fois le don de sang total collecté, il est fractionné, par des techniques de laboratoire, en trois composants sanguins : le plasma, les plaquettes et les globules rouges (culot globulaire). Deux composants additionnels sont produits à partir du plasma : le cryoprécipité et le surnageant de cryoprécipité.

Dilemmes éthiques

ENCADRÉ 38.23 Croyances religieuses

SITUATION

Une femme âgée, atteinte de la maladie d'Alzheimer, est transférée d'une résidence pour personnes âgées à un centre hospitalier en raison de saignements gastro-intestinaux d'étiologie inconnue. Des membres de la famille informent l'infirmière qu'elle est Témoin de Jéhovah et qu'elle ne peut recevoir de transfusion de produits sanguins. Le chirurgien estime que la cliente va mourir à défaut de recevoir une transfusion au cours de la chirurgie exploratrice.

CONSIDÉRATIONS IMPORTANTES

- L'adulte compétent peut prendre toute décision se rapportant à ses soins de santé en fonction de ses croyances religieuses, et refuser éventuellement tout traitement.
- Le professionnel de la santé devrait s'efforcer le plus possible de tenir compte des valeurs et des croyances de la personne en dressant un plan thérapeutique. Lorsqu'ils ne connaissent pas les croyances de la personne, les membres de l'équipe soignante devraient consulter d'autres personnes comme les membres de la famille, les amis et des ministres du culte pour connaître avec certitude son appartenance religieuse.
- Lorsqu'il est impossible de connaître avec certitude les croyances de la personne, que celle-ci est incapable d'exprimer ses volontés et qu'aucune directive préalable n'a été donnée, la décision par le chirurgien d'administrer une transfusion essentielle à la survie serait justifiable.
- Les Témoins de Jéhovah croient que l'âme de tout être humain est contenue dans sa chair et son sang, d'où l'interdiction « d'utiliser » le sang d'un autre sous peine de perdre son humanité pour l'éternité. Généralement, ils sont porteurs d'une carte, contresignée par deux témoins et renouvelée annuellement, dans laquelle ils demandent qu'aucune transfusion sanguine (sang total, globules rouges, globules blancs, plaquettes ou plasma) ne leur soit administrée, même si elle est essentielle à leur survie (MSSS, 2015).

QUESTIONS DE JUGEMENT CLINIQUE

- Qui pouvez-vous consulter pour connaître les pratiques religieuses de la personne ?
- Comment savoir si les membres de la famille agissent dans leur intérêt ou celui de la personne ?
- Pour les Témoins de Jéhovah, quelles solutions peuvent être envisagées pour éviter la transfusion de sang ?

MS 8.3

Méthodes liées à l'administration de produits sanguins : *Administration d'albumine.*

Une fois ces deux composants obtenus, ils sont à nouveau congelés. Ces composants périssables constituent ce qui est communément appelé les produits sanguins labiles (Héma-Québec, 2014). À l'exception des plasmaphérèses et des granulocytes frais congelés, tous les produits sanguins labiles allogéniques sont partiellement déleucocytés. La poche de culot globulaire ou de plaquettes d'aphérèse renferme moins de 5 × 10^6 leucocytes résiduels (Héma-Québec, 2014). Dans le langage courant, le qualificatif déleucocyté est utilisé pour indiquer qu'il s'agit d'un **produit sanguin leucoréduit**, ce qui peut porter à confusion. Habituellement, un produit sanguin est administré, mais la transfusion de sang total sert dans certains cas rares (transfusion d'échange) **TABLEAU 38.17** ▶ MS 8.3.

TABLEAU 38.17 Produits sanguins

DESCRIPTION	CONSIDÉRATIONS PARTICULIÈRES	INDICATIONS
Hématies concentrées		
• Les culots globulaires sont obtenus par centrifugation à partir de sang entier. Une unité contient de 250 à 350 mL d'hématies concentrées.	• La fragmentation du sang total permet d'obtenir des composants sanguins spécifiques, d'administrer à la personne uniquement les composants dont elle a besoin et de réduire le risque de surcharge liquidienne. • La quasi-totalité des globules blancs est éliminée par filtration pour réduire le risque de réaction transfusionnelle. Qu'il s'agisse de culots globulaires, de plasma ou de plaquettes, tous les produits transfusés sont déleucocytés. • Les culots globulaires augmentent la capacité de transport de l'oxygène en augmentant la masse des globules rouges en circulation.	• Hémorragie aiguë. • Contexte périopératoire. • Anémie chronique (ne transfuser que s'il n'y a pas d'autre option ; gestion de la symptomatologie). • Chez un adulte, la transfusion d'un culot augmente l'Hb de 10 g/L environ ou l'Ht de 3 à 4 %.
Globules rouges congelés		
• Les GR sont préparéspour la cryopréservation en leur ajoutant du glycérol comme agent protecteur. Les GR congelés se conservent pendant 10 ans à –80 °C.	• Les hématies congelées doivent être utilisées au plus tard 24 heures après leur décongélation. Les lavages successifs à l'aide d'un sérum physiologique permettent d'extraire la majorité des leucocytes et des protéines plasmatiques.	• L'utilisation devrait se limiter à des situations particulières, notamment : – aux personnes ayant un groupe sanguin rare ; – aux personnes ayant un alloanticorps dirigé contre un antigène de fréquence élevée. • Pour les personnes ayant plusieurs alloanticorps dirigés contre les GR, un programme d'autotransfusion est indiqué.
Plaquettes		
• Deux procédés sont possibles : – Extraction par centrifugation et fragmentation d'un don de sang total. Permet d'obtenir une unité de concentré plaquettaire en suspension dans 40-70 mL de plasma. Regroupement de cinq unités de concentrés de plaquettes (pool de plaquettes) administrées en une seule fois. – Extraction par aphérèse. Une poche de concentré de plaquettes prélevées par aphérèse peut remplacer de quatre à cinq unités de concentrés de plaquettes préparées à partir de cinq dons de sang total. Le volume utilisé pour la suspension des plaquettes d'aphérèse varie entre 150 et 400 mL. Au Québec, environ 80 % des plaquettes obtenues à partir de sang total sont prélevées par aphérèse.	• La hausse prévue de la numération plaquettaire à la suite de l'administration : – de 5 unités de concentré de plaquettes est de 30 000 à 60 000/mm^3. • L'incapacité à obtenir la hausse prévue peut être attribuable à une fièvre, à une sepsie, à une splénomégalie ou à une CIVD. • Toutes les poches de concentré de plaquettes sont déleucocytées. • Chez les personnes réfractaires aux plaquettes à la suite d'une allo-immunisation anti-HLA, les plaquettes d'aphérèse provenant d'un donneur HLA compatible sont indiquées.	• Hémorragies attribuables à la thrombocytopénie ; la transfusion de plaquettes peut être contre-indiquée en cas de PTT et de TIH, sauf si l'hémorragie menace la vie du client.

TABLEAU 38.17 Produits sanguins *(suite)*

DESCRIPTION	CONSIDÉRATIONS PARTICULIÈRES	INDICATIONS
Plasma congelé		
• Deux méthodes sont possibles : – Par centrifugation et fragmentation d'un don de sang total. Cela permet d'obtenir un volume de 250 mL. – Par plasmaphérèse. Cela permet de prélever un volume de plasma de 500 mL. • Le produit décongelé peut être conservé à la banque de sang à une température de 1 à 6 °C. Une fois décongelé, sa durée de conservation varie selon le type de plasma (congelé, frais congelé, plasma-aphérèse frais congelé).	• Doit être ABO compatible avec les globules rouges du receveur. • Ne doit pas être utilisé pour renverser l'héparinothérapie.	• Hémorragies causées par un déficit en facteurs de coagulation (p. ex., une CIVD, une transfusion en cas d'hémorragie massive, une maladie hépatique, une carence en vitamine K, des doses excessives de warfarine).
Albumine		
• L'albumine est obtenue à partir de plasma. Elle se conserve pendant cinq ans. Elle est offerte sous forme de solution 5 ou 25 %. • L'administration d'albumine 25 % par erreur au lieu d'albumine 5 % peut causer un état de surcharge circulatoire sévère.	• L'albumine à la concentration de 25 g/100 mL induit une augmentation du volume intravasculaire de 450 mL (350 mL provenant du compartiment interstitiel). La solution hyperosmolaire agit en attirant l'eau de l'espace extravasculaire à l'espace intravasculaire. • À ce jour, aucune transmission de VIH, de virus de l'hépatite C (VHC) ou d'autres virus n'a été associée à la transfusion d'albumine.	• En complément de paracentèse (> 5 L) pour les clients cirrhotiques avec ascite réfractaire et œdème périphérique déjà sous thérapie diurétique maximale. • Syndrome hépatorénal. • Échange plasmatique thérapeutique. • Hypovolémie relative (p. ex., une brûlure, un trauma, une sepsie sévère).
Cryoprécipités		
• Le cryoprécipité est obtenu à partir de plasma frais congelé. • Un sac de cryoprécipité contient au moins 150 mg de fibrinogène dans un volume d'environ 5 à 15 mL de plasma. Une fois décongelé, il peut être conservé, à la banque de sang, dans un environnement contrôlé selon des critères d'entreposage rigoureux.	• Les facteurs de remplacement sont les mêmes que ceux pour l'hémophilie **TABLEAU 38.9**.	• Hémorragies causées par une hypofibrinogénémie PTT. • Syndrome hémolytique et urémique chez l'adulte. • Déficit en divers facteurs de coagulation sauf pour le traitement d'une déficience en facteur VIII ou en facteur de von Willebrand.

Source : Société canadienne du sang (2008).

Il existe deux méthodes permettant de prélever les plaquettes : à partir d'un don de sang total ou par aphérèse. La centrifugation de 500 mL d'un don de sang total permet d'obtenir une unité de concentré plaquettaire en suspension dans 40-70 mL de plasma. La posologie courante pour un adulte est de regrouper dans une même poche cinq unités de concentrés plaquettaires (pool de plaquettes) obtenues à partir de cinq unités de don de sang total et de les transfuser au cours d'une seule administration. Au Québec, environ 80 % des plaquettes sont prélevées à l'aide d'un séparateur cellulaire appelé appareil d'**aphérèse**. Il s'agit d'un procédé de prélèvement automatisé en continu au cours duquel le sang du donneur est acheminé par tubulure jusqu'à un appareil d'aphérèse qui sépare les plaquettes des autres composants sanguins et qui retourne au donneur les composants sanguins non prélevés, à l'exception des plaquettes et d'une certaine quantité de plasma. Le volume de plasma utilisé pour la suspension des plaquettes d'aphérèse peut varier entre 150 et 400 mL. Les plaquettes d'aphérèse sont particulièrement indiquées pour les personnes réfractaires aux plaquettes à la suite d'une allo-immunisation anti-HLA. Chez un adulte de 70 kg, une poche de plaquettes d'aphérèse peut augmenter la numération plaquettaire de 30 000 à 60 000/mm^3. À la suite d'une transfusion de plaquettes, si un décompte plaquettaire est demandé, le prélèvement sanguin devrait être effectué de 20 à 60 minutes après la fin de la transfusion. Si l'augmentation du nombre de plaquettes est inférieure

CE QU'IL FAUT RETENIR

L'incompatibilité ABO est la cause la plus fréquente de morbidité au cours d'une transfusion de culot globulaire. Les erreurs résultent en général d'une mauvaise identification du client.

- Seule une solution de NaCl 0,9 % est compatible avec les produits sanguins labiles.
- Aucun médicament ou solution I.V. ne doit être ajouté au contenu du produit à transfuser.

Apyrétogène : Qui n'entraîne pas de fièvre.

à 15 000/mm³, il se pourrait que la personne soit réfractaire aux plaquettes transfusées (Héma-Québec, 2014).

Après la collecte, toutes les poches de concentré de plaquettes sont entreposées à une température entre 20 et 24 °C jusqu'à 5 jours. Au cours de ce processus, les poches de plaquettes sont agitées doucement de façon mécanique pour éviter l'agrégation plaquettaire. Lorsque le concentré plaquettaire est destiné à une personne gravement immunodéprimée, le produit est exposé à des rayonnements qui permettent d'inactiver la fonction immunologique des lymphocytes résiduels afin de prévenir les réactions post-transfusionnelles du greffon contre l'hôte.

38.8.1 Méthode d'administration

Les composants sanguins peuvent être administrés à l'aide de divers cathéters veineux centraux ou périphériques. Le calibre doit être suffisant pour permettre l'administration du composant sanguin dans les délais de transfusion prévus, tout en prévenant les lésions aux cellules à administrer. (Il n'est plus recommandé d'administrer systématiquement un produit sanguin dans un cathéter d'un calibre minimum de 19 G [Stupnyckyj, Smolarek, Reeves *et al.*, 2014].) Quel que soit l'accès veineux utilisé, il importe d'en vérifier la perméabilité avant de demander le composant sanguin à la banque de sang. Il existe sur le marché divers dispositifs de transfusion. Il est important d'en connaître les caractéristiques et les instructions qui leur sont propres. Ces dispositifs doivent être stériles, **apyrétogènes** et munis d'un filtre et d'une chambre compte-gouttes. Avant de commencer la transfusion, les filtres doivent être entièrement humectés, et la chambre compte-gouttes doit être remplie au tiers ou à la moitié. Ces dispositifs sont pourvus de deux orifices d'entrée, un pour le composant sanguin et un autre pour la solution saline (NaCl 0,9 %) de purge de la tubulure. L'administration des composants sanguins nécessite l'utilisation d'un filtre sanguin dont les pores peuvent avoir un diamètre compris entre 170 et 260 microns. Ce filtre sert à intercepter les caillots et les débris cellulaires. Il peut, avec le temps, devenir un milieu idéal de croissance bactérienne ou contribuer à ralentir le débit de la transfusion. Chaque établissement doit disposer de politiques concernant la fréquence de remplacement des filtres ou des dispositifs de transfusion. Dans certaines situations seulement, les réchauffeurs peuvent être employés pour prévenir une hypothermie exacerbée par la perfusion rapide d'un volume élevé de sang froid (débit supérieur à 100 mL/min pendant 30 minutes). Les cathéters veineux centraux à lumières multiples permettent l'administration de transfusions grâce à une lumière pendant que d'autres produits ou solutions perfusent par d'autres lumières du cathéter. Les médicaments souvent associés à des réactions d'hypersensibilité doivent être utilisés avec prudence pendant une transfusion sanguine, car il peut être difficile, en cas d'administration simultanée, de faire la distinction entre les symptômes attribuables au médicament et les réactions transfusionnelles (Société canadienne du sang, 2008).

L'incompatibilité ABO est la cause la plus fréquente de morbidité au cours d'une transfusion de culot globulaire. La plupart de ces erreurs résultent de la transfusion d'une unité de sang bien étiquetée, mais administrée au mauvais client (Institut national de santé publique du Québec [INSPQ], 2014). Les autres erreurs sont attribuables à l'étiquetage erroné des échantillons sanguins ou aux analyses elles-mêmes (Réseau régional ontarien de coordination du sang, 2010). Au Québec, les problèmes liés à l'identification adéquate des clients et de leurs échantillons sanguins demeurent les incidents les plus souvent rapportés. La majorité de ces cas est liée à une dérogation aux normes hospitalières concernant l'étiquetage des spécimens (INSPQ, 2014). Avant d'effectuer le prélèvement sanguin, la norme nationale sur le sang et les produits sanguins labiles (CAN/CSA-Z902-10) confirme la nécessité de procéder à l'identification sans équivoque du receveur. Une fois l'échantillon sanguin prélevé, l'étiquetage du prélevement sanguin doit se faire en présence de la personne chez qui on vient d'effectuer le prélèvement, et l'information accompagnant le prélèvement doit permettre une correspondance exacte et sans équivoque entre les deux. Il incombe à la banque de sang de déterminer les groupes sanguins et d'effectuer l'étude de compatibilité entre le donneur et le receveur de sang. Les résultats de l'étude de compatibilité doivent être notés sur le sac et sur le bordereau d'émission de produit sanguin. À la réception du produit à transfuser, le processus de vérification de l'identité du receveur et de l'identification du produit sanguin à administrer doit se faire en présence du receveur et ne doit donner lieu à aucune équivoque (Association canadienne de normalisation [CSA], 2010).

Il est essentiel que l'infirmière se conforme scrupuleusement à la politique et aux procédures en vigueur dans son établissement pour les activités qui relèvent de son champ d'activité. Par exemple, l'identification de l'échantillon sanguin prélevé (concordance exacte entre la personne chez qui ce prélèvement a été effectué et l'échantillon sanguin prélevé), l'identification du produit sanguin à administrer, la validation de l'identité du receveur prévu (concordance exacte des informations entre le receveur prévu et le produit à administrer) ainsi que la documentation sont des étapes de la plus haute importance. Pendant l'administration du composant sanguin, l'exercice d'un suivi infirmier rigoureux avant, pendant et une fois la transfusion terminée permet de détecter précocement la manifestation d'effets indésirables et d'intervenir rapidement. L'infirmière doit s'assurer que le client comprend le déroulement de la transfusion sanguine et qu'il connaît les symptômes à signaler.

Qu'il s'agisse d'administrer un culot globulaire, du plasma ou des plaquettes, il faut prendre les signes vitaux au début de la transfusion, 15 minutes plus tard, à la fin de la transfusion et en tout temps advenant une réaction (Réseau régional ontarien de coordination du sang, 2010). Comme les signes et les symptômes de réactions transfusionnelles graves se manifestent souvent dans les 15 minutes suivant le début de la transfusion, il est essentiel d'amorcer lentement la transfusion à une vitesse de 2 mL/min pour les 15 premières minutes (Héma-Québec, 2014), tout en exerçant une surveillance très étroite de la personne au cours de cette période. Si les signes vitaux sont anormaux ou si, par exemple, la personne est fiévreuse avant une transfusion sanguine, l'infirmière doit vérifier auprès du médecin si la transfusion peut ou non être administrée. Une fois la transfusion sanguine terminée, il est recommandé que le receveur demeure en observation pour une période appropriée (que chaque établissement doit déterminer) pour parer à l'éventualité d'un événement indésirable. À défaut de pouvoir assurer une telle surveillance directe, des instructions précises sur la survenue possible de l'un de ces événements doivent être communiquées au receveur ou à la personne qui l'accompagne. La transfusion de GR doit être terminée dans les quatre heures suivant le retrait de la poche d'un milieu à température contrôlée (Héma-Québec, 2014). Le produit sanguin doit être transfusé dès sa réception, et il ne doit jamais être gardé dans le réfrigérateur de l'unité de soins. Le sang qui n'a pas été utilisé dans les 30 minutes suivant sa réception doit être retourné à la banque de sang.

Chaque produit sanguin a une durée de transfusion recommandée qui lui est spécifique, mais qui ne doit jamais excéder quatre heures (en raison du risque de prolifération bactérienne dans le composant sanguin à la température ambiante). Chez la plupart des clients adultes, une unité de culot globulaire peut être transfusée sur une période de deux heures. Les clients qui ne risquent pas une surcharge circulatoire peuvent aussi tolérer la transfusion d'un culot globulaire en deux heures. Chez les clients aux prises avec un risque d'insuffisance cardiaque congestive, par exemple, il faut envisager de réduire le débit et le volume de la transfusion. Si le client ne peut tolérer un débit de perfusion assez élevé pour recevoir une unité complète en quatre heures, certaines mesures peuvent permettre de réduire le risque d'effets indésirables, notamment l'utilisation de diurétiques et la division du composant de manière à ce qu'une seule partie de celui-ci soit mise en circulation à la fois. Le reste de l'unité demeure entreposé dans le réfrigérateur du service de transfusion de la banque de sang (Héma-Québec, 2014). Pour les plaquettes, la durée habituelle de transfusion est de 60 minutes; pour le plasma, elle varie entre 30 et 120 minutes; et pour les cryoprécipités, elle dure entre 10 et 30 minutes (Société canadienne du sang, 2008). Sous certaines conditions (p. ex., une hémorragie massive), les composants sanguins peuvent être transfusés beaucoup plus rapidement.

CE QU'IL FAUT RETENIR

Les signes et symptômes de réactions transfusionnelles graves se manifestent souvent dans les 15 minutes suivant le début de la transfusion.

38.8.2 Réactions transfusionnelles

Une réaction transfusionnelle est une réaction indésirable à une transfusion sanguine qui se manifeste par des symptômes de gravité variable, les plus dangereux pouvant menacer la vie du receveur. Les complications de la transfusion pouvant être graves, il importe donc de bien évaluer l'état de santé de la personne. Les réactions aiguës doivent être distinguées des réactions retardées **TABLEAUX 38.18** et **38.19**.

En présence d'une réaction transfusionnelle aiguë, les étapes suivantes doivent être suivies: 1) interrompre la transfusion; 2) maintenir une administration I.V. continue de sérum physiologique; 3) évaluer les signes vitaux, la diurèse et les symptômes; 4) revérifier l'étiquette et les numéros d'identification; 5) aviser la banque de sang et le médecin sans tarder; 6) traiter les symptômes selon les directives du médecin; 7) conserver le sac de sang et les tubulures afin de les envoyer à la banque de sang pour analyse.

Réactions transfusionnelles aiguës

Réaction hémolytique aiguë

La **réaction hémolytique aiguë** est le plus souvent due à une incompatibilité ABO (réaction antigènes-anticorps) **TABLEAU 38.18**, qui est habituellement la conséquence d'une erreur humaine (échantillon mal identifié, ou receveur mal ou non identifié), d'où l'importance de toujours bien identifier et de vérifier les échantillons de sang, les produits sanguins à administrer et l'identité du receveur. L'incidence d'une réaction hémolytique aiguë est d'environ 1:24 000 culots globulaires (Héma-Québec, 2014).

La réaction hémolytique aiguë est causée par la fixation des anticorps plasmatiques du receveur aux antigènes des érythrocytes du sang du donneur. La fixation cause une hémolyse des globules rouges, qui entraîne la libération d'hémoglobine libre dans le plasma. L'**hémoglobinurie** est l'élimination, dans l'urine, d'hémoglobine libre libérée dans le sang à la suite d'une hémolyse. La présence d'hémoglobine libre dans le plasma risque de causer des dommages rénaux (obstruction des tubules rénaux, insuffisance rénale aiguë), une coagulation intravasculaire disséminée et la mort ▶ 69. Les manifestations cliniques de la réaction

69

Les dommages rénaux sont présentés dans le chapitre 69, *Interventions cliniques – Insuffisance rénale aiguë et insuffisance rénale chronique.*

38

TABLEAU 38.18 Réactions transfusionnelles aiguës

RÉACTIONS	CAUSES	MANIFESTATIONS CLINIQUES	SOINS ET TRAITEMENTS INFIRMIERS	MESURES PRÉVENTIVES
• Réaction hémolytique aiguë	• Incompatibilité ABO • Autres alloanticorps de groupe sanguin	Frissons, fièvre, douleurs au bas du dos, rougeur du visage, tachycardie, dyspnée, tachypnée, hypotension, collapsus cardiovasculaire, hémoglobinurie, ictère aigu, urine foncée, oligurie, saignements, insuffisance rénale aiguë, choc, arrêt cardiaque, mort	• Arrêter la transfusion immédiatement. • Vérifier s'il y a erreur (comparer l'identité du receveur à l'identité inscrite sur le produit sanguin). • Aviser la banque de sang (et les chargés de la sécurité transfusionnelle [CST]). • Faire parvenir à la banque de sang un nouveau prélèvement sanguin afin de revérifier le groupe ABO. • Retourner à la banque de sang le sac de sang en gardant le dispositif d'administration branché au sac et l'extrémité de la tubulure fermée de façon stérile pour culture et analyses. • Amorcer le traitement de soutien en suivant les directives médicales : stabilisation de la pression artérielle, administration de diurétiques, pose d'une sonde vésicale, mesure des ingesta et excreta. • Si cliniquement requis, assurer une assistance cardiorespiratoire. • L'hémodialyse peut être requise en cas d'insuffisance rénale.	• Au moment du prélèvement sanguin pour l'étude des compatibilités, porter une attention méticuleuse à l'identification du client et aux étiquettes de prélèvements (concordance exacte). • À la réception du produit à transfuser, vérifier la concordance exacte entre les résultats de l'étude de compatibilité notés sur le sac du produit à transfuser et ceux inscrits sur le bordereau d'émission du produit sanguin. • Avant d'amorcer la transfusion sanguine, confirmer l'identité du receveur selon la politique en vigueur dans l'établissement. • Le processus de vérification de l'identité doit toujours se faire en présence du client.
• Réaction fébrile non hémolytique (RFNH) (plus courant)	• Sensibilisation aux leucocytes, aux plaquettes ou aux protéines plasmatiques du donneur	Fièvre (augmentation de la température de plus de 1 °C et atteignant 38,5 °C [buccale] ou plus) pouvant s'accompagner de frissons, de tremblements, de nausées, de vomissements et d'hypotension	• Interrompre la transfusion. • Administrer la médication prescrite, habituellement de l'acétaminophène. • La décision de poursuivre ou non la transfusion sanguine variera selon la sévérité du tableau clinique. Suivre la directive médicale.	• Administrer des produits déleucocytés. • Administrer de l'acétaminophène (Tylenol^{MD}) ou du diphénhydramine (Benadryl^{MD}) 30 minutes avant la transfusion.

TABLEAU 38.18 Réactions transfusionnelles aiguës *(suite)*

RÉACTIONS	CAUSES	MANIFESTATIONS CLINIQUES	SOINS ET TRAITEMENTS INFIRMIERS	MESURES PRÉVENTIVES
• Allergie mineure	• Sensibilité à des protéines plasmatiques étrangères	Rougeur au visage, prurit, urticaire	• Interrompre la transfusion. • Administrer la médication prescrite, habituellement un antihistaminique ou un corticostéroïde. • Si les symptômes sont légers et temporaires, il est possible de reprendre lentement la transfusion. • Ne pas reprendre la transfusion en cas de fièvre, de réaction urticarienne (> 2/3 de la surface corporelle) ou de symptômes pulmonaires.	• Administrer des antihistaminiques à titre prophylactique.
• Réaction anaphylactique et allergie sévère	• Sensibilité aux protéines plasmatiques du donneur • Transfusion de protéines d'IgA à un receveur souffrant d'un déficit en IgA et ayant sécrété des anticorps anti-IgA	Anxiété, urticaire, dyspnée, sibilances, bronchospasme, hypotension artérielle, collapsus cardiovasculaire et, possiblement, arrêt cardiaque	• Arrêter immédiatement la transfusion. • Administrer les médications selon les manifestations cliniques en présence. • L'épinéphrine doit toujours être facilement accessible pendant une transfusion. • Si cliniquement requis, assurer une assistance cardiorespiratoire. • Ne pas reprendre la transfusion.	• Transfuser des hématies lavées dont tout le plasma a été extrait. • Utiliser du sang provenant d'un donneur ayant un déficit en IgA. • Utiliser des produits autologues.
• Surcharge volémique	• Fonction cardiaque altérée • Vitesse de transfusion excessive	Toux, dyspnée, congestion pulmonaire, céphalées, hypertension artérielle, tachycardie, turgescence des veines jugulaires	• Interrompre la transfusion. • Redresser le client et le faire asseoir les jambes pendantes. • Administrer les thérapies prescrites : diurétiques, oxygène, morphine. • Redémarrer la transfusion à une vitesse plus lente si l'état clinique le permet et si le produit sanguin est toujours en état d'être transfusé. • Une phlébotomie peut être indiquée.	• Procéder à une évaluation prétransfusionnelle par le médecin traitant. • Prolonger la période de transfusion, mais sans dépasser quatre heures. • Administrer préventivement des diurétiques (sous prescription médicale). • Demander à la banque de sang de séparer les produits à transfuser en aliquotes moins volumineuses.

TABLEAU 38.18 Réactions transfusionnelles aiguës *(suite)*

RÉACTIONS	CAUSES	MANIFESTATIONS CLINIQUES	SOINS ET TRAITEMENTS INFIRMIERS	MESURES PRÉVENTIVES
• Bactériémie • Sepsie • Choc septique	• Présence de bactéries sur la peau du donneur au moment du prélèvement • Bactériémie non détectée chez le donneur • Manipulation inadéquate durant le processus de préparation ou d'administration du produit	Apparition rapide de frissons, forte fièvre, vomissements, diarrhée, hypotension marquée ou choc	• Retourner à la banque de sang le sac de sang en gardant le dispositif d'administration branché au sac et l'extrémité de la tubulure fermée de façon stérile pour culture et analyses. • Procéder aux prélèvements d'hémocultures. • Traiter la manifestation clinique selon les directives du médecin : antibiotiques, administration de solutions I.V., administration de vasopresseurs.	• Au moment de la collecte de sang (Héma-Québec) : – désinfecter soigneusement la peau au point d'insertion ; – utiliser des circuits fermés et une dérivation des premiers millilitres de sang ; – pratiquer un test de détection de bactéries sur tous les produits plaquettaires. • Au moment de l'administration : – respecter une technique stérile au moment de la préparation du dispositif d'administration et pendant l'administration ; – administrer le produit dès sa réception ; – respecter les durées d'administration.
• Lésion pulmonaire aiguë post-transfusionnelle (TRALI)	• Absence d'étiologie précise connue • Deux mécanismes postulés : – Transfert passif d'anticorps anti-HLA ou anti-granulocytes d'un donneur à un receveur (plus rarement, la présence d'anticorps anti-HLA ou anti-granulocytes chez le receveur. Ce type d'anticorps est très commun chez les donneurs de sang féminins multipares, conséquence des grossesses antérieures) – Présence de lipides biologiquement actifs dans les produits transfusés	Détresse respiratoire aiguë, fièvre, hypotension, tachypnée, dyspnée, saturation en $O_2 < 90\%$ (à l'air ambiant), crachats spumeux	• Traitement de soutien selon le besoin, y compris la ventilation mécanique : – Administrer de l'oxygène (les corticostéroïdes et les diurétiques ne sont pas utiles). – Effectuer un prélèvement de sang pour la gazométrie artérielle et le dosage de l'antigène HLA ou des anticorps antileucocytes ; faire une radiographie pulmonaire. – Retourner à la banque de sang le sac de sang en gardant le dispositif d'administration branché au sac et l'extrémité de la tubulure fermée de façon stérile aux fins d'études et de culture. – Aviser la banque de sang afin de déterminer rapidement les donneurs en cause, les produits dérivés en circulation ; procéder à la mise en quarantaine et aux analyses nécessaires afin de prévenir une TRALI chez d'autres receveurs.	• Transfuser des produits déleucocytés. • Exclure à vie les donneurs liés positivement à un épisode de TRALI par l'identification des anticorps fautifs ou l'implication dans plusieurs épisodes cliniques.

Source : Adapté de Callum & Pinkerton (2005).

TABLEAU 38.19 Réactions transfusionnelles retardées

RÉACTIONS	MANIFESTATIONS CLINIQUES
Réactions hémolytiques retardées	Fièvre, ictère bénin, baisse inexpliquée du taux d'hémoglobine. Se manifestent dès les trois premiers jours qui suivent la transfusion ou au bout de plusieurs mois, mais généralement après 5 à 10 jours. Ces réactions traduisent la destruction des hématies transfusées par des alloanticorps non détectés au cours du test de compatibilité. L'hémolyse survient le plus souvent chez les femmes ayant une histoire de grossesse ou chez les personnes ayant reçu de multiples transfusions sanguines. En règle générale, aucun traitement de courte durée n'est nécessaire, mais l'hémolyse peut être suffisamment grave pour justifier d'autres transfusions sanguines.
Hépatite B[a]	Élévation de la concentration des enzymes hépatiques (aspartate aminotransférase [AST] et alanine aminotransférase [ALT]), anorexie, malaises, nausées et vomissements, fièvre, urine foncée, ictère. Se résorbe généralement spontanément en quatre à six semaines. L'état de porteur chronique peut survenir et mener à des lésions hépatiques permanentes. Traiter les symptômes.
Hépatite C[a]	Semblable à l'hépatite B, mais les symptômes sont généralement moins graves. Une maladie hépatique chronique et la cirrhose peuvent survenir. Avant l'avènement du test de dépistage de l'hépatite C, ce type d'hépatite comptait pour 90 à 95 % de toutes les hépatites post-transfusionnelles. Traiter les symptômes.
Surcharge en fer	Dépôts de fer excédentaire dans le cœur, le foie, le pancréas et les articulations provoquant des dysfonctionnements. Insuffisance cardiaque, arythmie cardiaque, altération de la fonction thyroïdienne et gonadique, diabète, arthrite, cirrhose. La surcharge en fer est fréquente chez le client ayant reçu plus de 100 unités de sang sur une certaine période de temps, en raison d'une anémie chronique (p. ex., une drépanocytose, une β-thalassémie). Traiter les symptômes. La déféroxamine (Desferal[MD]), qui chélate et élimine le fer accumulé par les reins, peut s'administrer par voie I.V. ou S.C. Le déférasirox (Exjade[MD]) est un agent oral qui chélate le fer.
Autres	D'autres maladies et agents infectieux sont transmissibles par transfusion, notamment les cytomégalovirus, le virus du lymphome humain à cellules T de type 1 et les agents infectieux causant le paludisme.

[a] Il existe peu de nouveaux cas d'hépatite B et d'hépatite C dus aux transfusions.

hémolytique aiguë surviennent habituellement au cours des 15 premières minutes de la transfusion ou dans les 24 heures suivantes. Les principaux signes ou symptômes sont la fièvre, les frissons, l'hypotension et l'hémoglobinurie (Héma-Québec, 2010). Dans les cas plus graves, il peut y avoir des douleurs diverses (thoraciques, lombaires ou abdominales), des nausées et des vomissements, de la dyspnée, des saignements diffus et de l'oligurie. Il peut aussi y avoir une diminution de l'hémoglobine de même qu'une élévation de la bilirubine et de la lacticodéshydrogénase (LDH). Cette réaction peut être fatale (Héma-Québec, 2010). Les réactions transfusionnelles retardées sont celles qui se produisent plus de 24 heures après la transfusion, bien qu'elles puissent aussi survenir jusqu'à 14 jours après la transfusion sanguine.

Réaction fébrile non hémolytique

La **réaction fébrile non hémolytique (RFNH)** est une complication immédiate très fréquente, mais elle est généralement bénigne. Elle est attribuable à une interaction des anticorps du receveur avec des antigènes du donneur ou à d'autres facteurs (p. ex., les cytokines) présents dans le produit sanguin transfusé. Les incidences varient selon le produit transfusé et le procédé de prélèvement utilisé. L'incidence est de 1:200 poches de plaquettes (préparées à partir de 5 dons de sang total), de 1:300 poches de plaquettes d'aphérèse, de 1:300 culots globulaires et de 1:900 transfusions de plasma. La réaction fébrile non hémolytique est caractérisée par une fièvre (augmentation de la température corporelle d'au moins 1 °C et atteignant 38,5 °C [buccale] ou plus) apparaissant vers la fin ou peu après la fin de la transfusion de produits sanguins. Elle est non expliquée par l'état de santé sous-jacent du receveur ou par une autre cause comme une contamination bactérienne. La fièvre, quoique pas toujours présente malgré le nom de la réaction, peut être accompagnée de frissons, de nausées et de vomissements (MSSS, 2015). Chez les personnes qui présentent ce type de réaction, le médecin peut prescrire certains médicaments. En règle générale, il s'agit d'acétaminophène.

Réactions allergiques mineures et majeures

Les réactions allergiques sont plus fréquentes chez la personne ayant des antécédents d'allergies diverses. Les réactions allergiques peuvent être classées sous deux catégories : la réaction allergique mineure et la réaction allergique majeure. L'administration d'un antihistaminique peut prévenir les réactions allergiques. En cas de réaction grave, il est possible d'administrer de l'épinéphrine ou un corticostéroïde.

Réaction allergique mineure Les causes de la réaction allergique mineure ne sont pas bien connues. L'interaction des éléments présents dans le sang du receveur avec certains facteurs présents dans le produit transfusé joue sans doute un rôle. Cette réaction

CE QU'IL FAUT RETENIR

Les manifestations cliniques de la réaction hémolytique aiguë (fièvre, frissons, hypotension et hémoglobinurie) surviennent habituellement au cours des 15 premières minutes de la transfusion sanguine ou dans les 24 heures suivant celle-ci.

CE QU'IL FAUT RETENIR

Une réaction allergique majeure peut se produire dès le début d'une transfusion. Elle prend la forme d'un angiœdème généralisé ou d'autres symptômes d'urticaire accompagnés d'une dyspnée grave, de sibilances et de stridors ou d'autres signes et symptômes caractéristiques du choc anaphylactique.

Sibilance: Bruits respiratoires de haute tonalité, musicaux et grinçants, plus fréquents à l'expiration, et perçus à l'auscultation pulmonaire.

Jugement clinique

Le premier culot globulaire de John Pedlaki, 42 ans, s'est terminé sans complication il y a une heure, et vous devez lui en administrer un second. Le client est assis au bord de son lit et refuse de se coucher, car il se dit trop essoufflé en position de décubitus. Que suspectez-vous? Nommez quatre points devant être évalués.

bénigne mais fréquente apparaît dans les quatre heures qui suivent le début de la transfusion de produits sanguins. Elle se présente sous la forme de manifestations cutanées caractérisées par un ou plusieurs des signes suivants: prurit, urticaire, érythème localisé ou généralisé. Son incidence est de 1:145 transfusions de plaquettes, de 1:686 transfusions de plasma ou de 1:832 culots globulaires (INSPQ, 2014). Du diphenhydramine 25-50 mg est habituellement prescrit.

Réaction allergique majeure La plupart des réactions allergiques majeures demeurent inexpliquées. Elles résultent d'une interaction des éléments du sang du receveur avec des facteurs présents dans le produit transfusé. L'incidence d'une réaction allergique majeure est de 1:1 622 transfusions de plaquettes (préparées à partir de 5 dons de sang total), de 1:6 684 poches de plaquettes d'aphérèse, de 1:9 770 transfusions de plasma et de 1:43 438 culots globulaires (INSPQ, 2014). Ce type de réaction se présente sous la forme d'un angiœdème généralisé ou d'autres symptômes d'urticaire accompagnés d'une dyspnée grave, de **sibilances** et de stridors ou d'autres signes et symptômes caractéristiques du choc anaphylactique (p. ex., une chute de la pression artérielle, une perte de conscience). Elle peut apparaître dès que quelques millilitres ont été transfusés.

Surcharge volémique

Une personne souffrant d'insuffisance cardiaque ou d'insuffisance rénale est exposée à la surcharge volémique, notamment la personne âgée à qui est administrée une grande quantité de sang en un court laps de temps. Son incidence est de 1:3 100 produits sanguins (INSPQ, 2014). La surcharge volémique se caractérise par les signes et les symptômes suivants: dyspnée, orthopnée, cyanose, tachycardie, élévation de la pression veineuse centrale, hypertension artérielle et distension jugulaire (MSSS, 2015). Au Québec, cette réaction est impliquée dans la grande majorité des décès associés à la transfusion sanguine. La transfusion sanguine n'est qu'un des éléments en cause dans la surcharge, car l'ensemble des solutions I.V. doit être pris en considération ainsi que la condition cardiaque du receveur.

Contamination bactérienne

Des erreurs de manipulation ou des conditions d'entreposage inappropriées peuvent provoquer la contamination des produits sanguins. L'administration de produits sanguins contaminés peut causer une bactériémie, une sepsie ou un choc septique. La contamination bactérienne qui peut suivre une transfusion de plaquettes est la plus fréquente en raison de la condition de leur conservation (20 et 24 °C) qui est propice à la prolifération bactérienne. Héma-Québec applique un test de détection de bactéries à tous les produits plaquettaires (Héma-Québec, 2014).

Lésion pulmonaire aiguë post-transfusionnelle

La lésion pulmonaire aiguë post-transfusionnelle, ou *transfusion related acute lung injury* (TRALI), se caractérise par l'apparition soudaine d'un œdème pulmonaire non cardiogénique. Les TRALI sont caractérisées par l'apparition subite de signes et de symptômes de détresse respiratoire (dyspnée sévère, hypoxémie) survenant habituellement durant la transfusion ou dans les six heures qui suivent la fin de la transfusion chez une personne sans lésion pulmonaire aiguë avant la transfusion. Une infiltration alvéolaire bilatérale à la radiographie pulmonaire est observée sans qu'il y ait de signes de surcharge circulatoire (MSSS, 2015).

Réactions à une transfusion massive

Une réaction à une transfusion massive est une complication grave qui apparaît à la suite de la transfusion d'une grande quantité de produits sanguins. Cette réaction survient lorsque sont transfusés plus de 10 unités de culots globulaires ou plus de 1 volume sanguin en 24 heures (Société canadienne du sang, 2013). La transfusion de culots globulaires ne contient ni facteurs de coagulation, ni albumine, ni plaquettes; il se produit alors un déséquilibre entre les constituants sanguins. Il faut donc surveiller attentivement les paramètres hémostatiques établis par le laboratoire.

L'hypothermie, l'intoxication au citrate, l'hypocalcémie et l'hyperkaliémie sont d'autres complications possibles de la transfusion massive. La transfusion rapide d'une grande quantité de sang froid peut provoquer une hypothermie et des troubles du rythme cardiaque. Il est possible de prévenir ces complications en réchauffant le sang. La transfusion massive de produits sanguins peut provoquer une intoxication au citrate et l'hypocalcémie, car la solution de conservation renferme un citrate auquel se fixe le calcium. La transfusion de 1 culot globulaire en 10 minutes (ou de 8 à 10 culots globulaires en quelques heures) risque de causer une intoxication au citrate, laquelle peut se manifester par des tremblements musculaires accompagnés de modifications de l'électrocardiogramme et d'une hypocalcémie. Il est possible de prévenir ou même de faire rétrocéder ces manifestations en administrant par voie I.V. un soluté de gluconate de calcium 10 % (à raison de 10 mL par litre de sang citraté). L'hyperkaliémie est causée par une fuite du potassium du liquide intracellulaire des globules rouges du sang entreposé. Le degré de gravité des symptômes est variable. Parmi les complications figurent les nausées, la faiblesse musculaire, la diarrhée, la paresthésie, la paralysie flasque des muscles cardiaque ou respiratoires et l'arrêt cardiaque. La surveillance du bilan électrolytique est un aspect important des soins à donner au client recevant une transfusion massive de produits sanguins.

Réactions tardives

Parmi les réactions transfusionnelles tardives figurent les réactions hémolytiques retardées, les infections et la surcharge en fer **TABLEAU 38.19**.

Infections virales

Les transfusions sanguines peuvent également être un vecteur de transmission d'infections virales, notamment pour les virus de l'hépatite B (VHB) et de l'hépatite C (VHC), le virus de l'immunodéficience humaine (VIH), les virus du lymphome humain à cellules T des types 1 et 2 (HTLV-1 et 2), le cytomégalovirus (CMV), le virus du Nil occidental (VNO), l'herpès humain de type 6 (HSV-6), le virus herpétique Epstein-Barr (VEB) et le parasite du paludisme. L'hépatite B est l'infection virale la plus souvent transmise par transfusion sanguine, bien que le risque de contamination soit de 1 cas sur 941 327 (Héma-Québec, 2014). Tous les dons de sang sont soumis à un test pour détecter l'antigène de surface du virus (HBsAg) présent chez les personnes infectées. En raison de la possibilité de transmission du virus à la phase précoce de l'hépatite B, au moment où le test de dépistage ne peut détecter l'infection, Héma-Québec soumet également tous les dons à un test de l'anti-HBc depuis avril 2003. L'utilisation d'un test permettant de détecter l'acide nucléique du virus de l'hépatite C dans tous les dons de sang a permis de réduire la période muette de 56 à 12 jours, rendant ainsi la possibilité de la transmission par transfusion sanguine extrêmement faible. Il faut se souvenir que l'utilisation de drogues par injection demeure le principal facteur de risque de contracter l'hépatite C (MSSS, 2015).

L'infection par le CMV est très répandue dans la population en général et, la plupart du temps, elle passe inaperçue. En effet, environ 50 % des donneurs de sang canadiens possèdent des anticorps anti-CMV ou le virus dans leurs globules blancs (Héma-Québec, 2014). Le CMV pouvant être transmis par les leucocytes présents dans les produits sanguins, l'utilisation de produits leucoréduits a permis de réduire considérablement le risque de transmission par la voie transfusionnelle (MSSS, 2015). Chez les personnes dont l'état immunitaire est compromis (p. ex., une personne qui a subi une greffe de cellules souches hématopoïétiques, un nouveau-né prématuré), la transfusion de produits sanguins venant de donneurs séronégatifs au CMV peut être indiquée pour prévenir les complications (Héma-Québec, 2014).

Dans le passé, le VIH s'est notamment transmis par l'administration de transfusions de sang ou de dérivés sanguins contaminés par ce virus, ce qui a exposé les personnes qui ont reçu ces produits au VIH. Chez les hémophiles qui recevaient des facteurs antihémophiliques (facteurs de coagulation) ayant été préparés à partir d'un pool de plasma provenant d'un grand nombre de donneurs dont certains étaient infectés, la fréquence de l'infection par le VIH transmise par transfusion sanguine était élevée. À l'heure actuelle, grâce à l'utilisation de facteurs antihémophiliques recombinants **TABLEAU 38.9**, à la sensibilisation auprès des donneurs de sang, à la sélection rigoureuse des donneurs et aux tests de dépistage des anticorps VIH et VIH-TAN (test d'amplification nucléique), le risque de transmission du VIH par transfusion sanguine ou par des facteurs de remplacement est considérablement réduit.

D'autres agents infectieux ont été identifiés comme pouvant être transmis par transfusion. Ces agents infectent principalement les animaux ou certains vecteurs comme les moustiques ou les tiques. Parmi ces menaces figurent le *Plasmodium* spp (paludisme), le virus de la dengue, le VNO, le *Trypanosome cruzi* (maladie de Chagas), le *Babesia* spp (babésiose), le virus humain de l'herpès 8 (VHH-8) et les prions comme celui de la variante de la maladie de Creutzfeldt-Jakob (maladie de la vache folle) (Héma-Québec, 2014). Outre une sélection très rigoureuse des donneurs, Héma-Québec soumet chaque don de sang prélevé à des tests de dépistage pour un certain nombre de maladies transmissibles par transfusion sanguine.

Si le composant ne répond pas aux normes, par exemple si l'analyse a permis de dépister un anticorps à un virus ou si une non-conformité s'est glissée, une étiquette indiquant qu'il s'agit d'un biorisque est produite. Par la suite, ce produit sera détruit (Héma-Québec, 2015b).

Il faut se rappeler que bien que l'avènement de nouveaux tests hautement performants pour détecter le VIH, les virus des hépatites B et C, les HTVL-1 et 2 de même que le VNO ait permis de réduire considérablement le risque de transmission de ces infections virales par la transfusion de produits sanguins, ce risque n'est toutefois pas nul (Héma-Québec, 2015b).

38.8.3 Autotransfusion

L'autotransfusion (ou transfusion autologue) consiste à transfuser à une personne son propre sang prélevé et mis en réserve pour elle-même. Ce type de transfusion permet d'éviter les réactions allergiques et les problèmes d'incompatibilité entre donneur et receveur, tout en prévenant la transmission de maladies. Il existe deux types d'autotransfusion :

- Le don préopératoire de sang autologue est une méthode dans laquelle la personne donne de son sang en prévision d'une intervention chirurgicale. Habituellement, ce sang est conservé à la banque de sang sans être congelé, et il est transfusé au client au cours des semaines qui suivent le don. La transfusion autologue est particulièrement utile lorsque la personne appartient à un groupe sanguin rare ou lorsque les besoins en sang prévus durant une intervention chirurgicale (comme une chirurgie orthopédique élective) sont modérés. Le sang autologue congelé peut se conserver pendant 10 ans.
- Le don périopératoire est une nouvelle méthode permettant de remplacer du sang perdu par une personne au cours d'une chirurgie ou à la suite d'une grave blessure traumatique par son propre sang, après avoir été prélevé et filtré de façon sûre et selon des règles d'asepsie. À l'origine, le don périopératoire visait à rassurer les personnes pour qui l'innocuité du sang soulevait des inquiétudes. De nos jours, cette méthode permet de remplacer du sang en toute sécurité et de stabiliser l'état d'une personne en hémorragie. La plupart du temps, le don périopératoire est réalisé à l'aide des dispositifs d'administration servant au cours de l'intervention chirurgicale. Certains dispositifs permettent la collecte et la retransfusion du sang de façon automatique, sans interruption. Dans certains cas, du sang est recueilli et conservé pendant une certaine période de temps, puis il est retransfusé (Lemaire, 2008). L'Association canadienne de normalisation (2010) a émis un cadre de référence concernant les prélèvements périopératoires.

Au Québec, ce type de don est possible, mais il est balisé. Dans des circonstances particulières, un donneur a le choix de mettre son propre sang en réserve pour lui-même. Par exemple, un client ayant à subir une intervention chirurgicale peut se faire prélever de son propre sang et le faire entreposer jusqu'au moment de la transfusion. Toutefois, Héma-Québec ne prélève pas de dons autologues si le besoin d'une transfusion sanguine est peu probable. Avant le don, le médecin traitant doit évaluer l'état de santé de la personne afin de s'assurer qu'elle peut donner du sang. Le donneur autologue doit également répondre aux exigences générales d'admissibilité d'Héma-Québec. Il est possible de prélever quatre dons autologues en quatre semaines, et ce, jusqu'à trois jours avant la date prévue de l'intervention chirurgicale. Le sang prélevé doit subir la panoplie de tests de dépistage pour être déclaré conforme. Si le sang autologue n'est pas utilisé par le client-donneur, il sera détruit puisqu'il ne peut pas être utilisé par une autre personne (Héma-Québec, 2015c).

Analyse d'une situation de santé — Jugement clinique

Gabriel Farley est âgé de 40 ans et il est atteint d'un lymphome de Hodgkin (LH), diagnostic qui a bouleversé sa vie. Il avait consulté son médecin parce qu'il avait constaté une perte de poids inexpliquée. Il ressentait aussi une fatigue inhabituelle et de la douleur lombaire en plus de présenter des épisodes de fièvre récurrente. Un examen de TDM de l'abdomen et du thorax a révélé la présence d'adénopathies. Une ponction de la moelle osseuse a été faite pour éliminer une leucémie, mais la biopsie ganglionnaire a confirmé qu'il s'agissait bien d'un LH.

Monsieur Farley vient à la clinique d'oncologie toutes les deux semaines pour recevoir des traitements de chimiothérapie selon le protocole ABVD (doxorubicine [Adriamycin^MD], bléomycine, vinblastine, dacarbazine). Il reçoit de la dexaméthasone 10 mg P.O. et de l'ondansétron (Zofran^MD) 12 mg I.V. avant ses traitements. Il a pris 5 kg depuis 2 semaines et dit ressentir des maux de tête et avoir des selles liquides.

L'infirmière prend connaissance des résultats des examens paracliniques compilés au dossier du client. Elle remarque entre autres que l'hémoglobine est à 118 g/L, les neutrophiles à 490/mm^3, et que le bilan hépatique est anormal. ▶

Mise en œuvre de la démarche de soins

SOLUTIONNAIRE

Collecte des données – Évaluation initiale – Analyse et interprétation

1. Dans quelles régions du corps l'infirmière peut-elle palper des ganglions lymphatiques?
2. À quels endroits spécifiques les ganglions lymphatiques sont-ils palpables dans le cas de monsieur Farley?
3. La valeur de l'hémoglobine permet d'envisager une possible anémie chez monsieur Farley. Nommez au moins trois données subjectives et une donnée objective à recueillir auprès de ce client qui sont des manifestations générales de l'anémie.
4. Quel signe vital est-il important de vérifier lorsque monsieur Farley vient à la clinique d'oncologie pour recevoir ses traitements de chimiothérapie?
5. Pourquoi de l'ondansétron (Zofran[MD]) est-il administré à monsieur Farley avant les traitements de chimiothérapie?
6. Pourquoi le client reçoit-il de la dexaméthasone avant ses traitements?
7. Qu'est-ce qui pourrait expliquer la prise de poids de monsieur Farley (5 kg en 2 semaines)?
8. À quoi seraient dues les céphalées, les brûlures d'estomac et les selles liquides?

▶ Comme monsieur Farley reçoit des soins sur une base ambulatoire, l'infirmière détermine un plan thérapeutique infirmier (PTI), car elle reverra le client régulièrement et elle sera ainsi en mesure d'assurer un suivi clinique de son état de santé. ▶

38

MISE EN ŒUVRE DE LA DÉMARCHE DE SOINS

9. Quel problème prioritaire pouvez-vous inscrire au numéro 2 dans l'extrait du PTI de monsieur Farley concernant l'analyse du résultat des neutrophiles?

Extrait

CONSTATS DE L'ÉVALUATION								
Date	Heure	N°	Problème ou besoin prioritaire	Initiales	RÉSOLU / SATISFAIT			Professionnels / Services concernés
					Date	Heure	Initiales	
2016-04-04	*09:45*	*2*						

Signature de l'infirmière	Initiales	Programme / Service	Signature de l'infirmière	Initiales	Programme / Service
		Clinique d'oncologie			

10. Quel serait l'examen de choix pour suivre l'évolution du lymphome de monsieur Farley?

Planification des interventions – Décisions infirmières

11. Pourquoi le client doit-il éviter tout contact avec une personne infectée, les foules et les enfants âgés de moins de cinq ans?

MISE EN ŒUVRE DE LA DÉMARCHE DE SOINS

12. Quel conseil donnerez-vous à monsieur Farley s'il doit recevoir des gens chez lui ?

13. Quelle suggestion pouvez-vous faire à monsieur Farley pour suivre l'évolution de sa prise de poids ?

▶ L'infirmière ajoute le problème prioritaire de diarrhée dans l'extrait du PTI du client et inscrit une directive infirmière. ◀

Récemment vu dans ce chapitre

Un mois plus tard, monsieur Farley tousse, est dyspnéique à la marche et a maigri. Indiquez deux questions pertinentes à lui poser concernant ces nouveaux symptômes.

MISE EN ŒUVRE DE LA DÉMARCHE DE SOINS

Extrait

CONSTATS DE L'ÉVALUATION

Date	Heure	N°	Problème ou besoin prioritaire	Initiales	RÉSOLU / SATISFAIT			Professionnels / Services concernés
					Date	Heure	Initiales	
2016-04-04	*09:45*	*3*	*Diarrhée*	*C.D.*				

SUIVI CLINIQUE

Date	Heure	N°	Directive infirmière	Initiales	CESSÉE / RÉALISÉE		
					Date	Heure	Initiales
2016-04-04	*09:45*	*3*	*Dir. verb. client : prendre lopéramide (Imodium)*				
			4 mg per os ad. max. de 16 mg/j	*C.D.*			

Signature de l'infirmière	Initiales	Programme / Service	Signature de l'infirmière	Initiales	Programme / Service
		Clinique d'oncologie			
Carole Déry	*C.D.*	*Clinique d'oncologie*			

14. Ajoutez une nouvelle directive infirmière pour assurer le suivi clinique du problème prioritaire *Diarrhée.*

Évaluation des résultats – Évaluation en cours d'évolution

15. Si le lymphome de Hodgkin progresse, que faut-il s'attendre à constater en ce qui a trait au foie et à la rate du client ?

16. Quelles répercussions seraient constatées dans les examens paracliniques si l'administration des agents chimiothérapeutiques s'avérait efficace ?

17. Qu'est-ce qui indiquerait que monsieur Farley suit les directives infirmières pour son problème de diarrhée ?

Récemment vu dans ce chapitre

Nommez deux signes que vous pourriez observer en plus de la toux et de la dyspnée si le lymphome de monsieur Farley avait envahi les ganglions médiastinaux ?

APPLICATION DE LA PENSÉE CRITIQUE

Dans l'application de la démarche de soins auprès de monsieur Farley, l'infirmière a recours aux éléments du modèle de la pensée critique pour analyser la situation de santé du client et en comprendre les enjeux. La **FIGURE 38.19** résume les caractéristiques de ce modèle en fonction des données de ce client, mais elle n'est pas exhaustive.

VERS UN JUGEMENT CLINIQUE

CONNAISSANCES

- Éléments figurés du sang
- Valeurs normales des éléments évalués dans la formule sanguine complète
- Facteurs en cause dans l'apparition du lymphome de Hodgkin et des lymphomes non hodgkiniens
- Manifestations cliniques qui différencient le lymphome de Hodgkin et les lymphomes non hodgkiniens
- Protocoles de chimiothérapie
- Effets indésirables de la chimiothérapie et des autres médicaments utilisés

EXPÉRIENCES

- Habileté à procéder à l'examen physique
- Soins aux clients atteints d'une affection hématologique
- Expérience dans l'administration des traitements de chimiothérapie

NORMES

- Protocole de chimiothérapie ABVD
- Sept normes de pratique en soins infirmiers en oncologie (Association canadienne des infirmières en oncologie)

ATTITUDES

- Manifester de l'empathie par rapport aux répercussions psychologiques que le client peut éprouver
- Démontrer de la vigilance à détecter tout signe d'infection

PENSÉE CRITIQUE

ÉVALUATION

- Effets indésirables de la chimiothérapie et des autres médicaments utilisés
- Signes et symptômes cliniques d'infection
- Poids à jeun une fois par jour
- Résultats des examens paracliniques (formule sanguine complète, surtout les leucocytes, les neutrophiles, l'hémoglobine et les érythrocytes, et marqueurs de la fonction hépatique)
- Condition de santé psychologique de monsieur Farley
- Signes et symptômes d'anémie secondaire à la chimiothérapie
- Prise des signes vitaux, notamment la température à chaque visite

JUGEMENT CLINIQUE

FIGURE 38.19 Application de la pensée critique à la situation de santé de monsieur Farley

38

Chapitre 39

ÉVALUATION CLINIQUE

Système cardiovasculaire

Écrit par :
Angela J. DiSabatino, RN, MS ; Linda Bucher, RN, PhD, CEN, CNE

Adapté par :
Hugues Provencher-Couture, M. Sc., IPSC ; Jean-Dominic Rioux, M. Sc., IPSC

Mis à jour par :
Annick Jutras, inf., M. Sc.

MOTS CLÉS

Bruits de Korotkoff 536
Choc de la pointe du cœur (C.P.C.) 548
Débit cardiaque (D.C.) 533
Diastole 533
Fraction d'éjection (F.E.) 561
Postcharge 533
Potentiel d'action 531
Précharge 533
Pression artérielle (P.A.) 535
Pression artérielle diastolique (P.A.D.) 535
Pression artérielle moyenne (P.A.M.) 536
Pression artérielle systolique (P.A.S.) 535
Réserve cardiaque 533
Systole 533

OBJECTIFS

Après avoir étudié ce chapitre, vous devriez être en mesure :

- d'expliquer les fonctions des structures anatomiques cardiaques ;
- de décrire la circulation coronarienne ;
- d'expliquer le processus de la conduction électrique cardiaque ;
- d'établir le lien entre les différentes formes d'ondes d'un électrocardiogramme normal et les événements cardiaques correspondants ;
- de décrire la structure et la fonction des artères, des veines, des capillaires et de l'endothélium ;
- de décrire les mécanismes qui interviennent dans la régulation de la pression artérielle ;
- de déterminer les données subjectives et objectives importantes concernant le système cardiovasculaire qui devraient être obtenues auprès du client ;
- de déterminer les techniques appropriées pour l'examen physique du système cardiovasculaire ;
- de distinguer les données normales des données anormales résultant d'un examen physique du système cardiovasculaire ;
- d'expliquer les changements du système cardiovasculaire liés à l'âge ;
- de décrire le but des examens paracliniques et la signification de leurs résultats, ainsi que les responsabilités et les interventions infirmières qui en découlent.

Disponible sur 

- Activités interactives
- Animations
- À retenir
- Carte conceptuelle
- Pour en savoir plus
- Solutionnaire des questions de Jugement clinique
- Solutionnaire des questions Réactivation des connaissances
- Solutionnaires du Guide d'études

 Guide d'études – SA01, SA02, SA07, SA08, SA11

Concepts clés

Cette carte conceptuelle illustre schématiquement les principaux concepts décrits dans le présent chapitre. Sa lecture vous permettra d'avoir une vue d'ensemble des notions qui y sont présentées.

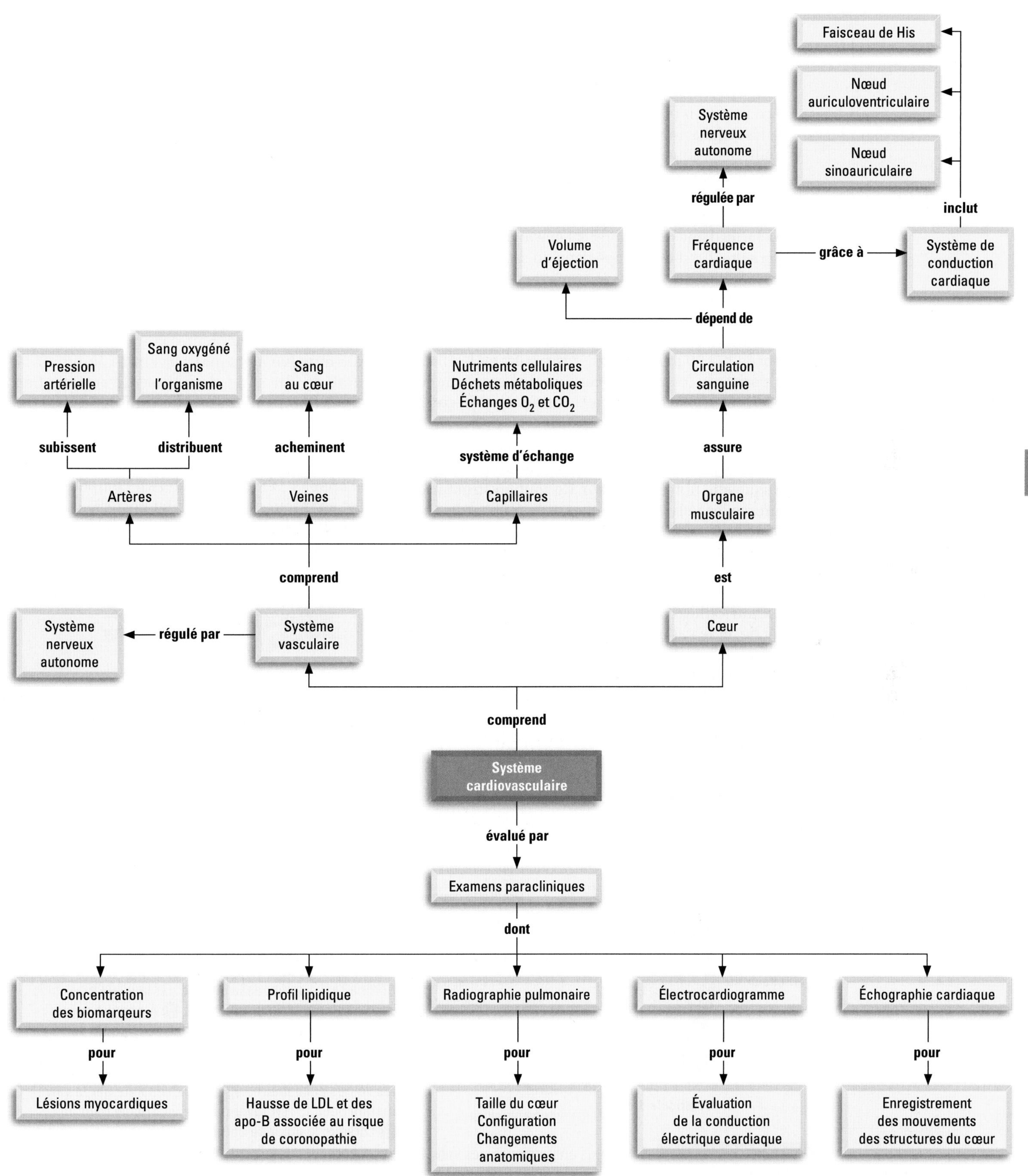

39

Animation : *Cycle cardiaque – systole et diastole.*

39.1 Anatomie et physiologie du système cardiovasculaire

39.1.1 Cœur

Structure anatomique

Le cœur est un organe musculaire formé de quatre cavités et qui a normalement la taille d'un poing chez l'adulte. Il est situé derrière le sternum dans le médiastin, lequel sépare les cavités pleurales gauche et droite dans le thorax. Le cœur est composé de trois tuniques : l'endocarde, mince revêtement intérieur ; le myocarde, couche médiane musculaire ; et l'épicarde, membrane extérieure. Il est enveloppé dans un sac fibroséreux appelé péricarde. Ce sac est formé de deux feuillets : le feuillet viscéral, tapissant l'intérieur du péricarde, et le feuillet pariétal, tapissant l'extérieur du péricarde. Une petite quantité de liquide (approximativement de 15 à 50 mL) lubrifie l'espace entre les feuillets du péricarde (espace péricardique) et empêche le frottement des surfaces à chaque contraction du cœur (Longo, Fauci, Kasper *et al.*, 2013).

Un réseau dense de fibres élastiques de collagène et de tissu conjonctif soutient le cœur. Il s'agit du squelette fibreux du cœur. Ce soutien structurel renforce les valves cardiaques et le myocarde. En plus, il est non conducteur, donc il permet de canaliser la dépolarisation dans les parcours pressentis. Le septum est une cloison qui divise verticalement le cœur **FIGURE 39.1**. Le septum interauriculaire sépare les oreillettes droite et gauche, et le septum interventriculaire sépare les ventricules droit et gauche. L'épaisseur de la cloison de chaque cavité est différente. La cloison des oreillettes est plus mince que celle des ventricules, et la cloison ventriculaire gauche est près de trois fois plus épaisse que la paroi ventriculaire droite. C'est grâce à son épaisseur musculaire que le ventricule gauche produit la force de contraction nécessaire à la propulsion du sang dans la circulation systémique (McKinley, O'Loughlin & Bidle, 2014).

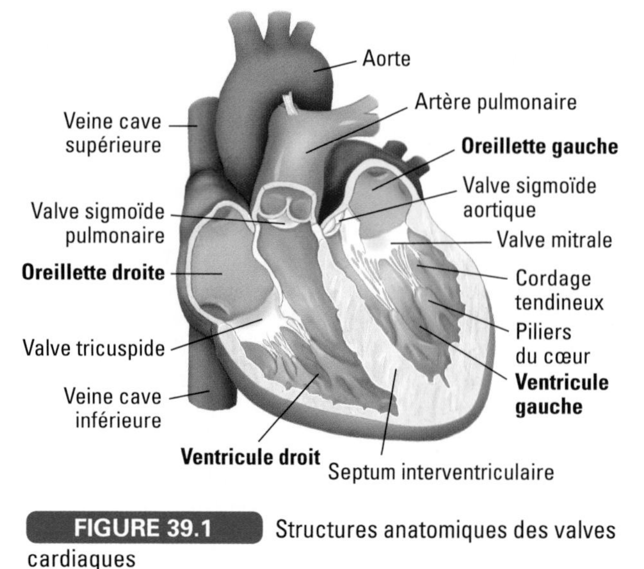

FIGURE 39.1 Structures anatomiques des valves cardiaques

Circulation sanguine dans les cavités cardiaques

Le sang veineux entre dans l'oreillette droite et atteint le ventricule droit par la valve tricuspide. De là, il est propulsé vers l'artère pulmonaire et les poumons. Les veines pulmonaires le réacheminent ensuite des poumons vers l'oreillette gauche, puis il entre dans le ventricule gauche par la valve mitrale. Chaque systole propulse le sang dans l'aorte par la valve aortique. La **FIGURE 39.2** illustre la circulation du sang dans les différentes cavités cardiaques.

Valves cardiaques

Les quatre valves du cœur (cœur droit : valve tricuspide et valve pulmonaire ; cœur gauche : valve mitrale et valve aortique) servent à maintenir la circulation du sang dans une direction. Les cuspides (lames d'endocarde renforcées par du tissu conjonctif) des valves mitrale et tricuspide sont attachées à de minces fils de tissus fibreux appelés cordages tendineux. La valve mitrale (aussi appelée valve bicuspide) est composée d'un feuillet antérieur et d'un feuillet postérieur, tandis que la valve tricuspide est composée de trois feuillets (d'où son épithète tricuspide). Ces deux valves

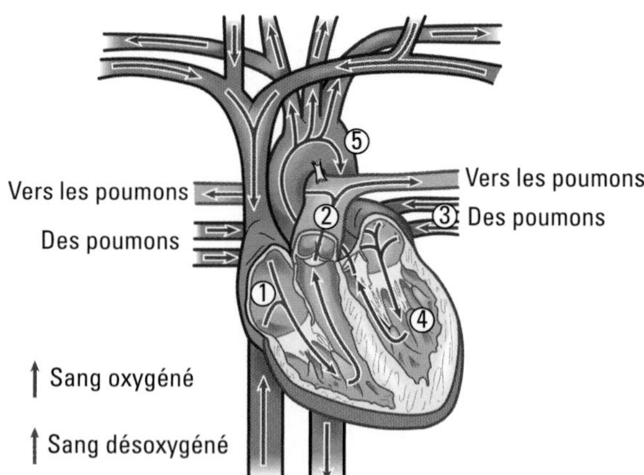

FIGURE 39.2 Schéma de la circulation sanguine dans le cœur (les flèches indiquent la direction de la circulation) – **1** L'oreillette droite reçoit le sang veineux des veines caves inférieure et supérieure et du sinus coronaire. Le sang passe ensuite par la valve tricuspide pour atteindre le ventricule droit. **2** À chaque contraction, le ventricule droit achemine le sang par la valve pulmonaire à l'artère pulmonaire et aux poumons. **3** Le sang circule des poumons à l'oreillette gauche en empruntant les veines pulmonaires. **4** Il passe ensuite par la valve mitrale pour se retrouver dans le ventricule gauche. **5** Lorsque le cœur se contracte, le sang est éjecté par la valve aortique dans l'aorte et entre ainsi dans la circulation systémique et la circulation coronarienne.

assurent une étanchéité durant la contraction ventriculaire. Les cordages tendineux sont ancrés dans les muscles papillaires des ventricules surnommés les piliers, ce qui empêche l'éversion des valves dans les oreillettes pendant la contraction ventriculaire. Les valves pulmonaire et aortique (aussi appelées valves sigmoïdes) empêchent le reflux du sang dans les ventricules à la fin de chaque contraction ventriculaire **FIGURE 39.1**. Chacune de ces valves est composée des trois cuspides semi-lunaires. Ces valves s'ouvrent au moment de la systole ventriculaire sous l'effet de la pression grandissante à l'intérieur des ventricules. Lorsque la pression intraventriculaire dépasse la résistance pulmonaire et systémique, l'ouverture des valves se produit. En diastole, la pression chute dans les ventricules, ce qui provoque un reflux de sang vers ceux-ci en produisant un clappement audible. Le sang remplit les cuspides, ce qui produit la fermeture des valves sigmoïdes.

Apport sanguin au myocarde

Le myocarde possède son propre réseau sanguin appelé circulation coronarienne **FIGURE 39.3**. La circulation du sang dans les deux principales artères coronaires se fait surtout au moment de la diastole (relaxation du myocarde). L'artère coronaire gauche commence à l'aorte et se divise en deux branches principales : l'artère interventriculaire antérieure et l'artère auriculoventriculaire gauche, dite aussi circonflexe. Ces artères alimentent l'oreillette gauche, le ventricule gauche, le septum interventriculaire et une partie du ventricule droit. L'artère coronaire droite prend aussi naissance dans l'aorte, et ses branches alimentent l'oreillette droite, le ventricule droit et une partie de la paroi postérieure du ventricule gauche. Chez 90 % des gens, le nœud auriculo-ventriculaire (nœud AV) et le faisceau de His, qui font partie du système de conduction du cœur, reçoivent leur apport sanguin de l'artère coronaire droite. L'obstruction de cette artère provoque donc souvent des arythmies cardiaques.

Les veines coronaires sont parallèles aux artères coronaires. Presque tout le sang veineux du réseau coronaire se déverse dans le sinus coronaire, lequel se vide dans l'oreillette droite près de l'entrée de la veine cave inférieure.

Système de conduction du cœur

Le système de conduction est un tissu nerveux spécialisé responsable de la création et de la transmission de l'impulsion électrique ou **potentiel d'action**. Cette impulsion amorce la dépolarisation, puis la contraction du muscle cardiaque **FIGURE 39.4A**.

Le nœud sinoauriculaire (nœud SA), ou nœud sinusal, constitue le stimulateur cardiaque naturel du cœur. Il est le centre d'automatisme primaire qui produit l'influx électrique en s'autodépolarisant spontanément à une fréquence approximative de 60 à 100 impulsions par minute. Le nœud SA est situé dans la partie inférieure de la veine cave supérieure. Chaque impulsion produite par le nœud SA traverse rapidement les voies intra-auriculaires pour dépolariser les oreillettes et provoquer une contraction.

CE QU'IL FAUT RETENIR

Le nœud sinoauriculaire (nœud SA), ou nœud sinusal, constitue le stimulateur cardiaque naturel du cœur.

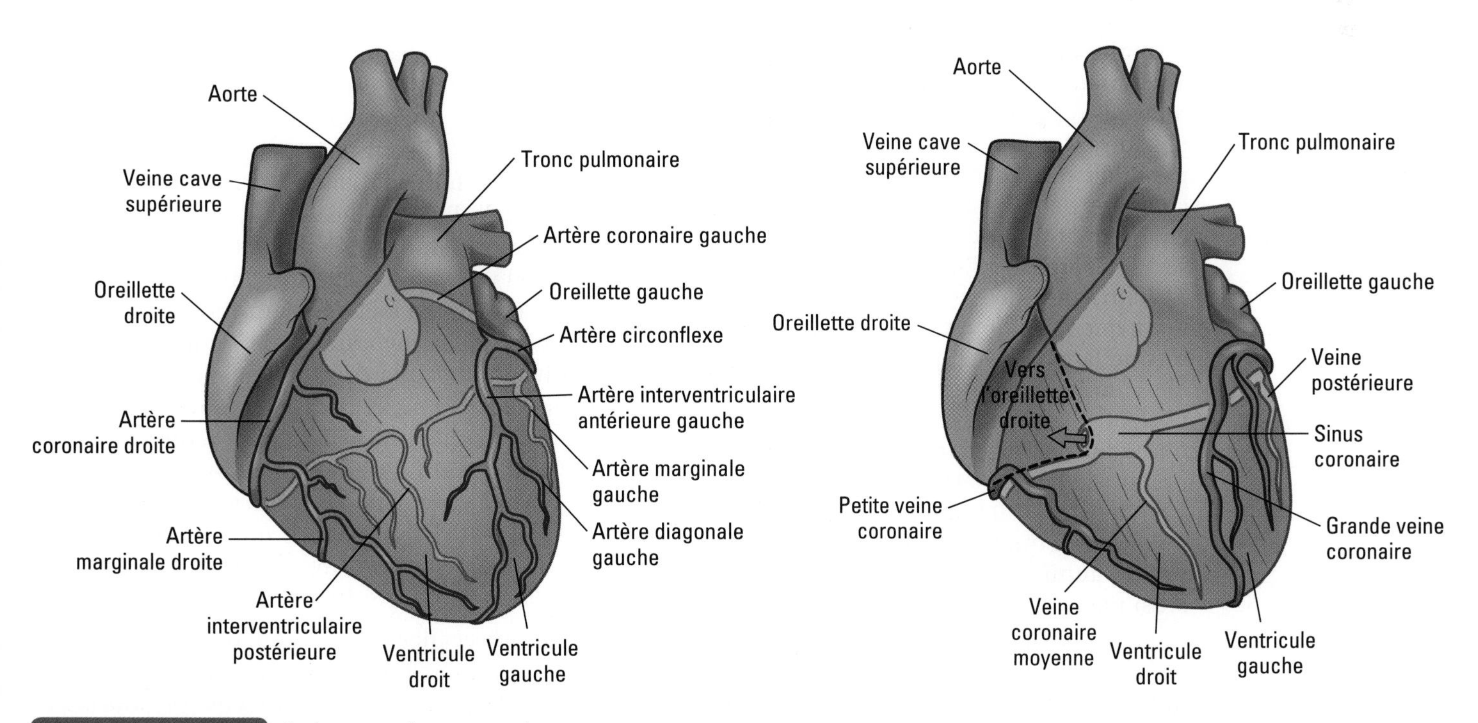

FIGURE 39.3 Artères et veines coronaires

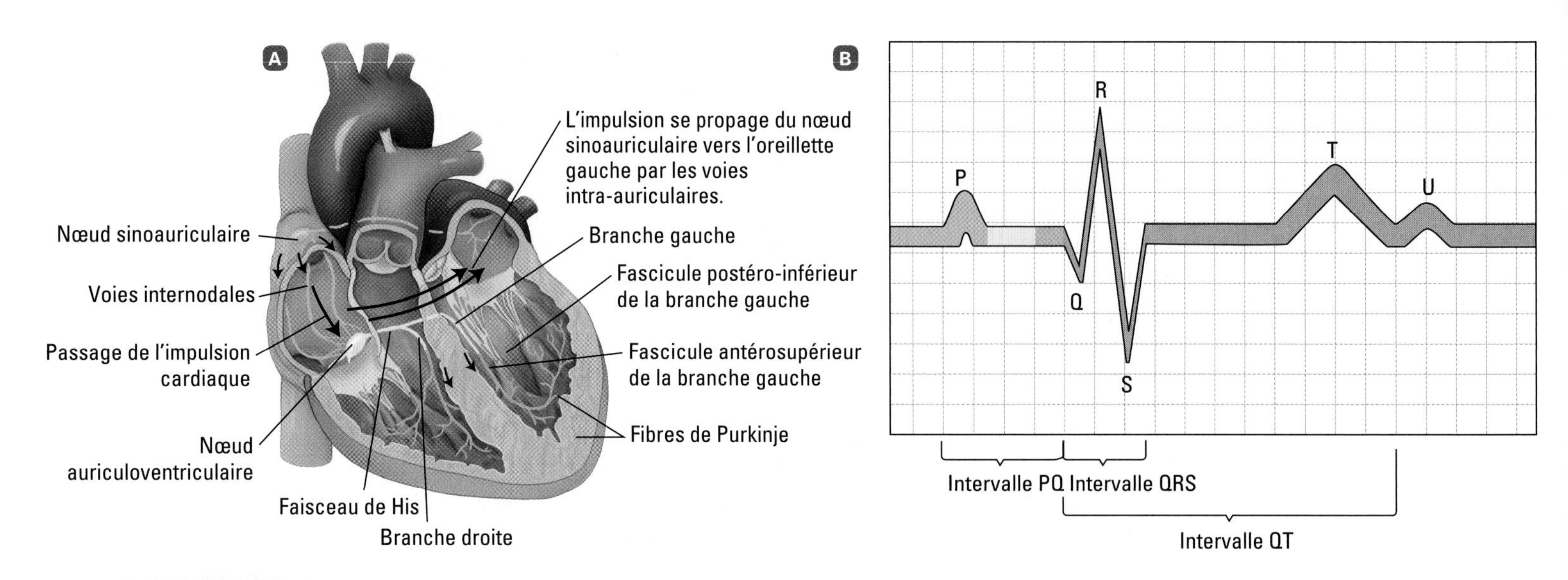

FIGURE 39.4 A Système de conduction du cœur. B Tracé normal d'un électrocardiogramme – L'onde P représente la dépolarisation des oreillettes. Le complexe QRS indique la dépolarisation des ventricules. L'onde T représente la repolarisation des ventricules. L'onde U, très nette, peut correspondre à la repolarisation des fibres du réseau de Purkinje ou être associée à de l'hypokaliémie. Les intervalles PR, QRS et QT rendent compte du temps nécessaire à l'impulsion pour se rendre d'une zone du cœur à l'autre.

Cellule cardionectrice: Cellule myocardique particulière dont le rôle est de coordonner les battements du cœur.

L'impulsion électrique se déplace ensuite des oreillettes vers la jonction auriculoventriculaire au nœud auriculoventriculaire en empruntant des voies internodales. Le nœud AV se situe à la base du septum auriculaire, près de la valve tricuspide. Son rôle principal est de ralentir l'influx de 0,1 seconde, permettant ainsi d'achever la contraction des oreillettes qui éjectent leur contenu dans les ventricules. L'excitation passe ensuite dans le faisceau de His et le long des branches gauche et droite de ce faisceau, chacune propageant l'influx respectivement dans chacun des ventricules. Le faisceau de His et le nœud AV constituent le centre d'automatisme secondaire, il a pour but de propager l'influx dans les ventricules et peut prendre la relève en cas de défaillance du nœud sinusal en produisant spontanément de 40 à 60 impulsions par minute. La branche gauche du faisceau de His comporte deux fascicules (divisions): un fascicule antérieur et un fascicule postérieur. Ces derniers servent à propager l'influx de façon uniforme dans le ventricule gauche, celui-ci étant plus volumineux que le droit. Enfin, le potentiel d'action se répand largement à travers les parois musculaires des deux ventricules au moyen du réseau des fibres de Purkinje. Celui-ci étant le centre d'automatisme tertiaire, le potentiel d'action peut prendre la relève en se déchargeant spontanément à environ 20 à 40 impulsions par minute. Le système de conduction ventriculaire efficace achemine l'impulsion en 0,12 seconde, déclenchant ainsi une contraction ventriculaire uniforme.

Le point culminant du cycle cardiaque se caractérise par une systole qui provoque le déversement du sang dans les circulations pulmonaire et systémique. Le cycle se termine par la repolarisation, lorsque les cellules myocardiques et les **cellules cardionectrices** reviennent à leur état de polarisation au repos. Les cellules musculaires du cœur ont un mécanisme compensatoire qui les rend insensibles et réfractaires à une deuxième stimulation pendant le potentiel d'action. Au cours de la systole, il y a une période réfractaire absolue durant laquelle le muscle cardiaque ne réagit à aucun stimulus. Après cette période, le muscle cardiaque retrouve graduellement son excitabilité, puis une période réfractaire relative survient au début de la diastole.

Électrocardiogramme

L'électrocardiogramme (ECG) permet de détecter l'activité électrique du cœur sur la surface du corps à l'aide d'électrodes et de l'enregistrer. Les lettres P, Q, R, S, T et U sont utilisées pour distinguer les différentes formes d'onde **FIGURE 39.4B**. La première onde, P, commence avec la décharge du nœud SA et représente la dépolarisation des fibres des oreillettes (contraction auriculaire). Le complexe QRS correspond à la dépolarisation du nœud AV jusqu'aux fibres myocardiques ventriculaires, ce qui équivaut ainsi à la contraction ventriculaire. Un délai dans la transmission de l'impulsion dans le nœud AV explique l'intervalle de temps entre la fin de l'onde P et le début de l'onde QRS. L'onde T représente la repolarisation des ventricules. L'onde U, si elle est visible, peut correspondre à la repolarisation des fibres du réseau de Purkinje ou être associée à de l'hypokaliémie (Wesley, 2011).

Les intervalles entre ces ondes (PR, QRS et QT) rendent compte du temps nécessaire à l'impulsion pour se rendre d'une zone du cœur à l'autre. Ces intervalles peuvent être mesurés; les écarts entre les valeurs obtenues et les données de référence sont souvent l'indication d'une pathologie.

Activité mécanique du cœur

L'activité mécanique est déclenchée par la dépolarisation et représente la systole, soit la contraction du myocarde. Cette contraction résulte en l'éjection de sang par les ventricules et les oreillettes. Elle est suivie de la diastole, soit la relaxation du myocarde qui permet le remplissage des ventricules et des oreillettes. Le **débit cardiaque (D.C.)** représente la quantité de sang éjectée par chaque ventricule en une minute. Il est calculé en multipliant la quantité de sang éjectée d'un ventricule à chaque battement de cœur, le volume d'éjection systolique (V.E.S.), par la fréquence cardiaque (F.C.) par minute :

D.C. = V.E.S. × F.C.

Chez un adulte en santé au repos, le débit cardiaque se maintient entre 4 et 8 L par minute. L'**index cardiaque (I.C.)** s'obtient en divisant le débit cardiaque par l'aire de la surface corporelle exprimée en mètres carrés (*body surface area*). L'I.C. adapte le débit cardiaque à la taille du corps. La valeur de l'I.C. se situe entre 2,8 et 4,2 L/min/m^2 (McKinley *et al.*, 2014).

Facteurs influant sur le débit cardiaque

De nombreux facteurs peuvent avoir un effet sur la fréquence cardiaque ou le volume d'éjection systolique et, ainsi, influer sur le débit cardiaque. La F.C. est principalement régulée par le système nerveux autonome (SNA) et peut atteindre 180 batt./min pour une courte période sans effets dommageables. Les facteurs influant sur la F.C. peuvent également être attribuables à la prise de certains médicaments ▶ 43. Les facteurs influant sur le V.E.S. sont la précharge, la contractilité et la postcharge (McKinley *et al.*, 2014).

Selon la loi de Starling, jusqu'à un certain point, plus les fibres du myocarde sont étirées, plus leur force de contraction est grande. Le volume de sang qui se trouve dans les ventricules à la fin de la diastole, avant la contraction suivante, est appelé **précharge**. La précharge détermine l'élongation des fibres du myocarde. L'augmentation de la précharge par un retour veineux accru aura pour effet d'étirer davantage les fibres myocardiques. Par conséquent, le V.E.S. augmente et, de ce fait, le débit cardiaque augmente aussi. Inversement, lorsqu'une perte sanguine importante se produit, la précharge sera diminuée par une diminution du retour veineux. Par conséquent, le V.E.S. diminue et, de ce fait, le débit cardiaque diminue aussi.

L'épinéphrine et la norépinéphrine (appelées aussi adrénaline et noradrénaline), qui sont libérées par le système nerveux autonome en réponse à des facteurs de stress physiologiques et psychologiques, peuvent accroître la **contractilité** et la fréquence cardiaque, et faire ainsi augmenter le V.E.S. en vidant davantage les ventricules et, par le fait même, augmenter le débit cardiaque.

La **postcharge** correspond à la résistance exercée sur les ventricules pendant l'éjection du sang. Elle dépend de la taille du ventricule, de la tension de la paroi et de la pression artérielle systémique (cœur gauche) et pulmonaire (cœur droit). Si la pression artérielle est élevée, les ventricules subissent une plus grande résistance à l'éjection de sang, ce qui augmente l'effort nécessaire du cœur pour contrer cette résistance. Ce phénomène entraîne éventuellement une hypertrophie ventriculaire, soit une augmentation de la masse du tissu musculaire cardiaque. Une augmentation rapide et importante de la postcharge (p. ex., une crise hypertensive durant laquelle la pression diastolique peut être plus élevée que 130 mm Hg) aura pour effet de diminuer le V.E.S. et le débit cardiaque, car le ventricule gauche doit vaincre une résistance beaucoup plus importante, ce qui diminuera son volume d'éjection. Normalement, la postcharge est plutôt constante et influe peu sur le V.E.S., sauf au moment d'une pathologie comme l'hypertension pulmonaire et la sténose aortique. En effet, lorsqu'une hypertension pulmonaire se produit, le ventricule droit, incapable de vaincre cette résistance, verra son V.E.S. diminuer. À l'occasion d'une sténose aortique importante (aire valvulaire plus petite que 1,0 cm^2), le ventricule gauche doit contrer une postcharge insurmontable secondaire à un rétrécissement de l'orifice de la valve aortique, ce qui aura pour conséquence de provoquer une dysfonction contractile et, par le fait même, de diminuer le V.E.S. (Longo *et al.*, 2013).

Réserve cardiaque

Le système cardiovasculaire doit réagir à de nombreuses situations, qu'une personne soit en bonne santé ou malade (p. ex., un exercice, un stress, une hypovolémie). La capacité de réagir à ces demandes en quadruplant, voire en quintuplant le débit cardiaque, se nomme la **réserve cardiaque**. Chez l'adulte, le débit cardiaque maximal durant un effort peut atteindre quatre fois celui au repos (20 L/min) (McKinley *et al.*, 2014).

39.1.2 Système vasculaire

Vaisseaux sanguins

Les trois principaux types de vaisseaux sanguins du système vasculaire sont les artères, les veines et les capillaires. Les artères pulmonaires conduisent le sang désoxygéné du cœur vers les poumons, où il sera oxygéné. Ensuite, le sang retourne au cœur par les veines pulmonaires **FIGURE 39.2**. Il s'agit de la circulation pulmonaire. La circulation systémique assure la distribution du sang oxygéné vers l'organisme, cest-à-dire que le sang oxygéné emprunte les artères, les artérioles et les capillaires qui irriguent les tissus.

CE QU'IL FAUT RETENIR

Le débit cardiaque représente la quantité de sang éjectée par chaque ventricule en une minute.

Index cardiaque (I.C.) : Débit cardiaque (en L/min) rapporté au mètre carré de surface corporelle. L'index cardiaque est, en moyenne, compris entre 2,8 et 4,2 L/min/m^2.

43

Les facteurs influant sur la fréquence cardiaque sont décrits dans le chapitre 43, *Interventions cliniques – Arythmie.*

Contractilité : Propriété du cœur de se contracter.

CE QU'IL FAUT RETENIR

La postcharge correspond à la résistance exercée sur les ventricules pendant l'éjection du sang.

18

Le système nerveux autonome est décrit dans le chapitre 18, *Évaluation clinique – Système nerveux*.

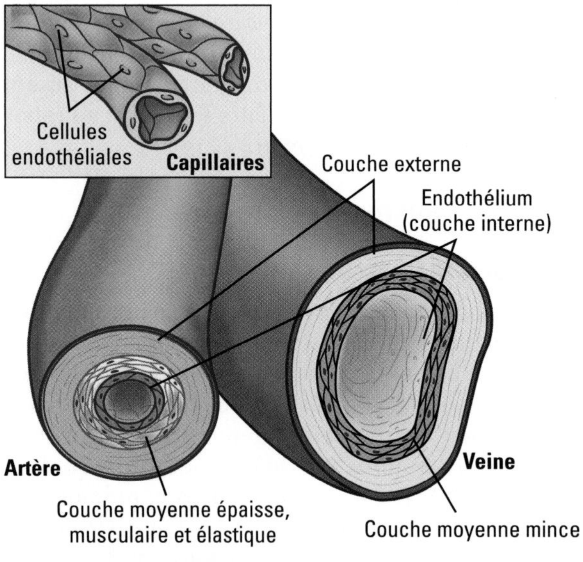

Ceux-ci utilisent l'oxygène (O_2) pour leur métabolisme et rejettent du dioxyde de carbone (CO_2). Le sang alors désoxygéné est retourné vers le cœur par les veinules, ensuite les veines et veines caves.

Artères et artérioles

Le système artériel se distingue du système veineux par la quantité et le type de tissus qui forment ses parois **FIGURE 39.5**. Les grosses artères ont des parois épaisses principalement composées de tissu élastique. Cette élasticité amortit l'effet de la pression créée par la contraction des ventricules et provoque un effet de rebond qui propulse le sang dans la circulation. Les grosses artères contiennent également des muscles lisses. Parmi les grosses artères, il y a l'aorte et les artères pulmonaires.

Les artérioles comportent relativement peu de tissu élastique et davantage de muscles lisses. Elles sont le principal élément régulateur de la pression artérielle et de la circulation sanguine. Elles réagissent rapidement aux changements locaux en se dilatant ou en se contractant.

La paroi interne des artères s'appelle l'intima, qui est formée par de l'endothélium. Elle sert à maintenir l'homéostasie, à favoriser la circulation du sang et, dans des conditions normales, à empêcher la coagulation du sang. La perturbation de la surface endothéliale (p. ex., la rupture d'une plaque d'athérosclérose) amorce la cascade de coagulation et résulte en la formation d'un caillot de fibrine. La tunique moyenne, la média, est composée principalement de cellules musculaires lisses. Elle provoque la vasoconstriction ou la vasodilatation pour maintenir l'homéostasie. Cette tunique joue donc un rôle important dans la régulation de la circulation sanguine. Finalement, la tunique externe, l'adventice, protège les vaisseaux et les fixe aux structures environnantes.

FIGURE 39.5 Comparaison de l'épaisseur des couches des artères, des veines et des capillaires

Capillaires

La mince paroi capillaire, composée de cellules endothéliales, ne contient ni tissu élastique ni tissu musculaire **FIGURE 39.5**. Un adulte possède des kilomètres de capillaires. Ces vaisseaux à paroi mince, c'est-à-dire l'épaisseur d'une cellule, servent à l'échange des nutriments cellulaires et des déchets du métabolisme.

Veines et veinules

Les veines sont des vaisseaux à paroi mince de grand diamètre qui ramènent le sang à l'oreillette droite. Le système veineux est un système à basse pression et à fort volume. Les plus grosses veines contiennent des valvules sigmoïdes à intervalles pour maintenir la circulation du sang vers le cœur et empêcher les reflux. La quantité de sang dans le système veineux dépend de divers facteurs comme le débit artériel, la compression des veines par les muscles squelettiques, les variations des pressions thoracique et abdominale et la pression auriculaire droite.

Les plus grosses veines sont la veine cave supérieure, qui ramène le sang de la tête, du cou et des bras au cœur, et la veine cave inférieure, qui transporte le sang des parties inférieures du corps vers le cœur. La pression du côté droit du cœur a un effet sur ces veines à grand diamètre. En effet, une pression auriculaire droite élevée risque de provoquer une turgescence des veines du cou, l'engorgement du foie ou un œdème des membres inférieurs.

Les veinules sont des vaisseaux sanguins relativement petits formés dans une petite proportion de tissus musculaire et conjonctif. Elles recueillent le sang dans différents lits capillaires pour l'acheminer vers les plus grosses veines et ensuite le cœur.

39.1.3 Régulation du système cardiovasculaire

Système nerveux autonome

Le système nerveux autonome est composé du système nerveux sympathique et du système nerveux parasympathique ▶ 18.

Effets sur le cœur

La stimulation du système nerveux autonome sympathique augmente la fréquence cardiaque, la vitesse de conduction de l'impulsion dans le nœud AV et la force des contractions auriculaire et ventriculaire (contractilité). Elle est assurée par des récepteurs bêtaadrénergiques (récepteurs β_1), lesquels sont des récepteurs de norépinéphrine et d'épinéphrine.

Par contre, la stimulation du système nerveux parasympathique (assurée par le nerf vague) abaisse la fréquence cardiaque en ralentissant le rythme du nœud SA et, par conséquent, la conduction dans le nœud AV.

Effets sur les vaisseaux sanguins

Le système nerveux sympathique régit la commande motrice des vaisseaux sanguins. Les récepteurs alphaadrénergiques (récepteurs α_1) sont situés sur les muscles lisses vasculaires. La stimulation de ces récepteurs entraîne la vasoconstriction, soit une augmentation de la postcharge. À l'inverse, leur inhibition provoque une vasodilatation, c'est-à-dire une diminution de la postcharge.

Les nerfs parasympathiques sont distribués de façon sélective dans les vaisseaux sanguins. Par exemple, il n'y a pas de nerfs parasympathiques dans les vaisseaux sanguins des muscles squelettiques.

Barorécepteurs

Les **barorécepteurs** dans la crosse aortique et le sinus carotidien (au début de l'artère carotide interne) sont sensibles à l'élasticité ou à la pression dans le système artériel. La stimulation de ces récepteurs (p. ex., la surcharge de volume sanguin) envoie l'information au centre vasomoteur dans le tronc cérébral. Il en résulte une inhibition temporaire du système nerveux autonome et une augmentation de l'influence parasympathique, ce qui cause une diminution de la fréquence cardiaque et une vasodilatation périphérique. Une diminution de la pression artérielle a l'effet contraire.

Chimiorécepteurs

Les **chimiorécepteurs** se trouvent dans la crosse aortique et dans le corps carotidien. Ils peuvent provoquer des variations de la pression artérielle en réaction à une augmentation du CO_2 (hypercapnie) et, dans une moindre mesure, à une diminution de l'O_2 (hypoxémie) et du pH dans le plasma (acidose). Lorsque les chimiorécepteurs sont stimulés, ils stimulent à leur tour le centre vasomoteur, ce qui provoque une vasoconstriction réflexe afin d'augmenter le retour veineux au cœur (précharge), puis aux poumons (Huether, 2012).

39.1.4 Pression artérielle

La **pression artérielle (P.A.)** correspond à la mesure de la pression exercée par le sang contre les parois du système artériel. La **pression artérielle systolique (P.A.S.)** est la pression maximale exercée contre les artères lorsque les ventricules se contractent. La **pression artérielle diastolique (P.A.D.)** est la pression résiduelle dans le système artériel pendant la relaxation des ventricules (ou leur remplissage). La P.A. est généralement exprimée sous forme de rapport entre les pressions systolique et diastolique.

Les deux facteurs qui ont le plus d'effet sur la P.A. sont le débit cardiaque (D.C.) et la résistance vasculaire systémique (RVS) :

P.A. = D.C. × RVS

La RVS est la force qui s'oppose au mouvement du sang. La P.A. normale correspond à une pression artérielle systolique plus petite que 140 mm Hg et une pression artérielle diastolique plus petite que 90 mm Hg chez les 60 ans et moins (James, Oparil, Carter *et al.*, 2014).

Mesure de la pression artérielle

La P.A. peut être mesurée au moyen de techniques non effractives ou d'une technique effractive. Il a été longtemps perçu que la mesure manuelle non effractive de la P.A., à l'aide d'un sphygmomanomètre était la mesure étalon (*gold standard*). Récemment, après l'accumulation de preuves scientifiques tangibles, il a été montré que cette mesure peut être erronée. En effet, on a constaté que cette technique possède une faiblesse quant à la reproductibilité des résultats, biaisant ainsi le diagnostic et le suivi de l'hypertension artérielle. Les nouvelles directives indiquent maintenant que pour la fiabilité des résultats, la mesure de la P.A. doit être réalisée à l'aide d'un sphygmomanomètre électronique oscillométrique digital validé **FIGURE 39.6**.

Il est recommandé de prendre la P.A. à l'artère brachiale. L'infirmière choisit un brassard adapté, dont la largeur atteint environ 40 % de la circonférence du bras et la longueur entre 80 et 100 % de la circonférence du bras du client. Elle place le brassard à 3 cm au-dessus du pli du coude et le centre sur l'artère brachiale. La personne doit être au repos depuis au moins 5 minutes, le dos appuyé. Le brassard est appliqué sur un bras dénudé et soutenu. Le milieu du bras devrait être à la hauteur du cœur. Le client doit garder le silence, ses jambes doivent être décroisées, les pieds à plat sur le sol. L'infirmière active ensuite le sphygmomanomètre oscillométrique

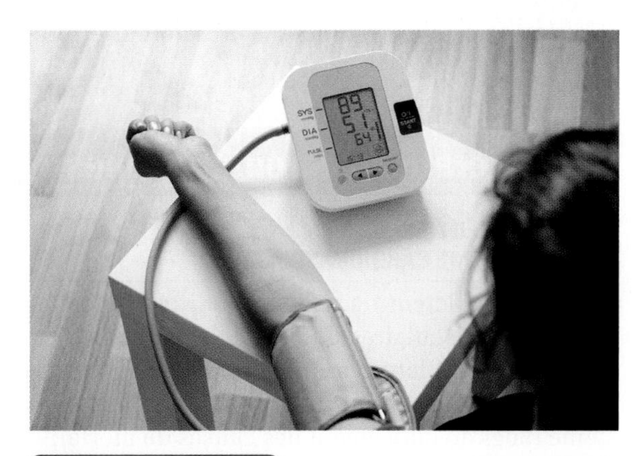

FIGURE 39.6 Une cliente prend sa pression artérielle.

Barorécepteur : Récepteur de la pression artérielle qui permet aux mécanismes régulateurs hormonaux de réagir et d'adapter cette pression artérielle.

Chimiorécepteur : Cellule nerveuse capable de détecter des substances chimiques et de relayer cette information vers le système nerveux central.

CE QU'IL FAUT RETENIR

La pression artérielle systolique est la pression maximale exercée contre les artères lorsque les ventricules se contractent. La pression artérielle diastolique est la pression résiduelle dans le système artériel pendant la relaxation des ventricules (ou leur remplissage).

Jugement clinique

La pression artérielle de Johanne Bérubé, 51 ans, est de 96/54. Calculez et commentez la pression artérielle moyenne de madame Bérubé.

MAIS SI …

Si la P.A. de madame Bérubé était de 112/78, feriez-vous la même interprétation ? Justifiez votre réponse.

qui gonflera automatiquement le brassard. La méthode oscillométrique se fonde sur la détection des oscillations de pression liées aux mouvements des parois artérielles comprimées par la chambre pneumatique du brassard. Cette méthode ne mesure pas les pressions artérielles systolique et diastolique, mais plutôt la pression artérielle moyenne à laquelle est associé le point d'impulsion maximum d'oscillations. À partir de ce résultat, un algorithme mathématique est utilisé pour déterminer les pressions artérielles systolique et diastolique (Cloutier, 2011 ; Cloutier, Daskalopoulou, Padwal *et al.*, 2015). Il est essentiel d'utiliser une technique appropriée pour prendre la P.A. afin d'obtenir des valeurs précises.

Outre la technique oscillométrique, une autre technique non effractive consiste à se servir d'un sphygmomanomètre et d'un stéthoscope afin de mesurer la P.A. de manière indirecte. Le sphygmomanomètre est formé d'un brassard gonflable et d'un manomètre. La P.A. est mesurée extérieurement par l'auscultation des bruits de l'écoulement sanguin turbulent dans une artère comprimée (appelés bruits de Korotkoff).

49

Le chapitre 49, *Interventions cliniques – Soins en phase critique*, explique de façon détaillée cette technique effractive.

L'infirmière ajuste bien le brassard au haut du bras, puis elle le gonfle jusqu'à une pression de 20 à 30 mm Hg au-dessus de la pression systolique. Cette mesure a pour effet d'arrêter le débit sanguin dans l'artère. Lorsque la pression dans le brassard baisse, l'infirmière ausculte les bruits de Korotkoff dans l'artère. Ces bruits se produisent en cinq phases. Dans la première phase, un tapotement causé par l'accélération du débit sanguin dans l'artère rétrécie se fait entendre pendant la décompression du brassard. Ce son est considéré comme étant la pression artérielle systolique. La cinquième phase se produit lorsque le bruit disparaît ; elle est appelée la pression artérielle diastolique (Jarvis, 2015). Sur le plan clinique, la pression artérielle est enregistrée comme étant égale au rapport de la pression artérielle systolique / pression artérielle diastolique (p. ex., 120/80). Il arrive qu'un trou auscultatoire se fasse entendre.

Réactivation des connaissances

Quel est l'impact d'un brassard trop étroit sur la valeur de la P.A. ? D'un dégonflement trop rapide du brassard ? D'une réévaluation trop rapide de la P.A. ?

La technique effractive consiste à insérer un cathéter dans une artère. Le cathéter est fixé à un capteur de pression, et la pression est mesurée directement ▶ 49.

Pression artérielle différentielle et pression artérielle moyenne

La **pression artérielle différentielle** correspond à la différence entre la pression artérielle systolique et la pression artérielle diastolique. Sa valeur est généralement plus ou moins égale au tiers de la pression artérielle systolique. Ainsi, si la P.A. est de 120/80, la pression artérielle différentielle est de 40. La pression artérielle différentielle peut augmenter chez une personne qui fait de l'exercice, en raison d'une pression artérielle systolique plus élevée, ou chez une personne qui souffre d'insuffisance aortique, à cause d'une pression artérielle diastolique plus basse. La pression artérielle différentielle peut être moins élevée dans les cas d'insuffisance cardiaque et d'hypovolémie.

La **pression artérielle moyenne (P.A.M.)** correspond à la pression moyenne dans le système artériel tout au long de la révolution cardiaque (systole et diastole). Elle ne correspond pas à la moyenne des pressions diastolique et systolique parce que la durée de la diastole dépasse celle de la systole lorsque la fréquence cardiaque est normale. La P.A.M. peut être calculée de deux façons :

P.A.M. = (P.A.S. + 2 P.A.D.) ÷ 3

P.A.M. = P.A.D. + (P.A.S. – P.A.D. ÷ 3)

Une personne qui a une P.A. de 120/60 a une P.A.M. estimative de 80 mm Hg. Lorsqu'une méthode effractive de monitorage de la P.A. est utilisée, cette valeur est calculée automatiquement et tient compte de la fréquence cardiaque de la personne.

La P.A.M. reflète la perfusion des tissus et organes. Une P.A.M. entre 70 à 110 mm Hg assure une bonne perfusion. Si la P.A.M. est inférieure à cette valeur pendant une période assez longue, les organes vitaux seront sous-perfusés et deviendront ischémiques.

Considérations gérontologiques

EFFETS DU VIEILLISSEMENT SUR LE SYSTÈME CARDIOVASCULAIRE

L'âge est un facteur de risque important de maladies cardiovasculaires. En 2011, les maladies du cœur et les accidents vasculaires cérébraux (AVC) occupaient respectivement les deuxième et troisième rangs au classement des causes de mortalité au Canada. Ils représentent ensemble 25,2 % des causes de décès (Statistique Canada, 2014). Ces maladies représentent la raison la plus fréquente des hospitalisations au pays, soit 17 % de l'ensemble (Agence de la santé publique du Canada, 2009). La situation est encore pire chez les adultes âgés de 85 ans et plus pour qui ces maladies demeurent la principale cause de décès. L'affection cardiovasculaire la plus courante est la maladie coronarienne consécutive à l'athérosclérose. Il est difficile de distinguer les changements normaux dus au vieillissement des changements pathophysiologiques découlant de l'athérosclérose. Les nombreux changements physiologiques du système cardiovasculaire des personnes âgées résulteraient des effets combinés du processus de vieillissement, de la maladie, des facteurs environnementaux et des comportements de santé (Carlson, 2009; Ebersole, Touhy, Hess *et al.*, 2008).

Les changements du système cardiovasculaire liés à l'âge et les différences dans les constats de l'évaluation sont présentés au **TABLEAU 39.1**. Avec l'âge, les artères perdent de leur élasticité. La quantité de collagène augmente et la quantité d'élastine diminue. Ces changements influent sur la contractilité cardiaque et la capacité de dilatation du myocarde. L'un des effets les plus importants du vieillissement sur la réaction cardiovasculaire à un stress physique ou émotionnel est une baisse du débit cardiaque et du volume d'éjection systolique causée par la diminution de la contractilité et de la réaction de la fréquence cardiaque au stress. La fréquence cardiaque au repos d'une personne couchée sur le dos ne change pas beaucoup avec l'âge, mais lorsque la personne est debout, du tissu fibreux et des dépôts de lipides peuvent avoir un effet sur la réponse du système nerveux sympathique. Lorsque la personne âgée change de position, son réseau vasculaire réagit moins efficacement à cause des changements cités précédemment (Karavidas, Lazaros, Tsiachris *et al.*, 2010). L'athérosclérose engendre la calcification et le durcissement des artères. Les effets peuvent comprendre l'hypertension artérielle, les cardiopathies et le rétrécissement des artères coronaires, ce qui augmente les risques d'AVC et d'infarctus du myocarde.

Les valves cardiaques deviennent plus épaisses et dures en raison de l'accumulation de lipides, de la dégénérescence du collagène et de la fibrose. Les valves aortique et mitrale sont souvent les plus touchées en raison des pressions plus élevées dans les cavités cardiaques gauches. De plus, l'âge semble être un facteur prédisposant dans le processus de calcification des valves aortique et mitrale, ce qui mène graduellement à leur dégénérescence. Ces changements entraînent soit le rétrécissement de l'orifice de la valve (sténose) lorsque la valve s'ouvre, soit, dans certains cas, la régurgitation du sang lorsque la valve devrait être fermée (insuffisance). L'écoulement sanguin turbulent dans la valve touchée donne lieu à un souffle systolique ou diastolique selon la valvulopathie. Ce souffle est parfois perceptible à l'auscultation cardiaque.

CE QU'IL FAUT RETENIR

L'âge est un facteur de risque important de maladies cardiovasculaires.

Changements liés à l'âge

TABLEAU 39.1 Système cardiovasculaire

CHANGEMENTS	OBSERVATIONS AU COURS DE L'ÉVALUATION
Paroi de la cage thoracique	
• Cyphose	• Modification des points de repère anatomiques de la cage thoracique dans le cas de la palpation, de la percussion et de l'auscultation; bruits du cœur distants
Cœur	
• Hypertrophie myocardique, augmentation du collagène et de la cicatrisation, diminution de l'élastine • Déplacement vers le bas • ↓ du débit cardiaque (D.C.), de la fréquence cardiaque (F.C.) et du volume d'éjection systolique (V.E.S.) au moment d'un effort ou d'un stress • Vieillissement des cellules et fibrose du système de conduction • Rigidité valvulaire résultant de la calcification, d'une sclérose ou d'une fibrose, empêchant la fermeture complète des valves mitrale et aortique (qui sont plus prédisposées)	• ↓ de la réserve de force du cœur, dysfonction ventriculaire • Difficulté à percevoir le pouls apical • ↓ et ralentissement de la réaction à l'effort et au stress; reprise au ralenti après l'effort • ↓ de l'amplitude du complexe QRS et léger allongement des intervalles PR, QRS et QT; rythme cardiaque irrégulier, ↓ de la F.C. maximale, ↓ de la variabilité de la F.C. • Souffle diastolique ou systolique (aortique ou mitral) pouvant être présent sans être un indice d'une pathologie cardiovasculaire grave telle la sténose aortique
Vaisseaux sanguins	
• Durcissement des parois artérielles causée par la perte d'élastine, épaississement de l'intima des artères et fibrose progressive des milieux • Accroissement de la tortuosité veineuse	• ↓ de la pression artérielle systolique et possible ↑ ou ↓ de la pression artérielle diastolique; possible ↑ de la pression différentielle; ↓ du pouls pédieux, ↑ de la claudication intermittente • Varicosités enflammées, douloureuses ou semblables à une corde; œdème orthostatique

Ischémie : Diminution ou arrêt de la circulation artérielle dans une région plus ou moins étendue d'un organe ou d'un tissu.

Bloc de branche : Troubles cardiaques de la conduction des influx nerveux à l'intérieur des branches du faisceau de His entraînant un retard d'activation d'un ventricule du cœur par rapport à l'autre.

Le nombre de cellules cardionectrices du rythme cardiaque dans le nœud SA diminue avec l'âge. À 75 ans, une personne peut ne plus avoir que 10 % du nombre normal de ses cellules régulatrices du rythme cardiaque. Le nœud SA fonctionnera alors adéquatement, mais la baisse du nombre de cellules peut expliquer le nombre plus élevé de cas d'arythmie sinusale chez les personnes plus âgées. Une diminution comparable du nombre de cellules de conduction est aussi constatée avec l'âge dans les tractus à l'intérieur du nœud AV et dans le faisceau de His et ses branches. Par exemple, la fibrose, l'**ischémie**, l'inflammation ainsi que certains médicaments (les antiarythmiques) augmentent le risque de **bloc de branche**. Ces changements contribuent également à accroître le nombre d'arythmies. Environ la moitié des personnes âgées présentera un ECG au repos anormal montrant des augmentations dans les intervalles PR, QRS ou QT (Carlson, 2009).

Le vieillissement modifie le contrôle exercé par le système nerveux autonome sur le système cardiovasculaire. Le nombre de récepteurs bêtaadrénergiques présents dans le cœur diminue, et leur fonctionnement est moins efficace. Ainsi, une personne âgée réagit moins bien au stress physique et émotionnel, mais elle est aussi moins sensible aux médicaments agonistes bêtaadrénergiques. À la suite de stimulus physiques, émotionnels et pharmacologiques, la fréquence cardiaque et la contractilité cardiaque n'augmenteront pas autant chez la personne âgée que chez la personne d'âge moyen en raison du vieillissement du système nerveux autonome. La fréquence cardiaque maximale plus basse pendant l'effort entraîne seulement une multiplication par deux du débit cardiaque, comparativement à une augmentation de trois à quatre fois le débit cardiaque chez la personne d'âge moyen (Lilley, Rainforth & Snyder, 2011).

Jugement clinique

Jean-Paul Blouin, âgé de 64 ans, souffre d'une maladie coronarienne due à de l'athérosclérose. Depuis un mois, il subit un stress intense au bureau. Il est fréquemment essoufflé. Quels sont les facteurs qui influencent la fréquence cardiaque de monsieur Blouin ?

Les artères et les veines s'épaississent et deviennent moins élastiques avec l'âge. Les artères deviennent plus sensibles à la vasopressine (hormone antidiurétique). Ces deux changements contribuent à faire augmenter progressivement la pression artérielle systolique et à réduire la pression artérielle diastolique. Par conséquent, une augmentation de la pression artérielle différentielle est notée. L'hypertension artérielle n'est pas considérée comme une conséquence normale du vieillissement et doit être traitée. Les valvules situées dans les grosses veines des membres inférieurs du corps ont plus de difficulté à faire retourner le sang au cœur, et elles peuvent donc contribuer à la formation d'un œdème déclive (Miller, 2009). Chez les personnes âgées, la fonction des organes décline. Cela contribue aux changements pharmacocinétiques. Ainsi, la prise de médicaments peut entraîner davantage d'effets secondaires et de toxicité comparativement à un adulte (Lilley *et al.*, 2011).

Selon les estimations, environ 30 % des personnes âgées de 70 ans et plus souffrent d'hypotension orthostatique, laquelle pourrait être liée à la prise de médicaments (p. ex., les classes de médicaments pour l'hypertension artérielle) ou au moins bon fonctionnement des barorécepteurs (Carlson, 2009). L'hypotension postprandiale (diminution d'au moins 20 mm Hg de la P.A. se produisant dans les 75 minutes après avoir mangé) peut se présenter chez environ un tiers des personnes âgées. L'hypotension peut être la cause de chutes chez la personne âgée.

39.2 Examen clinique de l'appareil cardiovasculaire

39.2.1 Données subjectives

Renseignements importants concernant l'évaluation d'un symptôme (PQRSTU)

Les renseignements fournis par le client pendant l'entrevue sont importants dans l'évaluation de celui-ci **FIGURE 39.7**. Elles permettent à l'infirmière de déterminer le ou les symptômes associés à une affection cardiovasculaire et de tracer un portrait global de la condition du client. Un outil mnémotechnique est très utile à l'infirmière pour se rappeler les questions et éléments à explorer lorsqu'elle évalue son client. Par exemple, si ce dernier déclare ressentir une douleur dans une jambe, l'infirmière devra étudier ce symptôme en détail en utilisant l'outil PQRSTU (Ordre des infirmières et infirmiers du Québec [OIIQ], 2010) **TABLEAU 39.2**.

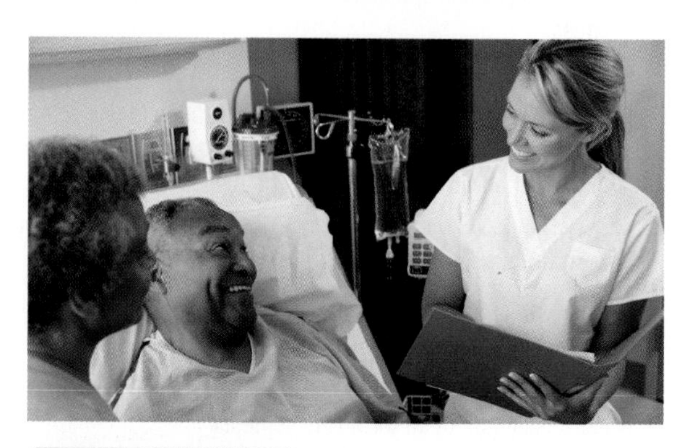

FIGURE 39.7 Une infirmière fait une collecte de données auprès d'un client.

Collecte des données

TABLEAU 39.2 Étapes de l'évaluation de symptômes liés au système cardiovasculaire (PQRSTU)

P PROVOQUER/PALLIER/AGGRAVER	**EXEMPLES DE QUESTIONS**
L'infirmière cherche à connaître les éléments qui ont provoqué la douleur rétrosternale ou un essoufflement (p. ex., après un effort ou un repas).	• Qu'est-ce qui a provoqué votre douleur ? • Que faisiez-vous lorsque votre douleur est apparue ?
L'infirmière s'intéresse à ce qui pallie cette douleur (p. ex., la nitro, le repos) ou l'aggrave (p. ex., le vent, le froid).	• Qu'est-ce qui soulage, diminue ou aggrave cette douleur ?
Q QUALITÉ/QUANTITÉ	**EXEMPLES DE QUESTIONS**
L'infirmière tente d'obtenir une description précise de la sensation éprouvée par le client. Elle souhaite documenter la qualité de la douleur (p. ex., sous forme de serrement, de pesanteur, de coup de poignard ou de sensation de brûlure).	• Pouvez-vous me décrire votre douleur ? • Pouvez-vous m'expliquer à quoi ressemble votre douleur ?
L'infirmière documente aussi la douleur d'un point de vue quantitatif (p. ex., une intensité de 0 à 10). Un symptôme est difficile à quantifier en raison de l'expérience individuelle. Il importe d'aider le client à bien comprendre l'échelle de douleur employée.	• Sur une échelle de 0 à 10, où 0 correspond à aucune douleur et 10, à la pire douleur imaginable, à combien estimez-vous votre douleur ?
R RÉGION/IRRADIATION	**EXEMPLES DE QUESTIONS**
L'infirmière demande au client de lui montrer avec précision la région où la douleur est ressentie (p. ex., une douleur rétrosternale) et si celle-ci irradie à un endroit particulier (p. ex., le dos, la mâchoire, le bras gauche). Certains symptômes peuvent irradier autour du site d'origine ; l'infirmière pourra interroger le client à ce sujet.	• Où ressentez-vous la douleur ? • De façon précise, montrez-moi à quel endroit vous ressentez cette douleur. • Est-ce que cette douleur s'étend à un autre lieu ?
S SYMPTÔMES ET SIGNES ASSOCIÉS/SÉVÉRITÉ	**EXEMPLE DE QUESTION**
Le symptôme primaire à l'origine de la consultation est souvent accompagné d'autres symptômes ou signes cliniques qui doivent être évalués simultanément et qui permettent de préciser l'origine du problème. Quels sont les signes et symptômes associés (p. ex., la nausée, la diaphorèse, la dyspnée) ? Il est également important d'évaluer l'intensité de la douleur, des symptômes et les signes associés grâce à une échelle de la douleur.	• Ressentez-vous d'autres malaises en plus de cette douleur ?
T TEMPS/DURÉE	**EXEMPLES DE QUESTIONS**
L'infirmière doit déterminer le moment précis de l'apparition du symptôme, sa durée et sa fréquence.	• Depuis quand éprouvez-vous cette douleur ? • Depuis combien de temps ressentez-vous cette douleur ? • Combien de fois par jour ou par semaine ressentez-vous cette douleur ?
U (*UNDERSTANDING*) COMPRÉHENSION ET SIGNIFICATION POUR LE CLIENT	**EXEMPLE DE QUESTION**
L'infirmière tente de découvrir quelle signification le client donne à ce symptôme. Les valeurs et les croyances individuelles, qui varient selon la culture, peuvent jouer un rôle majeur dans la capacité à gérer le stress et à affronter la maladie lorsque le client reçoit un diagnostic de maladie cardiovasculaire. Certains perçoivent leur maladie comme une punition de Dieu, d'autres croient qu'une « force supérieure » est là pour les aider. La connaissance des valeurs et des croyances d'un client sera utile à l'infirmière pour qu'elle intervienne dans les périodes de crise.	• D'après vous, quelle est la cause de cette douleur ?

Grâce à ce questionnaire, l'infirmière peut bien documenter les différents symptômes décrits par le client (Jarvis, 2015). Voici un exemple d'un client qui présente une douleur rétrosternale.

Histoire de santé (AMPLE)

Les renseignements importants sur la santé donnent un aperçu des problèmes et des traitements médicaux passés et actuels. Les allergies, les antécédents médicaux, les médicaments, une chirurgie ou tout autre traitement font tous partie du passé médical d'une personne. Ce sont des indices qui permettent d'envisager la façon dont le client réagit à la maladie. Ces renseignements peuvent être recueillis à l'aide de l'outil AMPLE (OIIQ, 2010).

Jugement clinique

Émilienne Gingras, 71 ans, explique à l'infirmière qu'elle a ressenti une douleur derrière le sternum en revenant des toilettes : « J'avais l'impression qu'on m'écrasait le cœur et que ça faisait mal jusque dans les deux bras. C'était plus fort que d'habitude, et ça me stresse beaucoup. C'est un signe que mon cœur va plus mal, je pense. » Elle ajoute que cet événement s'est passé il y a environ 15 minutes, et que la douleur a diminué lorsqu'elle s'est assise et qu'elle a pris sa nitro. « Je me sentais très étourdie, vous savez. Je ne sais pas combien de temps ça a duré. » Relevez les données correspondant à l'outil mnémotechnique PQRSTU.

A Allergies / réactions

L'infirmière collecte de l'information sur les allergies connues du client (médicaments, alimentation et environnement), de même que sur les réactions qu'elles produisent. Il ne faut pas confondre une réaction allergique ou une intolérance et les effets secondaires attribuables à la médication. Si l'infirmière suspecte une problématique cardiaque, elle pourra demander au client s'il est allergique à l'acide acétylsalicylique ou à l'iode (en prévision d'un examen paraclinique).

M Médicaments

Il faut recueillir des renseignements sur les médicaments que le client prend, y compris les médicaments en vente libre et les produits naturels. Le nom du médicament, la posologie ainsi que les effets secondaires connus du client doivent être notés. De nombreux médicaments qui ne sont pas utilisés pour traiter des affections cardiaques peuvent affecter le système cardiovasculaire et il faut aussi en tenir compte **TABLEAU 39.3**. L'infirmière devra se fier à une liste de médicaments fournie par le client ou, si celui-ci ne l'a pas en sa possession, elle pourra téléphoner à la pharmacie pour en connaître la liste complète. L'infirmière s'informe également des vaccins reçus. Il est tout aussi important qu'elle sache comment le client perçoit les effets que la maladie aura sur son bien-être et sa capacité à utiliser des stratégies d'adaptation personnelles pour se soigner.

Le client qui prend des diurétiques peut se plaindre d'une élimination d'urine accrue ou de nycturie. L'infirmière doit poser des questions sur tout problème d'incontinence ou de constipation, y compris sur la prise de médicaments contre la constipation. Un client qui a des problèmes

Pharmacothérapie

TABLEAU 39.3 Effets indésirables de certains médicaments et compléments courants non cardiologiques sur le système cardiovasculaire

CLASSE DE MÉDICAMENTS	EXEMPLES DE MÉDICAMENTS	EFFETS SUR LE SYSTÈME CARDIOVASCULAIRE
Agents antinéoplasiques	Daunorubicine (Cerubidine[MD]), doxorubicine (Adriamycin[MD])	Arythmies, cardiomyopathie, cardiotoxicité
Antipsychotiques	Chlorpromazine (Largactil[MD]), halopéridol (Haldol[MD])	Hypotension orthostatique, tachycardie
Corticostéroïdes	Cortisone (Cortone[MD]), prednisone (Deltasone[MD]), dexaméthasone (Décadron[MD]), hydrocortisone (Solu-Cortef[MD], Solu-Médrol[MD])	Hypotension artérielle, œdème, hypokaliémie
Traitement hormonal de substitution ; contraceptifs oraux	Lévonorgestrel-éthinylœstradiol (Alesse[MD])	Embolie pulmonaire, AVC, hypertension artérielle, œdème
Anti-inflammatoires non stéroïdiens (AINS)	Ibuprofène (Motrin[MD]), célécoxib[a] (Celebrex[MD])	Hypertension artérielle, infarctus du myocarde[a], AVC[a], arythmies, thrombose
Psychostimulants	Cocaïne, amphétamines, caféine	Tachycardie, angine de poitrine, infarctus du myocarde, hypertension artérielle, arythmies
Antidépresseurs tricycliques	Amitriptyline (Elavil[MD]), doxépine (Sinequan[MD], Silenor[MD])	Arythmies, hypotension orthostatique

[a] Des AINS de deuxième génération, appelés inhibiteurs de la cyclo-oxygénase 2 (COX-2), ont été associés à un risque plus élevé d'infarctus du myocarde et d'AVC.

cardiovasculaires ne devrait pas forcer durant la défécation (manœuvre de Valsalva). Enfin, l'infirmière doit demander au client si ses membres inférieurs sont enflés et si l'enflure disparaît pendant la nuit.

La dysfonction érectile peut également représenter un symptôme précoce de maladies vasculaires périphériques athérosclérotiques et de cardiopathies (Longo *et al.*, 2013). Elle peut aussi être un effet secondaire de certains médicaments prescrits pour traiter les problèmes cardiovasculaires (p. ex., les bêtabloquants, les diurétiques). Le client pourrait se montrer réfractaire au traitement pharmacologique à l'apparition de ce symptôme. Le counseling pour le client et son conjoint pourrait être indiqué. L'infirmière doit se renseigner sur l'utilisation de médicaments contre la dysfonction érectile (p. ex., le sildénafil [Viagra[MD]]). Ces médicaments sont contre-indiqués lorsque la personne prend des nitrates (imdur, nitro-dur), car la prise des deux peut entraîner une hypotension réfractaire susceptible de mettre la vie du client en danger (Skidmore-Roth, 2016).

L'infirmière doit demander aux femmes si elles prennent des contraceptifs oraux ou suivent un traitement hormonal de substitution pour des symptômes de ménopause. Il existe un risque connu de formation de caillots sanguins (p. ex., la thromboembolie veineuse) chez les fumeuses qui prennent des contraceptifs oraux. Les études ont montré que les traitements hormonaux de substitution augmentent le risque de syndrome coronarien aigu chez les femmes ménopausées (Skidmore-Roth, 2016).

P Passé

De nombreuses maladies affectent le système cardiovasculaire. Il faut s'informer auprès du client pour savoir s'il a déjà eu un ou plusieurs des problèmes suivants : anémie, fièvre rhumatismale, coronaropathie congénitale, AVC, fibrillation auriculaire, hypertension artérielle, thrombophlébite, claudication intermittente et diabète. L'infirmière doit demander à la personne si elle a subi des traitements ou des chirurgies, ou si elle a été admise au centre hospitalier pour des problèmes cardiovasculaires. Elle doit également se renseigner sur tout bilan diagnostique ou symptôme cardiovasculaire ayant donné lieu à une admission au centre hospitalier ou à une consultation externe. Elle note également si un ECG ou une radiographie pulmonaire ont déjà été effectués pour les ajouter à l'histoire clinique. Il est possible que les maladies connues des membres de la famille du client permettent de dégager des tendances héréditaires ou familiales concernant les troubles suivants : maladie coronarienne, troubles vasomoteurs des extrémités, hypertension artérielle, hémorragie, troubles cardiaques, diabète, athérosclérose et AVC. Il faut aussi prendre note de toute information relative à un membre de la famille ayant reçu un diagnostic de maladie du cœur avant l'âge de 55 ans. En outre, les troubles touchant le système vasculaire, comme la claudication intermittente et les varicosités, peuvent être d'origine familiale. Finalement, il faut évaluer les antécédents familiaux concernant les affections non cardiaques comme l'asthme, une maladie du rein ou du foie et l'obésité, parce qu'elles peuvent avoir un effet sur le système cardiovasculaire.

L'infirmière doit demander au client s'il présente des facteurs de risque cardiovasculaire, selon sa compréhension. La dyslipidémie, l'hypertension artérielle, le tabagisme, la sédentarité et l'obésité figurent parmi les facteurs les plus importants. L'infirmière doit chercher à savoir si la personne est exposée à un stress important et connaître sa capacité à gérer ce stress ; elle doit aussi déterminer si la personne souffre de diabète. Il est important pour l'infirmière de bien connaître tous les facteurs de risque de la maladie cardiovasculaire.

L'apnée du sommeil est associée à un risque accru d'arythmie qui met la vie en danger, surtout chez les personnes souffrant d'une insuffisance cardiaque ; il est donc primordial de relever la présence de ce problème, celui-ci étant un facteur de risque de cette pathologie. Il faut aussi examiner la présence d'éveil durant la nuit pour uriner (nycturie), qui interrompt également la structure normale du sommeil et qui est courante chez les personnes ayant des affections cardiovasculaires.

Les affections cardiovasculaires comme l'arythmie, l'hypertension artérielle et l'AVC peuvent causer des syncopes (pertes de conscience brutales et spontanées) ainsi que des troubles du langage et de la mémoire.

L (*Last meal*) Dernier repas

L'infirmière détermine la quantité ainsi que la qualité des aliments et des liquides consommés. Un poids insuffisant ou un excès de poids représente un risque de problèmes cardiovasculaires. Il est donc important d'évaluer l'historique du poids de la personne (p. ex., au cours de la dernière année) par rapport à sa taille. Il importe d'examiner l'alimentation de la personne pendant une journée type pour s'assurer qu'elle est adaptée à son mode de vie. Il faut établir la quantité de sel, de graisses saturées et de triglycérides présents dans son alimentation. Comme les habitudes alimentaires peuvent être influencées par la culture et l'origine ethnique, l'infirmière devrait poser des questions à la personne sur ses stratégies d'adaptation personnelles et sur ses comportements de santé en matière d'alimentation et de contrôle du poids **FIGURE 39.8**.

RISQUE GÉNÉTIQUE

Coronaropathie

- Des liaisons génétiques précises, particulièrement associées aux gènes des lipoprotéines, ont été découvertes dans certaines familles ayant des antécédents de coronaropathie.
- La concentration de cas de coronaropathie au sein d'une famille est particulièrement forte si plusieurs membres de la famille contractent la maladie à un jeune âge.

Cardiomyopathie

- La cardiomyopathie hypertrophique peut être causée par des mutations autosomiques dominantes.
- La cardiomyopathie dilatée peut être causée par des mutations autosomiques dominantes ou liées au sexe.

FIGURE 39.8 Les habitudes alimentaires varient selon la culture et l'origine ethnique.

L'infirmière s'informe également de la consommation de tabac, d'alcool ou de drogue. Si le client fume, il faut calculer le nombre de paquets-années (le nombre de paquets fumés par jour multiplié par le nombre d'années pendant lesquelles le client a fumé). Il faut chercher à connaître l'attitude de la personne relativement au tabagisme, son désir de cesser de fumer, les avantages qu'il voit à cesser ce comportement, sa confiance personnelle en sa capacité de cesser de fumer ainsi que ses tentatives pour arrêter et les méthodes utilisées (Prochaska, Rossi, Redding *et al.*, 2004). L'infirmière doit également consigner la consommation d'alcool, soit le type de boisson, la quantité, la fréquence de consommation et tout changement dans la réaction de la personne à l'alcool. Elle doit aussi noter toute consommation de substances engendrant la dépendance, y compris les drogues à usage récréatif.

E Événements / environnement

L'infirmière doit évaluer la santé fonctionnelle d'une personne afin de cerner les comportements positifs qui déterminent ses forces et de relever les comportements inadéquats actuels ou potentiels qui représentent un risque pour sa santé. Il est important de connaître les comportements de santé à cause de l'influence que peut avoir le mode de vie du client sur sa santé cardiovasculaire.

Les questions clés à poser à une personne ayant un problème cardiovasculaire figurent au **TABLEAU 39.4**.

Réactivation des connaissances

Quel est l'effet principal de la nicotine contenue dans le tabac sur les artères?

CE QU'IL FAUT RETENIR

L'exercice aide à prévenir et à réduire les facteurs de risque des maladies coronariennes comme l'abaissement des triglycérides ou la hausse du cholestérol HDL sanguin.

Perception et gestion de la santé Il est également important que l'infirmière sache comment le client perçoit les effets que la maladie aura sur son bien-être et sa capacité à utiliser des stratégies d'adaptation personnelles pour se soigner.

Activités et exercices Les bienfaits de l'exercice sur la santé cardiovasculaire, surtout les exercices aérobiques soutenus, sont indéniables. En effet, l'exercice aide à prévenir et à réduire les facteurs de risque des maladies coronariennes tels que l'abaissement des triglycérides ou la hausse du cholestérol à lipoprotéines de haute densité (HDL) sanguin. Il aide aussi à diminuer l'adiposité abdominale, il augmente la capacité aérobique et stimule la sécrétion d'oxyde nitrique de la paroi vasculaire, ce qui contribue à diminuer le risque thrombolytique. Les effets de l'activité physique ont également des bénéfices sur le bien-être psychologique, car elle augmente le sentiment de bien-être, réduit l'anxiété et la dépression, et elle améliore la gestion du stress et le sommeil chez les adultes et les personnes âgées (Bullo, Bergamin, Gobbo *et al.*, 2015). L'infirmière doit se renseigner sur les activités physiques pratiquées : le type d'exercices, la durée, l'intensité et la fréquence. Elle doit prendre en note depuis combien de temps la personne a commencé ce programme d'exercices et si elle participe à un sport collectif ou individuel. Elle doit également noter les symptômes révélateurs d'une affection cardiovasculaire (p. ex., une douleur thoracique, un essoufflement, une claudication, des palpitations, des étourdissements) qui se manifestent à l'effort.

Le client doit aussi être interrogé au sujet de ses limitations dans ses activités de la vie quotidienne (AVQ) pouvant résulter de problèmes cardiovasculaires. Ces limitations sont souvent associées à la fatigue et à la dépression, lesquelles peuvent être des symptômes de maladie cardiaque. Tout changement dans les AVQ doit être noté.

Sommeil et repos Les problèmes cardiovasculaires perturbent souvent le sommeil. La dyspnée paroxystique nocturne (difficulté soudaine à respirer qui survient surtout pendant la nuit et qui réveille le client) et la respiration de Cheyne-Stokes sont des manifestations associées à l'insuffisance cardiaque. De nombreuses personnes atteintes d'insuffisance cardiaque doivent dormir avec plus d'un oreiller pour avoir la tête surélevée ou dormir dans un fauteuil. Dans ce cas, l'infirmière doit noter le nombre d'oreillers utilisés par la personne pour être confortable ou la nécessité de dormir en position assise (orthopnée), et si ce changement est récent.

Cognition et perception Il est important que l'infirmière pose des questions tant au client qu'aux proches aidants sur les divers troubles de cognition et de perception possibles. Il faut signaler toute douleur associée au système cardiovasculaire (p. ex., une douleur thoracique et une claudication).

Perception et concept de soi Un événement cardiovasculaire grave peut affecter la perception de soi d'un client. Une personne qui souffre d'une maladie cardiovasculaire chronique pourra décrire son incapacité à maintenir le même niveau d'activité qu'auparavant. Cela peut avoir également un effet sur sa qualité de vie. Il est donc essentiel de poser des questions au sujet des effets de la maladie sur le client.

Histoire de santé

TABLEAU 39.4 Modes fonctionnels de santé – Éléments complémentaires : système cardiovasculaire

MODES FONCTIONNELS DE SANTÉ	QUESTIONS À POSER
Perception et gestion de la santé	• Prenez-vous des mesures préventives pour réduire les facteurs de risque cardiovasculaire[a] ? • Avez-vous remarqué une augmentation des symptômes cardiovasculaires, comme une douleur thoracique, de la dyspnée ou de l'essoufflement[a] ? • Votre problème cardiovasculaire limite-t-il votre capacité à prendre soin de vous-même[a] ? • Croyez-vous que vous pourriez avoir des problèmes à prendre soin de vous-même à cause de votre problème cardiovasculaire[a] ? • Avez-vous déjà fait usage de tabac ? Si oui, sous quelle forme, en quelle quantité et pendant combien de temps ? Avez-vous essayé d'arrêter ? Si oui, avec quelles méthodes ? Aimeriez-vous avoir plus de renseignements sur des stratégies permettant de cesser de fumer ? • Quelle quantité d'alcool buvez-vous et à quelle fréquence ?
Élimination	• Avez-vous déjà pris des médicaments pour vous aider à diminuer le volume d'urine ou à soulager la constipation[a] ? • Avez-vous un quelconque problème de miction[a] ? • Vous arrive-t-il de forcer pour aller à la selle ?
Activités et exercices	• Votre problème cardiovasculaire limite-t-il vos activités de la vie quotidienne ou vos exercices[a] ? • À quand remonte la dernière fois où vous avez pu réaliser aisément vos activités ou faire vos exercices ? • Vous arrive-t-il de ressentir de l'inconfort ou d'autres sensations par suite d'un exercice ou d'une activité[a] ? • Pouvez-vous facilement marcher et parler en même temps ? • À quelle fréquence pratiquez-vous des activités à l'extérieur de la maison ? • Quelle a été votre activité la plus difficile au cours des dernières semaines comparativement à il y a six mois ?
Sommeil et repos	• Combien d'oreillers utilisez-vous pour dormir la nuit ? Ce nombre a-t-il changé récemment[a] ? • Vous arrive-t-il de vous réveiller soudainement et de sentir que vous n'arrivez pas à reprendre votre souffle ? • Avez-vous des antécédents d'apnée du sommeil[a] ? • Combien de fois vous levez-vous pendant la nuit pour uriner ? • Vos pieds ou vos chevilles sont-ils parfois enflés[a] ? Si oui, jusqu'à quelle hauteur de vos jambes ? Est-ce que l'enflure disparaît après avoir dormi toute la nuit ?
Cognition et perception	• Avez-vous déjà eu des étourdissements ou perdu conscience[a] ? • Avez-vous déjà eu de la difficulté à vous exprimer verbalement ou à vous rappeler certaines choses[a] ? • Ressentez-vous une quelconque douleur (p. ex., une douleur thoracique, une douleur aux jambes au moment d'un effort) liée à votre problème cardiovasculaire[a] ?
Perception et concept de soi	• La façon dont vous vous percevez a-t-elle changé depuis que vous avez reçu un diagnostic de maladie cardiovasculaire[a] ? • De quelle manière votre maladie cardiovasculaire a-t-elle changé la qualité de votre vie ?
Relations et rôles	• Cette maladie a-t-elle eu un effet sur vos activités quotidiennes[a] ? • De quelle manière les personnes significatives dans votre vie ont-elles été touchées par votre maladie ?
Sexualité et reproduction	• Votre maladie cardiovasculaire a-t-elle modifié votre activité sexuelle[a] ? • Avez-vous de la douleur ou êtes-vous anormalement essouflé pendant votre activité sexuelle[a] ? • L'un ou l'autre des médicaments que vous prenez a-t-il un effet sur votre capacité à avoir des activités sexuelles[a] ? • Femmes : Prenez-vous actuellement un contraceptif oral ou un traitement hormonal de substitution ?

TABLEAU 39.4 Modes fonctionnels de santé – Éléments complémentaires : système cardiovasculaire *(suite)*

MODES FONCTIONNELS DE SANTÉ	QUESTIONS À POSER
Adaptation et tolérance au stress	• Décrivez vos mécanismes normaux pour faire face au stress ou à l'anxiété. • À quelles personnes ou à quels endroits vous adressez-vous pendant une période de stress ? Est-ce que ces personnes ou ces services vous aident actuellement[a] ? • Utilisez-vous des techniques de réduction du stress[a] ? • Avez-vous déjà fait une dépression[a] ? • Vous sentez-vous capable de gérer la situation actuelle en ce qui a trait à votre santé ? • Avez-vous des symptômes cardiovasculaires (p. ex., une douleur thoracique, des palpitations) dans les périodes de stress, de conflit, ou lorsque vous êtes en colère ?
Valeurs et croyances	• Quelle influence vos valeurs ou vos croyances ont-elles eue pendant votre maladie ? • Voyez-vous un conflit entre vos valeurs ou croyances et le plan de soins[a] ? • Décrivez toute croyance culturelle ou religieuse pouvant avoir une incidence sur la gestion de votre problème cardiovasculaire.

[a] Si la réponse est affirmative, demandez au client d'expliciter.

Relations et rôles Le sexe, la race et l'âge jouent un rôle pour la santé cardiovasculaire de la personne. De plus, le fait de connaître l'état civil, le rôle dans la vie familiale, l'emploi, le nombre d'enfants et leur âge, le milieu de vie et les proches de la personne aidera l'infirmière à déterminer les forces du client et les réseaux de soutien dont il dispose. L'infirmière doit aussi évaluer le degré de satisfaction et d'insatisfaction du client dans les différents aspects de ses rôles afin de relever ceux qui peuvent être une source de stress ou de conflits.

Sexualité et reproduction L'infirmière pose des questions au client au sujet de l'effet de la maladie cardiovasculaire sur sa sexualité et sa satisfaction sexuelle. Il est courant qu'une personne ait peur de mourir soudainement pendant des rapports sexuels et qu'elle modifie ses comportements sexuels. La fatigue ou l'essoufflement peuvent aussi limiter l'activité sexuelle. La prévalence de la dysfonction érectile chez les hommes souffrant de dysfonction endothéliale (diabète, hypertension artérielle, hypercholestérolémie, maladie coronarienne et vasculaire) est de l'ordre de 50 % (Maiorino, Bellastella & Esposito, 2014).

Adaptation et tolérance au stress L'infirmière demande à la personne ce qui lui cause du stress et quelles stratégies elle utilise habituellement pour y faire face. Les aspects qui peuvent être une source de stress comprennent notamment les relations conjugales, la famille, les amis, l'activité professionnelle et la situation financière.

Le stress lié au travail, la dépression et les réseaux de soutien inadéquats constituent des facteurs de risque des maladies cardiovasculaires et d'événements cardiaques aigus. L'infirmière pose des questions au client sur chacun de ces aspects. Les renseignements recueillis sur les réseaux de soutien comme la famille proche, la famille élargie et les amis, les conseillers ou les groupes religieux sont utiles pour établir un profil du client.

CE QU'IL FAUT RETENIR

La P.A. diminue toujours au moment d'un changement de position, mais cette diminution ne devrait pas excéder 20 mm Hg en systolique et 10 mm Hg en diastolique.

39.2.2 Données objectives

Examen physique

Signes vitaux

Après avoir observé l'apparence générale de la personne, l'infirmière prend ses signes vitaux, y compris la P.A. aux deux bras, la fréquence cardiaque, le rythme et l'amplitude respiratoires, la température et la saturation pulsatile en O_2. Elle mesure la P.A. afin d'éliminer une hypotension orthostatique pendant que la personne est en position couchée, assise les jambes pendantes, puis debout. Il est normal que la P.A. diminue au moment d'un changement de position, mais cette diminution ne devrait pas être supérieure à 20 mm Hg en systolique et 10 mm Hg en diastolique. La fréquence cardiaque ne devrait pas augmenter de plus de 20 batt./min lorsque le client passe de la position couchée à la position debout (Jarvis, 2015). Il faut prendre les mesures de la P.A. aux deux bras. Ces mesures peuvent varier de 5 à 15 mm Hg. Un écart plus grand peut être un indice d'un risque cardiovasculaire augmenté (Clark, Taylor, Shore *et al.*, 2012). Par la suite, l'infirmière prendra toujours la P.A. au bras ayant donné la P.A. la plus élevée.

Système vasculaire périphérique

Inspection L'infirmière doit inspecter la couleur de la peau, la pilosité et les veines. Elle examine aussi les extrémités des membres pour déceler des affections comme un œdème, une rougeur, une déformation du lit des ongles, des varicosités et des lésions comme des ulcères de stase. Un œdème dans les extrémités des membres peut être causé par la gravité, l'interruption du retour veineux ou une insuffisance cardiaque droite.

Il faut aussi inspecter les veines jugulaires du cou pendant que le client passe graduellement d'une position couchée à une position assise (de 30 à 45°). Une insuffisance cardiaque droite peut causer une distension dans ces veines, appelée distension jugulaire veineuse, créée par des pressions élevées dans l'oreillette droite. La pression veineuse jugulaire estime le statut volémique du client (Longo *et al.*, 2013).

Palpation L'infirmière vérifie et compare la température et la moiteur de la peau des membres inférieurs avec le dos de la main. Elle palpe avec le bout des doigts les extrémités des membres supérieurs et inférieurs pour vérifier le pouls et la présence d'œdème de chaque côté du corps pour évaluer la symétrie. Afin de vérifier la présence d'un œdème, l'infirmière appuie sur la peau du tibia ou de la malléole interne pendant cinq secondes. En général, il ne devrait y avoir aucune empreinte après le relâchement de la pression. Si un œdème à godet est présent, il sera généralement classé de 1+ (godet moyen, légère empreinte, aucune enflure perceptible de la jambe) à 4+ (godet très profond, empreinte qui reste longtemps, jambe très enflée) (Jarvis, 2015).

Il faut palper le pouls dans le cou et aux extrémités des membres pour en évaluer la fréquence, le rythme (p. ex., régulier ou irrégulier) et l'amplitude. La qualité du pouls renseigne également sur le débit du sang artériel. L'infirmière compare ensuite les caractéristiques des pouls de chaque extrémité des membres du corps simultanément pour déterminer la symétrie. Il est important de palper chaque pouls carotidien séparément pour éviter la vagotonie et les arythmies.

Lorsque l'infirmière palpe les artères indiquées à la **FIGURE 39.9**, elle évalue la force de l'onde de pression ou l'ampleur de la distension de la paroi vasculaire au moment du pouls, selon l'échelle suivante (Jarvis, 2015) :

0 = Absent
1+ = Faible, filant
2+ = Normal
3+ = Bondissant

Elle doit aussi noter la rigidité (dureté) des vaisseaux. Le pouls normal est ressenti comme un petit coup, tandis qu'une paroi contractée ou dilatée vibrera. Une vibration palpable est désignée par le terme frémissement.

Le temps de remplissage capillaire est l'une des mesures utilisées pour évaluer l'écoulement du sang dans les artères jusqu'aux extrémités des membres. Pour ce faire, l'infirmière place les mains de la personne à la hauteur du cœur et presse le lit des ongles jusqu'à ce qu'il blanchisse, puis elle relâche la pression et observe sa recoloration. Si la perfusion périphérique et le débit cardiaque sont normaux, la coloration rosée reviendra en moins de deux secondes.

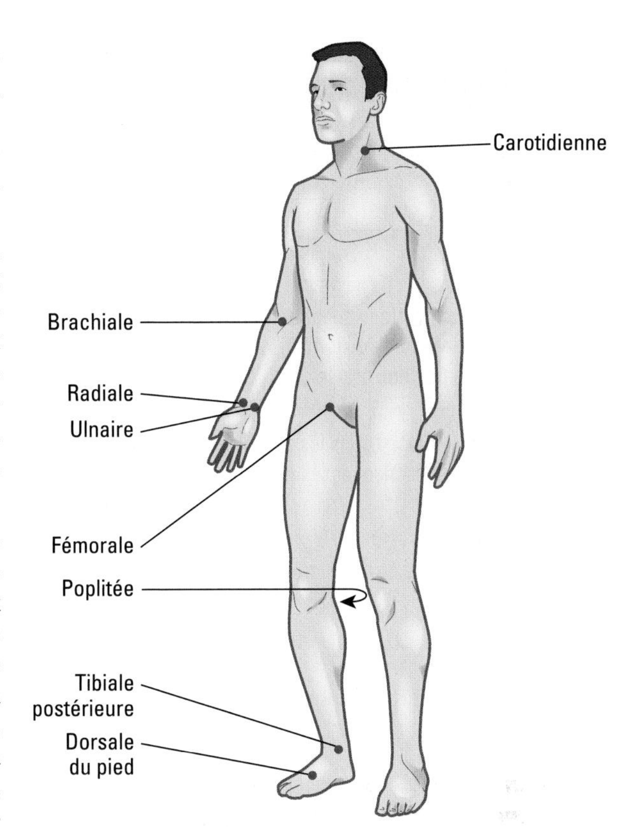

FIGURE 39.9 Sites courants de palpation des artères

Auscultation Une artère dont la paroi s'est sténosée ou dilatée peut créer un écoulement sanguin turbulent. Cet écoulement anormal peut donner lieu à un bourdonnement ou à un souffle. L'infirmière peut entendre cet écoulement anormal ou ce souffle en posant le diaphragme du stéthoscope sur le vaisseau. L'auscultation des artères principales, comme les artères carotides, l'aorte abdominale et les artères fémorales, devrait faire partie de l'évaluation cardiovasculaire initiale. Les anomalies du système cardiovasculaire sont décrites au **TABLEAU 39.5**.

Animation : *Évaluation du pouls.*

Animation : *Auscultation des valvules cardiaques.*

Thorax

Inspection et palpation La première étape de l'examen consiste à effectuer une inspection et une palpation globales des structures osseuses du thorax afin d'éliminer une douleur musculosquelettique ou une douleur liée à une ostéoporose. Pour bien déterminer les espaces intercostaux, l'infirmière trouve d'abord la saillie, appelée angle de Louis, qui est créée à l'endroit où le manubrium et le corps du sternum se rejoignent et qui est en

Anomalies courantes

TABLEAU 39.5 Système cardiovasculaire

OBSERVATIONS	DESCRIPTION	ÉTIOLOGIE POSSIBLE ET SIGNIFICATION[a]
Inspection		
Distension veineuse jugulaire	Distance de plus de 3 cm entre le sommet de la pulsation veineuse jugulaire et le point d'inflexion du sternum (angle de Louis) lorsque la personne est dans une position assise de 30 à 45°	Pression auriculaire droite élevée; insuffisance cardiaque symptomatique; dysfonction systolique ventriculaire gauche asymptomatique
Cyanose centrale	Coloration bleuâtre ou violacée dans les zones centrales comme la langue, la conjonctive et les muqueuses buccales, les lèvres et la région péribuccale	Saturation inadéquate en O_2 du sang artériel en raison de troubles pulmonaires ou cardiaques (p. ex., des déficiences congénitales)
Cyanose périphérique	Coloration bleuâtre ou violacée des extrémités ou du nez et des oreilles	Réduction du débit sanguin en raison d'une insuffisance cardiaque, d'une vasoconstriction, d'un environnement froid
Hémorragies linéaires sous-unguéales	Petites stries rouges ou noires sous les ongles des doigts	Endocardite infectieuse (infection de l'endocarde, en général dans la région des valves cardiaques)
Déformation du lit des ongles	Disparition de l'angle normal entre la base de l'ongle et la peau	Endocardite, déficiences congénitales, manque d'O_2 pendant une période prolongée (p. ex., les clients atteints de maladie pulmonaire obstructive chronique)
Changements de coloration des extrémités au moment d'un changement de position	Pâleur, cyanose, marbrure de la peau après l'élévation des membres; rougeur déclive (décoloration rougeâtre-bleu); peau lustrée	Maladie artérielle périphérique
Ulcères	Ulcère veineux: lésion nécrotique ayant la forme d'un cratère, généralement présente sur la partie inférieure de la jambe et caractérisée par une cicatrisation lente Ulcère artériel: base ischémique pâle aux contours bien définis sur les orteils, les talons ou les malléoles externes	Insuffisance veineuse, varices, valvules veineuses incompétentes; artériosclérose, diabète
Varices	Vaisseaux visibles dilatés, décolorés et tortueux dans les membres inférieurs	Valvules incompétentes d'une veine
Palpation		
Pouls		
Pouls bondissant	Pouls fort, vif et saccadé	États hyperkinétiques (p. ex., l'anxiété, la fièvre), anémie, hyperthyroïdie
Pouls filiforme	Pouls faible, augmentant lentement; facilement oblitéré par la pression	Perte sanguine, diminution du débit cardiaque, valvulopathie aortique, artériopathie des membres inférieurs
Pouls irrégulier	Pouls irrégulier régulièrement ou irrégulier irrégulièrement; battements manqués	Arythmies cardiaques

(aussi appelé point d'impulsion maximale), qui représente le pouls à l'apex du cœur  . Cette pulsation ou poussée ventriculaire se trouve sur la ligne médioclaviculaire dans le quatrième ou cinquième espace intercostal. Si le choc de la pointe du cœur est palpable, sa position est enregistrée par rapport à la ligne médioclaviculaire et les espaces intercostaux. S'il se trouve sous le cinquième espace costal (étalé) et à la gauche de la ligne médioclaviculaire (latéralisé), cela peut indiquer que le cœur est dilaté ou hypertrophié.

Percussion La percussion permet d'évaluer les bords droit et gauche du cœur. Cette technique est très peu utilisée en clinique, car les techniques d'imagerie médicale offrent beaucoup d'information et de précision concernant la taille du cœur. Pour appliquer cette technique, l'infirmière se place à la droite du client allongé et applique la percussion le long de la courbe de la côte, aux quatrième et cinquième espaces intercostaux, en commençant à la ligne axillaire. Le bruit de percussion au cœur est sourd (matité) quand il est comparé avec celui au poumon (résonance), et il faut noter la matité par rapport à la ligne médioclaviculaire.

Auscultation La fermeture des valves cardiaques produit les bruits cardiaques normaux. Ces bruits sont entendus au moyen d'un stéthoscope posé sur la paroi thoracique. Le premier bruit (B1), qui correspond à la fermeture des valves tricuspide et mitrale, fait un son doux. Le deuxième bruit (B2), qui correspond à la fermeture des valves aortique et pulmonaire, produit un son très clair. Le B1 signale le début de la systole, tandis que le B2 indique le début de la diastole **FIGURE 39.11**. L'infirmière doit écouter les foyers auscultatoires les uns après les autres à l'aide du diaphragme et de la cupule du stéthoscope. Les premier et deuxième bruits cardiaques normaux ont une tonalité aiguë et s'entendent ainsi mieux à l'aide du diaphragme du stéthoscope, tandis que les bruits cardiaques additionnels (B3 et B4), s'il y en a, s'entendent mieux au moyen de la cupule du stéthoscope, car leur tonalité est grave. Ces bruits peuvent témoigner d'une pathologie cardiaque. Le fait de faire pencher vers l'avant un client qui est assis accentue les bruits émanant du deuxième espace intercostal (foyers aortique et pulmonaire), tandis que la position couchée sur le côté gauche (décubitus latéral gauche) accentuera les bruits produits dans le foyer mitral.

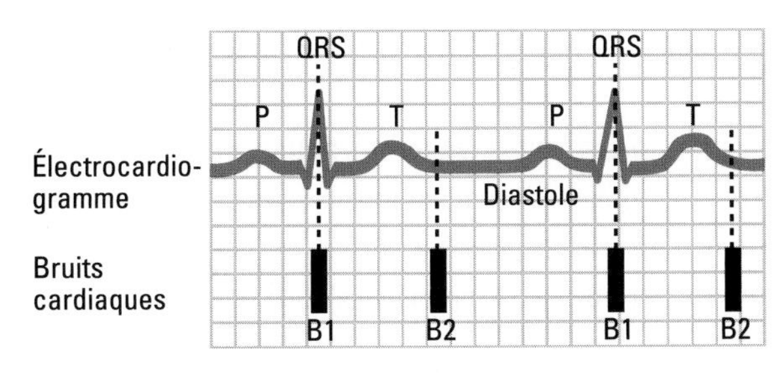

FIGURE 39.11 Relation entre l'électrocardiogramme, le cycle cardiaque et les bruits cardiaques

Tout en auscultant la région apicale, l'infirmière doit palper le pouls radial et déterminer par l'écoute si le rythme est régulier ou irrégulier. Si les pouls apical et radial ne sont pas identiques, elle doit prendre le pouls apical pendant qu'une autre personne prend le pouls radial durant une minute. La différence entre les deux chiffres est appelée pouls déficitaire et peut être un signe d'arythmie cardiaque.

Voici les différents foyers cardiaques à ausculter **FIGURE 39.10**:

- le foyer aortique dans le deuxième espace intercostal à droite du sternum;
- le foyer pulmonaire, dans le deuxième espace intercostal à gauche du sternum;
- le foyer tricuspidien, dans le cinquième espace intercostal gauche près du sternum;
- le foyer mitral, à gauche de la ligne médioclaviculaire, dans le cinquième espace intercostal;
- le point d'Erb, à savoir le cinquième foyer auscultatoire, dans le troisième espace intercostal gauche près du sternum.

On n'entend généralement aucun bruit entre le B1 et le B2 durant les périodes de systole et de diastole. Les bruits entendus pendant ces périodes peuvent représenter des anomalies et doivent être décrits. Il y a cependant une exception: le fractionnement du B2 en deux segments qui sont mieux perçus dans le foyer pulmonaire pendant l'inspiration est normal chez l'adulte en santé. Le dédoublement de ce bruit peut être anormal s'il est entendu pendant l'expiration ou s'il est constant (fixe) pendant le cycle respiratoire.

Le bruit cardiaque B3 est une vibration de faible intensité des parois ventriculaires, et il est généralement perçu au début de la phase de remplissage ventriculaire (protodiastole) lorsque les ventricules se distendent rapidement. Ce bruit peut être normal (physiologique) chez les jeunes adultes, mais il est pathologique chez les clients souffrant d'une insuffisance ventriculaire gauche ou de régurgitation de la valve mitrale. On l'entend peu après le B2, et il est désigné par l'expression bruit de galop ventriculaire. Le bruit cardiaque B4 est une vibration de basse fréquence causée par la distension du ventricule à la suite de la contraction auriculaire contre un ventricule aux pressions élevées; il précède le B1 dans le cycle suivant et est désigné par l'expression bruit de galop auriculaire. Un bruit cardiaque B4 peut être perçu chez les personnes atteintes de

i+

Animation: *Point d'impulsion maximale (PIM) – thorax antérieur.*

39

CE QU'IL FAUT RETENIR

Les souffles d'origine pathologique sont généralement causés par des affections des valves cardiaques dont les plus fréquentes sont la sténose et l'insuffisance.

Animation : *Souffles cardiaques – sténose.*

coronaropathie, d'hypertrophie ventriculaire gauche ou droite, ou de sténose aortique, mais il peut être absent durant la fibrillation auriculaire (absence de contractions auriculaires) (Jarvis, 2015).

Les souffles d'origine pathologique sont généralement causés par des affections des valves cardiaques dont les plus fréquentes sont la sténose (problème au cours de l'ouverture) et l'insuffisance (problème au cours de la fermeture) (i+). Ils sont classés selon une échelle de six niveaux d'intensité et sont notés sous forme de rapport en chiffres romains. Le numérateur représente l'intensité du souffle, et le dénominateur correspond toujours à VI, lequel indique qu'une échelle à six niveaux est utilisée. Un rapport de I/VI correspond à un souffle à peine audible, difficile à entendre même dans une pièce silencieuse, et un rapport de VI/VI correspond à un souffle de très forte intensité, facile à entendre à l'aide du stéthoscope à peine soulevé de la paroi de la cage thoracique (Jarvis, 2015).

Les **frottements péricardiques** sont des bruits résultant de la friction produite par le frottement des surfaces enflammées du péricarde (péricardite) l'une contre l'autre. Ce sont des bruits grinçants aigus qui peuvent être transitoires ou intermittents, et qui peuvent durer de plusieurs heures à plusieurs jours. Pour bien les entendre, l'infirmière doit les écouter à l'apex après l'expiration du client se tenant debout, légèrement penché vers l'avant (Jarvis, 2015).

L'infirmière doit consigner tout bruit anormal et les renseignements suivants à son sujet : le moment où il se produit (pendant la systole ou la diastole), le foyer auscultatoire (région sur le thorax où il est le mieux perçu), la hauteur tonale (bruit mieux perçu à l'aide du diaphragme ou de la cupule du stéthoscope), la position du client (bruit mieux perçu lorsque le client est allongé, assis et penché, ou en décubitus latéral gauche) et tous les autres résultats anormaux (pouls apical irrégulier ou gonflement palpable de la paroi thoracique).

Les résultats d'évaluation anormaux les plus courants figurent au **TABLEAU 39.5**. Le **TABLEAU 39.6** présente, quant à lui, une façon de noter les données obtenues pendant l'évaluation cardiovasculaire.

L'évaluation de suivi sert à évaluer les affections cardiovasculaires déjà diagnostiquées et à surveiller l'apparition de nouveaux signes. Une évaluation de suivi du système cardiovasculaire est présentée dans l'**ENCADRÉ 39.1**.

Collecte des données

TABLEAU 39.6 Examen physique du système cardiovasculaire

EXAMEN	OBSERVATIONS
Inspection	Peau chaude, couleur normale, remplissage capillaire en moins de deux secondes ; choc de la pointe du cœur non visible ; pas de distension veineuse jugulaire chez la personne à un angle de 45°.
Palpation	Choc de la pointe du cœur palpable dans le quatrième ou cinquième espace intercostal de la ligne médioclaviculaire (L.M.C.) ; aucun frémissement ni apex élargi ; légères pulsations palpables de l'aorte abdominale dans la région de l'épigastre ; pouls carotidien et périphérique de 2+ et identiques des deux côtés ; aucun œdème aux pieds
Auscultation	Bruits B1 et B2 ; pouls apical et radial égaux et réguliers ; aucun souffle ou bruit cardiaque additionnel

Collecte des données

ENCADRÉ 39.1 Évaluation de suivi du système cardiovasculaire

DONNÉES SUBJECTIVES

- Douleur thoracique
- Essoufflement (surtout en position couchée)
- Douleur dans les jambes pendant l'effort
- Miction excessive durant la nuit
- Palpitations
- Étourdissements

DONNÉES OBJECTIVES – EXAMEN PHYSIQUE

- Inspecter et palper
  - Paroi antérieure de la cage thoracique pour vérifier le contour, toute chirurgie et un apex élargi
  - Pouls pour vérifier la symétrie, la qualité et le rythme
- Ausculter
  - Pression artérielle
  - Cœur pour vérifier la fréquence, le rythme et les bruits

DONNÉES OBJECTIVES – EXAMENS PARACLINIQUES

Vérifier les valeurs critiques des examens suivants :

- Hématocrite et hémoglobine
- Enzymes cardiaques (troponine ; créatine kinase [CK-MB])
- Électrocardiogramme

39.3 Examens paracliniques du système cardiovasculaire

Il existe de nombreux examens paracliniques pour évaluer le système cardiovasculaire. Le **TABLEAU 39.7** présente les examens les plus courants, et certains sont décrits plus en détail ci-après.

39.3.1 Approches non effractives

Analyses sanguines

De nombreuses analyses sanguines fournissent des renseignements sur le système cardiovasculaire. Par exemple, les analyses concernant le sang lui-même renseignent sur la capacité de transport de l'O_2 (compte des globules rouges et de l'hémoglobine) et les propriétés de coagulation (temps de coagulation) ▶ 37.

Biomarqueurs cardiaques

Lorsque des cellules sont endommagées, elles libèrent leur contenu, y compris les enzymes et les autres protéines, dans la circulation. Ces **biomarqueurs** sont utiles pour le diagnostic des lésions myocardiques et de la nécrose. La troponine cardiaque est une protéine du muscle myocardique qui est libérée dans la circulation après la lyse de la cellule myocardique. Il existe deux sous-groupes, soit la troponine T cardiaque (cTnT) et la troponine I cardiaque (cTnI), qui sont propres au tissu myocardique. Normalement, il y en a très peu dans le sang, de sorte que leur augmentation constitue un diagnostic d'une lésion myocardique. Les troponines cTnT et cTnI peuvent être détectées dans les heures suivant une blessure. La troponine cardiaque doit être évaluée immédiatement lorsqu'une personne accuse des douleurs thoraciques. Par la suite, le dosage sera refait deux ou trois fois aux cours des heures suivantes, soit aux 6 ou 8 heures. La troponine est le biomarqueur de choix dans le diagnostic de l'infarctus du myocarde (Wilson, 2014).

Des recherches sont toujours en cours pour trouver de meilleurs biomarqueurs dans l'évaluation diagnostique de l'infarctus du myocarde. Bien que le dosage des troponines demeure l'examen paraclinique de choix et qui a fait ses preuves, l'ajout du dosage de la copeptine semble être une stratégie prometteuse pour éliminer le diagnostic différentiel d'infarctus du myocarde au début de l'épisode, c'est-à-dire lorsque le client se présente à l'urgence dès l'apparition des symptômes (Reinstadler, Klug, Feistritzer *et al.*, 2015).

La créatine kinase (CK) est une enzyme présente dans divers organes et tissus sous la forme de trois isoenzymes. Ces isoenzymes sont spécifiques au muscle squelettique (CK-MM), aux tissus cérébral et nerveux (CK-BB), et au cœur (CK-MB). L'augmentation de la CK-MB est spécifique à une blessure du tissu myocardique.

CE QU'IL FAUT RETENIR

Les frottements péricardiques sont des bruits résultant de la friction produite par le frottement des surfaces enflammées du péricarde (péricardite) l'une contre l'autre.

37

Les analyses sanguines sont décrites dans le chapitre 37, *Évaluation clinique – Système hématologique.*

Examens paracliniques

TABLEAU 39.7 Système cardiovasculaire

EXAMEN	DESCRIPTION ET BUT	RESPONSABILITÉS INFIRMIÈRES
Analyses sanguines[a]		
Troponine (cardiaque)	Protéines contractiles libérées après un infarctus du myocarde. Les troponines T et I sont très spécifiques au tissu cardiaque. Intervalles de référence : • Troponine T (cTnT) : < 2 ng/L • Troponine I (cTnI) : < 4 ng/L	Expliquer à la personne le but des prélèvements en série (p. ex., toutes les trois heures × 3) conjointement avec les ECG en série.
CK-MB	Procédé immunochimique utilisant des anticorps monoclonaux qui mesurent cette isoenzyme spécifique au cœur. Une concentration plus grande que 4 à 6 % de créatine kinase (CK) est très révélatrice d'un infarctus du myocarde (I.M.). La concentration sérique augmente dans les trois à six heures après un infarctus du myocarde.	Expliquer à la personne le but des prélèvements. Éviter les injections intramusculaires, car elles peuvent augmenter les concentration de cette isoenzyme.
Myoglobine	Protéine à poids moléculaire faible qui est sensible de 99 à 100 % à toute lésion myocardique. La concentration sérique augmente dans les 30 à 60 minutes après un infarctus du myocarde. • Myoglobinémie : 25-72 mcg/L • Myoglobinurie : < 300 mcg/L	Expliquer à la personne le but des prélèvements. La protéine disparaît rapidement de la circulation. Elle est mesurée dans les 12 premières heures suivant l'apparition de la douleur thoracique.

TABLEAU 39.7 Système cardiovasculaire *(suite)*

EXAMEN	DESCRIPTION ET BUT	RESPONSABILITÉS INFIRMIÈRES
Protéine C réactive (CRP)	Marqueur d'une inflammation pouvant prédire une cardiopathie et des événements cardiaques, même chez les personnes ayant des valeurs lipidiques normales. • Risque le moins élevé : < 1 mg/L • Risque modéré : 13 mg/L • Risque élevé : > 3 mg/L	Expliquer à la personne le but des prélèvements. Il est possible de mesurer des taux stables à n'importe quel moment de la journée sans que la personne soit à jeun. Des taux élevés annoncent un risque de troubles cardiaques, d'AVC, de maladies vasculaires périphériques et de diabète.
Homocystéine	Acide aminé produit pendant le catabolisme des protéines, reconnu comme un facteur de risque de maladies cardiovasculaires. L'homocystéine peut causer des dommages à l'endothélium ou jouer un rôle dans la formation d'un thrombus. • Adulte : 5-15 µmol/L • Personne âgée : valeurs légèrement augmentées	Expliquer à la personne le but des prélèvements. L'hyperhomocystéinémie résultant de carences alimentaires est traitée à l'aide de compléments d'acide folique et de vitamines B_6 et B_{12}.
Peptide natriurétique de type B (PNB et NT-pro-PNB)	Peptide qui cause la natriurèse. Son augmentation peut indiquer une insuffisance cardiaque et aider à établir si la dyspnée est causée par un problème cardiaque ou respiratoire. Des troubles rénaux peuvent biaiser l'interprétation des résultats. Intervalle de référence : • PNB : Si > 100 pg/mL (100 ng/L), diagnostic d'une insuffisance cardiaque	Expliquer à la personne le but des prélèvements. Une infusion de nésiritide (Natrecor[MD]) fera augmenter temporairement les taux.
Lipides sériques		
Triglycérides	Les triglycérides sont des mélanges d'acides gras. Leur hausse est associée aux maladies cardiovasculaires et au diabète. Intervalle de référence : < 1,7 mmol/L (varie avec l'âge)	Expliquer à la personne le but des prélèvements. Pour mesurer les taux de triglycérides, la personne doit être à jeun depuis au moins 12 heures (mais peut boire de l'eau) et doit s'abstenir de boire de l'alcool au moins 24 heures avant le test.
Cholestérol	Le cholestérol est un lipide du sang. Un taux de cholestérol élevé est considéré comme un facteur de risque d'une athérosclérose et de cardiopathie. Intervalle de référence : < 5,18 mmol/L (varie avec l'âge et le sexe)	Expliquer à la personne le but des prélèvements. Le taux de cholestérol est mesuré quand la personne n'est pas à jeun, mais pour les taux de triglycérides et de lipoprotéines, la personne doit être à jeun depuis au moins 12 heures (mais peut boire de l'eau) et doit s'abstenir de boire de l'alcool au moins 24 heures avant de passer le test.
Lipoprotéines[b] • de faible densité (LDL) • de haute densité (HDL)	L'électrophorèse est utilisée pour séparer les lipoprotéines en LDL et HDL. Les taux de lipides sériques varient grandement au cours d'une même journée. Il faut les prendre plus d'une fois pour un diagnostic et un traitement adéquats. Note : Les intervalles de référence varient avec l'âge. • Taux recommandé (LDL) : – Valeur optimale : < 2,6 mmol/L – Faible risque de coronaropathie : 2,6-3,35 mmol/L – Risque modéré de coronaropathie : 3,36-4,11 mmol/L – Risque élevé de coronaropathie : > 4,11 mmol/L • Taux recommandé (HDL) : – Intervalle de référence : 0,9-2,4 mmol/L – Faible risque de coronaropathie : > 1,55 mmol/L – Risque élevé de coronaropathie : < 1,04 mmol/L	Expliquer à la personne le but des prélèvements. Pour mesurer les taux de lipoprotéines, la personne doit être à jeun depuis au moins 12 heures (mais peut boire de l'eau) et doit s'abstenir de boire de l'alcool au moins 24 heures avant le test.

TABLEAU 39.7	Système cardiovasculaire *(suite)*	
EXAMEN	**DESCRIPTION ET BUT**	**RESPONSABILITÉS INFIRMIÈRES**
Apolipoprotéine (Apo)	Les Apo constituent la portion protéine des lipoprotéines : • Type A1 : associé au bon cholestérol (Apo-A) • Type B100 : associé au mauvais cholestérol (Apo-B) Les Apo sont mesurées directement. Plus le ratio Apo-A/Apo-B est faible, plus grand est le risque d'avoir une maladie coronarienne. Intervalles de référence : • Apo-A : 0,75-1,75 g/L • Apo-B : 0,45-1,25 g/L • Rapport Apo-A/Apo-B : – Homme : faible risque > 1,11 – Femme : faible risque > 1,35	Expliquer à la personne le but des prélèvements. Il n'est pas nécessaire d'être à jeun. Mais la personne doit s'abstenir de fumer 12 heures avant le prélèvement.
Phospholipase A_2 associée à une lipoprotéine (Lp-PLA_2)	Un taux élevé de Lp-PLA_2 est associé à une inflammation vasculaire et à un risque plus élevé de coronaropathie. Intervalle de référence : • Homme : 131-376 ng/mL • Femme : 120-342 ng/mL	Expliquer à la personne le but des prélèvements. Le taux de Lp-PLA_2 peut être mesuré lorsque la personne n'est pas à jeun.
Radiographie		
Radiographie pulmonaire	La personne est placée dans deux positions debout pour examiner la région des poumons et la taille du cœur. Les deux positions les plus courantes sont la position postérieure et la position antérieure, ainsi que la position latérale. La taille et la circonférence normales du cœur sont notées en fonction de l'âge, du sexe et de la taille de la personne.	Expliquer l'examen au client. Se renseigner sur la fréquence des dernières radiographies et, pour une femme, la possibilité qu'elle soit enceinte. Couvrir d'une radioprotection en plomb les zones non examinées. Enlever tout bijou ou objet de métal pouvant cacher le cœur et les poumons.
Électrocardiogramme		
ECG	Des électrodes sont placées sur le thorax et les membres pour que l'ECG enregistre l'activité électrique de différents points de vue. Peut déceler le rythme cardiaque, l'activité d'un stimulateur cardiaque, les anomalies de conduction, la position du cœur, la taille des oreillettes et des ventricules, la présence d'une lésion et l'historique d'un infarctus du myocarde.	Expliquer l'examen au client. Préparer la peau et poser les électrodes et les dérivations. Informer la personne que l'examen ne provoquera pas d'inconfort. Lui demander d'éviter de bouger pour diminuer l'artefact de mouvement.
ECG à haute amplification	L'ECG à haute résolution permet de voir l'activité électrique, appelée potentiels tardifs, indiquant qu'une personne risque d'avoir des arythmies ventriculaires (p. ex., une tachycardie ventriculaire).	Les responsabilités sont les mêmes que pour l'ECG.
Monitorage ambulatoire		
Méthode de Holter	Enregistrement du rythme cardiaque durant 24 à 48 heures, puis mise en corrélation des variations de rythme et des symptômes décrits dans le journal tenu par le client. La personne est encouragée à avoir une activité normale pour stimuler les conditions qui provoquent les symptômes. Des électrodes sont posées sur le thorax, et l'information est enregistrée jusqu'à ce qu'elle soit récupérée, imprimée et analysée pour détecter tout trouble du rythme. Le client peut être hospitalisé ou en consultation externe.	Expliquer l'examen au client. Préparer la peau et poser les électrodes et les dérivations. Expliquer à la personne l'importance de tenir un journal avec les descriptions précises des activités et des symptômes. Lui expliquer qu'elle ne peut pas prendre de bain ou de douche pendant le monitorage. Les électrodes peuvent causer une irritation de la peau.

TABLEAU 39.7 Système cardiovasculaire *(suite)*

EXAMEN	DESCRIPTION ET BUT	RESPONSABILITÉS INFIRMIÈRES
Enregistreur d'événements ou moniteur implantable	Enregistre les troubles du rythme qui ne se produisent pas assez souvent pour être enregistrés sur une période de 24 heures. Cette méthode procure plus de liberté que celle de Holter. Certains appareils comprennent des électrodes qui sont fixées au thorax et une mémoire en boucle qui capte le début et la fin d'un événement. D'autres sont posés directement sur les poignets, le thorax ou les doigts de la personne, et ne comportent pas de mémoire en boucle, mais enregistrent l'ECG de la personne en temps réel. Les enregistrements peuvent être transmis par téléphone à un récepteur.	Expliquer l'examen au client. Enseigner à la personne comment utiliser le matériel servant à enregistrer et à transmettre (le cas échéant) les manifestations transitoires. Lui montrer comment préparer la peau en vue de l'application des dérivations ou du contact continu avec des appareils qui ne nécessitent pas d'électrodes. Lui expliquer qu'un tracé d'ECG sera obtenu à des fins d'analyse. Dire à la personne de commencer l'enregistrement dès le début des symptômes ou le plus tôt possible par la suite.
Épreuve d'effort		
Épreuve d'effort ou de résistance au stress	Divers protocoles servent à évaluer l'effet de la tolérance à l'effort sur la fonction cardiovasculaire. Un protocole courant comporte des étapes de trois minutes pendant lesquelles le tapis roulant fonctionne à une vitesse et à une hauteur prédéterminées. La personne peut s'exercer jusqu'à ce qu'elle atteigne la fréquence cardiaque maximale (soit 220 moins l'âge de la personne) ou la tolérance à l'effort maximal, moment auquel l'épreuve se termine. L'épreuve est aussi terminée si la personne ressent un malaise pulmonaire, s'il y a une hausse ou une baisse importante des signes vitaux par rapport à la ligne isoélectrique ou si des changements importants de l'ECG indiquent une angine ou une ischémie cardiaque. Surveiller les signes vitaux et l'ECG. Le monitorage de l'ECG après l'effort permet de déceler toute perturbation du rythme ou, si des changements de l'ECG surviennent par suite de l'effort, de surveiller le retour à la ligne isoélectrique. Il est important d'effectuer le monitorage continu des signes vitaux et du tracé de l'ECG, car les variations ischémiques sont importantes pour le diagnostic d'une coronaropathie. Si le client ne peut pas marcher sur un tapis roulant, il peut utiliser un vélo stationnaire.	Expliquer l'examen au client. Lui préciser qu'il doit porter des vêtements confortables et des chaussures pour marcher et courir. Expliquer le procédé et l'importance de signaler tout symptôme pouvant se manifester. Surveiller les signes vitaux et obtenir un ECG de 12 dérivations avant l'effort, pendant chacune des étapes de l'effort et après l'effort jusqu'à ce que tous les signes vitaux et les changements de l'ECG soient revenus à la normale. Surveiller la réaction de la personne pendant toute la durée de l'épreuve. Toute raison empêchant une personne d'atteindre l'effort maximal constitue une contre-indication. La personne ne devrait pas prendre de bêtabloquants au moins 24 heures avant l'épreuve, car ils diminueront sa fréquence cardiaque et limiteront sa capacité à atteindre sa fréquence cardiaque maximale. Elle doit aussi s'abstenir, pendant le même nombre d'heures, de manger des aliments et de boire des liquides contenant de la caféine. Durant les trois heures précédant l'épreuve, elle ne doit ni fumer ni faire un exercice ardu.
Épreuve de marche de six minutes	Distance que la personne peut parcourir en marchant sur une surface plane pendant six minutes. Mesure la réaction aux traitements et établit la capacité fonctionnelle à effectuer les activités de la vie quotidienne. Est utile pour les personnes qui ne peuvent pas faire l'épreuve du tapis roulant ou du vélo stationnaire.	Expliquer l'examen au client. Demander à la personne de porter des chaussures confortables. Lui dire de porter ou de tirer son O_2, si elle en utilise couramment. L'encourager à marcher le plus rapidement possible.
Échocardiographie		
Échocardiographie • de contraste • en mode temps-mouvement (TM) • bidimensionnelle • imagerie couleur (2D et doppler) • tridimensionnelle en temps réel	Un transducteur qui émet et reçoit des ultrasons est placé à quatre endroits différents sur le thorax du client, au-dessus du cœur. Il enregistre les ondes sonores qui sont réfléchies par le cœur. Il enregistre également la direction et le débit du sang dans le cœur, et les transforme en données audio et graphiques qui donnent une mesure des anomalies valvulaires, des malformations cardiaques congénitales, du mouvement des parois, de la fraction d'éjection et de la fonction cardiaque. Une substance de contraste peut être injectée par voie intraveineuse (I.V.) pour améliorer les images.	Expliquer l'examen au client. Installer le client en décubitus dorsal du côté gauche, en face de l'appareil. Lui expliquer l'intervention et les sensations qu'il aura (pression et mouvement mécanique de la tête du transducteur). Il n'y a aucune contre-indication.

TABLEAU 39.7	Système cardiovasculaire *(suite)*	
EXAMEN	**DESCRIPTION ET BUT**	**RESPONSABILITÉS INFIRMIÈRES**
Échocardiographie d'effort	Combinaison d'épreuve d'effort et d'échocardiographie. Au moyen d'ultrasons, des images du cœur sont obtenues, puis la personne commence l'épreuve. Des images du cœur sont prises immédiatement après l'épreuve (dans la minute qui suit). Les différences dans le mouvement et l'épaisseur de la paroi du ventricule gauche sont évaluées.	Expliquer l'examen au client. Préparer le client à l'épreuve d'effort en lui expliquant le fonctionnement du tapis roulant ou du vélo stationnaire. L'informer de l'importance de revenir immédiatement à la table d'examen après l'effort pour la prise des images. Les clients incapables de faire un effort maximal ne doivent pas se soumettre à cette épreuve.
Échocardiographie de stress	Méthode utilisée en remplacement de l'échocardiographie d'effort pour les personnes qui ne peuvent pas faire d'effort. Pratiquer une injection I.V. de dobutamine (agent inotrope positif) ou de dipyridamole, et augmenter la dose toutes les cinq minutes pendant l'échocardiographie pour déceler, à chaque étape, les anomalies dans le mouvement des parois du cœur.	Expliquer l'examen au client. Commencer l'infusion I.V. Administrer le médicament conformément au protocole. Surveiller les signes vitaux avant, pendant et après l'épreuve, jusqu'à l'atteinte de la ligne isoélectrique. Surveiller l'apparition de signes et de symptômes de détresse pendant l'intervention. Observer la personne pour déceler des effets secondaires (p. ex., un essoufflement, des étourdissements et des nausées). Donner de l'aminophylline pour prévenir ou contrer les effets secondaires du dipyridamole. Toute allergie connue à des médicaments constitue une contre-indication.
Échocardiographie transœsophagienne (ETO)	Une sonde portant à son extrémité un transducteur d'ultrasons est introduite par la bouche du client, tandis que le médecin vérifie l'angle et la profondeur. La sonde qui descend le long de l'œsophage envoie des images claires de la taille du cœur et du mouvement de ses parois, des anomalies valvulaires, de la végétation d'une endocardite et de la source possible d'un thrombus sans interférence des poumons et des côtes. Si une défaillance de la communication interventriculaire ou interauriculaire est suspectée, une substance de contraste est injectée par voie I.V. pour évaluer la direction de la circulation sanguine. Il est aussi possible d'utiliser simultanément la méthode doppler et l'imagerie couleur.	Expliquer l'examen au client. Préciser à la personne qu'elle ne doit rien ingérer par voie orale dans les six heures précédant le test. Enlever les dentiers. Placer une pièce de morsure dans la bouche. Donner une sédation I.V. et anesthésier la gorge. Un client en externe doit avoir prévu d'être raccompagné par quelqu'un après l'intervention. Surveiller les signes vitaux et le taux de saturation en O_2 à l'aide d'un monitorage continu et effectuer la succion au besoin pendant l'intervention. Aider la personne à se détendre. Lui expliquer qu'elle ne pourra manger et boire que lorsque le réflexe pharyngé sera revenu. Le mal de gorge sera temporaire.
Cardiologie nucléaire		
Cardiologie nucléaire	Technique comportant l'injection I.V. de radio-isotopes (technétium 99 m sestamibi). Une caméra à scintillation (gamma-caméra) détecte et compte les impulsions émises dans le cœur. Elle renseigne sur la contractilité du myocarde ainsi que sur sa perfusion et sur toute lésion cellulaire aiguë.	Expliquer l'intervention au client. Installer le cathéter I.V. qui servira à injecter les isotopes. Lui expliquer qu'une petite quantité de radio-isotopes est utilisée, suffisante pour poser le diagnostic, et que ceux-ci perdront leur radioactivité en quelques heures. Lui dire qu'il sera couché sur le dos, les bras tendus au-dessus de la tête pendant 20 minutes. Plusieurs radiographies seront prises, de quelques minutes à quelques heures, après l'injection.
Angiocardiographie isotopique à l'équilibre	Une petite quantité du sang du client est prélevée puis mélangée avec un radio-isotope (p. ex., le technétium 99 m sestamibi [Draximage^MD]) pour être ensuite réinjectée à la personne par voie I.V. L'ECG aide à prendre des images au moment opportun pendant le cycle cardiaque. Cette technique est recommandée pour les personnes ayant fait un infarctus du myocarde ou qui souffrent d'une insuffisance cardiaque ou d'une cardiopathie valvulaire. Elle peut aussi servir à évaluer l'effet de divers médicaments cardiaques ou cardiotoxiques sur le cœur.	Expliquer l'intervention à la personne. Installer le cathéter I.V. pour le prélèvement sanguin et sa réinjection avec l'isotope. Installer le monitorage par ECG. Informer la personne que l'intervention comporte peu de risques.

TABLEAU 39.7 Système cardiovasculaire *(suite)*

EXAMEN	DESCRIPTION ET BUT	RESPONSABILITÉS INFIRMIÈRES
Gammatomographie	Technique utilisée pour évaluer un myocarde prédisposé à l'infarctus et déterminer l'importance de l'infarctus. Une petite quantité de radio-isotopes (p. ex., le technétium 99 m tétrofosmin, le thallium 201) est injectée par voie I.V., puis la radioactivité est enregistrée dans une partie donnée du corps. La circulation des isotopes peut permettre de déterminer le débit coronarien, les shunts intracardiaques, le mouvement des ventricules, la fraction d'éjection et la taille des cavités du cœur.	Expliquer l'intervention à la personne. Installer le cathéter I.V. pour l'injection des isotopes. Installer le monitorage par ECG. Informer la personne que l'intervention comporte peu de risques.
Imagerie nucléaire d'effort (de stress)	Grâce à la technique de l'imagerie nucléaire, des images sont prises au repos et après l'effort. L'injection est faite lorsque la fréquence cardiaque maximale est atteinte sur le vélo stationnaire ou le tapis roulant. La personne doit ensuite poursuivre l'effort pendant une minute pour faire circuler le radio-isotope. Un balayage est effectué pendant 15 à 60 minutes après la fin de l'effort. Un balayage au repos est fait de 60 à 90 minutes après l'infusion initiale ou 24 heures plus tard.	Expliquer l'intervention à la personne. Lui dire de manger peu entre les balayages. Lui expliquer qu'elle devra peut-être ne pas prendre certains médicaments pendant un ou deux jours avant le balayage.
Imagerie nucléaire pharmacologique	Le dipyridamole ou l'adénosine est utilisé pour produire une vasodilatation chez les clients incapables de tolérer l'effort. La vasodilatation fait augmenter l'écoulement sanguin dans les artères coronaires bien perfusées. Le processus pour le balayage est le même que celui qui est décrit ci-dessus. De l'aminophylline peut être donnée pour prévenir ou contrer les effets secondaires du dipyridamole (p. ex., un essoufflement, des étourdissements, des nausées). La dobutamine est utilisée lorsque les vasodilatateurs sont contre-indiqués.	Expliquer le procédé à la personne. Lui dire de ne prendre aucun produit contenant de la caféine dans les 12 heures précédant l'intervention. Elle doit aussi s'abstenir de prendre des bloqueurs des canaux calciques et des bêtabloquants dans les 24 heures précédant le test. Observer la personne pour reconnaître tout effet secondaire (p. ex., un essoufflement, des étourdissements, des nausées).
Tomographie par émission de positrons (TEP)	Technique très sensible qui fait la distinction entre le tissu myocardique viable et celui qui ne l'est pas. Utilise deux radionucléides. L'azote 13 ammoniac est d'abord injecté par voie I.V., puis un balayage est fait pour évaluer la perfusion myocardique. Un deuxième radio-isotope, le fluoro-18-déoxyglucose est ensuite injecté, et le balayage est effectué pour montrer la fonction métabolique myocardique. Si le cœur est normal, les deux balayages seront identiques, mais s'il est ischémique ou lésé, ils seront différents. Le client peut être stressé ou non. Un scintigramme au repos est obtenu à des fins de comparaison.	Expliquer la technique à la personne et le fait qu'elle devra rester immobile pendant le balayage. Le taux de glucose doit s'établir entre 3,5 et 6 mmol/L pour que l'activité métabolique du glucose soit correcte. Si l'épreuve comporte une partie effort, la personne ne doit rien ingérer par voie orale et doit s'abstenir de prendre des produits du tabac et de la caféine pendant les 24 heures précédant le test.
Imagerie par résonance magnétique		
IRM	Cette technique d'imagerie non effractive donne de l'information sur l'intégrité du tissu cardiaque, les anévrismes, les fractions d'éjection, le débit cardiaque et la perméabilité des artères coronaires proximales. Elle ne comporte pas de rayonnement ionisant et est extrêmement sûre. Elle fournit des images à plans multiples dont la résolution est uniformément bonne.	Expliquer la méthode au client. L'avertir que le petit diamètre du cylindre et le bruit intense de l'appareil peuvent causer chez lui de la panique ou de l'anxiété. Il peut être recommandé d'administrer un médicament anxiolytique et de mettre de la musique. Le client doit rester couché sans bouger pendant l'IRM. Cette technique est contre-indiquée pour les personnes ayant des implants métalliques ou d'autres fragments de métal. Discuter de tout implant avant le balayage.
Angiographie par résonance magnétique (ARM)	Technique utilisée pour obtenir des images dans le cas de maladies causant l'occlusion des vaisseaux et des anévrismes de l'aorte abdominale. Technique identique à l'IRM, mais qui utilise le gadolinium comme substance de contraste injectée par voie I.V.	Expliquer l'examen au client. Technique contre-indiquée pour les personnes ayant une allergie connue à la substance de contraste et celles ayant des implants métalliques ou d'autres fragments de métal.

TABLEAU 39.7	Système cardiovasculaire *(suite)*	
EXAMEN	**DESCRIPTION ET BUT**	**RESPONSABILITÉS INFIRMIÈRES**
Tomodensitométrie		
Tomodensitométrie (TDM)	Technique d'imagerie du cœur qui utilise la tomographie assistée par ordinateur, avec ou sans contraste I.V., pour voir l'anatomie du cœur, la circulation coronarienne et les vaisseaux sanguins.	Expliquer l'examen au client.
Angiographie par TDM	Utilisation de la TDM avec une substance de contraste injectée par voie I.V. pour obtenir des images des vaisseaux sanguins et diagnostiquer les coronaropathies.	Expliquer le procédé au client. Enlever tous les objets de métal avant l'examen. Il peut être demandé au client de ne pas manger ni boire plusieurs heures avant l'examen.
Tomodensitométrie cardiaque • Tomodensitométrie à faisceau d'électrons (TFE)	La TFE, aussi connue sous le nom de TDM ultrarapide, se sert d'un faisceau d'électrons pour quantifier la calcification dans les artères coronaires et dans les vaisseaux cardiaques **FIGURE 39.12**. Elle est utilisée principalement pour évaluer le risque des personnes asymptomatiques, ainsi que les coronaropathies des personnes ayant des symptômes atypiques pouvant être d'origine cardiaque.	Expliquer le procédé à la personne et l'informer qu'il est rapide et comporte peu de risques.
Cathétérisme cardiaque		
Cathétérisme cardiaque	Technique qui consiste en l'insertion d'un cathéter dans le cœur pour obtenir de l'information sur les taux d'O_2 et la pression dans les cavités du cœur. Une substance de contraste est injectée pour aider à examiner la structure et les mouvements du cœur. Le cathéter est inséré dans une veine (pour le côté droit du cœur) ou dans une artère (pour le côté gauche du cœur).	Expliquer l'examen au client. Se renseigner sur la sensibilité à l'iode. Le client doit s'abstenir de manger et de boire entre 6 et 18 heures avant l'examen. Administrer un sédatif et d'autres médicaments, sur ordonnance du médecin. Informer le client qu'une anesthésie locale est effectuée, qu'elle est suivie par l'insertion d'un cathéter, et que le client peut avoir une sensation de chaleur après l'injection du colorant et, peut-être, sentir le cœur vibrer au passage du cathéter. Il est à noter qu'il peut être demandé à la personne de tousser ou de prendre une grande inspiration au moment de l'injection du colorant. La personne est surveillée par ECG pendant tout l'examen. Après l'examen, vérifier la circulation dans le membre où le cathéter a été inséré. Vérifier le pouls périphérique, sa couleur et la sensation du membre toutes les 15 minutes pendant 1 heure, puis moins souvent par la suite. Observer s'il y a un hématome ou un saignement au site de ponction. Au besoin, placer un palpateur sur l'artère pour réaliser une hémostase. Surveiller les signes vitaux et l'ECG. Évaluer la présence ou non d'hypotension ou d'hypertension artérielle, d'une fréquence cardiaque anormale, d'arythmies et de symptômes d'embolie pulmonaire (p. ex., une difficulté à respirer).
Coronarographie	Pendant un cathétérisme cardiaque, une substance de contraste est injectée directement dans les artères coronaires. Cette technique sert à évaluer la perméabilité des artères coronaires et la circulation collatérale.	Les responsabilités sont les mêmes que pour le cathétérisme cardiaque.
Échographie ultrasonique intracoronarienne	Pendant un cathétérisme cardiaque, une petite sonde ultrasonore est introduite dans les artères coronaires. Les données recueillies sont utilisées pour évaluer la taille et la consistance de la plaque, les parois artérielles et l'efficacité du traitement des artères coronaires.	Les responsabilités sont les mêmes que pour le cathétérisme cardiaque.
Fraction du flux de réserve coronaire	Pendant un cathétérisme cardiaque, un fil spécial est inséré dans les artères coronaires pour mesurer la pression et le flux. Les données recueillies servent à établir la nécessité d'effectuer une angioplastie ou d'implanter une endoprothèse vasculaire pour des blocages non significatifs.	Les responsabilités sont les mêmes que pour le cathétérisme cardiaque.

TABLEAU 39.7	Système cardiovasculaire *(suite)*	
EXAMEN	**DESCRIPTION ET BUT**	**RESPONSABILITÉS INFIRMIÈRES**
Examen électrophysiologique		
Examen électro-physiologique	Examen effractif utilisé pour enregistrer l'activité électrique du cœur à l'aide de cathéters (et de multiples électrodes) insérés dans le côté droit du cœur en passant par les veines fémorale et jugulaire. Les électrodes du cathéter enregistrent l'activité électrique dans différentes structures cardiaques. De plus, il est possible d'induire et d'arrêter des arythmies.	Expliquer l'examen au client. La prise de médicaments antiarythmiques peut être arrêtée pendant plusieurs jours avant l'examen. Le client ne doit rien prendre par voie orale de six à huit heures avant le test. Administrer des médicaments avant et pendant l'examen pour faciliter la relaxation, sur ordonnance du médecin. La sédation par voie I.V. est souvent utilisée durant cet examen. Après l'examen, surveiller les signes vitaux et effectuer le monitorage continu par ECG de la personne.
Mesures des pressions et du débit sanguin		
Artériographie périphérique et phlébographie	Technique qui consiste en l'injection d'une substance de contraste radio-opaque dans les artères ou dans les veines. Des radiographies en série sont prises pour déceler et voir toute plaque athérosclércuse, occlusion ou lésion traumatique, ou tout anévrisme.	Expliquer l'examen au client. Vérifier si la personne est allergique à l'iode. Donner un léger sédatif, sur ordonnance du médecin. Après l'intervention, vérifier le pouls, la chaleur, la couleur et le mouvement du membre où la ponction a été faite. Vérifier s'il y a un saignement ou un œdème au site d'insertion. Observer si le client a une réaction allergique au colorant.
Surveillance hémodynamique	Surveillance hémodynamique de la pression artérielle, de la pression artérielle pulmonaire, de la pression capillaire pulmonaire et du débit cardiaque pour évaluer l'état cardiovasculaire et la réaction aux traitements.	Les personnes qui nécessitent une surveillance hémodynamique sont en phase critique, à l'unité des soins intensifs.

[a] Les intervalles de référence pour les essais de laboratoire varient selon l'établissement en raison des différences dans le matériel et les réactifs utilisés.

[b] Source : American Heart Association (2009).

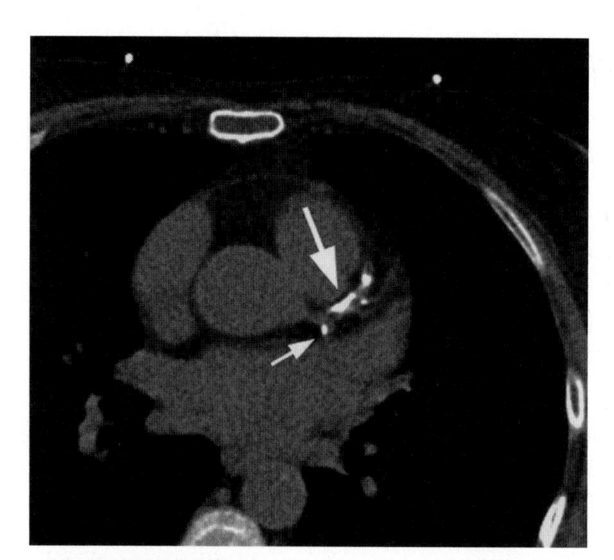

FIGURE 39.12 Exemples de calcification coronaire de l'artère interventriculaire antérieure (flèche large) et de l'artère auriculoventriculaire (petite flèche), visualisées à l'aide d'une tomodensitométrie à faisceau d'électrons.

CE QU'IL FAUT RETENIR

La troponine est le biomarqueur de choix dans le diagnostic de l'infarctus du myocarde.

Les concentrations de CK-MB commencent à augmenter environ 3 à 6 heures après le début des symptômes, atteignent leur point le plus élevé après 18 à 24 heures environ, et retournent à la normale dans les 2 à 3 jours suivant l'infarctus du myocarde (Malarkey & McMorrow, 2012). Le point le plus élevé et le retour à la normale peuvent être retardés chez une personne qui a eu un grave infarctus du myocarde, surtout si elle n'a pas été traitée immédiatement.

La myoglobine est une hémoprotéine de faible poids moléculaire qui est présente dans les muscles cardiaque et squelettique. L'élévation de myoglobine est un indicateur sensible d'une lésion myocardique précoce ; elle se produit dans les 2 heures suivant la lésion et atteint un sommet entre 8 et 12 heures après. La myoglobine est excrétée par les reins (myoglobinurie) ; elle peut être détectée dans l'urine jusqu'à une semaine après une lésion du tissu musculaire.

Pour interpréter correctement les examens paracliniques, il faut tenir compte de la date et de de l'heure du début des symptômes. Les autres données telles que les symptômes du client, l'histoire de santé, les changements de l'ECG et l'analyse des biomarqueurs sériques complètent le profil diagnostique du client qui aurait fait un infarctus du myocarde.

Protéine C réactive

La protéine C réactive (CRP) est une protéine produite par le foie pendant les périodes d'inflammation aiguë. Il a été démontré que la mesure de la CRP à haute sensibilité (hsCRP) permettait de prédire le risque que des événements cardiaques futurs se produisent chez des clients ayant une angine instable et un infarctus du myocarde (The Emerging Risk Factors Collaboration, 2010). Le taux de CRP est maintenant inclus dans la stratification du risque cardiovasculaire chez les personnes à risque modéré, selon l'échelle de Framingham, dont le taux de lipoprotéines de faible densité (LDL) n'a pas encore justifié de traitement (Canadian Cardiovascular Society [CCS], 2009).

Homocystéine

L'homocystéine est un acide aminé produit pendant le catabolisme des protéines. Un taux élevé d'homocystéine peut être héréditaire ou résulter d'une carence alimentaire en vitamines B_6 ou B_{12} ou en folate. Il a été associé au risque accru d'un premier événement cardiaque. Il a également été reconnu comme un élément prédictif d'une coronaropathie, d'un AVC et d'une thromboembolie, même en présence de taux normaux de lipides. Il est recommandé d'examiner le taux d'homocystéine des clients présentant des prédispositions familiales d'une maladie cardiovasculaire précoce ou des antécédents de maladie cardiovasculaire en l'absence d'autres facteurs de risque courants (Fondation des maladies du cœur et de l'AVC, 2015).

Peptides natriurétiques : marqueurs cardiaques

Il existe trois peptides natriurétiques : 1) le peptide natriurétique auriculaire (PNA) ; 2) le peptide natriurétique de type B (PNB) du myocarde ; 3) le peptide natriurétique de type C (PNC) des cellules endothéliales et épithéliales rénales. Le PNB est devenu le marqueur de choix pour déterminer de l'insuffisance cardiaque dans les diagnostics différentiels, et pour distinguer une dyspnée due à l'insuffisance cardiaque ou une dyspnée attribuable à d'autres stress.

Lipides sériques

Les lipides sériques sont composés de triglycérides, de cholestérol et de phospholipides. Souvent appelés des lipoprotéines, ils circulent dans le sang en étant fixés aux protéines (apolipoprotéines).

Les triglycérides sont la principale forme d'entreposage de lipides et constituent à peu près 95 % du tissu adipeux. Le cholestérol, une composante structurale des membranes cellulaires et des lipoprotéines du plasma, est un précurseur des glucocorticoïdes, des hormones sexuelles et des sels biliaires. Outre le fait d'être absorbé à partir des aliments dans le tractus gastro-intestinal, le cholestérol est synthétisé dans le foie. Les phospholipides contiennent du glycérol, des acides gras, des phosphates et un produit azoté. Bien qu'ils se forment dans la plupart des cellules, les phospholipides pénètrent dans la circulation sous forme de lipoprotéines synthétisées par le foie.

Les différentes catégories suivantes de lipoprotéines contiennent des quantités variables de lipides produits naturellement :

- Chylomicrons : il s'agit en grande partie de triglycérides exogènes provenant des graisses alimentaires.
- Lipoprotéines de faible densité (LDL) : elles consistent surtout en du cholestérol renfermant des quantités modérées de phospholipides.
- Lipoprotéines de haute densité (HDL) : elles sont formées approximativement à 50 % de protéines et à 50 % de phospholipides et de cholestérol.
- Lipoprotéines de très faible densité (VLDL) : ce sont principalement des triglycérides exogènes contenant des quantités modérées de phospholipides et de cholestérol.

Une analyse du profil lipidique comporte généralement des mesures du cholestérol, des triglycérides, des LDL et des HDL. La fonction principale du HDL est d'éliminer le cholestérol excédentaire en le transportant des tissus vers le cœur. Il est donc préférable d'avoir une concentration élevée en HDL. Les LDL transportent aussi du cholestérol, mais en direction des artères où il participe à l'athérosclérose. Une hausse de LDL est fortement et directement associée aux coronaropathies. À l'inverse, une augmentation de HDL est plutôt associée à une diminution du risque de coronaropathie (Huether, 2012). En effet, un taux élevé de HDL constitue une forme de protection par sa contribution au déplacement du cholestérol des tissus. L'évaluation du bilan lipidique est recommandée en prévention chez les hommes âgés de 40 ans et plus et chez les femmes ménopausées ou âgées de 50 ans et plus ainsi qu'à l'occasion d'un diagnostic de diabète, ou chez tout autre client présentant des facteurs de risque familiaux (Genest, McPherson, Frohlich *et al.*, 2009). Ce bilan doit aussi être fait lorsqu'un événement cardiovasculaire aigu se produit (Genest *et al.*, 2009).

CE QU'IL FAUT RETENIR

Une hausse de LDL est fortement et directement associée aux coronaropathies. À l'inverse, une augmentation de HDL est plutôt associée à une diminution du risque de coronaropathie.

CE QU'IL FAUT RETENIR

Une analyse du profil lipidique comporte des mesures du cholestérol, des triglycérides, des LDL et des HDL. Un taux élevé de HDL est souhaitable.

L'augmentation des taux de triglycérides est associée au syndrome métabolique et à la progression des coronaropathies. Il existe bien une association entre un niveau élevé de cholestérol sérique et les coronaropathies, mais mesurer le taux total de cholestérol est insuffisant pour évaluer les coronaropathies. Le risque de coronaropathie est évalué en comparant le rapport entre le cholestérol total et les HDL au fil du temps ; une augmentation du rapport indique une hausse du risque. Cette combinaison produit davantage d'information que chacune des valeurs prises isolément. Le client doit être à jeun (entre 12 et 14 heures) avant le prélèvement sanguin effectué pour une analyse des lipides afin d'éliminer les effets d'un repas récent.

Les apolipoprotéines (Apo) constituent la composante protéique des lipoprotéines. Deux catégories d'Apo en particulier, les Apo-A et les Apo-B sont d'intérêt du fait de leur impact sur la régulation du cholestérol dans l'organisme. Les Apo-A permettent le transport du cholestérol des tissus vers le foie où il pourra être éliminé. Tandis que les Apo-B transportent le « mauvais cholestérol ». Les taux plasmatiques Apo A-1 et Apo B prédisent mieux le risque de coronaropathie que le taux de cholestérol des HDL ou des LDL (Malarkey & McMorrow, 2012).

Phospholipase A_2 associée à une lipoprotéine

La phospholipase A_2 associée à une lipoprotéine (Lp-PLA_2) est une enzyme libérée par les macrophages. La Lp-PLA_2 favorise l'inflammation vasculaire dans l'intima des vaisseaux sanguins, ce qui contribue directement à l'apparition de l'athérosclérose. Des niveaux élevés de Lp-PLA_2 sont indicatifs d'une inflammation vasculaire associée à la formation de plaques dans les artères et d'un risque augmenté de maladies cardiovasculaires (The Lp-PLA_2 Studies Collaboration, 2010).

Les taux sériques de la Lp-PLA_2 élevés, même sans augmentation du taux de cholestérol à LDL, a été associé à un risque accru de coronaropathie.

43

Le chapitre 43, *Interventions cliniques – Arythmie*, présente une analyse complète du monitorage par électrocardiogramme.

Radiographie pulmonaire

Une image radiographique montre les contours des structures cardiaques, la taille du cœur et sa configuration, ainsi que les changements anatomiques de chaque cavité **FIGURE 39.13**. Elle enregistre tout déplacement ou toute augmentation du volume du cœur, la présence de fluide excédentaire autour du cœur (épanchement péricardique) et la congestion pulmonaire.

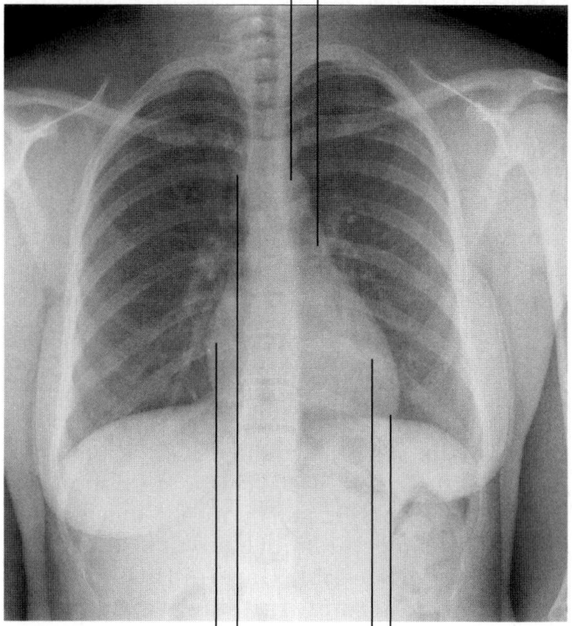

Électrocardiogramme

Les ondes de base P, QRS et T sont utilisées pour évaluer la fonction cardiaque **FIGURE 39.4B**. Les déviations du rythme sinusal normal peuvent indiquer la présence d'anomalies dans la fonction cardiaque. Il existe plusieurs types de monitorage

FIGURE 39.13 Radiographie pulmonaire – Vue standard postérieure-antérieure

(aussi appelé surveillance ou *monitoring*) par électrocardiogramme, y compris l'ECG au repos, l'ECG ambulatoire et l'examen d'effort ou de résistance au stress.

L'ECG au repos aide à déceler, à un moment donné, les anomalies de conduction primaires, les arythmies cardiaques, l'hypertrophie cardiaque, la péricardite, l'ischémie myocardique, l'emplacement et l'importance de l'infarctus du myocarde, le fonctionnement du stimulateur naturel du cœur (*pacemaker*) et l'efficacité de la pharmacothérapie. Il est également utilisé pour surveiller la guérison d'un infarctus du myocarde ▶ 43. L'ECG au repos permet aussi de déceler des troubles électrolytiques (p. ex., l'hyperkaliémie et l'hypokaliémie, l'hypercalcémie).

Monitorage ambulatoire de type Holter

Un ECG ambulatoire continu (méthode de Holter) fournit de l'information sur une plus longue période qu'un ECG au repos standard. En observant l'activité électrique du cœur, le Holter détecte et enregistre les arythmies isolées qui ne sont pas systématiquement visualisées à l'ECG. Des électrodes sont installées sur la peau qui sont connectées avec un petit enregistreur portatif. Les périodes d'enregistrement sont généralement de 24 à 48 heures durant lesquelles la personne note ses symptômes et activités.

Enregistreur d'événements ou moniteur implantable

Un enregistreur d'événements ou moniteur implantable peut être utile pour surveiller par ECG les événements moins fréquents. Il s'agit d'un appareil portatif qui utilise des électrodes pour stocker un nombre limité de données de l'ECG après avoir été déclenché par le client. Ce type de monitorage comporte un désavantage : si l'événement se produit pendant un court laps de temps, les symptômes risquent de disparaître avant que le client ait pu déclencher l'appareil. De même, un client extrêmement symptomatique (p. ex., qui fait des syncopes) peut être incapable physiquement de déclencher l'enregistrement de l'ECG.

Un moniteur implantable peut être utilisé pour une personne qui souffrirait d'une arythmie grave et rare telle qu'une tachycardie ventriculaire ou une fibrillation ventriculaire. Le petit enregistreur est implanté en faisant une petite incision dans la paroi de la cage thoracique. L'enregistreur est mis en marche soit par la personne elle-même au moyen d'un dispositif à distance, soit automatiquement lorsque la fréquence cardiaque est supérieure ou inférieure à un nombre de battements donné.

Épreuve d'effort ou de résistance au stress

Les symptômes cardiaques ne se produisent souvent que lorsqu'une activité produit un déséquilibre entre la demande et l'apport d'O_2 au myocarde par les artères coronaires. L'épreuve d'effort est une méthode utilisée pour évaluer la réponse cardiovasculaire au stress physique. Elle aide à évaluer les maladies cardiovasculaires et à déterminer les limites des programmes d'exercice. Cette épreuve est appropriée pour les personnes qui peuvent marcher ou utiliser une bicyclette, et celles qui n'ont pas un ECG normal limitant l'interprétation diagnostique parce qu'elles portent, par exemple, un stimulateur cardiaque.

Échocardiographie

L'échocardiographie, ou l'échographie cardiaque, utilise des ultrasons pour enregistrer le mouvement des structures du cœur. Dans le cas d'un cœur normal, les ultrasons dirigés vers le cœur sont réfléchis sous forme de configurations types **FIGURE 39.14**. Une échocardiographie de contraste nécessite l'injection intraveineuse d'une substance de contraste (p. ex., des microbulles d'albumine, une solution saline agitée) pour aider à délimiter les images, surtout chez les personnes présentant une difficulté technique (p. ex., une personne obèse, la vérification de la présence d'un caillot dans une cavité cardiaque).

L'échocardiogramme fournit des renseignements sur les anomalies relatives : 1) à la structure et au mouvement valvulaires ; 2) à la taille et au contenu de la cavité cardiaque ; 3) au muscle ventriculaire ainsi qu'au mouvement et à l'épaisseur du septum ; 4) au feuillet pariétal ; 5) à l'aorte descendante. Il peut aussi mesurer approximativement la **fraction d'éjection (F.E.)** ou le pourcentage du volume de sang en fin de diastole qui est éjecté pendant la systole. La fraction d'éjection renseigne sur la fonction du ventricule gauche pendant la systole.

> **Jugement clinique**
>
> François Lambert a manifesté un premier épisode de fibrillation auriculaire à l'âge de 49 ans. Depuis ce temps, il prend de la propafénone (Rythmol[MD]) 300 mg b.i.d. Malgré cela, il a recommencé à sentir que son cœur battait irrégulièrement à certains moments de la journée. Quel examen paraclinique serait le plus approprié pour évaluer la fréquence et le type d'arythmies que monsieur Lambert présente ?

Les deux électrocardiogrammes les plus utilisés sont l'échocardiogramme en mode temps-mouvement (TM) et l'échocardiogramme bidimensionnel (ou à deux dimensions [2D] ou de surbrillance). En mode TM, un seul faisceau ultrasonore est dirigé vers le cœur, enregistre les mouvements des structures cardiaques et détecte l'épaisseur des parois et la taille des cavités. L'échocardiogramme bidimensionnel fait glisser le faisceau ultrasonore à travers un arc, ce qui crée une vue en coupe transversale et montre les bonnes relations spatiales entre les structures.

La technique doppler permet d'évaluer le son produit par la circulation ou le mouvement de l'organe ou de l'élément visualisé (valvules cardiaques, parois ventriculaires et circulation sanguine). La technique de l'imagerie couleur (2D et doppler) combine l'échographie 2D et la technique doppler. Elle utilise les changements de couleur pour illustrer la vitesse et la direction de la circulation sanguine. Elle permet de diagnostiquer plus efficacement les conditions pathologiques comme les fuites valvulaires et les déficiences congénitales.

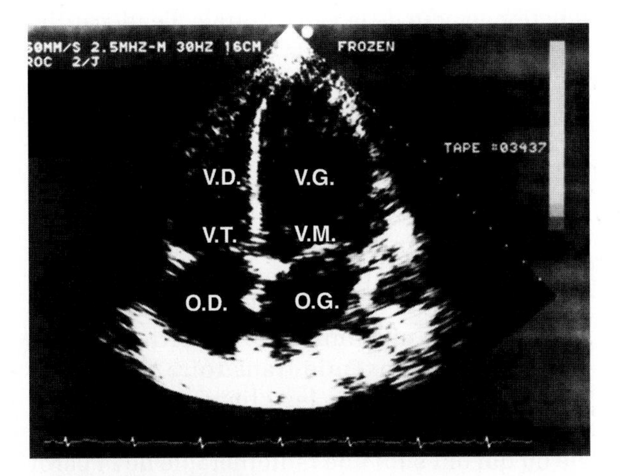

FIGURE 39.14 Vue échocardiographique bidimensionnelle des quatre cavités du cœur chez une personne normale – O.G. : oreillette gauche ; V.G. : ventricule gauche ; V.M. : valvule mitrale ; O.D. : oreillette droite ; V.D. : ventricule droit ; V.T. : valvule tricuspide

41

Pour plus d'information sur les maladies coronariennes, consultez le chapitre 41, *Interventions cliniques – Coronaropathie et syndrome coronarien aigu.*

CE QU'IL FAUT RETENIR

L'ETO est souvent utilisée pour évaluer le dysfonctionnement de la valve mitrale, l'endocardite bactérienne, la présence de thrombus avant la cardioversion ou la source d'une embolie cardiaque.

L'échocardiographie tridimensionnelle (3D) en temps réel est une nouvelle technique informatique qui, à l'aide de multiples images échographiques bidimensionnelles, fournit une reconstruction du cœur. Elle procure des données précises sur les structures du cœur et sur les changements que celles-ci subissent pendant le cycle cardiaque.

Une échocardiographie d'effort, qui combine l'épreuve du tapis roulant et l'imagerie ultrasonore, évalue les anomalies segmentaires du mouvement des parois. Un système informatique numérique qui compare les images avant et après l'effort permet de voir clairement le mouvement des parois et la fonction segmentaire. Grâce à cet examen paraclinique, tous les renseignements fournis par une épreuve d'effort et un échocardiogramme sont obtenus. Pour les personnes qui ne peuvent pas faire d'exercice, une perfusion d'un agent pharmacologique – en général de la dobutamine ou du dipyridamole (Persantine[MD]) – qui cause un stress pharmacologique au cœur est installée pendant que le client est au repos.

L'échocardiographie transœsophagienne (ETO) est employée pour obtenir une échocardiographie plus précise du cœur que l'échocardiographie bidimensionnelle en éliminant l'interférence de la paroi de la cage thoracique et des poumons. Cette technique fait appel à une sonde endoscopique modifiée et flexible qui se termine par un transducteur ultrasonore produisant des images du cœur et des gros vaisseaux. La sonde est introduite dans l'œsophage à la hauteur du cœur et permet d'obtenir une échocardiographie en mode TM, 2D, doppler pulsé et imagerie couleur.

L'ETO est souvent utilisée pour évaluer le dysfonctionnement de la valve mitrale, l'endocardite bactérienne, la présence de thrombus avant la cardioversion ou la source d'une embolie cardiaque. Elle sert aussi en salle d'opération pour évaluer la fonction cardiaque avant et après la chirurgie, et aux urgences, lorsqu'un anévrisme disséquant est soupçonné.

L'ETO comporte peu de risques. Il existe tout de même des complications possibles, comme la perforation ou déchirure de l'œsophage, l'hémorragie, les arythmies, les réactions vasovagales et l'hypoxémie transitoire. L'ETO est contre-indiquée chez les clients qui ont déjà souffert de troubles œsophagiens, d'une dysphagie ou qui ont subi une radiothérapie de la paroi thoracique. La personne reçoit un sédatif pendant une ETO.

Cardiologie nucléaire

L'angiocardiographie isotopique à l'équilibre est l'une des techniques d'imagerie nucléaire les plus souvent utilisées. Elle fournit de l'information sur le mouvement des parois pendant la systole et la diastole, sur les valves cardiaques et sur la fraction d'éjection.

L'imagerie de perfusion pendant une épreuve d'effort est aussi utilisée pour déterminer si le débit coronarien varie avec l'augmentation de l'activité. Les images obtenues pendant l'effort peuvent révéler des anomalies même si les images au repos sont normales. Ce procédé permet de déceler les coronaropathies, d'établir le pronostic des maladies coronariennes déjà diagnostiquées, de différencier un myocarde viable du tissu cicatriciel et d'évaluer l'efficacité de différentes interventions, comme un pontage coronarien ou une intervention coronarienne percutanée ▶ 41.

L'imagerie de perfusion pendant une épreuve d'effort est la technique préférée, mais si une personne ne tolère pas l'effort, une perfusion intraveineuse (I.V.) de dipyridamole ou d'adénosine (Adenocard[MD]) lui est administrée pour dilater les artères coronaires et stimuler ainsi les effets de l'effort. Une fois que le vasodilatateur fait effet, un isotope est injecté et l'intervention débute.

Imagerie par résonance magnétique

L'imagerie par résonance magnétique (IRM) permet de déceler et de localiser en trois dimensions les zones atteintes par un infarctus du myocarde, mais elle n'est pas utilisée à une grande échelle en raison de la taille des appareils et de leur coût. Elle est suffisamment sensible pour trouver même des petits infarctus du myocarde non apparents à la gammatomographie (technique d'imagerie nucléaire tomographique) et elle peut aider au diagnostic définitif d'un infarctus du myocarde et à l'évaluation d'une fraction d'éjection. Elle joue également un rôle dans la prédiction de la guérison après un infarctus du myocarde et dans le diagnostic de troubles cardiaques et aortiques congénitaux. Sa valeur dans le diagnostic des coronaropathies est encore à l'étude. Les forces magnétiques présentes dans l'environnement de l'IRM sont une source d'inquiétude pour les personnes ayant un stimulateur cardiaque ou un défibrillateur cardioverteur implantable, car les aimants modifient le fonctionnement de ces appareils **FIGURE 39.15**.

Tomodensitométrie

La tomodensitométrie (TDM) est une technique d'imagerie du cœur qui utilise la tomographie assistée par ordinateur avec ou sans contraste

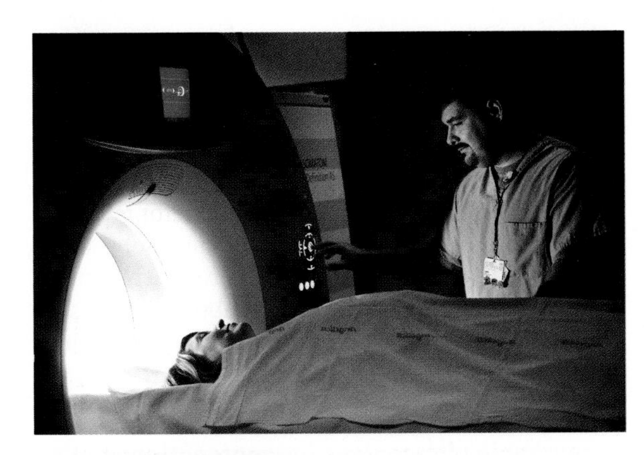

FIGURE 39.15 Appareil d'imagerie par résonance magnétique

intraveineux (colorant) pour voir l'anatomie du cœur, la circulation coronarienne et les grands vaisseaux sanguins (p. ex., l'aorte, les veines pulmonaires et les artères) **FIGURE 39.16**. Cette méthode est désignée sous le nom de tomodensitomètre à détecteurs multiples. Les types de tomodensitomètres utilisés pour le diagnostic des troubles cardiaques comprennent l'angiographie par TDM et la tomodensitométrie cardiaque.

Étant non effractive, l'angiographie par TDM peut être exécutée plus rapidement qu'un cathétérisme du cœur et avec potentiellement moins de risques et d'inconfort pour le client. Même si l'angiographie par TDM est de plus en plus fréquente, le cathétérisme cardiaque (dont il est question dans la section suivante) demeure le modèle par excellence pour détecter une sténose des artères coronaires. En outre, lorsqu'il est indiqué de procéder à un cathétérisme cardiaque, il est aussi possible d'effectuer des interventions thérapeutiques (p. ex., l'angioplastie, la mise en place d'une endoprothèse vasculaire) lorsqu'une sténose des artères coronaires a été diagnostiquée.

La tomodensitométrie cardiaque est utilisée pour détecter les dépôts calciques trouvés dans les plaques d'athérosclérose dans les artères coronaires. La méthode la plus utilisée est la tomodensitométrie à faisceau d'électrons (TFE). Elle permet de déceler la calcification coronaire précoce avant que les symptômes n'apparaissent.

39.3.2 Approches effractives

Cathétérisme cardiaque et angiographie coronarienne

Le cathétérisme cardiaque est une intervention courante pratiquée en externe **FIGURE 39.17**. Elle renseigne sur les coronaropathies, les spasmes coronariens, les maladies cardiaques congénitales et valvulaires ainsi que la fonction ventriculaire. Elle est également utilisée pour mesurer les pressions intracardiaques et les niveaux d'O_2, ainsi que le débit cardiaque et la fraction d'éjection. Grâce à l'injection de substances de contraste et à la radioscopie, les artères coronaires et les cavités du cœur peuvent être visualisées, et les mouvements des parois peuvent être observés.

CE QU'IL FAUT RETENIR

Le cathétérisme cardiaque est une intervention courante pratiquée en externe, qui renseigne entre autres sur les coronaropathies ou les spasmes coronariens.

Un cathétérisme cardiaque s'effectue par l'insertion d'un cathéter radio-opaque dans le côté droit ou gauche du cœur. Pour le côté droit du

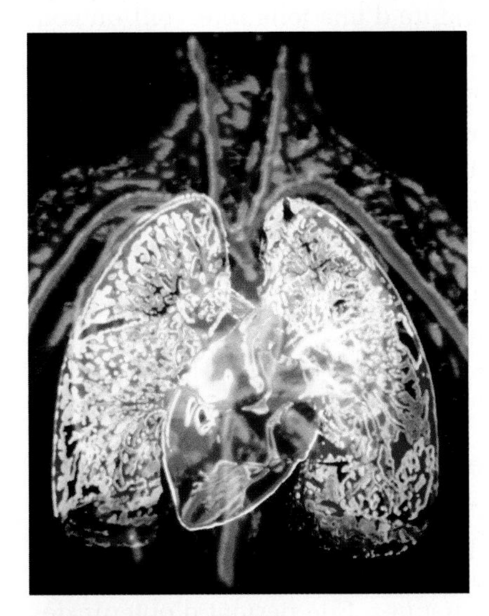

FIGURE 39.16 Circulation coronarienne et grands vaisseaux sanguins vus par tomographie par ordinateur.

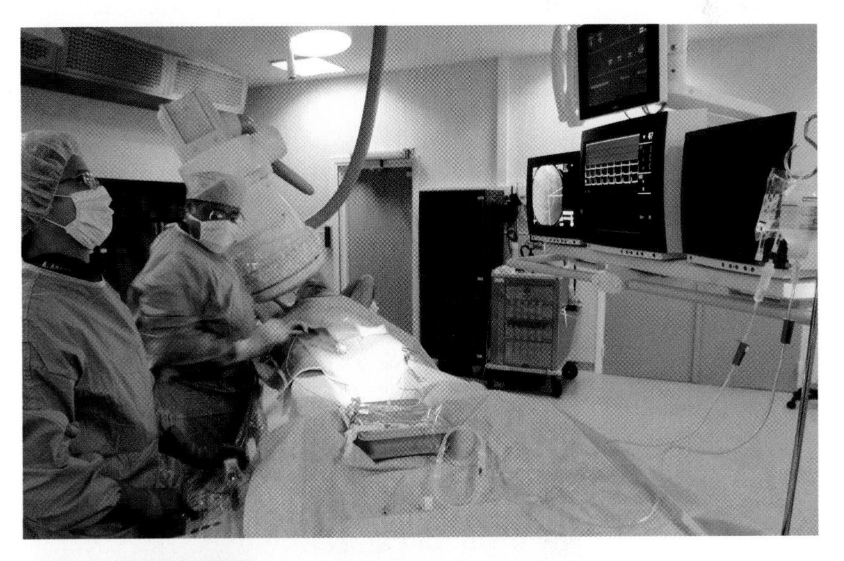

FIGURE 39.17 Examen par cathétérisme cardiaque

Jugement clinique

Paul Raymond, 58 ans, est en attente d'une coronarographie à la suite de son hospitalisation pour des douleurs à la poitrine. Il a déjà été informé du déroulement de cet examen et dit en comprendre les exigences (jeûne de 6 à 18 heures avant l'examen, prise d'un sédatif et anesthésie locale). Quelle information supplémentaire devez-vous obtenir auprès de monsieur Raymond avant que celui-ci parte pour sa coronarographie?

cœur, le cathéter est inséré dans une veine du bras (veine basilique ou veine céphalique) ou de la jambe (veine fémorale). Le cathéter est poussé jusqu'à la veine cave, introduit dans l'oreillette droite, puis dans le ventricule droit. Il est ensuite inséré dans l'artère pulmonaire où la pression est enregistrée, puis il est poussé jusqu'à ce qu'il soit bloqué dans sa position. La position bloquée dans les artères pulmonaires, soit la pression capillaire bloquée, obstrue la circulation et la pression du côté droit du cœur et elle permet d'observer, à travers le lit des capillaires pulmonaires, la pression du côté gauche du cœur. La pression capillaire bloquée est utilisée pour vérifier la fonction du côté gauche du cœur.

L'intervention du côté gauche consiste à insérer un cathéter dans l'artère fémorale, humérale ou radiale. Le cathéter est passé par voie rétrograde dans l'aorte, puis à travers la valvule aortique et, finalement, dans le ventricule gauche.

Coronarographie

La **coronarographie** est effectuée en même temps que le cathétérisme cardiaque gauche. Le cathéter est inséré dans l'ouverture des artères coronaires **FIGURE 39.3**, puis une substance de contraste est injectée. Le client peut alors ressentir une bouffée de chaleur. Les images fluoroscopiques permettent de déterminer l'emplacement et la gravité de toute lésion coronaire **FIGURE 39.18**. Le cathétérisme cardiaque constitue le modèle par excellence en matière d'imagerie coronaire.

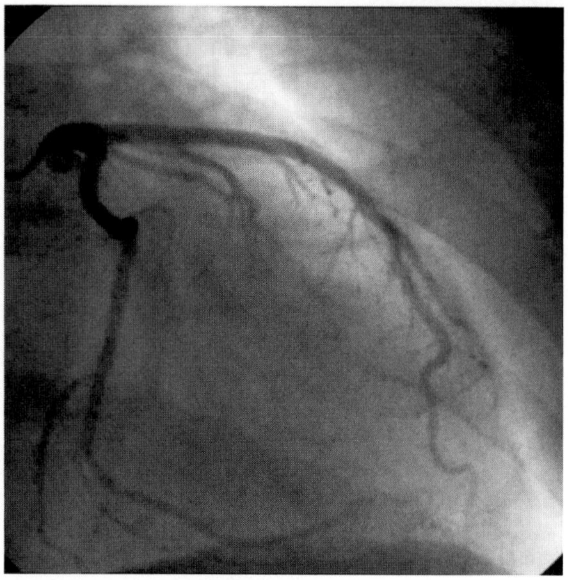

FIGURE 39.18 Angiogramme de l'artère coronaire gauche

Parmi les complications du cathétérisme cardiaque figurent le saignement ou l'hématome au site de ponction, les réactions allergiques aux substances de contraste, la torsion ou le bris du cathéter, les infections, la formation d'un thrombus, l'anévrisme disséquant, l'infarctus du myocarde, l'AVC, la perforation des ventricules, de la cloison cardiaque ou des tissus pulmonaires et, rarement, le décès.

Échographie ultrasonique intracoronarienne

L'échographie ultrasonique intracoronarienne, aussi appelée échographie ultrasonique intravasculaire, est une intervention effractive effectuée au laboratoire de cathétérisme en même temps que la coronarographie. Les images ultrasoniques en deux ou trois dimensions fournissent une vue en coupe transversale des parois des artères coronaires. Le procédé consiste à fixer un transducteur miniature à un petit cathéter qui est introduit et poussé jusqu'à l'artère à examiner. Des images ultrasoniques sont obtenues, et l'état des couches artérielles est évalué, c'est-à-dire la composition, l'emplacement et l'épaisseur de toute plaque. L'échographie ultrasonique intracoronarienne permet d'évaluer la réaction des vaisseaux à des traitements comme la mise en place d'une endoprothèse vasculaire ou une athérectomie, ainsi que toute complication pouvant s'être produite pendant l'intervention. Étant donné que le client subit le plus souvent une échographie ultrasonique intracoronarienne en plus de l'angiographie ou d'une intervention coronaire, les soins infirmiers à la suite d'une telle intervention sont semblables à ceux qui sont requis par suite d'un cathétérisme cardiaque.

Fraction du flux de réserve coronaire

La fraction du flux de réserve coronaire est un procédé appliqué pendant un cathétérisme coronaire spécial qui consiste à mesurer la pression et le flux dans les artères coronaires à l'aide d'un fil spécial. Elle est utile pour déterminer la nécessité d'effectuer une angioplastie ou d'implanter une endoprothèse vasculaire pour des blocages peu importants.

Examen électrophysiologique

L'examen électrophysiologique consiste en l'étude et en la manipulation directe de l'activité électrique du cœur à l'aide d'électrodes posées dans les cavités cardiaques. Elle permet d'obtenir des renseignements sur la fonction du nœud SA, la conduction du nœud AV et la conduction ventriculaire. Elle est particulièrement utile pour reconnaître la source des arythmies et déterminer leur traitement. Les clients qui ont des antécédents de tachycardie supraventriculaire ou ventriculaire symptomatique peuvent être exposés à une mort cardiaque soudaine. L'information recueillie durant cet examen peut aider à obtenir un diagnostic précis et à prendre les décisions appropriées en matière de traitement.

Les cathéters sont insérés de la même façon que pour le cathétérisme cardiaque droit, puis positionnés dans des structures anatomiques spécifiques du cœur pour qu'ils y enregistrent l'activité électrique. Les soins infirmiers prodigués après l'examen électrophysiologique ressemblent à ceux qui sont donnés après un cathétérisme cardiaque et comportent le monitorage continu par ECG et l'évaluation fréquente des signes vitaux et du site de ponction.

Mesures des pressions et du débit sanguin

Débit sanguin dans les vaisseaux périphériques

L'échographie doppler est utile pour diagnostiquer les maladies provoquant l'occlusion des vaisseaux périphériques et la thrombophlébite. Le débit sanguin dans les vaisseaux périphériques peut être évalué en injectant une substance de contraste dans les artères ou les veines appropriées (artériographie ou phlébographie). Ces examens permettent de repérer les occlusions artérielles ou les anomalies dans les veines ▶ 45.

Les vaisseaux périphériques sont expliqués plus en détail dans le chapitre 45, *Interventions cliniques – Troubles vasculaires.*

Surveillance hémodynamique

La surveillance hémodynamique des pressions du système cardiovasculaire est utilisée au chevet du client pour évaluer son état cardiovasculaire et sa réaction aux interventions. Une surveillance hémodynamique effractive à l'aide de cathéters intra-artériels ou artériels pulmonaires peut être utilisée dans certains cas, par exemple après une chirurgie cardiaque ou au moment d'un infarctus aigu massif pour surveiller la P.A., les pressions intracardiaques et le débit cardiaque. La pression veineuse centrale (PVC) mesure la précharge et peut servir à mesurer la pression dans l'oreillette droite ▶ 49.

Le chapitre 49, *Interventions cliniques – Soins en phase critique,* présente une analyse en profondeur de la surveillance hémodynamique.

Chapitre 40

INTERVENTIONS CLINIQUES

Hypertension artérielle

Écrit par:
Elisabeth G. Bradley, RN, MS, ACNS-BC

Adapté par:
Hugues Provencher-Couture, M. Sc., IPSC
Jean-Dominic Rioux, M. Sc., IPSC

Mis à jour par:
Annick Jutras, inf., M. Sc.
Caroline Lemay, inf., M. Sc.

MOTS CLÉS

Crise hypertensive 597
Encéphalopathie hypertensive....... 597
Hypertension artérielle (HTA) 572
Hypertension artérielle primaire 572
Hypertension artérielle secondaire........................... 573
Hypertension résistante au traitement......................... 590
Poussée hypertensive 597
Pression artérielle (P.A.) 568
Régime alimentaire DASH 579
Résistance vasculaire systémique (RVS) 568
Système rénine-angiotensine-aldostérone (SRAA).................. 571
Urgence hypertensive 597

OBJECTIFS

Après avoir étudié ce chapitre, vous devriez être en mesure:

- de démontrer les relations entre les mécanismes physiopathologiques associés à l'hypertension artérielle primaire, les manifestations de celle-ci et ses complications cliniques;
- de déterminer les stratégies appropriées pour prévenir l'hypertension artérielle primaire;
- de décrire les processus de soins en interdisciplinarité à appliquer aux personnes atteintes d'hypertension artérielle ainsi que la médication à prendre et les changements à apporter aux habitudes de vie;
- d'expliquer les soins et traitements à appliquer chez les personnes âgées atteintes d'hypertension artérielle;
- d'établir un ordre de priorité dans les soins et traitements à offrir à un client atteint d'hypertension artérielle;
- de décrire les interventions en interdisciplinarité à effectuer pour un client en crise hypertensive.

Disponible sur 

- Animation
- À retenir
- Carte conceptuelle
- Pour en savoir plus
- Solutionnaire de l'Analyse d'une situation de santé
- Solutionnaire des questions de Jugement clinique
- Solutionnaire des questions Réactivation des connaissances
- Solutionnaire des questions Récemment vu dans ce chapitre
- Solutionnaires du Guide d'études

Concepts clés

Cette carte conceptuelle illustre schématiquement les principaux concepts décrits dans le présent chapitre. Sa lecture vous permettra d'avoir une vue d'ensemble des notions qui y sont présentées.

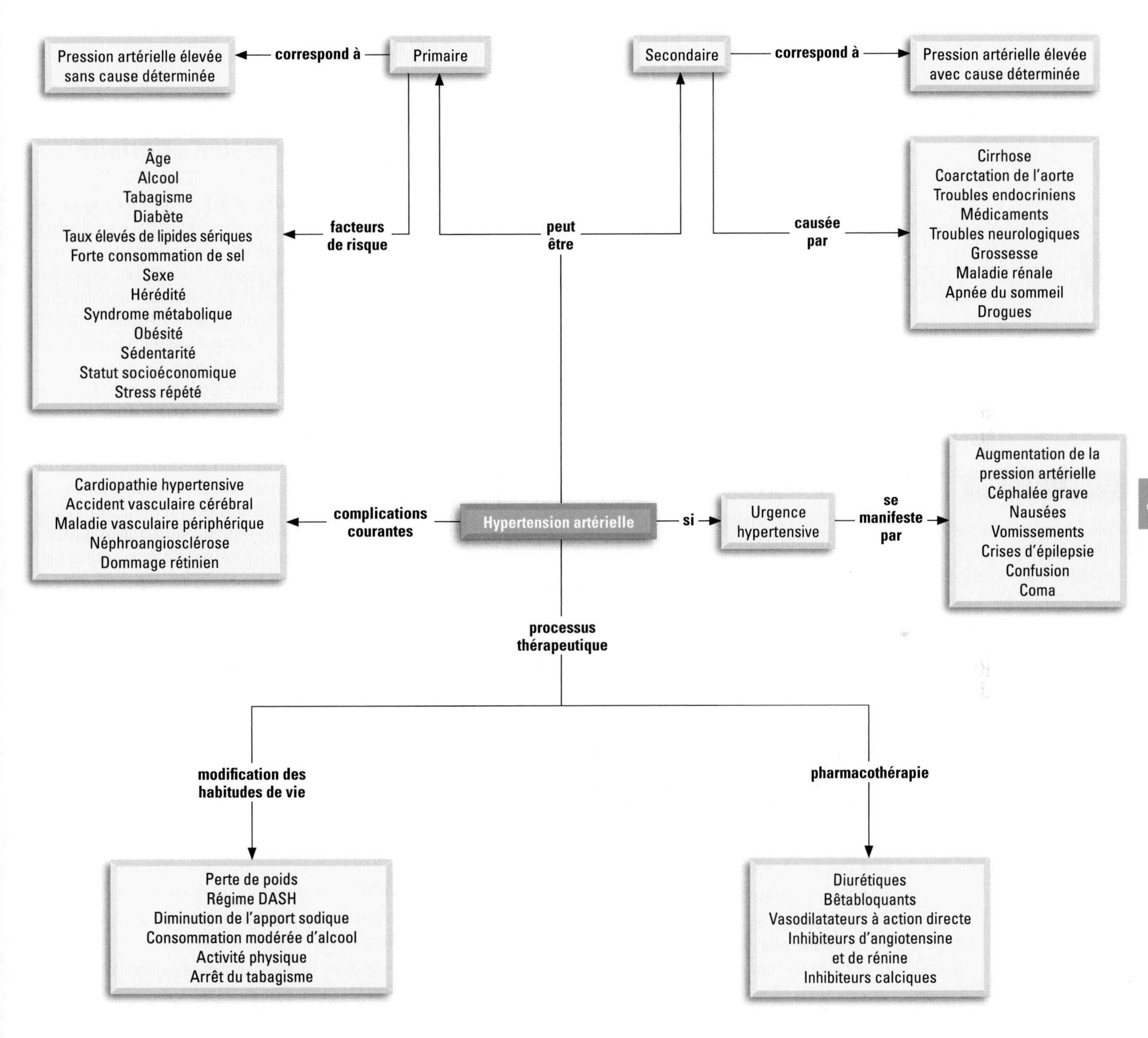

40.1 Généralités

L'hypertension artérielle (HTA) se définit comme étant une pression artérielle élevée, et elle constitue un important problème médical et de santé publique. Au Canada, plus de 7,4 millions de personnes souffrent d'hypertension artérielle (Hypertension Canada, 2015). En 2007, 22,7 % de la population adulte a reçu un diagnostic médical d'HTA. Étant donné qu'environ 17 % des personnes hypertendues ignorent leur état, la prévalence réelle est probablement plus élevée (Agence de la santé publique du Canada [ASPC], 2013). Le risque d'être atteint d'hypertension artérielle augmente avec l'âge. Un lien direct est observé entre l'HTA et les maladies cardiovasculaires, les infarctus du myocarde, les défaillances cardiaques, les accidents vasculaires cérébraux (AVC) et les atteintes rénales (National Heart, Lung, and Blood Institute [NHLBI], 2004).

www.hypertension.ca

L'HTA est souvent asymptomatique. C'est pourquoi Hypertension Canada recommande à tous les adultes de faire vérifier annuellement leur pression artérielle afin de dépister toute anomalie et d'instaurer un traitement rapidement. En 1999, le Programme éducatif canadien sur l'hypertension (PECH) a été créé dans le cadre d'une amélioration de la prise en charge de l'HTA. Depuis le lancement du PECH, le taux d'utilisation des traitements antihypertenseurs s'est amélioré. Au pays, le traitement de l'HTA chez les différents groupes ethniques exige une attention particulière de la part des professionnels de la santé. Les facteurs responsables d'une pression artérielle élevée comprennent notamment des facteurs de risque associés à des conditions socioéconomiques et aux différences ethniques (Assembly of First Nations, 2007 ; Bruce, Riediger, Zacharias *et al.*, 2001 ; Go, Mozaffarian, Roger *et al.*, 2013 ; Humes, Jones & Ramirez, 2011.) **TABLEAU 40.1**. Des différences sont également observées entre les hommes et les femmes (Mosca, Benjamin, Berra *et al.*, 2011) **TABLEAU 40.2**.

CE QU'IL FAUT RETENIR

Souvent asymptomatique, l'HTA est un important problème de santé publique, associé aux maladies cardiovasculaires, aux infarctus du myocarde, aux AVC et aux atteintes rénales.

40.2 Régulation normale de la pression artérielle

La **pression artérielle (P.A.)** est la force exercée par le sang sur la paroi des vaisseaux sanguins. Elle doit être suffisante afin de maintenir une irrigation adéquate des tissus durant les périodes d'activité et de repos. Le maintien d'une P.A. normale et de l'irrigation des tissus nécessite l'intégration combinée des facteurs systémiques et des effets vasculaires périphériques locaux. La P.A. dépend d'abord du débit cardiaque et de la résistance vasculaire systémique **FIGURE 40.1**.

Le **débit cardiaque (D.C.)** se définit comme étant le volume de sang total qui s'écoule par minute dans la circulation systémique et pulmonaire. Ce volume correspond au volume d'éjection systolique à chaque battement du ventricule gauche (70 mL environ) multiplié par la fréquence cardiaque (F.C.) pendant une minute.

La **résistance vasculaire systémique (RVS)** est la force qui s'oppose au déplacement du sang dans les vaisseaux ; c'est le diamètre des petites artères et des artérioles ainsi que l'élasticité de ces vaisseaux

Soins infirmiers interculturels

TABLEAU 40.1 Hypertension artérielle

AFRO-AMÉRICAINS	AUTOCHTONES
• Ils présentent la plus forte prévalence d'HTA dans le monde. • Ils sont atteints d'HTA à un plus jeune âge que les Blancs. • La fréquence de l'HTA est plus forte chez la femme que chez l'homme ; plus de 75 % des femmes noires âgées de plus de 75 ans sont hypertendues. • Ils souffrent d'une forme plus agressive de l'HTA qui cause davantage de lésions aux organes cibles. • Le taux de mortalité attribuable à l'HTA est plus élevé chez les Afro-américains que chez les Blancs. • Cette population produit moins de rénine et ne répond pas bien aux inhibiteurs de la rénine. Elle répond mieux aux inhibiteurs calciques et aux diurétiques. • Ils sont à risque plus élevé d'angiœdème (œdème de Quincke) associé à la prise d'inhibiteurs de l'enzyme de conversion de l'angiotensine (IEAC) que les Blancs.	• Ils sont 1,5 fois plus susceptibles d'être atteints d'HTA que le reste de la population canadienne. • Ils sont atteints d'HTA à un plus jeune âge que les Blancs. • Ils souffrent davantage d'obésité (le pourcentage d'adultes étant en excès de poids ou obèse est passé au cours de la dernière décennie de 66,7 à 73,7 %), laquelle est un facteur de risque de l'HTA (Garriguet, 2008). • Ils ont un risque de voir se développer une maladie cardiovasculaire de 1,5 à 2 fois plus élevé que le reste de la population canadienne. • Ils ont moins accès aux services essentiels prodigués par des professionnels de la santé.

Différences hommes-femmes

TABLEAU 40.2 Hypertension artérielle

HOMMES	FEMMES
• Avant l'âge de 45 ans, l'HTA est plus courante chez les hommes que chez les femmes. • Les hommes hypertendus sont plus susceptibles de subir un infarctus du myocarde qu'un AVC.	• Après l'âge de 64 ans, l'HTA est plus courante chez les femmes que chez les hommes. • Les femmes hypertendues sont plus susceptibles de subir un AVC qu'un infarctus du myocarde. • Une partie de l'augmentation de la P. A. chez les femmes serait due à des facteurs liés à la ménopause, notamment l'arrêt de production d'œstrogènes, la surproduction d'hormones hypophysaires et la prise de poids. • Une toux due à l'inhibiteur de l'enzyme de conversion de l'angiotensine de même qu'une hyponatrémie engendrée par des diurétiques sont plus fréquemment observées chez les femmes. • La fréquence de l'HTA est de deux à trois fois plus courante chez les femmes qui prennent des contraceptifs oraux que chez celles qui n'en prennent pas. Elle est aussi plus élevée chez les femmes obèses. Les effets hypertensifs sont généralement observés au début de l'utilisation des contraceptifs oraux ou lorsque la posologie est modifiée. • Un antécédent de préeclampsie peut être un signe précurseur de maladie cardiovasculaire.

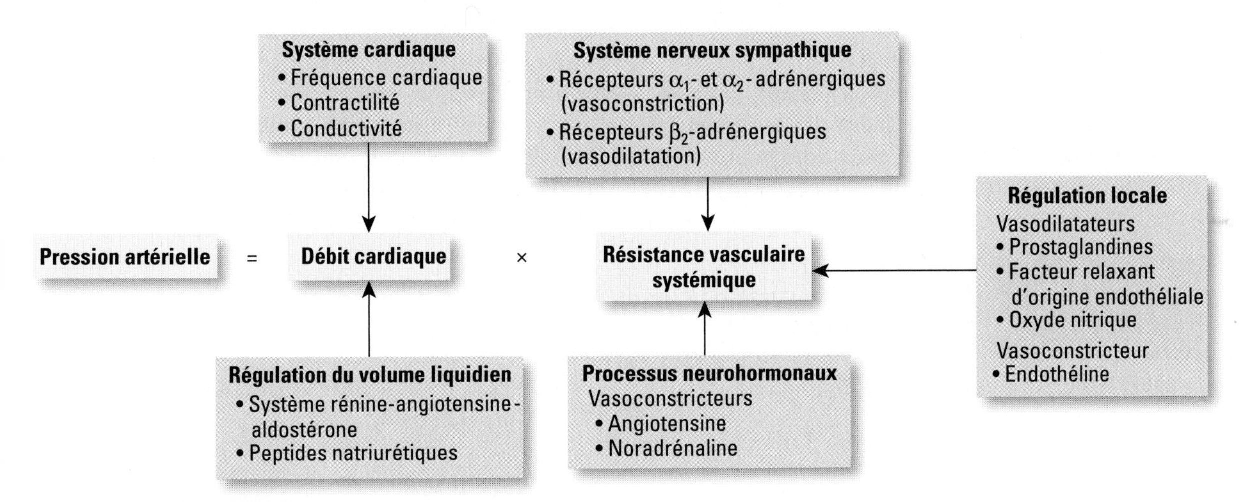

FIGURE 40.1 Facteurs influençant la pression artérielle – L'hypertension artérielle se manifeste lorsqu'un ou plusieurs des mécanismes de régulation de la pression artérielle sont défectueux.

qui sont les principaux facteurs responsables. C'est ainsi que toute faible modification du diamètre des artérioles entraîne un changement important de la RVS. Si cette dernière augmente et que le débit cardiaque demeure constant ou qu'il augmente, la P.A. augmente en conséquence.

Les mécanismes de régulation de la P.A. peuvent être soit le D.C., soit la RVS, ou les deux à la fois. La régulation de la P.A. est un processus complexe qui implique des mécanismes de courte durée, allant de quelques secondes à quelques heures, et des mécanismes de longue durée, s'étalant sur des jours et des semaines. Les mécanismes de courte durée faisant participer le système nerveux sympathique et l'endothélium vasculaire sont activés en quelques secondes. Les mécanismes de longue durée comprennent des processus rénaux et hormonaux qui régulent la résistance des artérioles et le volume sanguin. Chez une personne en santé, l'activité de ces mécanismes de régulation s'effectue selon les demandes de l'organisme.

40.2.1 Système nerveux sympathique

À la suite d'une baisse de la P.A., le système nerveux réagit en quelques secondes en stimulant d'abord le système nerveux sympathique (SNS), ce

CE QU'IL FAUT RETENIR

La régulation de la P.A. est un processus complexe impliquant des mécanismes de courte et de longue durée.

qui fait augmenter la P.A. Une augmentation de l'activité du SNS augmente la fréquence cardiaque et la force de contraction du cœur, et provoque une vasoconstriction générale des artérioles périphériques. Elle favorise en outre la libération de rénine par les reins. L'effet global de l'activation du SNS est d'augmenter la P.A. en augmentant à la fois le D.C. et la RVS.

Des cellules nerveuses spécialisées appelées barorécepteurs sont présentes dans les artères carotidiennes et dans l'arc aortique. Ces cellules sont sensibles aux changements de la P.A. et envoient l'information aux centres vasomoteurs du bulbe rachidien. Celui-ci transmet ensuite cette information à travers un réseau complexe d'interneurones qui excitent ou inhibent des nerfs efférents, influençant ainsi la fonction cardiovasculaire. Des nerfs efférents du SNS innervent les cellules musculaires lisses du cœur ainsi que celles des muscles lisses. Dans des situations normales, un faible taux d'activité continue du SNS permet de maintenir une **vasoconstriction tonique**, c'est-à-dire une tension permanente dans les vaisseaux sanguins. Un arrêt de l'activité du SNS de même qu'une stimulation du système nerveux parasympathique peuvent abaisser la P.A. en diminuant la fréquence cardiaque grâce au nerf vague; ces activités contribuent à abaisser le D.C.

La noradrénaline, appelée aussi norépinéphrine, est un neurotransmetteur libéré par les terminaisons nerveuses du SNS; ce neurotransmetteur stimule des récepteurs du nœud sinusal, du myocarde et des muscles lisses vasculaires. La réaction à la noradrénaline varie selon les récepteurs qui sont présents dans ces tissus. Ceux du SNS sont classés dans les catégories suivantes: α_1, α_2, β_1 et β_2 **TABLEAU 40.3**. Les muscles lisses des vaisseaux sanguins ont des récepteurs dits α-adrénergiques et β_2-adrénergiques. Les récepteurs α-adrénergiques localisés dans la vasculature périphérique causent de la vasoconstriction lorsqu'ils sont stimulés par la noradrénaline. Les récepteurs cardiaques β_1-adrénergiques réagissent à la noradrénaline et à l'adrénaline en augmentant la fréquence cardiaque (effet **chronotrope**), la force de contraction du cœur (effet **inotrope**) et la vitesse de conduction dans les fibres musculaires cardiaques (effet **dromotrope**). Les récepteurs β_2-adrénergiques sont surtout stimulés par l'adrénaline libérée par la médullosurrénale et ils sont responsables de la vasodilatation **FIGURE 40.1**. Une diminution de la réactivité des cellules cardiovasculaires aux stimulations par le SNS est l'un des effets les plus significatifs du vieillissement.

Le centre vasomoteur du SNS, situé dans le tronc cérébral, interagit avec de nombreuses aires cérébrales pour assurer la constance de la P.A. dans des situations variées. C'est ainsi que durant une activité physique, l'aire motrice du cortex cérébral est stimulée, ce qui active le centre vasomoteur et le SNS grâce à des liaisons nerveuses. Cela entraîne une augmentation appropriée du D.C. et de la P.A. pour tenir compte de la demande en oxygène des muscles actifs. Par exemple,

TABLEAU 40.3 Récepteurs du système nerveux sympathique influençant la pression artérielle

RÉCEPTEUR	LOCALISATION	RÉACTION À LA SUITE DE LA STIMULATION DU RÉCEPTEUR
α_1	• Muscle lisse vasculaire • Cœur	• Vasoconstriction • ↑ contractilité (effet inotrope positif)
α_2	• Membrane présynaptique • Muscle lisse vasculaire	• Inhibition de la libération de noradrénaline • Vasoconstriction
β_1	• Cœur • Cellules juxtaglomérulaires (rein)	• ↑ contractilité (effet inotrope positif) • ↑ fréquence cardiaque (effet chronotrope positif) • ↑ conduction (effet dromotrope positif) • ↑ sécrétion de rénine
β_2	• Muscles lisses des vaisseaux sanguins du cœur (p. ex., les artères coronaires), des poumons (p. ex., les bronches) et des muscles squelettiques	• Vasodilatation
Récepteurs dopaminergiques	• Surtout dans les vaisseaux sanguins rénaux	• Vasodilatation

lorsqu'une personne passe de la position allongée à la station verticale, il y a une diminution temporaire de la P.A. Étant alors stimulé, le centre vasomoteur active le SNS pour provoquer une vasoconstriction périphérique et une augmentation du retour veineux vers le cœur. En l'absence de cette réaction, le cerveau ne serait pas suffisamment irrigué, et il en résulterait un étourdissement ou une perte de conscience.

Barorécepteurs

Les **barorécepteurs** jouent un rôle important dans le maintien de la constance de la P.A. durant des activités normales. Ces récepteurs sont sensibles à l'étirement; lorsqu'ils sont stimulés par une augmentation de la P.A., ils émettent des influx inhibiteurs vers le centre vasomoteur sympathique situé dans le tronc cérébral. Cette inhibition du SNS est responsable de la diminution de la fréquence et de la force de contraction cardiaques, de même que de la vasodilatation des artérioles périphériques.

Une chute de P.A. captée par les barorécepteurs stimule le SNS à induire une constriction des artérioles périphériques, une augmentation de la fréquence cardiaque ainsi que de la contractilité du cœur. Lorsque l'état d'HTA dure depuis longtemps, les barorécepteurs s'ajustent aux taux élevés de la P.A. pour les reconnaître comme étant « normaux ». Le baroréflexe est également moins sensible chez certaines personnes plus âgées.

40.2.2 Endothélium vasculaire

L'endothélium vasculaire, composé d'une couche unique de cellules tapissant les vaisseaux sanguins, produit des substances vasomotrices et des facteurs de croissance. L'un de ces facteurs endothéliaux, l'oxyde nitrique (NO), joue un rôle dans le maintien d'un faible tonus artériel au repos, et inhibe la croissance de la couche de muscles lisses et l'agrégation des plaquettes sanguines. D'autres substances libérées par l'endothélium vasculaire et ayant des effets locaux vasodilatateurs comprennent la prostacycline et le facteur hyperpolarisant d'origine endothéliale. L'endothéline (ET), un peptide vasoconstricteur extrêmement puissant, est également produite par l'endothélium **FIGURE 40.1**. En plus d'être responsable de l'adhérence et de l'agrégation des lymphocytes, l'endothéline stimule aussi la croissance du muscle lisse.

40.2.3 Système urinaire

Les reins jouent un rôle dans la stabilisation de la P.A. en régulant l'excrétion du sodium et le volume du liquide extracellulaire (LEC) ▶ 67. La rétention du sodium contribue à une plus grande réabsorption d'eau, ce qui entraîne une augmentation du liquide extracellulaire. Le retour veineux vers le cœur s'en trouve augmenté, ce qui provoque une élévation de la précharge et, par conséquent, une augmentation du volume d'éjection systolique (loi de Starling). En raison de l'augmentation du D.C., la P.A. s'accroît.

Le **système rénine-angiotensine-aldostérone (SRAA)** joue aussi un rôle important dans la régulation de la P.A. **FIGURE 40.1**. L'appareil juxtaglomérulaire sécrète la rénine en réponse à une stimulation du SNS, à une diminution du débit sanguin dans les reins ou à une baisse de la concentration sérique du sodium. La rénine est une enzyme qui transforme l'angiotensinogène, une protéine sanguine produite par le foie, en angiotensine I. L'enzyme de conversion de l'angiotensine transforme l'angiotensine I en angiotensine II. Celle-ci augmente la P.A. selon deux mécanismes. D'abord, parce qu'elle est un agent vasoconstricteur très puissant, en se liant à ses récepteurs vasculaires, elle augmente la résistance vasculaire systémique, provoquant ainsi une augmentation immédiate de la P.A. Ensuite, sur une période allant de quelques heures à quelques jours, l'angiotensine II augmente la P.A. de façon indirecte en stimulant la sécrétion d'aldostérone par la corticosurrénale, favorisant ainsi la réabsorption de sodium et d'eau par les reins (augmentation de la précharge).

L'angiotensine II exerce aussi un rôle local dans le cœur et les vaisseaux sanguins. Elle cause une vasoconstriction et une croissance tissulaire qui se concrétisent par le remodelage des parois des vaisseaux sanguins. Ces modifications sont liées à l'apparition d'une HTA primaire et avec les effets à long terme de l'HTA (p. ex., une athérosclérose, une maladie rénale, une hypertrophie cardiaque).

Les **prostaglandines** PGE_2 et PGI_2 sécrétées par la région médullaire du rein ont un effet vasodilatateur sur la circulation systémique. Il en résulte une diminution de la RVS et de la P.A. ▶ 12. Les peptides natriurétiques, à savoir le peptide natriurétique auriculaire (ANP) et le peptide natriurétique de type B (BNP), sont sécrétés par les cellules cardiaques. Ce sont des antagonistes de l'hormone antidiurétique (ADH) et de l'aldostérone. Ils entraînent une **natriurèse**, c'est-à-dire une augmentation de l'excrétion de sodium dans l'urine et, par conséquent, une augmentation de la quantité d'urine, ce qui provoque une diminution du volume sanguin et de la P.A. Le BNP permet également le diagnostic d'insuffisance cardiaque.

40.2.4 Système endocrinien

La stimulation du SNS déclenche la libération d'adrénaline et d'une faible quantité de noradrénaline par la médullosurrénale. L'adrénaline augmente le D.C. en augmentant la fréquence cardiaque et la contractilité du myocarde. En activant les récepteurs β_2-adrénergiques dans les

12

Le rôle des prostaglandines est décrit dans le chapitre 12, *Inflammation et soin des plaies.*

CE QU'IL FAUT RETENIR

Les reins contribuent à stabiliser la P.A. en régulant l'excrétion du sodium et le volume du liquide extracellulaire. Le système rénine-angiotensine-aldostérone (SRAA) joue aussi un rôle régulateur important.

67

Le rôle du rein dans le maintien de la P. A. est expliqué dans le chapitre 67, *Évaluation clinique – Système urinaire.*

artérioles périphériques des muscles squelettiques, l'adrénaline provoque une vasodilatation. De plus, elle provoque une vasoconstriction dans les artérioles périphériques n'ayant que des récepteurs α_1-adrénergiques (p. ex., la peau et les reins). Lors d'un stress à court terme, l'adrénaline fait augmenter la P.A. En présence d'un stress à long terme, il y a une élévation de la libération de cortisol, ce qui a un impact sur la P.A., mais également sur d'autres systèmes.

Animation : *Cycle cardiaque – systole et diastole.*

L'angiotensine II stimule la libération d'aldostérone par le cortex surrénalien. Toutefois, d'autres facteurs régulent également la libération d'aldostérone ▶ 61. Cette dernière stimule la rétention d'eau et de sodium par les reins, ce qui contribue à augmenter le volume sanguin et le D.C. **FIGURE 40.2**.

61

Le chapitre 61, *Interventions cliniques – Troubles endocriniens,* explique les facteurs qui agissent sur l'aldostérone.

Une augmentation du taux de sodium sanguin et de l'osmolarité stimule la libération d'ADH par la neurohypophyse. L'ADH augmente le volume de liquide extracellulaire en favorisant la réabsorption de l'eau dans les tubes collecteurs et distaux des reins. Il en résulte une augmentation du volume sanguin, qui entraîne une hausse de la P.A. et du D.C.

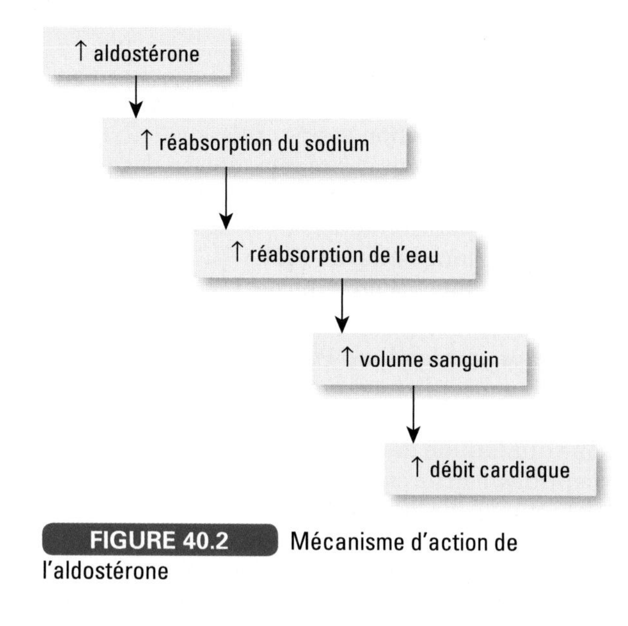

FIGURE 40.2 Mécanisme d'action de l'aldostérone

TABLEAU 40.4 Classification de l'hypertension artérielle

CATÉGORIE	P.A.S. (mm Hg)		P.A.D. (mm Hg)
Valeur optimale	< 120	et/ou	< 80
Valeur normale	< 130	et/ou	< 85
Valeur normale élevée	130-139	et/ou	85-89
Hypertension artérielle	≥ 140	et/ou	≥ 90
Hypertension systolique isolée	≥ 140	et	< 90

Sources : Drouin & Milot (2012) ; Hypertension Canada (2015).

40.3 Hypertension artérielle

40.3.1 Classification de l'hypertension artérielle

L'**hypertension artérielle (HTA)** se définit par une pression artérielle systolique (P.A.S.) supérieure ou égale à 140 mm Hg et une pression artérielle diastolique (P.A.D.) supérieure ou égale à 90 mm Hg (Drouin & Milot, 2012), pendant plusieurs mesures) (i+).

L'**hypertension artérielle systolique isolée** se caractérise par une P.A.S. moyenne supérieure ou égale à 140 mm Hg et par une P.A.D. moyenne inférieure à 90 mm Hg (Campbell, 2010). L'augmentation du risque de morbidité et de mortalité cardiovasculaire est corrélée avec la pression artérielle, et ce, dès qu'il existe une pression de 115/75 mm Hg (Prospective Studies Collaboration, 2002). Une hypertension artérielle systolique isolée est plus courante chez les personnes de plus de 60 ans en raison des changements physiologiques liés au vieillissement. En effet, les personnes âgées présentent souvent une perte d'élasticité des grandes artères en raison de l'athérosclérose pouvant entraîner une HTA systolique isolée.

Une P.A.S. comprise entre 130 et 139 mm Hg ou une P.A.D. variant de 85 à 89 mm Hg devraient être l'objet d'un suivi annuel par un médecin de famille. Le **TABLEAU 40.4** présente la classification des HTA chez les sujets âgés de 18 ans et plus. Cette classification est fondée sur la moyenne des mesures de la P.A. chez des sujets assis, et ce, au cours de deux rencontres médicales ou plus. Soulignons que les valeurs cibles < 140/90 mm Hg concernent l'ensemble des adultes sains ainsi que les adultes atteints de néphropathie. Pour les diabétiques, les valeurs cibles sont plus basses, soit < 130/80 mm Hg, tandis que, chez les personnes âgées, la P.A.S. devrait être < 150 mm Hg (Cloutier, Daskalopoulou, Padwal *et al.*, 2015).

Le traitement de l'hypertension est donc essentiel, car il réduit de 20 % le risque d'accident vasculaire cérébral, de 19 % celui d'être atteint d'une maladie coronarienne et de 15 % celui de subir un événement cardiovasculaire majeur (Drouin & Milot, 2012).

40.3.2 Étiologie

Deux catégories d'hypertension artérielle sont reconnues : l'HTA primaire et l'HTA secondaire.

Hypertension artérielle primaire

Une **hypertension artérielle primaire** (essentielle ou idiopathique) correspond à une P.A. élevée sans qu'il y ait de causes déterminées (pathologies sous-jacentes) ; cette catégorie d'HTA constitue de 90 à 95 % de tous les cas d'HTA (Lilly, 2007). Bien que la cause précise de l'HTA primaire ne soit pas connue, de nombreux facteurs doivent être considérés, notamment une augmentation des activités du SNS, une surproduction de substances vasoconstrictrices et d'hormones jouant un rôle dans la rétention du sodium, une augmentation de la consommation de sodium, un poids corporel supérieur au poids santé, la consommation de tabac, un diabète et une consommation d'alcool surpassant les recommandations **TABLEAU 40.5**. Le contenu du présent chapitre est majoritairement consacré à l'HTA primaire, étant donné sa prévalence élevée en pratique clinique et ses répercussions majeures sur la santé.

Hypertension artérielle secondaire

L'**hypertension artérielle secondaire** se caractérise par une P.A. élevée due à une cause pouvant être déterminée et corrigée **ENCADRÉ 40.1**. Ce type d'HTA représente de 5 à 10 % des cas d'HTA chez les adultes (Lilly, 2007). Il faut soupçonner une cause d'HTA secondaire chez les adultes âgés de moins de 30 ans et de plus de 55 ans qui présentent une hypertension artérielle, ou en présence d'une HTA résistante à la polypharmacothérapie (trois agents et plus) (Campbell, 2010). Les causes et les éléments de l'examen physique associés à une HTA secondaire sont une hypokaliémie inexpliquée, un souffle abdominal entendu au-dessus des artères rénales, une pression artérielle variable

CE QU'IL FAUT RETENIR

Une HTA primaire correspond à une P.A. élevée sans pathologies sous-jacentes. Ce type d'HTA constitue de 90 à 95 % de tous les cas d'HTA.

TABLEAU 40.5 Facteurs de risque de l'hypertension artérielle primaire

FACTEUR DE RISQUE	DESCRIPTION
Âge	• La P.A.S. augmente progressivement avec l'âge pour se stabiliser à l'âge adulte. • Après l'âge de 50 ans, une P.A.S. supérieure à 140 mm Hg est un facteur de risque cardiovasculaire plus important qu'une augmentation de la P.A.D.
Alcool	• Il y a une relation très étroite entre une consommation excessive d'alcool et l'HTA. • Les personnes hypertendues devraient limiter leur consommation quotidienne d'alcool.
Antécédents familiaux	• Le risque de souffrir d'HTA est plus élevé si un parent proche (père, mère, frère ou sœur) est hypertendu.
Diabète	• Les diabétiques souffrent très souvent d'HTA. • Lorsqu'une même personne souffre d'HTA et de diabète, les complications (comme l'atteinte d'un organe cible) sont encore plus graves.
Obésité	• Il y a un lien entre la surcharge pondérale et l'augmentation de la fréquence de l'HTA. • Le risque est plus élevé dans les cas d'obésité abdominale.
Origine ethnique	• L'incidence de l'HTA est deux fois plus élevée chez les Noirs que chez les Blancs.
Sédentarité	• Des activités physiques régulières peuvent aider le client à contrôler son poids et à diminuer le risque cardiovasculaire. • L'activité physique peut diminuer la P.A.
Sexe	• L'HTA est plus fréquente chez les hommes à la fin de l'adolescence et au début de l'âge mûr (avant l'âge de 55 ans). • Après l'âge de 55 ans, l'HTA est plus courante chez les femmes **TABLEAU 40.2**.
Sodium alimentaire surabondant	• Une forte consommation de sodium peut causer de l'HTA chez certaines personnes et amoindrir l'efficacité de certains antihypertenseurs.
Statut socioéconomique	• L'HTA est plus répandue dans les groupes socioéconomiques défavorisés et chez les personnes moins scolarisées.
Stress répétés	• Les personnes exposées à des stress répétés risquent d'avoir plus de problèmes d'HTA que d'autres personnes. • Les personnes souffrant d'HTA peuvent réagir différemment au stress en comparaison avec celles qui n'en souffrent pas.
Syndrome métabolique	• Le syndrome métabolique associé à l'HTA et au diabète sont des facteurs de risques de maladies cardiovasculaires.
Tabagisme	• Le tabagisme augmente le risque de maladie cardiovasculaire. • Les fumeurs hypertendus courent un risque encore plus élevé de souffrir d'une maladie cardiovasculaire.
Taux élevés de lipides sériques	• Des taux élevés de cholestérol et de triglycérides sont des facteurs de risque d'athérosclérose. • La dyslipidémie est plus courante chez les personnes hypertendues.

Source : Daskalopoulou, Rabi, Zarnke *et al.* (2015).

ENCADRÉ 40.1 **Causes de l'hypertension artérielle secondaire**

- Cirrhose
- Sténose ou réduction congénitale du calibre de l'aorte (coarctation de l'aorte)
- Troubles endocriniens (p. ex., un phéochromocytome, le syndrome de Cushing)
- Médicaments (p. ex., des stimulants du SNS, des inhibiteurs de la monoamine-oxydase consommés en même temps que des aliments contenant de la tyramine, une œstrogénothérapie de substitution, des contraceptifs oraux, des anti-inflammatoires non stéroïdiens)
- Drogues (cocaïne)
- Troubles neurologiques (p. ex., une tumeur du cerveau, une tétraplégie, un trauma craniocérébral)
- Hypertension due à la grossesse
- Maladie rénale (p. ex., une sténose de l'artère rénale, une glomérulonéphrite)
- Apnée du sommeil

Tachycardie : Fréquence cardiaque élevée, supérieure à 100 battements par minute.

accompagnée de **tachycardie**, de pâleurs, de sudation et de tremblements, des antécédents familiaux de maladie rénale, une pression aux membres inférieurs plus basse que la pression aux membres supérieurs, ou des antécédents et des signes et symptômes de maladie vasculaire athéroscléreuse (cardiaque, cérébrale ou périphérique) (ASPC, 2013). Le traitement de l'HTA secondaire consiste à en éliminer la cause sous-jacente. Cette catégorie d'HTA peut mener à une crise hypertensive (présentée plus loin dans le présent chapitre).

40.3.3 Physiopathologie de l'hypertension artérielle primaire

La pression artérielle s'accroît chaque fois qu'augmentent le débit cardiaque et la résistance vasculaire systémique. Un D.C. plus élevé est parfois observé chez les sujets préhypertendus. Plus tard, au cours de l'état d'HTA, la RVS augmente, et le D.C. revient à la normale. La caractéristique hémodynamique de l'hypertension artérielle est une RVS qui augmente continuellement. Cette augmentation peut être due à de nombreux facteurs. Le **TABLEAU 40.5** présente ceux qui sont liés à la manifestation de l'hypertension artérielle primaire ou qui contribuent à ses conséquences. Les anomalies de chacun des mécanismes jouant un rôle dans le maintien d'une P.A. normale peuvent mener à l'apparition de l'HTA **FIGURE 40.1**.

Jugement clinique

Sarah Lebrun, 39 ans, est une mère monoparentale de trois jeunes enfants. Elle travaille à temps plein mais éprouve souvent des difficultés financières. Sa fille aînée a des problèmes scolaires. Le père de madame Lebrun est décédé d'un infarctus et sa mère est diabétique. La cliente est fumeuse et dit que fumer est son seul moyen de détente. Expliquez l'importance de l'enseignement portant sur la gestion du stress chez cette cliente.

Anomalies génétiques

Des anomalies génétiques associées à de rares formes d'HTA ont été décelées chez certaines personnes. Toutefois, pour l'ensemble de la population, l'HTA est rarement provoquée par des facteurs génétiques (Daskalopoulou *et al.*, 2015). Néanmoins, dans la pratique, le personnel soignant devrait rencontrer les proches des personnes atteintes d'HTA et les renseigner sur les saines habitudes de vie dans le but de prévenir cette affection.

Rétention d'eau et de sodium

Une consommation excessive de sodium peut être responsable de l'apparition des premiers signes d'hypertension chez certaines personnes. Bien que la population nord-américaine ait un régime alimentaire riche en sodium, un adulte sur trois seulement sera atteint d'HTA. Lorsque la consommation de sodium est restreinte chez les personnes hypertendues, une diminution de la pression artérielle est observée. Afin de prévenir l'HTA, le Programme éducatif canadien sur l'HTA de 2014 recommande de respecter une consommation de sodium alimentaire inférieure à 2 000 mg par jour.

L'effet du sodium sur la P.A. semble plus fort chez les Noirs, les adultes d'âge moyen et les personnes âgées (Appel, 2009).

Modification des mécanismes du système rénine-angiotensine-aldostérone

Une activité rénine plasmatique élevée est due à l'augmentation de la transformation de l'angiotensinogène en angiotensine I. L'angiotensine II, quant à elle, est directement responsable de la vasoconstriction des artérioles. De plus, elle favorise l'hypertrophie vasculaire et elle provoque la sécrétion d'aldostérone. Cette dernière stimule la réabsorption des ions de sodium et la sécrétion d'ions potassiques par les tubules rénaux et, de ce fait, permet l'augmentation de la pression artérielle. La sécrétion d'aldostérone peut également être stimulée par la diminution de la concentration en ions de sodium sérique, ainsi que par la diminution du volume de sang circulant et de la P.A. (McKinley, O'Loughlin & Bidle, 2014). C'est ainsi que le système rénine-angiotensine-aldostérone peut contribuer à l'apparition et au maintien de l'HTA. Toute augmentation de la P.A. inhibe la libération de rénine par les cellules juxtaglomérulaires. En raison de cette boucle rétroactive, de faibles taux d'activité rénine plasmatique chez les clients atteints d'HTA primaire sont observés. Dans certaines conditions pathologiques (p. ex., une sténose de l'artère rénale afférente), des taux normaux ou élevés de sécrétion de rénine peuvent être observés et orienter le médecin vers un diagnostic qui pourrait expliquer l'hypertension artérielle (Libby, Bonow, Zipes *et al.*, 2008).

Stress et augmentation de l'activité du système nerveux sympathique

Il est bien connu que la pression artérielle est sous l'influence de facteurs tels que la colère, la peur et la douleur. Les réactions physiologiques au stress, qui ont normalement un rôle protecteur, peuvent persister jusqu'à atteindre un niveau pathologique qui se traduit par une prolongation des activités du SNS. Une augmentation de la stimulation du SNS augmente la vasoconstriction, la fréquence cardiaque et la libération de rénine. Des taux élevés de rénine activent le SRAA, ce qui entraîne une augmentation de la pression artérielle. Les personnes exposées à des stress psychologiques élevés et répétés souffrent davantage d'hypertension que celles qui vivent moins de stress (Lilly, 2007).

Résistance à l'insuline et hyperinsulinémie

L'HTA primaire est souvent associée à des anomalies dans le métabolisme du glucose, de l'insuline et des lipoprotéines. Ces anomalies sont souvent absentes au cours de l'HTA secondaire et elles ne s'améliorent pas lorsque cet état hypertensif est traité. La résistance à l'insuline est un facteur de risque qui favorise l'apparition de l'hypertension et de maladies cardiovasculaires. Des taux élevés d'insuline stimulent l'activité du système nerveux central (SNC) et nuisent au mécanisme de vasodilatation assisté par l'oxyde nitrique. D'autres effets hypertenseurs se manifestent par une hypertrophie vasculaire et une augmentation de la réabsorption du sodium par les reins.

Dysfonctionnement endothélial

Étant donné que l'endothélium vasculaire libère de nombreuses substances vasoactives, son dysfonctionnement peut contribuer à l'athérosclérose et à l'HTA primaire. Certaines personnes hypertendues présentent une diminution de la réaction de vasodilatation en présence d'oxyde nitrique. D'autres ont des taux élevés d'endothéline qui déclenchent une vasoconstriction marquée et prolongée. La prévention du dysfonctionnement de l'endothélium de même que le retour à la normale des fonctions de l'endothélium vasculaire pourraient jouer un rôle important dans de futures interventions thérapeutiques de l'HTA.

Jugement clinique

Jeanne-d'Arc Lachance, une femme au foyer âgée de 54 ans, pèse 62 kg pour une taille de 1,65 m. Elle a passé la journée dans un champ pour ramasser des fraises. Le soir, elle se plaint de violentes céphalées, elle a le visage rouge et des étourdissements. Elle croit souffrir d'hypertension artérielle alors qu'elle n'en a jamais eu. L'HTA est-elle la seule explication possible à ces symptômes ? Justifiez votre réponse.

40.3.4 Manifestations cliniques

Puisque l'HTA est souvent asymptomatique jusqu'à ce qu'elle s'aggrave et que des organes cibles soient atteints, le nom de tueur silencieux lui est souvent attribué. Un client souffrant d'HTA grave peut éprouver une variété de symptômes secondaires qui touchent les vaisseaux sanguins de différents tissus et organes, ou qui augmentent la charge de travail du cœur. Ces symptômes secondaires se manifestent par de la fatigue, une diminution de la tolérance à l'activité physique, des étourdissements, des palpitations, une douleur thoracique et de la dyspnée. Autrefois, la croyance populaire considérait comme des manifestations de l'hypertension artérielle les maux de tête, des saignements de nez et des étourdissements. À moins que la pression artérielle ne soit très haute ou très faible, ces manifestations ne sont pas plus fréquentes chez les personnes hypertendues que dans la population générale. Toutefois, les clients ayant des crises hypertensives (présentées plus loin dans le présent chapitre) peuvent ressentir des céphalées graves, de la dyspnée, de l'anxiété et être pris de saignements de nez (American Heart Association, 2014).

40.3.5 Complications

Les complications les plus courantes de l'HTA sont les maladies touchant des organes cibles comme le cœur (cardiopathie hypertensive), le cerveau (AVC), les vaisseaux périphériques (maladie vasculaire périphérique), les reins (**néphroangiosclérose**) et les yeux (dommage rétinien) **TABLEAU 40.6**.

Néphroangiosclérose : Sclérose du rein par constriction de ses artérioles associée à l'HTA, bénigne ou grave, et à l'artériosclérose du vieillard.

TABLEAU 40.6 Affections des organes cibles découlant de l'hypertension artérielle

SYSTÈME	MANIFESTATIONS CLINIQUES
Système cardiovasculaire	• Coronaropathie mise en évidence par des signes cliniques, électrocardiographiques ou radiologiques (p. ex., un antécédent d'infarctus du myocarde, une revascularisation des artères coronaires) • Hypertrophie ventriculaire gauche mise en évidence par un électrocardiogramme ou par l'échocardiographie • Dysfonctionnement du ventricule gauche ou insuffisance cardiaque • Arythmie
Système vasculaire cérébral	• Accident ischémique transitoire ou accident vasculaire cérébral ischémique ou hémorragique • Démence vasculaire

TABLEAU 40.6	Affections des organes cibles découlant de l'hypertension artérielle *(suite)*
SYSTÈME	**MANIFESTATIONS CLINIQUES**
Système vasculaire périphérique	• Pouls principaux absents ou réduits aux extrémités (à l'exception de l'artère pédieuse) • Claudication intermittente • Frémissements ou bruits abdominaux ou carotidiens • Anévrisme • Dysfonction érectile
Système urinaire	• Créatinine sérique ≥ 1,5 mg/dL (130 μmol/L) • Protéinurie (≥ 1+) • Microalbuminurie
Système visuel	• Sténose généralisée ou focale des artérioles de la rétine • Rétrécissement des vaisseaux rétiniens • Hémorragies ou exsudats avec ou sans œdème papillaire

Source : Daskalopoulou *et al.* (2015).

Cardiopathie hypertensive

Coronaropathie

L'HTA est un facteur de risque important de coronaropathie. Les mécanismes selon lesquels l'HTA contribue à l'apparition de l'athérosclérose ne sont pas encore tout à fait élucidés. L'hypothèse dite de réaction à une blessure laisse penser que l'HTA endommage l'endothélium des artères coronaires, exposant ainsi l'intima aux plaquettes sanguines et aux globules blancs sensibilisés par le déclenchement du processus inflammatoire. Les facteurs de croissance libérés par l'endothélium vasculaire et les plaquettes peuvent provoquer la prolifération cellulaire du muscle lisse au site de la lésion. Ces modifications artériolaires se manifestent par une paroi artérielle plus rigide et une lumière réduite, lesquelles sont associées à une fréquence élevée de coronaropathie, d'angine et d'infarctus du myocarde.

Hypertrophie du ventricule gauche

Une pression artérielle élevée prolongée augmente la charge de travail du cœur et provoque une hypertrophie du ventricule gauche, car ce dernier tente de compenser une postcharge élevée en augmentant sa masse musculaire **FIGURE 40.3**. À l'origine, cette catégorie d'hypertrophie est d'abord un mécanisme adaptatif ou compensateur qui augmente la force de contraction du cœur. Toutefois, cette augmentation de la contractilité augmente également le travail du myocarde et la consommation d'oxygène. Dans une hypertension artérielle non contrôlée, la tension murale du ventricule gauche continue d'augmenter, ce qui provoque un déséquilibre entre l'apport et la demande d'oxygène jusqu'à ce que le cœur ne puisse plus répondre aux besoins métaboliques du myocarde. C'est alors que peut survenir une insuffisance cardiaque par dysfonction systolique. L'hypertrophie progressive du ventricule gauche, surtout en association avec la coronaropathie, constitue un des facteurs responsables de l'insuffisance cardiaque.

CE QU'IL FAUT RETENIR

Une P.A. élevée prolongée augmente la charge de travail du cœur et provoque une hypertrophie du ventricule gauche, ce qui augmente le risque d'insuffisance cardiaque.

Insuffisance cardiaque

Une insuffisance cardiaque survient lorsque les mécanismes de compensation ne permettent plus au cœur de pomper suffisamment de sang pour répondre aux besoins métaboliques de l'organisme

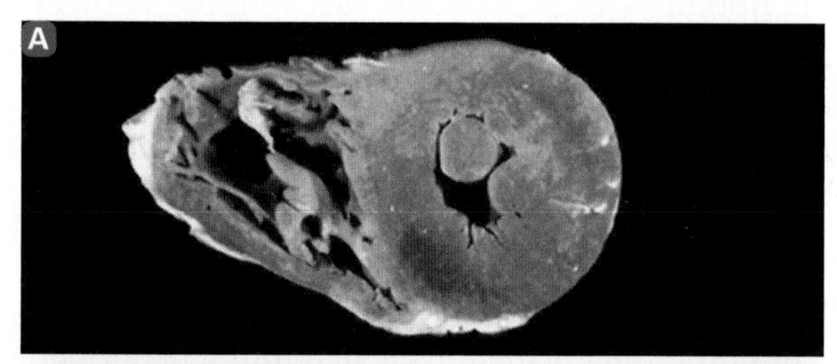

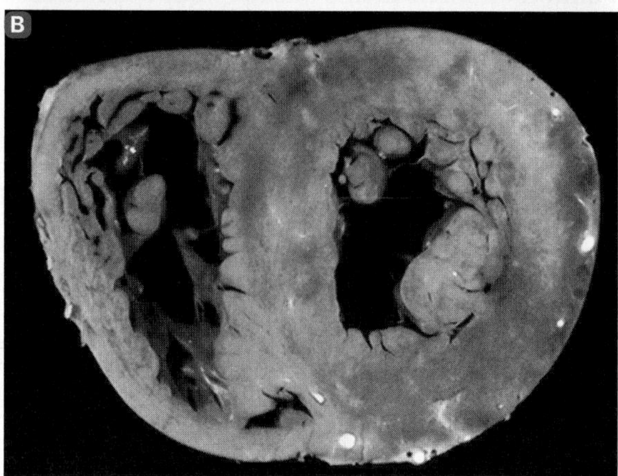

FIGURE 40.3 A Cœur à l'état normal, d'un poids de 335 g. B Cœur grandement dilaté en raison de l'hypertrophie des deux ventricules, d'un poids de 1 100 g. Le client souffre d'une hypertension systémique grave.

(dysfonction systolique) ou lorsque le cœur y parvient, mais grâce à des pressions de remplissage élevées (dysfonction diastolique) ▶ 42. Une diminution de la force de contraction du cœur, du volume d'éjection systolique et du débit cardiaque est alors observée. Le client peut se plaindre d'essoufflement à la suite d'une activité physique intense, d'orthopnée, de **dyspnée nocturne paroxystique** et de fatigue. Les radiographies peuvent présenter une hypertrophie du cœur, et un électrocardiogramme (ECG) peut révéler des amplitudes électriques représentatives d'une hypertrophie du ventricule gauche.

Maladie vasculaire cérébrale

L'athérosclérose est la plus fréquente des causes de maladie vasculaire cérébrale. L'HTA est un facteur de risque très important d'athérosclérose cérébrale et d'AVC. Même chez les personnes légèrement hypertendues, le risque d'AVC est quatre fois plus élevé que chez les personnes dont la pression artérielle est normale. Une régulation adéquate de la P.A. diminue en effet les risques d'AVC.

Les plaques d'athérome se distribuent généralement à la bifurcation de l'artère carotide commune, c'est-à-dire dans les artères carotides interne et externe. Des plaques d'athérome ou le caillot qui se forme à la suite d'un bris peuvent se détacher et être transportés jusqu'aux vaisseaux cérébraux, où ils provoquent une thromboembolie. Le client peut alors subir un accident ischémique transitoire (AIT) ou un AVC.

Une encéphalopathie hypertensive peut survenir à la suite d'une hausse significative de la pression artérielle si la circulation sanguine dans l'encéphale ne diminue pas par autorégulation. L'autorégulation de la circulation cérébrale est un processus physiologique qui maintient un débit sanguin constant, malgré les variations de la P.A. Dans des conditions normales, lorsque la P.A. augmente dans les vaisseaux sanguins cérébraux, ces derniers se contractent pour maintenir un débit constant. Lorsque la P.A. excède les capacités autorégulatrices de l'organisme, les vaisseaux cérébraux se dilatent soudainement, la perméabilité des capillaires augmente, et il se produit un œdème cérébral. Il s'ensuit une augmentation de la pression intracrânienne. En l'absence de traitement, les personnes touchées meurent rapidement des suites de lésions cérébrales.

Maladie vasculaire périphérique

L'HTA accélère le processus d'athérosclérose dans les vaisseaux sanguins périphériques, et cela peut provoquer l'apparition d'une maladie vasculaire périphérique, d'un anévrisme de l'aorte ou d'un anévrisme disséquant. La claudication intermittente (myalgie ischémique causée par une activité musculaire intense et s'apaisant au repos) est un symptôme classique de maladie vasculaire périphérique impliquant les artères des jambes.

Néphropathie due à l'hypertension artérielle (néphroangiosclérose)

L'HTA est l'une des causes principales de néphropathie rénale au stade terminal, surtout chez les Noirs. Chez les clients hypertendus, un certain degré de dysfonctionnement rénal est généralement observé, même lorsque la pression artérielle n'est que très légèrement élevée par rapport à la normale (supérieure à 140/90 mm Hg) (Campbell, 2010). Ce dysfonctionnement résulte directement d'une ischémie causée par le rétrécissement de la lumière des vaisseaux sanguins intrarénaux. Une sténose graduelle des artères et des artérioles provoque l'atrophie des tubules rénaux, la destruction des glomérules et la mort éventuelle des néphrons. Au début, une compensation peut se faire grâce aux néphrons intacts, mais l'ensemble des changements qui se produisent peut finir par provoquer une insuffisance rénale. Les analyses courantes de laboratoire dans les cas de dysfonctionnement rénal comprennent la microalbuminurie, la protéinurie, l'hématurie microscopique, ainsi que des taux sanguins élevés de créatinine sérique et d'azote uréique sanguin (*blood urea nitrogen* [BUN]).

Lésions rétiniennes

L'apparence de la rétine fournit d'importants renseignements sur la gravité et la durée de l'HTA. Les vaisseaux sanguins de la rétine peuvent être visualisés à l'aide d'un ophtalmoscope. L'observation de vaisseaux endommagés peut signaler le fait que les vaisseaux sanguins du cœur, du cerveau et des reins sont également lésés. Des dommages rétiniens graves se manifestent par une vision floue, une hémorragie rétinienne et la perte de vision.

40.3.6 Examens paracliniques

Il existe une certaine polémique quant à l'importance à accorder à l'établissement d'un diagnostic à la suite de la première évaluation d'une personne hypertendue. Étant donné que la plupart des cas d'HTA sont diagnostiqués comme étant de l'hypertension primaire, il est rare que d'autres tests pour rechercher des causes secondaires soient pratiqués. Toutefois, des analyses de laboratoire de base peuvent être effectuées afin de déterminer: 1) les causes de l'hypertension secondaire (ou de les rejeter, le cas échéant); 2) la maladie touchant les organes cibles; 3) le risque cardiovasculaire global; 4) les valeurs sériques de base (référence) avant de commencer les traitements.

L'**ENCADRÉ 40.2** énumère les examens paracliniques de base pratiqués chez une personne hypertendue. L'analyse routinière d'urine ainsi que la mesure du taux d'azote uréique sanguin et de la créatinine sérique sont effectuées pour mettre en

42

L'insuffisance cardiaque est décrite dans le chapitre 42, *Interventions cliniques – Insuffisance cardiaque.*

Dyspnée nocturne paroxystique : Grande difficulté respiratoire qui provoque le réveil de la personne. La crise disparaît d'elle-même après 20 ou 30 minutes, une fois que la personne s'est assise ou s'est levée.

Qu'est-ce que l'athérosclérose ? Outre l'HTA, quels sont les autres facteurs de risque de l'athérosclérose ?

40

CE QU'IL FAUT RETENIR

Lors de l'examen ophtalmoscopique, l'observation de vaisseaux rétiniens endommagés peut signaler que les vaisseaux sanguins du cœur, du cerveau et des reins sont aussi lésés.

Processus diagnostique et thérapeutique

ENCADRÉ 40.2 **Hypertension artérielle**

EXAMEN CLINIQUE ET EXAMENS PARACLINIQUES

- Anamnèse et examen physique comprenant un examen ophtalmique
- Analyse d'urine standard
- Tests métaboliques de base (glucose sanguin, sodium, potassium, chlore, azote uréique sanguin et créatinine)
- Glycémie à jeun ou hémoglobine glyquée
- Profil lipidique (lipides totaux, triglycérides, lipoprotéine de haute densité [HDL] et lipoprotéine de faible densité [LDL], rapport HDL/cholestérol)
- ECG à 12 dérivations
- Examens paracliniques facultatifs :
  - Clairance de la créatine urinaire en 24 h
  - Échocardiographie
  - Analyse des fonctions hépatiques
  - Acide uréique sanguin
  - Thyréostimuline (TSH) sérique

PROCESSUS THÉRAPEUTIQUE

- Monitorage périodique de la P.A. :
  - Mesure de la pression artérielle à domicile (MPAD)
  - Monitorage ambulatoire de la pression artérielle (MAPA) (si nécessaire)
  - Suivi tous les trois à six mois par un professionnel de la santé, une fois que la P.A. est stable
- Thérapie nutritionnelle **TABLEAU 40.7**
  - Limitation de l'apport alimentaire en sodium
  - Perte de poids (si nécessaire)
  - Restriction du cholestérol et des lipides saturés
  - Apport adéquat de calcium et de magnésium
- Activité physique régulière et modérée
- Suppression des produits du tabac
- Consommation d'alcool modérée
- Gestion des facteurs de risque psychosociaux
- Médicaments antihypertenseurs **TABLEAU 40.8**
- Enseignement au client et au proche aidant

67

La créatinine sérique et la clairance de la créatinine sont expliquées dans le chapitre 67, *Évaluation clinique – Système urinaire*.

Hypokaliémie : Faible taux de potassium sérique dans le sang.

évidence la participation des reins et pour fournir les renseignements de base sur la fonction rénale. La **clairance** de la créatinine, c'est-à-dire le taux d'élimination de cette substance dans la circulation sanguine, reflète le taux de filtration glomérulaire (Wilson, 2014). Il y a signe d'insuffisance rénale lorsque la clairance est plus faible que la normale. Cette clairance peut être mesurée de façon quantitative dans des échantillons d'urine recueillis à des moments définis. Elle peut également être évaluée à partir du taux de créatinine sérique ▶ 67.

Il est important de mesurer les électrolytes sériques, surtout le potassium. L'**hypokaliémie** peut mettre en évidence l'**hyperaldostéronisme** (l'augmentation du taux d'aldostérone) ou une hypertension rénovasculaire, des causes de l'HTA secondaire. Il est important également de mesurer le taux de glucose à jeun ainsi que l'hémoglobine glyquée. Un profil lipidique renseigne également sur les facteurs de risque additionnels prédisposant à l'athérosclérose et à un AVC. L'ECG fournit un point de référence sur l'activité électrique du cœur. L'utilité de ce test est de mettre en évidence une hypertrophie ventriculaire gauche, une ischémie cardiaque ou un antécédent d'infarctus du myocarde. En raison de l'importance pronostique de l'hypertrophie ventriculaire gauche, une échocardiographie peut aussi être pratiquée. Si l'âge du client, ses antécédents familiaux, un examen clinique ou la gravité de l'HTA semblent désigner une cause secondaire, d'autres tests diagnostiques seront effectués.

Jugement clinique

Le résultat de la clairance de la créatinine de Yolène Mardi, âgée de 63 ans, est de 86 mL/min. Y a-t-il lieu de croire que la cliente a un problème de filtration glomérulaire et qu'un début d'insuffisance rénale est en train de s'installer ? Justifiez votre réponse.

Monitorage ambulatoire de la pression artérielle

Chez certains clients, une pression artérielle élevée peut être observée dans certaines situations cliniques. Cela peut être le cas d'une personne en attente d'un diagnostic qui éprouve un stress au cours d'une visite chez le médecin. La pression artérielle élevée enregistrée au cours de la visite médicale peut contraster avec une pression artérielle normale lorsque l'automesure ou le monitorage ambulatoire de la pression artérielle (MAPA) sont pratiqués à domicile. Ce phénomène porte le nom de syndrome du sarrau blanc, qui s'observe chez 10 à 30 % des clients chez qui il y a un doute d'HTA (Drouin & Milot, 2012). En l'absence de facteurs de risque, la mesure de pression artérielle à domicile (MPAD) et au travail est une approche pratique et économique maintenant recommandée avant d'effectuer un MAPA pour évaluer une hypertension artérielle de légère à modérée (140-179 mm Hg) (Campbell, 2010). Le MAPA est indiqué pour les clients qui n'atteignent pas leur cible de pression artérielle, malgré l'instauration d'un traitement pharmacologique, ou pour une personne présentant une pression artérielle élevée au bureau du médecin et des symptômes d'hypotension orthostatique causés par des antihypertenseurs (Hypertension Canada, 2015). Le MAPA consiste à porter un appareil non invasif complètement automatisé qui mesure la pression artérielle à intervalles prédéterminés pendant une période de 24 heures. L'appareillage comprend un brassard, et un microprocesseur qui prend place dans un étui porté à l'épaule ou à la ceinture. Il faut demander au client de laisser son bras immobile sur le côté lorsqu'une mesure est en train d'être prise et d'inscrire dans un journal les activités qui pourraient modifier sa pression artérielle. D'autres applications pratiques du MAPA comprennent l'étude de la résistance à des antihypertenseurs, l'hypertension épisodique ou un dysfonctionnement du SNS.

Comme pour la plupart des phénomènes physiologiques, la pression artérielle présente une variabilité diurne. Chez les personnes actives le jour, la P.A. est à son taux maximum tôt le matin, puis elle s'abaisse au cours de la journée pour atteindre un minimum en soirée. Les valeurs lors d'un MAPA de jour ne devraient pas être égales ou supérieures à 135/85 mm Hg; elles ne devraient pas être égales ou supérieures à 130/80 mm Hg pour la moyenne des 24 heures (Hypertension Canada, 2015). Pendant le sommeil, la P.A. diminue généralement de 10 % et plus en comparaison à celle mesurée en période d'éveil. Certains clients hypertendus ne manifestent pas de chute normale de P.A. durant la nuit; ils sont qualifiés de non-basculeurs. L'absence de variabilité diurne est associée à des risques d'avoir un plus grand nombre d'organes cibles endommagés et à une augmentation du risque d'accident cardiovasculaire (Campbell, 2010). Par ailleurs, une diminution de la P.A. nocturne de moins de 10 % de la valeur de base du client est associée à un risque accru de subir un événement cardiovasculaire (Hypertension Canada, 2015). Grâce au MAPA, la présence ou l'absence d'une variabilité diurne peut également être vérifiée.

Dans les dernières recommandations du PECH (Hypertension Canada, 2015), la MPAD est considérée comme une méthode équivalant au MAPA pour poser le diagnostic d'hypertension artérielle, à condition que la moyenne des valeurs prises soit égale ou supérieure à 135/85 mm Hg. Par contre, si une variation est observée entre les données au bureau du médecin et celles obtenues par la MPAD, un MAPA peut être utilisé pour diagnostiquer un syndrome du sarrau blanc (Campbell, 2010). Cependant, l'infirmière doit encourager le client à mesurer sa P.A. à domicile dans le but de favoriser la prise en charge de sa maladie, et d'améliorer son sentiment de compétence et son assiduité au traitement. Il existe plusieurs types d'appareils recommandés pour la mesure de la P.A. à domicile.

40.3.7 Processus thérapeutique en interdisciplinarité

L'**ENCADRÉ 40.2** résume les examens et le processus thérapeutique destinés à un client atteint d'HTA. Les objectifs visent à atteindre et à maintenir la pression artérielle souhaitée. Des changements d'habitudes de vie sont indiqués chez tous les clients atteints de préhypertension artérielle et d'HTA (Daskalopoulou *et al.*, 2015).

Modifications des habitudes de vie

Les modifications des habitudes de vie visent à abaisser la pression artérielle et l'ensemble des risques cardiovasculaires. Les objectifs sont les suivants: 1) perdre du poids; 2) adopter le régime alimentaire DASH ou un régime alimentaire sain selon le *Guide alimentaire canadien*; 3) diminuer la quantité de sodium dans son alimentation; 4) s'en tenir à une consommation modérée d'alcool; 5) faire régulièrement de l'exercice; 6) cesser de fumer; 7) gérer les facteurs de risque psychosociaux.

Perte de poids

Les personnes ayant un excès de poids ont une probabilité plus élevée de présenter une HTA et courent un plus grand risque d'AVC. Chez beaucoup de personnes, une perte de poids, même modérée, a un effet significatif sur la diminution de la pression artérielle. Une perte de poids de 10 kg peut abaisser la pression artérielle systolique d'environ 5 à 20 mm Hg (Daskalopoulou *et al.*, 2015). Il est recommandé de maintenir un poids santé, soit un indice de masse corporelle (IMC) compris entre 18,5 et 24,9 et de viser ou de maintenir un tour de taille inférieur à 88 cm chez les femmes et inférieur à 102 cm chez les hommes, car le tour de taille influe sur la pression artérielle (Campbell, 2009). En effet, lorsqu'une personne diminue son apport calorique, sa consommation de sodium et de lipides diminue également. Même si la diminution du contenu en lipides dans le régime alimentaire ne semble pas donner des avantages prolongés dans la régulation de la pression artérielle, elle peut toutefois ralentir la progression de l'athérosclérose et diminuer le risque d'un AVC. Il est donc recommandé aux personnes qui ont une surcharge pondérale et qui souffrent d'HTA de perdre du poids en diminuant leur apport calorique et en pratiquant des activités physiques modérées ▶ 55. Les stratégies de perte de poids devraient se fonder sur une approche interdisciplinaire (diététiste, physiothérapeute, kinésiologue et infirmière).

Régime alimentaire DASH

Le régime alimentaire DASH (*dietary approaches to stop hypertension*) met l'accent sur la consommation de fruits, de légumes, de lait et de produits laitiers sans gras ou faibles en gras, de

Réactivation des connaissances

Comment se calcule l'IMC ?

55

Des recommandations pour les personnes ayant une surcharge pondérale sont présentées dans le chapitre 55, *Interventions cliniques – Obésité*.

CE QU'IL FAUT RETENIR

L'infirmière doit encourager le client à mesurer sa P.A. à domicile dans le but de favoriser la prise en charge de sa maladie, et d'améliorer son sentiment de compétence et son assiduité au traitement.

grains entiers, de fèves, de haricots, de graines et de noix. En comparaison avec un régime alimentaire typiquement nord-américain, ce régime contient moins de viande rouge, de sel, de sucreries, de sucres ajoutés et de boissons riches en sucre (NHLBI, 2006) **TABLEAU 40.7**. Le régime alimentaire DASH permet d'abaisser la pression artérielle de façon significative. En effet, les sujets de l'étude qui suivaient le régime DASH ont observé une diminution moyenne de leur pression artérielle systolique de 11,2 mm Hg (Moore, Conlin, Ard *et al.*, 2001). Ces résultats se comparent à ceux atteints à l'aide d'un médicament antihypertenseur (Daskalopoulou *et al.*, 2015). La diminution de cholestérol LDL (lipoprotéine de faible densité) fait également partie des bénéfices additionnels de ce régime (NHLBI, 2006).

Régime alimentaire faible en sodium

Le régime alimentaire des adultes en santé devrait contenir moins de 2 300 mg de sodium par jour. Cependant, les Noirs, les personnes âgées de 65 ans et plus, ainsi que celles qui sont hypertendues, qui souffrent de diabète ou qui sont atteintes d'une maladie rénale chronique devraient limiter leur apport quotidien à un maximum de 1 500 mg (Santé Canada, 2012). Les aliments riches en sodium doivent donc être évités (p. ex., les soupes en conserve, les repas congelés), ainsi que l'ajout de sel aux aliments ou aux repas préparés à domicile. L'utilisation du guide de référence *Sodium 101* peut être un excellent repère sur les quantités acceptable de sodium dans les aliments (www.sodium101.ca).

La majorité des adultes dépassent les limites recommandées pour le sodium. En effet, la

Thérapie nutritionnelle

TABLEAU 40.7 Régime alimentaire DASH pour diminuer l'hypertension artérielle

TYPE D'ALIMENTS	PORTIONS	TAILLE DES PORTIONS	JUSTIFICATION
Céréales [a]	6-8/j	1 tranche de pain, 30 g de céréales sèches [b], 125 mL de riz cuit, de pâtes alimentaires ou de céréales	Sources principales d'énergie et de fibres alimentaires
Légumes	4-5/j	250 mL de légumes feuillus crus, 125 mL de légumes coupés crus ou cuits, 125 mL de jus de légumes	Sources riches en potassium, en magnésium et en fibres alimentaires
Fruits	4-5/j	1 fruit de taille moyenne, 60 mL de fruits secs, 125 mL de fruits frais, congelés ou en conserve, 125 mL de jus de fruits	Sources importantes de potassium, de magnésium et de fibres alimentaires
Lait et produits laitiers sans gras ou à faible teneur en gras	2-3/j	250 mL de lait ou de yogourt, 45 g de fromage	Sources majeures de calcium et de protéines
Viandes maigres, volailles et poissons	$\leq$ 2/j $\leq$ 170 g/j	30 g de viande, de volaille ou de poisson cuit, 1 œuf [c]	Aliments riches en protéines et en magnésium
Noix, graines et légumineuses	4-5/sem.	45 g de noix, 30 mL de beurre d'arachides, 30 mL ou 15 g de graines, 125 mL de légumineuses cuites (fèves et pois secs)	Aliments riches en énergie, en magnésium, en protéines et en fibres alimentaires
Graisses et huiles [d]	2-3 c. à thé/j	15 mL de margarine molle, 15 mL d'huile végétale, 15 mL de mayonnaise, 30 mL de vinaigrette	Pourcentage de calories dans les graisses présentes dans les aliments ou rajoutées dans ces derniers : 27 % (plan DASH)
Sucreries et sucres ajoutés	$\leq$ 5 c. à soupe/sem.	15 mL de sucre, 15 mL de gelée ou de confiture, 125 mL de sorbet ou de gélatine, 250 mL de limonade	Lipides : devraient être faibles dans les sucreries

Le régime alimentaire présenté dans le tableau ci-dessus se base sur une moyenne d'environ 2 000 calories par jour. Le nombre de portions quotidiennes pour un groupe alimentaire peut varier de celui présenté ici, en fonction des besoins en calories ou des besoins alimentaires.

[a] Des grains entiers sont recommandés pour la plupart des portions de céréales, étant donné qu'ils constituent une bonne source de fibres et de nutriments.

[b] Selon les catégories de céréales, correspond à des portions de 120 à 300 mL. Il convient de vérifier l'étiquette nutritionnelle du produit.

[c] Ne pas consommer plus de quatre jaunes d'œufs par semaine ; 2 blancs d'œufs renferment la même quantité de protéines que 30 g de viande.

[d] Selon qu'il s'agit de graisses ou d'huiles, le contenu en lipides varie. Par exemple, 15 mL de vinaigrette ordinaire correspondent à une portion ; 15 mL de vinaigrette faible en gras correspondent à une demi-portion, et il n'y a aucun lipide dans 15 mL de vinaigrette sans matières grasses.

Source : NHLBI (2006).

consommation quotidienne moyenne de Na^+ est d'environ 4 200 mg chez les hommes et de 3 300 mg chez les femmes (Appel, 2009). Réduire son apport sodé permet d'abaisser la pression artérielle systolique d'environ 3,5 mm Hg, et la diastolique, de 1,5 mm Hg (NHLBI, 2006). Les clients et les proches aidants, surtout ceux qui préparent les repas, devraient être bien informés sur les régimes alimentaires faibles en sodium. Afin de trouver les sources cachées de sodium, les consignes suivantes doivent être appliquées : lire les étiquettes des médicaments en vente libre, des aliments emballés et des produits de santé comme les pâtes dentifrices qui contiennent du bicarbonate de sodium. Il est donc important d'analyser le régime alimentaire habituel du client sur une période de trois jours afin de déterminer les aliments riches en sodium qu'il consomme.

Chez certains clients, le fait de restreindre la consommation de sodium peut suffire à réguler la pression artérielle. Si une pharmacothérapie s'impose, une posologie plus faible peut être efficace si le client diminue aussi sa consommation de sodium. En outre, un régime alimentaire modéré en sodium diminue le risque d'hypokaliémie associé à une thérapie diurétique. La réaction diffère toutefois si les clients sont sensibles ou résistants au sodium.

L'influence des autres éléments du régime alimentaire dans la régulation de l'hypertension n'est pas bien documentée. Il est toutefois reconnu que des quantités plus élevées de potassium, de calcium, de vitamine D et d'oméga-3 sont associées à une pression artérielle plus basse dans la population en général ainsi que chez les personnes hypertendues. Celles-ci devraient donc s'assurer de retrouver suffisamment de potassium et de calcium dans leur régime alimentaire. Même s'il est important pour la santé de conserver un apport adéquat de calcium et de vitamine D, il n'est pas recommandé de consommer des suppléments de calcium pour abaisser sa pression artérielle. Des oméga-3 présents dans les huiles de certains poissons peuvent contribuer à abaisser la pression artérielle et les taux de triglycérides. Bien que la caféine puisse faire augmenter la pression artérielle, il n'y a pas de lien établi à long terme entre la consommation de caféine et l'hypertension.

Modération de la consommation d'alcool

Il existe un lien étroit entre une consommation excessive d'alcool et l'hypertension. La consommation quotidienne de trois boissons alcoolisées ou plus représente également un facteur de risque de maladie cardiovasculaire et d'AVC. Une consommation standard correspond à 13,6 g ou 17,2 mL d'éthanol, soit environ 44 mL d'alcool 40 %, 355 mL de bière 5 % ou 148 mL de vin 12 % (Campbell, 2010). En général, les hommes ne devraient pas prendre plus de deux consommations par jour ; pour les femmes et les hommes de poids plus faible, la limite est de une consommation. Les consommations d'alcool par semaine ne devraient pas dépasser 14 pour les hommes et 9 pour les femmes (Hypertension Canada, 2015). Une consommation excessive d'alcool menant à une cirrhose hépatique est une cause d'hypertension secondaire.

Jugement clinique

Lucie Lavigueur est âgée de 59 ans. À sa dernière visite médicale annuelle, le médecin a diagnostiqué une P.A. supérieure à la normale et a demandé à la cliente de réduire son apport en sodium. Cette dernière ne comprend pas, car elle n'a pas l'impression de manger salé, dans la mesure où elle ne rajoute jamais de sel. Elle se contente souvent de collations ou de sandwichs le soir, car elle vit seule. Quel est le risque de ce type d'alimentation ?

Activité physique

L'activité physique est essentielle pour favoriser et conserver une bonne santé. Le PECH recommande aux adultes de pratiquer une activité physique dynamique d'intensité modérée pendant 30 à 60 minutes de 4 à 7 fois par semaine. L'objectif de 30 minutes peut être atteint en accomplissant plusieurs activités physiques plus courtes durant au moins 10 minutes. Les activités modérées peuvent aussi être combinées avec des activités plus intenses, comme marcher d'un bon pas pendant 30 minutes 2 jours par semaine et faire du jogging durant 20 minutes 2 autres jours (Campbell, 2010 ; Haskell, Lee, Pate *et al.*, 2007 ; Nelson, Rejeski, Blair *et al.*, 2007).

Il existe des recommandations d'activités physiques pour les adultes âgés de 18 à 65 ans, pour ceux âgés de 65 ans et plus, et aussi pour ceux âgés de 50 à 64 ans ayant des restrictions fonctionnelles ou souffrant de conditions les empêchant d'être actifs (Haskell *et al.*, 2007 ; Nelson *et al.*, 2007).

Tous les adultes devraient, au moins deux fois par semaine, pratiquer des activités qui renforcent les principaux muscles du corps. Cela permet de maintenir ou d'augmenter la force et l'endurance musculaires. Il est aussi recommandé d'effectuer au moins deux fois par semaine des activités de flexibilité et d'équilibre ; cela est particulièrement important pour les personnes à risque de chutes (Nelson *et al.*, 2007). Des activités d'intensité modérée, comme une marche d'un bon pas, peuvent abaisser la pression artérielle systolique de 4 à 9 mm Hg, favoriser la relaxation, et diminuer ou contrôler le poids corporel (Daskalopoulou *et al.*, 2015).

CE QU'IL FAUT RETENIR

L'activité physique d'intensité modérée peut abaisser la P.A., favoriser la relaxation et contrôler le poids corporel.

Toute activité physique sera généralement répétée si elle est sans danger et agréable, qu'elle trouve facilement sa place dans un horaire quotidien, et qu'elle n'entraîne pas de coûts financiers ou sociaux. De nombreux centres commerciaux ouvrent leurs portes tôt le matin et offrent une surface uniforme, sûre et une température confortable propices à la marche. Des centres de conditionnement physique offrent aux personnes plus âgées, en dehors des heures d'achalandage, de meilleurs prix afin d'encourager l'activité physique. Des programmes de réadaptation cardiaque proposent des exercices supervisés et des cours sur les moyens permettant de diminuer les facteurs de risque cardiovasculaire.

L'infirmière peut aider les personnes hypertendues à augmenter l'intensité de leurs activités physiques en leur faisant prendre conscience de l'importance d'être actives, en leur décrivant différentes activités qui pourraient leur convenir, en les aidant à planifier un programme d'activités et à le respecter, et en conseillant aux personnes sédentaires d'augmenter graduellement l'intensité de leurs activités. Les personnes atteintes de maladies cardiovasculaires ou d'autres problèmes graves de santé doivent subir un examen physique approfondi et parfois une épreuve d'effort avant de commencer un programme d'exercices. Un accompagnement par un kinésiologue peut être indiqué pour des questions de sécurité.

Réactivation des connaissances

Quelle approche est reconnue comme étant la plus efficace pour la cessation tabagique à long terme ?

Cessation tabagique

La nicotine du tabac provoque une vasoconstriction et une augmentation de la pression artérielle chez les hypertendus **FIGURE 40.4**. Le tabac est également un important facteur de risque de maladie cardiovasculaire parce qu'il provoque une dysfonction endothéliale. Selon la Fondation des maladies du cœur (2014), des bénéfices cardiovasculaires sont observés chez les personnes qui ont cessé de fumer depuis moins d'un an ; en effet, le risque de succomber à une maladie cardiovasculaire est réduit de moitié. Il est primordial d'encourager toutes les personnes, surtout celles qui souffrent d'HTA, à cesser de fumer (Hypertension Canada, 2015). Si des personnes continuent de consommer des produits du tabac, il faut leur proposer de vérifier leur pression artérielle alors qu'elles fument ▶ 11. L'infirmière peut référer le client à des centres d'abandon du tabagisme afin d'obtenir des renseignements et des stratégies sur l'arrêt tabagique.

11

L'usage du tabac et l'arrêt tabagique sont présentés dans le chapitre 11, *Troubles liés à une substance*.

FIGURE 40.4 Le tabagisme est un facteur de risque cardiovasculaire qui peut être modifié, non sans difficulté.

CE QU'IL FAUT RETENIR

L'objectif du traitement de l'HTA primaire est d'atteindre une P.A. inférieure à 140/90 mm Hg (130/80 mm Hg chez les clients atteints de diabète ou de néphropathie).

Gestion des facteurs de risque psychosociaux

Les facteurs de risque psychosociaux peuvent contribuer à augmenter le risque de maladie cardiovasculaire. Ces facteurs de risque sont un statut socioéconomique faible, l'isolement social, le manque de soutien, le stress au travail et dans la vie familiale, de même que la dépression et l'agressivité (Graham, Atar, Borch-Johnsen *et al.*, 2007). Il arrive fréquemment que plusieurs de ces facteurs de risque soient présents en même temps. D'ailleurs, au cours d'un événement cardiovasculaire, le pronostic et l'évolution clinique sont plus sombres chez les clients présentant ces facteurs de risque. Enfin, le taux de dépression est plus élevé chez les personnes qui éprouvent du stress dans leur milieu de travail.

Parce qu'ils activent le SNS et la libération des hormones du stress, les facteurs de risque psychosociaux ont des conséquences directes sur le système cardiovasculaire. Cela peut être à l'origine d'une grande variété de réactions physiopathologiques comme l'hypertension et la tachycardie, l'inflammation, le dysfonctionnement de l'endothélium, l'augmentation du taux d'agrégation plaquettaire, la résistance à l'insuline et l'obésité abdominale (Rozanski, Blumenthal, Davidson *et al.*, 2005).

Les facteurs de risque psychosociaux peuvent aussi contribuer indirectement à la maladie cardiovasculaire, tout simplement par leurs répercussions sur les comportements et les choix liés au mode de vie. Lorsque cela semble nécessaire, l'infirmière devrait proposer des orientations appropriées (p. ex., l'aide psychologique). De plus, des séances de relaxation, des cours de techniques de relaxation, des groupes de soutien et l'entraînement physique peuvent se révéler efficaces et être proposés aux personnes qui ne se trouvent pas dans un état de détresse psychologique aiguë (Rozanski *et al.*, 2005).

Pharmacothérapie

L'objectif du traitement de l'HTA primaire est d'atteindre une pression artérielle inférieure à 140/90 mm Hg. Un objectif de P.A. plus faible (inférieure à 130/80 mm Hg) est recommandé pour les personnes atteintes de diabète. Les personnes à risque élevé d'une coronaropathie sont celles qui souffrent de diabète, d'insuffisance rénale chronique ou d'une maladie équivalente pouvant provoquer une coronaropathie (p. ex., une maladie des artères carotides ou périphériques) (Drozda, Messer, Spertus *et al.*, 2011). La pharmacothérapie n'est pas recommandée pour les personnes ayant une pression dans les limites supérieures des valeurs normales, à moins que cela soit indiqué par une autre condition comme un diabète ou une insuffisance rénale chronique **TABLEAU 40.8**.

Pharmacothérapie

TABLEAU 40.8 Hypertension artérielle

MÉDICAMENTS	MÉCANISMES D'ACTION	EFFETS SECONDAIRES INDÉSIRABLES	CONSIDÉRATIONS INFIRMIÈRES
Diurétiques			
Diurétiques thiazidiques et diurétiques apparentés			
• Chlorthalidone (Hygroton^MD) • Hydrochlorothiazide (HydroDiuril^MD) • Métolazone (Zaroxolyn^MD) • Indapamide (Lozide^MD)	• Inhibition de la réabsorption du chlorure de sodium (NaCl) dans le tube contourné distal ; ↑ augmentation de l'excrétion de Na^+ et de Cl^- • Diminution initiale de liquide extracellulaire ; diminution prolongée de la RVS • Diminution modérée de la P.A. en deux à quatre semaines	• Déséquilibres liquidiens et électrolytiques : diminution du volume des liquides, hypokaliémie, hyponatrémie, hypochlorémie, hypomagnésémie, hypercalcémie, hyperuricémie, alcalose métabolique • Effets sur le SNC : vertiges, céphalées, faiblesse • Effets gastro-intestinaux : nausées, vomissements, diarrhée, constipation, pancréatite • Troubles sexuels : dysfonctionnement érectile, diminution de la libido • Effets cutanés : photosensibilité, éruption cutanée, goutte • Dyscrasie sanguine ; diminution de la tolérance au glucose	• Surveiller les risques d'hypotension orthostatique, d'hypokaliémie et d'alcalose. Les thiazidiques peuvent potentialiser la cardiotoxicité de la digoxine en causant une hypokaliémie. Une restriction alimentaire de sodium diminue le risque d'hypokaliémie. Les anti-inflammatoires non stéroïdiens (AINS) peuvent amoindrir l'effet diurétique et antihypertensif des diurétiques thiazidiques. • Proposer au client de compléter son régime alimentaire avec des aliments riches en potassium. • Surveiller les risques d'hypotension orthostatique et d'anomalies électrolytiques.
Diurétiques de l'anse			
• Bumétanide (Burinex^MD) • Furosémide (Lasix^MD)	• Inhibition de la réabsorption du NaCl dans la portion ascendante épaissie de l'anse rénale ; augmentation de l'excrétion de Na^+ et de Cl^- • Effets diurétiques plus puissants que ceux des thiazidiques, mais de plus courte durée ; moins efficaces pour soigner l'HTA	• Déséquilibres liquidiens et électrolytiques, comme avec les diurétiques thiazidiques, mais sans hypercalcémie • Ototoxicité : déficience auditive, surdité et vertiges, qui sont habituellement réversibles • Effets métaboliques : hyperuricémie, hyperglycémie, augmentation du taux de cholestérol LDL et de triglycérides, diminution du taux de cholestérol HDL	• Surveiller les risques d'hypotension orthostatique et d'anomalies électrolytiques. • Les diurétiques de l'anse rénale demeurent efficaces malgré l'insuffisance rénale. Des doses de médicaments plus élevées amplifient l'effet diurétique.
Diurétiques épargneurs de potassium			
• Amiloride (Midamor^MD) • Triamtérène (au Canada, produit disponible seulement en association avec une autre substance)	• Diminution des échanges de K^+ et de Na^+ dans les tubules distaux et collecteurs • Diminution de l'excrétion des ions K^+, H^+, Ca^{2+} et Mg^{2+}	• Hyperkaliémie, nausées, vomissements, maux de tête, crampes dans les muscles des jambes, étourdissements	• Surveiller les risques d'hypotension orthostatique et d'hyperkaliémie. • Les diurétiques épargneurs de potassium sont contre-indiqués chez les clients souffrant d'insuffisance rénale, et à utiliser avec précaution chez ceux qui prennent des inhibiteurs de l'enzyme de conversion de l'angiotensine (IECA) ou des antagonistes des récepteurs de l'angiotensine II. Éviter les suppléments de potassium.

TABLEAU 40.8	Hypertension artérielle *(suite)*		
MÉDICAMENTS	**MÉCANISMES D'ACTION**	**EFFETS SECONDAIRES INDÉSIRABLES**	**CONSIDÉRATIONS INFIRMIÈRES**
Inhibiteurs de récepteurs d'aldostérone			
• Spironolactone (Aldactone[MD]) • Éplérénone (Inspra[MD])	• Inhibition des effets de l'aldostérone (rétention du Na^+ et excrétion du K^+) sur les tubules rénaux distaux et collecteurs	• Effets semblables à ceux de l'amiloride et du triamtérène • Effets possibles : gynécomastie, dysfonctionnement érectile, diminution de la libido et cycles menstruels irréguliers	• Surveiller l'hypotension orthostatique et l'hyperkaliémie. Ne pas combiner avec des diurétiques épargneurs de potassium ou avec des suppléments de potassium. Utiliser avec précaution chez les clients qui prennent des IECA ou des antagonistes des récepteurs de l'angiotensine II. Ces médicaments peuvent aussi être considérés comme des diurétiques épargneurs de potassium. Ils sont peu utilisés dans le traitement d'une HTA, mais sont indiqués pour traiter l'insuffisance cardiaque et la cirrhose hépatique.
Inhibiteurs adrénergiques			
Agonistes α-adrénergiques agissant sur le SNC			
• Clonidine (Catapres[MD])	• Diminution des influx nerveux sympathiques issus du SNC • Diminution du tonus sympathique périphérique, vasodilatation, diminution de la RVS et de la P.A.	• Sécheresse buccale, sédation, dysfonctionnement érectile, nausées, étourdissements, troubles du sommeil, cauchemars, agitation, dépression • Bradycardie symptomatique chez les clients souffrant de troubles de la conduction	• Surveiller un arrêt soudain de la médication, car il peut causer un syndrome de sevrage accompagné des signes suivants : hypertension artérielle réactionnelle, tachycardie, céphalées, tremblements, anxiété et sudation. • Soulager une bouche asséchée en mâchant de la gomme ou en suçant des bonbons durs. • Appliquer des timbres transdermiques : ceux-ci diminuent les effets secondaires indésirables et facilitent une meilleure adhésion au traitement.
• Méthyldopa (Aldomet[MD])	• Comme pour la clonidine	• Sédation, fatigue, hypotension orthostatique, diminution de la libido, sécheresse buccale, anémie hémolytique, hépatotoxicité, rétention de sodium et d'eau, dépression	• Informer le client au sujet de la sédation durant la journée et de l'importance d'éviter des activités dangereuses. La prise d'une seule dose quotidienne au coucher amoindrit l'effet de sédation.
α_1-bloquants			
• Doxazosine (Cardura[MD]) • Prazosine (Minipress[MD]) • Térazosine (Hytrin[MD])	• Blocage des effets α_1-adrénergiques par une vasodilatation périphérique, diminuant ainsi la RVS et la P.A. • Effets bénéfiques sur le profil lipidique	• Différents degrés d'hypotension orthostatique, selon le volume plasmatique ; possibilité d'observer une hypotension orthostatique profonde accompagnée d'une syncope en moins de 90 minutes à la suite de la première dose • Rétention d'eau et de sel	• Suggérer au client de prendre ces médicaments au coucher pour diminuer les risques associés à l'hypotension orthostatique. • Ces médicaments diminuent la résistance à l'écoulement de l'urine dans les cas d'hyperplasie prostatique bénigne.
• Phentolamine (Rogitine[MD])	• Blocage des récepteurs α_1-adrénergiques, ce qui engendre une vasodilatation périphérique (diminution de la RVS et de la P.A.)	• Hypotension aiguë et prolongée, arythmies cardiaques, tachycardie, faiblesse, bouffées de chaleur • Douleur abdominale, nausées et exacerbation d'un ulcère gastro-intestinal	• Employer à court terme pour le traitement d'un phéochromocytome (tumeur chromaffine). La phentolamine est également utilisée localement pour prévenir une nécrose de la peau et des tissus sous-cutanés par suite de l'extravasation d'un agent adrénergique. Elle n'existe pas sous forme orale.

TABLEAU 40.8 Hypertension artérielle *(suite)*

MÉDICAMENTS	MÉCANISMES D'ACTION	EFFETS SECONDAIRES INDÉSIRABLES	CONSIDÉRATIONS INFIRMIÈRES
β-bloquants			
• Acébutolol (Sectral[MD]) • Aténolol (Tenormin[MD]) • Bisoprolol (Monocor[MD]) • Métoprolol (Lopresor[MD], Betaloc[MD]) • Nadolol (Corgard[MD]) • Pindolol (Visken[MD]) • Propanolol (Inderal[MD]) • Timolol (Apo-Timol[MD], Blocadren[MD])	• Diminution de la P.A. par leurs effets antagonistes β-adrénergiques • Action des agents cardiosélectifs bloquant les récepteurs β-adrénergiques • Action des agents bloquants non sélectifs des récepteurs β_1 et β_2-adrénergiques • Baisse du D.C. et du tonus vasoconstricteur sympathique • Diminution de la sécrétion de rénine par les reins	• Hypotension, bronchospasme, bloc atrioventriculaire, réduction de la circulation sanguine périphérique • Cauchemars, dépression, dysfonctionnement érectile, faiblesse, diminution de la capacité de faire des activités physiques • Possible déclenchement ou exacerbation de l'insuffisance cardiaque chez les personnes sensibles • Rebond de l'HTA et intensification des symptômes d'une cardiophathie ischémique en cas de retrait soudain des β-bloquants	• Les β-bloquants présentent des variations touchant leur solubilité dans les lipides, leur sélectivité et la présence d'un effet sympathomimétique partiel. Cet effet permet de comprendre les différents effets thérapeutiques et les profils secondaires d'agents spécifiques. • Surveiller régulièrement le pouls et la P.A. • À utiliser avec précaution chez les clients atteints de diabète, étant donné que ces médicaments peuvent diminuer la tachycardie associée à l'hypoglycémie. Les agents non sélectifs peuvent causer un bronchospasme, surtout chez les clients ayant des antécédents d'asthme. Les β-bloquants ne sont pas le traitement de première intention d'une HTA chez la personne âgée de plus de 60 ans.
• Esmolol (Brevibloc[MD])	• Diminution de la P.A. puisque antagoniste des effets β_1-adrénergiques	• Hypotension • Bradycardie • Bloc auriculo-ventriculaire • Étourdissement • Inflammation au site d'injection	• Administrer par voie intraveineuse (I.V.) ; début rapide des effets, mais très courte durée d'action.
• Carvédilol (Coreg[MD]) • Labétalol (Trandate[MD])	• Propriétés de blocage des récepteurs α_1, β_1 et β_2-adrénergiques causant ainsi une vasodilatation périphérique et une diminution de la F.C. • Diminution du D.C., de la RVS et de la P.A.	• Hypotension, bradycardie, hypotension orthostatique, étourdissements, fatigue, nausées, dyspepsie, paresthésie, congestion nasale, dysfonctionnement érectile, œdème • Toxicité hépatique	• Injecter par voie I.V. alors que le client est allongé. • Ces médicaments sont semblables aux β-bloquants. Il existe une forme I.V. du labétalol pour traiter les crises hypertensives chez les clients hospitalisés. • Évaluer la tolérance des clients à la position debout (hypotension orthostatique grave) avant de leur permettre de faire des activités debout (p. ex., utiliser la chaise d'aisance).
Vasodilatateurs à action directe			
• Hydralazine (Apresoline[MD])	• Diminution de la RVS et de la P.A. par le déclenchement direct de la vasodilatation artérielle	• Céphalées, nausées, bouffées de chaleur, palpitations, tachycardie, étourdissements et angine • Anémie hémolytique, angéite et glomérulonéphrite progressant rapidement	• Administrer par voie I.V. uniquement dans le cas de crises hypertensives chez les clients hospitalisés ; sinon, administrer par dose orale quatre fois par jour (q.i.d.). L'hydralazine n'est pas utilisée comme monothérapie en raison de ses effets secondaires indésirables. Elle est contre-indiquée chez les clients souffrant d'une coronaropathie ; utiliser avec précaution chez les clients âgés de plus de 40 ans.

TABLEAU 40.8	Hypertension artérielle *(suite)*		
MÉDICAMENTS	**MÉCANISMES D'ACTION**	**EFFETS SECONDAIRES INDÉSIRABLES**	**CONSIDÉRATIONS INFIRMIÈRES**
• Minoxidil (Loniten^MD)	• Diminution de la RVS et de la P.A. par le déclenchement direct de la vasodilatation artérielle	• Tachycardie réflexe, rétention sodique et hydrique importantes (peut nécessiter des diurétiques de l'anse rénale pour la régulation) ; hirsutisme • Possibles modifications de l'ECG (ondes T aplaties et inversées), non liées à l'ischémie	• Réserver exclusivement au traitement d'une HTA grave associée à une insuffisance rénale et résistante à d'autres thérapies ; une ou deux doses quotidiennes.
• Nitroglycérine	• Relâchement des muscles lisses des veines et des artères, diminution de la précharge et de la RVS • À faible dosage : vasodilatation veineuse ; à des doses plus élevées : vasodilatation artérielle	• Hypotension, céphalées, vomissements, bouffées de chaleur	• Administrer par voie I.V. chez les clients hospitalisés en état de crise hypertensive accompagnée d'une ischémie du myocarde. • Administrer par perfusion I.V. continue à l'aide d'une pompe ou d'un appareil de régulation.
• Nitroprusside (Nipride^MD)	• Vasodilatation artérielle directe qui diminue la RVS et la P.A.	• Hypotension aiguë, nausées, vomissements, secousses musculaires • Signes d'intoxication au nitroprusside : anorexie, nausées, fatigue et désorientation	• Administrer par voie I.V. chez les clients hospitalisés en crise hypertensive. • Administrer par perfusion I.V. continue à l'aide d'une pompe ou d'un appareil de régulation. • Surveiller la P.A. par voie intra-artérielle. • Recouvrir les bouteilles de solutés d'un matériel opaque afin de les protéger de la lumière ; les solutés ont une stabilité de 24 heures. • Surveiller les taux de thiocyanate lorsque l'usage est prolongé (> 3 jours) ou que les doses sont supérieures ou égales à 4 mcg/kg/min, car cette substance se métabolise en cyanure, puis en thiocyanate.
Inhibiteurs de l'angiotensine			
Inhibiteurs de l'enzyme de conversion de l'angiotensine (IECA)			
• Bénazépril (Lotensin^MD) • Captopril (Capoten^MD) • Énalapril (Vasotec^MD) • Fosinopril (Monopril^MD) • Lisinopril (Prinivil^MD, Zestril^MD) • Cilazapril (Inhibace^MD) • Périndopril (Coversyl^MD) • Quinapril (Accupril^MD) • Ramipril (Altace^MD) • Trandolapril (Mavik^MD)	• Inhibition de l'enzyme de conversion de l'angiotensine, baisse de la conversion de l'angiotensine I en angiotensine II • Inhibition de la vasoconstriction facilitée par l'angiotensine II	• Hypotension, étourdissements, agueusie, toux, hyperkaliémie, insuffisance rénale aiguë, éruptions cutanées, angiœdème (œdème de Quincke)	• Utiliser avec prudence lorsque ces molécules sont administrées en même temps que des diurétiques épargneurs de potassium en raison du risque d'hyperkaliémie. • L'acide acétylsalicylique (AAS) et les AINS peuvent diminuer l'efficacité des médicaments. • L'ajout de diurétiques amplifie l'effet des médicaments. • Ces substances inhibent la dégradation de la bradykinine, pouvant causer ainsi une toux sèche et saccadée. • Dans les cas de crises hypertensives, il est possible de donner du captopril *per os*.

TABLEAU 40.8 Hypertension artérielle *(suite)*			
MÉDICAMENTS	**MÉCANISMES D'ACTION**	**EFFETS SECONDAIRES INDÉSIRABLES**	**CONSIDÉRATIONS INFIRMIÈRES**
• Énalaprilat (Vasotec IV[MD])	• Inhibition de l'ECA lorsque les autres agents oraux ne conviennent pas	• Comme pour les médicaments donnés *per os*	• Administrer par voie I.V. pendant cinq minutes ; surveiller la P.A.
Antagonistes des récepteurs de l'angiotensine II (ARA)			
• Candésartan (Atacand[MD]) • Éprosartan (Teveten[MD]) • Irbésartan (Avapro[MD]) • Losartan (Cozaar[MD]) • Telmisartan (Micardis[MD]) • Valsartan (Diovan[MD])	• Inhibition de l'action de l'angiotensine II, vasodilatation et augmentation de l'excrétion de sels et d'eau	• Hyperkaliémie, diminution de la fonction rénale	• Utiliser avec prudence lorsque ces molécules sont administrées en même temps que des diurétiques épargneurs de potassium en raison du risque d'hyperkaliémie. • Il peut se passer de trois à six semaines avant d'observer un plein effet de ces médicaments. • Comme ils n'affectent pas les taux de bradykinine, il est possible de les utiliser à la place des IECA chez les personnes qui ont une toux sèche.
Inhibiteurs de la rénine			
• Aliskirène (Rasilez[MD])	• Inhibition directe de la rénine, ce qui réduit ainsi la conversion de l'angiotensinogène en angiotensine I	• Éruptions cutanées, augmentation du taux de créatine kinase, toux, hypotension, torsades de pointes, insuffisance rénale aiguë, angiœdème	• Ne pas utiliser durant la grossesse. • Peut provoquer un angiœdème de la face, des lèvres, de la langue, de la glotte, du larynx et des extrémités.
Bloqueurs des canaux calciques			
• Amlodipine (Norvasc[MD]) • Diltiazem à libération progressive (Cardizem CD[MD], Tiazac XC[MD]) • Félodipine (Plendil[MD]) • Nifédipine à action très prolongée (Adalat XL[MD]) • Vérapamil à libération intermédiaire (Isoptin[MD]) • Vérapamil à action prolongée (Isoptin SR[MD]) • Vérapamil à libération modifiée (Verelan PM[MD])	• Inhibition du flux entrant d'ions calcium à travers la membrane cellulaire pendant la dépolarisation cardiaque, causant ainsi une vasodilatation et une diminution de la F.C., de la contractilité et une RVS	• Bradycardie, bloc atrioventriculaire du premier degré, nausées, céphalées, étourdissements, œdème périphérique, bouffées de chaleur, hyperplasie de la gencive, constipation (avec le vérapamil)	• Utiliser avec précaution chez les clients souffrant d'insuffisance cardiaque. Ces substances sont contre-indiquées chez les clients souffrant d'un trouble de conduction électrique de deuxième ou troisième degré. • Aviser le client de ne pas consommer de pamplemousse avec la nifédipine et la félodipine. • Ne pas administrer de nifédipine sublinguale à action rapide dans les situations d'urgence hypertensive, car ce n'est ni efficace, ni sûr. Des cas d'AVC et d'infarctus aigus du myocarde ont été signalés.

Les médicaments couramment prescrits pour traiter l'HTA exercent deux actions principales : la diminution du volume de sang en circulation et la réduction de la RVS. Ces médicaments comprennent des diurétiques, des bêtabloquants, des vasodilatateurs à action directe, des inhibiteurs d'angiotensine et de rénine, et des bloqueurs des canaux calciques. La **FIGURE 40.5** présente les différents sites et les mécanismes d'action des antihypertenseurs.

Le traitement de première intention s'adresse aux adultes avec un diagnostic confirmé d'HTA sans problème de comorbidité, par exemple la coronaropathie, l'insuffisance cardiaque ou rénale, le diabète ou des antécédents d'AVC. Dans ces circonstances, le PECH (Hypertension Canada, 2015) conseille cinq classes de médicaments, c'est-à-dire : 1) les diurétiques thiazidiques ; 2) les inhibiteurs des canaux calciques ; 3) les inhibiteurs de l'enzyme de conversion de l'angiotensine (IECA) ; 4) les antagonistes des récepteurs de l'angiotensine II (ARA) ; 5) les bêtabloquants (Cloutier, Leclerc, Longpré *et al.*, 2013 ; Leclerc, Cloutier, Grenier-Michaud *et al.*,

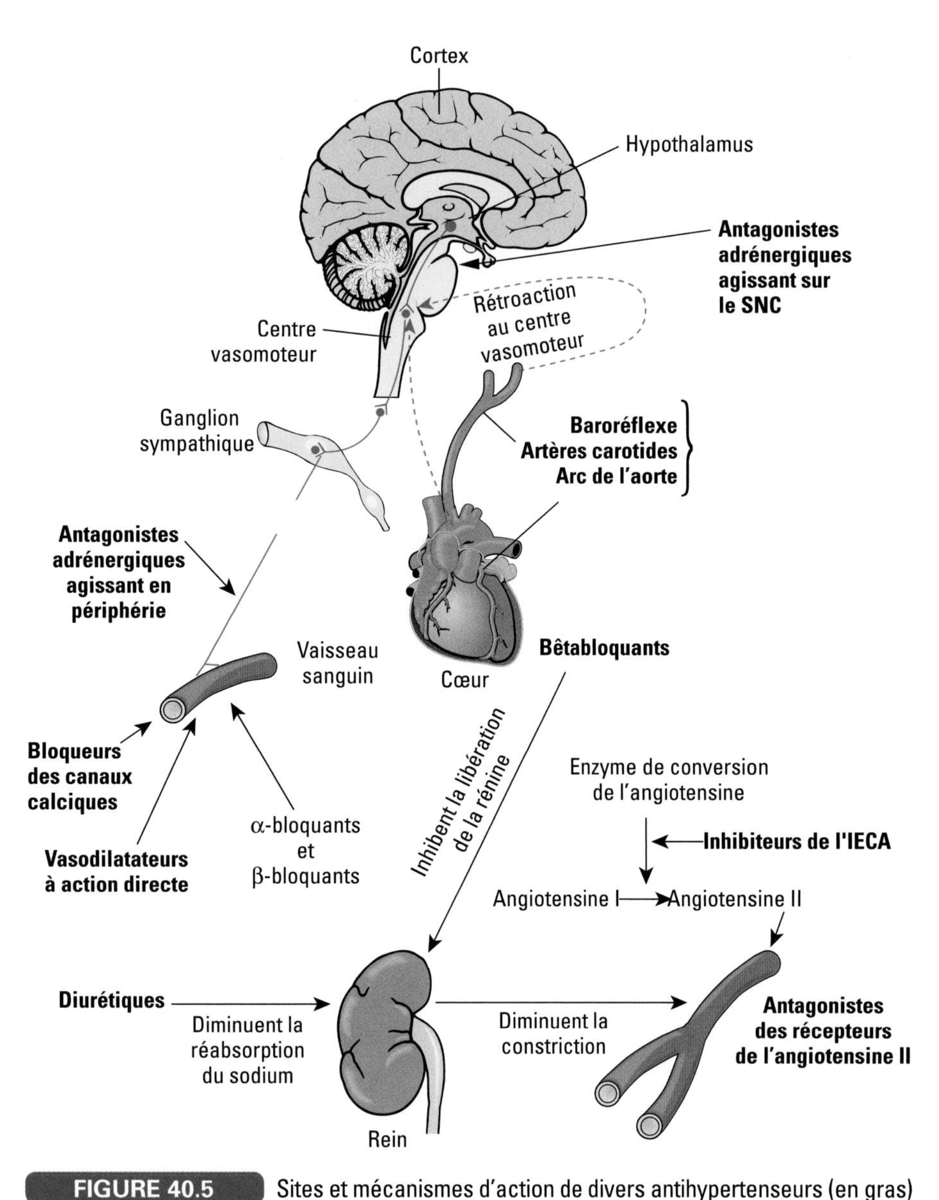

FIGURE 40.5 Sites et mécanismes d'action de divers antihypertenseurs (en gras)

2013 ; Longpré, Leclerc & Cloutier, 2013). Par contre, les bêtabloquants présentent un intérêt certain pour les personnes de 60 ans et plus.

Les diurétiques contribuent à faire diminuer la P.A. par l'excrétion rénale de sodium et d'eau, diminuant ainsi le volume plasmatique. Les bêtabloquants exercent leur action en diminuant les effets de l'activation du SNS responsables de l'augmentation de la P.A. Ces inhibiteurs sont les médicaments qui agissent sur le centre vasomoteur central et en périphérie pour inhiber la libération de noradrénaline ou pour bloquer les récepteurs adrénergiques β_1 (cœur) et β_2 (vaisseaux sanguins). Les vasodilatateurs agissent directement pour faire diminuer la P.A. en relâchant les muscles lisses vasculaires et en diminuant la RVS. Les bloqueurs des canaux calciques provoquent une vasodilatation en freinant le mouvement des ions calcium extracellulaires vers les cellules.

> **Jugement clinique**
>
> Jean-Pierre Mousseau, âgé de 55 ans et pesant 92 kg pour 1,70 m, est chauffeur dans une entreprise de construction. Il est furieux, car le médecin lui a récemment prescrit des médicaments pour son hypertension artérielle et, depuis, il éprouve des problèmes érectiles, ce qui le rend nerveux et tendu. Quels sont les deux facteurs, autres que les médicaments, qui pourraient être en cause dans le problème sexuel de monsieur Mousseau ? Justifiez votre réponse.

Il existe deux catégories d'inhibiteurs de l'angiotensine. La première catégorie comprend les inhibiteurs de l'enzyme de conversion de l'angiotensine (IECA) ; ceux-ci entravent la transformation de l'angiotensine I en angiotensine II, diminuant ainsi la vasoconstriction causée par l'angiotensine II, ainsi que la rétention de sodium et d'eau. La deuxième catégorie inclut des antagonistes des récepteurs de l'angiotensine II (ARA) : ils empêchent celle-ci de se lier à ses récepteurs sur les parois des vaisseaux sanguins.

La plupart des clients hypertendus ont besoin de deux médicaments antihypertenseurs, parfois plus, pour contrôler leur P.A. Un deuxième médicament d'une classe différente est ajouté lorsque le médicament initial administré en doses adéquates n'arrive pas à contrôler la P.A. Ces médicaments peuvent être prescrits en monothérapie ou faire partie d'un traitement d'association. Cependant, selon des résultats probants, la combinaison d'un IECA avec un ARA ne produirait aucun bénéfice additionnel concernant la valeur de la P.A., en plus d'entraîner des effets indésirables plus importants (Yusuf, Teo, Pogue *et al.*, 2008) **TABLEAU 40.9**. Si un médicament n'est pas toléré ou s'il est contre-indiqué, un produit d'une autre classe est alors utilisé.

Après avoir commencé leur traitement antihypertenseur, la plupart des clients devraient être l'objet d'un suivi mensuel et bénéficier d'un ajustement de leur médication jusqu'à ce que la pression artérielle visée soit atteinte. Des visites plus fréquentes sont nécessaires pour les personnes souffrant d'HTA non contrôlée ou présentant des comorbidités pouvant causer des complications. Une fois que la pression artérielle souhaitée est atteinte et qu'elle demeure stable, des suivis peuvent être planifiés à des intervalles de trois à six mois. Les comorbidités, comme l'insuffisance cardiaque, des maladies associées ou le diabète, de même que le besoin de monitorage permanent, comme des analyses de laboratoire, peuvent avoir une influence sur la fréquence des visites **ENCADRÉ 40.3**.

Enseignement au client et à ses proches au sujet de la pharmacothérapie

Des effets secondaires indésirables peuvent survenir avec les antihypertenseurs et sont souvent suffisamment dérangeants pour que les clients cessent leur thérapie. Il arrive également que des effets indésirables plus graves (angiœdème) se produisent. Le **TABLEAU 40.8** décrit les principaux effets secondaires indésirables de certains antihypertenseurs. L'enseignement donné au client et à ses proches quant à la pharmacothérapie permet de connaître les effets indésirables et de les prévenir, aidant ainsi le client à respecter sa thérapie. Des effets indésirables peuvent se manifester au début du traitement et diminuer avec le temps. Le fait de le dire au client peut l'inciter à ne pas cesser sa pharmacothérapie. Le nombre d'effets secondaires et leur gravité peuvent être des conséquences de la posologie. Il est essentiel de demander au client de signaler tous les effets secondaires aux professionnels de la santé ayant prescrit le médicament. Il peut être nécessaire de la diminuer, de changer le moment de la prise du médicament durant la journée ou de changer de médicament.

Un effet indésirable courant des antihypertenseurs est l'**hypotension orthostatique**. Cette baisse de pression est due à une modification des mécanismes de régulation de la pression artérielle du système nerveux autonome jouant un rôle lorsqu'une personne change de position. En passant de la station assise ou couchée à la station debout, une personne peut se sentir faible, ou être prise d'étourdissements et s'évanouir. L'**ENCADRÉ 40.9** présente des mesures précises pour contrôler ou abaisser l'hypotension orthostatique.

Certains antihypertenseurs peuvent provoquer un dysfonctionnement sexuel ; cela peut expliquer pourquoi une personne ne respecte pas son plan de traitement. Les problèmes peuvent aller d'une diminution de la libido jusqu'à un dysfonctionnement érectile. Il est crucial d'en discuter ouvertement avec le client, car il s'agit d'un effet plutôt rare qui a souvent plusieurs autres causes que la médication antihypertensive. En discuter permet au client de mieux mesurer les risques et les bénéfices. Il importe d'évaluer si le dysfonctionnement provient de la pharmacothérapie où s'il était présent avant l'introduction de la médication, car l'HTA, l'hypercholestérolémie, la dyslipidémie ou le diabète, par exemple, sont des facteurs de risque importants de la dysfonction érectile. D'autres facteurs de risque tels que le tabagisme, l'abus d'alcool, le stress et l'obésité peuvent également provoquer une dysfonction érectile. Le fait d'expliquer au client que l'antihypertenseur peut être à l'origine de son problème peut lui permettre d'en discuter plus facilement. Encore une fois, l'infirmière doit encourager le client à discuter de ces effets indésirables avec le professionnel de la santé qui a prescrit le médicament. Le fait de choisir un autre antihypertenseur peut diminuer ou éliminer ces effets indésirables. Le couple peut améliorer sa santé sexuelle en diminuant la dysfonction érectile grâce à l'usage de certains médicaments, mais également en discutant de certains facteurs contributifs. C'est le cas de la pratique des préliminaires sexuels, de la réduction des sources de stress et de la discussion ouverte du problème en couple.

Pharmacothérapie

TABLEAU 40.9 Médication combinée pour le traitement de l'hypertension artérielle

ASSOCIATION MÉDICAMENTEUSE	APPELLATION COMMERCIALE
Inhibiteurs de l'enzyme de conversion de l'angiotensine et diurétiques	
Cilazapril / hydrochlorothiazide	Inhibace Plus[MD]
Énalapril / hydrochlorothiazide	Vaseretic[MD]
Périndopril / hydrochlorothiazide	Coversyl Plus[MD]
Lisinopril / hydrochlorothiazide	Zestoretic[MD]
Ramipril / hydrochlorothiazide	Altace HCT[MD]
Quinapril / hydrochlorothiazide	Accuretic[MD]
Antagonistes des récepteurs de l'angiotensine II et diurétiques	
Candésartan / hydrochlorothiazide	Atacand Plus[MD]
Éprosartan / hydrochlorothiazide	Teveten Plus[MD]
Irbésartan / hydrochlorothiazide	Avalide[MD]
Losartan / hydrochlorothiazide	Hyzaar[MD]
Telmisartan / hydrochlorothiazide	Micardis Plus[MD]
Valsartan / hydrochlorothiazide	Diovan HCT[MD]
Bêtabloquants et diurétiques	
Aténolol / chlorthalidone	Tenoretic[MD]
Pindolol / hydrochlorothiazide	Viskazide[MD]
Diurétiques et diurétiques	
Amiloride / hydrochlorothiazide	Moduret[MD]
Spironolactone / hydrochlorothiazide	Aldactazide[MD]
Triamtérène / hydrochlorothiazide	Diazide[MD]

Certains autres effets indésirables des médicaments sont dus à leur effet thérapeutique. Certains diurétiques tels que les diurétiques de l'anse ou les thiazidiques provoquent une sécheresse de la bouche et des mictions fréquentes. Les mictions plus fréquentes peuvent amener un certain isolement social et occasionner une incontinence urinaire. Le client aura alors tendance à diminuer son assiduité dans la poursuite du traitement (Lehne, 2010). Des gommes à mâcher sans sucre ou des bonbons peuvent remédier au problème de sécheresse buccale. Le fait de prendre des diurétiques au début de la journée peut diminuer la fréquence des mictions au cours de la nuit et favoriser un meilleur sommeil. Quant aux effets secondaires des vasodilatateurs, leur

CE QU'IL FAUT RETENIR

Les effets indésirables qui peuvent survenir avec les antihypertenseurs sont souvent suffisamment dérangeants pour que les clients cessent leur thérapie.

Hypotension orthostatique : Baisse de la tension artérielle survenant soudainement quand un individu passe en position debout en appui sur la plante des pieds.

Pratique fondée sur des résultats probants

ENCADRÉ 40.3 Pourquoi certaines personnes ne se conforment-elles pas à la thérapie antihypertensive ?

QUESTION CLINIQUE

Pour les personnes hypertendues (P), quels sont les facteurs (I) qui expliquent l'absence d'adhésion à la thérapie antihypertensive (O) ?

RÉSULTATS PROBANTS

- Directives de pratique clinique fondées sur une analyse systématique et une méta-analyse d'essais cliniques comparatifs aléatoires

ANALYSE CRITIQUE ET SYNTHÈSE DES DONNÉES

- Le manque d'adhésion aux médicaments prescrits est évaluée à 50 % ; ce pourcentage est légèrement supérieur chez les personnes plus âgées.
- Les malentendus au sujet des traitements, l'absence de symptômes associés à l'hypertension, les effets secondaires de la médication ou les préoccupations au sujet de ces effets, les posologies complexes, les contraintes financières, l'oubli et la dépression sont les principales raisons expliquant cette attitude.

CONCLUSION

- De nombreux facteurs expliquent le manque d'adhésion. Il est essentiel d'évaluer les stratégies d'autogestion du client afin de déterminer des interventions précises qui vont promouvoir le respect de la posologie.

RECOMMANDATIONS POUR LA PRATIQUE INFIRMIÈRE

- Montrer l'importance de respecter la médication, gage de la réussite du traitement.
- Offrir au client un renforcement positif pour ses efforts à gérer sa médication.
- Proposer au client des aides comme des dosettes étiquetées, des signaux sonores et des médicaments qui sont liés à des événements quotidiens (p. ex., les repas, le coucher).
- Suggérer au client de consulter son médecin au sujet de médicaments à action prolongée ou d'une combinaison de médicaments pour simplifier le régime posologique.
- Suggérer au client de vérifier auprès de son médecin afin d'obtenir des médicaments moins onéreux dans le but de diminuer le coût de sa médication.

RÉFÉRENCE

Institute for Clinical Systems Improvement (ICSI) (2008). *Hypertension Diagnosis and Treatment*. Bloomington, MN : ICSI.

P : Population ; I : Intervention ; O : (*Outcome*) Résultat.

CE QU'IL FAUT RETENIR

L'HTA résistante au traitement est l'incapacité d'atteindre la P.A. visée chez le client, même si celui-ci respecte la pharmacothérapie.

intensité diminue si ces médicaments sont pris en soirée. Il est important de rappeler que la pression artérielle est plus faible la nuit et plus élevée peu après le réveil. C'est pourquoi les médicaments ayant une durée d'action de 24 heures devraient être pris le plus tôt possible le matin (p. ex., vers 4 ou 5 h si la personne se réveille pour uriner).

Hypertension résistante au traitement

L'hypertension résistante au traitement se définit comme l'incapacité d'atteindre la pression artérielle visée chez les personnes qui respectent la posologie d'une trithérapie qui comprend un diurétique. Les professionnels de la santé doivent examiner toutes les raisons pouvant expliquer pourquoi la personne n'atteint pas la pression artérielle visée **ENCADRÉ 40.4**.

ENCADRÉ 40.4 Causes de l'hypertension artérielle résistante aux traitements antihypertenseurs

- Mesures erronées de la P.A.
- Surcharge de volume (diastolique)
  - Consommation excessive de sodium
  - Rétention de liquides due à une maladie rénale
  - Thérapie diurétique inadéquate
- Origine médicamenteuse ou autres causes
  - Absence d'adhésion aux recommandations infirmières ou médicales
  - Dosage inadéquat des médicaments
  - Associations incorrectes de médicaments
  - Anti-inflammatoires non stéroïdiens
  - Cocaïne, amphétamines et autres drogues illégales
  - Sympathomimétiques (décongestionnants, coupe-faim)
  - Contraceptifs oraux
  - Corticostéroïdes
  - Immunosuppresseurs (cyclosporine et tacrolimus [Prograf^MD])
  - Érythropoïétine
  - Réglisse et certains tabacs à mâcher
  - Certains suppléments alimentaires et médicaments achetés en vente libre (p. ex., éphédra, ma-huang, orange amère)
  - Antidépresseurs (inhibiteurs de la monoamine-oxydase, inhibiteurs du recaptage de la sérotonine et de la noradrénaline, inhibiteurs spécifiques du recaptage de la sérotonine)
- Problèmes de santé associés
  - Obésité en progression
  - Consommation excessive d'alcool
- Causes connues d'HTA secondaire

Source : Daskalopoulou *et al.* (2015).

Soins et traitements infirmiers

CLIENT ATTEINT D'HYPERTENSION ARTÉRIELLE PRIMAIRE

Collecte des données

L'**ENCADRÉ 40.5** présente les données objectives et subjectives à obtenir des clients hypertendus.

Analyse et interprétation des données

L'**ENCADRÉ 40.6** présente les problèmes prioritaires ainsi que les problèmes communs chez les clients hypertendus.

Planification des soins

Les objectifs généraux pour le client hypertendu sont les suivants:

- Comprendre, accepter et appliquer avec persévérence le programme thérapeutique.
- Atteindre la pression artérielle visée et la maintenir.
- Se sentir compétent dans sa capacité de pouvoir gérer sa situation.
- Expérimenter le moins d'effets indésirables possible.

Interventions cliniques

Promotion de la santé

La prévention primaire de l'HTA constitue le premier choix pour briser le cycle coûteux de la gestion de cette maladie et de ses complications. Les recommandations habituelles de prévention primaire comprennent la modification des habitudes de vie pour prévenir ou retarder l'augmentation de la pression artérielle chez les personnes prédisposées. Un régime alimentaire faible en sel, en gras saturés et totaux, et riche en fruits, en légumes et en produits laitiers faibles en gras diminue la pression artérielle de façon significative **TABLEAU 40.7**. Ce régime est recommandé à la population en général pour la prévention primaire. Des modifications alimentaires qui n'impliquent pas une participation active de la part de la personne, telle une industrie qui diminue la quantité de sel ajouté aux aliments transformés, peuvent même être encore plus efficaces.

39 | ÉVALUATION CLINIQUE

L'étape d'évaluation du système cardiovasculaire est décrite en détail dans le chapitre 39, *Système cardiovasculaire*.

Quelles sont les valeurs normales de la mesure du tour de taille (homme et femme) ?

Collecte des données

ENCADRÉ 40.5 Hypertension artérielle

DONNÉES SUBJECTIVES

- Renseignements importants concernant la santé:
  - Antécédents de santé: durée connue et traitements précédents d'une P.A. élevée; maladie cardiovasculaire, vasculaire cérébrale, rénale ou thyroïdienne; diabète; troubles hypophysaires; obésité; dyslipidémie; ménopause ou hormonothérapie de substitution
  - Médicaments: usage de médicaments prescrits, de médicaments en vente libre, de substances illicites ou de plantes médicinales; utilisation antérieure d'antihypertenseurs
- Modes fonctionnels de santé:
  - Perception et gestion de la santé: antécédents familiaux d'HTA ou de maladie cardiovasculaire; tabagisme, consommation d'alcool; mode de vie sédentaire
  - Nutrition et métabolisme: consommation habituelle de sel et de lipides; gain ou perte de poids
  - Activités et exercices: fatigue; dyspnée, palpitations et douleurs thoraciques à l'effort; claudication intermittente, crampes musculaires
  - Perception et concept de soi: étourdissements; vision trouble; paresthésies
  - Sexualité et reproduction: dysfonctionnement érectile, diminution de la libido
  - Adaptation et tolérance au stress: événements stressants

DONNÉES OBJECTIVES

- Système cardiovasculaire: P.A.S. constamment > 140 mm Hg ou P.A.D. < 90 mm Hg; variations de la P.A. et du pouls selon les changements de position orthostatiques; bruits cardiaques anormaux; pouls apical puissant, soutenu et déplacé latéralement; pouls périphériques diminués ou absents; bruits carotidiens, rénaux ou fémoraux; présence d'un œdème périphérique
- Système gastro-intestinal: obésité (mesure anormale du tour de taille)
- Système nerveux: modifications de l'état mental: difficulté de concentration, confusion, agitation
- Résultats possibles aux examens paracliniques: concentrations d'électrolytes sériques (surtout le potassium) anormales: ↑ taux d'azote uréique sanguin, de glucose, de créatinine, de cholestérol et de triglycérides; protéinurie, microalbuminurie, hématurie microscopique; sur l'ECG, signes d'une cardiopathie ischémique et d'hypertrophie ventriculaire gauche; sur l'échocardiogramme, mise en évidence d'une cardiopathie structurale et d'une hypertrophie ventriculaire gauche; signe d'encochement (de croisement) artérioveineux, hémorragies rétiniennes et œdème papillaire révélés par un examen ophtalmoscopique

Processus diagnostique et thérapeutique

ENCADRÉ 40.6 Problèmes liés à l'hypertension artérielle [a]

PROCESSUS DIAGNOSTIQUE

- Incapacité d'adhérer au traitement pharmacologique et non pharmacologique :
  - Méconnaissance de la pathologie, des complications et de la gestion de son HTA
  - Effets secondaires indésirables de la médication
  - Incapacité d'atteindre une P.A. normale à l'aide des médicaments
  - Non-adhésion thérapeutique liée aux coûts élevés de certains médicaments, aux effets indésirables, aux croyances contraignantes liées à la prise de certains médicaments
  - Difficulté de prendre les médicaments aux moments opportuns
  - Absence de relation de confiance avec le responsable de soins
- Anxiété due à la complexité de gérer sa posologie, complications possibles et modifications des habitudes de vie
- Insatisfaction sexuelle liée au dysfonctionnement érectile provoqué par les effets indésirables des médicaments antihypertenseurs
- Diminution situationnelle de l'estime de soi liée au constat d'HTA
- Risque d'irrigation tissulaire cardiaque inefficace
- Risque d'irrigation tissulaire cérébrale inefficace
- Risque d'irrigation rénale inefficace

PROCESSUS THÉRAPEUTIQUE

- Interventions en soins infirmiers :
  - Évaluer l'assiduité aux traitements.
  - Susciter la réflexion du client afin de trouver des moyens personnels pour faciliter l'adaptation à la maladie et l'assiduité aux traitements.
  - Participer à la conception du plan thérapeutique en suggérant au médecin de prescrire une combinaison de médicaments ou l'utilisation de médicaments à prendre une fois par jour afin de faciliter l'adhésion au traitement.
  - Encourager l'utilisation d'une dosette en présence de polypharmacothérapie.
  - Sensibiliser le client et ses proches aux modifications des habitudes de vie.
- Complications possibles :
  - Effets indésirables de la thérapie antihypertensive
  - Crises hypertensives
  - Accident vasculaire cérébral
  - Infarctus du myocarde

[a] Cette liste n'est pas exhaustive.

| Évaluation du client | En plus de mesurer la pression artérielle, une évaluation complète de santé devrait comprendre ces facteurs : le sexe, l'âge, l'origine ethnique, le régime alimentaire, y compris la consommation de sodium et d'alcool, les variations de poids corporel, le tour de taille et le tabagisme, de même que les antécédents familiaux de cardiopathie, d'AVC, de maladies rénales et de diabète. L'infirmière doit noter tous les médicaments pris par le client, qu'ils soient prescrits ou achetés en vente libre. Finalement, elle doit demander au client s'il a des antécédents d'HTA et les résultats du traitement, s'il y a lieu **ENCADRÉ 40.5**.

| Mesure de la pression artérielle | La pression artérielle se mesure par la méthode oscillatoire ou par auscultation (Hypertension Canada, 2015) **ENCADRÉ 40.7**. La pression artérielle doit être mesurée avec exactitude à deux reprises au moins, en respectant une période d'une minute d'intervalle entre chaque mesure. Le fait d'attendre une minute entre les lectures permet au sang veineux de s'écouler hors du bras et empêche des lectures inexactes. Il faut tenir compte de la valeur moyenne des résultats pour cette visite. La taille du brassard ainsi que son positionnement sont essentiels pour obtenir une mesure valide. L'utilisation d'un brassard trop petit ou trop grand mènera à des résultats faussement élevés ou faibles. Le brassard doit être assez serré autour du bras nu du client, avec la partie centrale (généralement bien mise en évidence par le fabricant) placée au-dessus de l'artère brachiale. Le bras doit être supporté au niveau du cœur. Si le client est assis (minimum cinq minutes), il faut lever et supporter le bras à la hauteur du cœur, et s'assurer que son dos est bien appuyé. Si le client est couché sur le dos, il faut lever et appuyer le bras (à l'aide d'un petit oreiller ou d'un coussin) au niveau du cœur. En effet, si le bras repose sur le lit, il se trouve plus bas que le cœur. Les jambes devraient être à plat (ni pliées ni croisées), et le client doit éviter de parler.

Quand aucun des bras du client ne peut être utilisé pour mesurer la pression artérielle (en raison d'une fistule ou d'une perfusion I.V.) ou si un brassard de taille maximale ne recouvre pas le bras, l'avant-bras peut être utilisé. Dans ces

Pratiques infirmières suggérées

ENCADRÉ 40.7 **Mesures manuelles de la pression artérielle**

Le client ne devrait pas avoir fumé, fait d'activités physiques ou avoir ingéré de caféine 30 minutes avant la mesure de sa P.A.

1. Faire asseoir le client, les jambes non croisées, les pieds au sol et le dos bien appuyé. Mettre son bras à nu et le poser à plat sur un coussin, au niveau du cœur.
2. Attendre que le client se soit reposé au moins cinq minutes. Lui demander de se détendre le plus possible et de ne pas parler pendant la mesure de sa P.A.
3. Déterminer la taille appropriée du brassard en suivant les recommandations du fabricant sur l'ajustement et la mise en place.
4. Au début, mesurer la P.A. dans les deux bras et enregistrer les résultats.
5. Prendre les mesures à l'aide d'un sphygmomanomètre (tensiomètre) oscillométrique (ou anéroïde si l'oscillométrie n'est pas disponible). Le degré de précision de ces tensiomètres peut être diminué si le client est hypertendu, hypotendu ou s'il présente des arythmies cardiaques (p. ex., une fibrillation auriculaire).
6. Gonfler le brassard jusqu'à 30 mm Hg au-dessus de la pression systolique, déterminé par la disparition du pouls radial.
7. Dégonfler le brassard à une vitesse de 2 mm Hg/batt.
8. Prendre en note la P.A.S. et la P.A.D. Noter la P.A.S. à partir du moment où les premiers bruits de Korotkoff se font entendre. La P.A.D. se mesure à partir du moment où les bruits de Korotkoff ne sont plus audibles.
9. Mesurer la P.A. une autre fois, à un intervalle d'au moins une minute. Si la différence entre les résultats varie de plus de 5 mm Hg, il faut recommencer.
10. Remettre au client, verbalement ou par écrit, les résultats de sa P.A., l'objectif qui était visé ainsi que les recommandations pour le suivi.

Source : Hypertension Canada (2015).

- Si la pression artérielle est mesurée sur l'avant-bras, cela doit être noté au dossier.
- Si les pressions artérielles mesurées sur les deux bras ne sont pas égales, il faut utiliser par la suite le bras qui présente les valeurs les plus élevées pour toutes les autres mesures.
- Les brassards trop petits ou trop grands donnent respectivement des mesures trop hautes ou trop faibles.

circonstances, le brassard doit être placé au milieu de l'avant-bras, entre le coude et le poignet. Les **bruits de Korotkoff** sont auscultés au-dessus de l'artère radiale, ou un doppler est utilisé pour détecter la pression artérielle systolique.

Au départ, la P.A. est mesurée aux deux bras pour y déceler des différences, s'il y a lieu (Clark, Taylor, Shore *et al.*, 2012). Si l'artère subclavière est plus étroite en raison d'athérosclérose, cela peut donner une P.A. faussement plus faible à cause du rétrécissement du calibre de l'artère. Ce fait doit être mentionné dans le dossier, et il faut utiliser le bras ayant donné la P.A. la plus élevée pour les autres mesures.

Il est important d'évaluer les modifications orthostatiques (ou posturales) de la P.A. et du pouls chez les adultes plus âgés, chez les personnes qui prennent des antihypertenseurs, qui sont atteintes de diabète et chez celles qui présentent des symptômes qui correspondent à une P.A. plus faible en station debout, notamment pour les clients éprouvant une faiblesse, des **sensations ébrieuses**, des étourdissements ou une syncope. L'infirmière doit mesurer la P.A. et le pouls en série chez le client en position allongée, puis assise et enfin debout. Au début, elle doit déterminer la P.A. après que le client a été allongé pendant au moins cinq minutes au repos. Puis, il convient de lui demander de s'asseoir au bord du lit, les jambes pendantes, et il faut mesurer la P.A. et le pouls de nouveau en moins de une à deux minutes. Il est ensuite nécessaire de répéter les mêmes opérations lorsque le client est debout. Habituellement, la P.A.S. s'abaisse légèrement (de moins de 10 mm Hg) lorsque la personne est debout, alors que la P.A.D. et le pouls augmentent un peu. Une diminution de 20 mm Hg ou plus de la P.A.S., une diminution de 10 mm Hg ou plus de la P.A.D. ou une augmentation de la fréquence cardiaque supérieure à 20 batt./min entre la position allongée et la position debout constituent des signes d'hypotension orthostatique. Les causes habituelles de l'hypotension orthostatique sont une perte de volume sanguin intravasculaire et des mécanismes vasoconstricteurs insuffisants dus à la maladie ou à des médicaments.

Dans un contexte de soins d'urgence, la mesure de la P.A. est généralement pratiquée pour évaluer les signes vitaux, le volume sanguin et les effets des médicaments, et non pour diagnostiquer une HTA. La prise de médicaments, une maladie grave, le repos au lit et des modifications du régime alimentaire habituel ont un effet sur les valeurs de la pression artérielle. L'infirmière doit signaler au médecin tout client qui présente une augmentation persistante de la pression artérielle. Si cela se révèle opportun, il convient d'évaluer l'état d'hypertension de ces clients avant leur sortie du centre hospitalier, sinon après leur sortie (Pickering, Hall, Appel *et al.*, 2005).

CE QU'IL FAUT RETENIR

Il faut évaluer les modifications orthostatiques de la P.A. et du pouls chez les personnes âgées ainsi que chez les clients prenant des antihypertenseurs, atteints de diabète ou présentant de la faiblesse ou des étourdissments.

CE QU'IL FAUT RETENIR

L'infirmière doit discuter avec le client des changements à apporter à ses habitudes de vie, car plusieurs facteurs de risque de maladie cardiovasculaire sont modifiables.

| Programmes de dépistage | Bon nombre de programmes de dépistage de l'HTA sont pratiqués dans la communauté. Lorsque la pression artérielle est mesurée, il faut donner par écrit à chaque personne les résultats numériques de ces mesures et, s'il le faut, expliquer la raison pour laquelle un suivi est important. Il est essentiel de concentrer les efforts et les ressources sur ces aspects :

- contrôler la pression artérielle chez les personnes hypertendues ;
- déterminer et réguler la pression artérielle dans les groupes à risque comme les Noirs, les personnes obèses et celles avec des antécédents familiaux d'hypertension ;
- dépister les personnes qui ont un accès limité aux ressources du système de santé **ENCADRÉ 40.8**.

| Modification des facteurs de risque cardiovasculaire | Il est approprié d'informer les personnes des facteurs de risque de maladie cardiovasculaire et des programmes cibles de dépistage. Les facteurs de risque cardiovasculaire qui peuvent être modifiés comprennent l'hypertension, l'obésité, le diabète, le tabagisme et l'inactivité physique. À partir des facteus de risque déterminés chez un client, l'infirmière doit discuter avec lui des changements qu'il devrait apporter à ses habitudes de vie ▶ 41.

41

Les comportements sains à adopter pour diminuer les facteurs de risque cardiovasculaire sont présentés dans le chapitre 41, *Interventions cliniques – Coronaropathie et syndrome coronarien aigu.*

Soins ambulatoires et soins à domicile

Les premières responsabilités de l'infirmière dans la gestion à long terme de l'HTA chez un client sont de l'aider à diminuer sa pression artérielle et à respecter le plan thérapeutique. Les interventions infirmières comprennent :

- l'enseignement au client et aux proches aidants **ENCADRÉ 40.9** ;
- le dépistage et le signalement des effets indésirables dus aux traitements ;
- l'évaluation de l'adhésion au traitement et de son renforcement ;
- l'évaluation de l'efficacité des traitements.

Promotion et prévention

ENCADRÉ 40.8 Prévention et régulation de l'hypertension artérielle

- Conserver un poids santé (IMC compris entre 18,5 et 24,9).
- Diminuer la consommation de sel de table et de sodium.
- Augmenter la fréquence des activités physiques.
- Modérer sa consommation d'alcool.
- Surveiller sa pression artérielle afin de vérifier si elle est élevée, faible, normale ou à la limite de l'HTA.
- Prendre les médicaments pour contrôler la pression artérielle, si cela est prescrit.

| Mesure de la pression artérielle à domicile (MPAD) | La majorité des personnes hypertendues ou celles chez qui une HTA est suspectée devraient surveiller leur P.A. à domicile. Ce type de surveillance diminue l'effet du syndrome du sarrau blanc, qui peut se produire quand la mesure est effectuée par un professionnel de la santé. En effet, les résultats sont souvent plus faibles que ceux obtenus dans un bureau médical et constituent un meilleur indice de risque de maladie cardiovasculaire. L'enseignement au client est crucial pour garantir l'exactitude des mesures. Il faut demander au client de faire l'acquisition d'un tensiomètre oscillométrique comprenant un brassard pour le bras, puis lui suggérer d'apporter son appareil au bureau d'un professionnel de la santé pour faire vérifier la taille du brassard, la précision de l'appareil et la façon dont il l'utilise.

Avant de mesurer sa P.A., le client doit respecter une période de 30 minutes au cours de laquelle il ne doit ni fumer, ni faire d'activité physique ou boire des produits caféinés. Puis, il devrait s'asseoir pendant cinq minutes, le bras appuyé sur une surface plane, au niveau du cœur. Il devrait être bien adossé, et ses pieds devraient être à plat sur le sol. Il faut encourager le client à mesurer sa P.A. dans son bras non dominant ou dans le bras présentant la P.A. la plus élevée, s'il y a une différence de plus de 10 mm Hg entre ses deux bras. La P.A. doit être mesurée au moment du réveil, si possible avant de prendre les médicaments, et la nuit avant d'aller au lit. La personne doit effectuer deux mesures chaque fois, en attendant une minute entre chacune. Le client doit noter tous ses résultats dans un registre et l'apporter au moment de ses visites chez le professionnel de la santé. Il est recommandé aux personnes dont la P.A. est stable et normale de la mesurer le matin et le soir, dès qu'un symptôme d'HTA se manifeste ou qu'un changement est apporté à la médication (ajout, suppression, nouveau dosage), et systématiquement la semaine qui précède une visite chez un professionnel de la santé (Hypertension Canada, 2015).

Pour les prises de décision clinique (comme l'ajustement de la posologie, la prise d'un nouveau médicament), l'infirmière doit demander aux clients de mesurer leur P.A. pendant une semaine, selon la méthode décrite précédemment, et de supprimer les résultats de la première journée. Il y aura donc un minimum de 24 mesures (6 jours × 4 mesures) que le professionnel de la santé pourra évaluer (Hypertension Canada, 2015). Il est important de souligner aux clients qu'une lecture seule n'est pas aussi importante qu'une série de lectures effectuées sur une certaine période de temps. Dans le but de faciliter des rapports précis, l'utilisation d'instruments dotés de mémoire ou

Enseignement au client et à ses proches

ENCADRÉ 40.9 **Hypertension artérielle**

L'enseignement au client et à ses proches sur la prise en charge de l'HTA devrait porter sur les aspects suivants :

RENSEIGNEMENTS GÉNÉRAUX

- Donner les valeurs numériques de la pression artérielle du client et expliquer ce qu'elles signifient (P.A. normale, faible, élevée ou à la limite). Encourager le client à vérifier sa P.A. chez lui et lui demander d'appeler un responsable de soins si les valeurs sont supérieures ou inférieures aux limites données par ce dernier.
- Mentionner au client que l'HTA est généralement asymptomatique et que les symptômes ne sont pas de bons indicateurs des taux de la P.A.
- Expliquer au client qu'une thérapie de longue durée et un suivi médical sont nécessaires pour le traitement de l'HTA. Cette thérapie nécessite des modifications des habitudes de vie (p. ex., surveiller son poids, diminuer le sodium dans les aliments, cesser de fumer et faire des activités physiques). Dans la plupart des cas, il faut aussi prendre des médicaments.
- Expliquer au client que cette thérapie ne guérit pas l'HTA, mais qu'elle devrait permettre de la contrôler.
- Dire au client qu'une HTA sous contrôle est généralement signe d'un excellent pronostic et d'un style de vie normal.
- Expliquer au client les dangers potentiels d'une HTA non contrôlée.

RENSEIGNEMENTS LIÉS AUX MÉDICAMENTS

- Être précis au sujet du nom des médicaments, de leurs modes d'action, de leurs posologies et de leurs effets secondaires.
- Aider le client à planifier des moments réguliers et pratiques pour prendre ses médicaments et mesurer sa P.A.
- Aviser le client de ne pas arrêter brusquement de prendre ses médicaments, car cela peut causer une grave réaction hypertensive.
- Aviser le client de ne pas doubler la dose d'un médicament en raison d'un oubli.
- Informer le client qu'il ne devrait pas augmenter la posologie de sa médication si sa P.A. augmente. Il doit d'abord consulter son responsable de soins.
- Avertir le client de ne pas prendre un médicament d'une autre personne.
- Si le client prend des diurétiques qui augmentent l'excrétion du potassium, lui recommander de compléter son régime alimentaire en prenant des aliments riches en potassium (p. ex., des agrumes [sauf le pamplemousse] et des légumes verts feuillus).
- Demander au client d'éviter de prendre des bains chauds (p. ex., des spas), de faire des activités physiques épuisantes et lui suggérer de limiter sa consommation d'alcool lorsqu'il prend des médicaments qui favorisent la vasodilatation.
- Bon nombre de médicaments provoquent une hypotension orthostatique. Expliquer au client qu'il peut amoindrir cet effet en sortant lentement du lit, en s'asseyant quelques minutes sur le bord du lit, en se levant doucement, et en ne commençant à se déplacer que s'il n'éprouve pas de symptômes comme des étourdissements ou de la faiblesse. Lui rappeler de ne pas demeurer longtemps immobile, de faire des exercices avec ses jambes pour augmenter le retour veineux, de dormir la tête surélevée (tête du lit ou oreillers), et de s'étendre ou de s'asseoir s'il a des étourdissements.
- Certains médicaments sont à l'origine de problèmes sexuels (p. ex., un dysfonctionnement érectile ou une diminution de la libido). Il faut encourager le client à consulter son médecin afin de modifier la posologie des médicaments ou d'en choisir d'autres si des problèmes d'ordre sexuel se manifestent.
- Mentionner au client que les effets secondaires des médicaments peuvent diminuer avec le temps.
- Mettre le client en garde contre l'achat de médicaments en vente libre à risques élevés comme des antiacides riches en sodium, des coupe-faim, et des médicaments pour soigner le rhume et les sinusites. Il convient de suggérer au client de lire les étiquettes de mise en garde et de demander conseil au pharmacien.

CE QU'IL FAUT RETENIR

La majorité des clients atteints d'HTA devraient surveiller leur P.A. à domicile. Pour garantir l'exactitude des mesures, l'enseignement auprès du client de la méthode à respecter est crucial.

d'instruments qui peuvent imprimer les résultats est recommandée (Pickering *et al.*, 2005).

Le fait de mesurer lui-même sa P.A. à domicile peut aider le client à se conformer aux consignes à suivre en renforçant la nécessité de poursuivre sa thérapie. Cependant, certains clients deviennent très inquiets lorsqu'ils mesurent leur P.A. à domicile. Il faut alors leur recommander de ne pas la vérifier trop souvent. Le fait de surveiller soi-même sa P.A. à domicile devrait rassurer le client en lui faisant prendre conscience que le traitement est efficace.

| Adhésion au traitement | Pendant le traitement à long terme d'un client hypertendu, le principal problème à survenir est la faible adhésion au plan thérapeutique qui lui a été prescrit. Un enseignement inadéquat, des effets secondaires indésirables dus aux médicaments, le retour de la P.A. à la normale alors que le client prend ses médicaments, le manque de motivation, le coût élevé des médicaments, et l'absence d'un rapport de confiance entre le client et le professionnel de la santé sont au nombre des raisons qui peuvent

CE QU'IL FAUT RETENIR

La faible adhésion au traitement est le principal obstacle à long terme de l'HTA. La participation du client à l'élaboration de ce plan augmente l'adhésion au traitement.

expliquer cette faible adhésion au traitement. D'autres indicateurs d'adhésion au plan thérapeutique devraient être évalués comme le régime alimentaire du client, l'intensité de ses activités physiques et ses habitudes de vie.

Si l'infirmière constate une non-adhésion au plan thérapeutique prescrit, elle doit déterminer les raisons pour lesquelles le client ne respecte pas son traitement et mettre au point avec lui un programme pour améliorer son adhésion. Ce programme devrait tenir compte de la personnalité du client, de ses habitudes et de son mode de vie.

Jugement clinique

Marie-Judes Bien-Aimé, âgée de 38 ans et d'origine haïtienne, vit au Québec depuis 2 ans. Elle voudrait bien se prendre en main et retarder le plus possible l'apparition d'une HTA, car elle sait que cette affection est courante dans sa famille. Elle travaille à temps plein dans un centre d'hébergement pour personnes âgées à titre de préposée aux bénéficiaires, emploi qu'elle trouve très exigeant, en plus de vaquer à ses activités familiales. Elle se rend à son travail en voiture. Elle vit avec son mari, qui est en recherche d'emploi, et ses trois enfants. Nommez deux facteurs de risque sur lesquels madame Bien-Aimé peut agir.

Lorsqu'un client y participe activement, cela augmente la probabilité d'adhésion au plan thérapeutique. Le fait que le client détermine lui-même le moment où il prend ses médicaments au cours de ses activités quotidiennes, qu'il choisisse des médicaments dont le coût est abordable et qu'il fasse participer des proches aidants sont autant d'éléments qui peuvent augmenter son adhésion au traitement. Une fois que la P.A. est stable, la substitution d'une médication combinée en remplacement des médicaments multiples peut également faciliter l'adhésion au traitement. En effet, une médication combinée diminue le nombre de pilules que le client doit prendre quotidiennement, sans compter que cela peut aussi réduire les coûts du traitement. Il est important d'aider le client à comprendre que l'HTA est une maladie chronique qui ne peut être guérie, mais qui peut être contrôlée par une pharmacothérapie, des modifications du régime alimentaire, des activités physiques, des suivis périodiques et d'autres changements pertinents du style de vie.

Évaluation des résultats

Pour le client atteint d'HTA, les résultats escomptés à la suite des soins et des interventions cliniques sont :

- d'atteindre la pression artérielle souhaitée et de la maintenir ;
- de comprendre, d'accepter et d'appliquer avec persévérance le plan thérapeutique ;
- d'éviter les effets secondaires désagréables liés à la thérapie, ou de faire en sorte qu'ils soient détectés et soulagés.

Considérations gérontologiques

HYPERTENSION ARTÉRIELLE

La prévalence de l'HTA croît avec l'âge. Le risque à long terme de voir apparaître une HTA est d'environ 90 % chez les hommes et les femmes d'âge moyen (55-65 ans) et les personnes plus âgées (plus de 65 ans) dont la P.A. est normale (Aronow, Fleg, Pepine *et al.*, 2011). L'HTA systolique isolée représente la forme d'HTA la plus courante chez les personnes âgées de plus de 50 ans. En outre, les personnes âgées courent un plus grand risque de faire de l'HTA réactionnelle (syndrome du sarrau blanc) en présence d'un professionnel de la santé (Pickering *et al.*, 2005).

Chez les personnes âgées, les modifications physiques dues à l'âge qui sont présentées ci-après jouent un rôle dans la physiopathologie de l'HTA : 1) perte de l'élasticité des tissus ; 2) augmentation du contenu en collagène et raideur du myocarde ; 3) augmentation de la résistance vasculaire périphérique ; 4) diminution de la sensibilité des récepteurs adrénergiques ; 5) diminution des baroréflexes ; 6) diminution de la fonction rénale ; 7) diminution de la réaction à la rénine en présence d'un manque de sodium ou d'eau. Chez la personne âgée qui prend des antihypertenseurs, une modification de l'absorption de certains médicaments causée par une diminution du flux sanguin vers l'intestin est également observée. Le métabolisme des médicaments et leur excrétion peuvent aussi prendre plus de temps.

En ce qui a trait aux personnes très âgées (> 80 ans), le seuil cible pour le diagnostic d'HTA est de 150/90 mm Hg (Beckett, Peters, Fletcher *et al.*, 2008). On note également des bénéfices pour la santé de cette population après l'instauration d'une pharmacothérapie antihypertensive.

Étant donné que les personnes âgées sont sensibles aux modifications de la P.A., une diminution de la pression artérielle systolique sous la valeur de 120 mm Hg chez une personne hypertendue depuis longtemps pourrait provoquer une diminution de la circulation sanguine au cerveau. Les personnes âgées produisent également moins de rénine, et sont plus résistantes aux effets des inhibiteurs de l'enzyme de conversion de l'angiotensine et des antagonistes des récepteurs de l'angiotensine II. Ainsi, la médication antihypertensive chez la personne âgée de plus de 60 ans doit être modulée en fonction de la réponse au traitement.

Puisque les réflexes des barorécepteurs sont diminués à différents degrés, une hypotension orthostatique est souvent observée chez les personnes âgées, surtout chez celles souffrant d'HTA systolique isolée. Dans ce groupe d'âge, l'hypotension orthostatique est souvent associée à une déplétion plasmatique ou à des maladies chroniques comme une diminution des fonctions hépatique et rénale, ou un déséquilibre électrolytique. Afin de diminuer la possibilité d'une hypotension orthostatique, le traitement doit être instauré avec de faibles doses d'antihypertenseurs, et l'augmentation de la posologie doit se faire de façon progressive. À chacune des visites de ces clients, leur pression artérielle et leur fréquence cardiaque sont mesurées par l'infirmière alors qu'ils sont allongés, assis et debout.

Les personnes âgées connaissent des chutes de P.A. à la suite d'un repas, la plus prononcée survenant une heure après avoir mangé. La P.A. revient à des **niveaux préprandiaux** de trois à quatre heures plus tard. Il faut éviter de donner des médicaments vasomoteurs si les aliments ont un taux rapide d'absorption (Aronow *et al.*, 2011).

Niveau préprandial : Niveau qui précède les repas.

Après la maladie cardiovasculaire, l'arthrite est la deuxième maladie la plus courante chez les personnes âgées. Le plus souvent, les personnes qui en souffrent prennent des anti-inflammatoires non stéroïdiens prescrits ou en vente libre. La prise d'AINS non sélectifs, comme l'ibuprofène (Advil[MD]), et d'AINS sélectifs, comme le célécoxib (Celebrex[MD]), peut causer une perte de régulation de la pression artérielle ainsi que de l'insuffisance cardiaque. Il y a en outre une possibilité d'effets défavorables sur la fonction rénale ou d'une hyperkaliémie lorsque les AINS sont pris en même temps que des IECA, des antagonistes des récepteurs de l'angiotensine II ou des antagonistes de l'aldostérone (Aronow *et al.*, 2011).

40.4 | Crise hypertensive

Une **crise hypertensive** réfère à une urgence hypertensive ou à une poussée hypertensive, et elle dépend du degré d'atteinte des organes cibles. Une urgence hypertensive se prépare pendant des heures ou des jours. Il s'agit d'une situation au cours de laquelle la P.A. d'un client est gravement élevée (souvent supérieure à 220/140 mm Hg ou une pression artérielle diastolique supérieure à 130 mm Hg) avec des signes de dommages graves subis par un organe cible, le système nerveux central principalement. Une urgence hypertensive peut causer une encéphalopathie, une hémorragie intracrânienne ou subarachnoïdienne, une insuffisance ventriculaire gauche, un infarctus du myocarde, une insuffisance rénale, un anévrisme disséquant de l'aorte et une rétinopathie. Pour sa part, une poussée hypertensive prend des jours et des semaines avant de se manifester. Il s'agit d'une situation caractérisée par une P.A. gravement élevée, mais sans évidence clinique de dommages à des organes cibles (Vidt, 2010).

Afin de déterminer les traitements d'urgence à mettre en œuvre, il est plus important de tenir compte du taux d'augmentation de la P.A. et non de la valeur absolue de cette dernière. Les personnes souffrant d'HTA chronique peuvent tolérer une P.A. beaucoup plus élevée que celles dont la pression est généralement normale. Une reconnaissance rapide d'une crise d'HTA et un traitement approprié sont essentiels pour diminuer la menace visant la fonction des organes et la vie.

Des crises hypertensives sont plus fréquemment observées chez les personnes ayant des antécédents d'HTA, et qui n'ont pas respecté leur prescription ou qui ont été sous-médicamentées. Dans un tel cas, une P.A. qui va en augmentant peut provoquer des dommages à l'endothélium et causer la libération de substances vasoconstrictrices. Il s'ensuit un cercle vicieux d'augmentation de la P.A. menant à des situations mettant des organes cibles en péril.

Une crise hypertensive liée à la consommation de cocaïne ou de crack est un problème fréquent. D'autres drogues, notamment les amphétamines, la phencyclidine (PCP) et l'acide lysergique diéthylamide (LSD), peuvent aussi causer des crises hypertensives ; celles-ci peuvent être compliquées par des crises d'origine médicamenteuse, par un AVC, un infarctus du myocarde ou une encéphalopathie. L'**ENCADRÉ 40.10** présente les principales causes des crises d'HTA.

CE QU'IL FAUT RETENIR

Lors d'une urgence hypertensive, le client présente une P.A. gravement élevée (> 220/140 mm Hg) et des signes d'atteinte à des organes cibles. Lors d'une poussée hypertensive, la P.A. est aussi gravement élevée, mais sans signe de dommage à des organes cibles.

40.4.1 Manifestations cliniques

Une urgence hypertensive se manifeste fréquemment par une **encéphalopathie hypertensive**, soit un syndrome au cours duquel une augmentation

ENCADRÉ 40.10 Causes des crises hypertensives

- Exacerbation de l'HTA chronique
- Hypertension rénovasculaire
- Prééclampsie, éclampsie
- Phéochromocytome (tumeur chromaffine)
- Stupéfiants (cocaïne, amphétamines)
- Inhibiteurs de la monoamine-oxydase présents dans les aliments riches en tyramine (p. ex., les aliments vieillis ou fermentés, les fromages, les viandes fumées, la sauce de soja, les raisins, les bananes)
- HTA réactionnelle à la suite d'un retrait soudain de certains hypertenseurs comme des bêtabloquants ou la clonidine (Catapres[MD])
- Angéite nécrosante
- Trauma craniocérébral
- Anévrisme disséquant aigu

brusque de la pression artérielle est associée à une céphalée grave de même qu'à des nausées, des vomissements, des crises d'épilepsie, de la confusion et un coma. Les manifestations de l'encéphalopathie résultent de l'augmentation de la perméabilité des capillaires cérébraux, ce qui entraîne un œdème cérébral et un arrêt des fonctions cérébrales. À l'examen de la rétine, il est possible d'observer un papillœdème accompagné d'une hémorragie rétinienne et d'exsudats (Vidt, 2010).

Une insuffisance rénale de moindre importance pouvant aller jusqu'à une insuffisance complète peut aussi se présenter. Il est également possible d'observer une décompensation cardiaque rapide allant d'une angine instable jusqu'à un infarctus du myocarde et un œdème pulmonaire. Les personnes peuvent aussi souffrir de douleurs thoraciques et de dyspnée. Un anévrisme disséquant peut survenir causant une douleur soudaine et insoutenable à la poitrine et au dos, occasionnant parfois un pouls faible, sinon absent, aux extrémités.

Il est très important d'évaluer le client, surtout pour des symptômes de dysfonctionnement neurologique, de dommage rétinien, d'insuffisance cardiaque, d'œdème pulmonaire et d'insuffisance rénale. Les manifestations neurologiques sont souvent semblables à celles observées pendant un AVC. Il est à noter qu'une crise hypertensive ne présente toutefois pas de manifestations focales ou latérales, comme il est souvent possible d'en observer dans le cas d'un AVC.

Jugement clinique

Marie-Aimée Laverdure, âgée de 64 ans, a dû être hospitalisée à son retour de vacances dans sa famille en Haïti pour des céphalées violentes accompagnées de vomissements et d'une légère confusion. Le médecin a diagnostiqué une crise hypertensive provoquée par un arrêt de la médication pendant les trois semaines de vacances. La cliente lui a avoué qu'elle pensait que ce n'était pas grave d'arrêter, car elle était en vacances. Quel problème infirmier soupçonnez-vous chez madame Laverdure?

Soins et traitements en interdisciplinarité

CLIENT SOUFFRANT D'UNE CRISE HYPERTENSIVE

La pression artérielle seule se révèle un faible indicateur pour évaluer la gravité d'une situation hypertensive chez un client. Elle n'est pas le principal facteur permettant de déterminer comment traiter une crise hypertensive. C'est l'association entre une pression artérielle élevée et les signes de dommages, nouveaux ou en progression, des organes cibles qui permet d'établir la gravité de la situation.

Les urgences hypertensives nécessitent une hospitalisation, l'administration I.V. de médicaments antihypertenseurs et le monitorage aux soins intensifs. Pendant le traitement d'urgences hypertensives, la pression artérielle moyenne (P.A.M.) est souvent utilisée, au lieu des pressions artérielles diastolique et systolique, pour orienter et évaluer la pharmacothérapie. La P.A.M. est calculée à l'aide de la formule qui suit:

$$\text{P.A.M.} = \frac{\text{P.A.S.} + (2 \times \text{P.A.D.})}{3}$$

Au début du traitement, l'objectif est d'abaisser la P.A.M. d'un maximum de 25 % en quelques minutes, au plus en une heure. Par exemple, chez un client stable qui a une P.A. à 160/100 mm Hg (P.A.M. à 120 mm Hg), l'objectif sera de faire diminuer les pressions systolique et diastolique jusqu'à une P.A.M. à 90 mm Hg, dans un intervalle de deux à six heures. Si la P.A. est trop abaissée, cela peut diminuer l'irrigation cérébrale, coronaire ou rénale, ce qui pourrait provoquer un AVC, un infarctus du myocarde ou une insuffisance rénale. Si le client est cliniquement stable, la P.A. sera ramenée à la normale au cours des 24 à 48 heures qui suivent. Dans certaines circonstances, par exemple dans le cas d'un anévrisme disséquant, la P.A.S. doit être abaissée en dessous de 100 mm Hg si le client peut la tolérer. Cela s'applique aussi aux clients subissant un AVC ischémique chez qui la P.A. est abaissée afin d'utiliser des agents thrombolytiques. Enfin, une P.A. élevée immédiatement après un AVC peut être une réaction compensatoire pour améliorer l'irrigation des tissus cérébraux ischémiques. Actuellement, il n'existe pas de preuves manifestes appuyant l'utilisation d'antihypertenseurs afin d'abaisser la pression artérielle chez les clients en phase aiguë d'un AVC (NHLBI, 2004) ▶ 20.

20

L'accident vasculaire cérébral et ses conséquences sur la pression artérielle sont discutés dans le chapitre 20, *Interventions cliniques – Accident vasculaire cérébral*.

Les médicaments I.V. utilisés dans les urgences hypertensives comprennent des vasodilatateurs (p. ex., le nitroprusside [Nipride^MD], la nitroglycérine, l'hydralazine [Apresoline^MD], la nicardipine), les inhibiteurs adrénergiques (p. ex., la phentolamine [Rogitine^MD], le labétalol [Trandate^MD], l'esmolol [Brevibloc^MD]) ainsi que l'énalapril (Vasotec^MD), un inhibiteur de l'enzyme de conversion de l'angiotensine (Smithburger, Kane-Gill, Nestor *et al.*, 2010; Vidt, 2010). Le nitroprusside est le plus efficace des médicaments I.V. pour traiter les urgences hypertensives; cependant, il ne se donne que dans les unités de soins intensifs et à la salle d'urgence. Il constitue un médicament de choix en raison de son début d'action rapide et de la possibilité de titrer la dose selon les valeurs de la pression artérielle. En plus des médicaments I.V., des médicaments oraux peuvent aussi être administrés pour

Labétalol (Trandate^MD)

Aviser le client de ne pas cesser de prendre le labétalol brusquement, étant donné que cela peut déclencher une angine, un infarctus du myocarde ou un arrêt cardiaque.

faciliter une transition plus rapide vers une thérapie à long terme. Le **TABLEAU 40.8** présente les mécanismes d'action de ces médicaments ainsi que leurs effets indésirables.

Les antihypertenseurs administrés par voie I.V. ont un délai d'action rapide variant de quelques secondes à quelques minutes. Quand ces médicaments sont injectés, la P.A. et le pouls du client doivent être surveillés toutes les deux ou trois minutes. Pour surveiller la P.A., il faut utiliser un cathéter intra-artériel ou un tensiomètre automatisé non effractif. Le médicament est dosé selon la prescription en tenant compte de la P.A.M. ou de la P.A. Une diminution trop rapide de la P.A. peut en effet provoquer un AVC, un infarctus du myocarde ou des troubles de la vision. La surveillance de l'ECG est nécessaire pour dépister l'apparition de signes d'arythmie cardiaque, d'ischémie ou d'infarctus du myocarde. Une vigilance accrue est de mise pour le client souffrant de coronaropathie ou d'insuffisance vasculaire cérébrale. Le débit urinaire doit être mesuré chaque heure pour évaluer la perfusion rénale. Les clients recevant des antihypertenseurs par voie I.V. peuvent être obligés de demeurer au lit. Le fait de se lever pour utiliser la chaise d'aisance peut provoquer un évanouissement et une ischémie cérébrale grave.

Une surveillance continue se révèle essentielle pour mesurer l'efficacité de ces médicaments et la réaction du client à la thérapie. Des examens neurologiques fréquents comprenant l'évaluation de l'état de conscience, du diamètre de la pupille et du réflexe pupillaire, de même qu'une évaluation de la capacité de bouger l'extrémité des membres et des réactions aux stimulus, permettent de déceler toute modification de la condition du client. L'évaluation des systèmes cardiaque, pulmonaire et urinaire est utile afin de déceler des signes d'une décompensation provoquée par une augmentation grave de la pression artérielle (p. ex., une angine, un œdème pulmonaire, une insuffisance rénale). Une fois la crise d'HTA résolue, il est important d'en déterminer la cause. Le client aura en effet besoin d'être bien encadré et d'être très bien renseigné sur son état afin d'éviter d'autres crises.

Une HTA non contrôlée, c'est-à-dire supérieure à 180/110 mm Hg, sans complications aiguës et sans atteinte aux organes cibles, de même qu'une P.A. variant entre 140-179/90-109 mm Hg avec lésion d'organe cible, diabète ou néphropathie chronique ne nécessitent généralement pas d'hospitalisation ni de médicaments I.V. Ces affections peuvent être traitées par des agents oraux, mais elles exigent un suivi fréquent. Le contrôle de la P.A. devrait se faire tous les mois ou tous les deux mois, selon les valeurs de la pression, jusqu'à l'obtention des valeurs cibles au cours de deux visites consécutives. Le simple fait de permettre au client de s'asseoir pendant 20 à 30 minutes dans un milieu tranquille peut abaisser sa P.A. de façon significative. Des médicaments oraux sont administrés, ou la posologie est ajustée. D'autres interventions infirmières visent à encourager le client à verbaliser ses inquiétudes et ses craintes, à répondre à ses questions au sujet de l'HTA et à supprimer les stimulus défavorables (p. ex., des bruits excessifs) dans son environnement.

CE QU'IL FAUT RETENIR

Lors d'une crise hypertensive, l'infirmière doit évaluer fréquemment l'état de conscience, le réflexe pupillaire, la capacité de bouger les extrémités et la réaction aux stimulus, afin de mesurer la réaction du client au traitement.

Analyse d'une situation de santé — Jugement clinique

Marie-Jeanne Leroy, âgée de 52 ans, mesure 1,60 m et pèse 82 kg. Elle est suivie régulièrement pour un diabète de type 2 et de l'hypertension artérielle. Elle vit seule et a une fille mariée qui habite aux États-Unis. Madame Leroy est comptable dans un commerce d'alimentation. Elle est généralement très enjouée et elle aime profiter de la vie, mais depuis quelque temps, elle a de plus en plus de difficulté à monter l'escalier menant à son appartement situé au troisième étage. Elle s'inquiète de son avenir. Elle sait qu'elle devrait perdre du poids, faire de l'exercice et arrêter de fumer, mais elle n'arrive pas à changer ses habitudes de vie malgré sa motivation.

Aujourd'hui, au cours de la visite de contrôle de sa glycémie et de sa pression artérielle, elle demande à l'infirmière ce qu'il faut faire pour enregistrer un mandat en cas d'inaptitude, car elle craint un AVC lui causant des séquelles permanentes. Elle a lu, sur un site Web, qu'il y avait des facteurs de risque de problème vasculaire cérébral chez une personne comme elle, et elle est persuadée que c'est ce qui l'attend. La pression artérielle de la cliente est de 148/92 mm Hg. Comme l'infirmière rencontre la cliente régulièrement, elle décide de déterminer un plan thérapeutique infirmier. ▶

Mise en œuvre de la démarche de soins

Collecte des données – Évaluation initiale – Analyse et interprétation

1. Nommez au moins trois facteurs de risque qui peuvent faire redouter la survenue d'un AVC chez madame Leroy.
2. Quelles questions (3) l'infirmière peut-elle poser pour évaluer les raisons de madame Leroy de ne pas modifier ses habitudes de vie ?
3. Madame Leroy pourrait éprouver d'autres symptômes relatifs à l'hypertension artérielle. Nommez-en trois.
4. Trois données importantes manquent pour savoir si l'hypertension artérielle et le diabète sont contrôlés. Lesquelles ?
5. En analysant les données du deuxième paragraphe de la mise en contexte, quel problème prioritaire pouvez-vous écrire dans l'extrait du plan thérapeutique infirmier de madame Leroy ?

Récemment vu dans ce chapitre

La P.A. de madame Leroy est actuellement de 148/92 mm Hg. Peut-on en déduire que la P.A. est mal contrôlée ? Justifiez votre réponse.

Extrait

CONSTATS DE L'ÉVALUATION								
Date	Heure	N°	Problème ou besoin prioritaire	Initiales	RÉSOLU / SATISFAIT			Professionnels / Services concernés
					Date	Heure	Initiales	
2016-04-10	*09:45*	*2*						

Signature de l'infirmière	Initiales	Programme / Service	Signature de l'infirmière	Initiales	Programme / Service
		Services courants			

Planification des interventions – Décisions infirmières

6. Pourquoi devriez-vous vérifier les connaissances réelles que madame Leroy a des facteurs de risque d'AVC ?

Évaluation des résultats – Évaluation en cours d'évolution

7. Comment l'infirmière pourrait-elle vérifier que le problème inscrit dans l'extrait du plan thérapeutique infirmier est résolu ou en voie de l'être ?
8. Quelles données (3) indiqueraient que madame Leroy prend en main sa santé de façon efficace ?

▶ Madame Leroy prend de l'irbesartan (Avapro[MD]) 75 mg die au déjeuner pour traiter son hypertension artérielle. Cinq jours après la dernière visite, à l'heure habituelle, l'infirmière des soins courants visite la cliente de nouveau. Elle apprend que celle-ci a décidé de ne prendre que la moitié d'un comprimé, alors qu'il est insécable, car elle éprouvait des céphalées, se sentait de plus en plus nerveuse et ressentait parfois des étourdissements. ◀

Récemment vu dans ce chapitre

Pour la P.A. de madame Leroy, quel serait l'objectif visé par la pharmacothérapie antihypertensive ? Justifiez votre réponse.

MISE EN ŒUVRE DE LA DÉMARCHE DE SOINS

Évaluation des résultats – Évaluation en cours d'évolution

9. Quel nouveau problème prioritaire pouvez-vous déceler à la suite de l'analyse de ces nouvelles données ?

Extrait

CONSTATS DE L'ÉVALUATION								
Date	Heure	N°	Problème ou besoin prioritaire	Initiales	RÉSOLU / SATISFAIT			Professionnels / Services concernés
					Date	Heure	Initiales	
2016-04-10	*09:45*	*2*						

Signature de l'infirmière	Initiales	Programme / Service	Signature de l'infirmière	Initiales	Programme / Service
		Services courants			
		Services courants			

10. Quels éléments d'information allez-vous inscrire dans les notes d'évolution au dossier pour appuyer le constat de l'évaluation formulé à la question précédente ?

APPLICATION DE LA PENSÉE CRITIQUE

Dans l'application de la démarche de soins auprès de madame Leroy, l'infirmière a recours aux éléments du modèle de la pensée critique pour analyser la situation de santé de la cliente et en comprendre les enjeux. La **FIGURE 40.6** résume les caractéristiques de ce modèle en fonction des données de cette cliente, mais elle n'est pas exhaustive.

VERS UN JUGEMENT CLINIQUE

CONNAISSANCES

- Physiologie de la pression artérielle
- Valeurs normales de pression artérielle systolique et de pression artérielle diastolique, et valeurs indiquant de l'HTA
- Physiopathologie du diabète
- Physiopathologie de l'HTA (étiologie, facteurs prédisposants, manifestations cliniques, évolution, traitement, complications)
- Facteurs de risque des maladies cardiovasculaires
- Réactions psychologiques d'une personne vivant avec une maladie chronique

EXPÉRIENCES

- Soins aux clients atteints d'HTA
- Expérience personnelle de difficultés à maintenir une hygiène de vie stricte (alimentation, exercices, tabagisme)
- Soins aux clients qui n'adhèrent pas au traitement recommandé

NORMES

- Suivi des examens cliniques et paracliniques nécessaires
- Prévention et contrôle des éventuelles variations de glycémie ou de pression artérielle

ATTITUDES

- Ne pas juger l'attitude de madame Leroy, qui peut sembler inadéquate par rapport à sa santé
- Ne pas culpabiliser la cliente, qui semble prendre conscience des risques qu'elle court (p. ex., « Vous auriez dû faire quelque chose, et en plus vous fumez... »)

PENSÉE CRITIQUE

ÉVALUATION

- Caractéristiques de l'HTA (valeurs habituelles de la cliente)
- Facteurs de risque de problèmes vasculaires cérébraux présents chez madame Leroy
- Niveau de connaissance et de compréhension des facteurs de risque personnels
- Motivation de madame Leroy à changer ses habitudes de vie et à apprendre
- Indices du manque d'intégration des connaissances (surpoids, diabète, HTA)
- Indices du niveau d'anxiété liée à la prise de conscience du risque d'AVC (s'informe du mandat en cas d'inaptitude, par crainte de faire un AVC qui pourrait laisser des séquelles)
- Adhésion au traitement antihypertenseur (la cliente ne prend que la moitié des comprimés à cause des effets secondaires qu'elle ressent)
- Valeurs de la glycémie

JUGEMENT CLINIQUE

FIGURE 40.6 Application de la pensée critique à la situation de santé de madame Leroy

Chapitre

41

INTERVENTIONS CLINIQUES

Coronaropathie et syndrome coronarien aigu

Écrit par :
Linda Bucher, RN, PhD, CEN, CNE
Sharmila Johnson, MSN, ACNS-BC, CCRN

Adapté par :
Hugues Provencher-Couture, M. Sc., IPSC ; Jean-Dominic Rioux, M. Sc., IPSC

Mis à jour par :
Julie Houle, inf., Ph. D., CSIC(C)

MOTS CLÉS

Angine chronique stable 622
Angine instable 632
Athérosclérose 604
Diète méditerranéenne 617
Infarctus du myocarde 632
Intervention coronarienne percutanée (ICP) 638
Mort subite 660
Réadaptation cardiaque 654
Revascularisation coronarienne 642
Syndrome coronarien aigu (SCA) 632

OBJECTIFS

Après avoir étudié ce chapitre, vous devriez être en mesure :

- de lier l'étiologie et la physiopathologie de la coronaropathie, de l'angine et du syndrome coronarien aigu (SCA) aux manifestations cliniques de chacune de ces affections ;
- de décrire les soins infirmiers dans la promotion des changements thérapeutiques à apporter aux habitudes de vie des clients à risque de coronaropathie ;
- d'expliquer la pharmacothérapie couramment administrée aux clients atteints d'une coronaropathie et du SCA ;
- de différencier les facteurs déclenchants et les manifestations cliniques de la coronaropathie et de l'angine chronique stable, ainsi que le processus thérapeutique en interdisciplinarité et les interventions infirmières destinés au client qui en est atteint ;
- d'expliquer les manifestations cliniques, les complications et les résultats des examens paracliniques du SCA, ainsi que le processus thérapeutique en interdisciplinarité destiné au client qui en est atteint ;
- d'établir l'ordre de priorités des principaux éléments à inclure dans la réadaptation des clients qui se rétablissent d'un SCA ou d'une intervention de revascularisation coronarienne ;
- d'identifier les facteurs déclenchants, le tableau clinique et le processus thérapeutique en interdisciplinarité des clients qui ont déjà connu une mort subite ou qui sont à risque.

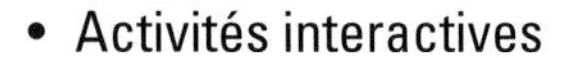

Disponible sur i+

- Activités interactives
- Animations
- À retenir
- Carte conceptuelle
- Pour en savoir plus
- Solutionnaire de l'Analyse d'une situation de santé
- Solutionnaire des questions de Jugement clinique
- Solutionnaire des questions Réactivation des connaissances
- Solutionnaire des questions Récemment vu dans ce chapitre
- Solutionnaires du Guide d'études

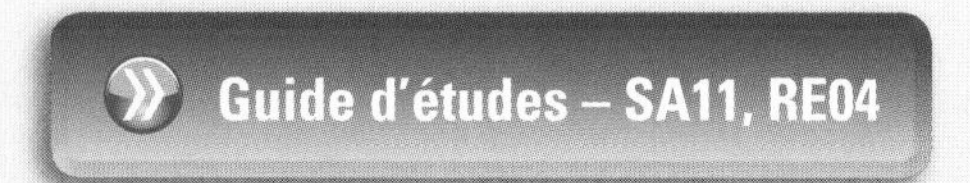

Concepts clés

Cette carte conceptuelle illustre schématiquement les principaux concepts décrits dans le chapitre qui suit. Sa lecture vous permettra d'avoir une vue d'ensemble des notions qui y sont présentées.

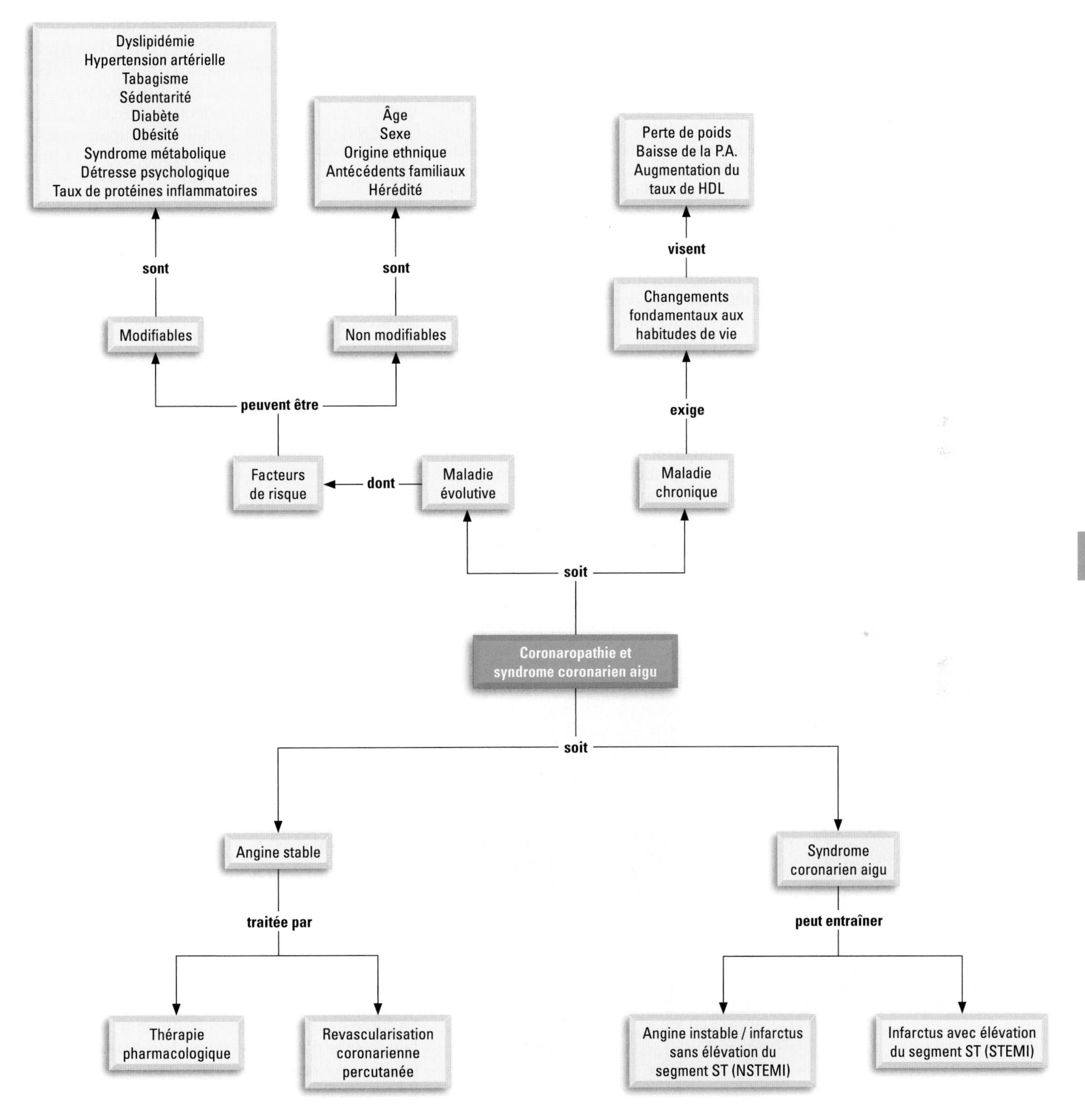

41.1 | Coronaropathie

La cardiopathie ischémique, également nommée coronaropathie, est une maladie cardiovasculaire (MCV) qui touche les artères qui irriguent le cœur (artères coronaires). La MCV est une cause importante de décès chez les Canadiens d'âge adulte. Elle englobe plusieurs maladies de l'appareil circulatoire, constitué du cœur et des vaisseaux sanguins, qui alimentent les poumons, le cerveau, les reins ou d'autres parties du corps. Statistique Canada identifie six types de MCV, soit la cardiopathie ischémique, la maladie cérébrovasculaire, la maladie vasculaire périphérique, l'insuffisance cardiaque, le rhumatisme cardiaque et la cardiopathie congénitale. La coronaropathie est le type de MCV le plus répandu (Agence de la santé publique du Canada [ASPC], 2015b) **FIGURE 41.1**. Les personnes atteintes de coronaropathie peuvent ne présenter aucun symptôme ou avoir des douleurs thoraciques typiques. L'angine instable et l'infarctus du myocarde sont des manifestations plus graves de la coronaropathie, regroupées sous le nom de syndrome coronarien aigu (SCA). Selon les plus récentes statistiques, les maladies du cœur, incluant la coronaropathie, constituent la deuxième cause de mortalité après les tumeurs malignes (Statistique Canada, 2015c).

CE QU'IL FAUT RETENIR

L'athérosclérose est la principale cause de coronaropathie. Elle se caractérise par un dépôt local de lipides, principalement sur la tunique interne de l'artère.

La **coronaropathie** est un type d'affection des vaisseaux sanguins reliée à l'athérosclérose. C'est pourquoi on l'appelle également la maladie coronarienne athéroscléreuse (MCAS). Le terme **athérosclérose** vient de deux mots grecs : *athérê*, qui signifie bouillie graisseuse, et *skleros*, qui signifie dur. La combinaison de ces deux mots indique donc que l'athérosclérose débute par des dépôts de gras qui durcissent avec le temps. Par conséquent, le langage populaire décrit souvent l'athérosclérose comme un durcissement des artères. Bien que cette affection puisse survenir dans n'importe quelle artère de l'organisme, les plaques d'athéromes (dépôts graisseux) se forment plus facilement dans les petites artères, telles les artères coronaires.

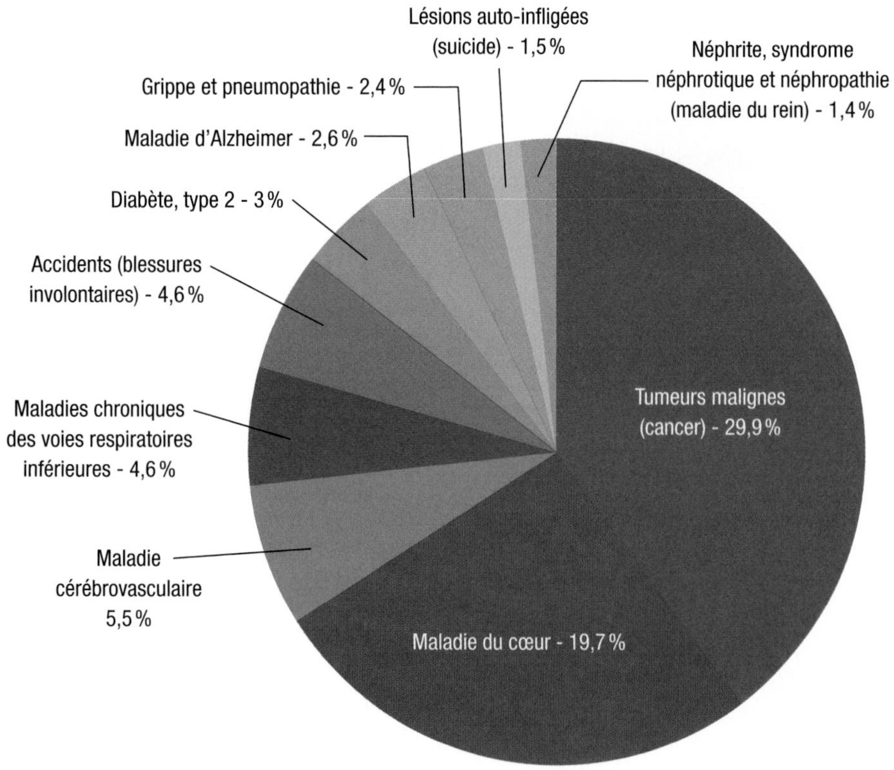

Lésions auto-infligées (suicide) - 1,5 %
Néphrite, syndrome néphrotique et néphropathie (maladie du rein) - 1,4 %
Grippe et pneumopathie - 2,4 %
Maladie d'Alzheimer - 2,6 %
Diabète, type 2 - 3 %
Accidents (blessures involontaires) - 4,6 %
Maladies chroniques des voies respiratoires inférieures - 4,6 %
Maladie cérébrovasculaire 5,5 %
Tumeurs malignes (cancer) - 29,9 %
Maladie du cœur - 19,7 %

FIGURE 41.1 Principales causes de décès, en nombre et en pourcentage, au Canada, en 2011

Source : Principales causes de décès, selon le sexe (Les deux sexes). Statistique Canada, CANSIM, tableau 102-0561. Dernières modifications apportées : 2014-01-28.

41.1.1 Étiologie et physiopathologie

L'athérosclérose est la principale cause de coronaropathie. Elle se caractérise par un dépôt local de lipides, principalement sur la tunique interne de l'artère. La genèse de la formation des plaques est le résultat d'interactions complexes entre les éléments constitutifs du sang et ceux qui forment la paroi vasculaire (Huether & McCance, 2012). L'inflammation et les lésions endothéliales jouent un rôle primordial dans l'apparition de l'athérosclérose.

Intact, l'endothélium normal est plus qu'une simple barrière entre la paroi et la lumière du vaisseau sanguin. En temps normal, il ne réagit pas aux plaquettes, aux leucocytes, aux facteurs de coagulation, aux facteurs de la fibrinolyse et au système du complément. Toutefois, le revêtement endothélial peut subir des lésions dues au tabagisme, à la dyslipidémie, à l'hypertension artérielle (HTA), au diabète, à l'**hyperhomocystéinémie** ou à une infection (p. ex., le chlamydia ou l'herpès), provoquant ainsi une réponse inflammatoire locale (Huether & McCance, 2012) **FIGURE 41.2A**.

Sécrétée par le foie, la protéine C réactive (CRP, pour *C-reactive protein*) est un marqueur non spécifique de l'inflammation. Son taux est élevé chez beaucoup de personnes atteintes de coronaropathie. Le taux de CRP dans le sang s'élève en présence d'une inflammation systémique. Des taux élevés chroniques de CRP peuvent être associés à une instabilité des plaques et à l'oxydation du cholestérol lié aux lipoprotéines de basse densité (LDL). La concentration de CRP est associée à un risque accru de coronaropathie. La force de cette association dépend toutefois de la présence d'autres facteurs de risque de la MCV et d'autres marqueurs de l'inflammation (The Emerging Risk Factors Collaboration, 2010).

Stades d'évolution

La coronaropathie est une maladie évolutive qui prend de nombreuses années à s'installer. Lorsqu'elle devient symptomatique, le processus

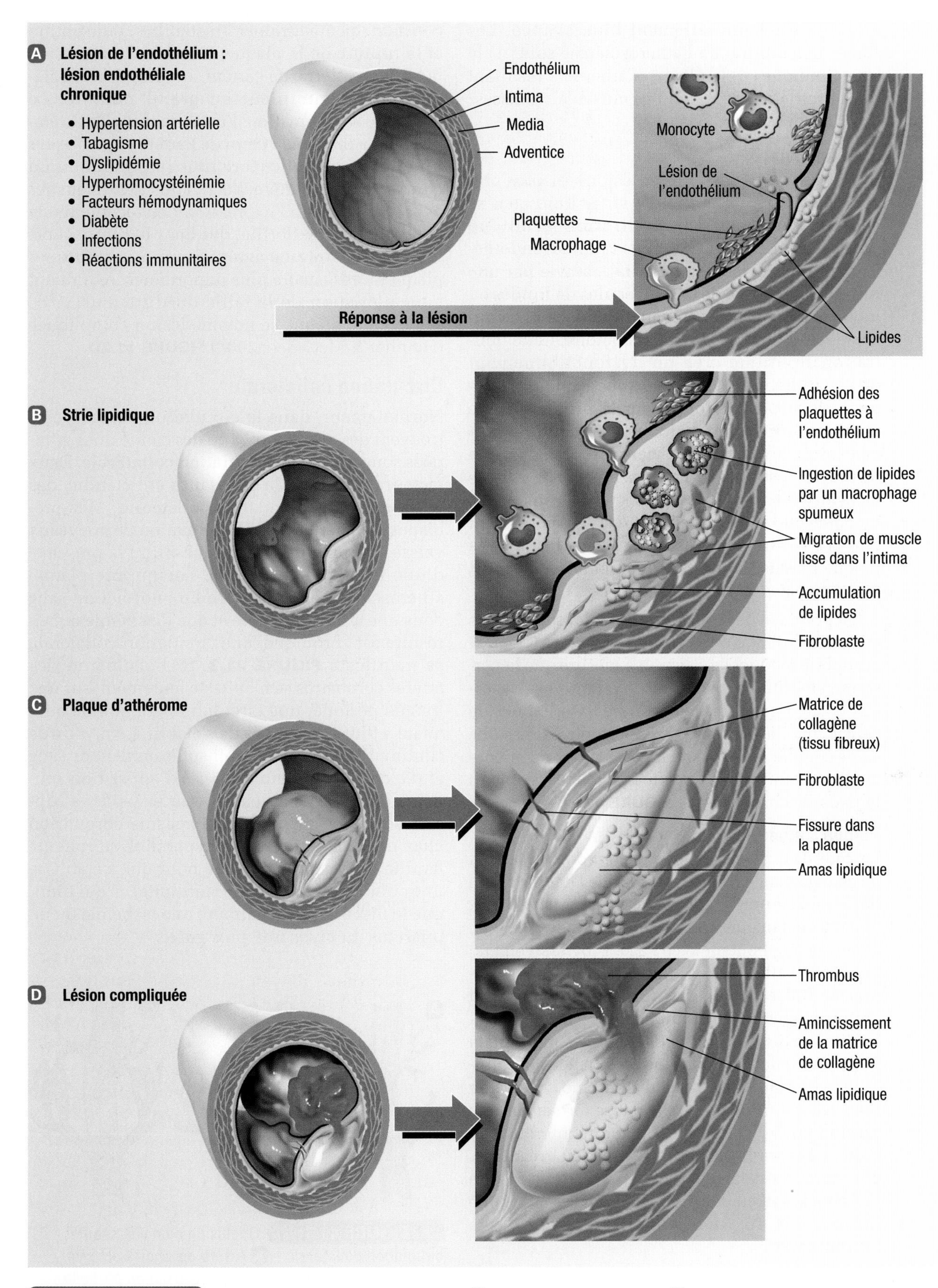

FIGURE 41.2 Pathogenèse de l'athérosclérose – **A** Lésion de l'endothélium. **B** Strie lipidique et formation du noyau lipidique. **C** Plaque d'athérome. Des plaques en relief sont visibles : certaines sont jaunes, d'autres blanches. **D** Lésion compliquée : le thrombus est représenté en rouge et le collagène en bleu. La plaque se complique par le dépôt de thrombus.

morbide est habituellement bien avancé. Les stades d'évolution de l'athérosclérose sont : 1) la strie lipidique ; 2) la plaque d'athérome résultant de la prolifération de cellules musculaires lisses ; 3) la lésion compliquée.

Strie lipidique

Les stries lipidiques sont les lésions les plus précoces de l'athérosclérose. Ces stries lipidiques se caractérisent par une infiltration lipidique (cholestérol-LDL [C-LDL]) dans l'intima (endothélium et espace sous-endothélial), suivie par une réaction oxydative de ces molécules de lipides en réponse à une action enzymatique locale, ce qui enclenche un processus inflammatoire. Cette infiltration lipidique crée un dysfonctionnement de l'endothélium et favorise une réaction inflammatoire chronique locale par la production de cytokines pro-inflammatoires. Des cellules spumeuses se développent et viennent s'attacher à la **média**. En réaction, les cellules musculaires lisses de la média sont stimulées à sécréter de la fibrine, du collagène et de l'élastine. C'est en se calcifiant que ces cellules musculaires lisses forment la plaque fibreuse propre au deuxième stade (Lilly, 2011 ; Copstead & Banasik, 2013).

Anastomose : Technique utilisée pour contourner un obstacle sur la voie digestive.

La présence de stries lipidiques dans les artères coronaires peut s'observer dès l'âge de 15 ans, et la superficie touchée s'accroît à mesure que la personne vieillit. Il est possible de ralentir ce processus grâce à un traitement qui abaisse le taux de C-LDL, par l'adoption de comportements de santé sains comme la cessation du tabagisme ou encore en diminuant les facteurs de risque attribuables à la maladie coronarienne **FIGURE 41.2B**.

Plaque d'athérome

Le stade de la plaque d'athérome représente le début de changements évolutifs au sein de l'endothélium de la paroi artérielle. Ces changements peuvent apparaître dans les artères coronaires dès l'âge de 30 ans et augmentent avec l'âge. Progressivement, la plaque d'athérome continue de croître sous l'action des LDL et des facteurs de croissance provenant des plaquettes en stimulant la prolifération des cellules musculaires lisses et l'épaississement de la paroi artérielle. Du collagène recouvre la strie lipidique et forme une plaque d'athérome grisâtre ou blanchâtre. Ces plaques peuvent se former sur une portion ou sur l'ensemble de la circonférence de l'artère. Les bords peuvent être lisses ou irréguliers, et la surface est rugueuse et dentelée. Il en résulte un rétrécissement de la lumière du vaisseau et une diminution du flux sanguin vers les tissus **FIGURE 41.2C**.

Lésion compliquée

Le dernier stade d'évolution de la lésion athéroscléreuse est le plus grave. À mesure que la plaque d'athérome prend de l'expansion, l'inflammation constante peut entraîner l'instabilité, l'ulcération et la rupture de la plaque. Une fois l'intégrité de la tunique interne de l'artère compromise, les plaquettes s'accumulent en grand nombre, ce qui mène à la formation d'un **thrombus**. Ce thrombus peut adhérer à la paroi de l'artère et provoquer un rétrécissement encore plus important ou un blocage total de l'artère. L'activation des plaquettes exposées entraîne l'expression des récepteurs de la glycoprotéine IIb/IIIa, qui lient le fibrinogène. Il s'ensuit alors une agrégation et une adhésion plaquettaires encore plus importantes, entraînant l'augmentation de la taille du thrombus. À ce stade, cette plaque se nomme lésion compliquée (Huether & McCance, 2008) **FIGURE 41.2D**.

Circulation collatérale

Normalement, dans la circulation coronaire se trouvent des **anastomoses** ou des connexions groupées sous le nom de **circulation collatérale**. Deux facteurs favorisent la croissance et l'étendue des vaisseaux de la circulation collatérale : 1) la prédisposition héréditaire à la formation de nouveaux vaisseaux sanguins (**angiogenèse**) ; 2) la présence d'une ischémie chronique. Lorsqu'une plaque athéroscléreuse empêche le flux normal du sang dans une artère coronaire et que l'**ischémie** qui en résulte est chronique, une circulation collatérale se manifeste **FIGURE 41.3**. Si l'occlusion des artères coronaires se manifeste lentement, sur une longue période, une circulation collatérale adéquate a plus de chances de s'établir. Le myocarde continuera donc de recevoir suffisamment de sang et d'oxygène. Toutefois, en cas d'apparition soudaine d'une coronaropathie (par ex., s'il y a rupture soudaine de plaque ou spasme coronarien chez un jeune client avec hypercholestérolémie familiale), le temps manque pour que s'établisse une circulation collatérale suffisante, ce qui diminue le flux artériel et entraîne une ischémie ou un infarctus du myocarde plus grave.

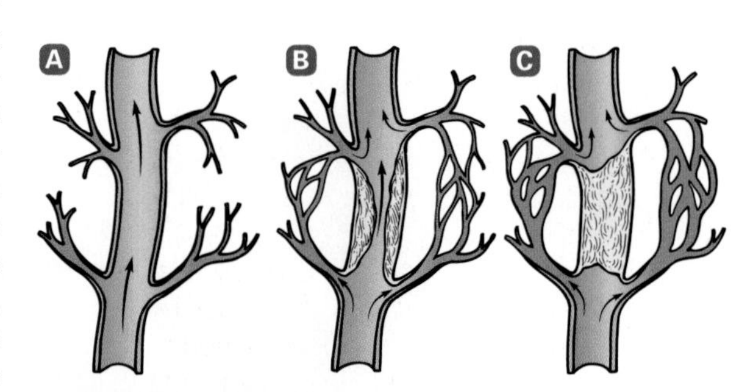

FIGURE 41.3 Occlusion d'un vaisseau et circulation collatérale – **A** Artère coronaire ouverte qui fonctionne normalement. **B** Obstruction partielle de l'artère coronaire et mise en place d'une circulation collatérale. **C** Occlusion totale de l'artère coronaire et circulation collatérale contournant l'occlusion pour fournir du sang au myocarde.

La coronaropathie prend plusieurs années à se déclarer, et ses manifestations cliniques ne sont pas apparentes dès les premiers stades de la maladie. Par conséquent, il est extrêmement important de reconnaître les personnes à risque, de les inciter à modifier leurs habitudes de vie et d'élaborer des stratégies de traitement.

41.1.2 Facteurs de risque de la coronaropathie

Les facteurs de risque sont des caractéristiques ou des états statistiquement liés à l'incidence élevée d'une maladie. De nombreux facteurs de risque sont associés à la coronaropathie. Ils se divisent en deux catégories, soit les facteurs non modifiables et les facteurs modifiables **ENCADRÉ 41.1**. Chez les clients présentant les principaux facteurs de risque ou atteints de pathologies chroniques, il faut procéder à l'évaluation des facteurs de risque traditionnels de MCV, établir le score de risque de Framingham (SRF) et prescrire un traitement en fonction des risques établis (Anderson, Hegele, Couture *et al.*, 2013). En effet, le risque cardiovasculaire est plus important chez ce groupe en raison d'un processus inflammatoire systémique, associé à un risque accru d'athérosclérose. Au Canada, 9 personnes sur 10 âgées de plus de 20 ans présentent au moins un facteur de risque d'une coronaropathie. De ces personnes, deux sur cinq présentent trois facteurs de risque ou plus d'une coronaropathie. En somme, plus le nombre de facteurs de risque augmente, plus la probabilité de souffrir d'une maladie cardiovasculaire est élevée (ASPC, 2009).

Plusieurs études importantes font état de données sur les facteurs de risque liés à la coronaropathie. L'étude de Framingham commencée en 1948 a permis d'identifier des facteurs qui mènent à une incidence plus élevée de coronaropathie tels qu'un taux sérique de cholestérol élevé, une hypertension artérielle et le tabagisme. Une autre étude épidémiologique réalisée dans 52 pays, l'étude INTERHEART, a permis d'identifier 9 facteurs modifiables associés à l'infarctus du myocarde. Selon cette étude, il y a six facteurs nuisibles (tabagisme, diabète, hypertension artérielle, obésité abdominale, index psychosocial et ratio Apo B/Apo A-1) et trois facteurs protecteurs (consommation de fruits et de légumes, exercices et consommation limitée d'alcool) (Yusuf, Hawken & Ounpuu, 2004). L'utilisation de méthodes non invasives permet d'identifier une maladie athérosclérotique subclinique et ses conséquences pathophysiologiques. Parmi les méthodes suggérées, il y a l'épreuve d'effort sur tapis roulant, le doppler des carotides, l'index tibio-brachial et la tomodensitométrie à multidétecteurs. Le dépistage de la maladie coronarienne par score calcique est un type de tomodensitométrie utilisé pour détecter les dépôts de calcium présents dans la plaque d'athérome des artères coronaires (Anderson *et al.*, 2013). La méthode la plus couramment utilisée est la tomodensitométrie à faisceau d'électrons (TFE).

La mesure de la calcification des artères coronaires peut s'avérer utile dans le pronostic d'événements cardiovasculaires indésirables (Blaha, Budoff, DeFilippis *et al.*, 2011; Rubinstein, Halon, Gaspar *et al.*, 2007). Il est très probable qu'une personne dont le score calcique est supérieur à 400 présente une lésion importante à au moins une artère coronaire. Toutefois, d'autres examens plus courants (p. ex., une épreuve d'effort) sont nécessaires pour démontrer les répercussions de la lésion sur le flux sanguin coronarien.

Facteurs de risque non modifiables

Âge, sexe et origine ethnique

La coronaropathie et l'infarctus du myocarde sont plus fréquents chez l'homme blanc d'âge moyen. Après l'âge de 65 ans, ces maladies deviennent aussi fréquentes chez la femme que chez l'homme. Les MCV sont la première cause de mortalité chez les femmes canadiennes qui ont plus de chances de mourir d'une MCV que de toute autre maladie (ASPC, 2015a). De plus, la coronaropathie est présente à des taux plus élevés chez les Noires que chez les Blanches (Lloyd-Jones, Adams, Carnethon *et al.*, 2009).

La mortalité associée aux MCV augmente de manière considérable chez l'homme à partir de 45 ans, et chez la femme à partir de 55 ans, soit 10 ans plus tard que chez l'homme (ASPC, 2009; Quinn, 2008). De plus en plus de travaux de recherche portent sur les manifestations et l'évolution de la coronaropathie chez la femme, car cette maladie a été longtemps considérée comme une maladie frappant

CE QU'IL FAUT RETENIR

La coronaropathie prend plusieurs années à se déclarer, et ses manifestations cliniques ne sont pas apparentes dès les premiers stades de la maladie.

On peut consulter la grille de Framingham à l'adresse suivante : http://collections.banq.qc.ca/ark:/52327/bs2046628.

Jugement clinique

Robens Arboite est d'origine haïtienne. Vigdis Jonsdottir est islandaise. Tous deux sont âgés de 52 ans. En considérant leur âge et leur origine ethnique, laquelle de ces deux personnes est la plus susceptible d'être touchée par une coronaropathie? Justifiez votre réponse.

Facteurs de risque

ENCADRÉ 41.1 Facteurs de risque de la coronaropathie

FACTEURS DE RISQUE NON MODIFIABLES

- Âge (homme > 50 ans et femme > 60 ans)
- Sexe (homme > femme jusqu'à 65 ans)
- Origine ethnique
- Histoire familiale de MCV précoce (homme < 55 ans ou femme < 65 ans)
- Histoire familiale de dyslipidémie

FACTEURS DE RISQUE MODIFIABLES

- Dyslipidémie
- Hypertension artérielle
- Tabagisme
- Sédentarité
- Obésité ou syndrome métabolique
- Diabète
- Détresse psychologique et type de personnalité
- Hyperhomocystéinémie
- Toxicomanie

Comorbidité : Existence concomitante d'une affection ou d'un facteur qui n'est pas lié à la maladie pour laquelle une personne reçoit des soins, mais qui a des conséquences sur les chances de survie du malade.

majoritairement l'homme. En moyenne, les femmes atteintes de coronaropathie sont plus âgées que les hommes et plus susceptibles de présenter des **comorbidités** (p. ex., l'hypertension artérielle ou le diabète). La plupart des femmes qui subissent un premier accident cardiaque présentent des symptômes atypiques (p. ex., la dyspnée, les nausées et la fatigue) (Herrmann, 2008) **TABLEAU 41.1**.

Antécédents familiaux et génétiques

La prédisposition génétique est un facteur important dans l'apparition de la coronaropathie, même si le mécanisme exact de l'hérédité n'est pas encore entièrement connu. Certaines anomalies congénitales des parois des artères coronaires prédisposent à la formation de plaques. L'hypercholestérolémie familiale, maladie autosomique dominante, est fortement liée à la coronaropathie présente à un jeune âge (Lilly, 2011) **ENCADRÉ 41.2**.

Dans la plupart des cas, les personnes qui présentent une angine ou un infarctus du myocarde sont en mesure de nommer un parent, une sœur ou un frère décédé des suites d'une coronaropathie.

Facteurs de risque modifiables

Dyslipidémies

La réduction du taux de C-LDL constitue une cible importante pour la prévention primaire et secondaire des maladies cardiovasculaires (Anderson *et al.*, 2013 ; Smith, Benjamin, Bonow *et al.*, 2011). Le risque de coronaropathie est lié, entre autres, à un taux sérique de cholestérol élevé.

Pour que les lipides soient transportés dans l'organisme afin d'être utilisés, ils doivent devenir solubles dans le sang en se liant à des protéines pour former des lipoprotéines. Les lipoprotéines sont des véhicules servant à la mobilisation et au transport des graisses, et leur composition varie. Elles se divisent en trois catégories : les lipoprotéines de haute densité (HDL), les lipoprotéines de basse densité (LDL) et les lipoprotéines de très basse densité (VLDL).

En poids, les HDL contiennent plus de protéines et moins de lipides que les autres types de lipoprotéines. Les HDL transportent les lipides présents dans les artères vers le foie, où ils sont métabolisés. Par conséquent, la présence d'un taux sérique élevé de HDL est bénéfique, tandis que l'inverse constitue un facteur de risque de la coronaropathie. Ce processus de transport par les HDL empêche l'accumulation des lipides sur la tunique interne des artères. Plus le taux de HDL est élevé dans le sang, moins le risque de coronaropathie est grand.

Il existe deux types de HDL : les HDL_2 et les HDL_3. Ils se distinguent par leur densité et leur composition en apolipoprotéines. Les apolipoprotéines se trouvent sur les lipoprotéines et activent des sites enzymatiques (ou récepteurs) qui favorisent l'élimination des lipides présents dans le plasma. Il existe plusieurs types d'apolipoprotéines (p. ex., l'apolipoprotéine A-1, la B-100 et la C-1). La femme produit plus d'apolipoprotéines A-1 que l'homme, et la femme en préménopause présente des taux de HDL_2 environ trois fois supérieurs à ceux trouvés chez l'homme. Ce fait serait lié aux effets protecteurs de l'œstrogène d'origine naturelle. Après la ménopause, les taux de HDL_2 rejoignent rapidement ceux de l'homme.

En général, les taux de HDL sont plus élevés chez l'enfant et la femme, diminuent avec l'âge et sont faibles chez la personne atteinte de coronaropathie. L'activité physique, la consommation limitée d'alcool et la prise d'œstrogènes augmentent le taux de HDL. Des recherches tentent actuellement de cibler d'autres stratégies pour augmenter le taux de HDL.

Les LDL contiennent plus de cholestérol que tout autre type de lipoprotéine et possèdent une affinité pour les parois artérielles.

Différences hommes-femmes

TABLEAU 41.1 Coronaropathie

HOMMES	FEMMES
• L'homme tend à manifester des signes et des symptômes de coronaropathie 10 ans plus tôt que la femme. • L'infarctus du myocarde survient plus souvent que l'angine comme premier accident cardiaque. • L'homme reçoit plus de traitements (p. ex., l'acide acétylsalicylique (Aspirin[MD]), les statines, le cathétérisme diagnostique) que la femme lorsque atteint de coronaropathie grave (p. ex., l'infarctus du myocarde). • Les taux de mortalité par coronaropathie ont chuté plus rapidement chez l'homme que chez la femme.	• La coronaropathie est la principale cause de décès chez la femme, peu importe la race ou l'origine ethnique. • L'angine de poitrine survient plus souvent comme premier accident cardiaque que l'infarctus du myocarde. • Plus de femmes que d'hommes victimes d'un infarctus du myocarde décèdent d'une mort subite avant d'arriver à l'hôpital. • Avant la ménopause, les femmes ont un taux plus élevé de C-HDL et plus faible de C-LDL que les hommes ; après la ménopause, le taux de C-LDL augmente.

Génétique et pratique clinique

ENCADRÉ 41.2 **Hypercholestérolémie familiale**

BASE GÉNÉTIQUE

- Maladie autosomique dominante
- Mutation dans le gène codant pour le récepteur des LDL
- Allèles mutants multiples

FRÉQUENCE

- Hétérozygotes : 1 cas sur 500
- Homozygotes : 1 cas sur 1 000 000

DÉPISTAGE GÉNÉTIQUE

- La plupart des personnes souffrant d'hypercholestérolémie familiale ne sont pas diagnostiquées.
- Le diagnostic de la forme hétérozygote est basé sur des critères cliniques et biochimiques (C-LDL > 5,0 mmol/L, présence de xanthélasmes, de xanthomes ou d'arc cornéen, histoire personnelle ou familiale de MCV précoce).
- Le diagnostic de la forme homozygote est basé sur l'histoire familiale, la présence de manifestations cutanées ou tendineuses (p. ex., des xantomes) en bas âge et une augmentation sévère du taux de C-LDL (> 12-13 mmol/L).
- Analyse de l'ADN pour la détection des mutations causales dans les gènes (peut faciliter le diagnostic).

RÉPERCUSSIONS CLINIQUES

- Maladie génétique fréquente
- Taux élevés de cholestérol résultant d'un fonctionnement anormal des récepteurs des LDL
- Taux plasmatiques de LDL élevés tout au long de la vie
- Apparition d'une athérosclérose grave dès le jeune âge ou l'âge moyen
- Stratégies de traitement de l'hypercholestérolémie familiale hétérozygote consistant à apporter des changements à l'alimentation, à faire de l'activité physique et à prendre des hypolipémiants ; un traitement précoce peut normaliser l'espérance de vie

Source : Genest, Hegele, Bergeron *et al.* (2014).

Les VLDL contiennent du cholestérol et des triglycérides, et peuvent déposer le cholestérol directement sur les parois des artères. Des taux élevés de LDL correspondent étroitement à une incidence accrue d'athérosclérose et de coronaropathie. Par conséquent, des taux sériques faibles de LDL sont souhaitables. Toute baisse de 1,0 mmol/L du cholestérol LDL (C-LDL) est associée à une réduction de 20 à 25 % du nombre de décès attribuables à la MCV et du nombre d'infarctus du myocarde non mortels (Anderson *et al.*, 2013).

Certaines maladies (p. ex., le diabète et l'insuffisance rénale chronique) et certains médicaments (p. ex., les corticostéroïdes, l'hormonothérapie de remplacement et les benzodiazépines) sont liés à des taux élevés de triglycérides. Des facteurs liés aux habitudes de vie, comme la sédentarité et la consommation élevée d'alcool, de glucides raffinés et de sucres simples, peuvent contribuer à l'élévation du taux de triglycérides. Si un taux élevé de triglycérides est combiné à un taux élevé de cholestérol, les particules de LDL qui se forment sont plus petites et plus denses, ce qui favorise leur fixation sur les parois artérielles. Les personnes insulinorésistantes présentent souvent ce profil.

Le métabolisme des lipides n'est pas encore bien compris. Le rôle que jouent les divers constituants des lipoprotéines, comme les apolipoprotéines, dans l'apparition de la coronaropathie est de plus en plus examiné. Le dosage du taux d'Apo B fait désormais partie des lignes directrices pour le dépistage des dyslipidémies (Anderson *et al.*, 2013). Il s'agit d'une apolipoprotéine qui se trouve sur les particules de C-LDL. Les Apo B seraient plus précis pour évaluer le risque cardiovasculaire que le taux de C-LDL. De plus, ce test ne nécessite pas d'être à jeun. Par contre, il n'est pas disponible dans tous les laboratoires ▶ 39.

Les lignes directrices nationales émanant de la Société canadienne de cardiologie relatives au traitement d'un taux élevé de C-LDL reposent sur un risque calculé sur 10 ans qu'une personne soit victime d'un infarctus du myocarde non mortel ou meure d'un événement coronarien. Les renseignements qui suivent permettent d'établir un score de risque : 1) l'âge ; 2) le sexe ; 3) le tabagisme ; 4) la pression artérielle systolique ; 5) la prise d'antihypertenseurs ; 6) le cholestérol total ; 7) le taux de cholestérol HDL et 8) le statut de diabète (Anderson *et al.*, 2013). En général, les personnes qui ne présentent qu'un seul ou aucun facteur de risque sont considérées comme étant à faible risque de coronaropathie si elles ne présentent pas de critères d'un risque élevé (voir plus bas). Un traitement hypolipémiant peut être considéré si le taux de LDL est supérieur à 5,0 mmol/L ou en présence d'une hypercholestérolémie familiale. Chez les personnes présentant un taux

CE QU'IL FAUT RETENIR

Les LDL contiennent plus de cholestérol que tout autre type de lipoprotéine, et possèdent une affinité pour les parois artérielles.

39

Les lipides sériques sont décrits dans le chapitre 39, *Évaluation clinique – Système cardiovasculaire.*

Jugement clinique

Yvan Bélanger, âgé de 57 ans, ne fume plus depuis 32 ans. Sa pression artérielle varie entre 130/78 et 138/88. Il prend de l'irbésartan (Avapro^MD) 75 mg die. Son taux de cholestérol total est de 5,93 mmol/L ; celui des HDL est de 0,94 mmol/L alors que les LDL sont à 4,06 mmol/L. Monsieur Bélanger présente-t-il un faible risque de coronaropathie ? Justifiez votre réponse.

de LDL élevé, une diminution de 50 % des taux sériques de LDL est souhaitée. Les personnes dont le niveau de risque est élevé ont un score de risque de Framingham (SRF) supérieur à 20% ou ont une MCV connue, un diabète, un anévrisme de l'aorte ascendante (AAA) ou une insuffisance rénale associée à une HTA (Anderson *et al.*, 2013 ; Dasgupta, Quinn, Zarnke *et al.*, 2014). Chez ce groupe, le taux sérique visé de LDL doit être inférieur à 2 mmol/L, ou viser une diminution de 50 % des taux sériques de C-LDL par rapport à la valeur de base du client si les options thérapeutiques ne permettent pas d'atteindre la cible de 2 mmol/L ou si le client présente une intolérance à la médication (p. ex., la myalgie aux statines). Ces taux sériques sont également indiqués chez une personne considérée comme étant à risque modéré selon le score de Framingham. Le **TABLEAU 41.2** résume les objectifs et les stratégies de traitement tirés des recommandations canadiennes de 2012 sur les dyslipidémies (Anderson *et al.*, 2013).

Les médecins doivent faire preuve de jugement lorsqu'ils amorcent un traitement hypolipémiant ; les modifications au mode de vie du client auront des répercussions importantes sur sa santé à long terme, et les bénéfices à long terme de la pharmacothérapie doivent être évalués par rapport aux effets indésirables qu'ils peuvent occasionner. Un traitement agressif visant à réduire le taux de C-LDL est donc associé à une diminution du risque cardiovasculaire, particulièrement chez les personnes ayant un niveau de risque élevé, et ce, tant chez la femme que chez l'homme (Cholesterol Treatment Trialists' Collaboration, 2015). Une méta-analyse n'a démontré aucune différence significative entre les statines et un placebo concernant les effets secondaires justifiant l'arrêt du traitement, les myalgies et l'incidence du cancer. Cependant, les statines semblent être associées à un faible risque de voir se développer un diabète de type 2 (Naci, Brugts & Ades, 2013). Quoi qu'il en soit, chaque cas est unique et il est recommandé au médecin de discuter de ces enjeux avec le client à faible risque, et de prendre en considération la modification des habitudes de vie d'abord ainsi que le désir du client d'entreprendre un traitement hypolipémiant préventif à long terme avant de prendre une décision thérapeutique finale.

Hypertension artérielle

En 2013, 17,7 % (5,3 millions) des Canadiens ont déclaré avoir reçu un diagnostic d'hypertension artérielle (HTA) (Statistique Canada, 2015b). L'HTA est un facteur de risque majeur des MCV (Dasgupta *et al.*, 2014). De 2001 à 2009, les femmes étaient plus nombreuses que les hommes à déclarer un diagnostic d'HTA. Par contre, en 2013, le taux d'HTA était globalement plus élevé chez les hommes que chez les femmes. Cependant, après 54 ans les taux d'HTA étaient semblables pour les deux sexes. On remarque également que les

TABLEAU 41.2 Recommandations relatives au traitement de la dyslipidémie en fonction du taux de lipoprotéines de basse densité

NIVEAU DE RISQUE	CONDITIONS JUSTIFIANT L'AMORCE D'UN TRAITEMENT	RECOMMANDATIONS	
		C-LDL	CIBLE ALTERNATIVE
Élevé			
• Score de risque de Framingham[a] > 20 % • MCV., diabète, AAA, insuffisance rénale + HTA	• Traitement envisagé chez tous les clients	• ≤ 2 mmol/L ou ↓ taux de C-LDL ≥ 50 %	• Apo B < 0,80 g/L • Non C-HDL ≤ 2,6 mmol/L
Modéré			
• Score de risque de Framingham ajusté ≥ 10 % et < 20 %	• C-LDL ≥ 3,5 mmol/L • C-LDL < 3,5 : traitement si Apo B ≥ 1,2 g/L ou sinon C-HDL ≥ 4,3 mmol/L	• ≤ 2 mmol/L • ↓ taux de C-LDL ≥ 50 %	• Apo B ≤ 0,80 g/L • Non C-HDL ≤ 2,6 mmol/L
Faible			
• Score de risque de Framingham < 10 %	• C-LDL ≥ 5,0 mmol/L • Hypercholestérolémie familiale	• ↓ taux de C-LDL ≥ 50 %	–

[a] Le score de risque de Framingham fait référence à la probabilité (pourcentage de risque) d'être victime d'un infarctus du myocarde non mortel ou de mourir d'un accident coronarien au cours des 10 prochaines années.

Source : Anderson *et al.* (2013).

personnes obèses ont plus de risque de souffrir d'HTA (Statistique Canada, 2015b).

Selon le Programme éducatif canadien sur l'hypertension artérielle, le traitement de l'HTA en vue d'atteindre les valeurs cibles établies permet une réduction de la prévalence des MCV. En effet, tout traitement antihypertenseur susceptible de réduire la pression artérielle diastolique de 5 à 6 mm Hg pourrait, sur 5 ans, réduire le risque d'accident vasculaire cérébral (AVC) de 50 % et le risque d'événement coronarien de 20 à 30 % (Collins, Peto, Godwin *et al.*, 1990). La prise en charge de l'HTA est recommandée en prévention primaire et secondaire de la MCV. Elle passe d'abord par la modification des habitudes de vie (perte de poids, activité physique, consommation modérée d'alcool, réduction du sodium, consommation de fruits et de légumes frais). Des médicaments antihypertenseurs peuvent être utilisés si les cibles ne sont pas atteintes (Smith *et al.*, 2011) ▶ 40. Les cibles sont une valeur inférieure à 140/90 dans la plupart des cas ou inférieure à 130/80 chez les clients atteints d'un diabète avec ou sans néphropathie (Dasgupta *et al.*, 2014). Plusieurs mesures sont habituellement nécessaires avant de rendre un diagnostic d'HTA.

Tabagisme

Le tabagisme est le facteur de risque modifiable le plus important de la coronaropathie (Pipe, Eisenberg, Gupta *et al.*, 2011). Le risque de coronaropathie est de deux à six fois plus élevé chez les fumeurs que chez ceux qui ne consomment pas de tabac. De plus, le tabagisme abaisse le taux d'œstrogène, ce qui augmente le risque de coronaropathie chez la femme en préménopause. Le risque est proportionnel au nombre de cigarettes fumées. Le fait d'opter pour des cigarettes à une teneur plus faible en nicotine ou à bout filtre n'a aucune incidence sur ce risque.

Des études ont démontré qu'une exposition chronique à la fumée de tabac ambiante (fumée secondaire) augmente aussi le risque de coronaropathie (Leone, 2011 ; Smith *et al.*, 2011). Les fumeurs de cigare et de pipe, qui souvent n'inhalent pas la fumée, présentent un risque de coronaropathie du même ordre que celui des personnes exposées à la fumée secondaire.

La nicotine présente dans la fumée de tabac provoque la sécrétion de catécholamines (adrénaline et noradrénaline). Ces neurohormones entraînent une élévation de la fréquence cardiaque (F.C.), une vasoconstriction périphérique et une augmentation de la pression artérielle (P.A.) Ces changements augmentent le travail du cœur, ce qui pousse le myocarde à accroître sa consommation d'oxygène. La nicotine augmente également l'adhésion plaquettaire, ce qui accroît le risque de formation d'**emboles** (Pipe *et al.*, 2011).

Le monoxyde de carbone, sous-produit de la combustion du tabac, affecte la capacité de l'hémoglobine à transporter l'oxygène en réduisant le nombre de sites de transport disponibles. Par conséquent, les effets du travail accru du cœur combinés à ceux du manque d'oxygène causé par le monoxyde de carbone diminuent considérablement l'apport d'oxygène au cœur. Il semble également que le monoxyde de carbone soit un irritant chimique pouvant causer des lésions à l'endothélium.

La Société Canadienne de cardiologie est d'avis que les intervenants de tous les secteurs devraient faire un dépistage systématique du statut de fumeur et offrir une aide pour l'arrêt tabagique (Pipe *et al.*, 2011). Les effets bénéfiques de la cessation du tabagisme sont considérables et presque immédiats. En effet, en moins de 12 mois, le taux de mortalité par coronaropathie chute pour atteindre celui des non-fumeurs. Toutefois, la nicotine créant une forte dépendance, la cessation du tabagisme demande un plan d'intervention comportant un suivi régulier et individualisé qui tienne compte des besoins du client et de l'ampleur de sa dépendance envers ce comportement de santé néfaste. Des séances de counseling individuelles ou collectives, ainsi qu'une thérapie de remplacement de la nicotine sont recommandées. Dans certains cas, l'usage de médicaments pour cesser de fumer (p. ex., le bupropion [Zyban^MD] et la varénicline [Champix^MD]) sont des stratégies pouvant être utilisées (Pipe *et al.*, 2011).

Il faut également encourager les proches aidants qui vivent avec les malades à cesser de fumer. En plus de soutenir le malade dans ses efforts, ils contribuent à la diminution des risques liés à une exposition constante à la fumée secondaire.

Sédentarité

La sédentarité est un autre des principaux facteurs de risque modifiables de la coronaropathie. Celle-ci sous-entend un manque d'activité physique régulière. Les recommandations canadiennes en matière de santé publique suggèrent de faire 150 minutes d'activité physique à intensité moyenne à vigoureuse par semaine (Société canadienne de physiologie de l'exercice, 2015b).

Le mécanisme par lequel la sédentarité prédispose à la coronaropathie reste encore inconnu. Les personnes physiquement actives présentent des taux élevés de C-HDL, et l'exercice stimule l'activité thrombolytique, ce qui réduit

Embole : Thrombus ou corps étranger délogé de son site d'origine et pouvant circuler dans le sang pour atteindre les poumons ou le cerveau, ce qui a pour conséquence de bloquer la circulation.

40

Les modifications des habitudes de vie visant à abaisser la P.A. sont décrites dans le chapitre 40, *Interventions cliniques – Hypertension artérielle.*

41

CE QU'IL FAUT RETENIR

Le tabagisme est le facteur de risque modifiable le plus important de la coronaropathie, et le risque est proportionnel au nombre de cigarettes fumées.

Jugement clinique

Duncan Fitzpatrick, âgé de 58 ans, est notaire. Il se rend au travail en voiture, mais grimpe les escaliers jusqu'à son bureau se trouvant au deuxième étage d'un édifice qui en compte 16. Au moins trois fois par semaine, après le repas du soir, il va au petit parc situé à deux coins de rue de son domicile pour une courte promenade d'une trentaine de minutes. Il apprécie grandement ces moments de douceur en compagnie de son épouse. Monsieur Fitzpatrick fait-il assez d'exercice ? Expliquez votre réponse.

CE QU'IL FAUT RETENIR

L'incidence de la coronaropathie est de deux à quatre fois plus élevée chez les personnes diabétiques, y compris celles dont la glycémie est bien maîtrisée.

le risque de formation de caillots. L'exercice peut également favoriser la mise en place d'une circulation collatérale dans le myocarde.

Chez les personnes sédentaires, l'entraînement physique diminue le risque de coronaropathie grâce à un métabolisme des lipides plus efficace, à une production accrue de HDL_2 et à une extraction plus efficace de l'oxygène par les groupes musculaires en mouvement, diminuant ainsi le travail du cœur. Chez les personnes atteintes de coronaropathie, la pratique régulière d'activité physique atténue les symptômes, améliore la capacité fonctionnelle et réduit d'autres facteurs de risque comme l'insulinorésistance et l'intolérance au glucose. De plus, la pratique de l'activité physique aide à prévenir et à contrôler l'obésité.

Obésité

Les statistiques montrent que le taux de mortalité attribuable à la coronaropathie est plus élevé chez les personnes obèses. L'indice de masse corporelle (IMC), exprimé en kg/m^2, est utilisé comme critère pour déterminer l'obésité. Selon l'Organisation mondiale de la Santé (OMS), un IMC supérieur ou égal à 25 est considéré comme de l'embonpoint. L'obésité se caractérise par un IMC supérieur ou égal à 30 (OMS, 2015). L'obésité abdominale, qui est associée au syndrome métabolique, est un facteur de risque important de la MCV, indépendamment de l'IMC. Selon les critères de l'International Diabetes Federation, l'obésité abdominale correspond à un tour de taille égal ou supérieur à 102 cm chez l'homme et à 88 cm chez la femme (Alberti, Eckel, Grundy *et al.*, 2009). Ces valeurs de référence sont valables au Canada mais peuvent varier légèrement selon les pays et l'origine ethnique (Alberti *et al.*, 2009).

Le risque de coronaropathie est proportionnel au degré d'obésité. Les personnes obèses sont susceptibles de produire des taux élevés de C-LDL et de triglycérides, fortement impliqués dans l'athérosclérose. La personne obèse est trois fois plus susceptible de présenter de l'HTA que celle qui a un poids normal. De plus, une personne qui présente une obésité abdominale, donc qui tend à accumuler de la graisse dans la région de l'abdomen (silhouette en forme de pomme), court un plus grand risque de souffrir d'une coronaropathie que celle qui l'accumule dans les hanches et les fesses (silhouette en forme de poire). Plus l'obésité devient importante, plus la taille du cœur augmente, entraînant une consommation accrue d'oxygène par le myocarde. une augmentation de l'insulinorésistance a aussi été notée chez les personnes obèses (Huang, 2009; Huether & McCance, 2012) ▶ 55.

55

Les risques de l'obésité pour la santé et les critères diagnostiques du syndrome métabolique sont décrits dans le chapitre 55, *Interventions cliniques – Obésité*.

Diabète

L'incidence de la coronaropathie est de deux à quatre fois plus élevée chez les personnes diabétiques, y compris celles dont la glycémie est bien maîtrisée, que dans la population en général. Elle survient également plus tôt dans la vie (Huether & McCance, 2012). Il n'existe aucune différence entre l'homme et la femme diabétiques en ce qui a trait à l'âge d'apparition de la coronaropathie. Chez la femme en préménopause, le diabète annule presque totalement l'avantage découlant d'un plus faible risque de coronaropathie. La femme diabétique présente donc un risque plus élevé de coronaropathie que celle qui ne l'est pas (Huang, 2009).

Il arrive souvent qu'une personne découvre qu'elle est diabétique seulement au moment où elle est victime d'un infarctus du myocarde. De plus, une forte proportion de décès est observée chez les clients ne présentant aucun signe ou symptôme antérieur de maladie cardiovasculaire (Poirier, Dufour, Carpentier *et al.*, 2013). La personne diabétique court plus de risques de présenter une dégénérescence des tissus conjonctifs et une dysfonction endothéliale. C'est ce qui peut expliquer la tendance observée chez les diabétiques à former des plaques d'athéromes. Les diabétiques subissent également des modifications du métabolisme des lipides et ont tendance à présenter des taux élevés de cholestérol et de triglycérides.

La prise en charge du diabète doit comprendre des changements dans les habitudes de vie et une pharmacothérapie pour atteindre un taux d'**hémoglobine glyquée** (HbA1c) inférieur à 7 % (Imran, Rabasa-Lhoret & Ross, 2013).

Hémoglobine glyquée : Variété d'hémoglobine sur laquelle s'est fixée une molécule de glucose. Elle porte également le nom d'hémoglobine glycosylée.

Syndrome métabolique

Depuis plusieurs années, on reconnaît que le syndrome métabolique est associé à une augmentation du risque de souffrir de troubles cardiovasculaires (Arsenault, Cloutier & Longpré, 2012; Mottillo, Filion, Genest *et al.*, 2010). Le syndrome métabolique fait référence à un ensemble de facteurs de risque de la coronaropathie dont la physiopathologie sous-jacente peut être liée à l'insulinorésistance. Ces facteurs de risque sont l'obésité caractérisée par un tour de taille élevé, l'HTA, des taux sériques anormaux de lipides et de triglycérides et une glycémie à jeun élevée (Lippi, Montagnana, Favaloro *et al.*, 2009) **TABLEAU 41.3** ▶ 55. Ces facteurs de risque interdépendants, d'origine métabolique, semblent favoriser l'apparition de la coronaropathie.

État psychologique

L'étude Framingham fournit des signes évidents que certains comportements et habitudes de vie contribuent à l'apparition de la coronaropathie. Plusieurs schémas de comportement sont associés à l'apparition de la coronaropathie. Toutefois, leur étude demeure controversée et complexe. L'un de ces types de comportements, nommé type A, comprend le perfectionnisme et une forte personnalité de bourreau de travail. La personne de type A refoule souvent de la colère et de l'agressivité, éprouve un sentiment d'urgence, est impatiente et ressent souvent du stress et de la tension. Elle serait plus sujette aux infarctus du myocarde qu'une personne de type B, qui est plus facile à vivre, ne se laisse pas démonter par les épreuves, connaît ses propres limites, prend le temps de se détendre et n'est pas un bourreau de travail. Des études se penchent actuellement sur des facteurs de risque psychologiques particuliers pour lesquels un risque accru de coronaropathie est possible. Ces facteurs de risque sont la dépression, le stress aigu et chronique (p. ex., la pauvreté et la fonction de proche aidant), l'anxiété, l'agressivité, la colère et un manque de soutien social (Compare, Proietti, Germani *et al.*, 2012 ; Proietti, Mapelli, Volpe *et al.*, 2011 ; Tully, Cosh & Baumeister, 2014). Plus particulièrement, la dépression est un facteur de risque lié autant à l'apparition qu'à l'aggravation de la coronaropathie. Les personnes dépressives présentent des taux élevés de **catécholamines** circulantes qui peuvent contribuer à l'apparition de lésions endothéliales et d'inflammation, et mener à l'activation plaquettaire. De fortes tendances dépressives sont également liées à un nombre accru d'accidents cardiaques. Il conviendrait d'effectuer davantage de recherche sur le traitement de la dépression et d'autres états psychologiques négatifs (p. ex., la colère) chez les personnes qui présentent un risque de coronaropathie ou qui sont déjà atteintes de la maladie pour améliorer leur santé mentale et physique (Tully *et al.*, 2014).

L'état de stress est bel et bien lié à l'apparition de la coronaropathie (Proietti *et al.*, 2011). La stimulation du système nerveux sympathique (SNS) et son effet sur le cœur constituent le mécanisme physiologique par lequel le stress prédispose à l'apparition de la coronaropathie. La stimulation du SNS provoque une sécrétion accrue de catécholamines (c'est-à-dire d'adrénaline et de noradrénaline). Cette stimulation augmente la fréquence cardiaque et intensifie la force de contraction du myocarde, ce qui entraîne une demande accrue d'oxygène par celui-ci. De plus, des mécanismes déclenchés par le stress peuvent provoquer des taux élevés de lipides et de glucose dans le sang et des changements dans la coagulation sanguine, qui peuvent mener à une athérogénèse accrue (McCance & Huether, 2012).

TABLEAU 41.3 Critères diagnostiques du syndrome métabolique[a]

MESURE	VALEURS LIMITES CATÉGORIQUES
Tour de taille	• ≥ 102 cm chez l'homme (au Canada) • ≥ 88 cm chez la femme (au Canada)
Triglycérides	• ≥ 1,7 mmol/L ou • Traitement médicamenteux des triglycérides élevés
Lipoprotéines de haute densité (HDL)	• < 1,03 mmol/L chez l'homme • < 1,30 mmol/L chez la femme ou • Traitement médicamenteux pour HDL réduites
Pression artérielle (P.A.)	• Pression artérielle systolique (P.A.S.) ≥ 130 mmHg ou • Pression artérielle diastolique (P.A.D.) ≥ 85 mmHg ou • Traitement médicamenteux de l'hypertension artérielle
Glycémie à jeun	• ≥ 5,6 mmol/L ou • Traitement médicamenteux du glucose élevé

[a] Trois des cinq mesures sont nécessaires pour établir un diagnostic de syndrome métabolique.

Sources : Adapté de National Heart Lung and Blood Institute (2010) ; Statistique Canada (2012).

Homocystéine

Un lien a été établi entre les taux sériques élevés d'**homocystéine** et le risque accru de coronaropathie et d'autres maladies vasculaires, comme la démence, les AVC et les maladies thromboemboliques veineuses (Humphrey, Fu, Rogers *et al.*, 2008). L'homocystéine provient de la dégradation de la méthionine, acide aminé essentiel se trouvant dans les protéines d'origine alimentaire. Un taux sérique élevé d'homocystéine contribuerait à l'athérosclérose de la façon suivante : 1) en endommageant la paroi interne des vaisseaux sanguins par un stress oxydatif ; 2) en favorisant l'accumulation des plaques ; 3) en modifiant le mécanisme de la coagulation de manière à favoriser la formation de caillots (thrombogénicité).

Bien que le niveau de preuve reliant l'homocystéine plasmatique et les MCV soit élevé, le rôle de l'homocystéine en tant que facteur de risque cardiovasculaire causal reste controversé. Des travaux de recherche sont en cours pour déterminer si une baisse d'homocystéine peut réduire le risque de maladies cardiaques. Des études ont montré que le complexe vitaminique B (B_6, B_{12}, acide folique) abaisse le taux d'homocystéine dans le sang. Cependant, une méta-analyse suggère qu'aucune étude n'a réussi à démontrer formellement de diminution des événements cardiovasculaires par l'administration de suppléments de ce groupe vitaminique (Clarke, Collins, Lewington *et al.*, 2002). Ces résultats suscitent des discussions (Wald, Bestwick & Wald, 2012). En général, un test de dépistage n'est effectué que pour les personnes chez qui un taux élevé d'homocystéine est suspecté, comme les personnes âgées atteintes d'anémie pernicieuse (déficience en vitamine B_{12}) ou celles qui présentent une coronaropathie tôt dans la vie.

Catécholamines : Composés organiques synthétisés à partir de la tyrosine et jouant le rôle d'hormone ou de neurotransmetteur.

Toxicomanie

L'usage de drogues illicites comme la cocaïne et la méthamphétamine peut produire un spasme coronarien entraînant une ischémie myocardique et une douleur thoracique. La plupart des gens qui se présentent à l'urgence en raison d'une douleur thoracique causée par la consommation de drogues sont, de prime abord, impossibles à différencier d'une personne atteinte de coronaropathie. Même si un infarctus du myocarde pouvait survenir, ces personnes présentent le plus souvent une tachycardie sinusale, une P.A. élevée, de l'angine et de l'anxiété (National Institute on Drug Abuse, 2013).

Soins et traitements en interdisciplinarité

CLIENT SOUFFRANT DE CORONAROPATHIE

Promotion de la santé

Une prise en charge adéquate des facteurs de risque de la coronaropathie peut prévenir, modifier ou retarder l'évolution de la maladie. Au Canada, les taux d'hospitalisation et de mortalité attribuables aux maladies du cœur dont les cardiopathies ischémiques et les infarctus du myocarde diminuent depuis les années 1970 (ASPC, 2009 ; Statistique Canada, 2015a). Cette baisse est probablement attribuable aux modifications des habitudes de vie des Canadiens et Canadiennes, à la prise en charge des principaux facteurs de risque de la maladie coronarienne et aux nombreux progrès réalisés dans les domaines de la pharmacothérapie et des technologies de traitement de la coronaropathie. La prévention et le traitement précoce de la maladie cardiaque doivent comprendre une approche multifactorielle et se poursuivre tout au long de la vie **ENCADRÉ 41.3**.

Dépistage des personnes à risque élevé

Peu importe l'établissement de soins de santé, l'infirmière est tout à fait qualifiée pour dépister la personne à risque de coronaropathie. Le dépistage des risques nécessite l'obtention d'un bilan complet des antécédents médicaux. L'infirmière doit questionner le client au sujet d'antécédents familiaux de maladie cardiaque chez les parents, les frères et les sœurs. Elle doit noter la présence de tout symptôme cardiovasculaire (p. ex., la douleur rétrosternale sous forme de pesanteur ou de serrement qui irradie au bras gauche plus particulièrement, mais aussi à la mâchoire, au dos et aux épaules, la dyspnée d'effort accrue, la nausée et la fatigue). L'**ENCADRÉ 41.4** dresse la liste des personnes pour lesquelles un bilan lipidique doit être demandé. L'infirmière doit calculer le score de risque de Framingham (SRF), ce qui aidera à orienter le traitement préventif (Anderson *et al.*, 2013). L'infirmière évalue les facteurs environnementaux comme les habitudes alimentaires, le type d'alimentation et le niveau d'activité physique, afin de connaître les habitudes de vie du client. Le processus de dépistage comprend également l'obtention des antécédents psychosociaux pour cerner la consommation de tabac et d'alcool, les événements stressants récents (p. ex., la perte d'un conjoint) et la présence de tout état psychologique négatif (p. ex., l'anxiété, la dépression ou la colère). Le lieu de travail et le type de travail effectué fournissent de précieux renseignements sur le type de tâches accomplies, l'exposition à des polluants ou à des substances chimiques nocives et le degré de stress émotionnel lié à l'emploi.

L'infirmière doit cerner les opinions et les croyances du client en ce qui touche la santé et la maladie. Ces renseignements peuvent donner une idée de la façon dont la maladie et les changements dans les habitudes de vie touchent le client, et peuvent également révéler des idées fausses sur la maladie cardiaque. Si le client prend des médicaments, il est important d'en connaître le nom et la posologie, ainsi que d'évaluer le degré d'adhésion du client et ses attitudes relativement à la prise de médicaments.

Prise en charge des personnes à risque élevé

L'infirmière doit recommander des mesures préventives à toute personne à risque élevé de coronaropathie. Il est impossible de modifier des facteurs de risque comme l'âge, le sexe, l'origine ethnique et l'hérédité. Toutefois, la personne qui présente l'un ou l'autre de ces facteurs de risque peut tout de même réduire son risque de coronaropathie en maîtrisant les effets additifs des facteurs de risque modifiables. Par exemple, un jeune homme qui présente des antécédents familiaux de maladie cardiaque peut réduire le risque de coronaropathie en maintenant un poids santé, en faisant de l'activité physique, en réduisant sa consommation de gras saturés et en évitant de fumer.

Promotion et prévention

ENCADRÉ 41.3 Prévention de la maladie cardiaque

- Atteindre et maintenir un poids santé (IMC de 18,5 à 24,9).
- Réduire la consommation de sodium.
- Augmenter le niveau d'activité physique (150 minutes d'activité physique à intensité moyenne par semaine).
- Éviter de consommer tout produit du tabac et de s'y exposer.
- Limiter la consommation d'alcool à 30 g ou moins par jour (1 à 2 consommations) (une consommation = 340 mL de bière, 140 mL de vin, 45 mL de spiritueux).
- Choisir une alimentation pauvre en cholestérol alimentaire et en gras saturés, et riche en fruits et en légumes.
- Gérer sainement le stress.

ENCADRÉ 41.4 **Dépistage des personnes à risque**

QUI ÉVALUER?

Hommes ≥ 40 ans et femmes ≥ 50 ans ou ménopausées (plus tôt chez les groupes ethniques ayant un risque augmenté) ou toute personne ayant une des conditions suivantes, indépendamment de l'âge:

- Anévrisme abdominal
- Diabète
- Dysfonction érectile
- Évidence d'artériosclérose
- Histoire familiale de MCV précoce (hommes < 55 ans; femmes < 65 ans)
- Histoire familiale de dyslipidémie
- Infection par le virus de l'immunodéficience humaine (VIH)
- Insuffisance rénale modérée[a] ou microalbumine[b]
- Maladie inflammatoire (lupus, arthrite rhumatoïde, psoriasis)
- Manifestations de dyslipidémie[c]
- Obésité (IMC > 27 ou syndrome métabolique)
- Tabagisme actif

QUOI ET QUAND ÉVALUER?

- Pour tous: histoire de santé et examen physique, C-LDL, C-HDL, triglycérides, non-HDL, glycémie à jeun, débit de filtration glomérulaire (DFG)
- Optionnel: Apo B, ratio albumine urinaire/créatine (si DFG < 60, hypertension artérielle ou diabète)

SRF[d] < 5 % ⟶ **Répéter l'évaluation tous les trois à cinq ans**

SRF ≥ 5 % ⟶ **Répéter l'évaluation chaque année**

[a] DFG < 60 mL/min. / 1,73 m^2

[b] Albumine urinaire créatine > 3 mg/mmoL

[c] Xanthélasma, xanthome ou arc cornéen

[d] Hommes de 40 à 75 ans; femmes de 50 à 75 ans

Source: Adapté de Anderson *et al.* (2013).

Il faut encourager et motiver la personne qui présente des facteurs de risque modifiables à apporter des changements à ses habitudes de vie pour réduire le risque de coronaropathie. L'infirmière peut jouer un rôle important en enseignant au client des comportements qui favorisent la santé **TABLEAU 41.4**. La personne très motivée peut avoir besoin d'apprendre à réduire ces risques pour s'y mettre.

En revanche, l'idée d'une réduction des facteurs de risque peut être tellement étrangère à la personne moins motivée à prendre en charge sa santé que celle-ci se trouvera incapable de percevoir la

Enseignement au client et à ses proches

TABLEAU 41.4 **Réduction des facteurs de risque de la coronaropathie**

L'ENSEIGNEMENT AU CLIENT ET À SES PROCHES SUR LA RÉDUCTION DES RISQUES DE CORONAROPATHIE DEVRAIT PORTER SUR LES ASPECTS SUIVANTS.

FACTEURS DE RISQUE	COMPORTEMENTS QUI FAVORISENT LA SANTÉ
Hypertension artérielle	• Faire vérifier sa pression artérielle (P.A.) régulièrement (selon les recommandations du médecin). • Prendre les médicaments prescrits pour la maîtrise de la P.A. • Réduire sa consommation de sel. • Cesser de fumer; éviter l'exposition à la fumée secondaire. • Maintenir son poids santé ou perdre du poids. • Faire de l'activité physique régulièrement.
Lipides sériques élevés	• Réduire sa consommation de gras saturés et trans. • Réduire sa consommation de gras d'origine animale (saturés). • Prendre les médicaments prescrits pour abaisser le taux de cholestérol. • Ajuster l'apport calorique total quotidien pour atteindre et maintenir un poids idéal. • Faire de l'activité physique régulièrement. • Augmenter la quantité de fibres solubles et de protéines végétales dans son alimentation.

TABLEAU 41.4 Réduction des facteurs de risque de la coronaropathie *(suite)*

L'ENSEIGNEMENT AU CLIENT ET À SES PROCHES SUR LA RÉDUCTION DES RISQUES DE CORONAROPATHIE DEVRAIT PORTER SUR LES ASPECTS SUIVANTS.	
FACTEURS DE RISQUE	**COMPORTEMENTS QUI FAVORISENT LA SANTÉ**
Tabagisme	• S'inscrire à un programme de renoncement au tabagisme. • Apporter des changements à sa routine quotidienne associée au tabagisme pour diminuer son envie de fumer. • Remplacer le tabagisme par d'autres activités. • Demander à la famille d'appuyer ses efforts de cessation du tabagisme. • Éviter l'exposition à la fumée secondaire.
Sédentarité	• Instaurer et maintenir au moins 150 minutes par semaine d'activité physique à intensité moyenne à élevée par séances d'au moins 10 minutes. • Augmenter ses activités pour atteindre une bonne capacité fonctionnelle.
Détresse psychologique	• Se sensibiliser davantage aux comportements néfastes pour la santé. • Changer des habitudes propices au stress (p. ex., se lever 30 minutes plus tôt pour prendre le temps de déjeuner). • Se donner des objectifs réalistes. • Réévaluer ses priorités à la lumière de ses besoins en matière de soins de santé. • Apprendre des stratégies efficaces pour diminuer le stress. • Chercher de l'aide professionnelle si l'on se sent dépressif, colérique, anxieux, etc. • Prévoir suffisamment de temps pour se reposer et dormir.
Obésité	• Changer son comportement et ses habitudes alimentaires. • Diminuer son apport calorique. • Être plus actif physiquement pour augmenter sa dépense énergétique. • Éviter les régimes intensifs à la mode, lesquels ne sont pas efficaces à la longue. • Éviter les repas copieux.
Diabète	• Suivre le régime alimentaire recommandé. • Maintenir son poids santé ou perdre du poids. • Prendre les médicaments hypoglycémiants prescrits. • Surveiller sa glycémie régulièrement, selon les intervalles déterminés par le médecin traitant.

CE QU'IL FAUT RETENIR

Le rôle de l'infirmière consiste à encourager et à motiver la personne qui présente des facteurs de risque modifiables à apporter des changements à ses habitudes de vie pour réduire le risque de coronaropathie, et à la soutenir durant ce processus.

menace d'une coronaropathie dans sa vie. Peu de gens souhaitent apporter des changements à leurs habitudes de vie, surtout en l'absence de symptômes. L'infirmière doit d'abord aider la personne à préciser quelles sont ses valeurs personnelles. Par la suite, en expliquant les facteurs de risque et en amenant le client à cerner sa propre vulnérabilité par rapport à différents risques, elle peut l'aider à prendre conscience de sa prédisposition à la coronaropathie. Le calcul de l'âge cardiovasculaire est un outil pouvant être utile, particulièrement chez les jeunes clients, afin de favoriser une meilleure prise en charge des facteurs de risque (Anderson *et al.*, 2013). Ce processus peut aider le client à se fixer des objectifs réalistes et lui permettre de choisir le ou les facteurs de risque qu'il voudra modifier en premier. Certaines personnes sont réticentes au changement jusqu'au jour où elles commencent à manifester des symptômes apparents ou sont réellement victimes d'un infarctus du myocarde. Par contre, pour d'autres qui ont subi un infarctus du myocarde, l'idée de changer des habitudes de toute une vie reste encore inacceptable. L'infirmière doit être en mesure de déceler de tels choix et de les respecter.

Activité physique

Pour améliorer la condition physique du client, il convient de concevoir un programme d'activité physique selon le principe FITT : **F**réquence (nombre de fois), **I**ntensité (niveau d'activité), **T**ype (isotonique) et **T**emps (durée). Les directives canadiennes en matière d'activité physique à l'intention des adultes âgés de 18 à 64 ans suggèrent de faire chaque semaine au moins 150 minutes d'activité physique aérobie d'intensité moyenne à élevée, et ce, par séance d'au moins 10 minutes (Bravata, Smith-Spangler, Sundaram *et al.*, 2007; Houle, Doyon, Vadeboncœur *et al.*, 2011; Houle, Doyon, Vadeboncœur *et al.*, 2012; Société canadienne de physiologie de l'exercice, 2015b). De plus, une étude a démontré que l'ajout d'un entraînement musculaire (p. ex., la levée de poids) à un programme d'exercice, à raison de deux séances par semaine, peut aider à traiter le syndrome métabolique et améliorer la force musculaire. La marche rapide, la randonnée pédestre, le vélo et la natation sont des exemples d'activité physique modérée. La pratique régulière d'activité physique favorise la perte de poids, la baisse de la pression artérielle systolique et, chez certains hommes plus que chez les femmes, l'augmentation du taux de cholestérol HDL.

Recommandations nutritionnelles

La diète méditerranéenne est recommandée en prévention primaire ou secondaire de la maladie coronarienne. Il s'agit d'une alimentation riche en légumes, en fruits, en huile d'olive et en produits céréaliers. Cette diète se caractérise aussi par une consommation élevée de poisson et de protéines végétales comme les légumineuses, les noix et les graines, une consommation modérée de produits laitiers et de vin, et une faible consommation de viande (Widmer, Flammer, Lerman *et al.*, 2015). La diète méditerranéenne améliore le profil de la personne en agissant sur les principaux facteurs de risque de maladie cardiovasculaire en prévention primaire. C'est en réduisant notamment la P.A., la résistance à l'insuline, les principaux marqueurs inflammatoires, le poids et l'IMC, tout en améliorant le profil lipidique, que ces aliments diminuent le risque de subir un événement coronarien. De plus, l'utilisation de ce mode de vie a démontré des effets favorables sur le contrôle des facteurs de risque de la MCV, dont le diabète (Rees, Hartley, Flowers *et al.*, 2013; Sleiman, Al-Badri & Azar, 2015).

Consommés régulièrement, les acides gras oméga-3 réduisent les risques de coronaropathie. Chez les personnes ne souffrant pas de coronaropathie, l'American Heart Association (AHA) recommande de consommer du poisson gras, comme le saumon et le thon, deux fois par semaine, car ces espèces renferment deux types d'acides gras oméga-3 : l'acide eicosapentaénoïque (EPA) et l'acide docosahexaénoïque (DHA). Les personnes atteintes de coronaropathie sont encouragées à introduire dans leur alimentation des suppléments d'EPA et de DHA. Cependant, en raison d'études contradictoires, les cliniciens prescrivent peu ces suppléments. L'AHA recommande également de consommer du tofu, du soya sous plusieurs formes, de l'huile de canola, des noix de Grenoble et des graines de lin, car ces produits contiennent de l'acide alpha-linolénique (ALA), qui se transforme en acide gras oméga-3 une fois dans l'organisme.

Concernant l'alcool, il convient de limiter sa consommation quotidienne à 30 g ou moins (Anderson *et al.*, 2013), soit à 1 consommation par jour pour les femmes et à 2 pour les hommes, et ce, en l'absence de contre-indication clinique ou métabolique. La consommation d'importantes quantités d'alcool augmente le risque de souffrir d'une maladie cardiovasculaire.

Pharmacothérapie hypolipémiante

Il faut faire preuve de jugement clinique pour déterminer le moment propice de l'amorce de la pharmacothérapie. Il importe de considérer les facteurs de risque de la personne. Le traitement commence généralement par une baisse de l'apport calorique (en cas d'embonpoint) et de l'apport en gras saturés et trans et en cholestérol, et par une pratique accrue d'activité physique. Les lignes directrices relatives au traitement de la dyslipidémie sont axées sur le taux de C-LDL **TABLEAU 41.2**. Le taux de cholestérol est mesuré de nouveau après six semaines de régime alimentaire. S'il demeure élevé, il faut envisager l'ajout d'options diététiques **TABLEAU 41.5** et **ENCADRÉ 41.5**, et une pharmacothérapie (Anderson *et al.*, 2013) **TABLEAU 41.6**. Si le médecin juge nécessaire de prescrire une pharmacothérapie, un suivi du bilan lipidique tous les trois mois s'impose afin d'ajuster le traitement en conséquence.

Médicaments limitant la production de lipoprotéines

Les statines sont les hypolipémiants les plus couramment administrés. Ces médicaments inhibent la synthèse du cholestérol dans le foie en bloquant l'hydroxyméthylglutaryl coenzyme-A (HMG-CoA) réductase. De manière inexpliquée, cette inhibition se traduit par une augmentation des récepteurs hépatiques des C-LDL. Par conséquent, le

Statine

- Risque accru de rhabdomyolyse si administré avec une fibrate ou de la niacine.
- Signe et symptôme d'une rhabdomyolyse : ↑ taux de CK et sensibilité musculaire.

Approches complémentaires et parallèles en santé

TABLEAU 41.5 Hypolipémiants[a]

SUBSTANCE	EFFETS
Niacine	Hausse des HDL ; faible diminution des LDL
Acides gras oméga-3	Diminution des taux de triglycérides
Psyllium	Faible diminution du cholestérol total et des LDL
Phytostérols	Diminution du taux de C-LDL
Soya	Diminution modérée du cholestérol total et des LDL

[a] La maladie cardiovasculaire est un problème de santé grave. Le client ne doit pas entreprendre une phytothérapie ou un autre traitement de naturopathie sans consulter au préalable un professionnel de la santé, surtout s'il suit également une pharmacothérapie prescrite par un médecin.

Source : Données fondées sur un examen systématique de la documentation scientifique, accessibles au www.naturalstandard.com.

Expliquez la différence entre la prévention primaire et la prévention secondaire.

foie est à même d'éliminer davantage de C-LDL présents dans la circulation sanguine. De plus, les statines augmentent légèrement les taux de C-HDL (Lehne, 2016). La myalgie est un symptôme, associé ou non à une élévation de la créatine kinase, qui peut limiter l'utilisation des statines (Mancini, Baker, Bergeron *et al.*, 2011). Rares, les effets indésirables graves de ces médicaments comprennent les lésions hépatiques et la myopathie, qui peut évoluer vers la rhabdomyolyse (dégradation des muscles squelettiques). Les taux d'enzymes hépatiques (p. ex., l'aspartate aminotransférase, l'alamine aminotransférase et la créatine kinase) sont utiles pour surveiller les effets secondaires potentiels associés au traitement. Il n'y a toutefois pas d'indication de répéter de façon routinière ces

Pratique fondée sur des résultats probants

ENCADRÉ 41.5 Les changements relatifs aux matières grasses alimentaires ont-ils des effets bénéfiques sur la maladie cardiovasculaire ?

QUESTION CLINIQUE

Chez l'adulte (P), quels sont les effets des changements de matières grasses alimentaires ou de la diminution de leur consommation (I), comparativement à un placebo, un régime alimentaire normal ou un régime témoin (C), sur le taux de mortalité générale et les taux de morbidité et de mortalité cardiovasculaire (O) ?

RÉSULTATS PROBANTS

- Revue systématique d'essais cliniques à répartition aléatoire.

ANALYSE CRITIQUE ET SYNTHÈSE DES DONNÉES

- 48 essais cliniques à répartition aléatoire et 60 comparateurs (n = 81 327) ont été menés auprès d'adultes souffrant ou non d'une maladie cardiovasculaire. L'intervention consistait à réduire ou à modifier l'apport en matières grasses alimentaires en comparaison avec un groupe sous placebo, qui suivait un régime alimentaire normal ou un régime-témoin.
- Le régime alimentaire hypolipidique a réduit l'apport calorique qui correspond aux matières grasses à < 30 % et a remplacé une partie de ces matières grasses par des glucides simples ou complexes, des protéines ou des fruits et des légumes.
- Le régime alimentaire dans lequel le choix des matières grasses était modifié comportait un apport calorique dont au moins 30 % correspondaient à des matières grasses, mais les personnes de ce groupe consommaient davantage de mono-insaturés et de polyinsaturés que ceux qui suivaient leur régime alimentaire habituel.

CONCLUSIONS

- Réduire sa consommation de gras saturés en réduisant tout simplement la quantité consommée ou en modifiant les matières grasses choisies réduit le risque d'événements cardiovasculaires.
- Les changements relatifs aux matières grasses alimentaires réduisent le risque de maladie cardiovasculaire chez l'homme (mais pas chez la femme).

RECOMMANDATIONS POUR LA PRATIQUE INFIRMIÈRE

- Recommander au client de changer sa consommation de matières grasses en remplaçant les gras saturés par des gras mono-insaturés ou polyinsaturés.
- Aider le client, de concert avec le diététiste, à maintenir ses bonnes habitudes alimentaires à long terme.

RÉFÉRENCE

Hooper, L., Summerbell, C., Thompson, R., *et al.* (2011). Reduced or modified dietary fat for preventing cardiovascular disease. *Cochrane Database Syst Rev, 7*, CD002137.

P : Population ; I : Intervention ; C : Comparaison ; O : (*Outcome*) Résultat.

Pharmacothérapie

TABLEAU 41.6 Dyslipidémie

CLASSE DE MÉDICAMENTS ET EXEMPLES	MÉCANISME D'ACTION ET EFFETS THÉRAPEUTIQUES	EFFETS INDÉSIRABLES	CONSIDÉRATIONS EN MATIÈRE DE SOINS
Limitation de la production de lipoprotéines			
Inhibiteurs de l'HMG-CoA réductase (statines)			
• Atorvastatine (Lipitor[MD]) • Fluvastatine (Lescol[MD]) • Lovastatine (Mevacor[MD]) • Pravastatine (Pravachol[MD]) • Simvastatine (Zocor[MD]) • Rosuvastatine (Crestor[MD])	• Blocage de la synthèse du cholestérol et augmentation du nombre de récepteurs des LDL dans le foie • ↓ LDL • ↓ triglycérides • ↑ HDL	Érythème, troubles gastro-intestinaux (GI), enzymes hépatiques élevées, myopathie, rhabdomyolyse	• Bonne tolérance, effets secondaires minimes ; nécessité de surveiller les enzymes hépatiques et la créatine kinase (si apparition de faiblesse et de douleur musculaire)

▼

TABLEAU 41.6 Dyslipidémie *(suite)*			
CLASSE DE MÉDICAMENTS ET EXEMPLES	**MÉCANISME D'ACTION ET EFFETS THÉRAPEUTIQUES**	**EFFETS INDÉSIRABLES**	**CONSIDÉRATIONS EN MATIÈRE DE SOINS**
Niacine			
• Niacine, acide nicotinique (Niaspan[MD])	• Inhibition de la synthèse et de la sécrétion des VLDL et des LDL • ↓ LDL • ↓ triglycérides • ↑ HDL	Bouffées congestives et prurit sur le haut du torse et le visage, troubles GI (p. ex., des nausées et des vomissements, la dyspepsie, la diarrhée), hypotension orthostatique, hausse possible du taux d'homocystéine	• Effets secondaires disparaissant pour la plupart avec le temps; possibilité de diminution de la fonction hépatique à dose élevée • Administration d'acide acétylsalicylique (Aspirin[MD]) ou d'un anti-inflammatoire non stéroïdien (AINS) 30 min avant la prise du médicament et avec de la nourriture pour prévenir les bouffées congestives • Traitement des taux élevés d'homocystéine par la prise d'acide folique
Fibrates			
• Fénofibrate (Lipidil EZ[MD], Lipidil Micro[MD], Lipidil Supra[MD]) • Gemfibrozil (Lopid[MD])	• ↓ synthèse et ↓ sécrétion hépatiques des VLDL; ↓ triglycérides • ↓ LDL • ↓ triglycérides • ↑ HDL	Érythème, troubles GI légers (p. ex., des nausées, la diarrhée), enzymes hépatiques élevées	• ↑ possible des effets de la warfarine (Coumadin[MD]) et de certains hypoglycémiants • Si pris en association avec des statines, possibilité d'accentuation des effets indésirables de ces dernières, surtout la myopathie
Augmentation de l'élimination des lipoprotéines			
Résines hypolipémiantes			
• Cholestyramine (Questran[MD]) • Colestipol (Colestid[MD])	• Liaison avec les acides biliaires dans l'intestin, formant un complexe insoluble, éliminé par les selles, et entraînant l'élimination des LDL et du cholestérol • ↓ LDL	Altération désagréable du goût, troubles gastro-intestinaux (GI) (p. ex., une indigestion, la constipation, des ballonnements)	• Utilisation prolongée efficace et sûre; effets secondaires diminuant avec le temps. • Perturbation de l'absorption de nombreux médicaments (p. ex., la digoxine, les diurétiques thiazidiques, la warfarine, certains antibiotiques, dont la pénicilline)
Diminution de l'absorption du cholestérol			
Inhibiteur de l'absorption du cholestérol			
• Ézétimibe (Ezetrol[MD])	• Inhibition de l'absorption intestinale du cholestérol • ↓ LDL • ↑ HDL	Rares, mais possibilité de céphalées et de douleurs GI légères	• ↓ LDL encore plus importante si pris en association avec une statine • Contre-indiqué chez les clients atteints d'insuffisance hépatique

tests chez les clients qui ne présentent aucun symptôme (Anderson *et al.*, 2013; Mancini *et al.*, 2011). Le taux de créatine kinase est mesuré dès l'apparition de symptômes de myopathie (p. ex., des douleurs musculaires et de la faiblesse) (Lehne, 2016).

La niacine (Niaspan[MD]), vitamine B hydrosoluble, est très efficace pour abaisser les taux de C-LDL et de triglycérides en empêchant leur synthèse. Elle augmente également le taux de C-HDL plus efficacement que bien d'autres hypolipémiants. Malheureusement, ce médicament a souvent des

Niacine (Niaspan^MD)

- Informer le client qu'une bouffée congestive (surtout du visage et du cou) peut survenir dans les 20 minutes suivant la prise du médicament, et que celle-ci peut durer de 30 à 60 minutes.
- Pour atténuer les bouffées congestives, il est possible de prendre de l'acide acétylsalicylique (Aspirin^MD) ou un AINS 30 minutes avant la prise de la niacine.

effets indésirables, qui peuvent comprendre une bouffée congestive grave, secondaire à une vasodilatation généralisée des vaisseaux sanguins, un prurit, des symptômes gastro-intestinaux (GI) et une hypotension orthostatique. La prise d'acide acétylsalicylique (AAS) (Aspirin^MD) ou d'un anti-inflammatoire non stéroïdien (AINS) avant l'administration de la niacine peut réduire les bouffées congestives. La prise de niacine à libération prolongée peut atténuer les effets secondaires. La niacine est plus efficace que les fibrates pour hausser le C-HDL (Genest, McPherson, Frohlich *et al.*, 2009).

Les fibrates agissent en accélérant l'élimination des VLDL et en augmentant la production des apolipoprotéines A-1 et A-2 **TABLEAU 41.5**. Il s'agit des médicaments les plus efficaces pour abaisser le taux de triglycérides et augmenter celui des C-HDL. Ils n'ont aucun effet sur les C-LDL, et c'est sans doute pour cette raison qu'ils ont peu d'effet sur la mortalité par MCV, mais des études sont en cours pour évaluer l'utilisation d'une combinaison de statine et de fibrate pour le traitement de la dyslipidémie. Les fibrates préviennent la pancréatite en cas d'hypertriglycéridémie grave (Genest *et al.*, 2009). Même si les fibrates sont généralement bien tolérés, certaines personnes peuvent éprouver de l'irritation GI. Ils peuvent élever la créatinine plasmatique et doivent être évités chez les insuffisants rénaux (Skidmore-Roth, 2015).

Médicaments augmentant l'élimination des lipoprotéines

La principale voie d'élimination du cholestérol est sa transformation en acides biliaires dans le foie. Les résines hypolipémiantes augmentent la transformation du cholestérol en acides biliaires et diminuent ainsi la quantité de cholestérol présente dans le foie. Le principal effet est une baisse du cholestérol total et des C-LDL.

Palatabilité : Qualité d'un aliment palatable, c'est-à-dire qui procure une sensation agréable lors de sa consommation.

L'administration de ces médicaments peut être associée à des plaintes liées à la **palatabilité** et à divers symptômes touchant l'appareil digestif supérieur et inférieur, notamment l'éructation, les brûlures d'estomac, les nausées, les douleurs abdominales et la constipation. Les résines hypolipémiantes liées aux acides biliaires nuisent à l'absorption intestinale de nombreux médicaments (p. ex., la warfarine, les diurétiques thiazidiques, les hormones thyroïdiennes et les bêtabloquants) (Lehne, 2016). Il est possible d'atténuer cet effet indésirable en prenant ce type de médicaments à un moment différent des autres médicaments.

Gemfibrozil (Lopid^MD)

- Peut accroître le risque d'hémorragie chez les personnes qui prennent de la warfarine (Coumadin^MD).
- Peut accentuer l'effet des hypoglycémiants (p. ex., la répaglinide).
- Contre-indiqué en présence de statines.

Médicaments diminuant l'absorption du cholestérol

L'ézétimibe (Ezetrol^MD) inhibe de manière sélective l'absorption du cholestérol alimentaire et biliaire à travers la paroi intestinale. L'ézétimibe sert de traitement adjuvant aux changements apportés à l'alimentation, surtout chez les personnes atteintes d'hypercholestérolémie familiale. S'il est pris en association avec une statine (p. ex., la simvastatine), il entraîne une réduction plus importante des C-LDL (Lehne, 2016). Sur le plan clinique, il y a un recul de l'utilisation de la combinaison ezétimide et statine, car cette association semble comporter peu d'avantages pour l'endothélium. En effet, la combinaison statine et ezétimibe diminue considérablement le taux de C-LDL sérique comparativement à la monothérapie statine seule (Anderson, 2015). Par contre, une augmentation paradoxale de l'athérosclérose dans l'intima des carotides associée à la prise combinée de ces deux molécules a été rapportée (Villines, Stanek, Devine *et al.*, 2010). Néanmoins, l'association de l'ézétimide et d'une statine semble avoir des effets bénéfiques auprès de personnes ayant subi un syndrome coronarien aigu (Anderson, 2015).

La pharmacothérapie de la dyslipidémie se poursuit souvent tout au long de la vie. Il est également essentiel de modifier ses habitudes alimentaires pour minimiser la nécessité du traitement pharmacologique. Le client doit comprendre les raisons et les buts du traitement ainsi que l'innocuité et les effets secondaires de la pharmacothérapie hypolipémiante.

Traitement antiplaquettaire

L'utilisation des agents antiplaquettaires, comme l'AAS (Aspirin^MD), en prévention primaire de la MCV, n'est pas systématiquement recommandée. La prévention primaire s'adresse aux hommes et aux femmes n'ayant aucune évidence de MCV. Par contre, dans des situations particulières où le risque de MCV est élevé et le risque de saignement est faible, une prise quotidienne d'Aspirin^MD (entre 75 et 162 mg) peut être considérée (Bell, Roussin, Cartier *et al.*, 2011). En prévention secondaire, par contre, les agents antiplaquettaires constituent une pierre angulaire du traitement. Les lignes directrices pour l'utilisation des thérapies antiplaquettaires dans un contexte de prévention secondaire concernent les personnes ayant subi un syndrome coronarien aigu (SCA), une intervention coronarienne percutanée (IP) ou une revascularisation chirurgicale par pontages. Le traitement recommandé comprend une combinaison de deux agents antiplaquettaires : c'est ce que l'on appelle la double thérapie antiplaquettaire. Parmi les médicaments utilisés, il y a l'AAS (Aspirin^MD) combiné ou non avec le clopidogrel (Plavix^MD), le prasugrel (Effient^MD) ou le ticagrélor (Brilinta^MD). Les médicaments et les dosages recommandés dépendent du diagnostic et de l'intervention de revascularisation qui a été pratiquée. Par exemple, la combinaison de l'AAS et du prasugrel ou du ticagrélor est préférable au

TABLEAU 41.6 **Dyslipidémie *(suite)***

CLASSE DE MÉDICAMENTS ET EXEMPLES	MÉCANISME D'ACTION ET EFFETS THÉRAPEUTIQUES	EFFETS INDÉSIRABLES	CONSIDÉRATIONS EN MATIÈRE DE SOINS
Niacine			
• Niacine, acide nicotinique (Niaspan^MD^)	• Inhibition de la synthèse et de la sécrétion des VLDL et des LDL • ↓ LDL • ↓ triglycérides • ↑ HDL	Bouffées congestives et prurit sur le haut du torse et le visage, troubles GI (p. ex., des nausées et des vomissements, la dyspepsie, la diarrhée), hypotension orthostatique, hausse possible du taux d'homocystéine	• Effets secondaires disparaissant pour la plupart avec le temps ; possibilité de diminution de la fonction hépatique à dose élevée • Administration d'acide acétylsalicylique (Aspirin^MD^) ou d'un anti-inflammatoire non stéroïdien (AINS) 30 min avant la prise du médicament et avec de la nourriture pour prévenir les bouffées congestives • Traitement des taux élevés d'homocystéine par la prise d'acide folique
Fibrates			
• Fénofibrate (Lipidil EZ^MD^, Lipidil Micro^MD^, Lipidil Supra^MD^) • Gemfibrozil (Lopid^MD^)	• ↓ synthèse et ↓ sécrétion hépatiques des VLDL ; ↓ triglycérides • ↓ LDL • ↓ triglycérides • ↑ HDL	Érythème, troubles GI légers (p. ex., des nausées, la diarrhée), enzymes hépatiques élevées	• ↑ possible des effets de la warfarine (Coumadin^MD^) et de certains hypoglycémiants • Si pris en association avec des statines, possibilité d'accentuation des effets indésirables de ces dernières, surtout la myopathie
Augmentation de l'élimination des lipoprotéines			
Résines hypolipémiantes			
• Cholestyramine (Questran^MD^) • Colestipol (Colestid^MD^)	• Liaison avec les acides biliaires dans l'intestin, formant un complexe insoluble, éliminé par les selles, et entraînant l'élimination des LDL et du cholestérol • ↓ LDL	Altération désagréable du goût, troubles gastro-intestinaux (GI) (p. ex., une indigestion, la constipation, des ballonnements)	• Utilisation prolongée efficace et sûre ; effets secondaires diminuant avec le temps. • Perturbation de l'absorption de nombreux médicaments (p. ex., la digoxine, les diurétiques thiazidiques, la warfarine, certains antibiotiques, dont la pénicilline)
Diminution de l'absorption du cholestérol			
Inhibiteur de l'absorption du cholestérol			
• Ézétimibe (Ezetrol^MD^)	• Inhibition de l'absorption intestinale du cholestérol • ↓ LDL • ↑ HDL	Rares, mais possibilité de céphalées et de douleurs GI légères	• ↓ LDL encore plus importante si pris en association avec une statine • Contre-indiqué chez les clients atteints d'insuffisance hépatique

tests chez les clients qui ne présentent aucun symptôme (Anderson *et al.*, 2013 ; Mancini *et al.*, 2011). Le taux de créatine kinase est mesuré dès l'apparition de symptômes de myopathie (p. ex., des douleurs musculaires et de la faiblesse) (Lehne, 2016).

La niacine (Niaspan^MD^), vitamine B hydrosoluble, est très efficace pour abaisser les taux de C-LDL et de triglycérides en empêchant leur synthèse. Elle augmente également le taux de C-HDL plus efficacement que bien d'autres hypolipémiants. Malheureusement, ce médicament a souvent des

Niacine (Niaspan^MD)

- Informer le client qu'une bouffée congestive (surtout du visage et du cou) peut survenir dans les 20 minutes suivant la prise du médicament, et que celle-ci peut durer de 30 à 60 minutes.
- Pour atténuer les bouffées congestives, il est possible de prendre de l'acide acétylsalicylique (Aspirin^MD) ou un AINS 30 minutes avant la prise de la niacine.

Palatabilité : Qualité d'un aliment palatable, c'est-à-dire qui procure une sensation agréable lors de sa consommation.

Gemfibrozil (Lopid^MD)

- Peut accroître le risque d'hémorragie chez les personnes qui prennent de la warfarine (Coumadin^MD).
- Peut accentuer l'effet des hypoglycémiants (p. ex., la répaglinide).
- Contre-indiqué en présence de statines.

effets indésirables, qui peuvent comprendre une bouffée congestive grave, secondaire à une vasodilatation généralisée des vaisseaux sanguins, un prurit, des symptômes gastro-intestinaux (GI) et une hypotension orthostatique. La prise d'acide acétylsalicylique (AAS) (Aspirin^MD) ou d'un anti-inflammatoire non stéroïdien (AINS) avant l'administration de la niacine peut réduire les bouffées congestives. La prise de niacine à libération prolongée peut atténuer les effets secondaires. La niacine est plus efficace que les fibrates pour hausser le C-HDL (Genest, McPherson, Frohlich *et al.*, 2009).

Les fibrates agissent en accélérant l'élimination des VLDL et en augmentant la production des apolipoprotéines A-1 et A-2 **TABLEAU 41.5**. Il s'agit des médicaments les plus efficaces pour abaisser le taux de triglycérides et augmenter celui des C-HDL. Ils n'ont aucun effet sur les C-LDL, et c'est sans doute pour cette raison qu'ils ont peu d'effet sur la mortalité par MCV, mais des études sont en cours pour évaluer l'utilisation d'une combinaison de statine et de fibrate pour le traitement de la dyslipidémie. Les fibrates préviennent la pancréatite en cas d'hypertriglycéridémie grave (Genest *et al.*, 2009). Même si les fibrates sont généralement bien tolérés, certaines personnes peuvent éprouver de l'irritation GI. Ils peuvent élever la créatinine plasmatique et doivent être évités chez les insuffisants rénaux (Skidmore-Roth, 2015).

Médicaments augmentant l'élimination des lipoprotéines

La principale voie d'élimination du cholestérol est sa transformation en acides biliaires dans le foie. Les résines hypolipémiantes augmentent la transformation du cholestérol en acides biliaires et diminuent ainsi la quantité de cholestérol présente dans le foie. Le principal effet est une baisse du cholestérol total et des C-LDL.

L'administration de ces médicaments peut être associée à des plaintes liées à la **palatabilité** et à divers symptômes touchant l'appareil digestif supérieur et inférieur, notamment l'éructation, les brûlures d'estomac, les nausées, les douleurs abdominales et la constipation. Les résines hypolipémiantes liées aux acides biliaires nuisent à l'absorption intestinale de nombreux médicaments (p. ex., la warfarine, les diurétiques thiazidiques, les hormones thyroïdiennes et les bêtabloquants) (Lehne, 2016). Il est possible d'atténuer cet effet indésirable en prenant ce type de médicaments à un moment différent des autres médicaments.

Médicaments diminuant l'absorption du cholestérol

L'ézétimibe (Ezetrol^MD) inhibe de manière sélective l'absorption du cholestérol alimentaire et biliaire à travers la paroi intestinale. L'ézétimibe sert de traitement adjuvant aux changements apportés à l'alimentation, surtout chez les personnes atteintes d'hypercholestérolémie familiale. S'il est pris en association avec une statine (p. ex., la simvastatine), il entraîne une réduction plus importante des C-LDL (Lehne, 2016). Sur le plan clinique, il y a un recul de l'utilisation de la combinaison ezétimide et statine, car cette association semble comporter peu d'avantages pour l'endothélium. En effet, la combinaison statine et ezétimibe diminue considérablement le taux de C-LDL sérique comparativement à la monothérapie statine seule (Anderson, 2015). Par contre, une augmentation paradoxale de l'athérosclérose dans l'intima des carotides associée à la prise combinée de ces deux molécules a été rapportée (Villines, Stanek, Devine *et al.*, 2010). Néanmoins, l'association de l'ézétimide et d'une statine semble avoir des effets bénéfiques auprès de personnes ayant subi un syndrome coronarien aigu (Anderson, 2015).

La pharmacothérapie de la dyslipidémie se poursuit souvent tout au long de la vie. Il est également essentiel de modifier ses habitudes alimentaires pour minimiser la nécessité du traitement pharmacologique. Le client doit comprendre les raisons et les buts du traitement ainsi que l'innocuité et les effets secondaires de la pharmacothérapie hypolipémiante.

Traitement antiplaquettaire

L'utilisation des agents antiplaquettaires, comme l'AAS (Aspirin^MD), en prévention primaire de la MCV, n'est pas systématiquement recommandée. La prévention primaire s'adresse aux hommes et aux femmes n'ayant aucune évidence de MCV. Par contre, dans des situations particulières où le risque de MCV est élevé et le risque de saignement est faible, une prise quotidienne d'Aspirin^MD (entre 75 et 162 mg) peut être considérée (Bell, Roussin, Cartier *et al.*, 2011). En prévention secondaire, par contre, les agents antiplaquettaires constituent une pierre angulaire du traitement. Les lignes directrices pour l'utilisation des thérapies antiplaquettaires dans un contexte de prévention secondaire concernent les personnes ayant subi un syndrome coronarien aigu (SCA), une intervention coronarienne percutanée (IP) ou une revascularisation chirurgicale par pontages. Le traitement recommandé comprend une combinaison de deux agents antiplaquettaires : c'est ce que l'on appelle la double thérapie antiplaquettaire. Parmi les médicaments utilisés, il y a l'AAS (Aspirin^MD) combiné ou non avec le clopidogrel (Plavix^MD), le prasugrel (Effient^MD) ou le ticagrélor (Brilinta^MD). Les médicaments et les dosages recommandés dépendent du diagnostic et de l'intervention de revascularisation qui a été pratiquée. Par exemple, la combinaison de l'AAS et du prasugrel ou du ticagrélor est préférable au clopidogrel après une revascularisation coronarienne. Par contre, il est recommandé d'éviter le prasugrel chez les clients avec antécédents d'accident vasculaire cérébral ou d'ischémie cérébrale transitoire. Si le client n'est pas éligible au ticagrélor, le clopidogrel peut être utilisé. La double thérapie antiplaquettaire (AAS + autre antiplaquettaire) est généralement recommandée pour une durée de 12 mois après un événement aigu. Toutefois, le traitement avec l'AAS doit se poursuivre tout au long de la vie (Tanguay, Bell, Ackman *et al.*, 2013).

Considérations gérontologiques

CORONAROPATHIE

L'incidence des MCV augmente chez les personnes âgées et représente la principale cause de décès chez cette clientèle. En phase aiguë de la maladie, l'adoption de l'approche adaptée à la personne âgée en milieu hospitalier peut aider à réduire les complications. Chez la personne âgée, la coronaropathie est souvent le résultat de l'interaction complexe de facteurs de risque non modifiables (p. ex., l'âge) et de comportements à risque modifiables entretenus tout au long de la vie (p. ex., la sédentarité et le tabagisme).

Les personnes âgées ont souvent une présentation atypique des symptômes en raison des changements normaux liés au vieillissement, et de leurs effets sur les différents organes. Les symptômes classiques de MVC sont souvent différents chez les personnes âgées. Par exemple, jusqu'à 21 % des personnes de 75 ans et plus n'éprouvent pas de douleur thoracique. On observe souvent la dyspnée, la confusion et la syncope comme seuls symptômes de l'infarctus du myocarde. Dans le cas de l'insuffisance cardiaque, le seul symptôme rapporté est la fatigue dans plusieurs cas, la dyspnée survenant uniquement aux stades avancés. Enfin, en ce qui concerne l'angine instable, la douleur au bras, la diaphorèse est significativement moins fréquente que chez les clients plus jeunes (Rehman & Qazi, 2013). Les stratégies visant à réduire les risques de coronaropathie et le traitement de cette affection sont efficaces chez les personnes âgées (Mosca, Benjamin, Berra *et al.*, 2011).

La P.A. augmente avec l'âge. Ainsi, 50 % des Canadiens âgés de plus de 65 ans en souffrent, et plus de 90 % des personnes âgées de 55 à 65 ans dont la P.A. est normale recevront un diagnostic d'HTA à un moment de leur vie (Campbell, 2009). Un traitement intensif de l'HTA et de la dyslipidémie stabilise les plaques présentes dans les artères coronaires des personnes âgées, et la cessation du tabagisme aide à réduire le risque de coronaropathie, peu importe l'âge (Pipe *et al.*, 2011). De la même façon, il faut encourager le client âgé à envisager un programme planifié d'activité physique. Selon la Société canadienne de physiologie de l'exercice, pour favoriser la santé et améliorer la capacité fonctionnelle, les personnes âgées de 65 ans et plus devraient faire au moins 150 minutes d'activité physique aérobie par semaine, et ce, à intensité modérée à élevée par séances d'au moins 10 minutes. Les aînés à mobilité réduite devraient aussi inclure des activités afin d'améliorer leur équilibre et de prévenir les chutes (Société canadienne de physiologie de l'exercice, 2015a). Chez la personne âgée obèse, le fait d'apporter de petits changements à ses habitudes alimentaires et d'augmenter lentement sa pratique d'activité physique (p. ex., la marche) produit plus d'effets positifs que l'objectif d'une perte de poids importante.

Dans la planification d'un programme d'activité physique qui s'adresse aux personnes âgées, l'infirmière doit recommander ce qui suit : 1) des périodes d'échauffement plus longues ; 2) des périodes d'activité de faible intensité plus longues ; 3) des périodes de repos plus longues entre les séances. L'intolérance à la chaleur chez la personne âgée découle d'une perte d'efficacité de la sudation. Il faut enseigner au client à éviter de faire de l'activité physique à des températures extrêmes.

L'adoption de saines habitudes de vie peut améliorer la qualité de vie et réduire le risque de coronaropathie et d'accident cardiaque mortel. Les clients âgés rencontrent bon nombre de difficultés lorsque vient le temps d'apporter des changements à leurs habitudes de vie. Des travaux de recherche ont montré qu'il y a deux moments où la personne âgée envisage de tels changements : 1) lorsqu'elle est hospitalisée ; 2) lorsque des symptômes (p. ex, la douleur thoracique et la dyspnée) sont le résultat d'une coronaropathie et non du vieillissement normal. L'infirmière doit évaluer la volonté de la personne âgée à changer certaines de ses habitudes, et ensuite l'aider à déterminer quels changements sont les plus susceptibles de réduire le plus fortement le risque de coronaropathie.

CE QU'IL FAUT RETENIR

Les personnes âgées ont souvent une présentation atypique des symptômes de MCV. La dyspnée et la confusion, par exemple, remplacent souvent les symptômes plus classiques tels que la douleur au bras et la diaphorèse.

41.2 | Angine chronique stable

CE QU'IL FAUT RETENIR

L'angine chronique stable désigne la douleur thoracique qui se produit de façon intermittente, et présente toujours le même schéma d'apparition, de durée et d'intensité des symptômes.

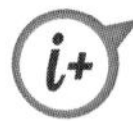

Animation : *Souffles cardiaques – sténose.*

Nociceptif : Relatif à la nociception, perception des stimulations produisant la douleur.

43

L'interprétation des tracés électrocardiographiques est expliquée dans le chapitre 43, *Interventions cliniques – Arythmie.*

La coronaropathie étant une maladie évolutive, les personnes qui en sont atteintes peuvent ne présenter aucun symptôme pendant de nombreuses années ou souffrir d'un syndrome de douleur thoracique chronique stable. Lorsque la demande en oxygène du muscle cardiaque dépasse la capacité des artères coronaires, il survient une ischémie myocardique. L'**angine**, ou douleur thoracique, est la manifestation clinique de l'ischémie myocardique réversible. Une hausse de la demande en oxygène ou une baisse de l'apport d'oxygène peuvent conduire à l'ischémie myocardique **TABLEAU 41.7**. La principale cause du débit sanguin insuffisant est le rétrécissement des artères coronaires causé par l'athérosclérose. Pour qu'une ischémie attribuable à l'athérosclérose se produise, l'artère doit présenter un degré d'obstruction (sténose) d'au moins 75 % (i+).

À l'échelle cellulaire, le myocarde devient hypoxique dans les 10 premières secondes suivant l'occlusion d'une artère coronaire. Au cours de l'occlusion coronarienne, le métabolisme anaérobie s'amorce puisque les cellules sont privées d'oxygène et il y a accumulation d'acide lactique. L'acide lactique irrite les fibres nerveuses myocardiques et transmet un message **nociceptif** aux nerfs cardiaques et aux racines nerveuses postérieures de la région thoracique supérieure. La personne ressent une douleur qui peut irradier, par exemple, vers l'épaule et le bras gauche. De plus, il peut y avoir une réduction de la contractilité myocardique. Dans des conditions d'ischémie, les cellules cardiaques peuvent survivre environ 20 minutes. Une fois le flux sanguin rétabli, le métabolisme aérobie reprend, la contractilité s'améliore et la réparation cellulaire s'amorce.

L'**angine chronique stable** désigne la douleur thoracique qui se produit de façon intermittente et présente toujours le même schéma d'apparition, de durée et d'intensité des symptômes. Certains clients affirment ne ressentir aucune douleur, mais décrivent plutôt une sensation de pression ou de vague endolorissement à la poitrine **TABLEAU 41.8**. Il s'agit d'une sensation désagréable, souvent décrite comme une constriction, un serrement, une lourdeur, une suffocation ou un étouffement. L'angine se manifeste rarement comme une douleur vive ou un coup de poignard, et la sensation ne varie pas si le client change de position ou modifie sa respiration. Beaucoup de gens qui présentent de l'angine se plaignent d'une mauvaise digestion ou d'une sensation de brûlure dans la région épigastrique. Même si la douleur ressentie par les personnes atteintes d'angine est surtout **rétrosternale**, celle-ci peut toucher le cou ou irradier vers divers endroits, notamment la mâchoire, les épaules et les bras **FIGURE 41.4**. Les clients se plaignent souvent d'une douleur entre les deux omoplates et écartent la possibilité qu'elle soit liée au cœur. Cette douleur référée s'explique par le fait que le cœur et les régions d'irradiation de la douleur sont innervés par les mêmes segments de neurofibres médullaires (soit T1 à T5 dans le cas d'une douleur cardiaque référée) (McKinley, O'Loughlin & Bidle, 2014).

Généralement, la douleur ne dure que quelques minutes (de 5 à 15 minutes) et disparaît dès que le facteur déclenchant est atténué. Il est inhabituel de ressentir de la douleur au repos. Par contre, si la sténose bloque plus de 90 % de la lumière de l'artère coronarienne, le débit sanguin au repos peut être inadéquat pour répondre à la demande basale, et l'ischémie peut avoir lieu au repos (Lilly, 2011).

L'électrocardiogramme (ECG) révèle généralement au moment de la douleur un sous décalage transitoire du segment ST ou une inversion de l'onde T, lesquels constituent des signes d'ischémie ▶ 43.

Il est possible de maîtriser l'angine chronique stable au moyen de médicaments d'ordonnance. Étant donné que l'angine chronique stable est souvent prévisible, ces médicaments sont administrés de manière à ce que leur effet maximal concorde avec le moment de la journée où l'angine est le plus susceptible de se produire. Par exemple, si l'angine se produit au lever, le client prend son médicament dès le réveil et attend de 30 à 60 minutes avant d'entreprendre sa journée. Le **TABLEAU 41.9** présente une comparaison des principaux types d'angine.

TABLEAU 41.7 Facteurs déterminant les besoins du myocarde en oxygène

RÉDUCTION DE L'APPORT D'OXYGÈNE	AUGMENTATION DE LA DEMANDE EN OXYGÈNE OU DE LA CONSOMMATION D'OXYGÈNE
Facteurs non cardiaques	
Anémie	Anxiété
Asthme	Hypertension artérielle
Maladie pulmonaire obstructive chronique	Hyperthermie
Hypovolémie	Hyperthyroïdie
Hypoxie	Effort physique
Pneumonie	Toxicomanie (p. ex., la cocaïne, l'éphédrine)
Facteurs cardiaques	
Spasme coronarien	Sténose aortique
Thrombose des artères coronaires	Cardiomyopathie
Arythmie	Arythmie
Insuffisance cardiaque	Tachycardie
Troubles valvulaires	–

Collecte des données

TABLEAU 41.8 Étapes de l'évaluation de symptômes d'angine (PQRSTU)

UTILISER L'AIDE-MÉMOIRE SUIVANT POUR RECUEILLIR DES RENSEIGNEMENTS AUPRÈS DU CLIENT QUI PRÉSENTE UNE DOULEUR THORACIQUE.	
P PROVOQUER / PALLIER / AGGRAVER	**EXEMPLES DE QUESTIONS**
L'infirmière questionne le client sur les facteurs déclenchant sa douleur et ce qui la soulage.	• Quels événements ou activités ont déclenché la douleur (p. ex., une dispute, un exercice, au repos) ? • Que faites-vous pour calmer la douleur quand elle survient ?
Q QUALITÉ / QUANTITÉ	**EXEMPLES DE QUESTIONS**
L'infirmière tente d'obtenir une description précise de la sensation éprouvée par le client. Elle souhaite documenter la qualité (p. ex., sous forme de serrement, de sensation de brûlure) et la quantité (p. ex., une intensité de 0 à 10).	• Comment qualifieriez-vous la douleur (p. ex., oppressante, sourde, persistante, lancinante, serrement, lourdeur) ? • Sur une échelle de 0 à 10, où 10 correspond à la douleur la plus intense que vous pouvez imaginer, comment évalueriez-vous la douleur que vous éprouvez ? • S'il s'agit d'une personne déjà connue pour une coronopathie : Est-ce la même douleur que celle que vous avez déjà ressentie ?
R RÉGION / IRRADIATION	**EXEMPLES DE QUESTIONS**
L'infirmière cherche à préciser la région où la douleur est ressentie.	• Où la douleur se situe-t-elle ? Irradie-telle vers d'autres endroits (p. ex., au dos, au cou, au bras, à la mâchoire, à l'épaule, au coude) ?
S SYMPTÔMES ET SIGNES ASSOCIÉS / SÉVÉRITÉ	**EXEMPLES DE QUESTIONS**
L'infirmière détermine si la douleur est accompagnée d'autres signes ou symptômes.	• Ressentez-vous d'autres malaises qui accompagnent la douleur (p. ex., une nausée, un étourdissement, une dyspnée, une diaphorèse)?
T TEMPS / DURÉE	**EXEMPLES DE QUESTIONS**
L'infirmière détermine le moment précis de l'apparition de la douleur, sa durée et sa fréquence.	• Quand la douleur a-t-elle commencé ? L'intensité a-t-elle changé depuis ce temps ? • Avez-vous déjà éprouvé une telle douleur ? Lorsque la douleur est présente, combien de temps dure-t-elle ?
U (*UNDERSTANDING*) / COMPRÉHENSION ET SIGNIFICATION POUR LE CLIENT	**EXEMPLES DE QUESTIONS**
L'infirmière cherche à préciser le sens que le client donne à sa douleur.	• Que signifie cette douleur pour vous ? Pourquoi pensez-vous avoir cette douleur ? À quoi attribuez-vous cette douleur ?

CE QU'IL FAUT RETENIR

L'ischémie silencieuse désigne une ischémie dénuée de symptômes et qui est souvent présente chez les diabétiques.

Phénomène de Raynaud : Trouble causé par l'exposition au froid ou au stress qui se caractérise par des crises d'ischémie aux extrémités du corps.

41.2.1 Ischémie silencieuse

L'**ischémie silencieuse** désigne une ischémie dénuée de symptômes. La prévalence de l'ischémie silencieuse est accrue chez les clients diabétiques, probablement à cause de la neuropathie diabétique qui touche les nerfs innervant l'appareil cardiovasculaire. Si une ischémie silencieuse se produit chez un client sous surveillance (p. ex., d'un moniteur Holter), des changements sont observés sur l'ECG. Que celle-ci soit douloureuse ou non, le pronostic de l'ischémie est le même.

41.2.2 Angine de Prinzmetal

L'**angine de Prinzmetal** (angine de repos) survient souvent au repos, généralement en réponse au spasme d'une artère coronaire. Il s'agit d'une forme rare d'angine, qui peut être entre autres observée chez les clients qui présentent des antécédents de migraines ou de **phénomène de Raynaud**. Ce spasme peut

Jugement clinique

Juliana St-Pierre est âgée de 64 ans. Elle souffre d'angine de poitrine depuis 12 ans. En lisant son journal du matin, elle a ressenti une douleur vive dans la poitrine, irradiant dans le bras gauche et entre les omoplates. La douleur était toujours présente après 20 minutes. Expliquez pourquoi la douleur ressentie par madame St-Pierre ne constitue pas un symptôme d'angine chronique stable.

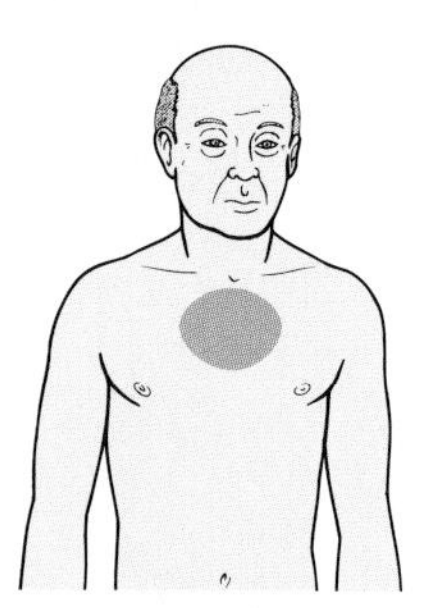

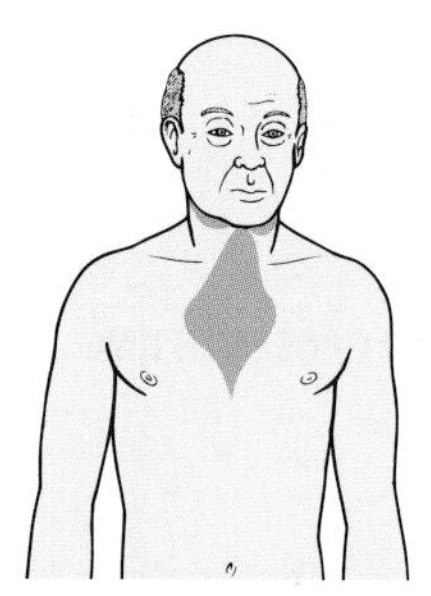

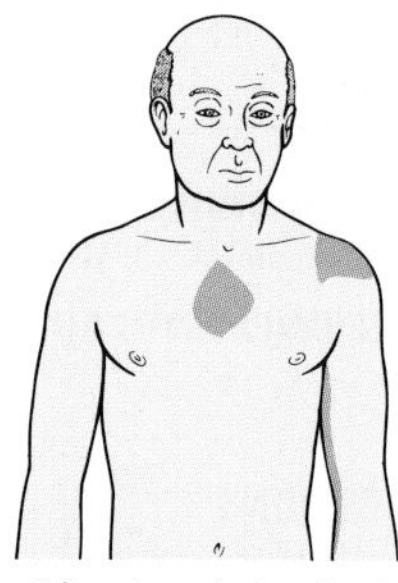

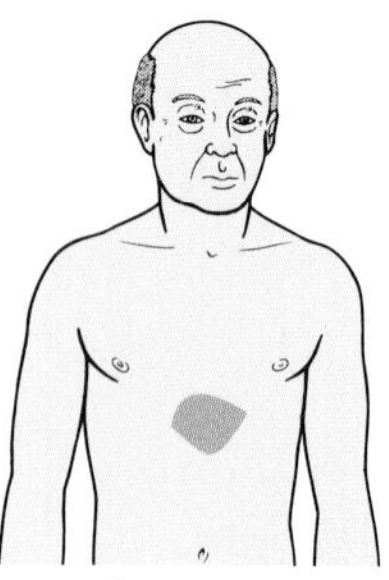

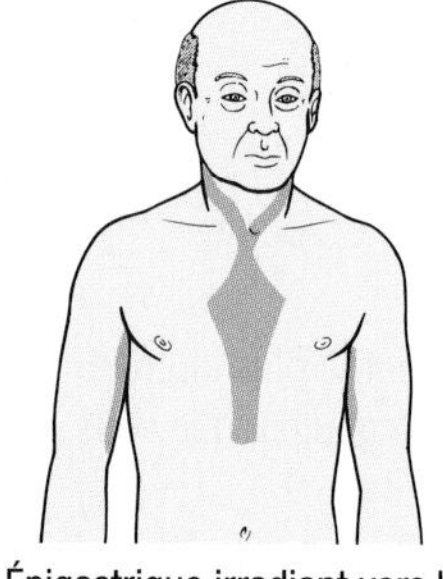

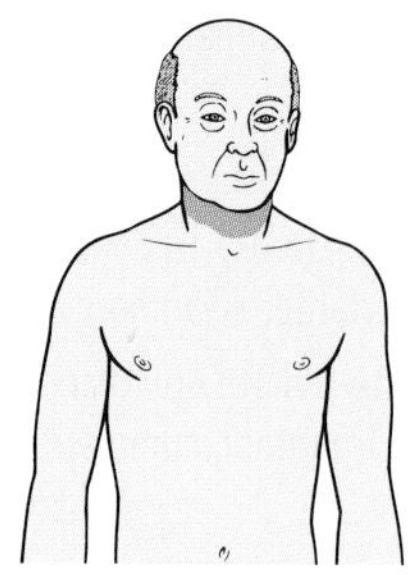

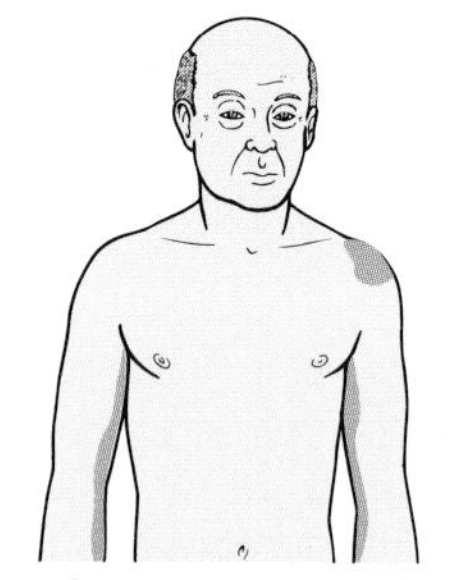

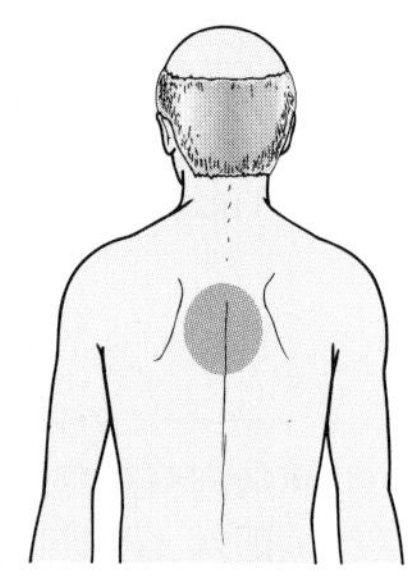

FIGURE 41.4 Localisation de la douleur pendant la crise d'angine ou l'infarctus du myocarde

se produire aussi bien en l'absence qu'en présence établie de coronaropathie. En général, une exigence physique accrue ne déclenche pas d'angine de Prinzmetal. La forte contraction (spasme) du muscle lisse de l'artère coronaire résulte d'une hausse du taux de calcium intracellulaire.

Les facteurs pouvant déclencher le spasme d'une artère coronaire sont une demande accrue d'oxygène par le muscle cardiaque et des taux élevés de certaines substances (p. ex., la fumée de tabac et l'histamine). Lorsque survient le spasme, le client fait une crise d'angine et une modification transitoire du segment ST a lieu. La douleur peut apparaître au cours du sommeil paradoxal, lorsque la consommation d'oxygène du muscle cardiaque augmente. L'exercice d'intensité modérée peut soulager la douleur, qui peut aussi disparaître spontanément. Ce type d'angine peut également survenir de manière cyclique, soit au même moment chaque jour. Ce type d'angine est maîtrisé par la prise de bloqueurs de canaux calciques (BCC) ou de dérivés nitrés.

41.2.3 Angine microvasculaire

La crise d'angine peut également survenir sans qu'il y ait d'athérosclérose coronarienne importante ni de spasme coronarien, et ce, surtout chez les femmes. Chez ces clientes, la douleur thoracique est liée à une ischémie myocardique associée à des anomalies de la microcirculation coronarienne. Cette affection se nomme l'angine microvasculaire ou syndrome x.

L'angine microvasculaire est liée à un mauvais fonctionnement des petites ramifications des artères coronaires distales, tandis que la coronaropathie touche les artères coronaires de plus gros calibre. Dans les cas de l'angine microvasculaire, la plaque

TABLEAU 41.9 Comparaison des principaux types d'angine

ANGINE CHRONIQUE STABLE	ANGINE DE PRINZMETAL	ANGINE MICROVASCULAIRE	ANGINE INSTABLE
Étiologie			
• Ischémie myocardique, généralement secondaire à la coronaropathie	• Vasospasme coronarien	• Ischémie myocardique secondaire à l'angine microvasculaire, qui affecte les branches distales des artères coronaires	• Rupture d'une plaque épaissie, exposant ainsi une surface thrombogène
Caractéristiques			
• Épisodes de douleur d'une durée de 5 à 15 min • Douleur provoquée par un effort • Douleur soulagée par le repos ou la prise de nitroglycérine	• Douleur survenant surtout au repos • Douleur déclenchée par l'usage de tabac et des taux élevés de certaines substances (p. ex., l'histamine, l'angiotensine, l'adrénaline) • Pouvant survenir en présence ou en l'absence de coronaropathie	• Angine plus fréquente chez la femme que chez l'homme • Douleur déclenchée par des activités de la vie quotidienne (p. ex., le magasinage, le travail) plutôt que par l'exercice physique (effort) • Traitement pouvant comprendre la nitroglycérine	• Nouvelle apparition d'angine • Fréquence, durée et gravité augmentant avec le temps • Douleur survenant au repos ou au moindre effort • Douleur réfractaire à la nitroglycérine

peut être diffuse et s'étendre uniformément, ou créer des blocages dans les minuscules artères coronaires (Pries, Habazettl, Ambrosio *et al.*, 2008). L'angine microvasculaire a été comprise récemment, ce qui permet une meilleure prise en charge (Titterington, Hung & Wenger, 2015).

41.2.4 Processus thérapeutique en interdisciplinarité : angine chronique stable

Le traitement de l'angine chronique stable vise à abaisser la demande en oxygène ou à augmenter l'apport d'oxygène. Il est essentiel de mettre continuellement l'accent sur la réduction des facteurs de risque en incorporant des changements dans les habitudes de vie (perte de poids, saine alimentation, activité physique et arrêt tabagique s'il y a lieu). En plus des pharmacothérapies antiplaquettaires et hypolipémiantes, les interventions thérapeutiques les plus courantes pour la prise en charge de l'angine chronique stable sont la prise de dérivés nitrés, de bêtabloquants et de bloqueurs des canaux calciques pour optimiser la perfusion myocardique (Fihn, Gardin, Abrams *et al.*, 2012) **TABLEAU 41.10** et **FIGURE 41.5**.

TABLEAU 41.10 Principaux éléments de traitement de l'angine chronique stable

A	Agent antiplaquettaire ou anticoagulant
	Antiangineux
	Antigrippale (vaccination)
	Antagoniste des récepteurs de l'angiotensine II, inhibiteur de l'enzyme de conversion de l'angiotensine (ECA)
B	Bêtabloquant
	Bloqueurs des canaux calciques
C	Cigarette
	Cholestérol
	Contrôle de la pression artérielle
D	Diète
	Diabète
E	Éducation
	Exercice

Source : Adapté de Smith, Allen, Blair *et al.* (2006).

Pharmacothérapie

La pharmacothérapie de l'angine chronique stable vise à prévenir les infarctus du myocarde et les décès, et à atténuer les symptômes **TABLEAU 41.11**. L'AAS (Aspirin[MD]) (mentionnée précédemment) est administrée en l'absence de contre-indications. Si le client est allergique à l'AAS, le clopidogrel (Plavix[MD]) peut constituer une solution de rechange (Tanguay *et al.*, 2013) . L'AAS provoque la suppression de l'agrégation plaquettaire en causant une inhibition irréversible des cyclo-oxygénases, enzymes requises par les plaquettes pour synthétiser une hormone, la thromboxane A-2. Cette hormone est nécessaire à l'agrégation plaquettaire et promeut la vasoconstriction du muscle lisse endothélial (Lehne, 2016).

Dérivés nitrés à action rapide

Les dérivés nitrés à action rapide constituent le traitement de première intention de l'angine. Leur mécanisme d'action se manifeste par une conversion de la nitroglycérine en oxyde nitrique (vasodilatateur naturel sécrété par l'endothélium des vaisseaux) par réaction enzymatique des cellules endothéliales. Ces dernières le diffusent dans le muscle lisse, provoquant ainsi sa relaxation et, par conséquent, la dilatation du vaisseau. Les veines et les petites artères ont une plus grande capacité enzymatique, ce qui explique pourquoi les dérivés nitrés ont plus d'effet sur elles (Lehne, 2016). Les dérivés nitrés produisent leurs principaux effets en déclenchant les mécanismes suivants :

- Dilatation des vaisseaux sanguins périphériques. Ce mécanisme se traduit par une diminution de la résistance vasculaire systémique (RVS), un pool veineux et une diminution du retour du sang veineux vers le cœur (précharge). Par conséquent, la demande d'oxygène du myocarde est abaissée en raison d'une diminution du travail du cœur.
- Dilatation des artères coronaires et des vaisseaux collatéraux : ce mécanisme peut augmenter le flux sanguin vers les zones ischémiques du cœur. Toutefois, si les artères coronaires sont athéroscléreuses de façon importante, il est difficile d'obtenir une dilatation coronarienne.

Nitroglycérine sublinguale En général, la nitroglycérine administrée de façon sublinguale (Nitrostat[MD]) ou par vaporisation sublinguale (Nitrolingual[MD]) soulage la douleur en trois minutes environ, et sa durée d'action est de 30 à 60 minutes. La posologie recommandée est de un comprimé sublingual ou de une vaporisation dosée pour atténuer les symptômes de l'angine. Si les symptômes persistent ou s'aggravent après cinq minutes, le client doit contacter les services médicaux d'urgence avant de prendre une deuxième dose de nitroglycérine. Si une dose atténue considérablement les symptômes, l'infirmière donne comme consigne au client ou au proche aidant de répéter la prise de nitroglycérine toutes les cinq minutes jusqu'à concurrence de trois doses, et de contacter les services médicaux d'urgence et le 911 si les symptômes ne se résorbent pas complètement (Fihn *et al.*, 2012).

L'infirmière doit enseigner au client la façon appropriée de prendre la nitroglycérine. Ce médicament doit être accessible facilement et en tout

CE QU'IL FAUT RETENIR

Si les symptômes d'angine s'aggravent ou persistent cinq minutes après la prise de nitroglycérine, le client doit contacter les services médicaux d'urgence avant de prendre la deuxième dose.

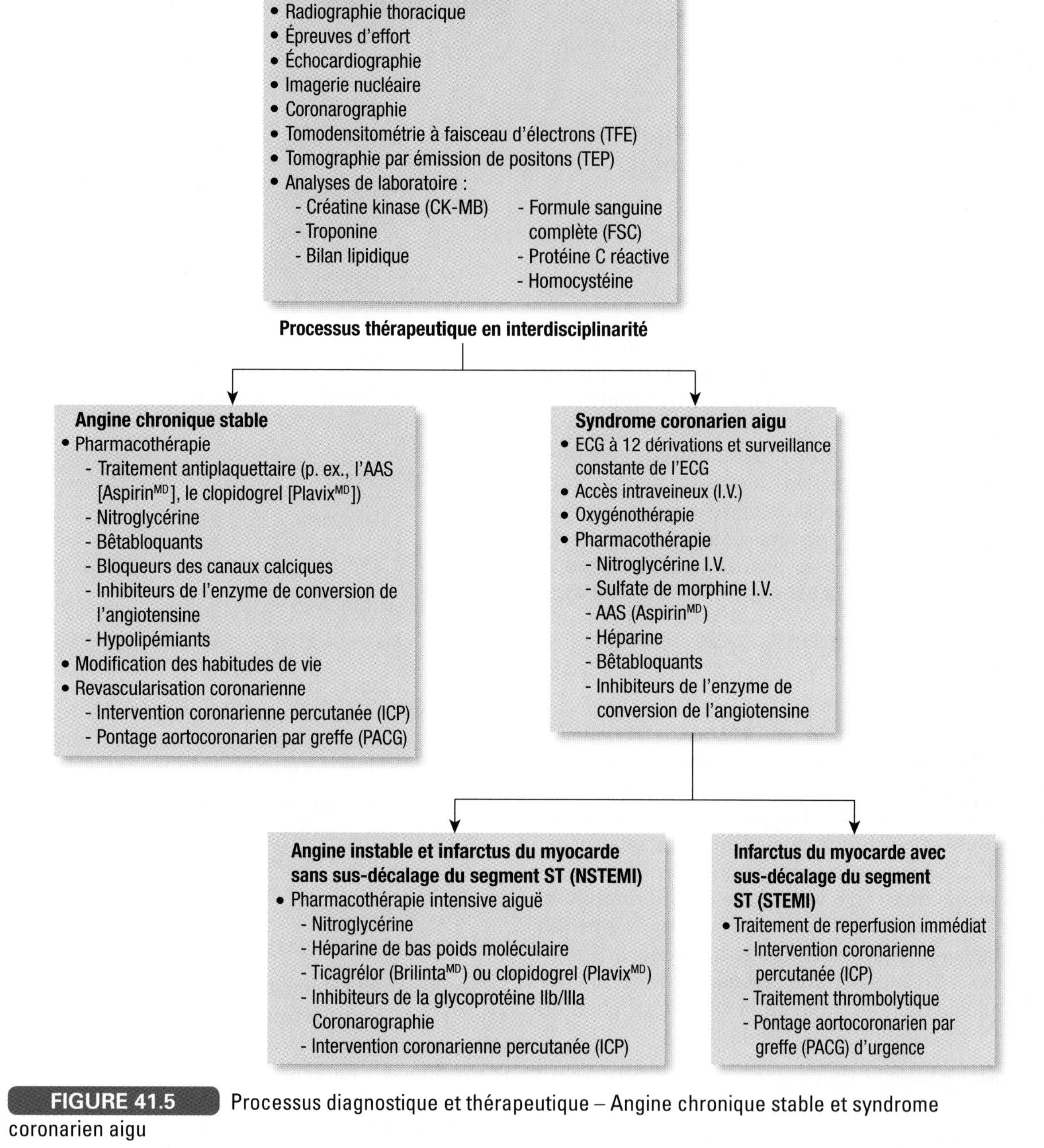

Examen clinique et examens paracliniques
• Antécédents médicaux et examen physique
• ECG (12 dérivations)
• Radiographie thoracique
• Épreuves d'effort
• Échocardiographie
• Imagerie nucléaire
• Coronarographie
• Tomodensitométrie à faisceau d'électrons (TFE)
• Tomographie par émission de positons (TEP)
• Analyses de laboratoire :
- Créatine kinase (CK-MB)
- Troponine
- Bilan lipidique
- Formule sanguine complète (FSC)
- Protéine C réactive
- Homocystéine
Processus thérapeutique en interdisciplinarité
Angine chronique stable
• Pharmacothérapie
- Traitement antiplaquettaire (p. ex., l'AAS [Aspirin^MD], le clopidogrel [Plavix^MD])
- Nitroglycérine
- Bêtabloquants
- Bloqueurs des canaux calciques
- Inhibiteurs de l'enzyme de conversion de l'angiotensine
- Hypolipémiants
• Modification des habitudes de vie
• Revascularisation coronarienne
- Intervention coronarienne percutanée (ICP)
- Pontage aortocoronarien par greffe (PACG)
Syndrome coronarien aigu
• ECG à 12 dérivations et surveillance constante de l'ECG
• Accès intraveineux (I.V.)
• Oxygénothérapie
• Pharmacothérapie
- Nitroglycérine I.V.
- Sulfate de morphine I.V.
- AAS (Aspirin^MD)
- Héparine
- Bêtabloquants
- Inhibiteurs de l'enzyme de conversion de l'angiotensine
Angine instable et infarctus du myocarde sans sus-décalage du segment ST (NSTEMI)
• Pharmacothérapie intensive aiguë
- Nitroglycérine
- Héparine de bas poids moléculaire
- Ticagrélor (Brilinta^MD) ou clopidogrel (Plavix^MD)
- Inhibiteurs de la glycoprotéine IIb/IIIa Coronarographie
- Intervention coronarienne percutanée (ICP)
Infarctus du myocarde avec sus-décalage du segment ST (STEMI)
• Traitement de reperfusion immédiat
- Intervention coronarienne percutanée (ICP)
- Traitement thrombolytique
- Pontage aortocoronarien par greffe (PACG) d'urgence

FIGURE 41.5 Processus diagnostique et thérapeutique – Angine chronique stable et syndrome coronarien aigu

temps. Le client doit ranger ses comprimés à l'abri de la lumière et de toute source de chaleur, y compris son corps, pour prévenir la dégradation du produit. Les comprimés sont conditionnés dans des flacons opaques munis d'un bouchon de métal. Une fois le flacon ouvert, les comprimés tendent à perdre de leur puissance. Il faut aviser le client d'en acheter des nouveaux tous les six mois.

Le client doit placer le comprimé de nitroglycérine sous sa langue et le laisser fondre. En vaporisateur, le médicament doit aussi être vaporisé sous la langue ; le client ne doit pas l'inhaler. La prise de nitroglycérine doit provoquer une sensation de picotement, sans quoi celle-ci est probablement périmée. Le client doit être prévenu qu'il est possible que la fréquence cardiaque augmente et qu'une céphalée, des étourdissements ou une bouffée vasomotrice surviennent. Il faut aussi demander au client de s'asseoir et de changer de position lentement après avoir pris la nitroglycérine, car il est possible qu'une hypotension orthostatique se produise.

Le client peut prendre la nitroglycérine de manière prophylactique avant d'entreprendre une activité dont il sait qu'elle peut déclencher une crise d'angine. Dans ce cas, il peut prendre un comprimé 5 à 10 minutes avant d'entreprendre l'activité. L'infirmière indique au client de signaler à son médecin tout changement dans le profil habituel

Pharmacothérapie

TABLEAU 41.11 Angine chronique stable et syndrome coronarien aigu

CLASSE DE MÉDICAMENTS	MÉCANISMES D'ACTION ET COMMENTAIRES
Antiplaquettaires et anticoagulants	
• Acide acétylsalicylique (AAS) (Aspirin[MD])	• Inhibe la cyclooxygénase qui produit le thromboxane A2, puissant activateur plaquettaire. • Doit être administrée dès qu'il y a soupçon d'une maladie coronarienne.
• Clopidogrel (Plavix[MD])	• Inhibe l'agrégation plaquettaire. • Option pour le client qui ne peut prendre d'AAS. • Utilisé en combinaison avec l'AAS pour prévenir les risques de récidive après une thrombolyse administrée en contexte de STEMI. • Alternative au ticagrélor à la suite d'un SCA, d'une intervention coronarienne percutanée (ICP) ou à la suite de pontages coronariens.
• Prasugrel (Effient[MD]) • Ticagrélor (Brilinta[MD]) – Inhibe l'agrégation plaquettaire. – Utilisé avec l'AAS pour prévenir les risques de récidives après un SCA, une intervention coronarienne percutanée ou à la suite de pontages coronariens.	• Inhibe l'agrégation plaquettaire. • Contre-indiqué chez les clients avec antécédents d'accident vasculaire cérébral ou d'ischémie cérébrale transitoire.
• Warfarine (Coumadin[MD])	• Perturbe la synthèse hépatique des facteurs de coagulation dépendant de la vitamine K. • Option pour le client qui ne peut prendre d'AAS ni d'autres antiplaquettaires.
Dérivés nitrés	
• Nitroglycérine sublinguale (Nitrostat[MD]) • Nitroglycérine par vaporisation sublinguale (Nitrolingual[MD]) • Nitroglycérine par voie transdermique (Transderm-Nitro[MD], Minitran[MD]) • Comprimés à libération prolongée (Nitrogard[MD]) • Dinitrate d'isosorbide (Isordil[MD]) • Nitroglycérine I.V. (Nitro-Bid[MD] I.V., Tridil[MD])	• Favorisent la vasodilatation périphérique, ce qui diminue la précharge et la postcharge. • Vasodilatation des artères coronaires.
Bêtabloquants	
• Aténolol (Tenormin[MD]) • Carvédilol (Coreg[MD]) • Esmolol (Brevibloc[MD]) • Métoprolol (Lopresor[MD]) • Propranolol (Indéral[MD]) • Bisoprolol (Monocor[MD])	• Inhibent la stimulation du SNS du cœur. • Diminuent la fréquence cardiaque, la contractilité et la P.A.
Bloqueurs des canaux calciques (BCC)	
• Amlodipine (Norvasc[MD]) • Diltiazem (Cardizem[MD]) • Félodipine (Plendil[MD]) • Nifédipine (Adalat[MD]) • Vérapamil (Isoptin[MD])	• Empêchent l'entrée du calcium dans les cellules musculaires lisses et les myocytes (cellules cardiaques). • Vasodilatation coronarienne et périphérique. • Diminuent la fréquence cardiaque, la contractilité et la P.A.

TABLEAU 41.11 Angine chronique stable et syndrome coronarien aigu *(suite)*

CLASSE DE MÉDICAMENTS	MÉCANISMES D'ACTION ET COMMENTAIRES
Inhibiteurs de l'enzyme de conversion de l'angiotensine (IECA)	
• Captopril (Capoten[MD]) • Énalapril (Vasotec[MD]) • Ramipril (Altace[MD]) • Trandolapril (Mavik[MD]) • Perindopril (Coversyl[MD]) • Lisinopril (Zestril[MD]) • Quinalapril (Accupril[MD]) • Fosinopril (Monopril[MD])	• Empêchent la transformation de l'angiotensine I en angiotensine II, ce qui provoque une vasodilatation. • Diminuent la dysfonction endothéliale. • Utiles dans le traitement de l'insuffisance cardiaque, de l'infarctus du myocarde, de l'hypertension artérielle, du diabète et de la néphropathie chronique.
Antagonistes des récepteurs de l'angiotensine II	
• Losartan (Cozaar[MD]) • Telmisartan (Micardis[MD]) • Candesartant (Atacand[MD]) • Valsartan (Diovan[MD]) • Eprosartan (Teveten[MD])	• Inhibent la fixation de l'angiotensine II aux récepteurs AT1, ce qui provoque une vasodilatation. • Administrés chez le client intolérant aux inhibiteurs de l'IECA et en hypertension artérielle.
Héparine non fractionnée	
• Héparine (Hepalean[MD])	• Empêche la transformation du fibrinogène en fibrine et de la prothrombine en thrombine.
Héparines de bas poids moléculaire	
• Daltéparine (Fragmin[MD]) • Énoxaparine (Lovenox[MD])	• Se lient à l'antithrombine III, ce qui renforce son effet. • Le complexe héparine-antithrombine III inactive le facteur x activé et la thrombine. • Empêchent la transformation du fibrinogène en fibrine.
Inhibiteurs de la glycoprotéine IIb/IIIa	
• Abciximab (ReoPro[MD]) • Eptifibatide (Integrilin[MD]) • Tirofiban (Aggrastat[MD])	• Empêchent la liaison du fibrinogène aux plaquettes, bloquant ainsi l'agrégation plaquettaire. • Traitement antiplaquettaire type en concomitance avec l'AAS chez le client présentant un risque élevé d'angine instable.
Analgésique opioïde	
• Morphine (sulfate de morphine)	• Utilisée comme analgésique et sédatif. • Utilisée comme vasodilatateur pour diminuer la précharge et la consommation d'O_2 du myocarde.
Traitement thrombolytique	
• Activateur recombinant du plasminogène (rPA ; reteplase [Retavase[MD]]) • Activateur tissulaire du plasminogène (tPA ; alteplase [Activase[MD]]) • TNK-tPA (tenecteplase [TNKase[MD]])	• Brisent le réseau de fibrine en caillots. • Utilisés uniquement dans les cas d'infarctus du myocarde avec sus-décalage du segment ST.

de la douleur, surtout s'il s'agit d'une augmentation de la fréquence des crises ou d'angine nocturne.

Dérivés nitrés à action prolongée

Les dérivés nitrés, comme le dinitrate d'isosorbide (Isordil[MD]) et le mononitrate d'isosorbide (Imdur[MD]), agissent plus longtemps que la nitroglycérine sublinguale en comprimé ou en vaporisateur et sont administrés pour réduire la fréquence des crises d'angine (Lehne, 2016). L'effet secondaire prédominant de tous les dérivés nitrés est la céphalée, causée par la dilatation des vaisseaux sanguins du cerveau. L'infirmière recommande au client de prendre de l'acétaminophène (Tylenol[MD]) en même temps que le dérivé nitré pour soulager la céphalée. Avec le temps, ces céphalées devraient s'atténuer, mais l'effet antiangineux sera maintenu.

L'hypotension orthostatique est une complication commune à tous les dérivés nitrés. L'infirmière doit surveiller la P.A. après l'administration de la première dose, car la dilatation veineuse qui se produit peut en causer la chute, surtout chez le client qui présente une **hypovolémie**.

Enfin, il se peut que le client manifeste une tolérance à la nitroglycérine secondaire à la saturation des groupes sulfhydryles (groupes d'enzymes présents dans les cellules endothéliales), ce qui empêche la conservation des nitrates sous forme active. Pour limiter cette possibilité, il faut souvent prévoir une période de huit heures par jour où le client ne prend aucun dérivé nitré, en général la nuit, à moins qu'il ne souffre d'angine nocturne (Lehne, 2016).

Dérivés nitrés à libération contrôlée par voie transdermique Il existe actuellement deux dispositifs d'administration transdermique de la nitroglycérine: le réservoir et la matrice. Le dosage du médicament est assuré grâce à la membrane de régulation perméable dont est doté le réservoir. La matrice, quant à elle, permet une libération lente du médicament grâce au polymère. Ces deux systèmes offrent l'avantage de maintenir des taux plasmatiques constants. Pour prévenir la résistance à la médication, il est important de n'utiliser le timbre que 12 heures sur 24. Ainsi, une seule application par jour suffit. Le réservoir a pour désavantage de rendre possible une libération massive du médicament s'il est percé ou endommagé, ce qui n'est jamais le cas de la matrice. Les deux dispositifs atteignent des taux plasmatiques constants en deux heures.

Bêtabloquants

Les bêtabloquants sont des médicaments de choix pour traiter l'angine chronique stable. Ces médicaments se lient aux récepteurs bêta-adrénergiques. En se liant sur les $ß_1$-adrénergiques situés dans les myocytes, ils diminuent la contractilité du myocarde (inotropes –), la fréquence cardiaque (chronotropes –), la résistance vasculaire systémique et la P.A., qui contribuent toutes à réduire les besoins du myocarde en oxygène. En diminuant la fréquence cardiaque, les bêtabloquants prolongent ainsi la diastole cardiaque, ce qui permet d'augmenter la perfusion des coronaires ayant lieu durant cette phase (Lehne, 2016). Les bêtabloquants diminuent la morbidité et la mortalité chez les personnes atteintes de coronaropathie, surtout à la suite d'un infarctus du myocarde (Fihn *et al.*, 2012).

Les bêtabloquants comportent certains effets secondaires et peuvent être mal tolérés: la bradycardie, l'hypotension, la fatigue, le sifflement et les troubles GI. De nombreux clients se plaignent également d'une prise de poids, de dépression et de dysfonctionnement sexuel. Les clients souffrant d'une maladie pulmonaire obstructive chronique bronchospastique (p. ex., l'asthme) doivent prendre des bêtabloquants avec précaution, car certains agissent également sur les récepteurs $β_2$-adrénergiques situés dans les bronches pulmonaires, ce qui a pour effet de créer un bronchospasme. Ils doivent être utilisés avec prudence chez les diabétiques, car ils masquent les signes d'hypoglycémie. Un client ne doit pas cesser brusquement de prendre les bêtabloquants sans surveillance médicale. Cela pourrait déclencher une augmentation de la fréquence et de l'intensité des crises d'angine (Lehne, 2016).

Jugement clinique

Nicolas Bourbon souffre d'angine de poitrine depuis cinq ans. Il est maintenant âgé de 61 ans. Lorsqu'il ressent une douleur rétrosternale, il prend une dose pulvérisée de 0,4 mg de Nitrolingual[MD]. Il lui arrive alors de ressentir certains malaises comme de la céphalée et des bouffées de chaleur. Outre ces manifestations et l'hypotension orthostatique, citez deux autres effets secondaires attribuables à la prise de Nitrolingual[MD].

Hypovolémie: Diminution du volume sanguin total.

Bloqueurs des canaux calciques

Les bloqueurs des canaux calciques sont utilisés si les bêtabloquants s'avèrent contre-indiqués, mal tolérés ou qu'ils ne maîtrisent pas les symptômes de l'angine (Fihn *et al.*, 2012). Ces médicaments sont également indiqués dans la prise en charge de l'angine de Prinzmetal. La plupart de ces agents possèdent une variante à libération prolongée qui vise à accroître la durée d'action, dans l'espoir d'obtenir une adhésion accrue au traitement et des taux sériques stables du médicament. Les trois principaux effets des bloqueurs des canaux calciques sont: 1) une vasodilatation systémique qui entraîne une baisse de la RVS; 2) une baisse de la contractilité du myocarde; 3) une vasodilatation coronarienne. Ces effets sont la résultante principale du blocage des canaux calciques abondant sur les myocytes, le muscle lisse des artérioles ainsi que dans les tissus conducteurs des nœuds sinusal et auriculo-ventriculaire (Lehne, 2016).

Le muscle cardiaque et les cellules musculaires lisses des vaisseaux montrent une dépendance plus importante au calcium extracellulaire que les muscles squelettiques. Ils sont donc plus sensibles aux agents qui bloquent les canaux calciques. Les bloqueurs des canaux calciques provoquent un relâchement des muscles lisses (diminution de la RVS) et une vasodilatation relative des artères coronaires.

Les bloqueurs des canaux calciques potentialisent l'action de la digoxine en augmentant son taux sérique au cours de la première semaine de traitement. Par conséquent, il faut surveiller étroitement le taux sérique de digoxine au début du traitement. L'infirmière doit enseigner au client quels sont les signes et les symptômes d'une réaction toxique à la digoxine.

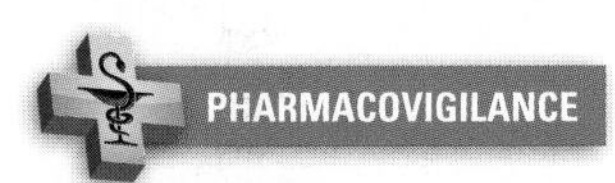

Nitroglycérine

- Il faut administrer le comprimé ou la pulvérisation sous la langue. Le médicament ne passant pas par le foie, il parvient plus vite dans le sang.
- Il faut avertir le client de ne pas prendre ce médicament en même temps qu'un médicament contre le dysfonctionnement érectile (p. ex., le sildénafil [Viagra[MD]]). En effet, la prise de deux vasodilatateurs risque de potentialiser l'effet et provoquer une lipothymie.
- Surveiller de près la possibilité d'hypotension orthostatique, qui peut survenir après la prise du médicament.

Inhibiteurs de l'enzyme de conversion de l'angiotensine

Le client atteint d'angine chronique stable à risque élevé d'un événement cardiaque (p. ex., une fraction d'éjection [F.E.] inférieure à 40 %, des antécédents de diabète, de l'hypertension artérielle [HTA] ou une insuffisance rénale chronique) bénéficiera de l'ajout d'un inhibiteur de l'enzyme de conversion de l'angiotensine (IECA) à son régime médicamenteux (Fihn *et al.*, 2012). Chez le client intolérant aux IECA, la prise d'un antagoniste des récepteurs de l'angiotensine II (p. ex., le losartan [Cozaar[MD]]) sera envisagée ▶ 40.

40

Le rôle des antagonistes des récepteurs de l'angiotensine II est abordé dans le chapitre 40, *Interventions cliniques – Hypertension artérielle*.

Examen clinique et examens paracliniques

Resténose : Réapparition d'un rétrécissement (d'un conduit, d'un orifice) précédemment supprimé.

Si la présence d'une coronaropathie est soupçonnée chez un client ou que ce dernier présente des antécédents de cette maladie, il faut effectuer une série d'examens **FIGURE 41.4**. Après avoir recueilli le bilan complet des antécédents médicaux et effectué un examen physique, le client passe une radiographie thoracique pour vérifier s'il a une hypertrophie cardiaque, des calcifications aortiques ou une congestion pulmonaire. Un ECG à 12 dérivations est ensuite effectué, et il est comparé si possible à des tracés antérieurs. Certaines analyses de laboratoire (p. ex., un profil lipidique) et certains examens paracliniques (p. ex., une épreuve d'effort) sont nécessaires pour confirmer la présence d'une coronaropathie et déterminer ses facteurs de risque associés.

Chez le client qui a une coronaropathie et une angine chronique stable connues, les examens paracliniques courants sont l'ECG à 12 dérivations, l'épreuve d'effort et l'échocardiographie. Si une angine instable ou un infarctus sans élévation du segment ST sont suspectés, l'ECG 12 dérivations, l'analyse des biomarqueurs cardiaques sériques, l'imagerie nucléaire et la coronarographie seront utiles pour préciser le diagnostic ▶ 39. Chez le client dont les symptômes s'aggravent ou dont une portion importante du myocarde devient ischémique à l'effort, un cathétérisme cardiaque est indiqué.

39

Les examens paracliniques auprès du client qui a une coronaropathie et une angine chronique sont présentés dans le chapitre 39, *Évaluation clinique – Système cardiovasculaire*.

Cathétérisme cardiaque

Le cathétérisme cardiaque et la coronarographie fournissent des images directes de la circulation coronarienne et montrent la localisation et la gravité des lésions. Si une lésion coronarienne nécessite une intervention, une **revascularisation coronarienne** par **intervention coronarienne percutanée (ICP)** élective est pratiquée (Fihn *et al.*, 2012) **ENCADRÉ 41.6**. Au cours de cette intervention, un cathéter muni d'un ballonnet gonflable à son extrémité est introduit dans l'artère coronaire en cause. Une fois l'obstruction localisée, le cathéter le traverse, le ballonnet se gonfle et la plaque athéroscléreuse se comprime, ce qui provoque une dilatation du vaisseau. Cette intervention se nomme **angioplastie transluminale percutanée**. De l'héparine non fractionnée ou de l'héparine de bas poids moléculaire (HBPM) est administrée au cours de l'ICP pour maintenir le vaisseau ouvert.

Jugement clinique

Christian Marois est âgé de 69 ans. Il n'a aucun problème cardiaque. Pourtant, il a ressenti de la douleur thoracique sous forme de lourdeur après avoir pris un repas copieux, plutôt gras et bien arrosé. La douleur s'est estompée deux heures plus tard et n'est plus revenue par la suite, malgré les efforts physiques qu'il a pu faire. Le malaise ressenti par monsieur Marois pourrait-il laisser suspecter une crise angineuse ? Justifiez votre réponse.

Une endoprothèse coronarienne est insérée au cours de l'angioplastie transluminale percutanée. La pose d'une endoprothèse permet d'empêcher l'obstruction ou la menace d'obstruction soudaine et la **resténose** du vaisseau après l'angioplastie transluminale percutanée. L'**endoprothèse (tuteur)** est une structure en forme de treillis extensible, conçue pour maintenir la perméabilité du vaisseau en comprimant la paroi artérielle et en assurant une résistance à la vasoconstriction **FIGURES 41.6** et **41.7**. L'endoprothèse est insérée soigneusement au site de l'angioplastie pour maintenir le vaisseau ouvert. Étant donné que l'endoprothèse est thrombogène, le client reçoit une double thérapie antiplaquettaire soit de l'AAS (Aspirin[MD]) combinée à du ticagrélor (Brilinta[MD]) ou du prasugrel (Effient[MD]) (si intolérance à ces médicaments, le clopidogrel (Plavix[MD]) peut être utilisé) jusqu'à ce que les cellules de l'intima aient suffisamment recouvert l'endoprothèse pour que la surface vasculaire soit lisse , soit environ 12 mois après l'intervention. L'AAS devra toutefois être prise pour une durée indéfinie (Tanguay *et al.*, 2013). La perfusion intraveineuse (I.V.) d'un inhibiteur de la glycoprotéine IIb/IIIa (p. ex., le tirofiban [Aggrastat[MD]]) aide à prévenir l'obstruction soudaine de l'endoprothèse. La perfusion I.V. commence au cours de l'ICP et se poursuit pendant 12 heures après l'intervention **TABLEAU 41.11**. Si le recours à une endoprothèse est contre-indiqué (p. ex., en cas de chirurgie récente), une angioplastie transluminale sans endoprothèse peut être pratiquée.

Beaucoup d'endoprothèses sont à **élution** de médicaments. Ce type d'endoprothèse est recouvert d'un médicament (p. ex., le paclitaxel ou le sirolimus) empêchant la croissance exagérée de la nouvelle intima, principale cause de resténose au site de l'endoprothèse. Après la pose de l'endoprothèse à élution de médicaments, le client poursuit son traitement antiplaquettaire pour prévenir la formation d'un thrombus sur l'endoprothèse. Cette pharmacothérapie doit être maintenue pendant au moins 12 mois (Tanguay *et al.*, 2013).

Les complications les plus graves qui découlent de la pose d'endoprothèses sont l'obstruction soudaine et la lésion vasculaire. Parmi les complications moins fréquentes figurent l'infarctus aigu du

Délégation des tâches

ENCADRÉ 41.6 **Cathérisme cardiaque et intervention coronarienne percutanée**

RÔLE DE L'INFIRMIÈRE

- Avant l'intervention, vérifier la sensibilité à l'iode.
- Renseigner le client et le proche aidant sur l'intervention et les soins à prodiguer après l'intervention.
- Après l'intervention, évaluer la circulation du membre qui a reçu le cathéter en vérifiant le pouls périphérique ainsi que la température et la coloration de la peau.
- Effectuer une première vérification de la présence d'un hématome ou d'un saignement au site d'insertion du cathéter.
- Surveiller la présence d'arythmies et de douleur thoracique.
- S'assurer d'un accès veineux perméable.
- Surveiller les perfusions I.V. d'anticoagulants et d'antiplaquettaires.
- Informer le client et le proche aidant sur les médicaments à prendre à la sortie de l'hôpital (p. ex., l'AAS [Aspirin^MD], le ticagrélor [Brilinta^MD] ou le prasugrel [Effient^MD], le clopidogrel [Plavix^MD] et les antiangineux).

RÔLE DE L'INFIRMIÈRE AUXILIAIRE

- Prendre les signes vitaux et signaler les hausses de la fréquence cardiaque et les baisses de la P.A. à l'infirmière.
- Signaler à l'infirmière les plaintes de malaise à la poitrine, d'essoufflement et de douleur de la part du client.
- Administrer les médicaments par voie orale avant et après l'intervention.
- Surveiller la circulation du membre (coloration, chaleur, mobilité et sensibilité, présence de pouls) toutes les 15 minutes pendant la première heure et selon la politique de l'établissement par la suite.
- Vérifier la présence d'un saignement au site d'insertion du cathéter toutes les 15 minutes pendant la première heure et selon la politique de l'établissement par la suite.
- Signaler toute baisse de la circulation et tout saignement à l'infirmière.
- Évaluer la glycémie si le client est diabétique.

RÔLE DU PRÉPOSÉ AUX BÉNÉFICIAIRES

- Signaler à l'infirmière les plaintes de malaise à la poitrine, d'essoufflement et de douleur de la part du client.
- Aider à maintenir l'hydratation par voie orale, à servir les repas et à faire la toilette du client.

myocarde, l'**embolisation** au site de l'endoprothèse, le spasme coronarien et le pontage aortocoronarien par greffe (PACG) d'urgence. La possibilité d'arythmie pendant et après l'intervention est toujours présente. L'utilisation d'endoprothèses à élution de médicaments et la double thérapie antiplaquettaire après l'ICP réduisent considérablement le taux de resténose (Tanguay *et al.*, 2013).

L'ICP est recommandée pour traiter une maladie coronarienne qui touche plusieurs vaisseaux à condition que la fonction ventriculaire soit préservée. Toutefois, les PACG sont recommandés chez les clients dont l'atteinte de plusieurs vaisseaux est associée à un diabète ou lorsque la maladie coronarienne est complexe (Teo, Cohen, Buller *et al.*, 2014). La revascularisation coronarienne par

Embolisation : Technique ayant pour but d'injecter à l'intérieur d'une artère une substance, un matériel qui vont permettre d'obstruer, c'est-à-dire de boucher totalement cette artère.

A

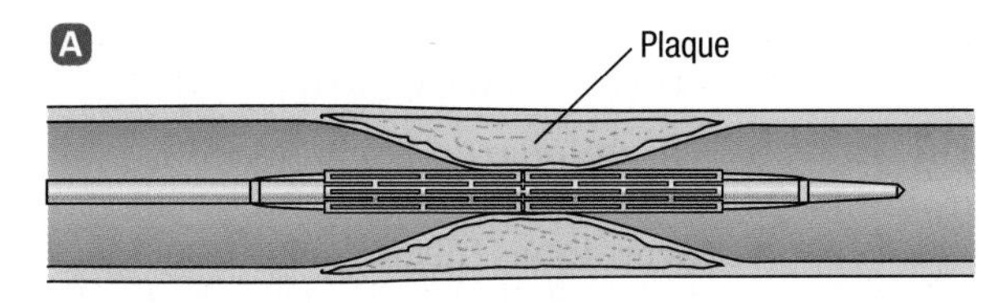

B

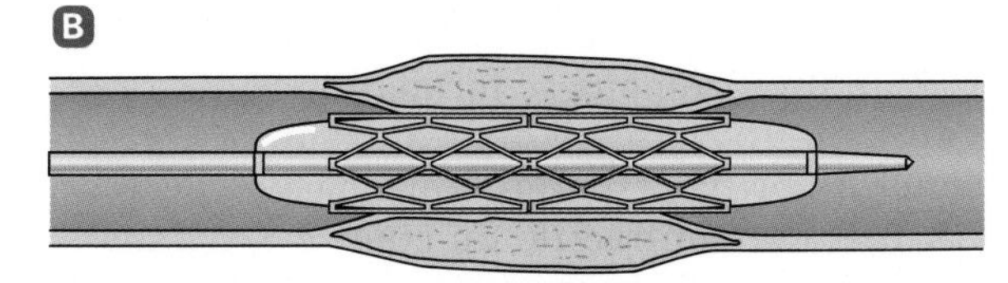

C

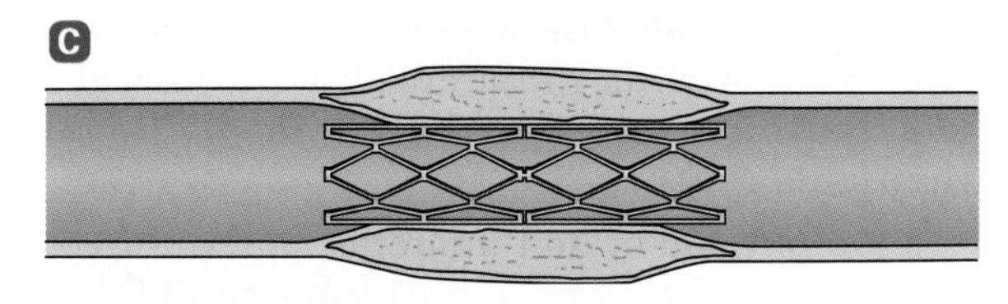

FIGURE 41.6 Pose d'une endoprothèse dans une artère coronaire – A L'endoprothèse est placée au site de la lésion. B Le ballonnet est gonflé, ce qui déploie l'endoprothèse. Le ballonnet est ensuite dégonflé et retiré. C L'endoprothèse implantée reste en place.

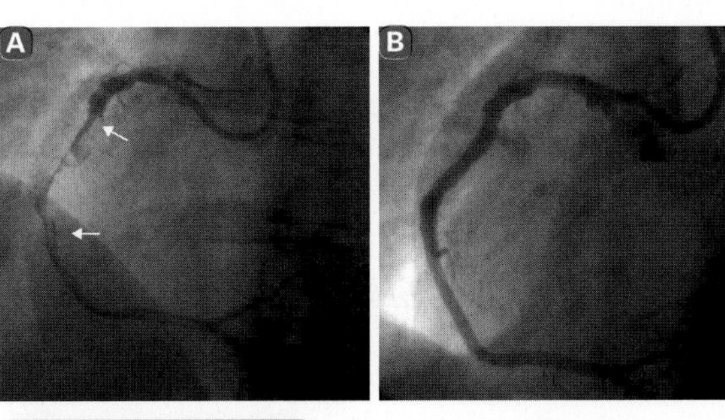

FIGURE 41.7 A Présence d'une occlusion thrombotique de l'artère coronaire droite (flèches). B L'artère coronaire droite est débloquée et le flux sanguin est rétabli à la suite d'une angioplastie et de la pose d'une endoprothèse de 4 mm.

PACG est alors recommandée ; elle est abordée plus loin dans le présent chapitre.

41.3 | Syndrome coronarien aigu

CE QU'IL FAUT RETENIR

Lorsque l'ischémie se prolonge et n'est pas réversible immédiatement, un syndrome coronarien aigu (SCA) risque de se manifester. Le SCA comprend l'angine instable, l'infarctus du myocarde avec ou sans sus-décalage du segment ST (NSTEMI et STEMI).

Lorsque l'ischémie se prolonge et n'est pas réversible immédiatement, un **syndrome coronarien aigu (SCA)** risque de se manifester. Celui-ci englobe l'angine instable, l'infarctus du myocarde sans sus-décalage du segment ST (NSTEMI) et l'infarctus du myocarde avec sus-décalage du segment ST (STEMI) **FIGURE 41.8**. Même si chaque affection fait l'objet d'un diagnostic distinct, le terme SCA tient compte des liens entre la physiopathologie, la présentation, le diagnostic et le pronostic de ces affections, ainsi que les interventions qui s'y rapportent.

Le SCA est associé à la détérioration d'une plaque athéroscléreuse ayant déjà été stable. La rupture de cette plaque expose l'intima au sang, ce qui stimule l'agrégation plaquettaire et la vasoconstriction locale tandis que se forme un thrombus. Cette lésion instable peut causer une obstruction partielle (se traduisant par de l'angine instable ou un NSTEMI) ou totale (se traduisant par un STEMI), ou par un thrombus (Jneid, Anderson, Wright *et al.*, 2012). Le processus physiopathologique amenant une plaque coronarienne à devenir soudainement instable n'est pas tout à fait élucidé, mais il semble que l'inflammation systémique (décrite plus tôt) y jouerait un rôle. Les clients chez qui un SCA est soupçonné nécessitent une hospitalisation immédiate.

41.3.1 Angine instable

L'**angine instable** est une douleur thoracique d'apparition récente qui survient au repos ou qui suit un profil d'aggravation. Le client atteint d'angine chronique stable peut souffrir d'une angine instable, ou l'angine instable peut être le premier signe clinique de coronaropathie. Contrairement à l'angine chronique stable, l'angine instable est imprévisible et représente une situation d'urgence. Le client ayant déjà reçu un diagnostic d'angine chronique stable notera un changement important dans l'évolution de l'angine. Les crises surviennent de plus en plus souvent et se déclenchent au moindre effort, pendant le sommeil ou même au repos ; elles sont également d'intensité plus importante, et leur durée augmente, ce qui amène le client à prendre ses dérivés nitrés à courte action plus fréquemment. Le client qui n'a jamais reçu de diagnostic d'angine décrira la douleur angineuse comme une douleur qui progresse rapidement depuis quelques heures, jours ou semaines.

Les femmes consultent plus souvent un professionnel de la santé pour des symptômes d'angine instable que les hommes. Certaines études ont montré que les femmes ont des malaises avant-coureurs qui sont des symptômes précoces de coronaropathie, mais, comme elles ne les reconnaissent pas comme tels, elles sont nombreuses à présenter une angine instable avant même qu'un diagnostic de coronaropathie ne soit posé (Evangelista & McLaughlin, 2009 ; Quinn, 2008). Ces symptômes sont la fatigue, l'essoufflement, l'indigestion et l'anxiété. La fatigue est le symptôme prédominant ; comme elle peut être un symptôme de nombreuses maladies, son dépistage exige de recueillir soigneusement les antécédents et facteurs de risque de coronaropathie. Toutefois, certains auteurs ont découvert que les symptômes prédominants de l'angine sont similaires chez les hommes et les femmes (Kreatsoulas, Shannon, Giacomini *et al.*, 2013).

41.3.2 Infarctus du myocarde

Un **infarctus du myocarde** survient en raison d'une ischémie prolongée qui entraîne la mort de cellules myocardiques (nécrose) **FIGURES 41.9** et **41.10**. La plupart des infarctus aigus du myocarde sont consécutifs à la formation d'un thrombus (Mann, Zipes, Libby *et al.*, 2015). Lorsqu'un thrombus se forme, l'irrigation sanguine du myocarde, située en aval de l'occlusion, s'interrompt, ce qui provoque une nécrose. La fonction contractile du cœur cesse dans la ou les zones nécrosées. Le degré d'altération de la fonction dépend de la zone touchée du cœur et de l'étendue de l'infarctus. La plupart des infarctus du myocarde touchent une partie du ventricule gauche.

Le déroulement de l'infarctus aigu du myocarde prend du temps. Les cellules cardiaques peuvent résister à des conditions ischémiques pendant environ 20 minutes avant que ne survienne la mort cellulaire. Le premier tissu à devenir ischémique est le sous-endocarde (couche de tissu la plus interne du muscle

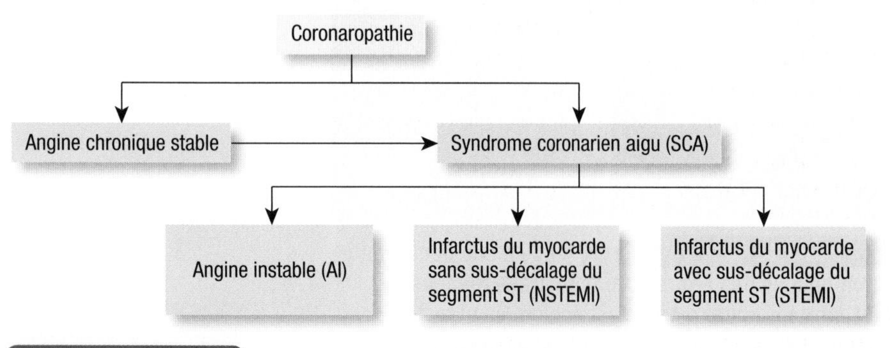

FIGURE 41.8 Liens entre la coronaropathie, l'angine chronique stable et le SCA

cardiaque). Si l'ischémie persiste, il faut de quatre à six heures environ pour que toute l'épaisseur du muscle cardiaque devienne nécrosée **FIGURE 41.11**. Si le thrombus n'obstrue l'artère que partiellement, la nécrose complète peut demander jusqu'à 12 heures.

En général, les infarctus sont décrits en fonction de la région atteinte (p. ex., la paroi antérieure, inférieure, latérale ou postérieure). L'infarctus peut toucher plus d'une région du myocarde (p. ex., un **infarctus antérolatéral** du myocarde ou un **infarctus antéroseptal** du myocarde). La région où se trouve l'infarctus est en corrélation avec la circulation coronarienne en cause. Généralement, un infarctus de la paroi inférieure résulte d'une occlusion de l'artère coronaire droite, et un infarctus de la paroi antérieure résulte d'une occlusion de l'artère interventriculaire antérieure. Une occlusion de l'artère circonflexe du cœur cause généralement un infarctus de la paroi latérale ou postérieure du cœur.

Des grilles de classification permettent d'évaluer la gravité de l'infarctus. L'une d'elles, la classification de Killip, comporte quatre classes **TABLEAU 41.12**. Elle est utilisée dans la présentation clinique d'un STEMI (El-Menyar, Zubaid, AlMahmeed *et al.*, 2012).

L'importance de la circulation collatérale préexistante influence également la gravité de l'infarctus. Chez une personne ayant des antécédents de coronaropathie, la circulation collatérale peut servir à irriguer la région située autour du site de l'infarctus. C'est ce qui explique en partie pourquoi un même degré d'occlusion peut provoquer un infarctus plus grave chez la personne jeune que chez la personne plus âgée.

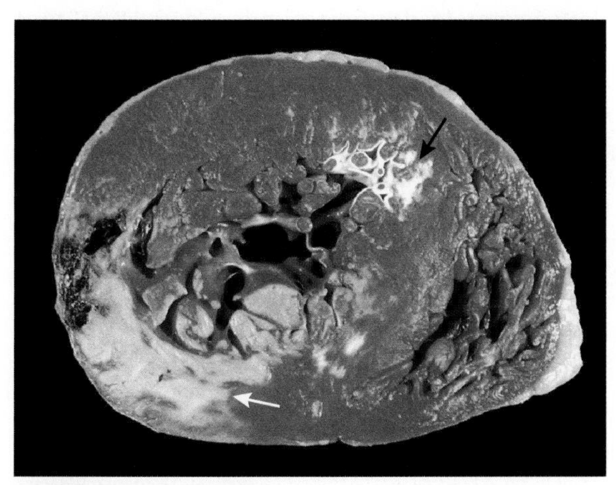

FIGURE 41.9 Infarctus aigu de la paroi postérolatérale du ventricule gauche, mis en évidence par l'absence de coloration dans les zones de nécrose (flèche blanche). Noter la cicatrice issue d'un précédent infarctus de la paroi antérieure (flèche noire).

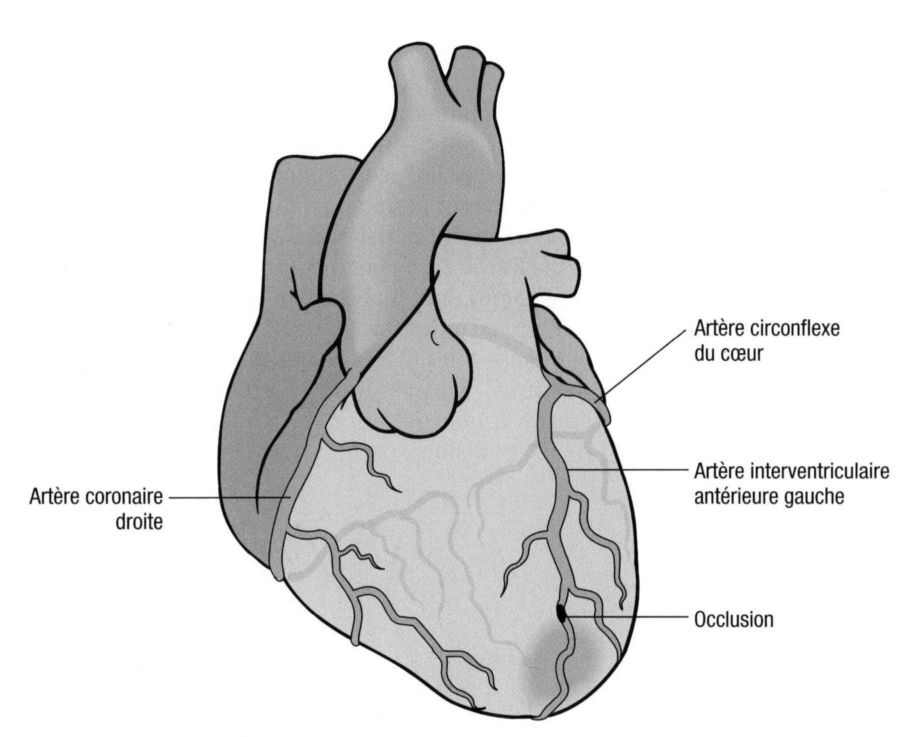

FIGURE 41.10 Occlusion de l'artère interventriculaire antérieure gauche provoquant un infarctus du myocarde.

Manifestations cliniques de l'infarctus du myocarde

Douleur

Une douleur thoracique aiguë et paralysante que ni le repos, ni un changement de position, ni la prise de dérivés nitrés n'arrivent à soulager est le signe distinctif d'un infarctus du myocarde. Persistante et différente de toute autre douleur, elle est généralement décrite comme une lourdeur, une oppression, un serrement, une brûlure, une constriction ou un écrasement. La douleur se concentre habituellement dans la région sous-sternale, rétrosternale ou épigastrique. Elle peut irradier dans le cou, la mâchoire, les bras ou le dos **FIGURE 41.4**. Elle peut survenir lorsque le client est actif, au repos, endormi ou réveillé. Toutefois, elle apparaît fréquemment tôt le matin. Elle dure généralement au moins 20 minutes, et est plus aiguë que la douleur angineuse habituelle. En présence d'une douleur épigastrique, le client peut lier cette douleur à une indigestion et prendre des antiacides sans pour autant obtenir de soulagement.

CE QU'IL FAUT RETENIR

La douleur thoracique lors d'un infarctus dure généralement au moins 20 minutes, et est plus aiguë que la douleur angineuse habituelle.

Les clients ne présentent pas tous des symptômes classiques. Certains peuvent ne ressentir aucune douleur, mais éprouver toutefois un inconfort, de la faiblesse ou un essoufflement. Bien que peu de différences soient constatées entre les hommes et les femmes en ce qui concerne les symptômes d'infarctus aigu du myocarde, certaines femmes peuvent présenter des symptômes atypiques d'inconfort, d'essoufflement ou de fatigue. Il est à noter que le taux de mortalité lié à un STEMI serait plus élevé chez les femmes que chez les hommes. Ceci peut s'expliquer par le fait qu'elles présentent plus souvent un tableau clinique défavorable ou atypique et que l'espace de temps entre le début des symptômes et le traitement est plus long que chez les hommes (van der Meer, Nathoe, van der Graaf *et al.*, 2015). Il se peut que l'infarctus du myocarde subi par le client diabétique soit silencieux (asymptomatique) en raison d'une neuropathie cardiaque, et que les symptômes soient atypiques (p. ex., une dyspnée). La personne âgée peut, quant à elle, éprouver une altération de son état mental (p. ex., de la confusion).

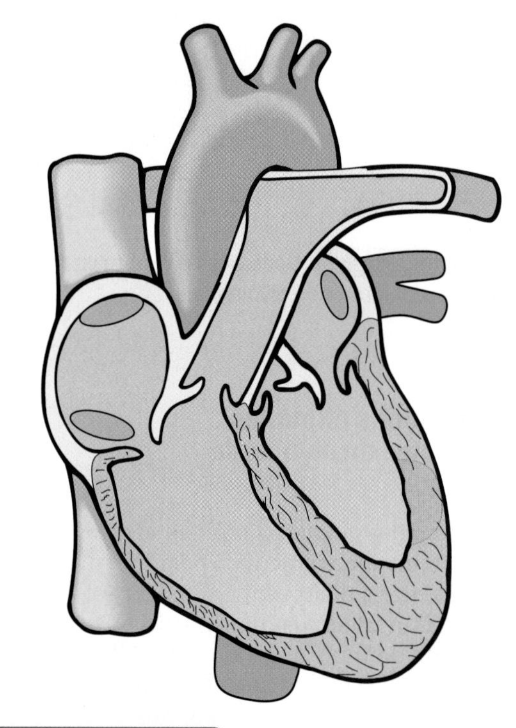

FIGURE 41.11 Infarctus du myocarde touchant toute l'épaisseur de la paroi du ventricule gauche

Stimulation du système nerveux sympathique

Au cours de la phase initiale de l'infarctus du myocarde, les cellules myocardiques ischémiques libèrent des catécholamines (noradrénaline et adrénaline), qui se trouvent normalement dans ces cellules. Il en résulte une libération de glycogène, une diaphorèse et une vasoconstriction des vaisseaux sanguins périphériques. À l'examen physique, la peau du client peut paraître pâle, grisâtre, moite et froide au toucher.

Manifestations cardiovasculaires

Au départ, en réponse à la libération de catécholamines, une élévation de la P.A. et de la fréquence cardiaque est possible. Plus tard, la P.A. peut chuter en raison d'une baisse du débit cardiaque (D.C.). Si cette baisse est suffisamment importante, il peut s'ensuivre une diminution de la perfusion rénale et du débit urinaire. Si des crépitants sont présents, ils peuvent durer de quelques heures à quelques jours, ce qui semble indiquer un dysfonctionnement du ventricule gauche. Une turgescence des veines jugulaires, une congestion hépatique et un œdème périphérique peuvent être la manifestation d'un dysfonctionnement du ventricule droit, d'un dysfonctionnement sévère du ventricule gauche ou d'une défaillance cardiaque globale.

L'examen cardiaque peut révéler des bruits cardiaques anormaux qui peuvent sembler distants (i+). Les bruits B3 et B4 sont d'autres bruits anormaux qui laissent entrevoir un dysfonctionnement ventriculaire. De plus, un souffle **holosystolique** intense peut se produire et indiquer une communication interventriculaire ou un dysfonctionnement de la valvule mitrale.

Animation : *Cycle cardiaque – systole et diastole.*

Holosystolique : Qui produit un bruit, un souffle (en l'occurrence) entendu durant toute la systole ventriculaire.

Nausées et vomissements

Le client peut sembler nauséeux et vomir. Les nausées et les vomissements peuvent résulter d'une stimulation réflexe du centre du vomissement, causée par la douleur aiguë. Ces symptômes

TABLEAU 41.12 Infarctus du myocarde : sous-groupes cliniques et hémodynamiques

CLASSE DE KILLIP	CARACTÉRISTIQUE CLINIQUE	TAUX DE MORTALITÉ À L'HÔPITAL
I	Aucun signe de congestion	< 6 %
II	Crépitants sur moins que la moitié des plages pulmonaires ou B3, augmentation de la pression veineuse jugulaire	< 17 %
III	Crépitants sur plus de la moitié des plages pulmonaires et B3, OAP	38 %
IV	Choc cardiogénique ou hypotension (pression artérielle systolique < 90, oligurie, cyanose, vasoconstriction)	81 %

Sources : Anbe, Armstrong, Bates *et al.* (2004) ; Killip & Kimball (1967).

peuvent également être la conséquence de réflexes vasovagaux provenant de la région du myocarde touchée par l'infarctus.

Fièvre

Au cours des 24 premières heures, la température peut s'élever pour atteindre 38 °C. Elle peut demeurer élevée pendant une période allant jusqu'à une semaine. Il s'agit d'une manifestation systémique du processus inflammatoire causé par la mort des cellules myocardiques.

Processus de cicatrisation

L'organisme réagit à la mort cellulaire en amorçant le processus inflammatoire ▶ 12. En moins de 24 heures, une infiltration de leucocytes se produit dans la région atteinte. Les cellules mortes du cœur libèrent des enzymes qui constituent des indicateurs de diagnostic importants de l'infarctus du myocarde. (Il est question des marqueurs cardiaques sériques plus loin dans le présent chapitre.) Les enzymes protéolytiques des neutrophiles et des macrophages commencent à dégrader le tissu nécrosé dès la quatrième journée. Pendant ce temps, la paroi du muscle nécrosé s'amincit. La formation d'une circulation collatérale améliore l'irrigation sanguine des régions touchées et peut limiter les zones atteintes et l'infarctus. Par la suite, il y a stimulation de la lipolyse et de la glycogénolyse sous l'effet des catécholamines. Ce processus permet au myocarde privé d'oxygène de stimuler son métabolisme anaérobie en utilisant le glucose et les acides gras libres se trouvant en plus grande quantité dans le plasma. C'est pourquoi la glycémie est souvent élevée après un infarctus du myocarde (Mann *et al.*, 2015).

Une fois le processus de l'infarctus accompli, il est possible de localiser la zone nécrosée par les changements observés sur l'ECG, la **scintigraphie nucléaire** et l'échographie cardiaque. À ce stade, les neutrophiles et les monocytes ont éliminé les débris nécrosés de la partie atteinte, et la matrice de collagène, qui formera plus tard le tissu cicatriciel, s'établit.

De 10 à 14 jours après l'infarctus du myocarde, le nouveau tissu cicatriciel est encore fragile. Au cours de cette période, le myocarde est vulnérable à un stress accru en raison de l'état instable de la paroi cardiaque en voie de cicatrisation. C'est également à ce stade que le niveau d'activité du client peut augmenter; il faut donc faire preuve de prudence et procéder à une évaluation. Six semaines après l'infarctus du myocarde, le tissu cicatriciel a remplacé le tissu nécrosé. À ce stade, la partie atteinte est considérée guérie. La région cicatrisée est souvent plus rigide que celle qui l'entoure. Cet état peut se traduire par un mouvement non coordonné de la paroi, un dysfonctionnement ventriculaire ou de l'insuffisance cardiaque. Ces changements dans la région ayant subi l'infarctus ont un impact sur la partie indemne du myocarde : pour compenser la faiblesse de la partie du muscle touché, le myocarde normal s'hypertrophie et se dilate. Ce processus se nomme remodelage ventriculaire. En effet, peu de temps après l'infarctus du myocarde, une expansion tissulaire de la paroi ventriculaire peut avoir lieu : le segment ventriculaire affecté s'élargit sans nécrose myocytaire additionnelle, ce qui peut s'expliquer par un amincissement et une dilatation de la zone de tissu nécrotique. Cela provoque une diminution de la fonction contractile systolique. Le stress mural de la paroi ventriculaire (ou pression exercée sur cette paroi) augmente considérablement, ce qui accroît le risque de formation d'un anévrisme. Une dilatation des segments surchargés non nécrosés, sujets au stress mural, est également possible. Initialement, la dilatation de la chambre joue un rôle compensatoire, mais un élargissement progressif peut mener à l'apparition d'une insuffisance cardiaque (IC) tardive, surtout chez la personne qui présente de l'athérosclérose dans d'autres artères coronaires ou qui a déjà été victime d'un infarctus (Lilly, 2011).

Jugement clinique

Dolores Aguilera, âgée de 65 ans, s'est réveillée vers trois heures du matin en éprouvant une vive douleur thoracique s'étendant aux deux bras. Son conjoint l'a conduite à l'urgence, croyant anxieusement qu'elle faisait une crise cardiaque puisqu'elle a un antécédent d'angine de poitrine instable. Avant de partir pour l'urgence, elle a pris une pulvérisation de nitroglycérine sous la langue. Trouvez trois questions importantes à poser à la cliente relativement à la possibilité d'un infarctus du myocarde.

12

Le processus inflammatoire est décrit dans le chapitre 12, *Inflammation et soin des plaies.*

Complications de l'infarctus du myocarde

Arythmie

La complication la plus fréquente de l'infarctus du myocarde est l'arythmie, présente chez environ 80 % des clients (Lilly, 2011). L'arythmie est la principale cause de décès des clients en situation de préhospitalisation. Tout phénomène affectant la sensibilité de la cellule myocardique aux influx nerveux, comme l'ischémie, le déséquilibre électrolytique et la stimulation du SNS, peut causer l'arythmie. Le rythme intrinsèque du battement cardiaque est perturbé, provoquant une fréquence cardiaque rapide (tachycardie), lente (bradycardie) ou un battement irrégulier, qui ont tous des effets nuisibles sur le myocarde ischémique.

Les arythmies qui mettent en danger la vie du client surviennent le plus souvent en présence d'un infarctus de la paroi antérieure, d'une insuffisance cardiaque ou d'un choc cardiogénique. Un blocage complet du cœur se produit si des portions clés du système de conduction sont **infarcies**. La fibrillation ventriculaire, cause fréquente de mort subite, est une arythmie mortelle qui survient le plus souvent dans les quatre premières heures suivant l'apparition de la douleur. Des extrasystoles ventriculaires peuvent précéder la tachycardie et la fibrillation ventriculaires. Il faut traiter immédiatement l'arythmie ventriculaire mettant en danger la vie du client ▶ 43.

Scintigraphie nucléaire : Procédé d'investigation reposant sur le phénomène de scintillation, consistant à introduire dans l'organisme une substance radioactive ayant une affinité particulière pour l'organe à examiner, puis à repérer, à l'aide d'un appareil, la répartition de la radioactivité dans cet organe afin de voir son état.

43

Une description détaillée des arythmies et de leur traitement est présentée dans le chapitre 43, *Interventions cliniques – Arythmie.*

44

Les troubles valvulaires sont décrits dans le chapitre 44, *Interventions cliniques – Troubles inflammatoires et structuraux du cœur.*

42

Les soins et traitements infirmiers auprès du client atteint d'insuffisance cardiaque sont décrits dans le chapitre 42, *Interventions cliniques – Insuffisance cardiaque.*

50

Le choc cardiogénique est décrit dans le chapitre 50, *Interventions cliniques – État de choc, syndrome de réaction inflammatoire systémique et syndrome de défaillance multiorganique.*

Animation : *Souffles cardiaques – régurgitation.*

Insuffisance cardiaque

L'insuffisance cardiaque (IC) est une complication qui survient lorsque la force de contraction systolique est amoindrie. Selon la gravité et l'étendue de l'atteinte, l'insuffisance cardiaque se manifeste au départ par des symptômes subtils de dyspnée légère, de nervosité, d'agitation ou de tachycardie légère. Les autres signes d'IC sont la congestion pulmonaire, constatée par radiographie pulmonaire, un bruit B3 ou B4 constaté par auscultation cardiaque, des crépitants constatés par auscultation des bruits respiratoires, et une turgescence des veines jugulaires constatée à l'examen physique en mesurant la pression veineuse centrale ▶ 42.

Choc cardiogénique

Un choc cardiogénique survient lorsque l'apport d'oxygène et de nutriments aux tissus est déficient en raison d'une grave insuffisance ventriculaire gauche. Il se caractérise par une incapacité du cœur à remplir son rôle de pompe, souvent constatée lorsque le ventricule gauche est infarci à plus de 40 % (Lilly, 2011). Le choc cardiogénique survient moins souvent depuis l'avènement d'un traitement précoce et rapide de l'infarctus du myocarde au moyen de l'intervention coronarienne percutanée et d'un traitement thrombolytique. Cependant, lorsqu'il survient, le taux de mortalité est élevé. Le choc cardiogénique nécessite un traitement intensif, qui comprend la maîtrise de l'arythmie, le recours au ballon de contre-pulsion intra-aortique (BIA) et le maintien de la contractilité par l'administration de médicaments **vasoactifs**. Le but du traitement est de maximiser le transport de l'oxygène, de réduire la demande d'oxygène et de prévenir l'apparition de complications comme l'insuffisance rénale aiguë ▶ 50.

Dysfonctionnement ou rupture des muscles papillaires

Un dysfonctionnement des muscles papillaires peut survenir si ces derniers sont compris dans la zone infarcie ou y sont adjacents. Les muscles papillaires sont des cônes musculaires qui attachent les cordages tendineux à la valve mitrale. Le dysfonctionnement des muscles papillaires provoque une régurgitation mitrale qui augmente le volume sanguin dans l'oreillette gauche. Cette situation aggrave l'état du ventricule gauche, dont les fonctions sont déjà altérées, en réduisant encore davantage le débit cardiaque. L'infirmière doit soupçonner un dysfonctionnement des muscles papillaires si un nouveau souffle systolique, provenant de la pointe du cœur, est perceptible à l'auscultation. Un échocardiogramme confirme ce diagnostic (i+).

La rupture des muscles papillaires est une complication rare qui met en danger la vie du client, car elle cause une régurgitation mitrale massive se traduisant par de la dyspnée, de l'œdème pulmonaire et une réduction du débit cardiaque. Il y a alors une détérioration clinique rapide du client. Le traitement consiste à réduire rapidement la postcharge en administrant du nitroprusside de sodium (Nipride[MD]) ou en utilisant un ballon de contre-pulsion intra-aortique, et à pratiquer sans tarder une chirurgie cardiaque pour remplacer la valve mitrale (Mann *et al.*, 2015) ▶ 44.

Anévrisme ventriculaire

Un **anévrisme** ventriculaire peut se former si la paroi myocardique infarcie est amincie et fait saillie au cours de la contraction. Le client qui présente un anévrisme ventriculaire peut aussi présenter de l'insuffisance cardiaque, de l'arythmie et de l'angine. Outre la rupture ventriculaire, qui est mortelle, l'anévrisme ventriculaire comporte des thrombus qui peuvent mener à un AVC embolique.

Péricardite

La péricardite aiguë, inflammation du feuillet viscéral ou pariétal du péricarde, peut provoquer une compression cardiaque, une baisse du remplissage et de la vidange ventriculaires et de l'insuffisance cardiaque. Elle survient deux ou trois jours après un infarctus aigu du myocarde et constitue une complication fréquente de l'infarctus. Une douleur thoracique, qui varie de légère à aiguë et augmente en inspirant, en toussant et en bougeant le haut du corps, caractérise la péricardite. La position assise, penchée vers l'avant, soulage la douleur. Elle diffère généralement de la douleur associée à un infarctus du myocarde.

L'examen du client atteint d'une péricardite peut révéler un frottement péricardique. La meilleure façon de percevoir ce bruit consiste à poser la membrane du stéthoscope entre le bord central et inférieur du sternum. Ce frottement peut être constant ou intermittent. La présence de fièvre est également possible.

Le diagnostic de péricardite s'obtient au moyen d'une série d'ECG à 12 dérivations révélant un frottement ou une douleur thoracique. Les changements caractéristiques observés à l'ECG sont diffus et correspondent à l'inflammation du péricarde. Le traitement consiste à soulager la douleur en administrant de l'AAS (Aspirin[MD]). Si la péricardite est récurrente ou persistante, d'autres traitements, comme l'acétaminophène, la colchicine ou un analgésique opioïde peuvent être administrés. Les glucocorticoïdes et les médicaments anti-inflammatoires peuvent être nuisibles dans le traitement de la péricardite (O'Gara, Kushner, Ascheim *et al.*, 2013).

Syndrome de Dressler

Le **syndrome de Dressler** est une péricardite accompagnée de fièvre et d'un épanchement qui apparaît de quatre à six semaines après un infarctus du myocarde. Il peut également survenir à la suite d'une chirurgie cardiaque. Une réaction spécifique antigène-anticorps, dirigée contre le myocarde nécrosé, pourrait en être la cause. Le client éprouve une douleur péricardique, de la fièvre, un frottement, un épanchement pleural et de l'**arthralgie**. Les résultats des analyses de laboratoire montrent une élévation du nombre de leucocytes et de la vitesse de sédimentation. Le traitement de cette affection consiste à administrer de fortes doses d'AAS (Aspirin[MD]), selon une posologie prescrite par le médecin (Lilly, 2011). La prudence est de mise avec l'utilisation des corticostéroïdes, car ces derniers peuvent provoquer des effets indésirables importants (Lilly, 2011).

41.3.3 Examen clinique et examens paracliniques

En plus des antécédents de douleur, des facteurs de risque et des antécédents médicaux du client, les principaux examens paracliniques utilisés pour déterminer s'il s'agit d'un cas d'angine instable ou d'infarctus du myocarde sont l'ECG et les marqueurs cardiaques sériques **FIGURE 41.5**.

Résultats de l'électrocardiogramme

L'ECG est l'un des premiers outils utilisés pour écarter ou confirmer un cas d'angine instable ou d'infarctus du myocarde. Des changements rapides dans le tracé du complexe QRS, du segment ST et de l'onde T causés par l'ischémie et l'infarctus peuvent être constatés en présence d'une angine instable et d'un infarctus du myocarde. Pour les besoins du diagnostic et du traitement, il est important de pouvoir distinguer le STEMI, l'angine instable et le NSTEMI. Les clients victimes d'un STEMI tendent à subir un infarctus du myocarde plus étendu, associé à l'occlusion totale et prolongée d'une artère coronaire et à l'apparition sur l'ECG d'une onde Q pathologique et, bien entendu, d'une élévation du segment ST. Les clients atteints d'angine instable ou d'un NSTEMI ont habituellement une thrombose transitoire ou une occlusion partielle d'une artère coronaire et, en général, il n'y a pas d'ondes Q pathologiques, mais une dépression du segment ST ou l'inversion de l'onde T, qui sont des signes d'ischémie, pourront être observées. Les zones ischémiques, de lésion ou de nécrose, sont détectables sur l'ECG. Comme l'infarctus du myocarde est un processus dynamique qui évolue dans le temps, l'ECG révèle souvent une séquence chronologique comprenant l'ischémie, la lésion, la nécrose et la résolution de l'infarctus.

L'ECG peut également s'avérer normal ou non concluant dans le cas d'un client se présentant à l'urgence pour une douleur thoracique. Cependant, au bout de quelques heures, l'ECG peut changer et mettre en évidence une souffrance myocardique. Ces changements ont lieu lorsque se produit une ischémie cellulaire, ce qui interrompt la dépolarisation électrique normale des ventricules. Lorsque le premier ECG à 12 dérivations n'est pas concluant, une série d'ECG est effectuée toutes les 2 à 4 heures.

Biomarqueurs cardiaques sériques

Lors d'une lésion myocardique, certaines protéines, appelées biomarqueurs cardiaques sériques, sont libérées dans le sang par le muscle cardiaque. Ces marqueurs, plus particulièrement la créatine kinase MB (CK-MB) et la troponine, sont importants pour établir le diagnostic d'infarctus du myocarde. Les marqueurs cardiaques sériques indiquent une lésion myocardique. En règle générale, les taux de CK-MB et de troponine sont mesurés pour établir le diagnostic d'infarctus du myocarde. Le pic sérique de ces marqueurs et leur durée dans la circulation sanguine sont présentés à la **FIGURE 41.12**.

La CK se divise en différents types. Le type CK-MB est propre aux cellules myocardiques et aide à évaluer de façon précise l'atteinte myocardique. Les taux de CK-MB commencent à s'élever environ 3 heures après une lésion myocardique (infarctus aigu du myocarde), pour atteindre leur maximum environ 18 à 24 heures plus tard et revenir à la normale au bout de 48 à 72 heures.

La troponine est une protéine du muscle cardiaque qui contrôle l'interaction entre l'actine et la myosine (provoquant la contraction du myocyte) et est libérée dans la circulation après une lésion myocardique. Dans le cœur, elle se divise en deux sous-types : la troponine T cardiospécifique (TnTc) et la troponine I cardiospécifique (TnIc). Ces marqueurs sont des indicateurs d'infarctus aigu du myocarde et sont plus sensibles et spécifiques à la lésion myocardique que la CK-MB. Aux fins du diagnostic, la troponine est mesurée en combinaison avec la CK-MB. Les taux sériques de TnIc et de TnTc s'élèvent de 3 à 12 heures après le début de l'infarctus du myocarde pour atteindre un

Arthralgie : Douleur située dans les articulations sans modification de l'apparence extérieure de la jointure. Cette douleur est intensifiée quand le client mobilise l'articulation concernée.

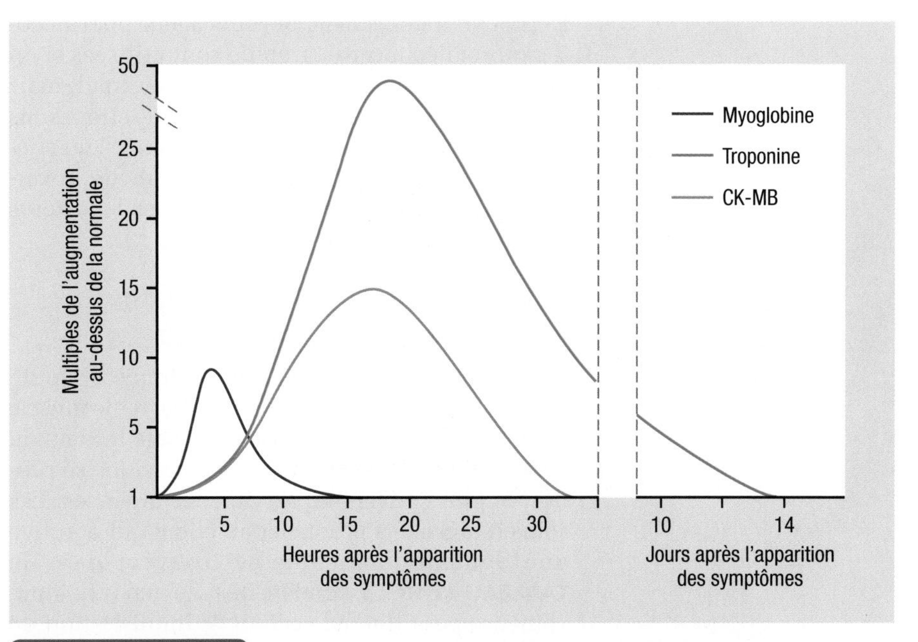

FIGURE 41.12 Marqueurs cardiaques sériques après un infarctus du myocarde

maximum au bout de 10 à 24 heures et revenir à la normale dans les 10 à 14 jours qui suivent.

La myoglobine est libérée dans la circulation dans les 2 heures qui suivent un infarctus aigu du myocarde, pour atteindre un taux maximum au bout de 3 à 15 heures. Bien qu'il s'agisse de l'un des premiers marqueurs cardiaques sériques à apparaître après l'infarctus aigu du myocarde, la myoglobine n'est pas suffisamment cardiospécifique. De plus, les reins l'excrètent rapidement dans l'urine, de sorte que ses taux sériques reprennent leurs valeurs normales dans les 24 heures suivant l'infarctus du myocarde ▶ 39.

39

Le rôle de la myoglobine est décrit dans le chapitre 39, *Évaluation clinique – Système cardiovasculaire.*

Coronarographie

Le client qui présente de l'angine instable ou un NSTEMI peut subir une coronarographie pour évaluer l'ampleur de l'affection et déterminer la démarche thérapeutique la mieux adaptée. À ce stade, une intervention coronarienne percutanée (ICP) est pratiquée si elle est jugée appropriée. Pour d'autres clients, le traitement peut consister en une prise en charge médicale conservatrice, c'est-à-dire en un traitement pharmacologique sans intervention, ou encore en une chirurgie cardiaque (Jneid *et al.*, 2012).

Jugement clinique

Les résultats des biomarqueurs sériques de Jean-Yves Loy, âgé de 61 ans, sont les suivants : CK-MB 134 U/L (valeurs normales : 55-170 U/L), TnTc 0,6 ng/mL (valeurs normales : < 0,2 n/L), myoglobine 90 mcg/L (valeurs normales : 25-72 mcg/L). Le client a été admis à l'unité de soins coronariens il y a quatre heures pour un infarctus aigu du myocarde.Croyez-vous que les résultats de ces biomarqueurs peuvent confirmer un infarctus aigu du myocarde ? Justifiez votre réponse.

Autres mesures

Lorsque l'ECG et les marqueurs cardiaques sériques écartent la possibilité d'un infarctus aigu du myocarde, d'autres mesures sont envisagées pour établir un diagnostic d'angine instable. L'épreuve d'effort avec ou sans agent pharmacologique et l'échocardiographie sont utilisées si un client obtient un ECG de référence anormal, mais non concluant. L'échocardiographie de stress sous dobutamine, dipyridamole (Persantine^MD) ou adénosine (Adenocard^MD) mime les effets de l'exercice, ce qui rend cet examen utile chez les clients incapables de faire de l'exercice.

41.3.4 Processus thérapeutique en interdisciplinarité

Il est extrêmement important que l'infirmière dépiste et traite rapidement le SCA pour préserver le muscle cardiaque du client. La prise en charge initiale du client qui présente une douleur thoracique se produit le plus souvent au service des urgences. Les soins d'urgence à prodiguer au client qui éprouve une douleur thoracique se trouvent dans le **TABLEAU 41.13**. L'infirmière installe une voie intraveineuse pour donner accès à l'administration de médicaments. Elle entreprend l'administration d'oxygène par canule nasale à un débit de 2 à 4 L/ min selon le taux de SaO_2 et surveille les ECG. Elle administre de la nitroglycérine sublinguale si la pression artérielle systolique > 90 mm Hg et de l'Aspirin^MD (croquable) si l'ambulancier ne l'a pas déjà fait avant l'admission à l'urgence. Elle administre du sulfate de morphine en I.V. contre la douleur non soulagée par la prise de nitroglycérine. Habituellement, le client recevra des soins continus dans une unité de soins intensifs ou de télémétrie, là où une surveillance constante des ECG est possible. Le traitement de l'arythmie s'effectue selon les protocoles établis. La **FIGURE 41.5** présente les processus thérapeutiques en interdisciplinarité du SCA.

Dans les premières heures suivant l'admission, l'infirmière prend fréquemment les signes vitaux, y compris l'oxymétrie pulsée, et les contrôle étroitement par la suite. Elle maintient le client alité et limite ses activités pendant une période de 12 à 24 heures, pour ensuite les augmenter graduellement, à moins de contre-indications.

Chez le client qui présente de l'angine instable ou un NSTEMI avec ou sans un changement à l'ECG, ou des marqueurs cardiaques élevés ou non, et dont l'angine est persistante, il est recommandé d'administrer en concomitance les médicaments suivants : l'AAS (Aspirin^MD), l'héparine (non fractionnée ou HBPM), le clopidogrel (Plavix^MD) ou le ticagrélor (Brilinta^MD), et l'ajout d'un bêtabloquant (Jneid *et al.*, 2012). Une coronarographie accompagnée d'une ICP est envisagée chez le client à plus haut risque (c'est-à-dire ayant un sous-décalage du segment ST ou des biomarqueurs élevés), ou une fois que le client est stabilisé et que l'angine est maîtrisée ou si l'angine réapparaît ou s'aggrave (Jneid *et al.*, 2012 ; Lilly, 2011).

Chez le client qui a un infarctus du myocarde dont le sus-décalage du segment ST est présent (STEMI) et dont les marqueurs cardiaques sont élevés, un traitement de reperfusion est entrepris **FIGURES 41.6** et **41.7**. Le but du traitement est de sauver rapidement le myocarde en rétablissant le flot sanguin dans l'artère responsable. Ce traitement de reperfusion peut consister en une ICP d'urgence ou en un traitement thrombolytique (fibrinolytique). La revascularisation coronarienne chirurgicale n'est considérée que chez un groupe restreint de clients (p. ex., en cas d'échec de l'ICP). Tout comme le traitement de l'angine instable et du NSTEMI, la pharmacothérapie du STEMI est constituée des médicaments suivants : l'AAS (Aspirin^MD), l'héparine (non fractionnée ou HBPM) le clopidogrel (Plavix^MD) ou ticagrélor (Brilinta^MD), les nitrates et les bêtabloquants.

Intervention coronarienne percutanée d'urgence

L'intervention coronarienne percutanée (ICP) d'urgence constitue le traitement de première intention chez le client qui souffre d'un infarctus aigu du myocarde avéré (c'est-à-dire chez qui sont

Évaluation et interventions en situation d'urgence

TABLEAU 41.13 Douleur thoracique

CAUSES	OBSERVATIONS	INTERVENTIONS
Système cardiovasculaire • Ischémie myocardique • Infarctus du myocarde • Arythmie • Péricardite • Anévrisme de l'aorte • Valvulopathie aortique **Système respiratoire** • Costochondrite • Pleurésie • Pneumonie • Pneumothorax • Œdème pulmonaire • Embolie pulmonaire **Thoracique (traumas)** • Fracture costale ou sternale • Volet costal • Tamponnade cardiaque • Pneumothorax • Contusion pulmonaire • Lésion d'un gros vaisseau sanguin **Système gastro-intestinal** • Œsophagite • Reflux gastro-œsophagien (RGO) • Hernie hiatale • Ulcère gastroduodénal • Cholécystite **Autres** • Stress • Exercice intense • Drogues (p. ex., la cocaïne) • Anxiété aiguë	**Signes** • Syncope, perte de conscience • Peau moite et froide • Diaphorèse • Vomissements • Tachycardie • Rythme cardiaque irrégulier • Arythmie • Souffle cardiaque • Frottement péricardique • ↓ P.A. • ↓ P.A. différentielle • P.A. inégale dans les membres supérieurs • ↓ saturation en O_2 • ↓ ou absence des bruits respiratoires **Symptômes** • Douleur au thorax, au cou, à la mâchoire, au bras ou à l'épaule • Dyspnée • Nausées • Douleur épigastrique • Sensation d'indigestion ou brûlures d'estomac • Faiblesse • Anxiété • Sensation de mort imminente • Palpitations	**Initiales** • Évaluer l'état de conscience. • Évaluer l'ABC[a]. • Administrer de l'O_2 par canule nasale ou masque d'oxygène sans réinspiration. • Obtenir un ECG à 12 dérivations. • Installer deux voies I.V. • Évaluer la douleur par la méthode PQRSTU **TABLEAU 41.8**. • Administrer les médicaments prescrits pour soulager la douleur (p. ex., la morphine, la nitroglycérine). • Amorcer une surveillance continue de l'ECG et déceler un rythme sous-jacent. • Obtenir un bilan sanguin complet de départ (marqueurs cardiaques, formule sanguine complète, électrolytes, urée/créatinine). • Obtenir une radiographie thoracique par appareil portatif. • Évaluer la possibilité de contre-indications quant à l'administration d'un traitement antiplaquettaire, anticoagulant ou thrombolytique, ou d'une ICP, s'il y a lieu. • Donner de l'AAS (AspirinMD) pour limiter l'agrégation plaquettaire, et un bêtabloquant pour diminuer la fréquence cardiaque ; par le fait même, limiter la consommation d'oxygène du myocarde, à moins de contre-indications. • Donner un antiarythmique selon la prescription. **Surveillance continue** • Surveiller l'ABC, les signes vitaux, l'état de conscience, le rythme cardiaque et la saturation en O_2. • Évaluer et noter la réponse aux médicaments (p. ex., une diminution de la douleur thoracique) et administrer de nouveau ou ajuster la dose des médicaments (p. ex., la nitroglycérine) au besoin. • Rassurer le client et le proche aidant et leur apporter un soutien affectif. • Expliquer toutes les interventions au client et au proche aidant en utilisant des termes simples. • Anticiper le besoin d'intubation si une détresse respiratoire semble imminente. • Se préparer en vue d'une réanimation cardiorespiratoire (RCR), d'une défibrillation ou d'une stimulation cardiaque transcutanée si un arrêt cardiaque semble imminent.

[a] ABC : *Airway* (voies respiratoires) ; *Breathing* (respiration) ; *Circulation* (circulation).

constatés des changements à l'ECG [STEMI], des marqueurs cardiaques élevés ou les deux). L'objectif est de débloquer l'artère touchée dans les 90 minutes suivant l'arrivée du client dans un établissement pourvu d'une salle de cathétérisme cardiaque interventionnel. Le client y subit un cathétérisme cardiaque pour localiser l'artère atteinte, évaluer la gravité de l'affection, déterminer la présence d'une circulation collatérale et évaluer le fonctionnement du ventricule gauche.

La visualisation du réseau des artères coronaires et du fonctionnement du ventricule gauche permet de choisir le type de traitement le plus bénéfique pour le client. En général, une ICP qui comprend la pose d'endoprothèses à élution de médicaments ou non, selon des critères établis, est pratiquée. Les clients qui souffrent d'un dysfonctionnement grave du ventricule gauche peuvent avoir un ballon de contre-pulsion intra-aortique (BIA), et peu de clients devront subir un pontage aortocoronarien par greffe (PACG) d'urgence. Si d'autres sténoses sont présentes, elles seront stratifiées selon d'autres modalités diagnostiques et, au besoin et dans un deuxième temps, dilatées.

Les avantages de l'ICP sont les suivants : 1) elle constitue une solution de rechange à l'intervention chirurgicale ; 2) elle se pratique sous anesthésie locale ; 3) le client peut redevenir mobile plus rapidement selon l'accès utilisé pour l'intervention ; 4) la durée de l'hospitalisation est d'environ un à trois jours, selon la gravité de la pathologie, comparativement à quatre à six jours dans le cas d'un PACG, ce qui réduit les coûts des soins hospitaliers ; 5) elle permet un retour rapide au travail (environ cinq à sept jours après l'intervention) au lieu d'exiger la convalescence de six à huit semaines propre au PACG.

CE QU'IL FAUT RETENIR

Le traitement thrombolytique vise à arrêter le processus de l'infarctus en dissolvant le thrombus qui obstrue l'artère coronaire pour permettre la reperfusion du myocarde.

L'ICP se pratique plus souvent que le PACG et l'amélioration des techniques d'ICP a permis de réduire de façon significative le recours à des PACG d'urgence. Il existe de nouvelles techniques qui permettent d'apporter une irrigation sanguine au myocarde situé en aval de l'atteinte pendant le gonflement du ballonnet, et d'accroître ainsi la sécurité de l'intervention. Il est également possible de dilater un greffon d'un pontage aortocoronarien ou mammocoronarien sténosé, issu d'un PACG antérieur.

La complication la plus grave de l'ICP est la dissection de l'artère coronaire nouvellement dilatée. Si l'atteinte est importante, l'artère coronaire peut se rompre et entraîner une tamponnade cardiaque, une ischémie et un infarctus, une diminution du débit cardiaque et possiblement la mort. Il y a également risque d'infarctus si la lésion est calcifiée et qu'une portion de la plaque se détache et obstrue le vaisseau en aval du cathéter. Un spasme coronarien provenant de l'irritation mécanique causée par le cathéter ou le ballonnet peut également se produire, ainsi qu'une irritation chimique causée par le produit de contraste injecté pour visualiser l'artère. L'obstruction soudaine est une complication qui peut se produire dans les 24 premières heures suivant une ICP. Une resténose peut également se produire après une ICP, et le risque est le plus élevé dans les 30 jours suivant l'intervention. Les soins à prodiguer au client après une ICP sont similaires à ceux prodigués après un cathétérisme cardiaque.

Traitement thrombolytique

Le traitement thrombolytique a pour avantages de pouvoir être administré rapidement et d'être à la portée des établissements dépourvus d'une salle de cathétérisme cardiaque interventionnel ou de ceux dont la salle est trop éloignée pour permettre le transfert du client en toute sécurité. La thrombolyse devrait idéalement être administrée dans les 30 minutes suivant l'arrivée du client à l'urgence si une salle de cathétérisme cardiaque est située à plus de 120 minutes de là (O'Gara *et al.*, 2013). Le traitement du STEMI par traitement thrombolytique vise à arrêter le processus de l'infarctus en dissolvant le thrombus qui obstrue l'artère coronaire pour permettre la reperfusion du myocarde. Pour un maximum d'efficacité, ce traitement doit être administré le plus tôt possible, idéalement dans la première heure suivant l'apparition des symptômes et, de préférence, dans les six premières heures. Une reperfusion qui a lieu en moins de 6 heures réduit de 25 % le taux de mortalité. Si les symptômes ont commencé à se manifester il y a plus de 12 à 24 heures, le traitement thrombolytique n'est pas recommandé. Les clients ayant reçu un traitement thrombolytique devraient être transférés dans un centre possédant une salle de cathétérisme cardiaque afin d'avoir une angiographie coronarienne et une ICP au besoin (O'Gara *et al.*, 2013).

Indications et contre-indications

Tous les agents thrombolytiques s'administrent par voie I.V. **TABLEAU 41.11**. Le coût, l'efficacité et la facilité d'administration guident le choix de l'agent thrombolytique. Même si ces médicaments présentent des pharmacocinétiques et des mécanismes d'action différents, tous produisent une ouverture de l'artère coronaire occluse en lysant le thrombus qui s'y trouve.

Étant donné que tous les agents thrombolytiques peuvent lyser le caillot anormal, ils peuvent également lyser d'autres caillots (p. ex., une zone opérée). Par conséquent, la sélection des clients est importante, car des saignements mineurs ou majeurs peuvent constituer une complication liée au traitement (O'Gara *et al.*, 2013). Les critères d'inclusion relatifs au traitement thrombolytique sont les suivants : 1) une douleur thoracique typique d'un infarctus aigu du myocarde, présente depuis 6 heures ou moins ; 2) des résultats à l'ECG à 12 dérivations concordant avec l'infarctus aigu du myocarde ; 3) une absence de contre-indication absolue **ENCADRÉ 41.7**. Bien qu'il soit possible d'envisager un traitement thrombolytique chez le client qui présente une douleur thoracique depuis plus de 6 heures (jusqu'à 12 à 24 heures) et dont les changements observés à l'ECG révèlent bien un infarctus aigu du myocarde, les études démontrent une réduction maximale de la mortalité de 50 %

ENCADRÉ 41.7 Contre-indications au traitement thrombolytique

CONTRE-INDICATIONS ABSOLUES

- Hémorragie interne active ou diathèse hémorragique (sauf menstruations)
- Antécédents connus d'anévrisme cérébral ou de malformation artérioveineuse
- Néoplasme intracrânien connu (primaire ou métastatique)
- Hémorragie cérébrale antérieure
- Accident ischémique cérébral récent (dans les trois derniers mois)
- Traumatisme crânien fermé ou facial important (dans les trois derniers mois)
- Dissection aortique soupçonnée

CONTRE-INDICATIONS RELATIVES ET MISES EN GARDE

- Ulcère gastroduodénal actif
- Prise actuelle d'anticoagulants
- Présence d'hémorroïdes
- Grossesse
- Accident ischémique cérébral antérieur à plus de trois mois, démence ou affection intracrânienne ne faisant pas partie des contre-indications absolues
- Intervention chirurgicale (y compris la chirurgie des yeux au laser) ou ponction récente (dans les trois dernières semaines) d'un vaisseau non compressible
- Hémorragie interne récente (dans les deux à quatre dernières semaines)
- Affection systémique grave (p. ex., un cancer avancé ou en phase terminale, une hépatopathie ou une néphropathie grave)
- HTA mal maîtrisée grave (P.A. > 180/110 mm Hg) à l'arrivée ou HTA mal maîtrisée, grave et chronique
- RCR traumatique ou prolongée (> 10 min)

chez les clients traités au cours de la première heure de l'infarctus; la littérature de langue anglaise surnomme d'ailleurs ce moment *golden hour* (Gruppo Italiano per lo studio della Streptochinasi nell' Infarto miocardico, 1986).

Conduite du traitement

Chaque hôpital possède son propre protocole d'administration du traitement thrombolytique. Toutefois, plusieurs facteurs leur sont communs. L'infirmière doit faire une prise de sang aux fins des analyses de laboratoire qui serviront de données de départ et mettre en place deux ou trois voies I.V. pour l'administration du traitement. Pour réduire les possibilités d'hémorragie chez le client, toutes les interventions invasives (p. ex., une sonde urinaire, un cathéter I.V., etc.) doivent être effectuées avant l'administration de l'agent thrombolytique.

Selon le médicament choisi, le traitement est administré en une seule injection I.V., qui peut être effectuée rapidement ou pendant une période déterminée (de 30 à 90 minutes). L'infirmière doit prendre en note l'heure à laquelle le traitement débute et surveiller le client pendant et après la période où l'agent thrombolytique est administré. Elle prend le rythme et la fréquence cardiaques, la pression artérielle et l'oxymétrie pulsée, et ausculte souvent le cœur et les poumons pour évaluer la réponse du client au traitement. Lorsque la reperfusion se produit (c'est-à-dire que l'artère coronaire obstruée est débouchée, rétablissant ainsi l'irrigation sanguine du myocarde), plusieurs marqueurs cliniques peuvent changer. Le marqueur le plus fiable est le retour du segment ST à la ligne isoélectrique sur l'ECG. Les autres marqueurs sont le soulagement de la douleur thoracique et une élévation précoce et rapide du taux de CK-MB dans les 3 heures suivant le traitement, pour atteindre un maximum au bout de 12 heures. Le taux de CK-MB augmente à mesure que les cellules myocardiques lésées libèrent ces enzymes dans la circulation une fois la perfusion rétablie dans la zone atteinte. La présence d'arythmies de reperfusion (p. ex., un rythme idioventriculaire accéléré) constitue un marqueur moins fiable de la reperfusion. En général, ces types d'arythmies se résolvent spontanément et ne requièrent aucun traitement.

L'une des principales préoccupations concernant le traitement thrombolytique est la réocclusion de l'artère. Le site du thrombus est instable, et un autre caillot peut se former ou un spasme de l'artère peut se produire. En raison de cette éventualité, il faut entreprendre une héparinothérapie I.V. De l'AAS (Aspirin[MD]) et du clopidogrel (Plavix[MD]) peuvent être administrés également. Si un autre caillot se forme, le client se plaindra de nouveau d'une douleur thoracique, et il y aura réapparition des changements à l'ECG. Il faut procéder à une réévaluation du client pour déterminer s'il doit être transféré immédiatement dans un établissement pourvu d'une salle de cathétérisme cardiaque pour y subir une ICP de sauvetage ou une revascularisation coronarienne chirurgicale (O'Gara *et al.*, 2013).

La principale complication liée au traitement thrombolytique est l'hémorragie. Une évaluation continue par l'infirmière est essentielle. De légers saignements sont communs (p. ex., un saignement aux sites d'injection I.V. ou un saignement gingival), et ils sont maîtrisés en appliquant un pansement compressif.

Réactivation des connaissances

Les agents thrombolytiques peuvent occasionner des saignements cérébraux. Quels sont les signes et symptômes classiques de ce problème ?

Si des signes d'hémorragie grave apparaissent (p. ex., une chute de la P.A., une élévation de la fréquence cardiaque, une altération soudaine de l'état de conscience ou la présence de sang dans l'urine ou les selles), l'infirmière doit immédiatement en aviser le médecin, qui doit mettre fin au traitement thrombolytique.

Revascularisation coronarienne chirurgicale

La revascularisation coronarienne par PACG est recommandée chez le client : 1) dont le traitement médical a échoué ; 2) qui a une coronaropathie du tronc de l'artère coronaire gauche ou une atteinte coronarienne tritronculaire ou complexe ; 3) qui n'est pas admissible à l'ICP (p. ex., des lésions longues ou difficiles à atteindre) ; 4) dont l'ICP a échoué et la douleur thoracique persiste ; 5) qui est atteint de diabète.

Pontage aortocoronarien par greffe

Le pontage aortocoronarien par greffe (PACG) consiste à mettre en place de nouveaux vaisseaux pour permettre la circulation du sang entre l'aorte, ou d'autres artères importantes (p. ex., les artères mammaires), et le myocarde, situé en aval de l'artère ou des artères coronaires obstruées. Cette intervention fait appel à une ou à plusieurs greffes, dont les greffons proviennent de l'artère mammaire interne (AMI), de la veine saphène, de l'artère radiale, de matières synthétiques ou plus rarement d'un cadavre **FIGURE 41.13**.

Le PACG nécessite une sternotomie (ouverture de la cage thoracique) et peut se faire à l'aide d'une circulation extracorporelle (CEC) ou à cœur battant. La CEC consiste à détourner le sang du cœur du client vers une machine permettant la CEC. Cette machine sert à oxygéner le sang et à le retourner au client, au moyen d'une pompe. De cette façon, le chirurgien peut opérer un cœur exsangue et immobile tout en maintenant l'irrigation sanguine des autres organes vitaux. Quant au pontage aortocoronarien à cœur battant, il est effectué sur un cœur battant en utilisant des stabilisateurs mécaniques et sans recourir à la CEC. En règle générale, les candidats au pontage aortocoronarien à cœur battant présentent une fraction d'éjection faible, une maladie pulmonaire grave, une insuffisance rénale aiguë ou chronique, un risque élevé d'AVC ou une aorte calcifiée. Le choix de l'une ou l'autre technique dépend aussi grandement de l'expertise du chirurgien.

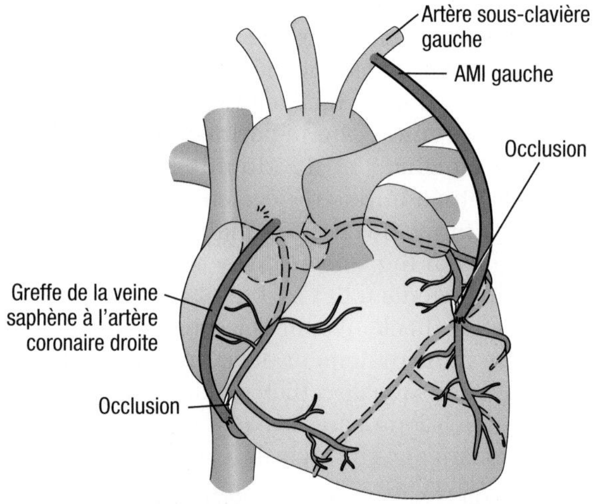

FIGURE 41.13 L'extrémité distale de l'artère mammaire interne (AMI) gauche est greffée à l'artère interventriculaire antérieure gauche, en aval de l'occlusion. L'extrémité proximale de la veine saphène est greffée à l'aorte, et l'extrémité distale est greffée à l'artère coronaire droite, en aval de l'occlusion.

L'artère mammaire interne gauche ou droite est le vaisseau le plus souvent utilisé pour effectuer les pontages par greffe (Hillis, Smith, Anderson *et al.*, 2012). Le chirurgien laisse l'artère mammaire interne attachée à son point d'origine (artère sous-clavière) et la sectionne de la paroi thoracique. Elle est ensuite **anastomosée** (raccordée au moyen de points de suture) à la portion de l'artère coronaire située en aval de la sténose. Le taux de perméabilité à long terme des greffons d'artère mammaire interne atteint 85 à 92 % après 15 ans (Bello, Peng & Sarkar, 2011).

La veine saphène est également utilisée pour effectuer des pontages par greffe. Le chirurgien retire la veine saphène de l'une ou des deux jambes et suture l'extrémité d'une section à l'aorte ascendante et l'autre extrémité à l'artère coronaire située en aval de la sténose. Les greffons issus de la veine saphène développent une hyperplasie diffuse de l'intima, ce qui favorise la formation de sténoses et l'occlusion du greffon avec le temps. Toutefois, l'administration d'un traitement antiplaquettaire et de statines après l'intervention améliore la perméabilité des pontages veineux. Le taux de perméabilité de ces greffons atteint 80 à 90 % après 5 ans (Buxton, Hayward, Newcomb *et al.*, 2009 ; Hayward, Gordon, Hare *et al.*, 2010). Lorsque des greffons veineux deviennent sténosés, il est possible de les dilater au moyen des endoprothèses.

L'artère radiale peut également être utilisée comme greffon. Il s'agit d'une artère qui tend à se contracter de façon involontaire lorsqu'elle est stimulée mécaniquement. L'administration peropératoire de bloqueurs des canaux calciques et de dérivés nitrés à action prolongée peut aider à prévenir cette complication. Des données montrent des taux de perméabilité pouvant atteindre 89,8 % après 5 ans (Hayward *et al.*, 2010). À ce jour, aucune complication liée aux membres supérieurs (p. ex., une ischémie de la main ou une infection de la plaie) à la suite du prélèvement de cette artère n'a été rapportée.

Les complications et la mortalité postopératoires augmentent en fonction de l'âge. Le taux de mortalité postopératoire est plus élevé chez la femme que chez l'homme. Ce constat est attribuable au traitement tardif de la coronaropathie chez la femme, dont l'âge est souvent plus avancé et la condition pathologique plus sévère (p. ex., une altération de la fonction ventriculaire gauche) au moment de l'intervention. Parmi les autres causes possibles figurent le diamètre très petit des vaisseaux coronaires et l'utilisation moins fréquente de l'artère mammaire interne (Eagle, Guyton, Davidoff *et al.*, 2004) **TABLEAU 41.14**.

Différences hommes-femmes

TABLEAU 41.14 Syndrome coronarien aigu

HOMMES	FEMMES
• L'incidence de l'infarctus du myocarde est la plus élevée chez l'homme blanc d'âge moyen. • Après l'âge de 65 ans, l'incidence de l'infarctus du myocarde chez la femme rejoint celle de l'homme. • L'infarctus aigu du myocarde survient plus souvent comme première manifestation de la coronaropathie chez l'homme que chez la femme. • Le développement de la circulation collatérale est plus important chez l'homme que chez la femme.	• La femme est victime d'un premier infarctus du myocarde à un âge plus avancé que l'homme. • Une fois que la femme atteint la ménopause, ses risques de subir un infarctus du myocarde quadruplent. • Moins de femmes que d'hommes présentent les signes et les symptômes classiques d'une angine instable ou d'un infarctus du myocarde. • La fatigue est souvent le premier symptôme de SCA chez la femme. • Les cas d'infarctus du myocarde asymptomatiques sont plus fréquents chez la femme que chez l'homme. • Parmi les victimes d'infarctus du myocarde, les femmes courent un plus grand risque que les hommes de subir un accident cardiaque mortel dans l'année qui suit. • Les femmes rapportent une incapacité plus grande que les hommes après un accident cardiaque. • Les femmes qui subissent un PACG présentent un taux de décès plus élevé et plus de complications après l'intervention chirurgicale que les hommes.

Chirurgie cardiaque assistée par robot

Cette technique intègre l'utilisation d'un robot pour effectuer le PACG ou le remplacement de la valvule mitrale, en raison de la position anatomique de cette dernière. Les avantages de la chirurgie robotique sont une précision accrue, des incisions plus petites, une perte sanguine moins importante, une douleur moindre et une convalescence raccourcie. Il s'agit d'une technologie en pleine évolution, encore très peu utilisée au Québec.

Pharmacothérapie

La nitroglycérine I.V., l'AAS (Aspirin[MD]), le ticagrélor (Brilinta[MD]) ou le clopidogrel (Plavix[MD]) et l'anticoagulation systémique assurée par l'administration d'HBPM par voie sous-cutanée ou d'héparine non fractionnée par voie I.V. sont les pharmacothérapies initiales de choix du SCA (Jneid *et al.*, 2012 ; O'Gara *et al.*, 2013 ; Mann *et al.*, 2015). Si une ICP est prévue, il se peut qu'un agent antiplaquettaire par voie I.V. (p. ex., un inhibiteur de la glycoprotéine IIb/IIIa) soit également administré. Un bêtabloquant, par voie I.V. initialement ou par voie orale dans les 24 premières heures, est administré s'il n'y a pas de contre-indication (p. ex., une insuffisance cardiaque, un bloc cardiaque ou de l'hypotension) (Mann *et al.*, 2015). Après l'infarctus aigu du myocarde, un IECA peut être ajouté pour certains clients sélectionnés (voir section « Inhibiteurs de l'enzyme de conversion de l'angiotensine »). Un bloqueur des canaux calciques ou un dérivé nitré à action prolongée est ajouté si le client prend déjà un bêtabloquant selon une posologie adéquate, ne tolère pas les bêtabloquants, obtient une revascularisation incomplète au cours de la coronarographie ou présente une angine de Prinzmetal (Jneid *et al.*, 2012 ; O'Gara *et al.*, 2013 ; Mann *et al.*, 2015).

La pharmacothérapie du SCA est présentée au **TABLEAU 41.11** et à la **FIGURE 41.5**. La présente partie examine les médicaments propres au traitement du SCA.

Nitroglycérine I.V.

La nitroglycérine I.V. est administrée pour le traitement initial du client atteint d'un SCA. Le but du traitement est de diminuer la douleur angineuse et d'améliorer le flux coronarien. La nitroglycérine I.V. diminue principalement la précharge et légèrement la postcharge tout en augmentant l'apport d'oxygène au myocarde. Son action est immédiate. L'infirmière doit ajuster la dose de nitroglycérine pour arriver à maîtriser les symptômes. Comme l'hypotension est un effet secondaire fréquent, il faut surveiller étroitement la P.A. pendant cette période. Le client qui devient hypotendu présente souvent une hypovolémie et peut, dans certains cas, tirer bénéfice d'une administration de liquide en bolus par voie I.V.

CE QU'IL FAUT RETENIR

Le but du traitement à la nitroglycérine I.V. est de diminuer la douleur angineuse et d'améliorer le flux coronarien.

Sulfate de morphine

Le sulfate de morphine constitue le médicament de choix contre la douleur thoracique que la nitroglycérine, administrée seule, n'arrive pas à soulager (Jneid *et al.*, 2012). Comme vasodilatateur, il diminue le travail du cœur en réduisant la consommation d'oxygène et la contractilité du myocarde et en abaissant la P.A. et la fréquence cardiaque. De plus, grâce à sa propriété anxiolytique, la morphine peut aider à diminuer l'anxiété et la peur. Même si la dépression respiratoire induite par la morphine, phénomène grave, est rare, l'infirmière devrait tout de même évaluer l'intensité de la douleur, le degré de sédation, l'état respiratoire (fréquence, SaO2), la P.A. et le

43

La pharmacothérapie administrée pour le traitement des arythmies est décrite dans le chapitre 43, *Interventions cliniques – Arythmie.*

pouls au moment d'administrer toute dose de narcotique, au pic d'action et à différents intervalles selon le type de narcotique administré et le protocole en vigueur dans l'établissement (Dupont, Durand, Garner *et al.*, 2015).

Bêtabloquants

Les bêtabloquants diminuent la demande d'oxygène du myocarde en réduisant la fréquence cardiaque, la P.A. et la contractilité. Chez le client qui ne présente aucun risque de complications (p. ex., un choc cardiogénique), la prise de ces médicaments dans les 24 premières heures suivant l'infarctus du myocarde réduit le risque de récidive d'infarctus et de fibrillation ventriculaire. Il est recommandé de maintenir la prise des bêtabloquants indéfiniment (Jneid *et al.*, 2012). L'administration de bêtabloquants I.V. en cas d'angine instable ou de NSTEMI est possible, car une légère diminution de la mortalité, des arrêts cardiovasculaires et des arythmies malignes comme la fibrillation ventriculaire a été démontrée. Par contre, cela augmente le risque de choc cardiogénique. Il faut donc les donner avec précautions (p. ex., en cas d'insuffisance cardiaque, d'hypotension ou d'instabilité hémodynamique) (Jneid *et al.*, 2012).

Inhibiteurs de l'enzyme de conversion de l'angiotensine

La prise d'un inhibiteur de l'IECA doit commencer et se poursuivre indéfiniment chez le client qui se rétablit d'un STEMI dont la fraction d'éjection est inférieure ou égale à 40 %. La prise d'un inhibiteur de l'IECA peut aider à prévenir le remodelage ventriculaire et empêcher ou ralentir l'évolution de l'insuffisance cardiaque. Chez le client intolérant aux inhibiteurs de l'IECA, la prise d'un antagoniste des récepteurs de l'angiotensine II doit être envisagée (O'Gara *et al.*, 2013).

Réactivation des connaissances

Pourquoi est-il important d'expliquer au client de ne pas retenir son souffle lorsqu'il force pour expulser les selles ?

Antiarythmiques

L'arythmie constitue la complication la plus fréquente après un infarctus du myocarde. En général, elle prend fin spontanément et ne fait pas l'objet d'une pharmacothérapie, à moins qu'elle ne mette en danger la vie du client ▶ 43.

Hypolipémiant

Un bilan lipidique à jeun de tous les clients qui sont atteints d'un SCA est obtenu dans les 24 heures suivant l'hospitalisation du client. Tous les clients qui se présentent avec un SCA, sans égard à leur taux de triglycérides et de C-LDL et y compris ceux qui ont subi une angioplastie, doivent prendre des hypolipémiants (Anderson *et al.*, 2013).

Émollients fécaux

Après un infarctus du myocarde, il se peut que le client soit vulnérable à la constipation en raison de l'alitement et de la prise d'opioïdes. Un émollient fécal (p. ex., du ducosate sodique [Colace[MD]]) est donc administré pour faciliter la défécation et la rendre moins douloureuse. Cet émollient permet de prévenir les efforts intenses et prolongés à la défécation et la stimulation vagale qui résulte de la manœuvre de Valsalva. La stimulation vagale produit de la bradycardie et peut déclencher des arythmies.

Recommandations nutritionnelles

Dans un premier temps, il se peut que le client ne puisse ingérer quoi que ce soit par la bouche, sauf de petites gorgées d'eau, jusqu'à ce que son état soit jugé stationnaire (p. ex., la disparition de la douleur et des nausées). Une fois la phase aiguë passée, l'infirmière amène le client, selon sa tolérance, à adopter un régime alimentaire faible en sodium, en gras saturés et en cholestérol **TABLEAU 41.15** et **ENCADRÉ 41.8**.

Thérapie nutritionnelle

TABLEAU 41.15 Modification du régime alimentaire liée au syndrome coronarien aigu

NUTRIMENTS	APPORT QUOTIDIEN RECOMMANDÉ
Matière grasse totale (comprend les calories des gras saturés)	25 à 35 % de l'apport calorique quotidien total
Gras saturés	< 7 % de l'apport calorique quotidien total
Cholestérol	< 200 mg
Stanols ou stérols végétaux (par ex., la margarine, les noix, les graines, légumineuses, les huiles végétales)[a]	2 g
Fibres alimentaires[a]	10 à 25 g de fibres solubles
Calories (total)	Nombre de calories juste suffisant pour atteindre ou maintenir un poids santé.
Activité physique	Au moins 30 minutes d'activité physique modérée à intense (p. ex., la marche rapide) idéalement tous les jours ou pratiquement tous les jours de la semaine.

[a] Options pour une diminution accrue des lipoprotéines de basse densité (LDL).
Source : US Health & Human Services Department (2005).

Thérapie nutritionnelle

ENCADRÉ 41.8 **Conseils pour la mise en œuvre des recommandations relatives à l'alimentation et aux habitudes de vie de l'American Heart Association**

CONSEILS GÉNÉRAUX

- Connaître ses besoins caloriques pour atteindre et maintenir un poids santé.
- Connaître la valeur calorique des aliments et des boissons consommés.
- Suivre l'évolution de son poids, de son activité physique et de son apport calorique.
- Préparer et prendre de plus petits repas, plus souvent.
- Repérer les activités sédentaires et, chaque fois que c'est possible, en diminuer la durée (p. ex., regarder la télévision, passer du temps à l'ordinateur).
- Intégrer l'activité physique dans ses activités quotidiennes (p. ex., prendre les escaliers lorsque c'est possible).
- Ne pas fumer ni utiliser des produits du tabac.
- Consommer de l'alcool avec modération (p. ex., pas plus d'une consommation par jour chez la femme et pas plus de deux chez l'homme).

CONSEILS LIÉS AU CHOIX ET À LA PRÉPARATION DES ALIMENTS

- Avant d'acheter un produit, consulter le tableau de valeur nutritive et la liste des ingrédients figurant sur son emballage.
- Consommer des fruits et des légumes frais, congelés ou en conserve sans sauces riches en calories et sans sel ni sucre ajoutés.
- Remplacer les aliments riches en calories par des fruits et des légumes.
- Augmenter l'apport en fibres en mangeant des légumineuses, des produits à grains entiers, des fruits et des légumes.
- Utiliser des huiles végétales liquides plutôt que des gras solides.
- Limiter sa consommation de boissons et d'aliments à teneur élevée en sucre ajouté (p. ex., le saccharose [sucrose], le glucose, le fructose, le maltose, le dextrose, le sirop de maïs, le jus de fruits concentré et le miel).
- Choisir des aliments préparés à partir de grains entiers.
- Éliminer les pâtisseries et les produits de boulangerie riches en calories (p. ex., les muffins et les beignes).
- Choisir du lait et des produits laitiers sans gras ou faibles en gras.
- Réduire sa consommation de sel :
  - en comparant le contenu en sodium de produits semblables (p. ex., les marques de sauce tomate) et en choisissant ceux qui sont moins riches en sodium ;
  - en choisissant des variantes d'aliments transformés dont la teneur en sel est limitée, comme les céréales et les produits de boulangerie et pâtisseries ;
  - en limitant l'utilisation de condiments (p. ex., la sauce soya et le ketchup).
- Opter pour des viandes maigres et retirer la peau de la volaille avant de la cuire ou de la manger.
- Limiter sa consommation de viandes transformées qui contiennent beaucoup de gras saturés et de sodium (p. ex., les charcuteries).
- Griller ou cuire au four le poisson, la viande et la volaille.
- Incorporer des substituts de viande d'origine végétale dans ses recettes favorites (p. ex., le soya).
- Privilégier la consommation de fruits et de légumes entiers plutôt que sous forme de jus.

Source : Adapté de Gidding, Lichtenstein, Faith *et al.* (2009).

41

Soins et traitements infirmiers

CLIENT SOUFFRANT D'ANGINE CHRONIQUE STABLE ET DU SYNDROME CORONARIEN AIGU

Collecte des données

L'**ENCADRÉ 41.9** contient les données subjectives et objectives à recueillir auprès du client qui présente un syndrome coronarien aigu (SCA).

Analyse et interprétation des données

L'analyse et l'interprétation des données relatives au client atteint du SCA peuvent comprendre, sans y être limitées, les éléments présentés dans le **PSTI 41.1**.

Planification des soins

Les objectifs généraux pour le client souffrant du SCA sont les suivants :

- le soulagement de la douleur ;
- la préservation du myocarde ;
- un traitement immédiat et approprié ;
- une bonne adaptation à l'anxiété liée à la maladie ;
- la participation à un plan de réadaptation ;
- la réduction des facteurs de risque.

39 | ÉVALUATION CLINIQUE

L'étape d'évaluation du système coronaire est décrite en détail dans le chapitre 39, *Système cardiovasculaire*.

Collecte des données

ENCADRÉ 41.9 **Syndrome coronarien aigu**

DONNÉES SUBJECTIVES

- Renseignements importants concernant la santé :
  - Antécédents de santé : antécédents de coronaropathie, de douleur thoracique liée à l'angine, d'IM, de valvulopathie (p. ex., la sténose aortique), d'insuffisance cardiaque ou de cardiomyopathie ; HTA diabète, anémie, pneumopathie, dyslipidémie
  - Médicaments : prise d'antiplaquettaires ou d'anticoagulants, de dérivés nitrés, de bêtabloquants, de bloqueurs des canaux calciques, d'inhibiteurs de l'enzyme de conversion de l'angiotensine, d'antihypertenseurs, d'hypolipémiants ou de médicaments en vente libre (p. ex., des vitamines et des suppléments à base de plantes)
  - Circonstances de la maladie actuelle : description des événements liés à la présente maladie, y compris tout traitement autoadministré ainsi que la réponse à ces traitements
- Modes fonctionnels de santé :
  - Perception et gestion de la santé : antécédents familiaux de maladie cardiaque ; mode de vie sédentaire ; tabagisme
  - Nutrition et métabolisme : indigestion, brûlures d'estomac, nausées, éructation, vomissements
  - Élimination : besoins impérieux ou fréquents d'uriner, effort à la défécation
  - Activité et exercice : palpitations, dyspnée, étourdissements, faiblesse
  - Cognition et perception : douleur thoracique ou oppression rétrosternale (constrictive, serrement, sourde, vive, picotement), irradiation possible vers la mâchoire, le cou, les épaules, le dos ou les bras **TABLEAU 41.8**
  - Adaptation et tolérance au stress : mode de vie stressant, dépression ; colère, anxiété ; sensation de mort imminente

DONNÉES OBJECTIVES

- Observations générales : anxieux, effrayé, agité, bouleversé
- Système tégumentaire : peau pâle, froide et moite
- Système cardiovasculaire : tachycardie ou bradycardie, pouls alternant (battements cardiaques qui alternent entre faibles et forts), pouls déficitaire, arythmie (surtout ventriculaire), B3, B4, ↑ ou ↓ P.A. et souffle

CONSTATS DIAGNOSTIQUES POSSIBLES

Marqueurs cardiaques sériques normaux ou augmentés, ↑ lipides sériques ; ↑ nombre de GB ; épreuve d'effort pharmacologique et scintigraphie au thallium positifs ; anomalies détectées à l'ECG de l'onde Q, du segment ST et de l'onde T ; hypertrophie du cœur, calcification ou congestion pulmonaire visible sur la radiographie thoracique ; mouvement anormal des parois détecté à l'échographie d'effort ; coronarographie positive

Interventions cliniques : angine chronique stable

Promotion de la santé

Le **TABLEAU 41.4** présente des comportements à adopter pour réduire les risques de coronaropathie.

Phase aiguë

Si l'infirmière est présente au cours d'une crise d'angine, elle applique les mesures suivantes : 1) administrer de l'oxygène d'appoint et installer le client en position redressée, à moins de contre-indications ; 2) prendre les signes vitaux ; 3) obtenir un ECG à 12 dérivations ; 4) procurer un soulagement rapide de la douleur en administrant un dérivé nitré en premier lieu, suivi d'un analgésique opioïde si nécessaire ; 5) administrer les antiplaquettaires rapidement ; 6) s'assurer d'un accès veineux perméable ; 7) ausculter les bruits cardiaques. Il est fort possible que le client soit en situation de détresse et que sa peau soit pâle, moite et froide. La P.A. et la fréquence cardiaque seront probablement élevées. L'auscultation peut révéler un bruit de galop auriculaire (B4) ou ventriculaire (B3). La perception d'un nouveau souffle au cours d'une crise d'angine peut être signe d'une ischémie d'un muscle papillaire de la valvule mitrale. Ce souffle peut être transitoire et disparaître avec l'arrêt des symptômes.

L'infirmière demande au client de décrire la douleur et de l'évaluer sur une échelle de 0 (aucune douleur) à 10 (la pire douleur imaginable), avant et après le traitement, pour estimer l'efficacité des interventions **TABLEAU 41.8**. Il est important d'utiliser le même vocabulaire que celui du client qui décrit sa douleur. Certains clients ne verbalisent pas toujours leur douleur. Il faut rechercher toute autre forme de manifestation de la douleur, comme des indicateurs comportementaux (p. ex., des grimaces, des mouvements de protection ou de la rigidité musculaire). L'altération des signes vitaux, généralement leur augmentation, peut également accompagner la douleur, mais de tels signes demeurent non spécifiques à la douleur et peuvent être associés à

Jugement clinique

Sofian Abdi, âgé de 67 ans, est d'origine arabe. Il s'est présenté à l'urgence pour une douleur thoracique rétrosternale non soulagée par le repos. Sans avoir plus de détails sur sa condition cardiaque, quelle serait l'intervention prioritaire pour ce client ?

Plan de soins et de traitements infirmiers

PSTI 41.1 Syndrome coronarien aigu

PROBLÈME DÉCOULANT DE LA SITUATION DE SANTÉ	**Douleur thoracique aiguë** liée à un déséquilibre entre l'apport d'oxygène et la demande en oxygène, se manifestant par de la douleur et un serrement thoracique, une irradiation de la douleur dans le cou et les bras, un taux élevé des marqueurs cardiaques et des changements à l'ECG.
OBJECTIF	Le client ressentira un soulagement de sa douleur.
RÉSULTATS ESCOMPTÉS	**INTERVENTIONS INFIRMIÈRES ET JUSTIFICATIONS**
Soulagement de la douleur • Soulagement de la douleur reconnu par le client • Absence de signes cliniques de douleur cardiaque (augmentation de la P.A. et de la fréquence cardiaque, augmentation de la fréquence respiratoire, diaphorèse, etc.) • Absence de signes paracliniques de souffrance cardiaque (changements observables à l'ECG à 12 dérivations, résultats de marqueurs cardiaques élevés, etc.) • Description des liens entre le soulagement de la douleur et les mesures pharmacologiques de soulagement • Utilisation des mesures de prévention pour éviter l'apparition de la douleur	**Soins cardiaques: actifs** • Évaluer la douleur thoracique selon la méthode PQRSTU (p. ex., l'intensité, la localisation, l'irradiation, la durée et les facteurs de déclenchement et de soulagement) pour évaluer avec exactitude, traiter et prévenir la progression de l'ischémie, et aviser l'équipe médicale selon les résultats de son évaluation. • Surveiller l'efficacité de l'oxygénothérapie pour augmenter l'oxygénation du tissu myocardique et prévenir la progression de l'ischémie. • Administrer des médicaments pour soulager ou prévenir la douleur et l'ischémie afin de diminuer l'anxiété et le travail du cœur. • Évaluer la douleur thoracique périodiquement selon les pics d'actions des différents médicaments utilisés. • Obtenir un ECG à 12 dérivations pendant l'épisode de douleur pour aider à distinguer l'angine d'une extension d'infarctus du myocarde ou d'une péricardite. • Surveiller le rythme cardiaque, la fréquence cardiaque et les tendances de la P.A. et des paramètres hémodynamiques (p. ex., la pression veineuse centrale et la pression capillaire pulmonaire bloquée) pour surveiller de près la possibilité d'hypotension et de bradycardie, qui peuvent mener à une hypoperfusion coronarienne.
PROBLÈME DÉCOULANT DE LA SITUATION DE SANTÉ	**Anxiété** liée à la menace réelle ou perçue de mort, à la douleur et aux changements possibles dans les habitudes de vie, se manifestant par de la nervosité, de l'agitation et l'expression d'une inquiétude quant aux changements d'habitudes de vie et au pronostic, ce dont témoigne l'énoncé suivant du client: «Et si je meurs… tout le monde compte sur moi.»
OBJECTIF	Le client verra son anxiété diminuer et la sensation de maîtrise de soi augmenter.
RÉSULTATS ESCOMPTÉS	**INTERVENTIONS INFIRMIÈRES ET JUSTIFICATIONS**
Maîtrise de l'anxiété • Diminution de l'anxiété reconnue par le client • Connaissance et énoncé des facteurs qui précipitent son anxiété • Mise en application des stratégies d'adaptation efficaces pour réduire son anxiété • Recours à des techniques de relaxation pour réduire son anxiété • Soutien de ses proches et de sa famille • Recherche de l'information pouvant l'aider à réduire son anxiété • En mesure d'expliquer l'information reçue concernant son état de santé	**Diminution de l'anxiété** • Surveiller les signes verbaux et non verbaux d'anxiété. • Adopter une attitude calme et rassurante pour ne pas accroître l'anxiété du client. • Repérer les variations du degré d'anxiété, car l'anxiété augmente la demande en oxygène. • Montrer au client comment utiliser des techniques de relaxation (p. ex., la respiration, l'imagerie mentale) pour renforcer la maîtrise de soi. • Encourager la famille à rester avec le client pour apporter du réconfort. • Encourager la verbalisation des sentiments, des perceptions et des peurs pour diminuer l'anxiété et le stress. • Donner des renseignements factuels concernant le diagnostic, le traitement et le pronostic pour diminuer la peur de l'inconnu.

PSTI 41.1	**Syndrome coronarien aigu *(suite)***
PROBLÈME DÉCOULANT DE LA SITUATION DE SANTÉ	**Intolérance à l'activité** liée à la fatigue par suite d'une diminution du débit cardiaque et d'une mauvaise irrigation des poumons et des tissus, se manifestant par la fatigue au cours d'un faible effort, l'incapacité d'effectuer ses soins personnels sans éprouver de dyspnée et l'augmentation de la fréquence cardiaque.
OBJECTIF	Le client suivra un programme réaliste d'activité physique.
RÉSULTATS ESCOMPTÉS	**INTERVENTIONS INFIRMIÈRES ET JUSTIFICATIONS**
Tolérance à l'activité • Mesure d'oxymétrie dans les normales pendant l'activité. • Fréquence cardiaque _____ batt./min • Fréquence respiratoire _____ R/min • Absence de dyspnée à l'effort (grade 1 ou 2 selon l'échelle d'évaluation de la dyspnée du Conseil de recherches médicales[a]) • Constat de l'importance de doser ses efforts pour éviter la fatigue • En mesure d'effectuer des activités de la vie quotidienne sans dyspnée ou douleur	**Soins cardiaques** • Surveiller la réaction du client aux bêtabloquants, car ces médicaments feront sentir leurs effets sur la P.A. et le pouls avant l'activité. • Prévoir des périodes d'exercice et de repos pour éviter la fatigue et augmenter la tolérance à l'activité sans accroître rapidement le travail du cœur. **Gestion de l'énergie** • Aider le client à comprendre les principes de la conservation de l'énergie (p. ex., la nécessité de limiter ses activités) pour conserver son énergie et favoriser le rétablissement. • Enseigner au client et au proche aidant des techniques de soins personnels limitant la consommation d'oxygène (p. ex., les techniques d'autosurveillance et de fractionnement des activités [*pacing*] pour l'exécution des activités de la vie quotidienne) pour favoriser l'indépendance et réduire le plus possible la consommation d'oxygène.
PROBLÈME DÉCOULANT DE LA SITUATION DE SANTÉ	**Prise en charge inefficace de sa santé** liée au manque de connaissances sur le processus morbide, la réduction des facteurs de risque, la réadaptation, les activités à faire à la maison et les médicaments, se manifestant par des questions fréquentes au sujet de sa maladie, de sa prise en charge et des soins une fois sorti de l'hôpital.
OBJECTIF	Le client connaîtra le processus morbide, les mesures pour réduire les facteurs de risque et les activités de réadaptation nécessaires à la prise en charge du régime thérapeutique.
RÉSULTATS ESCOMPTÉS	**INTERVENTIONS INFIRMIÈRES ET JUSTIFICATIONS**
Connaissances: prise en charge de la maladie cardiaque • En mesure d'expliquer l'évolution attendue de sa condition • Description des façons de prendre en charge les facteurs de risque modifiables • Adhésion à un programme de réadaptation cardiaque • En mesure de référer à des ressources de soutien pertinentes au besoin	**Enseignement: processus morbide** • Évaluer le niveau actuel des connaissances liées à l'infarctus du myocarde pour obtenir de l'information sur les besoins du client en matière d'enseignement. • Expliquer la physiopathologie de la maladie et de quelle façon elle est liée à l'anatomie et à la physiologie pour individualiser l'information et en améliorer la compréhension. • Discuter des changements des habitudes de vie pouvant être nécessaires à la prévention d'autres complications ou maîtriser le processus morbide pour obtenir la coopération du client et de son réseau de soutien. • Aiguiller le client vers des organismes communautaires ou des groupes de soutien pour que lui et sa famille aient accès à des ressources et à du soutien.
Autogestion de la médication • Prise en charge l'administration de sa médication	**Enseignement: médicaments prescrits** • Enseigner au client le but et l'action de chaque médicament. • Donner des instructions au client concernant la posologie, la voie d'administration et la durée d'action de chaque médicament pour qu'il puisse comprendre pourquoi il doit le prendre et soit moins susceptible de refuser de le prendre.

[a] O'Donnell, Hernandez, Kaplan *et al.* (2008).

d'autres facteurs de stress. L'infirmière qui manifeste du soutien, de l'empathie et une attitude calme et apaisante aide à diminuer l'anxiété du client pendant une crise d'angine.

Soins ambulatoires et soins à domicile

Il est important de rassurer le client ayant des antécédents d'angine en lui expliquant qu'une vie longue et productive est possible. La prévention de l'angine est préférable à son traitement, et c'est là où l'enseignement devient important. L'infirmière doit fournir au client de l'information sur la coronaropathie, l'angine, les facteurs déclencheurs de l'angine, la réduction des facteurs de risque et les médicaments.

L'infirmière doit renseigner le client de différentes façons. L'enseignement individualisé demeure souvent la méthode la plus efficace. Le temps passé à prodiguer les soins quotidiens (p. ex., l'administration de médicaments) se prête à de nombreux moments propices à l'enseignement. Des outils pédagogiques comme des DVD et des CD, des maquettes de cœur et, surtout, de l'information écrite sont des composantes importantes de l'enseignement au client et au proche aidant ▶ 4.

L'infirmière aide le client à trouver les facteurs qui déclenchent l'angine **ENCADRÉ 41.10**. Elle lui enseigne comment éviter ou maîtriser ces facteurs. Par exemple, elle explique au client d'éviter de s'exposer à des conditions météorologiques extrêmes et de ne pas prendre de repas trop copieux. S'il prend un repas copieux, il doit se reposer pendant une heure ou deux après le repas, car, pendant cette période, le sang est détourné vers le tractus gastro-intestinal pour aider à la digestion et à l'absorption des aliments, ce qui augmente le travail cardiaque.

L'infirmière aide le client à cerner ses propres facteurs de risque de coronaropathie. Une fois ceux-ci déterminés, elle discute avec lui de diverses méthodes pour atténuer ceux qui sont modifiables **TABLEAU 41.4**. Elle enseigne au client et au proche aidant en quoi consiste une alimentation faible en sel et en gras saturés **TABLEAU 41.15** et **ENCADRÉ 41.10**. Le maintien d'un poids idéal est important pour réduire l'angine, car un surplus de poids augmente le travail du cœur.

Il est important que le client suive, de façon régulière, un programme personnalisé d'activité physique visant la mise en forme et non le

4

Les stratégies facilitant l'apprentissage du client et de son proche aidant sont décrites dans le chapitre 4, *Enseignement au client et à ses proches aidants.*

ENCADRÉ 41.10 Facteurs déclencheurs de l'angine

EFFORT PHYSIQUE
- Augmentation de la fréquence cardiaque ce qui réduit la durée de la diastole (moment où le flux sanguin coronarien est le plus important) et entraîne une augmentation de la demande du myocarde en oxygène
- Possibilité d'angine d'effort en cas d'exercice isotonique des bras (p. ex., le ratissage, la levée d'objets lourds, le pelletage de neige)

TEMPÉRATURES EXTRÊMES
- Augmentation du travail du cœur
- Constriction des vaisseaux sanguins en réponse au froid
- Dilatation des vaisseaux sanguins et affluence du sang vers la peau en réponse à un stimulus de chaleur

ÉMOTIONS FORTES
- Stimulation du SNS et activation de la réponse au stress
- Augmentation du travail du cœur

PRISE D'UN REPAS COPIEUX
- Possibilité d'augmentation du travail du cœur
- Au cours du processus de digestion, détournement du sang vers l'appareil digestif, ce qui réduit le flux sanguin dans les artères coronaires

TABAGISME, FUMÉE DE TABAC AMBIANTE
- Stimulation par la nicotine de la libération de catécholamines, provoquant une vasoconstriction et une augmentation de la F.C.
- Diminution de l'oxygène disponible par augmentation du taux de monoxyde de carbone

ACTIVITÉ SEXUELLE
- Augmentation du travail du cœur et de la stimulation sympathique
- Déclenchement possible d'une crise d'angine due au travail du cœur supplémentaire chez une personne atteinte de coronaropathie

CONSOMMATION DE STIMULANTS (P. EX., LA COCAÏNE, LES AMPHÉTAMINES)
- Augmentation de la F.C. et de la demande subséquente du myocarde en oxygène

SCHÉMAS DU RYTHME CIRCADIEN
- Schémas liés à l'angine chronique stable, à l'angine de Prinzmetal, à l'infarctus du myocarde et à la mort subite
- Manifestations de la coronaropathie ayant tendance à survenir tôt le matin, après le réveil

surmenage de son cœur. Par exemple, l'infirmière peut lui conseiller de marcher d'un bon pas sur une surface plane pendant au moins 30 à 60 minutes, et ce, presque tous les jours de la semaine, à moins de contre-indications médicales. Elle peut également lui proposer d'utiliser un podomètre et de se fixer des objectifs en termes de nombre quotidien de pas à atteindre (Houle *et al.*, 2012). Bien que d'autres études soient nécessaires, le maintien d'un nombre quotidien minimal de 7 500 pas favoriserait une meilleure prise en charge de certains facteurs de risque cardiovasculaires chez les personnes atteintes d'une coronaropathie (Houle, Valera, Gaudet-Savard *et al.*, 2013).

Il est important d'enseigner au client et au proche aidant la bonne façon de prendre la nitroglycérine. Celle-ci peut être utilisée de manière prophylactique avant une situation émotionnellement stressante, une relation sexuelle ou un effort physique (p. ex., monter une longue volée d'escaliers), sous forme de comprimé ou de vaporisation.

Si nécessaire, l'infirmière prévoit une consultation pour évaluer l'adaptation psychologique du client et du proche aidant au diagnostic de coronaropathie et à l'angine qui en résulte. De nombreux clients se sentent menacés dans leur identité et leur estime d'eux-mêmes, et il se peut qu'ils soient incapables de remplir leurs fonctions habituelles dans la société. Ces émotions sont normales et réelles.

Interventions cliniques : syndrome coronarien aigu

Phase aiguë

Les interventions à effectuer en priorité au cours de la phase initiale du SCA, en plus de favoriser la revascularisation précoce, sont les suivantes : 1) évaluation et soulagement de la douleur ; 2) surveillance physiologique ; 3) mise en place de conditions propices au repos et au réconfort ; 4) atténuation du stress et de l'anxiété ; 5) compréhension des réactions comportementales et émotionnelles du client. Des données ont montré que des clients dont l'anxiété est élevée courent un risque accru de connaître des conséquences indésirables comme des événements ischémiques récurrents et des arythmies (Proietti *et al.*, 2011). La prise en charge adéquate de ces priorités diminue les besoins en oxygène d'un myocarde dont les fonctions sont déjà altérées, et diminue le risque de complications. De plus, l'infirmière doit mettre en œuvre des moyens permettant d'éviter les risques liés à l'immobilité tout en incitant le client à se reposer.

| Douleur | L'infirmière administre au besoin de la nitroglycérine, du sulfate de morphine et de l'oxygène d'appoint pour atténuer ou faire disparaître la douleur thoracique. L'évaluation et la documentation constantes de l'efficacité des interventions demeurent importantes. Une fois la douleur soulagée, l'infirmière devra peut-être affronter le déni d'un client qui interprète l'absence de douleur comme une absence de maladie cardiaque.

| Surveillance | Le client reste sous surveillance continue de l'ECG tout au long de son séjour à l'urgence et à l'unité de soins intensifs, et après son transfert dans une unité de soins courants. L'infirmière doit être en mesure d'interpréter les ECG pour déceler et traiter les arythmies pouvant détériorer davantage l'état cardiovasculaire. Au cours de la période suivant immédiatement l'infarctus du myocarde, la fibrillation ventriculaire est le type d'arythmie mortelle le plus fréquent, précédé chez de nombreux clients par des extrasystoles ventriculaires ou de la tachycardie ventriculaire. L'infirmière doit également être à l'affût de la possibilité d'ischémie silencieuse en surveillant les décalages du segment ST au-dessus ou au-dessous de la ligne isoélectrique de l'ECG. L'ischémie silencieuse survient sans symptômes cliniques comme la douleur thoracique, mais sa présence expose le client à un risque accru de conséquences indésirables, voire de décès. Le médecin doit être avisé de tout épisode d'ischémie silencieuse.

En plus de prendre fréquemment les signes vitaux, l'infirmière doit évaluer les ingesta et les excreta au moins une fois par quart de travail, et effectuer une évaluation physique pour détecter tout écart par rapport aux paramètres de référence du client. Une inspection et une évaluation des bruits cardiaques et respiratoires sont effectuées afin de déceler des manifestations d'insuffisance cardiaque précoce (p. ex., la dyspnée, la tachycardie, la congestion pulmonaire ou la turgescence des veines jugulaires).

L'évaluation de l'état d'oxygénation du client est importante, surtout s'il reçoit de l'oxygène. L'infirmière vérifie les narines pour s'assurer qu'elles ne sont ni irritées ni sèches, ce qui pourrait causer un inconfort considérable si l'oxygène est administré par cette voie.

| Repos et confort | Il est important de créer des conditions propices au repos et au confort, et ce, peu importe à quel point le myocarde est affecté, comme dans le cas du SCA. Il se peut que l'alitement soit nécessaire pendant les premiers jours suivant l'infarctus du myocarde, qui touche une grande portion du ventricule. Par contre, il faut encourager une reprise progressive des activités dès que l'état clinique le permet (réadaptation précoce), et ce, afin d'éviter des complications et favoriser le rétablissement **ENCADRÉ 41.11**. Le client

Pratique fondée sur des résultats probants

ENCADRÉ 41.11 **Le moment de l'ambulation a-t-il une incidence sur la sécurité du client à la suite d'une intervention coronarienne percutanée ?**

QUESTION CLINIQUE

Chez les clients qui ont subi une intervention coronarienne percutanée (P), quelles sont les conséquences d'une ambulation précoce (I) sur les risques de saignement et d'hématome (O) comparativement à une ambulation tardive (C) ?

RÉSULTATS PROBANTS

- Méta-analyse d'essais cliniques à répartition aléatoire.

ANALYSE CRITIQUE ET SYNTHÈSE DES DONNÉES

- Cinq essais cliniques à répartition aléatoire (n = 1 854) ont été menés auprès de clients pour comparer la sécurité que présente une ambulation précoce ou tardive à la suite d'une intervention coronarienne percutanée par l'artère fémorale.
- L'ambulation précoce a lieu après un alitement de 2 à 4 heures, et l'ambulation tardive après un alitement de 6 à 20 heures.
- Les résultats évalués sont la présence d'un hématome ou d'un saignement.
- L'ambulation précoce ne s'avère pas plus néfaste que l'ambulation tardive.

CONCLUSION

- Il est sécuritaire de réduire le temps d'alitement de 6 à 10 heures à 2 à 4 heures après une intervention coronarienne percutanée.

RECOMMANDATIONS POUR LA PRATIQUE INFIRMIÈRE

- Informer le personnel infirmier qu'il est sécuritaire de faire marcher les clients après un alitement de 2 à 4 heures suivant une intervention coronarienne percutanée par l'artère fémorale.
- À la suite de l'intervention, surveiller l'état des clients pour repérer tout saignement au point de ponction.

RÉFÉRENCE

Tongsai, S., & Thamlikitkul, V. (2012). The safety of early versus late ambulation in the management of patients after percutaneous coronary interventions : A meta-analysis, *J Nurs Stud, 49*(9), 1084.

P : Population ; I : Intervention ; C : Comparaison ; O : (*Outcome*) Résultat.

41

ayant subi un infarctus du myocarde non compliqué (p. ex., dont l'angine a disparu et qui ne présente aucun signe de complication) peut, de 8 à 12 heures après l'infarctus, s'asseoir dans un fauteuil pour se reposer. Le choix d'une chaise d'aisance ou d'un bassin de lit se fait selon la préférence du client.

Il faut alterner les périodes d'activité et de repos. Pendant le sommeil ou le repos, l'organisme impose moins de travail au cœur que lorsqu'il est actif. Il importe de planifier des interventions thérapeutiques et des soins qui visent à assurer des périodes suffisantes de repos sans interruption. Les mesures de réconfort favorisant le repos comprennent un environnement calme, l'utilisation de techniques de relaxation (p. ex., l'imagerie mentale dirigée) et l'assurance que le personnel est à proximité et attentif aux besoins du client.

Il est important que le client comprenne les raisons pour lesquelles il doit limiter ses activités, mais sans pour autant les restreindre complètement. L'infirmière augmente graduellement le travail du cœur du client en lui faisant exécuter des tâches de plus en plus exigeantes physiquement pour que, à sa sortie de l'hôpital, il ait atteint un niveau d'activité suffisant pour obtenir des soins à domicile. L'**ENCADRÉ 41.12** présente les phases de la réadaptation cardiaque.

| Anxiété | Tous les clients atteints d'un SCA ressentent de l'anxiété, et ce, à différents degrés. Le rôle de l'infirmière est de trouver la source de l'anxiété et d'aider le client à réduire cette dernière. Si le client a peur d'être seul, elle peut donner l'autorisation à un proche de rester à son chevet ou s'informer souvent de son état. Si l'une des sources d'anxiété est la peur de l'inconnu, l'infirmière doit discuter de ces inquiétudes avec le client.

Dans le cas où la source d'anxiété est un manque d'information, l'infirmière doit adapter son enseignement en fonction du besoin exprimé par le client et de sa capacité de compréhension. Elle doit répondre à ses questions en donnant des explications claires et simples qui puissent suffire à diminuer son degré d'anxiété.

Il est important d'entreprendre l'enseignement selon le niveau de compréhension du client plutôt que de présenter un programme préétabli. Par exemple, les jours suivant l'événement, les clients ne sont généralement pas encore prêts à recevoir de l'information sur la pathogenèse de la coronaropathie. Leurs premières questions portent

ENCADRÉ 41.12 Phases de réadaptation après un syndrome coronarien aigu

PHASE I : HÔPITAL

- Cette phase se déroule pendant que le client est encore hospitalisé.
- Le niveau d'activité dépend de la gravité de l'angine ou de l'infarctus du myocarde.
- Le client peut d'abord s'asseoir dans son lit ou un fauteuil, effectuer des exercices d'amplitude de mouvements et faire sa toilette (p. ex., se laver ou se raser), et progressivement, déambuler dans le corridor et commencer à gravir quelques marches.
- L'attention est centrée surtout sur la prise en charge de la douleur thoracique, de l'anxiété, de l'arythmie et des complications.

PHASE II : DÉBUT DU RÉTABLISSEMENT

- Cette phase débute dès que le client a reçu son congé de l'hôpital.
- Elle dure généralement de 2 à 12 semaines et a lieu dans un centre ambulatoire ou à domicile.
- Le niveau d'activité du client augmente graduellement.
- De l'information sur la réduction des facteurs de risque est fournie au client.

PHASE III : FIN DU RÉTABLISSEMENT

- Cette phase consiste en un programme de maintien à long terme.
- Des programmes personnalisés d'activité physique sont élaborés et mis en œuvre à la maison, au centre de conditionnement physique ou au centre de réadaptation.
- Le client et le proche aidant examinent leurs habitudes de vie et leurs rôles, puis y apportent des changements au besoin.
- Les changements apportés aux habitudes de vie doivent être maintenus toute la vie.
- Une surveillance médicale est encore recommandée.

habituellement sur les répercussions de la maladie sur leur sentiment de contrôle et d'indépendance :

- Quand vais-je quitter l'unité de soins intensifs ?
- Quand pourrai-je me lever ?
- Quand vais-je sortir de l'hôpital ?
- Quand pourrai-je retourner au travail ?
- Quels changements devrai-je apporter à ma vie ?
- L'événement se reproduira-t-il ?

L'infirmière indique au client qu'un programme d'enseignement plus complet commencera dès qu'il sera rétabli et se sentira prêt. Souvent, le client peut être incapable de verbaliser l'inquiétude la plus fréquemment rencontrée chez les personnes atteintes de SCA : « Vais-je mourir ? » Même si un client nie cette inquiétude, il est bon que l'infirmière entame une conversation en faisant remarquer que la peur de mourir est une inquiétude fréquente chez la plupart des clients qui vivent un SCA. Le client sent alors qu'il a la « permission » de parler d'un sujet qui le met mal à l'aise et lui fait peur.

CE QU'IL FAUT RETENIR

Le déni peut être un mode d'adaptation positif dans la phase initiale de rétablissement du SCA.

| Réactions émotionnelles et comportementales | Les réactions émotionnelles et comportementales varient d'un client à l'autre, mais suivent souvent un profil prévisible **ENCADRÉ 41.13**. Le rôle de l'infirmière est de comprendre ce que vit le client pour l'aider à mieux évaluer la réalité et à utiliser des modes d'adaptation constructifs. Le déni peut être un mode d'adaptation positif dans la phase initiale de rétablissement du SCA.

L'infirmière favorisera la maximisation et le renforcement du soutien social du client. Pour ce faire, elle doit évaluer la structure de soutien social du client et du proche aidant afin de favoriser son fonctionnement optimal. Souvent, au moment de l'hospitalisation, le client se trouve séparé de son réseau de soutien le plus important. Le rôle de l'infirmière peut consister à s'entretenir avec le proche aidant en l'informant des progrès du client, à permettre au client de communiquer avec lui au besoin et à soutenir les proches aidants qui seront en mesure de fournir le soutien nécessaire. Des visites permises en tout temps contribuent à diminuer l'anxiété et à accroître le soutien apporté au client atteint d'un SCA. L'isolement social suivant un infarctus du myocarde serait associé à des risques plus élevés de nouveaux événements coronariens, tant chez l'homme que chez la femme (Lippi *et al.*, 2009). Il importe donc que l'infirmière aide le client à trouver des réseaux de soutien supplémentaires pouvant l'aider après sa sortie de l'hôpital, comme un groupe de réadaptation cardiopulmonaire ou un organisme communautaire de sa région.

Revascularisation coronarienne

Des clients qui présentent un SCA devront peut-être subir une revascularisation coronarienne au moyen d'une intervention coronarienne percutanée (ICP) ou d'un pontage aortocoronarien par greffe (PACG). Les principales responsabilités infirmières relatives aux soins à prodiguer après une ICP consistent à

ENCADRÉ 41.13 **Réactions émotionnelles et comportementales relatives au syndrome coronarien aigu**

DÉNI
- Peut avoir des antécédents de négation ou d'ignorance des signes et symptômes de la maladie cardiaque.
- Minimise la gravité de son état.
- Ne respecte pas la limitation des activités.
- Évite les discussions sur la maladie ou son importance.

COLÈRE ET HOSTILITÉ
- Les exprime fréquemment par la question suivante : « Pourquoi cela m'est-il arrivé ? »
- Peut les diriger contre la famille, le personnel médical ou le traitement médical.

ANXIÉTÉ ET PEUR
- A peur de rester invalide et de mourir.
- Manifeste ouvertement de l'appréhension, de l'agitation, de l'insomnie ou de la tachycardie.
- Manifeste, quoique moins ouvertement, une expression verbale accrue, une projection de ses sentiments sur autrui et de l'hypocondrie.
- A peur de faire des activités.
- A peur d'une récidive de la douleur thoracique et de la crise cardiaque, et craint de mourir subitement.

DÉPENDANCE
- Dépend totalement du personnel.
- Refuse d'accomplir des tâches ou des activités sans l'approbation d'un professionnel de la santé.
- Désire une surveillance par ECG en tout temps.
- Hésite à quitter l'unité de soins intensifs ou l'hôpital.

DÉPRESSION
- Ressent de la tristesse à propos de la perte de sa santé, de l'altération du fonctionnement de son organisme et des changements qu'il doit apporter à ses habitudes de vie.
- Réalise la gravité de la situation.
- Commence à s'en faire à propos des conséquences futures de ce problème de santé.
- Montre des signes de repli sur lui-même, de tristesse et d'apathie.
- Peut montrer ces signes de façon plus apparente après la sortie de l'hôpital.

ACCEPTATION RÉALISTE
- Concentre ses efforts sur la réadaptation optimale.
- Planifie des changements compatibles avec l'altération de la fonction cardiaque.
- Entreprend sérieusement des changements d'habitudes de vie afin d'atténuer les facteurs de risque modifiables.

surveiller l'apparition de signes et de symptômes de récidive d'angine, à prendre fréquemment les signes vitaux, y compris la fréquence et le rythme cardiaques, à surveiller la présence de saignement au site d'insertion et à veiller au respect de la prescription médicale concernant le repos au lit après la procédure. Dans le cas des clients qui ont subi un PACG, les soins sont prodigués à l'unité de soins intensifs pendant les 24 à 36 premières heures. La surveillance intensive et continue de l'état hémodynamique du client est très importante. Le client aura de nombreux cathéters invasifs ayant pour but de surveiller l'état du cœur et d'autres organes vitaux ▶ 49. Ces cathéters sont les suivants : 1) cathéter de l'artère pulmonaire pour mesurer le débit cardiaque et d'autres paramètres hémodynamiques ; 2) cathéter intra-artériel pour surveiller la P.A. de manière continue ; 3) sondes ou drains thoraciques médiastinale et pleurale pour assurer le drainage thoracique ; 4) tube endotrachéal relié à la ventilation mécanique ; 5) sondes de stimulation épicardique pour transmettre d'urgence une stimulation électrique au cœur ; 6) sonde urinaire pour surveiller le débit urinaire ; 7) sonde nasogastrique pour effectuer la décompression gastrique. La plupart des clients seront extubés dans les 6 heures suivant l'intervention, puis transférés dans une unité de soins courants 24 heures plus tard en vue d'une surveillance continue de l'état cardiaque.

Bon nombre des complications postopératoires qui surviennent après un PACG se rapportent à l'utilisation de la circulation extracorporelle (CEC). Parmi les conséquences importantes de la CEC figurent l'inflammation systémique, qui comprend les complications liées au saignement et à l'anémie en raison des dommages subis par les globules rouges et les plaquettes, le déséquilibre hydroélectrolytique, l'hypothermie (car le sang se refroidit en passant dans la machine qui assure la CEC) et les infections. Les soins apportés par l'infirmière se concentrent sur la surveillance des saignements chez le client (p. ex., au site d'insertion de la sonde de drainage thoracique ou aux sites d'incision), la surveillance de l'état hydrique, le remplacement des électrolytes au besoin et le rétablissement de la température corporelle (p. ex., à l'aide de couvertures chauffantes).

49

La surveillance hémodynamique des clients en phase critique est décrite dans le chapitre 49, *Interventions cliniques – Soins en phase critique*.

Les arythmies postopératoires, particulièrement celles d'origine auriculaire, sont fréquentes dans les trois premiers jours qui suivent le PACG. De 20 à 50 % des clients souffrent d'une fibrillation auriculaire postopératoire (Hillis, Smith, Anderson *et al.*, 2011). La sortie de l'hôpital est souvent retardée chez ces clients afin d'entreprendre un traitement anticoagulant, et ainsi prévenir la formation de thrombus.

Les soins prodigués au client qui a subi un PACG comportent également le traitement des plaies opératoires (p. ex., au thorax, aux bras ou aux jambes). Les soins à prodiguer au site de prélèvement de l'artère radiale comprennent la surveillance des fonctions sensorielles et motrices du pouce et des doigts. Le client qui a subi un prélèvement de l'artère radiale doit prendre un bloqueur de canaux calcique pendant environ trois mois pour prévenir les spasmes artériels au bras ou au site de l'anastomose.

45

Il est question de saphénectomie dans le chapitre 45, *Interventions cliniques – Troubles vasculaires*.

Les soins postopératoires à prodiguer à la plaie de la jambe sont semblables à ceux qui concernent la saphénectomie ▶ 45. Le traitement de la plaie thoracique, dont fait partie la sternotomie, est similaire à celui d'autres chirurgies thoraciques. Les autres interventions consistent en des stratégies visant la prise en charge de la douleur et la prévention d'une thromboembolie veineuse (p. ex., le lever précoce du client alité ou l'installation d'un dispositif de compression séquentielle) et des complications respiratoires (p. ex., l'utilisation d'un spiromètre d'incitation, la toux et des exercices de respiration profonde).

Après l'intervention chirurgicale, des clients peuvent éprouver un certain dysfonctionnement cognitif. Ce dysfonctionnement comprend des troubles de mémoire, de concentration, de compréhension du langage et d'intégration sociale. Le dysfonctionnement cognitif postopératoire peut survenir de quelques jours à quelques semaines après l'intervention chirurgicale et demeurer permanent. Il est observé chez 40 % des clients, et ce, plusieurs mois après la chirurgie cardiaque (Caza, Taha, Qi *et al.*, 2008). Une complication fréquente après une chirurgie cardiaque est le délirium postopératoire, perturbation de l'état de conscience avec perte d'attention s'accompagnant d'une atteinte des capacités cognitives ou de perception. Il est généralement de courte durée, et ses symptômes peuvent fluctuer durant la journée.

Quelles sont les causes fréquentes de délirium en postopératoire ?

En étant au chevet du client, l'infirmière occupe une position privilégiée pour détecter le délirium postopératoire. Si elle en constate les manifestations, elle doit en aviser l'équipe médicale et s'assurer du bien-être et de la sécurité de son client. Un dépistage rapide aidera l'équipe médicale à établir le diagnostic et à déterminer le traitement approprié. Plusieurs outils permettent de dépister le délirium postopératoire. Parmi eux se trouve la *confusion assessment method* (CAM), qui prend la forme d'un questionnaire que l'infirmière peut facilement remplir en 5 à 10 minutes. Cette méthode a pour but de mettre en évidence les principaux symptômes d'un état confusionnel aigu, dont le délirium (Barr, Fraser, Puntillo *et al.*, 2013). Le traitement rapide du délirium facilite la réadaptation et le retour à l'autonomie fonctionnelle (Voyer, 2013).

CE QU'IL FAUT RETENIR

La coronaropathie est une maladie chronique. Elle est incurable et ne disparaîtra pas d'elle-même.

Le PACG non urgent est généralement bien toléré chez les clients âgés. Toutefois, la prévalence des complications postopératoires, notamment l'arythmie, les AVC et les infections, est en corrélation avec l'évaluation du risque opératoire effectuée par le médecin. L'infirmière doit être consciente du fait que, même si les bienfaits du traitement peuvent surpasser les risques chez cette population de clients, les complications sont plus fréquentes que chez les personnes plus jeunes.

Les soins postopératoires à prodiguer au client qui a subi un pontage aortocoronarien à cœur battant sont similaires à ceux qui suivent un PACG. La prise en charge de la douleur est essentielle, quelle que soit l'intervention chirurgicale pratiquée, bien que les clients disent éprouver une douleur plus aiguë dans les cas de thoracotomie que dans ceux de sternotomie. La convalescence est un peu moins longue dans les cas de pontage aortocoronarien à cœur battant et, souvent, les clients reprennent plus rapidement leurs activités quotidiennes que ceux qui ont subi un PACG.

Soins ambulatoires et soins à domicile

Selon l'Association canadienne de prévention et de réadaptation cardiovasculaires (ACPRC), la réadaptation cardiaque se définit comme suit : « L'amélioration et le maintien de la santé cardiovasculaire grâce à des programmes personnalisés conçus pour optimiser l'état physique, psychologique, social, professionnel et affectif. Ce processus comprend la prévention secondaire par l'identification et la modification des facteurs de risque cardiovasculaires, afin d'empêcher la progression de la maladie et la récurrence d'événements cardiaques » (ACPRC, 2015). Bien que bon nombre de personnes se rétablissent physiquement d'un SCA, elles n'atteignent pas toujours un bien-être psychologique. Le retour au travail et la reprise de toutes les activités sont d'importants critères d'évaluation de la réadaptation cardiaque en ce qui a trait à l'efficience des soins.

Pour envisager la réadaptation, le client doit reconnaître que la coronaropathie est une maladie chronique. Elle est incurable et ne disparaîtra pas d'elle-même. Par conséquent, des changements fondamentaux à ses habitudes de vie sont nécessaires pour favoriser le rétablissement et le maintien de la santé. Ces changements sont souvent nécessaires au moment où la personne atteint un âge moyen ou avancé. Le client doit prendre conscience qu'il faut du temps pour se rétablir. La reprise de l'activité physique après un SCA ou un PACG s'effectue lentement et graduellement. Toutefois, des soins de soutien suffisants et adéquats augmentent les chances de rétablissement. Tous les clients hospitalisés pour un SCA devraient avoir une référence systématique à un programme de réadaptation cardiaque (Grace, Chessex, Arthur *et al.*, 2011).

| Enseignement au client | L'enseignement au client commence avec l'infirmière et se poursuit à toutes les étapes de l'hospitalisation et du rétablissement (p. ex., au service des urgences, dans l'unité de télémétrie ou au cours de la réadaptation cardiaque). Le but de l'enseignement est de donner au client et au proche aidant les outils nécessaires pour prendre des décisions éclairées au sujet de leur santé. Pour que cet enseignement soit efficace, le client doit être conscient de la nécessité d'apprendre. Le fait de procéder à une évaluation rigoureuse des besoins d'apprentissage du client aide l'infirmière à fixer des buts et des objectifs réalistes.

Le moment choisi pour donner de l'information est important. Lorsque le client et le proche aidant vivent une crise (physiologique ou psychologique), ils peuvent ne pas être très disposés à assimiler de nouvelles connaissances. L'infirmière doit répondre aux premières questions du client brièvement, en utilisant des termes simples et sans entrer dans les détails. Souvent, elle doit répéter et détailler les réponses. Une fois passée la phase de choc et d'incrédulité accompagnant une crise, le client et le proche aidant sont plus en mesure de se concentrer sur l'information nouvelle et plus détaillée.

En plus d'enseigner au client et au proche aidant ce qu'ils désirent savoir, il existe plusieurs autres types d'information essentielle à l'atteinte d'un état de santé optimal. L'**ENCADRÉ 41.14** présente un guide d'enseignement au client atteint d'un SCA.

Si le recours à la terminologie médicale est nécessaire, celle-ci doit être expliquée en langage simple. Par exemple, l'infirmière explique que le cœur, une pompe composée de quatre cavités, est un muscle qui a besoin d'oxygène pour fonctionner correctement, comme tous les autres muscles. Si les vaisseaux sanguins qui apportent l'oxygène au cœur sont bloqués par des plaques, moins d'oxygène se rend au muscle cardiaque. Par conséquent, le cœur ne peut plus pomper le sang normalement. Il est bon d'utiliser le modèle d'un cœur ou de faire un dessin illustrant les explications fournies.

Les recommandations relatives à la prévention consistent à préparer le client et le proche aidant à ce qui les attend au cours du rétablissement et de la réadaptation. En sachant ce qui l'attend, le client a le sentiment de maîtriser sa destinée. Cette impression de contrôle lui permet d'être conscient des facteurs stressants, ce qui peut favoriser son rétablissement.

Ce sentiment de contrôle entre en jeu à mesure que le client fait des choix et prend des décisions en optant pour un retour à l'essentiel. Ce retour est une façon d'atténuer les pertes psychologiques et physiologiques suivant un infarctus du myocarde (ou tout autre événement qui change le cours

41

Enseignement au client et à ses proches

ENCADRÉ 41.14 Syndrome coronarien aigu

L'enseignement au client et à ses proches sur la prise en charge d'un SCA devrait porter sur les éléments suivants :

- Signes et symptômes d'angine et d'infarctus du myocarde, et ce qu'il faut faire s'ils surviennent (p. ex., la prise de nitroglycérine)[a]
- Moments où demander de l'aide et manières de le faire (p. ex., contacter les services d'urgence en composant le 911)
- Anatomie et physiologie du cœur et des artères coronaires
- Causes et effets de la coronaropathie
- Définition de certains termes (p. ex., la coronaropathie, l'angine, l'infarctus du myocarde, la mort subite et l'insuffisance cardiaque)
- Détermination des facteurs de risque et manières de les réduire **TABLEAU 41.4**[a]
- Justification des examens et des traitements (p. ex., la surveillance de l'ECG, les analyses sanguines et l'angiographie), de la limitation des activités et du repos, du régime alimentaire et des médicaments[a]
- Attentes réalistes quant au rétablissement et à la réadaptation (recommandations relatives à la prévention)
- Reprise du travail, de l'activité physique et de l'activité sexuelle
- Mesures visant à favoriser le rétablissement et la santé
- Importance d'une reprise graduelle et progressive des activités[a]

[a] Déterminés par les clients comme étant les éléments les plus importants à connaître avant de sortir de l'hôpital.

d'une vie). Il faut soutenir le client dans les modifications de ses habitudes de vie qu'il se sent apte à réaliser. S'il réussit, l'infirmière pourra miser sur ce succès pour l'aider dans un deuxième temps à envisager la modification d'autres habitudes de vie. Par exemple, un homme d'âge moyen qui fume deux paquets de cigarettes par jour, pèse 9 kg de trop et ne fait pas d'activité physique se trouve devant une tâche apparemment énorme. Il peut décider qu'il lui est possible de suivre un régime amaigrissant et de faire plus d'exercice (quoique pas tous les jours), mais qu'il ne peut absolument pas cesser de fumer. S'il modifie deux des trois facteurs de risque, se dit-il, il sera en meilleure santé. Idéalement, le facteur de risque du tabagisme devrait être la priorité de ce client. S'il ne souhaite pas recevoir d'information sur les risques et les effets du tabagisme, l'infirmière doit respecter son choix. Tout au long du suivi ambulatoire du client, l'infirmière doit le soutenir dans ses efforts visant l'adoption de comportements de santé sains ; elle l'aide ainsi à atténuer ses facteurs de risque de la maladie cardiovasculaire.

CE QU'IL FAUT RETENIR

L'activité physique fait partie intégrante du programme de réadaptation après un SCA. Elle a des effets positifs directs sur la consommation d'oxygène.

| Activité physique | L'activité physique fait partie intégrante du programme de réadaptation. Elle est nécessaire à l'atteinte d'un fonctionnement physiologique et d'un bien-être psychologique optimaux. Elle a un effet positif direct sur la consommation maximale d'oxygène. Elle augmente le débit cardiaque, le flux sanguin dans les artères coronaires, la masse musculaire et la souplesse. Une méta-analyse a démontré qu'un programme d'exercice après un événement cardiaque est associé à une réduction de la mortalité et de la récidive d'infarctus du myocarde. Un effet favorable a également été observé sur les facteurs de risque, notamment un meilleur contrôle du tabagisme, de la pression artérielle, du poids corporel et du bilan lipidique (Lawler, Filion & Eisenberg, 2011).

Une méthode utilisée pour déterminer le niveau d'activité physique consiste à calculer le nombre d'**équivalents métaboliques (MET)** : 1 MET correspond à la consommation d'oxygène au repos, soit 3,5 mL/kg/min ou 1,4 cal/kg/min, les kilogrammes désignant ici le poids corporel. Le MET permet donc d'évaluer le coût énergétique de différents exercices **ENCADRÉ 41.15**. L'échelle de Borg modifiée permet au client de quantifier la sévérité perçue de sa dyspnée pendant un effort physique d'une intensité déterminée, par exemple une épreuve d'effort sur tapis roulant ou une activité physique. Elle est utile pour suivre l'évolution clinique ou déterminer l'efficacité du traitement d'un client atteint de MPOC. L'échelle d'évaluation de la dyspnée du Centre de recherches médicales (CRM) est plus utile à l'infirmière, car elle permet d'évaluer l'incapacité causée par la MPOC et la dyspnée au quotidien **TABLEAU 41.16**.

Au centre hospitalier, le niveau d'activité est augmenté de façon graduelle pour que, à sa sortie, le client puisse tolérer des activités dont la dépense énergétique est modérée (de 3 à 6 équivalents métaboliques [MET]) ou mieux (selon ses capacités) et ainsi effectuer ses activités de la vie quotidienne et domestique avec un maximum d'autonomie. Bon nombre de clients qui présentent une angine instable résolue ou un infarctus du myocarde non compliqué séjournent environ trois ou quatre jours à l'hôpital. Dès la deuxième journée, le client peut déambuler dans le corridor et commencer à gravir trois ou quatre marches d'escalier. Beaucoup de médecins demandent un test d'effort de faible intensité avant d'autoriser le congé, pour évaluer jusqu'à quel point le client est prêt à sortir de l'hôpital et pour estimer la fréquence cardiaque (F.C.) optimale en vue d'un programme d'exercice, ainsi que les risques d'ischémie ou d'une récidive d'infarctus. Comme le séjour à l'hôpital est court, il est essentiel de donner au client des directives précises concernant l'activité physique afin de lui éviter le surmenage. Il est important de dire au client d'« écouter son corps » ; il s'agit de l'aspect le plus important du processus de rétablissement.

ENCADRÉ 41.15 Dépense énergétique exprimée en équivalents métaboliques (MET)

ACTIVITÉS DE DÉPENSE ÉNERGÉTIQUE FAIBLE (< 3 MET ou < 4,2 cal/kg/min)

- Activités à l'hôpital :
  - Se reposer en position couchée.
  - Manger.
  - Se laver les mains et le visage.
- Activités extrahospitalières :
  - Balayer.
  - Peindre en position assise.
  - Conduire une voiture.
  - Coudre à la machine.

ACTIVITÉS DE DÉPENSE ÉNERGÉTIQUE MOYENNE (de 3 à 6 MET ou de 4,2 à 8,4 cal/kg/min)

- Activités à l'hôpital :
  - S'asseoir sur la chaise d'aisance.
  - Prendre une douche.
  - Utiliser le bassin de lit.
  - Marcher à une vitesse de 5 à 6 km/h.
- Activités extrahospitalières :
  - Repasser des vêtements, debout.
  - Faire du vélo à 9 km/h sur un terrain plat.
  - Jouer au golf.
  - Danser.

ACTIVITÉS DE DÉPENSE ÉNERGÉTIQUE ÉLEVÉE (de 6 à 8 MET ou de 8,4 à 11,2 cal/kg/min)

- Marcher à 8 km/h.
- Faire de la menuiserie.
- Monter des escaliers.
- Tondre la pelouse avec une tondeuse.

ACTIVITÉS DE DÉPENSE ÉNERGÉTIQUE TRÈS ÉLEVÉE (> 9 MET ou > 12,6 cal/kg/min)

- Faire du ski de fond.
- Courir à une vitesse supérieure à 10 km/h.
- Faire du vélo à une vitesse supérieure à 21 km/h.
- Pelleter de la neige lourde.

Km/h, kilomètre par heure ; cal/kg/min : calories brûlées par kilogramme de poids corporel par minute.

TABLEAU 41.16	Échelle d'évaluation de la dyspnée du Conseil de recherches médicales
GRADE	**DESCRIPTION**
1	Le client ne s'essouffle pas, sauf en cas d'effort vigoureux.
2	Le client manque de souffle lorsqu'il marche rapidement sur une surface plane ou qu'il monte une pente légère.
3	Le client marche plus lentement que les gens du même âge sur une surface plane parce qu'il manque de souffle ou s'arrête pour reprendre son souffle lorsqu'il marche à son rythme sur une surface plane.
4	Le client s'arrête pour reprendre son souffle après avoir marché environ 100 verges ou après avoir marché quelques minutes sur une surface plane.
5	Le client est trop essoufflé pour quitter la maison ou s'essouffle lorsqu'il s'habille ou se déshabille.

Source : O'Donnell *et al.* (2008).

L'infirmière a la responsabilité d'enseigner au client à vérifier sa F.C. Le client doit connaître ses propres paramètres à respecter lorsqu'il fait de l'exercice. L'infirmière lui indique la F.C. maximale à ne pas dépasser à n'importe quel moment. Si la F.C. dépasse cette valeur ou ne retourne pas à la F.C. au repos en quelques minutes, le client doit s'arrêter et se reposer. L'infirmière lui indique également d'arrêter l'exercice et de se reposer si une douleur thoracique ou un essoufflement survient.

Chez une personne normale et en santé, le seuil minimum à atteindre pour améliorer sa capacité cardiorespiratoire se situe à 60 % de la F.C. maximale estimée selon l'âge (calculée en soustrayant l'âge de la personne de 220). La F.C. cible idéale d'entraînement se situe à 80 % de la F.C. maximale. Le client sédentaire qui commence un programme d'exercice doit s'entraîner sous surveillance chaque fois que c'est possible. Le facteur le plus important est la réponse à l'activité physique sur le plan des symptômes (p. ex., la dyspnée ou la fatigue) plutôt que l'atteinte d'une F.C. absolue, surtout parce que de nombreux clients prennent un bêtabloquant pouvant les empêcher d'atteindre la F.C. cible. Durant les programmes de réadaptation cardiopulmonaire, les professionnels de la santé enseignent à doser l'activité physique selon l'échelle de Borg. Cette échelle aide le client à graduer son effort physique afin que l'activité soit modérée. Il est primordial d'insister sur ce point. Les lignes directrices de base relatives à l'activité physique après un SCA suivent le principe FITT et sont présentées dans l'**ENCADRÉ 41.16**.

Les deux grandes catégories d'activité physique sont l'activité statique (isométrique) et l'activité dynamique (isotonique). La plupart des activités quotidiennes constituent un mélange des deux. Les activités statiques impliquent la création d'une tension au cours de la contraction musculaire, mais ne produisent que peu de variations de la longueur des muscles et de mouvement des articulations ou pas du tout. Soulever, transporter et pousser des objets lourds sont donc essentiellement des activités statiques. Comme la F.C. et la P.A. augmentent rapidement au cours d'un travail isométrique, les programmes d'exercice comportant de tels exercices doivent être limités.

Les activités dynamiques entraînent des variations de la longueur des muscles et un mouvement des articulations, qui s'accompagnent de contractions rythmiques et dont la tension musculaire est relativement faible. La marche, le jogging, la natation, le vélo et la corde à sauter sont des exemples d'activités essentiellement dynamiques. L'exercice isotonique fait appel au cœur et aux poumons de manière constante et sécuritaire, et améliore la circulation sanguine dans de nombreux organes.

L'infirmière doit inciter tous les clients à participer à un programme de réadaptation cardiaque externe **ENCADRÉ 41.12**. Ces programmes sont bénéfiques, mais ce ne sont pas tous les clients qui choisissent d'y participer ou qui peuvent le faire (p. ex., à cause de la distance ou de contraintes de déplacement). Un programme de réadaptation cardiaque à domicile peut constituer une solution de rechange (Taylor, Dalal, Jolly *et al.*, 2010). Les associations de spécialistes élaborent expressément pour le client des recommandations en matière d'activité physique, et des membres du personnel communiquent régulièrement avec lui (p. ex., par téléphone, par le registre d'exercices ou par Internet). Le maintien du contact avec le client constitue l'une des clés du succès de ces programmes.

L'échelle d'évaluation de la dyspnée du Conseil de recherches médicales (CRM) est disponible au www.lignesdirectricesrespiratoires.ca/sites/all/files/2008-COPD-FR.pdf.

Jugement clinique

Petros Kostakis a quitté la Grèce il y a deux ans. Il est âgé de 71 ans et trouve difficile de s'adapter à un nouveau pays puisqu'il ne parle pas la langue locale. Il a fait un infarctus du myocarde et, la phase aiguë étant passée, il est maintenant hospitalisé à l'unité de cardiologie. Son fils, inquiet des activités pouvant occasionner une autre crise cardiaque à son père, demande si ce dernier risque de faire une autre crise s'il se rend à la toilette seul, ce qui représente une distance d'environ trois mètres. Que devriez-vous lui répondre ?

Enseignement au client et à ses proches

ENCADRÉ 41.16 **Lignes directrices relatives à l'activité physique après un syndrome coronarien aigu selon le principe FITT**

L'infirmière doit intégrer les éléments d'information suivants dans son plan d'enseignement au client ayant subi un SCA.

ÉCHAUFFEMENT ET RÉCUPÉRATION

Recommander au client d'effectuer des étirements légers pendant trois à cinq minutes avant d'entreprendre une activité physique, puis pendant cinq minutes après l'activité. Il ne faut pas entreprendre une activité ou y mettre fin de manière abrupte.

FRÉQUENCE (F)

Encourager le client à faire de l'activité physique presque tous les jours de la semaine.

INTENSITÉ (I)

La F.C. du client détermine l'intensité de l'activité. Si le client qui se rétablit d'un infarctus du myocarde n'a pas subi d'épreuve d'effort, il ne doit pas dépasser 20 battements/min au-dessus de sa F.C. au repos.

TYPE D'ACTIVITÉ PHYSIQUE (T)

L'exercice doit comporter des mouvements réguliers, rythmiques et répétitifs, et solliciter les grands muscles pour augmenter l'endurance (p. ex., la marche, le vélo, la natation et le canotage).

TEMPS (T)

Les séances d'activité physique doivent durer au moins 30 minutes. Recommander au client de commencer lentement selon son degré de tolérance (peut-être seulement de 5 à 10 minutes) et d'augmenter graduellement la durée pour qu'elle atteigne 30 minutes.

Souvent, les femmes âgées de 65 ans et plus qui ont subi un infarctus du myocarde ne suivent pas assidûment leur programme d'activité physique. Elles rapportent régulièrement une fatigue post-infarctus persistante et difficile à expliquer (Singh, Alexander, Roger *et al.*, 2008). Le programme de réadaptation cardiaque doit respecter les préférences et les ressources de la personne. Il existe différents modèles de programme pouvant être offerts aux femmes afin de tenir compte de leur préférence (Andraos, Arthur, Oh *et al.*, 2014 ; Grace, Racco, Chessex *et al.*, 2010).

La dépression est un autre facteur lié au manque d'adhésion envers les programmes d'activité physique suivant un infarctus du myocarde (Lippi *et al.*, 2009). La dépression est plus fréquente chez les personnes atteintes d'une maladie cardiovasculaire que dans la population en général, particulièrement chez les femmes **FIGURE 41.14**. Il est important de mettre en place des mécanismes de dépistage de la dépression et d'orienter la personne vers un traitement approprié (Lichtman, Bigger, Blumenthal *et al.*, 2008).

| Reprise de l'activité sexuelle | Il est important de donner des conseils relatifs à la sexualité aux clients cardiaques et à leur partenaire. Souvent négligé, ce sujet peut être difficile à aborder tant pour le client que pour les professionnels de la santé. Toutefois, l'inquiétude du client par rapport à la reprise de l'activité sexuelle après une hospitalisation pour un SCA cause souvent plus de stress que l'acte physiologique lui-même. La majorité de ces clients ont modifié leur comportement sexuel non pas en raison de problèmes physiques, mais parce qu'ils étaient préoccupés par leur capacité à avoir une relation sexuelle, la possibilité de décès au cours des rapports sexuels et l'impuissance. Un professionnel de la santé attentif et bien informé peut dissiper leurs idées fausses en leur donnant des conseils précis.

Avant de fournir des lignes directrices sur la reprise de l'activité sexuelle, il est important de

FIGURE 41.14 La dépression est plus fréquente chez les personnes atteintes d'une maladie cardiovasculaire, particulièrement chez les femmes.

connaître l'état physiologique du client, les effets physiologiques de l'activité sexuelle et les effets psychologiques de la crise cardiaque. L'activité sexuelle des hommes et des femmes d'âge moyen avec leur partenaire habituel n'est pas plus exigeante physiquement que de monter deux volées d'escaliers (Levine, Steinke, Bakaeen *et al.*, 2012).

L'infirmière peut ne pas trop savoir comment et quand aborder la reprise de l'activité sexuelle. Il peut être bon de considérer l'activité sexuelle comme une activité physique et d'explorer les sentiments du client à cet égard en parlant d'autres activités physiques. Voici une façon d'aborder le sujet : « Beaucoup de gens qui ont fait une crise cardiaque se demandent quand ils pourront reprendre leur activité sexuelle. Est-ce une source de préoccupation pour vous ? » Ou bien celle-ci : « Si la reprise de l'activité sexuelle vous préoccupe, ces renseignements devraient vous être utiles. » De tels énoncés, non menaçants, permettent au client de se pencher sur ce qu'il ressent et lui donnent l'occasion de poser des questions à l'infirmière ou à un autre professionnel de la santé. Des directives sont présentées dans l'**ENCADRÉ 41.17**.

Le client doit savoir que l'incapacité d'accomplir des performances sexuelles après un infarctus du myocarde est fréquente, et que le dysfonctionnement sexuel disparaît généralement après plusieurs tentatives. L'infirmière doit renforcer l'idée selon laquelle la patience et la compréhension résolvent habituellement ce problème. Étant donné la présence sur le marché de médicaments qui corrigent le dysfonctionnement érectile, de nombreux clients masculins sont tentés d'en prendre. L'infirmière doit mettre en garde le client du fait que ces médicaments ne peuvent pas être pris avec des dérivés nitrés, car des cas d'hypotension grave et même de décès ont été rapportés (Lehne, 2016). L'infirmière incite donc le client à discuter de la prise de ces médicaments avec son médecin.

Il est fréquent qu'un client qui ressent une douleur thoracique au cours d'un effort physique éprouve de l'angine pendant une stimulation ou une relation sexuelle. La prise de nitroglycérine dans un but prophylactique peut lui être conseillée (Lehne, 2016). Il peut également s'avérer utile que le client évite les rapports sexuels peu de temps après un repas copieux ou une consommation excessive d'alcool, lorsqu'il est extrêmement fatigué ou stressé, ou avec des partenaires inconnus. Il doit également éviter les relations sexuelles anales en raison de la possibilité de déclencher une réaction vasovagale (Levine *et al.*, 2012).

Évaluation des résultats

Le **PSTI 41.1** présente les résultats escomptés pour le client atteint d'un SCA.

41

Enseignement au client et à ses proches

ENCADRÉ 41.17 Activité sexuelle après un syndrome coronarien aigu

L'enseignement au client et à ses proches sur la prise en charge d'un SCA devrait porter sur les aspects suivants.

- La reprise de l'activité sexuelle doit correspondre à celle du client avant qu'il subisse le SCA.
- L'entraînement physique semble améliorer la réponse physiologique aux rapports sexuels ; par conséquent, il faut encourager la pratique quotidienne d'activité physique pendant la phase de rétablissement.
- Il faut diminuer la consommation de nourriture et d'alcool avant une relation sexuelle (p. ex., attendre de trois à quatre heures après un repas copieux).
- Un environnement et un partenaire familiers permettent de réduire l'anxiété.
- La masturbation peut constituer un acte de satisfaction sexuelle utile et rassurer le client en lui prouvant que l'activité sexuelle est encore possible.
- Le client doit éviter de prendre une douche chaude ou froide juste avant ou après la relation sexuelle.
- Les préliminaires amoureux sont recommandés, car ils permettent d'augmenter graduellement la F.C. avant l'orgasme.
- Au cours de la relation sexuelle, les positions adoptées sont une question de choix personnel.
- Les relations buccogénitales n'exigent pas d'effort excessif de la part du cœur.
- Une ambiance relaxante et non propice à la fatigue et au stress est optimale.
- Il peut être recommandé de prendre des dérivés nitrés dans un but prophylactique pour diminuer la douleur thoracique au cours de la relation sexuelle.
- La prise de médicaments favorisant l'érection (p. ex., le sildénafil [Viagra^MD]) est contre-indiquée s'il y a prise de dérivés nitrés sous quelque forme que ce soit.
- Il faut éviter les relations sexuelles anales, car elles peuvent déclencher une réaction vasovagale.

41.4 | Mort subite

Le terme mort subite se rapporte généralement à un décès de cause cardiovasculaire survenu de manière totalement imprévisible chez une personne atteinte ou non d'une maladie cardiaque préexistante (Deo & Albert, 2012). Enseigner aux gens les symptômes d'un arrêt cardiaque imminent et les mesures à prendre peut sauver des vies. La majorité des morts subites surviennent à domicile, sans témoin. La disponibilité de défibrillateurs externes automatiques a permis d'améliorer le taux de récupération des arrêts cardiaques survenus sur la voie publique. Cependant, cette mesure n'a qu'un impact limité en termes de diminution de la mortalité globale par mort subite. Si l'on veut significativement diminuer l'incidence de ces accidents, il y a lieu de se doter de moyens de prévention primaire efficaces (Deo & Albert, 2012).

41.4.1 Étiologie et physiopathologie

Dans les cas de mort subite, une interruption brutale du fonctionnement cardiaque se produit, ce qui amène une chute soudaine du débit cardiaque et du débit sanguin cérébral. La personne touchée ne présente pas nécessairement d'antécédents connus de coronaropathie. Les coronaropathies sont responsables de la plupart des morts subites d'origine cardiaque (Deo & Albert, 2012). Le décès survient habituellement dans l'heure qui suit l'apparition des symptômes aigus (p. ex., la dyspnée, la douleur rétrosternale et les palpitations).

CE QU'IL FAUT RETENIR

Les coronaropathies sont responsables de la plupart des morts subites d'origine cardiaque.

Les divers types d'arythmie ventriculaire aiguë (p. ex., la tachycardie ventriculaire ou la fibrillation ventriculaire) causent la plupart des cas de mort subite. Moins fréquemment, la mort subite survient en raison d'un obstacle à l'éjection du ventricule gauche (p. ex., la sténose aortique ou la cardiomyopathie hypertrophique) ou d'un ralentissement extrême des battements du cœur (bradycardie ou asystolie).

Les personnes qui subissent une mort subite en raison d'une coronaropathie se divisent en deux groupes : 1) celles qui n'ont pas subi d'infarctus aigu du myocarde et 2) celles qui ont subi un infarctus aigu du myocarde. La majorité des cas de mort subite font partie du premier groupe (Deo & Albert, 2012). En général, les victimes appartenant à ce groupe ne présentent aucun symptôme ou signe d'alerte. Le client qui survit à une première mort subite risque une récidive en raison de l'instabilité électrique persistante du myocarde à l'origine de la première.

Le deuxième groupe comprend ceux qui ont déjà subi un infarctus aigu du myocarde avec une mort subite. Ces clients présentent habituellement des symptômes avant-coureurs comme une douleur thoracique, des palpitations et de la dyspnée.

Il est difficile de prédire qui est à risque de connaître une mort subite. Toutefois, des données ont montré que le dysfonctionnement ventriculaire gauche (fraction d'éjection < 30 %) et l'arythmie ventriculaire consécutive à l'infarctus du myocarde constituent les meilleurs facteurs de prédiction (Mudawi, Albouain & Kaye, 2009). Les facteurs de risque sur lesquels il est possible d'agir et dont la valeur prédictive en termes de survenue d'une mort subite a été établie dans diverses cohortes comprennent l'HTA, l'hypercholestérolémie, le diabète, l'insuffisance rénale, l'obésité et le tabagisme (Deo & Albert, 2012) **FIGURE 41.15**.

FIGURE 41.15 Le tabagisme est un des facteurs de risque de mort subite sur lequel il est possible d'agir.

Soins et traitements en interdisciplinarité

PERSONNE AYANT SURVÉCU À UNE MORT SUBITE

Les gens qui survivent à un épisode de mort subite doivent subir un bilan diagnostique pour déterminer s'ils ont fait un infarctus du myocarde. Une analyse en série des marqueurs cardiaques et des ECG est effectuée afin d'orienter le traitement du client. De plus, comme la plupart des personnes qui connaissent un épisode de mort subite présentent également une coronaropathie, un cathétérisme cardiaque est indiqué pour déterminer l'emplacement et l'importance de l'obstruction des artères coronaires. Il se peut qu'une ICP ou un PACG soit indiqué si les sténoses coronariennes démontrées par le cathétérisme cardiaque sont sévères.

La plupart des clients subissant une mort subite présentent une arythmie ventriculaire mortelle associée à une fréquence élevée de récidives. Il est donc utile de savoir quand ces personnes sont le plus susceptibles de faire des récidives et quelle pharmacothérapie s'avère la plus efficace. Chez ces clients, l'évaluation de l'arythmie comprend l'enregistrement Holter de 24 heures ou un autre type d'enregistrement d'événements, l'épreuve d'effort, l'analyse de l'ECG à haute amplification et l'examen électrophysiologique (Mudawi *et al.*, 2009). Ce dernier examen s'effectue sous radioscopie. Des électrodes de stimulation sont placés sur des zones intracardiaques choisies et, au moyen de stimulations ponctuelles, on tente de reproduire des arythmies. La réponse du client à différents antiarythmiques est surveillée, et ce, dans un milieu contrôlé ▶ 43.

La méthode la plus courante pour prévenir la récidive est la pose d'un défibrillateur automatique implantable. Des travaux de recherche ont montré que ce type de défibrillateur augmente davantage les chances de survie qu'une pharmacothérapie appliquée seule (Exner, 2009; Mudawi *et al.*, 2009).

Il est possible d'administrer une pharmacothérapie à l'amiodarone (Cordarone[MD]) en combinaison avec la pose d'un défibrillateur automatique implantable pour diminuer les épisodes d'arythmie ventriculaire.

En prodiguant des soins au client qui a survécu à la mort subite, épisode où il a soudainement « frôlé la mort », l'infirmière doit être attentive à son adaptation psychosociale. Bon nombre de ces clients se forgent une mentalité de « bombe à retardement ». Ils ont peur de subir un autre arrêt cardiorespiratoire et peuvent devenir anxieux, coléreux et dépressifs. Les proches aidants risquent de ressentir les mêmes émotions. Cette peur nuit souvent à la reprise des activités normales, comme les activités sexuelles et récréatives. Les clients et les proches aidants peuvent également faire face à d'autres problèmes, comme des restrictions relatives à la conduite automobile et un changement d'emploi. La réaction de deuil varie d'un client et d'un proche aidant à l'autre. L'infirmière doit être attentive à leurs besoins particuliers, leur donner de l'information en conséquence et leur fournir un soutien affectif approprié.

43

Les interventions infirmières appropriées auprès de clients subissant une épreuve électrophysiologique sont abordées dans le chapitre 43, *Interventions cliniques – Arythmie*.

Analyse d'une situation de santé — Jugement clinique

Lucien Savoie, 62 ans, est hospitalisé en cardiologie pour une angine instable. Il est diabétique de type 2, et sa dernière glycémie à jeun est élevée.

Son bilan lipidique a démontré ceci :

- Cholestérol total (CT) : 5,72 mmol/L
- C-HDL : 0,98 mmol/L
- C-LDL : 3,79 mmol/L
- Triglycérides : 2,10 mmol/L

Il fume environ 40 cigarettes par jour depuis de nombreuses années. Son travail de comptable le rend plutôt sédentaire, et il n'hésite pas à faire des heures supplémentaires, étant un vrai bourreau de travail. À cet effet, il se décrit comme perfectionniste et très exigeant envers son personnel, ce qui le rend souvent impatient.

Monsieur Savoie mange beaucoup de viande, même lorsqu'il est pressé pour prendre ses repas, et il a un penchant pour les boissons gazeuses. Comme médicaments, il prend de l'atorvastatine (Lipitor[MD]) 20 mg au coucher, du probisoprolol (Monocor[MD]) 2,5 mg die, de l'AAS (Aspirin[MD]) 81 mg die et de la nitroglycérine 0,4 mg/dose une à deux pulvérisations sublinguales au besoin (S.L. p.r.n.). Cependant, il dit ne pas les prendre régulièrement en raison de son travail : « Je suis tellement occupé que j'oublie de les prendre. J'ai dû prendre de la nitro dernièrement. »

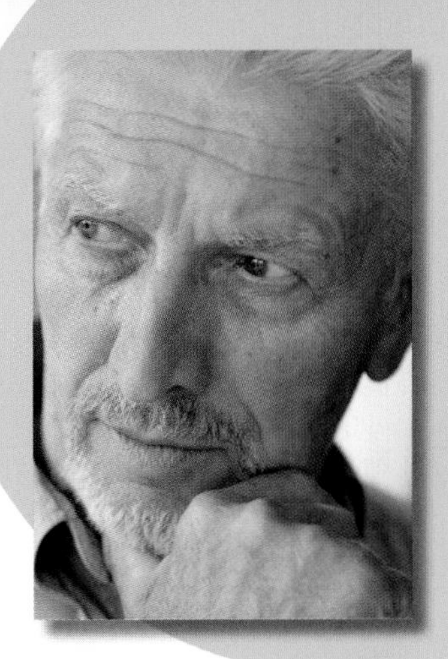

Le client hésite à aborder ses préoccupations quant à ses activités sexuelles. C'est avec une certaine gêne qu'il dit à l'infirmière : « J'ai peur d'avoir de la douleur dans la poitrine si j'ai des relations sexuelles. Je crois bien que je devrai m'abstenir d'en avoir pendant un bon bout de temps. »

Mise en œuvre de la démarche de soins

(i+) SOLUTIONNAIRE

Collecte des données – Évaluation initiale – Analyse et interprétation

1. L'infirmière doit recueillir de l'information précise par rapport à trois données cliniques importantes qui ne sont pas précisées dans la mise en contexte. Lesquelles?
2. Plusieurs données pertinentes sur le problème cardiaque de monsieur Savoie ne sont pas mentionnées dans cette mise en contexte. Trouvez-en cinq.
3. Parmi les données connues, nommez les cinq qui constituent des facteurs de risque de maladie cardiovasculaire pour ce client.
4. Comme monsieur Savoie souffre d'une angine instable, nommez cinq données à vérifier concernant les crises d'angine qu'il peut avoir.
5. La pression artérielle de monsieur Savoie est de 142/84 mm Hg. Comment interpétez-vous cette nouvelle donnée?
6. Pourquoi le client prend-il du pro bisoprolol (Monocor[MD])?
7. Comment la valeur de la cholestérolémie doit-elle être interprétée?
8. Comme monsieur Savoie est diabétique de type 2, pourquoi serait-il justifié de savoir quels antidiabétiques il prend?
9. À la suite de l'évaluation initiale, quelles données justifient le problème prioritaire inscrit dans l'extrait de plan thérapeutique infirmier du client présenté ci-dessous?

Récemment vu dans ce chapitre

Si à votre arrivée à sa chambre, monsieur Savoie vous avait informé qu'il ressentait une douleur thoracique sous forme de serrement à la poitrine depuis environ 20 minutes, quelles auraient été vos interventions après avoir évalué le PQRSTU?

MISE EN ŒUVRE DE LA DÉMARCHE DE SOINS

Extrait

CONSTATS DE L'ÉVALUATION								
Date	Heure	N°	Problème ou besoin prioritaire	Initiales	RÉSOLU / SATISFAIT			Professionnels / Services concernés
					Date	Heure	Initiales	
2016-04-28	*10:30*	*2*	*Non-adhésion au traitement pharmacologique*	*M.D.L.*				

Signature de l'infirmière	Initiales	Programme / Service	Signature de l'infirmière	Initiales	Programme / Service
Marie-Denise Lefrançois	*M.D.L.*	*Unité de cardiologie*			

Planification des interventions – Décisions infirmières

10. Quelle intervention serait vraisemblablement appropriée pour diminuer les inquiétudes de monsieur Savoie quant au déclenchement de la douleur durant ses activités sexuelles?
11. Quel résultat faut-il escompter à la suite de l'intervention planifiée en réponse à la question précédente?

Évaluation des résultats – Évaluation en cours d'évolution

12. Quelle donnée indiquerait que l'angine de poitrine de monsieur Savoie est mieux contrôlée?
13. Nommez trois comportements qui démontreraient que le client s'implique positivement dans la prise en charge de sa situation de santé.

Récemment vu dans ce chapitre

Quelques heures après son admission, monsieur Savoie a subi une angioplastie transluminale percutanée et l'installation d'une endoprothèse sur la coronaire gauche par voie radiale droite. Quelle surveillance devrez-vous effectuer à son retour à la chambre?

APPLICATION DE LA PENSÉE CRITIQUE

Dans l'application de la démarche de soins auprès de monsieur Savoie, l'infirmière a recours aux éléments du modèle de la pensée critique pour analyser la situation de santé du client et en comprendre les enjeux. La **FIGURE 41.16** résume les caractéristiques de ce modèle en fonction des données de ce client, mais elle n'est pas exhaustive.

VERS UN JUGEMENT CLINIQUE

CONNAISSANCES

- Anatomie du cœur et de la circulation coronarienne
- Caractéristiques de la douleur thoracique
- Différences entre l'angine de poitrine et l'infarctus du myocarde
- Facteurs de risque de la coronaropathie
- Analyses de laboratoire et examens paracliniques
- Médicaments administrés pour soulager ou prévenir la douleur thoracique
- Valeurs normales des analyses de laboratoire propres à la coronaropathie

EXPÉRIENCES

- Expérience en cardiologie et en soins intensifs coronariens
- Enseignement à la clientèle

NORME

- Ordonnance collective locale en cas de douleur thoracique

ATTITUDES

- Ne pas culpabiliser monsieur Savoie parce qu'il ne suit pas assidûment la prise de ses médicaments
- Accepter d'aborder les préoccupations sexuelles lorsque le client l'exprime

PENSÉE CRITIQUE

ÉVALUATION

- Facteurs de risque de coronaropathie présents chez monsieur Savoie
- Évaluation complète de la douleur thoracique (facteurs déclencheurs, type de douleur, intensité et durée, irradiation, moyens de soulagement, temps requis pour un soulagement, durée du soulagement, autres signes et symptômes associés)
- Valeurs des signes vitaux
- Adhésion à la pharmacothérapie par monsieur Savoie
- Bilan lipidique
- Préoccupations du client quant à ses activités sexuelles

JUGEMENT CLINIQUE

FIGURE 41.16 Application de la pensée critique à la situation de santé de monsieur Savoie

Chapitre 42

INTERVENTIONS CLINIQUES

Insuffisance cardiaque

Écrit par :
Carolyn Moffa, MSN, FNP-C, CHFN

Adapté par :
Hugues Provencher-Couture, M. Sc., IPSC
Jean-Dominic Rioux, M. Sc., IPSC

Mis à jour par :
Marie-Ève Leblanc, inf., M. Sc., Ph. D. (c) (Sciences pharmaceutiques)

MOTS CLÉS

Contre-régulation 670
Dysfonction diastolique 667
Dysfonction systolique 667
Dyspnée nocturne paroxystique 673
Insuffisance cardiaque (IC) 666
Insuffisance cardiaque en décompensation aiguë (ICDA) 671
Mécanismes compensatoires 668
Œdème pulmonaire 671
Orthopnée 673
Réadaptation cardiaque 680
Revascularisation coronarienne 680
Transplantation cardiaque 697

OBJECTIFS

Après avoir étudié ce chapitre, vous devriez être en mesure :

- de préciser la physiopathologie de l'insuffisance ventriculaire systolique et de l'insuffisance ventriculaire diastolique ;
- d'établir le lien entre les mécanismes compensatoires qui interviennent dans l'insuffisance cardiaque et l'apparition de l'insuffisance cardiaque en décompensation aiguë et de l'insuffisance cardiaque chronique ;
- de déterminer les interventions infirmières et les processus thérapeutiques appropriés dans la prise en charge de l'insuffisance cardiaque en décompensation aiguë et de l'œdème pulmonaire ;
- de déterminer les interventions infirmières et les processus thérapeutiques appropriés dans la prise en charge de l'insuffisance cardiaque chronique ;
- de décrire les interventions infirmières appropriées en réadaptation cardiaque dans la prise en charge de l'insuffisance cardiaque chronique ;
- d'énumérer les indications de la revascularisation coronarienne en insuffisance cardiaque chronique ;
- d'énumérer les indications de la transplantation cardiaque ;
- de décrire les interventions cliniques auprès d'un client greffé du cœur.

Disponible sur 

- Animation
- À retenir
- Carte conceptuelle
- Pour en savoir plus
- Solutionnaire de l'Analyse d'une situation de santé
- Solutionnaire des questions de Jugement clinique
- Solutionnaire des questions Réactivation des connaissances
- Solutionnaire des questions Récemment vu dans ce chapitre
- Solutionnaires du Guide d'études

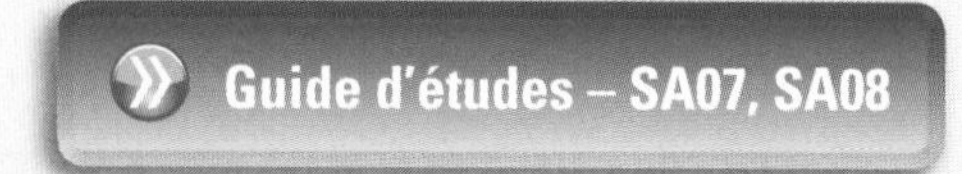

Concepts clés

Cette carte conceptuelle illustre schématiquement les principaux concepts décrits dans le présent chapitre. Sa lecture vous permettra d'avoir une vue d'ensemble des notions qui y sont présentées.

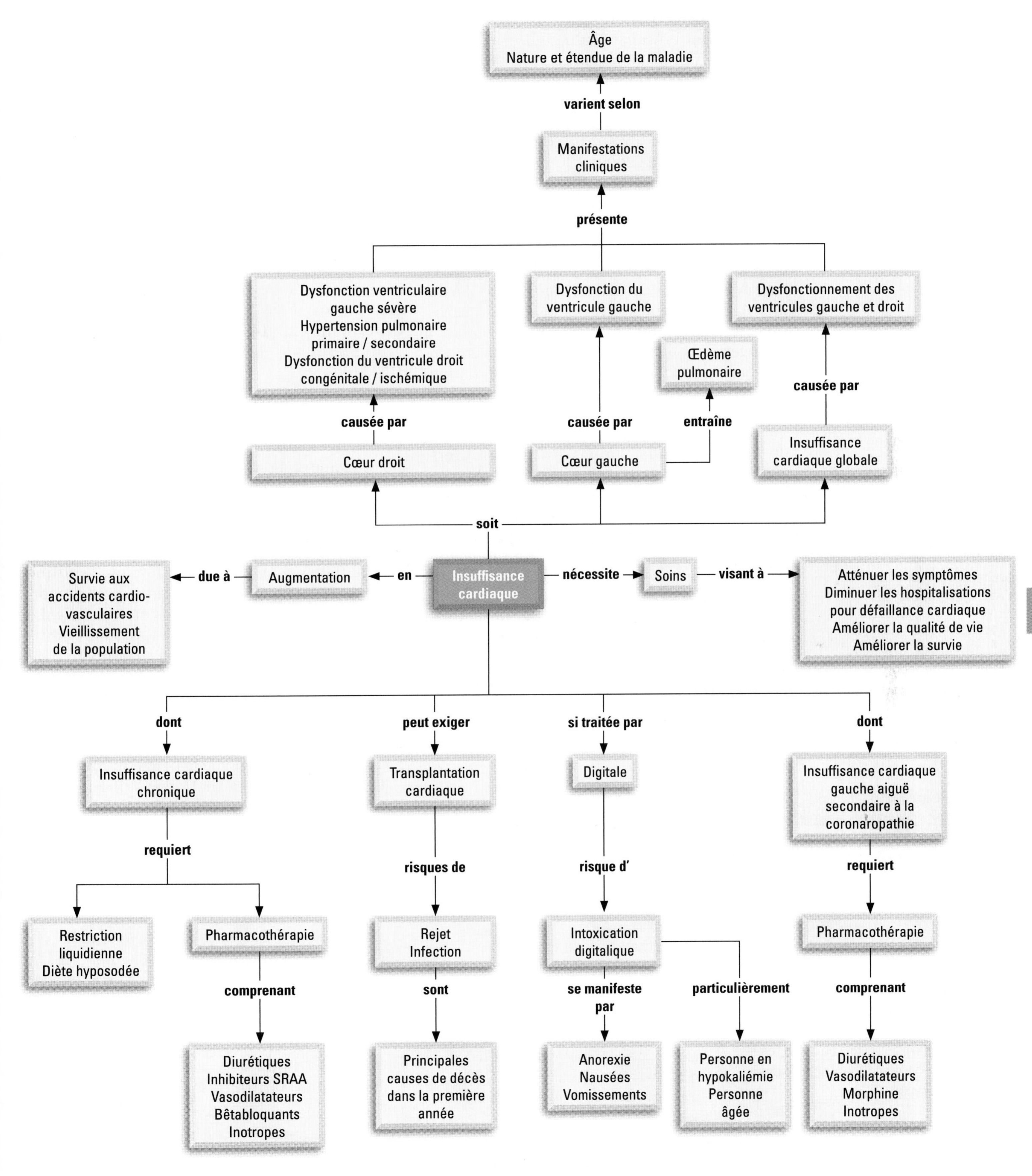

42

42.1 Insuffisance cardiaque

L'**insuffisance cardiaque (IC)** est un syndrome caractérisé par l'incapacité du cœur à exercer sa fonction de pompage ou de remplissage. L'appelation IC est plus couramment utilisée que l'expression insuffisance cardiaque congestive du fait que la congestion pulmonaire (ou surcharge volumique) n'est pas toujours présente (Hunt, Abraham, Chin *et al.*, 2009). L'IC découle de nombreuses maladies cardiovasculaires, en particulier de l'hypertension artérielle, de la coronaropathie et des différentes valvulopathies.

L'insuffisance cardiaque constitue un problème de santé majeur au Canada. À l'opposé d'autres problèmes cardiovasculaires, cette maladie voit s'accroître son incidence et sa prévalence. Cette augmentation est imputable à l'allongement de la survie aux accidents cardiovasculaires et au vieillissement de la population. À l'heure actuelle, près de 26 millions de personnes sont atteintes d'IC dans le monde (Ambrosy, Fonarow, Butler *et al.*, 2014), dont 400 000 au Canada (Lainesse & Desaulniers, 2006). Chaque année, 80 000 Canadiens sont hospitalisés pour une IC nouvellement diagnostiquée ; cela porte le nombre total d'hospitalisations causées par cette affection à 160 000 avec un taux de réadmissions atteignant 16,6 % en moyenne au pays (Lainesse & Desaulniers, 2006). Chez les personnes âgées, une personne sur 100 en est atteinte. D'ailleurs, 80 % des personnes admises pour décompensation d'insuffisance cardiaque sont âgées de 65 ans et plus (Artinian, 2003). L'IC représente ainsi le principal motif d'hospitalisation des personnes de plus de 65 ans, et elle engendre, par conséquent, d'énormes répercussions économiques sur le système de santé (Hunt *et al.*, 2009). L'incidence de la maladie est la même chez les hommes et chez les femmes, mais la présentation peut différer selon le sexe **TABLEAU 42.1**.

CE QU'IL FAUT RETENIR

La maladie coronarienne, l'âge avancé et l'hypertension artérielle sont des facteurs de risque majeurs de l'IC.

Les taux de morbidité et de mortalité associés à l'IC sont élevés. La durée moyenne du séjour hospitalier pour cette maladie est de 6,5 jours, tandis que le taux de mortalité s'établit à 4,1 %. Toutefois, de 1994 à 2004, on a observé un déclin significatif des réhospitalisations de 27,6 % et des décès de 23,5 % (Tu, Nardi, Fang *et al.*, 2009).

La création de cliniques d'IC au Canada favorise un meilleur suivi des clients par un traitement plus précoce et par la prise en charge individualisée de ceux-ci selon leurs pathologies sous-jacentes (Agence de la santé publique du Canada, 2009). Ces cliniques pourraient être impliquées dans le déclin de la mortalité liée à l'IC.

Différences hommes-femmes

TABLEAU 42.1 Insuffisance cardiaque

HOMMES	FEMMES
• La dysfonction systolique est plus fréquente chez l'homme que chez la femme. • L'effet de diminution de la mortalité de l'inhibiteur de l'enzyme de conversion de l'angiotensine (IECA) dans le traitement de la dysfonction systolique asymptomatique est plus grand chez l'homme que chez la femme.	• La dysfonction diastolique est plus fréquente chez la femme que chez l'homme. • La femme est plus à risque d'éprouver la toux sèche liée aux IECA que l'homme. • Le risque de décès relié à la prise de digitale chez la femme est plus élevé que chez l'homme, ce qui diminue les avantages de prendre ce médicament à long terme. • La femme diabétique est plus prédisposée à l'insuffisance cardiaque que l'homme.

42.1.1 Étiologie et physiopathologie

La coronaropathie et l'âge avancé sont les principaux facteurs de risque de l'IC. L'hypertension artérielle, le diabète, le tabagisme, l'obésité et un taux élevé de cholestérol sérique (dyslipidémie) sont d'autres facteurs de risque associés à l'IC. Parmi ceux-ci, l'hypertension artérielle en est un d'importance majeure puisqu'il triple le risque d'apparition de l'IC. Celui-ci augmente en proportion de la gravité de l'hypertension artérielle. Le diabète prédispose également à l'IC, sans égard à la présence concomitante de coronaropathie ou d'hypertension artérielle. Ces facteurs de risque démontrent l'importance de la prévention.

Toute anomalie des mécanismes de régulation du **débit cardiaque** (D.C.) peut causer de l'IC. Le débit cardiaque dépend de la fréquence cardiaque (F.C.) et du volume d'éjection systolique (de la précharge, de la postcharge et de la contractilité myocardique). Toute altération de ces éléments peut entraîner une dysfonction ventriculaire qui se manifeste par de l'IC.

Les principales causes de l'IC se rangent dans deux catégories : les causes primaires **TABLEAU 42.2** et les causes d'exacerbation **TABLEAU 42.3**. Ces dernières ont souvent pour effet d'accroître la charge de travail des ventricules et de déclencher une phase aiguë de la maladie qui conduira à la dysfonction myocardique.

Physiopathologie de l'insuffisance cardiaque

L'IC se caractérise par une dysfonction systolique ou une dysfonction diastolique. Dans certains cas, la dysfonction systolique coexiste avec la dysfonction diastolique.

Dysfonction systolique

La **dysfonction systolique** est une anomalie de la fonction cardiaque qui empêche le cœur de pomper une quantité de sang suffisante pour combler les besoins métaboliques des tissus corporels. Elle peut être causée par un déficit de contractilité (p. ex., un infarctus du myocarde), par l'accroissement de la postcharge (p. ex., l'hypertension artérielle), par la cardiomyopathie (p. ex., une endocardite de nature virale) ou par une anomalie mécanique (p. ex., une valvulopathie). Dans la dysfonction systolique, le ventricule gauche (V.G.) ne peut plus générer suffisamment de pression pour éjecter le sang dans l'aorte. La diminution de la **fraction d'éjection** (F.E.) du ventricule gauche est le trait marquant de la dysfonction systolique. La fraction d'éjection du ventricule gauche (FEVG) correspond à la quantité de sang éjecté du V.G. (exprimée en pourcentage) à chaque contraction (**systole**). Au repos, un ventricule sain éjecte environ 60 % du contenu de ses cavités (McKinley, O'Loughlin & Bidle, 2014).

Dysfonction diastolique

La **dysfonction diastolique** (ou insuffisance cardiaque avec fraction d'éjection préservée) découle de l'incapacité des ventricules à se détendre pour se remplir durant la **diastole** . Ce remplissage partiel des ventricules se traduit par la diminution du volume d'éjection systolique et du débit cardiaque. La dysfonction diastolique se caractérise par l'élévation de la pression de remplissage due à la rigidité ou à l'inefficacité ventriculaire, et elle se manifeste par une stase veineuse tant pulmonaire que systémique. Le diagnostic de dysfonction diastolique repose sur la présence de congestion pulmonaire, d'hypertension pulmonaire, d'hypertrophie ventriculaire et d'une fraction d'éjection normale (Huether & McCance, 2008).

La dysfonction diastolique est habituellement subséquente à l'hypertrophie ventriculaire gauche provoquée par l'hypertension artérielle (cause la plus courante), le rétrécissement aortique ou la cardiomyopathie hypertrophique. Elle se produit le plus fréquemment chez les personnes âgées, les femmes et les personnes obèses.

L'insuffisance cardiaque, quelle que soit sa forme, peut se traduire par une pression artérielle (P.A.) basse, un D.C. faible et une circulation sanguine rénale entravée **FIGURE 42.1**. Que cette affection soit de nature aiguë, quand elle est l'aboutissement d'un infarctus du myocarde, ou de nature chronique, lorsqu'elle découle de l'aggravation d'une cardiomyopathie ou de l'hypertension artérielle, le corps réagit à la baisse du D.C. en faisant appel à des

Quels sont les paramètres normaux de la fraction d'éjection du ventricule gauche ?

Animation : *Cycle cardiaque – systole et diastole.*

CE QU'IL FAUT RETENIR

Quelle que soit sa forme, l'IC peut se traduire par une pression artérielle basse, un débit cardiaque faible et une circulation sanguine rénale entravée.

TABLEAU 42.2 Causes primaires de l'insuffisance cardiaque

CAUSES PRIMAIRES		EFFETS DE LA PATHOLOGIE SUR LE CŒUR
Cardiaques	Coronaropathie, notamment l'infarctus du myocarde	• ↓ contractilité
	Malformations cardiaques congénitales (p. ex., une communication interventriculaire, une sténose de la valve pulmonaire)	• ↑ précharge : ↓ contractilité (communication interventriculaire) • ↑ postcharge (sténose de la valve pulmonaire)
	Myocardite (p.ex., de nature virale, toxique ou postpartum)	• ↓ contractilité
	Péricardite constrictive	• ↑ postcharge ou remplissage ventriculaire altéré
	Tachyarythmie	• ↓ contractilité
	Valvulopathies (p.ex., régurgitation ou sténose)	• ↑directe ou indirecte de la postcharge ou de la précharge (si postcharge↑, ↓ contractilité avec le temps)
Circulatoires	Hypertension artérielle, y compris la crise hypertensive	• ↑ postcharge pulmonaire
	Hypertension pulmonaire	• ↑ postcharge pulmonaire
Autres	Alcool	• ↓ contractilité
	Chimiothérapie	• ↓ contractilité ou remplissage ventriculaire altéré
	Cocaïne	• ↓ contractilité

TABLEAU 42.3 Causes d'exacerbation de l'insuffisance cardiaque

CAUSES D'EXACERBATION		MÉCANISMES
Cardiaques	Angine / infarctus	• ↓ contractilité
	Arythmie	• ↓ possible débit cardiaque, ↑ travail du cœur et ↑ consommation d'oxygène (O_2) du myocarde
	Endocardite bactérienne	• ↓ infection, ↑ besoins métaboliques et O_2 • Dysfonction valvulaire causant sténose et régurgitation
	Ischémie myocardique	• ↓ apport d'O_2 au myocarde, ↓ contractilité
Circulatoires	Poussée hypertensive	• ↑ postcharge
	Hypervolémie (p.ex., la non-adhésion de la restriction sodée)	• ↑ précharge occasionnant une surcharge de volume
Pulmonaires	Maladie pulmonaire (p.ex., l'embolie pulmonaire)	• ↑ pression artérielle pulmonaire et production d'une tension dans le ventricule droit, provoquant sa dilatation et l'insuffisance de ce ventricule (p.ex., le cœur pulmonaire)
Rénales	Insuffisance rénale aiguë	• ↓ diurèse, ↑ volume circulant et ↑ précharge
Thyroïdiennes	Thyréotoxicose	• Modification du rythme métabolique (vitesse à laquelle les calories sont dépensées), ↑ fréquence cardiaque et travail du cœur
	Hypothyroïdie	• Prédisposition indirecte à ↑ athérosclérose ; hypothyroïdie sévère entraîne ↓ contractilité cardiaque
Autres	Anémie	• ↓ capacité de transport d'O_2 du sang cause ↑ débit cardiaque pour satisfaire les besoins tissulaires
	Maladie de Paget	• ↑ travail du cœur, ↑ lit vasculaire des muscles squelettiques
	Infection	• ↑ besoins en O_2 des tissus cause ↑ débit cardiaque
	Carences alimentaires	• ↓ possible fonction cardiaque par ↓ masse musculaire et par ↓ contractilité cardiaque
	Anti-inflammatoires non stéroïdiens (AINS) / corticostéroïdes	• Mécanisme de rétention hydrique qui entraîne ↑ précharge
	Intoxication médicamenteuse ou interaction avec des médicaments ou des produits naturels	• Selon la substance ou la médication
	Non-adhésion pharmacologique	• Selon la médication

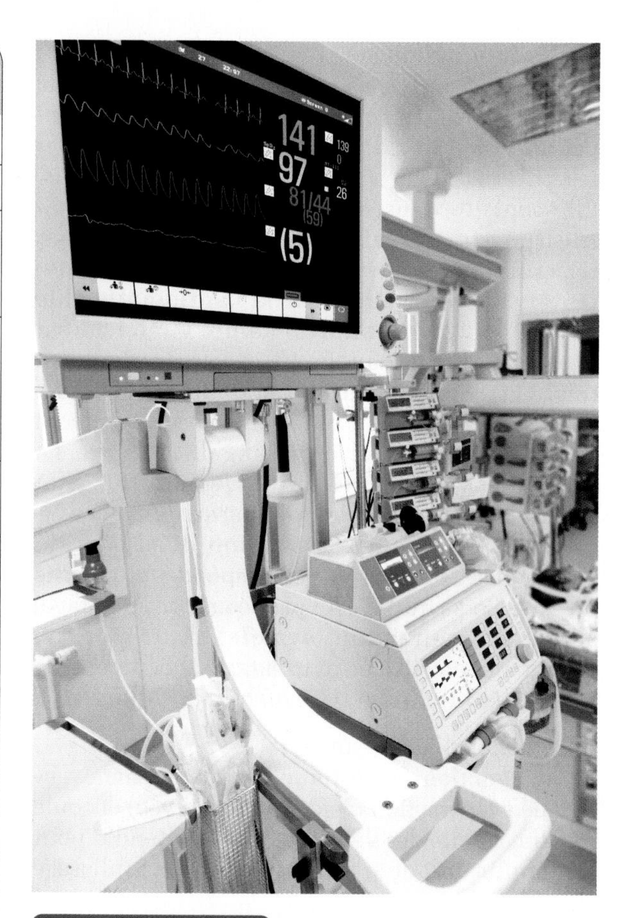

FIGURE 42.1 Appareil de monitorage et de saturométrie chez un client hospitalisé

mécanismes compensatoires afin de maintenir ce débit et la pression artérielle.

Mécanismes compensatoires

L'insuffisance cardiaque peut survenir brusquement, à la suite de l'infarctus du myocarde aigu ou de la fibrillation auriculaire, ou apparaître insidieusement à la suite d'altérations lentes, progressives. Le cœur surchargé a recours à des mécanismes compensatoires dans l'espoir de maintenir un D.C. suffisant, soit :

- l'activation du système nerveux sympathique (SNS) ;
- la réaction neurohormonale ;
- la dilatation ventriculaire ;
- l'hypertrophie ventriculaire.

Activation du système nerveux sympathique

L'activation du système nerveux sympathique est souvent le premier mécanisme déclenché par la diminution du D.C. Toutefois, il s'agit du mécanisme compensatoire le moins efficace. En réaction au volume d'éjection systolique et au débit cardiaque insuffisants, le SNS s'active pour accroître la libération de catécholamines (adrénaline et noradrénaline). Ces substances produisent une augmentation de la fréquence cardiaque et de la contractilité myocardique ainsi qu'une vasoconstriction systémique. La fréquence cardiaque et la contractilité accrues améliorent initialement le débit cardiaque. Cependant, à long terme, ces mécanismes deviennent néfastes parce qu'ils augmentent les besoins en oxygène du myocarde et le travail du cœur déjà défaillant. La vasoconstriction périphérique provoque la hausse immédiate de la précharge, théoriquement susceptible d'augmenter initialement le D.C. Ce phénomène découle de la **loi de Frank-Starling**. En effet, selon cette loi, plus le volume ventriculaire durant la diastole est élevé, plus les fibres myocardiques sont étirées avant la stimulation, ce qui augmente le coupage entre l'actine et la myosine (myofilaments du myocyte), ainsi que la sensibilité du myocyte (cellule musculaire) au calcium. Par conséquent, plus grande sera la force de la prochaine contraction, plus le débit cardiaque augmentera, en rapport avec la précharge plus élevée. Toutefois, l'augmentation du retour veineux, dans un cœur déjà défaillant avec une élévation du volume télésystolique et du volume télédiastolique, aggravera la dysfonction ventriculaire.

Réaction neurohormonale

Au fur et à mesure que le débit cardiaque chute, le débit sanguin rénal diminue. L'appareil juxtaglomérulaire du rein interprète cette diminution du flux sanguin comme une baisse de volume. En réaction, les reins sécrètent la rénine, une enzyme qui transforme l'angiotensinogène (protéine plasmatique produite par le foie) en angiotensine I. Par la suite, l'enzyme de conversion de l'angiotensine (ECA), formée dans les poumons, convertit l'angiotensine I en angiotensine II. Cette dernière stimule la sécrétion d'aldostérone par la corticosurrénale, qui provoque la rétention de sodium et d'eau, et cause une vasoconstriction systémique accrue qui cause l'augmentation de la pression artérielle. Cette réaction est en fait celle découlant de l'activation du système rénine-angiotensine-aldostérone (SRAA) ▶ 67.

La baisse du débit cardiaque entraîne également la diminution du débit sanguin cérébral. Dans ce cas, l'hypophyse postérieure sécrète l'hormone antidiurétique (ADH) ou vasopressine. Cette hormone accroît la réabsorption de sodium dans les tubules rénaux, causant ainsi de la rétention d'eau et, par conséquent, une augmentation du volume sanguin (précharge). Celle-ci se produit alors qu'il y a déjà une surcharge de volume, à l'intérieur d'un cœur défaillant. Encore une fois, ce mécanisme compensatoire est utile en situation aiguë; cependant, dans le cas d'une IC chronique, il deviendra délétère.

D'autres éléments contribuent eux aussi à l'apparition de l'IC. Ainsi, l'ADH, les catécholamines et l'angiotensine II stimulent la libération d'endothéline, un puissant vasoconstricteur sécrété par l'endothélium vasculaire. L'endothéline accentue la vasoconstriction artérielle ainsi que la contractilité et l'hypertrophie cardiaques (Carlson, 2009).

Par ailleurs, les cardiomyocytes produisent des cytokines pro-inflammatoires en réaction à diverses formes d'agression cardiaque (p. ex., un infarctus du myocarde). Deux cytokines, le facteur de nécrose tumorale (TNF) et l'interleukine-1 (IL-1), ralentissent la fonction cardiaque en occasionnant l'hypertrophie du muscle cardiaque, la dysfonction contractile et l'apoptose myocytaire. Au fil du temps, la réaction inflammatoire devient systémique. Cette réaction provoque alors une myopathie touchant à la fois le muscle cardiaque et les muscles squelettiques, ainsi que la fatigue caractéristique de l'IC.

L'activation du SNS et la réaction neurohormonale ont pour effet d'accroître les taux de noradrénaline, d'angiotensine II, d'aldostérone, d'ADH et des cytokines pro-inflammatoires. Initialement, ces mécanismes compensatoires améliorent le D.C. et la perfusion cellulaire. Cependant, à long terme, ils diminuent la performance de la pompe cardiaque déjà défaillante. En effet, ces médiateurs augmentent la charge de travail cardiaque, accentuent la dysfonction myocardique et provoquent un **remodelage ventriculaire passif**. Ce remodelage s'amorce quand les myocytes ventriculaires s'hypertrophient pour devenir de grosses cellules contractiles de forme anormale. Cette géométrie ventriculaire altérée s'accompagne ultimement de la hausse de la masse ventriculaire, d'une pression élevée exercée sur les parois ventriculaires, d'une consommation d'oxygène accrue et d'une diminution de la contractilité. Même si la taille des ventricules est augmentée, ceux-ci sont moins efficaces dans leur fonction de pompage. Le remodelage ventriculaire constitue un facteur de risque d'arythmie mettant la vie du client en danger de mort cardiaque subite.

Dilatation ventriculaire

La **dilatation ventriculaire** se traduit par l'expansion des cavités cardiaques **FIGURE 42.2A**. Elle survient lorsque la pression exercée par le volume de sang dans les chambres cardiaques (habituellement dans le ventricule gauche) demeure élevée pendant un certain temps. Les fibres musculaires cardiaques s'étirent pour laisser place au volume de sang présent dans le cœur à la fin de la diastole. Le degré d'étirement est directement proportionnel à la force de contraction (systole) (loi de Frank-Starling). La force de contraction accrue entraîne initialement une augmentation du débit cardiaque et le maintien de la P.A. et de la circulation sanguine. La dilatation est d'abord un mécanisme d'adaptation à la hausse du volume sanguin intraventriculaire. À plus long terme, ce mécanisme

Loi de Frank-Starling : L'étirement des fibres musculaires préalablement à la contraction augmente la force de la contraction ; donc l'augmentation du remplissage diastolique du V.G. liée à l'accroissement du retour veineux étire les fibres myocardiques et majore la force de contraction.

Remodelage ventriculaire passif : Processus pathologique qui survient à la suite d'une dysfonction myocardique, et qui altère la structure du ventricule en remplaçant les cellules musculaires nécrosées par une fibrose cicatricielle.

67

Le chapitre 67, *Évaluation clinique – Système urinaire*, présente la mécanique du système rénine-angiotensine-aldostérone.

devient inapproprié, car les composantes élastiques des fibres musculaires étirées à l'excès sont incapables désormais de se contracter efficacement, et c'est ainsi que le D.C. chute.

Hypertrophie ventriculaire

L'**hypertrophie ventriculaire** se manifeste par l'accroissement de la masse musculaire et de l'épaisseur des parois cardiaques en réaction à l'augmentation de la contractilité et à une postcharge élevée **FIGURE 42.2B.** Son apparition est lente en raison du long processus de formation du tissu musculaire supplémentaire, qui augmentera la puissance contractile du muscle cardiaque. Il s'ensuit une hausse du débit cardiaque et le maintien du débit sanguin systémique. Le muscle hypertrophié devient plus rigide, ce qui augmente les pressions télédiastoliques, qui seront ultimement transmises à l'oreillette gauche et, enfin, à la vascularisation pulmonaire, favorisant ainsi la surcharge pulmonaire (Lilly, 2011). Cependant, à long terme, la contractilité du muscle cardiaque hypertrophié s'affaiblit, et la consommation d'oxygène augmente en raison d'une masse musculaire plus élevée (situation propice à l'ischémie tissulaire); en outre, l'hypertrophie ventriculaire rend le cœur vulnérable à l'arythmie.

Mécanismes de contre-régulation

Plusieurs processus de contre-régulation illustrent l'aptitude de l'organisme à l'homéostasie, soit sa tendance à maintenir son équilibre. Ainsi, le muscle cardiaque produit deux classes de peptides natriurétiques: auriculaire (PNA) et de type B (PNB). Ces hormones favorisent la vasodilatation veineuse et artérielle (ce qui diminue respectivement la précharge et la postcharge) en réponse aux pressions intracardiaques élevées. Leur sécrétion est proportionnelle au degré d'étirement des fibres myocardiques en réponse au volume contenu dans les cavités du cœur. Ce sont des antagonistes de l'endothéline et de l'aldostérone. Elles stimulent la diurèse en augmentant le débit de filtration glomérulaire (réduisant ainsi la précharge et la surcharge volumique) et s'opposent aux effets du SRAA. En outre, ces peptides réduisent la progression de l'hypertrophie cardiaque et exerceraient un effet anti-inflammatoire. Cependant, ces effets ne sont habituellement pas suffisants pour contrer complètement la vasoconstriction et les effets de rétention de volume des autres mécanismes hormonaux (Lilly, 2011).

Le PNA est stocké dans des cellules auriculaires, et l'étirement du muscle cardiaque, aussi mineur soit-il, peut déclencher la libération de ce peptide dans la circulation. C'est l'augmentation de pression secondaire à une hausse du volume, particulièrement dans le ventricule gauche, qui déclenche la libération du PNB par les cellules ventriculaires. D'ailleurs, le taux de PNB s'accroît de beaucoup chez une personne atteinte d'IC. La distension auriculaire et ventriculaire persistante (présente dans l'IC) provoque la déplétion de ces peptides (Silver, Maisel, Yancy *et al.*, 2004). L'endothélium vasculaire produit en outre de l'oxyde nitrique (NO) en réaction aux mécanismes compensatoires activés dans l'insuffisance cardiaque. À l'instar des peptides natriurétiques, l'oxyde nitrique favorise la relaxation des muscles lisses artériels, ce qui amène la vasodilatation et la diminution de la postcharge.

La **compensation cardiaque** s'installe lorsque les mécanismes compensatoires parviennent à rétablir le D.C. permettant de maintenir la circulation sanguine systémique. Quand ces mécanismes échouent dans leur tâche de maintenir un D.C. suffisant et que l'irrigation tissulaire en souffre, la **décompensation cardiaque** est inévitable.

Décompensation cardiaque: Incapacité du cœur à fournir un apport sanguin suffisant pour les besoins métaboliques de l'organisme, caractérisée par une diminution de la capacité cardiaque à l'effort.

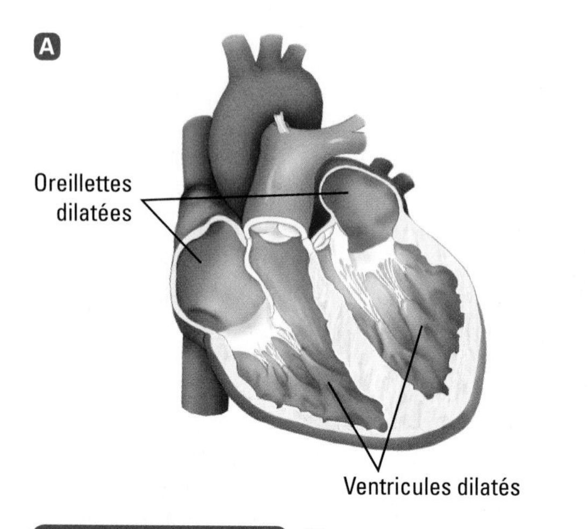

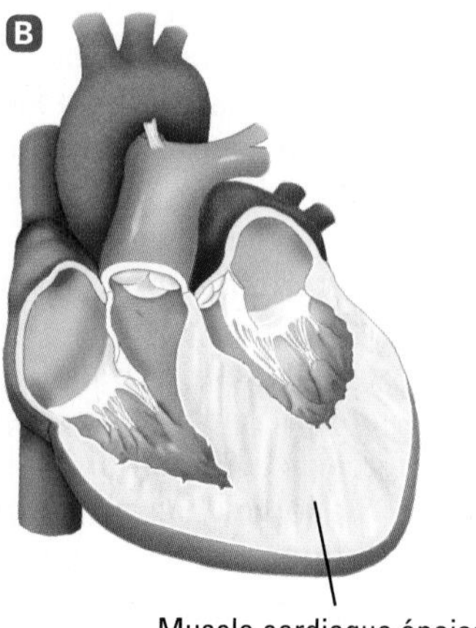

FIGURE 42.2 A Cavités cardiaques dilatées. B Muscle cardiaque hypertrophié.

42.1.2 Formes d'insuffisance cardiaque

Habituellement, l'IC se manifeste d'abord dans un seul ventricule, plus souvent le gauche. Par la suite, lorsque les mécanismes compensatoires ne sont plus en mesure d'assurer un fonctionnement adéquat du cœur, l'insuffisance prend la forme d'une IC globale (dysfonction biventriculaire). Par exemple, dans le cas d'un infarctus antérieur du myocarde, seul le V.G. peut être atteint. En général, le cœur droit et le cœur gauche sont synchronisés dans leur action de pompage de manière à produire un flux sanguin continu. Dans certaines affections, toutefois, l'un des côtés peut ne plus être en mesure de fonctionner normalement, tandis que l'autre demeure indemne. Sous l'effet de la surcharge de travail, le cœur droit et le cœur gauche finiront par cesser de fonctionner efficacement, donnant lieu à l'IC globale.

Insuffisance cardiaque gauche

L'insuffisance du cœur gauche est la forme d'IC la plus courante **FIGURE 42.3**. Elle découle de la dysfonction du ventricule gauche, laquelle, en diminuant le volume d'éjection, provoque une accumulation de sang dans l'oreillette gauche (précharge ventriculaire gauche) et dans les veines pulmonaires. La pression pulmonaire ainsi accrue entraîne une extravasation interstitielle puis alvéolaire du réseau capillaire pulmonaire, qui se manifeste par la congestion vasculaire et l'œdème pulmonaire.

Insuffisance cardiaque droite

L'IC droite provoque l'accumulation de sang dans l'oreillette droite et dans le circuit sanguin veineux systémique. La stase veineuse systémique subséquente entraîne dans son sillage la distension veineuse jugulaire, la congestion vasculaire abdominale (hépatomégalie, splénomégalie, stase vasculaire dans le tractus gastro-intestinal) et de l'œdème périphérique. L'IC gauche constitue la principale cause d'IC droite. Dans cette situation, l'insuffisance gauche provoque la congestion vasculaire pulmonaire et l'augmentation de la pression dans les vaisseaux sanguins pulmonaires (hypertension pulmonaire). Cette hypertension pulmonaire, en devenant chronique (postcharge ventriculaire droite accrue), provoque l'insuffisance du cœur droit. En effet, en réponse à des pressions pulmonaires élevées, le ventricule droit deviendra hypokinétique (diminution de la contractilité) et dysfonctionnel, ce qui provoquera la congestion veineuse systémique. Le **cœur pulmonaire** (dilatation et hypertrophie du ventricule droit causées par la maladie pulmonaire) est également une cause d'IC droite ▶ 35. Enfin, l'infarctus ventriculaire droit peut causer l'IC droite.

42.1.3 Manifestations cliniques : insuffisance cardiaque en décompensation aiguë

L'**insuffisance cardiaque en décompensation aiguë (ICDA)** survient lorsque les mécanismes compensatoires n'ont pas eu le temps de s'activer ou ne sont plus efficaces, ce qui requiert une intervention médicale. Parce que les symptômes de l'IC sont non spécifiques dans beaucoup de cas, l'évaluation clinique et l'établissement du diagnostic exact peuvent être difficiles. Par exemple, la fatigue, la dyspnée et l'inappétence (perte d'appétit) sont des symptômes que les clients peuvent ressentir dans diverses pathologies. Chez la personne en insuffisance cardiaque en décompensation aiguë, il y a présence de signes et symptômes tels la dyspnée au repos, l'orthopnée, la toux et l'œdème. L'insuffisance cardiaque en décompensation aiguë avec dysfonction systolique gauche se manifeste habituellement de façon rapide par des signes de baisse du débit cardiaque, de diminution de la perfusion tissulaire ou par de l'œdème pulmonaire, un état mettant la vie du client en danger, caractérisé par l'envahissement des alvéoles pulmonaires par du liquide sérosanguin **FIGURE 42.4**.

La cause la plus courante de l'œdème pulmonaire est l'IC gauche aiguë secondaire à la coronaropathie. La plupart des cas d'insuffisance cardiaque en décompensation aiguë présentent une hausse de la pression veineuse pulmonaire provoquée par la dysfonction ventriculaire gauche. En effet, l'augmentation du volume du V.G. crée une hausse des

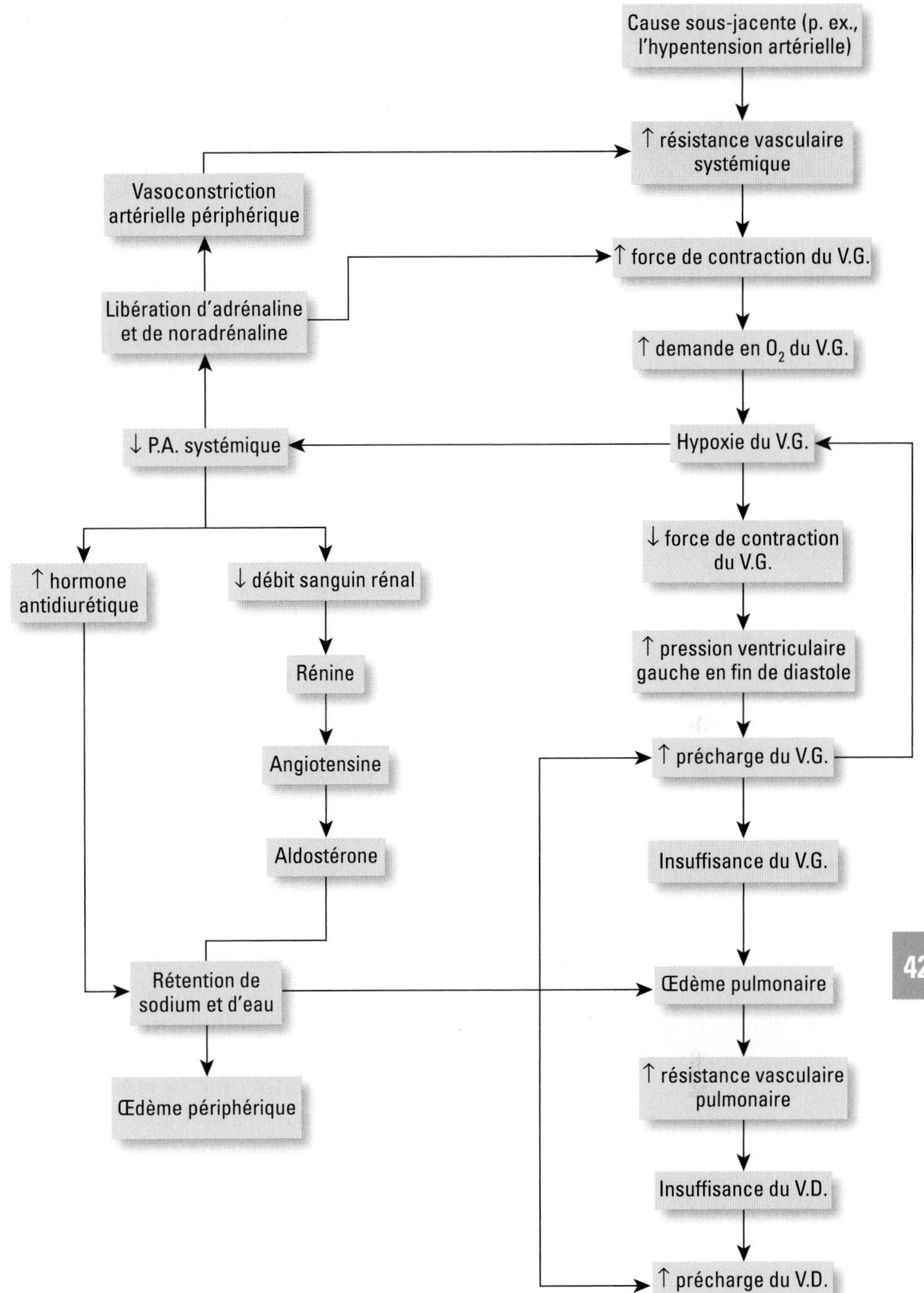

FIGURE 42.3 Physiopathologie de l'insuffisance cardiaque – L'élévation de la résistance vasculaire systémique entraîne l'insuffisance du cœur gauche qui provoque l'insuffisance du cœur droit. Le SRAA augmente la résistance vasculaire systémique et la précharge.

35

Le chapitre 35, *Interventions cliniques – Troubles des voies respiratoires inférieures*, décrit la physiopathologie et les manifestations cliniques du cœur pulmonaire ainsi que la prise en charge du client atteint.

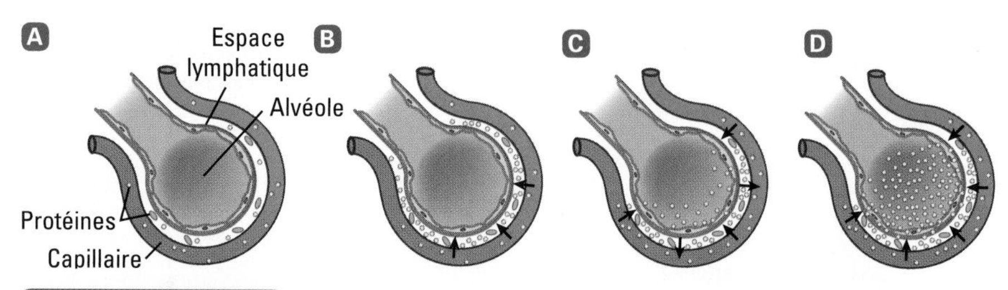

FIGURE 42.4 À mesure que l'œdème pulmonaire progresse, l'efficacité des échanges gazeux (O_2 et dioxyde de carbone [CO_2]) à l'interface des alvéoles et des capillaires diminue. A Équilibre normal. B L'augmentation de la pression capillaire hydrostatique provoque un mouvement liquidien de l'espace vasculaire à l'espace interstitiel. C Le débit lymphatique s'accroît afin d'attirer le liquide dans l'espace vasculaire ou lymphatique. D L'incapacité du système lymphatique et l'aggravation de l'IC gauche accentuent le déplacement liquidien vers l'espace interstitiel et dans les alvéoles.

CE QU'IL FAUT RETENIR

L'IC gauche découle de la dysfonction du ventricule gauche. La diminution du volume d'éjection provoque une accumulation de sang dans l'oreillette gauche (précharge ventriculaire gauche) et dans les veines pulmonaires.

CE QU'IL FAUT RETENIR

L'IC droite provoque l'accumulation de sang dans l'oreillette droite et dans le circuit sanguin veineux systémique, causant la distension veineuse jugulaire, la congestion vasculaire abdominale et l'œdème périphérique.

pressions dans sa cavité qui se transmet par la suite à l'oreillette gauche pour ensuite augmenter dans les veines pulmonaires. Il s'ensuit une stase vasculaire pulmonaire. Les poumons perdent alors de l'efficacité, et la résistance dans les petites voies respiratoires s'accroît. De plus, le système lymphatique hausse son débit afin que le volume de liquide pulmonaire extravasculaire demeure constant et, ainsi, tente de compenser la hausse du transsudat dans l'espace interstitiel. Cette phase initiale se caractérise également par l'augmentation de la fréquence respiratoire (F.R.) et la diminution de la pression partielle de l'oxygène dans le sang artériel (PaO_2). À ce stade-ci de l'affection, le client peut éprouver des symptômes de dyspnée à l'effort.

Si la pression veineuse pulmonaire continue à augmenter, l'épanchement de liquide dans l'espace interstitiel devient tel que le système lymphatique ne suffit plus à la tâche, et c'est à ce moment que survient l'œdème interstitiel. La tachypnée s'installe et les symptômes apparaissent (essoufflement disproportionné par rapport au degré d'activité et orthopnée). La pression veineuse pulmonaire ne cessant d'augmenter, elle provoque des bris dans l'alignement serré des cellules de la paroi alvéolaire par où s'infiltre un liquide sérosanguin contenant des globules rouges menant ainsi à l'œdème alvéolaire. Sous l'effet de la pression veineuse qui augmente toujours davantage, ce liquide finit par inonder les alvéoles et les voies respiratoires, ce qui cause l'œdème pulmonaire. L'analyse des gaz sanguins artériels (GSA) illustre l'aggravation de la situation, soit une baisse de la PaO_2 et peut-être une augmentation de la pression partielle du dioxyde de carbone ($PaCO_2$) ainsi qu'une acidose respiratoire progressive.

Les manifestations cliniques de l'œdème pulmonaire sont particulières. Le client est habituellement anxieux, pâle et possiblement cyanosé. Sa peau est moite et froide en raison de la vasoconstriction due à l'activation du SNS. Le client présente une dyspnée profonde, comme en témoignent le recours aux muscles accessoires de la respiration, et la fréquence respiratoire supérieure à 30 cycles respiratoires par minute. Le *wheezing* (sibilances) et la toux peuvent être présents, de même que des expectorations sanguinolentes et spumeuses. À l'auscultation des poumons, des crépitants, des sibilances et des rhonchis se font entendre. La fréquence cardiaque devient rapide, et la pression artérielle est élevée ou basse selon la gravité de l'insuffisance cardiaque.

Les personnes aux prises avec de l'insuffisance cardiaque en décompensation aiguë sont classées dans l'un ou l'autre des quatre groupes de clients atteints selon leur état hémodynamique et leur situation clinique : sec-chaud, sec-froid, humide-chaud ou humide-froid (Yancy, Jessup, Bozkurt *et al.*, 2013) **FIGURE 42.5**. La connotation sec ou humide qualifie l'état volémique de la personne. Ainsi, un client dit sec sera euvolémique (sans trace d'hypervolémie), tandis qu'un client classé comme étant humide présentera des signes de surcharges volémiques tels que la distension des jugulaires ou un œdème interstitiel à la radiographie pulmonaire. La connotation chaud ou froid est associée à l'état du débit cardiaque. En effet, un client dont le débit cardiaque est altéré de façon importante (froid) n'est plus en mesure d'assurer ses besoins métaboliques corporels, ce qui constitue un signe de mauvais pronostic pour lui, tandis qu'un client dit chaud possède un débit cardiaque adéquat (Arnold, Howlett, Dorian *et al.*, 2007). La présentation la plus courante est la forme chaude et humide. La circulation sanguine reste inaltérée (chaude), mais il y a présence d'une surcharge de volume (p. ex., une dyspnée, de l'œdème).

42.1.4 Manifestations cliniques : insuffisance cardiaque chronique

La détérioration progressive de la fonction ventriculaire et l'activation neurohormonale chronique provoquant le remodelage ventriculaire caractérisent l'IC chronique. Tout au long du processus, la taille, la forme et l'activité mécanique du ventricule touché se modifient. Les manifestations cliniques de l'IC chronique varient selon l'âge du client, la nature et l'étendue de la maladie cardiaque sous-jacente et selon le ventricule (droit ou gauche) qui cesse de pomper efficacement. Le **TABLEAU 42.4** présente les manifestations de l'IC droite chronique et de l'IC gauche chronique. La Heart Failure Society of America (HFSA) propose l'acronyme FACES (**F**atigue, limitation des **A**ctivités, **C**ongestion / toux, **E**nflure [œdème] et **S**ouffle court) pour faciliter le dépistage des manifestations cliniques de l'IC

(HFSA, 2002) et pour en retenir les manifestations. Les paragraphes qui suivent expliquent les signes et symptômes de l'IC.

Fatigue

La fatigue est l'un des premiers symptômes de l'IC chronique. Elle se manifeste d'abord après les activités habituelles et, ultimement, elle les entrave. La baisse du D.C., l'altération de l'irrigation sanguine des organes vitaux, la diminution de l'oxygénation tissulaire et l'anémie contribuent à la fatigue expérimentée par le client. L'anémie peut découler :

- de l'alimentation déficiente ;
- de la maladie rénale ;
- du traitement médicamenteux (p. ex., les inhibiteurs de l'enzyme de conversion de l'angiotensine).

En effet, un client aux prises avec une congestion pulmonaire chronique dyspnéique au moindre effort éprouve de la difficulté à manger et à mastiquer. La congestion du réseau vasculaire abdominal peut également provoquer une sensation de ballonnement. La muqueuse gastrique œdématiée crée une sensation de plénitude et retarde la digestion. Ces facteurs contribuent donc à voir s'installer une alimentation déficiente.

La maladie rénale s'installe progressivement, surtout en raison de la baisse de la perfusion rénale secondaire, de la diminution du débit cardiaque qui stimule le système sympathique et de l'augmentation de la vasoconstriction périphérique, dont celle des artères rénales. Les cellules rénales deviennent ischémiques et activent tout un processus de stimulation de protéines inflammatoires créant la détérioration du parenchyme rénal et la fibrose. L'insuffisance rénale, en soi, est également un facteur de développement d'anémie à cause de la diminution de production d'érythropoïétine, nécessaire à la production de globules rouges, par les cellules rénales.

Les médicaments peuvent également contribuer à l'aggravation de l'anémie. Par exemple, l'acide acétylsalicylique peut être la cause de pertes sanguines microscopiques au niveau de la muqueuse gastro-intestinale ; les IECA ou les antagonistes des récepteurs de l'angiotensine II (ARA) agissent également sur l'anémie par inhibition de l'effet de l'angiotensine I nécessaire à la production d'érythropoïétine. Cependant, les bienfaits de la pharmacothérapie dépassent largement le risque d'anémie dans le traitement de l'insuffisance cardiaque (Lord, 2008).

Dyspnée

La dyspnée est un symptôme courant de l'IC chronique. Elle est causée par l'augmentation de la pression pulmonaire due à l'œdème interstitiel et à l'œdème alvéolaire dans les cas les plus graves. Elle se produit à l'effort léger ou au repos. L'**orthopnée** désigne la dyspnée survenant en position couchée. Elle est secondaire à un retour veineux augmenté de la périphérie. En effet, en position couchée, le retour veineux des membres inférieurs et de l'abdomen se fait beaucoup plus facilement qu'en position debout, alors que la gravité s'oppose au retour veineux (Lilly, 2011). La **dyspnée nocturne paroxystique** survient durant le sommeil. Elle est causée par la réabsorption lente de liquide extravasculaire (p. ex., un œdème aux membres inférieurs) lorsque le client est couché. Le cœur gauche, incapable de pomper tout le sang qu'il reçoit (augmentation de la précharge), crée une stase en amont menant à une congestion pulmonaire. La personne se réveille en état de panique deux ou trois heures après s'être couchée, se sentant suffoquée, pressée de s'asseoir pour que cette sensation disparaisse. Un questionnememt minutieux du client met en lumière l'adoption d'un comportement d'adaptation, dont le fait d'empiler des oreillers pour faciliter la respiration. En raison de la pression pulmonaire accrue et de l'épanchement

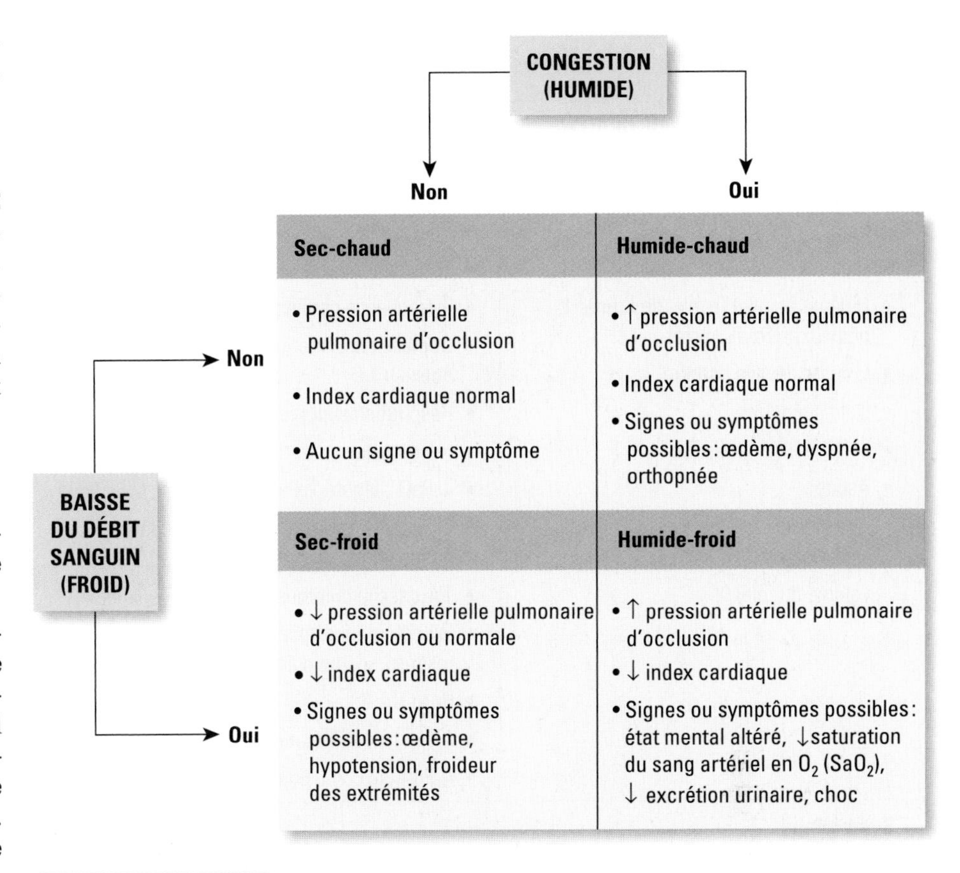

FIGURE 42.5 Caractéristiques hémodynamiques et cliniques de l'insuffisance cardiaque en décompensation aiguë

TABLEAU 42.4 Manifestations cliniques de l'insuffisance cardiaque

INSUFFISANCE CARDIAQUE DROITE	INSUFFISANCE CARDIAQUE GAUCHE
Signes	
• Souffles cardiaques • Distension veineuse jugulaire • Œdème à godet (p. ex., de l'œdème pédieux, scrotal, sacré) • Œdème déclive bilatéral • Gain pondéral • ↑ fréquence cardiaque • Ascite • Anasarque (œdème massif généralisé) • Hépatomégalie (augmentation du volume du foie)	• Souffles cardiaques • Pouls alternant (fort et faible) • ↑ fréquence cardiaque • Déplacement infériopostérieur du choc apexien • Respiration superficielle, de 32 à 40 R/min • Hypotension • ↓ PaO_2, légère ↑ $PaCO_2$ • Crépitants, ronchis, sibilances (œdème pulmonaire) • Toux sèche quinteuse • Expectorations spumeuses blanchâtres ou rosées (œdème pulmonaire aigu) • B_3 et B_4 • Altération de l'état mental • Agitation, confusion
Symptômes	
• Anxiété, dépression • Anorexie et sensation de ballonnement • Nausées	• Faiblesse, fatigue • Anxiété, dépression • Dyspnée • Dyspnée nocturne paroxystique • Orthopnée (forme de dyspnée) • Nycturie

Réactivation des connaissances

Comment fait-on pour évaluer la sévérité d'un œdème à godet?

liquidien aux poumons, le client peut présenter de la toux sèche persistante, que ni le changement de position ni les antitussifs offerts en vente libre ne soulagent. La toux sèche, quinteuse, peut être le premier signe clinique de la congestion pulmonaire occasionnée par l'insuffisance cardiaque.

Tachycardie

La tachycardie est un signe clinique précurseur de l'insuffisance cardiaque. L'augmentation de la fréquence cardiaque représente l'un des premiers mécanismes mis en œuvre par l'organisme afin de pallier l'affaiblissement ventriculaire. La baisse du débit cardiaque stimule le SNS à entrer en action, ce qui hausse la fréquence cardiaque. Toutefois, cette réaction sera bloquée ou atténuée chez le client prenant un bêtabloquant.

CE QU'IL FAUT RETENIR

La dyspnée, la tachycardie et l'œdème sont des signes fréquents de l'IC.

Œdème

L'œdème est un signe clinique couramment présent dans l'IC. Il peut se manifester dans les parties du corps en déclive (œdème périphérique), au foie (hépatomégalie), à l'abdomen (ascite) et aux poumons (œdème pulmonaire et épanchement pleural). L'œdème scrotal et l'œdème sacré sont susceptibles de se produire chez le client en surcharge volémique importante. Les doigts qui exercent une pression sur la peau œdémateuse y laisseront leur empreinte temporairement (œdème à godet). L'apparition de l'œdème déclive ou le gain de poids soudain de plus de 1,4 kg en 2 jours est souvent révélateur de l'épisode d'exacerbation de l'IC. Il importe de souligner que l'œdème des membres inférieurs ne découle pas toujours de l'IC (Cloutier & Pilote, 2011). L'hypoprotéinémie, l'insuffisance veineuse, l'immobilité ou certains médicaments tels que les vasodilatateurs périphériques (p. ex., les bloqueurs des canaux calciques de la classe des dihydropyridines) peuvent en être la cause.

Nycturie

L'IC chronique, caractérisée par la baisse du débit cardiaque, s'accompagnera de l'altération du débit sanguin rénal et de la diminution de l'élimination d'urine durant le jour. Lorsque le client est en position couchée la nuit, le liquide des espaces interstitiels revient dans la circulation. Ce mouvement amène une hausse du débit sanguin rénal et de la diurèse. Le client peut devoir uriner à six ou sept reprises durant la nuit. Ce phénomène peut orienter le clinicien vers un diagnostic de défaillance cardiaque non compensée.

Signes cutanés

Étant donné que l'extraction tissulaire d'oxygène capillaire s'accentue dans l'IC chronique, la peau peut s'empourprer. En outre, elle peut être froide et moite au toucher sous l'effet de la diaphorèse (effet du SNS). Aux membres inférieurs, elle devient œdématiée et luisante, et sa pilosité est réduite ou absente. La tuméfaction chronique pourra provoquer des modifications pigmentaires, dont le brunissement ou le durcissement de la peau couvrant les chevilles et le bas des jambes (dermite de stase).

Changements de comportement

Dans l'IC chronique, la baisse du débit cardiaque peut entraver la circulation sanguine cérébrale et réduire la pression de perfusion cérébrale. Le client ou le proche aidant peuvent signaler un comportement inhabituel, de l'agitation, de la confusion, de la difficulté à se concentrer ou des trous de mémoire. Ces signes peuvent être également dus à l'altération des échanges gazeux ou à l'aggravation de l'IC.

Douleur thoracique

En réduisant le débit cardiaque et en augmentant la charge de travail myocardique, l'insuffisance cardiaque diminue le débit sanguin coronaire, ce qui peut occasionner de la douleur thoracique. Tant l'IC en décompensation aiguë que l'IC chronique peuvent s'accompagner de douleur angineuse.

Fluctuation pondérale

De nombreux facteurs sont susceptibles de faire fluctuer le poids. D'abord, la rétention liquidienne peut entraîner un gain de poids progressif. Cependant, à long terme, le client est trop malade pour bien se nourrir. La sensation de plénitude abdominale produite par les ascites et l'hépatomégalie cause fréquemment de l'anorexie et des nausées. L'insuffisance rénale peut elle aussi participer à la rétention hydrique. Dans de nombreux cas, l'état œdémateux masque la perte musculaire et adipeuse. La perte de poids réelle ne se verra que lorsque l'œdème aura disparu.

42.1.5 Complications

Épanchement pleural

L'épanchement pleural découle de la pression accrue dans les capillaires pulmonaires. Une transsudation de ces capillaires vers la cavité pleurale est alors observée.

Arythmie

L'IC chronique provoque la distension des cavités cardiaques. Cette expansion provenant de l'étirement des tissus auriculaires et ventriculaires peut interférer avec le courant électrique normal, particulièrement dans les oreillettes. Quand des dépolarisations spontanées et rapides, provenant de foyers ectopiques (c'est-à-dire provenant d'un foyer autre que le nœud sinusal), se produisent dans les oreillettes (fibrillation auriculaire), la séquence structurée de la dépolarisation auriculaire (contraction ou systole) est interrompue. Cette arythmie favorise la formation de thrombus dans les oreillettes qui, s'ils se détachent, peuvent causer une embolie. La fibrillation auriculaire accroît le risque d'accident vasculaire cérébral (AVC) et d'embolie pulmonaire, et elle doit être traitée par la cardioversion électrique ou l'administration d'antiarythmiques ou par des agents pharmacologiques ralentissant la fréquence cardiaque. Les anticoagulants sont souvent indiqués pour prévenir le risque de thrombus. Dans le cas d'une IC avec fraction d'éjection du ventricule gauche inférieure à 40 %, les antiarythmiques de classe 1 et les bloqueurs des canaux calciques non dihydropyridiniques sont contre-indiqués, car ils exposent le client à un risque de trouble de la conduction auriculaire et auriculoventriculaire, ce qui pourrait être néfaste et même fatal en état d'IC (Arnold, Liu & Demers, 2006).

Quand la fraction d'éjection du ventricule gauche se situe sous 35 %, le risque d'arythmie fatale est élevé. Près de la moitié des personnes aux prises avec une arythmie maligne et ayant une fraction d'éjection du ventricule gauche abaissée décéderont subitement des suites de la tachycardie ou de la fibrillation ventriculaire. L'étude MADIT-II, qui fait figure de référence en la matière, a démontré qu'en prévention primaire (client n'ayant jamais eu d'événement d'arythmie maligne), la mise en place d'un défibrillateur automatique implantable a diminué le taux de mortalité totale de 31 % (Moss, Zareba, Hall *et al.*, 2002) **FIGURE 42.6**.

Jugement clinique

Antoine Avril, âgé de 69 ans, souffre d'insuffisance cardiaque. Il se présente à l'urgence pendant la nuit avec une dyspnée importante. Il est pâle et anxieux et décrit ce qui semble être une dyspnée nocturne paroxystique. L'infirmière lui demande de s'allonger sur une civière et procède à l'examen physique, fait un électrocardiogramme (ECG) et réalise des prélèvements sanguins. À ce stade-ci, comment pourriez-vous intervenir afin de permettre à monsieur Avril de diminuer son malaise causé par la dyspnée ?

Thrombus ventriculaire gauche

Dans l'insuffisance cardiaque en décompensation aiguë comme dans l'insuffisance cardiaque chronique, le ventricule gauche dilaté et le débit cardiaque réduit réunissent des conditions propices à la formation d'un thrombus dans le ventricule gauche.

Jugement clinique

Bérangère Corneau est âgée de 70 ans. Elle souffre d'insuffisance cardiaque et de constipation. Il y a trois jours, elle a subi un lavement baryté pour rechercher la cause de sa constipation chronique. Par la suite, l'infirmière du service de radiologie lui a conseillé de boire le plus possible pour éliminer le baryum présent dans ses intestins. Quelle erreur cette infirmière a-t-elle commise ? Comment aurait-elle pu faire preuve de jugement clinique dans cette situation ?

Hépatomégalie

L'hépatomégalie peut être une manifestation de l'IC à un stade précoce, mais elle peut aussi en être une complication, particulièrement de l'IC droite. Les lobes hépatiques se gorgent de sang veineux, créant une turgescence du réseau veineux systémique, et cette congestion hépatique occasionne la dysfonction hépatique. Après un certain temps, les cellules hépatiques meurent, la fibrose se répand, et la cirrhose peut se développer.

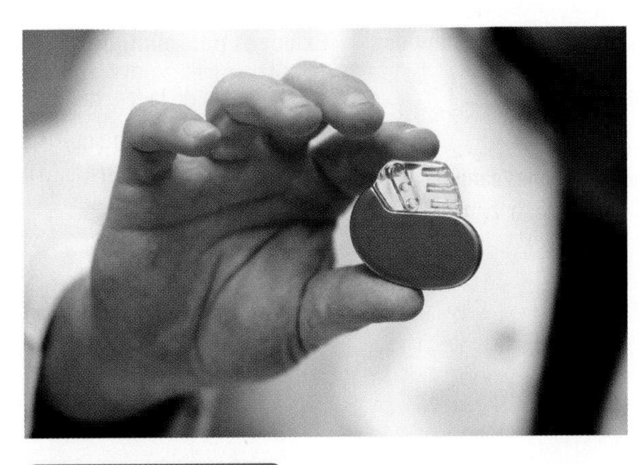

FIGURE 42.6 Défibrillateur automatique implantable

ENCADRÉ 42.1 Comparaison des deux principales classifications de l'insuffisance cardiaque

CLASSIFICATION FONCTIONNELLE DE LA MALADIE CARDIAQUE DE LA NYHA	STADES D'INSUFFISANCE CARDIAQUE SELON L'AMERICAN COLLEGE OF CARDIOLOGY DE L'AHA
Classe I Activité physique non limitée. Les AVQ et les AVD ne causent pas de fatigue, de dyspnée, de palpitations ni de douleur angineuse.	**Stade A** Présence de facteurs de risque importants (p. ex., de l'hypertension artérielle, du diabète, un syndrome métabolique) sans maladie cardiaque structurelle ni symptôme d'IC.
Classe II Activité physique quelque peu limitée. Pas de symptôme au repos. Les AVQ et les AVD causent de la fatigue, de la dyspnée, des palpitations ou de la douleur angineuse.	**Stade B** Maladie cardiaque structurelle (p. ex., un infarctus du myocarde, une valvulopathie) sans signe ni symptôme d'IC.
Classe III Activité physique grandement limitée, mais habituellement à l'aise au repos. Les AVQ et les AVD causent de la fatigue, de la dyspnée, des palpitations ou de la douleur angineuse.	**Stade C** Présence récente ou de longue date de symptômes d'IC associée à une maladie cardiaque structurelle connue.
Classe IV Incapacité d'accomplir une activité physique sans éprouver de malaise. Symptômes d'IC ou d'angine présents même au repos. Toute activité physique accroît le malaise.	**Stade D** IC rebelle (présence de symptômes importants au repos malgré un traitement médical optimal) qui nécessite des interventions spécialisées.

Source : AHA : American Heart Association ; NYHA : New York Heart Association.

Insuffisance rénale

La baisse du débit cardiaque qui se produit dans l'insuffisance cardiaque chronique provoque une diminution du débit sanguin rénal pouvant conduire à l'insuffisance rénale.

42.1.6 Classification de l'insuffisance cardiaque

Les lignes directrices de la New York Heart Association (NYHA), qui sont encore utilisées à ce jour, proposent de quantifier et de surveiller l'évolution de la capacité fonctionnelle d'une personne souffrant d'IC à partir de sa tolérance à l'activité physique (activités de la vie quotidienne [AVQ] et activités de la vie domestique [AVD]). Mais en 2009, l'American College of Cardiology (ACC) et American Heart Association (AHA) ont conçu une classification plus englobante, en fonction de la progression de la maladie et des stratégies thérapeutiques (Carlson, 2009 ; Hunt *et al.*, 2009) **ENCADRÉ 42.1**.

42.1.7 Examens paracliniques

Diagnostiquer l'IC se révèle souvent difficile, car ni les signes ni les symptômes ne sont vraiment spécifiques, et ils peuvent être identiques à ceux d'autres affections (p. ex., l'anémie, la maladie pulmonaire). Le **TABLEAU 42.5** énumère les examens paracliniques de l'insuffisance cardiaque en décompensation aiguë et de l'IC chronique. Déterminer l'étiologie de l'IC demeure l'un des principaux objectifs de l'établissement du diagnostic. La biopsie endomyocardique peut être utile en présence d'IC inexpliquée d'apparition récente, réfractaire au traitement usuel (Cooper, Baughman, Feldman *et al.*, 2007).

En connaissant la fraction d'éjection, il est possible de distinguer l'IC systolique de l'IC diastolique, une information qui revêt de l'importance dans le choix du traitement initial de l'IC. L'échocardiographie et l'examen d'imagerie

Processus diagnostique et thérapeutique

TABLEAU 42.5 Insuffisance cardiaque

IC EN DÉCOMPENSATION AIGUË ET IC CHRONIQUE	IC EN DÉCOMPENSATION AIGUË	IC CHRONIQUE
Examen clinique et examens paracliniques communs	**Examens paracliniques spécifiques**	
• Anamnèse et examen physique • Détermination de la cause • Analyses sanguines (biochimiques, enzymes cardiaques, taux de peptides natriurétiques de type B, enzymes hépatiques) • Radiographie pulmonaire • ECG à 12 dérivations • Surveillance hémodynamique • Échocardiogramme • Examen d'imagerie nucléaire • Cathétérisme cardiaque avec ou sans angioplastie	• GAS, tests de la fonction thyroïdienne, hémogramme • Biopsie endomyocardique (seulement si cause infiltrative ou inflammatoire suspectées)	• Test de marche six minutes • Épreuve d'effort

TABLEAU 42.5	Insuffisance cardiaque *(suite)*	
IC EN DÉCOMPENSATION AIGUË ET IC CHRONIQUE	**IC EN DÉCOMPENSATION AIGUË**	**IC CHRONIQUE**
Processus thérapeutiques communs	**Processus thérapeutiques spécifiques**	
• Traitement de la cause • Assistance circulatoire (p. ex., un ballon de contre-pulsion intra-aortique, un dispositif d'assistance ventriculaire) • Pesée quotidienne • Diète restreinte en sodium et, probablement, en liquide	• Position Fowler élevée • O_2 par masque ou canule nasale • Respirateur BiPAP (à deux niveaux de pression) • Intubation et ventilation mécanique • Signes vitaux, débit urinaire toutes les heures • Surveillance par ECG en continu et saturation pulsatile en oxygène (SpO_2) • Surveillance hémodynamique (p. ex., la pression intra-artérielle, la pression artérielle pulmonaire d'occlusion [PAPO] et le D.C.) • Pharmacothérapie • Cardioversion si fibrillation auriculaire • Ultrafiltration	• Alternance repos et activité • Réadaptation cardiaque • Soins infirmiers à domicile dont télésurveillance • Pharmacothérapie • Resynchronisation cardiaque et implantation d'un défibrillateur à synchronisation automatique • Transplantation cardiaque • Soins palliatifs et de fin de vie • Revascularisation coronarienne

nucléaire sont deux moyens de mesurer la fraction d'éjection **FIGURE 42.7**. Le taux de peptides natriurétiques de type B facilite le constat d'insuffisance cardiaque **TABLEAU 42.6**. En général, il y a une bonne corrélation entre le taux de peptides natriurétiques de type B et le degré de dysfonction ventriculaire gauche. En effet, cette hormone est sécrétée par les ventricules en réponse à un stress hémodynamique tel que la surcharge volémique. Les parois du ventricule s'étirent sous l'effet de la pression du volume, ce qui permet la sécrétion de cette hormone proportionnellement au degré d'étirement des fibres myocardiques. Le taux de peptides natriurétiques de type B peut également s'élever dans les cas de dysfonction diastolique sous l'effet d'une hausse des pressions télédiastoliques. Ce taux est donc en corrélation avec le degré de gravité de l'IC (Lainesse & Desaulniers, 2006). En outre, cette valeur peut être utile dans la détermination de la cause de la dyspnée, à savoir l'IC ou une autre cause (p. ex., une exacerbation d'une maladie pulmonaire obstructive chronique).

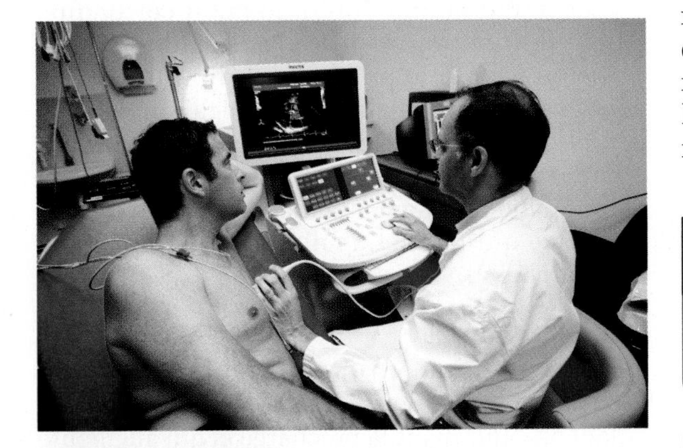

FIGURE 42.7 Exemple d'échographie cardiaque

Jugement clinique

Maurice Pinard, âgé de 72 ans, se trouve actuellement en observation à l'urgence; il présente toutes les manifestations d'une insuffisance cardiaque accompagnée de fibrillation auriculaire. Monsieur Pinard a, de plus, fait un infarctus du myocarde il y a environ 10 mois. Ce matin, une échographie cardiaque est prévue pour le client. Quels renseignements utiles pour la compréhension de la situation de monsieur Pinard devriez-vous chercher lorsque vous recevez le résultat de l'échographie cardiaque?

42.1.8 Processus thérapeutique en interdisciplinarité : insuffisance cardiaque en décompensation aiguë

L'arrivée de nouveaux médicaments et d'appareils médicaux a considérablement modifié la prise en charge de l'IC au cours des dernières années. De nouvelles stratégies pour améliorer les résultats cliniques voient le jour afin de réduire au minimum les réadmissions en centre hospitalier, dont les coûts sont très élevés compte tenu du grand nombre de personnes atteintes d'IC.

TABLEAU 42.6	Taux de peptides natriurétiques de type B[a]	
PNB < 100 pg/mL	**PNB 100-500 pg/mL**	**PNB > 500 pg/mL**
IC très improbable	IC probable	IC très probable

PNB : peptides natriurétiques de type B.

[a] Le taux sera élevé de façon transitoire chez la personne à qui du nésiritide (Natrecor[MD]) est administré, et il peut être élevé dans l'IC chronique stable.

CE QU'IL FAUT RETENIR

Les interventions prioritaires auprès d'un client en IC en décompensation aiguë sont de l'installer en position Fowler haute avec les pieds pendants (pour diminuer le retour veineux) et d'administrer de l'O_2 (pour favoriser l'oxygénation des tissus).

49

Les indications de la ventilation mécanique ainsi que les soins infirmiers à prodiguer à un client intubé sont examinés dans le chapitre 49, *Interventions cliniques – Soins en phase critique.*

Tel que vu précédemment, le lit est placé en position Fowler élevée, et les pieds du client sont à l'horizontale ou ils pendent au bord du lit. Dans cette position, le retour veineux diminue puisque le sang s'accumule dans les extrémités. Elle améliore également l'amplitude thoracique et la ventilation.

L'apport en oxygène contribue à hausser la proportion d'oxygène de l'air inspiré. Un soutien ventilatoire non effractif (p. ex., le BiPAP) ou l'intubation et la ventilation mécanique peuvent être nécessaires en cas d'œdème pulmonaire aigu ▶ 49.

Le client en IC en décompensation aiguë doit être soumis à une surveillance continue qui a généralement lieu à l'unité de soins intensifs (USI). Les signes vitaux et le tracé de l'ECG sont continuellement surveillés à l'aide d'un moniteur cardiaque. Le débit urinaire est vérifié toutes les heures. La **surveillance hémodynamique** continue au moyen d'un cathéter artériel périphérique mesurant la pression intra-artérielle et d'un cathéter artériel pulmonaire mesurant la pression artérielle pulmonaire peut être également indiquée. Une fois qu'un cathéter artériel pulmonaire se trouve en place, il est possible de mesurer le débit cardiaque et la pression artérielle pulmonaire d'occlusion (PAPO) avec exactitude, puis d'instaurer et d'adapter le traitement en fonction du D.C. optimal. La PAPO se mesure au moment de l'insertion du cathéter dans une branche distale de l'artère pulmonaire. Une fois le ballonnet gonflé à son extrémité, il traduit la pression située dans les capillaires pulmonaires, l'oreillette gauche et le ventricule gauche et donne des valeurs précieuses pour l'orientation du traitement, par exemple, l'administration de diurétiques si la PAPO est trop élevée, suggérant une surcharge de volume (Cohn & Tognoni, 2001). Chez un client insuffisant cardiaque, une PAPO allant de 14 à 18 mm Hg permettra en général d'atteindre l'objectif d'augmentation du débit cardiaque.

Lorsque l'état du client est stable, il importe de déterminer la cause de l'IC aiguë et de l'œdème pulmonaire. Le diagnostic d'IC diastolique ou d'IC systolique orientera les modalités subséquentes de la prise en charge.

L'**ultrafiltration** constitue une option en présence de surcharge volumique. Ce procédé permet d'extraire rapidement un bon volume de liquide extracellulaire et vasculaire (Costanzo, Guglin, Saltzberg *et al.*, 2007). En matière d'extraction liquidienne, l'ultrafiltration est semblable à l'hémodialyse. L'indication principale de ce procédé est une surcharge de volume pulmonaire ou systémique importante chez un client hémodynamiquement instable. Cette modalité thérapeutique peut s'avérer un traitement d'appoint utile quand l'IC cohabite avec l'insuffisance rénale.

Un dispositif d'assistance circulatoire devient utile quand l'IC s'aggrave. Ainsi, le ballon de contre-pulsion intra-aortique accroît le débit sanguin coronaire en direction du cœur et diminue le travail de celui-ci par un mécanisme de contre-pulsion. Ce ballon, placé dans l'aorte, peut être indiqué chez la personne dont l'état hémodynamique est instable parce qu'il diminue la résistance vasculaire systémique (RVS) et augmente l'oxygénation myocardique, favorisant ainsi un meilleur débit cardiaque (Held & Sturtz, 2009). Un dispositif d'assistance ventriculaire permet de maintenir la capacité de pompage du cœur désormais incapable de se contracter efficacement de lui-même. Le dispositif alimenté par une pile est une pompe mécanique implantée chirurgicalement.

Les problèmes de santé mentale concomitants, particulièrement la dépression, contribuent à accroître le taux de réadmission des clients ainsi que le risque de mortalité (Diefenbeck, 2009). De plus, la présence de problèmes de santé mentale a un effet défavorable sur la fidélité au traitement et sur la capacité d'autosoins (O'Connor, 2008). Il y a donc lieu de s'attarder aux signes de dépression ou à l'anxiété dans l'évaluation de la personne atteinte d'IC et de traiter ces problèmes, le cas échéant.

Pharmacothérapie

La pharmacothérapie est essentielle dans la prise en charge de l'insuffisance cardiaque aiguë.

Diurétiques

Les diurétiques permettent de diminuer le travail myocardique, ce qui réduit le volume sanguin du V.G. durant la diastole. Les diurétiques de l'anse de Henle (p. ex., le furosémide [Lasix[MD]]) administrés par injection intraveineuse (I.V.) rapide agiront promptement au niveau rénal. La diminution du retour veineux vers le cœur diminuera à son tour la surcharge liquidienne du ventricule gauche, qui se contractera alors plus efficacement et améliorera le débit cardiaque. Ainsi, la fonction ventriculaire s'améliore, la pression artérielle pulmonaire diminue, et les échanges gazeux s'améliorent également. Les diurétiques, en particulier ceux de l'anse, ont comme second mécanisme d'action un effet veinodilatateur augmentant ainsi la capacité veineuse, ce qui permet de diminuer davantage la précharge.

Vasodilatateurs

La nitroglycérine en administration I.V. est un vasodilatateur veineux qui abaisse le volume circulant en diminuant la précharge et qui augmente le débit sanguin dans les artères coronaires en les dilatant. Par conséquent, la nitroglycérine réduit la précharge, diminue légèrement la postcharge (à dose élevée) et augmente l'apport d'oxygène au myocarde. Au moment de l'ajustement de la posologie de la perfusion I.V. de nitroglycérine, il faut surveiller fréquemment la pression artérielle (toutes les 5 ou 10 minutes) afin d'éviter l'hypotension symptomatique (étourdissements et faiblesses).

Le nitroprusside de sodium (Nipride[MD]) est un puissant vasodilatateur administré par voie I.V. qui diminue à la fois la précharge et la postcharge, améliorant ainsi la contraction myocardique, augmentant le débit cardiaque et réduisant la congestion pulmonaire (Mullens, Abrahams, Francis *et al.*, 2008). Les complications associées à la prise de nitroprusside de sodium en administration I.V. sont l'hypotension et l'intoxication au thiocyanate, qui peuvent se manifester 48 heures après l'administration. Il est essentiel de surveiller fréquemment la pression artérielle (toutes les 5 ou 10 minutes) durant l'ajustement de la posologie du médicament. Son usage est réservé à l'USI, étant donné que son principal effet indésirable est l'hypotension symptomatique.

Le nésiritide (Natrecor[MD]), qui s'administre par voie I.V., est la forme recombinante du peptide natriurétique de type B ; il dilate à la fois les veines et les artères. Les principaux effets hémodynamiques du nésiritide sont la réduction de la pression de l'artère pulmonaire bloquée et l'augmentation du D.C. sans hausse de la consommation d'oxygène du myocarde ni apparition d'arythmie. Bien qu'il soit classé parmi les vasodilatateurs, il est également associé aux inhibiteurs neurohormonaux. Il est indiqué dans le traitement de courte durée de l'IC en décompensation aiguë. Il n'est pas nécessaire d'ajuster sa posologie après le bolus I.V. initial, et il peut être administré au service des urgences et à d'autres unités de soins que celle des soins intensifs (Dakin, 2008 ; Yancy *et al.*, 2013). Comme l'hypotension symptomatique est son principal effet indésirable, il faut surveiller étroitement la pression artérielle. Son utilisation est controversée, en raison du risque de mortalité accru en état d'insuffisance cardiaque (Sackner-Bernstein, Kowalski, Fox *et al.*, 2005).

Morphine

La morphine diminue la précharge et la postcharge ; ce médicament est d'usage courant dans le traitement de l'IC en décompensation aiguë, de la douleur thoracique et de l'œdème pulmonaire. Elle dilate les vaisseaux sanguins pulmonaires et systémiques, un effet voulu pour diminuer la pression pulmonaire et améliorer l'échange gazeux. En plus de son action analgésique, la morphine a un effet anxiolytique et sédatif. La morphine en administration I.V. abaisse la demande d'oxygène, qui peut être accrue en raison de l'anxiété et de l'augmentation subséquente de l'activité musculosquelettique et respiratoire.

Sous l'effet de la morphine, la dyspnée s'atténue souvent et, par conséquent, l'anxiété qui l'accompagne est réduite. Il est recommandé de surveiller et de documenter la fréquence respiratoire chez le client ayant reçu de la morphine afin de prévenir une complication sérieuse de son utilisation, la dépression respiratoire. Une fréquence respiratoire inférieure à 12 R/min devrait être signalée à l'équipe traitante (Lehne, 2012).

Médicaments inotropes positifs

Le traitement médicamenteux inotrope augmente la contractilité myocardique. La digitale est un inotrope positif qui améliore la fonction ventriculaire gauche. Elle accroît non seulement la contractilité, mais également la consommation d'oxygène du myocarde. Elle n'est pas indiquée dans le traitement initial de l'insuffisance cardiaque en décompensation aiguë (ICDA) parce qu'une dose de mise en charge doit d'abord être administrée et que son action est lente à se produire.

Les bêtastimulants sont aussi des inotropes positifs (p. ex., le chlorhydrate de dopamine, le chlorhydrate de dobutamine, l'adrénaline, la noradrénaline). Ces médicaments ne sont utilisés que pour une courte période dans le traitement de l'insuffisance cardiaque en décompensation aiguë à l'USI ou dans une unité de soins intermédiaires capable de fournir une surveillance ECG sur le moniteur en continu. Selon le dosage, le chlorhydrate de dopamine augmente la contractilité myocardique, augmente la résistance vasculaire systémique, dilate les vaisseaux sanguins rénaux et améliore le débit urinaire. Par opposition au chlorhydrate de dopamine, le chlorhydrate de dobutamine est un bêtastimulant sélectif qui agit principalement aux récepteurs β_1 du cœur. Il n'augmente pas la résistance vasculaire systémique, et il est utilisé de préférence dans le traitement de courte durée de l'IC en décompensation aiguë (Kee, Hayes & McCuistion, 2012).

Le lactate de milrinone est un inhibiteur de la phosphodiestérase appelé inodilatateur en raison de ses effets d'augmentation de la contractilité myocardique (effet inotrope) et de vasodilatation périphérique. L'inhibition de la phosphodiestérase produit l'augmentation de l'adénosine monophosphate cyclique (AMPc), laquelle favorise l'entrée de calcium dans la cellule et améliore la contractilité cardiaque. Cet inhibiteur augmente le débit cardiaque et réduit la P.A. systémique (baisse de la postcharge). À l'instar du chlorhydrate de dopamine et du chlorhydrate de dobutamine, ce médicament ne s'administre que par voie intraveineuse. Ses effets indésirables sont notamment l'arythmie, la thrombocytopénie et l'hépatotoxicité.

CE QU'IL FAUT RETENIR

Les diurétiques, les vasodilatateurs et la morphine diminuent tous le retour veineux vers le cœur et, conséquemment, la surcharge liquidienne du ventricule gauche, ce qui améliore le débit cardiaque.

Nitroprusside de sodium (Nipride[MD])

- L'administration I.V. trop rapide peut entraîner une baisse abrupte de la pression artérielle.
- Les effets indésirables potentiels sont : céphalée, nausées, étourdissements, dyspnée, vision floue, sudation, instabilité psychomotrice.
- Vérifier la P.A. avant l'administration et continuellement durant celle-ci.

Chlorhydrate de dopamine

- L'extravasation du médicament peut causer de la nécrose et la formation d'une escarre.
- Surveiller le site d'injection pour déceler les signes d'extravasation.
- À dose élevée, le médicament peut causer des arythmies ventriculaires.

À l'heure actuelle, le traitement inotrope n'est recommandé que dans la prise en charge à brève échéance de l'ICDA réfractaire à la pharmacothérapie classique (p. ex., avec les diurétiques, les vasodilatateurs, la morphine) (Yancy *et al.*, 2013).

42.1.9 Processus thérapeutique en interdisciplinarité : insuffisance cardiaque chronique

Les principaux objectifs du traitement de l'IC chronique consistent à traiter la cause sous-jacente et les facteurs contributifs, à optimiser le débit cardiaque, à soulager les symptômes, à améliorer la fonction ventriculaire et la qualité de vie du client, à préserver les organes vitaux et à réduire au minimum la mortalité et la morbidité.

Grâce au repos, tant physique qu'émotionnel, le client conserve son énergie et diminue sa consommation d'oxygène. Le degré de repos recommandé varie selon la gravité de l'insuffisance cardiaque. Ce sera l'alitement et un degré d'activité limité dans l'insuffisance cardiaque marquée, la déambulation sans activité ardue dans celle qualifiée de légère ou de modérée. Le client atteint d'IC stable (sans signes d'hypervolémie) doit être encouragé à participer aux activités recommandées tout en s'accordant la possibilité de récupérer. Un programme d'exercices physiques structuré à l'image de la réadaptation cardiaque devrait être offert à toutes les personnes atteintes d'IC chronique.

Les traitements non médicamenteux font partie intégrante de la prise en charge de l'IC, dont la stimulation biventriculaire ou **resynchronisation cardiaque**. Le stimulateur cardiaque usuel stimule une ou deux cavités (p. ex., l'oreillette droite ou le ventricule droit), tandis que la resynchronisation cardiaque coordonne la contraction ventriculaire droite et gauche en stimulant les deux ventricules **FIGURE 42.8**. La stimulation électrique simultanée (synchronisation) en plusieurs points des ventricules améliore la fonction ventriculaire gauche et le débit cardiaque. Cette option thérapeutique est indiquée lorsque le client demeure en défaillance cardiaque en classe III / IV, selon la classification de la NYHA, malgré une pharmacothérapie optimale (Lainesse & Desaulniers, 2006).

41

Le chapitre 41, *Interventions cliniques – Coronaropathie et syndrome coronarien aigu,* aborde l'utilisation du stimulateur cardiaque et du défibrillateur ainsi que l'agioplasie transluminale percutanée.

Plus de 60 % des personnes atteintes d'IC chronique ont également une maladie coronarienne, et environ 15 % d'entre elles auront une IC en décompensation aiguë. Pour bien cibler les clients en IC chroniques admissibles à la revascularisation coronarienne chirurgicale ou non (pontages coronariens ou angioplastie transluminale percutanée), le premier critère à considérer est la présence de symptômes d'angine ou d'ischémie cardiaque ▶ 41. Si le client présente ces symptômes, une évaluation médicale approfondie sera nécessaire pour évaluer les risques et les bienfaits potentiels de la revascularisation. Des recherches ont démontré que le client en IC chronique ayant une fraction d'éjection du ventricule gauche inférieure à 35 %, dont l'anatomie coronarienne s'y prête et dont la condition physique générale est bonne, pourrait bénéficier de la revascularisation coronarienne chirurgicale. Auprès d'un client admissible à une revascularisation coronarienne, le rôle de l'infirmière est de s'assurer de la préparation physique et psychologique du client en lien avec la procédure retenue. Selon cette dernière, la plupart des clients devront également être évalués pour l'installation d'un défibrillateur implantable (Moe, Ezekowitz, O'Meara *et al.*, 2014).

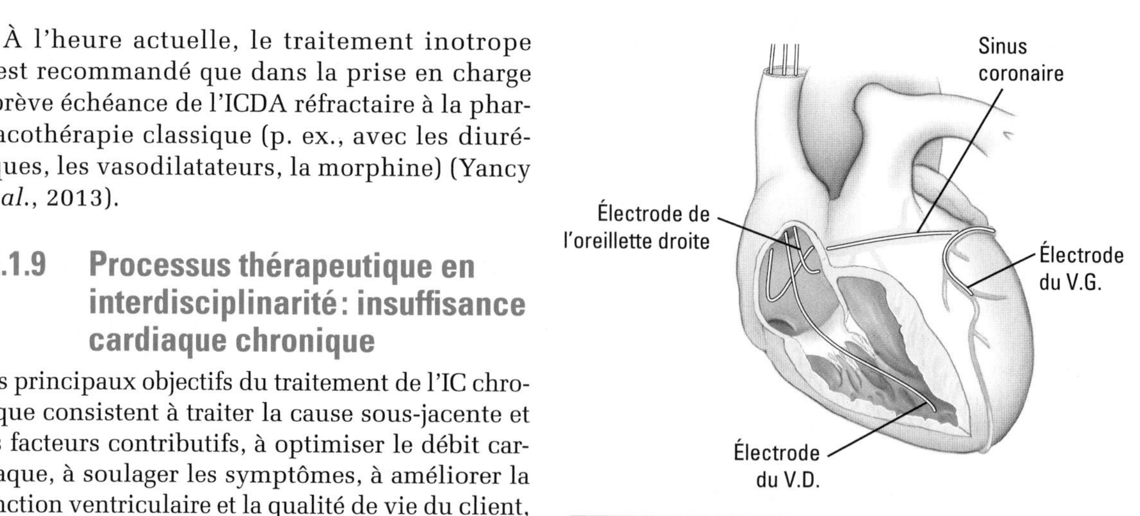

FIGURE 42.8 Mise en place des électrodes de stimulation dans la resynchronisation cardiaque

Les arythmies ventriculaires mettant la vie du client en péril (p. ex., la tachycardie ventriculaire) peuvent entraîner une mort cardiaque soudaine. C'est pourquoi la resynchronisation cardiaque est souvent couplée à l'implantation d'un défibrillateur à synchronisation automatique (ou *implantable cardioverter / defibrillator* [ICD]) ▶ 41.

Plusieurs options mécaniques s'offrent aux personnes atteintes d'IC dont l'état se détériore, notamment aux clients en attente d'une greffe cardiaque. Ce sont le ballon de contre-pulsion intraaortique et le dispositif d'assistance ventriculaire (DAV). Toutefois, le ballon de contre-pulsion intraaortique ne peut être utilisé à long terme en raison des restrictions que sont l'alitement, l'infection ou les complications vasculaires. Le dispositif d'assistance ventriculaire offre un soutien hautement efficace à long terme, soit pendant deux ans, et il est devenu un élément du traitement dans nombre de centres de transplantation cardiaque. Ce dispositif est utilisé dans la période d'attente en vue de la transplantation, car il améliore effectivement la fonction cardiaque jusqu'à ce qu'un cœur compatible soit disponible. L'implantation d'un dispositif d'assistance ventriculaire permanent, en tant que traitement définitif, représente une option pour les cas d'IC profonde de la classe fonctionnelle IV selon la NYHA, ces cas étant inadmissibles à la transplantation cardiaque.

Pharmacothérapie

Le **TABLEAU 42.7** présente la pharmacothérapie de l'insuffisance cardiaque chronique.

Diurétiques

Les diurétiques favorisent l'élimination de la surcharge volémique et abaissent la précharge. Le volume de sang revenant vers le cœur diminue, ce qui permet une meilleure contractilité cardiaque et un retour du liquide interstitiel (responsable de l'œdème) vers la circulation.

Les diurétiques agissent dans le rein où ils stimulent l'excrétion de sodium et d'eau. Il en existe plusieurs types. Les diurétiques thiazidiques (p. ex., l'hydrochlorothiazide) sont à maintes occasions les diurétiques de premier recours dans

Pharmacothérapie

TABLEAU 42.7 Insuffisance cardiaque chronique

CLASSE	MÉDICAMENTS COURAMMENT UTILISÉS	INDICATIONS	BÉNÉFICES	EFFETS INDÉSIRABLES	ÉLÉMENTS DE SURVEILLANCE
Diurétiques : – de l'anse – thiazidiques	• Furosémide (Lasix^MD) • Hydrochlorothiazide (Hydrodiuril^MD) • Métalozone (Zaroxolyn^MD)	• ↓ surcharge chez tous les clients avec antécédent de rétention liquidienne • Maintien de l'euvolémie le plus possible	• ↓ morbidité • ↓ signes et symptômes liés à la congestion • Amélioration de la qualité de vie et de la classe fonctionnelle	• Hypokaliémie • Hypomagnésémie • Insuffisance rénale aiguë / chronique • Éruptions cutanées / sécheresse cutanée • Troubles d'audition (forte dose) étourdissements • Hypovolémie : fatigue ; faiblesse ; lipothymie • Hypotension, hypotention orthostatique	• Créatinine, urée, électrolytes (7-14 jours après l'introduction ou l'augmentation de la dose) • Signes vitaux • Surveillance du poids die pour éviter hypovolémie (viser 0,5-1 kg/jour jusqu'à poids sec)
Diurétiques épargneurs de potassium	• Spironolactone (Aldactone^MD)	• Tous les clients avec une dysfonction systolique en classe III ou IV ayant eu une hospitalisation récente pour surcharge	• ↓ fibrose cardiaque • ↑ compliance vasculaire • Diminution de la mortalité et de la morbidité • ↑ classe fonctionnelle	• Hyperkaliémie • Insuffisance rénale • Gynécomastie • Étourdissements • Hypotension orthostatique • Lipothymie	• Surveillance des électrolytes, de la créatinine et de l'urée • Aviser si créatine > 221 µmol/L, car sera possiblement cessé • Aviser si potassium (K^+) > 5,5 mmol/L (cesser si K^+ > 6,0 mmol/L) • Enseignement d'une diète hypokaliémique • Aviser si diarrhée, car pourrait être suspendu • Pression artérielle die • Être prudent quand le client prend déjà de la digoxine, car l'hyperkaliémie peut diminuer l'effet de cette dernière.

TABLEAU 42.7	Insuffisance cardiaque chronique *(suite)*				
CLASSE	**MÉDICAMENTS COURAMMENT UTILISÉS**	**INDICATIONS**	**BÉNÉFICES**	**EFFETS INDÉSIRABLES**	**ÉLÉMENTS DE SURVEILLANCE**
IECA (inhibiteurs de l'enzyme de conversion de l'angiotensine)	• Captopril (Capoten[MD]) • Enalapril (Vasotec[MD]) • Lisinopril (Zestril[MD]) • Périndopril (Coversyl[MD]) • Ramipril (Altace[MD]) • Trandolapril (Mavik[MD])	• Pierre angulaire du traitement • Tous les clients avec une dysfonction systolique (meilleur bénéfice fraction d'éjection du ventricule gauche < 40 %) à moins d'une contre-indication (p. ex., l'angioœdème, l'insuffisance rénale sévère) ou d'une intolérance (p. ex., la toux)	• Prévention de la progression de l'IC en diminuant l'action de l'angiotensine II et la dégradation des bradykinines, créant une vasodilatation artérielle et veineuse • Diminution de la mortalité et de la morbidité • Amélioration des symptômes cliniques et de la capacité fonctionnelle	• Dégradation fonction rénale • Hyperkaliémie • Toux • Angioœdème • Hypotension orthostatique • Étourdissements • Vision brouillée • Lipothymie	• Pression artérielle die (précautions si pression artérielle systolique [P.A.S.] < 80 mm Hg) • Créatinine (précautions si > 265 µmol/L), faire 1-2 sem. début de thérapie / changement de dose, puis chaque 3-4 mois • Électrolytes (précautions si K^+ > 5 mmol/L), faire 1-2 sem. introduction / post-hausse dose, puis chaque 3-4 mois • Aviser si diarrhée, car pourrait être suspendu
ARA (antagonistes des récepteurs de l'angiotensine)	• Candesartan (Atacand[MD]) • Valsartan (Diovan[MD])	• Tous les clients avec une dysfonction systolique ayant une contre-indication aux IECA • En combinaison avec IECA si classification fonctionnelle III-IV avec dose IECA optimisé	• Diminution de la mortalité et de la morbidité • Prévention de la progression de l'IC en diminuant l'action de l'angiotensine II, créant une vasodilatation artérielle • Amélioration des symptômes cliniques et de la capacité fonctionnelle	• Hypotension orthostatique • Dégradation fonction rénale • Hyperkaliémie • Étourdissements • Vision brouillée • Lipothymie	• Pression artérielle die (précautions si P.A.S. < 80 mm Hg) • Créatinine (précautions si > 265 µmol/L), faire 1-2 sem. début de thérapie / changement de dose, puis chaque 3-4 mois • Électrolytes (précautions si K^+ > 5 mmol/L), faire 1-2 sem. début de thérapie / changement de dose, puis chaque 3-4 mois • Aviser si diarrhée, car pourrait être suspendu
Bêtabloquants	• Métoprolol (Lopresor[MD]) • Carvédilol (Coreg[MD]) • Bisoprolol (Monocor[MD])	• Pierre angulaire du traitement • Tous les clients avec une dysfonction systolique en absence de contre-indication (p. ex., l'asthme, la bradycardie < 50 batt./min, bloc auriculo-ventriculaire)	• ↓ effets négatifs de la noradrénaline chroniquement augmentés en IC • Diminution de la mortalité et de la morbidité • Amélioration des symptômes cliniques et de la capacité fonctionnelle	• Hypotension orthostatique • Étourdissements • Vision brouillée • Lipothymie • Bradycardie • Choc cardiogénique • Fatigue • Bronchospasme • Dysfonction érectile • Masque les signes d'hypoglycémie sauf la diaphorèse	• Pression artérielle et fréquence cardiaque die • Poids die (possibilité de rétention liquidienne surtout à l'instauration du traitement) • L'arrêt brusque peut provoquer de la sudation, des palpitations et des céphalées.

TABLEAU 42.7	Insuffisance cardiaque chronique *(suite)*				
CLASSE	**MÉDICAMENTS COURAMMENT UTILISÉS**	**INDICATIONS**	**BÉNÉFICES**	**EFFETS INDÉSIRABLES**	**ÉLÉMENTS DE SURVEILLANCE**
Inotrope positif	• Digoxine (Lanoxin[MD])	• Clients ayant une IC avec multiples hospitalisations pour surcharge ou demeurant en classification fonctionnelle III-IV • Clients ayant une contre-indication aux bêta-bloquants • Clients atteints de fibrillation auriculaire	• Seul inotrope positif n'augmentant pas la mortalité • Diminution des hospitalisations • Amélioration de la capacité fonctionnelle, de la qualité de vie par diminution des symptômes de l'IC	• Gastro-intestinaux : anorexie, nausées, vomissements • Arythmies surtout si hypokaliémie • Symptômes neurologiques : – troubles visuels – désorientation – confusion	• Surveiller les signes vitaux, die (précautions en combinaison avec des médicaments qui ont un effet sur le nœud sinusal et le nœud auriculoventriculaire en l'absence d'un stimulateur cardiaque) • Aviser si détérioration de la fonction rénale (créatinine) pour ajuster la dose en conséquence • Surveillance de la kaliémie, aviser si kaliémie < 4 mmol/L et > 5 mmol/L • Interactions médicamenteuses à vérifier avant l'introduction ou pendant la prise de ce médicament (p. ex., l'amiodarone, le vérapamil, la cyclosporine, la clarithromycine) • Digoxinémie si suspicion d'intoxication ou pendant le suivi chaque 3-4 mois (peut être plus rapproché en cas d'insuffisance rénale) 7-14 jours début de thérapie / changement de dose (attention faire post-6-8 heures de la prise pour éviter le pic d'action plasmatique)
Combinaison de vasodilatateurs	• Hydralazine (Apresoline[MD]) • Nitroglycérine (Nitrodur[MD])	• Clients IC avec insuffisance rénale sévère ou avec intolérance aux IECA / ARA	• Diminution de la mortalité, mais moins importante que dans le cas des IECA / ARA	• Hypotension • Céphalées • Troubles gastrointestinaux	• Surveiller la pression artérielle die

Source : Adapté de Lehne (2016).

l'hypertension artérielle, en raison de leur efficacité, de leur innocuité, de leur facilité d'utilisation et de leur faible coût. Ils sont particulièrement utiles dans le traitement de l'œdème et dans la maîtrise de l'hypertension artérielle. Ils inhibent la réabsorption de sodium dans le tube contourné distal, favorisant ainsi l'excrétion de sodium et d'eau. Étant donné leur action distale dans le néphron et leur perte d'efficacité au cours de la baisse de perfusion rénale, ce médicament est très peu utilisé dans le traitement de l'IC chronique. Il procure tout de même un bénéfice en combinaison avec le diurétique de l'anse afin de potentialiser l'action de ce dernier (Lilly, 2011).

Les diurétiques de l'anse de Henle (p. ex., furosémide [Lasix[MD]]) sont de puissants médicaments qui agissent à l'anse ascendante de Henle, l'endroit où le sodium est majoritairement réabsorbé, pour stimuler l'excrétion de sodium, de chlorure et d'eau. Cette classe de diurétiques est la plus utilisée étant donné la grande puissance et la capacité du médicament à renverser la

CE QU'IL FAUT RETENIR

Les diurétiques de l'anse de Henle, très utilisés en raison de leur puissance et de leur capacité à renverser la rétention liquidienne, ont le désavantage de diminuer le potassium sérique.

Réactivation des connaissances

Quelles sont les valeurs normales du potassium sérique ?

Captopril (Capoten[MD])

- Risque d'hypotension et d'hyperkaliémie.
- Il faut surveiller le client en raison de risque d'hypotension (syncope) lors de l'administration de la première dose.
- L'omission d'une dose ou l'interruption du traitement peut entraîner une hypertension de rebond.
- L'angiœdème, un effet indésirable rare qui se manifeste soudainement, peut mettre la vie du client en danger.

Spironolactone (Aldactone[MD])

- Surveiller la kaliémie tout au long du traitement.
- Administrer avec prudence aux clients sous digoxine, car l'hyperkaliémie peut réduire les effets de ce médicament.
- Informer le client qu'il doit éviter les aliments à forte teneur en potassium (p. ex., les bananes, les oranges, les abricots séchés).
- Chez les hommes, évaluer l'apparition d'une gynécomastie ; cet effet indésirable est courant lors de la prise de spironolactone à long terme.

rétention liquidienne. Ces diurétiques ont cependant le désavantage de diminuer le potassium sérique, de parfois causer de l'ototoxicité, un rash cutané et de susciter une réaction allergique chez la personne hypersensible aux sulfamides.

Inhibiteurs du système rénine-angiotensine-aldostérone

Inhibiteurs de l'enzyme de conversion de l'angiotensine Les inhibiteurs de l'enzyme de conversion de l'angiotensine (IECA) sont les médicaments de choix pour bloquer le SRAA dans l'insuffisance cardiaque caractérisée par la dysfonction systolique (Held & Sturtz, 2009 ; Yancy *et al.*, 2013). Le **TABLEAU 42.7** énumère quelques inhibiteurs de l'enzyme de conversion de l'angiotensine.

L'enzyme de conversion est essentielle à la transformation de l'angiotensine I en angiotensine II, un puissant vasoconstricteur. Les IECA s'opposent à l'action de cette enzyme, diminuant ainsi le taux d'angiotensine II. Il s'ensuit que le taux d'aldostérone plasmatique diminue également. Les IECA sont donc considérés comme des antagonistes neurohormonaux. À ce titre, ils réduisent également le remodelage ventriculaire en limitant l'hypertrophie des ventricules.

Parce que le débit cardiaque est modulé par la postcharge dans l'IC chronique, la réduction de la résistance vasculaire systémique, sous l'effet des inhibiteurs de l'enzyme de conversion de l'angiotensine, s'accompagne d'une hausse notable du débit cardiaque. De plus, même si la pression artérielle diminue avec ces mêmes inhibiteurs, le débit sanguin systémique reste inchangé ou s'accroît grâce à l'amélioration du débit cardiaque, et la diurèse augmente grâce à la baisse de l'aldostérone circulante. Les principaux effets indésirables des IECA sont énumérés dans le **TABLEAU 42.7**. L'âge avancé et l'insuffisance rénale ralentissent le métabolisme des IECA et occasionnent ainsi une hausse de la concentration sérique de ces médicaments. Le client traité par un IECA doit être soumis à une surveillance étroite afin de déceler les effets indésirables potentiels. À titre d'exemple, la toux sèche est fréquemment imputée à l'IECA, alors qu'en fait, c'est un signe courant de l'exacerbation de l'insuffisance cardiaque. Il est essentiel de déterminer la cause exacte de la toux et des autres réactions d'intolérance avant d'interrompre l'administration de l'IECA. La toux et l'angioœdème s'expliquent par le fait que l'IECA empêche la dégradation des bradykinines dans les poumons. Leur accumulation à cet endroit peut causer la toux et, en quantité très importante, elles peuvent créer un œdème des tissus mous des voies respiratoires supérieures (angioœdème) (Lehne, 2012).

Antagonistes des récepteurs de l'angiotensine II Les antagonistes des récepteurs de l'angiotensine II (ARA) sont recommandés en présence d'intolérance aux inhibiteurs de l'enzyme de conversion de l'angiotensine (Lindenfeld, Albert, Boehmer *et al.*, 2010 ; Ramani, Uber & Mehra, 2010). Ces médicaments bloquent les effets de vasoconstriction et de sécrétion d'aldostérone de l'angiotensine II, en se liant aux récepteurs de cette dernière. Certaines études, telles que VAL-HeFT et CHARM-Added, tendent à démontrer qu'un client en insuffisance cardiaque et qui demeure symptomatique alors qu'il est soumis à un traitement optimal d'un IECA pourrait bénéficier d'une combinaison de ce type de médicaments et d'antagonistes des récepteurs de l'angiotensine II. Cette combinaison tend vers une diminution des hospitalisations allant jusqu'à 27,5 % et de la mortalité de l'ordre de 13,2 % (Cohn & Tognoni, 2001).

Antagonistes de l'aldostérone La spironolactone (Aldactone[MD]) et l'éplérénone sont des diurétiques antialdostérones qui bloquent les effets neurohormonaux néfastes de l'aldostérone sur les vaisseaux sanguins cardiaques. En se liant aux récepteurs de l'aldostérone dans le tube rénal distal, ils exercent également un effet d'épargne de potassium et de promotion de l'excrétion de sodium et d'eau. Au Canada, l'éplérénone est indiqué pour le traitement conventionnel afin de réduire le risque de mortalité après un infarctus du myocarde chez le client qui présente des signes et symptômes d'insuffisance cardiaque et de dysfonction systolique gauche (fraction d'éjection ≤ 40 %) (Pitt, Bakris, Ruilope *et al.*, 2008).

Vasodilatateurs

Nitrates Les nitrates exercent un effet de vasodilatation en agissant directement sur le muscle lisse de la paroi vasculaire. Ils peuvent être administrés avec le chlorhydrate d'hydralazine (Apresoline[MD]) dans la prise en charge de l'IC chronique lorsque le client ne tolère pas les IECA ou les ARA. Les nitrates sont particulièrement utiles dans le traitement de l'ischémie myocardique associée à l'IC parce qu'ils favorisent la vasodilatation des artères coronaires. Ils sont aussi utiles pour soulager l'orthopnée et la dyspnée nocturne paroxystique en raison de la diminution de la précharge.

L'intolérance aux nitrates constitue une contre-indication évidente à leur usage dans l'insuffisance cardiaque. Par ailleurs, l'homme atteint d'IC peut être traité par un stimulant érectile (p. ex., le citrate de sildenafi l [Viagra[MD]]) s'il est affligé d'une dysfonction érectile. Le stimulant érectile est contre-indiqué en présence d'un nitrate pour cause de risque accru d'hypotension symptomatique.

Hydralazine En tant qu'antihypertenseur, le chlorhydrate d'hydralazine dilate les artères et diminue le travail du cœur en réduisant la postcharge. Il est utilisé en combinaison avec les nitrates lorsque les IECA et les ARA sont contre-indiqués, entre autres pour insuffisance rénale chronique grave ou par intolérance à ces deux agents pharmacologiques ou encore chez la population afro-américaine en raison de son intolérance aux IECA (Mitchell, Tam, Trivedi *et al.*, 2011). L'antiangineux, le dinitrate d'isosorbide, dilate les veines aussi bien que les artères. Il agirait en libérant de l'oxyde nitrique à la paroi vasculaire ; son effet s'estompe en une demi-journée. Le chlorhydrate d'hydralazine empêcherait la disparition de l'effet. Le mécanisme d'action des deux médicaments combinés n'est pas tout à fait élucidé. Les effets indésirables courants sont la céphalée et l'étourdissement.

Bêtabloquants

Les bêtabloquants s'opposent directement aux effets néfastes du SNS sur le cœur défaillant, notamment à l'augmentation de la fréquence cardiaque. En combinaison avec les IECA, ils constituent la pierre angulaire du traitement de l'insuffisance cardiaque chronique. Étant donné que les bêtabloquants peuvent diminuer la contractilité myocardique, il importe d'adapter la posologie progressivement et lentement, à des intervalles de deux semaines, selon la tolérance du client. Ses principaux effets indésirables sont l'œdème, l'aggravation de l'insuffisance cardiaque, l'hypotension, la fatigue et la bradycardie.

Arrivé récemment sur le marché américain, un nouveau médicament est utilisé pour abaisser la fréquence cardiaque chez les personnes atteintes d'insuffisance cardiaque chronique. En effet, dans l'étude SHIFT, l'ajout de ce médicament à la thérapie conventionnelle des clients ayant une fréquence cardiaque supérieure à 70 bpm et atteints d'une insuffisance cardiaque modérée à grave (fraction d'éjection du ventricule gauche < 35 %) a permis d'obtenir une diminution significative (26 %) des décès et des hospitalisations. L'ivabradine pourrait également constituer une solution de rechange pour les clients qui ne tolèrent pas les bêtabloquants (p. ex., les asthmatiques) (Böhm, Swedberg, Komajda *et al.*, 2010).

Inotropes positifs

La préparation de digitale (p. ex., la digoxine [Lanoxin^MD]) augmente la force de contraction cardiaque (**action inotrope**). Elle diminue la vitesse de conduction au myocarde et ralentit la fréquence cardiaque (**action chronotrope négative**). Par ces mécanismes d'action, la digitale facilite la vidange des ventricules, diminuant ainsi le volume résiduel durant la diastole. Le débit cardiaque augmente grâce au débit systolique accru causé par l'amélioration de la contractilité.

Le client traité à l'aide d'une préparation de digitale est très à risque de présenter des signes d'intoxication digitalique. Les premiers signes et symptômes de cette intoxication sont l'anorexie, les nausées et les vomissements. Des troubles de la vue peuvent également survenir, dont la xanthopsie. L'arythmie, comme des blocs et une bradycardie, est un signe courant, mais d'apparition tardive, de l'intoxication digitalique.

L'hypokaliémie secondaire à l'administration de diurétiques excréteurs de potassium (p. ex., les thiazidiques, les diurétiques de l'anse) est une cause courante de l'intoxication digitalique. La basse concentration sérique de potassium stimule l'action de la digitale, de sorte que la dose thérapeutique peut entraîner des effets toxiques. À l'inverse, l'hyperkaliémie inhibe l'action de la digitale ; ainsi, la dose thérapeutique exerce un effet sous-optimal. Tant l'hypokaliémie que l'hyperkaliémie peuvent occasionner de l'arythmie. La surveillance de la kaliémie s'avère essentielle dans le traitement à l'aide d'une préparation de digitale et de diurétiques d'épargne ou d'excrétion de potassium. D'autres déséquilibres électrolytiques, notamment l'hypercalcémie et l'hypomagnésémie, peuvent accroître le risque d'intoxication digitalique.

Les maladies rénales ou hépatiques prédisposent à l'intoxication digitalique du fait que la plupart de ces médicaments sont métabolisés dans le foie et éliminés par le rein. La personne âgée est particulièrement vulnérable à cette toxicité étant donné que le ralentissement des fonctions hépatique et rénale ainsi que du métabolisme favorise l'accumulation de digitale dès le début du traitement.

Le traitement habituel de l'intoxication consiste à interrompre l'administration du médicament jusqu'à ce que les signes et symptômes disparaissent. Si la vie du client est en danger, l'antidote, soit des fragments d'anticorps spécifiques de la digoxine (Digibind^MD), est administré par voie intraveineuse. En présence d'une arythmie menaçant aussi la vie du client, le traitement approprié est entrepris.

42.1.10 Thérapie nutritionnelle

La non-adhésion au régime alimentaire faible en sel et au traitement médicamenteux ainsi que le non-respect de la limite liquidienne représentent les principaux motifs de réadmission hospitalière pour cause d'insuffisance cardiaque (Chung, Lennie, DeJong *et al.*, 2008). Il importe donc d'évaluer avec précision le régime alimentaire du client.

L'éducation diététique et la gestion du poids sont deux aspects primordiaux de la prise en charge de l'IC chronique par le client **ENCADRÉ 42.2**. L'infirmière ou la nutritionniste interroge le client pour déterminer non seulement la nature des aliments qu'il consomme, mais également quand, où et à quelle fréquence il mange à l'extérieur. De plus, l'infirmière devrait évaluer l'importance socioculturelle accordée à la

Carvédilol (Coreg^MD)

- Un surdosage peut entraîner une bradycardie profonde, une hypertension artérielle, un bronchospasme ou un choc cardiogénique.
- Mesurer la pression artérielle en position debout une heure après l'administration du médicament pour évaluer la tolérance du client en début de traitement.
- L'interruption brusque du traitement peut provoquer une transpiration, des palpitations ainsi que des maux de tête.

Digoxine (Lanoxin^MD)

- Surveiller l'apparition de signes révélant une hypokaliémie ou une hyperkaliémie, lesquelles peuvent accroître ou réduire les effets de la digoxine.
- Surveiller les signes avant-coureurs de toxicité : anorexie, nausées et vomissements, fatigue, maux de tête, dépression, perturbation visuelle.
- Surveiller les signes tardifs de toxicité : arythmie (p. ex., une bradycardie, un bloc auriculoventriculaire).

CE QU'IL FAUT RETENIR

La non-adhésion au régime hyposodique, au traitement médicamenteux et à la restriction liquidienne sont les principaux motifs de réadmission pour cause d'insuffisance cardiaque.

Pratique fondée sur des résultats probants

ENCADRÉ 42.2 **Les conseils d'une nutritionniste permettent-ils d'atténuer les symptômes de l'insuffisance cardiaque ?**

QUESTION CLINIQUE

Si une personne atteinte d'insuffisance cardiaque (P) consulte une nutritionniste (I), les conseils prodigués par celle-ci permettront-ils de réduire l'œdème et la fatigue du client (O) ?

RÉSULTATS PROBANTS

- Guide de pratique clinique fondée sur l'examen systématique d'essais cliniques aléatoires et non aléatoires.

ANALYSE CRITIQUE ET SYNTHÈSE DES DONNÉES

- La majorité des recommandations est fondée sur des résultats probants.
- Une première rencontre de plus de 45 minutes avec une nutritionniste et de 1 à 3 visites de suivi (de plus de 30 minutes chacune) permettraient non seulement d'améliorer le régime alimentaire et la qualité de vie du client, mais aussi de réduire son œdème et sa fatigue.
- Les clients atteints d'insuffisance cardiaque ont un besoin en protéines supérieur à la normale.
- La supplémentation en acide folique est bénéfique aux clients atteints d'insuffisance cardiaque.

CONCLUSION

- Les conseils nutritionnels peuvent entraîner une réduction de l'œdème et de la fatigue chez les clients souffrant d'insuffisance cardiaque.

RECOMMANDATIONS POUR LA PRATIQUE INFIRMIÈRE

- Diriger les clients souffrant d'insuffisance cardiaque vers une nutritionniste.
- Réduire l'apport de liquides pour qu'il atteigne entre 1,4 et 1,9 L par jour, selon les signes et symptômes du client (p. ex., de l'œdème, de la fatigue, de l'essoufflement).
- Réduire l'apport de sodium à moins de 3 g par jour.
- Encourager le client à consommer au moins 1,12 g de protéines par kilogramme de poids corporel.

RÉFÉRENCE

American Dietetic Association (ADA) (2008). *ADA heart failure : Evidence-based nutrition practice guideline.* Chicago : Academy of Nutrition and Dietetics. Repéré à www.andeal.org/topic.cfm?cat=2800

P : Population ; I : Intervention ; O : (*Outcome*) Résultat.

Jugement clinique

Eugénie Lafortune, âgée de 68 ans, est hospitalisée depuis 3 jours pour une décompensation de son insuffisance cardiaque globale à la suite du non-respect de sa limite liquidienne. Après avoir reçu 3 doses de furosémide (Lasix^MD^) 80 mg I.V. x 24 h, elle reçoit maintenant du Lasix^MD^ 80 mg P.O. b.i.d. Joannie, nouvelle infirmière, se rappelle qu'elle doit prendre connaissance d'au moins trois éléments de surveillance clinique avant d'administrer le Lasix^MD^ à madame Lafortune. Quels sont ces éléments ?

nourriture. Cette information sera utile pour aider le client à effectuer les choix alimentaires appropriés au moment d'établir son régime. Les recommandations quant à l'alimentation et à la gestion pondérale doivent être personnalisées et adaptées à la culture du client pour faciliter les modifications nécessaires du style de vie.

FIGURE 42.9 Exemple d'aliments riches en sodium

Souvent, l'œdème présent dans l'IC chronique est traité par des restrictions alimentaires en sodium **FIGURE 42.9**. L'infirmière doit indiquer au client les aliments riches ou pauvres en sodium et lui enseigner à rehausser la saveur des aliments par d'autres moyens que le sel (p. ex., du jus de citron, des herbes et des épices). L'ampleur de la restriction sodée varie selon la gravité de l'IC et l'efficacité du traitement diurétique. Le régime alimentaire dépourvu de sodium est rarement prescrit en raison de sa fadeur et de la faible propension du client à y être fidèle. Le régime alimentaire conçu pour freiner l'hypertension artérielle (*Dietary Approaches to Stop Hypertension* [DASH]) se révèle efficace comme mesure de première intention dans beaucoup de cas d'hypertension systolique isolée. Ce régime est désormais répandu dans la prise en charge de l'IC avec ou sans hypertension artérielle ▶ 40.

40

L'hypertension artérielle est étudiée en détail dans le chapitre 40, *Interventions cliniques – Hypertension artérielle.*

L'apport alimentaire quotidien moyen en sodium de l'adulte nord-américain varie de 7 000 et 15 000 mg. Le régime prescrit habituellement en cas d'IC légère prévoit un apport alimentaire allant jusqu'à 2 300 mg de sodium par jour **TABLEAU 42.8**. Tous les aliments riches en sodium devraient être proscrits, par exemple les soupes

Thérapie nutritionnelle

TABLEAU 42.8 **Régime hyposodé**

PRINCIPES GÉNÉRAUX

- Ne pas saler ni assaisonner les aliments à la cuisson ou à la préparation avec un mélange contenant du sodium[a].
- Bannir le sel sur la table[a].
- Éviter les aliments riches en sodium (p. ex., les soupes en conserve, la viande transformée, le fromage, les mets surgelés).
- Limiter la consommation de produits laitiers à deux tasses par jour.

MODÈLE DE MENU D'UNE DIÈTE PRÉVOYANT 2 400 MG DE SODIUM PAR JOUR

Déjeuner		**Sodium (mg)**
2/3 tasse de céréales de son		161
2/3 tasse de céréales Shredded Wheat[MD][b]		3
1 tranche de pain de blé entier		149
1 banane de taille moyenne		1
150 mL de yogourt aux fruits sans gras		85
1 tasse de lait écrémé		126
30 mL de confiture		5
250 mL de café		5
Dîner		**Sodium (mg)**
Sandwich au poulet	2 tranches (90 g) de poitrine de poulet sans peau	65
	2 tranches de pain de blé entier	299
	1 tranche (20 g) de fromage cheddar	328
	1 tranche (20 g) de fromage suisse[b]	54
	1 grande feuille de laitue romaine	1
	2 tranches de tomate	90
	15 mL de mayonnaise faible en gras	90
1 pêche de taille moyenne		7
Souper		**Sodium (mg)**
3/4 tasse de sauce pour pâtes végétarienne		459
2/3 tasse de pâte de tomates sans sel ajouté[b]		260
1 tasse de spaghettis		1
3 cuillères à soupe de fromage parmesan		349

Jugement clinique

Madame Lafortune est réhospitalisée quelques jours après son départ du centre hospitalier. Elle se dit plus essoufflée ce matin et a dû prendre une pause lors de sa toilette au lavabo en raison de la dyspnée. Vous la pesez avant le déjeuner : elle pèse 70 kg alors qu'elle pesait 68,8 kg la veille. En plus d'aviser son médecin traitant, indiquez deux interventions infirmières que vous devriez effectuer.

TABLEAU 42.8 Régime hyposodé *(suite)*

Salade aux épinards	1 tasse d'épinards frais	24
	1/4 tasse de carottes râpées	10
	1/4 tasse de champignons tranchés	1
	2 cuillères à soupe de vinaigrette	0
1/2 tasse de pêches en conserve dans leur jus		4
1/2 tasse de maïs surgelé cuit		4
Collation		**Sodium (mg)**
1/3 tasse d'amandes		4
1/4 tasse d'abricots séchés		3
2/3 tasse de yogourt aux fruits sans gras		85
MODIFICATIONS DANS D'AUTRES DIÈTES FAIBLES EN SODIUM		
Diète prévoyant 500 mg de sodium		
• Limiter les produits laitiers à 1 tasse par jour. • Limiter la viande à 120 g par jour. • Choisir du beurre, du pain, des légumes et des pâtes sans sel.		
Diète prévoyant 1 000 mg de sodium		
• Limiter les produits laitiers à 1 tasse par jour. • Opter pour du beurre et des légumes sans sel.		

[a] Une cuillère à thé de sel équivaut à 2 300 mg de sodium.
[b] Substitution pour obtenir une diète limitée à 1 500 mg de sodium.

en conserve, les charcuteries et les repas de restauration rapide. Il faut enseigner au client et à ses proches à lire l'étiquette des produits pour connaître leur contenu en sodium **TABLEAU 42.9**. La dynamique familiale et la perception que la famille a de la maladie peuvent avoir un impact positif sur l'état de santé du client en exerçant une influence sur ses comportements. Les personnes souffrant d'hypertension artérielle réussissent à réduire leur consommation en sodium de 50 % lorsque la famille s'implique dans les changements des habitudes alimentaires (Cohen, Weinberger, Fineberg *et al.*, 1991).

Les diurétiques, les IECA et la digitale exercent tous un effet diurétique qui accroît l'excrétion liquidienne. Cependant, la restriction liquidienne (entre 1 200 et 1 500 mL par jour) est importante dans l'IC modérée ou marquée et l'insuffisance rénale. Il est important d'enseigner au client comment s'astreindre à une limite liquidienne stricte. Une façon simple pour lui de mesurer ses ingesta de liquide durant la journée est d'utiliser un pichet gradué, par exemple. Il importe d'aider le client à composer avec la soif, un effet indésirable des médicaments et des mécanismes neurohormonaux. Des copeaux de glace, de la gomme à mâcher, des bonbons durs ou des sucettes glacées seront utiles pour soulager ce symptôme.

Il importe que le client se pèse chaque jour afin de surveiller une possible rétention hydrique. L'infirmière lui enseigne à se peser au même moment chaque jour, de préférence avant le déjeuner, vêtu de façon semblable et à l'aide du même

TABLEAU 42.9 Contenu en sodium selon l'étiquette des produits

MENTION SUR L'ÉTIQUETTE	INTERPRÉTATION
Sans sodium ou sans sel	< 5 mg par portion
Faible teneur en sodium	140 mg de sodium ou moins par portion
Teneur réduite en sodium	Au moins 25 % moins de sodium que la préparation ordinaire
Légèrement salé	50 % moins de sodium que la préparation ordinaire
Non salé ou sans sel ajouté	Pas de sel ajouté durant la transformation du produit

Note : Faire preuve de circonspection avec les substituts sans sel, car ils peuvent contenir beaucoup de potassium.

pèse-personne. La comparaison d'un jour à un autre sera ainsi valide, et cela favorisera la détection des signes avant-coureurs de la rétention hydrique. Si le client gagne 1,4 kg en deux jours ou jusqu'à 2,3 kg en une semaine, le professionnel de la santé qui assure son suivi devrait en être informé (Lindenfeld *et al.*, 2010; Ramani *et al.*, 2010).

42.1.11 Exercice physique et réadaptation cardiaque

Les clients atteints d'IC peuvent améliorer leur tolérance à l'effort et leur qualité de vie en bénéficiant d'un programme d'exercices physiques approprié et personnalisé **FIGURE 42.10** et **ENCADRÉ 42.3**.

Il est important de rappeler que le client doit être évalué de façon rigoureuse par du personnel qualifié et expérimenté dans la gestion de l'IC. Tous les clients ne sont pas forcément aptes à participer à un programme de réadaptation cardiaque structuré. Les principales barrières concernent: la classe d'IC selon la classification fonctionnelle de la NYHA **ENCADRÉ 42.1**, le niveau d'intérêt du client à l'égard de l'exercice physique et l'accès aux ressources (Moe *et al.*, 2014).

De plus, de fréquentes réévaluations et du renforcement pour l'adhésion au programme devront être effectués auprès du client atteint d'IC.

FIGURE 42.10 En réadaptation cardiaque, la marche peut constituer une activité physique appropriée pour améliorer la fonction cardiaque.

L'infirmière assure alors un rôle-clé lorsqu'elle rencontre le client lors des suivis médicaux en IC. Par exemple, au moment de l'évaluation des symptômes, elle peut questionner le client à l'égard du programme d'activité physique entrepris. Si le client manifeste des signes de complications de l'IC, l'exercice physique devra être suspendu quelque temps puis réévalué pour que le programme soit maintenu à long terme. Les bienfaits de la réadaptation cardiaque se dissipent rapidement lorsque l'exercice physique est interrompu.

Pratique fondée sur des résultats probants

ENCADRÉ 42.3 **L'exercice physique peut-il contribuer à réduire la dépression chez les clients qui souffrent d'insuffisance cardiaque?**

QUESTION CLINIQUE

Chez les clients atteints d'insuffisance cardiaque (P), quels sont les effets de l'exercice aérobique (I), comparativement aux soins courants (C), pour soulager les symptômes de la dépression (O) à 3 mois et à 12 mois (T)?

RÉSULTATS PROBANTS

- Essais cliniques à répartition aléatoire

ANALYSE CRITIQUE ET SYNTHÈSE DES DONNÉES

Essais cliniques menés par 82 centres médicaux (*n* = 2 322) auprès de clients atteints d'insuffisance cardiaque chronique stable.

- L'intervention consistait en la pratique d'exercice aérobique à raison de 90 minutes par semaine pendant les 3 premiers mois, suivie d'exercices à la maison à raison d'au moins 120 minutes par semaine du 4e au 12e mois. Les soins courants comportaient l'enseignement au client ainsi qu'un traitement de l'insuffisance cardiaque axé sur des lignes directrices.
- Le critère d'évaluation était la présence de symptômes de dépression.
- Les clients qui ont fait de l'exercice aérobique ont présenté moins de symptômes dépressifs au 3e mois et au 12e mois comparativement aux clients qui recevaient les soins courants.

CONCLUSION

- L'exercice réduit considérablement les symptômes dépressifs.

RECOMMANDATIONS POUR LA PRATIQUE INFIRMIÈRE

- Inciter les clients souffrant d'insuffisance cardiaque à établir avec leur fournisseur de soins de santé des objectifs raisonnables en termes d'exercice physique.
- Souligner les bienfaits mentaux et physiques de la pratique régulière et supervisée d'un exercice aérobique.

RÉFÉRENCE

Blumenthal, J., Babyak, M., O'Connor, C., *et al.* (2012). Effects of exercise training on depressive symptoms in patients with chronic heart failure: the HF-ACTION randomized trial, *JAMA* 308:465.

P: Population; I: Intervention; C: Comparaison; O: (*Outcome*) Résultat; T: (*Time period*) Cadre temporel.

Soins et traitements infirmiers

CLIENT ATTEINT D'INSUFFISANCE CARDIAQUE

39 | ÉVALUATION CLINIQUE

Le chapitre 39, *Système cardiovasculaire*, explique de manière détaillée l'étape d'évaluation du système cardiovasculaire.

Collecte des données

L'infirmière collecte les données subjectives et objectives présentées à l'**ENCADRÉ 42.4** auprès du client atteint d'IC. Il importe également de passer en revue les médicaments d'ordonnance et les médicaments offerts en vente libre que celui-ci consomme. De plus, l'examen des habitudes alimentaires peut mettre en lumière des problèmes entraînant l'exacerbation de l'IC. Les affections concomitantes, particulièrement les maladies chroniques actives, peuvent elles aussi contribuer à accentuer l'IC, influençant le plan de soins et de traitements infirmiers ainsi que le moment d'instauration et l'intensité des traitements. Par exemple, le client dont la respiration perturbe le sommeil n'a peut-être pas recours la nuit à son appareil de ventilation spontanée en pression positive continue (VSPPC) à intervalles réguliers, ce qui laisse libre cours à son hypertension artérielle qui, elle, provoque l'exacerbation de l'IC.

Analyse et interprétation des données

Les problèmes découlant de la situation de santé à la suite d'une IC comprennent ceux présentés dans le **PSTI 42.1**, sans toutefois s'y limiter.

Planification des soins

Les objectifs généraux pour le client atteint d'insuffisance cardiaque sont :

- d'atténuer les symptômes (p. ex., l'essoufflement, la fatigue);
- de réduire l'œdème périphérique;
- d'augmenter la tolérance à l'effort;
- de favoriser le respect du traitement médical;
- d'éviter les complications.

Collecte des données

ENCADRÉ 42.4 Insuffisance cardiaque

DONNÉES SUBJECTIVES

- Renseignements importants concernant la santé :
  - Antécédents de santé : coronaropathie (dont un infarctus du myocarde récent), hypertension artérielle, cardiomyopathie, valvulopathie ou maladie cardiaque congénitale ; diabète, dyslipidémie, maladie rénale, maladie thyroïdienne ou pulmonaire, fréquence cardiaque accélérée ou irrégulière
  - Médicaments : médicaments cardiaques et adhésion à ce traitement, diurétiques, œstrogène, corticostéroïdes, anti-inflammatoires non stéroïdiens (AINS) ; médicaments offerts en vente libre, plantes médicinales
- Modes fonctionnels de santé :
  - Perception et gestion de la santé : fatigue, dépression, anxiété
  - Nutrition et métabolisme : apport de sodium habituel, nausées, vomissements, anorexie, ballonnement, gain pondéral, enflure des chevilles
  - Élimination : nycturie, diminution de l'excrétion urinaire diurne, constipation
  - Activités et exercices : dyspnée, orthopnée, toux (p. ex., une toux sèche, une toux productive), palpitations, étourdissements, évanouissement
  - Sommeil et repos : nombre d'oreillers sur lesquels la tête est appuyée, dyspnée nocturne paroxystique, insomnie
  - Cognition et perception : douleur thoracique ou sensation d'oppression, douleur au quadrant supérieur droit, malaise abdominal, changements comportementaux, changements visuels

DONNÉES OBJECTIVES

- Système tégumentaire : peau froide et moite, cyanose ou pâleur, œdème périphérique (insuffisance cardiaque droite)
- Système respiratoire : tachypnée, crépitants, rhonchis, sibilances ; expectorations spumeuses blanchâtres ou sanguinolentes
- Système cardiovasculaire : tachycardie, B_3 et B_4, pouls alternant, déplacement infériopostérieur du point d'impulsion maximale, distension veineuse jugulaire
- Système gastro-intestinal : distension abdominale, hépatosplénomégalie, ascites
- Système nerveux : instabilité psychomotrice, confusion, troubles de l'attention ou de la mémoire
- Résultats possibles aux examens paracliniques : déséquilibre électrolytique (particulièrement sodium [Na+] et K^+), ↑ concentration sanguine de l'urée, créatinine ou enzymes hépatiques, ↑ peptides natriurétiques de type B ; cardiomégalie ; congestion pulmonaire et œdème pulmonaire interstitiel à la radiographie pulmonaire ; expansion des cavités cardiaques, ↓ mouvement des parois, fraction d'éjection diminuée ou normale avec signes de dysfonction diastolique à l'échocardiographie, expansion auriculaire et ventriculaire à l'ECG ; ↓ SaO_2

Plan de soins et de traitements infirmiers

PSTI 42.1 Insuffisance cardiaque

PROBLÈME DÉCOULANT DE LA SITUATION DE SANTÉ	**Non-adhésion** liée à un manque de connaissances concernant la maladie, comme en témoigne le non-respect de la limite hydrosodée.
OBJECTIF	Le client respectera sa limite hydrosodée.
RÉSULTATS ESCOMPTÉS	**INTERVENTIONS INFIRMIÈRES ET JUSTIFICATIONS**
Tolérance à l'effort • Maintien d'un poids stable • Connaissance des risques liés à une mauvaise gestion de la limite hydrosodée • Utilisation de moyens alternatifs pour étancher la soif • Consommation de moins de 2 300 mg/jour de sel	**Gestion énergétique** • Encourager le client à se peser tous les jours. • Évaluer les croyances du client concernant la limite hydrosodée. • Enseigner au client des moyens et lui donner des conseils afin de diminuer sa consommation d'eau, tout en étant confortable durant la journée. • Enseigner au client des moyens et lui donner des conseils afin de diminuer sa consommation de sel, tout en gardant une alimentation saine et équilibrée.
PROBLÈME DÉCOULANT DE LA SITUATION DE SANTÉ	**Altération des échanges gazeux** liée à l'augmentation de la précharge et aux changements de la membrane alvéolocapillaire, comme en témoignent l'analyse anormale des gaz artériels, l'hypoxémie, la dyspnée, la tachypnée, la tachycardie, l'instabilité psychomotrice et le fait que le client se plaint d'« être essoufflé ».
OBJECTIF	Le client maintiendra des échanges d'oxygène et de dioxyde de carbone suffisant pour satisfaire les besoins du corps en oxygène.
RÉSULTATS ESCOMPTÉS	**INTERVENTIONS INFIRMIÈRES ET JUSTIFICATIONS**
Fonction respiratoire : échange gazeux • Fréquence respiratoire ______ R/min • Absence d'utilisation des muscles accessoires • Absence de dyspnée de repos et d'effort • Absence de bruits adventices • Murmures vésiculaires présents dans toutes les plages pulmonaires • Absence de signes d'hypoxémie (altération de l'état de conscience, cyanose, respiration de Kussmaul, etc.) • Augmentation de l'amplitude pulmonaire	**Surveillance respiratoire** • Surveiller la fréquence, le rythme et l'amplitude de la respiration de même que l'effort que cela représente pour évaluer l'évolution de la fonction respiratoire. • Ausculter pour entendre les bruits de la respiration en notant les zones de ventilation réduite ou inexistante et les zones de bruits adventices pour déceler la présence d'œdème pulmonaire. • Surveiller l'instabilité psychomotrice, l'anxiété et la respiration de Kussmaul afin de détecter l'accentuation de l'hypoxémie. **Positionnement** • Positionner le client de manière à atténuer la dyspnée (p. ex., une position semi-Fowler) afin d'améliorer la ventilation en diminuant le retour veineux et en augmentant la capacité thoracique.
Incidence de l'oxygénothérapie • Mesures d'oxymétrie dans les normales attendues • Résultats de la gazométrie du sang artériel dans les normales attendues (PaO_2, $PaCO_2$)	**Oxygénothérapie** • Administrer de l'O_2 supplémentaire selon l'ordonnance afin de maintenir le taux souhaité d'O_2. • Surveiller le débit d'oxygène et le positionnement du dispositif d'administration afin que l'oxygène soit administré de façon appropriée. • Au repas, remplacer le masque par la canule nasale, si le client la tolère, pour maintenir le taux d'O_2 pendant le repas.

PSTI 42.1	Insuffisance cardiaque *(suite)*
PROBLÈME DÉCOULANT DE LA SITUATION DE SANTÉ	**Volume liquidien excessif** lié à l'augmentation de la pression veineuse et à la diminution du débit sanguin rénal en raison de l'insuffisance cardiaque, comme en témoignent le gain de poids rapide, l'œdème, les bruits respiratoires adventices, l'oligurie et le fait que le client se plaint de « l'enflure de ses chevilles ».
OBJECTIF	Le client constatera une diminution ou une disparition de l'œdème ainsi qu'un retour au poids de référence.
RÉSULTATS ESCOMPTÉS	**INTERVENTIONS INFIRMIÈRES ET JUSTIFICATIONS**
Équilibre électrolytique • Diurèse augmentée • Électrolytes sériques et épreuves de fonction rénale dans les valeurs normales attendues • Maintien d'un poids stable • Équilibre du bilan des ingesta et des excreta (sur 24 heures) • Absence de difficulté respiratoire • Absence de bruits adventices à l'auscultation • Paramètres hémodynamiques dans les valeurs normales attendues • Absence d'œdème périphérique	**Gestion de l'hypervolémie** • Administrer le diurétique prescrit pour traiter l'hypervolémie. • Surveiller l'effet thérapeutique du diurétique (p. ex., une hausse de l'excrétion urinaire, une baisse de la pression veineuse centrale [PVC] et de la pression artérielle pulmonaire d'occlusion [PAPO] et une diminution des bruits respiratoires adventices) pour déterminer la réponse thérapeutique. • Surveiller la kaliémie et la natrémie après la diurèse afin de déceler la perte électrolytique excessive. • Surveiller la fonction rénale (créatinine / urée) afin de déceler une détérioration de la fonction rénale. • Peser le client chaque jour et surveiller l'évolution du poids afin d'évaluer l'effet thérapeutique. • Surveiller les ingesta et les excreta afin d'évaluer l'état liquidien. • Surveiller la respiration afin de cerner les signes et les symptômes de gêne respiratoire pour détecter l'œdème pulmonaire. • Surveiller l'état hémodynamique, dont la PVC, la pression artérielle moyenne (P.A.M.) et la PAPO, pour évaluer l'efficacité thérapeutique. • Surveiller l'évolution de l'œdème périphérique afin d'évaluer la réponse thérapeutique.
PROBLÈME DÉCOULANT DE LA SITUATION DE SANTÉ	**Intolérance à l'effort** liée à la fatigue découlant de l'insuffisance cardiaque et à la congestion pulmonaire, comme en témoignent la dyspnée, l'essoufflement, la faiblesse, l'augmentation de la F.C. à l'effort et le fait que le client se plaint de « se sentir trop faible pour faire quoi que ce soit ».
OBJECTIF	Le client adoptera un régime équilibré d'activités comprenant des activités physiques et des activités économes en énergie.
RÉSULTATS ESCOMPTÉS	**INTERVENTIONS INFIRMIÈRES ET JUSTIFICATIONS**
Tolérance à l'effort • Mesure d'oxymétrie dans les normales pendant les activités • Fréquence cardiaque ______ batt./min • Fréquence respiratoire ______ R/min • Absence de dyspnée d'effort (échelle de Borg) • Connaissance de l'importance de doser les efforts pour éviter la fatigue • Accomplissement des activités de la vie quotidienne sans dyspnée ou douleur	**Gestion énergétique** • Surveiller la réaction du client (p. ex., le pouls, la F.C. et la F.R.) aux autosoins et aux activités infirmières afin de déterminer le degré d'activité possible. • Encourager l'alternance entre le repos et les périodes d'activité afin de diminuer le travail du cœur. • Offrir des activités divertissantes favorisant la détente afin de diminuer la consommation d'O_2 et d'atténuer la dyspnée et la fatigue. • Enseigner au client et au proche aidant des techniques d'autosoins qui réduiront au minimum la consommation d'O_2 (p. ex., l'autosurveillance et les techniques de stimulation en vue de l'exécution des AVQ).
Activités physiques • Pratique d'activités physiques au quotidien et augmentation de la capacité à l'effort, tout en étant confortable	**Programme d'activité** • Collaborer avec l'ergothérapeute, le physiothérapeute ou la kinésiologue à la planification et à la surveillance d'un programme d'activités et d'exercices physiques. • Évaluer la volonté du client d'augmenter la fréquence ou la gamme d'activités ou d'exercices physiques afin de fixer avec lui des objectifs réalistes.

PSTI 42.1	**Insuffisance cardiaque *(suite)***
PROBLÈME DÉCOULANT DE LA SITUATION DE SANTÉ	**Méconnaissance de la maladie**, comme en témoignent les questions sur la maladie et le fait que le client « ne sait pas pourquoi il est toujours malade ».
OBJECTIF	Le client décrira la maladie et le bien-fondé du régime alimentaire, de la pharmacothérapie et du programme d'exercices.
RÉSULTATS ESCOMPTÉS	**INTERVENTIONS INFIRMIÈRES ET JUSTIFICATIONS**
Connaissances sur la maladie • Description de l'évolution attendue de l'état de santé • Perception d'un sentiment de contrôle sur la maladie • Prise en charge par le client et ses proches des exacerbations de façon adéquate (évaluation de l'état de santé, choix des médicaments, etc.) et signalement des signes et symptômes persistants aux professionnels de la santé	**Enseignement : la maladie** • Déterminer l'étendue des connaissances du client sur la maladie afin de cerner les lacunes à combler. • Décrire les signes et les symptômes courants de la maladie afin que le client sache ce qu'il faut signaler au personnel soignant. • Indiquer au client et au proche aidant les mesures destinées à prévenir ou à réduire au minimum les effets indésirables du traitement de la maladie afin qu'il soit apte à diminuer le nombre d'épisodes d'I.C. aiguë.
Besoins alimentaires • Alimentation respectant le régime alimentaire recommandé	**Enseignement : le régime alimentaire** • Déterminer l'étendue des connaissances du client et du proche aidant sur le régime alimentaire prescrit afin de cerner les lacunes à combler.
Autogestion de la médication • Prise en charge de l'administration de la médication	**Enseignement : le traitement médicamenteux** • Passer en revue les connaissances du client sur les médicaments prescrits afin de savoir s'il y a lieu de lui offrir de l'information supplémentaire. • Étendre l'enseignement au proche aidant qui pourra ainsi mieux soutenir le client.

Interventions cliniques

Promotion de la santé

Le choix et la prestation de soins de santé de grande qualité centrés sur le client reposent sur la communication entre celui-ci, le proche aidant, l'équipe soignante et l'infirmière, ainsi que sur la prise de décisions commune **FIGURE 42.11**. La promotion de la santé occupe une place primordiale dans les soins où les facteurs de risque sont détectés et traités le plus tôt possible afin de prévenir ou de freiner la progression de la maladie (Schocken, Benjamin, Fonarow *et al.*, 2008). Ainsi, le client atteint d'insuffisance cardiaque de stade A, défini par l'ACC et l'AHA **ENCADRÉ 42.1**, qui présente de l'hypertension artérielle ou de la dyslipidémie, se verra prescrire des médicaments, un régime alimentaire et de l'exercice physique afin de maîtriser sa P.A. ou son taux de cholestérol. En présence de toute cause réversible, la problématique doit être abordée comme dans la valvulopathie, le remplacement de la valve devrait être prévu avant que la congestion pulmonaire n'apparaisse. Une intervention de revascularisation coronaire endovasculaire ou par une chirurgie cardiaque est indiquée dans la maladie coronarienne. De même, les antiarythmiques ou la stimulation cardiaque s'imposent s'il y a une arythmie grave ou un trouble de la conduction. Enfin, le client atteint d'IC devrait être encouragé à se faire vacciner contre l'influenza et la pneumonie en raison de son système immunitaire plus fragile et des risques de complications si, par exemple, il contracte une pneumonie.

FIGURE 42.11 Une personne âgée et un proche aidant en compagnie d'une infirmière qui leur explique comment assurer le suivi des soins.

CE QU'IL FAUT RETENIR

Le client doit être informé de l'importance d'observer le traitement médicamenteux, le régime alimentaire, la restriction liquidienne et le programme d'exercices physiques.

Une fois le diagnostic d'insuffisance cardiaque posé, les soins devraient être axés sur le ralentissement de la progression de la maladie. Il est essentiel de connaître l'importance de la fidélité au traitement médicamenteux, au régime alimentaire, à la restriction liquidienne et au programme d'exercices physiques. L'entraînement (p. ex., la réadaptation cardiaque par l'exercice) atténue les symptômes de l'IC chronique, mais il n'est pas prescrit aussi souvent qu'il le faudrait. L'infirmière pourra réserver des soins infirmiers à domicile afin d'assurer le suivi et de surveiller la réponse thérapeutique du client. La détection précoce des signes et des symptômes de l'IC qui s'aggrave peut contribuer à empêcher l'épisode aigu qui nécessitera une autre hospitalisation.

Soins en phase aiguë

Nombre de personnes atteintes d'insuffisance cardiaque traverseront un ou plusieurs épisodes d'insuffisance cardiaque en décompensation aiguë. Dans cette situation, elles se rendent habituellement aux urgences où leur état est d'abord stabilisé, avant d'être admises à l'USI, dans une unité intermédiaire apte à surveiller continuellement la fonction cardiaque ou à une unité spécialisée en IC. Pour être efficace, la prise en charge de l'IC doit se conformer à plusieurs principes importants (Hebert, Sisk, Wang *et al.*, 2008):

- l'IC est une maladie évolutive, et le plan de traitement est établi en fonction de la qualité de vie du client;
- la maîtrise symptomatique est du ressort du client à qui sont offerts des outils d'autogestion (p. ex., la pesée quotidienne, le traitement médicamenteux, un régime alimentaire et un programme d'exercices physiques);
- la restriction sodée, et parfois hydrique, ainsi que l'attention portée à la conservation énergétique sont des moyens efficaces pour diminuer les exacerbations;
- des réseaux de soutien sont essentiels à la réussite thérapeutique.

Le plan de soins dans l'insuffisance cardiaque s'applique au client en ICDA dont l'état est stable et au client en IC chronique **PSTI 42.1**.

Apaiser l'anxiété est un objectif infirmier important étant donné que cette dernière peut accentuer la réaction du SNS et augmenter ainsi davantage la charge de travail myocardique. Diverses interventions infirmières et le recours à un anxiolytique-sédatif (p. ex., la benzodiazépine, la morphine) auront pour effet de diminuer l'anxiété.

Les cliniques d'IC qui offrent le suivi de la clientèle en consultation externe pourront suivre le client afin de favoriser la prise en charge de l'IC. Le personnel de cette clinique travaille en équipes interdisciplinaires composées notamment d'infirmières, de pharmaciens, de kinésiologues, de psychologues et de nutritionnistes dans le but de favoriser la conformité aux normes essentielles de traitement fondées sur les résultats probants.

Soins ambulatoires et soins à domicile

Dans la plupart des cas, l'insuffisance cardiaque est de nature chronique. Les responsabilités infirmières importantes consistent à:

- enseigner au client les changements physiologiques qui peuvent se produire;
- aider le client à s'adapter tant aux changements physiologiques que psychologiques;
- faire participer le client et le proche aidant au plan de traitement global.

L'infirmière devrait passer en revue les signes et les symptômes de l'exacerbation de l'IC avec le client et le proche aidant et leur fournir un plan d'action clair à mettre en œuvre si des signes et symptômes se manifestent (Lindenfeld *et al.*, 2010). Cette information est cruciale pour être en mesure de traiter l'IC le plus tôt et le plus rapidement possible et pour prévenir l'hospitalisation (Chojnowski, 2007). L'**ENCADRÉ 42.5** présente une stratégie d'enseignement au client et à ses proches aidants.

La personne atteinte d'insuffisance cardiaque est à risque d'éprouver de l'anxiété et de présenter une dépression (Diefenbeck, 2009). Il est important de rappeler au client que ce problème de santé chronique ne l'empêche pas d'avoir une vie productive.

En règle générale, le traitement médicamenteux est permanent. Il peut être difficile pour le client d'y être fidèle quand la prise en charge se révèle efficace et qu'il devient asymptomatique. L'infirmière doit souligner la nature chronique de la maladie et la nécessité du traitement médicamenteux. Le soutien social que procure le proche aidant améliore la fidélité du client à ses rendez-vous et à la prise de sa médication, ce qui contribue à diminuer la pression artérielle ainsi que la mortalité (Dunbar, Clark, Deaton *et al.*, 2005). Les interventions familiales deviennent donc très importantes dans le cas d'une maladie chronique.

L'infirmière doit enseigner au client les effets escomptés des médicaments et les signes d'intoxication médicamenteuse. Le client devrait savoir comment calculer sa fréquence cardiaque et connaître les circonstances dans lesquelles la prise de médicaments, particulièrement la digitale et les bêtabloquants, devrait être interrompue, et s'il y a lieu de consulter un professionnel de la santé. La fréquence cardiaque devrait se mesurer pendant 15 secondes, si le pouls est régulier (multiplier par 4 pour obtenir le nombre de battements

Enseignement au client et à ses proches

ENCADRÉ 42.5 Insuffisance cardiaque

L'enseignement au client et à ses proches sur la prise en charge de l'insuffisance cardiaque devrait porter sur les aspects suivants.

PROMOTION DE LA SANTÉ

- Recevoir la vaccination antigrippale annuelle.
- Recevoir le vaccin antipneumococcique (p. ex., le PneumovaxMD) et se faire revacciner cinq ans plus tard (personnes à risque élevé de pneumonie ou de maladie grave).
- Gérer les facteurs de risque de façon continue (p. ex., la maîtrise de la P.A., l'abandon du tabac, la réduction du poids).

REPOS

- Planifier un programme structuré alternant repos et activités quotidiennes.
- Prévoir une période de repos après l'effort, notamment après l'exercice physique et les AVQ.
- Diminuer les heures de travail ou prévoir une période de repos durant le travail.
- Faire part des préoccupations, des craintes et des sentiments dépressifs au professionnel de la santé.

PHARMACOTHÉRAPIE

- Prendre les médicaments tels qu'ils ont été prescrits.
- Concevoir un système (p. ex., un horaire quotidien, l'utilisation d'une dosette) pour faciliter la prise des médicaments.
- Mesurer sa fréquence cardiaque avant de prendre les médicaments (s'il y a lieu). Connaître l'écart de fréquence cardiaque préconisé par le professionnel de la santé.
- Vérifier la pression artérielle aux moments déterminés (s'il y a lieu). Connaître l'écart préconisé par le professionnel de la santé.
- Connaître les signes et les symptômes d'hypotension orthostatique et la façon de les éviter.
- Connaître les signes de l'hémorragie interne (saignement gingival, augmentation des ecchymoses, sang dans les selles ou l'urine) et savoir quoi faire s'il y a prise d'un anticoagulant.
- Connaître son rapport international normalisé (RIN) s'il y a prise de warfarine sodique (CoumadinMD) et la fréquence de la vérification sanguine.

THÉRAPIE NUTRITIONNELLE

- S'en remettre au régime alimentaire écrit et à la liste des aliments permis et des restrictions alimentaires.
- Lire les étiquettes des produits pour en connaître le contenu en sodium. Lire également l'étiquette des médicaments offerts en vente libre comme les laxatifs, les antitussifs et les antiacides.
- Éviter de saler les aliments à la préparation, à la cuisson ou au repas.
- Se peser au même moment chaque jour, vêtu des mêmes vêtements ou de vêtements semblables, à l'aide du même pèse-personne.
- Augmenter la fréquence des repas, diminuer les portions.
- Respecter une limite liquidienne de 1 200 à 1 500 mL par jour et utiliser des moyens pour diminuer la soif.

PROGRAMME D'ACTIVITÉS

- Allonger progressivement la marche et les autres activités, pourvu qu'elles ne causent pas de fatigue ou de dyspnée. Envisager la possibilité d'un programme de réadaptation cardiaque.
- Éviter la chaleur ou le froid extrême.

SURVEILLANCE CONTINUE

- Connaître les signes et les symptômes de l'IC récurrente ou en progression (p. ex., à l'aide de FACES : **F**atigue, limitation des **A**ctivités, **C**ongestion / toux, **E**nflure [œdème] et **S**ouffle court).
- Se rappeler les signes et symptômes au moment de l'apparition de la maladie ; la réapparition de ces manifestations peut indiquer une récurrence.
- Se peser chaque matin après avoir uriné, vêtu des mêmes vêtements et à l'aide du même pèse-personne.
- Mentionner immédiatement au professionnel de la santé ce qui suit :
  - gain de poids de 1,4 kg en deux jours ou de 2,3 kg en une semaine ;
  - respiration difficile, particulièrement à l'effort ou en position couchée ;
  - réveil à bout de souffle la nuit ;
  - toux sèche, quinteuse, fréquente, particulièrement en position couchée ;
  - fatigue, faiblesse ;
  - œdème des chevilles, des pieds ou de l'abdomen, enflure du visage ou difficulté à respirer (si le médecin a prescrit un ICEA) ;
  - nausées accompagnées de sensation de gonflement, de douleur ou d'endolorissement de l'abdomen ;
  - étourdissements ou syncope.
- Consulter le professionnel de la santé à intervalles réguliers.
- Étudier la possibilité de se joindre à un groupe d'entraide local en compagnie de membres de la famille ou du proche aidant.

par minute), ou pendant 60 secondes si le pouls est irrégulier **FIGURE 42.12**. Une fréquence cardiaque inférieure à 50 battements par minute peut être une contre-indication à la prise de digitale ou des bêtabloquants, à moins d'indications contraires du professionnel de la santé. Il se peut qu'une telle fréquence soit acceptable s'il n'y a pas de signes et symptômes, tels le bloc cardiaque, l'extrasystole ventriculaire ou la syncope. Si l'hypertension artérielle est présente dans l'IC, il peut être approprié d'enseigner au client l'autosurveillance de la pression artérielle. Le client devrait également connaître les signes et symptômes associés à l'hypokaliémie et à l'hyperkaliémie si son traitement médicamenteux comprend un diurétique épargneur ou excréteur de potassium.

Le physiothérapeute, l'ergothérapeute ou l'infirmière enseignera au client les comportements économiseurs d'énergie après avoir évalué ses activités courantes. Ainsi, lorsque les habitudes de vie du client sont connues, il est possible de suggérer des façons de simplifier des tâches ou de modifier des activités. Il arrive fréquemment que le client ait besoin d'une ordonnance de repos après une activité. Pour ne pas se sentir paresseuse, la personne dynamique ne s'autorisera du repos que si elle en a la permission. Il se peut qu'une activité agréable doive être éliminée. Dans ce cas, il faut aider le client à découvrir d'autres activités qui sont moins ardues sur les plans physique et cardiaque. Il faudra peut-être apporter des modifications à l'environnement physique si des éléments entraînent une surcharge cardiaque pour le client (p. ex., monter un escalier souvent). L'infirmière peut cerner avec le client les aspects pour lesquels il pourrait obtenir de l'aide extérieure.

La prise en charge de l'IC hors du centre hospitalier est une priorité. Des soins à domicile efficaces peuvent prévenir ou limiter les hospitalisations futures grâce à l'évaluation continue (p. ex., la surveillance des signes vitaux et du poids, l'évaluation de la réponse thérapeutique) (Hebert *et al.*, 2008 ; Padula, Yeaw & Mistry, 2009). De nombreux organismes de soins à domicile proposent un programme spécialisé dans la prise en charge de l'IC. Par exemple, ce programme peut prévoir le recours à la technologie de la télésurveillance (p. ex., le pèse-personne, le sphygmomanomètre et le saturomètre électroniques) dans la collecte des données physiologiques **FIGURE 42.13**. Les appareils peuvent être programmés de manière à poser des questions comme « Êtes-vous essoufflé aujourd'hui ? » Les résultats sont transmis par téléphone au personnel de l'organisme de soins à domicile, qui les examine avant d'appeler le client pour évaluer la situation en profondeur ou de prévoir une visite supplémentaire.

L'infirmière à domicile œuvre habituellement dans le cadre de protocoles établis de concert avec l'équipe soignante. Ces protocoles facilitent la détection, que ce soit par elle ou le client, des problèmes annonciateurs d'une aggravation de l'IC, tels le gain de poids ou l'intensification de la dyspnée, et la mise en œuvre d'interventions destinées à prévenir l'hospitalisation. Il peut s'agir de modifier le traitement médicamenteux ou d'imposer une restriction liquidienne. Les soins infirmiers à domicile jouent un rôle primordial dans la diminution des hospitalisations pour cause d'IC et dans l'amélioration de la capacité fonctionnelle et de la qualité de vie du client.

Soins palliatifs et soins de fin de vie

Les professionnels de la santé peuvent être réticents à diriger les personnes souffrant d'IC grave vers les soins palliatifs ou de fin de vie. Cette réticence tient notamment à la difficulté que pose le pronostic de la maladie et à l'évolution imprévisible de l'IC dans les derniers mois de vie (Huynh, Rovner & Rich, 2008). De plus, le client et le proche aidant ne connaissent peut-être pas assez bien la maladie et ne savent donc pas quand elle aborde sa phase terminale (Hemani & Letizia, 2008).

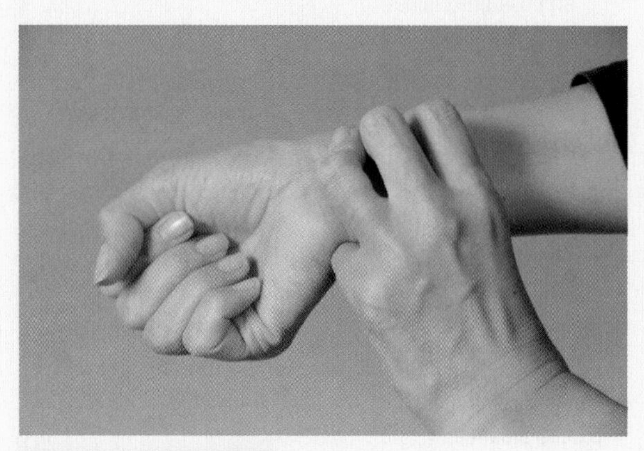

FIGURE 42.12 La prise régulière de la fréquence cardiaque permet de surveiller les effets de la médication une fois à la maison.

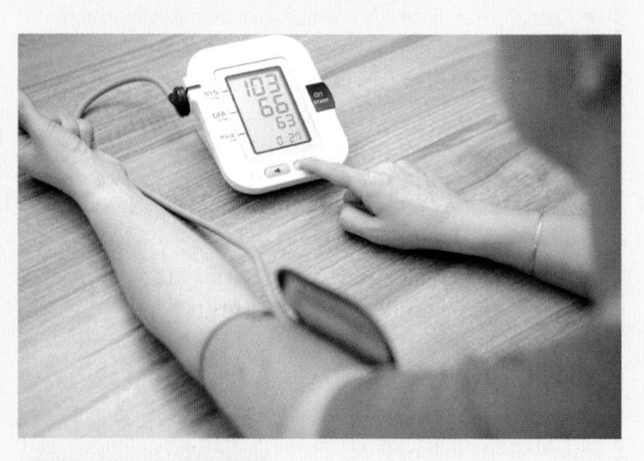

FIGURE 42.13 Appareil de télésurveillance qui permet le suivi de la P.A. d'une cliente à partir de son domicile.

Les soins palliatifs demeurent la seule option entre l'acharnement thérapeutique et l'euthanasie (Manckoundia, Mischis-Troussard, Ramanantsoa *et al.*, 2005). Les soins palliatifs deviennent nécessaires lorsque le client se trouve en phase terminale de sa maladie. Cette dimension de soins correspond à l'arrêt des traitements curatifs en présence d'une maladie en phase terminale, maligne ou non, et au recours à des soins d'accompagnement dans l'unique but d'améliorer le confort des clients selon leurs souhaits (Manckoundia *et al.*, 2005). L'ACC et l'AHA ont publié des lignes directrices sur l'IC en phase terminale (stade D) (Yancy *et al.*, 2013). L'équipe soignante, en collaboration avec le client et le proche aidant, optera pour des interventions thérapeutiques extraordinaires (p. ex., la chirurgie ou un médicament expérimental) ou pour des soins palliatifs ou des soins de fin de vie. Les lignes directrices préconisent (Hunt *et al.*, 2009):

- de constamment tenir le client et le proche aidant au courant du pronostic;
- de présenter au client et au proche aidant les options en matière de directives préalables;
- de veiller à la continuité des soins médicaux du centre hospitalier vers le milieu externe;
- d'appliquer des stratégies de gestion de la douleur et de la souffrance (p. ex., avec des analgésiques opioïdes).

Malheureusement, de nombreuses personnes ne sont pas dirigées vers les soins palliatifs. Cette situation tient à un certain nombre de raisons, dont la méconnaissance de ces soins et la difficulté de cerner la phase terminale de l'IC (Hemani & Letizia, 2008). L'infirmière qui soigne des personnes atteintes d'IC devrait susciter une discussion sur le sujet avec le client, le proche aidant et le médecin responsable du client.

Étant donné que la personne atteinte d'IC en phase terminale présente de multiples signes et symptômes, les soins infirmiers devraient englober l'évaluation continue du client de même que celle de l'efficacité des interventions. Les soins comprennent le soutien offert au client et au proche aidant, des médicaments et des traitements non pharmacologiques. Le traitement médicamenteux se poursuit à moins qu'une réaction d'intolérance se manifeste. Les priorités en phase terminale de l'IC demeurent le bien-être du client et le soulagement sa douleur et de sa souffrance ▶ 10.

10

Le chapitre 10, *Soins palliatifs et soins de fin de vie*, examine les différentes stratégies pour soulager la douleur des clients en phase terminale.

Évaluation des résultats

Les résultats escomptés à la suite des soins et des interventions cliniques pour le client atteint d'IC sont précisés dans le **PSTI 42.1**.

42.2 | Transplantation cardiaque

Certains clients atteints d'IC majeure (classe III ou IV) sont dirigés vers un spécialiste pour une évaluation en vue d'une transplantation cardiaque, malgré un traitement optimal. La transplantation cardiaque est la greffe du cœur d'une personne à une autre. Cette intervention chirurgicale est indiquée dans le traitement de diverses affections cardiaques terminales. Dans certains cas, il y a lieu de procéder à une nouvelle transplantation (c'est-à-dire à une deuxième, à une troisième). Selon Transplant Québec (2015), 34 transplantations cardiaques ont eu lieu en 2014 au Québec. Toujours selon cet organisme, en 2009, 57 personnes étaient inscrites sur la liste d'attente pour une transplantation cardiaque. Le temps d'attente moyen est de 283 jours pour subir cette intervention. La principale complication de la transplantation cardiaque est le rejet, responsable de la plupart des décès au cours de la première année postopératoire. Selon l'Institut canadien d'information sur la santé (ICIS), en 2008 le taux de survie un an après la transplantation était de 93,7 %. Cinq ans après l'intervention, il est de 89,9 % (ICIS, 2015). Des systèmes implantables (cœur mécanique) font présentement l'objet d'études afin d'en démontrer les bénéfices et de réduire le temps d'attente d'une transplantation cardiaque.

42.2.1 Critères de sélection

La sélection doit être stricte pour que les cœurs soient attribués le plus équitablement possible, qu'ils soient greffés aux personnes qui en bénéficieront le plus.

L'**ENCADRÉ 42.6** précise les indications et les contre-indications de la transplantation cardiaque. La personne qui satisfait aux critères subit un examen physique complet et un bilan diagnostique. De plus, elle et le proche aidant sont soumis à une évaluation psychologique globale en vue de déterminer la capacité d'adaptation, les systèmes de soutien et la volonté de se plier au régime strict essentiel à la réussite de la transplantation. Le client dépourvu de soutien, qui saisit mal les modifications subséquentes et nécessaires de style de vie pourra se sentir dépassé par la complexité de l'intervention.

La compatibilité entre le donneur et le receveur s'établit d'après la taille du corps et du cœur et l'évaluation immunologique. Celle-ci comprend la détermination du groupe sanguin, le dépistage des anticorps, l'analyse des anticorps réactifs aux

Réactivation des connaissances

Quel outil mnémotechnique pouvez-vous utiliser pour mémoriser les principaux effets de la digitale sur le cœur ?

ENCADRÉ 42.6 Indications et contre-indications de la transplantation cardiaque

INDICATIONS

- Insuffisance cardiaque terminale réfractaire au traitement médical
- Valvulopathie inopérable en décompensation profonde
- Arythmie récurrente mettant la vie du client en danger, rebelle aux interventions optimales, dont le défibrillateur
- Tout autre trouble cardiaque considérablement incapacitant ou comportant un risque de mortalité dans les deux ans > 50 %

CONTRE-INDICATIONS ABSOLUES

- Maladie mettant la vie en danger (p. ex., le cancer) qui restreint la survie à moins de cinq ans malgré le traitement
- Maladie pulmonaire grave qui accroît la probabilité de dépendance à la ventilation artificielle après la transplantation
- Maladie vasculaire cérébrale ou périphérique évoluée impossible à contenir

CONTRE-INDICATIONS RELATIVES

- Diabète non maîtrisé accompagné de complications vasculaires et neurologiques
- Obésité morbide
- Toxicomanie active (p. ex., l'alcool, les drogues, le tabac)
- Non-adhésion aux pratiques médicales établies
- Déficience psychologique
- Absence d'un réseau de soutien social voué au bien-être à long terme du client
- Attentes irréalistes du client ou de la famille quant à la transplantation, à ses risques et à ses avantages
- Compilation d'indications et de contre-indications de divers établissements de transplantation cardiaque

échantillons du panel (PRA ou *panel-reactive antibody*) et le typage tissulaire ou HLA. La personne dont le taux de PRA est supérieur à 10 % doit subir une épreuve de compatibilité croisée au moment de la transplantation (un taux élevé accroît le risque de rejet).

La personne qui devient candidate à une transplantation (cela peut se produire rapidement en phase aiguë de la maladie ou après une longue période) est inscrite sur la liste d'attente. Si son état est stable, elle pourra attendre à la maison tout en recevant les soins médicaux nécessaires. Dans le cas contraire, elle sera hospitalisée pour subir un traitement intensif. Hélas, la période d'attente est longue, et de nombreuses personnes meurent avant d'avoir obtenu un nouveau cœur.

42.2.2 Période d'attente en vue de la transplantation

Plusieurs dispositifs peuvent être bénéfiques dans la période d'attente en vue de la transplantation. Ceux-ci sont utilisés aux fins de rétablissement de la fonction cardiaque à la suite d'un incident ayant mis la vie du client en péril. Ils viennent soutenir le cœur, droit, gauche ou les deux, lorsqu'il a défailli, mais qu'il peut se rétablir (p. ex., une IC réversible, une myocardite ou un infarctus du myocarde aigu).

42.2.3 Intervention chirurgicale

En réalité, la transplantation comporte plusieurs interventions chirurgicales. Il s'agit d'abord de prélever le cœur du donneur. Habituellement, le donneur est quelqu'un qui a subi des lésions cérébrales irréversibles (**décès neurologique**). Dans la plupart des cas, le cœur provient d'un lieu différent de l'établissement où aura lieu la greffe. Une équipe de médecins, d'infirmières et de techniciens se rend au centre hospitalier où le donneur est mort pour prélever les organes donnés une fois que le décès neurologique a été constaté. Les organes prélevés sont transportés et conservés dans une glacière jusqu'au moment de la transplantation. Pour le cœur, le délai du prélèvement à la greffe devrait être de moins de quatre heures. Souvent, le transport se fera par les airs. Ensuite, le cœur du donneur est greffé au receveur.

La transplantation s'effectue selon l'une ou l'autre de deux techniques chirurgicales. En vertu de la technique biatriale, le cœur défectueux est enlevé en laissant en place les culs-de-sacs auriculaires, et le cœur du donneur est mis en place et suturé aux quatre points d'ancrage suivants : l'oreillette gauche, l'artère pulmonaire, l'aorte et l'oreillette droite. La technique bicave, quant à elle, préserve l'oreillette droite du cœur défectueux (ainsi que le nœud sinusal et la conduction auriculaire). L'intervention nécessite la mise en place d'une circulation extracorporelle temporaire afin de maintenir l'oxygénation et le débit sanguin aux organes vitaux.

42.2.4 Période post-transplantation

Certaines complications peuvent survenir après la transplantation, dont la mort cardiaque subite.

Le rejet aigu est une complication immédiate, et le traitement immunosuppresseur est indispensable chez le greffé. La première année suivant la transplantation, le rejet et l'infection sont les principales causes de décès. Par la suite, la tumeur maligne (particulièrement le lymphome) et la cardiopathie ischémique (coronaropathie accélérée) sont des causes majeures de décès.

Dans la plupart des cas, le traitement immunosuppresseur comportera un corticostéroïde, un inhibiteur de la calcineurine (cyclosporine [Sandimmune^MD, Neoral^MD], tacrolimus [Prograf^MD]) et un inhibiteur de la prolifération lymphocytaire (chlorhydrate de mofétilmycophénolate [CellCept^MD]). Le traitement immunosuppresseur accroît la vulnérabilité aux infections, complications primaires de la transplantation. À long terme, ce traitement accroît également l'incidence de cancer.

Aux fins de détection du rejet, une biopsie endomyocardique est effectuée toutes les semaines le premier mois, tous les mois dans les six mois suivants et une fois par an ensuite. Elle s'effectue par l'insertion d'un cathéter dans la veine jugulaire, qui se déplace jusqu'au ventricule droit. Le cathéter prélève un fragment de muscle cardiaque à l'aide d'une pince à biopsie (bioptome).

Les interventions cliniques tout au long de la période suivant la transplantation sont axées sur l'adaptation du client, sur la surveillance de la fonction cardiaque, sur la gestion des modifications des habitudes de vie et sur l'enseignement continu au client et au proche aidant.

CE QU'IL FAUT RETENIR

La première année suivant la transplantation, le rejet et l'infection sont les principales causes de décès.

Analyse d'une situation de santé — Jugement clinique

Adrien Lanoue, âgé de 71 ans, est conduit à l'urgence pour une décompensation de son insuffisance cardiaque. Il a des antécédents d'angine instable et de fibrillation auriculaire chronique, et il a fait deux épisodes de fibrillation auriculaire paroxystique l'an passé pour lesquels il a subi deux cardioversions électriques. Monsieur Lanoue est veuf depuis trois mois et semble éprouver beaucoup de difficulté à s'adapter à sa nouvelle vie d'homme seul. L'infirmière responsable de son dossier à la clinique d'IC a remarqué que ses hospitalisations se rapprochent de plus en plus. À sa dernière visite, les médecins ont procédé à une investigation pour ce qui semble être une insuffisance rénale chronique (IRC).

Cette fois-ci, son retour au centre hospitalier fait suite à une vilaine chute survenue alors qu'il se rendait à la toilette le matin. Il raconte s'être levé rapidement, avoir ressenti de forts étourdissements et s'être retrouvé face contre terre. Il croit s'être frappé la tête sur le bord du lavabo en tombant; c'est un voisin qui l'a conduit au centre hospitalier. Il dit que les malaises ressentis au lever le matin persistent depuis une dizaine de jours. Selon le voisin qui l'accompagne, monsieur Lanoue aurait démontré un peu de confusion ces derniers temps. Bien que peu loquace, le client rapporte également plusieurs autres malaises apparus récemment: nycturie, œdème des membres inférieurs, fatigue et somnolence, essoufflement au moindre effort, crampes dans les mollets depuis quelques jours, nausées et vision embrouillée. Il remet la liste de ses médicaments à l'infirmière:

- furosémide (Lasix^MD) 80 mg b.i.d.
- chlorure de potassium (K-Dur^MD) 20 mEq die
- énalapril (Vasotec^MD) 5 mg b.i.d.
- métoprolol (Lopresor^MD) 25 mg b.i.d.
- digoxine (Lanoxin^MD) 0,125 mg die
- warfarine (Coumadin^MD) selon calendrier
- mononitrate d'isosorbide (Imdur^MD) 60 mg die
- nitroglycérine en vaporisateur S.L. 0,4 mg p.r.n.

Selon monsieur Lanoue, certains médicaments ont été changés à sa dernière hospitalisation, mais il ne sait pas lesquels... Il dit ne pas trop comprendre.

L'infirmière relève les résultats d'analyses de laboratoire et d'examens paracliniques suivants:

- Glycémie: 4,8 mmol/L
- Urée: 7,2 mmol/L
- Créatinine: 1,8 mg/dL
- K^+: 3,2 mEq/L
- Na^+: 135 mEq/L
- BNP (peptide natriurétique cérébral): 1 200 pg/mL
- RIN (rapport international normalisé): 4,0
- Troponines: 0,1 ng/mL
- FEVG: 34 %

SOLUTIONNAIRE

Mise en œuvre de la démarche de soins

Collecte des données – Évaluation initiale – Analyse et interprétation

1. Outre les données présentes dans la situation, relevez au moins cinq données subjectives et cinq données objectives prioritaires (autres que les signes vitaux) que l'infirmière doit obtenir ou chercher auprès de monsieur Lanoue lorsqu'elle procède à l'évaluation initiale.
2. Quelles données objectives reliées aux examens paracliniques permettraient à l'infirmière de constater l'évolution de l'IC de monsieur Lanoue par rapport à ses hospitalisations antérieures ? Nommez-en deux.
3. Compte tenu de la situation, quelles hypothèses reliées à des problèmes actuels ou potentiels l'infirmière devrait-elle être capable de formuler pour ce client ? Nommez-en cinq.
4. Quelles devraient être les valeurs thérapeutiques du RIN dans la situation de monsieur Lanoue ?
5. D'après les manifestations qu'il présente, de quel type d'IC monsieur Lanoue semble-t-il souffrir ?
6. Quel lien existe-t-il entre les résultats de l'urée/créatinine, ceux du potassium et un changement dans son état de santé ?
7. L'infirmière décide de placer monsieur Lanoue sous monitorage cardiaque, car elle veut surveiller l'apparition possible d'arythmie. Pourquoi le client risque-t-il de présenter de l'arythmie ?

Planification des interventions – Décisions infirmières

8. Déterminez cinq des principaux sujets d'enseignement à aborder avec monsieur Lanoue.
9. Pour chacun des problèmes prioritaires notés dans l'extrait du plan thérapeutique infirmier de monsieur Lanoue, formulez une directive infirmière à l'intention du préposé aux bénificiaires et du client.

Extrait

CONSTATS DE L'ÉVALUATION								
Date	Heure	N°	Problème ou besoin prioritaire	Initiales	RÉSOLU / SATISFAIT			Professionnels / Services concernés
					Date	Heure	Initiales	
2016-03-15	11:15	2	*Risque de chute*					
		3	*Risque de saignements ou d'hémorragie lié à un RIN*					
			au-dessus des valeurs thérapeutiques	*F.D.*				

SUIVI CLINIQUE							
Date	Heure	N°	Directive infirmière	Initiales	CESSÉE / RÉALISÉE		
					Date	Heure	Initiales
2016-03-15	11:15	2					
		3					

Signature de l'infirmière	Initiales	Programme / Service	Signature de l'infirmière	Initiales	Programme / Service
Françoise Desormeaux	*F.D.*	*Urgence*			
		Urgence			

Évaluation des résultats – Évaluation en cours d'évolution

10. Par quels moyens liés à l'examen physique l'infirmière peut-elle suivre l'évolution de la surcharge liquidienne de monsieur Lanoue ? Nommez-en cinq.

Récemment vu dans ce chapitre

Monsieur Lanoue se dit de plus en plus essoufflé au fil de la journée. Sa SpO_2 est à 92 % alors qu'elle était à 96 % ce matin. Sa fréquence respiratoire est augmentée à 26 R/min. Vous suspectez un œdème pulmonaire. Comment pourriez-vous valider votre hypothèse en utilisant vos compétences en examen physique ?

Votre hypothèse est confirmée à la suite de votre évaluation. Quelles seront vos deux interventions prioritaires ?

Parmi les signes et symptômes d'insuffisance cardiaque déjà présents chez monsieur Lanoue, indiquez une évolution de ceux-ci qui indiquerait que la détérioration de son état se poursuit.

APPLICATION DE LA PENSÉE CRITIQUE

Dans l'application de la démarche de soins auprès de monsieur Lanoue, l'infirmière a recours aux éléments du modèle de la pensée critique pour analyser la situation de santé du client et en comprendre les enjeux. La **FIGURE 42.14** résume les caractéristiques de ce modèle en fonction des données de ce client, mais elle n'est pas exhaustive.

VERS UN JUGEMENT CLINIQUE

CONNAISSANCES

- Anatomie du cœur
- Physiologie du système cardiovasculaire
- Principes hémodynamiques
- Différence entre IC droite et IC gauche
- Physiopathologie de l'IC et de l'insuffisance rénale chronique
- Hypotension orthostatique
- Méthodes diagnostiques liées à l'IC
- Pharmacothérapie liée à l'IC
- Gestion de l'anticoagulothérapie
- Manifestations de l'intoxication digitalique
- Manifestations de l'hypokaliémie et de l'hyperkaliémie
- Interventions infirmières liées à l'IC

EXPÉRIENCES

- Soins aux clients atteints de problèmes cardiaques
- Expérience en cardiologie
- Habileté à procéder à l'auscultation pulmonaire et cardiaque
- Soutien et relation d'aide

NORMES

- Protocole de soins au client atteint d'IC
- Protocole d'anticoagulothérapie

ATTITUDES

- Être attentive à la réceptivité et à la compréhension du client face à l'enseignement
- Être attentive aux réactions émotives du client

PENSÉE CRITIQUE

ÉVALUATION

- Signes vitaux : P.A. (hypotension orthostatique), fréquence et rythme cardiaques (irrégularité du pouls relié à la fibrillation auriculaire), paramètres de la respiration (fréquence cardiaque, rythme et amplitude respiratoires)
- Signes neurologiques en raison de la chute
- Auscultation pulmonaire et cardiaque (bruits normaux et surajoutés)
- Signes et symptômes de la surcharge liquidienne
- Signes et symptômes de l'hypokaliémie et de l'hyperkaliémie
- Indicateurs d'adaptation de monsieur Lanoue face à un nouveau mode de vie
- Indicateurs d'adhésion aux consignes et au traitement
- Indicateurs pour diriger monsieur Lanoue vers un programme de réadaptation cardiaque

JUGEMENT CLINIQUE

FIGURE 42.14 Application de la pensée critique à la situation clinique de monsieur Lanoue

Chapitre 43

INTERVENTIONS CLINIQUES

Arythmie

Écrit par:
Linda Bucher, RN, PhD, CEN, CNE

Adapté par:
Hugues Provencher-Couture, M. Sc., IPSC
Jean-Dominic Rioux, M. Sc., IPSC

Mis à jour par:
Amélie Doherty, inf., B. Sc.
Julie Houle, inf., Ph. D., CSIC(C)

MOTS CLÉS

Asystole 717
Bloc AV complet 723
Défibrillation 727
Électrocardiogramme (ECG) 705
Extrasystole auriculaire (ESA) 716
Extrasystole ventriculaire (ESV)...... 724
Fibrillation auriculaire (FA)........... 718
Fibrillation ventriculaire (FV) 726
Flutter auriculaire.................... 717
Stimulateur cardiaque (cardiostimulateur)................... 731
Surveillance par télémétrie 709
Tachycardie ventriculaire............ 725
Types courants d'arythmie........... 713

OBJECTIFS

Après avoir étudié ce chapitre, vous devriez être en mesure:

- d'analyser les soins et traitements infirmiers des clients qui nécessitent une surveillance électrocardiographique continue;
- de distinguer les tracés électrocardiographiques et les caractéristiques cliniques du rythme sinusal, des types courants d'arythmie et du syndrome coronarien aigu (SCA);
- d'évaluer les soins et traitements en interdisciplinarité des clients qui présentent une arythmie courante ou des changements électrocardiographiques associés au SCA;
- de distinguer la défibrillation de la cardioversion, notamment leurs indications d'emploi et leurs effets physiologiques;
- de décrire les points que le client portant un stimulateur cardiaque ou un défibrillateur cardiaque implantable doit respecter;
- de choisir les interventions infirmières appropriées dans les cas de clients subissant une épreuve électrophysiologique ou une ablation percutanée.

Disponible sur 

- Activités interactives
- Animations
- Annexes
- À retenir
- Carte conceptuelle
- Pour en savoir plus
- Solutionnaire de l'Analyse d'une situation de santé
- Solutionnaire des questions de Jugement clinique
- Solutionnaire des questions Réactivation des connaissances
- Solutionnaire du Guide d'études

 Guide d'études – SA01, SA02, SA11

Concepts clés

Cette carte conceptuelle illustre schématiquement les principaux concepts décrits dans le présent chapitre. Sa lecture vous permettra d'avoir une vue d'ensemble des notions qui y sont présentées.

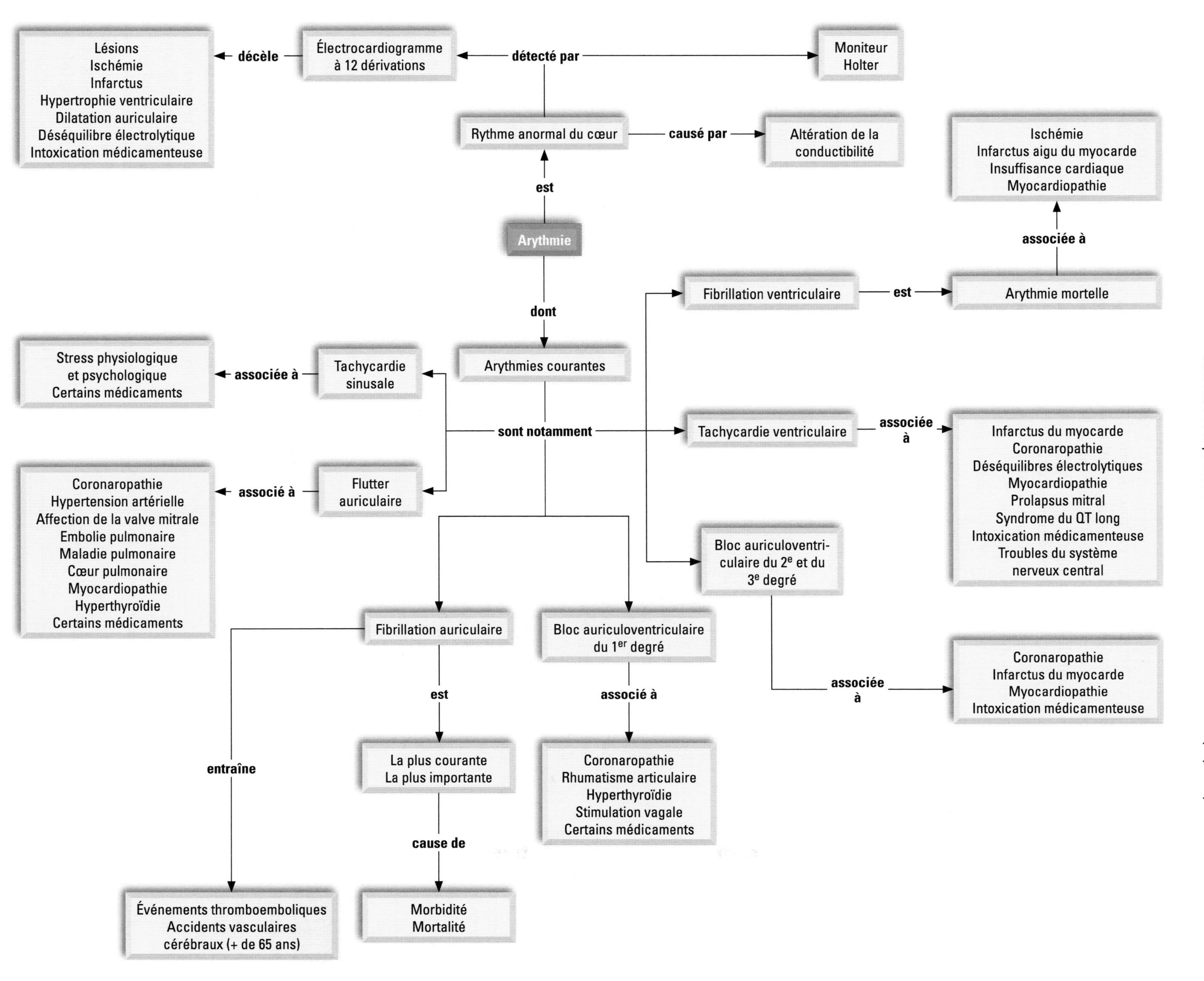

43

43.1 Reconnaissance du rythme cardiaque et traitement

La capacité à reconnaître aussi bien un rythme cardiaque normal qu'un rythme anormal, ou **arythmie**, constitue une compétence infirmière essentielle. Dans bon nombre d'établissements de santé offrant des soins aigus, il est habituel de recourir à la surveillance cardiaque continue ou à l'électrocardiographie ponctuelle auprès de la clientèle. La détection rapide de l'arythmie et l'évaluation clinique du rythme cardiaque du client sont cruciales. Le présent chapitre aborde les principes de base de la surveillance électrocardiographique et de la reconnaissance des arythmies courantes ainsi que des changements liés au syndrome coronarien aigu (SCA).

43.1.1 Système de conduction

Le système de conduction du cœur est composé de cellules cardionectrices, réparties dans l'ensemble du muscle cardiaque. Quatre propriétés des cellules cardiaques permettent à ce système d'émettre une impulsion électrique, de la transmettre dans tout le tissu cardiaque et de stimuler la contraction musculaire **TABLEAU 43.1**. L'impulsion électrique cardiaque normale prend naissance dans le nœud sinusal situé dans la partie supérieure de l'oreillette droite. Cet amas cellulaire, nommé centre d'automatisme primaire (ou *pacemaker* naturel), possède la capacité de s'autodépolariser spontanément à une fréquence approximative de 60 à 100 impulsions par minute. Une fois amorcée, l'impulsion se propage dans tout le myocarde auriculaire grâce au faisceau de Bachmann et aux voies internodales, provoquant une contraction auriculaire. L'impulsion se propage ensuite jusqu'au nœud auriculoventriculaire (AV), situé dans la partie inférieure de l'oreillette droite, près de la cloison interauriculaire et de la valve tricuspide. Le rôle du nœud AV consiste à ralentir l'influx de 0,1 seconde, ce qui laisse aux oreillettes le temps de se contracter et protège également les ventricules contre des impulsions trop rapides (arythmie supraventriculaire) provenant de l'étage auriculaire. L'influx traverse par la suite le faisceau de His en empruntant ses branches gauche et droite en direction des ventricules. Étant donné la plus grande proportion musculaire du ventricule gauche, la branche gauche du faisceau de His se subdivise en deux, soit le faisceau antérieur et le faisceau postérieur. L'influx atteint ensuite les fibres du système His-Purkinje, lesquelles transmettent l'impulsion dans tout le tissu musculaire des ventricules, provoquant ainsi une contraction ventriculaire simultanée dans les deux ventricules (Banasik, 2013; Douglas, Libby, Bonow *et al.*, 2015).

CE QU'IL FAUT RETENIR

L'impulsion électrique cardiaque normale prend naissance dans le nœud sinusal situé dans la partie supérieure de l'oreillette droite.

TABLEAU 43.1 Propriétés des cellules cardiaques

PROPRIÉTÉ	DÉFINITION
Automaticité (propre aux cellules cardionectrices)	Capacité d'émettre une impulsion de manière spontanée et continue
Excitabilité	Capacité d'être stimulées électriquement
Conductivité	Capacité de transmettre une impulsion le long d'une membrane, et ce, de façon organisée
Contractilité (propre aux cellules musculaires)	Capacité de réagir mécaniquement à une impulsion

43.1.2 Régulation du cœur par le système nerveux

Le système nerveux autonome (SNA) joue un rôle important dans la fréquence de formation des impulsions, la vitesse de conduction et la force de contraction cardiaque. Les composantes du SNA qui agissent sur le cœur sont les fibres nerveuses du système nerveux sympathique (SNS) et les fibres du nerf vague du système nerveux parasympathique (SNP). C'est par l'intermédiaire de substances comme les médiateurs chimiques ou les neurotransmetteurs que le système nerveux est activé.

Le SNS s'active en cas de stress psychologique (p. ex., la peur ou la joie) ou physiologique (p. ex., une blessure ou une activité physique) en sécrétant des substances adrénergiques appelées catécholamines, comme l'adrénaline et la noradrénaline. Ces substances se lient à certains récepteurs du système nerveux comme les récepteurs bêtaadrénergiques (B-1, situés dans le myocarde, et B-2, situés dans les muscles lisses des bronches) et les récepteurs alphaadrénergiques (A-1, situés dans les muscles lisses vasculaires). Une stimulation des nerfs sympathiques augmente la fréquence de formation des impulsions dans le nœud sinusal, la conduction des impulsions dans le nœud AV et la contractilité cardiaque par la liaison de catécholamines dans les récepteurs B-1. La stimulation du SNS cause également la vasoconstriction des muscles lisses vasculaires par la liaison des catécholamines dans les récepteurs A-1, afin d'augmenter la précharge (augmentation du retour veineux) et la postcharge (vasoconstriction artérielle). De plus, les catécholamines se lient aux récepteurs B-2 afin de dilater et de relaxer les muscles lisses des bronches, permettant ainsi de meilleurs échanges gazeux et, par le fait même, une meilleure oxygénation (McKinley, O'Loughlin & Bidle, 2014).

Le SNP s'active surtout en situation neutre, comme le repos et la digestion, et implique la libération de substances cholinergiques comme l'acétylcholine. L'activation du SNP stimule le nerf vague, ce qui entraîne une diminution de la fréquence de formation des impulsions dans le nœud sinusal et un ralentissement de la conduction des impulsions dans le nœud AV, diminuant par le fait même la fréquence cardiaque (F.C.) (McKinley *et al.*, 2014).

43.1.3 Surveillance électrocardiographique

L'électrocardiogramme (ECG) est la représentation graphique des impulsions électriques qui se produisent dans le cœur. Son tracé en forme d'ondes illustre l'activité électrique produite par le mouvement de dépolarisation et de repolarisation des ions chargés à travers la membrane des cellules myocardiques.

La membrane des cellules cardiaques est semi-perméable, ce qui lui permet de maintenir à l'intérieur de la cellule une concentration élevée de potassium et faible de sodium; ces ions sont nécessaires au potentiel d'action des cellules myocardiques. À l'extérieur de la cellule, le milieu présente plutôt une concentration élevée de sodium et faible de potassium. Lorsque la cellule est au repos ou à l'état polarisé, sa partie interne est chargée négativement par rapport au milieu extracellulaire, soit environ –80 millivolts (mV) pour les fibres auriculaires et –90 mV pour les fibres ventriculaires (phase 4 du potentiel d'action). Cette tension est nécessaire à la dépolarisation myocardique. Lorsqu'une cellule ou un groupe de cellules est stimulé, la membrane de chaque cellule modifie sa perméabilité pour permettre au sodium présent dans le milieu extracellulaire de pénétrer rapidement dans la cellule, ce qui charge l'intérieur positivement par rapport à l'extérieur (dépolarisation). Cette étape correspond à la phase 0 du potentiel d'action. Un mouvement moins rapide des ions à travers la membrane ramène la cellule à un état polarisé, appelé repolarisation. La phase 1, ou repolarisation initiale, résulte de l'inactivation du courant sodique entrant, qui empêche la cellule de continuer à se charger positivement étant donné la dépolarisation qui vient d'avoir lieu. La phase 2, ou repolarisation lente, voit diminuer la vitesse de repolarisation par l'entremise d'un courant calcique, ce qui permet aux cellules myocardiques ventriculaires de poursuivre leur repolarisation. Enfin, la phase 3, ou repolarisation rapide, permet à la cellule myocardique de continuer à se charger négativement en vue d'une prochaine dépolarisation. Une fois le processus de charge négative de la cellule accompli, la phase 4 a lieu, puis le cycle recommence (Douglas *et al.*, 2015). La **FIGURE 43.1** illustre les phases du potentiel d'action cardiaque ainsi que leur correspondance avec le tracé de l'ECG. Les médicaments antiarythmiques ont un effet direct sur les différentes phases du potentiel d'action. Si l'on administre des antiarythmiques en milieu clinique, il est important de comprendre les mouvements ioniques de la cellule cardiaque et le mécanisme du potentiel d'action **FIGURE 43.2**.

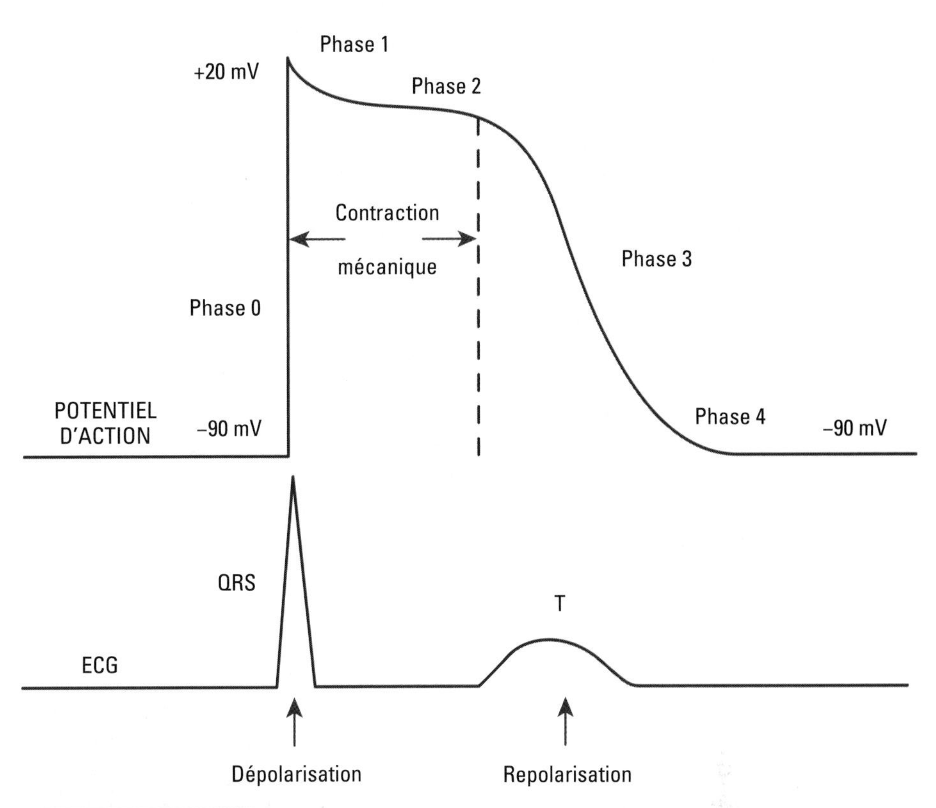

FIGURE 43.1 Le potentiel d'action se divise en cinq phases, numérotées de 0 à 4. Chaque phase représente un événement électrique particulier ou une combinaison de plusieurs événements. La phase 0 est le segment ascendant de dépolarisation rapide et correspond à la contraction ventriculaire. Les phases 1, 2 et 3 représentent la repolarisation. La phase 4 représente la fin de la repolarisation (ou l'état polarisé) et correspond à la diastole. PS, potentiel seuil de la membrane; PR, potentiel de repos de la membrane.

L'ECG classique est une projection de l'activité électrique du cœur comportant l'enregistrement de 12 dérivations (i+). Six de ces dérivations, nommées dérivations frontales ou périphériques, mesurent les forces électriques dans le plan frontal. Il en existe deux types: bipolaires et unipolaires. Les dérivations bipolaires traduisent la différence de potentiel entre deux membres (dérivations DI entre le bras droit et le bras gauche, DII entre le bras droit et la jambe gauche, DIII entre le bras gauche et la jambe gauche). Les dérivations unipolaires (aVR, aVL et aVF) traduisent les variations de potentiel de chaque membre pris séparément **FIGURE 43.3**. Les six dérivations restantes (V_1 à V_6), nommées dérivations précordiales, mesurent les forces électriques en des points déterminés sur la paroi thoracique dans le

Animation: *Point d'impulsion maximale (PIM) – thorax antérieur.*

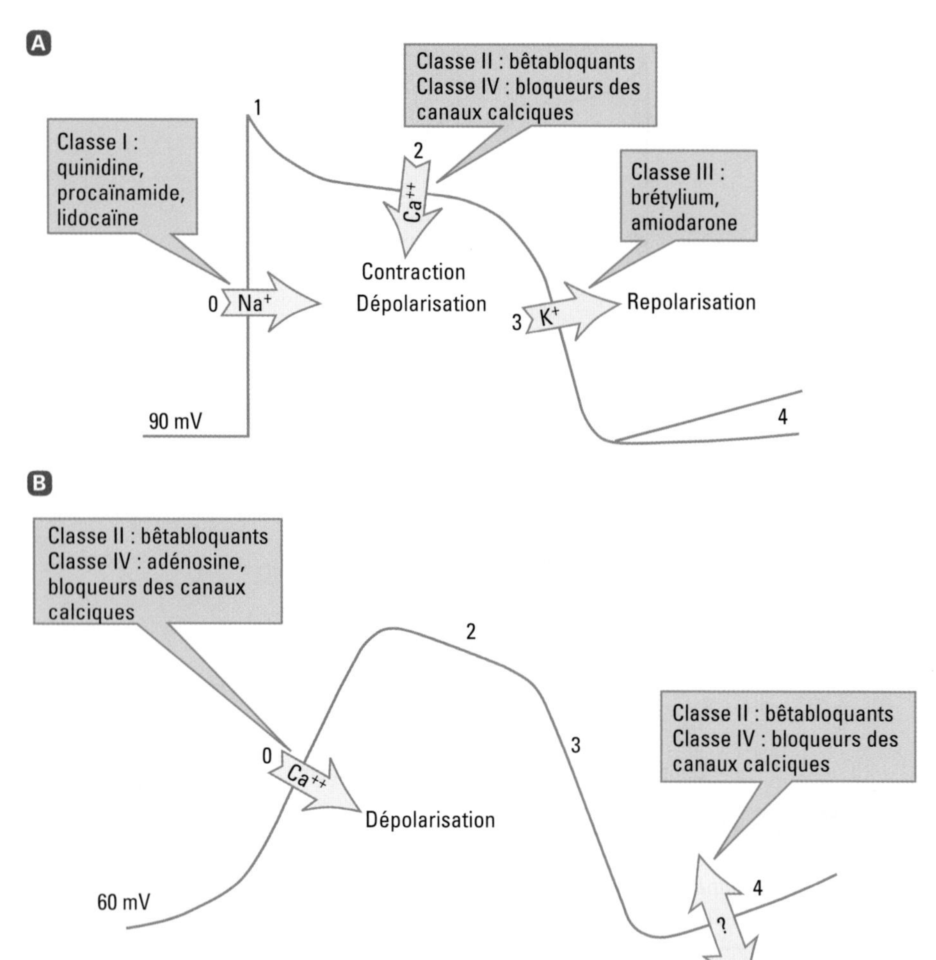

FIGURE 43.2 Flux ioniques au cours des phases du potentiel d'action cardiaque et effets des antiarythmiques – **A** Myocarde et système His-Purkinje. Potentiel rapide du système His-Purkinje et du myocarde auriculaire et ventriculaire. Le blocage de l'influx de sodium, assuré par les médicaments de classe I, permet de ralentir la conduction dans le système His-Purkinje. Le blocage de l'influx de calcium, assuré par les bêtabloquants (classe II) et les bloqueurs des canaux calciques (classe IV), permet de diminuer la contractilité. Le blocage de l'influx de potassium, assuré par les médicaments de classe III, permet de retarder la repolarisation et donc de prolonger la période réfractaire effective. **B** Nœud sinusal et nœud AV. Potentiel lent du nœud sinusal et du nœud AV. Le blocage de l'influx de calcium, assuré par les bêtabloquants et les bloqueurs des canaux calciques, permet de ralentir la conduction AV. Ces mêmes médicaments permettent de diminuer l'automatisme du nœud sinusal.

plan horizontal. L'ECG à 12 dérivations permet d'enregistrer une morphologie électrocardiographique distincte selon la dérivation et peut montrer des variations indiquant des lésions ou des changements structurels, comme une ischémie, un infarctus, une hypertrophie des cavités du cœur, un déséquilibre électrolytique ou une intoxication médicamenteuse. L'obtention de 12 dérivations est également utile pour évaluer l'arythmie. Un exemple d'ECG normal à 12 dérivations se trouve à la **FIGURE 43.4**.

Animation : *Souffles cardiaques – régurgitation.*

Dans la pratique courante, il existe une distinction entre l'ECG et ce qui est appelé la bande de rythme : l'ECG est un tracé électrocardiographique complet, dont chacune des dérivations (au moins 12 : DI, DII, DIII, aVL, aVR, aVF, V_1 à V_6) est représentée sur une courte période de temps, tandis que la bande de rythme est la captation d'une seule dérivation (habituellement DII) pendant une plus longue période de temps, ce qui permet de documenter le rythme cardiaque.

La surveillance électrocardiographique continue d'un client peut s'effectuer au moyen d'une ou de plusieurs dérivations. Les dérivations les plus courantes sont les dérivations DII, V_1 et MCL_1 (dérivation thoracique modifiée) **FIGURE 43.5**. La dérivation MCL_1 est une dérivation thoracique modifiée semblable à la V_1 et utilisée si la surveillance n'est possible qu'au moyen de trois dérivations. La fiabilité de l'interprétation de l'ECG dépend du degré d'exactitude de la position des électrodes sur le client. Selon les recommandations en vigueur, l'état clinique du client sous surveillance détermine le choix des dérivations à utiliser (American Association of Critical-Care Nurses, [AACN], 2008, 2009).

Le moniteur cardiaque affiche continuellement le rythme cardiaque. Le papier électrocardiographique, fixé au moniteur, enregistre l'ECG (c'est-à-dire le tracé du rythme) lorsqu'une anomalie du rythme cardiaque est détectée, ou à la demande du professionnel de la santé. Il permet de documenter par écrit le rythme cardiaque du client, et de mesurer la durée du complexe QRS et des différents intervalles (PR, QT, etc.) afin de déceler toute problématique de conduction, tel un bloc AV, et d'évaluer divers types d'arythmie, comme la **fibrillation auriculaire** ou la bradycardie sinusale.

Pour interpréter correctement un ECG, il est essentiel de savoir évaluer la tension et le temps sur le papier électrocardiographique. Ce papier se divise en grands carrés (traits gras) et en petits carrés (traits fins) **FIGURE 43.6**. Chaque grand carré comprend 25 petits carrés (5 à l'horizontale et 5 à la verticale). Chaque petit carré représente 0,04 seconde horizontalement et 0,1 mV verticalement. Cela signifie qu'un grand carré correspond à 0,2 seconde et donc que 300 grands carrés représentent une minute. L'axe horizontal sert à calculer la F.C. et à mesurer la durée des complexes ou des intervalles de l'ECG. Verticalement, un grand carré correspond à 0,5 mV. L'axe vertical est utile pour mesurer l'amplitude des différentes ondes captées par électrocardiographie ou celle des segments, comme le segment ST en cas de lésion myocardique, ou encore pour le diagnostic d'une hypertrophie du ventricule gauche.

Diverses méthodes permettent de calculer la F.C. à partir d'un ECG. La plus précise consiste à compter le nombre de complexes QRS par minute. Toutefois, cela demande un temps considérable. Il est possible de recourir à un processus plus

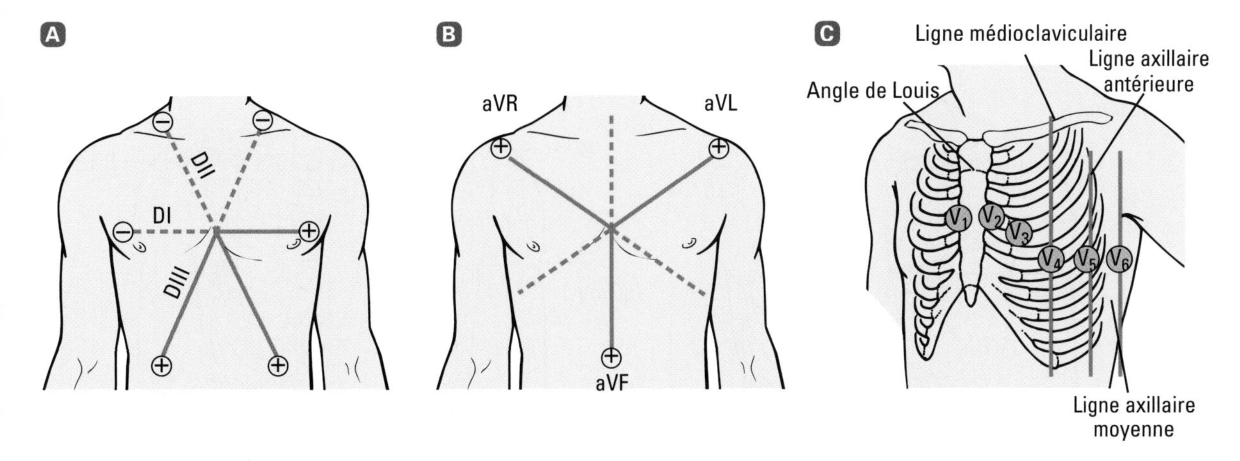

FIGURE 43.3 **A** Dérivations périphériques I, II et III, situées sur les membres, et angles de ces dérivations par rapport au cœur. **B** Dérivations périphériques aVR, aVL et aVF ; unipolaires, elles utilisent le centre du cœur comme électrode négative. **C** Position des dérivations précordiales : V_1, quatrième espace intercostal, bord droit du sternum ; V_2, quatrième espace intercostal, bord gauche du sternum ; V_3, à mi-chemin entre V_2 et V_4 ; V_4, cinquième espace intercostal gauche, sur la ligne médioclaviculaire ; V_5, dans le même plan horizontal que V4, sur la ligne axillaire antérieure ; V_6, dans le même plan horizontal que V4, sur la ligne axillaire moyenne.

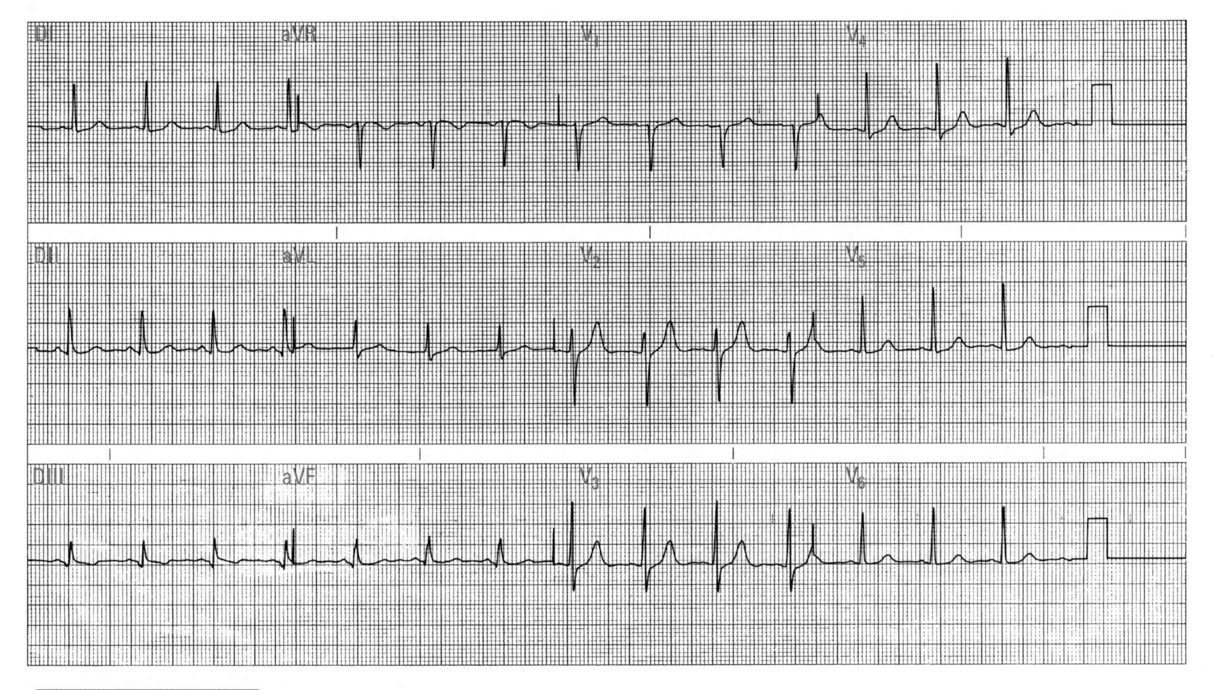

FIGURE 43.4 ECG à 12 dérivations montrant un rythme sinusal

simple. Toutes les trois secondes, une marque apparaît sur le papier électrocardiographique **FIGURE 43.6**, ce qui permet de compter le nombre d'intervalles RR sur une période de six secondes. La multiplication du nombre obtenu par 10 donne ainsi un nombre approximatif de battements par minute **FIGURE 43.7**. (L'onde R est la première déflexion vers le haut, et donc positive, du complexe QRS.)

Une autre méthode consiste à compter le nombre de petits carrés compris dans un intervalle RR. La division de 1 500 par ce nombre permet d'obtenir la F.C. Enfin, il est également possible de compter le nombre de grands carrés compris dans un intervalle RR et de diviser 300 par ce nombre **FIGURE 43.7**. Ces méthodes s'avèrent très précises si le rythme est régulier (Atwood, Stanton, Storey-Davenport *et al.*, 2011).

Une autre façon de mesurer les distances sur un tracé consiste à utiliser un compas. Bien souvent, une onde P ou R ne coïncide pas exactement avc un trait fin ou gras. L'infirmière place donc les pointes fines du compas exactement sur l'intervalle qu'elle doit mesurer et déplace ensuite le

CE QU'IL FAUT RETENIR

En plus des arythmies cardiaques, un électrocardiogramme permet de détecter des variations indiquant des lésions ou des changements structurels, comme une ischémie, un infarctus, une hypertrophie des cavités du cœur, un déséquilibre électrolytique ou une intoxication médicamenteuse.

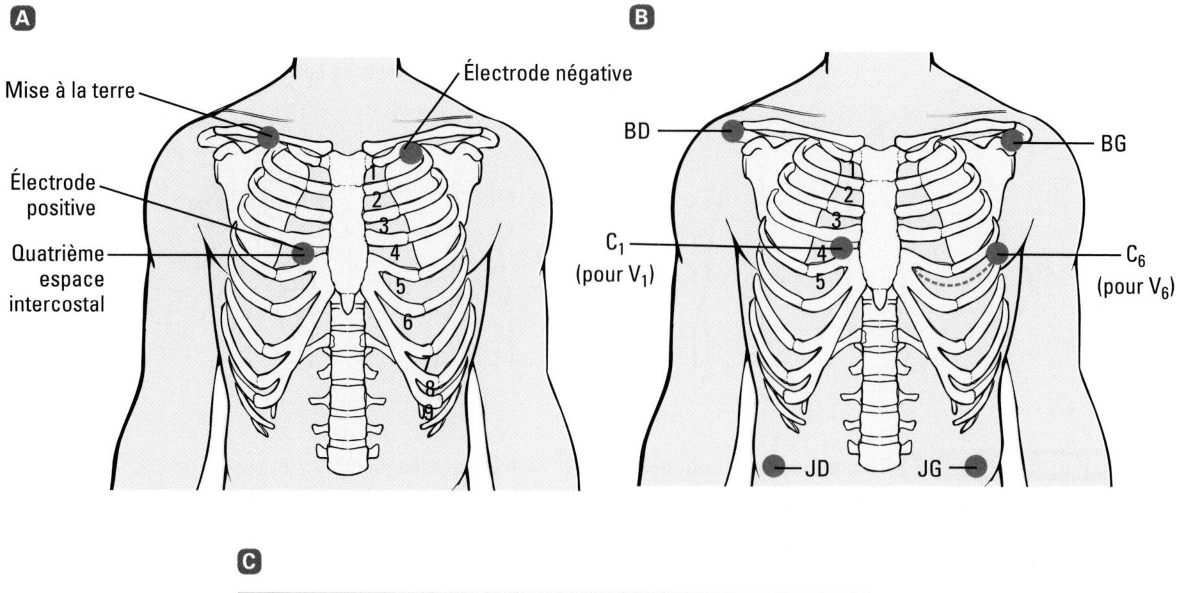

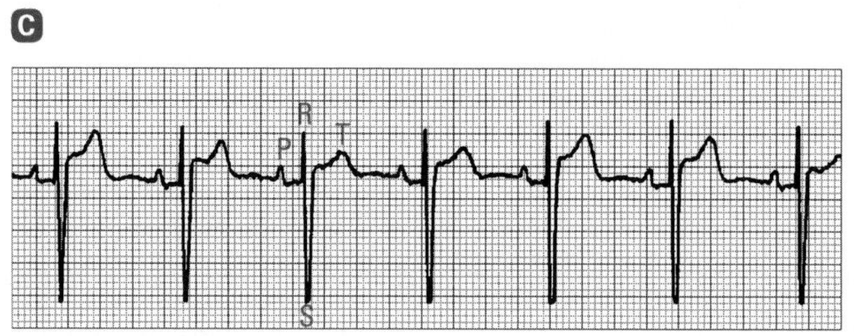

FIGURE 43.5 **A** Position de la MCL_1 au moyen d'un système à trois électrodes. **B** Position de la dérivation V_1 ou V_6 au moyen d'un système à cinq électrodes. **C** Tracé électrocardiographique caractéristique de la MCL_1. BG, bras gauche ; JG, jambe gauche ; BD, bras droit ; JD, jambe droite.

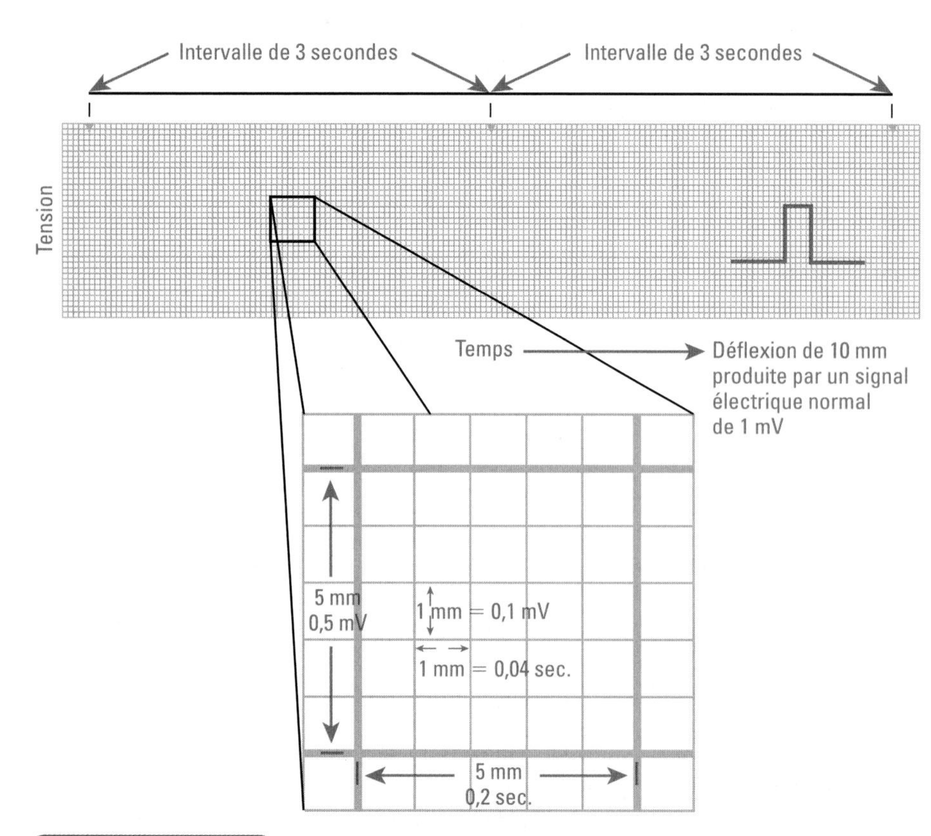

FIGURE 43.6 Temps et tension sur l'électrocardiogramme : tracé de six secondes

compas vers une portion du tracé permettant d'obtenir une mesure plus précise de la durée.

L'infirmière doit relier les dérivations électrocardiographiques au client par des électrodes, qu'elle fixe au moyen d'un gel conducteur. Avant de les placer, elle doit soigneusement préparer la peau. Avec un rasoir électrique, elle enlève l'excès de poils du thorax. Si la peau est huileuse, elle doit d'abord l'essuyer avec de l'alcool. Si le client transpire abondamment (diaphorèse), elle essuie la région avec une gaze sèche ou un tampon d'alcool avant de mettre l'électrode en place.

L'infirmière constatera la présence d'un artéfact sur le moniteur si des électrodes sont mal fixées, s'il y a activité musculaire (p. ex., des tremblements) ou s'il existe une interférence électrique de source (p. ex., un raccord de mise à la terre défectueux). Un artéfact est une distorsion de la ligne isoélectrique et des formes d'onde observées sur l'ECG **FIGURE 43.8**. Il est difficile d'interpréter convenablement un rythme cardiaque en présence d'un artéfact. Dans ce cas, l'infirmière doit vérifier les connexions de l'appareil et les électrodes sur le client. Elle devra peut-être remplacer les électrodes si le gel conducteur a séché.

Surveillance par télémétrie

La **surveillance par télémétrie** permet d'observer à distance la F.C. et le rythme cardiaque d'un client. Elle peut aider à diagnostiquer rapidement l'arythmie, l'ischémie ou l'infarctus. Ce mode de surveillance fait appel à un système centralisé possédant la capacité de détecter et d'enregistrer les données de plus d'un client à la fois, de même que d'émettre un signal d'alarme sophistiqué qui varie selon le client.

43.1.4 Évaluation du rythme cardiaque

En mesurant le rythme cardiaque, l'infirmière doit en faire une interprétation juste et envisager les conséquences des résultats sur le client. Elle doit évaluer la réponse hémodynamique (reflétée, entre autres, par la pression artérielle [P.A.] et l'état de conscience) du client à toute variation du rythme cardiaque, car cette information la guidera dans le choix de ses interventions thérapeutiques. La détermination de la cause de l'arythmie est une priorité. Par exemple, des tachycardies résultant d'une fièvre peuvent provoquer une diminution du débit cardiaque (D.C.) et une hypotension. Un déséquilibre électrolytique peut causer l'arythmie, et si ce déséquilibre n'est pas traité, celle-ci peut prendre une forme mettant en danger la vie des clients, comme une torsade de pointe ou une **fibrillation ventriculaire (FV)** (Atwood *et al.*, 2011).

Le rythme sinusal prend naissance dans le nœud sinusal à une fréquence de 60 à 100 fois par minute et suit le tracé de conduction normale du cycle cardiaque **FIGURE 43.9**. La **FIGURE 43.10** montre le tracé électrique normal du cycle cardiaque. Le **TABLEAU 43.2** présente une description des formes d'onde et des intervalles sur l'ECG, leur durée normale et les sources possibles de perturbation pour chacune de ces caractéristiques.

43.1.5 Mécanismes électrophysiologiques de l'arythmie

L'arythmie résulte de troubles liés à la formation (automaticité) ou à la conduction des impulsions, ou aux deux à la fois. Le cœur contient des cellules spécialisées qui se trouvent dans le nœud sinusal, certaines parties des oreillettes, le nœud AV, et le réseau composé du faisceau de His et des fibres de Purkinje (système His-Purkinje). Ces cellules spécialisées ont la capacité de se dépolariser spontanément. Ce phénomène se nomme automatisme. Habituellement, le centre d'automatisme cardiaque primaire est le nœud sinusal **TABLEAU 43.3**. Des centres d'automatisme secondaire et tertiaire, situés dans d'autres régions du système de conduction du cœur, peuvent générer des impulsions de deux façons. En effet, advenant que le nœud sinusal soit incapable de maintenir une cadence

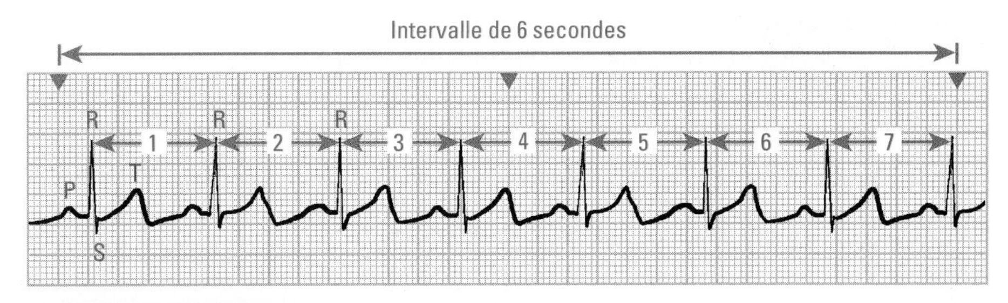

FIGURE 43.7 Si le rythme est régulier, un coup d'œil suffit pour déterminer la F.C., qui est de 70 battements par minute dans ce cas-ci.

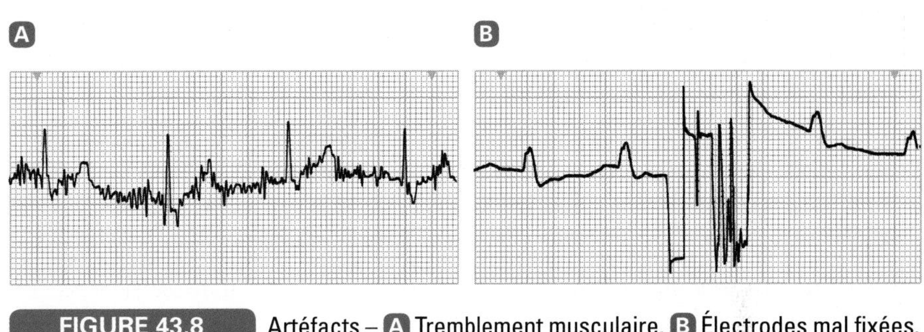

FIGURE 43.8 Artéfacts – A Tremblement musculaire. B Électrodes mal fixées.

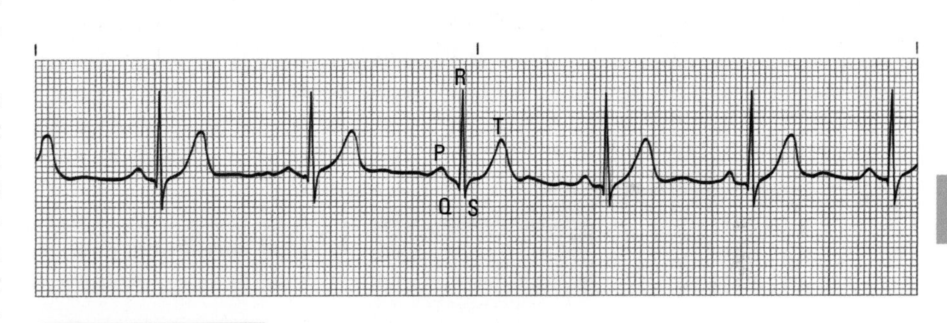

FIGURE 43.9 Rythme sinusal de la dérivation II

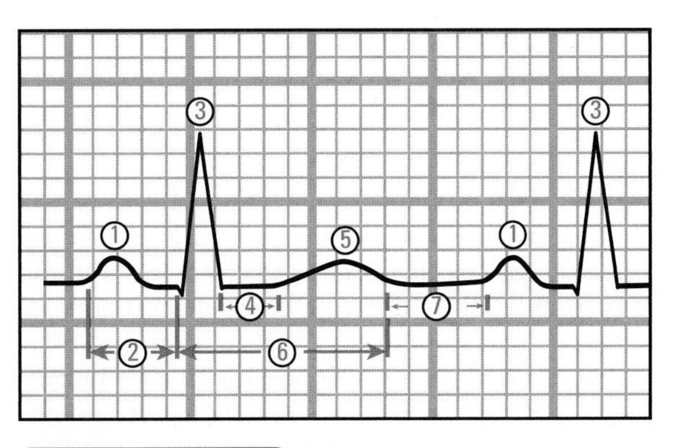

FIGURE 43.10 Électrocardiogramme tel qu'il apparaît en présence d'un rythme sinusal – 1 onde P; 2 intervalle PR; 3 complexe QRS; 4 segment ST; 5 onde T; 6 intervalle QT; 7 ligne isoélectrique (partie plate de la courbe).

Jugement clinique

La figure 43.9 présente le rythme cardiaque d'un client. Calculez sa fréquence cardiaque.

TABLEAU 43.2 Description et sources des variations des formes d'onde et des intervalles de l'électrocardiogramme[a]

PROPRIÉTÉ	DURÉE NORMALE	SOURCES POSSIBLES DE VARIATION
Onde P : Onde représentant le temps que prend l'impulsion électrique pour se propager dans les oreillettes en provoquant une dépolarisation auriculaire (contraction) ; doit être ascendante (positive).	De 0,06 à 0,10 sec.	Perturbation de la conduction dans les oreillettes
Intervalle : Intervalle mesuré à partir du début de l'onde P jusqu'au début du complexe QRS, et représentant le temps que met l'impulsion à franchir les oreillettes, le nœud AV et le faisceau de His, les branches du faisceau et les fibres de Purkinje, jusqu'au moment précédant immédiatement la contraction ventriculaire.	De 0,12 à 0,20 sec.	Perturbation de la conduction, généralement dans le nœud AV, le faisceau de His ou les branches du faisceau, mais possible aussi dans les oreillettes
Intervalle QRS : Intervalle mesuré du début à la fin du complexe QRS et représentant le temps nécessaire à la dépolarisation (contraction) des deux ventricules (systole).	< 0,12 sec.	Perturbation de la conduction dans les branches du faisceau ou les ventricules
Segment ST : Segment mesuré à partir de la fin du complexe QRS (aussi appelé point J) jusqu'au début de l'onde T, et représentant le temps compris entre la fin de la dépolarisation ventriculaire et la repolarisation (diastole) ; doit être isoélectrique (rectiligne).	Non significative	Perturbations généralement causées par une ischémie ou un infarctus
Onde T : Onde représentant la durée de la repolarisation ventriculaire.	0,16 sec.	Perturbations généralement causées par un déséquilibre électrolytique, une ischémie ou un infarctus
Intervalle QT : Intervalle mesuré à partir du début du complexe QRS jusqu'à la fin de l'onde T, et représentant la durée totale de la dépolarisation et de la repolarisation électriques des ventricules.	De 0,34 à 0,44 sec.	Perturbations qui, généralement, touchent davantage la repolarisation que la dépolarisation et sont causées par des médicaments, un déséquilibre électrolytique ou des variations de la F.C.

[a] La F.C. influence la durée de ces intervalles, surtout celle des intervalles PR et QT (p. ex., la durée de l'intervalle QT diminue lorsque la F.C. augmente).

TABLEAU 43.3 Fréquences intrinsèques du système de conduction

CENTRE D'AUTOMATISME	FRÉQUENCE
Nœud sinusal	De 60 à 100 impulsions/minute
Faisceau de His	De 40 à 60 impulsions/minute
Fibres de Purkinje	De 20 à 40 impulsions/minute

minimale de 60 impulsions par minute, le centre d'automatisme secondaire pourrait prendre la relève et émettre des impulsions selon son rythme intrinsèque. Le centre d'automatisme secondaire est situé dans le faisceau de His et propage spontanément un influx électrique de 40 à 60 impulsions par minute vers les ventricules. Advenant que le centre d'automatisme secondaire soit également défaillant, c'est le centre d'automatisme tertiaire qui prendrait alors la relève. Les fibres de Purkinje constituent le centre d'automatisme tertiaire qui émet des impulsions de 20 à 40 fois par minute afin de permettre une systole ventriculaire (Banasik, 2013).

Tout le tissu cardiaque possède la propriété d'automaticité à l'état de latence. Pour des raisons diverses (p. ex., l'hypothermie, un déséquilibre électrolytique, l'ischémie, l'effet des antiarythmiques), l'automaticité, la conductibilité et l'excitabilité des cellules myocardiques peuvent se modifier. En se modifiant, certaines cellules peuvent également intervenir en émettant des décharges plus rapidement que le centre d'automatisme normal du nœud sinusal. Des battements déclenchés (précoces ou tardifs) peuvent provenir d'un foyer ectopique ou d'une voie accessoire (région n'appartenant pas à la voie normale de conduction) qui se trouve dans les oreillettes, le nœud AV ou les ventricules. Cette situation entraîne une arythmie qui remplace le rythme sinusal (Atwood *et al.*, 2011 ; Banasik, 2013 ; Douglas *et al.*, 2015).

L'impulsion, qu'elle soit déclenchée par le nœud sinusal, un centre d'automatisme secondaire ou tertiaire, ou encore par un foyer ectopique, doit être transmise dans tout le tissu cardiaque. La capacité du tissu myocardique de se dépolariser sous l'effet d'un stimulus se nomme excitabilité. Il s'agit d'une caractéristique importante de la transmission de l'impulsion d'une fibre à l'autre. Le degré d'excitabilité est déterminé par le temps qu'il faut au tissu, après la dépolarisation, pour pouvoir être stimulé de nouveau. La période de récupération qui suit la stimulation (dépolarisation) se nomme phase ou période réfractaire. La période réfractaire absolue a lieu lorsque l'excitabilité est nulle et que le tissu cardiaque ne peut être stimulé, peu importe le degré de la stimulation. La période réfractaire relative survient un peu plus tard au cours du cycle, et l'excitabilité devient plus probable (la cellule myocardique est alors en phase de repolarisation). En état d'excitabilité totale (une fois la repolarisation terminée), la récupération du cœur est complète, et celui-ci est prêt pour une nouvelle dépolarisation. La **FIGURE 43.11** montre le rapport entre la période réfractaire et l'ECG.

Si la conduction est diminuée et que certaines régions du cœur sont lésées (p. ex., en cas d'infarctus), les régions saines sont activées plus tôt que celles qui sont lésées. Si cette altération du système de conduction est unidirectionnelle, elle peut permettre à l'impulsion initiale d'entrer de nouveau dans des régions auparavant inexcitables, mais dont la récupération est maintenant complète. Cette impulsion réentrante peut suffire pour entraîner une dépolarisation des oreillettes et des ventricules, ce qui provoque une extrasystole (battement prématuré). Si cette excitation réentrante se poursuit, il se produit une tachycardie. Le mécanisme de réentrée explique plusieurs types d'arythmie, comme le flutter auriculaire ou la **tachycardie ventriculaire (TV)** (Lilly, 2010).

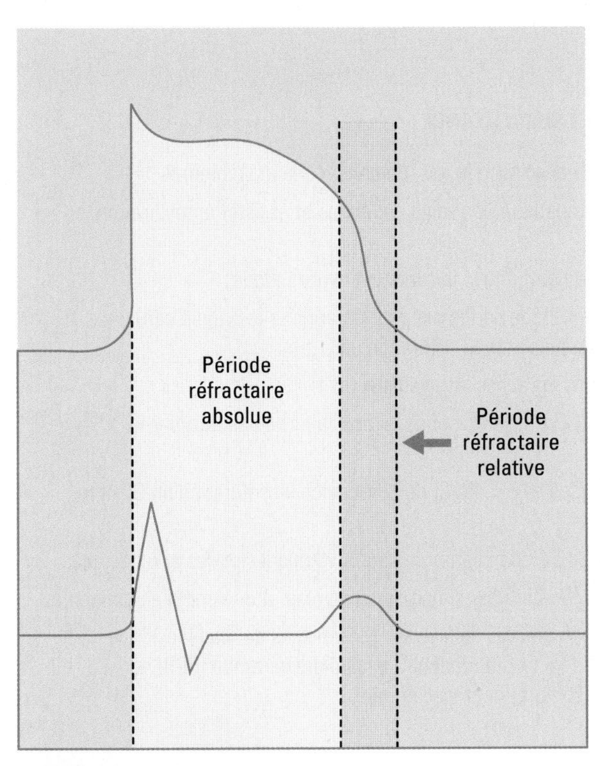

FIGURE 43.11 Les périodes réfractaires absolue et relative sont en corrélation avec le potentiel d'action du muscle cardiaque et le tracé électrocardiographique.

43.1.6 Évaluation de l'arythmie

L'arythmie est due à différentes anomalies et maladies. Sa cause influence le traitement à administrer au client. L'**ENCADRÉ 43.1** présente des causes courantes d'arythmie. L'**ENCADRÉ 43.2** présente une démarche systématique d'évaluation du rythme cardiaque.

Lorsqu'elle survient alors que le client ne se trouve pas dans une unité de soins avec un monitorage cardiaque continu ou une télémétrie, une évaluation à l'aide d'un électrocardiogramme (ECG) est nécessaire afin de déterminer le type d'arythmie et pour orienter l'approche thérapeutique. Ainsi, dès qu'un client éprouve des symptômes suggérant la présence d'arythmie (p. ex., des palpitations, un pouls irrégulier), l'infirmière procède à l'ECG. Le **TABLEAU 43.4** résume les soins d'urgence à administrer au client qui présente une arythmie cardiaque.

En plus de la surveillance électrocardiographique continue au cours du séjour au centre hospitalier, plusieurs autres examens permettent d'évaluer l'arythmie cardiaque et l'efficacité des antiarythmiques. Par exemple, il est possible de

ENCADRÉ 43.1 Causes courantes d'arythmie[a]

CAUSES D'ORIGINE CARDIAQUE

- Voies accessoires
- Cardiomyopathie
- Anomalies de conduction
- Insuffisance cardiaque
- Ischémie et infarctus du myocarde
- Valvulopathie

AUTRES CAUSES

- Déséquilibres acidobasiques
- Alcool
- Caféine, tabac
- Affections du tissu conjonctif
- Effets de médicaments (p. ex., les antiarythmiques, les stimulants, les bêtabloquants) ou intoxication médicamenteuse
- Décharge électrique
- Déséquilibres électrolytiques (p. ex., l'hypokaliémie, l'hypocalcémie)
- Choc émotionnel
- Suppléments à base de plantes (p. ex., les noix d'arec, l'écorce de racine de fraxinelle, le maté)
- Hypoxie
- Affections métaboliques (p. ex., le dysfonctionnement de la thyroïde)
- Quasi-noyade
- Empoisonnement
- Septicémie
- État de choc

[a] Cette liste n'est pas exhaustive.

Pratiques infirmières suggérées

ENCADRÉ 43.2 Adopter une démarche systématique d'évaluation du rythme cardiaque

L'infirmière doit suivre une démarche systématique pour évaluer le rythme cardiaque. En voici une qui est généralement recommandée :

- Repérer la présence de l'onde P. Est-elle ascendante ou inversée ? Y en a-t-il une ou plusieurs pour chaque complexe QRS ? Note-t-on la présence d'ondes de flutter auriculaire ?
- Évaluer le rythme auriculaire. Est-il régulier ou irrégulier ?
- Calculer la fréquence auriculaire.
- Mesurer la durée de l'intervalle PR. Est-elle normale ou prolongée ?
- Évaluer le rythme ventriculaire. Est-il régulier ou irrégulier ?
- Calculer la fréquence ventriculaire.
- Mesurer la durée du complexe QRS. Est-elle normale ou prolongée ?
- Évaluer le segment ST. Est-il isoélectrique (rectiligne), sus-décalé ou sous-décalé ?
- Mesurer la durée de l'intervalle QT. Est-elle normale ou prolongée ?
- Repérer l'onde T. Est-elle ascendante ou inversée ?

QUESTIONS À EXAMINER

- Quel est le rythme dominant ou l'arythmie ?
- Quelles sont la cause et les répercussions physiologiques associées au rythme ou à l'arythmie observés ?
- Quel est le traitement à administrer dans le cas de ce rythme en particulier ?

soumettre le client à une surveillance Holter, à une surveillance par enregistrement d'événements ou à une épreuve d'effort sur tapis roulant (méthodes non effractives) pendant l'hospitalisation ou en consultation externe, ou encore à une épreuve électrophysiologique (EEP), une méthode effractive nécessitant une hospitalisation.

Le moniteur Holter enregistre de façon continue l'activité électrique du cœur d'un client qui peut se déplacer, pendant qu'il vaque à ses activités de la vie quotidienne (AVQ). Il enregistre sa fréquence et son rythme cardiaques pendant 24 à 72 heures afin de déceler toute anomalie de conduction ou arythmie. Il permet aussi de vérifier l'efficacité d'un

Évaluation et interventions en situation d'urgence

TABLEAU 43.4 Arythmie

ÉVALUATION	INTERVENTIONS ET SURVEILLANCE
• Fréquence cardiaque anormale ; tachycardie, bradycardie • Rythme cardiaque irrégulier • Diminution ou augmentation de la P.A. • Diminution de la saturation en oxygène (O_2) • Douleur au thorax, au cou, à l'épaule, au dos, à la mâchoire ou au bras • Étourdissements, syncope • Dyspnée • Agitation extrême, anxiété • Altération de l'état de conscience, confusion • Sentiment d'une mort imminente • Engourdissements, fourmillements aux bras • Faiblesse et fatigue • Peau moite et froide • Diminution des pouls périphériques • Diaphorèse • Pâleur • Palpitations • Nausées et vomissements	• Évaluer l'état de conscience (p. ex., demander si tout va bien). • Maintenir la perméabilité des voies aériennes et assister la respiration, si nécessaire : – administrer de l'oxygène si le client est hypoxémique ; – assurer le monitorage cardiaque pour déterminer le rythme cardiaque et mesurer la P.A. ainsi que la saturation en O_2 ; – mettre en place les accès intraveineux (I.V.) ; – effectuer un ECG à 12 dérivations, si possible ; ne pas retarder le traitement[a]. • Surveiller les signes vitaux, l'état de conscience, la saturation en O_2 et le rythme cardiaque. • Prévoir la nécessité d'administrer des antiarythmiques et des analgésiques. • Prévoir la nécessité d'intuber si une détresse respiratoire semble imminente. • Se préparer à appliquer les techniques spécialisées de réanimation cardiorespiratoire (p. ex., la réanimation cardiorespiratoire [RCR], la défibrillation, la stimulation transcutanée).

[a] Source : Neumar, Otto, Link *et al.* (2010).

médicament antiarythmique (Wilson, 2014). Le client tient un journal de bord dans lequel il inscrit toutes ses activités et l'heure à laquelle elles ont lieu, ainsi que tout symptôme ressenti, comme un étourdissement, des palpitations ou une dyspnée subite. Les activités qu'il a notées sont ensuite mises en contexte avec l'arythmie observée par l'infirmière sur l'enregistrement.

L'utilisation de moniteurs d'événements a grandement amélioré l'évaluation de l'arythmie des clients en consultation externe. Le moniteur d'événements est un enregistreur que le client actionne uniquement s'il ressent des symptômes, telles des palpitations.

L'épreuve d'effort sur tapis roulant est une méthode non effractive de premier choix pour évaluer le rythme et la fonction cardiaques du client pendant un exercice physique. L'ECG, la F.C. et la P.A. sont enregistrés pendant cet examen. Advenant l'apparition d'une arythmie ou d'une anomalie de conduction durant cet effort (p. ex., un abaissement du segment ST en cas d'ischémie cardiaque), celle-ci serait analysée et un traitement approprié serait envisagé. Ce dernier peut consister en une coronographie, souvent requise pour évaluer s'il y a sténose de l'arbre coronarien. Si une ou des sténoses sont diagnostiquées au cours de cet examen, le client pourra être traité par angioplastie percutanée, par chirurgie de pontage aortocoronarien ou par pharmacothérapie, selon la décision médicale. Cette épreuve est également indiquée pour établir les limites en matière de sécurité d'un programme de réadaptation cardiaque (Thompson, Arena, Riebe *et al.*, 2013).

L'EEP est une méthode effractive permettant de déceler aussi bien différents mécanismes de tachyarythmie (arythmie dont la fréquence est supérieure à 100 batt./min) que ceux de bradyarythmie (arythmie dont la fréquence est inférieure à 60 batt./min), les blocs auriculoventriculaires (ou blocs AV) et les causes de syncope. Elle permet également de localiser les voies accessoires et de déterminer l'efficacité des antiarythmiques. Les cathéters à électrode, introduits sous radioscopie par une veine périphérique, permettent d'atteindre les cavités droites du cœur. Conjugués à une surveillance électrocardiographique, ils sont utilisés pour distinguer les types d'arythmie et, potentiellement, en provoquer. Le but de cette manœuvre est de diagnostiquer une arythmie et d'intervenir par l'installation d'un **stimulateur cardiaque (cardiostimulateur)** ou d'un défibrillateur, par l'ajout d'une médication antiarythmique ou encore par l'ablation intracardiaque du foyer arythmogène (Verma, Macle, Cox *et al.*, 2010; Wilson, 2014).

Stimulateur cardiaque (cardiostimulateur): Appareil destiné à susciter des contractions rythmées du muscle cardiaque lorsque la stimulation physiologique est déficiente.

43.1.7 Types d'arythmie

Le **TABLEAU 43.5** présente les signes caractéristiques des types courants d'arythmie.

Bradycardie sinusale

En cas de bradycardie sinusale, la voie de conduction est la même que celle du rythme sinusal, c'est-à-dire que les impulsions proviennent du nœud sinusal, et qu'une dépolarisation auriculaire et une dépolarisation ventriculaire surviennent successivement. Par contre, la fréquence des impulsions émises par le nœud sinusal est inférieure à 60 battements par minute **FIGURE 43.12A**. La bradycardie symptomatique se

Jugement clinique

Belaïd Mouawad, âgé de 62 ans, a connu un épisode de tachyarythmie associée à une douleur thoracique. Avant que le client ne subisse un ECG à l'effort, il est très important que l'infirmière vérifie ses résultats de troponine.Pour quelle raison devez-vous vérifier ces résultats ? Justifiez votre réponse.

TABLEAU 43.5 Signes caractéristiques des types courants d'arythmie

TRACÉ	FRÉQUENCE	RYTHME	ONDE P	INTERVALLE PR	COMPLEXE QRS
Rythme sinusal	• De 60 à 100 batt./min	• Régulier	Normale	Normal	Normal
Bradycardie sinusale	• < 60 batt./min	• Régulier	Normale	Normal	Normal
Tachycardie sinusale	• > 100 batt./min	• Régulier	Normale	Normal	Normal
Extrasystole auriculaire (ESA)	• Variable : bigéminisme/ trigéminisme, couplet/ salve **FIGURE 43.18**	• Irrégulier	Morphologie anormale ; prématurée par rapport au rythme de base ; possiblement cachée dans le complexe QRS précédent	Normal	Normal (généralement)
Tachycardie supraventriculaire paroxystique (TSVP)	• De 150 à 220 batt./min	• Régulier	Morphologie anormale ; possiblement cachée dans l'onde T qui précède	Normal ou raccourci	Normal (généralement)

TABLEAU 43.5	Signes caractéristiques des types courants d'arythmie *(suite)*				
TRACÉ	**FRÉQUENCE**	**RYTHME**	**ONDE P**	**INTERVALLE PR**	**COMPLEXE QRS**
Flutter auriculaire	• Auriculaire : de 200 à 350 batt./min • Ventriculaire : moyenne de 150 batt./min	• Régulier • Régulier ou irrégulier	Ondes de flutter (F) (tracé en dents de scie) ; plus d'ondes de flutter que de complexes QRS ; susceptibles de survenir dans un rapport de 2/1, 3/1, 4/1, etc.	Non mesurable	Normal (généralement)
Fibrillation auriculaire	• Auriculaire : de 350 à 600 batt./min • Ventriculaire : variable	• Irrégulier • Irrégulier	Ondes de fibrillation (f)	Non mesurable	Normal (généralement)
Arythmie jonctionnelle	• De 40 à 180 batt./min	• Régulier	Inversée ; possiblement cachée dans le complexe QRS	Variable	Normal (généralement)
Bloc AV du premier degré	• Normale	• Régulier	Normale	> 0,20 sec.	Normal
Bloc AV du deuxième degré de type I (bloc de Mobitz de type I, bloc de Luciani-Wenckebach)	• Auriculaire : normale • Ventriculaire : lente	• Régulier • Irrégulier	Normale	Progressivement allongé	Normal, avec un complexe QRS non conduit (bloqué) sur le tracé
Bloc AV du deuxième degré de type II (bloc de Mobitz de type II)	• Auriculaire : généralement normale • Ventriculaire : lente	• Régulier • Régulier ou irrégulier	Plus d'ondes P que de complexes QRS (p. ex., 2/1, 3/1)	Normal ou prolongé	Élargi, précédé d'au moins deux ondes P, avec complexe QRS non conduit (bloqué)
Bloc AV du troisième degré (bloc AV complet)	• Auriculaire : en général, plus rapide que la fréquence ventriculaire • Ventriculaire : de 20 à 60 batt./min	• Régulier, mais pouvant paraître irrégulier, car les ondes P sont cachées dans les complexes QRS • Régulier	Normale, mais aucun lien avec le complexe QRS	Variable	Normal ou élargi, aucun lien avec l'onde P
Extrasystole ventriculaire (ESV)	• Variable : bigéminisme/trigéminisme, couplet/salve **FIGURE 43.18**	• Sous-jacent de n'importe quelle fréquence ; régulier ou irrégulier	Absente	Non mesurable	Élargi et déformé ; complexe prématuré, monomorphe ou polymorphe (quand il y en a plus d'une sur un tracé)
Tachycardie ventriculaire (TV)	• De 150 à 250 batt./min	• Régulier ou irrégulier	Généralement invisible	Non mesurable	Élargi et déformé
Rythme idioventriculaire accéléré (RIVA)	• De 40 à 100 batt./min	• Régulier	Généralement invisible	Non mesurable	Élargi et déformé
Fibrillation ventriculaire (FV)	• Non mesurable	• Irrégulier	Absente	Non mesurable	Non mesurable

manifeste par une F.C. inférieure à 60 battements par minute causant des symptômes au client (p. ex., de la fatigue, une douleur thoracique, de la lipothymie, des étourdissements et une syncope).

Causes

La bradycardie sinusale peut correspondre à un rythme normal chez les athlètes d'endurance et chez certaines personnes pendant leur sommeil. Elle survient également en réaction au massage du sinus carotidien, à la manœuvre de Valsalva, à l'hypothermie, à l'augmentation de la pression intraoculaire, à la stimulation vagale et à l'administration de certains médicaments (p. ex., les bêtabloquants et les bloqueurs des canaux calciques). Les états pathologiques courants associés à la bradycardie sinusale sont l'hypothyroïdie, l'hypothermie, l'hypoglycémie due à la diminution du métabolisme basal, l'infarctus de la paroi inférieure du myocarde dû à l'hyperactivité du parasympathique, et la sténose grave de l'artère coronaire droite qui irrigue l'artère du nœud sinusal.

Caractéristiques de l'électrocardiogramme

En présence d'une bradycardie sinusale, la F.C. est inférieure à 60 battements par minute et le rythme est régulier. L'onde P précède toujours le complexe QRS, et présente une morphologie et une durée normales. L'intervalle PR est normal, et le complexe QRS présente une morphologie et une durée normales.

Implications cliniques

La bradycardie sinusale est généralement asymptomatique. Cependant, sa gravité dépend de la façon dont le client la tolère sur le plan hémodynamique. Les signes et symptômes d'une bradycardie symptomatique peuvent être une peau pâle et froide, une hypotension, de la faiblesse, de l'angine, des étourdissements ou une syncope, de la confusion ou une désorientation, ainsi qu'un essoufflement. Les symptômes de la bradycardie sont associés à un faible D.C. entraînant une hypoperfusion cérébrale et coronarienne et de l'hypoxie (Atwood *et al.*, 2011 ; Douglas *et al.*, 2015).

Traitement

En présence de symptômes tels que l'hypotension, l'altération de l'état de conscience, les signes de choc, de douleurs thoraciques ou de défaillance cardiaque, le traitement de première intention est l'administration d'atropine I.V. (un anticholinergique, antiarythmique et parasympatholitique). Si l'injection d'atropine n'a pas d'effet, un stimulateur cardiaque transcutané peut être mis en place ou une perfusion de dopamine ou d'épinéphrine peut être amorcée (Neumar *et al.*, 2010). La pose d'un stimulateur cardiaque peut s'avérer nécessaire en cas de maladie du nœud sinusal. Si la bradycardie est iatrogénique (attribuable à la prise de certains médicaments, le plus fréquemment des bêtabloquants), l'équipe médicale peut cesser temporairement ou indéfiniment la médication en cause, ou encore en réduire la posologie.

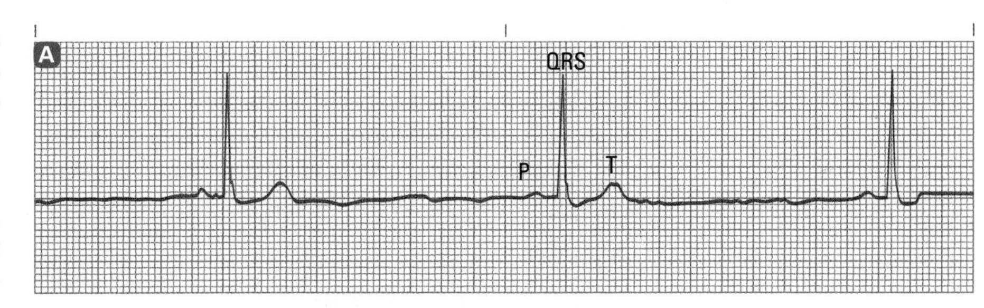

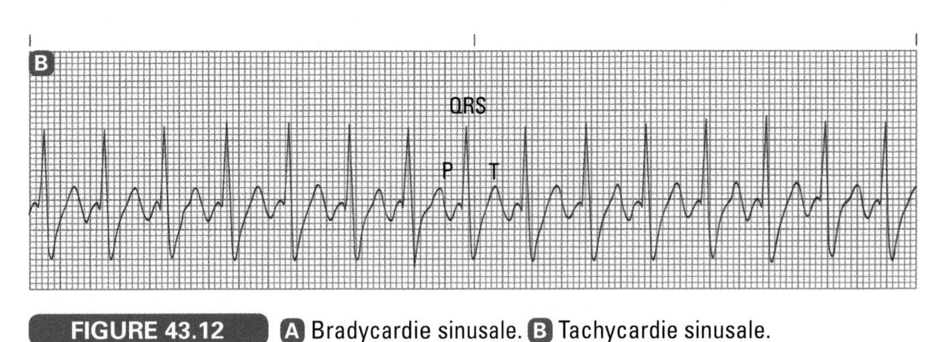

FIGURE 43.12 A Bradycardie sinusale. B Tachycardie sinusale.

Tachycardie sinusale

La voie de conduction de la tachycardie sinusale est la même que celle du rythme sinusal. La fréquence des impulsions émises par le nœud sinusal augmente en raison d'une inhibition vagale (parasympathique) ou d'une stimulation sympathique plus importante. La fréquence sinusale est de 101 à 200 battements par minute **FIGURE 43.12B**.

Causes

La tachycardie sinusale est associée à des facteurs de stress physiologiques et psychologiques comme l'exercice, la fièvre, la douleur, l'hypotension, l'hypovolémie, l'anémie, l'hypoxie, l'hypoglycémie, l'ischémie myocardique, l'insuffisance cardiaque, l'hyperthyroïdie, l'anxiété et la peur. Elle peut également être attribuable à la prise de certains médicaments comme l'épinéphrine, la norépinéphrine (Levophed[MD]), l'atropine, la caféine, la théophylline (Uniphyl[MD]), la nifédipine (Adalat XL[MD]) ou l'hydralazine (Apresoline[MD]). De plus, beaucoup de médicaments contre le rhume vendus sans ordonnance et certains produits naturels comme les boissons énergisantes comportent des ingrédients actifs (p. ex., la pseudoéphédrine [Sudafed[MD]]) pouvant provoquer une tachycardie et sont contre-indiqués chez les clients atteints d'une maladie cardiaque.

Caractéristiques de l'électrocardiogramme

En présence d'une tachycardie sinusale, la F.C. est de 101 à 200 battements par minute et le rythme est régulier. L'onde P est normale, précède toujours le complexe QRS, et présente une morphologie et une durée normales. L'intervalle PR est normal, et le complexe QRS présente une morphologie et une durée normales.

CE QU'IL FAUT RETENIR

En cas de bradycardie sinusale ou de tachycardie sinusale, l'onde P est normale et précède un complexe QRS normal. L'intervalle PR est normal.

Implications cliniques

La gravité de la tachycardie sinusale dépend de la tolérance du client à une F.C. augmentée. Le client peut présenter différents signes et symptômes tels des étourdissements, de la dyspnée, et de l'hypotension due à une diminution du D.C. Une consommation accrue d'oxygène par le muscle cardiaque est associée à une augmentation de la F.C. Chez le client qui présente un infarctus aigu du myocarde, la tachycardie peut aggraver l'étendue de l'infarctus en raison d'une demande accrue en oxygène.

Traitement

Le client est mis au repos et le traitement est déterminé en fonction de la cause de la tachycardie. De fait, la tachycardie sinusale étant souvent associée à un mécanisme de compensation homéostatique, il faut d'abord en traiter la cause. Si le client souffre de tachycardie en raison d'une douleur, un traitement analgésique efficace devrait résoudre son problème. Le traitement de l'hypovolémie ou d'une cause d'hyperthermie devrait également résoudre la tachycardie y étant associée. Chez le client cliniquement stable, il est possible de recourir à des manœuvres vagales. De plus, un médicament comme un bêtabloquant (p. ex., le métoprolol [Lopresor^{MD}]) ou un bloqueur des canaux calciques (p. ex., le diltiazem [Cardizem^{MD}]) peut être administré par voie intraveineuse (I.V.) afin d'abaisser la F.C. et de diminuer la consommation d'oxygène par le myocarde.

CE QU'IL FAUT RETENIR

L'extrasystole auriculaire (ESA) est une contraction prématurée des oreillettes causée par un foyer ectopique. L'onde P qui en découle, appelée P', a une morphologie différente de celle qui provient du nœud sinusal.

Extrasystole auriculaire

L'**extrasystole auriculaire (ESA)** est une contraction dont l'origine provient d'un foyer ectopique (c'est-à-dire d'un autre endroit que le nœud sinusal) situé dans une oreillette. Le signal ectopique prend naissance dans l'oreillette gauche ou droite, et se propage dans les deux selon une voie de conduction anormale, ce qui crée une distorsion de l'onde P **FIGURE 43.13**. Lorsqu'il atteint le nœud AV, il peut être soit arrêté (ESA bloquée) étant donné la période réfractaire absolue du reste du système de conduction (absence du QRS sur l'ECG, mais présence d'une onde P différente de l'onde P de base), soit retardé (intervalle PR allongé), soit transmis normalement. Dans la plupart des cas, si l'impulsion poursuit son chemin à travers le nœud AV, elle est transmise normalement dans les ventricules pour susciter leur dépolarisation (systole).

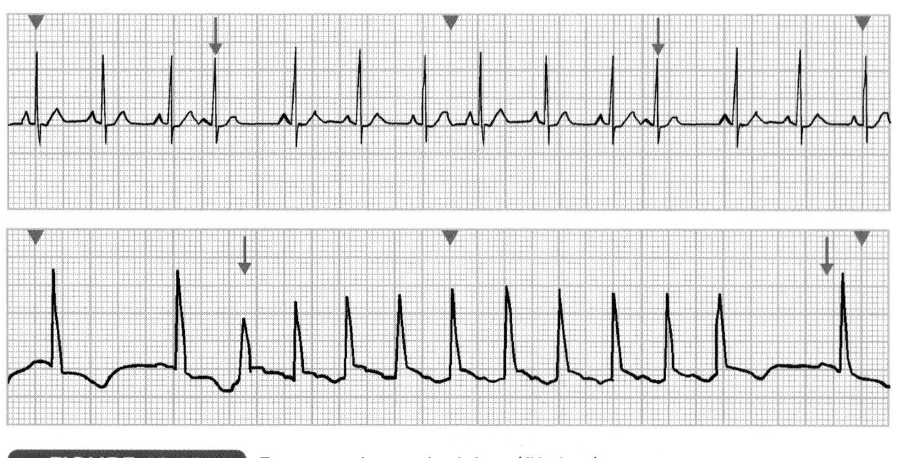

FIGURE 43.13 Extrasystoles auriculaires (flèches)

Causes

Si le cœur est sain (p. ex., sans antécédent d'infarctus du myocarde), l'ESA peut résulter d'un stress émotionnel, d'une fatigue physique, ou encore de la consommation de caféine, d'alcool ou de produits du tabac. Elle peut également être due à une hypoxie, à un déséquilibre électrolytique, à une maladie comme l'hyperthyroïdie et la maladie pulmonaire obstructive chronique, ou à une cardiopathie comme la coronaropathie et la valvulopathie.

Caractéristiques de l'électrocardiogramme

La F.C. varie selon la durée et la fréquence des ESA. L'onde P a une morphologie différente de celle qui provient du nœud sinusal. D'ailleurs, étant donné sa provenance auriculaire, elle est surnommée P' (P prime). Elle est toujours prématurée par rapport au rythme de base. Elle peut présenter une encoche ou une déflexion vers le bas (négative), ou peut se cacher dans l'onde T du complexe précédent. Selon l'origine de l'impulsion, l'intervalle PR peut être raccourci ou allongé par rapport à celui qui provient du nœud sinusal, mais il reste tout de même dans les limites normales. Le complexe QRS est généralement normal et identique à celui du rythme sinusal, car, après avoir dépolarisé les oreillettes, l'influx électrique emprunte la même voie de dépolarisation des ventricules (Lilly, 2010). Cela indique que la conduction et l'activation des autres parties de ce système sont normales.

Implications cliniques

Chez les personnes dont le cœur est en santé, la présence d'ESA isolées est bénigne. Le client peut parfois noter des palpitations ou la sensation que son cœur « a sauté un battement ». Chez les personnes atteintes d'une cardiopathie, des ESA fréquentes peuvent être le signe d'une augmentation de l'automatisme des oreillettes ou d'un mécanisme de réentrée comme la fibrillation auriculaire. De telles ESA peuvent être le signe avant-coureur d'une arythmie plus grave (p. ex., la tachycardie supraventriculaire).

Traitement

Habituellement, l'ESA ne nécessite aucun traitement. Dans les cas où un traitement est nécessaire, celui-ci dépend des symptômes éprouvés par le client. Le retrait des sources de stimulation comme la caféine ou les sympathomimétiques peut être justifié. La prise d'un bêtabloquant peut diminuer la fréquence des ESA si l'objectif est d'éviter le déclenchement d'un mécanisme de réentrée comme le flutter auriculaire ou la fibrillation auriculaire.

Tachycardie supraventriculaire paroxystique

La tachycardie supraventriculaire paroxystique (TSVP) est une arythmie prenant naissance dans un foyer ectopique situé n'importe où au-dessus de la bifurcation du faisceau de His **FIGURE 43.14**. Le foyer ectopique est souvent difficile à trouver, même au moyen d'un ECG à 12 dérivations, car il faudrait pouvoir enregistrer cette arythmie dès son apparition.

La TSVP survient en raison d'un phénomène de réentrée (réexcitation des oreillettes en présence d'un bloc unidirectionnel) ou d'une augmentation de l'automatisme dans un foyer ectopique situé dans les oreillettes. Généralement, une ESA déclenche une salve d'extrasystoles (plusieurs ESA consécutives). L'adjectif paroxystique signifie que la tachycardie supraventriculaire survient et cesse brusquement. La cessation est parfois suivie d'une **asystole** (absence de toute activité électrique du cœur) de courte durée. Il est possible de noter la présence d'un certain degré de blocage AV. La TSVP peut survenir en présence d'un syndrome de Wolff-Parkinson-White (WPW) ou de « préexcitation ». Le client qui présente ce syndrome possède une voie accessoire (ou voie de conduction) supplémentaire.

Causes

Si le cœur est sain (p. ex., sans antécédent d'infarctus du myocarde), la TSVP est associée au surmenage, au stress émotionnel, à l'inspiration profonde, et aux stimulants comme la caféine et le tabac. La TSVP peut également être associée à la cardite rhumatismale, à l'intoxication digitalique, à la coronaropathie et au cœur pulmonaire.

Caractéristiques de l'électrocardiogramme

En présence d'une TSVP, la F.C. est de 150 à 220 battements par minute, et le rythme est régulier ou légèrement irrégulier. L'onde P est souvent cachée dans l'onde T qui précède, mais si elle est visible, elle peut présenter une morphologie anormale pour les mêmes raisons qu'en cas d'ESA. L'intervalle PR est soit raccourci, soit normal, et le complexe QRS est normal en l'absence d'autres pathologies du système de conduction, comme la présence d'un faisceau accessoire ou d'un bloc de branche.

Implications cliniques

La gravité de la TSVP dépend des symptômes qui y sont associés. Une crise prolongée et une F.C. supérieure à 180 battements par minute peuvent précipiter une baisse du D.C. attribuable à une réduction du débit systolique. Le client présente souvent des signes ou symptômes comme de l'hypotension, de la dyspnée, des palpitations et une douleur rétrosternale.

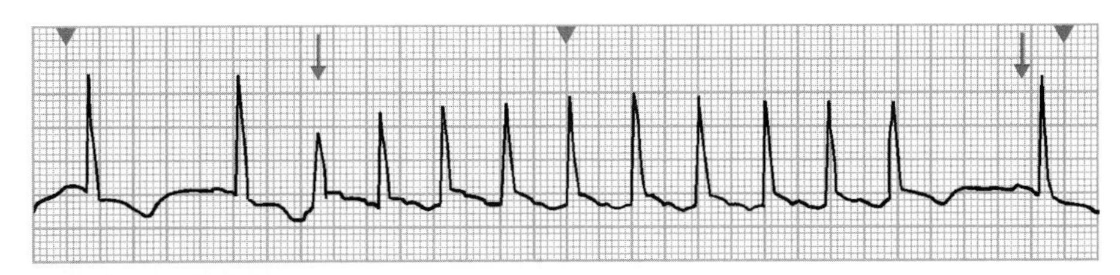

FIGURE 43.14 Tachycardie supraventriculaire paroxystique (TSVP) – Les flèches à gauche et à droite indiquent le début et la fin de la TSVP.

Traitement

Le traitement de la TSVP comprend la stimulation vagale et le traitement pharmacologique. La stimulation vagale peut être effectuée selon différentes techniques, dont la manœuvre de Valsalva et la toux, qui stimulent le système nerveux parasympathique et diminuent ainsi la F.C., ce qui aide le nœud sinusal à reprendre ses fonctions de chef d'orchestre. L'adénosine (Adenocard[MD]) administrée par voie I.V. constitue le médicament de premier choix pour convertir la TSVP en un rythme sinusal. La demi-vie de ce médicament est courte (10 secondes), et la plupart des clients le tolèrent bien (Atwood *et al.*, 2011 ; Neumar *et al.*, 2010). Il est également possible d'administrer par voie I.V. un bêtabloquant (p. ex., le métoprolol [Lopresor[MD]]), un bloqueur des canaux calciques (p. ex., le diltiazem [Cardizem[MD]]) . Si la stimulation vagale et le traitement pharmacologique s'avèrent inefficaces et que le client devient instable sur le plan hémodynamique, une cardioversion électrique est nécessaire (Sinz, Navarro & Soderberg, 2011).

Si la TSVP réapparaît chez le client atteint du syndrome de WPW, l'ablation percutanée par radiofréquence ou par cryoablation (thérapie par le froid) de la voie accessoire constitue le traitement de choix (Carlson, 2009).

Réactivation des connaissances

Expliquez ce qu'est la manœuvre de Valsalva.

Adénosine (Adenocard[MD])

- S'assurer que le point d'injection se trouve le plus près possible du cœur (p. ex., au niveau de la veine antécubitale).
- Faire rapidement l'injection (en 1 à 2 secondes), puis administrer un bolus de soluté de sérum physiologique (environ 20 mL).
- Surveiller continuellement l'ECG du client. Une asystole de quelques secondes est fréquente. L'adénosine possède une demi-vie de 10 secondes (Lilly, 2010).
- Surveiller la présence de symptômes comme des bouffées congestives (chaleur soudaine), des étourdissements, de la douleur thoracique ou des palpitations.

Flutter auriculaire

Le **flutter auriculaire** est une tachyarythmie auriculaire caractérisée par des ondes de flutter en forme de dents de scie, régulières et récurrentes, qui proviennent d'un circuit de réentrée dans un circuit anatomique plus large au sein des oreillettes **FIGURE 43.15A**. L'activité auriculaire est rapide et régulière (200-350 batt./min). Plusieurs de ces impulsions atteignent le nœud AV durant sa période réfractaire, ce qui explique la réponse ventriculaire plus lente que le rythme auriculaire.

Jugement clinique

Rose-Aimée Morency, âgée de 64 ans, prend de la digoxine (Lanoxin[MD]) pour traiter sa tachycardie auriculaire. Elle présente des signes qui s'apparentent à une intoxication digitalique. Que vous faut-il vérifier? Justifiez votre réponse.

Causes

Le flutter auriculaire survient rarement chez les personnes dont le cœur est en santé. Il est souvent associé à la coronaropathie, à l'hypertension artérielle, à des affections de la valve mitrale, à

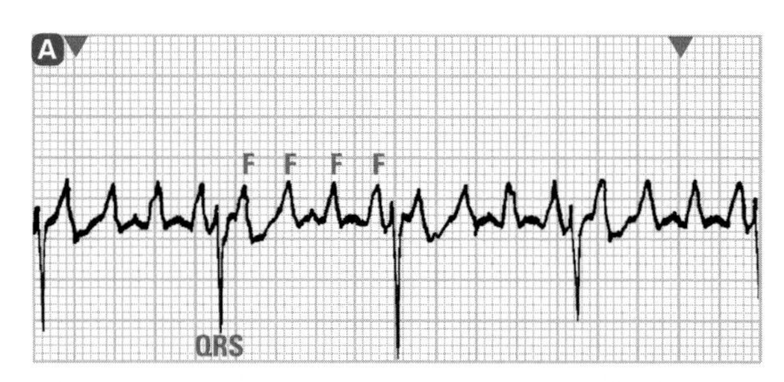

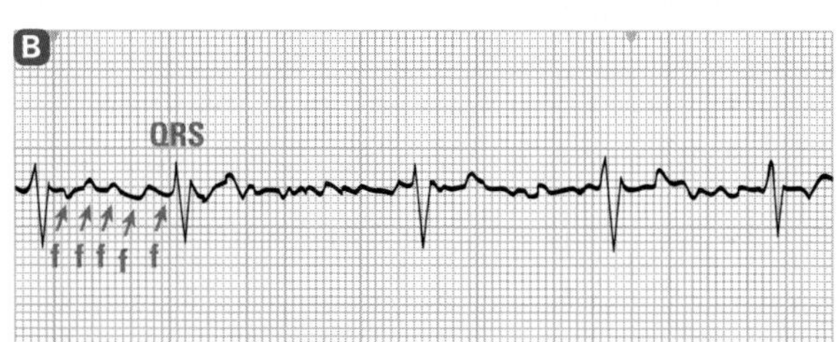

FIGURE 43.15 A Flutter auriculaire avec un rapport de conduction 4/1 (quatre ondes de flutter [F] pour chaque complexe QRS). B Fibrillation auriculaire. Remarquez les ondes de fibrillation (f) chaotiques entre les complexes QRS. Note: enregistrement de la dérivation V_1.

CE QU'IL FAUT RETENIR

Une fréquence de la réponse ventriculaire inférieure à 100 battements par minute est asymptomatique. Toutefois, le client court un risque d'AVC en raison du risque de formation d'un thrombus dans les oreillettes.

l'embolie pulmonaire, aux maladies pulmonaires chroniques, au cœur pulmonaire, à la cardiomyopathie, à l'hyperthyroïdie, et à la prise de médicaments comme la digoxine (Lanoxin^MD), la quinidine (Quinidex^MD) et l'épinéphrine. En effet, ces pathologies peuvent modifier le système de conduction ou encore modifier le potentiel d'action de la cellule myocardique, ce qui peut mener à des mécanismes de réentrée causant le flutter.

Caractéristiques de l'électrocardiogramme

En cas de flutter auriculaire, la fréquence auriculaire est de 200 à 350 battements par minute, avec une moyenne de 300 battements par minute. La fréquence ventriculaire varie selon le rapport de conduction. Dans un rapport de conduction 2/1, la fréquence ventriculaire atteint généralement environ 150 battements par minute. Habituellement, le rythme auriculaire est régulier, tout comme le rythme ventriculaire. Les ondes du flutter auriculaire se caractérisent par une dépolarisation rapide des oreillettes, suivie de leur repolarisation tout aussi rapide. L'intervalle PR est variable et non mesurable. Le complexe QRS est habituellement normal. En raison de la capacité du nœud AV à retarder la transmission des signaux provenant des oreillettes vers les ventricules, la présence de certains blocs AV dans un rapport fixe correspondant aux ondes de flutter par rapport au complexe QRS (p. ex., 2/1, 3/1) est généralement observée.

Jugement clinique

Carmelle Lefort, infirmière expérimentée, dit à sa jeune collègue: « Ce soir, je vais surveiller madame Colibri très étroitement, car elle a reçu deux doses de Rythmol^MD pour la première fois aujourd'hui. C'est une dame de 62 ans. Étant donné la particularité de ce médicament, je ne veux pas avoir de mauvaises surprises… » À quelle particularité du médicament Carmelle fait-elle référence? Expliquez votre réponse.

Implications cliniques

Les symptômes du flutter auriculaire dépendent de la fréquence de la réponse ventriculaire. Normalement, une fréquence de la réponse ventriculaire inférieure à 100 battements par minute est asymptomatique. Les symptômes accompagnant souvent une fréquence de réponse ventriculaire supérieure à 100 battements par minute sont les palpitations, la dyspnée, les étourdissements et la faiblesse. Il peut aussi se produire une diminution du D.C. ayant de graves conséquences, comme de l'insuffisance cardiaque, surtout chez le client qui présente une cardiopathie sous-jacente. Le client qui présente un flutter auriculaire court un risque accru d'accident vasculaire cérébral (AVC) en raison du risque de formation d'un thrombus dans les oreillettes, attribuable à une stagnation du sang. Un anticoagulant est administré pour prévenir l'AVC chez les clients atteints de ce trouble (Carlson, 2009; Sinz *et al.*, 2011).

Traitement

Le principal objectif du traitement du flutter auriculaire vise à ralentir la réponse ventriculaire en augmentant la durée du bloc AV. Les médicaments utilisés pour maîtriser la fréquence ventriculaire sont les bloqueurs des canaux calciques et les bêtabloquants. La cardioversion électrique est utilisée pour convertir le flutter auriculaire en un rythme sinusal, tant si la situation est urgente (c'est-à-dire si le client est instable sur le plan hémodynamique) que si elle est non urgente (p. ex., si le client est stable hémodynamiquement, mais présente des symptômes, ou si la médication ne régule pas de façon efficace la réponse ventriculaire). Les antiarythmiques administrés pour convertir le flutter auriculaire en rythme sinusal ou maintenir le rythme sinusal sont, notamment, l'amiodarone (Cordarone^MD), la propafénone (Rythmol^MD), la flécaïnide (Tambocor^MD) et le sotalol (Sotacor^MD) (Skanes, Healey, Cairns *et al.*, 2012). L'amiodarone est administrée aux clients dont le rythme s'est converti en un rythme sinusal ou à ceux qui seront soignés par traitement pharmacologique, ou encore avant d'effectuer une cardioversion électrique pour rétablir un rythme sinusal.

L'ablation percutanée par radiofréquence ou par cryoablation (thérapie par le froid) représente le traitement de choix contre le flutter auriculaire (Verma *et al.*, 2010). Cette intervention s'effectue au laboratoire d'électrophysiologie et consiste d'abord à insérer un cathéter dans l'oreillette droite. Puis, au moyen d'un courant électrique de haute fréquence et de basse tension, l'ablation (ou la destruction) du tissu responsable du flutter auriculaire est effectuée, ce qui met fin à l'arythmie et restaure un rythme sinusal.

Fibrillation auriculaire

La fibrillation auriculaire (FA) se caractérise par une désorganisation totale de l'activité électrique auriculaire, attribuable à la présence dans les oreillettes de multiples foyers ectopiques qui entraînent une perte d'efficacité de la contraction auriculaire **FIGURE 43.15B**. Cette arythmie est soit paroxystique (c'est-à-dire qu'elle se termine spontanément en moins de sept jours), persistante (c'est-à-dire qu'elle dure au moins sept jours ou nécessite une cardioversion pour cesser) ou permanente (c'est-à-dire qu'elle perdure) (Healey, Parkash, Pollak *et al.*, 2010). La fibrillation auriculaire est l'arythmie la plus courante et la plus importante cliniquement en ce qui a trait à la morbidité, à la mortalité et aux répercussions économiques. La fibrillation auriculaire augmente le risque d'événement thromboembolique de deux à sept fois et est responsable d'environ 30 % des AVC chez les personnes âgées de plus de 65 ans. Ce risque est similaire chez les clients atteints de flutter auriculaire, d'où l'importance d'instaurer un traitement pharmacologique adapté. La fibrillation auriculaire survient chez environ 3 % des personnes âgées de plus de 65 ans, et sa prévalence augmente avec l'âge (Rocca, 2009).

Causes

La fibrillation auriculaire peut découler de nombreuses causes, cardiaques ou non. Les causes d'origine cardiaque sont l'hypertension artérielle, la défaillance cardiaque, la cardiopathie valvulaire, la maladie coronarienne avec antécédent d'infarctus antérieur du myocarde, la dysfonction ventriculaire gauche, les cardiomyopathies hypertrophiques, dilatées et restrictives, la cardiopathie congénitale, la péricardite, des complications postchirurgie cardiaque, la maladie du sinus, la fibrillation auriculaire résultant d'une stimulation ventriculaire, la tachycardie supraventriculaire ou une cause génétique ou familiale. Les causes non cardiaques sont l'apnée du sommeil, l'obésité, la consommation excessive d'alcool (aiguë ou chronique), l'hyperthyroïdie, la stimulation vagale et la maladie pulmonaire. La fibrillation auriculaire peut aussi être idiopathique (Verma, Cairns, Mitchell *et al.*, 2014).

Caractéristiques de l'électrocardiogramme

Au cours de la fibrillation auriculaire, la fréquence auriculaire peut atteindre de 350 à 600 battements par minute. Les ondes P font place à des ondes de fibrillation chaotiques. La fréquence ventriculaire varie et le rythme est irrégulier, étant donné le nombre important d'impulsions qui bombardent le nœud AV. Jouant son rôle de filtre, celui-ci laisse passer quelques impulsions lorsqu'il sort de sa période réfractaire absolue, ce qui explique l'irrégularité de la réponse ventriculaire. Si la fréquence ventriculaire se situe entre 60 et 100 battements par minute, il s'agit d'une fibrillation auriculaire avec réponse ventriculaire contrôlée. Si elle est supérieure à 100, il s'agit d'une fibrillation auriculaire avec réponse ventriculaire rapide. Si elle est inférieure à 60, il s'agit d'une fibrillation auriculaire avec réponse ventriculaire lente. L'intervalle PR n'est pas mesurable, et le complexe QRS présente généralement une morphologie et une durée normales, car, dès que l'activité électrique franchit le nœud AV, elle suit le trajet normal pour provoquer la dépolarisation des ventricules. Parfois, le flutter et la fibrillation auriculaires peuvent coexister (Atwood *et al.*, 2011).

Implications cliniques

La fibrillation auriculaire entraîne une diminution du D.C. attribuable à l'inefficacité des contractions auriculaires (perte de stimulation auriculaire) et à une réponse ventriculaire rapide et irrégulière. Des thrombus (caillots) peuvent se former dans les oreillettes en raison d'une stagnation du sang due à l'inefficacité de la systole auriculaire. L'un de ces caillots peut se déplacer et atteindre le cerveau, provoquant ainsi un AVC de type embolique.

CE QU'IL FAUT RETENIR

Comme dans le cas pour le flutter auriculaire, la fibrillation auriculaire peut causer la formation d'un thrombus (caillots) dans les oreillettes en raison d'une stagnation du sang due à l'inefficacité de la systole auriculaire et causer un AVC.

Traitement

Les principaux objectifs du traitement sont de soulager les symptômes, d'améliorer la capacité fonctionnelle et la qualité de vie et, si possible, d'améliorer la fonction ventriculaire gauche (Verma *et al.*, 2014). L'atteinte de ces objectifs peut se faire soit en contrôlant la fréquence ou le rythme ventriculaire. Le choix de traitement par contrôle de la fréquence ou du rythme est établi pour chaque personne (Verma *et al.*, 2014). L'identification et le traitement de la cause cardiaque à l'origine de la fibrillation auriculaire ainsi que des autres affections prédisposantes sont essentiels à l'approche thérapeutique (Skanes *et al.*, 2012). Les médicaments administrés pour le contrôle de la fréquence sont les bêtabloquants (p. ex., l'aténolol [Ternormin^MD], le bisoprolol [Monocor^MD], le métoprolol [Lopressor^MD]) ainsi que les bloqueurs des canaux calciques (p. ex., le diltiazem [Cardizem^MD] et le vérapamil [Isoptin^MD]). La digoxine est utilisée en traitement initial seulement chez les clients sédentaires ou atteints de dysfonction systolique ventriculaire gauche. Les médicaments administrés pour le contrôle du rythme sont la dronédarone (Multaq^MD), la flecainide (Tambocor^MD), le propafénone (Rythmol^MD), le sotalol (Sotacor^MD) et l'amiodarone (Cordarone^MD) (Skanes *et al.*, 2012). Il est possible de recourir à la surveillance Holter pour vérifier si la fibrillation auriculaire est bien maîtrisée par la thérapie pharmacologique en cours.

Jugement clinique

L'infirmière reçoit le résultat du rapport international normalisé (RIN) d'Alma Gentile. Parce que cette cliente âgée de 74 ans, porteuse d'une valve cardiaque mécanique, présente une fibrillation auriculaire, elle est anticoagulée avec de la warfarine (Coumadin^MD) selon un calendrier spécifique à ce type d'arythmie. Le résultat est de 1,7. Quel risque est associé à ce résultat pour madame Gentile ?

Un autre objectif essentiel du traitement consiste à évaluer la nécessité de commencer une anticoagulothérapie afin de prévenir un événement thromboembolique. Cette évaluation se fait selon les facteurs de risque du client. Il existe un outil de stratification du risque embolique permettant d'orienter le traitement. L'indice $CHADS_2$

Jugement clinique

Au rapport interservices de 16 h, Marie-Flore Beaulieu, jeune infirmière du service d'urgence, reçoit l'information suivante concernant Annette Jolicœur, 58 ans, admise pour fibrillation auriculaire rapide. À son arrivée à 15 h, la cliente était symptomatique et présentait une F.C. de 134 batt./min. Le médecin lui a administré une dose de métoprolol (Lopresor[MD]) 5 mg I.V. à 15 h 40. L'infirmière du service de jour a prélevé du sang pour un bilan sérique cardiaque, et a installé une lunette nasale d'O_2 à 2 L/min , car sa SaO_2 était inférieure à 94 %, ainsi que le moniteur cardiaque. Quelle surveillance clinique prioritaire Marie-Flore doit-elle exercer ? Justifiez votre réponse.

(acronyme de *Congestive heart failure* [insuffisance cardiaque congestive], *Hypertension* [hypertension artérielle], *Age* [âge], *Diabetes* [diabète] et *Stroke* [AVC]) est facile à retenir et pratique à utiliser **TABLEAU 43.6**. Chacun des facteurs évalués vaut un point, outre l'AVC (*stroke*) qui en vaut deux. La Société canadienne de cardiologie recommande un traitement par anticoagulants oraux pour tous les clients âgés de 65 ans et plus ou pour tous les clients présentant un score de $CHADS_2$ égal ou supérieur à 1 (Verma *et al.*, 2014). De plus, elle suggère qu'un traitement à l'acide acétylsalicylique (Aspirin[MD]) soit initié pour les clients ayant un score $CHADS_2$ à 0, mais souffrant d'une maladie vasculaire (coronarienne, aortique ou périphérique). Lorsqu'un traitement aux anticoagulants oraux est indiqué, la majorité des clients doivent recevoir du dabigatran (Pradaxa[MD]), du rivaroxaban (Xarelto[MD]) ou de l'apixaban (Eliquis[MD]) et non de la warfarine (Coumadin[MD]). La warfarine est indiquée pour les clients porteurs d'une valve cardiaque mécanique, souffrant d'une sténose de la valve mitrale ou d'une insuffisance rénale (Verma *et al.*, 2014) **TABLEAU 43.7**. Les clients recevant de la warfarine font l'objet d'une surveillance régulière des concentrations thérapeutiques (p. ex., par l'utilisation du rapport international normalisé [RIN]).

Lorsqu'un client se présente à l'urgence en fibrillation auriculaire, il est possible d'envisager une conversion pharmacologique de celle-ci. Les antiarythmiques recommandés pour convertir la fibrillation auriculaire en un rythme sinusal et maintenir ce dernier sont la procaïnamide (Pronestyl[MD]), le propafénone (Rythmol[MD]), la flécaïnide (Tambocor[MD]) et l'ibutilide (Corvert[MD]) (Stiell & Macle, 2010).

La cardioversion électrique permet aussi de convertir la fibrillation auriculaire en un rythme sinusal. Si un client présente une fibrillation auriculaire depuis plus de 48 heures et est à risque élevé d'AVC, il faut entreprendre une anticoagulothérapie par la warfarine (Coumadin[MD]) pendant trois semaines avant de pratiquer la cardioversion et poursuivre le traitement pendant les quatre semaines qui suivent une cardioversion réussie (Verma *et al.*, 2014). Ce traitement est nécessaire, car la cardioversion peut provoquer le détachement de caillots dans la circulation pulmonaire ou systémique, ce qui place le client en situation de risque d'embolie pulmonaire et d'AVC. Il est possible de pratiquer une échocardiographie transœsophagienne (ETO) pour détecter la présence de caillots dans les oreillettes.

Si le client reste symptomatique malgré une thérapie médicamenteuse d'antiarythmiques

Collecte des données

TABLEAU 43.6 Indice $CHADS_2$

CRITÈRES DE RISQUE, SELON L'INDICE $CHADS_2$	POINTAGE
Insuffisance cardiaque congestive (**C**ongestive heart failure)	1
Hypertension artérielle	1
Âge > 75 ans	1
Diabète	1
Antécédents d'AVC ou d'ischémie cérébrale transitoire (ICT) (**S**troke)	2

Source : Adapté de Fuster, Rydén, Cannom et al. (2006).

Pharmacothérapie

TABLEAU 43.7 Anticoagulothérapie chez le client qui présente une fibrillation auriculaire

NIVEAU DE RISQUE D'ÉVÉNEMENT THROMBOEMBOLIQUE	PHARMACOTHÉRAPIE
Faible risque (âge ≤ 65 ans, score $CHADS_2$ = 0, sans maladie vasculaire)	• Aucune thérapie recommandée
Risque modéré (âge ≤ 65 ans, score $CHADS_2$ = 0, avec maladie vasculaire)	• Acide acétylsalicylique (Aspirin[MD]), 81 mg par jour
Risque élevé (âge ≥ 65 ans ou score $CHADS_2$ ≥ 1)	• Dabigatran (Pradaxa[MD]), rivaroxaban (Xarelto[MD]) ou apixaban (Eliquis[MD]) ou • Warfarine (Coumadin[MD]) (RIN entre 2,0 et 3,0)[a]

[a] Si prothèse valvulaire, RIN > 2,5.
Source : Adapté de Verma et al. (2014).

adéquate, une ablation par cathéter peut être recommandée (Verma *et al.*, 2014). L'ablation percutanée par radiofréquence ou par cryoablation (thérapie par le froid) se pratique le plus souvent à la jonction des veines pulmonaires dans l'oreillette gauche. L'intervention de Maze est une procédure chirurgicale effractive qui consiste à mettre fin à la fibrillation auriculaire en interrompant les signaux électriques ectopiques responsables de ce type d'arythmie. Des incisions sont pratiquées dans les deux oreillettes, et la cryoablation (destruction par froid extrême) est utilisée pour arrêter la formation et la transmission de ces signaux et restaurer un rythme sinusal (Carlson, 2009). Cependant, l'ablation chirurgicale de la fibrillation auriculaire est effectuée en association avec une chirurgie de la valve mitrale et en présence d'une forte volonté de maintenir le rythme sinusal (Pagé, 2010).

Arythmie jonctionnelle

L'arythmie jonctionnelle est une arythmie qui provient de la région de la jonction AV représentée par le nœud AV, le tronc du faisceau de His et les branches de ce dernier. Elle survient surtout parce que le nœud sinusal ne parvient pas à émettre d'impulsions, ou que ces impulsions sont bloquées. Une telle situation peut notamment se produire au moment d'un infarctus postéro-inférieur, si le lit de l'artère nourrissant le nœud sinusal est obstrué par une sténose de l'artère coronaire droite dominante. Dans pareil cas, le faisceau de His devient alors le principal centre d'automatisme du cœur et engendre une systole d'échappement isolée. Durant ce type d'arythmie, l'impulsion qui provient du faisceau de His circule de manière rétrograde (retour en arrière) vers les oreillettes, ce qui produit une onde P anormale et négative immédiatement avant ou après le complexe QRS, ou cachée dans ce dernier. En général, cette impulsion se déplace vers les ventricules. Le site de l'échappement se reconnaît à la morphologie du QRS sur un électrocardiogramme. Plus le QRS est large et déformé, plus l'impulsion provient d'un endroit lointain dans le système de conduction. Les extrasystoles jonctionnelles peuvent survenir et sont traitées de la même manière que dans les cas d'ESA. Parmi les types d'arythmie jonctionnelle figurent le rythme d'échappement jonctionnel, le rythme jonctionnel accéléré et la tachycardie jonctionnelle. Leur traitement s'effectue selon la tolérance du client au rythme et son état clinique **FIGURE 43.16**.

Causes

L'arythmie jonctionnelle est associée à la coronaropathie, à l'insuffisance cardiaque, à la cardiomyopathie, aux déséquilibres électrolytiques, à l'infarctus de la paroi inférieure du myocarde et à la cardite rhumatismale. Certaines substances (p. ex., la digoxine, les amphétamines, la caféine ou la nicotine) peuvent également causer l'arythmie jonctionnelle.

Caractéristiques de l'électrocardiogramme

Dans le cas d'un rythme d'échappement jonctionnel, la F.C. varie de 40 à 60 battements par minute ; dans celui d'un rythme jonctionnel accéléré, elle varie de 61 à 100 battements par minute ; dans celui d'une tachycardie jonctionnelle, elle varie de 101 à 180 battements par minute. Le rythme est régulier. L'onde P présente une morphologie anormale et est inversée, car la conduction est rétrograde. Elle peut également être cachée dans le complexe QRS **FIGURE 43.16**. L'intervalle PR est inférieur à 0,12 seconde lorsque l'onde P précède le complexe QRS, et ce dernier est généralement normal.

Implications cliniques

Le rythme d'échappement jonctionnel sert de mécanisme de sécurité, qui s'enclenche si le nœud sinusal n'est pas efficace. Il ne faut pas supprimer ce type de rythme d'échappement. Le rythme jonctionnel accéléré est consécutif à une stimulation sympathique visant à améliorer le D.C. La tachycardie jonctionnelle, quant à elle, est l'indication d'un problème plus grave. Ce type de rythme peut entraîner une réduction du D.C. et rendre ainsi le client instable sur le plan hémodynamique (p. ex., provoquer l'hypotension).

CE QU'IL FAUT RETENIR

Le rythme d'échappement jonctionnel sert de mécanisme de sécurité, qui s'enclenche si le nœud sinusal n'est pas efficace.

Traitement

Le traitement varie selon le type d'arythmie jonctionnelle. De l'atropine peut être administrée si le client présente des symptômes associés au rythme d'échappement jonctionnel. Dans les cas de rythme jonctionnel accéléré et de tachycardie jonctionnelle attribuables à une intoxication médicamenteuse, il faut cesser la prise du médicament qui est en cause. En l'absence d'intoxication digitalique, un bêtabloquant, un bloqueur des canaux calciques ou de l'amiodarone (Cordarone^MD) est administré pour maîtriser la F.C. (Sinz *et al.*, 2011).

Jugement clinique

Rémi Brouillard, âgé de 56 ans, est ramené à sa chambre à la suite d'une ETO. Après avoir vérifié ses signes vitaux, l'infirmière lui apporte un verre d'eau puisqu'elle a remarqué qu'il avait la bouche très sèche. Cette intervention est-elle appropriée ? Justifiez votre réponse.

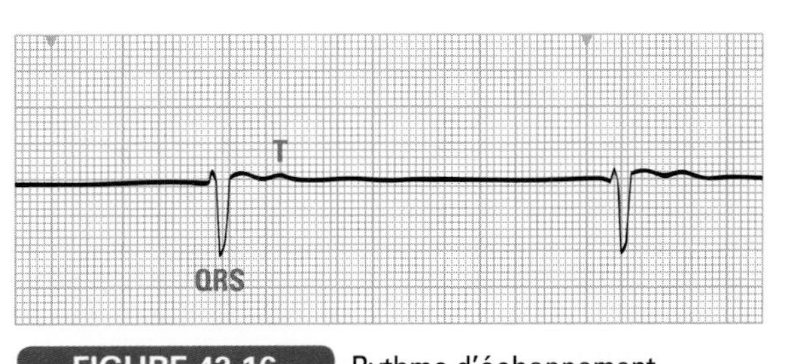

FIGURE 43.16 Rythme d'échappement jonctionnel – L'onde P est cachée dans le complexe QRS.

Bloc AV du premier degré

Le bloc AV du premier degré est un type de bloc AV où toutes les impulsions sont transmises aux ventricules, mais où la durée de la conduction AV est prolongée. En d'autres mots, il y a prolongation du délai entre la dépolarisation auriculaire et la dépolarisation ventriculaire **FIGURE 43.17A**. Généralement, après que l'impulsion a traversé le nœud AV, les ventricules répondent normalement.

Causes

Le bloc AV du premier degré est associé à l'infarctus du myocarde, à la coronaropathie, au rhumatisme articulaire aigu, à l'hyperthyroïdie, à la stimulation vagale et à des médicaments comme la digoxine (Lanoxin^MD^), les bêtabloquants, les bloqueurs des canaux calciques et la flécaïnide (Tambocor^MD^).

Caractéristiques de l'électrocardiogramme

En présence d'un bloc AV du premier degré, la F.C. est normale et le rythme est régulier. L'onde P est normale, l'intervalle PR est prolongé (supérieur à 0,20 seconde), et le complexe QRS présente habituellement une morphologie et une durée normales.

Implications cliniques

Généralement, le bloc AV du premier degré ne constitue pas une affection grave, mais il peut être un signe avant-coureur d'un bloc AV de degré supérieur. Le client qui présente un bloc AV du premier degré est asymptomatique.

Traitement

Il n'existe aucun traitement pour le bloc AV du premier degré. Toutefois, il est possible d'envisager des changements dans la posologie des médicaments qui seraient responsables de cet état. L'infirmière doit surveiller la présence de tout nouveau changement dans le rythme cardiaque du client (p. ex., un bloc AV plus grave).

Bloc AV du deuxième degré de type I

Le bloc AV du deuxième degré de type I (bloc de Mobitz de type I ou bloc de Wenckebach) se caractérise par un allongement progressif de l'intervalle PR en raison d'un temps de conduction AV qui se prolonge jusqu'à ce qu'une impulsion auriculaire ne soit pas conduite et qu'un complexe QRS soit bloqué (manquant) **FIGURE 43.17B**. Le bloc AV du deuxième degré de type I se produit le plus souvent dans le nœud AV. Il peut toutefois aussi survenir dans le système His-Purkinje.

Causes

La prise de médicaments comme la digoxine (Lanoxin^MD^) ou les bêtabloquants peut causer un bloc AV du deuxième degré de type I. La coronaropathie et d'autres affections peuvent aussi ralentir la conduction AV.

Caractéristiques de l'électrocardiogramme

En cas de bloc AV du deuxième degré de type I, la fréquence auriculaire est normale, mais la fréquence ventriculaire peut être ralentie en raison de complexes QRS non conduits ou bloqués, ce qui entraîne une bradycardie. Dès qu'un battement ventriculaire est bloqué, le cycle cardiaque se répète, se traduisant par un allongement progressif des intervalles PR jusqu'à ce qu'un autre complexe QRS soit bloqué. Sur le tracé électrocardiographique, le rythme apparaît sous forme de battements groupés. Le rythme ventriculaire est irrégulier. L'onde P présente une morphologie normale. Le complexe QRS présente une morphologie et une durée normales.

Implications cliniques

Le bloc AV du deuxième degré de type I résulte généralement d'une ischémie ou d'un infarctus du myocarde. Il est habituellement transitoire et bien toléré. Toutefois, chez certains clients (p. ex., ceux qui ont souffert d'un infarctus aigu du myocarde), il peut être le signe avant-coureur d'un problème de conduction AV plus grave (p. ex., un bloc AV complet).

Traitement

Si le client est symptomatique, il faut lui administrer de l'atropine pour augmenter la F.C. Un stimulateur cardiaque temporaire peut être installé, surtout si le client est victime d'un infarctus du myocarde, pour prévenir un bloc AV complet ou si la F.C. est très lente. Si le client est asymptomatique, il faut surveiller étroitement le rythme tout en ayant un stimulateur cardiaque transcutané (SCT) à portée de main. La bradycardie est plus susceptible de devenir symptomatique (p. ex., de la fatigue, des étourdissements, une vision brouillée ou des nausées) en cas d'hypotension, d'insuffisance cardiaque ou d'état de choc.

Bloc AV du deuxième degré de type II

Dans le cas d'un bloc AV du deuxième degré de type II (bloc de Mobitz de type II), une onde P est bloquée, mais l'intervalle PR est constant. Généralement, ce type de bloc AV survient lorsqu'il y a présence d'un bloc dans l'une des branches du faisceau **FIGURE 43.17C**. Dans le cas où les impulsions sont conduites, l'intervalle PR est constant. Le bloc AV du deuxième degré de type II est un type de bloc plus grave où un certain nombre d'impulsions provenant du nœud sinusal ne parviennent pas aux ventricules. Ce phénomène se présente selon des rapports de 2/1, 3/1 et ainsi de suite (c'est-à-dire deux ondes P pour un complexe QRS, trois ondes P pour un complexe QRS). Il peut se produire selon des rapports variables.

Causes

Le bloc AV du deuxième degré de type II est associé à la coronaropathie, à l'infarctus antérieur du myocarde, à l'intoxication médicamenteuse (p. ex., par un antiarythmique) et à la cardite rhumatismale.

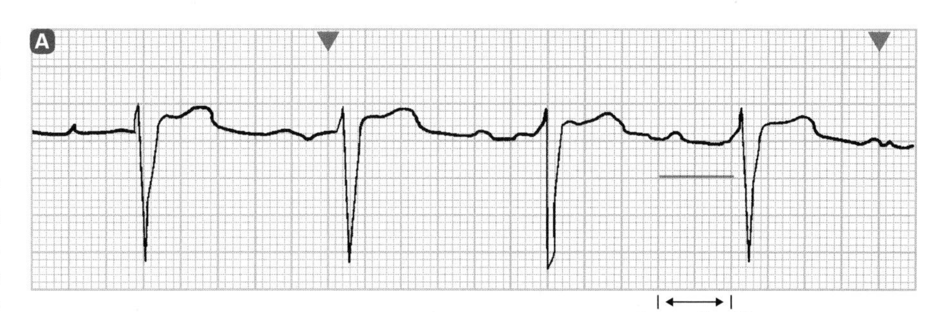

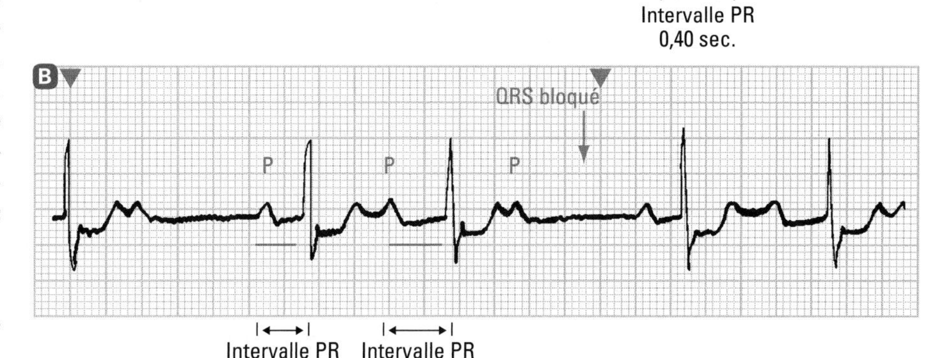

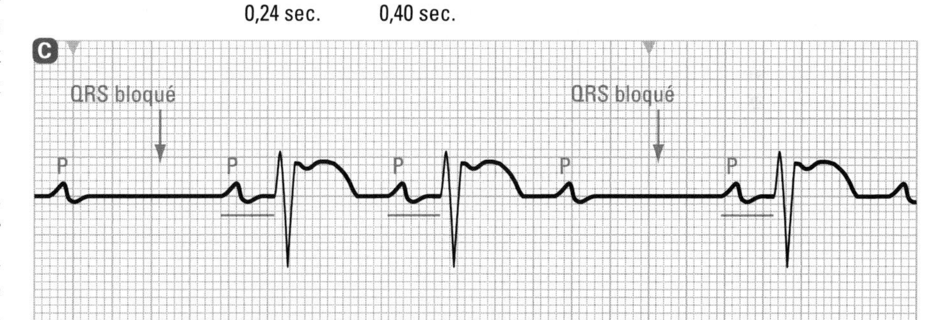

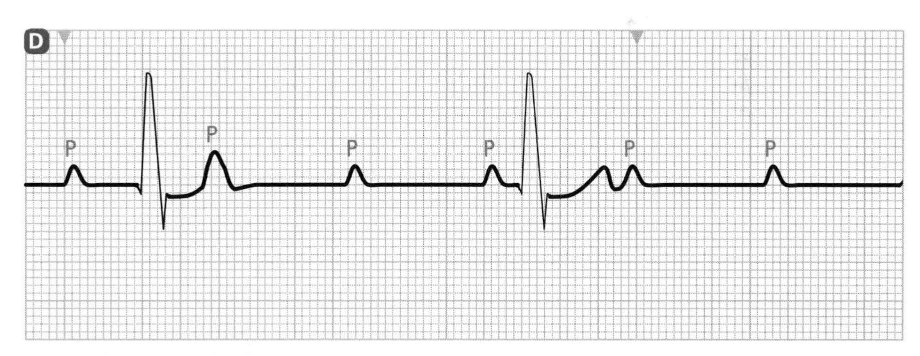

FIGURE 43.17 Bloc cardiaque – **A** Bloc AV du premier degré avec intervalle PR de 0,40 seconde. **B** Bloc AV du deuxième degré, type I, avec allongement progressif de l'intervalle PR jusqu'au blocage d'un complexe QRS. **C** Bloc AV du deuxième degré, type II, avec intervalles PR constants et blocages variables des complexes QRS. **D** Bloc AV du troisième degré (ou bloc AV complet). Remarquer l'absence de relation entre les ondes P et les complexes QRS.

Caractéristiques de l'électrocardiogramme

La fréquence auriculaire est généralement normale. La fréquence ventriculaire dépend de la conduction du nœud AV, qui peut être fixe ou variable selon l'endroit où siège le bloc sur le nœud AV, le faisceau de His ou ses branches. Le rythme auriculaire est régulier, mais il est possible que le rythme ventriculaire soit irrégulier. L'onde P présente une morphologie normale. L'intervalle PR peut être normal ou d'une durée prolongée, et demeure constant pendant les impulsions conduites. Le complexe QRS s'élargit généralement à plus de 0,12 seconde en raison du bloc de branche.

Implications cliniques

Le bloc AV de deuxième degré de type II se transforme souvent en bloc AV du troisième degré (ou bloc AV complet), lui-même associé à un mauvais pronostic. La réduction de la F.C. entraîne souvent une baisse du D.C. suivie d'une hypotension et d'une ischémie myocardique.

Traitement

Si le client devient symptomatique (p. ex., s'il a des étourdissements ou s'il éprouve une douleur rétrosternale), il peut s'avérer nécessaire de lui installer un stimulateur cardiaque transcutané (SCT) temporaire avant l'insertion d'un stimulateur cardiaque permanent (Sinz *et al.*, 2011). Dans certains cas (p. ex., une mauvaise qualité de l'ECG de surface), une EEP du faisceau de His sera utilisée afin de poser un diagnostic précis du bloc AV et ainsi procéder à la pose d'un stimulateur cardiaque permanent.

Bloc AV du troisième degré

Le bloc AV du troisième degré, ou **bloc AV complet**, est une forme de dissociation AV où aucune impulsion provenant des oreillettes n'est transmise aux ventricules **FIGURE 43.17D**. Le cœur est stimulé en deux zones distinctes : les oreillettes et les ventricules. Cependant, il n'y a pas de lien entre les deux zones. Les oreillettes se dépolarisent suivant le nœud sinusal, et les ventricules se contractent suivant un rythme d'échappement. Le rythme ventriculaire est un rythme d'échappement, et le foyer ectopique peut se situer au-dessus ou au-dessous de la bifurcation du faisceau de His.

Causes

Le bloc AV du troisième degré est associé à des cardiopathies graves, notamment la coronaropathie, l'infarctus du myocarde, la myocardite, la cardiomyopathie ; à certaines affections systémiques, comme l'amyloïdose et la sclérodermie systémique ; à la chirurgie cardiaque chez la personne âgée (fibrose du système de conduction). Certains médicaments, comme la digoxine (Lanoxin[MD]), les bêtabloquants et les bloqueurs des canaux calciques, peuvent également provoquer un bloc AV du troisième degré.

Caractéristiques de l'électrocardiogramme

La fréquence auriculaire correspond généralement à une fréquence sinusale de 60 à 100 battements par minute. La fréquence ventriculaire varie selon le siège du bloc. S'il se situe dans le nœud AV, la fréquence est de 40 à 60 battements par minute, et s'il est dans le système His-Purkinje, elle est de 20 à 40 battements par minute. Les rythmes auriculaire et ventriculaire sont réguliers, mais indépendants l'un de l'autre. L'onde P présente une morphologie normale. L'intervalle PR est variable, et il n'existe aucun rapport temporel entre l'onde P et le complexe QRS. Le complexe QRS est normal si un rythme d'échappement est amorcé dans le faisceau de His ou au-dessus de ce dernier. Par contre, il est élargi si le rythme d'échappement est amorcé au-dessous du faisceau de His.

Implications cliniques

Le bloc AV du troisième degré entraîne généralement une diminution du D.C., qui peut engendrer une ischémie myocardique, suivie d'une défaillance cardiaque et d'un choc cardiogénique. La syncope liée au bloc AV du troisième degré peut résulter d'une bradycardie grave ou de périodes d'asystole.

Traitement

Chez le client symptomatique, un SCT est installé jusqu'à l'insertion d'un stimulateur cardiaque transveineux (AACN, 2010). L'administration de médicaments par perfusion I.V. comme l'épinéphrine, l'isoprotérénol et la dopamine constitue une mesure temporaire visant à augmenter la F.C. et à soutenir la P.A. avant la stimulation électrique temporaire du cœur. Si le bloc cardiaque est causé par une intoxication aux bloqueurs des canaux calciques, un traitement par chlorure de calcium peut être indiqué (Neumar *et al.*, 2010). Les clients ont besoin d'un stimulateur cardiaque permanent le plus tôt possible.

Extrasystole ventriculaire

CE QU'IL FAUT RETENIR

L'extrasystole ventriculaire (ESV) est une contraction dont l'origine provient d'un foyer ectopique situé dans les ventricules. Elle est reconnaissable à l'ECG par un complexe QRS élargi et déformé.

L'**extrasystole ventriculaire (ESV)** est une contraction dont l'origine provient d'un foyer ectopique situé dans les ventricules. Un complexe QRS précoce est observé, lequel est élargi et déformé comparativement à un complexe QRS issu de la voie normale de conduction **FIGURE 43.18**. Les ESV prenant naissance dans divers foyers ectopiques présentent une morphologie différente les unes par rapport aux autres et se nomment ESV polymorphes. Les ESV présentant une morphologie identique se nomment ESV monomorphes. Lorsqu'un battement sur deux est une ESV, le rythme qui en résulte se nomme bigéminisme ventriculaire. Lorsqu'il s'agit de un battement sur trois, le rythme se nomme trigéminisme ventriculaire. La présence de deux ESV consécutives se nomme couplet. Cette arythmie est la plus fréquente chez les sujets sains ou atteints d'une cardiomyopathie.

Une tachycardie ventriculaire (TV) se produit s'il y a une salve d'au moins trois ESV. Le phénomène par lequel l'ESV survient dans l'onde T du complexe précédent se nomme phénomène R/T de Smirk et Palmer. Ce phénomène est particulièrement dangereux, car l'ESV a lieu pendant la période réfractaire relative de repolarisation ventriculaire. L'excitabilité des cellules cardiaques augmente pendant cette période, et l'ESV risque de déclencher une tachycardie ou une FV.

Causes

Les ESV sont associées à la prise de stimulants comme la caféine, l'alcool, la nicotine, l'aminophylline, l'épinéphrine, l'isoprotérénol et la digoxine. Elles peuvent également être associées aux déséquilibres électrolytiques, à l'hypoxie, à la fièvre, à l'effort et au stress émotionnel. Les états pathologiques associés aux ESV sont l'infarctus du myocarde, le prolapsus mitral, l'insuffisance cardiaque et la coronaropathie.

Caractéristiques de l'électrocardiogramme

La F.C. varie selon le rythme intrinsèque et le nombre d'ESV. Le rythme est irrégulier en raison des extrasystoles. L'onde P est rarement visible et se perd généralement dans le complexe QRS de l'ESV. Il peut se produire une conduction rétrograde, et il est alors possible d'observer une onde P à la suite du battement ectopique. L'intervalle PR n'est pas mesurable. Le complexe QRS est élargi et déformé, et sa durée dépasse 0,12 seconde. L'onde T est généralement large et à l'inverse du complexe QRS.

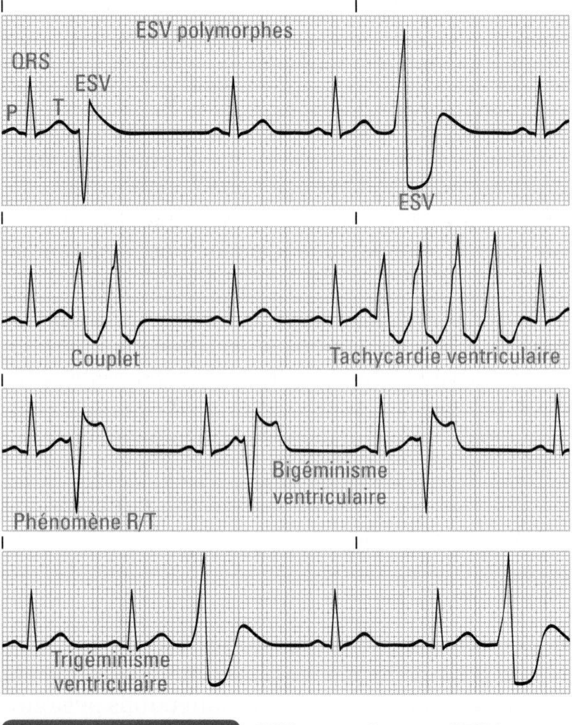

FIGURE 43.18 Différentes formes d'ESV

Implications cliniques

Les ESV ne sont pas graves en soi chez le client dont le cœur fonctionne normalement. En présence d'une cardiopathie, selon la fréquence, les ESV peuvent diminuer le D.C. et précipiter l'ischémie myocardique et la défaillance cardiaque. Pour considérer la fréquence des ESV comme importante, celles-ci doivent se produire plus de 5 fois par minute sur un ECG standard, plus de 10 à 30 fois par heure en cas de monitorage ambulatoire (Holter) et plus de 1 000 fois pendant un enregistrement complet de 24 heures. En présence d'une coronaropathie ou d'un infarctus aigu du myocarde, il faut surveiller la réponse physiologique du client aux ESV, car elles sont le signe d'une irritabilité ventriculaire. Il est important de prendre les pouls apical et radial du client, car, souvent, l'ESV ne génère pas une contraction ventriculaire suffisamment forte pour produire un pouls périphérique. Cette situation peut conduire à un pouls déficitaire.

Traitement

Le traitement doit viser la cause des ESV (p. ex., une oxygénothérapie pour l'hypoxie, la correction d'une ischémie dans le cas d'une maladie coronarienne évolutive ou une rééquilibration électrolytique). Il est important d'évaluer l'état hémodynamique du client pour déterminer si un traitement pharmacologique est indiqué. Ce traitement consiste à administrer un bêtabloquant, du procaïnamide (Pronestyl[MD]), de l'amiodarone (Cordarone[MD]) ou de la lidocaïne (Xylocaine[MD]).

Tachycardie ventriculaire

Une salve d'au moins trois ESV consécutives est caractéristique de la tachycardie ventriculaire. Elle survient si un ou plusieurs foyers ectopiques émettent des impulsions de manière répétitive et que le ventricule devient le centre d'automatisme. Il existe différentes formes de TV selon la configuration du complexe QRS. La TV monomorphe présente des complexes QRS dont la morphologie, la taille et le sens sont identiques **FIGURE 43.19A**. La TV polymorphe survient si les complexes QRS passent graduellement d'une morphologie, d'une taille et d'un sens à l'autre pendant une série de battements. La torsade de pointes est une TV polymorphe associée à un intervalle QT prolongé du rythme sous-jacent **FIGURE 43.19B**.

La TV peut être soutenue (plus de 30 secondes) ou non soutenue (moins de 30 secondes). L'apparition d'une TV est de mauvais augure, car cette arythmie met en danger la vie du client en diminuant le D.C. et en risquant de se transformer en FV, une arythmie mortelle.

Causes

La TV est associée à l'infarctus du myocarde, à la coronaropathie, à des déséquilibres électrolytiques, à la cardiomyopathie, au prolapsus mitral, au syndrome du QT long, à l'intoxication médicamenteuse et à des troubles du système nerveux central. Ce type d'arythmie s'observe parfois chez des clients qui ne présentent aucune manifestation clinique de cardiopathie.

Caractéristiques de l'électrocardiogramme

La fréquence ventriculaire est de 150 à 250 battements par minute. Le rythme peut être régulier ou non. Une dissociation AV peut être présente, accompagnée d'ondes P qui surviennent indépendamment du complexe QRS. Les ventricules peuvent dépolariser les oreillettes de façon rétrograde. L'onde P est généralement enfouie dans le complexe QRS, et l'intervalle PR n'est pas mesurable.

Le complexe QRS est déformé et sa durée dépasse 0,12 seconde ; l'onde ST-T est inversée par rapport au complexe QRS **FIGURE 43.19**. L'intervalle RR peut être régulier ou non.

Implications cliniques

La TV peut être stable ou instable, avec présence ou absence de pouls. En fait, les symptômes varient selon la vitesse du rythme ventriculaire, la durée de l'arythmie et la présence d'une cardiomyopathie sous-jacente. La TV soutenue entraîne une diminution importante du D.C. en raison d'une réduction du temps de remplissage diastolique et de la perte de contraction auriculaire. Étant donné que la fréquence ventriculaire est rapide et que le temps de remplissage est court, une diminution du D.C. survient, ce qui entraîne de l'hypotension, mais également une diminution de l'irrigation cérébrale pouvant mener à une perte de conscience (syncope). Il faut traiter rapidement cette arythmie, même si elle est brève et cesse brusquement. Il faut entreprendre un traitement prophylactique pour empêcher sa récurrence. Une évolution vers la FV est également possible.

Traitement

Il faut trouver les facteurs précipitants et les traiter (p. ex., des déséquilibres électrolytiques ou de l'ischémie). Si la TV est monomorphe, que le

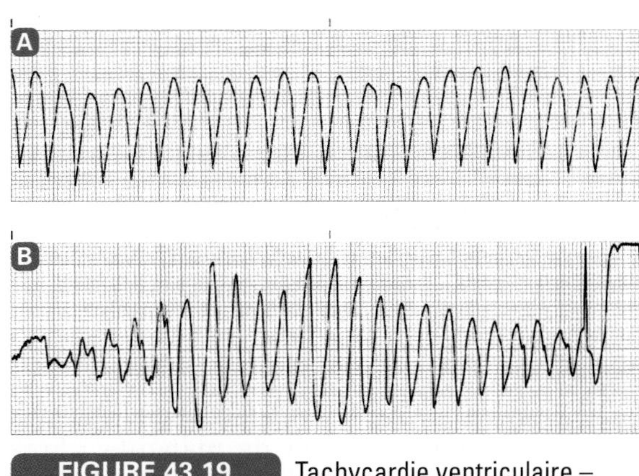

FIGURE 43.19 Tachycardie ventriculaire – A Monomorphe. B Polymorphe (torsade de pointes).

client est stable sur le plan hémodynamique, du procaïnamide (Pronestyl^{MD}), du sotalol (Sotacor^{MD}) ou de l'amiodarone (Cordarone^{MD}) peuvent lui être administrés par perfusion I.V. Si le client devient instable sur le plan hémodynamique, une cardioversion est pratiquée (Neumar *et al.,* 2010).

Si la TV est polymorphe et se manifeste par un syndrome du QT long acquis sur le rythme sinusal initial, le traitement indiqué est l'administration I.V. de magnésium (Neumar *et al.*, 2010). Il faut cesser l'administration des médicaments qui prolongent l'intervalle QT (p. ex., la dofétilide [Tikosyn^{MD}], non commercialisée au Canada, mais offerte à certains clients grâce à un programme d'accès spécial de Santé Canada). Si le traitement pharmacologique se montre inefficace, la cardioversion peut s'avérer nécessaire.

La TV sans pouls est une situation qui met en danger la vie du client, et elle se traite de la même façon que la FV. La réanimation cardiorespiratoire (RCR) et une défibrillation rapide constituent les traitements de première intention, suivis de l'administration de vasopresseurs (p. ex., l'épinéphrine) et d'antiarythmiques (p. ex., l'amiodarone [Cordarone^{MD}]) si la défibrillation échoue (Link, Berkow, Kudenchuk *et al.*, 2015 ; Sinz *et al.,* 2011).

Un rythme idioventriculaire accéléré (RIVA) peut apparaître si la fréquence du centre d'automatisme (nœud sinusal ou nœud AV) devient moins importante que celle d'un centre d'automatisme ventriculaire ectopique. La fréquence est alors de 40 à 100 battements par minute. Le plus souvent, le RIVA est associé à l'infarctus aigu du myocarde et à la reperfusion du myocarde après l'administration d'un traitement thrombolytique ou une angioplastie des artères coronaires. Il est également observé dans les cas d'intoxication digitalique. En situation d'infarctus aigu du myocarde, le RIVA se résout spontanément, est bien toléré et ne nécessite aucun traitement. Il ne faut pas administrer de médicaments qui inhibent les rythmes ventriculaires (p. ex., l'amiodarone [Cordarone^{MD}]), car ils peuvent mettre fin au rythme ventriculaire et réduire davantage la F.C.

Fibrillation ventriculaire

CE QU'IL FAUT RETENIR

En fibrillation ventriculaire (FV), le ventricule ne fait que « palpiter », sans produire de contraction efficace. Il ne se produit donc aucun D.C. La FV est une arythmie mortelle.

La fibrillation ventriculaire (FV) est un trouble grave du rythme cardiaque qui se traduit sur l'ECG par des formes d'onde irrégulières, de morphologies et d'amplitudes différentes **FIGURE 43.20**. Ce phénomène correspond à l'émission d'impulsions provenant de multiples foyers ectopiques dans les ventricules. Mécaniquement, le ventricule ne fait que « palpiter », sans produire de contraction efficace. Il ne se produit donc aucun D.C. La FV est une arythmie mortelle.

Causes

La FV survient dans les cas d'ischémie, d'infarctus aigu du myocarde, et de maladies chroniques comme l'insuffisance cardiaque et la cardiomyopathie. Elle peut survenir au cours d'une intervention de stimulation ou de cathétérisme cardiaques en raison d'une stimulation du ventricule par le cathéter. Elle peut également se produire pendant la reperfusion coronarienne consécutive à un traitement thrombolytique. L'électrocution accidentelle, l'hyperkaliémie, l'hypoxémie, l'acidose et l'intoxication médicamenteuse constituent d'autres types de causes associées.

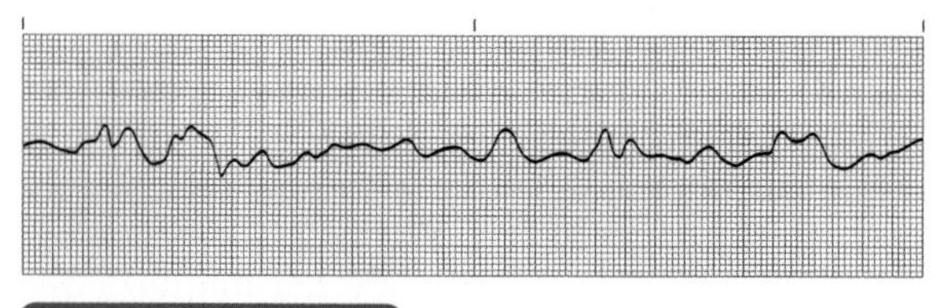

FIGURE 43.20 Fibrillation ventriculaire

Caractéristiques de l'électrocardiogramme

Il est impossible de mesurer la F.C. Le rythme est irrégulier et chaotique. L'onde P est absente, et les intervalles PR et QRS ne sont pas mesurables.

Implications cliniques

La FV entraîne une perte de conscience, une absence de pouls et un état apnéique. Si elle n'est pas traitée rapidement, le client peut en mourir.

Traitement

Le traitement consiste à entreprendre immédiatement les manœuvres de RCR et la technique spécialisée de RCR en ayant recours à la défibrillation et à un traitement pharmacologique. Si un défibrillateur est disponible, il faut s'en servir immédiatement (Link *et al.*, 2015).

Asystolie

L'asystolie se caractérise par l'absence totale d'activité électrique ventriculaire. À l'occasion, des ondes P sont observées. Il ne se produit aucune contraction ventriculaire, car il y a absence de dépolarisation. Le client est inconscient, sans pouls et apnéique. L'asystolie est une arythmie mortelle qui nécessite un traitement immédiat. Par conséquent, il faut évaluer le rythme dans plus d'une dérivation. Le pronostic d'un client qui présente une asystolie est extrêmement mauvais.

Causes

L'asystolie résulte généralement d'une maladie cardiaque avancée, d'un trouble grave du système de conduction cardiaque ou d'une insuffisance cardiaque en phase terminale.

Caractéristiques de l'électrocardiogramme

Il y a absence totale d'activité auriculaire et ventriculaire. Par conséquent, il y a absence d'onde électrique sur l'ECG.

Implications cliniques

Si elle n'est pas rapidement traitée et renversée, l'asystolie peut entraîner une hypoxie cérébrale puis la mort.

Traitement

Le traitement consiste à entreprendre les manœuvres de RCR et à appliquer la technique spécialisée de RCR, qui comprend l'administration d'épinéphrine, l'intubation et possiblement le recours temporaire à un SCT (Link *et al.*, 2015).

Activité électrique sans pouls

L'activité électrique sans pouls (AESP) désigne une situation où l'ECG montre une activité électrique, mais où il n'y a aucune activité mécanique des ventricules et où le client ne présente aucun pouls. Le pronostic est mauvais, à moins de détecter et de corriger rapidement la cause sous-jacente. Les causes les plus courantes d'AESP sont l'hypovolémie, l'hypoxie, l'acidose métabolique, l'hyperkaliémie ou l'hypokaliémie, l'hypothermie, la surdose, la tamponnade, l'infarctus du myocarde, le pneumothorax sous tension, le trauma et l'embolie pulmonaire. Le traitement commence par la RCR; il se poursuit par un traitement pharmacologique (p. ex., l'injection d'épinéphrine) et une intubation. Le traitement vise la correction de la cause sous-jacente.

Mort cardiaque subite

La mort cardiaque subite (MCS) est un arrêt du cœur dont l'origine est cardiaque. La plupart des cas de MCS résultent d'une arythmie ventriculaire, surtout de la tachycardie et de la fibrillation ventriculaires ▶ 44.

Proarythmie

Les antiarythmiques peuvent causer une arythmie potentiellement mortelle qui ressemble à celle pour laquelle ils ont été administrés au départ. Ce concept se nomme proarythmie. Le client qui présente un dysfonctionnement ventriculaire gauche grave est le plus prédisposé à la proarythmie. La digoxine (Lanoxin[MD]) et les antiarythmiques de classe IA, IC et III peuvent provoquer une réaction proarythmique puisqu'ils jouent sur l'automatisme et la conduction en prolongeant la repolarisation cardiaque (Burchum & Rosenthal, 2016). Les premiers jours du traitement pharmacologique sont propices à l'apparition de proarythmie. Au lieu de corriger une arythmie, les antiarythmiques peuvent contribuer à entretenir l'arythmie ou même l'aggraver (Burchum & Rosenthal, 2016). C'est pour cette raison et afin d'assurer une surveillance cardiaque que de nombreux traitements antiarythmiques par voie orale sont entrepris en milieu hospitalier.

43.1.8 Antiarythmiques

Plusieurs médicaments antiarythmiques sont offerts sur le marché. La **FIGURE 43.2** et le **TABLEAU 43.8** en présentent une classification selon leurs principaux effets sur les cellules cardiaques et l'ECG.

43.1.9 Défibrillation

La défibrillation est la méthode la plus efficace pour mettre fin à la FV et à la TV sans pouls. Elle est encore plus efficace si les cellules myocardiques ne sont ni anoxiques ni acidosiques. Afin d'assurer les meilleures chances de survie, il est nécessaire de procéder à un massage cardiaque efficace avec le moins d'interruptions possible et d'administrer la défibrillation dans les plus brefs délais (idéalement, avant que deux minutes ne se soient écoulées depuis l'arrêt cardiaque) (Field, Hazinski, Sayre *et al.*, 2010). Cette technique consiste à faire passer à travers le cœur une décharge électrique de courant continu qui est suffisamment puissante pour dépolariser les cellules du myocarde. Le but de cette manœuvre est de permettre au nœud sinusal de reprendre son rôle de centre d'automatisme cardiaque grâce à la repolarisation des cellules myocardiques suivant cette dépolarisation.

Les défibrillateurs émettent des décharges dont la forme d'onde est monophasique ou biphasique. Le défibrillateur monophasique envoie sa décharge dans un seul sens, tandis que le défibrillateur biphasique l'envoie dans les deux sens **FIGURE 43.21**. Le défibrillateur biphasique nécessite une énergie moindre et il est plus efficace. C'est pourquoi il est préférable d'utiliser ce type de défibrillateur (Field *et al.*, 2010).

À la sortie d'un défibrillateur, l'énergie se mesure en joules. L'énergie recommandée pour la première décharge dépend du type de défibrillateur. Les décharges du défibrillateur biphasique, la première comme les suivantes, ont une énergie de 200 joules. Dans le cas du défibrillateur monophasique, il est recommandé d'administrer une première décharge de 360 joules. Après la première décharge, il faut entreprendre immédiatement les manœuvres de RCR en commençant par des compressions thoraciques (i+).

La défibrillation peut s'effectuer rapidement au moyen d'un appareil manuel ou automatique **FIGURE 43.22**. Dans le cas du défibrillateur manuel, l'infirmière formée à son utilisation doit être en mesure d'interpréter les rythmes cardiaques, de déterminer la nécessité d'une décharge et de l'administrer, le cas échéant, en l'absence d'un médecin. L'utilisation du défibrillateur par l'infirmière dans les établissements de santé est encadrée par des protocoles ou des ordonnances collectives auxquels elle doit se référer. Le **défibrillateur externe**

44

Il est question de la MCS dans le chapitre 44, *Interventions cliniques – Troubles inflammatoires et structuraux du cœur.*

43

Annexe 43.1W : *Réanimation cardiorespiratoire et soins de base à l'intention des professionnels de la santé.*

CE QU'IL FAUT RETENIR

Les antiarythmiques peuvent causer une arythmie potentiellement mortelle qui ressemble à celle pour laquelle ils ont été administrés au départ. Ce concept se nomme proarythmie.

Pharmacothérapie

TABLEAU 43.8 **Classification Vaughan-Williams, action des antiarythmiques et effets sur l'électrocardiogramme**

MÉDICAMENTS	ACTIONS	EFFETS SUR L'ECG
Classe I : bloqueurs des canaux sodiques		
Classe IA : ↓ vitesse de conduction dans les oreillettes, les ventricules et le système His-Purkinje		
• Disopyramide (Rythmodan[MD]) • Procaïnamide (Pronestyl[MD]) • Quinidine (Quinidex[MD])	• Retardement de la repolarisation ventriculaire • ↑ durée du potentiel d'action et des périodes réfractaires • ↓ fréquence de décharge et de l'automatisme (formation de l'influx)	• Complexe QRS élargi • Intervalle QT prolongé
Classe IB : ↓ vitesse de conduction dans les oreillettes, les ventricules et le système His-Purkinje		
• Lidocaïne (Xylocaine[MD]) • Méxilétine (Mexitil[MD]) • Phénytoïne (Dilantin[MD])	• Accélération de la repolarisation • ↓ durée du potentiel d'action et des périodes réfractaires • Effet surtout sur les cellules myocardiques ischémiques	• Peu ou pas d'effet sur l'ECG
Classe IC : ↓ vitesse de conduction dans les oreillettes, les ventricules et le système His-Purkinje		
• Flécaïnide (Tambocor[MD]) • Propafénone (Rythmol[MD])	• ↓ conduction des impulsions	• Action proarythmique prononcée • Complexe QRS élargi • Intervalle QT prolongé
Classe II : bêtabloquants		
• Aténolol (Tenormin[MD]) • Carvédilol (Coreg[MD]) • Bisoprolol (Monocor[MD]) • Esmolol (Brevibloc[MD]) • Métoprolol (Lopresor[MD]) • Sotalol[a] (Sotacor[MD])	• ↓ automatisme du nœud sinusal • Retardement de la conduction du nœud AV • ↓ contractilité myocardique • Blocage de l'hyperactivité du SNS	• Bradycardie • Intervalle PR prolongé • Bloc AV
Classe III : bloqueurs des canaux potassiques		
• Amiodarone (Cordarone[MD]) • Brétylium (Bretylate[MD]) • Ibutilide (Corvert[MD]) • Sotalol[a] (Sotacor[MD])	• Retardement de la repolarisation, entraînant une prolongation du potentiel d'action et de la période réfractaire	• Intervalles PR et QT prolongés • Complexe QRS élargi • Bradycardie
Classe IV : bloqueurs des canaux calciques		
• Diltiazem (Cardizem[MD]) • Vérapamil (Isoptin[MD])	• ↓ automatisme du nœud sinusal • Retardement de la conduction du nœud AV • ↓ contractilité myocardique	• Bradycardie • Intervalle PR prolongé • Bloc AV
Autres antiarythmiques		
• Adénosine (Adenocard[MD]) • Digoxine (Lanoxin[MD])	• ↓ conduction dans le nœud AV • ↓ automatisme du nœud sinusal	• Intervalle PR prolongé • Bloc AV

[a] Le sotalol possède des propriétés appartenant à la fois aux classes de médicaments II et III.

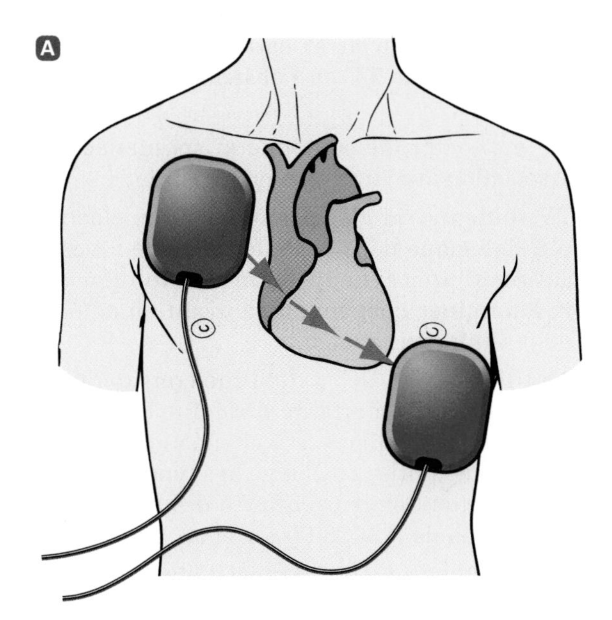

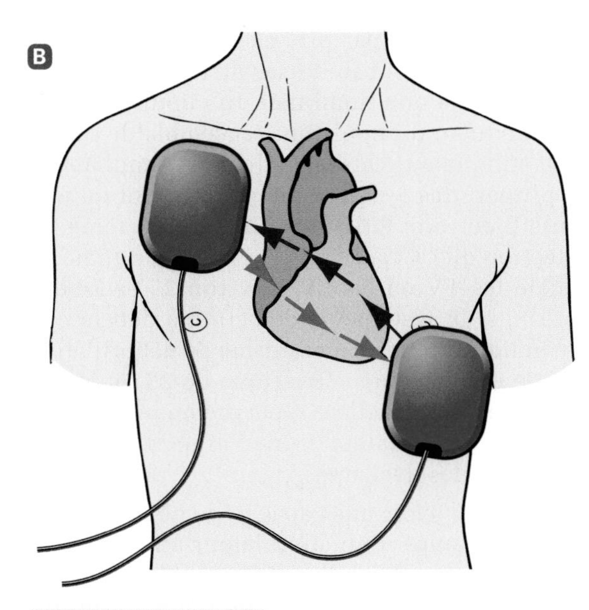

FIGURE 43.21 Mise en place des électrodes multifonctionnelles utilisées pour la défibrillation et la circulation du courant au cours de la défibrillation – A Monophasique. B Biphasique.

automatisé (DEA) est un défibrillateur ayant la capacité de détecter un rythme cardiaque anormal et d'en avertir l'opérateur, ce qui permet à ce dernier d'administrer la décharge au moyen d'électrodes de défibrillation mains libres. La maîtrise du fonctionnement du DEA fait partie du cours de base de réanimation destiné aux professionnels de la santé (American Heart Association [AHA], 2008). L'infirmière doit savoir comment utiliser le type de défibrillateur employé dans son milieu de travail.

L'équipe soignante prépare la défibrillation selon les étapes suivantes : 1) entreprendre immédiatement les manœuvres de RCR jusqu'à l'arrivée du défibrillateur et évaluer rapidement le type d'arythmie ; 2) mettre le défibrillateur en fonction et choisir

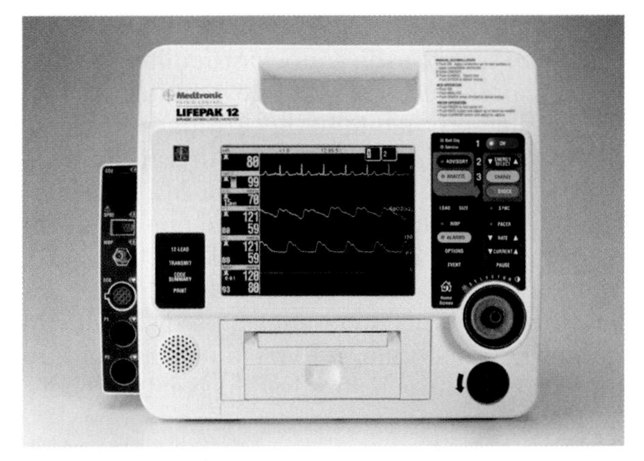

FIGURE 43.22 Appareil LifePak^MD comprenant un moniteur, un défibrillateur et un stimulateur cardiaque transcutané

le degré d'énergie approprié ; 3) s'assurer que l'interrupteur de synchronisation est éteint. Les électrodes de défibrillation multifonctionnelles mains libres sont placées sur le thorax : une à droite du sternum, juste sous la clavicule, et une autre à gauche de l'apex. Les fils des électrodes doivent être reliés au défibrillateur. La personne responsable d'administrer la décharge avertit l'entourage en criant : 1) « Je suis prêt ! » ; 2) « Tout le monde est prêt ! » ; 3) « Je "choque" ! » pour s'assurer que personne ne touche au client ni au lit au moment de la décharge. Elle administre ensuite la décharge en pressant le bouton prévu à cet effet sur la partie principale du défibrillateur. Des palettes de défibrillation sont parfois utilisées pour la défibrillation.

Cardioversion synchronisée

La cardioversion synchronisée constitue le traitement de choix chez le client qui présente une tachyarythmie ventriculaire (p. ex., une TV avec présence d'un pouls) ou supraventriculaire (p. ex., une fibrillation auriculaire accompagnée d'une réponse ventriculaire rapide, un flutter auriculaire ou une TSVP) hémodynamiquement instable. Un circuit synchronisé présent dans le défibrillateur envoie une décharge électrique externe qui est programmée pour se produire sur l'onde R du complexe QRS de l'ECG. L'interrupteur de synchronisation doit être allumé si une cardioversion est envisagée.

La façon de procéder à une cardioversion synchronisée est la même que pour la défibrillation, à quelques exceptions près. Si la cardioversion synchronisée n'est pas effectuée en situation d'urgence (c'est-à-dire si le client est éveillé et stable sur le plan hémodynamique), un sédatif (p. ex., le midazolam par voie I.V.) est administré au client avant l'intervention, et celui-ci est ventilé manuellement à l'aide d'un Ambu^MD. Dans ce cas-ci, il est important de s'assurer que les voies

Défibrillation et cardioversion

- S'assurer que l'interrupteur de synchronisation est ÉTEINT si une défibrillation est envisagée.
- S'assurer que l'interrupteur de synchronisation est ALLUMÉ si une cardioversion est envisagée.
- S'assurer que le personnel reste éloigné du client, puis annoncer « Je suis prêt ! », « Tout le monde est prêt ! », « Je "choque" ! » avant d'administrer la décharge électrique.

respiratoires restent dégagées. Si le client qui présente une tachycardie supraventriculaire ou une TV avec présence d'un pouls devient instable sur le plan hémodynamique, la cardioversion synchronisée doit avoir lieu le plus rapidement possible. L'énergie initiale nécessaire à la cardioversion synchronisée est moindre que celle que demande une défibrillation. Elle est de 50 à 100 joules, et il est possible de l'augmenter au besoin. Si le pouls du client est perdu ou que le rythme se transforme en FV, il faut alors éteindre l'interrupteur de synchronisation et entreprendre la défibrillation.

Défibrillateur cardiaque implantable

Le défibrillateur cardiaque implantable (DCI) est un dispositif indiqué pour les clients qui présentent les caractéristiques suivantes.

En prévention primaire (clients n'ayant jamais fait d'arythmie maligne [p. ex., une TV] ou une MCS) (Tracy, Epstein, Darbar *et al.*, 2012):

- cardiomyopathie ischémique avec fraction d'éjection du ventricule gauche (FEVG) inférieure à 30 %, au moins un mois postinfarctus ou trois mois postrevascularisation (angioplastie percutanée ou pontages aortocoronariens);
- cardiomyopathie ischémique avec fraction d'éjection (F.E.) de 30 à 40 % et documentation d'une TV non soutenue (p. ex., Holter, ECG) ou d'une TV induite à l'étude électrophysiologique;
- cardiomyopathie dilatée de classe II-III selon la New York Heart Association (NYHA) avec FEVG inférieure à 35 % (AHA, 2015).

En prévention secondaire (clients ayant déjà fait une arythmie maligne ou une MCS) (Tracy *et al.*, 2012):

- survivants d'un arrêt cardiaque causé par une FV ou une TV en l'absence d'une cause réversible;
- TV monomorphe soutenue et spontanée, en association avec une cardiomyopathie;
- TV soutenue ou FV induite à l'étude électrophysiologique dans le contexte d'une investigation d'une syncope dont l'étiologie est indéterminée chez un client ayant un antécédent d'infarctus ancien.

L'utilisation du DCI a diminué considérablement les taux de mortalité d'origine cardiaque chez ces types de clients, et a ajouté une nouvelle dimension à la prise en charge des types d'arythmie qui mettent en danger la vie des clients et à la prévention de la MCS (Tracy *et al.*, 2012).

Le DCI comprend un système d'électrodes qui rejoint l'endocarde en passant par la veine sous-clavière. Un générateur d'impulsions électriques alimenté par pile est implanté sous la peau, généralement au-dessus du muscle pectoral situé du côté non dominant du client. La taille du générateur d'impulsions est semblable à celle d'un stimulateur cardiaque (cardiostimulateur). La plupart des systèmes ne comportent qu'une seule électrode **FIGURE 43.23**. Le système de détection du DCI surveille la F.C. et le rythme, et décèle les TV ou les FV. Environ 25 secondes après que le système de détection a décelé une arythmie mortelle, le mécanisme de défibrillation envoie une décharge électrique de 25 joules ou moins au cœur du client. Si la première décharge échoue, le générateur se recharge et continue d'envoyer des décharges.

CE QU'IL FAUT RETENIR

En plus d'avoir une capacité de défibrillation, le DCI est muni d'un stimulateur antitachycardique et antibradycardique.

En plus d'avoir une capacité de défibrillation, le DCI est muni d'un stimulateur antitachycardique et antibradycardique. Cet appareil sophistiqué utilise des algorithmes d'arythmie qui détectent les anomalies et permettent de déterminer la réponse programmée qui convient à la situation. Il peut également envoyer des stimulations électrosystoliques rapides s'il détecte une tachycardie supraventriculaire ou ventriculaire, évitant ainsi au client de recevoir des décharges de défibrillation douloureuses. Il a également la capacité de transmettre une stimulation de renfort pour contrer la bradyarythmie pouvant survenir après les décharges de défibrillation. Les soins infirmiers à prodiguer avant et après la pose du DCI sont les mêmes que ceux prodigués au client qui reçoit un stimulateur cardiaque permanent.

Il est important de bien renseigner le client qui reçoit un DCI ainsi que le proche aidant. Ces clients passent par toute une gamme d'émotions, dont la peur d'un changement d'image corporelle, la crainte d'une récurrence de l'arythmie, l'anticipation de la douleur provoquée par le DCI qui émet une décharge (décrite comme la sensation de

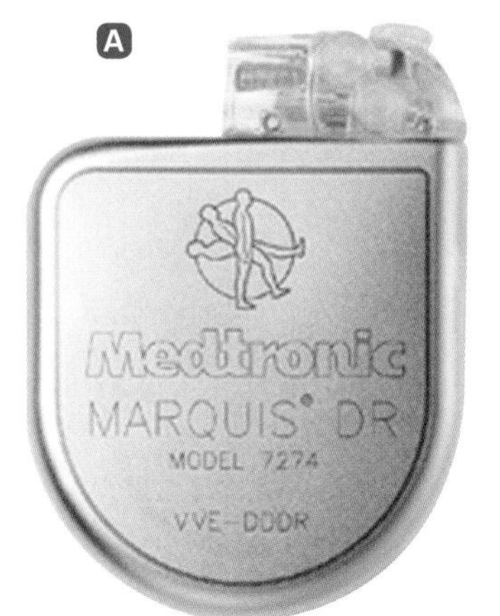

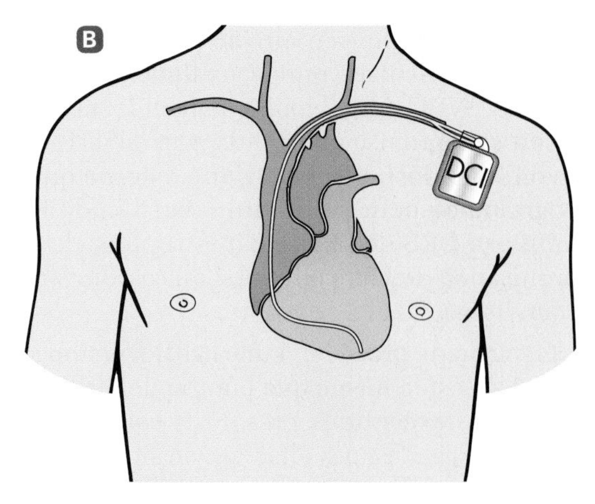

FIGURE 43.23 A Défibrillateur cardiaque implantable générateur d'impulsions. Reproduit avec l'autorisation de Medtronic inc., Minneapolis, Minn. B Le DCI est inséré dans une cavité sous-cutanée, au-dessus du muscle pectoral. Un système transveineux à une seule électrode relie le générateur d'impulsions à l'endocarde. L'électrode unique détecte l'arythmie et administre la décharge électrique au muscle cardiaque.

recevoir un coup de poing à la poitrine) et l'anxiété liée au retour à la maison. L'**ENCADRÉ 43.3** présente un guide d'enseignement au client qui porte un DCI et à ses proches.

43.1.10 Stimulateurs cardiaques

Le stimulateur cardiaque (cardiostimulateur) est un dispositif électronique utilisé pour stimuler le cœur lorsque la voie de conduction normale fonctionne de façon inadéquate. Le circuit électrique de stimulation de base comprend une source d'énergie (générateur d'impulsions électriques alimenté par pile), une ou plusieurs électrodes de conduction (électrodes de stimulation) et le myocarde. Le signal électrique (stimulus) part du stimulateur cardiaque et atteint la paroi du myocarde grâce aux électrodes. Il y a alors « capture » du myocarde, ce qui stimule la contraction **FIGURE 43.24**.

Les stimulateurs cardiaques actuels sont petits, sophistiqués et physiologiquement précis. Ils ont la capacité de stimuler l'oreillette et l'un des ventricules, ou les deux à la fois (Vardas, Simantirakis & Kanoupakis, 2013). En plus d'une stimulation antibradycardique, certains dispositifs comprennent maintenant la stimulation antitachycardique et un système de stimulation électrosystolique rapide. La stimulation antitachycardique se caractérise par l'émission d'un stimulus au ventricule pour mettre fin à une tachyarythmie (p. ex., une TV). Les stimulations électrosystoliques rapides se caractérisent par une stimulation de l'oreillette à une fréquence atteignant de 200 à 500 impulsions par minute pour tenter de mettre fin à une tachycardie auriculaire (p. ex., un flutter auriculaire avec réponse ventriculaire rapide).

Stimulateur cardiaque permanent

Le stimulateur cardiaque permanent est entièrement implanté dans le corps du client **FIGURE 43.25**. Sa source d'énergie est implantée sous la peau,

Enseignement au client et à ses proches

ENCADRÉ 43.3 Défibrillateur cardiaque implantable

L'enseignement au client qui porte un DCI et à ses proches devrait comprendre les recommandations suivantes.

- Faire vérifier le DCI à une fréquence établie par l'établissement de soins fréquenté.
- Signaler immédiatement à l'établissement de santé qui assure le suivi de stimulateurs cardiaques tout signe de fièvre ou d'infection au site de l'incision (p. ex., une rougeur, un œdème, une tuméfaction, un drainage, une douleur).
- Garder le site de l'incision au sec pendant quatre jours après l'implantation ou selon les recommandations reçues.
- Éviter de lever le bras plus haut que la hauteur des épaules du côté où se trouve le DCI, selon les recommandations et le délai prescrits par le médecin.
- Discuter de la reprise des activités sexuelles avec le cardiologue. Généralement, les activités sexuelles peuvent reprendre une fois le site de l'incision guéri.
- Éviter de conduire tant que le cardiologue ne l'y aura pas autorisé. Cette décision est fondée généralement sur la présence continue de l'arythmie, la fréquence des décharges transmises par le DCI, l'état de santé général et les recommandations basées sur des résultats probants qui régissent les conducteurs porteurs d'un DCI.
- Éviter de recevoir des coups directement au site du DCI.
- Éviter de se tenir près des génératrices de haute puissance, des champs magnétiques intenses ou de gros aimants comme ceux se trouvant dans les appareils d'imagerie par résonance magnétique (IRM). Les intenses champs magnétiques générés par ces appareils peuvent perturber le fonctionnement du stimulateur cardiaque.
- Éviter de subir un IRM.
- Avertir les responsables de la sécurité à l'aéroport (si le client prend l'avion) du fait qu'il porte un DCI, car ce dernier peut déclencher l'alarme du détecteur de métal. Si les douaniers utilisent un détecteur de métal à main, ils ne doivent pas le placer directement sur le DCI. Les renseignements fournis par les fabricants peuvent différer quant à l'effet des détecteurs de métal sur le fonctionnement du DCI.
- Se tenir éloigné des dispositifs antivol situés à l'entrée des magasins et des édifices publics. Le client doit les traverser d'un pas normal.
- Si le DCI émet une décharge, il faut appeler immédiatement l'établissement de santé qui assure le suivi de stimulateurs cardiaques.
- Si le DCI émet une décharge et que le client ne se sent pas bien ou qu'il s'évanouit, il faut contacter les services médicaux d'urgence (911).
- Si le DCI émet plus d'une décharge, il faut contacter le 911.
- Se procurer un bracelet d'alerte médicale ou tout autre accessoire d'identification médicale et le porter en tout temps.
- Garder sur soi en permanence sa carte de porteur de défibrillateur et une liste à jour de ses médicaments.
- Le proche aidant devrait être capable de pratiquer la RCR.

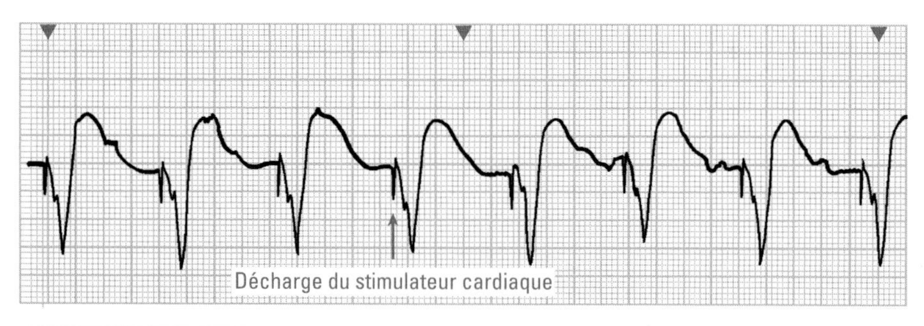

FIGURE 43.24 Capture ventriculaire (dépolarisation) consécutive à la transmission du signal (décharge du stimulateur cardiaque) de l'électrode du stimulateur au ventricule droit

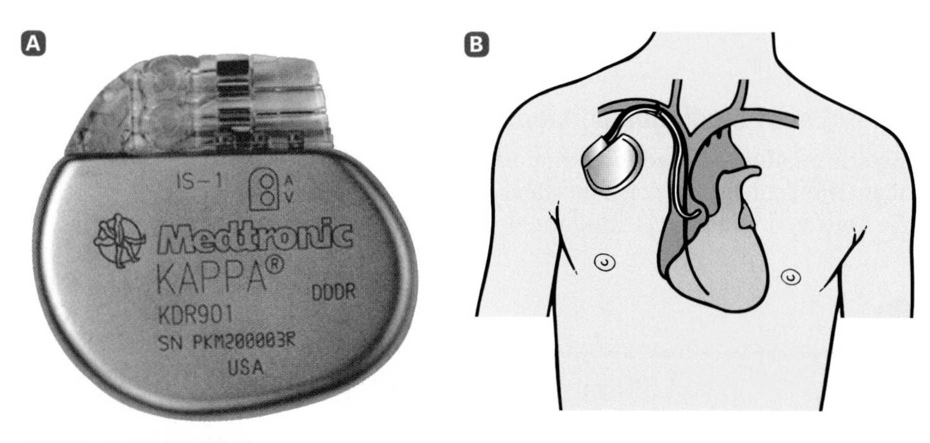

FIGURE 43.25 **A** Le stimulateur cardiaque double chambre à fréquence asservie de Medtronic inc. est conçu pour traiter les clients qui ont des problèmes cardiaques chroniques et dont les battements cardiaques sont trop lents pour assurer une bonne circulation sanguine. Reproduit avec l'autorisation de Medtronic inc., Minneapolis, Minn. **B** Les électrodes de stimulation, placées dans l'oreillette et le ventricule, confèrent au stimulateur cardiaque double chambre une capacité de détection et de stimulation dans les deux cavités cardiaques.

généralement au-dessus du muscle pectoral, du côté non dominant du client. Les électrodes de stimulation sont introduites par le système veineux pour atteindre l'oreillette droite et le ventricule droit, et sont reliées à la source d'énergie. L'**ENCADRÉ 43.4** présente les indications courantes pour l'implantation d'un stimulateur cardiaque permanent.

Traitement par resynchronisation cardiaque

Le traitement par resynchronisation cardiaque (TRC) est une technique qui consiste à resynchroniser le cycle cardiaque en stimulant les deux ventricules pour ainsi favoriser l'amélioration de la fonction ventriculaire. Le TRC nécessite une troisième électrode, introduite par le sinus coronaire et installée dans le ventricule gauche afin que le resynchroniseur cardiaque puisse dépolariser les deux ventricules simultanément. La plupart des clients atteints d'insuffisance cardiaque présentent des retards de conduction intraventriculaire, ce qui mène à une activation et à une contraction ventriculaires anormales. Cette situation entraîne une asynchronie entre les deux ventricules, donnant lieu à une fonction systolique réduite, à un pompage inefficace et à une aggravation de l'insuffisance cardiaque. La Société canadienne de cardiologie (2014) recommande de procéder à un TRC chez les clients en rythme sinusal souffrant d'insuffisance cardiaque symptomatique de classe II, III ou IV, selon la classification de la NYHA, malgré un traitement pharmacologique optimal avec une FEVG inférieure à 35 % et un retard de conduction ventriculaire (QRS > 130 ms avec bloc de branche gauche ou > 150 ms sans bloc de branche gauche) (Exner, Birnie, Moe *et al.*, 2013 ; Verma *et al.*, 2014).

Stimulateur cardiaque temporaire

Dans le cas du stimulateur cardiaque temporaire, la source d'énergie se situe à l'extérieur du corps du client **FIGURE 43.26**. Il existe trois types de stimulateur cardiaque temporaire : transveineux, épicardique et transcutané. L'**ENCADRÉ 43.5** présente les indications courantes d'utilisation d'un stimulateur cardiaque temporaire.

Le stimulateur cardiaque transveineux comprend une ou des électrodes introduites par le système veineux pour atteindre l'oreillette ou le ventricule droit, et reliées à une source externe d'énergie **FIGURE 43.27**. La plupart des insertions de stimulateur cardiaque transveineux temporaire s'effectuent en situation d'urgence au service des urgences ou à l'unité des soins intensifs. Cet appareil constitue une solution temporaire jusqu'à l'implantation d'un stimulateur cardiaque permanent ou jusqu'à l'élimination de la cause sous-jacente de l'arythmie.

La stimulation épicardique consiste à fixer sur l'épicarde une électrode de stimulation auriculaire et une électrode de stimulation ventriculaire au cours d'une chirurgie cardiaque. Ces électrodes traversent la paroi thoracique et sont reliées à une source externe d'énergie. Elles sont placées à titre préventif contre la bradyarythmie qui pourrait survenir au cours de la phase postopératoire immédiate (AACN, 2010).

Le stimulateur cardiaque transcutané (SCT) est utilisé en situation d'urgence pour que le client maintienne une F.C. et un rythme cardiaque satisfaisants. La pose du SCT est une procédure non effractive et temporaire en attendant l'insertion d'un stimulateur transveineux ou le recours à un autre traitement plus définitif (AACN, 2010).

Le SCT comporte une source d'énergie ainsi qu'un régulateur de tension et de fréquence relié à deux grandes électrodes multifonctionnelles. L'infirmière place une électrode sur la partie antérieure du thorax, généralement sur la dérivation V_2 ou V_5, et l'autre électrode dans le dos, entre la colonne vertébrale et l'omoplate gauche, à la hauteur du cœur **FIGURE 43.28**. En tout temps, il faut utiliser le plus faible courant possible pour

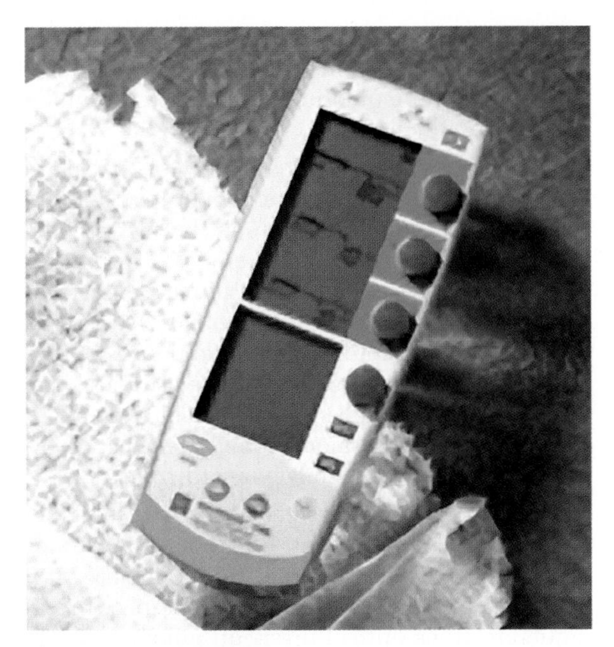

FIGURE 43.26 Stimulateur sentinelle externe, double chambre et temporaire

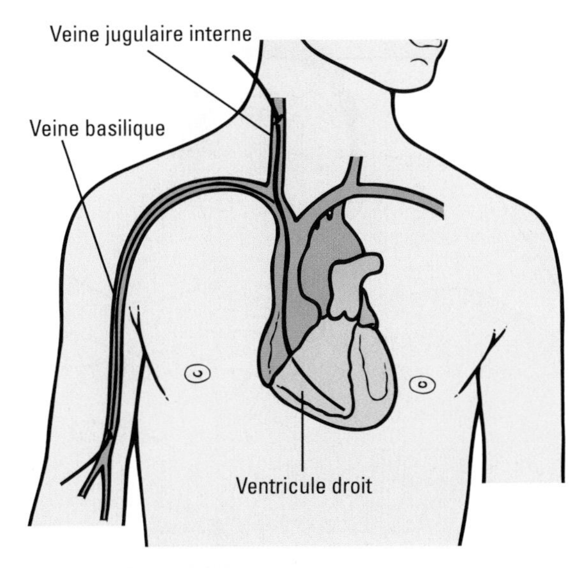

FIGURE 43.27 Insertion de l'électrode d'un stimulateur cardiaque transveineux temporaire : une seule électrode est placée dans le ventricule droit.

provoquer une contraction (capture) ventriculaire et ainsi réduire au minimum la sensation désagréable qu'éprouve le client.

Avant d'entreprendre le traitement par stimulation cardiaque transcutanée, il est important d'informer le client de ce qui l'attend. L'infirmière doit lui expliquer que, en traversant la paroi thoracique, le courant électrique émis par le stimulateur cardiaque provoque des contractions musculaires désagréables. Elle doit le rassurer sur le fait que le SCT n'est qu'une mesure temporaire et qu'il sera remplacé par un stimulateur cardiaque transveineux le plus tôt possible. Il est recommandé d'administrer un analgésique, un sédatif ou les deux à la fois pendant l'utilisation du SCT.

Surveillance du client

Les clients qui portent un stimulateur cardiaque temporaire ou permanent sont soumis à une surveillance électrocardiographique pour évaluer l'état du stimulateur cardiaque. Un mauvais fonctionnement du stimulateur se manifeste généralement par une défaillance du dispositif de détection ou de capture. Il y a défaillance de détection si le stimulateur cardiaque est incapable de reconnaître une activité auriculaire ou ventriculaire spontanée, et qu'il envoie des décharges électriques de façon inopportune. Le stimulateur pourrait alors envoyer une décharge électrique pendant la période excitable du cycle cardiaque et provoquer une TV. La défaillance de détection peut être attribuable à un bris d'électrode de stimulation, à une défaillance de la pile, à une sensibilité de détection trop élevée ou à un déplacement de l'électrode. Il y a défaillance de

ENCADRÉ 43.4 Indications pour l'implantation d'un stimulateur cardiaque permanent

- Bloc AV acquis
  - bloc AV du deuxième degré de type I (bloc de Mobitz de type I) symptomatique
  - bloc AV du deuxième degré de type II (bloc de Mobitz de type II)
  - bloc AV du troisième degré
- Fibrillation auriculaire accompagnée d'une réponse ventriculaire lente
- Hypersensibilité sinocarotidienne avec syncopes récurrentes
- Dysfonctionnement du nœud sinusal (bradycardie sinusale symptomatique, pause sinusale) ou maladie du nœud sinusal

Source : Vardas et al. (2013).

ENCADRÉ 43.5 Indications d'utilisation d'un stimulateur cardiaque temporaire[a]

- Maintien d'une F.C. et d'un rythme satisfaisants au cours de situations particulières comme une intervention chirurgicale, le réveil postopératoire, un cathétérisme cardiaque ou une angioplastie coronarienne, pendant l'administration d'un traitement pharmacologique pouvant provoquer de la bradycardie et avant la pose d'un stimulateur cardiaque permanent
- Par mesure préventive à la suite d'une chirurgie à cœur ouvert
- Infarctus aigu accompagné d'un bloc AV du deuxième ou du troisième degré ou d'un bloc de branche
- Infarctus inférieur accompagné d'une bradycardie symptomatique et d'un bloc AV
- Épreuves électrophysiologiques pour évaluer les clients qui souffrent de bradyarythmie et de tachyarythmie

[a] Cette liste n'est pas exhaustive.

CE QU'IL FAUT RETENIR

Les complications liées à l'insertion effractive d'un stimulateur cardiaque sont l'infection, la formation d'un hématome au site d'insertion des fils reliés à l'appareil ou des électrodes, le pneumothorax, la défaillance de détection ou de capture, la perforation du septum interauriculaire ou interventriculaire par l'électrode de stimulation.

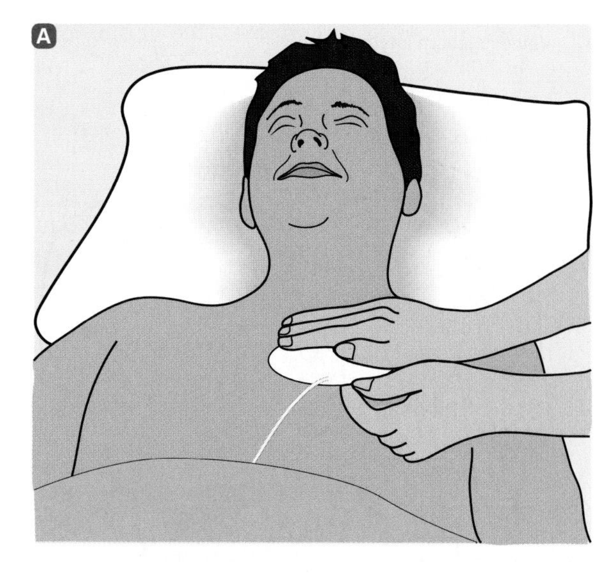

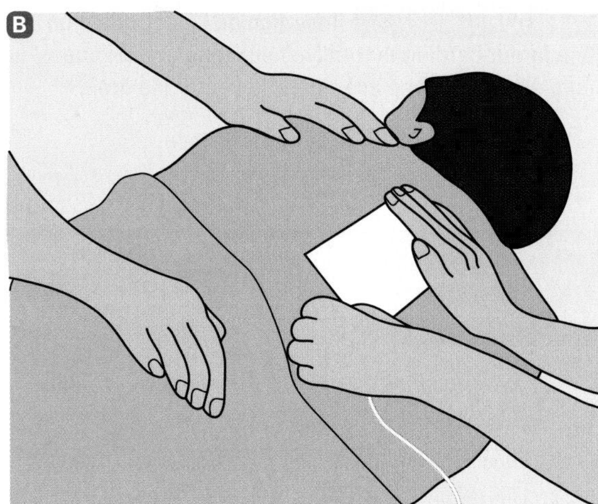

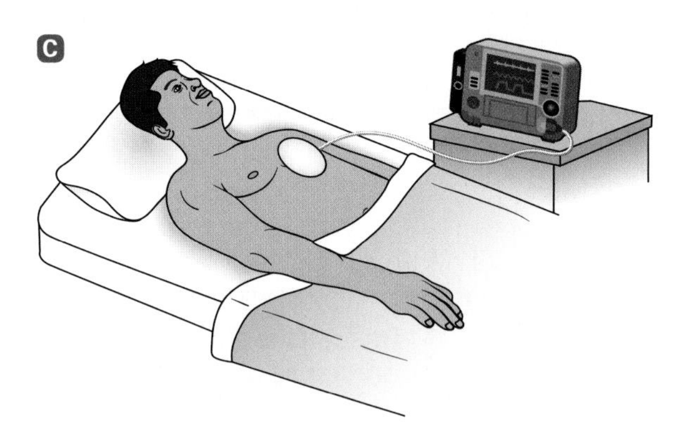

FIGURE 43.28 Stimulateur cardiaque transcutané – Les électrodes de stimulation sont placées sur les faces **A** antérieure et **B** postérieure du thorax, et reliées à **C** une unité de stimulation externe.

capture si la décharge électrique envoyée au myocarde n'est pas assez puissante pour produire une contraction auriculaire ou ventriculaire. Cette situation peut conduire à une bradycardie grave ou à une asystole. La défaillance de capture peut être attribuable à un bris d'électrode de stimulation, à une défaillance de la pile, à un déplacement de l'électrode, à un réglage d'intensité de la décharge électrique trop faible ou à une fibrose à la pointe de l'électrode.

Les complications liées à l'insertion effractive d'un stimulateur cardiaque temporaire (c'est-à-dire transveineux) ou permanent sont l'infection et la formation d'un hématome au site d'insertion des fils reliés à l'appareil servant de source d'énergie ou des électrodes, le pneumothorax, la défaillance de détection ou de capture, la perforation du septum interauriculaire ou interventriculaire par l'électrode de stimulation ou l'apparition de paramètres de « fin de vie » de la pile au moment de la vérification du fonctionnement du stimulateur cardiaque.

Plusieurs mesures permettent de détecter et de prévenir les complications. Elles comprennent un traitement prophylactique par antibiotiques en I.V. avant et après l'insertion, une radiographie thoracique effectuée après l'insertion pour vérifier la position de l'électrode et exclure la présence d'un pneumothorax, une surveillance minutieuse du site d'insertion et une surveillance électrocardiographique continue du rythme cardiaque du client. Après l'insertion du stimulateur cardiaque, le client peut se lever dès qu'il est stable. L'infirmière lui indique de limiter ses mouvements du bras et de l'épaule se trouvant du côté qui a reçu l'implant pour éviter que les électrodes de stimulation nouvellement insérées ne se déplacent. Il faut surveiller la présence de saignement au site d'insertion et veiller à ce que l'incision demeure intacte. Il importe également de noter l'apparition de rougeur ou de chaleur au site de l'implantation, et de surveiller la possibilité que le client ait des frissons, souvent associés à une hyperthermie, qui peuvent être signe d'infection. Il faut noter toute douleur au site d'insertion et soulager ces symptômes comme il est prescrit. La plupart des clients reçoivent leur congé du centre hospitalier le lendemain de la chirurgie s'ils sont stables.

En plus de surveiller les signes de complications consécutives à l'insertion du stimulateur cardiaque, l'infirmière doit également renseigner le client. Le client qui vient de recevoir un stimulateur cardiaque et le proche aidant peuvent s'interroger sur la limitation des activités et entretenir des craintes liées à l'image corporelle après l'intervention. Le but de l'implantation d'un stimulateur cardiaque est d'améliorer le fonctionnement physiologique et la qualité de vie du client. Il faut insister sur ce fait auprès du client et du proche aidant, et leur donner des conseils précis quant aux limitations des activités. L'**ENCADRÉ 43.6** présente un guide d'enseignement au client qui porte un stimulateur cardiaque et à ses proches.

Après sa sortie du centre hospitalier, le client doit faire vérifier régulièrement le fonctionnement de son stimulateur cardiaque. Cette vérification peut être effectuée en consultation externe à l'aide d'un programmeur-interrogateur de stimulateur cardiaque ou à domicile au moyen d'un appareil de transmission téléphonique. Au cours de la visite, le professionnel de la santé évalue la programmation du stimulateur cardiaque, la présence d'arythmie et la durée de la pile. Cette visite permet aussi d'ajuster les paramètres du stimulateur de façon que son fonctionnement soit optimal.

43.1.11 Ablation percutanée

L'ablation percutanée est une technique d'ablation ou de destruction des régions du système de conduction par radiofréquence ou cryoablation dont le but est de traiter de manière définitive la tachyarythmie. Le traitement par ablation s'effectue après que l'EEP a permis de localiser la source de l'arythmie. Un cathéter d'ablation muni d'une pointe d'électrode permet de détruire des voies accessoires ou des sites ectopiques situés dans les oreillettes, le nœud AV ou les ventricules. L'ablation par cathéter constitue le traitement non pharmacologique pouvant être utilisé dans les cas d'arythmie auriculaire à fréquence ventriculaire rapide et de tachycardie par réentrée nodale AV réfractaires au traitement pharmacologique (Carlson, 2009; Verma *et al.*, 2010).

L'ablation est un traitement efficace qui présente un faible taux de complications. Les soins prodigués au client par suite d'un traitement par ablation sont similaires à ceux qui suivent un cathétérisme cardiaque ▶ 39.

39

Le cathétérisme cardiaque est abordé dans le chapitre 39, *Évaluation clinique – Système cardiovasculaire*.

43.2 Changements électrocardiographiques associés au syndrome coronarien aigu

L'ECG à 12 dérivations est le premier outil diagnostique utilisé pour évaluer les clients atteints d'un SCA. Les changements électrocardiographiques qui surviennent dans les cas de SCA guident de nombreuses décisions relatives au traitement. Ces changements sont une réponse à une ischémie, à une lésion ou à une nécrose (infarctus) de cellules myocardiques. Les dérivations faisant face à la zone touchée montrent des changements

Enseignement au client et à ses proches

ENCADRÉ 43.6 Stimulateur cardiaque

L'enseignement au client qui porte un stimulateur cardiaque et à ses proches devrait comprendre les recommandations suivantes.

- Faire vérifier régulièrement le fonctionnement du stimulateur cardiaque auprès de l'établissement de santé en soins aigus.
- Signaler immédiatement à l'établissement de santé qui assure le suivi de stimulateurs cardiaques tout signe de fièvre ou d'infection au site de l'incision (p. ex., une rougeur, un œdème, une tuméfaction, un drainage, une douleur).
- Garder le site de l'incision au sec pendant quatre jours après l'implantation du stimulateur cardiaque ou selon les recommandations reçues.
- Éviter de lever le bras plus haut que la hauteur des épaules du côté où se trouve le stimulateur cardiaque, selon les recommandations et le délai prescrits par le médecin.
- Éviter de recevoir des coups directement sur le site du stimulateur cardiaque.
- Éviter de se tenir près des génératrices de haute puissance, des champs magnétiques intenses ou de gros aimants comme ceux se trouvant dans les appareils d'IRM. Les intenses champs magnétiques générés par ces appareils peuvent perturber le fonctionnement du stimulateur cardiaque. Toutefois, de nouvelles générations de cardiostimulateurs peuvent être compatibles avec l'IRM.
- Comprendre que les fours à micro-ondes ne présentent aucun danger et ne nuisent pas au bon fonctionnement du stimulateur cardiaque.
- Se tenir éloigné des dispositifs antivol situés à l'entrée des grands magasins et des bibliothèques publiques. Il doit les traverser d'un pas normal.
- Savoir qu'il est possible pour le client de prendre l'avion. Il doit cependant avertir les responsables de la sécurité à l'aéroport du fait qu'il porte un stimulateur cardiaque, car ce dernier peut déclencher l'alarme du détecteur de métal. Si les douaniers utilisent un détecteur de métal à main, ils ne doivent pas le placer directement sur le stimulateur cardiaque. Les renseignements fournis par les fabricants peuvent différer quant à l'effet des détecteurs de métal sur le fonctionnement du stimulateur cardiaque.
- Surveiller son pouls et appeler l'établissement de santé qui assure le suivi de stimulateurs cardiaques si celui-ci chute sous la fréquence qui a été prédéterminée.
- Garder sur lui en permanence sa carte de porteur de stimulateur cardiaque et une liste à jour de ses médicaments.
- Se procurer un bracelet d'alerte médicale ou tout autre accessoire d'identification médicale, et le porter en tout temps.

Réactivation des connaissances

En plus des paramètres de l'ECG, que doit en priorité surveiller l'infirmière auprès d'un client atteint d'ischémie myocardique?

CE QU'IL FAUT RETENIR

Les changements électrocardiographiques typiques observés dans le cas d'une ischémie myocardique sont le sous-décalage du segment ST ou l'inversion de l'onde T, ou les deux à la fois.

41

Il est question du SCA dans le chapitre 41, *Interventions cliniques – Coronaropathie et syndrome coronarien aigu.*

électrocardiographiques transitoires ou définitifs **FIGURE 43.29**. Les dérivations se trouvant du côté opposé à la zone touchée par le SCA montrent souvent des changements électrocardiographiques réciproques (opposés). De plus, le tracé des changements électrocardiographiques parmi les 12 dérivations fournit des renseignements sur l'artère coronaire potentiellement touchée par le SCA **TABLEAU 43.9**.

43.2.1 Ischémie

Les changements électrocardiographiques typiques observés dans le cas d'une ischémie myocardique sont le sous-décalage du segment ST ou l'inversion de l'onde T, ou les deux à la fois **FIGURE 43.30A**. Le sous-décalage du segment ST est important s'il se situe à au moins 1 mm (un petit carré) sous la ligne isoélectrique **FIGURE 43.6**. La ligne isoélectrique est rectiligne et représente les moments normaux du cycle cardiaque où l'ECG n'enregistre aucune activité électrique dans le cœur. Ces moments sont les suivants: 1) de la fin de l'onde P au début du complexe QRS; 2) le segment ST en entier; 3) de la fin de l'onde T au début de la prochaine onde P **FIGURE 43.30**. Un sous-décalage du segment ST ou une inversion de l'onde T survient en réponse à un apport insuffisant de sang et d'oxygène, ce qui cause une perturbation électrique dans les cellules myocardiques (Carlson, 2009; Sinz *et al.*, 2011). Une fois le problème d'apport de sang et d'oxygène corrigé (débit sanguin suffisamment rétabli), par exemple par la prise de nitroglycérine, par le repos ou par angioplastie percutanée, les changements électrocardiographiques disparaissent et l'ECG du client redevient normal ▶ 41.

43.2.2 Lésion et infarctus

La lésion myocardique représente une phase d'aggravation de l'ischémie qui peut être réversible, mais qui peut également évoluer vers l'infarctus des cellules myocardiques. Le changement électrocardiographique typique observé au cours de la lésion est un sus-décalage du segment ST. Ce sus-décalage est important s'il se situe à au moins 1 mm de la ligne isoélectrique **FIGURE 43.30B**. Un sous-décalage du segment ST accompagné d'une élévation des troponines (biomarqueurs cardiaques) est également un signe de lésion myocardique. Si le traitement est rapide et efficace, il est possible de rétablir l'apport d'oxygène au myocarde et ainsi limiter l'étendue

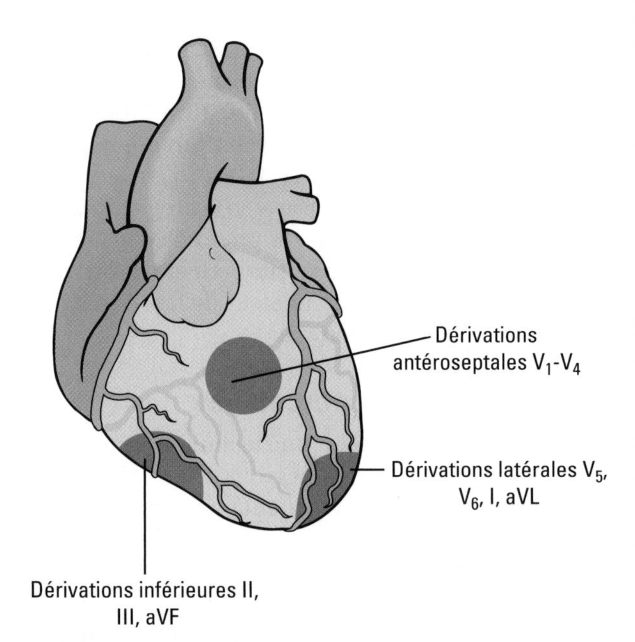

FIGURE 43.29 Des changements électrocardiographiques définitifs apparaissent dans les dérivations situées en face de la zone touchée par une ischémie, une lésion ou un infarctus. Des changements réciproques peuvent se produire dans les dérivations situées à l'opposé de la zone touchée.

TABLEAU 43.9 Signes électrocardiographiques du syndrome coronarien aigu et artères coronaires qui y sont associées

ZONE TOUCHÉE DU VENTRICULE GAUCHE	DÉRIVATIONS EN FACE DE LA ZONE	DÉRIVATIONS À L'OPPOSÉ DE LA ZONE	ARTÈRES CORONAIRES ASSOCIÉES
Paroi septale	V_1, V_2	II, III, aVF	Interventriculaire antérieure
Paroi antérieure	V_2 à V_4	II, III, aVF	Interventriculaire antérieure
Paroi latérale basse	V_5, V_6	II, III, aVF	Interventriculaire antérieure ou circonflexe
Paroi latérale haute	I, aVL	II, III, aVF	Circonflexe
Paroi inférieure	II, III, aVF	I, aVL, V_5, V_6	Droite et interventriculaire postérieure

de l'infarctus. La présence de biomarqueurs cardiaques sériques confirme l'infarctus du myocarde.

En plus d'un sus-décalage du segment ST, il est possible d'observer une onde Q pathologique sur l'ECG de l'infarctus **FIGURE 43.30C**. L'onde Q normale est la première déflexion vers le bas (négative) suivant l'onde P. Elle est généralement très petite et étroite **FIGURE 43.30**. L'onde Q pathologique qui se forme au cours de l'infarctus est profonde (au moins 25 % de la hauteur de l'onde R) ou dure plus de 0,03 seconde (Wesley, 2011). Si cette dernière est bien présente, la paroi myocardique est touchée sur au moins la moitié de son épaisseur. L'infarctus porte alors le nom d'infarctus du myocarde avec onde Q. L'onde Q pathologique peut persister à la suite d'un infarctus et être présente indéfiniment sur l'ECG.

L'inversion de l'onde T liée à l'infarctus apparaît dans les heures qui suivent un infarctus du myocarde, et peut persister pendant des mois. Les changements électrocardiographiques observés dans les cas de lésion et d'infarctus reflètent les perturbations électriques des cellules myocardiques, consécutives à un manque prolongé de sang et d'oxygène qui conduit à la nécrose **FIGURE 43.31**.

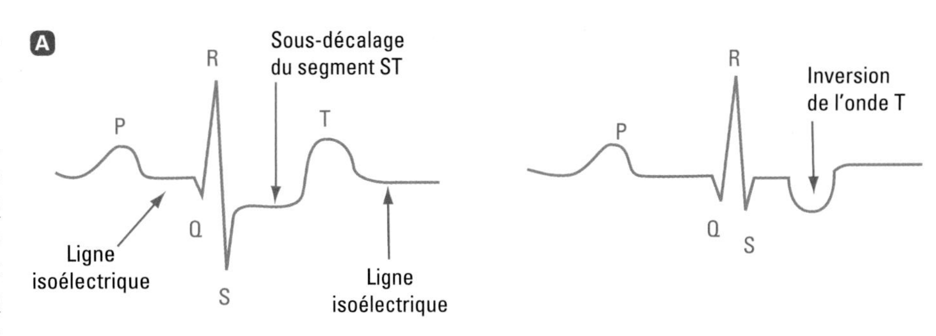

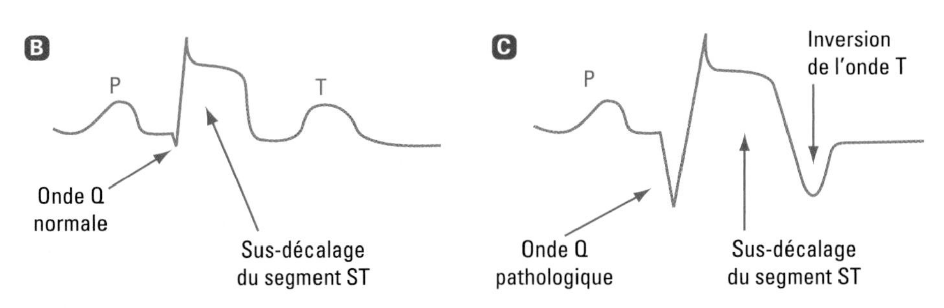

FIGURE 43.30 Variations dans le segment ST, l'onde T et l'onde Q associées – **A** à une ischémie ; **B** à une lésion ; **C** à un infarctus.

43.2.3 Surveillance du client

Les lignes directrices relatives à la surveillance des clients chez qui un SCA est soupçonné comprennent une surveillance continue par moniteur cardiaque de l'ECG et du segment ST (AACN, 2009). Les dérivations choisies pour la surveillance doivent au moins comprendre celles qui mettent en évidence la zone de l'ischémie, de la lésion ou de l'infarctus.

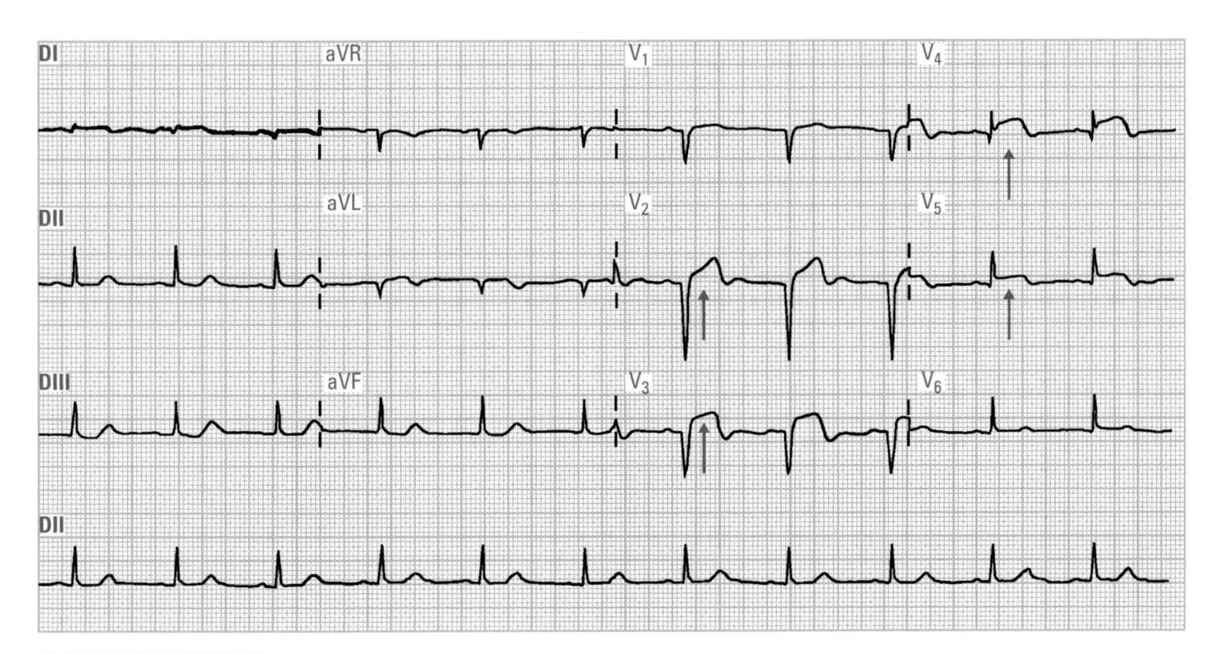

FIGURE 43.31 Résultats électrocardiographiques observés dans le cas d'un infarctus de la paroi antérolatérale du myocarde – Généralement, les dérivations DI, aVL, V_1, V_2 et V_3 montrent des complexes QRS positifs. Remarquer les ondes Q pathologiques dans ces dérivations et le sus-décalage du segment ST dans les dérivations V_2 à V_5 (flèches).

43.3 | Syncope

La syncope, perte de connaissance brève accompagnée d'une perte de tonus postural (évanouissement), est un diagnostic courant au service des urgences. Les causes de la syncope peuvent être cardiovasculaires ou non. Les causes cardiovasculaires les plus courantes de la syncope sont : 1) l'évanouissement ou la syncope vasovagale (p. ex., une sensibilité du sinus carotidien) ; 2) les principaux types d'arythmie cardiaque (p. ex., la tachycardie ou la bradycardie) ; 3) certaines pathologies cardiaques héréditaires (p. ex., une cardiomyopathie hypertrophique ou une dysplasie du ventricule droit). Le mauvais fonctionnement d'une prothèse valvulaire, l'embolie pulmonaire, la dissection aortique, l'anémie et l'insuffisance cardiaque sont d'autres causes cardiovasculaires de la syncope. Les causes non cardiovasculaires comprennent l'hypoglycémie, l'hystérie, la convulsion épileptique, l'AVC et l'accident ischémique transitoire (Cleveland Clinic, 2015).

Le bilan diagnostique d'un client qui présente une syncope qui pourrait être cardiaque commence par l'exclusion d'une cardiopathie structurale ou ischémique. Pour ce faire, il est habituel de recourir à une échocardiographie et à une épreuve d'effort. Selon la présentation clinique, chez le client plus susceptible de présenter une cardiopathie ischémique ou structurale, il faut avoir recours à une EEP pour diagnostiquer la tachyarythmie auriculaire et ventriculaire ainsi que les troubles de conduction pouvant causer la bradyarythmie. Ces problèmes peuvent tous provoquer une syncope. Il est possible de les traiter au moyen d'antiarythmiques, d'un stimulateur cardiaque, d'un DCI ou d'une ablation percutanée.

Chez les clients qui ne présentent aucune cardiopathie structurale ou dont l'EEP n'a pas permis d'établir de diagnostic, il est possible d'effectuer un test d'inclinaison. Généralement, la station debout entraîne un déplacement de 300 à 800 mL de sang vers les membres inférieurs en raison de la gravité. Partout dans le système vasculaire se trouvent des fibres nerveuses spécialisées, nommées mécanorécepteurs. Ces derniers répondent à un accroissement du volume sanguin en provoquant une augmentation réflexe de la stimulation sympathique et une diminution réflexe de l'influx parasympathique. Il en résulte une légère hausse de la F.C. et de la P.A. diastolique, et une légère baisse de la P.A. systolique (Cleveland Clinic, 2015).

Dans le cas de la syncope vasovagale, l'augmentation de l'accumulation veineuse qui se produit en station debout réduit le retour veineux au cœur. Cela entraîne une augmentation compensatoire subite de la contraction ventriculaire. Le cerveau interprète à tort ce phénomène comme un état hypertensif et, par conséquent, interrompt la stimulation sympathique. Il se produit alors une vasodilatation paradoxale et une bradycardie (réponse vasovagale). Il en résulte une bradycardie, une hypotension, une hypoperfusion cérébrale et une syncope.

Dans le test d'inclinaison, le client est allongé sur une table, et sanglé à la hauteur du torse et des pieds. Un ECG est effectué, et la P.A. et la F.C. sont mesurées à l'état basal en position couchée. Puis, la table est inclinée de 60° à 80° par rapport à l'horizontale, et le client est maintenu dans cette position pendant une période qui varie de 20 à 60 minutes. Tout au long du test, l'ECG et la F.C. sont enregistrés continuellement, et la P.A. est mesurée toutes les trois minutes.

Si la P.A. et la F.C. diminuent et que des symptômes cliniques réapparaissent (p. ex., la lipothymie), le test est positif. S'il n'y a aucune réaction après 30 minutes, la table est remise à l'horizontale, et il est alors possible d'amorcer une perfusion I.V. d'une faible dose d'isoprotérénol pour tenter de provoquer une réaction.

D'autres épreuves diagnostiques permettant de dépister la syncope font appel à divers appareils d'enregistrement ▶ 39. Environ 30 % des personnes victimes d'un épisode de syncope en vivront d'autres. La cause sous-jacente de la syncope ainsi que l'âge et les maladies concomitantes du client en influencent le traitement et le pronostic (Cleveland Clinic, 2015).

39

Les divers appareils d'enregistrement sont présentés dans le chapitre 39, *Évaluation clinique – Système cardiovasculaire*.

Analyse d'une situation de santé — Jugement clinique

Jennifer Tremblay, âgée de 33 ans, connaît des épisodes d'arythmies depuis environ 2 ans. Au cours des derniers mois, l'arythmie, jusqu'alors bénigne, a évolué en tachyarythmie symptomatique, en particulier sous forme de fibrillation auriculaire. Aujourd'hui, madame Tremblay se présente à l'urgence, car elle ressent des palpitations depuis environ six heures et se sent très étourdie. Les valeurs des signes vitaux sont les suivantes: P.A.: 154/86 mm Hg; F.C.: 132 bpm; F.R.: 28 R/min; saturation pulsatile en oxygène (SpO_2): 95 %. Le cardiologue tente d'abord une cardioversion pharmacologique à la procaïnamide (Pronestyl[MD]) par perfusion I.V. ▶

Mise en œuvre de la démarche de soins

Collecte des données – Évaluation initiale – Analyse et interprétation

1. Outre ceux déjà mentionnés, quels autres signes et symptômes de fibrillation auriculaire l'infirmière pourrait-elle observer chez madame Tremblay? Citez-en au moins quatre.
2. L'infirmière palpe le pouls radial de madame Tremblay; comment ferait-elle la différence entre la tachycardie sinusale et la fibrillation auriculaire?

i+ SOLUTIONNAIRE

MAIS SI ...

Madame Tremblay présente une tachyarythmie. Les manifestations cliniques auraient-elles été les mêmes si elle avait présenté une bradycardie importante? Expliquez votre réponse.

3. Quels sont les deux principaux signes qui laisseraient croire que la cardioversion pharmacologique est efficace?
4. Quel examen paraclinique non effractif permettrait à l'infirmière de s'assurer que le traitement est efficace?
5. Madame Tremblay est-elle à risque de voir se développer une proarythmie? Justifiez votre réponse.

▶ Après une tentative infructueuse de cardioversion pharmacologique, la cliente passe une échographie transœsophagienne (ETO) afin de déterminer son admissibilité à une cardioversion électrique. Avant de l'envoyer au service d'échographie, l'infirmière contrôle ses signes vitaux: P.A.: 142/86 mm Hg; F.C.: 122 bpm, irrégulière; F.R.: 20 R/min; SpO_2: 95 %. La cliente indique qu'elle est connue pour maintenir une P.A. systolique souvent supérieure à 140 mm Hg. ▶

MISE EN ŒUVRE DE LA DÉMARCHE DE SOINS

6. À la lumière des renseignements dont l'infirmière dispose actuellement, quels sont les facteurs de risque de fibrillation auriculaire présents chez madame Tremblay?
7. Quelle contre-indication absolue ferait en sorte qu'elle ne pourrait pas subir de cardioversion électrique?
8. Vérifiez la réponse à la question 7. En présence de la contre-indication mentionnée, quelle complication pourrait alors survenir?

MISE EN ŒUVRE DE LA DÉMARCHE DE SOINS

9. Madame Tremblay devrait-elle être anticoagulée ? Justifiez votre réponse.

10. Calculez le risque d'événement thromboembolique de madame Tremblay.

MAIS SI ...

Si madame Tremblay avait plutôt souffert de FV, quel aurait été le traitement prioritaire à lui administrer ?

▶ Le lendemain, madame Tremblay est toujours hospitalisée. Elle n'a pas subi de cardioversion électrique puisque la cardioversion pharmacologique a fonctionné. L'infirmière prend connaissance des résultats de l'ECG du jour. ▶

MISE EN ŒUVRE DE LA DÉMARCHE DE SOINS

11. Six caractéristiques permettraient à l'infirmière de reconnaître la fibrillation auriculaire sur l'ECG de madame Tremblay. Quelles sont-elles ?

▶ Madame Tremblay a été surprise d'apprendre que les résultats de l'ETO ont démontré qu'elle n'aurait pas pu subir de cardioversion électrique. Son médecin lui a expliqué que cela aurait été trop risqué pour elle, puis il lui a prescrit du rivaroxaban (Xarelto^MD) 20 mg die. ◀

MISE EN ŒUVRE DE LA DÉMARCHE DE SOINS

Planification des interventions – Décisions infirmières

12. Madame Tremblay demande à l'infirmière pendant combien de temps elle devra prendre le rivaroxaban que le médecin lui a prescrit. Que faut-il lui répondre ?

13. Madame Tremblay demande à l'infirmière si elle pourra enfin guérir de cette maladie et cesser de prendre la médication un jour. Quel constat l'infirmière pourrait-elle ajouter au plan thérapeutique infirmier (PTI) de madame Tremblay à partir de ces nouvelles données et de la réponse à la question 12 ? Inscrivez ce constat vis-à-vis du numéro 2 du PTI.

Extrait

CONSTATS DE L'ÉVALUATION								
Date	Heure	N°	Problème ou besoin prioritaire	Initiales	RÉSOLU / SATISFAIT			Professionnels / Services concernés
					Date	Heure	Initiales	
2016-05-10	8:00	2						

Signature de l'infirmière	Initiales	Programme / Service	Signature de l'infirmière	Initiales	Programme / Service

14. Quels devraient être les deux principaux sujets d'enseignement à aborder avec madame Tremblay ?

Évaluation des résultats – Évaluation en cours d'évolution

15. Au cours de l'examen clinique de madame Tremblay, que pourrait observer l'infirmière si le rythme cardiaque de la cliente était de retour en rythme sinusal ? Nommez au moins quatre observations qu'elle pourrait faire.

APPLICATION DE LA PENSÉE CRITIQUE

Dans l'application de la démarche de soins auprès de madame Tremblay, l'infirmière a recours aux éléments du modèle de la pensée critique pour analyser la situation de santé de la cliente et en comprendre les enjeux. La **FIGURE 43.32** résume les caractéristiques de ce modèle en fonction des données de cette cliente, mais elle n'est pas exhaustive.

VERS UN JUGEMENT CLINIQUE

CONNAISSANCES

- Anatomie du cœur
- Physiologie du système cardiaque
- Principes hémodynamiques
- Activité électrique du cœur
- Interprétation d'un tracé électrocardiographique à 12 dérivations et d'une bande de rythme
- Manifestations cliniques de l'arythmie
- Méthodes diagnostiques et thérapeutiques propres à l'arythmie
- Surveillance clinique et interventions infirmières auprès de clients présentant des problèmes d'arythmie
- Anticoagulothérapie liée aux problèmes cardiaques
- Principes d'enseignement
- Signes et symptômes d'une thrombophlébite

EXPÉRIENCES

- Soins aux clients atteints de problèmes cardiaques
- Habileté à procéder à l'auscultation pulmonaire et cardiaque
- Soutien et relation d'aide
- Enseignement à la clientèle

NORMES

- Protocole de soins au client atteint d'arythmie
- Protocole d'anticoagulothérapie

ATTITUDES

- Être attentive à la réceptivité de madame Tremblay et à sa compréhension du contenu de l'enseignement
- Être attentive aux réactions émotives de la cliente

PENSÉE CRITIQUE

ÉVALUATION

- Signes vitaux
- Signes neurologiques (en cas d'AVC)
- Auscultation pulmonaire et cardiaque (bruits normaux et adventices)
- Signes et symptômes de l'arythmie (surtout de la tachyarythmie et de la bradycardie que madame Tremblay présente)
- Lecture et interprétation d'un ECG et d'une bande de rythme
- Indicateurs d'anxiété de la cliente devant la gravité de sa condition cardiaque
- Indicateurs d'adaptation de madame Tremblay à la pharmacothérapie et à son impact sur ses activités quotidiennes

JUGEMENT CLINIQUE

FIGURE 43.32 Application de la pensée critique à la situation de santé de madame Tremblay

Chapitre

44

INTERVENTIONS CLINIQUES

Troubles inflammatoires et structuraux du cœur

Écrit par:
Nancy Kupper, RN, MSN
De Ann F. Mitchell, RN, PhD

Adapté par:
Hugues Provencher-Couture, M. Sc., IPSC
Jean-Dominic Rioux, M. Sc., IPSC

Mis à jour par:
Marie-Line Brouillette, inf., M. Sc., IPSC

MOTS CLÉS

Cardiomégalie 747
Cardiomyopathie (CMP)............. 775
Cardite rhumatismale 757
Endocardite infectieuse............. 744
Épanchement péricardique 752
Frottement péricardique 752
Myocardite 756
Péricardiocentèse 754
Péricardite........................... 751
Régurgitation 762
Rétrécissement aortique 766
Rhumatisme articulaire aigu (RAA) .. 757
Tamponnade cardiaque............. 752
Valvulopathie 762
Végétations.......................... 745

OBJECTIFS

Après avoir étudié ce chapitre, vous devriez être en mesure:

- de distinguer l'endocardite infectieuse de la péricardite sur le plan de l'étiologie, de la physiopathologie et des manifestations cliniques;
- d'expliquer les soins et traitements en interdisciplinarité de l'endocardite infectieuse ou de la péricardite;
- de décrire l'étiologie et la physiopathologie de la myocardite;
- d'analyser les soins et traitements en interdisciplinarité de la myocardite;
- de distinguer le rhumatisme articulaire aigu de la cardite rhumatismale sur le plan de l'étiologie, de la physiopathologie et des manifestations cliniques;
- d'expliquer les soins et traitements en interdisciplinarité en cas de rhumatisme articulaire aigu ou de cardite rhumatismale;
- d'établir les liens entre physiopathologie, manifestations cliniques et examens paracliniques des diverses formes de valvulopathie;
- d'expliquer les soins et traitements en interdisciplinarité de la valvulopathie;
- d'établir le lien entre la physiopathologie et les manifestations cliniques ainsi que les examens paracliniques de la cardiomyopathie;
- de comparer les soins et traitements en interdisciplinarité de la cardiomyopathie.

Disponible sur 

- Animations
- À retenir
- Carte conceptuelle
- Pour en savoir plus
- PSTI Web
- Solutionnaire de l'Analyse d'une situation de santé
- Solutionnaire des questions de Jugement clinique
- Solutionnaire des questions Réactivation des connaissances
- Solutionnaire des questions Récemment vu dans ce chapitre

Concepts clés

Cette carte conceptuelle illustre schématiquement les principaux concepts décrits dans le présent chapitre. Sa lecture vous permettra d'avoir une vue d'ensemble des notions qui y sont présentées.

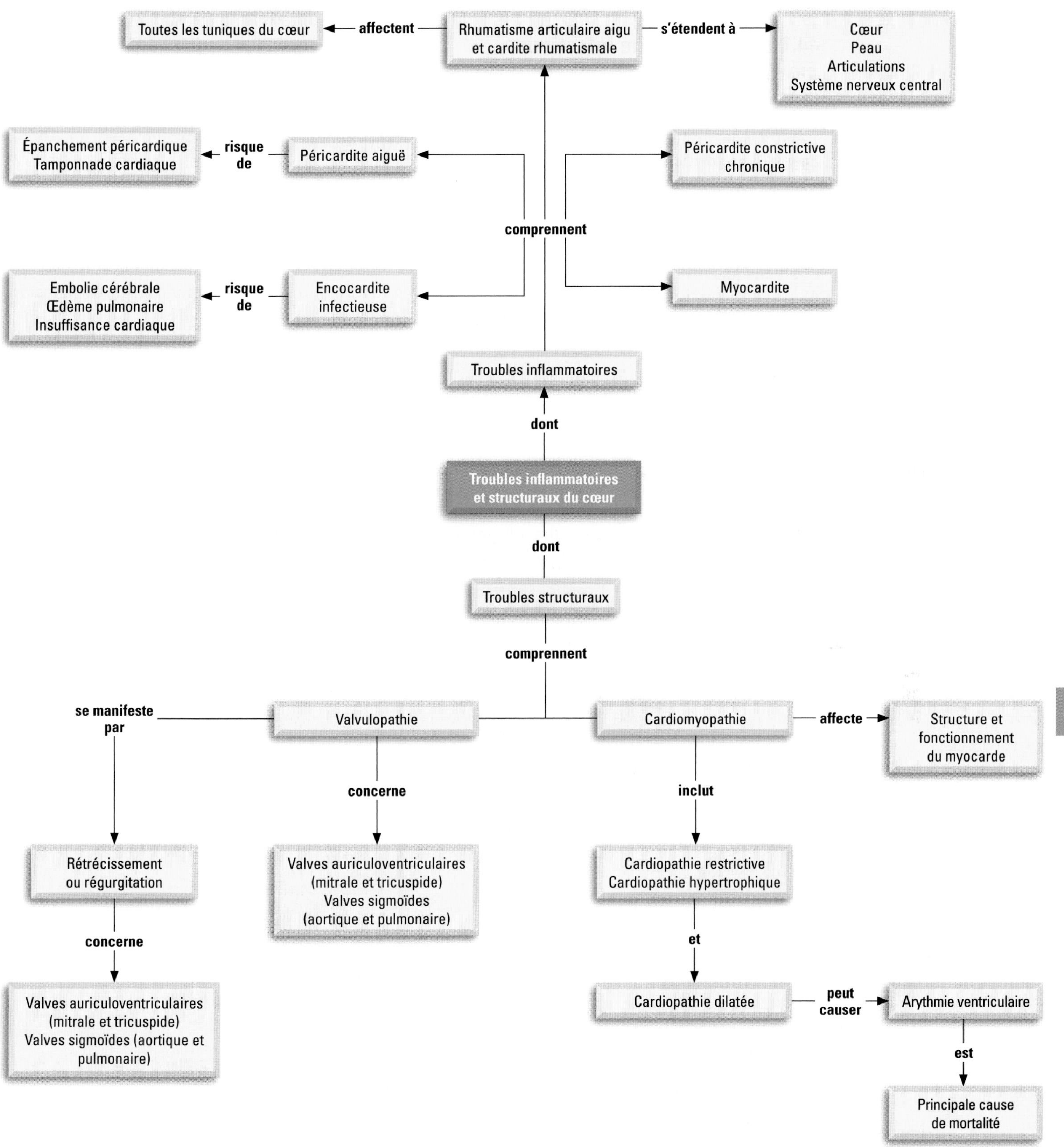

44.1 Troubles cardiaques inflammatoires

44.1.1 Endocardite infectieuse

L'**endocardite infectieuse** est une infection provoquant un processus inflammatoire de l'endocarde, membrane tapissant la cavité cardiaque. L'endocarde, tunique interne du cœur, est contigu aux valves cardiaques **FIGURE 44.1**. Par conséquent, l'inflammation qui survient dans l'endocardite infectieuse s'étend aussi aux valves.

Le taux de mortalité à 6 mois de l'endocardite infectieuse est de 20 à 25 %, même avec un traitement adéquat. Si le diagnostic n'a pas été établi et qu'en conséquence le traitement recommandé n'a pas été amorcé, le taux de mortalité s'élève à 100 % (Lilly, 2011).

Classification

L'endocardite infectieuse se range dans l'une ou l'autre des deux catégories suivantes : forme subaiguë et forme aiguë. L'endocardite subaiguë évolue sur une période de plusieurs semaines, voire de plusieurs mois. À l'opposé, la forme aiguë progresse en quelques jours ou en quelques semaines, la destruction valvulaire est rapide et l'infection se propage à des valves saines. L'endocardite infectieuse peut être classée selon sa cause (p. ex., l'utilisation de drogues injectables, une infection nosocomiale provoquée par l'installation d'un cathéter central ou une hémodialyse, une infection bactérienne ou fongique), sa présentation clinique, l'agent infectieux spécifique qui en est la cause ou le siège de l'infection (p. ex., une endocardite valvulaire prothétique, une endocardite de la valve mitrale).

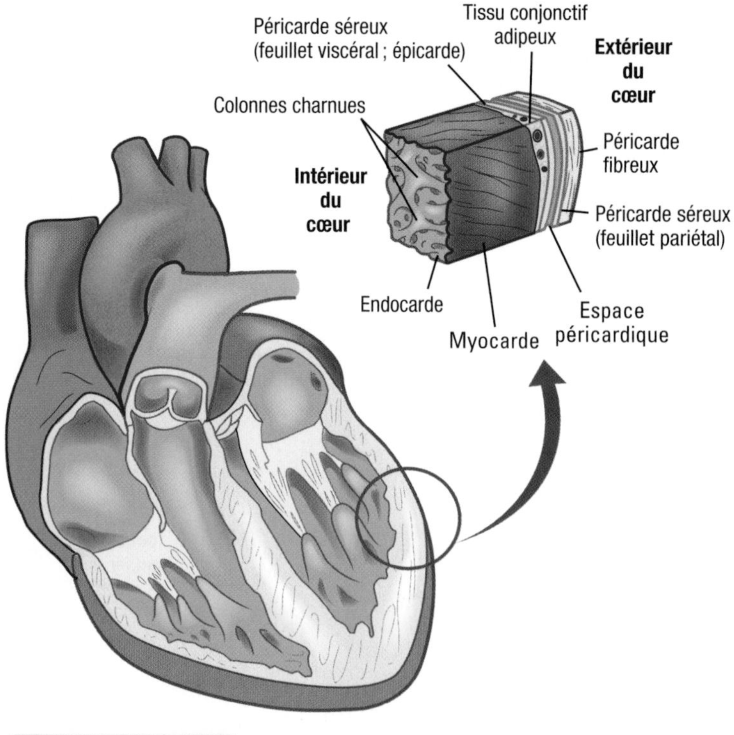

Étiologie et physiopathologie

La pathogenèse de l'endocardite infectieuse se base sur (Lilly, 2011) :

- une lésion à l'endocarde ou aux valves, qui survient le plus fréquemment en raison d'un flot turbulent résultant d'une maladie valvulaire ;
- la formation d'un thrombus au site de la lésion (précurseur des végétations) ;
- l'entrée des bactéries dans la circulation sanguine ;
- l'adhérence des bactéries à la lésion.

Les microorganismes le plus couramment en cause sont les bactéries *Staphylococcus aureus* et *Streptococcus viridans* **ENCADRÉ 44.1**. L'infection peut également être due à un champignon ou à un

ENCADRÉ 44.1 Microorganismes en cause dans l'endocardite infectieuse

BACTÉRIES

- *Bartonella quintana*
- Chlamydia
- Entérocoques
- Groupe HACEK (*Hæmophilus, Actinobacillus, Cardiobacterium, Eikenella, Kingella*)
- Rickettsie
- *Staphylococcus aureus*
- *Staphylococcus aureus* résistant à la méthicilline (SARM)
- *Staphylococcus epidermidis*
- Staphylocoques à coagulase négative
- *Streptococcus bovis*
- *Streptococcus* des groupes A, B et C
- *Streptococcus pneumoniæ*
- *Streptococcus viridans*
- *Tropheryma whipplei*

CHAMPIGNONS

- *Candida albicans*
- *Candida parapsilosis*

VIRUS

- Virus Coxsackie du groupe B

FIGURE 44.1 Tuniques du muscle cardiaque et péricarde – La coupe de la paroi cardiaque illustre le péricarde fibreux, les feuillets pariétal et viscéral du péricarde séreux (formant le sac péricardique), le myocarde et l'endocarde.

virus. D'autres agents pathogènes, dont la culture est difficile, ont été isolés (p. ex., *Bartonella*, *Tropheryma whipplei*) ; ils peuvent aussi être à l'origine de l'endocardite infectieuse (Laflamme, 2013). Les facteurs prédisposant à l'endocardite peuvent donc être de nature cardiovasculaire ou infectieuse, mais aussi idiopathique **ENCADRÉ 44.2**.

Les végétations, principales lésions de l'endocardite infectieuse, se composent de fibrine, de leucocytes, de plaquettes et de microorganismes qui adhèrent à la membrane valvulaire ou à l'endocarde **FIGURE 44.2**. Certaines portions friables de ces végétations peuvent se détacher et entrer dans la circulation sanguine, provoquant ainsi une embolie systémique ou pulmonaire. Cette complication risque de se produire chez 50 % des personnes présentant une endocardite infectieuse. L'embolie systémique provient du cœur gauche et se déplace vers les organes (p. ex., le cerveau, les reins, la rate) et les extrémités, causant un infarcissement des membres. L'embolie pulmonaire provient du cœur droit.

En se propageant localement, l'infection peut abîmer les valves ou leurs structures de soutien, causant ainsi des arythmies, le dysfonctionnement valvulaire (insuffisance ou sténose), et, ultimement,

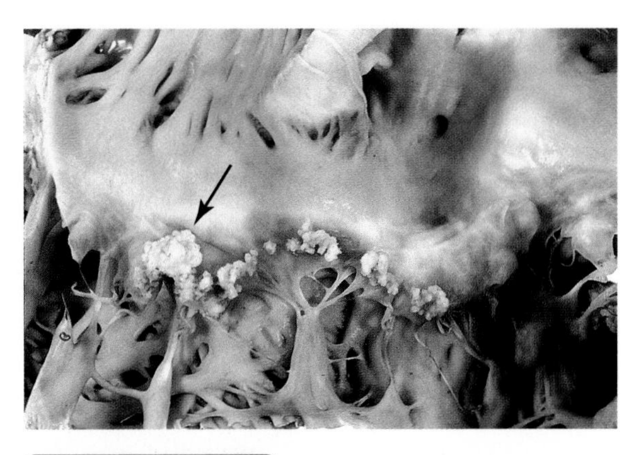

FIGURE 44.2 Endocardite bactérienne s'étendant à la valve mitrale. Celle-ci est recouverte de grandes végétations de forme irrégulière (flèche).

Facteurs de risque

ENCADRÉ 44.2 **Facteurs prédisposant à l'endocardite infectieuse**

TROUBLES CARDIAQUES

- Endocardite antérieure
- Présence d'une prothèse valvulaire
- Valvulopathie acquise (p. ex., un prolapsus mitral avec souffle, un rétrécissement aortique avec calcification)
- Lésions cardiaques (p. ex., une communication interventriculaire, une hypertrophie septale asymétrique [HSA])
- Cardite rhumatismale (p. ex., une régurgitation mitrale)
- Cardiopathie congénitale
- Présence d'un stimulateur cardiaque
- Syndrome de Marfan
- Cardiomyopathie

AUTRES TROUBLES

- Bactériémie nosocomiale
- Utilisation de drogues injectables

RISQUE DÉCOULANT DE CERTAINES INTERVENTIONS

- Dispositifs endovasculaires (p. ex., un cathéter artériel pulmonaire, un cathéter d'hémodialyse)
- Interventions énumérées dans le **TABLEAU 44.1**

l'insuffisance cardiaque et la sepsie. Des blocs auriculoventriculaire cardiaques (blocs AV) peuvent également se produire à la suite de l'envahissement du myocarde **FIGURE 44.3**.

La cardite rhumatismale, principale cause de l'endocardite infectieuse avant la découverte de la pénicilline, est à l'origine de moins de 20 % des cas à l'heure actuelle. Les principaux facteurs de risque sont :

- le vieillissement (plus de 50 % des personnes âgées présentent un rétrécissement aortique) ;
- l'utilisation de drogues injectables ;
- la présence d'une prothèse valvulaire ;
- l'utilisation d'un dispositif endovasculaire causant une infection nosocomiale (p. ex., une infection due au staphylocoque doré résistant à la méthicilline [SARM]) ;
- l'hémodialyse, principalement lorsqu'elle est pratiquée avec des cathéters vasculaires.

Les infections surviennent chez 11 % des clients hémodialysés, et l'infection la plus commune est l'endocartite infectieuse (FitzGerald, O'Gorman, Morris-Downes *et al.*, 2011).

Manifestations cliniques

En présence d'endocardite infectieuse, des manifestations systémiques, non spécifiques à cette maladie, peuvent témoigner d'affections touchant d'autres systèmes ou appareils. Plus de 90 % des personnes atteintes auront de la fièvre de faible intensité. Frissons, faiblesse, malaise, fatigue et anorexie comptent au nombre des autres manifestations non spécifiques. L'arthralgie, la myalgie, la dorsalgie, le malaise abdominal, la perte ou le gain de poids et la céphalée peuvent se manifester dans la forme subaiguë de la maladie. À l'activité physique, des palpitations, de la dyspnée et de la toux peuvent être observées. Le sommeil peut être marqué par de l'orthopnée et une sudation nocturne.

CE QU'IL FAUT RETENIR

L'embolie systémique ou pulmonaire est une complication qui peut survenir chez 50 % des personnes présentant une endocardite infectieuse.

Réactivation des connaissances

Où retrouve-t-on le plus souvent la bactérie *staphylococcus aureus* sur le corps humain ?

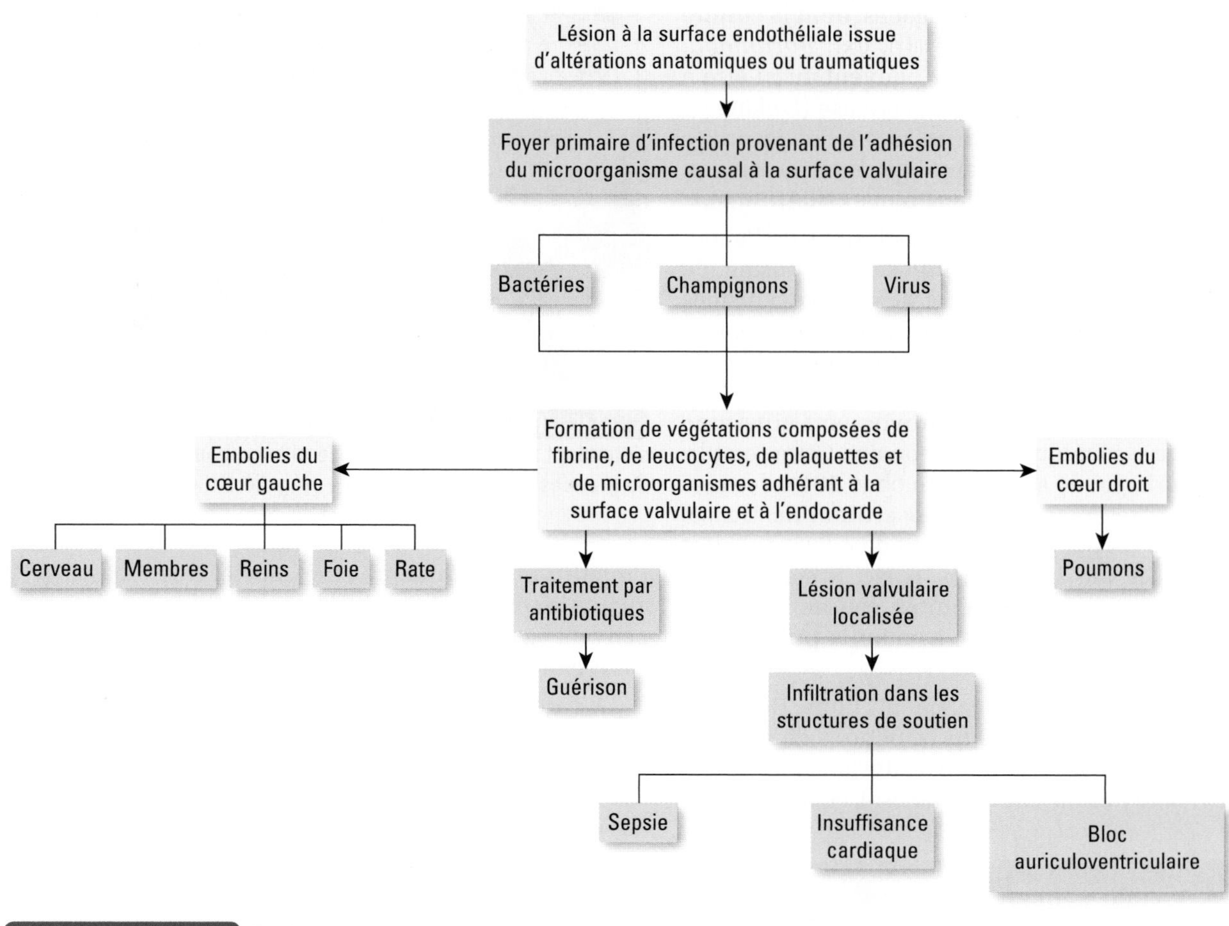

FIGURE 44.3 Pathogenèse de l'endocardite infectieuse

CE QU'IL FAUT RETENIR

L'insuffisance cardiaque survient dans la majorité des cas d'endocardite touchant les valves aortique et mitrale.

Parmi les signes vasculaires de l'endocardite infectieuse, mentionnons :

- les hémorragies linéaires sous-unguéales (stries noires longitudinales dans le lit de l'ongle) ;
- les pétéchies (provoquées par l'effritement des végétations et la microembolie, qui marquent la conjonctive, les lèvres, la muqueuse buccale, le palais, les chevilles, les pieds, le pli du coude ou le creux poplité) ;
- les **nodules d'Osler** (nodosités rouges ou violacées douloureuses, de la taille d'un pois, qui se logent à la pulpe des doigts et des orteils) ;
- le **signe de Janeway** (petites macules rougeâtres, indolores et sans relief siégeant dans la paume des mains ou la plante des pieds) ;
- les **taches de Roth** (foyers hémorragiques sur la rétine).

Dans la plupart des cas d'endocardite infectieuse, l'apparition ou la modification d'un souffle provoqué le plus souvent par des lésions des valves aortique et mitrale est notée. L'endocardite envahissant la valve tricuspide se caractérise en général par l'absence de souffle parce que la pression du cœur droit est trop basse pour qu'il soit audible. L'insuffisance cardiaque survient dans près de 80 % des cas d'endocardite touchant la valve aortique, et dans environ 50 % des cas d'endocardite s'étendant à la valve mitrale (Cunha, D'Elia, Pawar *et al.*, 2010). L'infiltration dans les structures de soutien peut entraîner une sepsie et des blocs auriculoventriculaires.

Des manifestations cliniques d'embolie dans les organes peuvent également être présentes. L'embolie à la rate peut produire une vive douleur au quadrant supérieur gauche et la splénomégalie, ainsi qu'un endolorissement localisé et la rigidité abdominale. L'embolie aux reins peut causer de la douleur au flanc, de l'hématurie et de l'azotémie. Elle peut se produire dans de petits vaisseaux sanguins périphériques des bras et des jambes, et entraîner de l'ischémie et de la gangrène. Au cerveau, elle peut occasionner des lésions neurologiques provoquant une hémiplégie, de l'ataxie, de l'aphasie, des troubles visuels et une altération de la conscience. L'endocardite du cœur droit peut provoquer une embolie pulmonaire qui causera de la dyspnée et un arrêt respiratoire.

Examen clinique et examens paracliniques

Les antécédents de santé récents du client revêtent de l'importance dans l'évaluation de l'endocardite infectieuse. L'infirmière doit interroger le client pour savoir s'il a subi une intervention dentaire, urologique, chirurgicale ou gynécologique, notamment un accouchement avec ou sans complications, dans les trois à six derniers mois. Elle doit documenter l'utilisation de drogues injectables, la présence d'une maladie cardiaque, le cathétérisme cardiaque récent, la chirurgie cardiaque, la pose d'un dispositif endovasculaire, l'hémodialyse ou les infections (p. ex., cutanées, respiratoires, urinaires), le cas échéant.

Deux hémocultures de sang prélevé sur deux sites dans un intervalle de 30 minutes seront positives chez plus de 90 % des personnes atteintes d'endocardite infectieuse. L'endocardite avec hémoculture négative est possible s'il y a eu antibiothérapie dans les deux semaines précédentes ou si la maladie est due à un microorganisme pathogène difficile à déceler par la méthode d'hémoculture usuelle (p. ex., *Bartonella* spp.). Si le diagnostic d'endocardite est maintenu même en présence d'hémocultures négatives, ces dernières devraient être conservées pendant trois semaines, car il se peut que des microorganismes à croissance lente s'y développent et confirment le diagnostic initial.

L'endocardite aiguë se manifeste par une légère leucocytose (rare dans la forme subaiguë), qui s'exprime par un nombre moyen de leucocytes allant de 10 000 à 11 000 par mm^3 (de 10 à 11×10^9/L). Il se peut également que la vitesse de sédimentation (VS) des hématies et le taux de protéine C réactive (protéine CRP) soient élevés.

Le principal critère diagnostique regroupe au moins deux des éléments suivants : hémocultures positives, souffle cardiaque nouveau ou modifié, masse ou végétations cardiaques observées à l'échocardiographie, ou présence d'un abcès, d'une déhiscence prosthétique ou d'une régurgitation nouvelle observée à l'échographie (Buppert, 2011). L'échocardiographie se révèle fort utile, notamment dans l'investigation diagnostique si les hémocultures sont négatives ou que le client est un candidat à la chirurgie aux prises avec une infection active. L'échocardiographie transthoracique est utile pour détecter de larges végétations et présente l'avantage de ne pas être invasive. L'échographie transœsophagienne, quant à elle, permet la détection des végétations plus petites et s'avère particulièrement utile pour l'évaluation des infections qui atteignent une prothèse valvulaire (Lilly, 2011).

La **cardiomégalie** (augmentation du volume du cœur) sera décelée le cas échéant par radiographie pulmonaire ou par échographie cardiaque. L'électrocardiogramme (ECG) peut révéler une nouvelle arythmie ou un bloc auriculoventriculaire de premier ou deuxième degré, car les valves cardiaques sont situées à proximité de la zone conductrice du cœur, notamment le nœud auriculoventriculaire. Le cathétérisme cardiaque permet d'évaluer le débit cardiaque (D.C.), les résistances systémiques et les gradients de pression transvalvulaire, tandis que la coronarographie permet d'évaluer l'état des artères coronaires dans l'éventualité d'une intervention chirurgicale (Cleveland Clinic, 2013).

Processus thérapeutique en interdisciplinarité

Pharmacothérapie

La réussite de la pharmacothérapie réside dans la détermination du microorganisme pathogène. Le traitement sera de longue durée afin de détruire les bactéries en latence dans les végétations valvulaires. En général, ce n'est qu'après plusieurs semaines que le microorganisme disparaît complètement, et les rechutes sont fréquentes. Pendant son traitement initial, que le malade soit à l'hôpital ou à domicile, l'antibiothérapie lui est administrée par voie intraveineuse (I.V.).

Jugement clinique

Muriel Diotte consulte son médecin pour des douleurs musculaires et articulaires. Âgée de 60 ans, elle ne souffre pas d'arthrite. Après examen et anamnèse, le médecin croit que la cliente présente une endocardite infectieuse et demande des examens sanguins dont voici les résultats : leucocytes : 9 800 leucocytes/mm^3 ; protéine C réactive : 0,7 mg/dL ; vitesse de sédimentation : 26 mm/h. Ces résultats confirment-ils un diagnostic d'endocardite infectieuse ? Justifiez votre réponse.

L'efficacité de l'antibiothérapie est évaluée par des hémocultures. Une hémoculture constamment positive est révélatrice de la nécessité de revoir le choix de l'antibiotique ou le diagnostic (p. ex., une infection ailleurs), ou de vérifier la présence d'un abcès de l'anneau aortique ou du myocarde.

Une intervention chirurgicale effectuée le plus tôt possible est notamment recommandée dans les situations suivantes : présence d'une dysfonction valvulaire avec symptômes d'insuffisance cardiaque ; atteinte de la valve aortique ou mitrale causée par le *Staphylococcus aureus* ou une infection fongique ; bloc auriculoventriculaire ; présence d'un abcès aortique ; bactériémie persistante après 5 à 7 jours de traitement avec l'antibiothérapie appropriée (Nishimura, Otto, Bonow *et al.*, 2014). La prothèse valvulaire constitue désormais un traitement d'appoint important dans la prise en charge de l'endocardite infectieuse (le remplacement valvulaire est abordé plus loin dans le présent chapitre).

L'anticoagulation peut être suspendue, par exemple si une embolie cérébrale est suspectée (Nishimura *et al.*, 2014). La fièvre peut persister plusieurs jours après le début du traitement, et peut être soulagée à l'aide d'acétaminophène (Tylenol[MD]), d'ibuprofène (Motrin[MD]), d'une hydratation adéquate et de repos. La pharmacothérapie chez le client porteur d'une prothèse valvulaire a peu d'effet sur l'endocardite.

Prophylaxie

Le **TABLEAU 44.1** énumère les situations et les affections où l'antibiothérapie prophylactique peut être envisagée.

L'antibiothérapie prophylactique destinée à prévenir l'endocardite infectieuse chez la personne devant subir une intervention génito-urinaire ou gastro-intestinale (p. ex., une coloscopie) n'est plus recommandée. Toutefois, l'antibiothérapie est indiquée chez la personne à risque élevé atteinte d'une infection génito-urinaire ou digestive, afin de prévenir l'aggravation de l'infection ou la sepsie (Habib, Hoen, Tornos *et al.*, 2009). Pour une intervention respiratoire, la prophylaxie n'est plus recommandée également, à moins que le client présente un risque élevé et qu'une incision soit prévue.

Depuis quelques années, l'antibiothérapie prophylactique n'est plus pratiquée de la même façon, compte tenu des incertitudes concernant les gestes à l'origine de l'endocardite infectieuse, de l'efficacité de l'antibioprophylaxie, du nombre très faible d'endocardites évitables par une utilisation très large de l'antibioprophylaxie et de la reconnaissance d'une augmentation préoccupante du nombre de microorganismes de plus en plus résistants aux antibiotiques. Il apparaît donc raisonnable de mieux cibler la prescription de l'antibioprophylaxie, en la modulant selon le degré du risque de cardiopathie et du geste médical qui est envisagé.

TABLEAU 44.1 Indications cardiaques et non cardiaques de l'antibiothérapie prophylactique de l'endocardite

INDICATIONS NON CARDIAQUES	INDICATIONS CARDIAQUES
• Interventions buccales – Intervention dentaire touchant la région gingivale ou périapicale des dents – Intervention dentaire provoquant la perforation de la muqueuse buccale • Interventions au système respiratoire – Incision (p. ex., une biopsie) – Amygdalectomie et adénoïdectomie • Interventions gastro-intestinales ou génito-urinaires – Infection d'une plaie – Infection urinaire	• Présence d'une prothèse valvulaire ou de matériel prothétique utilisé dans la réparation valvulaire • Antécédents d'endocardite infectieuse • Cardiopathie congénitale [a] – Cardiopathie congénitale cyanogène non corrigée (y compris le *shunt* ou conduit palliatif) – Anomalie cardiaque congénitale réparée à l'aide de matériel ou d'un dispositif prothétique (mis en place par chirurgie ou par cathétérisme) pendant les six mois suivant l'intervention – Cardiopathie congénitale réparée accompagnée d'anomalies résiduelles au site de la pièce ou du dispositif prothétique, ou à proximité • Greffe cardiaque qui présente une valvulopathie

[a] Sauf dans les situations énumérées ci-dessus, la prophylaxie n'est plus recommandée en présence de cardiopathie congénitale, quelle qu'en soit la forme.
Source : Adapté de Habib *et al.* (2009).

Soins et traitements infirmiers

CLIENT ATTEINT D'ENDOCARDITE INFECTIEUSE

Collecte des données

39 | ÉVALUATION CLINIQUE

L'étape d'évaluation de l'appareil cardiovasculaire est décrite en détail dans le chapitre 39, *Système cardiovasculaire*.

L'infirmière recueille les données subjectives et les données objectives présentées dans l'**ENCADRÉ 44.3**. Elle évalue les symptômes éprouvés par le client et établit son histoire de santé. À cette étape, elle questionne le client afin de dépister les complications hémodynamiques ou emboliques de l'endocardite infectieuse. Par la suite, elle procède à l'examen physique du client afin d'identifier toute complication hémodynamique ou embolique. Elle écoute attentivement les bruits cardiaques en parallèle avec les signes vitaux, afin de détecter l'apparition d'un souffle ou d'autres bruits (p. ex., un troisième bruit [B3]), ou de caractériser l'évolution du souffle déjà présent. L'infirmière évalue l'endolorissement

Collecte des données

ENCADRÉ 44.3 Endocardite infectieuse

DONNÉES SUBJECTIVES

- Renseignements importants concernant la santé :
  - Antécédents de santé : valvulopathie, cardiopathie congénitale ou syphilitique (y compris réparation ou remplacement valvulaire) ; endocardite antérieure, infections périnatales, staphylococciques ou streptococciques, bactériémie nosocomiale
  - Médicaments : immunosuppresseurs
  - Interventions chirurgicales et autres traitements : intervention obstétrique ou gynécologique récente ; interventions effractives, dont cathétérisme, cystoscopie ou intervention endovasculaire ; intervention dentaire ou chirurgicale récente ; intervention gastro-intestinale (p. ex., une endoscopie)
- Modes fonctionnels de santé :
  - Perception et gestion de la santé : utilisation de drogues injectables, alcoolisme, malaise, troubles visuels
  - Nutrition et métabolisme : perte ou gain de poids, anorexie, frissons, diaphorèse
  - Élimination : sang dans l'urine
  - Activités et exercices : intolérance à l'exercice physique, faiblesse générale, fatigue ; toux, dyspnée d'effort, orthopnée ; palpitations
  - Sommeil et repos : sudation nocturne
  - Cognition et perception : douleur thoracique, dorsalgie, douleur abdominale ; céphalée ; myalgies, arthralgies

DONNÉES OBJECTIVES

- Observations générales : fièvre
- Système tégumentaire : nodules d'Osler aux extrémités ; stries hémorragiques sous-unguéales ; macules de Janeway à la paume des mains ou à la plante des pieds ; pétéchies sur la peau, les muqueuses ou la conjonctive ; purpura ; œdème périphérique, hippocratisme digital
- Système respiratoire : tachypnée, crépitants
- Système cardiovasculaire : arythmie, tachycardie, souffles nouveaux ou d'ampleur croissante, apparition d'un troisième (B3) ou d'un quatrième bruit (B4)
- Système nerveux : hémorragie rétinienne, hémiplégie, ataxie, aphasie, altération de l'état de conscience
- Résultats possibles aux examens paracliniques : leucocytose, anémie, ↑ VS, ↑ protéine CRP et enzymes cardiaques ; hémocultures positives ; hématurie ; expansion cavitaire, dysfonction valvulaire et végétations décelées à l'échocardiographie ; cardiomégalie et infiltrat pulmonaire révélés à la radiographie pulmonaire ; arythmie et anomalies de la conduction mises au jour par l'ECG ; signes d'embolie systémique ou pulmonaire

Réactivation des connaissances

Expliquez ce qu'est l'hippocratisme digital.

articulaire ou musculaire et l'amplitude des mouvements (ADM), car l'arthralgie est courante, peut être multiple et peut s'accompagner de myalgie. Elle examine également la muqueuse buccale, la conjonctive, le haut du thorax et les membres inférieurs à la recherche de pétéchies ou de nodules. Finalement, l'infirmière consulte les résultats des examens paracliniques et avise l'équipe médicale en cas d'anomalie.

Analyse et interprétation des données

L'analyse et l'interprétation des données pour le client atteint d'une endocardite infectieuse peuvent concerner les éléments suivants, sans s'y limiter toutefois :

- la baisse du D.C. liée à l'altération du rythme, à l'insuffisance valvulaire et à la surcharge liquidienne ;
- l'intolérance à l'effort liée à la faiblesse généralisée, à l'arthralgie et à l'altération du transport d'oxygène par suite de la dysfonction valvulaire ;
- l'hyperthermie liée à l'infection cardiaque ;
- l'anxiété liée à un sentiment d'impuissance par rapport à sa condition cardiaque et à une longue hospitalisation ;
- la perturbation de la dynamique familiale liée à l'annonce d'une endocardite infectieuse.

Planification des soins

Les objectifs généraux pour le client qui souffre d'endocardite infectieuse sont :

- le fonctionnement cardiaque normal ;
- l'exécution des activités de la vie quotidienne (AVQ) sans fatigue ;
- la connaissance du régime thérapeutique afin de prévenir la récurrence.

Interventions cliniques

Promotion de la santé

Il est possible de diminuer l'incidence de l'endocardite infectieuse en décelant les personnes à risque **ENCADRÉ 44.2** et **TABLEAU 44.1**. Avant de planifier et de mettre en œuvre des stratégies de promotion de la santé, il est crucial d'évaluer l'histoire de santé du client et ses connaissances sur la maladie.

L'enseignement au client qui présente un risque élevé d'endocardite infectieuse contribue à diminuer l'incidence et la récurrence de la maladie. Cette intervention est également primordiale pour que le client connaisse bien le régime thérapeutique prévu et y soit fidèle. Le client doit savoir à quel point il lui est nécessaire d'éviter de côtoyer des personnes présentant des signes d'infection, particulièrement d'une infection des voies respiratoires supérieures, et de rapporter tout symptôme de rhume, de grippe et de toux. L'infirmière insiste sur l'importance de s'abstenir de toute fatigue excessive, et sur la planification de périodes de repos avant et après une activité. L'hygiène buccodentaire, notamment le brossage et l'utilisation de la soie dentaire chaque jour, revêt également de l'importance, au même titre que la consultation dentaire périodique. Une hygiène dentaire adéquate consiste en une intervention de prévention de l'endocardite, en diminuant la flore bactérienne buccodentaire. L'infirmière doit prévenir le client de la nécessité d'informer les professionnels de la santé de ses antécédents d'endocardite avant une intervention dentaire ou chirurgicale effractive. Elle veille aussi à ce que le client saisisse l'importance de l'antibiothérapie prophylactique préalable à certaines interventions effractives.

L'infirmière doit diriger la personne ayant des antécédents d'utilisation de drogues injectables vers un médecin pouvant lui prescrire une pharmacothérapie. Il est primordial de référer le client et sa famille aux différents intervenants de l'équipe interprofessionnelle afin qu'ils puissent bénéficier d'un soutien adéquat (p. ex., un travailleur social, un psychologue). Pour éviter les récidives, il peut être pertinent d'orienter le client vers une ressource communautaire de sa localité venant en aide aux personnes ayant une dépendance aux drogues injectables.

Soins ambulatoires et soins à domicile

PSTI 44.1W : *Endocardite infectieuse.*

La personne atteinte d'une endocardite infectieuse éprouve de nombreux problèmes nécessitant une prise en charge par l'infirmière. En règle générale, l'antibiothérapie est maintenue de quatre à six semaines, selon les résultats de l'hémoculture. Par suite du traitement initial à l'hôpital, le client dont l'état hémodynamique est stable et qui fait preuve d'adhésion thérapeutique peut poursuivre la prise de ses antibiotiques à domicile. Cependant, il importe avant tout de déterminer si le client est apte à se donner ses antibiotiques à domicile et si son milieu est approprié à ce type de traitement. Il est aussi important d'évaluer son réseau de soutien à domicile, afin de l'aider dans la gestion de ses antibiotiques. Des soins infirmiers vigilants à domicile sont nécessaires pour les clients traités par antibiothérapie intraveineuse.

Dans bien des cas, les constats de l'évaluation ne sont pas spécifiques **ENCADRÉ 44.3** ; ils peuvent néanmoins faciliter l'élaboration du plan de soins infirmiers. La fièvre, chronique ou intermittente, est souvent le premier signe d'endocardite infectieuse. L'infirmière doit enseigner au client ou au proche aidant la surveillance de la température corporelle et son importance : l'élévation prolongée de la température corporelle peut être une indication de l'inefficacité de la pharmacothérapie. La personne atteinte d'endocardite infectieuse est à risque de complications susceptibles de mettre sa vie en danger, dont l'embolie cérébrale, l'œdème pulmonaire et l'insuffisance cardiaque. L'infirmière doit enseigner au client et aux proches aidants comment détecter les symptômes de ces complications (p. ex., un changement de l'état mental, une dyspnée, une douleur thoracique).

La personne souffrant d'une endocardite infectieuse doit s'accorder des périodes de repos tant physique qu'émotionnel. L'alitement peut être nécessaire lorsque la fièvre est tenace ou que des complications surviennent (p. ex., des lésions cardiaques). Sinon, le client est libre de ses mouvements et peut accomplir ses AVQ. Afin de prévenir les problèmes que pose la mobilité réduite, l'infirmière doit préconiser le port des bas de contention, la pratique d'exercices de maintien de l'amplitude des mouvements, de toux et de respiration profonde toutes les deux heures. Il se peut que le client ressente de l'anxiété et de la crainte. L'infirmière doit déceler ces réactions et mettre en application des stratégies qui favoriseront l'adaptation du client à sa maladie.

L'infirmière doit surveiller les résultats des analyses biochimiques afin de déterminer l'efficacité de l'antibiothérapie. Des contrôles occasionnels des hémocultures, selon la prescription médicale, sont essentiels pour confirmer l'éradication du microorganisme pathogène. Elle examine la ligne I.V. afin d'en évaluer la perméabilité et de déceler des complications (p. ex., une phlébite). Elle administre l'antibiotique selon les modalités de l'ordonnance et surveille l'apparition de réactions indésirables.

Durant le traitement administré à domicile ou à l'hôpital, les soins et traitements infirmiers seront également centrés sur l'enseignement au client et au proche aidant sur la nature de la maladie et la diminution du risque de réinfection. L'infirmière doit souligner l'importance des soins de suivi, d'une saine alimentation et du traitement hâtif des infections courantes (p. ex., un rhume) dans le maintien de la santé. Elle mentionne les signes et symptômes indicateurs d'une infection récurrente (p. ex., de la fièvre, de la fatigue, des frissons). Elle insiste sur la nécessité d'informer le professionnel de la santé de la manifestation de ceux-ci. Enfin, elle fait connaître au client la pertinence de l'antibiothérapie prophylactique avant certaines interventions effractives **TABLEAU 44.1**.

Évaluation des résultats

Pour le client souffrant d'endocardite infectieuse, les résultats escomptés à la suite des soins et des interventions cliniques sont présentés dans le plan de soins et de traitements infirmiers (PSTI) **PSTI 44.1W**.

44.1.2 Péricardite aiguë

La **péricardite** se caractérise par l'inflammation du sac péricardique. Celui-ci est formé de la membrane séreuse interne (feuillet viscéral) qui recouvre la surface épicardique du cœur et de la tunique fibreuse externe (feuillet pariétal) **FIGURE 44.1**. Le sac péricardique est délimité par ces deux feuillets. En règle générale, il contient de 10 à 15 mL de liquide séreux, qui assure un rôle de lubrification, et qui diminue ainsi la friction durant la systole et la diastole. Bien qu'il puisse être absent à la naissance ou par suite d'une ablation chirurgicale, le péricarde remplit une fonction d'ancrage utile et contribue à prévenir la dilatation cardiaque excessive durant la diastole.

Étiologie et physiopathologie

L'**ENCADRÉ 44.4** énumère les causes courantes de la péricardite aiguë. Le plus souvent, elle est de nature idiopathique (d'origine inconnue), divers virus pouvant en être la cause présumée. Si elle est virale, il s'agit du virus Coxsackie B dans la plupart des cas. D'autres virus peuvent aussi en être responsables, comme l'adénovirus, le virus de l'hépatite B, le virus de l'immunodéficience humaine et la mononucléose (Laflamme, 2013). L'urémie, l'infection bactérienne, l'infarctus du myocarde, la chirurgie cardiaque, la tuberculose, la néoplasie, l'extension d'une pneumonie, l'inflammation due à l'irradiation thoracique et un traumatisme en sont d'autres causes (Laflamme, 2013). La péricardite associée à l'infarctus du myocarde se manifeste par deux syndromes distincts. L'un d'eux, la péricardite aiguë, survient dans les 48 à 72 premières heures suivant l'infarctus du myocarde, tandis que l'autre, le **syndrome de Dressler** (péricardite tardive), apparaît dans les quatre à six semaines suivant l'infarctus du myocarde. Ce syndrome, encore méconnu, serait la résultante d'un processus auto-immun déclenché en raison d'une inflammation importante de la région du myocarde (Lilly, 2011).

La péricardite se caractérise par une réaction inflammatoire provoquant des changements physiopathologiques à cette enveloppe, avec des répercussions hémodynamiques. Elle se manifeste par l'afflux de neutrophiles, l'augmentation de la vascularisation péricardique et, ultimement, l'accumulation de fibrine sur l'épicarde **FIGURE 44.4**.

Manifestations cliniques

La douleur thoracique vive, de nature pleurétique, progressive et souvent intense, constitue l'un des principaux symptômes de la péricardite. Habituellement, la respiration profonde, la toux et le décubitus dorsal accentuent cette douleur, d'autre part soulagée en position assise, penchée vers l'avant. La douleur peut irradier dans le cou, les bras ou l'épaule gauche ; elle devient alors difficile à distinguer de la douleur angineuse. La seule différence est que la sensation de douleur

CE QU'IL FAUT RETENIR

La douleur thoracique vive, de nature pleurétique, progressive et souvent intense, constitue l'un des principaux symptômes de la péricardite.

ENCADRÉ 44.4 Causes courantes de péricardite aiguë

INFECTIONS
- Virales : virus Coxsackie A ou B, échovirus, adénovirus, virus des oreillons, virus de l'hépatite, virus Epstein-Barr, virus de la varicelle et du zona, virus de l'immunodéficience humaine, *Hæmophilus influenza*
- Bactériennes : pneumocoque, staphylocoque, streptocoque, *Neisseria gonorrhoeæ*, *Legionella pneumophila*, septicémie due à un microorganisme à Gram négatif
- Tuberculose
- Fongiques : histoplasmose, candidose
- Toxoplasmose, maladie de Lyme

HYPERSENSIBILITÉ OU PHÉNOMÈNES AUTO-IMMUNS
- Syndrome de Dressler
- Syndrome postcommissurotomie
- Rhumatisme articulaire aigu
- Réaction à un médicament (p. ex., la cyclosporine, l'hydralazine [Apresoline^MD])
- Troubles rhumatologiques : polyarthrite rhumatoïde, lupus érythémateux disséminé, sclérodermie généralisée, spondylarthrite ankylosante

AUTRES CAUSES
- Urémie
- Infarctus du myocarde aigu
- Néoplasies : cancer du poumon, cancer du sein, leucémie, maladie de Hodgkin, lymphome malin non hodgkinien
- Traumatismes : chirurgie thoracique, pose d'un stimulateur cardiaque, interventions cardiaques diagnostiques
- Irradiation
- Anévrisme disséquant de l'aorte
- Myxœdème
- Induction par la médication (p. ex., le procaïnamide [Procan^MD] et l'hydralazine [Apresoline^MD])

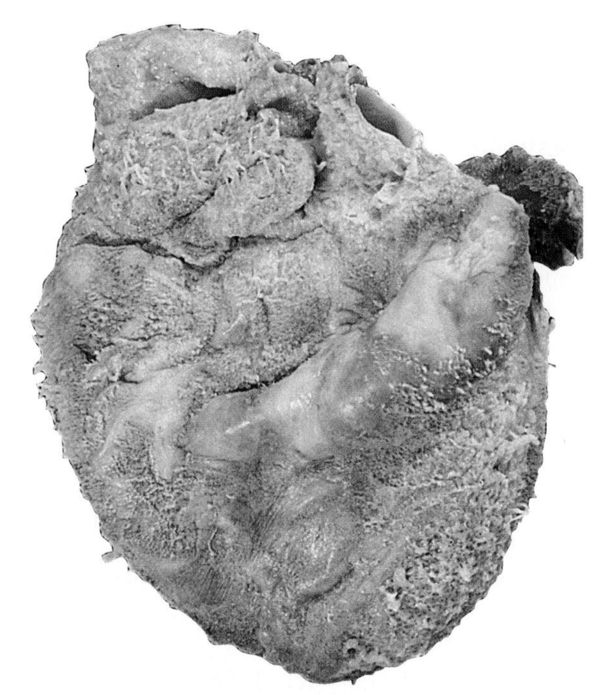

FIGURE 44.4 Péricardite aiguë – Le cœur est couvert d'un manteau de fibres pelucheuses.

Joachim Beaulieu, 29 ans, présente plusieurs manifestations d'une péricardite aiguë. Quel est son pouls paradoxal si les bruits systoliques correspondent à une pression systolique de 108 mm Hg à l'expiration et à 94 mm Hg pendant le cycle respiratoire ?

due à la péricardite peut s'étendre aux trapèzes (épaule, haut du dos), car cette région est innervée par le nerf phrénique. La dyspnée présente dans la péricardite aiguë provient de la respiration rapide et superficielle adoptée par le client afin d'éviter la douleur thoracique ; la fièvre et l'anxiété peuvent l'intensifier.

Animation : *Variations dans l'amplitude du pouls.*

Le **frottement péricardique** est le constat distinctif de la péricardite aiguë. Le frottement produit un son rude et râpeux, au timbre aigu, dû apparemment au glissement des feuillets péricardique et épicardique, rugueux, l'un contre l'autre. Pour l'entendre, l'infirmière place le stéthoscope au rebord sternal gauche lorsque le client est penché vers l'avant. Le bruit de frottement n'irradie pas beaucoup, et son rythme s'apparente à celui des battements du cœur. Il est difficile de le cerner à la première auscultation parce qu'il est intermittent et fugace. Pour mieux l'identifier, l'infirmière demande au client de retenir sa respiration ; si le frottement est toujours audible, il est d'étiologie cardiaque.

Complications

Les deux complications majeures de la péricardite aiguë sont l'épanchement péricardique et la tamponnade cardiaque. L'**épanchement péricardique** résulte de l'accumulation de liquide dans le sac péricardique. Il se manifeste soudainement (p. ex., à la suite d'un traumatisme thoracique) ou progressivement (p. ex., après une péricardite tuberculeuse). Lorsque l'épanchement péricardique devient de plus en plus important, le péricarde risque de comprimer les structures avoisinantes. La compression pulmonaire peut provoquer de la toux, de la dyspnée et de la tachypnée. La compression du nerf phrénique peut se traduire par le hoquet, alors que la compression du nerf laryngé s'accompagnera d'enrouement. Les bruits cardiaques sont lointains. La pression artérielle (P.A.) peut s'abaisser progressivement selon le degré de l'épanchement.

La **tamponnade cardiaque** a lieu lorsque l'épanchement péricardique, en augmentant de volume, accroît la pression péricardique **FIGURE 44.5**. Ce phénomène comprime le cœur. La vitesse de l'accumulation liquidienne module l'intensité des manifestations cliniques. La tamponnade cardiaque prend une forme aiguë (p. ex., une rupture du cœur, un traumatisme) ou subaiguë (p. ex., secondaire à l'urémie, à une tumeur maligne).

La tamponnade cardiaque peut occasionner de la douleur thoracique et, souvent, de l'anxiété et de l'instabilité psychomotrice et hémodynamique en raison d'une baisse du D.C. L'augmentation de la compression cardiaque s'accompagne de la diminution du remplissage auriculaire gauche ce qui provoque une baisse du D.C., l'étouffement des bruits cardiaques et une pression différentielle pincée. Le malade présentera de la tachypnée, de la tachycardie et un D.C. diminué. Habituellement, les veines jugulaires sont considérablement distendues en raison de l'élévation de la pression veineuse jugulaire, et un pouls paradoxal sera noté (i+). Le pouls paradoxal désigne l'exagération de la diminution de la P.A. systolique à l'inspiration au cours d'une tamponnade cardiaque **ENCADRÉ 44.5**. La dyspnée peut être le seul symptôme clinique de la tamponnade cardiaque d'apparition lente (subaiguë).

Examen clinique et examens paracliniques

L'ECG est utile dans le diagnostic de la péricardite aiguë en raison de la présence d'anomalies dans près de 90 % des cas. Le sus-décalage diffus du segment ST est l'une des anomalies du tracé le plus souvent constatée, mais elle est non spécifique à la péricardite. Le sus-décalage illustre le déficit de repolarisation qui survient par suite de l'inflammation péricardique. Dans un syndrome coronarien aigu (SCA), à l'opposé, le sus-décalage du segment ST est présent seulement dans la région où l'infarctus a lieu. Il est essentiel de distinguer cette anomalie du segment ST des anomalies de la même dérivation dues à l'infarctus du myocarde. D'autres anomalies non spécifiques à la péricardite peuvent être visualisées à l'ECG, dont une onde P bifide, un abaissement de l'intervalle PR ou une diminution de la polarité des complexes QRS.

Les constats échocardiographiques sont d'une grande utilité dans la détection de l'épanchement péricardique ou de la tamponnade cardiaque. Des méthodes nouvelles, dont l'imagerie tissulaire doppler et la coloration en mode temps-mouvement, permettent d'évaluer la fonction diastolique et de diagnostiquer la péricardite constrictive (examinée plus loin dans le présent chapitre). Il est possible de visualiser le péricarde et le sac péricardique par la tomodensitométrie (TDM) et l'imagerie par résonance magnétique (IRM). En règle générale, la radiographie pulmonaire est normale, mais elle détectera la cardiomégalie si l'épanchement péricardique est de grande ampleur **FIGURE 44.6**.

Les analyses biochimiques démontrent une leucocytose et l'augmentation du taux de protéine CRP et de la VS. Quand la péricardite aiguë s'accompagne du sus-décalage du segment ST, le taux de troponine peut être élevé, indiquant des lésions myocardiques concomitantes. L'analyse du liquide prélevé à la péricardiocentèse **FIGURE 44.7** ou du tissu prélevé à la biopsie péricardique aidera à définir l'étiologie de la péricardite.

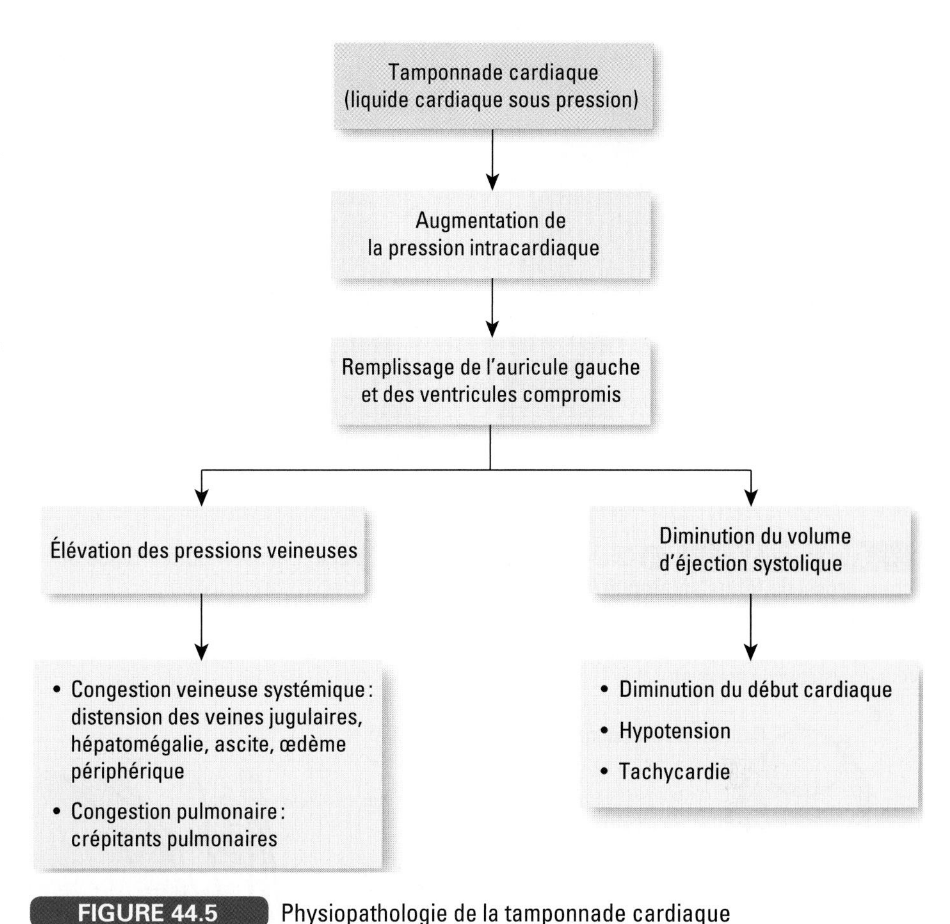

FIGURE 44.5 Physiopathologie de la tamponnade cardiaque

Processus thérapeutique en interdisciplinarité

La prise en charge de la péricardite aiguë est axée sur la détermination et le traitement du problème sous-jacent et des symptômes **ENCADRÉ 44.6**. L'antibiothérapie est indiquée en présence de péricardite bactérienne, tandis qu'un anti-inflammatoire non stéroïdien (AINS) (p. ex., des salicylates [Aspirin[MD]], de l'ibuprofène [Motrin[MD]]) maîtrisera la douleur et l'inflammation de la péricardite aiguë. Les salicylates sont privilégiés chez les clients avec péricardite secondaire à un infarctus du myocarde ; les autres AINS sont associés à un risque accru d'événement coronarien dans le futur (Olsen, Fosbol, Lindhardsen *et al.* 2012). Les corticostéroïdes sont habituellement réservés à la péricardite secondaire au lupus érythémateux disséminé lorsque l'AINS est inefficace ou lorsqu'un corticostéroïde est déjà prescrit pour traiter un trouble rhumatoïde ou auto-immun. S'il y a lieu, la prednisone (Winpred[MD]) est administrée en doses décroissantes. La prudence s'impose dans l'utilisation des corticostéroïdes en raison de leurs nombreux effets indésirables. La colchicine (Colchicine-Odan[MD]), anti-inflammatoire antigoutteux, peut être utile comme agent additionnel dans le traitement de la péricardite aiguë. Une réduction de la récurrence a été démontrée après un épisode initial lorsqu'elle est associée à de l'Aspirin[MD] (Imazio, Bobbio, Cecchi *et al.*, 2005 ; Lilly, 2011). En cas de péricardite

Pratiques infirmières suggérées

ENCADRÉ 44.5 Mesurer le pouls paradoxal

1. Procéder à la mesure lorsque le client est en position semi-couchée et durant une période de cycle respiratoire (inspiration et expiration) au repos.
2. Déterminer la P.A. systolique.
3. Gonfler le brassard pneumatique d'au moins 20 mm Hg de plus que la P.A. systolique.
4. Dégonfler lentement jusqu'à l'audition de bruits systoliques à l'expiration et noter la pression.
5. Continuer de dégonfler jusqu'à l'audition de bruits systoliques tout au long du cycle respiratoire (inspiration et expiration) et noter la pression.
6. Établir la différence entre la valeur mesurée à l'étape 4 et celle mesurée à l'étape 5. La différence correspond au pouls paradoxal :

Bruits audibles à l'expiration	110 mm Hg
Bruits audibles pendant le cycle respiratoire	– 82 mm Hg
Ampleur du pouls paradoxal	28 mm Hg

En règle générale, la différence est < 10 mm Hg. Si elle est > 10 mm Hg, elle pourrait être le signe d'une tamponnade cardiaque.

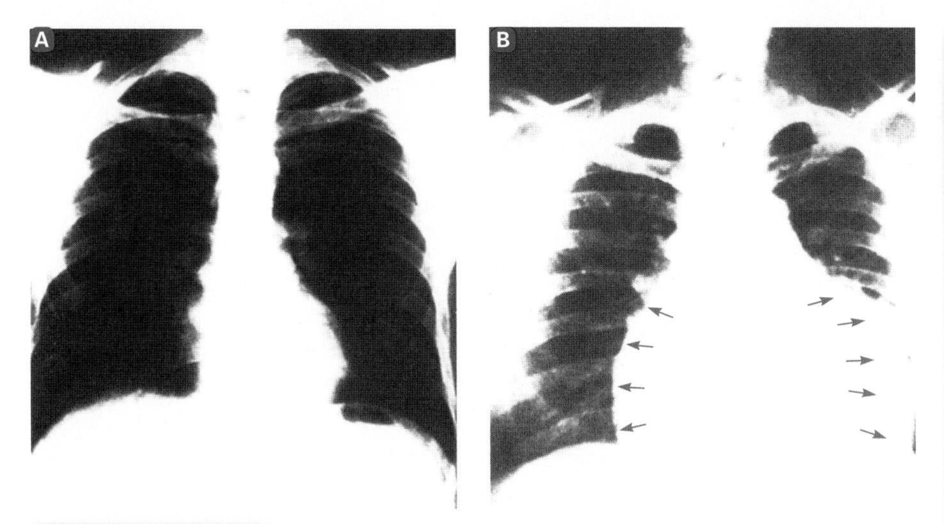

FIGURE 44.6 Ⓐ Cliché thoracique normal. Ⓑ Épanchement péricardique et cœur grossi de forme sphérique (flèches).

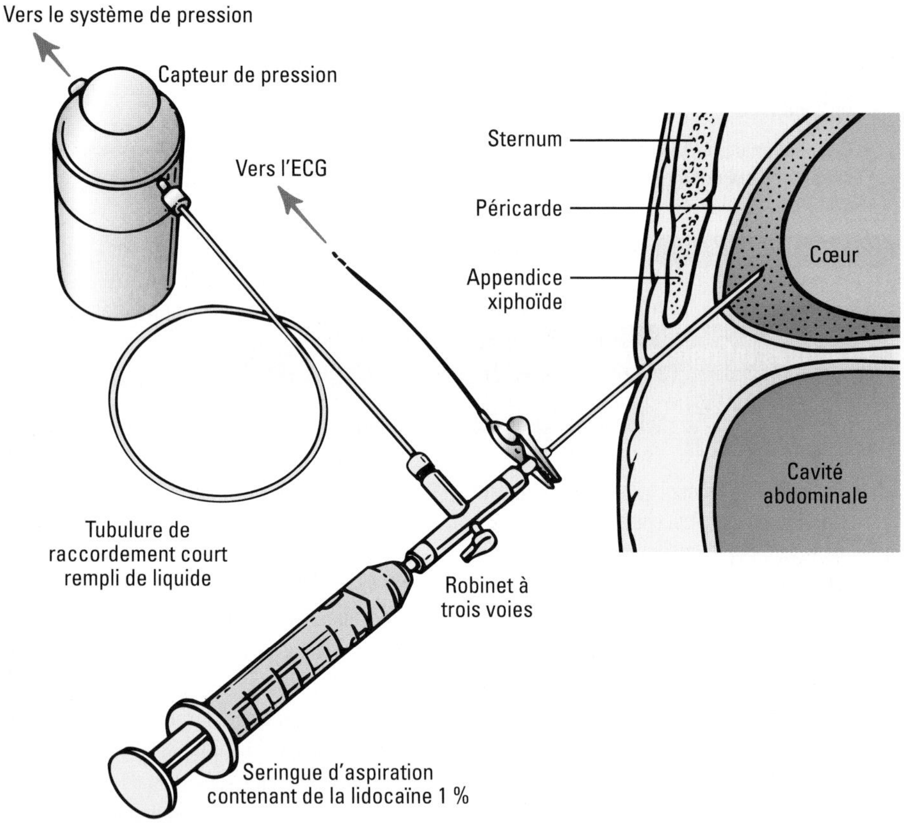

Vers le système de pression
Capteur de pression
Vers l'ECG
Sternum
Péricarde
Appendice xiphoïde
Cœur
Cavité abdominale
Tubulure de raccordement court rempli de liquide
Robinet à trois voies
Seringue d'aspiration contenant de la lidocaïne 1 %

FIGURE 44.7 Péricardiocentèse en asepsie couplée à l'ECG et à la détermination des valeurs hémodynamiques

Processus diagnostique et thérapeutique

ENCADRÉ 44.6 Péricardite aiguë

EXAMEN CLINIQUE ET EXAMENS PARACLINIQUES

- Anamnèse et examen physique : frottement péricardique
- Analyses biochimiques : protéine CRP, VS, leucocytose
- Électrocardiographie
- Radiographie pulmonaire
- Échocardiographie
- Tomodensitométrie
- Imagerie par résonance magnétique
- Péricardiocentèse
- Biopsie péricardique

PROCESSUS THÉRAPEUTIQUE

- Traitement de la maladie sous-jacente
- Alitement
- Salicylates (Aspirin[MD])
- Anti-inflammatoires non stéroïdiens
- Colchicine
- Corticostéroïdes
- Péricardiocentèse (en cas d'épanchement péricardique massif ou de tamponnade)

réfractaire aux traitements usuels ou récidivante, le recours à des immunosuppresseurs doit être considéré (Lilly, 2011).

Une fenêtre péricardique peut être pratiquée dans un but diagnostic ou pour draîner l'épanchement péricardique. Elle consiste en l'excision d'une « fenêtre » ou portion du péricarde, ce qui permet un drainage continu du liquide péricardique dans le péritoine ou le thorax. La **péricardiocentèse** est généralement indiquée en cas d'épanchement péricardique accompagné de tamponnade cardiaque, de péricardite purulente ou de néoplasie présumée.

Le soutien hémodynamique en prévision de la péricardiocentèse peut comprendre l'administration d'un soluté de remplissage et d'un médicament inotrope (p. ex., de la dopamine et l'arrêt de l'anticoagulation le cas échéant). L'intervention, rapide et sûre, adopte l'approche percutanée sous guidage ECG et échocardiographique. Lorsque le drainage s'avère nécessaire, une aiguille de calibre 16 ou 18 est insérée dans la cavité péricardique afin d'évacuer le liquide à des fins d'analyse et de diminution de la pression cardiaque. L'arythmie, un autre épisode de tamponnade cardiaque, le pneumomédiastin, le pneumothorax, et les lacérations myocardiques ou artérielles coronaires figurent parmi les complications de la péricardiocentèse. Une biopsie péricardique peut aussi être pratiquée pour éliminer une étiologie néoplasique ou tuberculeuse (Laflamme, 2013).

Soins et traitements infirmiers

CLIENT ATTEINT DE PÉRICARDITE AIGUË

La priorité de l'infirmière consiste à maîtriser la douleur et l'anxiété ressenties par le client en phase aiguë de la péricardite. L'infirmière évalue l'intensité de la douleur, puis en détermine les caractéristiques et le siège afin de différencier celle qui est due à l'ischémie myocardique (angine) de celle qui est due à la péricardite. L'ECG peut être utile pour ce faire. L'outil PQRSTU peut servir à bien documenter la douleur. La péricardite aiguë est marquée d'un sus-décalage diffus du segment ST, alors que l'ischémie myocardique est associée à des anomalies du segment ST en des points précis. De plus, les ECG en série ne détectent pas les mêmes anomalies évolutives que celles attribuables à l'infarctus du myocarde.

Les mesures visant à soulager la douleur sont notamment l'alitement du client avec élévation de la tête de lit à un angle de 45° et la mise en place d'une table de lit à titre de soutien. Les AINS ont également un effet analgésique. Ces médicaments s'administrent avec des aliments afin de minimiser l'irritation gastrique ; pour la même raison, le client doit bannir l'alcool. D'autres médicaments, tel l'inhibiteur de la pompe à protons (p. ex., le pantoprazole [Pantoloc^MD]), pourraient être prescrits dans l'espoir de diminuer l'acidité gastrique et le risque d'hémorragie digestive. Pour apaiser l'anxiété du client, l'infirmière lui décrit simplement et précisément toutes les interventions et les causes possibles de la douleur. Ces précisions sont particulièrement importantes au moment où le diagnostic de péricardite aiguë est établi, et pour la personne ayant des antécédents d'angine ou d'infarctus du myocarde aigu.

La personne aux prises avec une péricardite aiguë est à risque de tamponnade cardiaque et de baisse du D.C. Par conséquent, il est essentiel de surveiller l'apparition de signes et symptômes de tamponnade et de se préparer à l'éventualité d'une péricardiocentèse.

Jugement clinique

Malheureusement, monsieur Beaulieu a dû être hospitalisé parce qu'il ressentait de la douleur thoracique. Il bougeait constamment, et sa fréquence respiratoire était de 26 R/min. Par contre, sa fréquence cardiaque était de 92 batt./min. Parmi ces manifestations, lesquelles indiqueraient une tamponnade cardiaque ?

44.1.3 Péricardite constrictive chronique

Étiologie et physiopathologie

La **péricardite constrictive chronique** découle de la formation de tissu cicatriciel sur le sac péricardique, qui perd ainsi de l'élasticité. En règle générale, elle commence par un épisode de péricardite aiguë (souvent de nature idiopathique, ou secondaire à une chirurgie cardiaque ou à l'irradiation), et se caractérise par des dépôts de fibrine et un épanchement péricardique occulte. Il s'ensuit la réabsorption lente de l'épanchement, et l'évolution vers le stade chronique de la fibrose et de l'épaississement du péricarde, dus à la calcification, et finalement de la destruction du sac péricardique. Les feuillets péricardiques fibreux, épaissis et collés l'un sur l'autre, emprisonnent le cœur, empêchant ainsi les oreillettes et les ventricules de s'étirer pleinement.

Manifestations cliniques

La péricardite constrictive chronique s'installe lentement, et ses manifestations s'apparentent à celles de l'insuffisance cardiaque ou du cœur pulmonaire. Les symptômes (p. ex., la dyspnée d'effort, la fatigue, l'anorexie) et signes (p. ex., l'œdème des membres inférieurs, l'hépatosplénomégalie, les ascites et la perte de poids) sont imputables à la baisse du D.C. En présence d'une constriction péricardique, une augmentation de la pression des veines intrathoraciques entraîne la distension des veines jugulaires durant l'inspiration, phénomène appelé **signe de Kussmaul** ; en l'absence de constriction, une réduction de la distension des veines jugulaires est observée à l'inspiration, le retour veineux cheminant normalement vers le coeur (Lilly, 2011). Par comparaison avec la tamponnade cardiaque, le pouls paradoxal d'importance (supérieur à 10 mm Hg) est rare. À l'auscultation, une vibrance péricardique, son fort protodiastolique, se fait entendre au rebord sternal gauche.

Examen clinique et examens paracliniques

Les anomalies de l'ECG sont non spécifiques. À la radiographie pulmonaire, le cœur apparaît normal ou hypertrophié selon le degré d'épaississement péricardique et la présence d'un épanchement péricardique. L'échocardiographie bidimensionnelle peut mettre en évidence un péricarde épaissi, qui ne s'accompagne pas d'un épanchement péricardique massif. La coloration en mode temps-mouvement et l'imagerie tissulaire doppler viendront confirmer la péricardite constrictive. La quantification de l'épaississement péricardique et l'évaluation du schéma de remplissage diastolique s'effectueront par TDM et IRM. Un cathétérisme cardiaque peut aussi confirmer le diagnostic en démontrant l'égalisation des pressions diastoliques des chambres cardiaques (Lilly, 2011).

Signe de Kussmaul : Augmentation de la pression des veines intrathoraciques entraînant la distension des veines jugulaires durant l'inspiration.

Réactivation des connaissances

Quelle est la différence entre le signe de Kussmaul et la dyspnée de Kaussmaul ?

Soins et traitements en interdisciplinarité

CLIENT ATTEINT DE PÉRICARDITE CONSTRICTIVE CHRONIQUE

La prise en charge de la péricardite constrictive peut impliquer l'administration de diurétiques et d'AINS (Laflamme, 2013). À moins que la personne soit asymptomatique ou que l'affection soit inopérable, le seul traitement définitif de la péricardite constrictive chronique est la **péricardectomie**. Cette intervention comprend habituellement l'excision de tout le péricarde par sternotomie médiane. Dans certains cas, l'amélioration est immédiate; dans d'autres, il faut attendre des semaines. Le pronostic postopératoire est meilleur lorsque l'intervention chirurgicale a lieu avant que l'instabilité clinique ne survienne.

44.1.4 Myocardite

Étiologie et physiopathologie

Le terme **myocardite** désigne l'inflammation, localisée ou diffuse, du myocarde. Cette affection est causée par un virus, une bactérie, un champignon, une irradiation, un médicament ou des facteurs chimiques. Les virus Coxsackie A et B en sont le plus souvent la cause. La myocardite est également présente dans certains troubles auto-immuns, notamment la polymyosite. Elle peut être de nature idiopathique, c'est-à-dire qu'aucun agent ou facteur causal ne peut être cerné. La myocardite s'accompagne fréquemment de péricardite aiguë, particulièrement quand elle est causée par le virus Coxsackie B (Metzger & Anderson, 2011).

Le microorganisme qui infecte le myocarde envahit les cellules myocardiques et y provoque des lésions, puis de la nécrose. L'infection déclenche une réponse immunitaire qui se manifeste par la libération de cytokines et de radicaux libres. L'infection progressant, une réponse auto-immune est activée, ce qui a pour effet d'intensifier la destruction des cellules myocardiques. La myocardite provoque le dysfonctionnement cardiaque; elle est associée à l'apparition de cardiomyopathie dilatée (examinée plus loin dans le présent chapitre).

Manifestations cliniques

Les manifestations cliniques de la myocardite varient d'un cas à un autre, allant de l'évolution bénigne sans manifestations remarquables à l'affection cardiaque grave ou à la mort subite. Les signes de fièvre, de lymphadénopathie et de pharyngite, ainsi que les symptômes de fatigue, de malaise, de myalgie, de dyspnée, de nausées et de vomissements sont les manifestations systémiques de la maladie virale.

Les manifestations cardiaques initiales surgissent dans les 7 à 10 premiers jours de l'infection virale; parmi eux figure la douleur thoracique pleurétique accompagnée de frottement et d'épanchement péricardiques, car la péricardite vient souvent s'ajouter à la myocardite. Les signes cardiaques tardifs, qui traduisent la survenue de l'insuffisance cardiaque, peuvent être le troisième bruit (B3), les crépitants, la distension veineuse jugulaire, la syncope, l'œdème périphérique et la douleur thoracique.

Examen clinique et examens paracliniques

Les anomalies de l'ECG sont souvent non spécifiques, mais elles peuvent refléter l'atteinte péricardique connexe (p. ex., les anomalies diffuses du segment ST). L'arythmie ou des anomalies de conduction peuvent être présentes. Les résultats des analyses biochimiques ne sont pas concluants la plupart du temps. Ils peuvent dénoter une leucocytose légère ou modérée, et la présence de lymphocytes atypiques, l'augmentation de la VS et du taux de protéine CRP, l'élévation du taux des marqueurs myocardiques, dont la troponine, et l'augmentation du titre viral (en général, le virus n'est présent dans le tissu et le liquide péricardiques que pendant les 8 à 10 premiers jours de la maladie).

La confirmation histologique de la myocardite s'effectue par biopsie myocardique. L'utilité diagnostique de cette dernière est optimale si elle est exécutée dans les six premières semaines de la maladie en phase aiguë, car il s'agit de la période de l'infiltration lymphocytaire et des lésions cellulaires révélatrices de la myocardite. Enfin, l'échocardiographie, l'examen d'imagerie nucléaire et l'IRM sont mis à contribution pour évaluer la fonction cardiaque.

Processus thérapeutique en interdisciplinarité

Le traitement de la myocardite consiste à maîtriser les signes et symptômes cardiaques connexes. Un inhibiteur de l'enzyme de conversion de l'angiotensine (IECA), un bêtabloquant et un antagoniste de l'aldostérone sont prescrits en cas de cardiomégalie ou pour traiter l'insuffisance cardiaque ▶ 42. Les diurétiques abaissent le volume hydrique et diminuent la précharge. En l'absence d'hypotension, des médicaments en

42

Le processus thérapeutique en interdisciplinarité approprié dans la prise en charge de l'insuffisance cardiaque est décrit dans le chapitre 42, *Interventions cliniques – Insuffisance cardiaque*.

administration I.V. tels le nitroprusside (Nitropress^MD) et la milrinone diminuent la postcharge et améliorent le D.C. en réduisant la résistance vasculaire systémique. La digoxine (Lanoxin^MD) améliore la contractilité myocardique et ralentit le rythme ventriculaire, mais doit être administrée avec prudence dans la myocardite en raison de la sensibilité accrue du coeur à ses effets indésirables (p. ex., l'arythmie) et du risque d'intoxication digitalique. Un traitement d'anticoagulothérapie peut être donné selon le cas dans le but de diminuer le risque de formation de thrombus dû à la stase sanguine dans les chambres cardiaques lorsque la fraction d'éjection est faible.

La théorie selon laquelle la myocardite est un trouble auto-immun veut que le traitement immunosuppresseur à l'aide d'immunoglobuline, de prednisone (Winpred^MD), d'azathioprine (Imuran^MD) ou de cyclosporine (Neoral^MD) en administration I.V. puisse apaiser l'inflammation myocardique et prévenir des lésions myocardiques irréversibles. À ce jour, rien ne permet de conclure à la réussite thérapeutique de cette stratégie, et le traitement immunosuppresseur de la myocardite demeure controversé (Cooper, Hare, Tazelaar *et al.*, 2008).

Les mesures générales de soutien à la prise en charge de la myocardite sont l'oxygénothérapie, l'alitement et la restriction du degré d'activité. En présence d'insuffisance cardiaque sévère et décompensée, il peut être nécessaire de recourir au ballon de contre-pulsion intra-aortique ou au dispositif d'assistance ventriculaire.

Digoxine (Lanoxin^MD)

Administrer avec prudence, car la myocardite prédispose le client aux arythmies (p. ex., un bloc AV, une arythmie jonctionnelle) liées au médicament et à l'intoxication digitalique.

Soins et traitements infirmiers

CLIENT ATTEINT DE MYOCARDITE

La baisse du D.C. est un constat d'évaluation omniprésent dans les soins et traitements infirmiers en cas de myocardite. Les interventions infirmières sont centrées sur l'évaluation des signes et symptômes de l'insuffisance cardiaque. Pour diminuer le travail du cœur, l'infirmière proposera la position semi-Fowler, l'alternance entre les activités et le repos, et un environnement calme. Elle veillera à la surveillance étroite de la pharmacothérapie destinée à accroître la contractilité cardiaque et à diminuer la précharge, la postcharge ou les deux. Elle procédera à l'évaluation continue de l'efficacité des interventions infirmières comme le respect d'une limite hydrique de 1,5 L, une restriction sodée adéquate (moins de 2 g/jour), et assurera la surveillance du débit des intraveineuses afin de limiter l'apport hydrique et, par conséquent, de diminuer la précharge.

Le client peut se sentir anxieux à propos du diagnostic de myocardite, de son rétablissement et du régime thérapeutique. L'infirmière doit évaluer le degré d'anxiété, instaurer des mesures d'atténuation du stress, et tenir le client et le proche aidant au courant des modalités du régime thérapeutique.

Le client à qui un traitement immunosuppresseur est prescrit présente d'autres problèmes rattachés au risque d'infection en raison de l'affaiblissement de la réponse immunitaire. L'infirmière surveille l'apparition de complications, et veille à ce que l'environnement du client soit propre et sûr, en respectant les procédures de prévention de l'infection.

Dans la plupart des cas de myocardite, le rétablissement est spontané, quoique certains clients pourront être affligés de cardiomyopathie dilatée (présentée plus loin dans le présent chapitre). D'autre part, une transplantation cardiaque sera peut-être nécessaire pour remédier à l'insuffisance cardiaque grave.

44.1.5 Rhumatisme articulaire aigu et cardite rhumatismale

Le **rhumatisme articulaire aigu (RAA)**, aussi appelé fièvre rhumatismale, est une maladie cardiaque inflammatoire, de nature aiguë, touchant potentiellement toutes les tuniques du cœur (endocarde, myocarde et péricarde). La **cardite rhumatismale** est une affection chronique découlant du RAA, et se caractérisant par la formation de tissu cicatriciel et la déformation des valves cardiaques.

Étiologie et physiopathologie

Le RAA est une complication tardive (habituellement de deux à trois semaines suivant l'infection) de la pharyngite à streptocoque bêta-hémolytique du groupe A ou à streptocoque pyogènes (Seckeler & Hoke, 2011). La maladie s'étend au cœur, à la peau, aux articulations et au système nerveux central (SNC). Bien que la pathogénèse demeure inconnue, elle n'implique pas un effet direct de la bactérie sur le cœur. Les mécanismes proposés incluent l'élaboration d'une toxine par le

CE QU'IL FAUT RETENIR

Le RAA est une complication tardive de la pharyngite à streptocoque bêta-hémolytique du groupe A ou à streptocoque pyogènes.

streptocoque ou une réaction auto-immune croisée entre la bactérie et les antigènes cardiaques (Lilly, 2011). Cette affection connaît un déclin dans les pays industrialisés en raison du traitement des infections streptococciques à l'aide d'antibiotiques. Par contre, elle demeure un important problème de santé publique dans les pays en développement (Seckeler & Hoke, 2011).

Lésions cardiaques et déformation valvulaire

La cardite se manifeste dans près de 40 % des épisodes de RAA ; toutes les tuniques cardiaques (endocarde, myocarde et péricarde) sont alors atteintes. Le terme pancardite désigne cette affection généralisée.

L'endocardite rhumatismale affecte principalement les valves, dont elle provoque la tuméfaction et l'érosion. L'accumulation de fibrine et de cellules sanguines dans la zone de l'érosion se transforme en végétations **FIGURE 44.8**. Les lésions provoquent d'abord l'épaississement fibreux des valves, la fusion des commissures et du cordage tendineux, et la fibrose du muscle papillaire. Toutes ces modifications de la valve donnent lieu à la calcification et au rétrécissement valvulaire. La diminution de la mobilité des feuillets des valves peut survenir en même temps que leur incapacité à se fermer, produisant ainsi de la régurgitation. Ce sont les valves mitrale et aortique qui sont le plus fréquemment atteintes, étant donné que les pressions du côté gauche sont plus importantes.

L'atteinte myocardique prend la forme de nodules d'Aschoff, qui surgissent en réaction à l'inflammation et à la tuméfaction ainsi qu'à la destruction subséquente des fibres de collagène. Avec le temps, les nodules deviennent de plus en plus fibreux, et du tissu cicatriciel se forme dans le myocarde. La péricardite rhumatismale apparaît et s'étend aux deux feuillets du péricarde, qui s'épaississent et se recouvrent d'un exsudat fibrineux. Un épanchement sérosanguin est possible. Au cours de la formation de tissu cicatriciel, le tissu fibreux et les végétations détruisent en tout ou en partie le sac péricardique, sans apparition de péricardite constrictive.

Ces changements physiopathologiques au cœur peuvent s'amorcer au premier épisode de RAA. Les infections subséquentes accentueront les lésions structurelles. En général, les symptômes secondaires au dysfonctionnement valvulaire surviendront plusieurs années après le premier épisode de RAA.

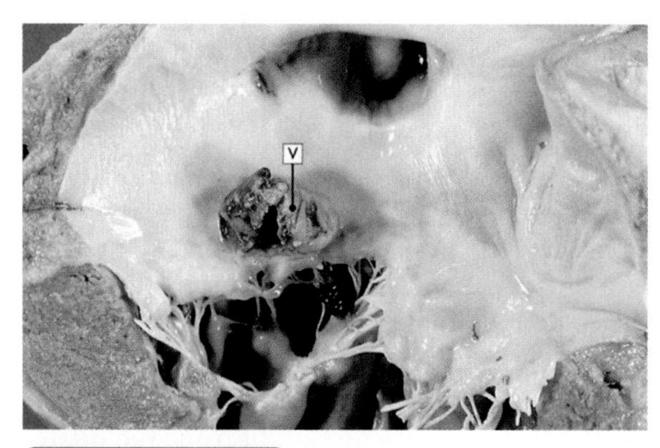

FIGURE 44.8 Rétrécissement mitral et agglutination de végétations (*V*) renfermant des plaquettes et de la fibrine – Les valves mitrales, épaissies, sont collées l'une à l'autre et couvertes de végétations.

Lésions extracardiaques

Le RAA provoque des lésions systémiques qui s'étendent à la peau, aux articulations et au SNC. Des nodules sous-cutanés indolores, l'arthralgie ou l'arthrite, et la chorée peuvent survenir.

Manifestations cliniques

Le diagnostic de RAA est fondé sur un ensemble de manifestations et de constats biochimiques, et doit respecter des critères établis appelés critères Jones (Ferrieri, 2002). La conformité à deux critères majeurs, ou à un critère majeur et à deux critères mineurs, ainsi que la confirmation d'une infection antérieure à streptocoque du groupe A se traduisent par une forte probabilité de RAA **TABLEAU 44.2**.

TABLEAU 44.2 Critères Jones modifiés de diagnostic du rhumatisme articulaire aigu

CRITÈRES MAJEURS	CRITÈRES MINEURS	SIGNES D'INFECTION STREPTOCOCCIQUE DU GROUPE A
• Cardite • Monoarthrite ou polyarthrite • Chorée de Sydenham • Érythème marginé discoïde de Besnier • Nodules sous-cutanés	• D'ordre clinique : fièvre, polyarthralgie • D'ordre biochimique : ↑ VS, ↑ numération leucocytaire, ↑ protéine CRP	• Constats biochimiques : ↑ titre des antistreptolysines-O, culture positive du prélèvement de gorge, test d'antigène au streptocoque de groupe A positif • Constats de l'ECG : allongement de l'intervalle PR

Source : Ferrieri (2002).

Critères majeurs de Jones

La cardite, principale manifestation clinique du RAA, se caractérise par les trois signes suivants :

- un souffle cardiaque exprimant la régurgitation mitrale ou aortique, ou le rétrécissement mitral ;
- la cardiomégalie et l'insuffisance cardiaque secondaire à la myocardite ;
- la péricardite, qui donne lieu à des bruits cardiaques étouffés, à de la douleur thoracique, au frottement péricardique, ou à des signes et symptôme d'épanchement péricardique (dont il a été question précédemment).

La monoarthrite et la polyarthrite sont les constats les plus fréquents en présence de RAA. L'inflammation envahit la membrane synoviale des articulations, provoquant tuméfaction, chaleur, rougeur, endolorissement et diminution de l'amplitude des mouvements. L'affection frappe le plus fréquemment les grosses articulations, en particulier le genou, la cheville, le coude et le poignet.

La chorée de Sydenham, principale manifestation du RAA dans le SNC, apparaît souvent tardivement, soit plusieurs mois après l'infection initiale. Elle se caractérise par des mouvements involontaires (en particulier du visage et des membres), de la faiblesse musculaire, et des troubles de la parole et de la démarche.

L'érythème marginé discoïde de Besnier est un trait moins courant du RAA. L'éruption, siégeant principalement au tronc et à l'extrémité proximale des membres, prend la forme de macules rose vif, disposées de manière cartographique et ne causant pas de prurit ; elle peut être exacerbée par la chaleur (p. ex., un bain chaud).

Les nodules sous-cutanés, trait habituellement caractéristique de la cardite grave, sont fermes, petits, durs et indolores, et se répandent sur le plan extenseur des articulations, particulièrement le genou, le poignet et le coude.

Critères mineurs de Jones

Les manifestations cliniques mineures, souvent présentes, sont utiles dans le diagnostic de la maladie **TABLEAU 44.2**. Ces critères mineurs font office de complément d'information dans la confirmation du RAA si un seul des critères majeurs est présent.

Signes d'infection

Outre les critères majeurs et les critères mineurs, les signes d'une infection à streptocoque du groupe A antérieure doivent être décelés. Le **TABLEAU 44.2** expose les analyses biochimiques attestant la présence d'une telle infection.

Complications

La cardite rhumatismale chronique est l'une des complications du RAA. Elle est due à des modifications valvulaires structurelles qui se produisent des mois ou des années après un épisode de RAA. L'endocardite rhumatismale peut se traduire par la fibrose des valves et du cordage tendineux, suivie de la formation de tissu cicatriciel et de contractures. La valve mitrale est la valve la plus fréquemment atteinte, bien que les valves aortique et tricuspide puissent l'être également.

Animation : *Souffles cardiaques – régurgitation.*

Examen clinique et examens paracliniques

Aucun examen clinique ou paraclinique ne permet à lui seul de diagnostiquer le RAA. L'échocardiogramme peut révéler l'insuffisance valvulaire, et l'épanchement ou l'épaississement péricardique. La radiographie pulmonaire peut détecter la cardiomégalie en cas d'insuffisance cardiaque. L'anomalie la plus habituelle à l'ECG consiste en un ralentissement de la conduction auriculoventriculaire, comme l'illustre l'allongement de l'intervalle PR.

Processus thérapeutique en interdisciplinarité

Le traitement du RAA se compose d'une pharmacothérapie et de mesures de soutien **ENCADRÉ 44.7**. L'antibiothérapie n'a aucun effet sur l'évolution de la phase aiguë de la maladie et sur l'apparition de la cardite. En revanche, elle élimine les streptocoques du groupe A résiduels dans les amygdales et le pharynx, prévenant ainsi la propagation de l'infection dans l'entourage. Les salicylates, les AINS et les corticostéroïdes sont les anti-inflammatoires les plus couramment utilisés dans la prise en charge du RAA. Tous sont efficaces dans la maîtrise de la fièvre et des manifestations articulaires secondaires à la monoarthrite ou à la polyarthrite. Les salicylates ou les AINS sont utilisés de préférence lorsque l'arthrite constitue la principale manifestation, tandis que les corticostéroïdes entrent en jeu en présence de cardite grave.

Processus diagnostique et thérapeutique

ENCADRÉ 44.7 Rhumatisme articulaire aigu

EXAMEN CLINIQUE ET EXAMENS PARACLINIQUES

- Anamnèse et examen physique
- Constats biochimiques
- Radiographie pulmonaire
- Échocardiographie
- Électrocardiographie

PROCESSUS THÉRAPEUTIQUE

- Repos
- Antibiothérapie
- Anti-inflammatoires non stéroïdiens
- Salicylates
- Corticostéroïdes

Soins et traitements infirmiers

CLIENT ATTEINT DE RHUMATISME ARTICULAIRE AIGU ET DE CARDITE RHUMATISMALE

Collecte des données

L'**ENCADRÉ 44.8** présente les données subjectives et les données objectives que l'infirmière doit obtenir du client atteint de RAA et de cardite rhumatismale. Il importe de savoir que la personne ayant des antécédents de RAA est plus encline à connaître un nouvel épisode de RAA que la population en général.

L'infirmière examine la peau afin de déceler les nodules sous-cutanés et l'érythème marginé. Pour ce faire, elle palpe la peau couvrant toutes les surfaces osseuses, et le long du tendon extenseur des mains et des pieds. Les nodules, dont la taille varie de un à quatre centimètres, sont durs, indolores et mobiles. L'érythème marginé se manifeste au tronc et aux faces internes du haut des bras et des cuisses. Les macules érythémateuses, sans relief, ne causent pas de prurit. L'infirmière s'assurera d'un bon éclairage pour détecter les macules d'un rose brillant, car l'éruption cutanée est discrète, en particulier si la peau est foncée.

CE QU'IL FAUT RETENIR

Lors de l'examen de la peau d'un client atteint de RAA, l'infirmière recherche la présence de nodules sous-cutanés et d'érythème marginé.

Analyse et interprétation des données

L'analyse et l'interprétation des données pour le client atteint de RAA et de cardite rhumatismale peuvent concerner les éléments suivants, sans s'y limiter toutefois :

- la diminution du débit cardiaque liée à la dysfonction valvulaire ou à l'insuffisance cardiaque ;
- l'intolérance à l'activité liée à l'arthralgie, à l'arthrite secondaire à la douleur articulaire, à la douleur due à la péricardite, ainsi qu'à l'insuffisance cardiaque ;
- la prise en charge inefficace du programme thérapeutique liée à la méconnaissance de l'importance de l'antibiothérapie prophylactique de longue durée et des séquelles de la maladie.

Planification des soins

Les objectifs généraux pour le client qui souffre de RAA et de cardite rhumatismale sont :

- le fonctionnement cardiaque fondamental ou normal ;
- la reprise des AVQ sans douleur articulaire ;
- la capacité de prendre en charge les séquelles de la maladie.

Collecte des données

ENCADRÉ 44.8 Rhumatisme articulaire aigu et cardite rhumatismale

DONNÉES SUBJECTIVES

- Renseignements importants concernant la santé :
  - Antécédents de santé : infection streptococcique récente, antécédents de RAA ou de cardite rhumatismale
- Modes fonctionnels de santé :
  - Perception et gestion de la santé : antécédents familiaux de RAA ; malaise
  - Nutrition et métabolisme : anorexie, perte de poids
  - Activités et exercices : palpitations ; faiblesse générale, fatigue ; ataxie
  - Cognition et perception : douleur thoracique ; arthralgie généralisée, endolorissement articulaire (particulièrement des grandes articulations)

DONNÉES OBJECTIVES

- Observations générales : fièvre
- Système tégumentaire : nodules sous-cutanés, érythème marginé
- Système cardiovasculaire : tachycardie, frottement péricardique, bruits du cœur étouffés ; souffles ; œdème périphérique
- Système nerveux : chorée (mouvements involontaires, spontanés et brefs ; grimaces)
- Système musculosquelettique : signes de monoarthrite ou de polyarthrite, dont tuméfaction, chaleur, rougeur, diminution de l'amplitude du mouvement (particulièrement du genou, de la cheville, du coude, de l'épaule et du poignet)
- Résultats possibles aux examens paracliniques : cardiomégalie visible à la radiographie pulmonaire ; allongement de l'intervalle PR détecté à l'ECG ; anomalies valvulaires, dilatation cavitaire et épanchement péricardique notés à l'échocardiographie ; ↑ titre des antistreptolysines-O, culture positive du prélèvement de gorge, test d'antigène du streptocoque du groupe A positif ; ↑ VS, ↑ protéine CRP, leucocytose

Interventions cliniques

Promotion de la santé

Le RAA est une maladie cardiovasculaire évitable. La prévention primaire suppose le dépistage précoce et le traitement immédiat de la pharyngite due au streptocoque du groupe A. Des échelles permettent de prédire la probabilité d'être atteint d'une pharyngite streptoccique. Le score de McIsaac est fréquemment utilisé. Il consiste en l'attribution d'un point à chacun des signes que présente le client : fièvre, toux, exsudats sur les amygdales et adénopathie. Il tient également compte de l'âge du client, un point est ajouté s'il est âgé de moins de 15 ans et un point est soustrait s'il est âgé de plus de 45 ans.

Le score de McIsaac guide également les cliniciens dans le choix des examens paracliniques et la décision de donner ou non un traitement antibiotique (McIsaac, White, Tannenbaum *et al.*, 1998, dans Cloutier, Bisson & Pinard, 2014). Un traitement antibiotique adéquat de la pharyngite streptococcique permet de prévenir le RAA. L'adhésion thérapeutique stricte jusqu'à la fin du traitement est absolument indispensable en cas de traitement oral. L'infirmière doit sensibiliser la collectivité à l'importance de consulter un médecin en présence de symptômes de pharyngite streptococcique (p. ex., un mal de gorge, des frissons) et de traiter l'infection promptement.

Phase aiguë

Les principaux objectifs des soins et traitements infirmiers du RAA sont :

- de maîtriser l'infection et d'éradiquer le microorganisme en cause ;
- de prévenir les complications cardiaques ;
- de soulager la douleur articulaire, et de maîtriser la fièvre et les autres symptômes.

L'infirmière administre l'antibiotique prescrit afin de traiter l'infection streptococcique, et précise au client le caractère essentiel de la fidélité à l'antibiothérapie dans la prise en charge efficace du RAA. Elle administre le salicylate, l'AINS ou le corticostéroïde prescrit, et surveille l'apport de liquide s'il y a lieu.

Optimiser le repos est essentiel à la baisse du travail du cœur et à la diminution des besoins métaboliques. Le soulagement de la douleur articulaire constitue une importante priorité des soins infirmiers. Il importe que les articulations douloureuses soient dans une position qui procure bien-être et alignement juste. La douleur sera atténuée par l'application de chaleur, ou l'administration d'un salicylate ou d'un AINS.

Une fois les symptômes aigus disparus, le client exempt de cardite peut se déplacer. S'il est atteint de cardite accompagnée d'insuffisance cardiaque, le repos complet s'impose. Quand le rétablissement s'amorce, l'infirmière encourage le client à reprendre ses activités de façon graduelle.

Soins ambulatoires et soins à domicile

La prévention secondaire a pour objectif d'empêcher la récurrence du RAA. L'infirmière décrit au client ayant des antécédents de RAA la physiopathologie de la maladie, les séquelles possibles et la nécessité de l'antibiothérapie prophylactique continue.

La personne ayant déjà vécu un épisode de RAA sera vulnérable à un second épisode si elle contracte une infection streptococcique. Dans ce cas, la meilleure prévention consiste en une injection mensuelle d'une pénicilline retard. Sinon, on peut opter pour une pénicilline orale, un agent de la classe des sulfamides ou un antibiotique macrolide (p. ex., une érythromycine). En cas de RAA sans cardite, la prophylaxie doit s'échelonner jusqu'à l'âge de 20 ans et pour une durée minimale de 5 ans (Mayo Clinic Staff, 2014). En présence de maladie cardiaque résiduelle (p. ex., une valvulopathie persistante) par suite de cardite rhumatismale, la prophylaxie sera administrée à long terme et parfois même à vie (Mayo Clinic Staff, 2014).

L'enseignement au client portera sur une saine alimentation, une hygiène rigoureuse et la nécessité du repos. L'infirmière prévient le client de la possibilité d'apparition d'une valvulopathie, et elle insiste sur la nécessité de consulter un médecin s'il ressent de la fatigue excessive, des étourdissements, des palpitations ou de la dyspnée d'effort.

Évaluation des résultats

Pour le client souffrant de RAA et de cardite rhumatismale, les résultats escomptés à la suite des soins et des interventions cliniques sont :

- une fatigue et une douleur minimales dans l'exécution des AVQ ;
- l'adhésion au régime thérapeutique ;
- une assurance dans la prise en charge de la maladie ;
- la prévention des complications.

Réactivation des connaissances

Qu'est-ce qui distingue les mesures de prévention primaire de celles de la prévention secondaire ? Donnez un exemple pour chaque niveau de prévention.

44.2 | Valvulopathie

Le cœur se compose de deux valves auriculo-ventriculaires (mitrale et tricuspide) et de deux valves sigmoïdes (aortique et pulmonaire) qui veillent à ce que la circulation sanguine emprunte une voie unidirectionnelle. La valvulopathie se définit en fonction de la valve atteinte et de la nature de l'altération fonctionnelle : le rétrécissement ou la régurgitation **FIGURE 44.9**.

En règle générale, la pression des deux côtés d'une valve ouverte est égale. Toutefois, la valve sténosée s'ouvre moins grand que la valve intacte. Le débit sanguin en aval est altéré, ce qui crée une différence de pression des deux côtés de la valve ouverte. L'ampleur du **rétrécissement** (constriction ou sténose) se reflète dans la différence de pression (c.-à-d., plus la différence est grande, plus la sténose est importante). La **régurgitation** (appelée également insuffisance) se caractérise par le reflux de sang dû à la fermeture incomplète des valves cardiaques.

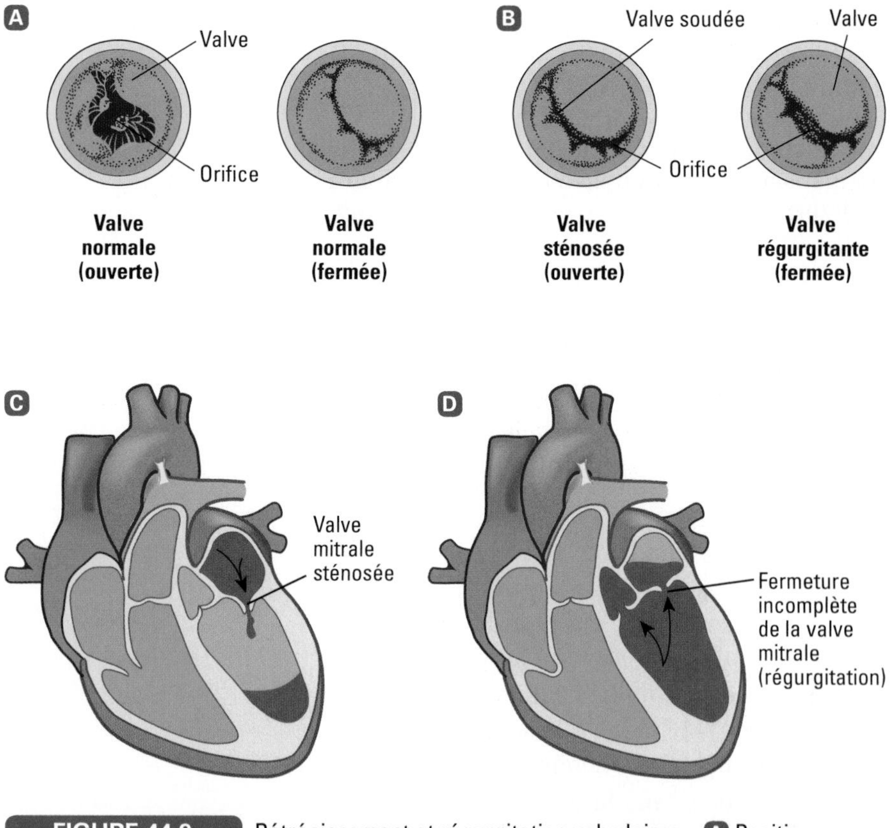

A
Valve
Orifice
Valve normale (ouverte)
Valve normale (fermée)

B
Valve soudée
Valve
Orifice
Valve sténosée (ouverte)
Valve régurgitante (fermée)

C
Valve mitrale sténosée

D
Fermeture incomplète de la valve mitrale (régurgitation)

FIGURE 44.9 Rétrécissement et régurgitation valvulaires – **A** Position normale des valves à l'ouverture et à la fermeture de la valve. **B** Position ouverte d'une valve rétrécie (gauche) et position fermée d'une valve régurgitante (droite). **C** Effet hémodynamique du rétrécissement mitral. La valve rétrécie ne peut s'ouvrir suffisamment durant la systole auriculaire gauche, entravant ainsi le remplissage ventriculaire gauche. **D** Effet hémodynamique de la régurgitation mitrale. La valve mitrale ne se ferme pas complètement durant la systole ventriculaire gauche, ce qui occasionne un reflux de sang dans l'oreillette gauche.

Les troubles valvulaires de l'enfance ou de l'adolescence proviennent en général d'affections congénitales. La prévalence de la valvulopathie augmente avec l'âge. Le rétrécissement aortique et la régurgitation mitrale sont des troubles valvulaires courants chez la personne âgée de plus de 65 ans.

44.2.1 Rétrécissement mitral

Étiologie et physiopathologie

Dans la plupart des cas, le rétrécissement mitral (aussi appelé sténose mitrale) chez l'adulte découle de la cardite rhumatismale. C'est pourquoi cette valvulopathie est répandue dans les pays en développement. Au chapitre des causes moins fréquentes, mentionnons le rétrécissement mitral congénital, la polyarthrite rhumatoïde et le lupus érythémateux disséminé. L'endocardite rhumatismale provoque la formation de tissu cicatriciel sur les valves et le cordage tendineux. Puis, des contractures et des végétations apparaissent aux commissures (zones de jonction). La valve mitrale sténosée a la forme d'une « bouche de poisson » due à l'épaississement et au raccourcissement de ses structures **FIGURE 44.10**. Ces déformations structurelles obstruent la circulation sanguine, créant ainsi une différence de pression entre l'oreillette et le ventricule gauches pendant la diastole. La pression et le volume auriculaires gauches augmentent. Cette augmentation entraîne une hausse de la pression vasculaire pulmonaire, puis l'hypertrophie des veines pulmonaires. Dans le rétrécissement mitral chronique, la surcharge de pression se fait sentir dans l'oreillette gauche, dans le lit pulmonaire et se répercute dans le ventricule droit. En effet, 40 % des clients qui en sont atteints ont une hypertension pulmonaire réactive, ce qui augmente la pression du côté droit du cœur et mène ainsi à une insuffisance cardiaque droite (Lilly, 2011).

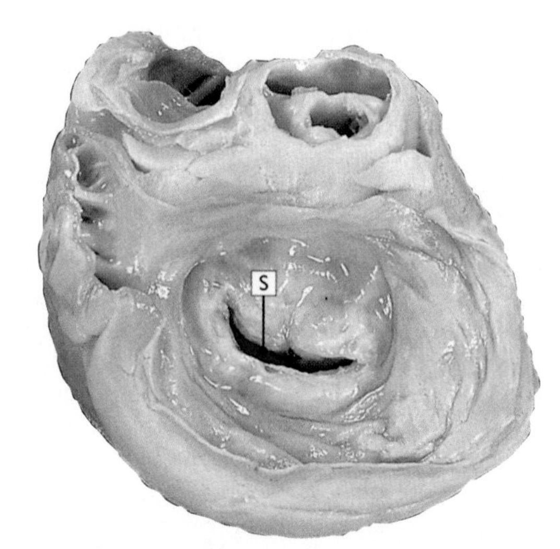

FIGURE 44.10 Rétrécissement mitral – L'orifice adopte la forme classique de la « bouche de poisson ». *S*, sténose.

Manifestations cliniques

Le principal symptôme du rétrécissement mitral est la dyspnée d'effort due à la compliance pulmonaire réduite. En raison de la fibrillation auriculaire, la fatigue et des palpitations peuvent également se produire. Le risque de présenter de la fibrillation auriculaire augmente, car la surcharge chronique de pression de l'oreillette gauche mène à un élargissement auriculaire. Ce phénomène provoque l'étirement des fibres de conduction et peut ainsi mener à la fibrillation auriculaire (Lilly, 2011). Quant aux bruits cardiaques, un premier bruit (B1) fort et un souffle diastolique grave et grondant se font entendre à l'auscultation du site de la valve mitrale (stéthoscope posé à l'apex alors que le client est en décubitus latéral gauche) . La dyspnée, la dyspnée nocturne paroxystique, l'orthopnée, la douleur thoracique ainsi que les palpitations sont des symptômes fréquemment rencontrés chez les clients atteints de cette valvulopathie. Au nombre des signes moins fréquents figurent l'enrouement (en raison de la compression du nerf laryngé exercée par l'oreillette grossie), l'hémoptysie (due à l'hypertension pulmonaire) et la formation d'une embolie cérébrale causant ainsi un AVC. L'embolie peut survenir par suite de la stase sanguine dans l'oreillette gauche causée par la fibrillation auriculaire.

Lorsque que les symptômes associés au rétrécissement mitral persistent malgré un traitement approprié, ou en présence d'une hypertension pulmonaire significative, une correction mécanique est souhaitable. La dilatation percutanée par ballon est le premier choix lorsque l'anatomie du malade le permet, autrement la correction chirurgicale sera considérée (Nishimura *et al.*, 2014).

44.2.2 Régurgitation mitrale

Étiologie et physiopathologie

La valve mitrale fonctionne de manière optimale lorsque les feuillets de la valve, l'anneau mitral, le cordage tendineux, les muscles papillaires, l'oreillette et le ventricule gauches sont intacts. N'importe quelle anomalie de l'une ou l'autre de ces structures peut donner lieu à la régurgitation. La plupart des cas de régurgitation mitrale sont causés par un infarctus du myocarde, une cardite rhumatismale chronique, un prolapsus valvulaire mitral, une ischémie musculaire papillaire ou une endocardite infectieuse. L'infarctus du myocarde avec insuffisance ventriculaire gauche accroît le risque de rupture du cordage tendineux et de régurgitation mitrale aiguë.

La régurgitation mitrale se caractérise par le reflux de sang du ventricule gauche dans l'oreillette gauche, dû à la fermeture incomplète de la valve pendant la systole. Le ventricule et l'oreillette gauches redoublent d'efforts pour maintenir un D.C. suffisant. Il existe deux types d'insuffisance mitrale : aiguë et chronique.

Manifestations cliniques

La nature de l'apparition de la régurgitation mitrale en détermine l'évolution clinique **TABLEAU 44.3**. À la phase aiguë de la régurgitation, le ventricule et l'oreillette gauches ne sont pas en mesure de s'adapter (de se dilater) rapidement à cause d'une élévation subite de la pression dans ces cavités. La hausse soudaine de la pression et du volume atteint le lit pulmonaire, provoquant un œdème pulmonaire et, en l'absence de traitement, un choc cardiogénique. Dans l'insuffisance mitrale aiguë, les pouls périphériques sont filiformes et les extrémités, froides et moites. Le bas D.C. peut masquer un nouveau souffle systolique. La clé d'une issue favorable réside dans la rapidité de l'évaluation (p. ex., un cathétérisme cardiaque) et de l'intervention (p. ex., la réparation ou le remplacement valvulaire).

Dans la régurgitation mitrale chronique, la charge volumique supplémentaire entraîne la dilatation de l'oreillette gauche, la dilatation et l'hypertrophie ventriculaire gauche, et une diminution du D.C. pouvant ultimement mener à une insuffisance cardiaque gauche. La personne souffrant de régurgitation mitrale chronique peut demeurer asymptomatique durant des années. Les premiers symptômes de l'insuffisance ventriculaire gauche peuvent être la faiblesse, la fatigue, les palpitations et la dyspnée, qui évoluent progressivement vers l'orthopnée et la dyspnée nocturne paroxystique. L'œdème pulmonaire est souvent l'un des premiers signes que le client observera à la suite d'une insuffisance ventriculaire gauche. Le remplissage accru du ventricule gauche donne lieu à un troisième bruit (B3) audible, même si ce ventricule fonctionne normalement. Le souffle est un souffle apical holosystolique (entendu durant toute la systole ventriculaire à l'auscultation) fort qui irradie à l'aisselle gauche. Étant donné que la valve mitrale n'est plus imperméable, le premier bruit cardiaque (B1) est assourdi. Il convient de surveiller étroitement la personne asymptomatique par un suivi médical et des échographies cardiaques en série, prescrites selon l'évolution de la valvulopathie ; en cas d'insuffisance mitrale sévère, il convient aussi d'envisager la chirurgie (réparation ou remplacement valvulaire) selon des lignes directrices établies, et ce, avant que l'insuffisance ventriculaire gauche ne s'intensifie ou que l'hypertension pulmonaire ne s'installe (Madden, 2011). Une réparation percutanée avec clip mitral peut être effectuée chez les clients présentant un risque chirurgical prohibitif (Laflamme, 2013).

CE QU'IL FAUT RETENIR

Le principal symptôme du rétrécissement mitral est la dyspnée d'effort due à la compliance pulmonaire réduite. La fatigue et des palpitations peuvent également se produire.

Réactivation des connaissances

Faut-il utiliser la cupule ou le diaphragme pour effectuer l'auscultation cardiaque ?

(i+) Animation : *Auscultation des valvules cardiaques.*

44

TABLEAU 44.3	Manifestations cliniques de la valvulopathie		
FORMES DE LA VALVULOPATHIE		**MANIFESTATIONS CLINIQUES**	
		Signes	**Symptômes**
Rétrécissement mitral		• Hémoptysie • Fibrillation auriculaire notée à l'ECG • Embolie cérébrale • Premier bruit fort (B1) accentué • Souffle diastolique sourd et grondant, joues roses ou violacées	• Dyspnée d'effort • Fatigue • Palpitations • Orthopnée • Dyspnée paroxystique nocturne
Régurgitation mitrale	aiguë	• Cyanose • Souffle systolique nouveau accompagné d'œdème pulmonaire et signes associés au choc cardiogénique	• Orthopnée • Dyspnée sévère (au repos), progressive ou subite
	chronique	• Troisième bruit (B3) • Souffle holosystolique • Premier bruit (B1) diminué • Soulèvement parasternal gauche • Apex étalé	• Faiblesse • Fatigue • Dyspnée d'effort • Palpitations
Prolapsus mitral		• Déclic au milieu de la systole • Souffle holosystolique	• Palpitations • Dyspnée • Douleur thoracique • Intolérance à l'activité • Syncope
Rétrécissement aortique		• Hypertrophie • Dilatation cardiaque • Premier bruit (B1) normal ou adouci • Deuxième bruit (B2) assourdi ou absent • Souffle systolique • Quatrième bruit (B4) proéminent • *Parvus tardus* aux carotides	• Douleur rétrosternale • Syncope • Dyspnée d'effort
Régurgitation aortique	aiguë	• Diminution du premier bruit (B1) • Présence possible d'un troisième bruit (B3) • Insuffisance ventriculaire gauche et choc cardiogénique (tachycardie, hypotension sévère) • Collapsus cardiovasculaire	• Dyspnée profonde d'apparition soudaine • Douleur thoracique
	chronique	• Pouls de Corrigan (pouls fort et rapide qui s'effondre immédiatement) • Impulsion précordiale palpitante • Deuxième bruit (B2) diminué • Présence possible d'un troisième (B3) ou quatrième bruit (B4) (galop) • Souffle diastolique doux de ton aigu	• Fatigue • Dyspnée d'effort • Orthopnée • Dyspnée nocturne paroxystique • Douleur rétrosternale

TABLEAU 44.3	Manifestations cliniques de la valvulopathie *(suite)*		
FORMES DE LA VALVULOPATHIE		**MANIFESTATIONS CLINIQUES**	
		Signes	**Symptômes**
Rétrécissement	tricuspide	• Œdème périphérique • Ascites • Hépatomégalie • Souffle diastolique grave en *decrescendo* dont l'intensité croît à l'inspiration	• Atteinte tricuspidienne pratiquement jamais isolée, souvent avec atteinte de la valve mitrale dans le RAA, donc symptômes identiques au rétrécissement mitral si atteinte combinée
	pulmonaire	• Souffle fort au milieu de la systole • Augmentation des ondes jugulaires • Soulèvement parasternal gauche	• Fatigue

44.2.3 Prolapsus valvulaire mitral

Étiologie et physiopathologie

Le **prolapsus valvulaire mitral (PVM)** relève d'une anomalie des feuillets et des muscles papillaires ou du cordage tendineux entraînant le glissement ou le bombement d'un ou des feuillets de la valve dans l'oreillette gauche durant la systole **FIGURE 44.11**. Cette pathologie est parfois nommée valve myxomateuse ou syndrome de Barlow. L'étiologie du prolapsus mitral est inconnue, mais tient à divers mécanismes pathogènes altérant la structure valvulaire mitrale. Le terme prolapsus n'est pas le plus judicieux, car il s'applique même lorsque la valve fonctionne normalement. L'incidence du PVM est de 2,4 % de la population et touche particulièrement les femmes (Laflamme, 2013).

Habituellement, le PVM est bénin, mais il peut occasionner de graves complications, dont la régurgitation mitrale, l'endocardite infectieuse, les embolies périphériques, les arythmies auriculaires et ventriculaires, la mort subite, l'insuffisance cardiaque gauche et l'ischémie cérébrale. Une incidence familiale accrue est notée chez certains malades (transmission héréditaire autosomique dominante). Dans ce groupe, le PVM découle d'une anomalie du tissu conjonctif se limitant à une seule valve, propre au syndrome de Marfan ou à un autre trouble héréditaire s'attaquant à la structure du collagène. Nombre de personnes aux prises avec un PVM ne présentent pas d'autres manifestations cliniques de maladie cardiaque. La plupart peuvent espérer vivre aussi longtemps que les personnes exemptes de cette anomalie. Il est recommandé de les évaluer périodiquement, par échographie transthoracique, afin d'évaluer la nécessité chirurgicale.

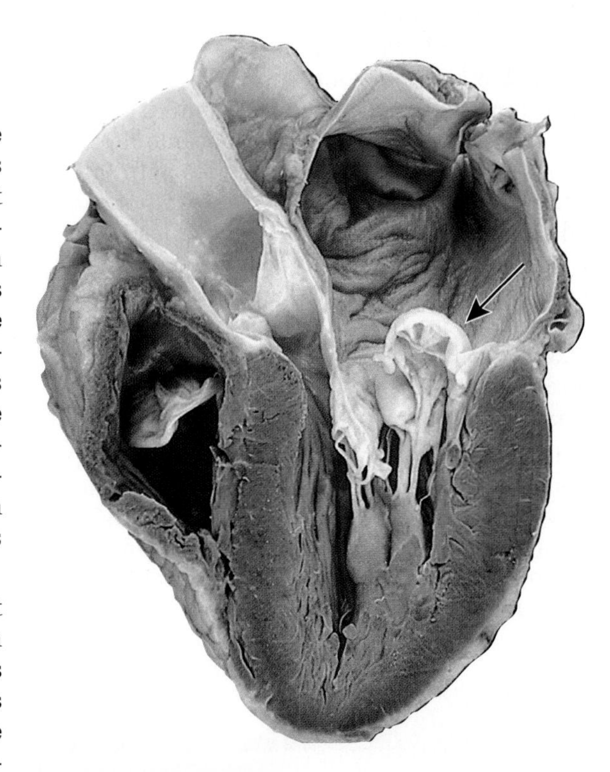

FIGURE 44.11 Prolapsus valvulaire mitral – Les feuillets de la valve mitrale se replient dans l'oreillette gauche. Elles se coiffent également d'un capuchon (flèche).

Manifestations cliniques

Les manifestations du PVM sont d'intensité diverse. La plupart des malades sont asymptomatiques, et ce, durant toute leur vie. Environ 10 % des cas sont symptomatiques. Le souffle provenant de la régurgitation, qui s'intensifie durant la systole, est l'une des caractéristiques du PVM. Il peut s'agir d'un souffle tardif ou holosystolique. Un clic d'ouverture de la valve se faisant entendre habituellement au milieu ou à la fin de la systole constitue un autre signe majeur de l'affection. Le PVM n'altère pas les premier (B1) ou deuxième bruits (B2) du cœur. La régurgitation mitrale grave est une complication rare.

L'échocardiographie en mode temps-mouvement confirme le PVM en révélant le prolapsus en fin de systole, tandis que l'échocardiographie bidimensionnelle permet de visualiser le bombement des feuillets dans l'oreillette gauche. L'arythmie, le plus souvent des extrasystoles ventriculaires, de la tachycardie supraventriculaire paroxystique ou de la tachycardie ventriculaire, peut causer des palpitations, une sensation ébrieuse et de l'étourdissement. Lorsque la régurgitation mitrale s'ajoute au PVM, le risque d'une endocardite infectieuse augmente.

La douleur thoracique peut être présente. Sa cause est inconnue, mais elle pourrait être imputable à une tension anormale des muscles papillaires. Le cas échéant, elle tend à être épisodique, survenant surtout en période de stress émotionnel. Parfois, la dyspnée, les palpitations et la syncope accompagnent la douleur thoracique, et le traitement antiangineux (p. ex., les nitrates) n'y change rien. Un bêtabloquant pourra venir à bout des palpitations et de la douleur thoracique. Les mesures recommandées sont l'hydratation, l'exercice physique régulier et le bannissement de la caféine.

En général, le PVM est de nature bénigne et facile à prendre en charge, à moins que des problèmes connexes, telle la régurgitation mitrale, ne surviennent. À l'heure actuelle, aucune thérapie médicale ne permet de retarder le délai d'une chirurgie. L'**ENCADRÉ 44.9** présente un plan d'enseignement au client affligé d'un PVM.

CE QU'IL FAUT RETENIR

Les symptômes du rétrécissement aortique (douleur rétrosternale, syncope, dyspnée, signes associés à l'insuffisance cardiaque) se manifestent lorsque l'orifice valvulaire est réduit au tiers de sa normale.

Enseignement au client et à ses proches

ENCADRÉ 44.9 Prolapsus valvulaire mitral

L'enseignement au client et à ses proches sur la prise en charge d'un PVM devrait porter sur les aspects suivants.

- Observer la pharmacothérapie (p. ex., un bêtabloquant contre les palpitations et la douleur thoracique).
- Adopter de saines habitudes alimentaires et bannir la caféine, stimulant qui peut accentuer les symptômes.
- Vérifier les ingrédients des anorexigènes ou d'autres médicaments en vente libre pouvant contenir des stimulants (p. ex., la caféine, l'éphédrine) susceptibles d'exacerber les symptômes.
- Adopter un programme d'exercice physique destiné à maintenir la santé optimale.
- Communiquer avec un professionnel de la santé ou le service médical d'urgence dès l'apparition ou l'aggravation de symptômes (p. ex., des palpitations, de la fatigue, une douleur rétrosternale, un essoufflement, de l'anxiété, une syncope).

44.2.4 Rétrécissement aortique

Étiologie et physiopathologie

Le rétrécissement aortique (ou sténose aortique) d'origine congénitale se manifeste habituellement durant l'enfance ou l'adolescence, ou au début de l'âge adulte. De 1 à 2 % de la population naît avec une valve aortique bicuspide (à 2 feuillets) (Laflamme, 2013). Chez l'adulte d'âge moyen, le rétrécissement aortique découle d'un RAA ou, après 65 ans, de la dégénérescence sénile par calcification. Dans la valvulopathie rhumatismale, la fusion des commissures et la calcification subséquente rigidifient les valves, qui se replient et provoquent ainsi le rétrécissement. Lorsque le rétrécissement est dû à une cardite rhumatismale, il peut s'accompagner de valvulopathie mitrale. Le rétrécissement sans autre anomalie est habituellement d'origine différente. L'incidence de la valvulopathie aortique rhumatismale est en déclin, mais le rétrécissement sénile ou dégénératif fibreux est en hausse en raison du vieillissement de la population.

Le rétrécissement aortique obstrue le flot sanguin provenant du ventricule gauche, qui se dirige vers l'aorte durant la systole. Cette obstruction entraîne l'hypertrophie ventriculaire gauche en raison d'une postcharge plus élevée, secondaire à la sténose elle-même. L'hypertrophie augmente la consommation d'oxygène du myocarde parce que la masse myocardique s'accroît. Au fur et à mesure que la maladie évolue et que les mécanismes compensateurs échouent, l'affaiblissement du D.C. se traduit par la diminution de l'irrigation tissulaire, l'hypertension pulmonaire et l'insuffisance cardiaque gauche.

Manifestations cliniques

Les symptômes du rétrécissement aortique **TABLEAU 44.3** se manifestent lorsque la taille de l'orifice valvulaire ne représente plus que le tiers de la normale. Parmi ces symptômes figurent la douleur rétrosternale, la syncope, la dyspnée et les signes et symptômes associés à l'insuffisance cardiaque (Gongidi & Hamaty, 2011). En présence de symptômes et d'obstruction valvulaire tenaces, le pronostic est sombre. En effet, selon la présentation clinique de la sténose aortique, il existe un pronostic établi. En présence de douleur rétrosternale, la survie moyenne est évaluée à cinq ans; dans les cas de syncopes, cette survie chute à trois ans; enfin, s'il y a symptômes d'insuffisance cardiaque, la survie est de deux ans (Lilly, 2011).

La nitroglycérine est utile dans le traitement de l'angine, mais la prudence est de mise parce qu'elle diminue la précharge (il s'agit d'un vasodilatateur périphérique) tout en faisant baisser la P.A. En effet, si la pression diastolique diminue, il en va de même de l'irrigation des coronaires, ce qui accentue la douleur thoracique. Il est très important d'être prudent dans l'administration de vasodilatateurs périphériques en présence d'une sténose aortique sévère, et ce, en raison d'une obstruction fixe du D.C. gauche, créé par la sténose elle-même. Ces médicaments diminuent également la postcharge, car ils provoquent la vasodilatation des lits vasculaires périphériques. Combiné à une incapacité d'augmenter le D.C. en présence d'une sténose aortique, ce mécanisme d'action contribue à une baisse de perfusion cérébrale pouvant mener à une syncope (Lilly, 2011). En cas de rétrécissement aortique, les critères permettant de choisir entre la chirurgie et la valvuloplastie percutanée reposent sur les lignes directrices relatives à la valvulopathie.

Habituellement, l'auscultation met en évidence un premier bruit (B1) normal ou adouci, un deuxième bruit (B2) atténué ou absent, un souffle systolique rugueux à l'auscultation et s'éteignant avant le deuxième bruit (B2), et, dans certains cas, un quatrième bruit (B4) proéminent. Le pic du souffle qui s'entend tardivement est un signe de gravité s'expliquant par une valve dont la compliance diminue de plus en plus pendant la systole ventriculaire gauche. Le *parvus tardus* (du latin *parvus*, petit, et *tardus*, qui traîne), qui se traduit par une diminution de l'amplitude et une montée des carotides plus lentes par rapport à la systole ventriculaire, est un autre signe de sévérité de la sténose aortique témoignant de la faiblesse du D.C. gauche (Lilly, 2011).

44.2.5 Régurgitation aortique

Étiologie et physiopathologie

La régurgitation aortique peut provenir d'une maladie primitive des feuillets de la valve aortique, de l'anneau aortique ou des deux. Un traumatisme, une endocardite infectieuse et un anévrisme disséquant peuvent causer une régurgitation aortique aiguë, considérée comme une urgence médicale, car elle met la vie du client en danger. La régurgitation aortique chronique provient en général de la cardite rhumatismale, d'une valve aortique bicuspide congénitale, de la syphilis ou de troubles rhumatismaux chroniques comme la spondylarthrite ankylosante ou le syndrome oculo-urétrosynovial.

La régurgitation aortique provoque un reflux de sang de l'aorte ascendante dans le ventricule gauche pendant la diastole, occasionnant ainsi une surcharge de volume (il y a un retour de sang de l'aorte vers le ventricule gauche). Le mécanisme compensateur initial du ventricule gauche est la dilatation et l'hypertrophie. Après un certain temps, la contractilité myocardique diminue, et le volume sanguin (pression) dans l'oreillette gauche et le lit pulmonaire augmente en raison d'un volume en télédiastole toujours plus important. Il s'ensuit une hypertension pulmonaire et une insuffisance ventriculaire droite.

Manifestations cliniques

Dans la phase aiguë de la régurgitation aortique, la personne présente des manifestations soudaines de collapsus cardiovasculaire **TABLEAU 44.3**. Le ventricule gauche subit la pression aortique pendant la diastole et n'est pas en mesure d'accommoder le surplus de volume, tandis que la pression élevée se transmet à l'oreillette gauche et, ultimement, aux vaisseaux pulmonaires, conduisant à un œdème aigu du poumon. Les signes (hypotension) et les symptômes (dyspnée profonde, douleur thoracique) d'insuffisance ventriculaire gauche se manifestent avant que ne survienne le choc cardiogénique, qui constitue une urgence médicale. Les lignes directrices font état de plusieurs critères selon lesquels, en cas d'insuffisance aortique sévère, la valve doit être remplacée en procédant à une chirurgie.

Dans la régurgitation aortique grave chronique, le ventricule gauche se dilate graduellement, accommodant ainsi un volume de sang de plus en plus grand, étant donné qu'à chaque systole le volume régurgitant s'ajoute au volume télédiastolique normal. Cette dilatation progressive cause une défaillance cardiaque. Dans cette phase de la maladie, on observe un **pouls de Corrigan** (pouls fort et rapide qui s'effondre immédiatement). Un souffle diastolique assourdi et au ton aigu est un bruit cardiaque caractéristique de la régurgitation aortique grave. Un premier bruit (B1) doux ou absent, accompagné d'un troisième (B3) ou d'un quatrième bruit (B4) peuvent être également entendus.

La personne atteinte de régurgitation aortique chronique demeure asymptomatique durant des années, et la dyspnée d'effort, l'orthopnée et la dyspnée nocturne paroxystique n'apparaissent que lorsque la dysfonction myocardique est marquée **TABLEAU 44.3**. L'angine est moins fréquente que dans le rétrécissement aortique.

44.2.6 Valvulopathie tricuspide ou pulmonaire

Étiologie et physiopathologie

Les valvulopathies tricuspides ou pulmonaires sont peu fréquentes. La régurgitation tricuspidienne est associée à l'hypertension pulmonaire, à la cardiomyopathie dilatée et à l'endocardite. Le rétrécissement tricuspide se produit presque exclusivement par suite de RAA ou d'utilisation de drogues injectables. Il entraîne la dilatation de l'oreillette droite et l'élévation de la pression

Nitroglycérine

- La nitroglycérine doit être utilisée avec prudence en cas de rétrécissement aortique, car elle peut diminuer la P.A. de façon importante.
- La douleur thoracique peut s'accentuer en raison de la baisse de la P.A.

CE QU'IL FAUT RETENIR

La personne atteinte de régurgitation aortique chronique demeure asymptomatique durant des années, jusqu'à ce que la dysfonction myocardique soit assez marquée.

veineuse systémique. Le rétrécissement pulmonaire est presque toujours d'origine congénitale, et il occasionne de l'hypertension et de l'hypertrophie ventriculaire droite **TABLEAU 44.3**.

44.2.7 Examens paracliniques de la valvulopathie

Le diagnostic de valvulopathie s'établit à partir de l'histoire de santé du client et des constats de l'examen physique, de l'échocardiographie, de la radiographie pulmonaire, de l'ECG et du cathétérisme cardiaque (particulièrement si la chirurgie est envisagée) **ENCADRÉ 44.10**. La tomodensitométrie avec contraste est l'examen de choix pour évaluer les pathologies aortiques (Bachore, Hranitzky & Patel, 2011). L'échocardiographie illustre la structure et le fonctionnement valvulaires ainsi que la taille des cavités cardiaques. L'échocardiographie transœsophagienne et l'imagerie doppler tissulaire facilitent le diagnostic et la surveillance de l'évolution de la valvulopathie. L'échocardiographie tridimensionnelle en temps réel peut être utile dans l'évaluation de la valve mitrale et de la cardiopathie congénitale. La radiographie pulmonaire révèle la taille du cœur, l'altération de la circulation pulmonaire et la calcification valvulaire, le cas échéant. L'ECG permet de déterminer la fréquence et le rythme cardiaques, et de cerner l'ischémie ou l'hypertrophie ventriculaire. Le cathétérisme cardiaque détecte la variation de pression dans les chambres cardiaques, et mesure les gradients (différences) de pression aux valves et la taille de l'ouverture valvulaire.

42

Le régime alimentaire hyposodé est décrit dans le chapitre 42, *Interventions cliniques – Insuffisance cardiaque.*

43

La pharmacothérapie des clients atteints d'arythmies est décrite dans le chapitre 43, *Interventions cliniques – Arythmie.*

Processus diagnostique et thérapeutique

ENCADRÉ 44.10 Valvulopathie

EXAMEN CLINIQUE ET EXAMENS PARACLINIQUES

- Anamnèse et examen physique
- Radiographie pulmonaire
- Hémogramme
- Électrocardiographie
- Échocardiographie (doppler et transœsophagienne)
- Cathétérisme cardiaque

PROCESSUS THÉRAPEUTIQUE

- Traitement non chirurgical
  - Antibiothérapie prophylactique
    - RAA
    - Endocardite infectieuse
  - Restriction sodée
  - Médicaments prescrits pour le traitement ou la maîtrise de l'insuffisance cardiaque
    - Vasodilatateurs[a] (p. ex., des nitrates, un IECA)
    - Inotropes positifs (p. ex., la digoxine)
    - Diurétiques (de l'anse)
    - Antagonistes de l'aldostérone
    - Bêtabloquants
    - Digitale
    - Inotropes positifs I.V. (à considérer en phase aiguë)
  - Anticoagulothérapie
  - Antiarythmiques
  - Valvuloplastie percutanée
- Traitement chirurgical
  - Réparation valvulaire
    - Commissurotomie (valvulotomie)
    - Valvuloplastie
    - Annuloplastie
  - Remplacement valvulaire (prothèse)

[a] Faire preuve de prudence en présence de rétrécissement aortique.

44.2.8 Processus thérapeutique en interdisciplinarité de la valvulopathie

Traitement conservateur

La prévention de la récurrence du RAA et de l'endocardite infectieuse représente un aspect important de la prise en charge de la valvulopathie par les traitements prophylactiques **ENCADRÉ 44.10**. Le traitement varie selon la valve atteinte et la gravité de la maladie. Il est axé sur la prévention de l'apparition et de l'exacerbation de l'insuffisance cardiaque, de l'œdème pulmonaire aigu, de la thromboembolie et de l'endocardite récurrente. L'insuffisance cardiaque est traitée à l'aide de vasodilatateurs comme les IECA, d'inotropes positifs, de bêtabloquants, d'antagonistes de l'aldostérone, de diurétiques et d'un régime alimentaire hyposodé ▶ 42.

L'anticoagulothérapie a pour objectif de prévenir ou de traiter l'embolie pulmonaire ou systémique. En présence de fibrillation auriculaire, elle a une visée prophylactique. L'arythmie est fréquente, particulièrement l'arythmie auriculaire, et est traitée à l'aide d'un bêtabloquant, d'un bloquant des canaux calciques, de digoxine (Lanoxin[MD]), d'un antiarythmique ou de la cardioversion électrique ▶ 43.

Valvuloplastie percutanée

La valvuloplastie percutanée, opération visant à séparer les commissures collées l'une à l'autre, est une autre option thérapeutique dans certains types de valvulopathie. Elle est utilisée en cas de rétrécissement mitral, tricuspide ou pulmonaire. Cette approche est moins utilisée avec le rétrécissement aortique en raison du risque élevé de complication majeure (plus de 10 %) et du haut taux de resténose à 6 mois (Laflamme, 2013). Cette intervention est effectuée en salle de cathétérisme cardiaque, et consiste à introduire un cathéter muni d'un ballonnet dans la valve sténosée par l'artère ou la veine fémorale. Le ballonnet est gonflé dans l'espoir de séparer les feuillets de la valve atteinte. La technique peut faire appel à un ou à deux ballonnets. À l'heure actuelle, on a recours au seul ballon d'Inoue, en forme de sablier, qui permet le gonflement séquentiel **FIGURE 44.12**. Cette technique est la plus prisée, car elle est d'exécution facile, produit de bons résultats et entraîne moins de complications (p. ex., une perforation ventriculaire gauche) que les autres. La valvuloplastie est généralement indiquée chez la personne âgée et chez la personne qui n'est pas une bonne candidate à la chirurgie. Elle

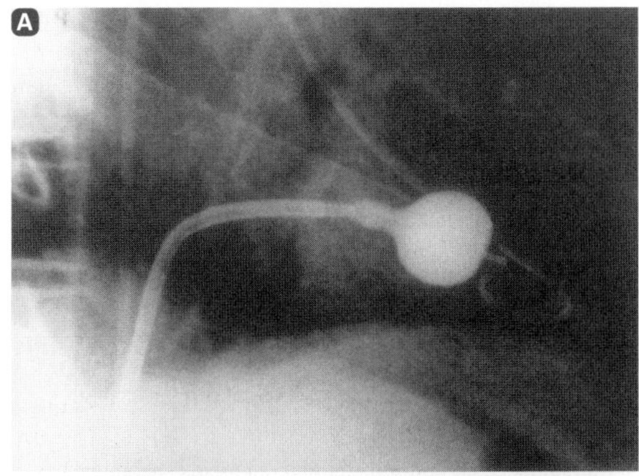

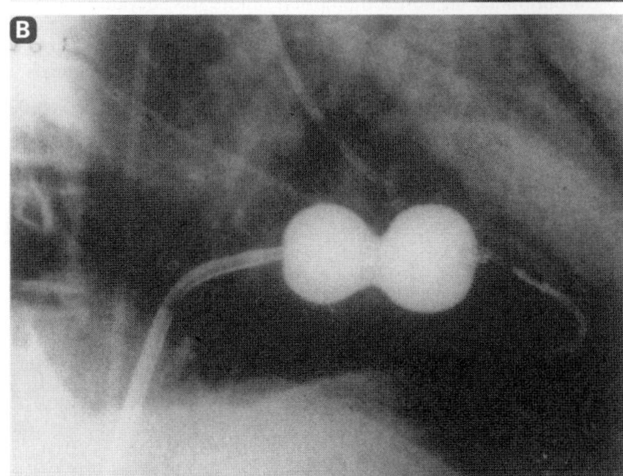

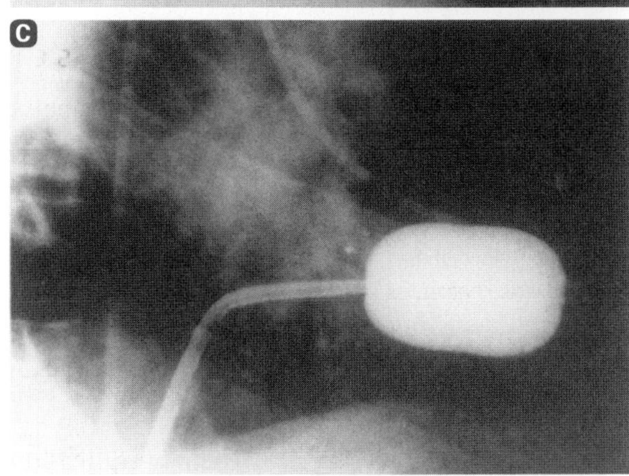

FIGURE 44.12 Valvuloplastie mitrale effectuée selon la technique d'Inoue – A Un cathéter est inséré dans la valve mitrale, puis la partie distale du ballonnet Inoue est gonflée. B Le ballonnet est ensuite tiré à travers la valve mitrale et gonflé pendant 10 à 15 secondes sous contrôle radioscopique. C Le gonflement se poursuit jusqu'à ce qu'il n'y ait plus de rétrécissement visible du ballonnet et que ce dernier retourne dans l'oreillette gauche.

occasionne moins de complications que la prothèse valvulaire. À longue échéance, les résultats de la valvuloplastie sont semblables à ceux de la **commissurotomie**.

Traitement chirurgical

La décision de recourir à l'intervention chirurgicale dépend de la détermination de l'état du client selon la classification de la New York Heart Association. La chirurgie a pour but soit de réparer la valve, soit de la remplacer. La technique est choisie en fonction de l'état de la valve atteinte, de la nature et de la gravité de la pathologie ainsi que de l'état clinique du client. Quelle que soit la technique utilisée, des soins de santé seront nécessaires tout au long de la vie **ENCADRÉ 44.11**.

Réparation valvulaire

La réparation ou plastie valvulaire est généralement l'intervention chirurgicale de choix. Son taux de mortalité opératoire est inférieur à celui du remplacement valvulaire ; elle est souvent utilisée en cas de valvulopathie mitrale ou d'insuffisance triscupidienne (Mitral Valve Repair Center at the Mount Sinai Hospital, 2011a, 2011b). Bien que la réparation permette d'éviter les risques du remplacement, elle ne permet pas toujours le rétablissement fonctionnel de la valve.

La commissurotomie (valvulotomie) mitrale constitue l'intervention de prédilection pour la prise en charge du rétrécissement mitral pur. La technique de commissurotomie à l'aveugle, imprécise, a cédé le pas à la technique à cœur ouvert. La technique aveugle suppose que le chirurgien introduise un dilatateur par le ventricule gauche jusqu'à l'apex, puis dans l'orifice de la valve mitrale. La technique à cœur ouvert, qui offre une vue directe, nécessite la mise en place d'une circulation extracorporelle. Le chirurgien effectue une incision dans les commissures, et dégage le cordage fusionné en séparant le muscle papillaire sous-jacent et en débridant la valve calcifiée.

La valvuloplastie à cœur ouvert consiste en la réparation de la valve par suture des feuillets, du cordage tendineux ou des muscles papillaires déchirés. L'intervention a lieu principalement dans le traitement de la régurgitation mitrale ou tricuspide.

La valvuloplastie à effraction minimale commence par une sternotomie de moins grande ampleur que la sternotomie habituelle, ou s'effectue selon une approche parasternale. Elle fait appel à certains éléments de la chirurgie robotisée. Ses résultats sont comparables à ceux de l'intervention à cœur ouvert, toutefois le séjour du client à l'hôpital est abrégé, les transfusions sont moins nombreuses, la douleur est moins intense, et, selon certaines sources, le risque d'infection sternale et de fibrillation auriculaire postopératoire est moindre (Mitral Valve Repair Center at the Mount Sinai Hospital, 2011b).

Dans la régurgitation mitrale ou tricuspide, la reconstruction valvulaire par annuloplastie représente une option thérapeutique. L'annuloplastie consiste en la reconstruction de l'anneau ou, dans

Commissurotomie : Section chirurgicale des commissures permettant en général d'agrandir un orifice cardiaque rétréci (mitral, aortique ou pulmonaire).

Dilemmes éthiques

ENCADRÉ 44.11 Ordonnance de non-réanimation

SITUATION

Un homme de 68 ans est hospitalisé en prévision d'une deuxième chirurgie valvulaire mitrale et d'un pontage aortocoronarien. Il n'a pas fidèlement suivi le régime thérapeutique prescrit à l'occasion d'une première intervention chirurgicale, qui remonte à sept ans. L'infirmière se demande s'il respectera la pharmacothérapie, le régime alimentaire et le programme d'exercice physique à l'avenir. Le client doit se soumettre à la dialyse, car sa fonction rénale décline. La chirurgie comporte donc un risque élevé pour ce client. Lui et ses proches aidants sont ouverts à tous les traitements possibles et refusent d'aborder la question de l'ordonnance de non-réanimation.

CONSIDÉRATIONS IMPORTANTES

- Ce n'est pas parce qu'un client n'a pas observé son régime thérapeutique par le passé qu'il ne l'observera pas à l'avenir ; des études révèlent qu'une grande proportion de personnes ne font pas preuve d'une adhésion thérapeutique stricte. Votre objectif consiste à surmonter les obstacles qui entravent le respect des directives.
- Le client apte à prendre une décision déterminera lui-même s'il veut que le traitement se poursuive afin d'être en mesure de lutter de toutes ses forces pour vivre. Cela est d'autant plus important si les proches aidants appuient sa décision.
- Les professionnels de la santé ont l'obligation de respecter la demande de traitement du client, à moins que le traitement ne soit pas bénéfique selon les résultats probants. En fait, le professionnel doit évaluer la proportionnalité des soins en tenant compte des principes de bienfaisance et de non-malfaisance. Il doit donc se questionner sur les bénéfices escomptés de tous les traitements possibles au regard des risques qui y sont associés. Il doit aussi s'assurer que le client et ses proches comprennent ce qu'implique une réanimation et le résultat réel escompté. Le choix du client de poursuivre ou de cesser le traitement est fondé sur ses valeurs et ses croyances, lesquelles ne correspondent pas nécessairement à celles du personnel soignant.
- L'ordonnance de non-réanimation reflète les souhaits du client, exprimés pendant une conversation, dans des directives préalables ou par l'entremise de la personne mandatée pour agir en son nom. Il convient de réévaluer périodiquement ces souhaits en compagnie du client et du proche aidant, particulièrement avant une intervention diagnostique ou un traitement majeur.
- L'ordonnance de non-réanimation peut susciter un sentiment d'incompréhension tant chez le client que chez les professionnels de la santé impliqués. Une rencontre de l'équipe interdisciplinaire suivie d'une rencontre du client et de ses proches favoriseront une entente consensuelle. En cas de mésentente, il faut faire appel au comité d'éthique ou au groupe chargé d'examiner ces questions dans l'établissement.

QUESTIONS DE JUGEMENT CLINIQUE

- Quels renseignements devraient être transmis au client et au proche aidant dans la discussion sur l'ordonnance de non-réanimation ? Qui devrait lui transmettre cette information ?
- Dans quelle mesure la non-adhésion au régime thérapeutique est-elle due au manque de connaissances ou de ressources financières ?

certains cas, à son remplacement par une prothèse (p. ex., un anneau de Carpentier).

Les plus récentes lignes directrices de l'American Heart Association (AHA) et de l'American College of Cardiology (ACC) recommandent une réparation valvulaire percutanée avec le MitraClip en présence d'une régurgitation mitrale sévère et symptomatique. Cette intervention est réservée aux malades à un stade avancé d'insuffisance cardiaque en dépit d'un traitement pharmacologique optimal, et présentant un risque opératoire élevé (Nishimura *et al.*, 2014).

Remplacement valvulaire

Le remplacement valvulaire peut être nécessaire en cas de valvulopathie mitrale, aortique ou tricuspide, et parfois de valvulopathie pulmonaire. Pour la sténose aortique sévère, le traitement de choix est le remplacement valvulaire. Une approche minimalement effractive, qui s'effectue par cathétérisme ou selon l'approche apicale, est dorénavant recommandée à l'instar de l'approche chirurgicale conventionnelle (Nishimura *et al.*, 2014). Il n'en demeure pas moins que l'approche minimalement effractive est privilégiée lorsque la chirurgie habituelle comporte un risque prohibitif (Cleveland Clinic, 2016 ; Held, 2012 ; Laflamme, 2013).

Il existe une grande variété de prothèses valvulaires. La prothèse par excellence est non thrombogène et durable, et occasionne le moins de rétrécissement possible. La prothèse est soit mécanique, soit biologique (bioprothèse) **FIGURE 44.13**.

La valve mécanique est faite d'un matériau composite comprenant un alliage métallique, du carbone pyrolytique et du Dacron. Les valves biologiques sont faites de tissu cardiaque bovin,

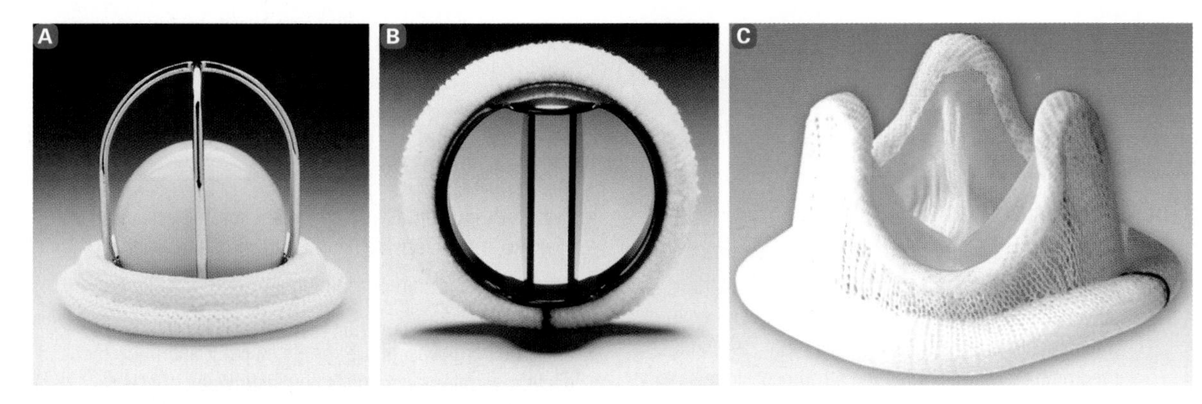

FIGURE 44.13 Types de prothèses valvulaires – A Valve Starr-Edwards à bille sous cage. B Valve St. Jude à deux valves. C Valve porcine Carpentier-Edwards.

porcin ou humain (provenant d'un cadavre), et, en général, contiennent aussi certains matériaux synthétiques. Des techniques de congélation et de décongélation novatrices rendent possible la conservation des valves cardiaques provenant de cadavres durant une longue période sans que ces dernières perdent leur viabilité. Un nouveau procédé de « décellularisation » retire les cellules et les débris cadavériques de la valve pour ne laisser qu'un échafaudage de tissu conjonctif qui fonctionne telle une valve cardiaque humaine. Le choix de cette technique pourrait se traduire par une diminution du risque de réaction immunitaire et, par le fait même, un moins grand risque de rejet de la valve.

La prothèse mécanique est plus durable que la prothèse biologique. Elle comporte cependant un risque de thromboembolie accru, d'où la nécessité d'une anticoagulothérapie à vie. Le saignement secondaire à l'anticoagulation représente la principale complication de la prothèse mécanique. En revanche, la bioprothèse ne nécessite pas d'anticoagulothérapie, car elle est peu thrombogène. Cependant, elle est moins durable que son pendant mécanique et tend à causer la calcification, la dégénérescence et le durcissement des valves. Qu'elle soit mécanique ou biologique, la prothèse peut présenter un écoulement paravalvulaire. Les clients porteurs de prothèses valvulaires sont plus à risque de développer une endocardite.

L'anticoagulothérapie à long terme est recommandée chez le porteur d'une prothèse mécanique et le porteur d'une bioprothèse qui présente de la fibrillation auriculaire. Certains porteurs d'une bioprothèse ou des personnes ayant subi une annuloplastie suivie de la mise en place d'un anneau prothétique peuvent nécessiter un traitement anticoagulant les premiers mois suivant la chirurgie, et ce, jusqu'à ce que des cellules endothéliales recouvrent les sutures.

De nombreux aspects entrent en jeu dans le choix de la prothèse. Par exemple, la valve biologique est préconisée en cas de contre-indication à l'anticoagulothérapie (p. ex., une femme en âge de procréer). Chez la personne de 65 ans ou plus, la durabilité est moins importante que le risque de saignement que comporte l'anticoagulothérapie, et la bioprothèse est choisie dans la plupart des cas. En revanche, si le client est jeune, la valve mécanique s'avère préférable, car elle est plus durable. Il importe toujours de discuter du choix de la prothèse avec le client afin d'obtenir un consentement éclairé.

Réactivation des connaissances

La warfarine (Coumadin[MD]) est un anticoagulant utilisé chez les clients porteurs d'une prothèse valvulaire mécanique. Quelles sont les valeurs cibles du RIN pour ces clients ?

CE QU'IL FAUT RETENIR

La prothèse valvulaire mécanique est plus durable que la prothèse biologique, mais elle requiert une anticoagulothérapie à vie en raison du risque de thromboembolie.

Soins et traitements infirmiers

CLIENT ATTEINT D'UNE VALVULOPATHIE

Collecte des données

L'**ENCADRÉ 44.12** présente les données subjectives et les données objectives que l'infirmière collecte en cas de valvulopathie.

Analyse et interprétation des données

Le **PSTI 44.1** propose des situations de santé en présence de valvulopathie.

Planification des soins

Les objectifs généraux pour le client qui souffre de valvulopathie sont :

- le maintien du fonctionnement cardiaque normal ;
- l'amélioration de la tolérance à l'activité ;
- la compréhension du processus pathologique et de mesures de maintien de la santé.

Collecte des données

ENCADRÉ 44.12 Valvulopathie

DONNÉES SUBJECTIVES

- Renseignements importants concernant la santé :
  - Antécédents de santé : RAA, endocardite infectieuse, anomalies congénitales, infarctus du myocarde, traumatisme thoracique, cardiomyopathie, syphilis, syndrome de Marfan, infection streptococcique
- Modes fonctionnels de santé :
  - Perception et gestion de la santé : utilisation de drogues injectables, fatigue

    Activités et exercices : palpitations, faiblesse générale, intolérance à l'activité, étourdissement, évanouissement, dyspnée d'effort, toux, hémoptysie, orthopnée
  - Sommeil et repos : dyspnée nocturne paroxystique
  - Cognition et perception : angine ou douleur thoracique atypique

DONNÉES OBJECTIVES

- Observations générales : fièvre
- Système tégumentaire : diaphorèse, bouffée vasomotrice, cyanose, hippocratisme digital, œdème périphérique
- Système respiratoire : crépitants, respiration sifflante, enrouement
- Système cardiovasculaire : bruits du cœur anormaux (dont déclics, souffles systoliques ou diastoliques, troisième [B3] ou quatrième bruit [B4]), arythmies (dont fibrillation auriculaire ou extrasystole ventriculaire), tachycardie, augmentation ou diminution de la pression différentielle, hypotension, pouls périphériques de Corrigan ou filants, jugulaires distendues
- Système gastro-intestinal : ascites, hépatomégalie
- Résultats possibles aux examens paracliniques : cardiomégalie visible à la radiographie pulmonaire, anomalies propres à la valve atteinte décelées par ECG, anomalies valvulaires et dilatation cavitaire révélées par échocardiographie, anomalies valvulaires, pression cavitaire, D.C. et circulation sanguine selon la valve atteinte déterminés par cathétérisme cardiaque

Plan de soins et de traitements infirmiers

PSTI 44.1 Valvulopathie

PROBLÈME DÉCOULANT DE LA SITUATION DE SANTÉ	**Baisse du D.C.** liée à l'insuffisance valvulaire, comme en témoignent la présence d'un souffle, la dyspnée, l'arythmie et l'œdème périphérique.
OBJECTIF	Le client maintiendra une irrigation tissulaire et organique appropriée.
RÉSULTATS ESCOMPTÉS	**INTERVENTIONS INFIRMIÈRES ET JUSTIFICATIONS**
Efficacité de la pompe cardiaque • Absence de douleur cardiaque • Fréquence cardiaque : _____ /batt./min • Absence de bruits cardiaques anormaux à l'auscultation • Absence d'arythmie sur le tracé cardiaque • Absence d'œdème périphérique • Absence de bruits adventices pulmonaires • Absence de troubles respiratoires • Absence de dyspnée au repos • Absence de signes d'hypoxémie (altération de l'état de conscience, tachypnée, cyanose, etc.)	**Soins cardiaques** • Surveiller les signes vitaux, l'état cardiovasculaire et l'état respiratoire pour détecter une baisse du D.C. (p. ex., fatigue, malaise, essoufflement, dyspnée d'effort, palpitations, douleur rétrosternale) et des manifestations liées à la souffrance cardiaque (p. ex., tachycardie, diminution de la diurèse, diminution de la pression artérielle, et changements de comportement, comme l'anxiété ou l'agressivité dues à l'hypoperfusion cérébrale). • Surveiller l'apparition d'une arythmie, tant un trouble du rythme que de la conduction, pour déceler et traiter les arythmies importantes. **Régulation de l'hémodynamie** • Administrer le médicament inotrope prescrit, qui augmentera la contractilité myocardique. • Surélever la tête du lit de 30° afin de diminuer le retour veineux et la demande en O_2, et d'optimiser l'expansion thoracique. **Gestion énergétique** • Favoriser le repos et la restriction des activités afin de diminuer le travail du cœur et la demande en O_2, jusqu'à ce que l'état clinique du client soit stabilisé.

PSTI 44.1	Valvulopathie *(suite)*
PROBLÈME DÉCOULANT DE LA SITUATION DE SANTÉ	**Volume liquidien excessif** lié à la rétention hydrique, secondaire à l'insuffisance cardiaque due à la valvulopathie, comme en témoignent l'œdème périphérique, le gain de poids, l'insuffisance cardiaque droite et la distension veineuse cervicale.
OBJECTIF	Le client verra se rétablir son équilibre hydrique et électrolytique.
RÉSULTATS ESCOMPTÉS	**INTERVENTIONS INFIRMIÈRES ET JUSTIFICATIONS**
Équilibre électrolytique • Absence de distension veineuse jugulaire • Absence d'œdème périphérique • Paramètres hémodynamiques dans les valeurs normales attendues • Maintien d'un poids stable • Équilibre du bilan des ingesta et des excreta (sur 24 h) • Électrolytes sériques et examens de fonction rénale dans les valeurs normales attendues	**Gestion de l'hypervolémie** • Surveiller l'évolution de l'œdème périphérique pour détecter l'hypervolémie. • Évaluer la respiration pour cerner les symptômes de gêne respiratoire (p. ex., dyspnée, orthopnée et dyspnée paroxystique nocturne) et surveiller les signes (p. ex., tachypnée, bruits respiratoires adventices, toux), afin d'évaluer la congestion pulmonaire. • Surveiller les signes vitaux et les excreta afin d'évaluer la réponse hémodynamique aux interventions et l'efficacité de celles-ci. • Peser le client chaque jour et surveiller l'évolution du poids (noter le gain supérieur à 0,9 kg en une journée ou le gain supérieur à 2,3 kg en une semaine) afin de relever les indicateurs d'hypervolémie. • Administrer le diurétique prescrit pour faciliter l'élimination liquidienne. • Surveiller la concentration sérique des électrolytes afin d'évaluer l'efficacité des interventions. **Gestion hydrique ou électrolytique** • Assurer le suivi du régime alimentaire hyposodé prescrit afin de prévenir la rétention hydrique.
PROBLÈME DÉCOULANT DE LA SITUATION DE SANTÉ	**Intolérance à l'effort** liée à une oxygénation insuffisante, secondaire à la diminution du débit cardiaque et à la congestion pulmonaire, comme en témoignent la faiblesse, la fatigue, l'essoufflement, la hausse ou la baisse de la fréquence du pouls et de la pression artérielle.
OBJECTIF	Le client maintiendra le degré d'activité optimal.
RÉSULTATS ESCOMPTÉS	**INTERVENTIONS INFIRMIÈRES ET JUSTIFICATIONS**
Tolérance à l'activité Durant l'activité : • Mesure d'oxymétrie dans les normales • Fréquence cardiaque ______ batt./min • Fréquence respiratoire ______ R/min • Absence de dyspnée d'effort (échelle de Borg) • Constat de l'importance de doser ses efforts pour éviter la fatigue • Durant les AVQ : Augmentation de la capacité à l'effort, tout en étant à l'aise • Absence de dyspnée et de douleur	**Gestion énergétique** • Surveiller la réaction cardiorespiratoire à l'activité (p. ex., fréquence du pouls, fréquence respiratoire, oxymétrie pulsée, P.A.) afin de planifier des interventions appropriées. • Encourager l'alternance entre le repos et les périodes d'activité afin de conserver l'énergie et de diminuer le travail du cœur. • Inciter le client à choisir des activités qui amélioreront progressivement son endurance afin d'accroître la tolérance cardiaque à l'effort. • Aider le client et le proche aidant à établir des objectifs réalistes afin de promouvoir un sentiment d'accomplissement. • Orienter le client vers un programme de réadaptation cardiaque.

PSTI 44.1 Valvulopathie *(suite)*

PROBLÈME DÉCOULANT DE LA SITUATION DE SANTÉ	**Insuffisance des connaissances** liée à l'absence d'expérience et à la méconnaissance de la maladie et du traitement, comme en témoigne l'expression d'idées fausses ou de croyances contraignantes sur les mesures de prévention des complications et sur le fait de demander de l'information.
OBJECTIF	Le client saura décrire la maladie et les mesures de prévention des complications.
RÉSULTATS ESCOMPTÉS	**INTERVENTIONS INFIRMIÈRES ET JUSTIFICATIONS**
Connaissances sur la maladie • Explication de l'évolution attendue de sa condition • Description des risques de complication et prise des mesures destinées à les prévenir (aviser les autres professionnels de la santé de la condition, suggérer le port d'un bracelet MedicAlert^MD, etc.) • Prise des mesures destinées à ralentir la progression de sa maladie • Description des signes et symptômes à signaler aux professionnels de la santé • Prise en charge de l'administration de sa médication	**Enseignement sur la maladie** • Préciser la physiopathologie de la maladie afin que le client en possède des connaissances fondamentales. • Décrire l'évolution de la maladie et les complications chroniques potentielles (p. ex., insuffisance cardiaque, endocardite infectieuse) afin de dépister et de traiter les complications le plus rapidement possible. • Indiquer au client les mesures destinées à prévenir les complications (p. ex., importance d'informer le dentiste, l'urologue, le gynécologue et d'autres professionnels de la santé de l'existence de la valvulopathie afin qu'une antibiothérapie prophylactique soit prescrite avant une intervention effractive), et l'inciter à porter un bracelet MedicAlert^MD. • Examiner avec le client les modifications des habitudes de vie destinées à prévenir les complications ou à limiter la progression de la maladie (p. ex., cessation du tabagisme) afin d'empêcher l'augmentation du travail du cœur et la déplétion en oxygène due au monoxyde de carbone. • Décrire les signes et symptômes à mentionner au professionnel de la santé afin que les interventions appropriées soient mises en œuvre. **Enseignement sur la pharmacothérapie** • Préciser le but et l'action des médicaments au client ou au proche aidant. • Remettre au client ou au proche aidant de l'information écrite sur l'action, le but et les effets indésirables des médicaments.

Interventions cliniques

Promotion de la santé

Pour prévenir la valvulopathie rhumatismale acquise, il s'avère essentiel de diagnostiquer et de traiter les infections streptococciques et d'administrer une antibiothérapie prophylactique en cas d'antécédents de RAA. En outre, l'antibiothérapie prophylactique est indiquée en cas de risque d'endocardite ou de certains troubles cardiaques **TABLEAU 44.1**.

Le client doit suivre fidèlement les traitements qui lui sont recommandés. La personne ayant des antécédents de RAA, d'endocardite ou de cardiopathie congénitale doit être en mesure de déceler les symptômes de la valvulopathie afin que le traitement médical s'amorce le plus tôt possible.

Phase aiguë, soins ambulatoires et soins à domicile

En cas de valvulopathie évolutive, l'hospitalisation ou des soins externes (p. ex., dans une clinique d'insuffisance cardiaque) peuvent être nécessaires pour prendre en charge l'insuffisance cardiaque, l'endocardite, la maladie thromboembolique ou l'arythmie. L'insuffisance cardiaque représente le motif le plus courant du traitement médical continu.

L'infirmière veille à la mise en application et à l'évaluation de l'efficacité clinique des interventions thérapeutiques. Elle conçoit des activités en tenant compte des limites du client. Un programme d'exercice physique approprié peut accroître la tolérance cardiaque. Pour ce faire, l'infirmière doit informer et orienter le client vers un programme de réadaptation cardiaque. L'infirmière doit cependant restreindre les activités qui engendrent constamment fatigue et dyspnée, et encourager la cessation du tabagisme le cas échéant. L'exercice physique ardu est à proscrire parce que les valves atteintes peuvent ne pas répondre à la demande de hausse du D.C. Le plan d'AVQ du client devrait insister sur la conservation d'énergie, l'établissement des priorités et la planification de périodes de repos. Si le client occupe un emploi exigeant sur le plan physique ou émotif, il faut parfois remettre cette occupation en question, et envisager un retrait temporaire ou permanent. Le choix dépend de la sévérité de l'atteinte valvulaire, des symptômes et de la possibilité ou non de traiter la valvulopathie. L'arrêt de travail peut être vécu difficilement par le client et ses proches, et l'infirmière doit se montrer sensible à leurs inquiétudes (p. ex., quant à la situation financière, l'assurance, la rente d'invalidité, la dépression). Enfin, elle doit faire appel à différents professionnels de la santé pouvant répondre aux besoins du client (p. ex., un travailleur social, un psychologue).

L'infirmière évalue la fonction cardiaque en continu afin de déterminer l'efficacité clinique de la pharmacothérapie. L'enseignement sur l'action et les effets indésirables des médicaments favorise l'adhésion thérapeutique. Le client doit connaître l'importance de l'antibiothérapie prophylactique dans la prévention de l'endocardite infectieuse **TABLEAU 44.1**. Si un RAA est à l'origine de la valvulopathie, une prophylaxie de longue durée est nécessaire pour éviter la récurrence.

Si le traitement médical ne parvient plus à maîtriser la valvulopathie, une intervention chirurgicale s'impose, et ce, bien entendu, si les indications sont présentes et que les comorbidités n'augmentent pas le risque opératoire de façon trop importante ▶ 41. L'anticoagulothérapie (p. ex., à la warfarine [Coumadin[MD]]) prescrite après la chirurgie de remplacement valvulaire s'accompagne de la vérification périodique du rapport international normalisé (RIN) nécessaire à la détermination de la dose optimale et de la pertinence du traitement. Le RIN est un système normalisé de compte rendu du temps de Quick. L'écart thérapeutique chez le porteur d'une prothèse mécanique va de 2,5 à 3,5.

Le client doit se rendre compte que la chirurgie peut être curative, mais qu'elle implique un suivi médical à intervalles réguliers. L'infirmière indique au client le moment où il doit obtenir des soins médicaux. Le client doit être à l'affût des signes d'infection, connaître les symptômes d'insuffisance cardiaque et les signes de saignement. S'il doit subir une intervention dentaire ou une intervention effractive, il devra aviser tout professionnel de la santé qu'il est porteur d'une valve. Enfin, l'infirmière incite le client à porter un bracelet MedicAlert[MD].

Évaluation des résultats

Pour le client souffrant de valvulopathie, les résultats escomptés à la suite des soins et des interventions cliniques sont présentés dans le **PSTI 44.1**.

41

Le chapitre 41, *Interventions cliniques – Coronaropathie et syndrome coronarien aigu*, décrit les interventions cliniques auprès du client ayant subi une chirurgie cardiaque.

CE QU'IL FAUT RETENIR

L'infirmière évalue la fonction cardiaque en continu afin de déterminer l'efficacité clinique de la pharmacothérapie.

44.3 | Cardiomyopathie

Le terme **cardiomyopathie (CMP)** désigne un groupe de maladies qui altèrent la structure ou le fonctionnement du myocarde. Le diagnostic de CMP repose sur les manifestations cliniques et des examens paracliniques non effractifs pour certains, effractifs pour d'autres.

La CMP est dite primitive ou secondaire. La **CMP primitive** englobe les affections dont l'étiologie est inconnue (idiopathiques). Dans ce cas, le muscle est la seule partie du cœur qui est atteinte, les autres structures cardiaques étant intactes. Quant à la **CMP secondaire**, ses causes possibles sont connues ; il s'agit toujours d'une autre maladie. Le **TABLEAU 44.4** énumère les causes courantes de CMP secondaire.

La CMP dilatée, la CMP hypertrophique et la CMP restrictive sont les trois principales formes de CMP secondaire. Chacune a sa propre pathogenèse, sa propre présentation clinique et ses propres protocoles thérapeutiques **TABLEAU 44.5** et **ENCADRÉ 44.13**. La CMP peut entraîner la cardiomégalie et l'insuffisance cardiaque ; elle est la principale cause de transplantation cardiaque.

Entité clinique nouvelle dont de plus en plus de cas sont rapportés, la CMP tako-tsubo est un syndrome aigu lié au stress qui frappe particulièrement les femmes après la ménopause. Son nom, d'origine japonaise, provient de l'illustration par échographie transthoracique d'une ballonisation apicale du ventricule gauche faisant penser à un piège étroit, à goulot et à fond large et rond, destiné à attraper les poulpes. Les signes cliniques associés à cette dysfonction ventriculaire sont des anomalies du segment ST, une augmentation des taux sériques de troponine, tandis que ses manifestations cliniques sont les mêmes que celles de l'insuffisance cardiaque aiguë. Dans la majorité des cas, la CMP de tako-tsubo est transitoire et se résorbe en quelques semaines. Son traitement s'apparente néanmoins à celui de l'ischémie cardiaque (Milhomme, 2011), soit l'administration de bêtabloquants et d'inhibiteurs de l'enzyme de conversion de l'angiotensine (IECA) (Laflamme, 2013).

44.3.1 Cardiomyopathie dilatée

Étiologie et physiopathologie

La **cardiomyopathie dilatée** est la forme la plus courante de CMP ; sa prévalence est de 5 à 8 cas par 100 000 personnes aux États-Unis. Elle

TABLEAU 44.4 Causes de la cardiomyopathie secondaire

CMP DILATÉE	CMP HYPERTROPHIQUE	CMP RESTRICTIVE
• Cardiotoxicité : alcool, cocaïne, doxorubicine (Adriamycin[MD]) • Coronaropathie (ischémie) • Grossesse • Hérédité (transmission autosomique dominante ou familiale) • Hypertension • Myocardite • Trouble neuromusculaire (dystrophies musculaire, de Duchenne, de Becker) • Troubles métaboliques • Valvulopathie	• Hérédité (transmission autosomique dominante) • Hypertension artérielle • Rétrécissement aortique	• Amyloïdose • Fibrose myocardique • Hémochromatose • Radiothérapie • Sarcoïdose • Tumeur maligne

entraîne de l'insuffisance cardiaque dans 25 à 40 % des cas, et frappe plus fréquemment les Afro-Américains et les hommes d'âge moyen. Dans 30 % des cas, un lien génétique est noté. La cardiomyopathie dilatée est la forme la plus courante de CMP et elle entraîne de l'insuffisance cardiaque dans 25 à 40 % des cas. Souvent, une myocardite infectieuse précède la CMP dilatée. Selon certains résultats probants, la CMP dilatée serait de nature auto-immune (Xiao, Wang, Du *et al.*, 2011). La

TABLEAU 44.5 Comparaison entre les formes de cardiomyopathie secondaire

CMP DILATÉE	CMP HYPERTROPHIQUE	CMP RESTRICTIVE
Symptômes majeurs		
Fatigue, faiblesse, palpitations dyspnée	Dyspnée d'effort, fatigue, douleur thoracique, syncope, palpitations	Dyspnée, fatigue
Cardiomégalie		
Modérée ou marquée	Légère	Absente ou légère
Contractilité		
↓	↑	Normale
Insuffisance valvulaire		
Valves auriculoventriculaires, particulièrement valve mitrale	Valve mitrale	Valves auriculoventriculaires
Arythmie		
Tachycardie sinusale, arythmies auriculaires ou ventriculaires	Arythmies auriculaires ou ventriculaires	Arythmies auriculaires ou ventriculaires
Débit cardiaque		
↓	Normal ou ↓	Normal ou ↓
Obstruction de la voie de chasse		
Non	↑	Non

Processus diagnostique et thérapeutique

ENCADRÉ 44.13 **Cardiomyopathie**

EXAMEN CLINIQUE ET EXAMENS PARACLINIQUES

- Anamnèse et examen physique
- Électrocardiographie
- Peptide natriurétique de type B
- Radiographie pulmonaire
- Échocardiographie
- Examens d'imagerie nucléaire
- Cathétérisme cardiaque
- Biopsie myocardique

PROCESSUS THÉRAPEUTIQUE

- Traitement de la maladie sous-jacente
- Pharmacothérapie
  - Nitrates (mais pas en présence de CMP hypertrophique)
  - Bêtabloquants
  - Antiarythmiques
  - Inhibiteurs de l'enzyme de conversion de l'angiotensine (IECA)
  - Antagoniste de l'aldostérone
  - Diurétiques
  - Digitale (sauf en présence de CMP hypertrophique, à moins qu'elle ne s'accompagne de fibrillation auriculaire)
  - Anticoagulants (s'il y a indication tel que pour la fibrillation auriculaire)
- Dispositif d'assistance ventriculaire
- Resynchronisation cardiaque
- Implantation d'un défibrillateur à synchronisation automatique
- Ablation septale percutanée par alcoolisation
- Traitement chirurgical
  - Myectomie
  - Transplantation cardiaque

CMP dilatée d'étiologie alcoolique origine d'effets directs et indirects de l'alcool sur le myocarde. Les effets directs sont causés par l'alcool lui-même ou ses métabolites, tandis que les effets indirects relèvent d'une déficience en thiamine entraînée par l'alcool (Vaideeswar, Chaudhari, Rane *et al.*, 2014). Le **TABLEAU 44.4** présente d'autres causes fréquentes de la CMP dilatée.

La CMP dilatée se caractérise par une inflammation diffuse et une dégénérescence rapide des fibres myocardiques, qui provoquent la dilatation ventriculaire, la dysfonction systolique, l'expansion auriculaire, et la stase sanguine dans le ventricule gauche. La mort subite qui découle de l'arythmie ventriculaire représente la principale cause de mortalité liée à la CMP dilatée idiopathique (Samanta, Vijayverghia & Vaiphei, 2011). La cardiomégalie succède à la dilatation ventriculaire **FIGURE 44.14**; elle entraîne la dysfonction contractile malgré l'expansion de la cavité cardiaque. À l'opposé de leur comportement dans l'insuffisance cardiaque, les parois ventriculaires ne s'hypertrophient pas **FIGURE 44.15.**

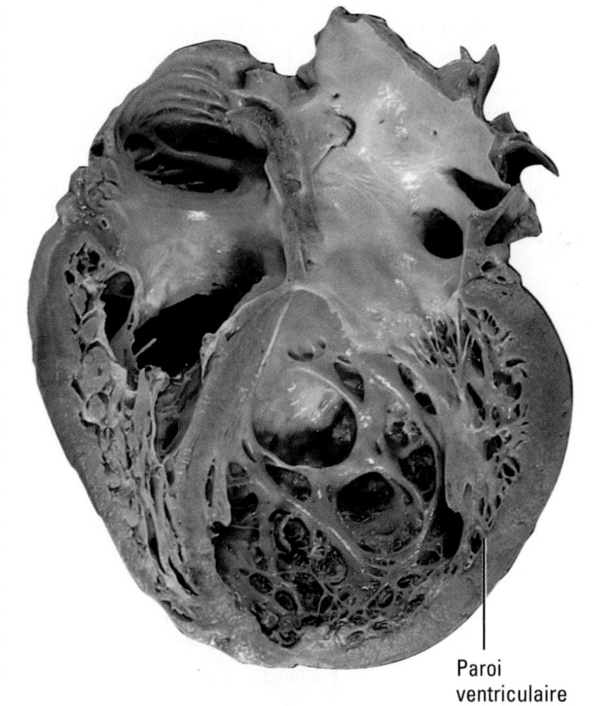

Paroi ventriculaire gauche

FIGURE 44.14 Cardiomyopathie dilatée – La paroi du ventricule gauche dilaté s'est amincie, et la taille et le volume de la cavité ont augmenté.

CE QU'IL FAUT RETENIR

La cardiomyopathie dilatée est la forme la plus courante de CMP et elle entraîne de l'insuffisance cardiaque dans 25 à 40 % des cas.

Manifestations cliniques

Les signes et symptômes de CMP dilatée peuvent se manifester de façon aiguë par suite d'une infection systémique, ou apparaître lentement au fil du temps. Dans la plupart des cas, la CMP débouche sur l'insuffisance cardiaque. La diminution de la capacité d'exercice physique, la fatigue, la dyspnée au repos, la dyspnée nocturne paroxystique et l'orthopnée figurent au nombre des symptômes de la CMP dilatée. Au fur et à mesure que la maladie évolue, d'autres symptômes s'ajoutent, comme les palpitations, le ballonnement abdominal, les nausées et vomissements, et

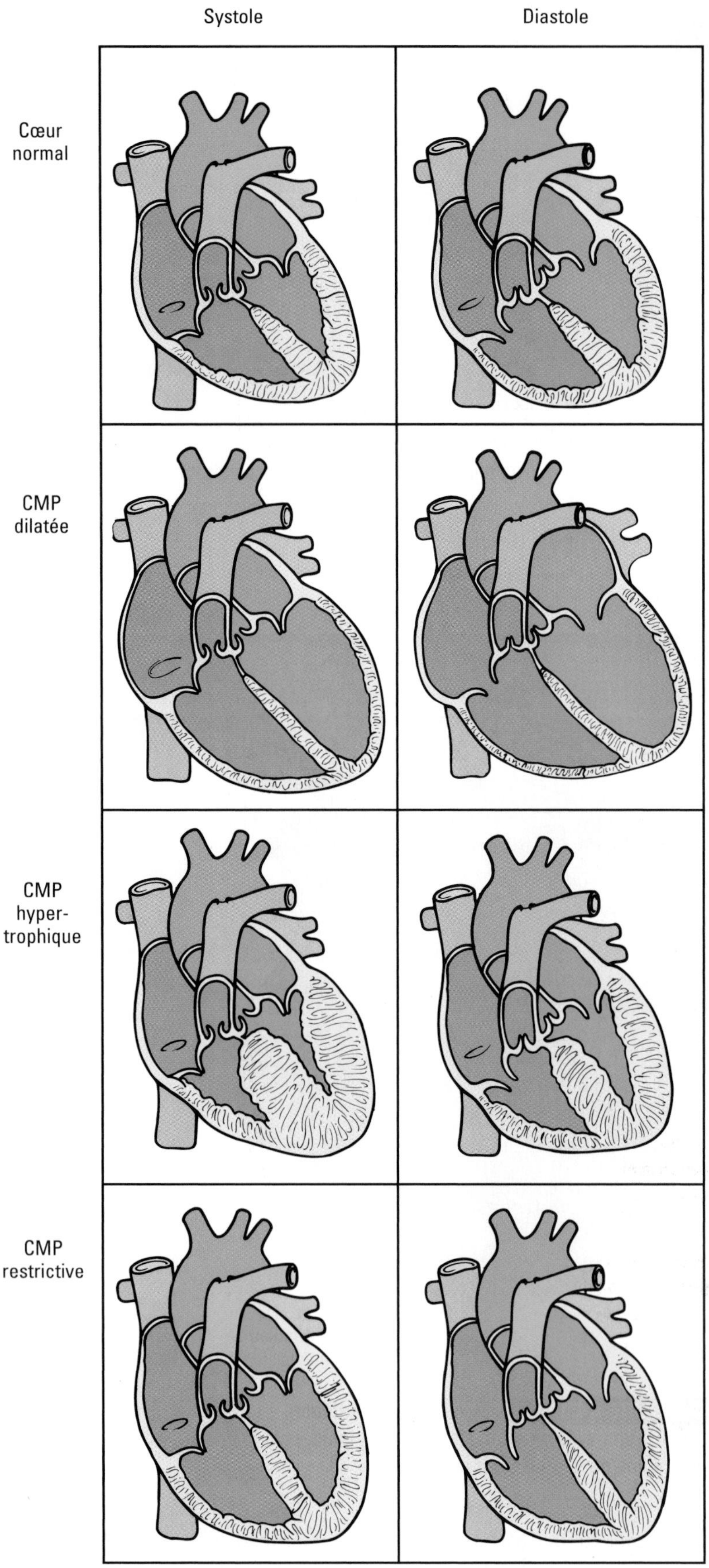

Systole Diastole

Cœur normal

CMP dilatée

CMP hypertrophique

CMP restrictive

FIGURE 44.15 Formes de cardiomyopathie, et différences de diamètre ventriculaire durant la systole et la diastole entre le cœur malade et le cœur normal

l'anorexie. Quant aux signes, mentionnons la toux sèche, la fréquence cardiaque irrégulière accompagnée d'un troisième (B3) ou quatrième bruit (B4) anormal, la tachycardie ou la bradycardie, les crépitants, l'œdème, les pouls périphériques faibles, la pâleur, l'hépatomégalie et la distension jugulaire. Les souffles cardiaques et les arythmies sont courants. La diminution du débit sanguin dans un cœur dilaté favorise la stase et la formation de caillots sanguins pouvant conduire à l'embolie systémique.

Examen clinique et examens paracliniques

Le diagnostic de CMP dilatée repose sur l'histoire de santé du client et s'établit en écartant d'autres affections susceptibles de causer l'insuffisance cardiaque. Dans la majorité des cas, l'échocardiographie doppler est la clé du diagnostic de CMP dilatée. Elle permet de distinguer cette dernière d'autres anomalies structurelles. La radiographie pulmonaire peut révéler la cardiomégalie accompagnée de signes d'hypertension veineuse pulmonaire et d'épanchement pleural. L'ECG détectera la tachycardie, la bradycardie ou l'arythmie, ainsi que les troubles de conduction connexes, le cas échéant. Les analyses biochimiques décèleront l'élévation du taux sérique de peptides natriurétiques de type B (PNB) caractéristique de l'insuffisance cardiaque (Moe, Ezekowitz, O'Meara *et al.*, 2015).

Le cathétérisme cardiaque confirme ou écarte la coronaropathie, tandis que la ventriculographie isotopique à l'équilibre, examen de médecine nucléaire, détermine la fraction d'éjection. L'échographie transthoracique peut également aider à évaluer les structures cardiaques et donner une évaluation relativement fiable de la fraction d'éjection. Environ 50 % des clients recevant un diagnostic d'insuffisance cardiaque mourront dans les cinq ans suivant ce dernier, et 80 % d'entre eux mourront dans les 10 ans (Lainesse & Desaulniers, 2006). La biopsie myocardique est effectuée au moment du cathétérisme du cœur droit afin de cerner la présence de microorganismes infectieux dans le tissu myocardique ; on y a également recours pour dépister une cause infiltrative (p. ex., l'amyloïdose). La biopsie cardiaque aide parfois à orienter l'étiologie de la CMP.

Soins et traitements en interdisciplinarité

CLIENT ATTEINT DE CARDIOMYOPATHIE DILATÉE

Les interventions visant à traiter les cas de CMP dilatée sont centrées sur la maîtrise des symptômes de l'insuffisance cardiaque, la prévention des complications et l'augmentation de la survie. Le traitement s'apparente à celui de l'insuffisance cardiaque chronique. Les lignes directrices de pratique fondées sur des résultats probants de l'American College of Cardiology, de l'American Heart Association et de la Société canadienne de cardiologie modulent le traitement de l'insuffisance cardiaque selon le stade précis de la maladie chez les clients démontrant une fraction d'éjection ventriculaire gauche inférieure à 40 %. Le traitement de la maladie à la classe IV ou au stade D est plus palliatif que curatif.

Des médicaments de plusieurs classes sont utiles à la prise en charge de l'insuffisance cardiaque, car ils contribuent à la réduction de la pré-charge et à l'amélioration du débit cardiaque. La thérapie initiale inclut les diurétiques de l'anse tels que le furosémide (Lasix[MD]) ; les vasodilatateurs tels que les IECA (p. ex., le périndopril [Coversyl[MD]]) ou les antagonistes des récepteurs de l'angiotensine (ARA) ; les bêtabloquants comme le bisoprolol (Monocor[MD]) ; et les antagonistes de l'aldostérone tels que la spironolactone (Aldactone[MD]). Ces traitements ont démontré une réduction des symptômes reliés à l'insuffisance cardiaque et, à l'exception du furosémide, une réduction de la mortalité (Lilly, 2011). Selon les indications, les antiarythmiques (p. ex., l'amiodarone) traitent les arythmies. L'anticoagulothérapie abaisse le risque d'embolie systémique causée par des caillots prenant naissance dans les cavités cardiaques sous l'effet de la fibrillation auriculaire.

Les médicaments, les thérapies nutritionnelles et la réadaptation cardiaque peuvent contribuer à atténuer les symptômes, et à améliorer le D.C. et la qualité de vie. En présence de CMP dilatée secondaire à une maladie sous-jacente, il est essentiel de traiter cette dernière. Ainsi, le bannissement de l'alcool s'impose lorsque la CMP dilatée est d'origine alcoolique ▶ 11.

Malheureusement, la CMP dilatée étant difficile à traiter, les personnes qui en sont atteintes peuvent subir de nombreux épisodes d'insuffisance cardiaque. Souvent, l'hospitalisation ou un suivi ambulatoire étroit est nécessaire pour administrer de la dobutamine ou de la milrinone en perfusion, puis pour stimuler énergiquement la diurèse. Selon le stade d'évolution de la maladie, ces traitements peuvent atténuer les signes et les symptômes durant des semaines. L'administration d'une statine (p. ex., l'atorvastatine [Lipitor[MD]]) dans la CMP dilatée ischémique ou idiopathique prolonge la survie, améliore la fonction cardiaque et abaisse le taux des marqueurs de l'inflammation (Farmakis, Filippatos, Lainscak *et al.*, 2008 ; Frampton, 2008).

Des traitements non pharmacologiques peuvent également être utiles, notamment le dispositif d'assistance ventriculaire, qui permet au cœur de se reposer et de se rétablir de l'épisode d'insuffisance cardiaque aiguë ou qui le soutient dans l'attente d'une transplantation cardiaque. Enfin, la resynchronisation cardiaque et l'implantation d'un défibrillateur à synchronisation automatique sont d'autres mesures qu'il est possible d'employer dans certains cas.

En phase terminale ou au dernier stade de la CMP, la transplantation cardiaque peut être envisagée. L'implantation permanente d'un dispositif d'assistance ventriculaire comme traitement en soi constitue une option dans les cas où la maladie est à un stade avancé et où la transplantation cardiaque ne peut être envisagée ▶ 42. À l'heure actuelle, près de 50 % des greffes du cœur ont pour indication le traitement de la CMP. Le pronostic de survie du receveur est bon. Il reste toutefois que les cœurs sont rares et que nombre de personnes atteintes de CMP dilatée meurent avant d'en obtenir un.

Le client atteint de CMP dilatée est une personne très malade, au pronostic grave, qui nécessite des soins infirmiers avancés. Les proches aidants doivent connaître la technique de réanimation cardiorespiratoire (RCR), et savoir dans quelles circonstances des soins d'urgence sont nécessaires et comment les obtenir. L'infirmière doit tenir compte des proches aidants dans la planification des soins.

Par l'entremise des soins à domicile ou d'un centre de soins palliatifs, le malade obtiendra des soins palliatifs comprenant des interventions thérapeutiques destinées à optimiser et à maintenir son état fonctionnel, ou des soins visant à le préparer à une mort sereine. Il est primordial de surveiller l'apparition de signes et de symptômes indicateurs d'une aggravation de l'insuffisance cardiaque, de l'arythmie ou de l'embolie, ainsi que la réponse à la pharmacothérapie. Le but du traitement consiste à maintenir le client dans un état fonctionnel optimal hors de l'hôpital.

42

Les indications de la transplantation cardiaque et les interventions cliniques auprès du greffé du cœur sont décrites dans le chapitre 42, *Interventions cliniques – Insuffisance cardiaque*.

11

Le chapitre 11, *Troubles liés à une substance*, aborde les comportements de dépendance.

44.3.2 Cardiomyopathie hypertrophique

Étiologie et physiopathologie

La **cardiomyopathie hypertrophique**, auparavant nommée sténose sous-aortique hypertrophique idiopathique et parfois désignée par l'expression CMP obstructive hypertrophique (CMPOH) ou hypertrophie septale asymétrique (HSA), a pour trait marquant une hypertrophie ventriculaire gauche asymétrique sans dilatation ventriculaire. Dans l'une des formes de la maladie, le septum séparant les deux ventricules grossit et entrave la circulation sanguine provenant du ventricule gauche. La CMP hypertrophique peut être idiopathique, mais une hypertrophie myocardique inappropriée d'origine génétique est présente dans 60 à 70 % des cas (Laflamme, 2013) **TABLEAU 44.4**. Le dépistage précoce est important. La CMP hypertrophique est moins fréquente que la CMP dilatée et touche davantage d'hommes que de femmes. Habituellement, la maladie est diagnostiquée chez le jeune adulte, le plus souvent une personne active de type athlétique. Elle est la cause la plus courante de mort subite chez l'adulte jeune par ailleurs en bonne santé. Elle est à l'origine de 3 % des décès de jeunes athlètes de compétition (Gersh, Maron, Borrow *et al.*, 2011; Wilson, Chandra, Papadakis *et al.*, 2011).

Les quatre principaux traits de la CMP hypertrophique sont :

- l'hypertrophie ventriculaire massive;
- la contraction ventriculaire gauche rapide, sous forte pression;
- l'altération de la relaxation (diastole);
- l'obstruction du flot sanguin provenant de l'aorte (pas chez tous les malades).

L'hypertrophie ventriculaire s'accompagne de l'épaississement du septum interventriculaire et de la paroi ventriculaire **FIGURES 44.15** et **44.16**. Comme le ventricule perd son élasticité et devient incapable de se relaxer, le remplissage ventriculaire en souffre. La dysfonction diastolique due à la rigidité ventriculaire gauche constitue la principale défaillance provoquée par la CMP hypertrophique. La diminution du remplissage ventriculaire et l'obstruction de la circulation sanguine peuvent aboutir à la baisse du D.C., particulièrement à l'effort.

Manifestations cliniques

La personne atteinte de CMP hypertrophique est soit asymptomatique, soit symptomatique (dyspnée d'effort, fatigue, douleur thoracique et syncope). La dyspnée, causée par l'élévation de la pression diastolique du ventricule gauche, est le symptôme le plus fréquent. La fatigue survient lorsque le D.C. diminue et que la circulation sanguine est entravée par l'exercice physique. La douleur rétrosternale de type angineuse, quand elle se produit, est provoquée le plus souvent par l'augmentation de la masse musculaire ventriculaire gauche ou la compression des petites artères coronaires par le myocarde ventriculaire hypertrophique. Le client est à risque de syncope, notamment à l'effort. La plupart du temps, la syncope est due au ralentissement accru du débit sanguin aortique en période d'activité intense, qui entraîne une diminution du D.C. et de la circulation sanguine cérébrale. Elle peut également être provoquée par une arythmie, soit de la tachycardie supraventriculaire, de la fibrillation auriculaire, de la tachycardie ventriculaire ou de la fibrillation ventriculaire. Toutes ces arythmies peuvent aboutir à la syncope ou à la mort subite ▶ 41.

Examen clinique et examens paracliniques

Les constats cliniques de l'examen peuvent être anodins. Toutefois, la palpation thoracique peut mettre en évidence une impulsion apicale exagérée et déplacée sur le plan latéral. L'auscultation peut révéler un quatrième bruit (B4) et un souffle systolique entre l'apex et la limite sternale dans le quatrième espace intercostal. Les constats de l'ECG indiquent habituellement une hypertrophie ventriculaire, des anomalies du segment ST et de l'onde T, une onde Q proéminente aux dérivations inférieure ou précordiale, une déviation axiale gauche, et des arythmies ventriculaires ou auriculaires.

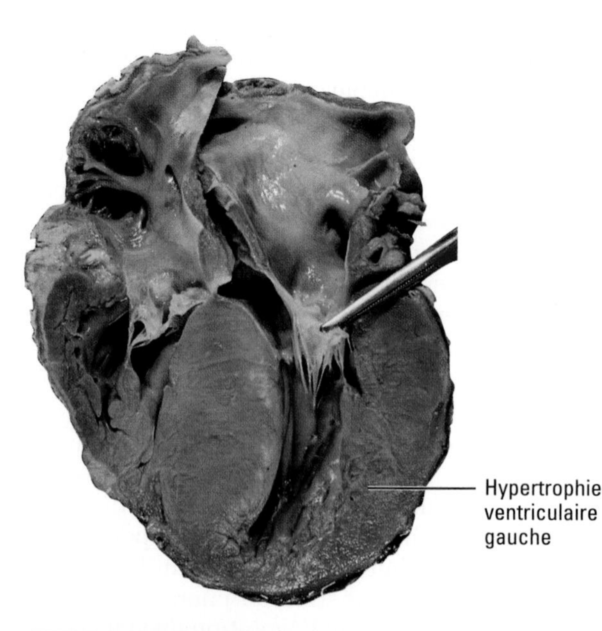

FIGURE 44.16 Cardiomyopathie hypertrophique – Hypertrophie ventriculaire gauche marquée, et augmentation de la taille et du volume de la cavité

41

Les soins et traitements infirmiers donnés aux clients qui ont déjà connu une mort subite ou qui en sont à risque sont décrits dans le chapitre 41, *Interventions cliniques – Coronaropathie et syndrome coronarien aigu*.

CE QU'IL FAUT RETENIR

La cardiomyopathie ventriculaire est souvent diagnostiquée chez le jeune adulte de type athlétique.

Réactivation des connaissances

À quel moment du cycle cardiaque peut-on entendre le B3 et le B4 ?

L'échocardiographie est le principal examen paraclinique pouvant confirmer le trait classique de la CMP hypertrophique, à savoir l'hypertrophie ventriculaire gauche. En outre, l'échocardiogramme peut révéler des anomalies de mobilité des parois et la dysfonction diastolique. Le cathétérisme cardiaque et l'épreuve d'effort en médecine nucléaire peuvent être utiles eux aussi dans le diagnostic et la planification du traitement de la CMP hypertrophique.

Soins et traitements en interdisciplinarité

CLIENT ATTEINT DE CARDIOMYOPATHIE HYPERTROPHIQUE

Le traitement des cas de CMP hypertrophique a pour objectif d'améliorer le remplissage ventriculaire en augmentant le temps de la diastole et en réduisant la contractilité ventriculaire, ce qui a pour effet d'accroître le débit ventriculaire gauche. Pour ce faire, on a recours à un bêtabloquant (p. ex., le métoprolol [Lopresor^{MD}]) ou à un bloqueur des canaux calciques (p. ex., le vérapamil [Isoptin^{MD}]). La fibrillation auriculaire est mal contrôlée en présence de ce type de CMP et elle nécessite l'initiation d'un traitement antiarythmique soutenu. La digitale doit être évitée puisque son effet inotrope positif accentue la contractilité et réduit par conséquent le débit ventriculaire gauche en contexte d'obstruction (Lilly, 2011). L'amiodarone est un antiarythmique efficace, mais ne parviendra pas à empêcher la mort subite, le plus souvent causée par une tachycardie ventriculaire ou une fibrillation ventriculaire. Devant le risque de mort subite, le défibrillateur à synchronisation automatique est nécessaire ▶ 43.

La stimulation auriculoventriculaire est bénéfique pour les clients atteints de CMP hypertrophique dont la voie de chasse est obstruée. La stimulation ventriculaire provenant de l'apex du ventricule droit fait en sorte que la dépolarisation septale se produit en premier et qu'ensuite le septum s'éloigne de la paroi ventriculaire gauche, réduisant ainsi l'obstruction de la voie de chasse ventriculaire.

Le client dont le septum est hypertrophié peut être un candidat au traitement chirurgical. L'indication de la chirurgie est la présence de symptômes importants et réfractaires au traitement ainsi que l'obstruction marquée du débit sanguin aortique. Cette intervention, appelée myectomie, s'amorce par l'incision du septum hypertrophié et se poursuit par l'excision d'une partie du muscle ventriculaire hypertrophié. Dans la plupart des cas, elle atténue les symptômes et améliore la tolérance à l'effort.

L'ablation septale percutanée par alcoolisation est une autre intervention, non chirurgicale celle-là, qui atténue les symptômes et l'obstruction de la voie de chasse ventriculaire. Il s'agit d'administrer de l'éthanol par perfusion dans la première branche artérielle septale issue de l'artère descendante antérieure afin de provoquer une ischémie et un infarctus du septum myocardique. L'ablation de la paroi septale diminue l'obstruction de la voie de chasse, ce qui soulage les symptômes du client. L'intervention atténue les symptômes d'insuffisance cardiaque et améliore la tolérance à l'effort dans les trois mois (Otto, Aytemir, Okutucu *et al.*, 2011). Le taux de mortalité lié à l'ablation septale est d'environ 1 %, selon l'âge et l'état de santé du client. Les complications potentielles de l'intervention sont des troubles de conduction (p. ex., le bloc AV ou le bloc complet) et l'infarctus du myocarde.

Les interventions infirmières en cas de CMP hypertrophique sont axées sur la maîtrise des symptômes, la surveillance et la prévention des complications, ainsi que le soutien affectif et psychologique du client. L'enseignement porte sur l'importance de s'abstenir d'exercer des activités ardues et la prévention de la déshydratation. Toute activité provoquant une augmentation de la résistance vasculaire systémique (et, par là, de l'obstruction du débit en aval) est à éviter, car elle est dangereuse. Le repos et l'élévation des pieds, destinée à améliorer le retour veineux, peuvent soulager la douleur thoracique. Un vasodilatateur, telle la nitroglycérine, peut accentuer la douleur thoracique en diminuant le retour veineux et en intensifiant davantage l'obstruction de la circulation sanguine provenant du cœur.

Une autre intervention infirmière porte sur le dépistage génétique. La décision de procéder à un dépistage génétique peut avoir des répercussions importantes sur l'ensemble de la famille. Ce dépistage est souvent proposé à la suite de décès, moment où les proches ont perdu leurs repères, ou lorsqu'une personne symptomatique vient de recevoir son diagnostic. L'infirmière doit prendre le temps d'expliquer en quoi consiste ce dépistage, quelles sont les implications d'un résultat positif (p. ex., les assurances, l'interdiction des sports de compétition). Ces implications sont très importantes, particulièrement pour les enfants et adolescents qui pratiquent des sports et qui sont à l'âge de choisir

43

La méthode de défibrillation est décrite dans le chapitre 43, *Interventions cliniques – Arythmie.*

une carrière. L'infirmière doit accompagner le client et les membres de sa famille au moment où celui-ci reçoit les résultats. La personne atteinte de CMP hypertrophique risque de se sentir coupable d'avoir transmis la maladie à ses enfants. Le soutien d'une équipe multidisciplinaire, d'un conseiller en génétique et d'un psychologue est primordial.

44.3.3 Cardiomyopathie restrictive

Étiologie et physiopathologie

La **cardiomyopathie restrictive** est la forme de CMP la moins fréquente. Il s'agit d'une maladie myocardique qui altère le remplissage et l'étirement diastoliques **FIGURE 44.15**. La fonction systolique demeure intacte. Bien que l'étiologie précise de la CMP restrictive soit inconnue, certains états pathologiques peuvent concourir à son apparition. La fibrose, l'hypertrophie et l'infiltration myocardiques rigidifient la paroi ventriculaire gauche et droite, ce qui diminue la compliance ventriculaire. L'amyloïdose, la fibroélastose de l'endocarde, la sarcoïdose, la fibrose de diverses étiologies et l'irradiation thoracique comptent au nombre des causes secondaires de la CMP restrictive. Dans cette affection, les ventricules opposent une résistance au remplissage et ne maintiennent le D.C. que si la pression de remplissage diastolique est élevée.

Manifestations cliniques

Les symptômes classiques de la CMP restrictive sont la fatigue, l'intolérance à l'effort et la dyspnée, du fait que le débit et la fréquence cardiaques ne peuvent augmenter sans compromettre le remplissage ventriculaire. De la douleur thoracique, de l'orthopnée, une syncope et des palpitations peuvent s'ajouter à ces symptômes. Le client peut présenter des signes d'insuffisance cardiaque, dont l'œdème périphérique, les ascites, l'hépatomégalie et la distension veineuse jugulaire.

Examen clinique et examens paracliniques

La radiographie pulmonaire peut être normale ou révéler une cardiomégalie résultant de l'expansion des oreillettes droite et gauche. L'épanchement pleural et la congestion pulmonaire seront manifestes si l'état évolue vers l'insuffisance cardiaque. L'ECG peut détecter une légère tachycardie au repos. Les arythmies les plus courantes sont la fibrillation auriculaire (arythmie supraventriculaire) ou le bloc AV. L'échocardiographie peut mettre en évidence un ventricule gauche de taille normale dont la paroi est épaissie, un ventricule droit légèrement dilaté et des oreillettes dilatées. La biopsie myocardique, la TDM et l'imagerie nucléaire peuvent faciliter le diagnostic.

Soins et traitements en interdisciplinarité

CLIENT ATTEINT DE CARDIOMYOPATHIE RESTRICTIVE

À l'heure actuelle, il n'existe aucun traitement précis de la CMP restrictive. Les objectifs consistent à améliorer le remplissage diastolique et à traiter la maladie sous-jacente. Les interventions comprennent le traitement usuel de l'insuffisance cardiaque et des arythmies. La transplantation cardiaque peut être une option dans certains cas. Les soins et traitements infirmiers sont semblables à ceux qui s'appliquent à l'insuffisance cardiaque. Comme dans le traitement de la CMP hypertrophique, l'enseignement au client porte sur l'importance d'éviter toute situation pouvant compromettre le remplissage ventriculaire et augmenter la résistance vasculaire systémique, notamment les activités exigeantes sur le plan physique et la déshydratation. L'infirmière doit personnaliser l'enseignement selon les manifestations cliniques de la CMP restrictive. L'**ENCADRÉ 44.14** présente un plan d'enseignement général au client et au proche aidant.

Enseignement au client et à ses proches

ENCADRÉ 44.14 Cardiomyopathie

L'enseignement au client et à ses proches sur la prise en charge de la CMP devrait porter sur les asptects suivants.

- Observer la pharmacothérapie et consulter un professionnel de la santé à intervalles réguliers.
- Adopter un régime alimentaire hyposodé (le cas échéant) et lire l'étiquette des produits (aliments et médicaments en vente libre) pour en connaître le contenu en sodium.
- Restreindre l'apport liquidien à 1,5 L par jour (le cas échéant).
- Maintenir le poids actuel (un gain de poids rapide peut suggérer une surcharge volémique) ou le poids santé par sa mesure quotidienne à l'aide d'un pèse-personne.
- Bannir l'alcool, la caféine, les anorexigènes et les médicaments contre le rhume en vente libre, qui peuvent renfermer des stimulants.
- Établir un équilibre entre périodes d'activité et périodes de repos.
- Consulter un professionnel de la santé pour connaître les lignes directrices sur l'exercice physique et l'importance d'éviter de soulever des objets lourds ou d'effectuer des exercices isométriques vigoureux.
- Adopter des activités de réduction du stress, la relaxation pour atténuer la tension, le rêve éveillé dirigé, des activités ludiques.
- Mentionner absolument les signes (gain de poids, œdème) et les symptômes (dyspnée, fatigue) d'insuffisance cardiaque au professionnel de la santé.
- Maîtriser la technique de RCR en raison du risque de mort subite.
- Donner l'information relative à la possibilité d'un dépistage génétique en abordant les implications d'un résultat positif pour la personne malade et sa famille (p. ex., les assurances et l'interdiction des sports de compétition).

Analyse d'une situation de santé — Jugement clinique

Gisèle Colbert a 55 ans. Elle est hospitalisée à l'unité de cardiologie pour myocardite aiguë d'origine virale manifestée par une pharyngite, des adénopathies et de la dyspnée. La cliente dit qu'elle a parfois des nausées accompagnées de vomissements.

La cliente se plaint d'être essoufflée lorsqu'elle effectue ses AVQ. Elle doit interrompre ses activités pendant quelques minutes avant de retrouver une respiration plus facile. Elle ne ressent pas de douleur rétrosternale à l'effort. Cependant, il lui arrive de sentir qu'elle est sur le point de s'évanouir, ce qui ne s'est pas encore produit jusqu'à maintenant. L'infirmière a remarqué que madame Colbert a de l'œdème aux pieds et aux chevilles, et qu'elle s'abstient de marcher dans le corridor: « Ça me fatigue trop », dit-elle.

Madame Colbert a lu sur un site Internet que la mort subite pouvait se produire chez les personnes atteintes de myocardite. Elle exprime son inquiétude à ce sujet. ▶

44

Mise en œuvre de la démarche de soins

Collecte des données – Évaluation initiale – Analyse et interprétation

1. Citez trois autres manifestations de la myocardite aiguë virale à recueillir auprès de la cliente. Déterminez celle qui est objective et celles qui sont subjectives.
2. L'insuffisance cardiaque peut se manifester tardivement en cas de myocardite aiguë virale. Nommez trois signes révélateurs de cette conséquence.

▶ Voici l'extrait du plan thérapeutique infirmier (PTI) de madame Colbert. ▶

Récemment vu dans ce chapitre

Si madame Colbert présentait une sensation de ballonnement abdominal et une anxiété soudaine accompagnée d'une dyspnée, quel problème devriez-vous soupçonner? Et quelle évaluation feriez-vous en priorité?

MISE EN ŒUVRE DE LA DÉMARCHE DE SOINS

Extrait

CONSTATS DE L'ÉVALUATION								
Date	Heure	N°	Problème ou besoin prioritaire	Initiales	RÉSOLU / SATISFAIT			Professionnels / Services concernés
					Date	Heure	Initiales	
2016-04-06	*08:45*	*2*	*Intolérance à l'effort*	*F.Z.*				

Signature de l'infirmière	Initiales	Programme / Service	Signature de l'infirmière	Initiales	Programme / Service
Fatmeh Zaraï	*F.Z.*	*2e centre cardiologie*			

3. Quelles données recueillies pendant l'évaluation initiale de la situation clinique de madame Colbert justifient le problème prioritaire numéro 2?

Planification des interventions – Décisions infirmières

4. Quel est le but de l'intervention suivante: *limiter la quantité de liquide à 1 500 mL/jour*?

5. L'infirmière aurait-elle raison d'effectuer un dosage des liquides ingérés et excrétés pour madame Colbert? Justifiez votre réponse.

Récemment vu dans ce chapitre

Si votre suspicion à la question précédente s'avérait exacte, quels signes et symptômes pourriez-vous observer à l'examen clinique? Nommez-en au moins quatre.

▶ L'infirmière explique que le risque de mort subite en cas de myocardite aiguë virale est possible chez les moins de 35 ans, surtout chez les athlètes de compétition. La cliente se dit rassurée par cette précision. ◀

MISE EN ŒUVRE DE LA DÉMARCHE DE SOINS

6. Y aurait-il lieu de faire mention de cette préoccupation dans le PTI de la cliente? Justifiez votre réponse.

Évaluation des résultats – Évaluation en cours d'évolution

7. Que signifieraient les observations suivantes? Madame Colbert marche dans le corridor avec ses visiteurs; elle prend son temps pour faire sa toilette et se vêtir, mais n'éprouve pas d'essoufflement ou, si elle s'essouffle, retrouve une respiration plus facile en moins de temps qu'auparavant.

APPLICATION DE LA PENSÉE CRITIQUE

Dans l'application de la démarche de soins auprès de madame Colbert, l'infirmière a recours aux éléments du modèle de la pensée critique pour analyser la situation de santé de la cliente et en comprendre les enjeux. La **FIGURE 44.17** résume les caractéristiques de ce modèle en fonction des données de cette cliente, mais elle n'est pas exhaustive.

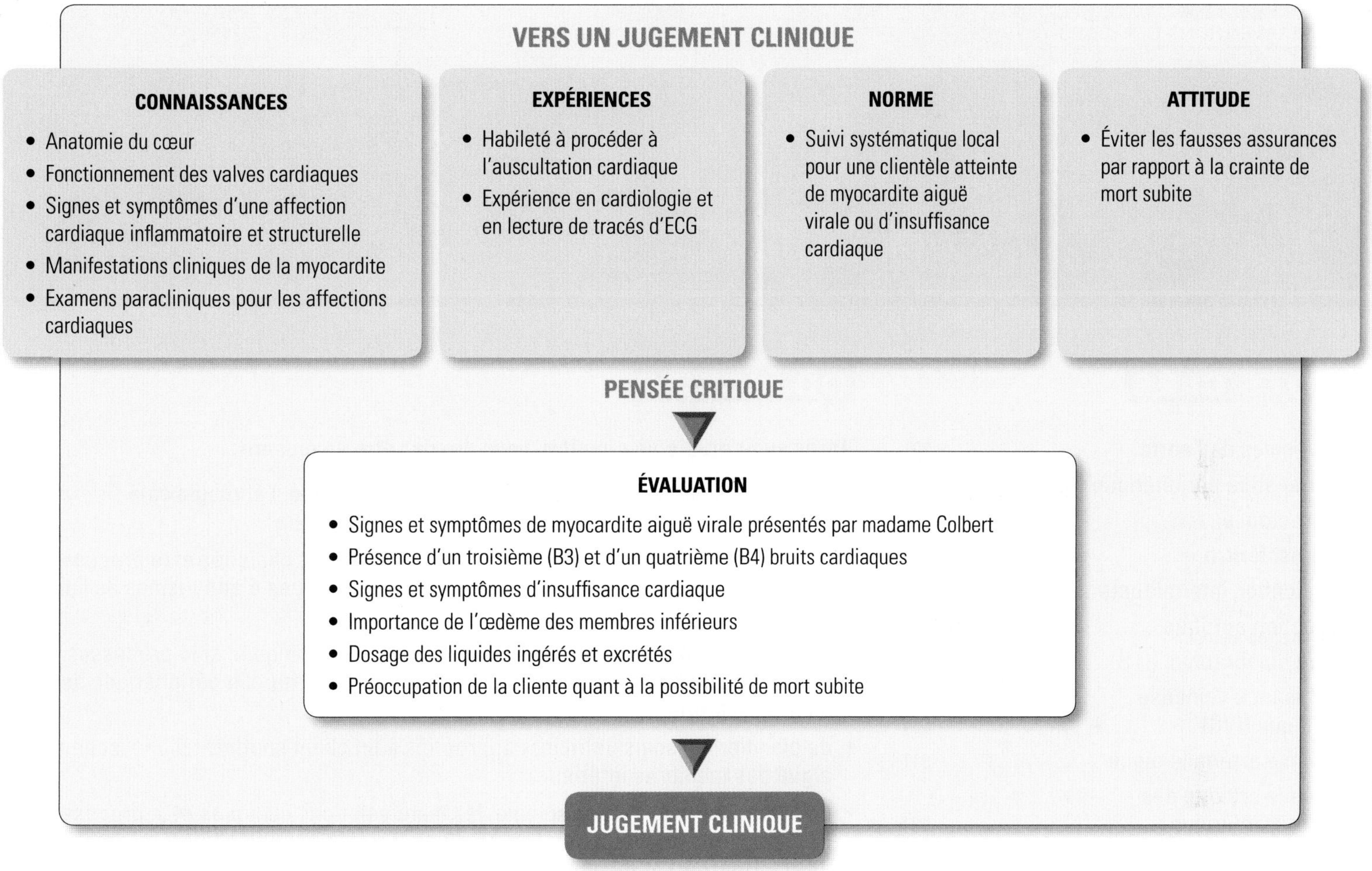

VERS UN JUGEMENT CLINIQUE

CONNAISSANCES

- Anatomie du cœur
- Fonctionnement des valves cardiaques
- Signes et symptômes d'une affection cardiaque inflammatoire et structurelle
- Manifestations cliniques de la myocardite
- Examens paracliniques pour les affections cardiaques

EXPÉRIENCES

- Habileté à procéder à l'auscultation cardiaque
- Expérience en cardiologie et en lecture de tracés d'ECG

NORME

- Suivi systématique local pour une clientèle atteinte de myocardite aiguë virale ou d'insuffisance cardiaque

ATTITUDE

- Éviter les fausses assurances par rapport à la crainte de mort subite

PENSÉE CRITIQUE

ÉVALUATION

- Signes et symptômes de myocardite aiguë virale présentés par madame Colbert
- Présence d'un troisième (B3) et d'un quatrième (B4) bruits cardiaques
- Signes et symptômes d'insuffisance cardiaque
- Importance de l'œdème des membres inférieurs
- Dosage des liquides ingérés et excrétés
- Préoccupation de la cliente quant à la possibilité de mort subite

JUGEMENT CLINIQUE

FIGURE 44.17 Application de la pensée critique à la situation de santé de madame Colbert

Chapitre 45

INTERVENTIONS CLINIQUES

Troubles vasculaires

Écrit par:
Dierdre D. Wipke-Tevis, RN, PhD
Kathleen A. Rich, RN, PhD, CCNS, CCRN-CSC, CNN

Adapté par:
Hugues Provencher-Couture, M. Sc., IPSC
Jean-Dominic Rioux, M. Sc., IPSC

Mis à jour par:
Anne-Marie Leclerc, inf. M. Sc.

MOTS CLÉS

Anévrismes de l'aorte 801
Artériopathie périphérique (AP) 788
Athérectomie 795
Athérosclérose 788
Claudication intermittente 789
Dissection aortique 808
Indice tibiobrachial (ITB) 792
Insuffisance veineuse chronique (IVC) 831
Ischémie artérielle aiguë 811
Ischémie critique des membres inférieurs 794
Phénomène de Raynaud 813
Phlébite 814
Thromboangéite oblitérante 812
Thrombose veineuse profonde (TVP) 814
Thrombose veineuse superficielle (TVS) 814

OBJECTIFS

Après avoir étudié ce chapitre, vous devriez être en mesure:

- de faire le lien entre les principaux facteurs de risque, l'étiologie et la physiopathologie d'une maladie artérielle périphérique;
- de distinguer la physiopathologie, les manifestations cliniques et le processus thérapeutique en interdisciplinarité des différents types d'anévrismes de l'aorte ou d'une dissection aortique;
- de décrire la physiopathologie, les manifestations cliniques et le processus thérapeutique en interdisciplinarité d'une maladie artérielle périphérique des membres inférieurs;
- de planifier les soins infirmiers appropriés à un client souffrant d'une ischémie aiguë des membres inférieurs;
- de distinguer la physiopathologie, les manifestations cliniques et le processus thérapeutique en interdisciplinarité d'une thromboangéite oblitérante (maladie de Léo Buerger) et du phénomène de Raynaud;
- de distinguer la physiopathologie, les manifestations cliniques et le processus thérapeutique en interdisciplinarité d'une thrombose veineuse superficielle et d'une thrombose veineuse profonde;
- de faire le lien entre la physiopathologie, les manifestations cliniques et le processus thérapeutique en interdisciplinarité pour les clients qui souffrent de varices, d'une insuffisance veineuse chronique ou d'ulcères veineux de jambe.

Disponible sur 

- À retenir
- Carte conceptuelle
- Méthodes de soins: grilles d'observation
- Pour en savoir plus
- PSTI Web
- Solutionnaire de l'Analyse d'une situation de santé
- Solutionnaire des questions de Jugement clinique
- Solutionnaire des questions Réactivation des connaissances
- Solutionnaire des questions Récemment vu dans ce chapitre
- Solutionnaires du Guide d'études

Concepts clés

Cette carte conceptuelle illustre schématiquement les principaux concepts décrits dans le présent chapitre. Sa lecture vous permettra d'avoir une vue d'ensemble des notions qui y sont présentées.

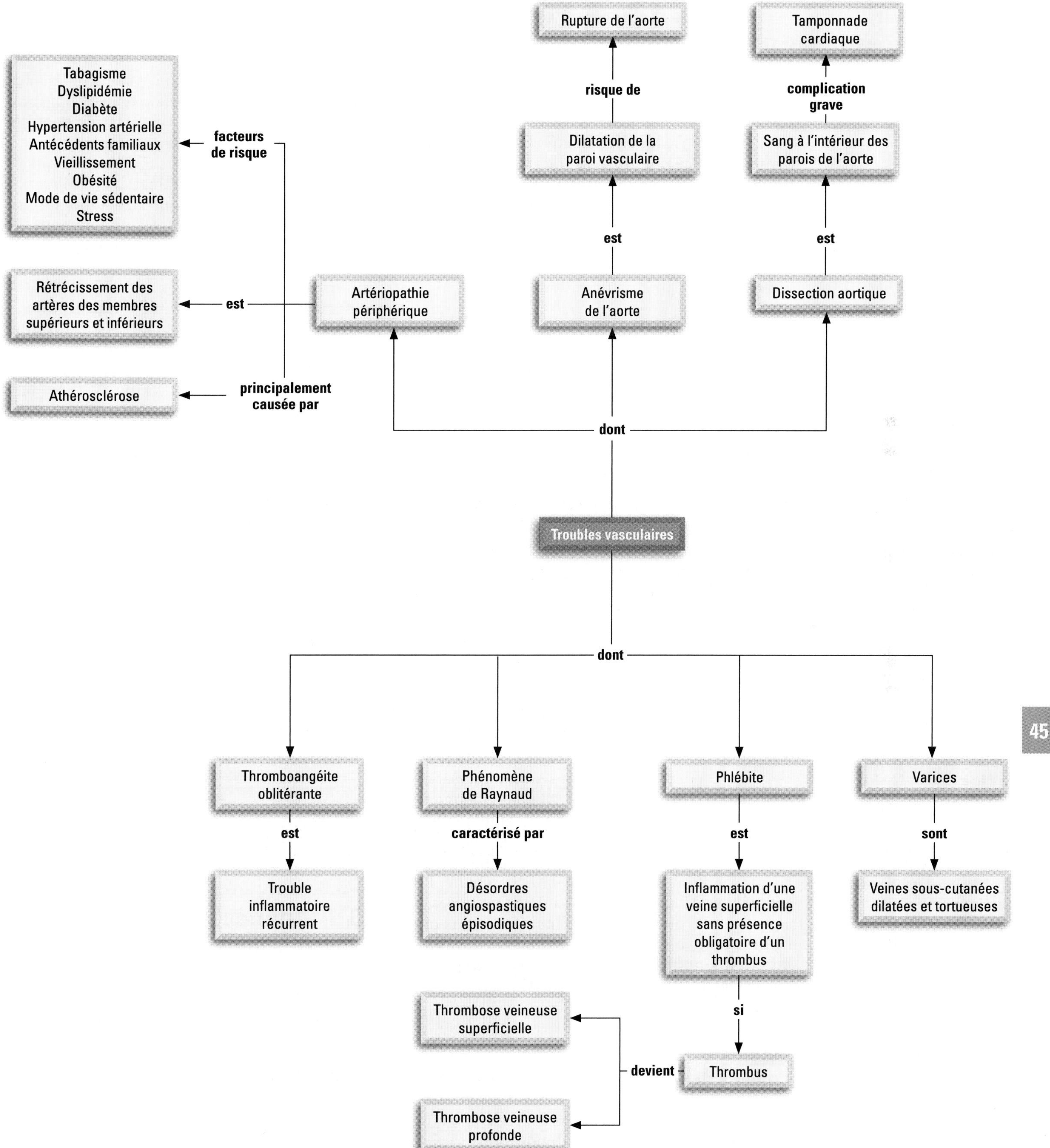

45.1 | Problèmes du système vasculaire

Les problèmes du système vasculaire comprennent les troubles touchant les artères, les veines et les vaisseaux lymphatiques. L'artériopathie se subdivise en troubles anévrysmaux, en troubles athéroscléreux et en troubles vasculaires non athéroscléreux. Les troubles vasculaires athéroscléreux se subdivisent en troubles coronariens, cérébraux, périphériques, mésentériques et en troubles des artères rénales (Creager, Belkin, Bluth *et al.*, 2012). Ce chapitre porte sur l'artériopathie périphérique, l'anévrisme aortique et la dissection aortique, ainsi que sur les troubles veineux, en particulier la thrombose veineuse et l'insuffisance veineuse chronique.

45.2 | Artériopathie périphérique

CE QU'IL FAUT RETENIR

L'artériopathie périphérique (AP) occasionne un rétrécissement progressif des artères des membres supérieurs et inférieurs. Elle est fortement associée aux facteurs de risque des autres maladies cardiovasculaires.

20

Le chapitre 20, *Interventions cliniques – Accident vasculaire cérébral*, traite entre autres de l'athérosclérose.

Claudication intermittente : Boiterie s'accompagnant de douleurs et survenant au bout de quelques instants de marche. Les claudications intermittentes ont des étiologies variables.

L'**artériopathie périphérique (AP)** occasionne un rétrécissement progressif des artères des membres supérieurs et inférieurs. Le risque d'AP augmente avec l'âge et touche généralement les personnes âgées de 60 à 80 ans. Les personnes souffrant de diabète en sont cependant atteintes beaucoup plus tôt. Au Canada, peu de données récentes permettent d'établir la prévalence de l'AP (Makowsky, McMurtry, Elton *et al.*, 2011). Il est toutefois estimé qu'environ 16 % de la population en Amérique du Nord est atteinte de cette maladie (Abramson, Huckell, Anand *et al.*, 2005).

L'AP est fortement associée à d'autres types de maladies cardiovasculaires et à leurs facteurs de risque. De façon générale, les personnes qui souffrent d'une AP présentent un risque de mortalité plus élevé, de même qu'un risque accru de mourir d'une maladie cardiovasculaire ou d'un événement coronarien majeur (Arain, Ye, Bailey *et al.*, 2012). Par conséquent, l'AP est un marqueur de l'athérosclérose générale à un stade avancé. Les personnes atteintes d'une AP sont aussi plus susceptibles de souffrir d'une maladie coronarienne ou d'une atteinte vasculaire cérébrale. En général, les AP demeurent sous-diagnostiquées et sous-traitées, puisque peu de manifestations cliniques sont observables et que bon nombre de clients ne présentent aucun symptôme tel que la **claudication intermittente** (Hirsch, Allison, Gomes *et al.*, 2012).

Étiologie et physiopathologie

L'**athérosclérose** est la principale cause d'AP. Elle consiste en un épaississement graduel de l'intima (paroi interne des artères) et de la media (paroi intermédiaire) par le dépôt de lipides et de cholestérol, qui entraîne le rétrécissement de la lumière du vaisseau. La media est composée de cellules musculaires lisses lui permettant de supporter des pressions élevées et de s'étirer pour accommoder le volume sanguin. L'adventice (paroi externe) est pour sa part composée essentiellement de collagène et des vasa vasorum, qui sont un réseau de petits vaisseaux sanguins qui nourrissent principalement l'aorte. Avec l'âge, des changements dégénératifs font en sorte que la composante en élastine décline et que le collagène devient prépondérant. Les artères deviennent alors plus rigides, et la pression artérielle (P.A.) augmente. Par conséquent, les parois des vaisseaux font face à des forces de cisaillement plus élevées, ce qui peut entraîner des traumatismes (fissures), lesquels favorisent le processus d'inflammation et d'athérosclérose. Les causes exactes de l'athérosclérose demeurent inconnues, mais l'inflammation et la lésion endothéliale jouent un rôle majeur dans sa formation. La pathologie de l'athérosclérose inclut la migration et la réplication des cellules des muscles lisses, la formation de dépôts de tissu conjonctif, l'infiltration de lymphocytes et de macrophages, ainsi que l'accumulation de lipides.

Les facteurs de risque importants d'AP sont la consommation de tabac (il s'agit du facteur le plus important), la dyslipidémie, le diabète et l'hypertension artérielle non maîtrisée (Fowkes, Rudan, Rudan *et al.*, 2013). Les autres facteurs de risque comprennent les antécédents familiaux, le vieillissement, l'obésité, un mode de vie sédentaire et le stress (Fowkes *et al.*, 2013). En raison du processus inflammatoire de l'AP, la protéine C réactive semble jouer un rôle dans la progression de cette maladie (Chen, Shi, Wang *et al.*, 2015) **TABLEAU 45.1**.

L'athérosclérose s'attaque le plus souvent à certains segments de l'arbre artériel, notamment les artères coronaires, les artères carotides et les artères périphériques des membres inférieurs **FIGURE 45.1** ▶ **20**. Les manifestations cliniques apparaissent lorsqu'il y a une occlusion d'environ 60 à 75 % des vaisseaux.

45.3 | Artériopathie périphérique des membres inférieurs

L'AP des membres inférieurs peut attaquer les artères aorto-iliaques, fémorales, poplitées, tibiales ou péronières **FIGURE 45.1**. Chez les diabétiques, la région de l'artère poplitée, qui termine l'artère fémorale, est la plus souvent atteinte. Ces personnes ont tendance à faire de l'AP dans les artères sous les genoux, surtout dans les artères tibiales antérieure et postérieure, ainsi que dans les artères péronières.

Différences hommes-femmes

TABLEAU 45.1 Troubles vasculaires

HOMMES	FEMMES
• Les anévrismes aortiques abdominaux (A.A.A.) sont plus fréquents chez les hommes que chez les femmes. • La dissection aortique atteint les hommes de deux à cinq fois plus souvent que les femmes. • La thromboangéite oblitérante (maladie de Léo Buerger) se produit surtout chez les hommes âgés de moins de 40 ans.	• Les femmes qui souffrent d'artériopathie périphérique (AP) disent sentir une diminution de leur capacité physique, davantage de douleur corporelle et de plus grandes perturbations de l'humeur que les hommes souffrant d'AP. • Les femmes ayant une dissection aortique aiguë présentent plus de complications en centre hospitalier (p. ex., de l'hypotension, une tamponnade cardiaque) et des taux de mortalité après la chirurgie supérieurs à ceux des hommes. • Le phénomène de Raynaud se produit principalement chez les femmes âgées de 15 à 40 ans. • Le risque de thrombose veineuse profonde (TVP) est plus élevé chez les femmes âgées de plus de 35 ans qui fument, prennent des contraceptifs oraux ou une hormonothérapie substitutive, sont enceintes ou en période postpartum, ou ont des antécédents familiaux de TVP. • Le risque d'avoir des varices est plus élevé chez les femmes qui prennent des contraceptifs oraux ou une hormonothérapie substitutive, ou qui sont enceintes.

45.3.1 Manifestations cliniques

En général, la gravité des manifestations cliniques dépend du site et de l'étendue de l'obstruction ainsi que de la circulation collatérale. Le symptôme classique d'une AP des membres inférieurs est la claudication intermittente, soit une douleur musculaire ischémique précipitée par un niveau soutenu d'exercices, qui se dissipe après 10 minutes ou moins de repos et qui se reproduit lorsqu'il y a effort (McKinley, O'Loughlin & Bidle, 2014). Le tabagisme, le diabète, l'hypertension artérielle (HTA) et la dyslipidémie sont quelques facteurs de risque de l'AP des membres inférieurs (Chen *et al.*, 2014). Ce phénomène s'explique par un déséquilibre entre l'apport et la demande en oxygène, tout comme dans la douleur angineuse. La douleur ischémique résulte de l'accumulation de produits terminaux du métabolisme cellulaire anaérobique, comme l'acide lactique. Lorsque le client cesse de faire de l'exercice, les métabolites disparaissent, et la douleur diminue **ENCADRÉ 45.1**. L'AP des artères aorto-iliaques produit la claudication des fesses et des cuisses, tandis qu'une claudication du mollet indique que les artères fémorales ou poplitées sont touchées. Environ 10 % des clients souffrant d'une AP présentent le symptôme classique de la claudication intermittente. Le questionnaire d'Édimbourg est un outil utilisé pour établir un diagnostic d'AP chez un client qui présente de la claudication (Aboyans, Lacroix, Waruingi *et al.*, 2000). Par la suite, la classification clinique de Leriche et Fontaine permet d'établir un degré de gravité de l'AP (Norgren, Hiatt, Dormandy *et al.*, 2007). Une AP qui touche les artères iliaques internes peut entraîner de l'impuissance. Les résultats de l'étude CANSED démontrent que près de la moitié des hommes qui consultent en soins de première ligne rapportent des troubles érectiles (Grover Lowensteyn, Kaouache *et al.*, 2006). En plus des

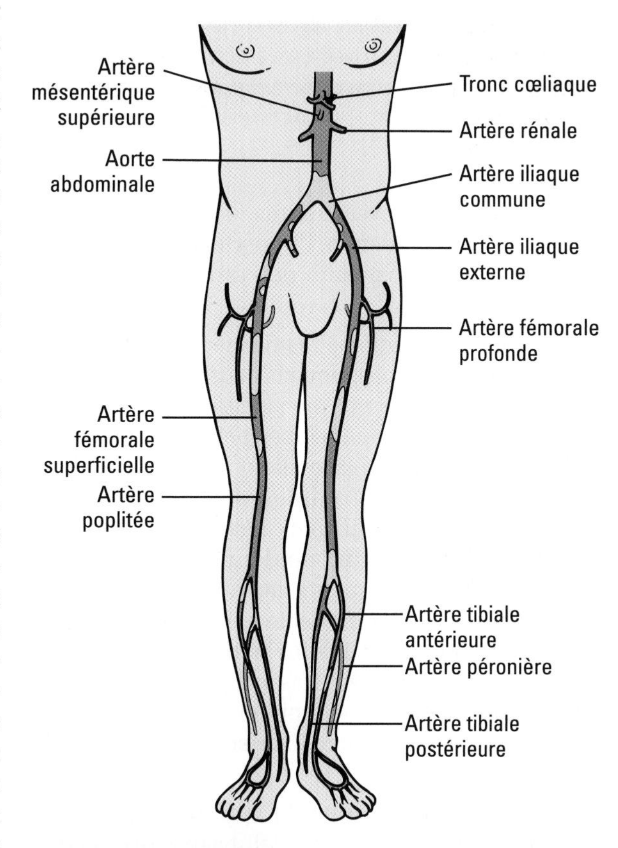

FIGURE 45.1 Localisations anatomiques courantes de lésions athéroscléreuses (en jaune) de l'aorte abdominale et des membres inférieurs

CE QU'IL FAUT RETENIR

Le symptôme classique de l'AP des membres inférieurs est la claudication intermittente, soit une douleur précipitée par un niveau soutenu d'exercice, qui se dissipe après 10 minutes ou moins de repos, et qui réapparaît à l'effort.

Pratique fondée sur des résultats probants

ENCADRÉ 45.1 L'implantation d'une endoprothèse vasculaire métallique lors de l'angioplastie transluminale percutanée permet-elle de réduire la claudication intermittente ?

QUESTION CLINIQUE

Chez les clients souffrant d'une claudication intermittente attribuable à des lésions de l'artère fémorale superficielle (P), l'angioplastie transluminale percutanée (ATP) (I), par opposition à l'ATP avec pose d'endoprothèse vasculaire métallique (C), a quels effets sur la perméabilité des vaisseaux (O) deux ans après l'intervention (T) ?

RÉSULTATS PROBANTS

- Revue systématique des essais cliniques aléatoires

ANALYSE CRITIQUE ET SYNTHÈSE DES DONNÉES

- Onze essais cliniques ont été réalisés (n = 1 387) auprès d'hommes et de femmes choisis de façon aléatoire et suivant un protocole de traitement antiplaquettaire semblable.
- Les améliorations à court terme (de 6 à 12 mois) quant à la perméabilité chez les clients traités sous ATP avec une endoprothèse vasculaire n'ont pas été maintenues 2 ans après l'intervention.
- Après deux ans, la circulation sanguine n'était pas supérieure chez les clients ayant subi une ATP avec une endoprothèse. Toutefois, une légère amélioration de la distance parcourue à pied a été observée chez les clients ayant subi une ATP avec une endoprothèse, et ce jusqu'à un an après l'intervention.
- L'indice tibiobrachial et la distance de marche sur tapis roulant n'ont montré aucune amélioration à 12 mois chez les clients ayant subi une ATP seule ou avec une endoprothèse.
- Trois essais (n = 660) n'ont montré aucune différence sur la qualité de vie des clients ayant subi une ATP seule ou avec une endoprothèse.

CONCLUSION

- Les résultats ne démontrent pas que l'utilisation d'une endoprothèse lors d'une ATP doit être systématiquement proposée pour le traitement des sténoses de l'artère fémorale superficielle.

RECOMMANDATION POUR LA PRATIQUE INFIRMIÈRE

- Informer le client ayant une ATP avec pose d'une endoprothèse que l'amélioration notée après l'intervention diminue avec le temps.

RÉFÉRENCE

Chowdhury, M.M., McLain, A.D., & Twine, C.P. (2014). Angioplasty versus bare metal stenting for superficial femoral artery lesions. *Cochrane Database of Systematic Reviews, 6,* CD006767. DOI : 10.1002/14651858.CD006767.ub3.

P : Population ; I : Intervention ; C : Comparaison ; O : (*Outcome*) Résultat ; T : (*Time period*) Cadre temporel.

60

Les manifestations cliniques du diabète ainsi que les soins et traitements infirmiers auprès des clients atteints sont décrits dans le chapitre 60, *Interventions cliniques – Diabète*.

CE QU'IL FAUT RETENIR

En cas d'AP, la peau des membres inférieurs devient mince, luisante et tendue, et présente une perte de poils. On peut noter la baisse ou l'absence du pouls pédieux, poplité ou fémoral.

facteurs de risque vasculaires, d'autres éléments tels que la dyslipidémie, l'hypertension artérielle, l'obésité et le tabagisme peuvent augmenter le risque de dysfonction érectile.

La paresthésie, qui se manifeste par des engourdissements ou des picotements dans les orteils ou les pieds, peut provenir d'une ischémie du tissu nerveux. La vraie neuropathie périphérique se produit plus couramment chez le client atteint de diabète ▶ 60 et chez celui souffrant d'une ischémie de longue date. La neuropathie cause une douleur lancinante intense ou une douleur ardente dans le membre. Elle ne suit aucune racine nerveuse en particulier, mais peut être présente près des régions ulcérées. Une diminution graduelle de l'irrigation vers les neurones entraîne à la fois une perte de sensation au toucher et de la douleur profonde ; c'est pourquoi les blessures à un membre inférieur passent souvent inaperçues.

L'apparence physique du membre fournit des données importantes sur le débit sanguin. La peau devient mince, luisante et tendue, et il y a une perte de poils sur la partie inférieure de la jambe en raison de la diminution de la perfusion des capillaires. La baisse ou l'absence du pouls pédieux, poplité ou fémoral peut être notée. La pâleur (la blancheur du pied) se produit à l'élévation de la jambe. Inversement, l'hyperémie (rougeur du pied) s'observe lorsque le membre pend **TABLEAU 45.2**.

À mesure que l'AP évolue et touche de multiples segments artériels, une douleur continue se manifeste au repos. La douleur au repos se produit souvent dans les pieds ou les orteils, et elle augmente avec l'élévation des membres inférieurs. Elle résulte de l'insuffisance du débit sanguin à répondre aux besoins métaboliques de base des tissus distaux. Cette douleur se produit plus souvent la nuit parce que le débit cardiaque tend à baisser pendant le sommeil et que les membres inférieurs sont à la même hauteur que le cœur. La personne tente souvent de soulager en partie la douleur en laissant pendre ses jambes sur le bord du lit ou en dormant dans une chaise pour permettre à la gravité de maximiser le flux sanguin vers les membres inférieurs. Une personne qui présente des symptômes de douleur chronique au repos, des signes d'ulcération ou de gangrène souffre d'une ischémie aiguë des

TABLEAU 45.2 Comparaison entre une artériopathie périphérique et une pathologie veineuse

CARACTÉRISTIQUE	ARTÉRIOPATHIE PÉRIPHÉRIQUE	PATHOLOGIE VEINEUSE
Pouls périphériques	Diminués ou absents	Présents ; possiblement difficiles à palper si présence d'un œdème
Retour capillaire	> 3 sec.	< 3 sec.
Œdème	Pas d'œdème, sauf si jambe constamment pendante	Œdème à la jambe
Poils	Perte de poils sur les jambes, les pieds et les orteils	Présence ou non de poils
Ongles	Épais et cassants	Normaux ou épais
Douleur	Claudication intermittente ou douleur au repos dans le pied ; ulcère douloureux ou non	Douleur sourde ou lourdeur dans le mollet ou la cuisse ; ulcère souvent douloureux
Ulcère		
Localisation	Extrémités des orteils, des pieds ou malléole externe	Près de la malléole interne
Bord	Arrondi, lisse, ressemblant à une géode	Forme irrégulière
Drainage	Minimal	Moyenne ou grande quantité
Tissu	Escarre noire ou granulation rose pâle	Escarre jaune ou rouge foncé, granulation vermeille
Peau		
Couleur	Membre pendant : rougeur ; membre élevé : pâleur	Pigmentation bronze-brun ; varices pouvant être visibles
Texture	Mince, luisante, sèche	Épaisse, durcie et indurée
Température	Froide, gradient de température en descendant le long de la jambe	Chaude, pas de gradient de température
Dermatose	Rare	Fréquente
Prurit	Rare	Fréquent

membres inférieurs. Si elle n'est pas traitée, ce trouble conduit souvent à une amputation. Tous les moyens sont mis en œuvre pour sauver le membre, en particulier une chirurgie ou une revascularisation endovasculaire. Si une personne ne peut pas subir de revascularisation ou si cela s'avère impossible sur le plan technique, un traitement médical est alors requis (Alonso-Coello, Bellmunt, McGorrian *et al.*, 2012).

45.3.2 Complications

L'AP des membres inférieurs progresse lentement. Une ischémie prolongée entraîne une atrophie de la peau et des muscles sous-jacents. En raison de la diminution du débit sanguin dans les artères, même un léger trauma aux pieds (p. ex., se cogner un orteil ou se faire une ampoule en portant des chaussures mal ajustées) peut entraîner un ralentissement de la guérison, une infection de la plaie et une nécrose tissulaire, surtout chez le client diabétique. La plupart du temps, les ulcères artériels causés par l'insuffisance artérielle se produisent sur les proéminences osseuses des orteils, des pieds et de la partie inférieure de la jambe. Les ulcères artériels qui ne guérissent pas et la gangrène représentent les complications les plus

Jugement clinique

Donia Sylvestre est âgée de 79 ans. Un ulcère à la malléole externe droite s'est formé à la suite d'une artériopathie périphérique. L'ulcère mesure 3 cm de diamètre et 0,5 cm de profondeur. Comme la guérison ne se fait pas, le médecin envisage une amputation. Cependant, la cliente refuse catégoriquement cette solution : « J'ai toute ma tête, et il n'est pas question qu'on me coupe le pied. » Tenteriez-vous de convaincre madame Sylvestre que l'amputation est la meilleure solution ? Justifiez votre réponse.

CE QU'IL FAUT RETENIR

En présence d'AP, même un léger trauma aux pieds peut entraîner un ralentissement de la guérison, une infection de la plaie et une nécrose tissulaire. Ces complications peuvent conduire à l'amputation.

graves de la maladie et peuvent conduire à l'amputation du membre inférieur si la circulation du sang n'est pas réactivée adéquatement ou si une infection grave se produit. En présence d'une AP de longue date, il est possible que la circulation collatérale prévienne la gangrène du membre. Une douleur insoutenable ou vive et la progression de l'infection sont des indices qu'il faudra amputer la personne qui n'est pas candidate à la revascularisation.

45.3.3 Examen clinique et examens paracliniques

De nombreux examens paracliniques permettent d'évaluer le débit sanguin et le système vasculaire **ENCADRÉ 45.2**. L'échographie doppler est une méthode qui consiste à émettre des ultrasons dans l'organisme à l'aide d'un petit capteur appliqué sur la peau, ultrasons qui sont ensuite traduits en ondes sonores sur un écran (Wilson, 2014).

L'échographie doppler permet d'évaluer le flux sanguin des grandes veines et artères. Lorsque la palpation d'un pouls périphérique est difficile, en raison d'une AP sévère, l'échographie doppler peut déterminer la vitesse du sang circulant dans les vaisseaux **TABLEAU 45.3**. Cependant, un pouls palpable et un pouls doppler ne sont pas équivalents et ne doivent pas être utilisés indifféremment. De plus, les P.A. segmentées peuvent être notées (au moyen d'un doppler et d'un sphygmomanomètre) à la cuisse, sous le genou et à la cheville pendant que le client est en position couchée allongée. Une baisse de la P.A. de plus de 30 mm Hg est un indice d'une artériopathie périphérique.

L'indice tibiobrachial (ITB) est une mesure très sensible et spécifique pour la détection de l'AP (Aboyans, Criqui, Abraham *et al.*, 2012). Il est

TABLEAU 45.3 Interprétation clinique des valeurs de l'ITB

RÉSULTATS DE L'ITB	INTERPRÉTATION CLINIQUE
> 1,40	Artère non compressible
1,00-1,40	Valeur normale
0,91-0,99	Valeur limite
0,41-0,90	Artériopathie périphérique légère ou modérée
< 0,41	Artériopathie périphérique grave

Source : Creager *et al.* (2012).

Processus diagnostique et thérapeutique

ENCADRÉ 45.2 Artériopathie périphérique

EXAMEN CLINIQUE ET EXAMENS PARACLINIQUES

- Antécédents de santé et examen physique, y compris la palpation des pouls périphériques
- Examens doppler
- P.A. segmentaires
- Indice tibiobrachial (ITB)
- Échographie doppler
- Angiographie
- Angiographie par résonance magnétique

PROCESSUS THÉRAPEUTIQUE

- Modification des facteurs de risque de maladies cardiovasculaires
  - Cessation tabagique
  - Exercices physiques réguliers
  - Atteinte et maintien d'un poids santé
  - Suivi du régime DASH (*Dietary Approaches to Stop Hypertension*)
  - Surveillance étroite de la glycémie chez les diabétiques
  - Gestion étroite de la P.A.
  - Traitement de la dyslipidémie et de l'hypertriglycéridémie
  - Agent antiplaquettaire (acide acétylsalicylique [Aspirin[MD]] ou clopidogrel [Plavix[MD]])
- Traitement des symptômes de claudication
  - Programme structuré de marche ou d'exercices
  - Pharmacothérapie
- Thérapie nutritionnelle
- Soins des pieds adéquats
- Angioplastie par ballonnet transluminale percutanée, avec ou sans endoprothèse vasculaire
- Athérectomie transluminale percutanée
- Cryoplastie transluminale percutanée
- Pontage artériel périphérique
- Angioplastie par greffe en pièce, souvent effectuée conjointement avec un pontage
- Endartériectomie (pour une sténose locale, mais rarement exécutée)
- Traitement thrombolytique (uniquement dans les cas d'ischémie aiguë)
- Amputation

obtenu au moyen d'un doppler portatif et d'un sphygmomanomètre, ou simplement avec un appareil à P.A. oscillométrique qui offre cette option. On effectue le calcul en divisant la P.A. systolique la plus élevée au-dessus d'une cheville (pédieuse tibiale postérieure) par la P.A. la plus élevée entre le bras gauche ou droit. L'ITB sert aussi à surveiller la perméabilité des greffons après la revascularisation. Il est peu utile si les artères sont calcifiées et non compressibles, comme cela se produit chez les clients souffrant de diabète. Chez ces personnes, l'ITB est souvent faussement élevé.

D'autres examens paracliniques sont envisageables en fonction de la disponibilité des ressources du milieu, de la condition physique du client et de sa trajectoire de soins prévue. Par exemple, l'angiographie et l'angiographie par résonance magnétique sont utilisées pour localiser et déterminer l'étendue de l'AP De plus, elles fournissent des données sur l'anatomie des vaisseaux utiles pour planifier la chirurgie.

45.3.4 Processus thérapeutique en interdisciplinarité

L'**ENCADRÉ 45.2** présente un résumé du processus thérapeutique en interdisciplinarité pour un client souffrant d'une AP.

Modification des facteurs de risque

En raison du risque élevé d'infarctus du myocarde ou d'accident ischémique cérébral, et de décès attribuable à une maladie cardiovasculaire, le traitement vise en premier lieu à modifier les facteurs de risque de maladies cardiovasculaires chez tous les clients atteints d'une AP quelle que soit la gravité des symptômes (Hirsch, Haskal, Hertzer *et al.*, 2006; Norgren *et al.*, 2007; Sobel & Verhaeghe, 2008). La modification doit se faire non seulement au moyen d'une pharmacothérapie, mais aussi par des changements dans le mode de vie du client et de ses proches. Les cliniques dirigées par une infirmière se sont révélées efficaces pour gérer les facteurs de risque de maladies cardiovasculaires des clients souffrant d'AP (Hatfield, Gulati, Rahman *et al.*, 2008).

La cessation tabagique est essentielle afin de réduire le risque de maladies cardiovasculaires et de mortalité. La poursuite du tabagisme affecte la progression de la maladie et la perméabilité du greffon (Olin, Allie, Belkin *et al.*, 2010). Il s'agit d'un processus complexe et difficile, qui comporte un pourcentage élevé de rechute. Tous les clients souffrant d'AP devraient avoir accès à des programmes complets de cessation tabagique.

Les lignes directrices actuelles recommandent une gestion très étroite de la consommation de lipides pour tous les clients souffrant d'une AP, et elles visent les objectifs suivants: Apo B ≤ 0,80 g/L et cholestérol non HDL ≤ 2,5 mmol/L (Anderson, Hegele, Couture *et al.*, 2013). Il est aussi recommandé de modifier l'alimentation, mais ce changement seul ne permet pas d'atteindre ces objectifs. Le traitement des clients souffrant d'AP au moyen de statine (p. ex., la simvastatine [Zocor^MD]) fait non seulement baisser le taux de cholestérol, mais réduit aussi la morbidité et la mortalité par maladie cardiovasculaire (Saratzis, Kitas, Saratzis *et al.*, 2010).

L'hypertension artérielle est un facteur de risque majeur de l'évolution de l'AP ainsi que d'autres événements cardiovasculaires (p. ex., un accident vasculaire cérébral [AVC], un infarctus du myocarde, une insuffisance cardiaque). Les lignes directrices pour la maîtrise de l'HTA chez les personnes souffrant d'artériopathie périphérique recommandent une P.A. inférieure à 140/90 mm Hg (Daskalopoulou, Rabi, Zarnke *et al.*, 2015). Une modification des habitudes de vie est recommandée, y compris la réduction de la consommation de sodium et le respect du régime DASH, soit les approches diététiques pour gérer l'HTA. La pharmacothérapie initiale antihypertensive comprend des thiazidiques et des inhibiteurs de l'enzyme de conversion de l'angiotensine (IECA). Les bêtabloquants doivent être évités dans les cas d'AP sévère.

Le diabète est un facteur de risque bien connu de l'AP, et il accroît le risque d'amputation chez les personnes qui en souffrent. Pour la plupart des clients diabétiques, un taux d'hémoglobine glyquée (A_{1c}) ≤ 8,0 % est souhaité (Wilson, 2014). Mais, chez les clients ayant des conditions particulières, telles que de multiples comorbidités, une cible entre 7,1 et 8,5 % peut être tolérée (Canadian Diabetes Association Clinical Practice Guidelines Expert Committee, 2013). L'infirmière doit sensibiliser le client à porter une attention particulière aux soins des pieds.

Pharmacothérapie

Les antiplaquettaires sont considérés comme essentiels à la réduction des risques de maladies cardiovasculaires et de décès chez les personnes souffrant d'AP. Les lignes directrices portant sur les antiplaquettaires oraux recommandent la prise de 81 à 325 mg par jour d'acide acétylsalicylique (Aspirin^MD). Pour les clients qui ont une intolérance à celui-ci, la prise de 75 mg par jour de clopidogrel (Plavix^MD) est conseillée. Les antiplaquettaires combinant l'acide acétylsalicylique et le clopidogrel ne sont pas recommandés, étant donné que les résultats probants n'ont démontré aucun bénéfice par rapport aux risques. De même, les anticoagulants (p. ex., la warfarine [Coumadin^MD]) ne sont pas conseillés pour la prévention des événements cardiovasculaires chez les personnes souffrant d'AP L'utilisation des IECA (p. ex., le ramipril [Altace^MD]) diminue la morbidité et la mortalité (Pineda, Kim & Osinbowale, 2015).

Deux médicaments sont utilisés pour traiter la claudication intermittente, soit le cilostazol

CE QU'IL FAUT RETENIR

Quelle que soit la gravité des symptômes, le traitement de l'AP vise d'abord à modifier les facteurs de risque des maladies cardiovasculaires par des modifications du mode de vie et par la pharmacothérapie.

Réactivation des connaissances

Qu'est-ce que l'hémoglobine glyquée (A_{1c})? Quelle est l'utilité de cette analyse de laboratoire?

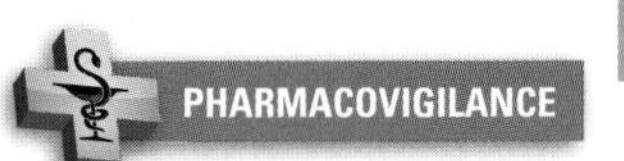

Clopidogrel (Plavix^MD) et oméprazole (Prilosec^MD)

- L'effet antiplaquettaire du clopidogrel est réduit environ de moitié lorsque le médicament est administré en concomitance avec l'oméprazole.
- Augmentent le risque d'infarctus du myocarde et d'AVC.

Quelle est l'utilité de la mesure du tour de taille?

(Pletal[MD]) et la pentoxifylline (Trental[MD]). Le cilostazol est un inhibiteur de la phosphodiestérase qui favorise les effets de la prostaglandine I_2. Il inhibe l'agrégation plaquettaire et accroît la vasodilatation. Il permet d'augmenter la distance de marche maximale et la qualité de vie. Il est recommandé comme médicament de première ligne pour les personnes souffrant de claudication intermittente qui ne réagissent pas à un programme de marche et qui ne sont pas candidates à une intervention chirurgicale ou radiologique (Alonso-Coello *et al.*, 2012). Bien que le cilostazol améliore les symptômes, il ne réduit pas la morbidité et la mortalité par maladies cardiovasculaires et il est contre-indiqué chez les personnes ayant une insuffisance cardiaque. La pentoxifylline augmente la flexibilité des globules rouges et réduit la viscosité du sang. Ce médicament est recommandé comme traitement de deuxième ligne, en remplacement du cilostazol. Les anticoagulants et les prostaglandines vasodilatatrices orales ne sont pas recommandés pour traiter les symptômes de la claudication (Pineda *et al.*, 2015).

Programme de marche

Le principal traitement non médicamenteux de la claudication intermittente consiste en un programme d'exercices supervisé. Le manque d'activité physique chez les personnes souffrant d'AP est associé à une piètre qualité de vie, en particulier chez les hommes Il est aussi important d'encourager la participation à l'exercice chez les femmes atteintes d'AP en raison de leur déclin fonctionnel plus rapide que les hommes (Hamburg & Balady, 2011).

La marche est l'exercice le plus efficace pour les clients souffrant d'AP. Un programme de réadaptation supervisé s'avère utile pour améliorer l'endurance aux exercices. Ces programmes exigent généralement de faire de l'exercice de 30 à 60 minutes par jour, de 3 à 5 fois par semaine pendant 3 à 6 mois. L'entraînement supervisé sur tapis roulant améliore la marche et la qualité de vie des personnes atteintes d'AP, qu'elles souffrent ou non de claudication (Hamburg & Balady, 2011).

Les clients peuvent aussi choisir de suivre un programme d'exercices à la maison plutôt qu'en clinique. L'infirmière doit encourager la personne à faire une activité physique de faible intensité et à en augmenter graduellement la durée, après une période d'échauffement. Elle lui expliquera qu'elle doit marcher jusqu'à ce qu'elle ressente une douleur incommodante qui gêne la marche ; la personne s'arrête alors et se repose, puis recommence à marcher jusqu'à ce qu'elle se sente de nouveau incommodée. Elle devrait effectuer cet exercice pendant 30 à 40 minutes par jour, de 3 à 5 fois par semaine durant au moins 6 mois. Le but est de stimuler la croissance vasculaire de ramifications collatérales au cours des périodes ischémiques afin de contourner la sténose. Un programme d'entraînement postopératoire devrait aussi être prévu pour les personnes atteintes d'AP qui subissent une intervention chirurgicale. Ce sujet est traité plus loin dans le présent chapitre.

Thérapie nutritionnelle

L'infirmière doit enseigner aux clients souffrant d'AP comment adapter leur apport alimentaire de façon que leur tour de taille soit inférieur à 102 cm pour les hommes et à 88 cm pour les femmes europoïdes (Genest, McPherson, Frohlich *et al.*, 2009). Elle doit leur recommander un régime alimentaire riche en fruits, en légumes et en grains entiers et faible en cholestérol, acides gras saturés et sodium (≤ 2 000 mg/jour) ▶ 41.

41

Le régime alimentaire faible en sodium et en acides gras saturés est décrit dans le chapitre 41, *Interventions cliniques – Coronaropathie et syndrome coronarien aigu.*

Méthodes complémentaires de soins

L'utilisation de divers suppléments vitaminiques, minéraux, diététiques et à base de plantes pour le traitement de la claudication intermittente a fait l'objet d'études, mais les données actuelles ne démontrent pas leur efficacité. Les personnes qui prennent des antiplaquettaires (p. ex., l'acide acétylsalicylique [Aspirin[MD]]), des anti-inflammatoires non stéroïdiens (AINS) (p. ex., l'ibuprofène [Motrin[MD]]) et des anticoagulants (p. ex., la warfarine [Coumadin[MD]]) doivent consulter leur professionnel de la santé avant de prendre un supplément diététique ou un complément à base de plantes en raison des interactions possibles et des risques de saignement (Tachjian, Maria & Jahangir, 2010) **ENCADRÉ 45.9**.

CE QU'IL FAUT RETENIR

Le principal traitement non médicamenteux de l'AP consiste en un programme d'exercices supervisé. La marche est l'exercice le plus efficace. Un programme d'entraînement doit aussi être prévu après un traitement chirurgical de l'AP.

Soins au client ayant une jambe atteinte d'une ischémie critique

L'**ischémie critique des membres inférieurs** est une condition caractérisée par une douleur ischémique chronique au repos qui dure plus de deux semaines, par des ulcères artériels ou par de la gangrène aux jambes attribuable à l'AP (Rooke, Hirsch, Misra *et al.*, 2011). Le traitement le plus efficace consiste en la revascularisation par chirurgie ou par une technique endovasculaire. Tous les clients souffrant d'une ischémie critique des membres inférieurs doivent respecter scrupuleusement les indications visant la réduction des facteurs de risque de maladies cardiovasculaires et recevoir des antiplaquettaires pour diminuer le risque qu'un événement cardiovasculaire se produise, même si ces soins sont de nature palliative (Rooke *et al.*, 2011).

Le traitement classique vise à protéger les membres de tout trauma, à réduire la douleur ischémique, à prévenir et à contrôler l'infection et à maximiser la perfusion. L'infirmière inspecte, nettoie et hydrate soigneusement les deux pieds pour prévenir la formation de crevasses et l'infection de la peau. Il faut éviter de faire tremper les pieds pour empêcher la macération de la peau. En cas d'ulcère,

CE QU'IL FAUT RETENIR

En cas d'ischémie critique des membres inférieurs (douleur chronique au repos durant plus de deux semaines), le traitement est la revascularisation par chirurgie ou par technique endovasculaire.

l'infirmière garde le pied atteint propre et sec. Les ulcères profonds peuvent être traités avec divers produits de soins des plaies, mais la guérison demeure peu probable si le débit sanguin n'est pas rétabli. L'infirmière doit encourager le client à porter des chaussures souples, amples et offrant une bonne protection, de même qu'à éviter les écarts extrêmes de température. Aucune pression ne doit être exercée sur le talon. Pour ce faire, l'infirmière peut placer un oreiller sous les mollets pour que les talons ne touchent pas le lit. Des appareils offerts sur le marché peuvent aussi protéger les talons. Administrer des analgésiques opioïdes et placer le lit dans la position de Trendelenburg inversée sont des mesures qui peuvent aider à diminuer la douleur et à faciliter la perfusion dans les membres inférieurs (St-Cyr, 2013).

Certains résultats probants indiquent que la stimulation de la moelle épinière ou l'oxygénothérapie hyperbare peuvent aider à prévenir l'amputation chez les personnes souffrant d'ischémie critique des membres inférieurs. La thérapie génique est une autre stratégie prometteuse à l'étude pour stimuler la croissance des vaisseaux sanguins (angiogenèse) (Varu, Hogg & Kibbe, 2010).

Techniques radiologiques interventionnelles utilisant un cathéter

Les techniques radiologiques interventionnelles utilisant un cathéter constituent une solution de rechange aux interventions chirurgicales ouvertes pour traiter l'AP des membres inférieurs. Elles sont effectuées dans un laboratoire de cathétérisme plutôt que dans une salle d'opération. Le choix de l'intervention dépend du site de la sténose ainsi que du type et de la gravité de la lésion. La plupart des clients peuvent se déplacer le jour même de l'intervention et reprendre leurs activités régulières dans les 24 à 48 heures suivant celle-ci (White & Gray, 2007).

Toutes ces techniques ressemblent à l'angiographie, car elles nécessitent l'insertion d'un cathéter spécial dans l'artère fémorale. L'angioplastie transluminale percutanée a recours à un cathéter muni d'un ballonnet cylindrique à son extrémité. L'extrémité du cathéter est avancée jusqu'à la région rétrécie (sténosée) de l'artère. Une fois en position, le ballonnet est gonflé, ce qui permet au vaisseau de se dilater en écrasant la couche athéroscléreuse sur l'intima et en étirant également la media sous-jacente (Nanjundappa, Jain, Cohoon *et al.*, 2011). Le radiologiste installe des endoprothèses vasculaires (petits dispositifs métalliques extensibles) dans l'artère immédiatement après l'exécution de l'angioplastie transluminale percutanée. L'endoprothèse vasculaire agit comme un échafaudage pour maintenir l'artère ouverte et est aussi utilisée pour traiter la dissection artérielle périphérique. Les endoprothèses vasculaires peuvent être recouvertes de Dacron[MD] ou être imprégnées (p. ex., de paclitaxel) pour minimiser la resténose en réduisant la croissance de nouveau tissu dans l'endoprothèse vasculaire.

L'athérectomie consiste à enlever la plaque obstructive. L'appareil d'athérectomie directionnelle est muni d'un disque à couper à haute vitesse fixé au cathéter pour trancher de longues bandes de l'athérome. L'athérectomie au laser se sert de l'énergie de rayons ultraviolets (UV) pour briser les liaisons moléculaires de l'athérome afin de réduire la sténose. Les cathéters d'athérectomie sont munis à leur extrémité d'une fraiseuse au diamant qui tourne très rapidement (comme le foret utilisé par les dentistes) pour pulvériser le calcium dans l'athérome en particules plus petites qu'une cellule sanguine. La cryoplastie combine deux méthodes : l'angioplastie par ballonnet et la cryothérapie. Le ballonnet est gonflé avec de l'oxyde nitreux liquide qui passe de l'état liquide à l'état gazeux quand il entre dans le ballonnet. L'expansion du gaz cause un refroidissement à –10 °C. Le froid minimise la resténose en réduisant l'activité cellulaire du muscle lisse (Gandhi, Sakhuja & Slovut, 2011).

Jugement clinique

Sean Rockwell, 77 ans, habite avec sa fille aînée. L'infirmière du service de maintien à domicile change le pansement à son pied droit tous les jours, car le client a un ulcère au talon gauche de 4 cm de diamètre et de 1 cm de profondeur. Il y a présence d'exsudat sanguinolent provenant de la plaie. Lorsque monsieur Rockwell se couche sur le dos, sa fille place un petit coussinet en forme de beigne entre le lit et le pansement afin d'éviter une pression sur l'ulcère. L'infirmière lui déconseille de faire cela. A-t-elle raison de lui déconseiller ce moyen ? Justifiez votre réponse.

Les soins infirmiers prodigués avant et après l'intervention sont les mêmes que ceux offerts pour l'angiographie diagnostique. Le client reçoit des antiplaquettaires après l'intervention pour réduire le risque de resténose. L'administration à long terme d'une faible dose d'acide acétylsalicylique (Aspirin[MD]) est un traitement recommandé. Les taux de resténose dépendent de l'intervention effectuée, du type et de la longueur de la lésion et des caractéristiques du vaisseau touché. Les taux de réussite immédiatement après l'intervention sont élevés (plus de 95 %) pour les interventions aux artères iliaques et fémorales (Ahimastos, Pappas, Bultner *et al.*, 2011).

Traitement chirurgical

La chirurgie est indiquée pour les clients ayant une sténose qui s'étend sur de grandes surfaces ou qui présentent une grave calcification des artères. Diverses techniques chirurgicales peuvent améliorer le débit sanguin au-delà de l'artère rétrécie ou obstruée. La plus courante est le pontage artériel avec une veine autogène ou avec un matériau de greffe synthétique pour dévier ou transporter le sang autour de la lésion **FIGURE 45.2**. Les greffons synthétiques de polytétrafluoroéthylène expansé ou de Dacron[MD] sont généralement utilisés pour un long pontage comme le pontage axillo-fémoral ou axillo-poplité. Lorsqu'il est impossible d'utiliser la

45

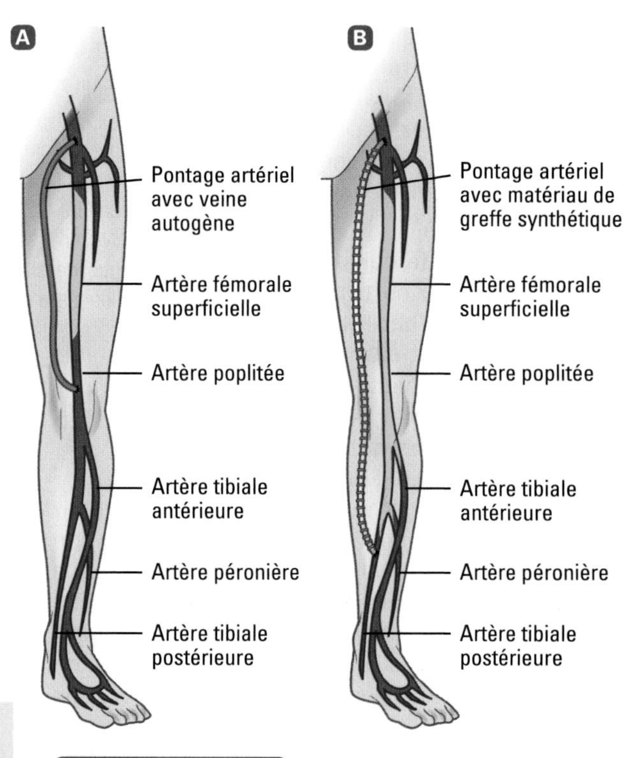

FIGURE 45.2 A Greffe fémoro-poplitée d'une artère fémorale superficielle obstruée. B Greffe fémoro-tibiale postérieure des artères fémorale, poplitée et tibiale obstruées.

25

Le chapitre 25, *Interventions cliniques – Trauma musculosquelettique et chirurgie orthopédique*, traite de l'amputation.

veine de la personne, il faut se servir d'une veine humaine ombilicale, d'une veine cryoconservée ou d'un greffon synthétique (Ronayne, 2007). Le recours à l'angioplastie par ballonnet avec implantation d'une endoprothèse vasculaire combinée à un pontage est aussi possible.

Les autres options chirurgicales comprennent l'endartériectomie (ouverture de l'artère et ablation de la plaque obstructive) et l'angioplastie avec autogreffe (ouverture de l'artère, ablation de la plaque et suture d'un greffon dans l'ouverture pour élargir la lumière).

La revascularisation ne se fait pas chez tous les clients qui souffrent d'ischémie critique des membres inférieurs. L'amputation est la dernière option souhaitée, mais elle peut devenir nécessaire en cas de nécrose étendue des tissus, de gangrène infectieuse ou d'ostéomyélite (infection osseuse), ou si toutes les principales artères du membre sont obstruées, empêchant la réussite d'une chirurgie (Varu *et al.*, 2010). Tout est mis en œuvre afin de préserver la plus grande partie possible du membre de façon à optimiser le potentiel de réadaptation ▶ 25. La mise en place d'un protocole de mobilité après la chirurgie peut accroître la mobilité fonctionnelle d'une personne amputée et maximiser son potentiel de réadaptation.

Soins et traitements infirmiers

CLIENT ATTEINT D'UNE ARTÉRIOPATHIE PÉRIPHÉRIQUE DES MEMBRES INFÉRIEURS

Collecte des données

L'**ENCADRÉ 45.3** présente les données subjectives et objectives que l'infirmière doit recueillir auprès d'un client souffrant d'AP des membres inférieurs.

Analyse et interprétation des données

Le **PSTI 45.1** présente les priorités en matière d'analyse et d'interprétation des données pour un client souffrant d'AP des membres inférieurs (et qui n'a pas encore été opéré).

Planification des soins

Les objectifs généraux pour le client qui souffre d'AP des membres inférieurs sont :

- d'obtenir une irrigation adéquate des tissus ;
- de soulager la douleur ;
- de conserver la peau des membres intacte et saine ;
- d'augmenter la tolérance aux exercices.

Interventions cliniques

Promotion de la santé

L'infirmière doit évaluer les facteurs de risque de maladies cardiovasculaires du client et lui enseigner comment les gérer. Elle doit également le renseigner sur les modifications à apporter aux habitudes alimentaires afin de réduire l'apport en cholestérol, en graisses saturées et en sucres raffinés, sur les soins adéquats des pieds et sur la façon d'éviter les blessures aux membres. Il faut inciter les personnes qui ont des antécédents familiaux de maladies cardiaques, vasculaires ou diabétiques à consulter leur médecin annuellement.

Phase aiguë

Après une intervention chirurgicale ou radiologique, le client est amené à la salle de réveil pour observation. L'infirmière doit vérifier toutes les 15 minutes au début, puis toutes les heures par la suite, la couleur et la température de la peau, le retour capillaire, la présence des pouls périphériques du membre opéré, ainsi que la sensation et le mouvement. S'il y a perte de pouls palpables ou un changement dans le son du doppler, elle doit en aviser immédiatement le

Collecte des données

ENCADRÉ 45.3 Artériopathie périphérique des membres inférieurs

DONNÉES SUBJECTIVES

- Renseignements importants concernant la santé :
  - Antécédents de santé : tabagisme, diabète, hypertension artérielle, dyslipidémie, hypertriglycéridémie, hyperuricémie, détérioration de la fonction rénale, obésité ; concentration plus élevée de protéine C réactive de haute sensibilité, d'homocystéine ou de lipoprotéine a [LP(a)] ; antécédents familiaux positifs, sédentarité, stress
- Modes fonctionnels de santé :
  - Perception et gestion de la santé : antécédents familiaux de maladies cardiovasculaires ; tabagisme, y compris exposition à la fumée secondaire
  - Nutrition et métabolisme : apport élevé en sodium, graisses saturées et cholestérol ; taux élevé d'hémoglobine glyquée A_{1c}
  - Activités et exercices : intolérance à l'effort
  - Cognition et perception : douleur aux fesses, aux cuisses et aux mollets s'accroissant avec l'exercice et diminuant au repos (claudication intermittente) ou ravivée au repos ; douleur cuisante aux pieds et aux orteils au repos ; engourdissement, picotement, sensation de froid dans les jambes ou les pieds ; perte progressive de sensation et douleur profonde dans les extrémités des membres
  - Sexualité et reproduction : dysfonctionnement érectile

DONNÉES OBJECTIVES

- Système tégumentaire : perte de poils sur les jambes ; ongles d'orteils épais ; pâleur lorsque le membre est élevé ; rougeur lorsque le membre est pendant ; peau mince, fraîche et luisante avec atrophie musculaire ; détérioration de la peau et ulcères artériels, surtout sur les zones osseuses ; gangrène
- Système cardiovasculaire : diminution ou absence de pouls périphériques ; pieds froids au toucher ; retour capillaire prenant plus de trois secondes ; bruits possibles aux sites de prise de pouls
- Système nerveux : mobilité ou sensation réduite
- Résultats possibles aux examens paracliniques : sténose artérielle évidente à l'écho-doppler duplex ; baisse des pressions doppler, baisse de l'ITB ; angiographie indicative d'une athérosclérose périphérique

Réactivation des connaissances

Comment l'infirmière évalue-t-elle le retour capillaire ?

Plan de soins et de traitements infirmiers

PSTI 45.1 Artériopathie périphérique des membres inférieurs

PROBLÈME DÉCOULANT DE LA SITUATION DE SANTÉ	**Irrigation inefficace du tissu périphérique** liée à la diminution du débit sanguin, et révélée par la claudication intermittente ou la douleur au repos, l'absence de pouls périphériques, la pâleur ou la blancheur à l'élévation du membre ou l'hyperémie lorsque le membre est pendant.
OBJECTIFS	• Le client reconnaîtra les activités qui favorisent ou qui empêchent la circulation. • Le client maintiendra une irrigation adéquate du tissu périphérique.
RÉSULTATS ESCOMPTÉS	**INTERVENTIONS INFIRMIÈRES ET JUSTIFICATIONS**
Irrigation du tissu périphérique des membres inférieurs • Retour capillaire des orteils ≤ 2 sec. • Coloration rosée des extrémités • Membres inférieurs tièdes • Pouls fémoraux droit et gauche bien perceptibles • Pouls pédieux droit et gauche bien perceptibles • Absence d'érythème, de lésions cutanées, d'induration ou de nécrose aux pieds • Absence de douleur ou d'engourdissement aux membres inférieurs • Adoption de saines habitudes de vie pour limiter les facteurs pouvant nuire à sa circulation périphérique	**Soins circulatoires : insuffisance artérielle** • Effectuer une évaluation complète de la circulation périphérique (p. ex., vérifier les pouls périphériques, la présence d'œdème, le remplissage capillaire, la couleur et la température de la peau). • Surveiller le degré de malaise ou de douleur à l'effort, la nuit ou au repos, car ceux-ci sont des indicateurs de l'aggravation de l'irrigation périphérique. • Fournir de la chaleur (p. ex., donner des couvertures additionnelles, augmenter la température de la chambre) pour favoriser la vasodilatation et accroître la circulation. • Encourager le client à faire de l'exercice pour améliorer l'oxygénation des tissus et diminuer la douleur ischémique. • Enseigner au client à prendre bien soin de ses pieds pour maintenir l'intégrité de la peau. • Renseigner le client sur les facteurs qui interfèrent avec la circulation (p. ex., fumer, porter des vêtements serrés, s'exposer au froid, croiser les jambes et les pieds) pour empêcher d'aggraver l'irrigation périphérique et diminuer la douleur ischémique. • Administrer des antiplaquettaires pour favoriser la circulation et la marche sans douleur.

PSTI 45.1 Artériopathie périphérique des membres inférieurs *(suite)*

PROBLÈME DÉCOULANT DE LA SITUATION DE SANTÉ	**Intolérance à l'effort** liée à un déséquilibre entre l'alimentation en oxygène et la demande d'oxygène, comme le révèle la claudication intermittente.
OBJECTIFS	• Le client décrira des plans relatifs à un programme de marche. • Le client montrera une tolérance accrue à l'effort.
RÉSULTATS ESCOMPTÉS	**INTERVENTIONS INFIRMIÈRES ET JUSTIFICATIONS**
Promotion de l'exercice • Absence de dyspnées ou de douleur dans les activités de la vie quotidienne • Marche quotidienne et accroissement de la mobilité et de l'aisance	**Tolérance à l'effort** • Renseigner le client sur le type d'exercices appropriés à son état de santé, en collaboration avec le médecin ou un kinésithérapeute afin de fournir des données de base pour l'évaluation. • Communiquer au client la fréquence, la durée et l'intensité cibles du programme d'exercices afin d'augmenter l'endurance et d'améliorer l'oxygénation des tissus. • Aider le client à choisir un programme d'exercices approprié pour répondre à ses besoins et prévenir les blessures pendant l'exercice. • Enseigner au client les bons exercices de réchauffement et de récupération pour éviter les blessures.
PROBLÈME DÉCOULANT DE LA SITUATION DE SANTÉ	**Autogestion inefficace de la santé** liée au manque de connaissances sur la maladie et sur les mesures d'autogestion comme le révèlent les questions sur le continuum de la maladie, sur la plaie et sur le traitement.
OBJECTIF	Le client verbalisera les éléments clés du plan de traitement, y compris la connaissance de la maladie, le plan de traitement, la réduction des facteurs de risque et le soin adéquat des pieds, ainsi que le traitement de l'ulcère.
RÉSULTATS ESCOMPTÉS	**INTERVENTIONS INFIRMIÈRES ET JUSTIFICATIONS**
Enseignement : individuel • Description du continuum attendu de la maladie • Description des liens entre le régime thérapeutique recommandé et le maintien optimal de la santé • Confiance dans la prise en charge des autosoins • Modification des habitudes de vie en vue d'une meilleure gestion de la maladie	**Connaissance : régime de traitement** • Reconnaître les facteurs qui influent sur l'apprentissage, comme la perception de la gravité de la maladie, les systèmes de soutien disponibles, les habiletés cognitives et physiques, afin d'individualiser le plan d'enseignement. **Enseignement : processus morbide** • Évaluer les connaissances qu'ont le client et ses proches du continuum de la maladie afin de déterminer l'étendue du problème et de prévoir les interventions appropriées. • Décrire le processus morbide pour faciliter la compréhension qu'ont le client et ses proches de la maladie. • Décrire les signes et les symptômes courants de la pathologie afin que le client et ses proches puissent mieux gérer la maladie. • Discuter des options de traitement pour que le client et ses proches soient moins anxieux, plus coopératifs relativement au plan de traitement et qu'ils apportent les changements nécessaires au mode de vie. • Discuter des changements qui devront peut-être être apportés au mode de vie pour prévenir des complications éventuelles (p. ex., la cessation du tabagisme, le soin des pieds) afin que le client puisse modifier les facteurs de risque liés à l'artériopathie périphérique.

PSTI 45.1	Artériopathie périphérique des membres inférieurs *(suite)*
PROBLÈME DÉCOULANT DE LA SITUATION DE SANTÉ	**Risque pour l'intégrité de la peau atteinte** lié à la diminution de la circulation périphérique, à la modification de la sensation et à l'augmentation de la susceptibilité aux infections.
OBJECTIF	Le client conservera la peau de ses membres inférieurs intacte, non infectée.
RÉSULTATS ESCOMPTÉS	**INTERVENTIONS INFIRMIÈRES ET JUSTIFICATIONS**
Intégrité des tissus : peau et muqueuses des membres inférieurs • Peau tiède • Sensations maintenues • Retour capillaire < 2 sec. • Pouls fémoraux et pédieux droit et gauche bien perceptibles • Absence d'érythème ou de lésions cutanées • Prise de mesures par le client pour limiter les facteurs de risque de blessures	**Précautions circulatoires** • Conseiller au client et à ses proches de protéger des blessures la région atteinte, car le tissu est très fragile, et les plaies cicatrisent mal en raison de la mauvaise circulation. • Conseiller au client de vérifier la température de l'eau du bain avant d'y entrer pour éviter de se brûler la peau, car la sensation peut être diminuée. • Montrer au client comment prendre soin de ses pieds et de ses ongles pour éviter les blessures et l'infection. • Maintenir une hydratation adéquate pour prévenir l'augmentation de la viscosité du sang. • Surveiller la chaleur, la rougeur, la douleur ou l'œdème des extrémités afin de déceler toute infection. **Soins de la peau : traitements topiques** • Appliquer un émollient sur la région atteinte pour garder la peau humide et éviter les crevasses.

médecin ou le radiologiste, qui devra intervenir rapidement. Il peut être demandé à l'infirmière de mesurer les ITB, lesquels devraient être plus élevés que les données de base du client et demeurer stables si le pontage ou l'endoprothèse vasculaire demeure perméable. L'infirmière compare tous les résultats des évaluations avec les données de base du client et avec les résultats du membre opposé. Il est à noter qu'une mesure d'ITB postchirurgie n'est pas recommandée en raison du risque de thrombose du greffon (Aboyans *et al.*, 2012). De nombreux clients souffrant d'AP ont des antécédents de douleur ischémique chronique au repos et peuvent avoir acquis une tolérance aux analgésiques opioïdes. Dans certains cas, il peut donc être nécessaire d'administrer un traitement vigoureux de soulagement de la douleur après la chirurgie ▶ 9.

Une fois que le client quitte la salle de réveil, l'infirmière doit continuer de surveiller l'irrigation des membres inférieurs et évaluer toute complication potentielle comme un saignement, un hématome, une thrombose, une embolie ou le **syndrome du compartiment**. Une forte hausse de la douleur, une perte de pouls auparavant palpables, la pâleur des membres ou une cyanose, une baisse des ITB, un engourdissement ou des picotements ou encore la froideur des membres peuvent indiquer l'occlusion du greffon ou de l'endoprothèse vasculaire et doivent être signalés immédiatement au médecin.

Il faut éviter de placer le client les genoux fléchis, sauf pour réaliser certains exercices. Il faut le tourner dans le lit et réinstaller souvent les oreillers de manière à protéger l'incision. Le premier jour suivant l'opération, l'infirmière aide le client à se lever plusieurs fois par jour. L'infirmière doit dissuader le client de rester assis trop longtemps, car la position avec les jambes pendantes pourrait causer de la douleur et un œdème, augmenter le risque de thrombose veineuse et exercer une pression sur les sutures. Si un œdème se développe, l'infirmière place le client en position couchée et élève la jambe œdémateuse au-dessus du niveau du cœur. Des bas antiemboliques à compression graduelle peuvent s'avérer utiles pour maîtriser l'œdème. La marche est recommandée, même si le client ne peut faire que quelques pas. L'usage d'un déambulateur peut se révéler utile au début, notamment si le client est de constitution fragile et âgé.

Bien que la perméabilité des greffons et le taux de mortalité soient identiques chez les hommes et les femmes après la revascularisation d'un membre inférieur, les femmes sont plus susceptibles de présenter des complications de plaie (Greenblatt, Rajamanickam & Mell, 2011). Il est important de bien examiner celle-ci après la chirurgie. En général, le client peut quitter le centre hospitalier de trois à cinq jours après la chirurgie, si aucune complication ne s'est manifestée.

Soins ambulatoires et soins à domicile

L'infirmière doit évaluer les facteurs de risque de maladies cardiovasculaires et profiter de toutes les occasions pour enseigner au client et à ses proches des stratégies de promotion de la santé. L'usage

9

Les méthodes pharmacologiques et non pharmacologiques de soulagement de la douleur sont décrites dans le chapitre 9, *Douleur*.

Syndrome du compartiment : Résultat d'une augmentation de la pression dans le compartiment (fascia) secondaire à l'augmentation du contenu (p. ex., à cause d'une hémorragie, d'un œdème) ou à une limitation de l'expansion du fascia (p. ex., à cause d'un pansement, d'un plâtre), pouvant mener à une lésion nerveuse ou musculaire.

Jugement clinique

Lydia Simard, 59 ans, a subi un pontage aorto-bifémoral. Pourquoi la cliente ne doit-elle pas plier les genoux en phase postopératoire ?

CE QU'IL FAUT RETENIR

Il faut enseigner les soins méticuleux des pieds aux personnes souffrant d'AP. Le client doit examiner ses jambes et ses pieds chaque jour pour déceler tout changement de couleur, de texture ou de température de la peau, et en aviser son médecin.

du tabac sous toutes ses formes, y compris l'exposition à la fumée secondaire, est contre-indiqué. La nicotine a des effets vasoconstricteurs ; la fumée du tabac nuit au transport et à l'utilisation cellulaire de l'oxygène, et elle augmente la viscosité sanguine et les taux d'homocystéine. L'usage continu du tabac diminue grandement les taux de perméabilité à long terme des greffons et des endoprothèses vasculaires, et il accroît le risque d'être victime d'un infarctus du myocarde ou d'un AVC.

L'infirmière doit encourager le client à faire de l'activité physique et lui expliquer que celle-ci contribue à réduire un certain nombre de facteurs de risque de maladies cardiovasculaires, y compris l'hypertension artérielle, la dyslipidémie, l'obésité et les taux de glucose sanguin. L'activité physique améliore aussi la circulation périphérique et accroît la distance de marche. Il a été démontré que susciter la réflexion du client souffrant d'une AP sur ses capacités personnelles à modifier ses facteurs de risque de maladies cardiovasculaires améliorait ses choix alimentaires et favorisait l'exercice.

Il faut enseigner les soins méticuleux des pieds à tous les clients souffrant d'AP, particulièrement aux personnes diabétiques. La neuropathie diabétique augmente la possibilité de lésion traumatique et occasionne un délai dans le traitement. L'infirmière doit apprendre au client à examiner ses jambes et ses pieds quotidiennement pour déceler tout changement dans la couleur et la texture de la peau, le tissu sous-cutané et la diminution de la pousse des poils. Elle peut aussi lui enseigner à vérifier la température de la peau et le retour capillaire, ainsi qu'à palper le pouls. Elle doit insister sur le fait qu'il doit signaler à son médecin tout changement dans les résultats de ses observations ou s'il note la formation d'une ulcération ou d'une inflammation. Des ongles d'orteil épais ou trop longs et des durillons peuvent être graves et nécessiter une attention régulière de la part d'un professionnel de la santé expérimenté dans les soins de pieds. Les clients souffrant de troubles de la vue, de maux de dos, d'obésité ou d'arthrite peuvent avoir besoin de soutien pour les soins des pieds. Il faut encourager les clients à porter des chaussettes de coton ou de laine propres, ainsi que des chaussures confortables à bouts arrondis (non pointus) avec une semelle intérieure souple. Les chaussures ne doivent pas être lacées trop serrées, et le client devrait porter graduellement les souliers neufs **ENCADRÉ 45.4**.

Évaluation des résultats

Le **PSTI 45.1** présente les résultats escomptés pour le client souffrant d'artériopathie périphérique des membres inférieurs.

Enseignement au client et à ses proches

ENCADRÉ 45.4 Pontage artériel périphérique

L'enseignement au client et à ses proches sur la prise en charge des troubles vasculaires devrait porter sur les aspects suivants :

- Réduire les facteurs de risque en cessant toute consommation de produits du tabac, en contrôlant les valeurs de la P.A. et la glycémie (dans le cas d'une personne diabétique), en faisant baisser les taux de cholestérol et de triglycéride, en atteignant et en maintenant un poids santé et en faisant régulièrement de l'exercice.
- Expliquer les raisons qui sous-tendent les choix et le mécanisme d'action de base des médicaments comme les antiplaquettaires, les antihypertenseurs, le traitement hypolipidémiant et les analgésiques, ainsi que la durée prévue du traitement médicamenteux.
- Enseigner les principes d'une bonne alimentation et d'une hydratation optimale. Préciser que manger sainement est essentiel au rétablissement et que boire beaucoup de liquide, avoir un régime alimentaire équilibré (p. ex., consommer des aliments à teneur élevée en protéines, en vitamines C et A et en zinc ; manger des aliments contenant beaucoup de fibres ; choisir des fruits et des légumes frais), consommer moins d'aliments à forte teneur lipidique et réduire la quantité de sel sont des habitudes à prendre.
- Encourager la participation à un programme d'exercices supervisé ou marcher tous les jours. Au début, marcher pendant de courtes périodes plusieurs fois par jour et se reposer entre les activités. Augmenter graduellement la durée de marche de 30 à 40 minutes par jour, de 3 à 5 jours par semaine.
- Enseigner l'importance du soin des pieds, des jambes et du traitement précoce des plaies : inspecter les pieds et les laver chaque jour ; porter des chaussettes de coton ou de laine propres et des chaussures bien ajustées ; limer les ongles d'orteils droits. Indiquer au client qu'il doit éviter de s'asseoir les jambes croisées et de se tenir debout longtemps ; il devrait aussi éviter les écarts extrêmes de température.
- Surveiller et garder l'incision propre et sèche ; ne pas enlever les bandelettes adhésives, le cas échéant.
- Surveiller l'apparition de tout signe ou symptôme que la guérison ne se fait pas bien ou d'infection de l'incision à la jambe, et aviser le médecin à l'apparition de l'un ou l'autre des signes et symptômes suivants :
  - drainage de l'incision plus longtemps que la normale ou présence de pus ;
  - augmentation de la rougeur, de la chaleur, de la douleur ou de la dureté le long de l'incision ;
  - séparation des bords de la plaie ;
  - température buccale dépassant 37,8 °C ;
  - douleur accrue à la jambe ou au pied ;
  - changement de couleur ou de température du pied et de la jambe.
- Sensibiliser le client à l'importance de se rendre à tous les rendez-vous de suivi avec le médecin.

45.4 Anévrismes de l'aorte

L'aorte est la plus grande artère du corps ; elle approvisionne tous les organes vitaux en sang et en oxygène (O_2). L'anévrisme, qui est l'une des affections les plus courantes de l'aorte, désigne la dilatation de celle-ci. Les anévrismes sont plus fréquents chez les hommes que chez les femmes, et la prévalence augmente avec l'âge. Des anévrismes des artères périphériques sont aussi possibles, mais demeurent plus rares.

45.4.1 Étiologie et physiopathologie

Les **anévrismes de l'aorte** peuvent toucher l'aorte ascendante, l'arc de l'aorte, l'aorte thoracique descendante ou l'aorte abdominale. Les trois quarts des anévrismes de l'aorte touchent l'aorte abdominale **FIGURE 45.3** et un quart, l'aorte thoracique descendante. Près d'un million d'adultes entre 55 et 84 ans ont un anévrisme de l'aorte abdominale (A.A.A.) (Kent, Zwolak, Egorova *et al.*, 2010). La plupart des A.A.A. se situent sous les artères rénales et peuvent se former à plus d'un emplacement. Une aorte abdominale ayant un diamètre supérieur à 3 cm est considérée comme anévrismale. Le taux de croissance d'un anévrisme est imprévisible, mais le risque de rupture est proportionnel au diamètre de celui-ci. Avec le temps, la paroi aortique dilatée peut se tapisser de thrombus susceptibles de causer une embolie et de provoquer une ischémie aiguë dans les artères distales.

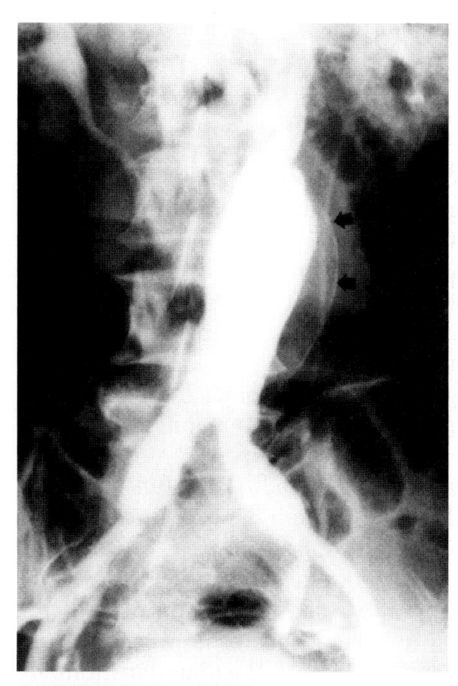

FIGURE 45.3 Angiographie montrant un anévrisme aortique abdominal fusiforme – La calcification de la paroi aortique (flèches) et l'étendue de l'anévrisme dans les artères iliaques communes peuvent être observées.

Divers troubles sont associés aux anévrismes de l'aorte. Les facteurs de risque d'un A.A.A. sont l'âge, le sexe masculin, l'HTA, les maladies des artères coronariennes et caroditiennes, l'hérédité, la dyslipidémie, l'AP des membres inférieurs, un antécédent d'accident vasculaire cérébral, le tabagisme, l'embonpoint et l'obésité (Kent *et al.*, 2010). Par ailleurs, les Caucasiens et les Autochtones sont plus à risque d'être atteints d'un A.A.A. que les Noirs et les personnes d'origine hispanique et asiatique.

Le facteur génétique serait impliqué dans la formation des A.A.A. Un certain nombre d'anomalies congénitales sont liées à l'hérédité, notamment les anomalies du collagène (p. ex., le syndrome d'Ehlers-Danlos) et la dégradation prématurée du tissu élastique vasculaire (syndrome de Loeys-Dietz, **syndrome de Marfan**) (Hiratzka, Bakris, Beckman *et al.*, 2010). Parmi les autres causes moins fréquentes d'A.A.A. figurent les traumas pénétrants ou contondants causés par un accident de voiture, les aortites inflammatoires (p. ex., la maladie de Takayasu ou la maladie de Horton) et les aortites infectieuses (p. ex., la syphilis, la salmonelle, le virus de l'immunodéficience humaine [VIH]).

CE QU'IL FAUT RETENIR

Les trois quarts des anévrismes de l'aorte touchent l'aorte abdominale. L'âge, la dyslipidémie, le tabagisme, l'embonpoint et l'obésité sont quelques-uns des facteurs de risque.

Syndrome de Marfan : Dégénérescence prématurée du tissu élastique des vaisseaux.

45.4.2 Classification

Les anévrismes sont classés dans deux catégories : les vrais anévrismes et les faux anévrismes **FIGURE 45.4**. Un **vrai anévrisme** est formé dans la paroi de l'artère et laisse au moins une couche du vaisseau intacte. Les vrais anévrismes se subdivisent en anévrismes fusiformes et en anévrismes sacciformes. Un anévrisme fusiforme est de forme relativement égale et touche toute la circonférence de l'artère. Un anévrisme sacciforme est une dilatation localisée à un segment de la paroi artérielle et qui ressemble à une poche.

Un **faux anévrisme**, ou pseudoanévrisme, n'est pas un anévrisme, mais une rupture de toutes les couches de la paroi artérielle entraînant une accumulation de sang emprisonnée dans les structures anatomiques avoisinantes. Il peut être provoqué par un trauma ou une infection, ou survenir à l'emplacement de l'anastomose du greffon après un pontage des artères périphériques. Il peut aussi résulter d'un écoulement artériel après le retrait d'une canule (p. ex., un cathéter artériel inséré dans un membre inférieur ou un ballonnet de contrepulsion intra-aortique) (Hiratzka *et al.*, 2010).

45.4.3 Manifestations cliniques

Les anévrismes de l'aorte thoracique sont souvent asymptomatiques. Lorsqu'ils sont présents, les symptômes se manifestent le plus souvent sous la forme d'une douleur vive et diffuse dans la région interscapulaire. Les anévrismes situés

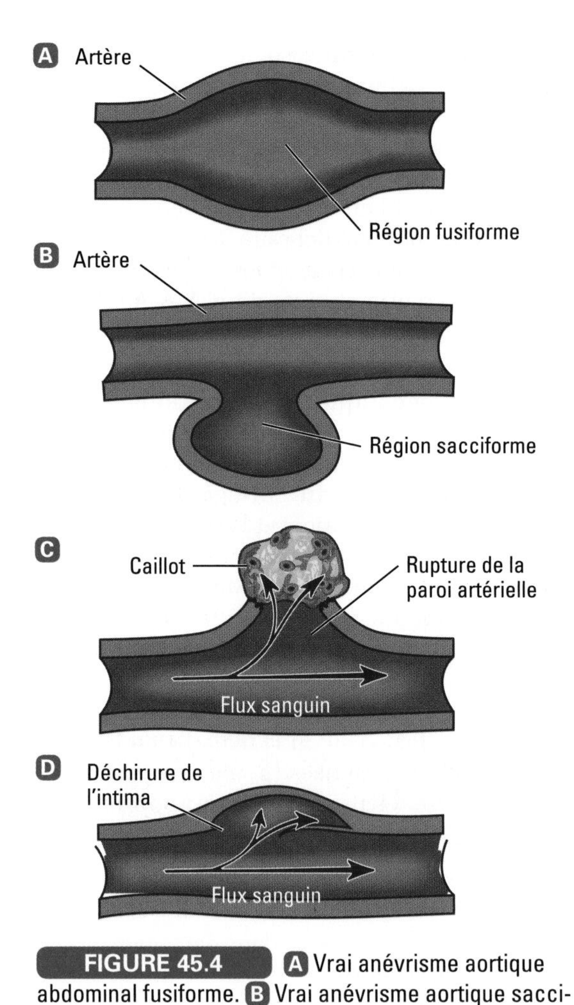

FIGURE 45.4 A Vrai anévrisme aortique abdominal fusiforme. B Vrai anévrisme aortique sacciforme. C Faux anévrisme (ou pseudoanévrisme). D Dissection aortique.

Choc hypovolémique : Diminution du volume sanguin circulant dont la conséquence principale est une baisse du retour veineux et du débit cardiaque.

50

Le chapitre 50, *Interventions cliniques – État de choc, syndrome de réaction inflammatoire systémique et syndrome de défaillance multiorganique*, présente les manifestations cliniques du choc hypovolémique, et les soins et traitements en interdisciplinarité auprès des clients qui en sont atteints.

CE QU'IL FAUT RETENIR

La pire complication d'un anévrisme est sa rupture, entraînant un risque majeur d'hémorragie massive mortelle. Le client présente alors des signes et des symptômes de choc hypovolémique.

dans l'aorte ascendante et dans l'arc de l'aorte peuvent causer une diminution du flux sanguin aux artères coronaires et un enrouement de la voix chez le client en raison d'une pression sur le nerf récurrent (laryngé). Une pression sur l'œsophage peut donner lieu à une dysphagie. Lorsque l'anévrisme comprime la veine cave supérieure, il peut diminuer le retour veineux et ainsi provoquer des signes cliniques tels qu'une distension des veines jugulaires et de l'œdème au visage et aux bras.

Les A.A.A. sont aussi fréquemment asymptomatiques. Ils sont souvent détectés au cours d'un examen physique de routine ou par hasard lorsque le client subit un examen paraclinique pour un autre problème (p. ex., une radiographie abdominale, une échographie, une tomodensitométrie [TDM]). Il est possible qu'une masse pulsatile soit décelée dans la région périombilicale, légèrement à gauche de la ligne médiane. Des bruits similaires à un souffle peuvent être entendus en plaçant le stéthoscope sur l'anévrisme. Il s'avère parfois plus difficile de déceler ces signes chez les personnes obèses.

Les symptômes d'un A.A.A. incluent une douleur abdominale ou dorsale. Ils résultent d'une compression des structures avoisinantes, et la douleur dorsale est provoquée par la compression des nerfs lombaires. Le malaise épigastrique avec ou sans altération de l'élimination intestinale est causé par la compression de l'anévrisme contre l'intestin. Il arrive parfois que des anévrismes provoquent spontanément des embolies, donnant lieu au syndrome de l'orteil bleu (marbrure inégale des pieds et des orteils malgré la présence du pouls pédieux).

45.4.4 Complications

La pire complication qui puisse se produire est la rupture de l'anévrisme. Lorsque la rupture survient dans l'espace rétropéritonéal, le saignement peut être restreint par les structures avoisinantes, prévenant l'exsanguination et la mort. Dans ce cas, le client présente souvent une douleur dorsale. Le signe de Gray-Turner (ecchymose aux flancs) apparaît tardivement après l'hémorragie (Carnevale-Maffé & Modesti, 2015). Si la rupture se produit dans la cavité thoracique ou abdominale, elle cause dans la plupart des cas une hémorragie massive mortelle. Un client qui parvient à se rendre jusqu'au centre hospitalier manifestera des signes et symptômes de **choc hypovolémique**, comme de la tachycardie, de l'hypotension, une peau pâle et moite, une diminution du débit urinaire, une altération de l'état de conscience et une sensibilité abdominale à la palpation ▶ 50. Dans cette situation, il faut immédiatement et simultanément procéder à une réanimation et à une intervention chirurgicale.

45.4.5 Examen clinique et examens paracliniques

Une radiographie pulmonaire est utile pour déceler tout élargissement anormal de l'aorte thoracique. Une radiographie de l'abdomen peut montrer une calcification à l'intérieur de la paroi de l'aorte. Le recours à l'électrocardiogramme (ECG) permet d'écarter la présence d'ischémie myocardique, car les symptômes d'un anévrisme thoracique ou d'une dissection sont similaires à ceux de l'angine. L'échocardiographie permet d'examiner la fonction de la valve aortique. L'échographie est utile pour dépister un anévrisme et en surveiller la progression. La TDM est l'examen le plus précis pour déterminer le diamètre antéropostérieur et la coupe transversale de l'anévrisme ainsi que pour déceler la présence d'un thrombus dans l'anévrisme. Le tomodensitomètre à trois dimensions peut aider à déterminer l'intervention chirurgicale pertinente à effectuer (Duquette, Jodoin, Bouchot *et al.*, 2012). L'imagerie par résonance magnétique (IRM) peut également être utilisée pour diagnostiquer et évaluer la gravité des anévrismes.

L'angiographie, qui est une technique d'imagerie de contraste fournissant une cartographie anatomique de l'aorte, procure de l'information sur le rôle des vaisseaux intestinaux, rénaux ou distaux. Elle s'avère aussi utile dans les cas où la présence d'un anévrisme suprarénal thoracoabdominal est soupçonnée. Certains biomarqueurs circulants (p. ex., le fibrinogène, le D-dimère, l'interleukine-6) pourraient devenir utiles pour le diagnostic et le pronostic précoces des A.A.A. (Golledge, Tsao, Dalman *et al.*, 2008).

45.4.6 Processus thérapeutique en interdisciplinarité

Les soins et traitements infirmiers visent à prévenir la rupture de l'anévrisme et une extension de la dissection. Il est ainsi indispensable que le dépistage soit précoce et le traitement, rapide. Un examen physique doit être réalisé afin de déceler toute comorbidité, notamment le système respiratoire, cardiaque et rénal, car elle peut influer sur les risques opératoires. Il peut être nécessaire de corriger une obstruction existante des artères carotides ou coronaires avant de pouvoir réparer un anévrisme. En général, lorsque l'anévrisme est petit, soit moins de 5,5 cm, un traitement classique demeure privilégié ; il consiste en la modification des facteurs de risque, la diminution de la P.A. et le suivi annuel de la taille de l'anévrisme par échographie, TDM ou IRM (Filardo, Powell, Martinez *et al.*, 2015). Les études démontrent qu'il n'y a pas d'avantages à traiter un A.A.A. de petite taille (Filardo *et al.*, 2015).

Traitement chirurgical

Dans le cas d'une intervention chirurgicale non urgente, il faut hydrater le client et corriger toute anomalie se rapportant aux électrolytes, à la coagulation et au taux d'hématocrite avant la chirurgie. Il faut opérer d'urgence s'il y a rupture de l'anévrisme. Le taux de mortalité après la rupture d'un A.A.A. est de 90 % ; les femmes et les clients plus âgés ont le plus faible taux de survie (Chung, Tadros, Torres *et al.*, 2015 ; Go, Mozaffarian, Roger *et al.*, 2013).

Dans la technique de réparation chirurgicale ouverte (OSR), le chirurgien effectue une large incision de l'abdomen afin : 1) d'inciser le segment touché de l'aorte ; 2) d'enlever le thrombus ou la plaque ; 3) d'insérer un greffon artériel synthétique (Dacron[MD] ou polytétrafluoéthylène), qu'il suture à l'aorte proximale et distale de l'anévrisme ; 4) de suturer la paroi aortique naturelle autour du greffon de façon qu'il serve de couche protectrice **FIGURE 45.5**. Lorsque les artères iliaques ont également un anévrisme, le chirurgien remplace le segment atteint par un greffon en Y. Dans le cas des anévrismes sacciformes, il peut choisir d'exciser uniquement le bulbe de lésion, de réparer l'artère au moyen d'une suture primitive (en suturant la paroi de l'artère), d'une autogreffe ou d'un greffon synthétique. L'autotransfusion, soit le recyclage du sang du client, réduit le besoin de transfusion pendant la chirurgie d'un A.A.A. ▶ 38.

Jugement clinique

Une IRM a confirmé le diagnostic d'anévrisme de l'aorte abdominale pour Moishe Rozenblum, âgé de 66 ans. Dans le passé, il a souffert de coliques néphrétiques qui l'ont obligé à se rendre au service des urgences. Il est présentement hospitalisé en attente d'une résection d'anévrisme avec clampage. Monsieur Rozenblum se plaint d'une douleur dorsale spontanée et intense, s'étendant au flanc gauche. Le client a le faciès pâle. Quelle complication pouvez-vous alors soupçonner ?

Toute résection d'un A.A.A. nécessite un clampage total proximal et distal de l'anévrisme. La plupart des résections prennent de 30 à 45 minutes, après quoi les pinces sont retirées, et le débit sanguin est rétabli. Si la pince doit être appliquée au-dessus des artères rénales, il faut s'assurer que la perfusion rénale est adéquate après le retrait de la pince et avant de refermer l'incision abdominale. Le risque de complications rénales postopératoires, comme une insuffisance rénale aiguë, augmente de façon importante si l'anévrisme se situe au-dessus des artères rénales.

38

Le chapitre 38, *Interventions cliniques – Troubles hématologiques*, traite de l'autotransfusion.

Greffe endovasculaire

La réparation endovasculaire de l'anévrisme (EVAR) est une méthode de traitement des

CE QU'IL FAUT RETENIR

Dans le cas d'un anévrisme de moins de 5,5 cm, le traitement consiste à modifier les facteurs de risque et à surveiller la taille de l'anévrisme chaque année. Les anévrismes plus gros sont traités chirurgicalement.

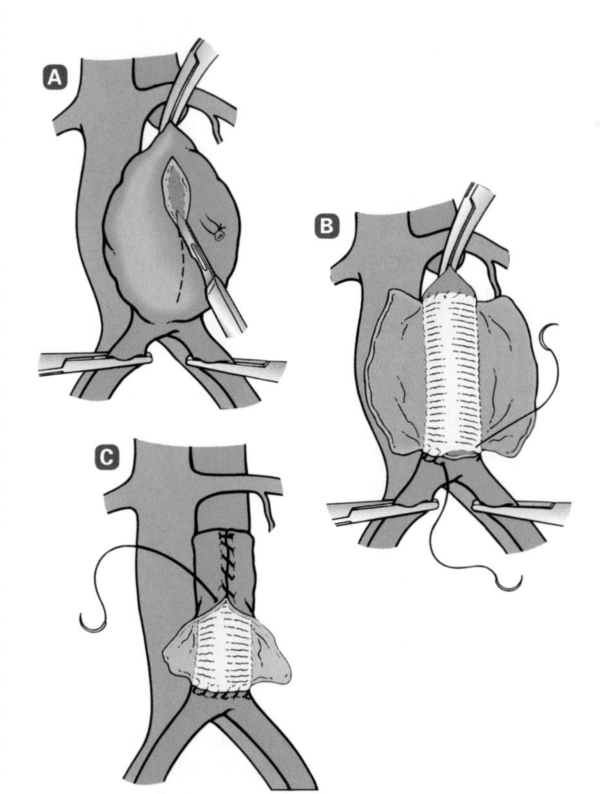

FIGURE 45.5 Réparation chirurgicale d'un anévrisme aortique abdominal – A Incision du sac anévrismal. B Insertion du greffon synthétique. C Suture de la paroi aortique naturelle sur le greffon synthétique.

anévrismes peu effractive qui remplace la chirurgie classique (Moennich & Mastracci, 2014). Elle consiste à placer une prothèse sans suture dans un A.A.A. en passant par l'artère fémorale. Le greffon, fait d'un cylindre de Dacron[MD] formé de plusieurs sections, est soutenu par de multiples anneaux de fil souple **FIGURE 45.6**. La section principale du greffon est bifurquée et insérée au moyen d'un cathéter dans l'artère fémorale. Le chirurgien insère la deuxième partie du greffon dans l'artère fémorale opposée. Une fois toutes les composantes du greffon en place, elles sont déployées contre les parois du vaisseau à l'aide d'un ballonnet de contre-pulsion (qui crée un capuchon circonférentiel). Le sang s'écoule alors dans la greffe endovasculaire, empêchant ainsi l'anévrisme de grossir. La paroi de l'anévrisme se contractera au fil du temps parce que le sang se trouve détourné dans l'endogreffe.

Chez les clients non admissibles à la technique de réparation chirurgicale ouverte, la réparation endovasculaire de l'anévrisme peut être une avenue intéressante. Toutefois, chez les personnes considérées comme inaptes à la chirurgie ouverte, il semble qu'il n'y ait aucun effet global bénéfique à court ou à long terme à privilégier la réparation endovasculaire de l'anévrisme en termes de mortalité, toutes causes confondues (Paravastu, Jayarajasingam, Cottam *et al.*, 2014). Cette technique a pour avantages d'écourter l'anesthésie et la chirurgie, de réduire la perte de sang, d'abaisser les taux de morbidité et de mortalité, de ne nécessiter qu'une petite incision bilatérale de l'aine, de permettre la reprise plus rapide de l'activité physique, de réduire la durée du séjour hospitalier, d'accélérer le rétablissement, de procurer plus de satisfaction aux clients et de réduire les coûts des soins en général (Park, Azefor, Huang *et al.*, 2013).

L'endofuite, ou le suintement du sang dans l'ancien anévrisme, est la complication la plus courante de cette méthode. Elle peut s'expliquer par une perméabilité inadéquate à l'une ou l'autre des extrémités de la greffe, une déchirure dans le tissu du greffon ou une fuite entre les segments se chevauchant, et nécessiter une embolisation pour réaliser une hémostase (Ilyas, Shaida, Thakor *et al.*, 2015).

Les autres complications possibles comprennent la croissance de l'anévrisme au-dessus ou au-dessous du greffon, la rupture de l'anévrisme, la dissection aortique, le saignement, la migration de l'endoprothèse vasculaire, l'occlusion de l'artère rénale en raison de la migration de l'endoprothèse, une thrombose du greffon, un hématome au site de l'incision et l'infection au site de l'incision. Le développement d'une hypertension intra-abdominale, associé au syndrome du compartiment abdominal, est également une complication potentielle lors d'une réparation d'urgence d'un A.A.A. (Ganeshanantham, Walsh & Varty, 2010).

Les clients porteurs de l'endoprothèse vasculaire doivent consulter régulièrement leur médecin et avoir des tomodensitogrammes sériés jusqu'à la fin de leur vie afin de surveiller l'apparition de toute complication (p. ex., la migration de l'endoprothèse vasculaire ou la réapparition de l'anévrisme). En cas de dysfonctionnement du greffon, il peut être nécessaire d'effectuer une chirurgie ouverte.

La troisième option de traitement pour un client atteint d'un A.A.A. est le traitement médical optimisé, à savoir une surveillance active accompagnée d'un contrôle des facteurs de risque. Actuellement, il y a peu de preuves quant à l'effet protecteur des antibiotiques sur la dilatation des petits A.A.A. (Robertson, Atallah & Stansby, 2014; Rughani, Robertson & Clarke, 2012).

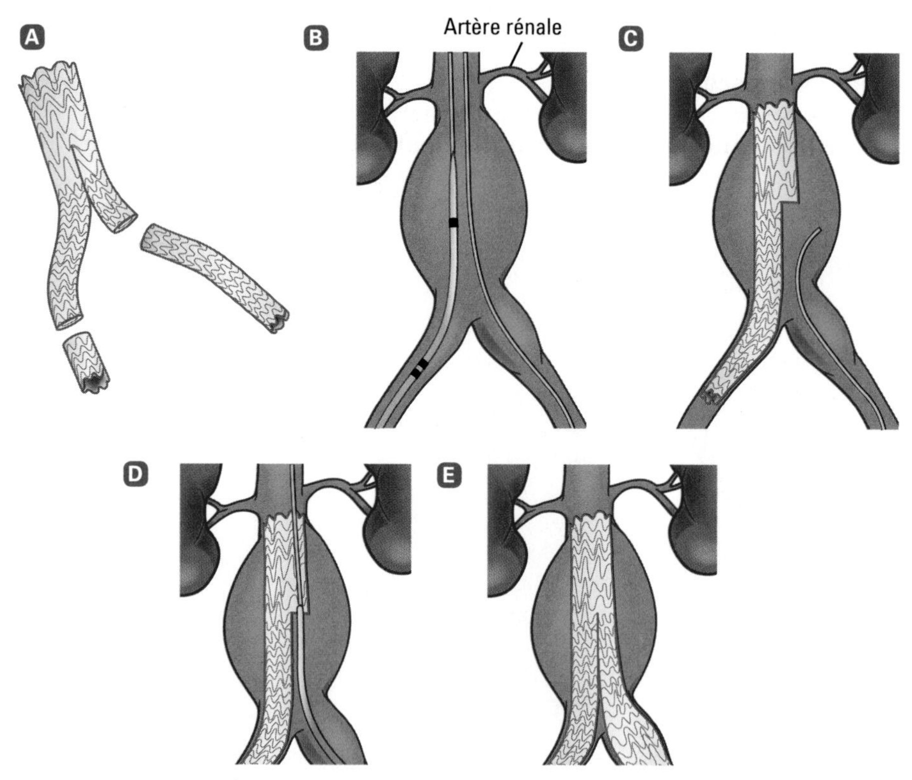

FIGURE 45.6 Greffe bifurquée (deux branches) d'une endoprothèse vasculaire pour traiter un anévrisme de l'aorte abdominale – **A** Insertion d'un tube tissé de polyester (greffon) couvert d'une toile métallique tubulaire (endoprothèse vasculaire). **B** L'endoprothèse vasculaire est insérée dans un gros vaisseau sanguin (p. ex., l'artère fémorale) au moyen d'un cathéter. Le cathéter est placé sous les artères rénales dans la région de l'anévrisme. **C** L'endoprothèse vasculaire est lentement libérée (déployée) dans le vaisseau sanguin. Lorsque l'endoprothèse vasculaire entre en contact avec le vaisseau sanguin, elle se dilate jusqu'à atteindre une taille préétablie. **D** Une seconde endoprothèse vasculaire peut être insérée dans le vaisseau controlatéral (opposé), au besoin. **E** Endoprothèse vasculaire bifurquée entièrement déployée.

CLIENT ATTEINT D'UN ANÉVRISME DE L'AORTE OU D'UNE MALADIE AORTO-ILIAQUE

Collecte des données

L'infirmière doit évaluer les antécédents de la personne et procéder à l'examen physique de celle-ci. Parce que l'athérosclérose est une maladie systémique, l'infirmière doit prêter attention à d'autres problèmes de santé chez le client, comme des problèmes d'ordre cardiaque, pulmonaire, cérébral ou vasculaire périphérique des membres inférieurs. Elle doit surveiller tout signe et symptôme de rupture d'anévrisme, tels que la diaphorèse, la pâleur, la faiblesse, la tachycardie, l'hypotension, une douleur abdominale, dorsale, inguinale ou périombilicale, l'altération de l'état de conscience ou la présence d'une masse abdominale pulsatile.

Il est essentiel de collecter les données de base du client afin de pouvoir les comparer avec celles qui seront recueillies après la chirurgie. L'infirmière doit être particulièrement attentive au caractère et à la qualité des pouls périphériques, et des fonctions rénale et neurologique de la personne. Avant l'intervention chirurgicale, elle doit indiquer et consigner les sites du pouls pédieux (artère pédieuse et artère tibiale postérieure) et toute lésion cutanée sur les membres inférieurs.

Planification des soins

Les objectifs généraux pour le client qui doit subir une intervention chirurgicale de l'aorte sont:

- d'assurer une perfusion tissulaire normale;
- de conserver les fonctions motrice et neurologique intactes;
- d'éviter les complications liées à la réparation chirurgicale telles qu'une thrombose ou une infection.

Interventions cliniques

Promotion de la santé

Pour promouvoir la santé globale, il faut encourager le client à réduire les facteurs de risque de maladies cardiovasculaires par, notamment, la maîtrise de la P.A., la cessation tabagique ▶ 11, la pratique régulière d'activité physique, ainsi que le maintien d'un poids santé et d'un taux de lipides sériques normal. Ces mesures contribuent aussi à assurer la perméabilité du greffon après la réparation chirurgicale.

Phase aiguë

Avant la chirurgie, l'infirmière doit soutenir et renseigner le client et ses proches, et procéder à une évaluation et à un examen physique complet. Elle doit notamment leur expliquer les traitements chirurgicaux prévus, ce qu'ils doivent savoir pour donner un consentement éclairé à propos de l'intervention, les mesures préopératoires, ce qui se passera immédiatement après la chirurgie (p. ex., la salle de réveil, la pose de soluté ou de drains) et la chronologie postopératoire habituelle. Les mesures préopératoires varient en fonction de l'établissement et du chirurgien, mais de façon générale, les personnes qui subissent une intervention chirurgicale de l'aorte passent par les étapes suivantes: laxatif ou lavement pour préparer les intestins, nettoyage de la peau à l'aide d'un agent antimicrobien le jour précédant la chirurgie, aucun aliment pris par la bouche après minuit le jour de la chirurgie et administration d'antibiotiques intraveineux (I.V.) à l'induction. Les personnes ayant déjà eu une maladie cardiovasculaire reçoivent habituellement un bêtabloquant (p. ex., du métoprolol [Lopresor[MD]]) avant la chirurgie, ce qui diminue le risque d'un événement coronarien peropératoire (Bauer, Cayne & Veith, 2010). En fait, tous les candidats à une chirurgie vasculaire lourde (p. ex., la résection d'un anévrisme abdominal) et ayant un risque cardiovasculaire augmenté – et si leur état clinique le permet – doivent consulter un cardiologue afin d'effectuer un bilan cardiaque non effractif (p. ex., un ECG, une échographie à la dobutamine) dans le but de déceler une possible ischémie myocardique et de prévenir un événement coronarien durant l'intervention.

Après la chirurgie, le client reste habituellement entre 24 et 48 heures à l'unité des soins intensifs afin d'y être surveillé étroitement. À son arrivée à cette unité, certains dispositifs sont déjà en place, notamment un tube endotrachéal pour la ventilation mécanique, un cathéter artériel pour la P.A., un cathéter pour la pression veineuse centrale ou l'artère pulmonaire, des perfusions I.V. périphériques, une sonde vésicale à ballonnet et une sonde nasogastrique. L'ECG et le sphygmooxymètre permettent également d'assurer la surveillance continue du client. S'il y a eu intervention au thorax pendant la chirurgie, des drains thoraciques seront aussi mis en place. L'administration des analgésiques se fait par cathéter péridural ou par analgésie contrôlée par le patient (ACP). Cette technique consiste en une administration I.V. de morphine par petits bolus que le client déclenche lui-même en fonction de l'intensité de sa douleur. L'ACP permet donc d'individualiser la posologie en fonction de la douleur du client.

39 | ÉVALUATION CLINIQUE

L'étape d'évaluation du système cardiovasculaire est décrite en détail dans le chapitre 39, *Système cardiovasculaire.*

Réactivation des connaissances

Qu'est-ce que la déhiscence d'une plaie?

11

Le chapitre 11, *Troubles liés à une substance,* décrit le rôle de l'infirmière dans la promotion de cessation tabagique.

48

Les soins et traitements infirmiers en phase postopératoire sont décrits dans le chapitre 48, *Interventions cliniques – Soins postopératoires.*

PSTI 45.1W : *Réparation chirurgicale de l'aorte.*

CE QU'IL FAUT RETENIR

Après une chirurgie pour anévrisme, la P.A. doit être adéquate pour maintenir la perméabilité du greffon ; l'hypotension ou l'hypertension artérielle doivent être dépistées et corrigées rapidement. Le débit urinaire doit aussi être surveillé étroitement.

En plus des objectifs habituels de soins postopératoires (p. ex., maintenir une fonction respiratoire adéquate, assurer l'équilibre hydroélectrolytique et le soulagement de la douleur ▶ 48), l'infirmière doit surveiller la perméabilité du greffon et la perfusion rénale. Elle doit aussi être attentive à l'apparition de signes et symptômes d'arythmie, d'infection et de complication neurologique, et intervenir pour les limiter ou les traiter (i+).

| Perméabilité des greffons | La P.A. doit être adéquate pour maintenir la perméabilité des greffons. Une hypotension prolongée peut entraîner une thrombose du greffon. L'administration de liquides I.V. et de composants sanguins, selon les indications, est essentielle pour maintenir un flux sanguin adéquat vers la greffe. Les lectures de la pression veineuse centrale ou de la P.A. et du débit urinaire sont vérifiées toutes les heures immédiatement après la chirurgie, selon l'évolution clinique du client et la prescription médicale, afin d'évaluer l'état d'hydratation et de perfusion de celui-ci.

L'hypertension artérielle grave peut provoquer une tension excessive aux points d'anastomose artérielle et entraîner un écoulement sanguin ou une rupture de la suture. L'HTA au début de la phase postopératoire peut être due à un rebond de l'activité sympathique ou à l'activation du système rénine-angiotensine. Il peut être indiqué, après un avis médical, d'administrer une pharmacothérapie comportant des diurétiques par voie I.V. (p. ex., du furosémide [Lasix[MD]]) ou des agents antihypertenseurs I.V. (p. ex., du nitroprusside de sodium [Nipride[MD]], de l'esmolol [Brevibloc[MD]], du labétalol [Trandate[MD]]) (Varon, 2008). Lorsque la P.A. augmente en phase postopératoire, il est important d'évaluer la douleur chez le client, de vérifier ses antécédents en ce qui a trait à l'HTA et d'en aviser le médecin.

| Système cardiovasculaire | Une ischémie myocardique ou un infarctus du myocarde peut se produire pendant la phase périopératoire chez un client souffrant d'une maladie coronarienne parce qu'il y a une baisse de l'approvisionnement en oxygène du myocarde ou une demande accrue d'oxygène par ce muscle. Des arythmies cardiaques peuvent se produire en cas de déséquilibre dans les électrolytes, d'une hypoxémie, d'une hypothermie ou d'une ischémie myocardique. Les interventions infirmières consistent à surveiller l'ECG par un enregistrement continu sur un moniteur cardiaque, à effectuer des examens selon les prescriptions médicales pour vérifier les électrolytes et la gazométrie du sang artériel, à administrer de l'oxygène et des médicaments antiarythmiques et antihypertenseurs par voie I.V., à donner des électrolytes au besoin, ainsi qu'à assurer un soulagement adéquat de la douleur et la reprise de l'administration des médicaments pour le cœur.

| Infection | Une infection au greffon vasculaire synthétique est une complication qui se produit rarement, mais qui peut mettre la vie du client en danger. Pour prévenir une telle infection, l'infirmière doit s'assurer de donner un antibiotique à large spectre au client, comme prescrit. Elle doit prendre régulièrement la température corporelle de celui-ci et signaler rapidement toute élévation au médecin. Elle vérifie les données de laboratoire pour déceler tout signe de leucocytose, qui peut être la première indication d'une infection. L'infirmière doit s'assurer que l'alimentation du client est adéquate ; elle observe également la plaie à la recherche de tout signe d'infection (p. ex., une rougeur, de l'œdème, un écoulement).

Étant donné que le point d'insertion d'un cathéter I.V., artériel, veineux central ou artériel pulmonaire constitue souvent une voie d'entrée pour les bactéries, l'infirmière doit s'assurer d'utiliser une technique aseptique stricte. Elle doit aussi être méticuleuse dans les soins périnéaux donnés au client ayant une sonde urinaire pour minimiser les risques d'infection.

| Fonction gastro-intestinale | Après une technique de réparation chirurgicale ouverte d'un A.A.A., il est possible qu'un iléus paralytique se développe en raison de l'anesthésie ainsi que de la manipulation des intestins au cours de la chirurgie. Les intestins peuvent devenir gonflés et contusionnés, et le péristaltisme peut cesser à différents intervalles. Une technique chirurgicale rétropéritonéale est utilisée pour réduire le risque de complications intestinales.

Le chirurgien insère une sonde nasogastrique pendant l'intervention et la raccorde à un système d'aspiration faible et intermittente. La décompression de l'estomac prévient l'aspiration du contenu stomacal et diminue la pression sur les sutures. L'infirmière note au dossier la quantité et l'aspect du drainage. Même si le client ne peut rien ingérer par voie orale (NPO), l'infirmière doit fréquemment effectuer des soins buccodentaires. En plus du maintien de l'humidité et de l'intégrité des muqueuses buccales, les soins de bouche aident à prévenir la stomatite, l'infection et la gingivite en contrôlant la flore microbienne buccale (Dale, Angus, Sinuff *et al.*, 2013). Elle peut donner des glaçons concassés ou des pastilles au client pour soulager la gorge sèche ou irritée. L'expulsion des gaz intestinaux signale le retour de la fonction intestinale, et l'infirmière doit la noter au dossier. Elle doit aussi vérifier si les bruits intestinaux sont rétablis en les auscultant et, selon la prescription médicale, elle peut retirer la sonde nasogastrique ; une diète progressive est alors permise. L'infirmière doit encourager la personne à marcher le plus tôt possible, car cela accélérera le retour de la fonction intestinale. Un iléus paralytique persiste rarement après le quatrième jour postopératoire.

Une ischémie temporaire ou la nécrose du tissu intestinal peut se manifester si l'apport sanguin artériel vers l'intestin est interrompu pendant la chirurgie. Les manifestations cliniques de cette complication grave, mais rare, sont l'absence de bruits intestinaux, la fièvre, la distension abdominale, la douleur, la diarrhée et des selles sanguinolentes. En cas d'infarctus de l'intestin, il faut procéder immédiatement à une intervention chirurgicale pour restaurer le flux sanguin ainsi que pour effectuer probablement une résection.

| Fonction neurologique | Des complications neurologiques peuvent survenir après une intervention chirurgicale de l'aorte. Lorsque l'aorte ascendante et l'arc de l'aorte sont touchés, l'infirmière évalue l'état de conscience, la taille de la pupille et sa réaction à la lumière, la symétrie faciale, la déviation de la langue, la parole, le mouvement des membres supérieurs et la qualité de la préhension de la main du client ▶ 19. Si l'aorte descendante est atteinte, l'infirmière doit faire une évaluation neurovasculaire des membres inférieurs. Elle prend en note toutes les données recueillies et communique immédiatement tout changement au médecin.

| Perfusion périphérique | Les zones propices à la perfusion périphérique dépendent de l'endroit où se trouve l'anévrisme dans le corps. L'infirmière doit prendre et inscrire les pouls périphériques toutes les heures, puis le faire systématiquement, conformément à la politique de l'établissement. Si l'aorte ascendante et l'arc de l'aorte sont touchés, l'infirmière évalue les pouls carotidien et radial, ainsi que le pouls à l'artère temporale. Dans le cas d'une intervention chirurgicale de l'aorte thoracique descendante, l'infirmière évalue les pouls fémoral, poplité, tibial postérieur et pédieux.

La première fois qu'elle prend le pouls d'un client, l'infirmière peut marquer l'emplacement avec un crayon-feutre pour que les autres personnes puissent le localiser facilement. Elle devra parfois faire passer une échographie doppler pour obtenir les pouls périphériques. Elle examine également la température de la peau et sa couleur, le temps de remplissage capillaire ainsi que la sensation et la mobilité des membres ▶ 39.

Après une intervention chirurgicale, il arrive qu'un angiospasme et de l'hypothermie entraînent la disparition du pouls dans les membres inférieurs pendant une courte période. Une diminution ou l'absence du pouls, combinée à un membre froid, pâle, marbré ou douloureux, peut indiquer une embolie ou une occlusion du greffon. L'infirmière doit signaler immédiatement ces observations au chirurgien. Lorsqu'une occlusion est détectée suffisamment tôt, une nouvelle chirurgie ou un traitement par thrombolyse peut être envisagé. En phase préopératoire, certains clients peuvent ne pas avoir de pouls en raison d'une artériopathie périphérique coexistante. Il est donc indispensable de comparer les données préopératoires avec les données actuelles, afin de déterminer l'étiologie d'un pouls faible ou absent et d'établir un traitement adéquat.

| Perfusion rénale | Après la chirurgie, une sonde urinaire à ballonnet est installée au client. Tout de suite après l'intervention chirurgicale, l'infirmière doit noter la diurèse toutes les heures. Elle doit également consigner chaque jour, avec précision, l'apport de liquides et l'élimination urinaire ainsi que le poids du client jusqu'à ce que ce dernier reprenne une alimentation normale. Les mesures de la pression veineuse centrale et de la P.A. pulmonaire procurent également des données importantes sur l'hydratation. Des examens sanguins (p. ex., l'azote uréique du sang [BUN] et la créatinine sérique) sont effectués quotidiennement afin d'évaluer la fonction rénale. Une insuffisance rénale irréversible peut se produire après une intervention chirurgicale de l'aorte, surtout chez les personnes à haut risque, comme les diabétiques.

L'embolisation du thrombus ou d'un débris de la plaque d'athérosclérose dans une des artères rénales ou dans les deux peut entraîner une diminution de la perfusion rénale et causer ainsi l'ischémie d'un rein ou des deux. L'hypotension, la déshydratation, le clampage aortique prolongé pendant la chirurgie ou la perte sanguine peuvent également causer une diminution de la perfusion rénale.

Soins ambulatoires et soins à domicile

L'infirmière doit donner comme instruction au client et à ses proches d'augmenter graduellement les activités après le retour à la maison et préciser qu'il est normal que le client se sente fatigué, qu'il manque d'appétit et qu'il éprouve des problèmes d'élimination. Le client doit éviter de soulever des charges lourdes pendant les six semaines suivant la chirurgie. Toute rougeur, œdème ou augmentation de la douleur ou tout écoulement provenant d'une incision doit être signalé au médecin de même qu'une température buccale dépassant 37,8 °C.

L'infirmière doit enseigner au client comment observer les changements de couleur et de chaleur des membres. Elle peut aussi lui enseigner, ainsi qu'à ses proches, comment palper les pouls périphériques et en évaluer les changements de qualité.

Les hommes éprouvent souvent un problème de dysfonctionnement sexuel après une intervention chirurgicale de l'aorte, une complication qui fait suite au trauma d'un nerf au cours de la chirurgie. Avant celle-ci, l'infirmière doit consigner les données de base de la fonction sexuelle du client et lui

19

Les techniques d'évaluation neurologique et la description de l'état de conscience sont décrites dans le chapitre 19, *Interventions cliniques – Troubles intracrâniens aigus*.

CE QU'IL FAUT RETENIR

Pour évaluer la perfusion périphérique, l'infirmière doit prendre et inscrire les pouls périphériques à la fréquence recommandée par les politiques de l'établissement.

39

Les techniques appropriées pour l'examen physique du système cardiovasculaire sont décrites dans le chapitre 39, *Évaluation clinique – Système cardiovasculaire*.

Réactivation des connaissances

Que doit inclure une évaluation du pouls, en plus de la fréquence?

recommander de consulter au besoin. Il peut être utile d'orienter un client qui souffre de dysfonctionnement érectile vers un urologue.

Évaluation des résultats

Pour le client qui subit une intervention chirurgicale à l'aorte, les résultats escomptés à la suite des soins et des interventions cliniques sont:

- de garder le greffon artériel ouvert avec une perfusion distale adéquate;
- de maintenir une diurèse adéquate;
- d'éliminer la possibilité de complication des fonctions cérébrales et cognitives;
- de préserver les fonctions digestives;
- de ne présenter aucun signe d'infection.

45.5 | Dissection aortique

CE QU'IL FAUT RETENIR

L'infirmière enseigne au client à observer les changements de couleur et de chaleur des membres, ainsi qu'à palper les pouls périphériques et à en évaluer les changements de qualité.

La **dissection aortique**, souvent appelée par erreur anévrisme disséquant, n'est pas un type d'anévrisme. La dissection résulte plutôt de la création d'une fausse lumière entre l'intima et la media dans laquelle le sang s'infiltre **FIGURES 45.4** et **45.7**. Le classement repose sur l'emplacement anatomique de la dissection (aorte ascendante ou aorte descendante) et la durée (aiguë ou chronique). Près de 70 % des dissections touchent l'aorte ascendante et sont aiguës (Nordon, Hinchliffe, Loftus *et al.*, 2011). Selon le site de la dissection aortique, il existe deux principales classifications: classification de Stanford (type A ou B) et classification de Bakey (type 1, 2 ou 3) (Lempel, Frazier, Jeudy *et al.*, 2014; Milhomme & Beaulieu, 2015).

45.5.1 Étiologie et physiopathologie

La plupart des experts attribuent la dissection aortique non traumatique à la dégénérescence des fibres élastiques de la couche médiale. L'hypertension artérielle chronique accélère le processus de dégénérescence. La dissection aortique résulterait d'une déchirure de l'intima. Les déchirures de l'intima se produisent généralement dans les zones où la P.A. augmente le plus, par exemple immédiatement au-dessus de la valve aortique et dans la partie distale de l'artère sous-clavière gauche. Lorsque le cœur se contracte, chaque pulsation systolique augmente la pression sur la région atteinte qui, par la suite, accentue la dissection. La dissection ainsi accentuée peut empêcher le sang d'atteindre des zones critiques, comme le cerveau, les reins, la moelle épinière et les extrémités des membres. La fausse lumière peut persister, devenir thrombosée (former un caillot), se recoller à la vraie lumière au moyen d'une déchirure distale ou se rompre (Patel & Arora, 2008).

La dissection aortique touche de 2 à 5 fois plus les hommes que les femmes et se produit le plus souvent chez les personnes âgées de 60 à 80 ans (Nordon *et al.*, 2011). Les facteurs y prédisposant sont l'âge, une aortite (p. ex., la syphilis, la maladie de Takayasu), un trauma contondant ou iatrogénique, une cardiopathie congénitale (p. ex., une valve aortique bicuspide, une coarctation de l'aorte), une maladie des tissus conjonctifs (p. ex., le syndrome de Marfan ou de Ehlers-Danlos), la consommation de cocaïne, une chirurgie cardiaque antérieure, l'athérosclérose, le fait d'être de sexe masculin, une grossesse, l'hypertension artérielle et le **syndrome de Turner** (Hiratzka *et al.*, 2010). Les clients plus jeunes sont davantage susceptibles d'avoir une valve aortique bicuspide ou le syndrome de Marfan, d'avoir déjà subi une chirurgie de la valve aortique ou d'avoir récemment été victimes d'un trauma. Une dissection sur deux survenues chez les femmes âgées de moins de 40 ans se produit pendant la grossesse.

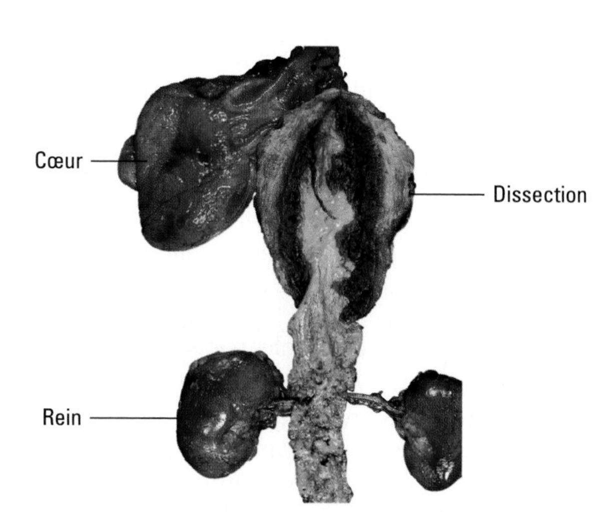

FIGURE 45.7 Dissection aortique de l'aorte thoracique

Syndrome de Turner: Aberration chromosomique associée à des malformations physiques typiques (petite taille, implantation basse des oreilles, thorax bombé, etc.), à une stérilité et à un développement sexuel anormal.

45.5.2 Manifestations cliniques

La plupart des personnes qui souffrent d'une dissection aortique ascendante aiguë disent qu'elles ont ressenti une douleur insoutenable et soudaine dans la poitrine ou dans le dos, qui irradiait dans le cou ou dans les épaules. Celles qui souffrent d'une dissection aortique descendante aiguë sont plus susceptibles de faire état d'une douleur dans le dos, à l'abdomen ou aux jambes (Dixon, 2011). La douleur est souvent décrite comme vive, la pire jamais ressentie et, moins fréquemment, comme déchirante. La douleur d'une dissection se distingue de celle associée à un infarctus du myocarde, qui est plus graduelle au début et qui augmente ensuite en intensité. La douleur peut se déplacer et accompagner la progression de la dissection. Les clients plus âgés sont moins susceptibles de faire état d'un début soudain de la douleur thoracique ou dorsale, et ils courent plus de risques d'avoir de l'hypotension et des manifestations vagues telles qu'une diminution de la sensibilité et de la motricité, une paralysie périphérique, une paraplégie ou une hémiplégie pouvant faire orienter le diagnostic vers une autre cause possible. Il est important de procéder à un examen physique, car certaines personnes qui souffrent d'une dissection aortique n'éprouvent aucune douleur.

Lorsque l'arc de l'aorte est touché, la personne peut présenter des déficits neurologiques, comme un état de conscience altéré, des pouls carotidien et temporal affaiblis ou absents, des étourdissements ou une syncope. Une dissection aortique ascendante peut perturber l'apport sanguin dans les artères coronaires et produire une insuffisance aortique. La personne peut faire de l'angine, un infarctus du myocarde et un nouveau souffle cardiaque diastolique aigu. Lorsqu'elles sont graves, ces complications peuvent entraîner une insuffisance cardiaque gauche se manifestant par une dyspnée, une orthopnée et un œdème pulmonaire. Si l'une ou l'autre des artères sous-clavières est touchée, la qualité des pouls radial, cubital et brachial et les mesures de la P.A. peuvent être différentes aux deux bras. Au fur et à mesure que la dissection progresse vers l'aorte, les organes abdominaux et les membres inférieurs peuvent montrer des signes de diminution de l'irrigation des tissus.

45.5.3 Complications

La **tamponnade cardiaque** est une complication grave de la dissection aortique ascendante qui met en danger la vie de la personne. Elle se produit lorsque le sang s'échappe de la dissection vers le péricarde. Les manifestations cliniques de la tamponnade comprennent l'hypotension, la diminution de la pression différentielle, la distension des jugulaires, les bruits cardiaques (B1-B2) sourds et le pouls paradoxal ▶ 44.

Il arrive que l'aorte se rompe parce qu'elle est affaiblie par la dissection. Une hémorragie peut se produire dans les cavités médiastinale, pleurale ou abdominale. La rupture de l'aorte se solde souvent par l'exsanguination et la mort.

La dissection peut empêcher le sang d'atteindre les organes vitaux. L'ischémie de la moelle épinière produit divers signes et symptômes pouvant aller de la faiblesse des membres inférieurs et de la diminution de la sensation dans ceux-ci à leur paralysie complète. L'ischémie rénale peut entraîner une insuffisance rénale. Parmi les manifestations d'une ischémie abdominale (insuffisance mésentérique artérielle) figurent la douleur abdominale, une diminution des bruits intestinaux, des changements dans la fonction intestinale et une nécrose des intestins.

Jugement clinique

Siméon Albert a 64 ans. Il présente un anévrisme d'un diamètre de 5,5 cm sur l'aorte descendante. Le client a déjà subi deux infarctus du myocarde dans le passé. Actuellement, il dit ressentir une douleur dans la poitrine. Pour distinguer les signes d'une dissection aortique de ceux attribuables à un nouvel infarctus, quelles régions d'irradiation de la douleur du client devez-vous vérifier ?

45.5.4 Examen clinique et examens paracliniques

Les examens paracliniques utilisés pour détecter une dissection aortique sont semblables à ceux privilégiés pour les anévrismes **ENCADRÉ 45.5**. L'ECG peut contribuer à déceler une ischémie cardiaque. La radiographie pulmonaire peut montrer un élargissement de la silhouette médiastinale et un épanchement pleural gauche. La TDM à trois dimensions et l'échocardiographie transœsophagienne sont devenues la norme en matière de méthodes diagnostiques de la dissection aortique aiguë (Nienaber & Clough, 2015). La TDM peut fournir des renseignements utiles sur la présence et la gravité de la dissection. L'IRM est la méthode la plus précise pour détecter une dissection aortique, mais elle est contre-indiquée pour les personnes qui portent des implants métalliques ou qui sont instables sur le plan hémodynamique, et elle n'est pas toujours rapidement accessible en cas d'urgence (Nordon *et al.*, 2011).

CE QU'IL FAUT RETENIR

La tamponnade cardiaque est une complication potentiellement mortelle de la dissection aortique ascendante. Elle se manifeste par de l'hypotension, une diminution de la P.A. différentielle, la distension des veines du cou et un pouls paradoxal.

45.5.5 Processus thérapeutique en interdisciplinarité

Les personnes souffrant d'une dissection aortique aiguë sont traitées à l'unité des soins intensifs. Les premiers objectifs du traitement d'une telle dissection sans complication sont la maîtrise de la P.A. et le soulagement de la douleur. La gestion de la P.A. réduit le stress exercé sur la paroi de l'aorte en diminuant la P.A. systolique et la contraction du myocarde **ENCADRÉ 45.5**. La valeur cible de la P.A. systolique se situe entre 100 et 120 mm Hg et le pouls doit être plus bas que 60 batt./min, afin de maintenir une perfusion adéquate des organes (Suzuki, Eagle, Bossone *et al.*, 2014). Pour y arriver, l'utilisation d'une médication à courte action est recommandée en raison du risque de décompensation hémodynamique. Un

Réactivation des connaissances

Qu'est-ce qu'un pouls paradoxal ?

44

Le chapitre 44, *Interventions cliniques – Troubles inflammatoires et structuraux du cœur*, traite de la tamponnade cardiaque.

Processus diagnostique et thérapeutique

ENCADRÉ 45.5 Dissection aortique

EXAMEN CLINIQUE ET EXAMENS PARACLINIQUES

- Antécédents de santé et examen physique
- ECG
- Radiographie pulmonaire
- TDM et reconstruction 3D
- Échocardiographie transœsophagienne
- IRM

PROCESSUS THÉRAPEUTIQUE

- Repos au lit
- Soulagement de la douleur au moyen d'analgésiques opioïdes
- Transfusion sanguine (au besoin)
- Maîtrise de la P.A.
  - Nitroprusside de sodium (Nipride[MD])
  - Bloqueurs des canaux calciques
  - Inhibiteurs de l'enzyme de conversion de l'angiotensine (IECA)
- Maîtrise de la contractilité myocardique
  - Bêtabloquants I.V. (p. ex., du labétalol [Trandate[MD]])
  - Bêtabloquants P.O. (p. ex., du métoprolol [Lopresor[MD]])
- Résection et réparation de l'aorte
- Réparation endovasculaire

Réactivation des connaissances

Qu'est-ce que la demi-vie d'un médicament?

bêtabloquant I.V. (p. ex., l'esmolol [Brevibloc[MD]]) fait baisser la P.A. et la force de la contraction ventriculaire gauche. L'esmolol est particulièrement utile, car son délai d'action est rapide et sa demi-vie, de courte durée. D'autres agents antihypertenseurs sont utilisés comme les inhibiteurs calciques et les IECA). La douleur peut contribuer à augmenter le travail myocardique, en haussant la postcharge et la fréquence cardiaque; celle-ci doit être rapidement maîtrisée avec de la morphine I.V., par exemple. De plus, il est primordial que l'infirmière s'assure de l'installation de cathéters veineux de bon calibre et de la perméabilité de ceux-ci.

Traitement conservateur

La personne qui souffre d'une dissection aortique descendante aiguë sans complication peut être traitée de manière conservatrice. Le traitement de soutien consiste alors à soulager la douleur et à contrôler la P.A. dans l'attente d'une intervention chirurgicale de réparation endovasculaire. Le traitement de soutien dans le cas d'une dissection aortique ascendante aiguë est utilisé en attente d'une chirurgie.

Réparation endovasculaire d'une dissection aortique

La réparation endovasculaire d'une dissection aortique descendante chronique représente une option efficace. Cette intervention ressemble à la greffe endovasculaire. Cependant, un drain lombaire temporaire peut être inséré pour enlever du liquide cérébrospinal (céphalorachidien) afin de réduire l'œdème de la moelle épinière et aider à prévenir la paralysie (Thrumurthy, Karthikesalingam, Patterson *et al.*, 2011).

Traitement chirurgical

Une dissection aortique ascendante aiguë nécessite une intervention chirurgicale d'urgence. La chirurgie est aussi indiquée lorsque la pharmacothérapie se révèle inefficace ou lorsque se présentent des complications (p. ex., une défaillance cardiaque). Étant donné la fragilité de l'aorte après une dissection, il est préférable de retarder l'intervention chirurgicale aussi longtemps que possible pour donner le temps à l'œdème de se résorber et permettre la coagulation du sang dans la fausse lumière. La chirurgie consiste en la résection du segment de l'aorte contenant la déchirure à l'intima et son remplacement par un greffon synthétique. Même si les interventions chirurgicales sont faites rapidement, le taux de mortalité en centre hospitalier demeure élevé pour les dissections aortiques aiguës (Nordon *et al.*, 2011). Parmi les causes de décès figurent la rupture de l'aorte, l'ischémie mésentérique, la sepsie et l'insuffisance de plusieurs organes.

Soins et traitements infirmiers

CLIENT ATTEINT D'UNE DISSECTION AORTIQUE

43

Les soins et traitements infirmiers auprès des clients pour qui une surveillance électrocardiographique continue est nécessaire sont décrits dans le chapitre 43, *Interventions cliniques – Arythmie*.

Les soins et traitements infirmiers préopératoires consistent à maintenir le client au lit en position semi-Fowler et à lui assurer un environnement calme; ces mesures contribuent à garder la P.A. systolique au plus bas niveau pour maintenir la perfusion des organes vitaux, soit entre 100 et 120 mm Hg (Suzuki *et al.*, 2014). Il faut vérifier la P.A. aux deux bras. L'infirmière administre les analgésiques opioïdes et les anxiolytiques selon l'ordonnance du médecin. Elle doit veiller à soulager la douleur et l'anxiété, qui sont des symptômes de l'augmentation de la P.A. systolique, pour assurer le confort du client. L'infirmière doit ausculter les poumons (p. ex., à la recherche de crépitants), évaluer les jugulaires (distension des jugulaires), mesurer étroitement le débit urinaire toutes les heures et s'assurer de la perméabilité des voies I.V.

L'infirmière doit superviser consciencieusement l'administration d'agents antihypertenseurs par voie I.V., laquelle nécessite un ECG en continu et le monitorage de la P.A. intra-artérielle au moyen d'un cathéter ▶ 43. Elle vérifie fréquemment les signes vitaux, parfois aussi souvent que toutes les deux ou trois minutes jusqu'à l'atteinte de la P.A. cible. Elle surveille également les changements dans les pouls périphériques, et les signes et symptômes associés à une douleur accrue, à de l'agitation et à de l'anxiété chez le client. Si les vaisseaux sanguins qui partent de l'arc de l'aorte sont atteints, il se peut que la diminution du débit sanguin dans le cerveau altère l'état de conscience. Les soins postopératoires sont semblables à ceux prodigués après la réparation d'un anévrisme de l'aorte.

En prévision du congé du client, l'infirmière doit mettre l'accent sur l'enseignement à donner à celui-ci et à ses proches. Tous les clients ayant déjà subi une dissection aortique doivent suivre un traitement médical à long terme pour maîtriser leur P.A. Ils doivent savoir qu'ils prendront des médicaments antihypertenseurs toute leur vie. Les bêtabloquants (p. ex., le métoprolol [Lopresor[MD]]) servent à gérer la P.A. et à réduire la contractilité du myocarde. Il est important que les clients comprennent leur régime médicamenteux et ses effets secondaires possibles (p. ex., des étourdissements, une dépression, la fatigue, un dysfonctionnement érectile). L'infirmière doit aviser le client de discuter de tout effet secondaire avec un professionnel de la santé avant de cesser de prendre ses médicaments. Elle doit aussi l'informer de l'importance de la cessation tabagique et des dangers d'une trop grande consommation de lipides, un facteur de risque de la maladie vasculaire. La principale cause de décès chez les survivants à long terme est une rupture de l'aorte découlant de la formation d'une nouvelle dissection ou d'un anévrisme. L'infirmière doit aviser le client de se rendre immédiatement au service des urgences le plus près de chez lui si la douleur récidive ou si d'autres symptômes se manifestent.

45.6 | Ischémie artérielle aiguë

45.6.1 Étiologie et physiopathologie

L'**ischémie artérielle aiguë** est une interruption soudaine du flux sanguin artériel dans un tissu, un organe ou un membre qui, si elle n'est pas traitée, peut entraîner la nécrose du tissu. Elle peut être causée par une embolie, la thrombose d'une artère déjà rétrécie ou un trauma. L'embolisation d'un thrombus cardiaque est la cause la plus fréquente d'occlusion artérielle aiguë. Les affections cardiaques pouvant donner lieu à la formation d'un thrombus comprennent l'endocardite infectieuse, l'infarctus du myocarde, la valvulopathie mitrale, la fibrillation auriculaire chronique, les myocardiopathies et les valves prothétiques. Les causes non cardiaques des embolies comprennent les anévrismes, la plaque d'athérosclérose ulcéreuse, les interventions endovasculaires récentes, un thrombus veineux et, rarement, une artérite. Les thrombus peuvent se déloger et se déplacer n'importe où dans la circulation générale s'ils proviennent du côté gauche du cœur. La majorité des embolies obstrue une artère d'un membre inférieur (p. ex., l'artère iliaque externe, poplitée ou tibiale). Les thrombus qui prennent leur origine du côté droit du cœur ou dans le réseau veineux se déplaceront vers les poumons et causeront une embolie pulmonaire (EP) ▶ 35.

Les embolies artérielles tendent à se loger dans les bifurcations artérielles ou dans les régions de rétrécissement athéroscléreux. Une occlusion artérielle aiguë entraîne une diminution soudaine de l'oxygène et du débit sanguin distaux de l'embolie, causant ainsi une ischémie. La quantité de tissus et de muscles à risque, le degré d'ischémie et l'étendue des symptômes dépendent de plusieurs facteurs, notamment; 1) le lieu et la taille de l'obstruction; 2) la fragmentation du caillot avec l'embolie des plus petits vaisseaux; 3) le degré d'artériopathie périphérique déjà présente; 4) la présence d'artères collatérales autour de l'obstruction aiguë.

Une thrombose locale peut se produire soudainement au site de la plaque athéroscléreuse. L'hypovolémie (p. ex., à la suite d'un choc), l'hyperviscosité (p. ex., causée par la polyglobulie) et l'hypercoagulabilité (p. ex., consécutive à un trouble de coagulation) prédisposent une personne à une occlusion artérielle thrombotique (Ouriel & Kasyap, 2011). Une lésion traumatique à un membre peut produire une occlusion partielle ou totale. Une occlusion artérielle aiguë peut également se manifester à la suite d'une dissection artérielle dans l'artère carotide ou dans l'aorte, ou à la suite d'une lésion artérielle iatrogénique (c.-à-d. causée par l'angiographie).

45.6.2 Manifestations cliniques

Les manifestations cliniques de l'ischémie artérielle aiguë sont la douleur, la pâleur, la paralysie, l'absence de pouls, la paresthésie et la poïkilothermie (variation de la température du membre, qui s'adapte à celle de son environnement). Sans une intervention immédiate, l'ischémie peut évoluer en nécrose tissulaire et en gangrène, en l'espace de quelques heures. L'infirmière qui détecte ces signes doit en aviser immédiatement le

CE QU'IL FAUT RETENIR

L'ischémie artérielle aiguë est une interruption soudaine du flux sanguin dans un tissu, un organe ou un membre. Un traitement précoce est essentiel pour éviter la nécrose des tissus.

Réactivation des connaissances

Quelle est la différence entre une embolie et une thrombose ?

35

La physiopathologie, les manifestations cliniques et la prise en charge de l'embolie pulmonaire sont décrites dans le chapitre 35, *Interventions cliniques – Troubles des voies respiratoires inférieures.*

médecin. La paralysie est un signe très tardif d'une ischémie artérielle aiguë et indique la nécrose des nerfs alimentant le membre. Le pied tombant résulte d'un dommage aux nerfs. Étant donné que le tissu nerveux est très sensible à l'hypoxie, la paralysie des membres ou la neuropathie ischémique peut demeurer permanente, même après la revascularisation.

45.6.3 Processus thérapeutique en interdisciplinarité

CE QU'IL FAUT RETENIR

La thromboangéite oblitérante est un trouble inflammatoire non athéroscléreux, qui entraîne une occlusion des petites et moyennes artères ainsi que des veines des membres.

Un traitement précoce est essentiel pour préserver la viabilité du membre atteint lorsqu'une ischémie artérielle aiguë se manifeste. Une anticoagulothérapie avec l'administration continue d'héparine non fractionnée (HNF) par voie I.V. est amorcée pour éviter que le thrombus ne s'élargisse et pour empêcher l'embolie (Alonso-Coello *et al.*, 2012). Chez les clients qui subissent une embolectomie, l'administration d'héparine doit être suivie d'une anticoagulothérapie à long terme avec de la warfarine (Coumadin^MD^). D'autres anticoagulants sont analysés plus loin dans ce chapitre.

Pour rétablir le débit sanguin, il faut enlever l'embole ou le thrombus aussitôt que possible. Les options pour enlever un embole ou un thrombus sont le traitement thrombolytique par cathéter percutané, la thrombectomie mécanique percutanée avec ou sans traitement thrombolytique, la thrombectomie chirurgicale ou le pontage chirurgical. Si la chirurgie n'est pas envisageable, un traitement thrombolytique est possible directement par cathéter. Un cathéter percutané est inséré dans l'artère fémorale jusqu'au site du caillot, où le médicament thrombolytique est infusé. Les agents thrombolytiques agissent en dissolvant directement le caillot sur une période de 24 à 48 heures ▶ 41. Le cathéter peut agir comme un appareil de thrombectomie mécanique, c'est-à-dire qu'il est conçu pour enlever ou fragmenter le thrombus (Lyden, 2010).

41

Le chapitre 41, *Interventions cliniques – Coronaropathie et syndrome coronarien aigu*, traite du traitement thrombolytique.

Une intervention chirurgicale est recommandée pour certains clients, notamment ceux dont l'ischémie dure plus de 14 jours et pour lesquels l'intervention par cathéter est impossible en raison de l'incapacité du fil-guide à traverser le thrombus. Il faudra peut-être procéder à une artériotomie directe pour enlever le caillot. La revascularisation chirurgicale pourra être utilisée chez un client ayant subi un trauma (p. ex., une lacération de l'artère) ou présentant une occlusion artérielle importante. L'amputation est réservée aux clients souffrant de douleur ischémique au repos et de perte tissulaire, et dont il est impossible de sauver le membre. Si le client demeure à risque d'une autre embolie d'une source persistante, comme la fibrillation auriculaire chronique, le traitement à long terme comprend une anticoagulothérapie orale pour prévenir les épisodes d'ischémie artérielle aiguë (You, Singer, Howard *et al.*, 2012).

45.7 Thromboangéite oblitérante

La **thromboangéite oblitérante** (ou **maladie de Léo Buerger**) est un trouble inflammatoire récurrent et segmentaire, non athéroscléreux, qui entraîne une occlusion vasculaire des petites et moyennes artères et veines des membres supérieurs et inférieurs. Très rarement, des manifestations systémiques de la maladie peuvent atteindre les artères cérébrales, mésentériques ou coronaires. La maladie atteint surtout les jeunes hommes (âgés de moins de 45 ans) faisant usage du tabac ou de la marijuana depuis de nombreuses années, mais ne présentant aucun autre facteur de risque de maladies cardiovasculaires (p. ex., l'HTA, la dyslipidémie, le diabète) (Piazza & Creager, 2010).

La maladie de Léo Buerger est un processus inflammatoire qui endommage la paroi d'un vaisseau sanguin. Des lymphocytes et des cellules géantes, accompagnés d'une prolifération de fibroblastes, infiltrent la paroi du vaisseau. Finalement, une thrombose et une fibrose se produisent dans le vaisseau, causant une ischémie tissulaire. Les clients atteints de la maladie de Léo Buerger ont un taux élevé de parodontites, et présentent un *Phorphyromonas gingivalis* (un agent pathogène parodontal) dans les vaisseaux obstrués. Cela suggère que l'infection bactérienne jouerait un rôle dans la pathogenèse de la maladie de Léo Buerger. Des facteurs génétiques chez les personnes prédisposées pourraient être en cause (Piazza & Creager, 2010).

Les manifestations de la maladie de Léo Buerger sont souvent confondues avec celles de l'artériopathie périphérique ou d'une autre maladie inflammatoire auto-immune telle que la sclérodermie. Le client peut souffrir de claudication intermittente des pieds, des mains ou des bras. Avec la progression de la maladie peuvent apparaître de la douleur au repos et des ulcérations ischémiques. D'autres signes et symptômes peuvent comprendre les changements dans la coloration et la température des membres, la paresthésie, la thrombose veineuse superficielle et la sensibilité au froid.

Il n'existe pas d'analyses de laboratoire ni d'examens paracliniques propres à la maladie de Léo Buerger. Le médecin établit le diagnostic en se fondant sur l'âge du client à l'apparition des symptômes, les antécédents quant à l'usage du tabac, le rôle des vaisseaux distaux, la présence d'ulcérations ischémiques, et l'exclusion de diabète, d'une maladie auto-immune, de thrombophilie (prédisposition héréditaire à faire des caillots) et d'une source proximale d'emboles (Piazza & Creager, 2010). Les personnes qui souffrent de la maladie de Léo Buerger ont des globules rouges rigides, et ils présentent un taux d'hématocrite élevé et une viscosité accrue du sang (Piazza & Creager, 2010).

Le traitement de la maladie de Léo Buerger repose avant tout sur la cessation tabagique. Les clients doivent comprendre l'importance de la cessation de l'usage du tabac (et de la marijuana) dans le traitement de la maladie afin de préserver leurs membres atteints. Les produits de remplacement de la nicotine doivent être utilisés avec prudence chez les clients qui souffrent de cette maladie. Un traitement classique consiste à utiliser des antibiotiques pour traiter tout ulcère infecté et des analgésiques pour soulager la douleur ischémique, à suivre un programme de marche, et à éviter l'exposition du membre à des températures froides. Les clients doivent éviter tout trauma aux membres atteints.

Diverses nouvelles pharmacothérapies pour traiter la maladie de Léo Buerger ont été étudiées, mais les résultats demeurent négligeables. En Europe, un traitement a démontré une efficacité modeste; il s'agit de l'administration d'iloprost (analogue de la prostaglandine) par voie I.V. Le transfert génétique intramusculaire de facteurs de croissance vasculaire représente un autre domaine de recherche prometteur (Piazza & Creager, 2010).

Les options chirurgicales comprennent la sympathectomie (coupe transversale d'un nerf, d'un ganglion nerveux ou du plexus du système nerveux autonome), l'implantation d'un stimulateur de la moelle épinière ou le pontage. La sympathectomie et l'implantation d'un stimulateur de la moelle épinière sont utiles pour améliorer le débit sanguin distal et réduire la douleur, mais ni l'un ni l'autre ne modifient le processus inflammatoire. En règle générale, le pontage ne constitue pas une option en raison des plus petits vaisseaux distaux, mais il peut s'avérer utile pour certains clients souffrant d'ischémie grave.

En cas d'ulcération douloureuse, il arrive qu'il faille amputer un doigt ou un orteil. Dans les cas graves, l'amputation se fera parfois sous le genou. Le taux d'amputation est presque trois fois plus élevé chez les personnes qui continuent de faire usage du tabac que chez celles qui cessent (Japanese Circulation Society Joint Working Group, 2011; Piazza & Creager, 2010).

45.8 | Phénomène de Raynaud

Le **phénomène de Raynaud** est caractérisé par des désordres **angiospastiques** épisodiques des petites artères cutanées, atteignant surtout les doigts et les orteils. Il touche principalement les jeunes femmes, généralement âgées de 15 à 40 ans (Lazzerini, Capecchi, Bisogno *et al.*, 2010). L'étiologie exacte de ce syndrome demeure inconnue. Selon une théorie, il résulterait d'une réaction exagérée à la stimulation du système nerveux autonome. D'autres facteurs comprennent les traumas et les pressions exercées sur le bout des doigts attribuables au travail, qui se manifestent chez les travailleurs de bureau, les pianistes et les personnes qui manipulent des outils vibratoires. L'exposition aux métaux lourds, comme le plomb, peut également être un facteur contribuant à l'apparition de la maladie. Le phénomène de Raynaud primitif est la forme la plus courante de l'affection. Lorsque les manifestations se produisent en association avec des maladies auto-immunes (p. ex., la polyarthrite rhumatoïde, le lupus érythémateux disséminé), le syndrome prend le nom de phénomène de Raynaud secondaire.

Le phénomène de Raynaud est caractérisé par des changements de couleur (blanc, bleu et rouge) des doigts, des orteils, des oreilles et du nez qui sont provoqués par des angiospasmes **FIGURE 45.8**. La baisse de l'irrigation des membres occasionne la pâleur (blanc). Les doigts ou les orteils apparaissent ensuite cyanotiques (bleu-mauve). Ces changements sont suivis d'une rougeur causée par la réaction hyperémique qui se produit au retour de l'irrigation. Le client décrit généralement une sensation de froid et d'engourdissement pendant la phase de vasoconstriction, puis des élancements, une douleur constante, des picotements et un œdème au cours de la phase hyperémique. Un épisode ne dure généralement que quelques minutes, mais peut persister pendant plusieurs heures dans les cas graves. Les signes et les symptômes sont généralement précipités pendant une exposition au froid, à l'occasion de bouleversements émotionnels, si le client consomme de la

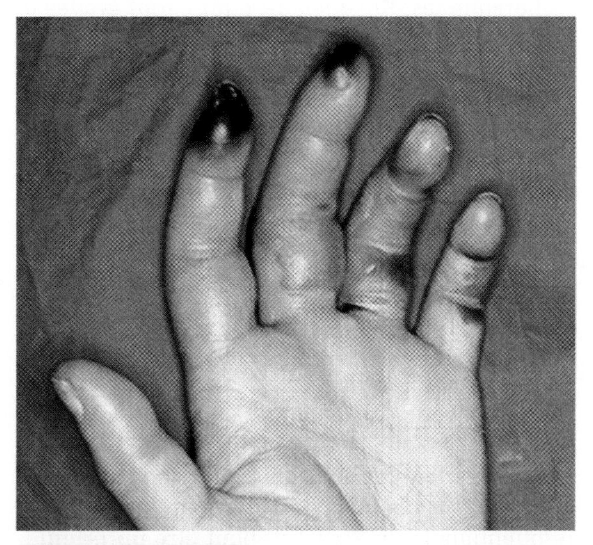

FIGURE 45.8 Phénomène de Raynaud

CE QU'IL FAUT RETENIR

Le phénomène de Raynaud est caractérisé par des désordres angiospastiques des petites artères cutanées des doigts, des orteils, des oreilles et du nez. Le traitement repose sur la prévention des épisodes récurrents.

Angiospastique : Qui s'accompagne de spasme vasculaire.

45

Jugement clinique

Yvonne Cambi, 39 ans, souffre du phénomène de Raynaud. L'anamnèse révèle que la cliente n'a aucun antécédent médical ou chirurgical. Elle se plaint souvent de sensation de froid et d'engourdissement, puis d'élancements, de douleur constante, de picotements et d'un œdème aux mains. Outre les signes et symptômes énumérés, trouvez au moins trois autres données à rechercher au cours de l'évaluation de la condition clinique de la cliente et justifiez leur importance.

caféine et s'il fait usage de tabac. Après de fréquentes attaques prolongées, la peau peut devenir plus épaisse et les ongles, cassants. Il arrive que des complications se manifestent, par exemple, la peau peut être ponctuée (piquetée de multiples petits points) au bout des doigts, et des ulcères gangréneux superficiels peuvent apparaître dans les stades avancés. Le diagnostic repose sur des signes et des symptômes qui persistent depuis plus de deux ans (Herrick, 2011).

CE QU'IL FAUT RETENIR

La phlébite est l'inflammation d'une veine sans qu'il y ait nécessairement présence d'un thrombus. La thrombose veineuse comporte la formation d'un thrombus, en association avec l'inflammation de la veine.

Les soins et traitements infirmiers pour le phénomène de Raynaud sont principalement axés sur l'enseignement au client. L'infirmière doit surtout attirer son attention sur la prévention des épisodes récurrents. Elle doit lui conseiller de porter des vêtements amples et chauds pour se protéger du froid, de même que des gants pour prendre des aliments dans le réfrigérateur ou le congélateur, ou pour manipuler des objets froids. Il faut éviter en tout temps les écarts extrêmes de température. L'immersion des mains dans l'eau chaude fait souvent diminuer les angiospasmes. Le client doit cesser de fumer, éviter la consommation de caféine et les autres substances ayant un effet vasoconstricteur (p. ex., les amphétamines, la cocaïne, l'ergotamine, la pseudoéphédrine).

Les personnes qui souffrent du phénomène de Raynaud se décrivent souvent comme anxieuses ou déprimées. La technique de rétroaction biologique (*biofeedback*), la relaxation et la gestion du stress peuvent leur être utiles. Au besoin, l'infirmière devrait encourager les clients à explorer ces options.

Lorsque les épisodes du client sont graves et qu'aucun traitement non pharmacologique n'est efficace, alors la pharmacothérapie peut devenir utile. Les inhibiteurs calciques (p. ex., du diltiazem [Cardizem^MD] et nifédipine [Adalat^MD]) constituent les médicaments de première ligne (Herrick, 2011 ; Sinnathurai & Schrieber, 2013). Ils décontractent les muscles lisses des artérioles en bloquant l'afflux de calcium dans les cellules, réduisant ainsi la fréquence et la gravité des attaques angiospastiques.

La sympathectomie n'est envisagée que pour les cas de stade avancé. Les clients qui souffrent du phénomène de Raynaud devraient être suivis par leur médecin selon l'évolution de la maladie pour surveiller l'apparition d'affections des tissus conjonctifs ou de maladies auto-immunes puisque le phénomène de Raynaud peut être un premier signe de sclérodermie (Herrick, 2011).

45.9 | Thrombose veineuse

La **phlébite** est l'inflammation d'une veine superficielle (qui se manifeste par une rougeur, une douleur à la pression, une chaleur, un œdème léger) sans qu'il y ait nécessairement présence d'un thrombus (caillot). Elle se produit chez environ 65 % de tous les clients qui reçoivent un traitement I.V. Elle est rarement infectieuse et se résorbe habituellement de façon rapide après le retrait du cathéter I.V. (Ho & Cheung, 2012) La **thrombose veineuse** comporte la formation d'un thrombus en association avec l'inflammation de la veine. Ce trouble veineux peut être classifié en thrombose veineuse superficielle (TVS) et en **thrombose veineuse profonde (TVP)**. La TVS consiste en la formation d'un thrombus dans une veine superficielle, tandis que dans la TVP, le thrombus se forme dans une veine profonde, le plus souvent les veines iliaques et fémorales (Milio, Siragusa, Mina *et al.*, 2008). La TVS est généralement bénigne. Il y a cependant un risque que le caillot atteigne des veines plus profondes si le thrombus touche à la veine fémorale superficielle ou s'il se situe près de la jonction saphéno-fémorale (van Langevelde, Lijfering, Rosendaal *et al.*, 2011). La thrombose veineuse profonde (TVP) est le terme courant, et il regroupe l'ensemble des pathologies, de la TVP à l'embolie pulmonaire, à l'exclusion de la TVS **TABLEAU 45.4**.

45.9.1 Étiologie

L'étiologie de la thrombose veineuse comporte trois facteurs importants (appelés triade de Virchow) : 1) la stase veineuse ; 2) la lésion endothéliale (altération de la paroi veineuse) ; 3) l'hypercoagulabilité du sang **FIGURE 45.9**. Le client à risque de souffrir d'une thrombose veineuse présente généralement des facteurs le prédisposant à ces trois conditions **ENCADRÉ 45.6**.

Stase veineuse

Le débit sanguin normal dans le système veineux dépend de l'action musculaire dans les membres et de l'efficacité des valvules veineuses, qui permettent le débit unidirectionnel. La **stase veineuse** se produit lorsque les valvules sont dysfonctionnelles ou que les muscles des extrémités des membres sont inactifs. Elle se produit plus fréquemment chez les personnes obèses ou les femmes enceintes, celles qui souffrent d'insuffisance cardiaque chronique ou de fibrillation auriculaire, qui ont été privées d'exercice régulier au cours de longs voyages, qui ont subi une intervention chirurgicale prolongée ou qui sont immobiles pendant une période prolongée (p. ex., dans le cas d'une lésion médullaire, d'une fracture à la hanche ou de la paralysie d'un membre) (Reitsma, Versteeg & Middeldorp, 2012).

TABLEAU 45.4 **Comparaison entre une thrombose veineuse superficielle et une thrombose veineuse profonde**

POINT DE COMPARAISON	THROMBOSE VEINEUSE SUPERFICIELLE (TVS)	THROMBOSE VEINEUSE PROFONDE (TVP)
Localisation habituelle	Veines superficielles des bras (p. ex., au site de cathéters I.V.) et veines superficielles des jambes (p. ex., des varices)	Veines profondes des bras (p. ex., les veines axillaires, les veines sous-claviaires), des jambes (p. ex., les veines fémorales), du pelvis (p. ex., les veines iliaques, la veine cave inférieure ou supérieure) et système pulmonaire
Observations cliniques	Sensibilité à la pression, rougeur, prurit, chaleur, douleur, inflammation et induration le long de la veine superficielle ; veine semblable à un cordon palpable ; œdème rare	Douleur à la pression de la zone couvrant la veine atteinte ; induration du muscle recouvrant la veine ; distension veineuse ; œdème ; douleur faible ou modérée possible ; zone de couleur rouge foncé en raison de la congestion veineuse et de l'inflammation Note : Certains clients peuvent ne présenter aucun changement apparent du membre atteint.
Séquelles	Généralement bénigne ; possibilité d'une TVP si non traitée, le caillot pouvant s'étendre aux veines profondes	Embolie pulmonaire possible, pouvant causer la mort ; possibilité d'une hypertension pulmonaire et d'une insuffisance veineuse chronique avec ou sans ulcération veineuse des jambes

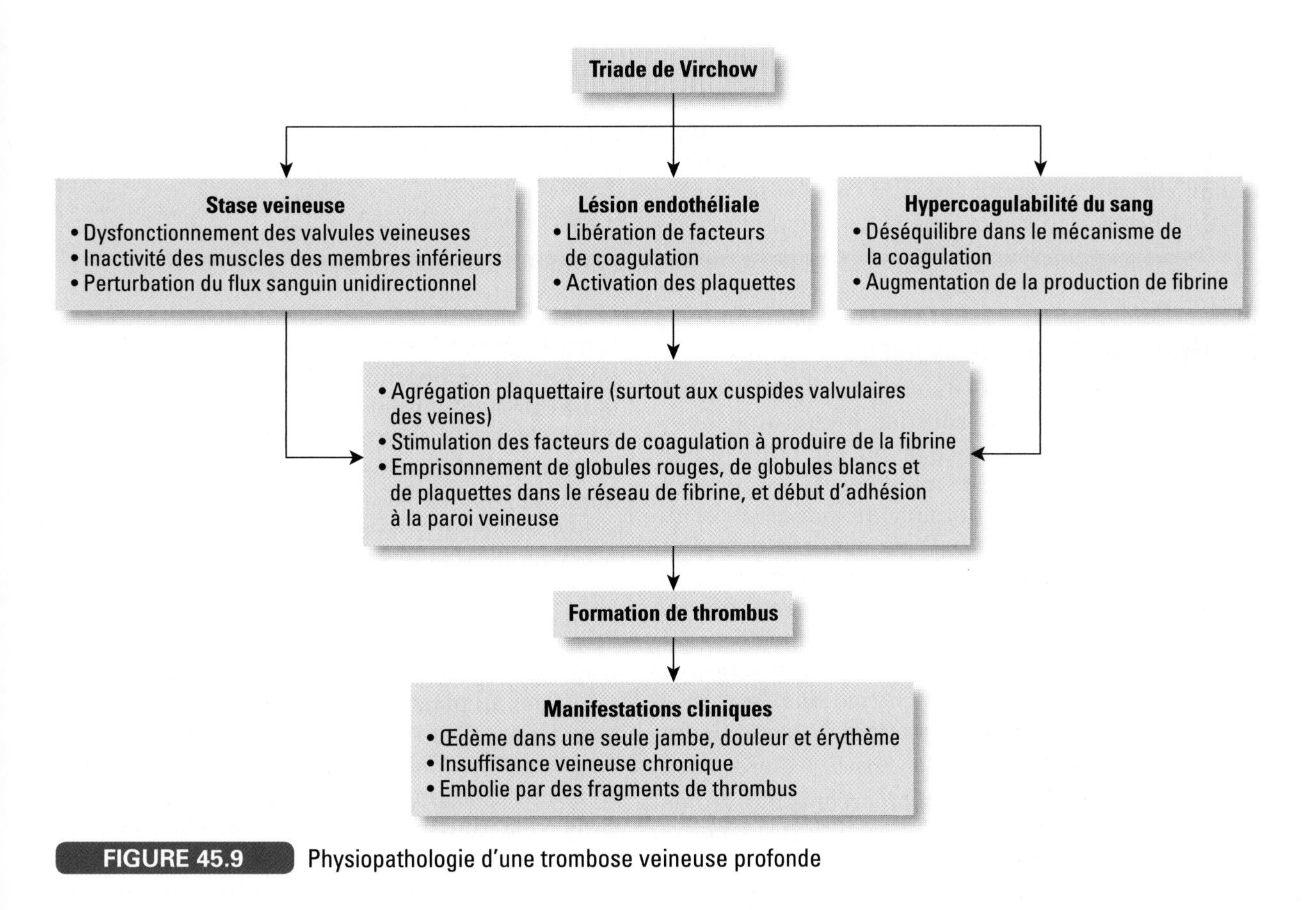

FIGURE 45.9 Physiopathologie d'une trombose veineuse profonde

Lésion endothéliale

Une lésion à la surface endothéliale de la veine peut découler d'une blessure causée directement (p. ex., une chirurgie, une cathétérisation I.V., un trauma, une fracture, des brûlures) ou indirectement (p. ex., la chimiothérapie, une sepsie, l'hyperhomocystéinémie, le diabète) au vaisseau (Reitsma *et al.*, 2012). La lésion endothéliale stimule l'activation plaquettaire et lance la cascade de coagulation, ce qui entraîne une diminution des capacités fibrinolytiques et prédispose le client à la formation d'un thrombus.

Facteurs de risque

ENCADRÉ 45.6 Thrombose veineuse profonde

STASE VEINEUSE

- Âge avancé
- Fibrillation auriculaire
- Insuffisance cardiaque chronique
- Obésité
- Chirurgie orthopédique (surtout des membres inférieurs)
- Grossesse et période postpartum
- Immobilité prolongée : repos au lit ; jambe ou hanche fracturée ; longs voyages sans exercice adéquat ; blessure à la moelle épinière ou paralysie d'un membre
- AVC
- Varices

LÉSION ENDOTHÉLIALE

- Chirurgie abdominale et pelvienne (p. ex., une chirurgie gynécologique ou urologique)
- Médicaments I.V. caustiques ou hypertoniques
- Fractures du pelvis, de la hanche ou de la jambe
- Antécédents de TVP
- Cathéter central à demeure inséré par voie périphérique
- Utilisation de drogues injectables
- Trauma

HYPERCOAGULABILITÉ DU SANG

- Syndrome des antiphospholipides
- Déficience en antithrombine III
- Tabagisme
- Déshydratation ou malnutrition
- Taux élevé de facteur VIII (coagulation) ou de lipoprotéine a [Lp(a)]
- Mutation du facteur V Leiden ou du gène de la prothrombine
- Haute altitude
- Hormonothérapie substitutive orale
- Hyperhomocystéinémie
- Néoplasie (surtout aux seins, au cerveau, au foie, au pancréas et au système gastro-intestinal)
- Syndrome néphrotique
- Contraceptifs oraux, surtout chez les femmes âgées de plus de 35 ans fumant la cigarette
- Maladie de Vaquez
- Grossesse et période postpartum
- Déficit en protéines C et S
- Sepsie
- Anémie grave

Hypercoagulabilité du sang

L'hypercoagulabilité du sang se produit dans le cas de nombreux troubles hématologiques, notamment en présence de polyglobulie, d'anémie grave, de tumeurs malignes (p. ex., les cancers du sein, du cerveau, du pancréas et du tractus gastro-intestinal), du syndrome néphrotique, d'hyperhomocystéinémie et de carence en protéines C et S. Un client souffrant de sepsie est prédisposé à l'hypercoagulabilité en raison de la libération d'endotoxines. Certains médicaments (p. ex., les corticoïdes, les œstrogènes) peuvent rendre le client à risque de formation d'un thrombus.

Les femmes en âge de procréer qui prennent des contraceptifs oraux à base d'œstrogènes ou les femmes postménopausées qui suivent un traitement d'hormonothérapie substitutive courent un risque plus élevé de faire une TVP (Reitsma *et al.*, 2012). Celles qui prennent des contraceptifs oraux et qui fument doublent leur risque, en raison des effets vasoconstricteurs de la nicotine. Fumer cause l'hypercoagulabilité en faisant augmenter les taux de fibrinogènes et d'homocystéines et en activant la séquence de coagulation intrinsèque. Les femmes âgées de plus de 35 ans qui fument, qui prennent des contraceptifs oraux et qui présentent des antécédents familiaux de TVP courent un risque très élevé de souffrir de cette maladie. Chez les femmes ayant une thrombophilie connue, les avantages de l'hormonothérapie substitutive doivent être évalués en fonction du risque d'apparition d'une TVP.

45.9.2 Physiopathologie

L'agrégation plaquettaire localisée et la fibrine prennent au piège les globules rouges et les globules blancs ainsi qu'une quantité plus grande de plaquettes pour former un thrombus. Un site fréquent de formation de thrombus est la cuspide valvulaire des veines, dans laquelle la stase veineuse se produit. À mesure que le thrombus s'agrandit, des quantités accrues de globules sanguins et de fibrine s'amassent derrière lui, produisant un plus grand caillot doté d'une queue, qui obstrue à la longue la lumière de la veine.

Lorsqu'un thrombus n'obstrue que partiellement la veine, des cellules endothéliales parviennent à le recouvrir, et le processus thrombotique cesse. Si le thrombus ne se détache pas, il subit une lyse ou il adopte une structure ferme et adhérente dans un délai de cinq à sept jours. Les thrombus structurés peuvent ensuite se détacher et entraîner une embolie. La turbulence du débit sanguin est un facteur important qui contribue au détachement du thrombus de la paroi veineuse. Le thrombus peut se transformer en embole qui afflue par la circulation veineuse jusqu'au cœur et qui se déplace dans la circulation pulmonaire pour causer une embolie pulmonaire.

45.9.3 Thrombose veineuse superficielle

Manifestations cliniques

Le client souffrant d'une TVS peut avoir une veine palpable, ferme et ayant l'apparence d'un cordon **TABLEAU 45.4**. La peau de la région entourant la veine peut être souple au toucher, rouge et chaude. Le client peut présenter une faible élévation de température, du prurit et une leucocytose. De l'œdème peut se manifester dans le membre (Scott, Mahdi, Alikhan *et al.*, 2015). Le trauma veineux causé par la canulation d'une veine ou par un traitement I.V. demeure la cause la plus fréquente de TVS. Il est plus susceptible de se produire si le cathéter est inséré dans une petite veine et laissé en place plus de 48 heures, ou si les solutions I.V. administrées sont caustiques ou visqueuses, comme le phénytoïne, ou hyperosmolaires, comme dans le cas d'hyperalimentation I.V.

À de rares occasions, il se peut qu'une infection ou qu'une TVS purulente se produise au site de perfusion I.V. Malheureusement, ce type de TVS peut ne présenter aucun signe ni symptôme. Une fièvre élevée ou une embolie pulmonaire peut être la première manifestation d'une TVS infectieuse. Une leucocytose élevée ou une hémoculture positive seront alors constatées. L'agent pathogène le plus souvent responsable est le *Staphylococcus aureus*.

Les personnes souffrant de TVS des membres inférieurs présentent des varices, surtout les femmes enceintes et les personnes obèses ayant une mobilité limitée, ou les personnes âgées ayant une insuffisance veineuse de longue date (van Langevelde *et al.*, 2011). Les autres facteurs de risque sont la thrombophilie, l'utilisation d'œstrogènes exogènes, une sclérothérapie récente (p. ex., le traitement des varices) et des antécédents de thrombose veineuse profonde. La TVS peut également survenir chez les personnes ayant subi des altérations endothéliales, comme dans le cas de la maladie de Léo Buerger, du lupus érythémateux disséminé et d'autres maladies du collagène. Une TVS qui atteint une veine en santé peut être causée par une malignité ou peut précéder la détection d'un cancer. L'examen physique permet généralement de diagnostiquer une TSV. Un doppler veineux des veines des jambes peut cependant se révéler utile pour exclure l'atteinte par le thrombus d'une veine profonde (Wilson, 2014).

Processus thérapeutique en interdisciplinarité

Le premier traitement à mettre en œuvre après une TVS liée à une perfusion consiste à retirer immédiatement le cathéter I.V. Si l'œdème persiste, il faut élever le membre afin de favoriser la réabsorption de fluide dans l'espace interstitiel de la vasculature. Appliquer de la chaleur humide peut aider à soulager la douleur et réduire l'inflammation. Des AINS oraux (p. ex., le diclofénac sodique [Voltaren^MD]), des AINS topiques (p. ex., le gel de diclofénac sodique) ou un gel topique d'héparine sont utilisés pour traiter les signes et symptômes pendant une période maximale de deux semaines. Lorsque la TVS liée à une perfusion est suppurante, il faut drainer l'abcès, exciser le tissu atteint et administrer des antibiotiques à action générale.

Le traitement initial des clients souffrant d'une TVS qui s'attaque à la grande veine saphène ou à la jonction saphénofémorale consiste à administrer de l'héparine de bas poids moléculaire (HBPM) ou de l'héparine non fractionnée (HNF) puis de la warfarine (Kearon, Akl, Comerota *et al.*, 2012). Il n'est pas recommandé de donner des AINS oraux conjointement avec des anticoagulants. Si la TVS atteint un très petit segment veineux et n'est pas à proximité de la jonction saphénofémorale, les anticoagulants ne sont pas nécessaires, et les AINS oraux ou topiques sont appropriés. Les autres interventions pour la TVS consistent à conseiller au client de porter des bas antiemboliques à compression graduelle et de faire des exercices d'intensité moyenne, comme la marche. La compression aide à réduire l'œdème, et marcher accroît la fibrinolyse endogène.

CE QU'IL FAUT RETENIR

Les manifestations d'une TVS sont la présence d'une veine palpable, ferme et ayant l'apparence d'un cordon, la rougeur et la chaleur de la peau environnante, et parfois de l'œdème au membre touché.

45.9.4 Thrombose veineuse profonde

Manifestations cliniques

La personne souffrant d'une TVP des membres inférieurs peut présenter ou non les signes et symptômes suivants : un œdème dans une seule jambe, de la douleur dans les extrémités, une sensation de lourdeur dans la cuisse ou le mollet, de la paresthésie, de l'hyperhémie, de l'érythème, une température buccale supérieure à 38 °C.

Si le mollet est atteint, la personne peut ressentir une sensibilité à la palpation. Il est possible d'évaluer le risque de TVP chez les clients à partir du questionnaire de Wells et ses collègues (2003). Les membres inférieurs peuvent être œdémateux et cyanosés lorsque la veine cave inférieure est atteinte, et que les membres supérieurs, le cou, le dos et le visage présentent des signes lorsque la veine cave supérieure est touchée (Bates, Jaeschke, Stevens *et al.*, 2012).

Complications

35

L'embolie pulmonaire est décrite dans le chapitre 35, *Interventions cliniques – Troubles des voies respiratoires inférieures.*

Les complications les plus graves de la TVP sont l'embolie pulmonaire (qui constitue alors un danger mortel), l'insuffisance veineuse chronique et la phlébite bleue (ou *phlegmatia caerulea dolens*) ▶ 35.

L'insuffisance veineuse chronique (IVC) survient chez 20 à 50 % des clients, et ce, malgré l'anticoagulothérapie. Elle résulte de la destruction valvulaire et, par conséquent, elle provoque un débit sanguin rétrograde. Cette complication se manifeste par un œdème persistant, une augmentation de la pigmentation, des varices secondaires, une ulcération et une cyanose du membre lorsqu'il est placé dans une position pendante. Souvent, les signes et symptômes de l'insuffisance veineuse chronique ne se manifesteront que de nombreuses années après une TVP (Crumley, 2011 ; Henke & Comerota, 2011).

La phlébite bleue (jambe enflée, bleue et douloureuse) est une complication très rare qui peut se manifester chez une personne dans les stades avancés du cancer. Elle résulte d'une TVP grave des membres inférieurs qui atteint les veines principales des jambes et qui entraîne une occlusion presque totale de l'écoulement dans la veine. Cette affection cause subitement un œdème massif, une douleur profonde et une cyanose intense du membre. Si elle n'est pas traitée, l'obstruction veineuse peut causer l'occlusion des artères et la gangrène et nécessiter une amputation.

Examen clinique et examens paracliniques

Le **TABLEAU 45.5** présente les divers examens paracliniques utilisés afin de déterminer le site ou l'emplacement et la gravité d'une TVP.

Examens paracliniques

TABLEAU 45.5 Thrombose veineuse profonde

EXAMENS PARACLINIQUES	DESCRIPTION ET BUTS
Tests sanguins	
Temps de coagulation activée ; temps de céphaline activée ; rapport international normalisé (RIN) ; temps de saignement ; hémoglobine (Hb) ; hématocrite (Ht) ; numération plaquettaire	• Modifications observables lorsque le client souffre de dyscrasie (p. ex., un taux plus élevé de Hb et de Ht chez le client qui souffre de polyglobulie).
D-dimère	• Fragment de fibrine formé par suite de la dégradation de la fibrine et de la lyse du caillot. Des résultats élevés évoquent une TVP. • Résultats normaux : < 500 ng/mL (< 500 mcg/L).
Complexe monomère fibrine	• Dépôt indiquant que la concentration de thrombine excède celle de l'antithrombine. Cette présence est un élément probant de la formation d'un thrombus et évoque une TVP. • Résultats normaux : < 6,1 mg/L.
Examens veineux non effractifs	
Échographie de compression veineuse	• Évaluation des veines profondes fémorales, poplitées et tibiales postérieures. • Constat normal : les veines se compriment à l'application d'une pression externe. • Constat anormal : les veines ne se compriment pas à l'application d'une pression externe, ce qui évoque un thrombus.
Échographie doppler	• Combinaison des techniques d'ultrason par compression et des images couleur et spectrales du doppler. Les veines sont examinées afin de noter les variations respiratoires, la compressibilité et les anomalies de remplissage intraluminal, pour localiser le thrombus et en déterminer l'étendue (examen le plus utilisé pour diagnostiquer les TVP).
Examens veineux effractifs	
Phlébographie par TDM	• TDM hélicoïdale servant à évaluer les veines dans le pelvis, les cuisses et les mollets après l'injection d'un produit de contraste ; utilise moins de produit de contraste que la phlébographie traditionnelle ; peut être effectuée simultanément avec une angiographie par TDM des vaisseaux pulmonaires chez les clients évalués pour une TVP.

TABLEAU 45.5 Thrombose veineuse profonde *(suite)*	
EXAMENS PARACLINIQUES	**DESCRIPTION ET BUTS**
Phlébographie par résonance magnétique	• IRM effectuée avec un logiciel spécialisé pour évaluer le débit sanguin dans les veines ; peut être fait avec ou sans produit de contraste ; grande exactitude pour les veines pelviennes et proximales ; moins exacte dans le cas des veines des mollets ; permet de faire la distinction entre un thrombus aigu et un thrombus chronique.
Phlébographie de contraste (phlébogramme)	• Détermination par rayons X de la localisation et de l'étendue du caillot à l'aide d'un produit de contraste pour faire ressortir les lacunes ; délimitation de la circulation collatérale ; était auparavant la méthode privilégiée, mais est rarement utilisée à présent.

Processus thérapeutique en interdisciplinarité

Prévention et prophylaxie

La prophylaxie de la TVP chez les personnes qui subissent une chirurgie est au cœur des soins de santé de qualité prodigués en milieu hospitalier. De plus, il est recommandé aux établissements d'établir une politique de thromboprophylaxie portant sur la prévention de la TVP chez tous les adultes admis au centre hospitalier (Bates *et al.*, 2012).

Diverses interventions sont mises en œuvre auprès des personnes à risque de faire une TVP. La mobilisation précoce et énergique, selon l'état du client, est la méthode à privilégier pour diminuer le risque de TVP. Les clients qui sont alités doivent changer de position toutes les deux heures. À moins que cela ne soit contre-indiqué, l'infirmière doit enseigner aux clients à fléchir et à étendre les pieds, les genoux et les hanches toutes les deux à quatre heures pendant l'éveil. Les personnes qui sont capables de se lever du lit doivent manger assises dans une chaise et se déplacer au moins quatre à six fois par jour, en respectant leurs limites. L'infirmière doit communiquer aux clients et à leur famille l'importance de ces mesures. Une mobilisation précoce et fréquente est une prophylaxie suffisante pour les clients à faible risque qui ont subi une chirurgie mineure et qui ne présentent aucun facteur de risque additionnel de TVP (Gould, Garcia, Wren *et al.*, 2012).

Les bas antiemboliques à compression graduelle constituent un moyen de prévention efficace des TVP (Kearon *et al.*, 2012). Bien ajustés et portés adéquatement, ces bas accroissent la vitesse du débit sanguin dans les veines, préviennent la dilatation des parois veineuses, améliorent la fonction valvulaire des veines et stimulent l'activité fibrinolytique endothéliale (Sachdeva, Dalton, Amaragiri *et al.*, 2010). Il est essentiel que l'infirmière mesure avec précision les jambes du client, obtienne les bonnes taille et longueur de bas (à la cuisse ou au genou), mette les bas adéquatement au client et enseigne leur bon usage à celui-ci et à ses proches. Les bas seront bien mis si l'ouverture pour les orteils se trouve sous ceux-ci, si la pièce pour le talon repose sur le talon, si le gousset de la cuisse repose sur l'intérieur de celle-ci (et ne dépasse pas la longueur de la cuisse) et s'il n'y a pas de plis dans le bas. Il ne faut pas rouler les bas vers le bas, les couper ou les modifier d'une quelconque façon. Les bas empêcheront le retour veineux si la bande élastique supérieure est trop serrée ou si les bas sont roulés vers le bas. Cela accroîtra en fait le risque de TVP ou de dommage à la peau. L'infirmière doit régulièrement vérifier que les clients portent bien leurs bas, que ceux-ci sont de la bonne taille et que la perfusion périphérique est adéquate. Si les jambes d'un client sont œdématiées après la chirurgie, il faudra les mesurer de nouveau et trouver des bas plus adaptés, au besoin. L'infirmière doit bien examiner la peau une fois par jour, ou plus souvent, lorsque les bas sont enlevés, selon l'état de la personne.

Les dispositifs de compression séquentielle sont des jambières gonflables appliquant une pression intermittente externe aux membres inférieurs. Ils sont souvent utilisés avec les bas antiemboliques à compression graduelle, et ils procurent des avantages semblables à ceux-ci. Tout comme pour les bas antiemboliques à compression graduelle, l'infirmière doit mesurer avec soin les membres inférieurs du client afin de s'assurer de choisir la bonne taille. Un dispositif de compression séquentielle ne procurera pas une prophylaxie efficace pour la TVP s'il n'est pas bien installé, s'il n'est pas de la bonne taille ou si le client ne le porte pas continuellement, sauf pour le bain, l'examen de la peau et pendant ses déplacements. Un client qui souffre d'une TVP doit porter un dispositif de compression séquentielle en raison du risque qu'il court de faire une embolie pulmonaire. Il est recommandé de donner un anticoagulant préventif au client qui est à risque de faire une TVP (Kakkos, Caprini, Geroulakos *et al.*, 2011). La mesure du risque repose sur un certain nombre de facteurs, notamment les antécédents médicaux, les médicaments actuels, les diagnostics et les interventions prévues.

CE QU'IL FAUT RETENIR

La mobilisation précoce et énergique est la meilleure prévention de la TVP. Le client alité doit faire des exercices des membres inférieurs. S'il peut se lever, il doit manger assis dans un fauteuil et marcher de quatre à six fois par jour.

Jugement clinique

Lucienne Larrivée a subi une chirurgie pour une fracture de la hanche gauche. Elle reçoit présentement de l'héparine par voie S.C., ainsi que de la warfarine (Coumadin[MD]) P.O. Le médecin lui a expliqué que ces deux médicaments préviennent la formation de caillots. Elle n'aime pas les injections et demande à l'infirmière pourquoi elle doit recevoir deux médicaments pour le même problème. Que devrait répondre l'infirmière ?

37

Le chapitre 37, *Évaluation clinique – Système hématologique*, traite des mécanismes de la coagulation.

Pharmacothérapie

Les anticoagulants sont utilisés systématiquement pour la prévention et le traitement des TVP. Dans le cadre des mesures préventives de ces affections, les anticoagulants visent à prévenir la formation d'un caillot. Le traitement d'une TVP confirmée vise plutôt à éviter la propagation du caillot, le développement de nouveaux thrombus et l'embolisation. Quatre grandes catégories d'anticoagulants sont offerts (Garcia, Baglin, Weitz *et al.*, 2012) : les antivitamines K, les inhibiteurs indirects de la thrombine, les inhibiteurs directs de la thrombine et les inhibiteurs du facteur Xa (Ageno, Gallus, Wittkowsky *et al.*, 2012) **TABLEAU 45.6**. Les anticoagulants ne dissolvent pas le caillot. Le système fibrinolytique du corps déclenche la lyse spontanée du caillot.

Antagonistes de la vitamine K La warfarine est un anticoagulant oral utilisé pour exercer une anticoagulation à action prolongée. La warfarine inhibe l'activation des facteurs II, VII, IX et X de coagulation qui dépendent de la vitamine K ainsi que des protéines C et S qui ont une activité anticoagulante ▶ 37. La warfarine nécessite de 48 à 72 heures avant d'influer sur le temps de prothrombine, et elle peut prendre plusieurs jours pour atteindre l'effet maximal. C'est pourquoi il est généralement nécessaire d'administrer un anticoagulant parentéral (p. ex., l'HNF ou l'HBPM) et de la warfarine pendant une période d'environ cinq jours. Le taux d'anticoagulation est surveillé quotidiennement à l'aide du RIN, qui est un système de standardisation de présentation des temps de prothrombine **TABLEAU 45.7**.

Pharmacothérapie

TABLEAU 45.6 Anticoagulothérapie

ANTICOAGULANTS	MÉDICAMENTS	VOIES D'ADMINISTRATION	COMMENTAIRES
Antagoniste de la vitamine K			
	• Warfarine (Coumadin[MD])	• P.O.	• Le RIN est utilisé pour surveiller les niveaux thérapeutiques. Administrer au même moment chaque jour. Les variations de certains gènes (p. ex., le CYP2C9, le VKORC1) peuvent avoir un effet sur la réaction au médicament. • Antidote : vitamine K.
Inhibiteurs indirects de la thrombine			
Héparine non fractionnée (HNF)	• Héparine (Hepalean[MD])	• I.V. continue • I.V. intermittente • Sous-cutanée (S.C.)	• Les effets thérapeutiques sont mesurés à intervalles réguliers au moyen du temps de céphaline activée ou du temps de coagulation activée. Surveiller l'hémogramme complet à intervalles réguliers. • Lorsqu'elle est administrée par voie S.C., l'HNF doit être injectée en profondeur dans le tissu sous-cutané (de préférence dans le tissu adipeux abdominal ou au-dessus de la crête iliaque) par l'insertion de l'aiguille au complet. Tenir le pli cutané pendant l'injection, mais le relâcher avant de retirer l'aiguille. Ne pas aspirer. Ne pas injecter par voie intramusculaire (I.M.). Ne pas frotter le site après l'injection. Alterner les sites. • La posologie est adaptée en fonction du poids du client. • Antidote : sulfate de protamine.
Héparine de bas poids moléculaire (HBPM)	• Énoxaparine (Lovenox[MD]) • Tinzaparine (Innohep[MD]) • Daltéparine (Fragmin[MD]) • Nadroparine calcique (Fraxiparine[MD])	• S.C.	• Il n'est généralement pas nécessaire de faire les tests de coagulation habituels. Surveiller l'hémogramme complet à intervalles réguliers. Ne pas évacuer les bulles d'air avant l'administration du médicament par voie S.C. Respecter les lignes directrices ci-dessus pour l'administration de l'HNF. • Il faut faire preuve d'une grande prudence avec les clients ayant des antécédents de thrombocytopénie induite par l'héparine (TIH). • La posologie est adaptée en fonction du poids du client et doit être titrée selon la fonction rénale. • La protamine inverse en partie les effets de l'HBPM.

TABLEAU 45.6 Anticoagulothérapie *(suite)*

ANTICOAGULANTS	MÉDICAMENTS	VOIES D'ADMINISTRATION	COMMENTAIRES
Inhibiteurs directs de la thrombine			
Dérivés d'hirudine	• Bivalirudin (Angiomax[MD])	• I.V. ou S.C.	• L'effet thérapeutique est mesuré au moyen du temps de coagulation activée ou du temps de céphaline activée. Ils sont utilisés chez les clients ayant une TIH lorsque l'anticoagulation est encore nécessaire. • Aucun antidote.
Inhibiteurs synthétiques de la thrombine	• Argatroban • Dabigatran etexilate (Pradaxa[MD])	• I.V.	• L'effet thérapeutique est mesuré au moyen du temps de céphaline activée. Ils sont utilisés chez les clients qui courent le risque de faire une TIH ou qui en ont déjà souffert.
Inhibiteur du facteur Xa			
	• Fondaparinux (Arixtra[MD]) • Rivaroxaban (Xarelto[MD])	• S.C.	• Les examens de coagulation habituels ne sont pas nécessaires. Surveiller l'hémogramme complet et la créatinine à intervalles réguliers. Ne pas évacuer les bulles d'air avant son administration. Respecter les lignes directrices restantes pour l'HNF. • Cet anticoagulant est approuvé pour la prophylaxie et le traitement de la TVP. Pour les clients qui subissent une chirurgie, la première dose doit être donnée au plus tôt six heures après l'intervention. Utiliser avec prudence chez les clients âgés et ceux souffrant d'une insuffisance rénale. • Il peut causer la thrombopénie. En cas de saignement non maîtrisé, un traitement avec le facteur VIIa recombinant peut être efficace.

Examens paracliniques

TABLEAU 45.7 Tests de coagulation sanguine

TEST	MÉDICAMENTS ADMINISTRÉS	VALEURS NORMALES	VALEURS THÉRAPEUTIQUES
RIN	• Antagonistes de la vitamine K (p. ex., la warfarine [Coumadin[MD]])	• 0,75-1,25	• 2-3
Temps de céphaline activée	• HNF (p. ex., l'héparine [Hepalean-Lock[MD]]) • Dérivés de l'hérudine (p. ex., la bivalirudine [Angiomax[MD]]) • Inhibiteurs synthétiques de la thrombine (p. ex., l'argatroban)	• 25-35 sec.	• 46-70 sec.
Temps de coagulation activée	• HNF • Dérivés de l'hirudine (p. ex., le danaparoïde sodique [Orgaran[MD]]) • Inhibiteurs synthétiques de la thrombine (p. ex., le dabigatran etexilate [Pradaxa[MD]]) et l'argatroban	• 70-120 sec.[a]	• > 300 sec.
Anti-facteur Xa	• HBPM (p. ex., l'énoxaparine [Lovenox[MD]]) • Inhibiteurs du facteur Xa (p. ex., le fondaparinux [Arixtra[MD]])	• 0 U/mL • 0 U/mL	• 0,6-1,0 U/mL • 0,2-1,5 U/mL

[a] Varie selon le type de système et de réactif ou d'activateur est utilisé pour les tests.

Réactivation des connaissances

Quelles sont les particularités de la technique d'injection S.C. de l'héparine?

Il faut recueillir soigneusement les antécédents médicaux du client avant de lui donner de la warfarine. Les agents antiplaquettaires (p. ex., l'acide acétylsalicylique [Aspirin[MD]]) sont généralement utilisés avec précaution lorsque celle-ci est administrée en raison du risque accru de saignement (Ageno *et al.*, 2012). D'autres médicaments interagissent avec la warfarine : les AINS, la phénytoïne (Dilantin[MD]), les barbituriques et de nombreux suppléments vitaminiques, minéraux, diététiques et à base de plantes **ENCADRÉS 45.7** et **45.9**. Un RIN thérapeutique selon la pathologie sous-jacente peut être difficile à maintenir si la teneur en vitamine K de l'alimentation du client varie souvent (p. ex., sa consommation de légumes verts). Les variations génétiques peuvent influer sur la réaction de certaines personnes à la warfarine. Il n'est cependant pas recommandé d'établir une posologie basée sur la pharmacogénétique (Guyatt, Akl, Crowther *et al.*, 2012).

Inhibiteurs indirects de la thrombine Les inhibiteurs indirects de la thrombine sont divisés en deux grandes catégories : l'héparine non fractionnée et les héparines de bas poids moléculaire. L'HNF (p. ex., l'héparine [Hepalean[MD]]) agit au moyen de

Pharmacothérapie

ENCADRÉ 45.7 Médicaments et suppléments vitaminiques, minéraux et diététiques courants interagissant avec les anticoagulants oraux[a]

PRODUITS ACCROISSANT LES EFFETS ANTICOAGULANTS

- Alcool (peut augmenter ou diminuer les effets)
- Stéroïdes anabolisants (p. ex., l'undécanoate de testostérone [Andriol[MD]])
- Analgésiques (p. ex., les salicylates [Aspirin[MD]], l'acétaminophène [Tylenol[MD]]), les AINS (p. ex., l'ibuprofène [Motrin[MD]])
- Antibiotiques (p. ex., l'azithromycine [Zithromax[MD]], les céphalosporines, la ciprofloxacine [Cipro[MD]], l'érythromycine, la pénicilline, les sulfamides, la tétracycline)
- Anticonvulsivants (p. ex., la phénytoïne [Dilantin[MD]])
- Antiarythmiques (p. ex., l'amiodarone [Cordarone[MD]], le diltiazem [Cardizem[MD]], le propranolol [Inderal[MD]])
- Agents de chimiothérapie (p. ex., le fluorouracil (Adrucil[MD]), la gemcitabine [Gemzar[MD]], le paclitaxel [Taxol[MD]])
- Hydrate de chloral (Noctec[MD])
- Cimétidine (Tagamet[MD])
- Disulfirame (Antabuse[MD])
- Diurétiques (p. ex., le métolazone [Zaroxolyn[MD]])
- Entacapone (Comtan[MD])
- Huile de poisson (acides gras oméga-3)
- Aliments : le pamplemousse et la mangue
- Isoniazide (INH)
- Lévothyroxine (Synthroid[MD])
- Hypolipidémiants : fénofibrate (Lipidil[MD]), fluvastatine (Lescol[MD]), gemfibrozil (Lopid[MD]), simvastatine (Zocor[MD])
- Oméprazole (Losec[MD])
- Hypoglycémiants oraux (p. ex., l'acarbose [Glucobay[MD]])
- Orlistat (Xenical[MD])
- Chlorhydrate de ropinirole (ReQuip[MD])
- Sulfinpyrazone (Anturan[MD])
- Citrate de tamoxifène (Nolvadex-D[MD])
- Thrombolytiques (p. ex., l'altéplase [Activase[MD]])
- L-tartarde de toltérodine (Detrol[MD])
- Trastuzumab (Herceptin[MD])
- Vitamines E
- Antifongiques (p. ex., l'itraconazole [Sporanox[MD]])

PRODUITS DIMINUANT LES EFFETS ANTICOAGULANTS

- Anticonvulsivants (barbituriques, carbamazépine [Tegretol[MD]])
- Bosentan (Tracleer[MD])
- Cholestyramine (Questran[MD])
- Œstrogène (p. ex., l'estradiol)
- Aliments : avocat, légumes verts, lait de soja, sushi avec algue
- Vaccin antigrippal
- Immonudépresseurs (p. ex., l'azathioprine [Imuran[MD]], la cyclosporine [Néoral[MD]], la mercaptopurine [Purinethol][MD])
- Mésalamine (Asacol[MD])
- Minéraux : fer, magnésium, zinc
- Raloxifène (Evista[MD])
- Rifampicine (Rifadin[MD])
- Ritonavir (Norvir[MD])
- Sédatifs (p. ex., le chlordiazépoxide (Librium[MD]))
- Sulcralfate (Sulcrate[MD])
- Ubidécarénone (coenzyme Q10)
- Vitamines C et K, multivitamines

[a] Cette liste n'est pas exhaustive.

l'antithrombine plasmatique tant sur les voies intrinsèques que sur les voies communes de la coagulation sanguine. L'antithrombine inhibe la transformation par la thrombine de fibrinogène en fibrine en ayant une incidence sur les facteurs II, IX, X, XI et XII.

L'héparine peut être administrée par voie S.C. pour la prophylaxie des TVP ou par voie I.V. continue pour leur traitement. Lorsque l'héparine est administrée par voie I.V., il faut analyser fréquemment en laboratoire l'état de la coagulation au moyen du temps de céphaline activée **TABLEAU 45.6**. La thrombocytopénie induite par héparine (TIH) est l'un des effets secondaires graves de l'héparine. Il s'agit d'une réaction immunitaire à l'héparine qui entraîne soudainement une forte réduction de la numération plaquettaire ainsi qu'une augmentation paradoxale de la thrombose veineuse ou artérielle. La TIH est diagnostiquée par la mesure de la présence d'anticorps héparine-dépendants dans le sang. Pour la traiter, il faut immédiatement cesser l'héparinothérapie et, si l'anticoagulation doit être poursuivie, administrer un anticoagulant autre que l'héparine, tel que le danaparoïde sodique (Orgaran^MD^) (Linkins, Dans, Moores *et al.*, 2012).

Les héparines de bas poids moléculaire (p. ex., l'énoxaparine [Lovenox^MD^], la daltéparine [Fragmin^MD^]) sont dérivées de l'héparine, mais leur poids moléculaire est d'environ le tiers de celui de l'héparine non fractionnée. Les HBPM ont une plus grande biodisponibilité, une relation dose-effet plus prévisible, une demi-vie plus longue, une moins grande prévalence de complications hémorragiques que les HNF, et l'ordonnance doit être adaptée selon la fonction rénale du client. En général, il n'est pas nécessaire de surveiller ni de modifier la dose des HBPM.

Inhibiteurs directs de la thrombine Les inhibiteurs directs de la thrombine sont classés comme des dérivés de l'hirudine ou comme des inhibiteurs synthétiques de la thrombine. L'hirudine est fabriquée selon la technique de l'ADN recombinant. Elle se lie spécifiquement avec la thrombine et inhibe directement sa fonction sans causer d'interaction entre les protéines plasmatiques et les plaquettes. Les dérivés de l'hirudine (p. ex., la lépirudine, la bivalirudine [Angiomax^MD^]) sont administrés par infusion I.V. continue. La lépirudine est approuvée pour la prophylaxie et le traitement des clients souffrant de TIH, tandis que la bivalirudine est approuvée pour les clients atteints de TIH qui subissent une angioplastie coronaire percutanée. L'activité anticoagulante pour les dérivés de l'hirudine est surveillée à l'aide du temps de céphaline activée ou du temps de coagulation activée **TABLEAU 45.6**. Il n'existe pas d'antidote aux dérivés de l'hirudine en cas de saignement.

L'argatroban, qui est un inhibiteur direct synthétique de la thrombine, inhibe celle-ci. Il est indiqué comme une option de rechange à l'héparine pour la prévention et le traitement de la TSH et pour les clients atteints de TIH qui nécessitent une intervention coronaire percutanée. L'activité anticoagulante est surveillée pour l'argatroban à l'aide du temps de céphaline activée ou du temps de coagulation activée. Comme ceux des dérivés de l'hirudine, les effets de l'argatroban ne sont pas réversibles.

En résumé, tous les inhibiteurs directs de la thrombine peuvent être utilisés pour anticoaguler un client s'il est atteint d'une TIH.

Inhibiteurs du facteur Xa Les inhibiteurs du facteur Xa (p. ex., le fondaparinux [Arixtra^MD^]) inhibent directement ou indirectement le facteur Xa, ce qui produit une anticoagulation rapide. Le fondaparinux est recommandé tant pour le traitement que pour la prophylaxie de la TVP. Il est administré par voie S.C. Il n'est pas nécessaire de procéder au monitorage de la coagulation ni d'ajuster sa dose, mais l'activité anticoagulante du fondaparinux peut être mesurée à l'aide des dosages anti-facteur Xa **TABLEAU 45.6**. Le facteur recombinant VIIa peut être utile si des saignements non maîtrisables se produisent. Le fondaparinux doit être utilisé avec prudence si la clairance de la créatinine est inférieure à 50 mL/min, et il est contre-indiqué si la clairance de la créatinine est inférieure à 30 mL/min (Association des pharmaciens du Canada, 2015).

Anticoagulothérapie pour la prophylaxie contre les thromboses veineuses profondes De faibles doses d'héparine non fractionnée (HNF), d'héparine de bas poids moléculaire (HBPM), de fondaparinux ou de warfarine sont prescrites en prophylaxie de la TVP. Les clients qui courent un risque moyen d'en être atteints (p. ex., à la suite d'une chirurgie majeure, gynécologique ou urologique, ou à cause d'un problème médical aigu) doivent recevoir de l'HNF, de l'HBPM ou du fondaparinux. Les clients qui courent un risque élevé de faire une TVP (p. ex., après une chirurgie orthopédique majeure, un trauma) doivent recevoir une prophylaxie à base d'HBPM, de fondaparinux ou de warfarine jusqu'à ce qu'ils obtiennent leur congé du centre hospitalier. Il est recommandé de prescrire une prophylaxie contre les TVP pour

Jugement clinique

Léandros Patakis, 48 ans, a développé une thrombose veineuse profonde à la suite d'une chirurgie pour prothèse totale du genou droit. Ayant déjà eu une résection intestinale pour colite ulcéreuse il y a deux ans, il porte depuis ce temps un sac de colostomie du côté gauche de l'abdomen. Des injections S.C. d'héparine lui sont prescrites. À quel endroit devrait-il recevoir ses injections ?

CE QU'IL FAUT RETENIR

Les clients à risque élevé de TVP, qui ont subi une chirurgie gynécologique ou orthopédique majeure, doivent recevoir un traitement prophylactique pendant une période de 35 jours après la sortie du centre hospitalier.

une période de 35 jours après la sortie du centre hospitalier aux clients à risque élevé qui subissent une chirurgie gynécologique (p. ex., pour un cancer) ou une chirurgie orthopédique majeure (p. ex., au genou entier, pour une fracture de la hanche) (Falck-Ytter, Francis, Johanson *et al.*, 2012 ; Guyatt *et al.*, 2012) ; De même, tous les clients en phase critique (p. ex., à la suite d'un trauma) doivent recevoir une prophylaxie contre les TVP pendant leur hospitalisation.

Anticoagulothérapie pour le traitement des thromboses veineuses profondes Les clients qui ont une TVP confirmée devraient être traités initialement avec l'HBPM, l'HPN ou le fondaparinux, et la warfarine. Les clients qui présentent de multiples comorbidités, des problèmes médicaux complexes ou une TVP très importante sont habituellement hospitalisés et reçoivent généralement de l'HNF par voie I.V. L'HBPM est plus recommandée que l'HNF pour la majorité des clients qui souffrent de thrombose veineuse profonde aiguë. Selon le tableau clinique, ces clients peuvent souvent être traités sans danger et efficacement en consultation externe. Le fondaparinux peut être particulièrement utile pour le traitement des clients souffrant de TVP qui ont des antécédents de thrombocytopénie induite par l'héparine.

Traitement thrombolytique des thromboses veineuses profondes Une autre option de traitement pour les clients ayant un thrombus consiste à leur administrer un médicament thrombolytique par cathéter (p. ex., l'urokinase, rtPA [altéplase]). Les thrombolytiques administrés par cathéter dissolvent directement le ou les caillots, réduisent les signes et les symptômes initiaux présentés par le client et diminuent la prévalence des problèmes veineux postphlébitiques. Par contre, ce type de traitement comporte un risque de saignement plus élevé et est réservé aux clients à haut risque d'embolie pulmonaire ou pour lesquels le traitement anticoagulant avec un antagoniste de la vitamine K est contre-indiqué. D'autres interventions par cathéter comme l'angioplastie, les endoprothèses vasculaires ou la thrombectomie mécanique utilisant un rotor rapide pour fragmenter le thrombus peuvent être effectuées conjointement avec l'administration du médicament thrombolytique.

Traitement chirurgical

La plupart des clients sont traités par anticoagulothérapie, mais il arrive que certains aient besoin d'une intervention chirurgicale. Les options chirurgicales comprennent la thrombectomie veineuse ouverte et l'interruption de la veine cave inférieure. La thrombectomie veineuse consiste à enlever un thrombus en faisant une incision dans la veine.

Les dispositifs d'interruption de la veine cave (p. ex., les filtres de Greenfield, le Vena Tech[MD] ou le TrapEase[MD]) peuvent être insérés par voie S.C. dans la veine fémorale droite ou dans la veine jugulaire interne droite. Le filtre est ouvert, et les rayons pénètrent les parois du vaisseau **FIGURE 45.10**. Ces appareils créent une obstruction sous forme de tamis qui permet de filtrer les caillots sans interrompre le débit sanguin. Ce type de traitement est utilisé lorsque les clients ne peuvent recevoir d'anticoagulothérapie ou lorsqu'ils présentent une récidive de TVP en dépit d'une anticoagulation adéquate. Il est important de noter que le filtre dans la veine cave ne protège pas le client contre une TVP, mais plutôt contre une embolie pulmonaire. Les complications après l'insertion du dispositif sont rares, mais une embolie gazeuse, une mauvaise mise en place du filtre ou son déplacement, ou la perforation de la veine cave avec un saignement rétropéritonéal peuvent survenir. Avec le temps, il arrive qu'une congestion veineuse se forme en raison de l'accumulation des caillots emprisonnés. Ces derniers peuvent obstruer le filtre et occlure complètement la veine cave, ce qui oblige à retirer le filtre et à le remplacer (Young, Tang & Hugues, 2010).

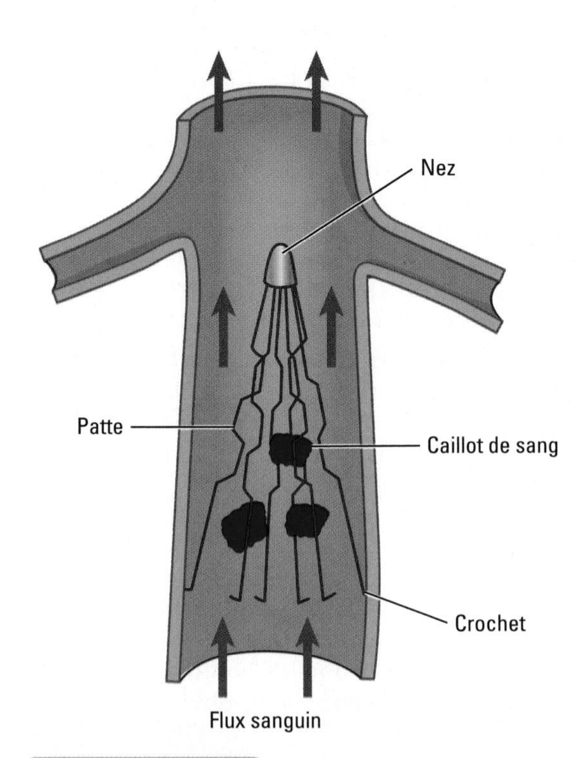

FIGURE 45.10 Interruption de la veine cave inférieure à l'aide d'un filtre en acier inoxydable de Greenfield pour prévenir l'embolie pulmonaire – Lorsque le sang remonte dans la veine cave, les caillots sont emprisonnés dans le filtre.

Soins et traitements infirmiers

CLIENT ATTEINT D'UNE THROMBOSE VEINEUSE PROFONDE

Collecte des données

L'**ENCADRÉ 45.8** présente les données objectives et subjectives à recueillir auprès d'un client souffrant d'une TVP.

Analyse et interprétation des données

Les problèmes en matière d'analyse et d'interprétation des données et de processus thérapeutique en interdisciplinarité pour le client souffrant d'une TVP sont notamment les suivants :

- une douleur aiguë liée à la congestion veineuse, à un retour veineux réduit et à l'inflammation ;
- des soins de santé inefficaces liés à un manque de connaissances sur le trouble et son traitement ;
- un risque d'atteinte à l'intégrité de la peau lié à la diminution de l'irrigation tissulaire périphérique ;
- la possibilité d'un saignement lié à l'anticoagulothérapie ;
- la possibilité d'une embolie pulmonaire liée à l'embolisation du thrombus, à la déshydratation et à l'immobilité.

Planification des soins

Les objectifs généraux pour le client qui souffre d'une TVP sont de :

- soulager la douleur ;
- réduire l'œdème ;
- préserver l'intégrité de la peau (absence d'ulcération) ;
- prévenir les saignements ;
- prévenir l'embolie pulmonaire.

Interventions cliniques

Soins en phase aiguë

Les soins infirmiers pour le client atteint d'une TVP sont axés sur la prévention de la formation d'une embolie et sur la diminution de l'inflammation. Comme il est essentiel d'avoir une anticoagulation efficace, l'infirmière doit vérifier avec le client si certains des médicaments, suppléments vitaminiques, minéraux, diététiques ou à base de plantes qu'il prend peuvent interférer avec les anticoagulants **ENCADRÉS 45.7** et **45.9**. Selon les anticoagulants prescrits, l'infirmière surveillera le RIN, le temps de céphaline activée, le temps de coagulation activée, les taux d'inhibiteurs du facteur Xa, l'hémogramme, la créatinine, les taux du facteur X,

Anticoagulothérapie

- L'infirmière doit aviser le client d'éviter de prendre de l'acide acétylsalicylique, des AINS, des suppléments d'huile de poisson, des suppléments d'ail, du Ginkgo biloba et certains antibiotiques (p. ex., le sulfaméthoxazole avec du triméthoprime [Bactrim[MD]]).
- Elle doit dire au client de signaler tout signe de saignement (p. ex., des selles noires ou sanglantes, une urine sanglante, des vomissements marc de café ou sanglants, de l'épistaxis).
- L'infirmière doit évaluer les signes de saignement (p. ex., l'hypotension, la tachycardie, l'hématurie, le méléna, l'hématémèse, les pétéchies, les ecchymoses).

Collecte des données

ENCADRÉ 45.8 Thrombose veineuse profonde

DONNÉES SUBJECTIVES

- Renseignements importants concernant la santé :
  - Antécédents de santé : trauma veineux, cathéter intravasculaire (p. ex., un cathéter central inséré par voie périphérique), varices, grossesse ou accouchement récent, bactériémie, obésité, repos au lit prolongé, rythme cardiaque irrégulier (p. ex., une fibrillation auriculaire), maladie pulmonaire obstructive chronique (MPOC), insuffisance cardiaque, cancer, troubles de la coagulation et hypercoagulabilité, lupus érythémateux disséminé, infarctus du myocarde, lésion médullaire, AVC, long voyage sans bouger, fracture osseuse récente, déshydration
  - Médicaments : œstrogènes (y compris les contraceptifs oraux, l'hormonothérapie substitutive), tamoxifène, raloxifène (Evista[MD]), corticostéroïdes, quantités excessives de vitamine E
  - Interventions chirurgicales et autres traitements : toute intervention chirurgicale récente, surtout orthopédique, gynécologique, gastrique ou urologique ; intervention chirurgicale antérieure touchant les veines ; cathéter veineux central
- Modes fonctionnels de santé :
  - Perception et gestion de la santé : consommation de drogues injectables, tabagisme, obésité
  - Activités et exercices : sédentarité
  - Perception et concept de soi : douleur dans la région à la palpation ou à l'ambulation

DONNÉES OBJECTIVES

- Observations générales : fièvre
- Système tégumentaire : membre atteint plus gros que le membre opposé ; peau tendue, luisante et chaude ; érythème, douleur à la palpation ; parfois, membre atteint sans aucun changement physique
- Système cardiovasculaire : distension et chaleur des veines superficielles dans la région atteinte ; œdème et cyanose des membres, du cou, du dos et du visage (si veine cave supérieure touchée)
- Résultats possibles aux examens paracliniques : leucocytose, coagulation anormale ; anémie, ou augmentation du taux d'hématocrite et du nombre de globules rouges ; augmentation du taux de D-dimère ; compression veineuse ou écho-doppler duplex positif ; phlébographie par TDM, phlébographie par résonance magnétique ou phlébographie de contraste positive

l'hémoglobine, le taux d'hématocrite, les taux plaquettaires ou les enzymes hépatiques. Elle doit surveiller la numération plaquettaire des clients qui reçoivent de l'HNF ou de l'HBPM pour évaluer le risque de thrombocytopénie induite par l'héparine. Elle titre les doses d'HNF, de warfarine et d'inhibiteurs directs de thrombine en fonction des résultats d'analyses et des paramètres établis par le médecin. Il faudra peut-être modifier la dose des inhibiteurs directs de la thrombine pour les clients souffrant d'un problème de rein ou du foie.

Pendant que le client est hospitalisé, l'infirmière doit exercer une surveillance et prendre des mesures pour réduire le risque de saignement durant le traitement avec des anticoagulants **ENCADRÉ 45.10**. Elle doit savoir que le risque de saignement chez les clients âgés de plus de 70 ans et qui reçoivent de l'HNF est plus élevé. De même, les clients qui prennent de la warfarine avec un RIN cible supérieur à 3,0 (p. ex., les clients qui ont une valve cardiaque mécanique) courent un risque plus élevé de saignement. Dans le cas d'une anticoagulation supérieure aux objectifs thérapeutiques, il est possible de donner du sulfate de protamine aux clients qui prennent de l'HNF ou de l'HBPM, et de la vitamine K à ceux qui prennent de la warfarine. Du plasma congelé frais peut aider à inverser les effets des inhibiteurs directs de la thrombine et des inhibiteurs du facteur Xa. Il est administré en cas de saignement abondant, car il contient de multiples facteurs de coagulation.

L'alitement avec élévation du membre atteint peut être prescrit à un client souffrant d'une TVP aiguë. Les résultats probants indiquent que l'exercice précoce comparé avec l'alitement n'augmente pas le risque à court terme d'une embolie pulmonaire chez ces clients (Young, Tang & Hughes, 2007). De plus, l'exercice précoce après une TVP fait diminuer plus rapidement l'œdème et la douleur dans le membre. L'infirmière doit enseigner au client et à ses proches l'importance de faire de l'exercice et aider le client à se déplacer plusieurs fois par jour. L'application de compresses humides et la prise d'analgésiques peuvent diminuer la douleur secondaire à la TVP. L'infirmière doit détecter les signes précoces de l'embolie pulmonaire tels que la dyspnée et la douleur thoracique.

CE QU'IL FAUT RETENIR

Au client qui a obtenu son congé, l'infirmière doit axer son enseignement sur la modification des facteurs de risque d'une TVP, l'utilisation de bas antiemboliques à compression graduelle, les directives sur la prise des médicaments et le suivi.

Soins ambulatoires et soins à domicile

L'infirmière doit axer ses conseils au client qui a obtenu son congé sur la modification des facteurs de risque d'une TVP, l'utilisation de bas antiemboliques à compression graduelle, les directives sur la prise des médicaments et le suivi. Une fois que l'œdème s'est résorbé, il faut prendre les mesures appropriées du client afin de lui faire procurer des bas antiemboliques à compression graduelle. Après une TVP, il est recommandé de porter des bas (ou des manches élastiques dans le cas d'une atteinte des membres supérieurs) pendant au moins deux ans pour soutenir les parois des veines et des valvules, et réduire l'enflure et la douleur (Crumley, 2011 ; Kearon *et al.*, 2012). L'utilisation régulière de bas antiemboliques à compression graduelle réduit la fréquence du syndrome postphlébitique (p. ex., l'insuffisance veineuse chronique).

S'il y a lieu, l'infirmière doit conseiller au client de cesser de fumer et d'éviter tous les produits contenant de la nicotine. Elle doit lui conseiller de ne pas porter de vêtements serrés. Au besoin, elle doit évaluer la possibilité avec une cliente ayant déjà fait une TVP de ne plus prendre de contraceptifs ou de cesser un traitement d'hormonothérapie substitutive. Les clients doivent éviter de rester debout ou assis sans bouger, avec les jambes pendantes. L'infirmière doit les encourager à faire de fréquents exercices de flexion des genoux et de rotation des chevilles durant les longues périodes en position assise ou debout, comme pendant les voyages en voiture ou en avion, ainsi que de s'adonner à la marche active. Aux personnes à risque élevé de faire une TVP qui prévoient faire un long voyage, elle doit recommander de porter des mi-bas antiemboliques à compression graduelle avant le départ.

Approches complémentaires et parallèles en santé

ENCADRÉ 45.9 Suppléments diététiques et suppléments à base de plantes pouvant avoir un effet sur la coagulation

RÉSULTATS PROBANTS

Il existe des résultats probants sur l'effet que certains suppléments à base de plantes et les suppléments diététiques suivants peuvent avoir sur la coagulation :

- Acides gras oméga-3
- Ail
- Camomille
- Chondroïtine sulfate
- Chou palmiste nain
- Chrysanthème matricaire
- Curcuma
- Déhydroépiandrostérone
- Gingembre
- Ginkgo biloba
- Ginseng
- Herbe à puce
- Herbe de Saint-Christophe
- Hydraste du Canada
- Levure de riz rouge
- Mélatonine
- Myrtille
- Niacine
- Soja

RECOMMANDATION POUR LA PRATIQUE INFIRMIÈRE

Il faut faire preuve de prudence avec les clients qui souffrent de troubles hémostatiques ou qui prennent des médicaments, des suppléments diététiques ou des suppléments à base de plantes, certains étant susceptibles d'augmenter le risque de saignement.

Source : Fondé sur un examen systématique des ouvrages scientifiques pouvant être consultés au www.naturalstandard.com.

Pratiques infirmières suggérées

ENCADRÉ 45.10 Intervenir auprès des clients recevant des anticoagulants

ÉVALUATION

- Surveiller les signes vitaux, selon les indications.
- Examiner l'urine et les selles afin de déceler toute présence de sang.
- Inspecter fréquemment la peau, sous tout appareil de compression.
- Évaluer la numération plaquettaire afin de déceler tout signe de thrombocytopénie induite par héparine.
- Évaluer l'atteinte des niveaux thérapeutiques cibles des tests de coagulation en laboratoire.
- Vérifier l'apparition d'ecchymoses ou d'hématomes sur les membres inférieurs lorsqu'un appareil de compression intermittente est utilisé.
- Évaluer fréquemment la présence de signes de saignement (p. ex., l'hypotension, la tachycardie) ou de caillot.
- Aviser le médecin de toute anomalie dans les évaluations, les signes vitaux ou les résultats de laboratoire.

INJECTIONS

- Minimiser les ponctions veineuses.
- Éviter les injections I.M.
- Utiliser de petites aiguilles indicatrices pour les ponctions veineuses, sauf si le traitement ordonné exige l'utilisation d'une plus grosse aiguille.
- Appliquer une pression manuelle pendant au moins 10 minutes (ou plus, au besoin) sur les sites de ponctions veineuses.

SOINS AU CLIENT

- Humidifier la source d'O_2.
- Éviter les vêtements serrés.
- Appliquer une lotion hydratante sur la peau.
- Utiliser un rasoir électrique plutôt qu'un rasoir droit.
- Prodiguer les soins physiques avec douceur.
- Dire au client de ne pas se moucher avec force.
- Éviter d'enlever ou de déplacer les caillots établis.
- Lubrifier adéquatement les drains (p. ex., le cathéter d'aspiration) avant l'insertion.
- Utiliser une brosse à dents souple.
- Changer avec soin la position du client à intervalles réguliers.
- Limiter l'utilisation d'adhésifs cutanés ; utiliser des rubans de papier au besoin.
- Administrer des laxatifs émollients pour éviter les selles dures et l'effort.
- Éviter les sangles de maintien si possible ; n'utiliser que des sangles souples et rembourrées, au besoin.
- Utiliser des coussinets de soutien, des matelas, des cerceaux de lit et des lits thérapeutiques, selon les indications.
- Mettre les bas antiemboliques à compression graduelle ou les dispositifs de compression séquentielle conformément aux directives, en faisant attention à ce qu'ils soient de la bonne taille, bien mis et bien utilisés.
- Évaluer les risques de chutes conformément à la politique de l'établissement et mettre en place des mesures de sécurité au besoin.

- Observer attentivement tout signe de saignement évident ou d'hémorragie masquée : épistaxis et saignement des gencives ; sang (visible ou masqué) dans les vomissements, l'urine, les selles, l'expectoration ; suintement ou saignement visible d'un site de trauma ou d'une incision chirurgicale ; ménorragie.
- Éviter les injections I.M.
- Évaluer les changements dans l'état mental, surtout chez les clients plus âgés, car ils peuvent être un indice de saignement au cerveau.
- Surveiller les signes d'hémorragie interne (p. ex., une baisse de la P.A., une augmentation de la fréquence cardiaque).

L'infirmière renseigne le client et sa famille sur les signes et les symptômes d'une embolie pulmonaire, comme l'apparition soudaine de dyspnée et de douleur thoracique pleurale, de tachypnée et de tachycardie, et leur conseille de se rendre à l'urgence s'ils se produisent.

L'infirmière doit bien renseigner le client et sa famille sur la dose, les mécanismes d'action et les effets secondaires des médicaments. Elle doit aussi insister sur l'importance des analyses sanguines habituelles et sur la nécessité de signaler tout symptôme ou saignement au personnel soignant **ENCADRÉ 45.11**. Des appareils permettent de surveiller le RIN à domicile. L'infirmière doit enseigner aux clients qui prennent de l'HBPM ou du fondaparinux, ou à leurs proches, comment administrer le médicament par voie S.C. Les clients actifs ou jeunes doivent éviter les sports de contact et les activités à risque élevé de traumas, comme le ski. L'infirmière enseigne aux clients plus âgés les précautions à prendre pour prévenir les chutes (p. ex., éviter d'utiliser des carpettes). Elle conseille aux clients et à leur famille d'appliquer une pression pendant 10 à 15 minutes en cas de saignement et de se rendre aux urgences si celui-ci ne cesse pas.

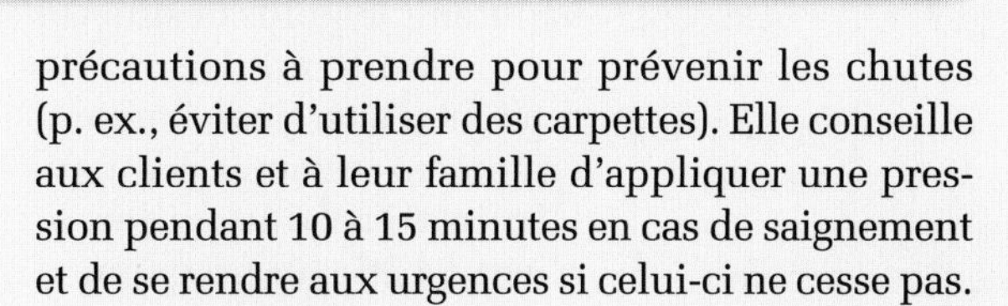

Une alimentation équilibrée est importante puisque certains nutriments, comme le calcium, la vitamine K, la vitamine E ainsi que l'alcool, ont des effets anticoagulants. L'infirmière doit conseiller aux clients qui prennent de la warfarine de consommer avec modération des aliments contenant de la vitamine K et de la vitamine E, et d'éviter des suppléments contenant ces vitamines. L'infirmière avise également de ne pas consommer des quantités excessives d'alcool et elle les encourage à bien s'hydrater.

Le client qui fait de l'embonpoint doit non seulement limiter son apport calorique, mais aussi augmenter son activité physique pour atteindre et

Enseignement au client et à ses proches

ENCADRÉ 45.11 **Anticoagulothérapie avec la warfarine**

L'enseignement au client et à ses proches sur la prise en charge de l'anticoagulothérapie devrait porter sur les aspects suivants :

- Les raisons et les mécanismes d'action de l'anticoagulothérapie, de même que la durée prévue du traitement.
- La nécessité de prendre les médicaments à la même heure tous les jours (de préférence l'après-midi ou le soir).
- Selon les médicaments prescrits, la nécessité d'assurer un suivi au moyen de tests sanguins fréquents pour évaluer leur thérapeutique et s'il faut en changer les doses.
- Préciser que les effets secondaires et les effets indésirables de la pharmacothérapie exigent une attention médicale :
  - tout saignement qui n'arrête pas après une période raisonnable de 10 à 15 minutes ;
  - du sang dans l'urine ou les selles ; des selles noires et goudronneuses ;
  - un saignement inhabituel des gencives, de la gorge, de la peau ou du nez, ou une ménorragie ;
  - des céphalées ou une douleur vive à l'estomac ;
  - de la faiblesse, des étourdissements, des changements dans l'état cognitif ;
  - des vomissements de sang ;
  - des pieds froids, bleus ou douloureux.
- Éviter tout trauma ou blessure pouvant causer un saignement (p. ex., un brossage de dents vigoureux, des sports de contact, le patin à roues alignées, l'utilisation d'un rasoir droit).
- Éviter tous les médicaments vendus sans ordonnance contenant de l'acide acétylsalicylique et les AINS.
- Limiter la consommation d'alcool (bière, vin, spiritueux).
- Porter un bracelet ou un collier MedicAlert[MD] mentionnant l'anticoagulant utilisé.
- Éviter les changements marqués dans les habitudes alimentaires, comme augmenter grandement les aliments à teneur élevée en vitamine K (p. ex., le brocoli, les épinards, le chou frisé et les légumes verts). Ne pas prendre de suppléments de vitamine K.
- Consulter son médecin avant de commencer ou d'abandonner un médicament, un supplément vitaminique, minéral, diététique ou à base de plantes.
- Informer tous les professionnels de la santé, y compris le dentiste, que le client suit une anticoagulothérapie.
- Prendre la bonne dose de médicament est essentiel, et certains clients peuvent avoir besoin de supervision (p. ex., les personnes souffrant de confusion ou de déficience cognitive).
- Se rendre immédiatement aux urgences en cas de douleur thoracique, d'essoufflement ou de palpitations, ou si le client a l'impression qu'il va s'évanouir, si le motif de l'anticoagulation est une TVP (risque de récidive sous antidépresseur tricyclique).

Jugement clinique

Julianne Taché, 26 ans, a reçu son congé du centre hospitalier après une TVP. Elle devra prendre de la warfarine jusqu'au prochain rendez-vous avec son médecin. Elle avait très hâte de quitter le centre hospitalier, car elle a une fin de semaine d'escalade prévue avec des amis depuis longtemps. Elle dit qu'elle se promet du bon temps après les journées ennuyantes de son hospitalisation. En tenant compte des particularités de la cliente, nommez trois éléments d'enseignement importants que l'infirmière doit faire avant son départ.

maintenir le poids désiré. Un programme équilibré de repos et d'exercices améliore également le retour veineux. L'infirmière doit aider le client à bâtir un programme d'exercices, par exemple axé sur la marche ou la natation. L'exercice dans l'eau est particulièrement bénéfique, parce que celle-ci exerce une pression douce et égale. Un programme d'exercices d'une durée de six mois comportant une marche quotidienne améliore la souplesse, la force et la fonction de levier des muscles des mollets et réduit le syndrome postphlébitique (Kahn, Shrier, Shapiro *et al.*, 2011).

Évaluation des résultats

Pour le client souffrant d'une TVP, les résultats escomptés à la suite des soins et des interventions cliniques sont :

- une douleur minimale ou l'absence de douleur ;
- une peau intacte ;
- l'absence de signe d'hémorragie ou de saignement occulte ;
- l'absence de signe ou de symptôme de détresse respiratoire.

45.10 | Varices

Les **varices** (ou varicosités) sont des veines sous-cutanées dilatées (≥ 3 mm de diamètre) et tortueuses qui touchent surtout les veines saphènes. Celles-ci peuvent être petites et inoffensives ou grosses et gonflées. Les varices essentielles (idiopathiques) résultent d'une faiblesse congénitale des veines et sont plus courantes chez les femmes. Les varices secondaires sont généralement occasionnées par une TVP antérieure. Celles-ci peuvent aussi se produire dans l'œsophage (varices œsophagiennes), la vulve, les cordons spermatiques (varicocèles), la région anorectale (hémorroïdes) ou à la suite d'un raccordement artérioveineux anormal. Les veines réticulaires sont de petites varices bleu-vert qui semblent plates et moins tortueuses. Les télangiectasies (aussi appelées télangiectasies en araignée) sont de très petits vaisseaux visibles, faisant généralement moins de 1 mm de diamètre, de couleur bleu-noir, mauve ou rouge.

45.10.1 Étiologie et physiopathologie

L'étiologie des varices est de nature multifactorielle. Les veines superficielles des membres inférieurs se dilatent et deviennent tortueuses en réaction à une pression accrue. Les facteurs de risque comprennent la toux chronique, la constipation, des antécédents familiaux de maladies veineuses, une faiblesse congénitale de la structure veineuse, le fait d'être une femme, la prise de contraceptifs oraux ou l'hormonothérapie substitutive, l'âge, l'obésité, la grossesse, une obstruction veineuse résultant d'une thrombose ou d'une pression extrinsèque due à une tumeur ou à un travail nécessitant de rester debout pendant une longue période. Même si l'étiologie exacte des varices n'est pas connue, il est probable que les valvules de la veine s'étirent et deviennent incompétentes (ne s'ajustent pas bien ensemble), ce qui entraîne une rétrogradation du débit sanguin, surtout en position debout, ajoute de la pression sur les veines et crée une plus grande distension.

45.10.2 Manifestations cliniques et complications

Le malaise causé par les varices varie beaucoup d'une personne à l'autre et tend à augmenter après des épisodes de TVS. De nombreux clients sont préoccupés par l'aspect inesthétique des varices. Le symptôme le plus courant est une sensation de lourdeur ou de douleur après une période prolongée en position debout, qui peut être soulagée par la marche ou l'élévation du membre. Certains clients éprouvent une pression dans le membre ou se plaignent d'une sensation de démangeaison, de brûlure ou de crampe. De l'œdème aux jambes ou des crampes nocturnes peuvent se produire.

La TVS est la complication la plus fréquente des varices, et elle peut se produire spontanément ou après un trauma, une intervention chirurgicale ou une grossesse. Bien qu'elle soit rare, une rupture de varice peut survenir et entraîner un saignement extériorisé et une ulcération de la peau.

Jugement clinique

Samuela Sardi, 39 ans, est caissière dans une épicerie. Elle a quatre enfants. Elle présente des varices aux deux jambes, ce qu'elle trouve totalement inesthétique. Elle ne porte jamais de pantalons et comme elle est très fière, elle vous demande conseil quant à un traitement de sclérothérapie.
Que lui suggérez-vous ?

45.10.3 Examen clinique et processus thérapeutique en interdisciplinarité

L'apparence des varices superficielles suffit pour poser un diagnostic. Un doppler veineux permet de déceler avec une assez grande précision toute obstruction ou tout reflux dans le système veineux. Il s'agit de la méthode la plus souvent utilisée pour diagnostiquer les varices profondes.

En général, il n'y a pas de traitement recommandé si les varices ne sont qu'un problème esthétique. Par contre, si une incompétence du système veineux se manifeste, les soins recommandés sont le repos avec le membre atteint en position surélevée, le port de bas antiemboliques à compression graduelle et la pratique d'exercices, par exemple la marche. Le sujet de l'insuffisance veineuse chronique est traité plus loin dans ce chapitre.

La sclérothérapie comporte l'injection d'une substance qui détruit les télangiectasies, les veines réticulaires et les petites varices superficielles ayant un diamètre inférieur ou égal à 5 cm **FIGURE 45.11**. Les agents sclérosants couramment utilisés comprennent une solution saline hypertonique, une solution saline contenant aussi du dextrose hypertonique, du sodium morrhuate, de la glycérine, du tétradécyl-sulfate de sodium ou du polidocanol. L'injection directe par voie I.V. d'un agent sclérosant produit l'inflammation et entraîne une thrombose de la veine. Cette intervention peut être effectuée dans le cabinet d'un médecin et cause peu de malaise. Les effets secondaires possibles sont le prurit, la douleur, la vésication, un œdème, une hyperpigmentation, une nécrose, la récurrence des varicosités, une TVS, des troubles de la vue ou une TVP (Tisi, Beverley & Rees, 2011). Après l'injection, le client met des bas antiemboliques à compression graduelle à la hauteur de la cuisse, ou un bandage élastique est appliqué sur les jambes ; le client les porte pendant plusieurs jours pour maintenir une pression sur la veine. Leur port à long terme est conseillé pour aider à prévenir la formation d'autres varicosités.

CE QU'IL FAUT RETENIR

Les varices touchent surtout les veines saphènes. Leur étiologie est multifactorielle. La TVS en est la complication la plus courante.

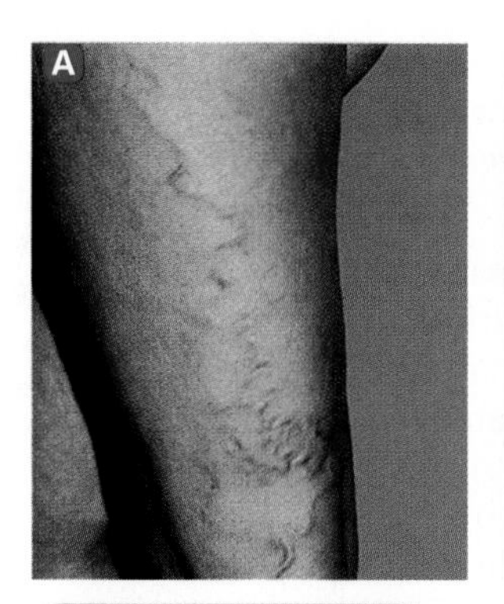

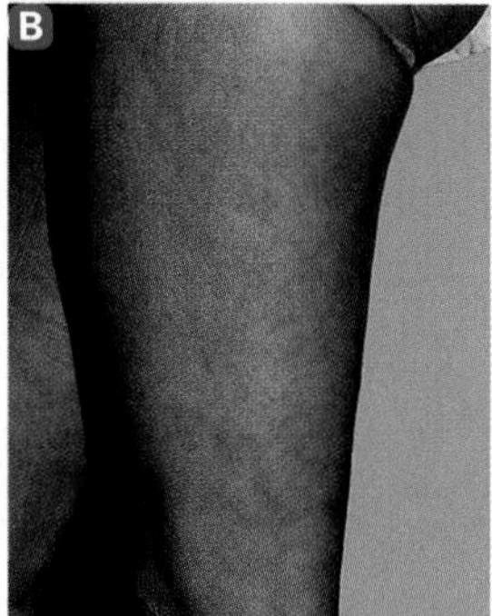

FIGURE 45.11 Varices et traitement par sclérothérapie – A Avant le traitement. B Apparence clinique deux ans et demi après le traitement.

D'autres nouvelles options plus coûteuses, mais non effractives pour le traitement des télangiectasies incluent le traitement au laser et le traitement à la lumière pulsée intense. Ils sont indiqués pour les petites télangiectasies isolées ou chez les clients pour lesquels la sclérothérapie est contre-indiquée ou a été inefficace dans le passé. Le traitement au laser nécessite généralement plusieurs séances, espacées de 6 à 12 semaines. Les lasers vasculaires chauffent l'hémoglobine dans les vaisseaux, entraînant ainsi une thermocoagulation qui cause la sclérose des vaisseaux. Le traitement par lumière pulsée s'apparente au traitement au laser, mais utilise la lumière plutôt qu'une longueur d'onde unique. Les effets secondaires possibles associés à ces traitements sont la douleur, la vésication, l'hyperpigmentation et les érosions superficielles.

Une intervention chirurgicale est indiquée dans les cas de TVS récurrentes ou lorsqu'une insuffisance veineuse chronique ne peut être maîtrisée à l'aide d'une thérapie classique. L'intervention chirurgicale classique consiste à ligaturer toute la veine (habituellement la grande veine saphène), puis à disséquer et à extraire les veines tributaires incompétentes. Une autre technique qui peut être utilisée, même si elle est chronophage, est la phlébectomie ambulatoire, qui consiste à dégager la varicosité par une incision au scalpel suivi d'une excision de la veine. Cette méthode peut entraîner des complications comme un saignement, des ecchymoses et une infection. Chez près de 30 % des clients, une nouvelle veine se forme en remplacement de celle qui a été enlevée.

Une nouvelle technique moins effractive consiste en l'ablation endoveineuse de la veine saphène au moyen d'un cathéter qui dégage de l'énergie, ce qui cause la chute et la sclérose de la veine (Nesbitt, Eifell, Coyne *et al.*, 2011). Parmi les complications possibles, il y a les ecchymoses, une dureté le long de la veine, la reperméation (réouverture de la veine) et la paresthésie. L'ablation endoveineuse peut aussi être faite en combinaison avec une ligature de la jonction saphénofémorale ou une phlébectomie. Une phlébectomie effectuée par transilluminateur comporte l'utilisation d'un résecteur mécanique de tissus pour détruire les varices et enlever les morceaux par aspiration.

Soins et traitements infirmiers

CE QU'IL FAUT RETENIR

La prévention est essentielle en ce qui a trait aux varices. Le client doit éviter de rester assis ou debout longtemps, maintenir un poids santé, marcher chaque jour et prendre des précautions contre les blessures aux membres.

CLIENT ATTEINT DE VARICES

La prévention est essentielle en ce qui a trait aux varices. L'infirmière doit recommander au client de ne pas s'asseoir ni rester debout pendant de longues périodes, de maintenir un poids santé, de prendre des précautions contre les blessures aux membres, d'éviter de porter des vêtements trop serrés et de marcher chaque jour.

L'infirmière doit encourager le client qui a subi une ligature veineuse à faire des exercices de respiration profonde pour favoriser le retour veineux. Elle doit vérifier régulièrement la coloration des membres, leur mobilité, leur sensation, leur température, la présence d'œdème et la qualité du pouls pédieux. Les ecchymoses et la décoloration sont des signes normaux. En phase postopératoire, les membres sont élevés à un angle de 15° pour empêcher la formation d'un œdème. Le client porte des bas antiemboliques à compression graduelle pendant des périodes de huit heures avec de brèves pauses pendant lesquelles il les enlève.

Le traitement à long terme des varices est axé sur l'amélioration de la circulation et de l'apparence esthétique, le soulagement des malaises et la prévention des complications et de l'ulcération. Les varices peuvent réapparaître dans d'autres veines après la ligature d'une veine. L'infirmière doit enseigner au client comment utiliser les bas antiemboliques à compression graduelle faits sur mesure et la façon de les entretenir. Elle doit lui montrer comment les mettre le matin avant de se lever du lit. Certains clients utiliseront aussi des dispositifs de compression séquentielle à la maison pour contrer l'œdème. L'importance d'élever régulièrement les jambes au-dessus du cœur doit être soulignée. Le client souffrant d'embonpoint peut avoir besoin d'aide pour perdre du poids, alors qu'il faut encourager le client dont l'emploi exige des périodes prolongées en position debout à fléchir ses hanches, ses jambes et ses chevilles, ainsi qu'à changer de position aussi fréquemment que possible.

45.11 Insuffisance veineuse chronique et ulcères de jambe veineux

L'**insuffisance veineuse chronique (IVC)** est un problème médical courant chez les personnes âgées ; il s'agit d'un endommagement des valvules des veines qui occasionne un débit sanguin rétrograde, une augmentation du sang dans les jambes et de l'œdème. L'IVC, qui pourrait se produire à la suite d'épisodes antérieurs de TVP, peut mener à des **ulcères de jambe veineux** (antérieurement appelés ulcères de stase ou ulcères variqueux). Même si l'IVC et les ulcères de jambe veineux ne mettent pas la vie en danger, ils sont douloureux et débilitants et donnent lieu à des états chroniques coûteux qui nuisent à la qualité de vie des clients.

45.11.1 Étiologie et physiopathologie

L'IVC peut être causée par l'incompétence des valvules d'une veine, l'obstruction d'une veine profonde, une malformation veineuse congénitale ou une fistule artérioveineuse (Raju & Neglen, 2009). Le problème de base est le mauvais fonctionnement des valvules des veines profondes. Dans ce cas, la pression hydrostatique dans les veines augmente, ce qui entraîne une transsudation du liquide et des globules rouges contenus dans les capillaires et les veinules vers les tissus causant la formation d'un œdème au membre inférieur. Les enzymes contenus dans le tissu dissolvent graduellement les globules rouges, entraînant la libération d'hémosidérine, qui cause une décoloration brunâtre de la peau. Avec le temps, la peau et le tissu sous-cutané autour de la cheville sont remplacés par un tissu fibreux, qui rend la peau épaisse, durcie et contractée.

Bien que les causes de l'IVC soient connues, la physiopathologie exacte des ulcères veineux n'est pas connue. Ceux-ci donnent lieu à une augmentation des cytokines, à une baisse de la fibrinolyse, à de l'inflammation, à des manchons de fibrine péricapillaire et à l'emprisonnement des globules blancs.

45.11.2 Manifestations cliniques et complications

La peau de la jambe inférieure d'une personne qui souffre d'IVC est tannée, et son aspect est brunâtre et dur en raison de la présence d'hémosidérine. L'œdème est généralement présent depuis un long moment. De l'eczéma, ou dermatite de stase, est souvent présent, et les personnes atteintes se plaignent fréquemment de prurit. La température de la peau dans la région de la cheville est aussi plus élevée.

L'ulcère veineux se forme habituellement autour de la malléole **FIGURE 45.12** et **TABLEAU 45.2**. Il est souvent très douloureux, surtout en présence d'un œdème ou d'une infection. La douleur peut être pire lorsque la jambe est pendante. Tant que l'ulcère n'est pas traité, la plaie augmente en largeur et en profondeur, ce qui accroît la probabilité d'une infection de la plaie et de cellulite. Des épisodes récurrents de cellulite peuvent entraîner la destruction des vaisseaux lymphatiques superficiels et causer la formation d'un lymphœdème secondaire (Collins & Seraj, 2010). Dans de très rares cas, il faut parfois amputer le membre atteint d'une IVC grave si des ulcères de longue date ne guérissent pas.

45.11.3 Processus thérapeutique en interdisciplinarité

La compression est essentielle dans le traitement d'une IVC ainsi que pour la guérison et la prévention de la réapparition d'un ulcère veineux. Il existe diverses options, notamment des bandages élastiques, des bas antiemboliques à compression graduelle faits sur mesure, des bandages tubulaires élastiques de soutien, des bandages velcro (Circ-Aid[MD]), des dispositifs de compression séquentielle, un bandage avec pâte (botte d'Unna) et bande élastique, et des systèmes multicouches de trois ou quatre couches (p. ex., le système Profore[MD]) ▶ MS 7.3. Chaque option comporte des avantages ; l'infirmière doit choisir celle qui est la plus appropriée à la situation particulière du client. Avant de commencer un traitement de compression, l'infirmière doit évaluer l'état artériel du client pour s'assurer qu'il n'y a pas d'artériopathie périphérique coexistante. Un ITB inférieur à 0,9 suggère la présence d'une artériopathie périphérique et indique que le client ne devrait pas utiliser une option de traitement à compression élevée.

Les pansements humides sont à la base du soin des plaies. Il y en a différents types, soit les pansements transparents, les hydrocolloïdes, les hydrogels, les mousses, les alginates de calcium, les gazes hydrophiles imprégnées, les gazes hydrophiles humectées de solution saline et les pansements combinés. Utilisés conjointement avec la compression, les pansements humides accélèrent plus efficacement la guérison des ulcères veineux des jambes que les pansements secs (Palfreyman, Nelson, Lochiel *et al.*, 2010) ▶ 12.

L'infirmière doit évaluer l'alimentation d'un client ayant un ulcère veineux. Une alimentation équilibrée comprenant suffisamment de protéines, de calories et d'oligoéléments est essentielle à la guérison. Les oligoéléments les plus importants sont les protéines, les vitamines A et C et le zinc. Le client doit privilégier les aliments riches en protéines (p. ex., la viande, les légumineuses, le fromage et le tofu), en vitamine A (les légumes verts), en vitamine C (les agrumes, les tomates et le cantaloup) et en zinc (la viande, les fruits de mer). Les clients qui font du diabète doivent maintenir une glycémie normale pour aider la guérison.

Ulcère de jambe veineux : Plaie chronique avec perte de substance pouvant aller de la peau jusqu'à l'os. Il est d'étendue variable, provoqué ou d'apparition insidieuse, ne guérit pas de lui-même et siège le plus souvent à la jambe.

MS 7.3

Méthodes liées aux soins des plaies : *Thérapie compressive veineuse par bandage.*

12

Le chapitre 12, *Inflammation et soin des plaies,* traite des hydrocolloïdes et autres pansements.

Comment un milieu humide favorise-t-il la cicatrisation d'une plaie ?

Réactivation des connaissances

Qu'est-ce que le débridement? Quel en est le but?

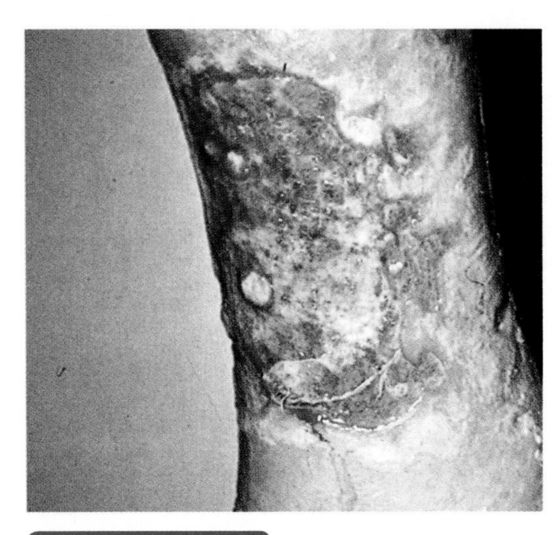

FIGURE 45.12 Ulcère veineux

Les personnes obèses souffrant d'une IVC sans ulcère veineux actif devraient envisager de suivre une diète pour perdre du poids.

Une antibiothérapie systématique n'est pas indiquée. Une infection d'un ulcère veineux peut être signalée par: un changement dans la quantité, la couleur ou l'odeur du drainage; la présence de pus; un érythème des bords de la plaie; un changement dans la sensation autour de la plaie; de la chaleur autour de la plaie; une augmentation de la douleur ou de l'œdème local, ou les deux; un bourgeon charnu de couleur foncée; une induration autour de la plaie; la cicatrisation retardée; la cellulite. S'il y a des signes d'infection, l'infirmière doit obtenir un prélèvement de culture avant d'entreprendre une antibiothérapie. Une infection est habituellement traitée au moyen d'un débridement, d'une excision de la plaie et de l'administration d'antibiotiques à action systémique. Divers pansements antimicrobiens peuvent être appliqués sur des ulcères veineux infectés, notamment ceux d'iode cadexomérique, d'argent et de mousse d'alcool polyvinylique bactériostatique.

Si la plaie ne guérit pas à l'aide d'un traitement classique, le recours à des médicaments comme la pentoxifylline ou la fraction flavonoïque purifiée micronisée est possible (Gloviczki, Comerota, Dalsing *et al.*, 2011). D'autres traitements comprennent la couverture avec une greffe de peau mince, un autogreffon de cultures épithéliales, une allogreffe ou de la peau résultant de manipulations biogénétiques comme Dermagraft^MD. Avant la greffe, il faut procéder au débridement de l'ulcère, à l'enlèvement des varicosités et à la ligature des veines ▶ 32. Les greffes peuvent faciliter la guérison, mais la compressothérapie à vie demeure tout de même essentielle.

32

Le chapitre 32, *Interventions cliniques – Brûlures*, traite de la greffe de peau.

Soins et traitements infirmiers

CLIENT ATTEINT D'UNE INSUFFISANCE VEINEUSE CHRONIQUE OU D'ULCÈRES DE JAMBE VEINEUX

CE QU'IL FAUT RETENIR

La compression (p. ex., avec des bas antiemboliques) est essentielle dans le traitement de l'IVC. Mais auparavant, il faut s'assurer que le client ne présente pas d'artériopathie périphérique coexistante.

Dans le cadre des soins à long terme des ulcères veineux de jambe, l'infirmière doit enseigner au client l'autoadministration des soins, car les ulcères peuvent réapparaître (St-Cyr, 2013). Elle doit aviser le client et ses proches d'éviter tout trauma aux membres et leur montrer comment bien prendre soin de la peau. Elle doit aussi enseigner la bonne technique pour mettre les bas antiemboliques à compression graduelle et souligner l'importance de les remplacer régulièrement. Enfin, elle doit expliquer les recommandations pour l'activité physique et la position correcte des membres.

Pour éviter tout trauma additionnel au membre atteint, il faut prendre bien soin du pied et de la jambe. Les clients qui souffrent d'une IVC ont la peau sèche, squameuse et prurigineuse en raison de la dermatite de stase. Appliquer un hydratant tous les jours diminue le prurit et prévient les crevasses de la peau. Une dermatite de stase peut se produire si la peau est en contact avec des produits sensibilisateurs tels que: des agents antibactériens (p. ex., la gentamicine, la néomycine); des additifs sur les bandages ou les pansements (p. ex., les agglutinants); des onguents contenant de la lanoline, des alcools, de la benzocaïne; et des crèmes ou des lotions offertes en vente libre contenant un parfum ou des agents de conservation. Ces produits sont donc à éviter. L'infirmière doit examiner la plaie à chaque changement de pansement afin de s'assurer qu'il n'y a pas de signe d'infection.

L'infirmière doit conseiller aux clients souffrant d'IVC, avec ou sans ulcère veineux, d'éviter de rester debout ou assis pendant de longues périodes. Se tenir debout ou assis avec les jambes pendantes diminue l'irrigation sanguine de la peau autour de l'ulcère et le taux d'oxygène. Elle recommande aussi aux clients qui ont un ulcère veineux d'élever les jambes au-dessus du cœur pour réduire l'œdème. Elle encourage les clients à marcher chaque jour une fois que l'ulcère est guéri. Les clients doivent porter tous les jours des bas antiemboliques à compression graduelle selon une ordonnance et les remplacer tous les quatre à six mois pour réduire la survenance de l'IVC.

Analyse d'une situation de santé — Jugement **clinique**

Tim Baker est âgé de 60 ans et pèse 103 kg. Il est hospitalisé dans une unité de chirurgie, car il a été opéré trois jours plus tôt pour une résection du colon sigmoïde en raison d'une tumeur cancéreuse. Une colostomie a dû être pratiquée. En phase postopératoire, il se plaint de douleur abdominale et il dit être incommodé par la sonde nasogastrique. Voilà pourquoi il se déplace peu et refuse de faire sa toilette au lavabo. Vers 10 h 15, il avise un préposé aux bénéficiaires qu'il a des croûtes dans les narines; il arrive à les enlever malgré la sonde nasogastrique, mais il a des saignements par la suite.

Hier, l'infirmier a remarqué que le client présentait une douleur au mollet gauche à la palpation. Sa jambe est rouge et chaude. À la suite d'une phlébographie par échodoppler, le médecin a diagnostiqué une TVP nécessitant un traitement à l'héparine I.V. ◀

MISE EN ŒUVRE DE LA DÉMARCHE DE SOINS

Collecte des données – Évaluation initiale – Analyse et interprétation

1. En plus de celles déjà constatées, citez trois autres manifestations locales à la jambe gauche que l'infirmier devait rechercher au cours de l'évaluation clinique de monsieur Baker.
2. Nommez deux facteurs qui ont prédisposé monsieur Baker à une TVP.
3. Justifiez l'inscription du problème prioritaire numéro 2 dans l'extrait du plan thérapeutique infirmier (PTI) de monsieur Baker.

Extrait

CONSTATS DE L'ÉVALUATION								
Date	Heure	N°	Problème ou besoin prioritaire	Initiales	RÉSOLU / SATISFAIT			Professionnels / Services concernés
					Date	Heure	Initiales	
2016-04-15	*09:00*	*2*	*Signes et symptômes de TVP*	*H.L.*				

Signature de l'infirmière	Initiales	Programme / Service	Signature de l'infirmière	Initiales	Programme / Service
Hugo Larson	*H.L.*	*Unité de chirurgie*			

4. En tenant compte du fait que monsieur Baker est anticoagulé et qu'il enlève les croûtes qu'il a dans les narines, quel autre problème prioritaire pouvez-vous ajouter dans l'extrait de son PTI ? Justifiez votre réponse.

Extrait

CONSTATS DE L'ÉVALUATION								
Date	Heure	N°	Problème ou besoin prioritaire	Initiales	RÉSOLU / SATISFAIT			Professionnels / Services concernés
					Date	Heure	Initiales	
2016-04-15	*09:00*	*2*	*Signes et symptômes de TVP*	*H.L.*				
	10:00	*3*						

Signature de l'infirmière	Initiales	Programme / Service	Signature de l'infirmière	Initiales	Programme / Service
Hugo Larson	*H.L.*	*Unité de chirurgie*			

Récemment vu dans ce chapitre

En plus d'administrer l'héparine I.V. telle que prescrite, quelles interventions l'infirmière peut-elle mettre en place pour soulager les manifestations de TVP chez monsieur Baker ? Nommez-en au moins deux.

Planification des interventions – Décisions infirmières

5. Pour le problème prioritaire numéro 2, inscrivez une directive s'adressant à l'infirmière auxiliaire pour que celle-ci participe à la surveillance clinique de ce problème présenté par monsieur Baker.

Extrait

CONSTATS DE L'ÉVALUATION								
Date	Heure	N°	Problème ou besoin prioritaire	Initiales	RÉSOLU / SATISFAIT			Professionnels / Services concernés
					Date	Heure	Initiales	
2016-04-15	*09:00*	*2*	*Signes et symptômes de TVP*	*H.L.*				
	10:00	*3*						

SUIVI CLINIQUE							
Date	Heure	N°	Directive infirmière	Initiales	CESSÉE / RÉALISÉE		
					Date	Heure	Initiales
2016-04-15	*09:00*	*2*					

Signature de l'infirmière	Initiales	Programme / Service	Signature de l'infirmière	Initiales	Programme / Service
Hugo Larson	*H.L.*	*Unité de chirurgie*			

6. Précisez la directive que l'infirmier a inscrite dans l'extrait du PTI ci-dessous pour le problème prioritaire numéro 3 afin qu'une surveillance clinique plus spécifique soit mise en œuvre.

Extrait

CONSTATS DE L'ÉVALUATION								
Date	Heure	N°	Problème ou besoin prioritaire	Initiales	RÉSOLU/SATISFAIT			Professionnels/ Services concernés
					Date	Heure	Initiales	
2016-04-15	*09:00*	*2*	*Signes et symptômes de TVP*	*H.L.*				
	10:00	*3*						

SUIVI CLINIQUE							
Date	Heure	N°	Directive infirmière	Initiales	CESSÉE/RÉALISÉE		
					Date	Heure	Initiales
2016-04-15	*09:30*	*2*		*Vos initiales*			
	10:00	*3*	*Vérifier si présence de sang.*	*D.Z.*			

Signature de l'infirmière	Initiales	Programme / Service	Signature de l'infirmière	Initiales	Programme / Service
Hugo Larson	*H.L.*	*Unité de chirurgie*			
Djamil Zenouda	*D.Z.*	*Unité de chirurgie*			

Récemment vu dans ce chapitre

Les manifestations de la TVP de monsieur Baker se sont résorbées. Le médecin a débuté le traitement avec la warfarine que le client devra poursuivre à la maison. En prévision du congé, l'infirmière a inscrit dans les directives infirmières du PTI de faire une référence à la nutritionniste. Justifiez cette décision.

Évaluation des résultats – Évaluation en cours d'évolution

7. Nommez au moins cinq manifestations cliniques indiquant que monsieur Baker a développé une complication secondaire à la TVP.

APPLICATION DE LA PENSÉE CRITIQUE

Dans l'application de la démarche de soins auprès de monsieur Baker, l'infirmier a recours aux éléments du modèle de la pensée critique pour analyser la situation de santé du client et en comprendre les enjeux. La **FIGURE 45.13** résume les caractéristiques de ce modèle en fonction des données de ce client, mais elle n'est pas exhaustive.

VERS UN JUGEMENT CLINIQUE

CONNAISSANCES

- Physiopathologie de la TVP
- Facteurs de risque de TVP et d'embolie pulmonaire
- Stades de coagulation et signes d'hémorragie
- Signes et symptômes de TVP, de détresse respiratoire et d'embolie pulmonaire
- Particularités et complications possibles de l'anticoagulothérapie
- Valeurs normales du temps de céphaline activée, temps de coagulation activée, D-dimère et valeur recherchée pour le RIN

EXPÉRIENCES

- Soins aux clients souffrant de problèmes vasculaires
- Expérience en chirurgie et en médecine vasculaire
- Expérience en interventions et situations de soins critiques

NORMES

- Suivi standard local postrésection intestinale avec colostomie
- Protocole d'héparine

ATTITUDES

- Éviter de faire des reproches à monsieur Baker parce qu'il est réticent à se lever et à faire ses autosoins
- Éviter de susciter la peur des complications emboliques possibles en insistant sur la gravité de celles-ci

PENSÉE CRITIQUE

ÉVALUATION

- Signes vitaux
- Signes et symptômes de complications liés à la mobilité restreinte de monsieur Baker
- Signes et symptômes de TVP et d'embolie pulmonaire
- Signes neurovasculaires à la jambe gauche
- Résultats des analyses de laboratoire (temps de céphaline activée, temps de coagulation activée, D-dimère, RIN et autres tests de coagulation s'il y a lieu)
- Raisons invoquées par le client pour ne pas se déplacer davantage
- Signes de complications liées à l'anticoagulothérapie (présence de sang dans les selles et les urines, saignements prolongés à la suite d'une blessure, épistaxis)

JUGEMENT CLINIQUE

FIGURE 45.13 Application de la pensée critique à la situation de santé de monsieur Baker

A

Abcès pulmonaire : Cavité qui se forme dans le parenchyme pulmonaire et qui contient du matériel purulent. Il se forme par suite de la nécrose de tissu pulmonaire.

Accommodation : Modifications oculaires adaptatives permettant d'assurer la netteté des images pour des distances différentes de vision.[2]

Acné vulgaire : Maladie inflammatoire chronique de la peau caractérisée par l'éruption de papules ou de pustules. Il s'agit de l'affection cutanée la plus courante chez les adolescents.[37]

Acouphène : Impression auditive correspondant à la perception d'un son et ressemblant à un tintement, un sifflement ou un bourdonnement, sans qu'il y ait de véritables sons arrivant dans l'oreille.[1]

Acrochordon : Petite papule de couleur chair, dont l'apparition est liée au vieillissement et à l'obésité.

Action chronotrope négative : Action qui diminue la vitesse de conduction au myocarde et ralentit la fréquence cardiaque.

Action inotrope : Action qui augmente la force de contraction cardiaque.

Adénoïdectomie : Excision des amygdales et des végétations adénoïdes.

Agent cycloplégique : Médicament utilisé pour dilater la pupille. Il s'agit d'un anticholinergique qui produit une paralysie de l'accommodation (cycloplégie) en bloquant l'effet de l'acétylcholine sur les muscles du corps ciliaire.

Agent mydriatique : Médicament utilisé pour dilater la pupille. Il s'agit d'un agoniste alpha-adrénergique qui dilate la pupille en contractant le muscle dilatateur de l'iris.

Allèle : L'une des formes que peut prendre un gène occupant un locus particulier sur un chromosome.

Allogreffe ou homogreffe : Greffe pratiquée entre deux individus appartenant à la même espèce animale, mais génétiquement différente.[1]

Alopécie : Chute totale ou partielle des cheveux ou des poils attribuable à l'âge, à des facteurs génétiques ou faisant suite à une affection locale ou générale.[3]

Alopécie de traction : L'alopécie de traction désigne la perte de cheveux dans certaines zones du cuir chevelu causée par la traction permanente imposée par des tresses serrées ou par d'autres types de coiffures, notamment une queue de cheval.[4]

Amblyopie : Faiblesse de l'acuité visuelle, sans qu'il y ait une cause oculaire connue.[1]

Amygdalectomie : Ablation des deux amygdales situées à l'arrière-gorge.[5]

Anaphylaxie : Réaction allergique grave accompagnée de difficultés respiratoires et circulatoires mettant en danger la vie de la personne.

Anastomose : Technique utilisée pour contourner un obstacle sur la voie digestive.

Anastomoser : Faire communiquer, réunir par anastomose ; pratiquer une anastomose.[6]

Anémie : Diminution du taux d'hémoglobine (pigment des globules rouges assurant le transport de l'oxygène des poumons aux tissus) dans le sang.[2]

Anémie aplasique : Cette maladie rare survient quand la moelle osseuse ne produit plus assez de cellules souches sanguines. Ainsi, il n'y a pas seulement un manque de globules rouges, mais aussi de globules blancs et de plaquettes sanguines. Dans 50 % des cas, l'anémie aplasique est causée par des agents toxiques, certains médicaments ou une exposition à des radiations. Elle peut aussi s'expliquer par de graves maladies comme la leucémie.[7]

Anémie de Biermer : Maladie due à une carence en vitamine B_{12}, elle-même consécutive à un manque de sécrétion de facteur intrinsèque.[1]

Anémie de Fanconi : Maladie congénitale affectant les éléments de la moelle osseuse, ayant pour conséquence une anémie, une leucopénie et une thrombocytopénie, associée à des malformations cardiaques, rénales et des membres ainsi qu'à des modifications pigmentaires du derme. La rupture chromosomique spontanée et la prédisposition à la leucémie sont des traits caractéristiques de cette maladie.[8]

Anémie falciforme : Variété d'anémie chronique due à une anomalie congénitale de l'hémoglobine, protéine contenue dans les globules rouges ; ceux-ci sont alors déformés en forme de faux, d'où le nom de cette anomalie, fréquente en Afrique.[8]

Anémie ferriprive : Variété d'anémie qui se caractérise par une diminution du taux d'hémoglobine à l'intérieur du sang, faisant suite à un manque de fer dans l'organisme.[1]

Anémie hémolytique : Se caractérise par une destruction trop rapide des globules rouges. Elle peut être attribuable à une réaction du système immunitaire (auto-immune ou allergique), à la présence de toxines dans le sang, à des infections (par exemple, la malaria), ou encore être congénitale (anémie à hématies falciformes, thalassémie, etc.). La forme congénitale touche surtout les individus d'origine africaine.[7]

Anémie mégaloblastique : Troubles causés par des anomalies de synthèse de l'ADN et qui se caractérisent par des érythrocytes de grande taille.

Anémie pernicieuse : Complication à long terme de la gastrectomie totale ; carence en vitamine B_{12}.

Anesthésie locorégionale : Méthode consistant à atténuer la douleur ou à réduire la sensibilité dans une partie donnée du corps en injectant des médicaments analgésiques à l'intérieur ou autour du nerf menant à cette partie du corps.[9]

Anévrisme de l'aorte : Dilatation localisée dans un vaisseau sanguin.

Angine : Douleur aiguë dans la région du cœur qui produit une impression de suffocation imminente.[6]

Angine chronique stable : Douleur thoracique qui se produit de façon intermittente, et qui présente le même schéma d'apparition, de durée et d'intensité des symptômes.

Angine de Prinzmetal : Variété d'angor durant lequel le client présente un risque plus élevé de survenue d'infarctus du myocarde et ceci pour une période relativement courte. Ce type d'angine de poitrine survient au repos et le plus souvent au petit matin, quelquefois le soir. Cette variété d'angor n'est pas forcément la conséquence d'une atteinte coronarienne s'associant à la présence d'athérome.[1]

Angine instable (AI) : Douleur précordiale en repos qui peut précéder un infarctus du myocarde.[8]

Angiœdème (œdème de Quincke) : Réaction allergique se caractérisant par une éruption s'accompagnant d'un œdème sous-cutané.[1]

Angiogenèse : Croissance de nouveaux vaisseaux sanguins.[8]

Angiome (ou nævus vasculaire sanguin) : Tumeurs ou taches liées à un développement exagéré et anormal des vaisseaux sanguins au niveau de la peau.[6]

Angioplastie transluminale percutanée : Dilatation d'une artère coronaire obstruée à l'aide d'un cathéter à balonnet afin de rétablir la circulation sanguine cardiaque.[8]

Angiospastique : Qui s'accompagne de spasme vasculaire.[10]

Antiprotéase : Antiviral qui prévient la détérioration naturelle des poumons, stimule la sécrétion de mucus et augmente le volume de liquide dans les poumons.

Apex élargi : Soulèvement continu de la paroi thoracique dans la région précordiale qui peut être visualisé ou palpé et qui est parfois causé par la dilatation ventriculaire.

Aphakie : Absence de cristallin.

Aphérèse : Technique utilisée en hématologie consistant à prélever un ou plusieurs composants du sang (les globules blancs ou le plasma, entre autres) en utilisant une machine permettant le tri des composants que l'on désire extraire. Les autres composants sont redonnés au client que l'on appelle le donneur.[1]

Aplasie médullaire : Hémopathie (maladie du sang) caractérisée par la raréfaction (altération quantitative) de la moelle osseuse, dont la conséquence est une diminution des trois lignées normales que sont les globules rouges, les globules blancs et les plaquettes.[1]

Apoptose : Ensemble des mécanismes survenant au sein de la cellule et aboutissant à la mort de celle-ci.[1]

Appendice xiphoïde : Partie inférieure libre du sternum, qui est l'os situé à l'avant du thorax et sur lequel les côtes viennent s'articuler par l'intermédiaire des cartilages costosternaux.[1]

Apyrétogène : Qui n'entraîne pas de fièvre.[11]

Artériopathie périphérique (AP) : Maladie générale ou non spécifiée des vaisseaux sanguins en dehors du cœur. Le terme désigne les maladies de la circulation périphérique en opposition à la circulation cardiaque.[8]

Arthralgie : Douleur située dans les articulations sans modification de l'apparence extérieure de la jointure. Cette douleur est intensifiée quand le client mobilise l'articulation concernée.[1]

Arythmie : Anomalie du rythme cardiaque associée à une pause interrompue par une pulsation trop rapide ou tardive, ou à une pause trop longue en raison d'une pulsation manquée, ce qui cause une irrégularité dans le rythme cardiaque.

Ascite : Épanchement liquidien intra-abdominal ou accumulation de liquide dans la cavité péritonéale.

Asplénie : Absence ou dysfonctionnement de la rate.[1]

Asthénie : Affaiblissement pathologique de l'état général.[6]

Asthme : Affection respiratoire caractérisée essentiellement par une respiration difficile accompagnée d'un bruit sifflant et par des accès de suffocation intense.[6]

Astigmatisme : Cette irrégularité est due à une courbure irrégulière de la cornée et qui cause la déviation inégale des rayons lumineux.

Asystole : Absence de toute activité électrique du cœur.

Ataxie : Incoordination des mouvements due à une atteinte du système nerveux central sans atteinte de la force musculaire.[1]

Atélectasie : État caractérisé par un affaissement des alvéoles qui empêche l'échange respiratoire normal d'oxygène et de gaz carbonique. Lorsque les alvéoles s'affaissent, le poumon se ventile moins bien, et l'hypoventilation se produit, ce qui diminue le taux d'oxygène sanguin.

Atélectasie de dénitrogénation : Processus qui survient lorsque de fortes concentrations d'oxygène sont administrées, alors que l'azote est moins présent dans l'air inspiré. Il est remplacé dans les alvéoles par de l'oxygène. Si une obstruction des voies respiratoires survient, il y a une diffusion rapide de l'oxygène dans la circulation sanguine, et les alvéoles s'affaissent puisqu'aucun autre gaz n'est présent.

Atélectasie pulmonaire : Terme qui décrit les alvéoles affaissées et vidées de leur air.

Athérosclérose : Épaississement et durcissement des artères causés par l'accumulation de dépôts lipidiques dans la tunique interne des vaisseaux.

Atopie : Terrain particulier qui favorise le développement des allergies chez un individu exposé aux allergènes qui sont des corps reconnus comme étrangers par un individu atopique et susceptibles de déterminer une allergie. Cet individu est en quelque sorte programmé, vis-à-vis de ces allergènes, à devenir allergique à cause de son bagage génétique.[1]

Audiométrie : Ensemble des méthodes utilisées pour mesurer l'audition normale et anormale, et pour diagnostiquer la surdité.[12]

Audiométrie tonale : Mesure de l'audition basée sur l'utilisation de tonalités pures, de diverses fréquences et de diverses intensités, en tant que stimuli auditifs.[8]

Autogreffe : Greffe dans laquelle le greffon est prélevé sur le sujet lui-même.[6]

B

Bactériémie : Présence de bactéries dans le sang.[6]

Barorécepteur : Récepteur de la pression artérielle qui permet aux mécanismes régulateurs hormonaux de réagir et d'adapter cette pression artérielle.[13]

Bilirubine : Pigment jaune, dont l'accumulation anormale dans le sang et les tissus conduit à un ictère (ou jaunisse).[2]

Biomarqueurs : Caractéristique biologique mesurable liée à un processus normal ou non qui, dans le domaine médical, peut être utilisée pour le dépistage médical, le diagnostic, la réponse à un traitement médical ou la rechute après un traitement.[2]

Biopsie à l'emporte-pièce : Intervention dermatologique couramment utilisée pour prélever un échantillon de tissu qui sera soumis à un examen histologique ou pour exciser de petites lésions.

Blépharite : Inflammation bilatérale chronique et courante du bord des paupières.

Blépharoplastie : Restauration des pertes de substance ou des malformations palpébrales au moyen d'une greffe libre ou d'un lambeau pédiculé.[6]

Bloc AV complet : Forme de dissociation AV où aucune impulsion provenant des oreillettes n'est transmise aux ventricules.

Bloc de branche : Troubles cardiaques de la conduction des influx nerveux à l'intérieur des branches du faisceau de His entraînant un retard d'activation d'un ventricule du cœur par rapport à l'autre.[1]

Bronchiolite oblitérante : Obstruction des bronchioles due à l'inflammation et à la fibrose.

Bronchite aiguë : Inflammation des bronches des voies respiratoires inférieures.

Bronchite chronique : Hypersécrétion de mucus (liquide de protection) au niveau des muqueuses des bronches (couche de cellules protégeant l'intérieur des bronches au contact de l'air). Cette surproduction de mucus est permanente et réapparaît constamment (période dépassant trois mois et s'étendant au moins sur deux ans), ceci en l'absence de toute autre maladie de l'appareil respiratoire.[1]

Bruit adventice : Bruit pulmonaire anormal dont il existe quatre types : les craquements (crépitants), les râles continus (ronchi), les respirations sifflantes et les frottements pleuraux.

Bruits de Korotkoff : Bruits divisés en cinq phases et provenant de l'artère se trouvant sous le brassard à sphygmomanomètre. Ces bruits auscultés furent décrits en 1905 par un chirurgien russe du même nom.

Brûlure : Lésion affectant la peau, certains organes et muqueuses, due au contact du feu, du froid, d'une substance chimique caustique, d'une électrode, au rayonnement d'une source de chaleur, à l'irradiation d'éléments radioactifs, etc.[6]

Brûlure chimique : Brûlure chimique caractérisée par une destruction partielle ou totale des molécules, des cellules ou structure de la peau ou de l'œil engendrée par un produit chimique irritant ou corrosif. L'importance de la modification des tissus caractérisera le degré de la brûlure.[14]

Brûlure électrique : Brûlure due à la libération de chaleur provoquée par le courant dans le corps, parfois invisible et microscopique. Les lésions internes peuvent donc être beaucoup plus graves que ne le laissent supposer les blessures apparentes : c'est l'effet iceberg.[15]

Brûlure thermique : Brûlure causée par la chaleur, par combustion directe par une flamme, par rayonnement d'un corps incandescent, par projection à distance d'une matière incandescente.[16]

Bruxisme : Mouvements répétés et inconscients de friction des dents.[6]

Bullectomie : Ablation de la bulle ou des bulles pulmonaires ; on parle aussi de bulles d'emphysème, c'est-à-dire qui contiennent un gaz, généralement de l'air.[17]

C

Cachexie : Dégradation profonde de l'état général, accompagnée d'une maigreur importante.[1]

Candidose oropharyngée : Infection opportuniste de la cavité buccale. Cette candidose peut être développée notamment par des clients atteints du VIH, des clients souffrant de cancer ou des clients immunodéprimés.[18]

Canule fenêtrée : Canule de trachéostomie comportant une ou plusieurs ouvertures à la surface de la canule externe qui permettent à l'air provenant des poumons de glisser par-dessus les cordes vocales.

Carcinome : Type de cancer le plus courant. Il peut se déclarer dans les cellules qui tapissent les poumons, les intestins, la vessie, les seins, l'utérus, les reins et la prostate, ou dans les cellules de la peau.[9]

Carcinome basocellulaire : Type de tumeur le plus fréquent et le plus souvent bénin, diagnostiqué surtout chez les personnes qui fréquentent les régions tropicales ou qui s'exposent au soleil sans protection cutanée et chez celles qui présentent des antécédents de lésions de la peau causées par le soleil.

Carcinome spinocellulaire : Variété de tumeur cutanée ou muqueuse ayant une nature maligne, qui se développe aux dépens des kératinocytes de l'épiderme.[1]

Cardiomégalie : Augmentation du volume du cœur.

Cardiomyopathie (CMP) : Groupe de maladies qui altèrent la structure ou le fonctionnement du myocarde.

Cardiomyopathie dilatée : Syndrome caractérisé par une hypertrophie cardiaque et une insuffisance cardiaque congestive. Il est probablement l'effet final de plusieurs formes d'affection du myocarde produites par divers agents toxiques, métaboliques ou infectieux.[8]

Cardiomyopathie hypertrophique : Maladie du myocarde caractérisée par une hypertrophie, impliquant surtout le septum interventriculaire et affectant l'évacuation ventriculaire gauche.[8]

Cardiomyopathie restrictive : CMP caractérisée par l'altération du remplissage ventriculaire avec dysfonction diastolique par réduction du volume diastolique d'un ou des deux ventricules avec une fonction systolique conservée.[19]

Cardite rhumatismale : Groupe de troubles cardiaques aigus (à court terme) ou chroniques (de longue durée) qui peuvent survenir à la suite d'une fièvre rhumatismale.[20]

Cataboliser : En biochimie, dissocier (une matière organique) en ses éléments les plus simples, au cours du processus métabolique.[21]

Cataracte : Opacification partielle ou totale du cristallin, due à l'altération du métabolisme des fibres cristalliniennes et responsable d'une baisse progressive de la vision.[3]

Catécholamines : Composés organiques synthétisés à partir de la tyrosine et jouant le rôle d'hormone ou de neurotransmetteur.[2]

Cellule cardionectrice : Cellule myocardique particulière dont le rôle est de coordonner les battements du cœur.

Cerclage oculaire : Intervention chirurgicale extraoculaire qui comprend l'indentation du globe oculaire afin de favoriser le déplacement de l'épithélium pigmentaire, de la choroïde et de la sclère vers la rétine décollée.

Chalazion : Granulome inflammatoire chronique des glandes de Meibomius (sébacées) de la paupière pouvant succéder à un orgelet.

Chéilite : Inflammation des lèvres.

Chéloïde : Formation tumorale fibreuse de la peau, prenant généralement la forme d'un bourrelet induré et ramifié en pinces d'écrevisse, pouvant provoquer parfois des démangeaisons ou des élancements douloureux et ayant tendance à récidiver après ablation chirurgicale ou destruction par des agents caustiques.[6]

Chémorécepteur : Récepteur sensoriel sensible aux stimulations chimiques, capable de déclencher diverses réactions physiologiques dans l'organisme.[22]

Chimiorécepteur : Cellule nerveuse capable de détecter des substances chimiques et de relayer cette information vers le système nerveux central.[2]

Chimiothérapie : Méthode thérapeutique fondée sur l'usage de certaines substances chimiques pour traiter une maladie.[2]

Chirurgie de Mohs : Technique chirurgicale utilisée principalement dans le traitement des néoplasmes de peau, particulièrement de la cellule basique ou du carcinome squameux des cellules de peau. Ce procédé est une excision commandée au microscope des tumeurs cutanées après fixation in vivo ou après congélation du tissu.[8]

Chlorome : Tumeur maligne rare de la moelle osseuse, de coloration verdâtre, envahissant rapidement le périoste et les parties molles.[6]

Choc de la pointe du cœur : Point d'impulsion maximal du cœur.

Choc hypovolémique : Diminution du volume sanguin circulant dont la conséquence principale est une baisse du retour veineux et du débit cardiaque.[23]

Choc septique : Défaillance circulatoire aiguë entraînant des désordres hémodynamiques, métaboliques et viscéraux, déclenché par un agent infectieux.[2]

Cholestéatome : Masse de cellules épithéliales et de cholestérol qui se forme dans l'oreille moyenne.

Chronotrope : Caractérise l'effet d'un médiateur ou d'un médicament sur le rythme cardiaque : augmentation (chronotrope positif, comme l'adrénaline), ou diminution (chronotrope négatif, comme l'acétylcholine).[24]

Chylothorax : Présence de liquide lymphatique dans la cavité pleurale.

Circulation collatérale : Anastomose vasculaire qui concerne aussi bien les artères que les veines. On l'appelle également circulation collatérale apparaissant à la suite d'une obstruction ou d'une gêne dans l'écoulement du liquide sanguin dans une artère ou d'une veine.[1]

Clairance : Coefficient d'épuration qui correspond à l'aptitude à éliminer.[24]

Clairance mucociliaire : Mécanisme par lequel les particules inhalées, de taille trop importante pour être absorbées par la voie pulmonaire, sont absorbées par la voie digestive.[25]

Claudication intermittente : Boiterie s'accompagnant de douleurs et survenant au bout de quelques instants de marche. Les claudications intermittentes ont des étiologies variables.[1]

CMP primitive : Affections dont l'étiologie est inconnue (idiopathiques). Dans ce cas, le muscle est la seule partie du cœur qui est atteinte, les autres structures cardiaques étant intactes.

CMP secondaire : CMP dont la cause est connue : il s'agit d'une autre maladie.

Coagulation intravasculaire disséminée (CIVD) : Ensemble de symptômes se caractérisant par des troubles de la coagulation sanguine dus à la disparition du fibrinogène du sang circulant. Le syndrome de coagulation intravasculaire disséminée est le résultat de l'apparition brutale de facteurs d'activation de la thrombine entraînant des dépôts de fibrine dans les microvaisseaux, entraînant leur oblitération par des thromboses. Ceux-ci persistent plus ou moins longtemps. À la suite de ce mécanisme, le sang devient incoagulable, car il a consommé le fibrinogène et d'autres facteurs de coagulation (facteurs V et VIII) et les plaquettes.[1]

Cœur pulmonaire : Dilatation et hypertrophie du ventricule droit causées par la maladie pulmonaire.

Commissurotomie : Section chirurgicale des commissures permettant en général d'agrandir un orifice cardiaque rétréci (mitral, aortique ou pulmonaire).[26]

Comorbidité : Existence concomitante d'une affection ou d'un facteur qui n'est pas lié à la maladie pour laquelle une personne reçoit des soins, mais qui a des conséquences sur les chances de survie du malade.[22]

Compensation cardiaque : Hypertrophie du myocarde visant à pallier une anomalie valvulaire et à maintenir une circulation normale.[22]

Compliance : Mesure de la souplesse et des possibilités de distension d'un réservoir élastique (p. ex., de la vessie ou des poumons), qui est exprimée par le rapport entre le volume du réservoir et la pression du liquide ou de l'air qu'il contient.

Conduction aérienne : Mode de transmission des sons dans l'espace aérien compris entre l'oreille externe et la cochlée.[27]

Conduction osseuse : Mode de transmission des sons à la cochlée par l'intermédiaire des os du crâne.[27]

Conjonctivite : Infection ou une inflammation de la conjonctive.

Contractilité : Propriété du cœur de se contracter.[22]

Contracture : Contraction prolongée et pathologique, de degré et de durée variables, de un ou de plusieurs muscles dont le mouvement se trouve alors limité ou nul.[6]

Coqueluche : Infection hautement contagieuse des voies respiratoires inférieures causée par le bacille Gram négatif Bordella pertussis.

Cordectomie : Ablation partielle d'une corde vocale.

Coronarographie : Examen radiologique permettant la visualisation des artères coronaires qui irriguent le cœur.[3]

Coronaropathie : Atteinte des coronaires.[1]

Cricothyroïdotomie : Technique chirurgicale utilisée en urgence, donnant un accès rapide à la trachée et permettant ainsi d'assurer une ventilation efficace.[10]

Crise hypertensive : La crise hypertensive est une urgence de par l'élévation simultanée des valeurs tensionnelles se rajoutant souvent à d'autres dysfonctionnements organiques engageant le pronostic vital.[23]

Crise vaso-occlusive : Elle est habituellement déclenchée par une faible concentration en oxygène dans le sang. L'hypoxie (désoxygénation des érythrocytes) peut être la conséquence d'une infection virale ou bactérienne, d'un séjour en haute altitude, d'un stress émotif ou physique, d'une intervention chirurgicale ou d'une hémorragie. L'élément déclencheur le plus fréquent est l'infection. La crise de falciformation peut aussi survenir sans raison évidente.

Crispations en occlusion : Serrage des dents et des mâchoires de manière excessive.

Cryopexie : Méthode utilisée pour sceller les ruptures rétiniennes et qui consiste à fixer le tissu par refroidissement localisé à très basse température.[22]

Cryothérapie : Méthode thérapeutique utilisant le froid sous différentes formes (glace, sachets congelés, azote liquide, neige carbonique), ainsi que le gaz (cryoflurane) pour atténuer une inflammation, lutter contre la douleur et l'œdème ou détruire certaines dermatoses (maladies de la peau).[1]

Curetage : Opération, effectuée à l'aide d'une curette, qui consiste à nettoyer une cavité pour la vider de son contenu, en nettoyer les parois.[6]

Curiethérapie : Forme de radiothérapie concentrée et localisée qui permet de placer une substance radioactive dans la tumeur ou à proximité de celle-ci.

Cyanose : Coloration bleutée de la peau, du lit unguéal et des muqueuses, causée par la présence d'hémoglobine désaturée dans les capillaires ; elle constitue un signe tardif d'hypoxie.

D

Débit cardiaque (D.C.) : Volume de sang pompé par le cœur pendant une minute ou produit de la fréquence cardiaque et du volume systolique du ventricule.

Débridement enzymatique : Débridement réalisé par l'application sur la plaie d'enzymes protéolytiques permettant de dégrader les tissus nécrotiques.[28]

Décès neurologique (ou mort cérébrale) : Perte de conscience irréversible associée à la perte totale des fonctions du tronc cérébral, y compris la capacité de respirer.[29]

Décollement exsudatif : Type de décollement rétinien qui se produit lorsque du liquide s'accumule dans l'espace sous-rétinien.

Décollement rétinien : Affection caractérisée par la séparation de la rétine et de l'épithélium pigmentaire sous-jacent avec l'accumulation de liquide entre ces deux couches.

Décompensation cardiaque : Incapacité du cœur à fournir un apport sanguin suffisant pour les besoins métaboliques de l'organisme, caractérisée par une diminution de la capacité cardiaque à l'effort.[30]

Décortication : Atteinte du cortex cérébral entraînant cliniquement une extension du tronc et des membres inférieurs ainsi qu'une flexion associée des membres supérieurs appelée « rigidité de décortication ».[24]

Défibrillateur externe automatisé (DEA) : Défibrillateur qui a la capacité de détecter le rythme et d'avertir l'opérateur d'administrer une décharge au moyen d'électrodes de défibrillation mains libres.

Dégénérescence maculaire liée à l'âge (DMLA) : Ensemble des lésions de la région maculaire, dégénératives, survenant dans un œil auparavant normal, après l'âge de 50 ans et entraînant une altération de la fonction rétinienne maculaire, donc de la vision centrale.[8]

Déglutition supraglottique : Manœuvre de protection volontaire des voies aériennes consistant à demander au client d'inspirer, de bloquer sa respiration, d'avaler, puis de souffler ou tousser.[31]

Déplétion : Diminution du volume des liquides, en particulier du sang, contenus dans l'ensemble du corps ou accumulés dans un organe ou une cavité.[6]

Dermatoscopie : Examen microscopique de la surface de la peau chez un individu vivant. La dermatoscopie est employée essentiellement pour l'étude des capillaires (capillaroscopie).[1]

Diastole : Relâchement du cœur ou des artères quand le sang pénètre dans les cavités cardiaques (deux oreillettes, droite et gauche, et deux ventricules, droit et gauche).[1]

Diffusion passive : Processus de passage des molécules se faisant dans le sens de la plus forte concentration vers la plus faible, jusqu'à ce que l'équilibre s'établisse de part et d'autre de la paroi membranaire. Ce passage ne nécessite aucune dépense d'énergie.[22]

Dilatation ventriculaire : Expansion des cavités cardiaques.

Dissection aortique : Déchirure de l'intima de l'aorte (couche de cellules protégeant l'intérieur de l'artère) provoquant un hématome qui se développe dans les parois de l'aorte, ce qui a pour conséquence de séparer l'intima de la tunique externe (l'adventice).[1]

Drainage postural : Technique de positionnement qui permet d'expulser les sécrétions de segments particuliers des poumons et des bronches.

Drépanocytose : Modification de la forme des globules rouges (hématies) qui, normalement biconcaves, prennent une forme de croissant ou de faucille. Moins élastiques, les hématies falciformes peuvent obstruer les petits vaisseaux sanguins et bloquer la circulation sanguine.[32]

Dromotrope : Favorable à la propagation de l'influx nerveux ou à la contraction musculaire. Les fibres musculaires du myocarde sont qualifiées de dromotropes, car elles favorisent le passage des potentiels d'action responsables de leur contraction. Dans une fibre nerveuse dromotrope, les potentiels d'action (influx nerveux) circulent rapidement. C'est le cas des fibres myélinisées de gros diamètre.[13]

Dyscrasie : Perturbation des éléments figurés du sang (globules rouges, plaquettes, etc.).

Dysfonction diastolique : Incapacité des ventricules à se détendre pour se remplir durant la diastole.

Dysfonction systolique : Anomalie de la fonction cardiaque qui empêche le cœur de pomper une quantité de sang suffisante pour combler les besoins métaboliques des tissus corporels.

Dyspnée : Difficulté à respirer, s'accompagnant d'une sensation de gêne ou d'oppression ; essoufflement.

Dyspnée nocturne paroxystique : Grande difficulté respiratoire qui provoque le réveil de la personne. La crise disparaît d'elle-même après 20 ou 30 minutes, une fois que la personne s'est assise ou s'est levée.

E

Ecchymose : Lésion tégumentaire de grande taille, d'un rouge violacé, causée par une hémorragie, parfois douloureuse et sensible. Elle peut être plane ou surélevée.

Échelle de Borg : Échelle de perception de l'effort.[33]

Échelle de Snellen : Méthode de dépistage précoce des troubles de la vision, avant l'âge de la lecture, utilisant une échelle composée de E de différentes tailles et orientés de façons variables, dont le sujet, placé à 5 m, reproduit la position au moyen d'un E en carton qu'il tient à la main.[22]

Effusion pleurale : Accumulation de liquide purulent dans la cavité pleurale.

Élastose solaire : Affaissement de la peau en raison de dommages causés par le soleil.

Électrocoagulation : Intervention chirurgicale servant à détruire des tissus ou des tumeurs.[9]

Électrodessication : Technique utilisant la chaleur produite par le passage d'un courant électrique dans un instrument opératoire dont le but est de brûler (plus précisément de carboniser) des tissus pathologiques (malades).[1]

Élution : Opération permettant de remettre en solution un corps adsorbé.[6]

Embole : Thrombus ou corps étranger délogé de son site d'origine et pouvant circuler dans le sang pour atteindre les poumons ou le cerveau, ce qui a pour conséquence de bloquer la circulation.

Embolie pulmonaire (EP) : Obstruction des artères pulmonaires par un thrombus, une embolie graisseuse ou d'air ou un tissu tumoral.

Embolisation : Technique ayant pour but d'injecter à l'intérieur d'une artère une substance, un matériel qui vont permettre d'obstruer, c'est-à-dire de boucher totalement cette artère.[1]

Embolisation de l'artère bronchique : Procédure où un angioradiologiste, sous contrôle scopique, injecte des fragments de spongel (plaquette de gélatine, résorbable en environ trois semaines) mélangés à un produit de contraste iodé, directement dans l'artère bronchique de manière à y bloquer la circulation sanguine.

Emmétropie : État normal de l'œil qui permet la mise au point de la lumière exactement sur la rétine, et non devant ou derrière.

Emphysème : Élargissement anormal et permanent des cavités distales des bronchioles terminales, accompagné d'une destruction des parois alvéolaires.

Emphysème bulleux : Forme d'affection pulmonaire se caractérisant par la présence de bulles en plus ou moins grand nombre et de plus ou moins grande taille. Ces bulles sont quelquefois très grandes et à l'origine d'une compression sur les tissus pulmonaires de voisinage (diminution du calibre bronchique).[1]

Empyème : Liquide pleural rendu purulent par une infection bactérienne.

Encéphalopathie hypertensive : Affection neurologique survenant généralement de manière brutale et due à une hypertension artérielle maligne. Cette affection est le résultat d'une élévation de la tension à l'intérieur du crâne et de l'œdème (collection de liquide) cérébral qui se compliquent généralement de petites hémorragies (pétéchies).[1]

Endocardite infectieuse : Inflammation de l'endocarde et des valvules cardiaques.[1]

Endocrinopathie : Affections concernant les glandes endocrines qui comprennent non seulement les pathologies s'accompagnant d'une sécrétion exagérée (hypersécrétion hormonale) d'hormone, mais également celles se caractérisant par une insuffisance de sécrétion d'hormone (hyposécrétion hormonale).[1]

Endophtalmie : Inflammation intraoculaire étendue de la cavité vitréenne.

Endoprothèse (tuteur) : Objet étranger, de métal ou de matière plastique, mis en place à l'intérieur du corps et ayant pour but de remplacer en permanence une articulation, un os, une valve du cœur, etc.[1]

Énucléation : Ablation du globe oculaire par section du nerf optique.[3]

Éosinophile : Type de leucocyte s'attaquant spécifiquement aux parasites de l'organisme ; aussi appelé granulocyte éosinophile.

Épanchement péricardique : Épanchement de chyle dans la cavité péricardique.[10]

Épanchement pleural : Accumulation anormale de liquide dans la cavité pleurale.

Épistaxis : Hémorragie extériorisée par les fosses nasales, communément appelée saignement de nez.[2]

Épreuve de Rinne : Épreuve utilisée pour différencier la perception des sons à travers l'air et la perception des sons à travers les os du crâne de la même oreille ; elle est réalisée à l'aide d'un diapason placé d'abord devant l'oreille puis contre l'apophyse mastoïde.[1]

Épreuve de Weber : Comparaison de l'acuité auditive des deux oreilles à l'aide d'un diapason appuyé au milieu du front.[27]

Équivalent métabolique (MET) : Cette unité correspond à l'estimation de la quantité d'oxygène utilisée par un corps qui travaille.[34]

Érésipèle : Infection de la peau d'origine bactérienne (streptocoque β-hémolytique), pouvant toucher également les tissus situés au-dessous de l'épiderme (derme et hypoderme).[1]

Erreur de réfraction : Défaut qui empêche les rayons lumineux de converger en un point sur la rétine.

Érythème : Affection cutanée qui a pour caractère clinique la coloration rouge de la peau disparaissant sous la pression.

Érythromélalgie : Symptôme clinique caractérisé par des crises de douleurs ressenties aux mains et aux pieds, qui deviennent rouges, gonflés et cuisants.[3]

Érythroplasie : Affection précancéreuse des muqueuses concernant la bouche, mais aussi les lèvres, la langue, le prépuce, le gland et la vulve qui se présente sous la forme d'une surface rouge et brillante bien limitée.

Érythropoïèse : Processus de formation des globules rouges.

Érythropoïétine : Hormone qui agit à l'intérieur de la moelle osseuse et qui stimule la production et la maturation des hématies.

Érythrose : Coloration rouge de la peau d'un individu atteint de polyglobulie (augmentation au-dessus de la normale du nombre de globules rouges).[1]

Escarrotomie : Incision pratiquée dans toute l'épaisseur d'une escarre à l'aide d'un scalpel ou par galvanocautérisation.

Expectoration hémoptoïque : Crachat sanguinolent.[1]

Expectoration spumeuse : Expectoration mêlée ou couverte d'écume, écumeuse.[6]

Exsanguino-transfusion : Remplacement d'une grande quantité (jusqu'à deux à trois fois la totalité du volume sanguin) de sang ou de globules rouges d'une personne malade par le sang (plus précisément les globules rouges) d'un donneur (sain).[1]

Exsudat : Accumulation de cellules mortes et de globules blancs qui suinte d'un foyer d'inflammation. Il peut être séreux (jaune clair, transparent comme du plasma), sanguinolent (contenant des globules rouges) ou purulent (contenant des globules blancs et des bactéries).

Extrasystole auriculaire (ESA) : Contraction prématurée du cœur, généralement suivie d'une pause plus longue que la normale. L'extrasystole se glisse parfois entre les pulsations normales, sans altérer leur succession.

Extrasystole ventriculaire (ESV) : Contraction anarchique et anormale des ventricules du cœur due à une activation prématurée et ectopique (situation anormale).[1]

F

Facteur de protection solaire (FPS) : Méthode de mesure de l'efficacité d'un écran, c'est-à-dire de son pouvoir de filtration et d'absorption des rayons UVB.

Fasciotomie : Intervention chirurgicale qui consiste à inciser le fascia, c'est-à-dire la membrane fibreuse qui enveloppe un muscle, pour diminuer la tension ou la pression dans une structure donnée.

Faux anévrisme (ou pseudo-anévrisme) : Rupture de toutes les couches de la paroi artérielle entraînant une accumulation de sang emprisonnée dans les structures anatomiques avoisinantes.

Fibrillation auriculaire : Résultat du développement de nombreux circuits qui transmettent les influx nerveux à l'origine des contractions dans les oreillettes, qui aboutit en contractions inefficaces des oreillettes accompagnées d'un rythme des ventricules irrégulier et rapide.[1]

Fibrillation ventriculaire (FV) : Trouble grave du rythme cardiaque qui se caractérise par l'abolition de toute contraction du myocarde ventriculaire (muscle des ventricules cardiaques). Ces contractions sont normalement organisées et efficaces, elles permettent ainsi l'éjection du sang vers l'extérieur du cœur. Chez les clients présentant une fibrillation ventriculaire ces contractions efficaces sont remplacées par une trémulation ventriculaire, c'est-à-dire des contractions localisées anarchiques et inefficaces.[1]

Fibrine : Protéine filamenteuse et élastique formant un réseau d'agrégats de plaquettes et qui est important dans le processus de coagulation sanguine.

Fibrinogène : Protéine soluble du plasma sanguin, élaborée par les cellules hépatiques, qui produit la fibrine sous l'action de la thrombine.[6]

Fibrinolyse : Processus naturel de dégradation, de dissolution de la fibrine, se produisant normalement vingt-quatre heures après la coagulation sanguine ; il peut être accéléré ou retardé soit par des agents médicamenteux, soit par un état pathologique.[6]

Fibrose pulmonaire : Développement anormal d'une variété de protéines entrant dans la constitution du tissu conjonctif (tissu de soutien) et plus particulièrement du fibroblaste et du collagène. Il en existe deux types : focales ou systématisées.[1]

Fibrose pulmonaire idiopathique : Maladie chronique et évolutive qui touche les personnes âgées. Ses caractéristiques sont l'inflammation chronique et la formation de tissu cicatriciel dans le tissu conjonctif.

Fibrothorax : Fusion fibreuse de la plèvre viscérale et pariétale.

Fluoroscopie : Examen des téguments, rendus fluorescents par l'action des rayons ultraviolets.[3]

Flutter auriculaire : Trouble du rythme cardiaque relativement bénin se caractérisant par une série de contractions des oreillettes se succédant régulièrement et rapidement sans aucune pause. Autrement dit, les oreillettes se contractent de manière régulière et coordonnée à une fréquence très élevée de 300 fois par minute (tachycardie permanente par flutter).[3]

Fraction d'éjection (F.E.) : Pourcentage du volume de sang en fin de diastole éjecté pendant la systole. La F.E. renseigne sur la fonction du ventricule gauche pendant la systole.

Frémissement : Perception tactile des vibrations vocales transmises à travers le thorax.

Frottement péricardique : Bruit surajouté superficiel en rapport avec une inflammation des deux feuillets du péricarde (péricardite aiguë sèche).[19]

Frottis : Prélèvement d'échantillons de cellules superficielles de la peau (couche cornée) afin de les examiner au microscope et de poser un diagnostic.

Frottis sanguin : Prélèvement et étalement sur une lame de cellules du sang, de façon à procéder à leur observation au microscope après avoir pris soin de colorer spécifiquement les cellules de ce liquide.[1]

G

Galvanocautérisation : Application indirecte de courant électrique par chauffage d'un élément conducteur qui brûle les tissus. À ne pas confondre avec l'électrochirurgie, qui implique l'application directe d'un courant électrique sur les tissus.[35]

Ganglion sentinelle : Premier ganglion recevant le drainage lymphatique de la région atteinte par le cancer (région tumorale).

Glaucome : Maladie de l'œil caractérisée par une élévation de la pression intraoculaire avec atteinte de la tête du nerf optique et altération du champ visuel, pouvant aboutir à la cécité.[22]

Glomérulonéphrite : Toute maladie rénale caractérisée par une atteinte des glomérules (unités de filtration du rein).[3]

Glossite : Inflammation de la langue.[9]

Gradation clinique : Degré de malignité de la tumeur. La gradation clinique permet également de prédire l'évolution de la maladie.

H

Hémarthrose : Épanchement sanguin intraarticulaire, le plus souvent d'origine traumatique.[6]

Hématémèse : Vomissement de sang.

Hématopoïèse : Ensemble des phénomènes qui concourent à la fabrication et au remplacement continu et régulé des cellules sanguines.[36]

Hémilaryngectomie : Ablation d'une corde vocale ou d'une partie de cette dernière nécessitant une trachéostomie temporaire.

Hémochromatose : Forme la plus commune de maladie liée à une surcharge en fer. L'organisme des personnes atteintes absorbe et accumule plus de fer qu'il en a besoin. Cet excès de fer peut causer une insuffisance hépatique, cardiaque ou pancréatique.[37]

Hémoglobine : Protéine renfermant du fer, contenue dans les globules rouges auxquels elle donne sa couleur, et qui véhicule l'oxygène dans le sang.[6]

Hémoglobine glyquée : Variété d'hémoglobine sur laquelle s'est fixée une molécule de glucose. Elle porte également le nom d'hémoglobine glycosylée.[1]

Hémoglobinurie : Présence d'hémoglobine dans les urines.[6]

Hémolyse : Éclatement des globules rouges du sang avec libération de leurs composants.[6]

Hémophilie : Maladie héréditaire liée au chromosome X et se caractérisant par un trouble de la coagulation du sang, entraînant l'apparition de saignement le plus souvent de façon prolongée.[1]

Hémopneumothorax : Pneumothorax accompagné d'un hémothorax (voir ce terme).

Hémoptysie : Émission par la bouche d'une certaine quantité de sang en provenance des voies respiratoires.

Hémostase : Arrêt de l'hémorragie des vaisseaux altérés au site de la lésion.[38]

Hémothorax : Accumulation de sang dans la cavité pleurale.

Hépatomégalie : Augmentation anormale du volume du foie.

Hépatopathie chronique : Terme générique qui désigne toute affection du foie.[22]

Hépatosidérose : Maladie héréditaire se caractérisant par une surcharge de fer dans l'organisme atteignant plusieurs organes, principalement le foie, le pancréas, le cœur et l'hypophyse.[2]

Hétérochromie : Différence de couleur entre l'iris des deux yeux ou une différence entre des parties d'un même iris, qui peut être d'étiologie génétique, pathologique (tumeur) ou traumatique.

Hippocratisme digital : Déformation des doigts et des ongles, qui présentent un élargissement, une incurvation des extrémités, consécutivement à certaines affections pulmonaires, cardiovasculaires, etc.[6]

Holosystolique : Qui produit un bruit, un souffle (en l'occurrence) entendu durant toute la systole ventriculaire.[1]

Homocystéine : Acide aminé produit pendant le catabolisme des protéines.

Humeur vitrée (ou corps vitré) : Masse gélatineuse et transparente comprise entre le cristallin et la rétine, conte nant 99 % d'eau, 7 g/L de Nacli, 0,5 g/L de protéines solubles, du glucose et de l'acide hyaluronique. Cette masse est contenue dans une enveloppe transparente, la hyaloïde.[22]

Hyperaldostéronisme : Sécrétion anormalement élevée d'aldostérone, une hormone sécrétée par la glande corticosurrénale qui règle la quantité de sodium et de potassium dans l'organisme et qui contrôle la volémie (volume sanguin circulant).[3]

Hypercapnie : Augmentation de la $PaCO_2$ dans le sang au-dessus de 45 mm Hg.

Hyperhomocystéinémie : Augmentation dans le plasma qui correspond à la partie liquide du sang, de l'homocystéine est à l'origine d'une augmentation du nombre des facteurs de risque de survenue d'accident vasculaire atteignant les artères et les veines.[1]

Hyperkaliémie : Taux élevé de potassium sérique dans le sang.

Hypermétropie : Anomalie de la vision causée par la convergence des rayons lumineux derrière la rétine et qui entraîne de la difficulté à voir de près.

Hypernatrémie : Excès de sodium dans le sang.[1]

Hyperpigmentation : Modification de la teinte normale des téguments due à la présence excessive de certains pigments (hémosidérine, ochronose, mélanine).[39]

Hyperplasie : Prolifération excessive d'un tissu organique par multiplication de ses cellules qui conservent toutefois une forme et une fonction normales.[6]

Hypersplénisme : Syndrome se caractérisant par une nette diminution du nombre des globules rouges, des globules blancs et des plaquettes dans le sang circulant, secondaire à une activité trop importante de la rate dont le volume est généralement augmenté (hypertrophie). Ceci s'explique par une activité exagérée de la moelle osseuse.[1]

Hypertension artérielle (HTA) : Trouble généralement asymptomatique qui se caractérise par une pression artérielle élevée persistante et qu'on surnomme aussi « tueur silencieux ».

Hypertension artérielle primaire : Repose sur une multitude de facteurs reliés à l'âge, à l'hérédité (surtout pour les hommes) et aux habitudes de vie nuisibles, dont les effets s'accumulent avec les années.[7]

Hypertension artérielle secondaire : Phénomène assez rare, dû la plupart du temps à des affections ou à des troubles de l'irrigation rénale, ou parfois à certaines maladies cardiovasculaires ou à des dérèglements hormonaux. Dans certains cas, le traitement de ces affections permet de guérir l'hypertension.[40]

Hypertension artérielle systolique isolée : Valeur de la pression artérielle au moment de la systole cardiaque, c'est-à-dire au moment de la contraction ventriculaire.[23]

Hypertension pulmonaire : Pression artérielle élevée dans l'appareil circulatoire des poumons.[1]

Hypertension pulmonaire primaire (HPP) : Maladie caractérisée par une pression pulmonaire artérielle moyenne supérieure à 25 mm Hg au repos (les valeurs normales sont de 12 à 16 mm Hg) ou supérieure à 30 mm Hg à l'épreuve d'effort en l'absence d'une cause démontrable.

Hypertension pulmonaire secondaire (HPS) : Maladie qui survient lorsqu'une affection primaire entraîne une augmentation chronique de la pression dans les artères pulmonaires.

Hyperthyroïdie : Accroissement anormal des sécrétions de la glande thyroïde et troubles qui en résultent.[6]

Hypertrophie ventriculaire : Accroissement de la masse musculaire et de l'épaisseur des parois cardiaques en réaction à l'augmentation de la contractilité et à une post-charge élevée.

Hypocapnie : Diminution de la pression partielle en CO_2 dans le sang artériel ($PaCO_2$).[6]

Hypochromie : Diminution anormale du taux d'hémoglobine des érythrocytes.

Hypokaliémie : Faible taux de potassium sérique dans le sang.

Hyponatrémie : Déséquilibre électrolytique du système sanguin caractérisé par une concentration trop faible du sodium dans le sang, qui se manifeste chez une personne par une sécheresse de la peau, une tachycardie et de l'hypotension.[22]

Hypopigmentation : Affection provoquée par une déficience ou une perte de la mélanine dans la peau, aussi appelée hypomélanose.[8]

Hypopituitarisme : Affection caractérisée par un déficit global en hormones hypophysaires, essentiellement celles de l'antéhypophyse (corticotrophine, thyréostimuline, somathormone, gonadotrophines et prolactine). Synonyme d'insuffisance hypophysaire.[3]

Hypotension orthostatique : Baisse de la tension artérielle survenant soudainement quand un individu passe en position debout en appui sur la plante des pieds.

Hypothyroïdie : Insuffisance de la sécrétion hormonale thyroïdienne.[6]

Hypoventilation : Manifestation se produisant lorsque la ventilation alvéolaire ne répond pas adéquatement à la demande en oxygène de l'organisme ou n'élimine pas suffisamment de dioxyde de carbone.

Hypovolémie : Diminution du volume sanguin total.

Hypoxémie : Diminution de la pression partielle de l'oxygène dans le sang artériel (PaO_2) et de la saturation pulsatile en oxygène (SpO_2) dans le sang.

I

Iléus méconial : Occlusion anténatale et néonatale qui survient lorsque le mucus, trop épais dans le tube digestif, entraîne une malabsorption intestinale.

Implant cochléaire : Appareil auditif effractif utilisé pour les personnes souffrant d'une perte auditive de perception grave à profonde.

Index cardiaque (I.C.) : Débit cardiaque (en L/min) rapporté au mètre carré de surface corporelle. L'index cardiaque est, en moyenne, compris entre 2,8 et 4,2 L/min/m².[22]

Indice de Breslow : Classification qui permet de connaître l'épaisseur du mélanome qui est mesuré en millimètres à partir de la partie supérieure de la couche granuleuse de l'épiderme jusqu'à la partie de la tumeur la plus profonde située à l'intérieur du derme et quelquefois même de l'hypoderme.[1]

Indice globulaire : Taille de l'érythrocyte et volume ou concentration d'hémoglobine, généralement obtenu à partir de la numération des hématies ; concentration en hémoglobine sanguine ; et hématocrite. Les indices incluent le volume corpusculaire moyen (VCM), la teneur corpusculaire moyenne en hémoglobine (HCM) et la concentration corpusculaire moyenne en hémoglobine (CCMH).[8]

Infarci : Terme qualifiant un organe qui est le lieu d'une nécrose hémorragique.[26]

Infarctus antérolatéral : Infarctus généralement causé par une occlusion de l'artère circonflexe du cœur.

Infarctus antéroseptal : Infarctus généralement causé par une occlusion de l'artère interventriculaire antérieure.

Infarctus du myocarde : Destruction d'une partie plus ou moins importante du muscle cardiaque suite à l'oblitération par une thrombose (formation d'un caillot) d'une artère coronaire permettant habituellement l'irrigation (flux coronarien) du myocarde.[1]

Infarctus pulmonaire : Nécrose du tissu pulmonaire.

Infection tuberculeuse latente (ITL) : Contamination à la bactérie de la tuberculose qui ne s'est pas transformée en maladie active.

Inotrope : Terme générique désignant en physiologie tout ce qui se rapporte à la contractilité, c'est-à-dire la propriété que présentent certaines cellules et plus spécifiquement les cellules ou fibres musculaires qui consiste à diminuer ou à réduire l'une de leurs dimensions après avoir effectué un travail actif.[1]

Insuffisance cardiaque (IC) : Diminution de plus en plus importante de la capacité de contraction du muscle cardiaque. Parallèlement, celui-ci se déforme et grossit tout en perdant de sa puissance.[1]

Insuffisance cardiaque en décompensation aiguë (ICDA) : Syndrome caractérisé par l'incapacité du cœur à exercer sa fonction de pompage ou de remplissage et qui survient lorsque les mécanismes compensatoires n'ont pas eu le temps de s'activer ou ne sont plus efficaces.

Insuffisance veineuse chronique (IVC): Manifestations en rapport avec une anomalie fonctionnelle ou physique du système veineux causée par une incontinence valvulaire avec ou sans obstruction veineuse associée, siégeant au niveau des veines superficielles et/ou des veines profondes. Ce dysfonctionnement veineux peut être congénital ou acquis.[41]

Intertrigineuse: Relatif à l'intertrigo, inflammation de la peau au niveau des plis.

Intervention coronarienne percutanée (ICP): L'intervention coronarienne percutanée (ICP, autrefois appelée angioplastie et pose de tuteur) est une intervention non chirurgicale effectuée à l'aide d'un cathéter (un long tube flexible) destinée à mettre en place une petite structure appelée tuteur afin de maintenir ouvert un vaisseau sanguin du cœur rétréci par l'accumulation de plaque, un problème appelé athérosclérose.[20]

Ischémie: Diminution ou arrêt de la circulation artérielle dans une région plus ou moins étendue d'un organe ou d'un tissu.

Ischémie artérielle aiguë: Insuffisance circulatoire récente (moins de 15 jours) et de survenue brutale. Elle est la conséquence d'une oblitération artérielle non ou mal compensée par le développement d'une circulation collatérale.[23]

Ischémie critique des membres inférieurs: Condition qui se caractérise par une douleur ischémique chronique au repos qui dure plus de deux semaines, par des ulcères artériels ou par de la gangrène aux jambes attribuable à l'artériopathie périphérique.

Ischémie silencieuse: Ischémie qui survient en l'absence de symptôme.

Isogreffe: Greffe dans laquelle le greffon est prélevé sur un vrai jumeau.

K

Kératite: Inflammation ou une infection de la cornée qui peut être causée par une variété de microorganismes d'origine bactérienne ou virale ou par une irritation due aux verres de contact.

Kératocône: Déformation conique du centre de la cornée, progressive et lente, qui est le plus souvent bilatérale qui peut être héréditaire ou non.[22]

Kératoconjonctivite épidémique: Variété de kératite (inflammation de la cornée) se caractérisant par la présence de minuscules érosions en forme de points et dont l'évolution se fait spontanément vers la guérison.[22]

Kératoplastie: Synonyme de greffe de cornée.

Kératose séborrhéique: Excroissance (croissance de peau exagérée) de couleur bistre ou brune de 5 à 20 mm de dia mètre qui est recouverte d'un enduit squao-kératosique gras qui adhère un peu à la peau et qui recouvre une lésion.[1]

Kératose sénile: Lésion cutanée précancéreuse la plus commune qui se caractérise par la présence de papules et de plaques hyperkératosiques sur les zones exposées au soleil.

Kinésithérapie de drainage: Thérapie qui inclut les méthodes de drainage postural, de percussion et de vibration. Elle est surtout utilisée chez le client qui présente des sécrétions bronchiques excessives et qui éprouve de la difficulté à les expulser (p. ex., la fibrose kystique, la bronchectasie).

L

Laryngectomie supraglottique: Ablation des structures situées au-dessus des vraies cordes vocales – les fausses cordes vocales et l'épiglotte.

Lavage bronchoalvéolaire (LBA): Examen qui consiste à injecter dans les bronches et les alvéoles pulmonaires de petites quantités de sérum physiologique chauffé pour faciliter l'aspiration de cellules pulmonaires à analyser.

Lentigo : Petite tache colorant la peau, légèrement en relief parfois, que l'on remarque plus particulièrement sur le visage, aux mains et au cou.[1]

Lésion par inhalation: Lésion due à l'inhalation d'air chaud ou de produits chimiques nocifs. Elle peut endommager les tissus des voies respiratoires.

Leucémie: Cancer des tissus qui fabriquent le sang (hématopoïétiques) telle la moelle osseuse, caractérisé par la production d'un grand nombre de globules blancs immatures.[9]

Leucémie aiguë lymphoblastique (LAL): On observe une prolifération de lymphocytes immatures dans la moelle osseuse; la plupart sont des lymphocytes B. Les symptômes apparaissent brutalement, s'accompagnent de saignements ou de fièvre, ou sont insidieux et s'accompagnent de faiblesse, de fatigue, de douleurs osseuses ou articulaires et d'une tendance à l'hémorragie. Au moment du diagnostic, la personne présente souvent de la fièvre.

Leucémie aiguë myéloïde (LAM): Proliférations clonales aiguës ou subaiguës, développées à partir des précurseurs hématopoïétiques (blastes) des lignées myéloblastique, érythroblastique ou mégacaryocytaire, et ce, à tous les stades de maturation de ces précurseurs.[36]

Leucémie lymphoïde chronique (LLC): Cancer du tissu qui fabrique le sang (moelle osseuse). La leucémie lymphoïde chronique (LLC) prend naissance dans la moelle osseuse où les globules blancs (lymphocytes) sont fabriqués. Dans la LLC, il y a une surproduction de globules blancs matures. Lorsque le cancer apparaît progressivement et que la maladie évolue lentement, on lui donne le nom de leucémie chronique.[9]

Leucémie myéloïde chronique (LMC): Cancer du tissu qui fabrique le sang (moelle osseuse). La leucémie myéloïde chronique (LMC) prend naissance dans la moelle osseuse où les globules blancs (lymphocytes) sont fabriqués. Dans la LMC, il y a une surproduction de granulocytes (un type de globule blanc). Lorsque le cancer apparaît progressivement et que la maladie évolue lentement, on lui donne le nom de leucémie chronique.[9]

Leucocytose: Augmentation du nombre de globules blancs dans le sang résultant généralement d'une attaque de l'organisme par des microorganismes pathogènes.

Leucoplasie: Accumulation d'épaisses plaques blanches sur les muqueuses.

Lichénification: Épaississement de la peau dû à la prolifération des kératinocytes et accompagné d'une accentuation des marques naturelles de la peau.[42]

Liposuccion: Opération consistant à enlever des tissus adipeux sous-cutanés afin d'améliorer les contours du visage et du corps.

Lobectomie: Ablation chirurgicale d'un lobe d'organe (poumon, cerveau, foie, thyroïde).[6]

Loi de Frank-Starling: L'étirement des fibres musculaires préalablement à la contraction augmente la force de la contraction; donc l'augmentation du remplissage diastolique du V.G. liée à l'accroissement du retour veineux étire les fibres myocardiques et majore la force de contraction.[43]

Lymphadénopathie: Maladie des ganglions lymphatiques.[24]

Lymphoïde: Qui a trait ou qui ressemble à la lymphe ou aux éléments de la série lymphocytaire.[6]

Lymphome: Tumeur composée de tissu adénoïde typique.[6]

Lymphome de Hodgkin (LH): Affection cancéreuse caractérisée par une prolifération (multiplication) cellulaire anormale dans un ou plusieurs ganglions lymphatiques.[1]

Lymphome non hodgkinien (LNH): Désigne un groupe de cancers qui prennent naissance dans les cellules du système lymphatique.[4]

M

Maladie d'Addison: Destruction progressive des deux glandes surrénales qui ne sont plus en mesure d'assurer la synthèse habituelle d'hormones.[1]

Maladie de Ménière (ou hypertension endolabyrintique): Maladie d'évolution paroxystique associant acouphènes, vertiges rotatoires et hypoacousie unilatérale.[22]

Maladie pulmonaire obstructive chronique (MPOC): Terme générique désignant un ensemble d'affections respiratoires touchant les bronches et les poumons (bronchite chronique, asthme, emphysème), pouvant coexister chez un même sujet, qui déterminent chez ce dernier une insuffisance ventilatoire obstructive.[22]

Maladies interstitielles pulmonaires (MIP) (ou maladies pulmonaires diffuses du parenchyme): Regroupement de nombreuses maladies pulmonaires aiguës ou chroniques qui présentent divers degrés d'inflammation et de fibrose pulmonaires.

Manœuvre d'Epley: Traitement du vertige positionnel bénin en effectuant une série de positions de la tête.[44]

Manœuvre de Valsalva: Manœuvre qui consiste à exercer une contraction volontaire des muscles abdominaux pendant l'expiration forcée, en gardant la glotte fermée (en retenant sa respiration et en poussant).

Mastoïdectomie: Intervention chirurgicale consistant à pratiquer l'exérèse et la mise à plat de tous les groupes cellulaires de l'apophyse mastoïde.

Mécanorécepteur: Structure nerveuse ou neuro-épithéliale située dans la peau ou dans les muqueuses, dont le rôle est de capter les modifications du milieu extérieur et de stimuler les fibres sensitives extéroceptives.[22]

Média: Couche de cellules, de nature membraneuse, constitué de tissu conjonctif (collagène et fibres élastiques), appelée tunique et constituant la partie moyenne d'un vaisseau (artère ou veine).[1]

Médiastinoscopie: Technique d'examen qui nécessite l'insertion d'un endoscope dans une petite incision pratiquée sur la face antérieure de la poitrine dans le médiastin.

Médiation cellulaire: Immunité directement assurée par des cellules spécifiquement sensibilisées, appartenant à la famille des lymphocytes, les cellules T, qui s'attaquent aux organismes et aux tissus étrangers.

Médiation humorale: Immunité assurée par des molécules circulantes spécifiques des antigènes, les anticorps, produits par les lymphocytes B et dirigés contre les substances et les agents pathogènes étrangers.

Mélanome malin: Tumeur qui se forme dans les mélanocytes, les cellules qui produisent la mélanine. Il s'agit du plus mortel des cancers cutanés.

Mélanome uvéal: Néoplasme cancéreux de l'iris, de la choroïde ou du corps ciliaire.

Mélasma: Hyperpigmentation (taches pigmentaires) des zones du visage (front, joues, tempes) et parfois du cou. On parle aussi de masque de grossesse pour les femmes enceintes.

Méléna: Émission de sang noir, digéré, à l'intérieur des excréments.[1]

Ménorragie: Exagération de l'écoulement de sang durant les règles (les menstrues), tant en quantité qu'en durée (saignements anormalement abondants et prolongés).[1]

Métamorphopsie: Perturbation de la perception des images qui sont vues déformées.[22]

Microcytose: Diminution anormale de la taille des érythrocytes.

Milieu réfringent: Milieu qui a la propriété de changer la direction des rayons de la lumière, lorsqu'ils passent obliquement.[39]

Mouvement amiboïde : Déplacement d'une cellule vivante sur son support par une reptation fondée sur l'émission d'un pseudopode vers l'avant, tel qu'on l'observe chez les amibes.[3]

Myalgie : Douleurs des muscles striés squelettiques.[1]

Myéloïde : Qui concerne la moelle osseuse.[6]

Myélome multiple : Appelé aussi myélome plasmocytaire, se caractérise par l'envahissement et la destruction de la moelle osseuse par des plasmocytes néoplasiques.

Myélosuppression : Suppression de l'activité de la moelle osseuse entraînant une diminution du nombre de globules rouges, de globules blancs et de plaquettes dans le sang.[22]

Myocardite : Inflammation du myocarde.[6]

Myopie : Anomalie de la vision causée par la convergence des rayons lumineux devant la rétine et qui entraîne de la difficulté à voir de loin.

Myringotomie : Intervention consistant à pratiquer une incision dans le tympan pour libérer la pression et l'exsudat de l'oreille moyenne.

N

Nævus de Ota : Lésion maculaire latérale du visage touchant la conjonctive et les paupières ainsi que la peau adjacente, les sclérotiques, les muscles oculaires et le périoste. Ses caractéristiques histologiques varient entre les taches mongoliques et les nævus bleus.[45]

Nævus dysplasique : Grain de beauté bénin inhabituel qui ressemble aux mélanomes et qui indique un risque accru.[46]

Natriurèse : Désigne le taux de sodium (Na) contenu dans le sang chez un individu ne présentant aucune maladie. Cette concentration de sodium dans le sang est particulièrement fixe et réglée par l'hormone antidiurétique.[1]

Nébulisation : Technique qui permet d'administrer une concentration importante de médicament, sous forme de fines gouttelettes, directement dans les voies respiratoires.

Nécrose tubulaire aiguë : Affection qui résulte le plus souvent de l'ischémie rénale, mais qui peut également être provoquée par les toxines rénales directes comprenant des drogues telles que les aminoglycosides, le lithium et les dérivés de platine.

Néoplasie secondaire : Foyer secondaire d'un cancer, métastasé par voie sanguine ou lymphatique à partir d'un foyer primaire.

Néphroangiosclérose : Sclérose du rein par constriction de ses artérioles associée à l'HTA, bénigne ou grave, et à l'artériosclérose du vieillard.

Neutropénie : Diminution du nombre de polynucléaires neutrophiles en dessous de 1 500 par microlitre s'observant dans de nombreuses affections.[1]

Névrome acoustique (ou neurinome acoustique) : Tumeur bénigne unilatérale qui se forme au point d'entrée du nerf vestibulocochléaire (8e nerf crânien VIII) dans le méat acoustique interne.

Niveau de Clark : Échelle qui décrit à quel point le mélanome primitif a pénétré dans les différentes couches de la peau.[48]

Niveau préprandial : Niveau qui précède les repas.[26]

Nociceptif : Relatif à la nociception, perception des stimulations produisant la douleur.[39]

Nodules d'Osler : Nodosité de coloration rouge s'accompagnant de douleur et dont la dimension est proche de celle d'une lentille.[1]

Numération réticulocytaire : Correspond au nombre de globules rouges immatures circulant dans le sang.

Nystagmus : Mouvement d'oscillation rythmique et involontaire des yeux.

O

Œdème aigu du poumon (OAP) : Accumulation anormale de liquide dans les alvéoles et les espaces interstitiels pulmonaires.

Œdème alvéolaire : Deuxième phase de l'œdème du poumon, où le liquide continue à sortir des capillaires pulmonaires et inonde finalement les alvéoles.

Œdème interstitiel : Première phase de l'œdème du poumon où l'on assiste à une sortie de liquide des capillaires pulmonaires vers l'espace interstitiel.

Oligurie : Diminution de la production d'urine (moins de 30 mL/h).[49]

Opsonisation : Processus se caractérisant par la fixation d'opsonine à la surface des plaquettes ou des bactéries.[1]

Optotype de Jaeger : Appareil employé pour mesurer l'acuité visuelle en vision de près. Il s'agit de caractères d'imprimerie de taille variable, combinés en mots et en phrases.[50]

Orgelet externe : Infection des glandes sébacées touchant les follicules pileux du rebord de la paupière.

Orthopnée : État anormal dans lequel une personne qui présente de la dyspnée en position horizontale doit utiliser plusieurs oreillers lorsqu'elle est couchée ou doit s'asseoir en maintenant les bras surélevés pour mieux respirer.

Otalgie : Douleur de l'oreille.

Otite externe : Inflammation ou infection de l'épithélium de l'auricule et du méat acoustique.

Otite moyenne aiguë (OMA) : Infection du tympan, des osselets et de la cavité de l'oreille moyenne.

Otite séreuse (ou otite moyenne avec épanchement) : Inflammation de l'oreille, qui est une des causes les plus fréquentes de la perception défectueuse des sons par l'enfant, et qui s'accompagne de présence de liquide sans pus.[1]

Otorrhée : Écoulement de liquide séreux, de mucus ou de pus par le conduit auditif externe, pouvant provenir de l'oreille externe ou des cavités de l'oreille moyenne.[6]

Otospongiose : Développement d'un os spongieux dans l'oreille moyenne et qui entraîne, à plus ou moins long terme, une surdité progressive.[22]

P

Palatabilité : Qualité d'un aliment palatable, c'est-à-dire qui procure une sensation agréable lors de sa consommation.[22]

Pancytopénie : Diminution du nombre des globules rouges, des globules blancs et des plaquettes en présence d'une pathologie (maladie) sanguine associée.[1]

Panophtalmie : Inflammation de l'œil dans ses trois tuniques : rétine, choroïde et sclérotique.[22]

Paracentèse du tympan : Intervention consistant à inciser la membrane tympanique pour permettre le drainage de la caisse tympanique.[22]

Paroxysme : Quinte de toux.

Péricardectomie : Incision faite au péricarde dans le but d'évacuer une collection liquide de cette séreuse.[6]

Péricardiocentèse : Ponction du péricarde dans le but d'en évacuer un épanchement.[6]

Péricardite : Affection aiguë ou chronique du péricarde se manifestant soit par une inflammation sèche ou avec épanchement, soit par un épanchement non inflammatoire, soit par une symphyse péricardique.[6]

Péricardite constrictive chronique : Forme de péricardite chronique (s'étalant dans le temps) se caractérisant par un épaississement du péricarde appelé pachypéricardite.[1]

Périchondrite : Inflammation des membranes du cartilage de l'oreille.

Pétéchie : Petite hémorragie superficielle qui apparaît sur la peau et qui prend la forme de minuscule tache rouge ou violacée.

Phagocytose : Processus d'englobement et de digestion par une cellule de particules solides ou d'autres cellules qu'elle trouve dans son milieu.[6]

Pharyngite aiguë : Inflammation aiguë des parois pharyngées.

Phénomène de Raynaud : Trouble causé par l'exposition au froid ou au stress qui se caractérise par des crises d'ischémie aux extrémités du corps.

Phlébite : Inflammation aiguë ou chronique d'une veine superficielle entraînant souvent la formation d'un thrombus (caillot de sang) qui oblitère le vaisseau ou migre à l'intérieur de celui-ci en provoquant une embolie.[6]

Phlegmon (ou abcès) périamygdalien : Complication de la pharyngite aiguë ou de l'amygdalite aiguë qui se produit lorsque l'infection bactérienne envahit l'une ou l'autre des amygdales, ou même les deux.

Photocoagulation : Procédé thérapeutique utilisé en ophtalmologie, consistant à projeter sur la choriorétine, sur l'iris, et sur les vaisseaux rétiniens un faisceau lumineux intense et étroit produit par une lampe au xénon ou par un laser qui provoque la formation de foyers inflammatoires circonscrits.[22]

Plasminogène : Protéine plasmatique inactive participant à la fibrinolyse en se transformant en plasmine sous l'effet d'activateurs.[6]

Pléthore : Surabondance de sang dans l'ensemble ou dans une partie de l'organisme.[6]

Pleurésie (ou pleurite) : Inflammation de la plèvre, habituellement causée par une pneumonie, la tuberculose, un trauma au thorax, un infarctus pulmonaire ou un néoplasme.

Pleurodèse : Production d'adhérences artificielles entre la plèvre pariétale et la plèvre viscérale.

Pneumoconiose : Groupe de maladies pulmonaires causées par l'inhalation et la rétention de particules de poussières.

Pneumomédiastin : Présence d'air à l'intérieur des tissus du médiastin. Le médiastin est la zone située entre les poumons de chaque côté, la colonne vertébrale en arrière et le sternum en avant.

Pneumonectomie : Opération chirurgicale qui consiste à enlever le poumon dans sa totalité ou partiellement.[6]

Pneumonie : Inflammation des poumons causée le plus souvent par une infection ou, rarement, par un agent irritant chimique ou physique ; désigne les infections pulmonaires causées par des bactéries, des virus, des germes atypiques, des mycoses ou d'autres parasites.[2]

Pneumonie acquise dans la communauté : Infection des voies respiratoires inférieures acquise en communauté et qui débute à domicile ou au cours des deux premiers jours d'une hospitalisation.

Pneumonie nosocomiale : Pneumonie survenant dans les 48 heures ou plus suivant l'admission à l'hôpital, donc qui n'est pas en incubation au moment de l'hospitalisation.

Pneumonie par aspiration : Infection des poumons résultant de l'entrée anormale de sécrétions ou de substances étrangères dans les voies respiratoires inférieures.

Pneumopathie d'hypersensibilité : Forme de maladie pulmonaire parenchymateuse présente chez les personnes qui inhalent des antigènes auxquels elles sont allergiques.

Pneumothorax : Présence d'air dans la cavité pleurale.

Pneumothorax spontané : Présence d'air ou de gaz dans la cavité constituée par les deux plèvres pulmonaires. Le pneumothorax spontané survient en l'absence de traumatisme du thorax.

Polycythémie : Augmentation anormale du nombre de globules rouges.[1]

Polyglobulie : Augmentation de globules rouges dans le sang.

Polype laryngé : Tumeur le plus souvent bénigne, généralement pédiculée, qui se développe sur les muqueuses du larynx.[3]

Polype nasal : Évagination bénigne de la muqueuse nasale qui se forme lentement en réaction à l'inflammation répétée de la muqueuse sinusale ou nasale.

Postcharge : Force que le myocarde doit vaincre pour éjecter le sang du cœur.

Potentiel d'action : Changements transitoires du potentiel membranaire à partir de son niveau de repos qui constituent les signaux électriques donnant naissance à l'influx nerveux.

Pouls de Corrigan : Pouls amples, bondissants et rapidement dépressibles.[51]

Précharge : Volume de sang qui se trouve dans les ventricules à la fin de la diastole, avant la contraction suivante.

Prééclampsie : Maladie caractérisée par l'association d'une hypertension artérielle (HTA), d'une protéinurie, d'une prise de poids avec œdème. Elle est plus fréquente en cas de grossesses gémellaire et de première grossesse.[30]

Première intention : Guérison spontanée par le rapprochement des marges de réépithélialisation.

Presbyacousie : Perte auditive liée à l'âge, comprend la perte de sensibilité auditive périphérique, une diminution de la capacité de reconnaissance des mots ainsi que les troubles psychologiques et de communication associés.

Presbytie : Diminution progressive du pouvoir d'accommodation de l'œil entraînant une gêne à la vision de près.[3]

Pression artérielle (P.A.) : Force du cœur lorsqu'il propulse le sang contre les parois d'une artère.

Pression artérielle diastolique : Pression résiduelle dans le système artériel pendant la relaxation des ventricules (ou leur remplissage).

Pression artérielle différentielle : Différence entre la pression artérielle systolique et la pression artérielle diastolique.

Pression artérielle moyenne : Pression moyenne dans le système artériel tout au long de la révolution cardiaque (systole et diastole).

Pression artérielle systolique : Pression maximale exercée contre les artères lorsque les ventricules se contractent.

Priapisme : État pathologique caractérisé par l'érection prolongée et douloureuse de la verge sans aucun désir qui l'occasionne et n'aboutissant à aucune éjaculation.[6]

Produit sanguin leucoréduit : La poche de culot globulaire ou de plaquettes d'aphérèse renferme moins de 5 × 106 de leucocytes résiduels et une quantité égale ou inférieure à 8,3 × 105 par unité de concentré plaquettaire.

Prolapsus valvulaire mitral (PVM) : Maladie assez fréquente, congénitale ou secondaire à un rhumatisme articulaire aigu, à une valvulotomie mitrale, etc. due à une ballonnisation de la valve mitrale.

Prostaglandine : Substance libérée lorsque des cellules locales sont lésées.

Prurit : Trouble de fonctionnement des nerfs cutanés, provoquant des démangeaisons, causé par une affection de la peau ou par une pathologie générale. On distingue plusieurs variétés de prurit selon la zone anatomique concernée.[1]

Pseudofolliculite : Réaction inflammatoire à la croissance de poils incarnés après un rasage de trop près. Elle se caractérise par la présence de pustules et de papules.

Psoriasis : Maladie de la peau qui se caractérise par des plaques rouges et bien délimitées, contenant des papules et des squames (sorte de petites écailles de peau).[2]

Purpura : Syndrome caractérisé par une éruption cutanée de taches rouges ou bleues, ne s'effaçant pas à la pression, et consécutives à des hémorragies provoquées notamment par des altérations de la paroi capillaire, de la coagulation sanguine, en lien avec des maladies d'origine infectieuse, toxique, etc.

Pyodermite : Infection cutanée purulente.[22]

R

Radiodermite chronique : Inflammation de la peau provoquée par les rayons ionisants, intervenant après une radiothérapie (généralement à la suite d'un cancer), et qui peut être aiguë ou chronique. Les lésions sont irréversibles.[52]

Rayonnement parasite : Rayonnement comprenant le rayonnement de fuite, le rayonnement résiduel et le rayonnement diffusé provenant des objets irradiés.

Réaction consensuelle : Contraction pupillaire controlatérale provoquée par un faisceau lumineux sur la rétine.

Réaction fébrile non hémolytique (RFNH) : Consécutive à une transfusion de concentré de globules rouges (CGR), elle est généralement causée par des anticorps se trouvant dans le plasma du receveur qui s'attaquent aux leucocytes présents dans le CGR transfusé.[53]

Réaction hémolytique aiguë : Elle est causée par la fixation des anticorps plasmatiques du receveur aux antigènes des érythrocytes du sang du donneur. La fixation cause une hémolyse des globules rouges, qui entraîne la libération d'hémoglobine libre dans le plasma.

Réflexe de Hering-Breuer : Réflexe à l'origine de l'expiration, déclenché par la distension (augmentation de volume) des poumons à l'extrême et destiné à protéger l'appareil pulmonaire.[1]

Réfraction : Capacité de l'œil à dévier les rayons lumineux pour les acheminer à la rétine.

Réfringence : Propriété de réfracter la lumière.[22]

Régurgitation : Reflux du sang des grandes artères dans le cœur, ou d'une cavité cardiaque dans l'autre, par suite d'une insuffisance valvulaire.[6]

Remodelage ventriculaire passif : Processus pathologique qui survient à la suite d'une dysfonction myocardique, et qui altère la structure du ventricule en remplaçant les cellules musculaires nécrosées par une fibrose cicatricielle.

Réserve cardiaque : Capacité du cœur de réagir à ces demandes en augmentant le débit cardiaque.

Réservoir Ommaya : Dispositif inséré par voie chirurgicale sous le cuir chevelu afin d'administrer des médicaments anticancéreux directement dans la partie entourant le cerveau et la moelle épinière.[9]

Résistance vasculaire systémique (RVS) : Force qui s'oppose au déplacement du sang dans les vaisseaux, et c'est le diamètre des petites artères et des artérioles qui en est le principal facteur responsable.

Respiration à lèvres pincées (RLP) : Type de respiration qui a pour but de prolonger l'expiration et, donc, de prévenir l'affaissement bronchique et la rétention d'air. La RLP permet au client de mieux maîtriser sa respiration, surtout au cours de l'exercice physique et des épisodes de dyspnée.

Resténose : Réapparition d'un rétrécissement (d'un conduit, d'un orifice) précédemment supprimé.[22]

Resynchronisation cardiaque : Implantation d'un stimulateur cardiaque, muni de plusieurs sondes de stimulation, pour améliorer la synchronisation des contractions des oreillettes et des ventricules du cœur.[3]

Réticulocytose : Taux des réticulocytes dans le sang, indice de la productivité de cellules érythrocytaires de la moelle ; p. ext., augmentation de ce taux lors d'une affection sanguine ou en période de réparation suivant une anémie.[6]

Rétinite pigmentaire : Maladie héréditaire qui se caractérise par une détérioration des cônes et des bâtonnets, et qui endommage la vision périphérique de façon progressive au cours des années.[54]

Rétinopathie : Dommages microvasculaires de la rétine.

Rétinopathie diabétique : Rétinopathie associée au diabète et caractérisée par des petites hémorragies rétiniennes arrondies appendues aux vaisseaux, et par des exsudats blanchâtres ou jaunâtres.[22]

Rétinopexie pneumatique : Injection d'un gaz ou d'un gel dans l'humeur vitrée afin de former une bulle temporaire qui ferme les ruptures rétiniennes et qui « recolle la rétine au fond de l'œil ».

Rétrécissement : Diminution du calibre d'un canal ou d'un orifice.[6]

Rétrosternal : Qui est localisé derrière le sternum.[3]

Revascularisation coronarienne : La revascularisation coronarienne consiste à restaurer l'apport sanguin au myocarde par les artères coronaires soit par désobstruction mécanique de la lumière artérielle (angioplastie) soit par l'interposition d'un greffon court-circuitant l'obstruction (pontage).[24]

Rhegmatogène : Désigne tout ce qui est provoqué par une déchirure comme cela survient au cours du décollement de la rétine.[1]

Rhinite allergique : Réaction que présente la muqueuse nasale devant un allergène précis.

Rhinite virale aiguë : Inflammation d'origine infectieuse des fosses nasales à la suite d'une infection banale des voies respiratoires supérieures par les réovirus.[1]

Rhinoplastie : Reconstruction chirurgicale du nez, pour des raisons esthétiques ou pour améliorer la fonction des voies respiratoires lorsqu'un trauma ou des déformations liées à la croissance causent une obstruction nasale.

Rhinorrhée : Écoulement de liquide par le nez.[6]

Rhumatisme articulaire aigu (RAA) : Douleurs articulaires importantes et de courte durée touchant essentiellement les genoux, les poignets et les chevilles. Ces douleurs migrantes passent d'une articulation à l'autre en quelques jours.[1]

Rhytidectomie : Déridage du visage et des paupières.

Sarcoïdose : Maladie granulomateuse chronique qui touche de multiples organes, mais surtout les poumons, et dont la cause est inconnue.

Scintigraphie nucléaire : Procédé d'investigation reposant sur le phénomène de scintillation, consistant à introduire dans l'organisme une substance radioactive ayant une affinité particulière pour l'organe à examiner, puis à repérer, à l'aide d'un appareil, la répartition de la radioactivité dans cet organe afin de voir son état.[6]

Scotome : Lacune dans le champ visuel due à l'existence de points insensibles sur la rétine et le plus souvent provoquée par une lésion du nerf optique.[6]

Sensation ébrieuse : Le vertige vrai (pathologique) est la sensation erronée, ressentie par le client, que son propre corps ou que les objets qui l'entourent sont animés d'un mouvement giratoire ou oscillatoire.[30]

Septicémie : Propagation de microorganismes pathogènes dans la circulation sanguine.

Septoplastie : Technique chirurgicale de repositionnement de la cloison nasale.[59]

Shunt intracardiaque : Communication pathologique entre le cœur droit et le cœur gauche qui permet le mélange du sang oxygéné et du sang non oxygéné.

Sibilance: Bruits respiratoires de haute tonalité, musicaux et grinçants, plus fréquents à l'expiration, et perçus à l'auscultation pulmonaire.

Signe de Janeway: Taches rosâtres ou rougeâtres que l'on peut observer sur la paume des mains ou sur la plante des pieds. Elles sont indolores.[55]

Signe de Kussmaul: Augmentation de la pression des veines intrathoraciques entraînant la distension des veines jugulaires durant l'inspiration.

Sinusite: Inflammation des sinus frontaux ou maxillaires, faisant suite à une infection nasale ou à une infection dentaire, caractérisée par des douleurs avec ou sans écoulement purulent.[6]

Solution parentérale: La voie parentérale ou centrale correspond à l'administration des médicaments directement dans l'organisme sans passer par le tube digestif (injection intraveineuse à l'intérieur du système nerveux central).[1]

Splénectomie: Ablation de la rate.[6]

Stapédectomie: Ablation de l'étrier, le plus souvent pour remédier à la surdité par otospongiose.[1]

Stase veineuse: Arrêt, stagnation du sang circulant dans les veines.[3]

Sténose laryngée: Rétrécissement du larynx.[10]

Stimulateur cardiaque (cardiostimulateur): Appareil destiné à susciter des contractions rythmées du muscle cardiaque lorsque la stimulation physiologique est déficiente.[6]

Stomatite: Inflammation de la muqueuse buccale.[6]

Strabisme: Trouble qui empêche une personne d'orienter ses deux yeux simultanément sur un même objet (défaut d'alignement des axes visuels).

Stridor: Bruit inspiratoire aigu, provoqué notamment par une obstruction incomplète du larynx ou de la trachée.[6]

Surdité centrale: Surdité qui désigne une incapacité d'interpréter le son, notamment les mots, en raison d'un trouble de l'encéphale (système nerveux central).

Surdité de conduction: Surdité due à une lésion de l'oreille moyenne ou externe; elle affecte la perception de la voix chuchotée. Le déficit porte surtout sur les sons graves.[22]

Surdité de perception: Surdité due à une lésion des organes sensoriels (cellules sensorielles de l'oreille interne, nerf cochléaire, centres auditifs).[22]

Surdité mixte: Surdité qui est, en partie, une surdité de transmission et, en partie, une surdité de réception.[22]

Surfactant: Lipoprotéine qui diminue la tension superficielle à l'intérieur des alvéoles.

Surveillance hémodynamique: Surveillance des caractéristiques physiques de la circulation normale et pathologique du sang dans le système cardiovasculaire. Ces principales caractéristiques physiques sont le débit, la pression et la vitesse.[22]

Surveillance par télémétrie: Technique de surveillance à distance de la F.C. et du rythme cardiaque d'un client qui peut aider à diagnostiquer rapidement l'arythmie, l'ischémie ou l'infarctus.

Syndrome coronarien aigu (SCA): Ensemble de signes qui font a priori évoquer un problème sérieux aux artères coronaires du cœur avec le risque d'infarctus du mycocarde.[52]

Syndrome de Down (ou trisomie 21): Maladie chromosomique congénitale provoquée par la présence d'un chromosome surnuméraire pour la 21e paire.[2]

Syndrome de Dressler: Variété de péricardite survenant parfois dans les jours ou dans les semaines qui suivent l'apparition d'un infarctus du myocarde.[1]

Syndrome de Guillain-Barré (SGB): Affection des nerfs périphériques (appartenant au système nerveux périphérique c'est-à-dire l'ensemble du système nerveux sans l'encéphale et la moelle épinière). Elle se caractérise par une démyélinisation due à l'inflammation de la gaine de myéline.[1]

Syndrome de Marfan: Dégénérescence prématurée du tissu élastique des vaisseaux.

Syndrome de Turner: Aberration chromosomique associée à des malformations physiques typiques (petite taille, implantation basse des oreilles, thorax bombé, etc.), à une stérilité et à un développement sexuel anormal.[1]

Syndrome de Widal: Crise d'asthme apparaissant après l'absorption d'aspirine. Cette affection survient essentiellement chez l'asthmatique chronique (de longue durée) présentant également une polypose (présence de polypes) dans le nez et les sinus.[1]

Syndrome du compartiment: Résultat d'une augmentation de la pression dans le compartiment (fascia) secondaire à l'augmentation du contenu (p. ex., à cause d'une hémorragie, d'un œdème) ou par une limitation de l'expansion du fascia (p. ex., à cause d'un pansement, d'un plâtre), pouvant mener à une lésion nerveuse ou musculaire.

Syndrome myélodysplasique (SMD): Affection caractérisée par un fonctionnement anormal de la moelle osseuse et pouvant être un précurseur de leucémie.[9]

Syndrome oculorespiratoire: Apparition d'un ou de plusieurs des symptômes suivants: yeux rouges, symptômes respiratoires aigus (y compris détresse respiratoire, sensation de gorge serrée et/ou gêne thoracique) et œdème de la face.[32]

Système rénine-angiotensine-aldostérone (SRAA): Ensemble physiologique hypertenseur. Il provoque la constriction des vaisseaux, fait augmenter la pression artérielle et stimule la sécrétion d'aldostérone (qui réduit l'élimination de l'eau et du sodium).[1]

Systole: Contraction du cœur, dont la finalité est l'éjection du sang en dehors de celui-ci.[1]

T

Taches de Roth: Présence au niveau de la rétine d'un grand nombre de petites hémorragies dont le centre est de coloration blanche.[1]

Tachycardie: Fréquence cardiaque élevée, supérieure à 100 battements par minute.

Tachycardie ventriculaire (TV): Variété de tachycardie se caractérisant par une accélération du rythme cardiaque dont l'origine se situe dans une région du myocarde, au-dessous de la bifurcation du faisceau de His. On parle de tachycardie modérée quand les pulsations cardiaques se situent entre 80 et 100 par minute. La tachycardie intense se caractérise par des battements supérieurs à 100 par minute.[1]

Tachypnée: Fréquence respiratoire accélérée.

Tamponnade cardiaque: Compression du cœur qui peut être due à un épanchement péricardique compressif, une bulle parenchymateuse comprimant le cœur droit, associée à l'emphysème.

Télangiectasie: Dilatation congénitale ou acquise de petits vaisseaux superficiels éloignés du cœur, à la surface de la peau ou d'une muqueuse.[6]

Test au gaïac: Test de laboratoire qui consiste à mesurer les quantités microscopiques de sang dans les fèces.

Test d'Amsler: Grille composée de lignes verticales et horizontales placées à intervalles réguliers. Un petit point est imprimé au centre de la grille.[57]

Test de couleur Ishihara: Test permettant d'évaluer la qualité de la vision des couleurs et consistant à présenter aux clients différentes impressions colorées sur un fond coloré.[1]

Test de RadioAllergoSorbent: Essai d'allergie fait sur un échantillon de sang. L'essai est employé pour vérifier la sensibilité allergique aux substances spécifiques. Dans l'essai, l'échantillon de sang est mélangé aux substances connues pour déclencher des allergies. L'essai mesure le niveau des anticorps d'allergie (anticorps spécifiques d'IgE) dans le sang qui sont présents s'il y a une réaction allergique.

Thalassémie: Trouble sanguin héréditaire qui affecte la production d'hémoglobine, faisant en sorte que les globules rouges ne peuvent transporter autant d'oxygène que l'organisme en aurait besoin.[9]

Thérapie photodynamique (TPD): Technique de traitement qui assure la destruction sélective de cellules ou de tissus par l'activation, à l'aide d'un rayon laser conduit par une fibre optique, de médicaments photosensibles préalablement injectés dans l'organisme.[22]

Thérapie sous observation directe (TOD): Administration directe des médicaments au client, c'est-à-dire en le regardant avaler le médicament.

Thoracentèse: Ponction thoracique transpariétale destinée à évacuer un épanchement pleural ou à pratiquer un prélèvement (biopsie).[6]

Thoracotomie: Intervention majeure qui consiste en l'ouverture chirurgicale de la cavité thoracique.

Thrombine: Enzyme le plus puissant du mécanisme de coagulation. Elle convertit le fibrinogène en fibrine.

Thromboangéite oblitérante (ou maladie de Léo Buerger): Trouble inflammatoire récurrent et segmentaire, non athéroscléreux, qui exerce une occlusion vasculaire des petites et moyennes artères et veines des membres supérieurs et inférieurs.

Thrombocytopénie: Affection caractérisée par une quantité anormalement faible de plaquettes dans le sang. Puisque les plaquettes sont nécessaires à la coagulation, un nombre peu élevé peut engendrer une certaine fragilité à la formation d'ecchymoses ou la tendance aux saignements. La thrombocytopénie peut être un effet secondaire de la chimiothérapie.[9]

Thrombocytose: Excès de plaquettes survenant durant le processus inflammatoire et les affections malignes.

Thrombopénie: Diminution du nombre des plaquettes au-dessous de 150 000/mm^3 dans le sang circulant.[1]

Thrombose veineuse: La thrombose veineuse, aussi appelée phlébite, désigne la formation d'un caillot dans une veine.

Thrombose veineuse profonde (TVP) : Obstruction d'une veine (embolie) par un caillot sanguin (thrombose) dans le ruisseau de sang.[8]

Thrombus: Accumulation de plaquettes, de fibrine, de facteurs de coagulation et d'éléments cellulaires sanguins fixés aux parois intérieures d'un vaisseau sanguin, obstruant parfois la lumière du vaisseau.

Tomodensitométrie: Méthode d'imagerie médicale qui permet de mettre en évidence des malformations cérébrales (touchant les artères et les veines, des hémorragies cérébrales) et les ischémies (diminution de la vascularisation) artérielles.[1]

Tomodensitométrie spiralée (ou hélicoïdale): Test utilisé pour découvrir les embolies pulmonaires, qui nécessite l'injection d'un colorant de contraste dans les veines pour visualiser les vaisseaux sanguins. L'appareil prend différentes coupes en tournant autour du client. Un logiciel spécialisé reconstruit les données pour fournir une image à trois dimensions en plus d'aider à visualiser l'embolie.

Tomographie par émission de positons (TEP): Examen qui mesure l'activité métabolique dans les tissus.

Trabéculectomie: Chirurgie visant à rétablir le passage de l'humeur aqueuse par la création d'une ouverture sur le trabéculum.[3]

Trabéculoplastie au laser argon (TLA): Traitement non-invasif visant à réduire la pression intraoculaire lorsque les médicaments s'avèrent inefficaces ou quand le client ne peut ou ne veut pas suivre le traitement pharmacologique recommandé.

Trachéostomie: Intervention chirurgicale consistant à aboucher la trachée à la peau, soit au niveau de sa paroi antérieure, soit sur l'ensemble de sa section.[6]

Trachéotomie: Incision chirurgicale pratiquée dans la trachée dans le but de rétablir le passage de l'air.

Trachéotomie chirurgicale: Trachéotomie habituellement pratiquée en salle d'opération et sous anesthésie générale.

Trachéotomie percutanée: Trachéotomie pratiquée au chevet et sous anesthésie locale avec sédation ou analgésie.

Trachome: Inflammation chronique de la conjonctive due à un virus. Elle est caractérisée par la formation de follicules, une hyperplasie papillaire et un pannus cornéen qui entraîne des lésions cicatricielles de la cornée.[22]

Traumatisme contondant: Traumatisme lié à un impact avec un objet.

Traumatisme pénétrant: Blessure ouverte provoquée par un corps étranger empalé dans le corps ou qui en traverse les tissus.

Trou maculaire: Déhiscence rétinienne qui survient dans la macula.

Tuberculose (TB): Maladie infectieuse qui touche habituellement les poumons. Il s'agit de la deuxième principale cause de décès d'une maladie infectieuse après le virus VIH/sida.

Tuberculose miliaire: Atteinte simultanée de plusieurs organes par la bactérie de la tuberculose.

Tympan: Membrane brillante et translucide de couleur gris perle qui est formée de cellules épithéliales, de tissu conjonctif et d'une membrane muqueuse. Il sépare le méat acoustique externe et l'oreille moyenne, et il assure la transmission sonore entre les deux.

Tympanoplastie: Technique consistant à refaire chirurgicalement le tympan.[1]

U

Ulcère cornéen: Perte de substance de la surface de la cornée survenant à la suite d'une inflammation ou d'un traumatisme cornéen.[22]

Ulcère de Curling: Cas d'interaction entre plusieurs organes. Cette ulcération apparaît au niveau de l'estomac et/ou du duodénum (comme un ulcère gastroduodénal de type digestif), mais survient après une importante brûlure de la peau, notamment lorsque la surface brûlée dépasse 30 %.[17]

Ulcère de jambe veineux: Plaie chronique avec perte de substance pouvant aller de la peau jusqu'à l'os. Il est d'étendue variable, provoqué ou d'apparition insidieuse, ne guérit pas de lui-même et siège le plus souvent à la jambe.[57]

Ultrafiltration: Procédé qui permet d'extraire rapidement un bon volume de liquide extracellulaire et vasculaire.[58]

Uvéite: Inflammation de l'uvée, de la rétine, de l'humeur vitrée ou du nerf optique.

V

Varice: Dilatation veineuse pathologique, permanente, située le plus souvent au niveau du réseau superficiel des membres inférieurs; p. ext., dilatation permanente de tout vaisseau sanguin ou lympathique.[6]

Vasoactif: Substance ou mécanisme permettant la modification du calibre des vaisseaux (vasoconstriction et vasodilatation).[1]

Vasoconstriction tonique: Tension permanente dans les vaisseaux sanguins.

Vertige positionnel paroxystique bénin (VPPB): Vertige rotatoire, souvent violent et d'apparition rapide (de 3 à 20 secondes), parfois accompagné de nausées.[10]

Vitiligo: Affection cutanée (dermatose) dont la cause est inconnue et qui se caractérise par une perte localisée de la pigmentation (coloration de la peau par des pigments).[1]

Vitrectomie: Ablation chirurgicale de l'humeur vitrée.

Voix œsophagienne: Voix sous-laryngée des opérés du larynx, obtenue après rééducation vocale, grâce à l'air accumulé dans l'œsophage.[6]

Volet costal: Segment instable produit par une fracture de deux côtes ou plus, à deux endroits séparés ou plus.

Vrai anévrisme: Anévrisme formé dans la paroi de l'artère et qui laisse au moins une couche du vaisseau intacte. Les vrais anévrismes se subdivisent en anévrismes fusiformes et en anévrismes sacciformes.

W

***Wheezing*:** Bruit respiratoire audible par la personne ainsi que par l'infirmière, qui témoigne d'un rétrécissement ou d'une obstruction des bronches, une situation propre à l'asthme, à la BPCO ou à l'aspiration d'un corps étranger.

X

Xérostomie: État de sécheresse de la cavité buccale.[6]

Z

Zona: Dermatose virale fréquente, due au virus de l'*herpes zoster*, le même virus que la varicelle.[2]

1. www.vulgaris-medical.com
2. fr.wikipedia.org
3. www.larousse.fr
4. www.servicevie.com
5. biblio.hmr.qc.ca
6. www.cnrtl.fr
7. www.passeportsante.net
8. www.chu-rouen.fr
9. info.cancer.ca
10. dictionnaire.sensagent.com
11. terminologiemedicale.free.fr
12. www.phonetique.ulaval.ca
13. www.medicopedia.net
14. www.prevor.com
15. www.hydroquebec.com
16. www.medix.free.fr
17. www.medicalorama.com
18. www.medqual.fr
19. www.besancon-cardio.org
20. www.fmcoeur.com
21. fr.encarta.msn.com
22. www.granddictionnaire.com
23. www.infirmiers.com
24. www.informationhospitaliere.com
25. www.reptox.csst.qc.ca
26. www.mediadico.com
27. www.med.univ-rennes1.fr
28. www.escarre.fr
29. Shemie, S.D., Doig, C., Dickens, B., Byrne, P., Wheelock, B., Rocker, G. *et al.*, au nom du Groupe de référence en pédiatrie et du Groupe de référence en néonatalogie (2006). L'arrêt cérébral: diagnostic du décès neurologique et prise en charge des donneurs d'organes au Canada. *CMAJ*, *174*(6), 1-32.
30. dictionnaire.doctissimo.fr
31. www.has-sante.fr
32. www.who.int
33. www.pq.poumon.ca
34. reucare.gie-toi.org
35. www.anselleurope.com
36. fmc.med.univ-tours.fr
37. www.hc-sc.gc.ca
38. Baranoski, S., & Ayello, E.A. (2004). *Wound care essentials*. Philadelphia: Lippincott Williams & Wilkins.
39. dictionnaire.reverso.net
40. www.dembri-endocrino.com
41. www.cardio-sfc.org
42. Graham-Robin, R., Bourke, J., & Cunliffe, T. (2008). *Dermatology: Fundamentals of practice*. Edinburgh, R.-U.: Royal College of General Practitioners, Elsevier.
43. t.verson.free.fr
44. www.cliniquevertigo.com
45. www.dermis.net
46. www.skincancer.org
47. www.totalhealthcare.com
48. www.vaincrelemelanome.fr
49. Tortora, G.J., & Derrickson, B. (2006). *Principes d'anatomie et de physiologie* (2e éd.). Montréal: Éditions du Renouveau Pédagogique.
50. btb.termiumplus.gc.ca
51. www.medinfos.com
52. www.docteurclic.com
53. www.transfusionmedicine.ca
54. www.inlb.qc.ca
55. sante-guerir.notrefamille.com
56. www.cnib.ca
57. www.ulcere-de-jambe.com
58. Costanzo, M.R., Guglin, M.E., Saltzberg, M.T., Jessup, M.L., Bart, B.A., Teerlink, J.R. *et al.* (2007). Ultrafiltration versus intravenous diuretics for patients hospitalized for acutely decompensated HF. *J Am Coll Cardiol*, *49*, 675.
59. www.orl-info.com

SOURCES ICONOGRAPHIQUES

CHAPITRE 28 – p. 4 (figure 28.1) : Patton, K.T., & Thibodeau, G.A. (2013). *Anatomy and Physiology* (8th ed.). St. Louis, MO : Mosby ; p. 5 (figure 28.2) : Patton, K.T., & Thibodeau, G.A. (2013). *Anatomy and Physiology* (8th ed.). St. Louis, MO : Mosby ; p. 6 (figure 28.3) : Patton, K.T., & Thibodeau, G.A. (2013). *Anatomy and Physiology* (8th ed.). St. Louis, MO : Mosby ; p. 7 (figure 28.4) : Kanski, J. (2009). *Clinical Ophthalmology : A Synopsis* (2nd ed.). New York, NY : Butterworth-Heinemann ; p. 11 (figure 28.5) : © Dean Mitchell/Dreamstime.com ; p. 18 (figure 28.6) : Newell, F.W. (1992). *Ophthalmology : Principles and Concepts* (7th ed.). St. Louis, MO : Mosby ; p. 18 (figure 28.7) : Chenelière Éducation inc. ; p. 19 (figure 28.8) : Elsevier ; p. 20 (figure 28.9) : Tiré de Cory J. Bosanko, OD, FAAO, Eye Centers of Tennessee, Crossville, TN ; p. 21 (figure 28.10) : Reproduction autorisée par INCA/CNIB Québec. Pour informations : www.inca.ca/Québec ; p. 22 (figure 28.11) : Patton, K.T., & Thibodeau, G.A. (2013). *Anatomy and Physiology* (8th ed.). St. Louis, MO : Mosby ; p. 31 (figure 28.12A) : Elsevier ; p. 31 (figure 28.12C et D) : Tiré de Swartz, M.H. (2010). *Textbook of Physical Diagnosis : History and Examination* (6th ed.). Philadelphia, PA : Saunders.

CHAPITRE 29 – p. 43 (figure 29.1) : Terry Wild Stock ; p. 44 (figure 29.2) : Gracieuseté de Cory J. Bosanko, OD, FAAO, Eye Centers of Tennessee, Crossville, TN ; p. 47 (figures 29.3 et 29.4) : Gracieuseté de Cory J. Bosanko, OD, FAAO, Eye Centers of Tennessee, Crossville, TN ; p. 49 (figure 29.5) : Gracieuseté de Cory J. Bosanko, OD, FAAO, Eye Centers of Tennessee, Crossville, TN ; p. 52 (figure 29.6) : Gracieuseté de Cory J. Bosanko, OD, FAAO, Eye Centers of Tennessee, Crossville, TN ; p. 55 (figure 29.7) : Gracieuseté de Cory J. Bosanko, OD, FAAO, Eye Centers of Tennessee, Crossville, TN ; p. 60 (figure 29.9) : Cordelia Molloy/Science Source ; p. 68 (figure 29.11) : Gracieuseté de Cory J. Bosanko, OD, FAAO, Eye Centers of Tennessee, Crossville, TN ; p. 71 (figure 29.12) : Tiré de Flint, P., Haughey B, Lund, V., *et al.* (Eds.) (2010). *Cummings Otolaryngology : Head & Neck Surgery* (5th ed.). St. Louis, MO : Mosby ; p. 81 (figure 29.15) : Adapté de Advanced Vionics, Valencia, CA ; p. 83 : Andrew Gentry/iStockphoto.

CHAPITRE 30 – p. 88 (figure 30.1) : Adapté de Jarvis, C. (2008). *Physical Examination and Health Assessment* (5th ed.). Philadelphia, PA : Saunders Elsevier ; p. 89 (figure 30.3) : Habif, T.P. (2004). *Clinical Dermatology : A Color Guide to Diagnosis and Therapy* (4th ed.). St. Louis, MO : Mosby Elsevier ; p. 92 (figure 30.4) : From Gawkroger, D. (2002). *Dermatology* (3rd ed.). Edinburgh, UK : Churchill Livingstone, Elsevier ; p. 97 (tableau 30.5 [lésions cutanées primaires]) : Tiré de Gawkroger, D. (2002). *Dermatology* (3rd ed.). Edinburgh, UK : Churchill Livingstone, Elsevier ; p. 97 (tableau 30.5 [lésions cutanées secondaires]) : Tiré de Graham-Brown, R., Bourke, J., & Cunliffe, T. (2008). *Dermatology : Fundamentals of Practice.* Edinburgh, UK : Mosby Ltd ; p. 99 (figure 30.5) : Habif, T.P. (2004). *Clinical Dermatology : A Color Guide to Diagnosis and Therapy* (4th ed.). St. Louis, MO : Mosby Elsevier ; p. 102 (figures 30.6 et 30.7) : Tiré de Graham-Brown, R., Bourke, J., & Cunliffe, T. (2008). *Dermatology : Fundamentals of Practice.* Edinburgh, UK : Royal College of General Practitioners, Elsevier ; p. 103 (figure 30.8) : Tiré de Gawkroger, D. (2002). *Dermatology* (3rd ed.). Edinburgh, UK : Churchill Livingstone, Elsevier ; p. 103 (figure 30.9) : Tiré de Hurwitz, S. (1993). *Clinical Pediatric Dermatology : A Textbook of Skin Disorders of Childhood and Adolescence* (2nd ed.). Philadelphia, PA : Saunders ; p. 105 (figure 30.10) : Tiré de Graham-Brown, R., Bourke, J., & Cunliffe, T. (2008). *Dermatology : Fundamentals of Practice.* Edinburgh, UK : Royal College of General Practitioners, Elsevier.

CHAPITRE 31 – p. 114 (figure 31.1) : Tiré de Graham-Brown, R., Bourke, J., & Cunliffe, T. (2008). *Dermatology : Fundamentals of Practice.* Edinburgh, UK : Royal College of General Practitioners, Elsevier ; p. 114 (figure 31.2) : Swartz, M. (2005). *Textbook of Physical Diagnosis : History and Examination* (5th ed.). Philadelphia, PA : Saunders Elsevier ; p. 114 (figure 31.3) : Goldstein, B.G., & Goldstein, A.O. (1997). *Practical Dermatology* (2nd ed.). St. Louis, MO : Mosby Elsevier. Gracieuseté du Department of Dermatology, Medical College of Georgia, Augusta, GA ; p. 115 (figure 31.4) : Images © The Skin Cancer Foundation All Rights Reserved ; p. 116 (figure 31.5) : Tiré de Gawkrodger, D., & Ardern-Jones, M.R. (2012). *Dermatology* (5th ed.). Edinburgh, UK : Churchill Livingstone ; p. 120 (figures 31.6 et 31.7) : Tiré de Habif, T.P. (2004). *Clinical Dermatology : A Color Guide to Diagnosis and Therapy* (4th ed.). St. Louis, MO : Mosby ; p. 122 (figure 31.8) : Tiré de Habif, T.P. (2004). *Clinical Dermatology : A Color Guide to Diagnosis and Therapy* (4th ed.). St. Louis, MO : Mosby ; p. 122 (figure 31.9) : Tiré de Lemmi, Lemmi (2000). Seidel, H.M. (2011). *Mosby's Guide to Physical Examination* (6th ed.). St. Louis, MO : Mosby ; p. 122 (figure 31.10) : Tiré de Swartz, M.H. (2010). *Textbook of Physical Diagnosis : History and Examination* (6th ed.). Philadelphia, PA : Saunders. ; p. 122 (figure 31.11) : Gawkrodger, D. (2002). *Dermatology : An Illustrated Colour Text* (3rd ed.). Edinburgh, UK : Churchill Livingstone ; p. 122 (figure 31.12) : Tiré de Gawkrodger, D., & Ardern-Jones, M.R. (2012). *Dermatology* (5th ed.). Edinburgh, UK : Churchill Livingstone ; p. 123 (figure 31.13) : Gawkrodger, D. (2002). *Dermatology : An Illustrated Colour Text* (3rd ed.). Edinburgh, UK : Churchill Livingstone ; p. 127 (figure 31.14) : Tiré de Habif, T.P. (2004). *Clinical Dermatology : A Color Guide to Diagnosis and Therapy* (4th ed.). St. Louis, MO : Mosby ; p. 127 (figure 31.15) : Tiré de James, W.D., Berger, T., Elston, D.M.D. (2011). *Andrews' Diseases of the Skin* (11th ed.). Philadelphia, PA : Saunders ; p. 127 (figure 31.16) : Swartz, M. (2006). *Textbook of Physical Diagnosis : History and Examination* (5th ed.). Philadelphia, PA : Saunders ; p. 134 (figure 31.18) : Gawkrodger, D. (2002). *Dermatology : An Illustrated Colour Text* (3rd ed.). Edinburgh, UK : Churchill Livingstone ; p. 134 (figure 31.19) : Graham-Brown, R., Bourke, J., & Cunliffe, T. (2008). *Dermatology : Fundamentals of Practice.* Edinburgh, UK : Royal College of General Practitioners, Elsevier ; p. 135 (figure 31.20) : Gracieuseté de Peter Bonner ; p. 140 (figure 31.21) : Tiré de Pastorek, N., & Bustillo, A. (2005). Deep plane face-lift. *Facial Plast Surg Clin North Am, 13*(3), 433-449 ; p. 141 (figure 31.22) : © Medical-on-Line/Alamy ; p. 142 : Robert Brown/Dreamstime.com.

CHAPITRE 32 – p. 148 (figure 32.1) : Gracieusement fournie par Judy A. Knighton, Toronto, Canada ; p. 149 (figure 32.2) : Gracieusement fournie par Judy A. Knighton, Toronto, Canada ; p. 152 (figure 32.4A) : Tiré de Rothrock, J.C. (2007). *Alexander's Care of the Patient in Surgery.* St. Louis, MO : Mosby ; p. 152 (figure 32.4B) : Rule of Nines chart from Rothrock, J.C. (2007). *Alexander's Care of the Patient in Surgery.* St. Louis, MO : Mosby ; p. 157 (figure 32.6) : American Association of Critical-Care Nurses (2009). *AACN Advanced Critical Care Nursing.* St. Louis, MO : Mosby ; p. 157 (figure 32.7) : Adapté de Carlson, K. (2009). *Advanced Critical Care Nursing.* St. Louis, MO : Mosby ; p. 158 (figure 32.8) : Gracieusement fournie par Judy A. Knighton, Toronto, Canada ; p. 163 (figures 32.9 et 32.10) : Gracieusement fournie par Judy A. Knighton, Toronto, Canada ; p. 163 (figure 32.11) : Gracieuseté de ConvaTec ; p. 172 (figures 32.12 et 32.13) : Gracieusement fournie par Judy A. Knighton, Toronto, Canada ; p. 174 (figure 32.14) : Gracieusement fournie par Judy A. Knighton, Toronto, Canada ; p. 177 : © Silvia Jansen/iStockphoto.

CHAPITRE 33 – p. 182 (figure 33.2) : Redessiné à partir de Price, S.A., & Wilson, L.M. (2003) ; p. 182 (figure 33.3) : Thompson, J., McFarland, G., Hirsch, J., & Tucker, S. (2002). *Mosby's Clinical Nursing* (5th ed.). St. Louis, MO : Mosby ; p. 184 (figure 33.4) : Thompson, J., McFarland, G., Hirsch, J., & Tucker, S. (2002). *Mosby's Clinical Nursing* (5th ed.). St. Louis, MO : Mosby ; p. 185 (figure 33.5A) : Adapté de Bone, David, George, Matthay, & Reynolds (1993) ; p. 185 (figure 33.5B) : Adapté de Albertine, Williams, & Hyde (2005) ; p. 199 (figure 33.7) : © Goldenkb/Dreamstime.com ; p. 202 (figure 33.8) : Adapté de Wilkins, R.L., Stoller, J.K., & Scanlan, C.L. (2003). *Egan's Fundamentals of Respiratory Care* (8th ed.). St. Louis, MO : Mosby ; p. 202 (figure 33.9) : Jarvis, C. (2009). *L'examen clinique et l'évaluation de la santé.* Montréal, Québec : Beauchemin ; p. 203 (figures 33.10 et 33.11) : Jarvis, C. (2009). *L'examen clinique et l'évaluation de la santé.* Montréal, Québec : Beauchemin ; p. 204 (figures 33.12 et 33.13) : Jarvis, C. (2009). *L'examen clinique et l'évaluation de la santé.* Montréal, Québec : Beauchemin ; p. 205 (figure 33.14) : Jarvis, C. (2009). *L'examen clinique et l'évaluation de la santé.* Montréal, Québec : Beauchemin ; p. 213 (figure 33.15) : Adapté de American Association for Respiratory Care (2007). AARC Clinical Practice Guideline : Bronchoscopy assisting – 2007 revision & update. *Respiratory Care, 52*(1), 74-80 ; p. 213 (figure 33.16) : Redessiné à partir de Du Bois, R.M., & Clarke S.W. (1987). Fiberoptic bronchoscopy. Dans *Diagnosis and Management.* Orlando, FL : Grune & Stratton.

CHAPITRE 34 – p. 220 (figure 34.1A) : Gracieuseté du Boston Medical, Westborough, MA ; p. 220 (figure 34.1B) : Tiré de Roberts, J.R., Hedges, J.R. (2009). *Clinical Procedures in Emergency Medicine* (5th ed.). Philadelphia, PA : Saunders ; p. 235 (figure 34.4) : Tiré de Potter, P.A., & Perry, A.G. (2011). *Basic Nursing : Essentials for Practice* (7th ed.). St. Louis, MO : Mosby ; p. 236 (figure 34.5) : Tiré de Potter, P.A., & Perry, A.G. (2011). *Basic Nursing : Essentials for Practice* (7th ed.). St. Louis, MO : Mosby ; p. 242 (figure 34.7) : Gracieuseté de Passy-Muir, Inc., Irvine, CA ; p. 244 (figure 34.9) : American Cancer Society ; p. 245 (figure 34.10) : American Cancer Society ; p. 253 : © Silvia Jansen/iStockphoto.

CHAPITRE 35 – p. 283 (figure 35.2) : Damjanov, I., & Linder, J. (1996). *Anderson's Pathology* (10th ed.). St. Louis, MO : Mosby ; p. 283 (figure 35.3) : Kumar, V., Abbas, A.K., & Fausto, N. (2010). *Robbins and Cotran Pathologic Basis of Disease* (8th ed.). Philadelphia, PA : Saunders ; p. 296 (figure 35.7) : Tiré de deWit, S.C. (2009). *Fundamental Concepts and Skills for Nursing* (3rd ed.). St. Louis, MO : Saunders ; p. 297 (figure 35.8) : Tiré de deWit, S.C. (2009). *Fundamental Concepts and Skills for Nursing* (3rd ed.). St. Louis, MO : Saunders ; p. 297 (figure 35.9) : TC Média livres. Photo par L'Imagier ; p. 308 (figure 35.10) : Kumar, V., Abbas, A.K., & Fausto, N. (2005). *Robbins and Cotran Pathologic Basis of Disease* (7th ed.). Philadelphia, PA : Saunders ; p. 317 : Jupiterimages Corporation.

CHAPITRE 36 – p. 325 (figure 36.1) : Adapté de McCance, K.L., & Huether, S.E. (Eds.) (2010) ; p. 326 (figure 36.3) : Adapté de Price, S.A., & Wilson, L.M. (2003) ; p. 333 (figure 36.4) : National Heart, Lung, and Blood Institute & National Asthma Education and Prevention Program (2007). *Expert Panel Report 3 : Guidelines for the Diagnosis and Management of Asthma* (NIH Publication No. 08-4051). Repéré à www.nhlbi.nih.gov/guidelines ; p. 334 (figure 36.5) : Tous droits réservés. L'Asthma Control Test[MD] est une marque déposée de QualityMetric Incorporated ; p. 341 (figure 36.6) : BSIP MAY ; p. 342 (figure 36.7) : AJN, *American Journal of Nursing.* January 2002, *102*(1), 14 ; p. 373 (figure 36.12) : Conor Caffrey/Science Photo Library ; p. 376 (figure 36.13) : Gracieuseté de Nellcor Puritan Bennett, Inc., Pleasanton, CA ; p. 377 (figure 36.14) : Reproduit avec l'autorisation d'Axcan Scandipharm, Inc., Birmingham, AL ; p. 377 (figure 36.15) : Gracieuseté de Smiths Medical North America ; p. 378 (figure 36.16) : © 2010 Hill-Rom Services, Inc. Reproduit avec autorisation. Tous droits réservés ; p. 397 (figure 36.17) : Tiré de Kumar, V., Abbas, A.K., & Fausto, N. (2010). *Robbins and Cotran Pathologic Basis of Disease* (8th ed.). Philadelphia, PA : Saunders ; p. 399 : Janahorova/Dreamstime.com.

CHAPITRE 37 – p. 405 (figure 37.1) : Adapté de Patton, K.T., & Thibodeau, G.A. (2013). *Anatomy and Physiology* (8th ed.). St. Lo MO : Mosby ; p. 406 (figure 37.2) : Adapté de Patton, K.T., & Thibodeau, G.A. (2013). *Anatomy and Physiology* (8th ed.). St. Lo MO : Mosby ; p. 436 (figure 37.7) : Adapté de Herlihy, B., & Maebius, N. (2011). *The Human Body in Health and Illness* (4th e Philadelphia, PA : Saunders.

CHAPITRE 38 – p. 450 (figure 38.2) : © ISM/Phototake ; p. 459 (figure 38.5) : Adapté de McCance, K.L., & Huether, S.E. (20 *Pathophysiology : The Biologic Basis for Disease in Adults and Children* (6th ed.). St. Louis, MO : Mosby ; p. 469 (figure 38 Tiré de Forbes, C.D., & Jackson, W.F. (2003). *Color Atlas and Text of Clinical Medicine* (3rd ed.). London, UK : Mosby ; p. (figure 38.9) : Forbes, C.D., & Jackson, W.F. (2003). *Color Atlas and Text of Clinical Medicine* (3rd ed.). London, UK : Mosby ; p. (figure 38.11) : Tiré de Forbes, C.D., & Jackson, W.F. (2003). *Color Atlas and Text of Clinical Medicine* (3rd ed.). London, Mosby ; p. 493 (figure 38.13) : Tiré de Skarin, A.T. (1996). *Atlas of Diagnostic Oncology* (2nd ed.). London, UK : Mosby-Wolfe ; p. (figure 38.14) : Adapté de McKinney, E.S., *et al.* (2000). *Maternal-child Nursing.* Philadelphia, PA : Saunders ; p. 501 (figure 38.1 Monkey Business Images/Shutterstock.com ; p. 503 (figure 38.16) : Tiré de Hoffman, A.V., & Pettit, J.E. (2009). *Color Atlas Clinical Hematology* (4th ed.). Philadelphia, PA : Mosby, fig. 21-2 ; p. 506 (figure 38.18) : Tiré de Cotran, R.S., Kumar, V., & Coll T. (1999). *Robbins Pathologic Basis of Disease* (6th ed.). Philadelphia, PA : Saunders ; p. 524 : bikeriderlondon/Shutterstock.co

CHAPITRE 39 – p. 530 (figure 39.1) : Adapté de Jarvis, C. (2009). *L'examen clinique et l'évaluation de la santé* (5e éd.). Montréal, Québ Chenelière Éducation inc. ; p. 531 (figure 39.3) : Adapté de Jarvis, C. (2009). *L'examen clinique et l'évaluation de la santé* (5e é Montréal, Québec : Chenelière Éducation inc. ; p. 532 (figure 39.4) : Adapté de Jarvis, C. (2009). *L'examen clinique et l'évalua de la santé* (5e éd.). Montréal, Québec : Chenelière Éducation inc. ; p. 535 (figure 39.6) : artshotphoto/Fotolia ; p. 538 (figure 39 Monkey Business/MaXx Images ; p. 542 (figure 39.8) : bikeriderlondon/Shutterstock ; p. 548 (figure 39.10) : Adapté de Price, S & Wilson, L.M. (2003). *Pathophysiology : Clinical Concepts of Disease Processes* (6th ed.). St. Louis, MO : Mosby ; Kinney, M (1996). *Andreoli's Comprehensive Cardiac Care* (8th ed.) St. Louis, MO : Mosby ; p. 558 (figure 39.12) : Tiré de Libby, P., *et al.* (20 *Braunwald's Heart Disease : A Textbook of Cardiovascular Medicine* (8th ed.). St. Louis, MO : Saunders ; p. 560 (figure 39.13) : de Drake, R.L., Vogl, W., & Mitchell, A.W.M. (2005). *Gray's Anatomy for Students.* Edinburgh, UK : Churchill Livingstone ; p. (figure 39.14) : Adapté de Kinney, M.R. (1991). *Andreoli's Comprehensive Cardiac Care* (7th ed.). St. Louis, MO : Mosby ; p. 563 (fig 39.15) : MicPics/Alamy ; p. 563 (figure 39.16) : Howard Sochurek/Corbis ; p. 563 (figure 39.17) : BSIP/Phototake ; p. 564 (figure 39. Tiré de Drake, R.L., Vogl, W., & Mitchell, A.W.M. (2010). *Gray's Anatomy for Students* (2nd ed.). Edinburgh, UK : Churchill Livingsto

CHAPITRE 40 – p. 576 (figure 40.3) : From Kissane, J.M. (1990). *Anderson's Pathology* (9th ed.). St. Louis, MO : Mosby ; p. (figure 40.4) : Gewitterkind/iStockphoto ; p. 588 (figure 40.5) : U.S. Department of Health and Human Services (2003). The Seve Report of the Joint National Committee on prevention, detection, evaluation, and treatment of high blood pressure (JNC *Journal of the American Medical Association, 289*(19), 2560-2571. Repéré à www.nhlbi.nih.gov/guidelines/hypertension/inc htm ; p. 599 : Andrey Arkusha/Shutterstock.com.

CHAPITRE 41 – p. 604 (figure 41.1) : Principales causes de décès, selon le sexe (les deux sexes). Statistique Canada, CANS tableau 102-0561. Dernières modifications apportées : 2014-01-28 ; p. 605 (figure 41.2) : Huether, S.E., & McCance, K.L. (20 *Understanding Pathophysiology* (4th ed.). St. Louis, MO : Mosby ; p. 631 (figure 41.7) : Zipes, D.B., *et al.* (2005). *Braunwald's H Disease : A Textbook of Cardiovascular Medicine* (7th ed.). St. Louis, MO : Saunders ; p. 632 (figure 41.8) : Zipes, D.B., *et al.* (20 *Braunwald's Heart Disease : A Textbook of Cardiovascular Medicine* (7th ed.). St. Louis, MO : Saunders ; p. 633 (figure 41.9) : Court Mayo Clinic, Rochester, MN. ; p. 633 (figure 41.10) : Tiré de Kumar, V., Abbas, A.K., & Fausto, N. (2010). *Robbins and Cotran Patholc Basis of Disease* (8th ed.). Philadelphia, PA : Saunders ; p. 634 (figure 41.11) : Gracieuseté de la clinique Mayo, Rochester, MN ; p. (figure 41.13) : De Bucher, L., & Melander, S. (1999). *Critical Care Nursing.* Philadelphia, PA : Saunders ; p. 658 (figure 41.14) : Artsp Shutterstock.com ; p. 660 (figure 41.15) : Ezume Images/Shutterstock.com ; p. 661 : Ruslan Huzau/Dreamstime.com.

CHAPITRE 42 – p. 668 (figure 42.1) : beerkoff/Shutterstock.com ; p. 671 (figure 42.3) : Adapté de Huether, S.E., & McCar K.L. (2008). *Understanding Pathophysiology* (4th ed.). St. Louis, MO : Mosby ; p. 672 (figure 42.4) : Adapté de Urden, L.D., Sta K.M., & Lough, M.E. (2006). *Thelan's Critical Care Nursing : Diagnosis and Management* (5th ed.). St. Louis, MO : Mosby ; p. (figure 42.6) : Picsfive/Shutterstock.com ; p. 677 (figure 42.7) : Phanie/Alamy Stock Photo ; p. 686 (figure 42.9) : doram/iStockphc p. 689 (figure 42.10) : Photodjo/iStockphoto ; p. 693 (figure 42.11) : StockLite/Shutterstock ; p. 696 (figure 42.12) : David Kneafs Dreamstime.com ; p. 696 (figure 42.13) : Bacho/Shutterstock.com ; p. 699 : JPC-PROD/Shutterstock.com.

CHAPITRE 43 – p. 706 (figure 43.2) : *Pharmacology for Nursing Care,* 7th Edition by Richard A. Lehne, PhD ; p. 707 (figures 4 et 43.4) : Adapté de Goldberger, A.L. (2006). *Clinical Electrocardiography : A Simplified Approach* (7th ed.). St. Louis, MO : Mos p. 708 (figure 43.5) : Adapté de Urden, L.D., Stacy, K.M., & Lough, M.E. (2006). *Thelan's Critical Care Nursing : Diagnosis Management* (5th ed.). St. Louis, MO : Mosby ; p. 708 (figure 43.6) : Huszar, R.J. (2002). *Basic Dysrhythmias : Interpretation Management* (3rd ed.). St. Louis, MO : Mosby ; p. 709 (figure 43.7) : Bucher, L., & Melander, S. (1999). *Critical Care Nurs* Philadelphia, PA : Saunders ; p. 709 (figure 43.8) : Huszar, R.J. (2002). *Basic Dysrhythmias : Interpretation and Managem* (3rd ed.). St. Louis, MO : Mosby ; p. 709 (figure 43.9) : Atwood, S., Stanton, C., & Storey-Davenport, J. (2009). *Introductior Basic Cardiac Dysrhythmias* (4th ed.). St. Louis, MO : Mosby Jems ; p. 709 (figure 43.10) : Adapté de Huszar, R.J. (2002). *Ba Dysrhythmias : Interpretation and Management* (3rd ed.). St. Louis, MO : Mosby ; p. 711 (figure 43.11) : Adapté de Urden, L Stacy, K.M., & Lough, M.E. (2006). *Thelan's Critical Care Nursing : Diagnosis and Management* (5th ed.). St. Louis, MO : Mos p. 715 (figure 43.12) : Atwood, S., Stanton, C., & Storey-Davenport, J. (2009). *Introduction to Basic Cardiac Dysrhythmias* (4th e St. Louis, MO : Mosby ; p. 716 (figure 43.13) : Bucher, L., & Melander, S. (1999). *Critical Care Nursing.* Philadelphia, PA : Saunde p. 717 (figure 43.14) : Bucher, L., & Melander, S. (1999). *Critical Care Nursing.* Philadelphia, PA : Saunders ; p. 718 (figure 43.15 Tiré de Bucher, L., & Melander, S. (1999). *Critical Care Nursing.* Philadelphia, PA : Saunders ; Huszar, R.J. (2002). *Ba Dysrhythmias : Interpretation and Management* (3rd ed.). St. Louis, MO : Mosby ; p. 718 (figure 43.15B) : Tiré de Huszar, R.J. (20 *Basic Dysrhythmias : Interpretation and Management* (3rd ed.). St. Louis, MO : Mosby ; p. 721 (figure 43.16B) : Tiré de Hus R.J. (2002). *Basic Dysrhythmias : Interpretation and Management* (3rd ed.). St. Louis, MO : Mosby ; p. 723 (figure 43.17A) : Tiré Bucher, L., & Melander, S. (1999). *Critical Care Nursing.* Philadelphia, PA : Saunders ; p. 723 (figure 43.17B, C et D) : Tiré de Hus R.J. (2002). *Basic Dysrhythmias : Interpretation and Management* (3rd ed.). St. Louis, MO : Mosby ; p. 724 (figure 43.18) : Hus R.J. (2002). *Basic Dysrhythmias : Interpretation and Management* (3rd ed.). St. Louis, MO : Mosby ; p. 725 (figure 43.19) : Atwo S., Stanton, C., & Storey-Davenport, J. (2009). *Introduction to Basic Cardiac Dysrhythmias* (4nd ed.). St. Louis, MO : Mosby Je p. 726 (figure 43.20) : Atwood, S., Stanton, C., & Storey-Davenport, J. (2009). *Introduction to Basic Cardiac Dysrhythmias* (4th e St. Louis, MO : Mosby Jems ; p. 729 (figure 43.21) : Marc Tellier ; p. 729 (figure 43.22) : Reproduit avec l'autorisation de Medtro Physio-Control, Redmond, WA ; p. 730 (figure 43.23) : Reproduit avec l'autorisation de Medtronic Inc., Minneapolis, MN ; p. (figure 43.24) : Bucher, L., & Melander, S. (1999). *Critical Care Nursing.* Philadelphia, PA : Saunders ; p. 732 (figure 43.2 Reproduit avec l'autorisation de Medtronic Inc., Minneapolis, MN ; p. 733 (figure 43.26) : Reproduit avec l'autorisation Medtronic Inc., Minneapolis, MN ; p. 734 (figure 43.28) : Marc Tellier ; p. 737 (figure 43.30) : Bucher, L., & Melander, S. (19 *Critical Care Nursing.* Philadelphia, PA : Saunders ; p. 737 (figure 43.31) : Adapté de Bucher, L., & Melander, S. (1999). *Critical C Nursing.* Philadelphia, PA : Saunders ; p. 739 : ostill/ Shutterstock.com.

CHAPITRE 44 – p. 744 (figure 44.1) : Adapté de Thibodeau, G.A., & Patton, K.T. (2005). *The Human Body in Health and Dise* (4th ed.). St. Louis, MO : Mosby ; p. 745 (figure 44.2) : Damjanov, I., & Linder, J. (1999). *Pathology : A Color Atlas.* St. Lo MO : Mosby ; p. 752 (figure 44.4) : Damjanov, I., & Linder, J. (1999). *Pathology : A Color Atlas.* St. Louis, MO : Mosby ; p. (figure 44.6) : Guzzetta, C.E., & Dossey, B.M. (1992). *Cardiovascular Nursing : Holistic Practice.* St. Louis, MO : Mos p. 754 (figure 44.7) : Adapté de Braunwald, E. (2007). *Heart Disease : A Textbook of Cardiovascular Medicine* (4th e Philadelphia, PA : Saunders ; p. 758 (figure 44.8) : Stevens, A., & Lowe, J. (2000). *Pathology : Illustrated Review in Color* (2nd e St. Louis, MO : Mosby ; p. 762 (figure 44.9) : McCance, K.L., & Huether, S.E. (2006). *Pathophysiology : The Biologic Basis Disease in Adults and Children* (5th ed.). St. Louis, MO : Mosby ; p. 762 (figure 44.10) : Stevens, A., & Lowe, J. (2000). *Patholc Illustrated Review in Color* (2nd ed.). St. Louis, MO : Mosby ; p. 765 (figure 44.11) : Kumar, V., Abbas, A.K., & Fausto, N. (20 *Robbins and Cotran Pathologic Basis of Disease* (8th ed.). Philadelphia, PA : Saunders ; p. 769 (figure 44.12) : Crawford, M DiMarco, J.P., & Paulus, W.J. (2010). *Cardiology* (3rd ed.). Edinburgh, UK : Mosby Ltd ; p. 771 (figure 44.13) : Bonow, R.O., Ma D.L., *et al.* (2012). *Braunwald's Heart Disease : A Textbook of Cardiovascular Medicine* (9th ed.). Philadelphia, PA : Saunde p. 777 (figure 44.14) : Kumar, V., Abbas, A.K., & Fausto, N. (2010). *Robbins and Cotran Pathologic Basis of Disease* (8th e Philadelphia, PA : Saunders ; p. 778 (figure 44.15) : Adapté de Urden, L.D., Stacy, K.M., & Lough, M.E. (2006). *Thelan's Crit Care Nursing : Diagnosis and Management* (5th ed.). St. Louis, MO : Mosby ; p. 780 (figure 44.16) : Kumar, V., Abbas, A.K., Fau N. (2005). *Robbins and Cotran Pathologic Basis of Disease* (7th ed.). Philadelphia, PA : Saunders ; p. 783 : © archives/iStockph

CHAPITRE 45 – p. 801 (figure 45.3) : Avec l'aimable autorisation de Jo Menzoian, Boston, MA ; p. 804 (figure 45.6) : Medtro Minneapolis, MN ; p. 808 (figure 45.7) : Damjanov, I., & Linder, J. (Eds.). (1996). *Anderson's Pathology* (10th ed.). St. Louis, Mosby ; p. 813 (figure 45.8) : Kamal, A., & Brockelhurst, J.C. (1992). *Color Atlas of Geriatric Medicine* (2nd ed.). St. Louis, Mosby Year Book ; p. 830 (figure 45.11) : Tiré de Goldman, M.P., Guex, J.J., & Weiss, R.A. (2011). *Sclerotherapy : Treatmen Varicose and Telangiectatic Leg Veins* (5th ed.). Philadelphia, PA : Mosby ; p. 832 (figure 45.12) : Kamal, A., & Brockelhurst, (1992). *Color Atlas of Geriatric Medicine* (2nd ed.). St. Louis, MO : Mosby Year Book ; p. 833 : © paul hill/iStockphoto.

CHAPITRE 28

Age-Related Eye Disease Study Research Group (2001). A randomized, placebo-controlled, clinical trial of high-dose supplementation with vitamins C and E, beta-carotene, and zinc for age-related macular degeneration and vision loss. *Arch Ophthalmol, 119*(10), 1417-1436.

Almog, Y., & Nemet, A. (2010). The correlation between visual acuity and color vision as an indicator of the cause of visual loss. *Am J Ophthalmol, 149*(6), 1000-1004.

Bope, E., & Kellerman, R. (dir.) (2011). *Conn's Current Therapy 2012.* Saint-Louis, MO : Saunders Elsevier.

Goldman, L., & Schafer, A. (dir.) (2011). *Goldman's Cecil Medicine* (24e éd.). Saint-Louis, MO : Saunders Elsevier.

Institut de la statistique du Québec (2013). *Enquête québécoise sur les limitations d'activités, les maladies chroniques et le vieillissement 2010-2011 : Utilisation des services de santé et des services sociaux des personnes avec incapacité.* Repéré à www.stat.gouv.qc.ca/statistiques/sante/services/incapacites/limitation-maladies-chroniques-utilisation.pdf.

Isaacson, B. (2010). Hearing loss. *Med Clin North Am, 94*(5), 973-988.

Jarvis, C. (2015). *L'examen clinique et l'évaluation de la santé* (2e *éd.*). Montréal, Québec : Chenelière Éducation.

Kizior, R.J., & Hodgson, H. (2012). *Saunders Nursing Drug Handbook 2012.* Saint-Louis, MO : Saunders Elsevier.

Ko, J. (2010). Presbycusis and its management, *Br J Nurs, 19,* 160-165.

National Institute on Deafness and Other Communication Disorders (2015). *Quick Statistics.* Repéré à www.nidcd.nih.gov/health/statistics/pages/quick.aspx#3.

Rakel, R., & Rakel, D. (dir.) (2011). *Textbook of Family Medicine* (8e éd.). Saint-Louis, MO : Saunders Elsevier.

Smith, S.C. (2008). Basic ocular anatomy. *Insight, 33*(3), 19-23.

Société canadienne d'ophtalmologie (SCO) (2009). Guide factuel de pratique clinique de la Société canadienne d'ophtalmologie pour la gestion du glaucome chez l'adulte. *Journal canadien d'ophtalmologie, 44* (suppl. 1). www.cos-sco.ca/cpgs/COS_GlaucomaCPGs_Jun09.pdf.

Thibodeau, G.A., & Patton, K.T. (2012). *Structure and Function of the Body* (14e éd.). Saint-Louis, MO : Mosby.

Vale, A., Buckley, J., & Elliott, D. (2008). Gait alterations negotiating a raised surface induced by monocular blur. *Optom Vis Sci, 85*(12), 1128-1134.

CHAPITRE 29

Acouphènes Québec (2014). *Qu'est-ce que les acouphènes?* Repéré à http://acouphenesquebec.org/vivre-avec-les-acouphenes/quest-ce-que-les-acouphenes.

Age-Related Eye Disease Study Research Group (2001). A randomized, placebo-controlled, clinical trial of high-dose supplementation with vitamins C and E, beta-carotene, and zinc for age-related macular degeneration and vision loss. *Arch Ophthalmol, 119*(10), 1417-1436.

American Foundation for the Blind (2015). *Maximize Your Lighting.* Repéré à www.visionaware.org/section.aspx?SectionID=66&TopicID=321&SubTopicID=206&DocumentID=4813.

American Society of Ophthalmic Registered Nurses (2004). *Core Curriculum for ophThalmic Nursing* (3e éd.). Dubuque, IA : Kendall-Hunt Publishing.

Balatsouras, D. (2012). Subjective benign paroxysmal positional vertigo. *Otolaryngol Head Neck Surg, 146*(1), 98-103.

Bernardes, T., & Bonfioli, A. (2010). Blepharitis. *Semin Ophthalmol, 25*(3), 79-83.

Boyle, E. (2010). Preparedness critical to minimizing ocular trauma in emergencies. *Ocular Surg News, 28*(17), 1.

Bressler, N., Beck, R., & Ferris, F. (2011). Panretinal photocoagulation for proliferative diabetic retinopathy. *N Engl J Med, 365*(16), 1520-1526.

Buhrmann, R., Hodge, W., Beardmore, J., *et al.* (2006). *Foundation for a Canadian Vision Health Strategy : Towards Preventing Avoidable Blindness and Promoting Vision Health.* Ottawa, Ontario : National Coalition for Vision Health.

Buys, Y.M. (2013). Glaucoma in Canada : Challenges and Changing Paradigms. *Glaucoma Today,* jan.-fév., 32-34.

Centers for Disease Control and Prevention (2011). Estimated burden of acute otitis externa – United States 2003-2007. *Morb Mortal Wkly Rep, 60*(19), 605-609.

Ebell, M. (2011). Short course of antibiotics for acute otitis media treatment. *Am Fam Physician Cochrane Briefs, 83*(1), 37.

Ferri, F. (2011). *Ferri's Clinical Advisor.* Saint-Louis, MO : Mosby.

Gouvernement du Québec (2015). *Règlement sur les aides visuelles et les services afférents assurés de la Loi sur l'assurance maladie.* Repéré à www2.publicationsduquebec.gouv.qc.ca/dynamicSearch/telecharge.php?type=3&file=/A_29/A29R3.HTM.

Harkin, H., & Kelleher, C. (2011). Caring for older adults with hearing loss. *Nursing Older People, 23*(9), 22-28.

Héma-Québec (2014). *Rapport annuel 2013-2014.* Repéré à www.hema-quebec.qc.ca/userfiles/file/RA_2013-2014/HQ_RA_2013-2014_FR_FINAL(1).pdf.

Institut Curie (2009). *Dossier de presse. Le mélanome de l'œil : De la recherche de pointe aux traitements innovant à l'Institut Curie.* Repéré à http://curie.fr/sites/default/files/dossier-melanome-oeil-recherche-traitements.pdf.

Institut national canadien pour les aveugles (INCA) (2015a). *Cataracte : une importante cause de perte de vision.* Repéré à www.cnib.ca/fr/vos-yeux/maladies-oculaires/cataracte/Pages/default.aspx.

Institut national canadien pour les aveugles (INCA) (2015b). *Facteurs de risque et prévention.* Repéré à www.cnib.ca/fr/vos-yeux/maladies-oculaires/dmla/facteurs-risque/pages/Default.aspx.

Jarvis, C. (2015). *L'examen clinique et l'évaluation de la santé* (2e *éd.*). Montréal, Québec : Chenelière Éducation.

John, T. (2010). Descemet's membrane endothelial keratoplasty : A useful technique for selective tissue corneal transplantation. *Ocular Surg News, 28*(16), 4.

Johns Hopkins University (2008). The future looks bright for corneal transplants. *Johns Hopkins Medical Letter Health After 50, 20,* 4.

Johns Hopkins University (2009). Surgery for glaucoma : Know your options. *Johns Hopkins Medical Letter Health After 50, 21,* 4.

Johns Hopkins University (2011). New technologies brighten up low vision. *Johns Hopkins Med Lett Health After 50, 28,* 3.

Khan, A. (2011). Genetics of primary glaucoma. *Curr Opin Ophthalmol, 22*(5), 347-355.

Laubach, G. (2010). Speaking up for older patients with hearing loss. *Nursing, 40*(1), 60-62.

Loi sur la santé et la sécurité au travail (2015). *Règlement sur la santé et la sécurité du travail.* Repéré à www2.publicationsduquebec.gouv.qc.ca/dynamicSearch/telecharge.php?type=3&file=/S_2_1/S2_1R13.HTM.

Melanoma Network of Canada (2015). *A Guide to Uveal Melanoma.* Oakville, Ontario : Princess Margaret Cancer Center. www.melanomanetwork.ca/wp-content/uploads/2015/04/140622-MNC_UvealGuideBooklet_FIN2_lr1.pdf.

National Eye Institute (2010). *Facts About Age-related Macular Degeneration.* Repéré à www.nei.nih.gov/health/maculardegen/armd_facts.asp#.

National Eye Institute & National Institutes of Health (2010). *Age-related macular degeneration (AMD).* Repéré à www.nei.nih.gov/health/maculardegen/index.asp.

National Eye Institute & National Institutes of Health (2015a). *Facts About Age-related Macular Degeneration.* Repéré à https://nei.nih.gov/health/maculardegen.

National Eye Institute & National Institutes of Health (2015b). *Facts About Cataracts.* Repéré à https://nei.nih.gov/health/cataract/cataract_facts#5a.

National Eye Institute & National Institutes of Health (2015c). *Facts About Retinal Detachment.* Repéré à https://nei.nih.gov/health/retinaldetach/retinaldetach.

National Institute on Deafness and Other Communication Disorders (2014). *Cochlear Implants.* Repéré à www.nidcd.nih.gov/health/hearing/coch.asp.

Office des personnes handicapées du Québec (OPHQ) (2015). *Estimations de population avec incapacité en 2011 : le Québec et ses régions sociosanitaires.* Drummondville, Québec : Direction de l'évaluation, de la recherche et des communications, OPHQ.

Organisation mondiale de la Santé (OMS) (2013). *Relevé épidémiologique hebdomadaire, 88*(24), 241-256. www.who.int/wer/2013/wer8824.pdf?ua=1.

Regroupement des étudiants en médecine de l'Université Laval (REMUL) (2008). *Petit précis de médecine* (tome 2). Québec, Québec : REMUL.

Schaal, S., Sherman, M., Barr, C., *et al.* (2011). Primary retinal detachment repair : comparison of 1-year outcomes of four surgical techniques. *Retina, 31*(8), 1500-1504.

Selby, M. (2011). The red and painful eye. *Pract Nurs, 41*(9), 34-39.

Sivak, J. (2014). The myopia epidemic today. *Contact Lens Update : Clinical Insight Based in Current Research.* Repéré à http://contactlensupdate.com/2014/09/02/the-myopia-epidemic-today.

Société canadienne d'ophtalmologie (SCO) (2010). *Registre des blessures oculaires.* Repéré à www.eyesite.ca/francais/programmes-et-services/eye-injuryregistry.htm.

Société canadienne d'ophtalmologie (SCO) (s.d.). *Quand consulter un ophtalmologiste.* Repéré à www.cos-sco.ca/information-sur-la-sante-visuelle/quand-consulter-un-ophtalmologiste.

Statistique Canada (2015). *Enquête canadienne sur l'incapacité, 2012 : Un profil de l'incapacité chez les Canadiens âgés de 15 ans ou plus.* Repéré à www.statcan.gc.ca/pub/89-654-x/89-654-x2015001-fra.pdf.

US Food and Drug Administration (2014). *LASIK.* Repéré à www.fda.gov/medical-devices/productsandmedicalprocedures/surgeryandlifesupport/lasik/default.htm.

Vibert, D., Caversaccio, M., & Hausler, R. (2010). Ménière's disease in the elderly. *Otolaryngol Clin North Am, 43*(5), 1041-1046.

Wilhelmus, K. (2010). Antiviral treatment and other therapeutic interventions for herpes simplex virus epithelial keratitis. *Cochrane Database Syst Rev, 1,* CD002898.

CHAPITRE 30

Freedberg, I.M., Eizen, A.Z., Wolff, K., *et al.* (2008). *Fitzpatrick's Dermatology in General Medicine* (7e éd.). New York, NY : McGraw-Hill.

Gazette officielle du Québec (2015, 7 janvier). *Lois et règlements.* Repéré à http://www2.publicationsduquebec.gouv.qc.ca/dynamicSearch/telecharge.php?type=13&file=1501-F.PD.

Goldsmith, L., Katz, S., Gilcrest, B., *et al.* (2012). *Fitzpatrick's Dermatology in General Medicine* (8e éd.). New York, NY : McGraw-Hill.

Helfrich, Y., Sachs, D., & Voorhees, J. (2008). Overview of skin aging and photoaging. *Dermatol Nurs, 20*(3), 177-183.

Jarvis, C. (2015). *L'examen clinique et l'évaluation de la santé* (2e éd.). Montréal, Québec : Chenelière Éducation.

Patton, K.T., Thibodeau, G.A., & Douglas, M. (2012). *Essentials of Anatomy and Physiology*. Saint-Louis, MO : Mosby.

Thibodeau, G.A., & Patton, K.T. (2012). *Structure and Function of the Body* (14e éd.). Saint-Louis, MO : Mosby.

CHAPITRE 31

Alexiades-Armenakas, M.R., Dover, J., & Arndt, K. (2008). The spectrum of laser skin resurfacing : Nonablative, fractional, and ablative laser resurfacing. *J Am Acad Dermatol*, 58*(5)*, 719-737.

American Cancer Society (2011). *Cancer Facts and Figures 2011*. Atlanta, GA : American Cancer Society. www.cancer.org/acs/groups/content/@epidemiologysurveilance/documents/document/acspc-029771.pdf.

Association canadienne de dermatologie (2009). *Le mélanome : une forme de cancer de la peau*. Repéré à www.dermatology.ca/wp-content/uploads/2012/03/MMPoster2009-FR.pdf.

Association canadienne de dermatologie (2016). *Vivre avec le psoriasis*. Repéré à www.dermatology.ca/fr/peau-cheveux-ongles/la-peau/psoriasis/vivre-avec-le-psoriasis.

Berger, T. (2008). Skin, hair, and nails. Dans L. Tierney, S.J. McPhee & M.A. Papadakis (dir.), *Current Medical Diagnosis and Treatment 2008* (47e éd.). New York, NY : McGraw-Hill.

Berwick, M., Erdei, E., & Hay, J. (2009). Melanoma epidemiology and public health. *Dermatol Clin, 27*(2), 205-214.

Coelho, S.G., & Hearing, V.J. (2010). UVA tanning is involved in the increased incidence of skin cancers in fair-skinned young women. *Pigment Cell Melanoma Res, 23*(1), 57-63.

Friedman, S., & Lippitz, J. (2009). Chemical peels, dermabrasion, and laser therapy. *Dis Mon, 55*(4), 223-235.

Graham-Robin, R., Bourke, J., & Cunliffe, T. (2008). *Dermatology : Fundamentals of Practice*. Edinburgh, R.-U. : Royal College of General Practitioners, Elsevier.

Hansson, J. (2008). Familial melanoma. *Surg Clin North Am, 88*(4), 897-916.

Hodgson, B.B. (2012). *Saunders Nursing Drug Handbook*. Saint-Louis, MO : Mosby.

Hulyalkar, R., Rakkhit, T., & Garcia-Zuazaga, J. (2011). The role of radiation therapy in the management of skin cancers. *Dermatol Clin, 29*(2), 287-296.

Karim, K. (2011). Diagnosis, treatment and management of pruritus. *Br J Nurs, 20*(6), 356-361.

Miller, S.J., Alam, M., Andersen, J., *et al.* (2010). Basal cell and squamous cell skin cancers. *J Natl Compr Canc Netw, 8*(8), 836-864.

Ministère de la Santé et des Services sociaux (MSSS) (2010). *Guide alimentaire canadien*. Repéré à www.msss.gouv.qc.ca/sujets/santepub/nutrition/index.php?guide_alimentaire.

Ministère de la Santé et des Services sociaux (MSSS) (2013). *Protocole d'immunisation du Québec*. Repéré à http://publications.msss.gouv.qc.ca/acrobat/f/documentation/piq/piq_complet.pdf.

National Institutes of Health & National Cancer Institute (2009). *SEER Cancer Stat Fact Sheets*. Repéré à http://seer.cancer.gov/statfacts.

Ordre des infirmières et infirmiers du Québec (OIIQ) (2007). *Les soins de plaies au cœur du savoir infirmier : de l'évaluation à l'intervention pour mieux prévenir et traiter*. Montréal, Québec : OIIQ.

Pelosi, M., & Pelosi, M. (2010). Liposuction. *Obstet Gynecol Clin, 37*(4), 507-519.

Pfenninger, J. (2010a). Approach to various lesions. Dans J. Pfenninger & G. Fowler (dir.), *Pfenninger and Fowler's Procedures for Primary Care* (3e éd.), Saint-Louis, MO : Saunders Elsevier.

Pfenninger, J. (2010b). Skin biopsy. Dans J. Pfenninger & G. Fowler (dir.), *Pfenninger and Fowler's Procedures for Primary Care* (3e éd.), Saint-Louis, MO : Saunders Elsevier.

Rubin, K. (2009). Management of metastatic melanoma : Nursing challenges today and tomorrow. *Clin J Onc Nurs, 13*(1), 81-89.

Santé Canada (2012). *Les écrans solaires*. Repéré à www.canadiensensante.gc.ca/healthy-living-vie-saine/environment-environnement/sun-soleil/screen-ecrans-fra.php.

Santé Canada (2014). *Cancer de la peau*. Repéré à http://canadiensensante.gc.ca/healthy-living-vie-saine/environment-environnement/sun-soleil/s.

Snow, M. (2008). Fighting fungal infections : Stopping tinea in its tracks. *Nursing, 38*(7), 62-63.

Société canadienne du cancer, Statistique Canada, Agence de la santé publique du Canada, *et al.* (2015). *Statistiques canadiennes sur le cancer 2015*. Repéré à www.cancer.ca/~/media/cancer.ca/CW/cancer%20information/cancer%20101/Canadian%20cancer%20statistics/Canadian-Cancer-Statistics-2015-FR.pdf.

Tope, W., & Bhardwaj, S. (2008). Photodynamic therapy. Dans J.L. Bolognia (dir.), *Dermatology* (2e éd). Saint-Louis, MO : Mosby.

World Health Organization (2010). *Skin cancers*. Repéré à www.who.int/uv/faq/skincancer/en/index1.html.

Zhang, A., & Meine, J. (2011). Flaps and grafts reconstruction. *Dermatol Clin, 29*(2), 217-230.

CHAPITRE 32

Ali, F., & Simmons, J. (2012). Burns contracture. Dans S.P. Hettiaratchy, M. Griffiths, F. Ali *et al.* (dir.), *Plastic Surgery*. London, R.-U. : Springer.

Anjaria, D.J., & Deitch, E.A. (2012). Burn fluid resuscitation. Dans J.-L. Vincent & J.B. Hall (dir.), *Encyclopedia of Intensive Care Medicine*. Berlin/Heidelberg, Allemagne : Springer-Verlag.

Baxter, C. (1979). Fluid resuscitation, burn percentage and physiologic age. *J Trauma, 19*(suppl. 11), 864-865.

Blet, A., Benyamina, M., & Legrand, M. (2015). Manifestations respiratoires précoces d'un patient brûlé grave. *Réanimation, 24*(4), 433-443.

Branski, L.K., Dibildox, M., Shahrokhi, S., *et al.* (2012). Treatment of burns – established and novel technology. Dans M.G. Jeschke, L.-P. Kamolz, F. Sjöberg *et al.* (dir.), *Handbook of Burns : Acute Burn Care*. Vienne, Autriche : Springer-Verlag.

Bryant, R.A., & Nix, D.P. (2012). *Acute & Chronic Wounds : Current management Concepts*. Saint-Louis, MO : Elsevier Health Sciences.

Centre hospitalier affilié universitaire de Québec (2011). *Critères de transfert vers le Centre d'expertise pour victimes de brûlures graves de l'Est du Québec. Entente relative au transfert interétablissements des victimes de traumatismes.*

Conseil canadien de la sécurité (2011). *Information Sécurité*. Repéré à http://canadasafetycouncil.org/fr/information-securite

Cox, R.D., Alcock, J., VanDeVoort, J.T., *et al.* (2015). *Chemical burns clinical presentation*. Repéré à http://emedicine.medscape.com/article/769336-clinical#showall.

Curinga, G., Jain, A., Feldman, M., *et al.* (2011). Red blood cell transfusion following burns. *Burns, 37*(5), 742-752.

Davidge, K., & Fish, J. (2008). Older adults and burns. *Geriatr Aging, 11*(5), 270-275.

Fréchette, P. (2003). *Critères de transfert des grands brûlés pour le programme des grands brûlés*. Québec, Québec : Hôpital de l'Enfant Jésus, Département clinique de médecine générale.

Hackenschmidt, A. (2007). Burn trauma priorities for a patient with 80 % TBSA burns. *J Emerg Nurs, 33*(4), 405-408.

Hampson, N.B., Piantadosi, C.A., Thom, S.R., *et al.* (2012). Practice recommendations in the diagnosis, management, and prevention of carbon monoxide poisoning. *Am J Resp Crit Care, 186*(11), 1095-1101.

Hoogewerf, C.J., van Baar, M.E., Middelkoop, E., *et al.* (2014). Impact of facial burns : Relationship between depressive symptoms, self-esteem and scar severity. *Gen Hosp Psychiatry, 36*(3), 271-276.

Hunt, H.L., Arnoldo, B.D., & Purdue, G.F. (2007). Prevention of burn injuries. Dans D.N. Herndon (dir.), *Total Burn Care* (3e éd.). Saint-Louis, MO : Mosby.

Institut national de santé publique du Québec (INSPQ) (2003). *Prévention des cas de brûlures et de légionelloses associés à l'eau chaude du robinet dans les résidences privées* (2e éd.). Repéré à www.inspq.qc.ca/pdf/publications/205_PrevBruluresLegionelResidencesPrivees.pdf.

Jeschke, M.G., Kamolz, L.-P., Sjöberg, F., *et al.* (dir.) (2012). *Handbook of Burns : Acute Burn Care*. Vienne, Autriche : Springer-Verlag.

Kagan, R.J., Peck, M.D., Ahrenholz, D.H., *et al.* (2013). Surgical management of the burn wound and use of skin substitutes : an expert panel white paper. *J Burn Care Res, 34*(2), e60-e79.

Kahn, S.R., Morrison, D.R., Cohen, J.M., *et al.* (2013). Interventions for implementation of thromboprophylaxis in hospitalized medical and surgical patients at risk for venous thromboembolism. *Cochrane Database Syst Rev, 7*, CD008201.

Keast, D., Parslow, N., Houghton, P.E., *et al.* (2006). Recommandations des pratiques exemplaires pour la prévention et la prise en charge des ulcères de pression : mise à jour 2006. *Wound Care Canada, 4*(1), 87-98.

Lloyd, E.C.O., Rodgers, B.C., Michener, M., *et al.* (2012). Outpatient burns : Prevention and care. *Am Fam Physician, 85*(1), 25.

Makic, M.B.F., & Mann, E. (2009). Burn injuries. Dans K.A. McQuillon, M.B.F. Makic & E. Whalen (dir.), *Trauma Nursing : From Resuscitation Through Rehabilitation* (4e éd.). Saint-Louis, MO : Mosby.

Mlcak, R.P., Suman, O.E., & Herndon, D.N. (2007). Respiratory management of inhalation injury. *Burns, 33*(1), 2-13.

Mosier, M.J., & Gamelli, R.L. (2014). The Body's Response to Burn Injury. Dans K.A. Davis & S.H. Rosenbaum (dir.), *Surgical Metabolism : The Metabolic Care of the Surgical Patient*. New York, NY : Springer.

National Pressure Ulcer Advisory Panel, European Pressure Ulcer Advisory Panel & Pan Pacific Pressure Injury Alliance (2014). *Prevention and Treatment of Pressure Ulcers : Quick Reference Guide*. Repéré à www.npuap.org/wp-content/uploads/2014/08/Updated-10-16-14-Quick-Reference-Guide-DIGITAL-NPUAP-EPUAP-PPPIA-16Oct2014.pdf.

Ordre des infirmières et infirmiers du Québec (OIIQ) (2007). *Les soins de plaies au cœur du savoir infirmier : de l'évaluation à l'intervention pour mieux prévenir et traiter*. Montréal, Québec : OIIQ.

Ordre des infirmières et infirmiers du Québec (OIIQ) (2013). *Le champ d'exercice infirmier et les activités réservées des infirmières*. Repéré à www.oiiq.org/sites/default/files/1389GuideExerciceInfirmier.pdf.

Palao, R., Monge, I., Ruiz, M., *et al.* (2010). Chemical burns : Pathophysiology and treatment. *Burns, 36*(3), 295-304.

Pandya, A.A., Corkill, H.A., & Goutos, I. (2015). Sexual function following burn injuries : Literature review. *J Burn Care Res, 36*(6), e283-e293.

Pham, T.N., Cancio, L.C., & Gibran, N.S. (2008). American Burn Association practice guidelines : Burn shock resuscitation. *J Burn Care Res, 29*(1), 257-266.

Rafla, K., & Tredget, E.E. (2011). Infection control in the burn unit. *Burns, 37*(1), 5-15.

Reeve, J., James, F., McNeill, R., *et al.* (2011). Functional and psychological outcomes following burn injury : Reduced income and hidden emotions are predictors of greater distress. *J Burn Care Res, 32*(4), 468-474.

Selst, T. (2002). Les brûlures et les échaudures dans la base de données de 1999 du SCHIRPT. *Le Bulletin du SCHIRPT*, 21.

Shah, A., Suresh, S., Thomas, R., *et al.* (2011). Epidemiology and profile of pediatric burns in a large referral center. *Clinical Pediatrics, 50*(5), 391-395.

Sharp, S., & Meyer III, W.J. (2012). Acute stress disorder and post traumatic stress disorder in individuals suffering from burn injury. Dans L.-P. Kamolz, M.G. Jeschke & R.E. Horch (dir.), *Handbook of Burns: Reconstruction and Rehabilitation*. Vienne, Autriche: Springer-Verlag.

Sibbald, R., Goodman, L., Woo, K.Y., *et al.* (2011). Special considerations in wound bed preparation 2011: An update. *Adv Skin Wound Care, 24*(9), 415-436.

Singer, A.J., & Dagum, A.B. (2008). Current management of acute cutaneous wounds. *N Engl J Med, 359*(10), 1037-1046.

Spinks, A., Wasiak, J., Cleland, H., *et al.* (2008). Ten-year epidemiological study of pediatric burns in Canada. *J Burn Care Res, 29*(3), 482-488.

Weaver, L.K. (2009). Carbon monoxide poisoning. *N Engl J Med, 360*(12), 1217-1225.

Zachariah, J.R., Rao, A.L., Prabha, R., *et al.* (2012). Post burn pruritus – A review of current treatment options. *Burns, 38*(5), 621-629.

CHAPITRE 33

Bouchard, J., Presse, N., & Ferland, G. (2009). Étude de l'association entre la pneumonie d'aspiration et la dénutrition chez les patients âgés d'unités gériatriques actives. *Can J Diet Pract Res, 70*(3), 152-154.

Jarvis, C. (2015). *L'examen clinique et l'évaluation de la santé* (2e éd.). Montréal, Québec: Chenelière Éducation.

Long, R., & Ellis, E. (2007). *Normes canadiennes pour la lutte antituberculeuse* (6e éd.). Ottawa, Ontario: Agence de la santé publique du Canada.

Ministère de la Santé et des Services sociaux (MSSS) (2010). *Protocole d'immunisation du Québec (PIQ)* (6e éd.). Repéré à www.msss.gouv.qc.ca/immunisation/piq.

Patton, K.T., & Thibodeau, G.A. (2013). *Anthony's Textbook of Anatomy and Physiology*. Saint-Louis, MO: Mosby.

Potter, P.A., & Perry, A.G. (2016). *Soins infirmiers: fondements généraux* (4e éd.). Montréal, Québec: Chenelière Éducation.

Russo-McCourt, T.A. (2009). Spinal cord injuries. Dans K.A. McQuillan, K.T. Von Rueden, R.L. Harstock *et al.*, *Trauma Nursing: From Resuscitation Through Rehabilitation* (4e éd.). Philadelphie, PA: Saunders.

Urden, L.D., Stacy, K.M., & Lough, M.E. (2014). *Soins critiques*. Montréal, Québec: Chenelière Éducation.

VanLeeuwen, A., & Poelhuis-Leth, D. (2009). *Davis's Comprehensive Handbook of Laboratory and Diagnostic Tests with Nursing Implications* (3e éd.). Philadelphie, PA: F.A. Davis.

Wikibooks (2010). *Human Physiology/ The Respiratory System*. Repéré à http://en.wikibooks.org/wiki/Human_Physiology/The_respiratory_system.

Wilkins, R.L., Stroller, J.K., & Kacmarek, R.M. (2009). *Egan's Fundamentals of Respiratory Care* (9e éd.). Saint-Louis, MO: Mosby.

Wilson, D.D. (2014). *Examens paracliniques* (2e éd.). Montréal, Québec: Chenelière Éducation.

CHAPITRE 34

Ackerman, M.H., & Mick, D. (1998). Instillation of normal saline before suctioning in patients with pulmonary infections: A prospective randomized controlled trial. *Am J Crit Care*, 7(4), 261-266.

Agence de la santé publique du Canada (ASPC) (2014a). *Diphtérie*. Repéré à www.phac-aspc.gc.ca/im/vpd-mev/diphtheria-diphterie-fra.php.

Agence de la santé publique du Canada (ASPC) (2014b) *Le cancer au Canada: Aperçu épidémiologique*. Repéré à www.phac-aspc.gc.ca/cd-mc/cancer/pdf/cic_eo-cac_ae-fra.pdf.

Akgül, S., & Akyolcu, N. (2002). Effects of normal saline on endotracheal suctioning. *J Clin Nurs, 11*(6), 826-830.

American Speech-Language-Hearing Association (2010). *Speech for People with Tracheostomies or Ventilators*. Repéré à www.asha.org/public/speech/disorders/tracheostomies.htm.

Association pulmonaire du Canada (2010a). *Allergies et asthme. Quels sont les allergènes communs et que puis-je faire pour les éviter?* Repéré à http://sct.poumon.ca/diseases-maladies/asthma-asthme/allergies-allergies/index_f.php.

Association pulmonaire du Canada (2010b). *Pollution et qualité de l'air. Qualité de l'air intérieur: moisissure*. Repéré à http://sct.poumon.ca/protect-protegez/pollution-pollution/indoor-interieur/home-chezvous_f.php#moisissure.

Association pulmonaire du Québec (2010c). *Comment distinguer le rhume de la grippe?* Repéré à www.pq.poumon.ca/diseases-maladies/influenza-grippe/#rhume-ou-grippe.

Barnes, M.L., Spielmann, P.M., & White, P.S. (2012). Epistaxis: A contemporary evidence-based approach. *Otolaryngol Clin North Am, 45*(5), 1005-1017.

Bisno, A.L. (2003). Diagnosis strep throat in the adult patient: Do clinical criteria really suffice? *Ann Int Med, 139*(2), 150-151.

Comité consultatif national de l'immunisation (2012). Déclaration sur la vaccination antigrippale pour la saison 2012-2013. *Relevé des maladies transmissibles au Canada, 38*(DCC-2).

Comité directeur de la Société canadienne du cancer (2009). *Statistiques canadiennes sur le cancer 2009. Sujet particulier: le cancer chez les adolescents et les jeunes adultes*. Repéré à www.cancer.ca/fr-ca/cancer-information/cancer-101/canadian-cancer-statistics-publication/past-editions-canadian-cancer-statistics/~/media/1623FBDD08C54E93B1BF9BDE786ABC3E.ashx.

Daniel, R.K. (2010). *Mastering Rhinoplasty: A Comprehensive Atlas of Surgical Techniques with Integrated Video Clips*. Berlin/Heidelberg, Allemagne: Springer-Verlag.

Dennis-Rouse, M.D., & Davidson, J.E. (2008). An evidence-based evaluation of tracheostomy care practices. *Crit Care Nurs Q, 31*(2), 150-160.

Egan, M., & Hickner, J. (2009). Saline irrigation spells relief for sinusitis sufferers. *J Fam Pract, 58*(1), 29-32.

Furtran, N.D., Dutcher, P.O., & Roberts, J.K. (1993). The safety and efficacy of bedside tracheotomy. *Otolaryngol Head Neck Surg, 109*(4), 797-711.

Georgiou, L., Faber, N., Mendes, D., *et al.* (2008) The role of antibiotics in rhinoplasty and septoplasty: A literature review. *Rhinology, 46*(4), 267-270.

Higgins, D. (2009). Basic nursing principles of caring for patients with a tracheostomy. *Nurs Times, 105*(3), 14-15.

Institut national de santé publique du Québec (INSPQ) (2009). *Prophylaxie antivirale en situation de pandémie d'influenza H1N1 dans les milieux de soins du Québec*. Repéré à www.msss.gouv.qc.ca/extranet/pandemie/download.php?f=e95bb50dd6482ed6f7b4f25cdfc47793.

Institut national du cancer (2008). *Médecin traitant et patient en radiothérapie: conseils pratiques*. Repéré à www.sfro.org/client/gfx/utilisateur/File/INCa_Radiotherapie.pdf.

Kucik, C.J., Clenney, T., & Phelan, J. (2004). Management of acute nasal fractures. *Am Fam Physician, 70*(7), 1315-1320.

Linde, K., Barrett, B., Wölkart, K., *et al.* (2006). Echinacea for preventing and treating the common cold. *Cochrane Database System Rev, 1*, CD000530. www2.cochrane.org/reviews/en/ab000530.html.

Louchini, R., Beaupré, M., Bouchard, C., *et al.* (2005). *La prévalence du cancer au Québec en 1999*. Institut national de santé publique du Québec. Repéré à www.inspq.qc.ca/pdf/publications/438-PrevalenceCancer1999-Francais.pdf.

MacMillan Cancer Support (2010). *Surgery for Head and Neck Cancer*. Repéré à www.macmillan.org.uk/Cancerinformation/Cancertypes/Headneck/Treatingheadneckcancers/Surgery.aspx.

Meltzer, E.O., Bachert, C., & Staudinger, H. (2008). Antibiotics and nasal steroids for acute sinusitis. *JAMA, 299*(12), 1422-1423.

Ministère de la Santé et des Services sociaux (MSSS) (2010). *Protocole d'immunisation du Québec (PIQ)* (5e éd.). Repéré à www.msss.gouv.qc.ca/immunisation/piq.

Ministère de la Santé et des Services sociaux (MSSS) (2011). *La rhinite allergique au Québec*. Québec. Québec: Direction des communications. www.santelaurentides.gouv.qc.ca/fileadmin/documents/Sante_publique/Herbe_a_poux/La_rhinite_allergique_au_Quebec.pdf.

Nathan, R.A. (2008). The pathophysiology, clinical impact, and management of nasal congestion in allergic rhinitis. *Clin Ther, 30*(4), 573-586.

Newton, S., Hickey, M., & Marrs, J. (2008). *Mosby's Oncology Nursing Advisor: A Comprehensive Guide to Clinical Practice*. Saint-Louis, MO: Mosby.

Pallin, D.J., Chng, Y.M., McKay, M.P., *et al.* (2005). Epidemiology of epistaxis in US emergency departments, 1992 to 2001. *Ann Emerg Med, 46*(1), 77-81.

Pappas, P.G., Kauffman, C.A., Andes, D., *et al.* (2009). Clinical practice guidelines for the management of candidiasis: 2009. Update by the Infectious Disease Society of America. *Clin Infect Dis, 48*(5), 503-535.

Quinn, B. (2009). Addressing mouth care in cancer care. *Eur J Cancer Care, 18*(6), 526-658. http://wip.onlinecancereducationforum.com/OCEF/Addressing_mouth_care_in_cancer_care.pdf.

Regan, E.N., & Dallachiesa, L. (2009). How to care for a patient with a tracheostomy. *Nursing, 39*(8), 39-40.

Rushing, J. (2009). Managing epistaxis. *Nursing, 39*(6), 12.

Sager, S., Asa, S., Yilmaz, M., *et al.* (2014). Prognostic significance and predictive performance of volume based parameters of F-18 PET/CT in squamous cells head and neck cancers. *J Cancer Res Ther, 10*(4), 922-926.

Santé Canada (2013). *Les maladies infectieuses – Une menace perpétuelle*. Repéré à www.phac-aspc.gc.ca/cphorsphc-respcacsp/2013/resistance-fra.php.

Silvester, W., Goldsmith, D., Uchino, S., *et al.* (2006). Percutaneous versus surgical tracheostomy: A randomized controlled study with long-term follow-up. *Crit Care Med, 34*(8), 2145-2152.

Société canadienne du cancer (2015a). *Recherche sur le cancer de la tête et du cou*. Repéré à www.cancer.ca/fr-ca/cancer-information/cancer-type/oral/research/?region=on.

Société canadienne du cancer (2015b). *Radiothérapie à la tête et au cou*. Repéré à www.cancer.ca/fr-ca/cancer-information/diagnosis-and-treatment/radiation-therapy/side-effects-of-radiation-therapy/radiation-to-the-head-and-neck/?region=on.

Société canadienne du cancer (2015c). *Traitement*. Repéré à www.cancer.ca/fr-ca/cancer-information/diagnosis-and-treatment/treatment/?region=qc.

Soyka, M.B., Nikolaou, G., Rufibach, K., *et al.* (2011) On the effectiveness of treatment options in epistaxis: An analysis of 678 interventions. *Rhinology, 49*, 471-478.

The Voice and Swallowing Institute (2010). *Disorders That Cause Voice Problems*. Repéré à www.nyee.edu/cfv-larynx-disorders.html.

Thiagarajan, B., & Ulaganathan, V. (2013) Fracture nasal bones. *Online J Otolaryngol, 3*(suppl. 5), 1-16.

University of Wisconsin Department of Family Medicine (2007). *Nasal Irrigation Instructions*. Repéré à www.fammed.wisc.

edu/files/webfm-uploads/documents/research/nasalirrigationinstructions.pdf.

Weber, T.P., & Stilianakis, N.I. (2008). Inactivation of influenza A viruses in the environment and modes of transmission: A critical review. *J Infect, 57*(5), 361-373.

WebMD (2014). *Nasal Irrigation: Natural Relief for Cold and Allergy Symptoms.* Repéré à www.webmd.com/allergies/ss/slideshow-nasal-irrigation.

Weissbrod, P., & Merati, A. (2012). Is percutaneous dilational tracheotomy equivalent to traditional open surgical tracheotomy with regard to perioperative and postoperative complications? *The Laryngoscope, 122*(7), 1423-1424.

CHAPITRE 35

Agence de la santé publique du Canada (ASPC) (2003). *Prévention de la coqueluche chez les adolescents et les adultes.* Repéré à www.collectionscanada.gc.ca/webarchives/20071120003010/http://www.phac-aspc.gc.ca/publicat/ccdr-rmtc/03vol29/acs-dcc-5-6/dcc5.html.

Agence de la santé publique du Canada (ASPC) (2010). *L'influenza.* Repéré à www.phac-aspc.gc.ca/influenza/index-fra.php.

Agence de la santé publique du Canada (ASPC) (2012). *La vie et le souffle: les maladies respiratoires au Canada (2007).* Repéré à www.phac-aspc.gc.ca/publicat/2007/lbrdc-vsmrc/index-fra.php.

Agence de la santé publique du Canada (ASPC) (2014). *Prévention et contrôle de la tuberculose au Canada: un cadre d'action fédéral.* Repéré à www.phac-aspc.gc.ca/tbpc-latb/pubs/tpc-pct/assets/pdf/tpc-pcta-fra.pdf.

Agence de la santé publique du Canada (ASPC) (2015). *La tuberculose au Canada 2013 : prédiffusion.* Repéré à www.phac-aspc.gc.ca/tbpc-latb/pubs/tbcan13pre/assets/pdf/tbcan13pre-fra.pdf.

Agence de la santé publique du Canada (ASPC), Association pulmonaire & Société canadienne de thoracologie (2014). *Normes canadiennes pour la lutte antituberculeuse, 7e édition.* Repéré à www.lignesdirectricesrespiratoires.ca/sites/all/files/NCLA_FR_7_edition.pdf.

American Cancer Society (2015a). *Lung Cancer (Non-Small Cell).* Repéré à www.cancer.org/acs/groups/cid/documents/webcontent/003115-pdf.pdf.

American Cancer Society (2015b). *Lung Cancer (Small Cell).* Repéré à www.cancer.org/acs/groups/cid/documents/webcontent/003116-pdf.pdf.

American Thoracic Society (2000). Diagnostic standards and classification of tuberculosis in adults and children. *Am J Respir Crit Care Med, 161*(4), 1376-1395.

Centers for Disease Control and Prevention (2009). *Tuberculosis (TB).* Repéré à www.cdc.gov/tb/topic/basics/default.htm.

Duong-Quy, S. (2010). *Session 47 – Traitement actuel et dans l'avenir de l'HTAP.* Communication présentée au congrès annuel de l'European Respiratory Society, Barcelone, Espagne.

Gough, A., & Kaufman, G. (2011). Pulmonary tuberculosis: Clinical features and patient management. *Nurs Stand, 25*(47), 48-56.

Hsu, L.Y., Ng, E.S., & Koh, L.P. (2010). Common and emerging fungal pulmonary infections. *Infect Dis Clin North Am, 24*(3), 557-577.

Jett, J.R., & Midthun, D.E. (2011). Screening for lung cancer: For patients at increased risk for lung cancer, it works. *Ann Intern Med, 155*(8), 541-542.

Lehto, R.H. (2011). Identifying primary concerns in patients newly diagnosed with lung cancer. *Oncol Nurs Forum, 38*(4), 440-447.

Mancini, M.C. (2014). *Blunt Chest Trauma.* Repéré à http:/emedicine.medscape.com/article/428723-overview.

Mandell, L.A., Wunderink, R.G., Anzueto, A., *et al.* (2007). Infectious Diseases Society of America/American Thoracic Society Consensus guidelines on the management of community-acquired pneumonia in adults. *Clin Infect Dis, 44*(suppl. 2), S27-S72. www.thoracic.org/statements/resources/mtpi/idsaats-cap.pdf.

Mason, R.J., Broaddus, V.C., Martin, T.R., *et al.* (2010). *Murray and Nadel's Textbook of Respiratory Medicine* (5e éd.). Saint-Louis, MO: Mosby.

McGrath, E.E., & Anderson, P.B. (2011). Diagnosis of pleural effusion: a systematic approach. *Am J Crit Care, 20*(2), 119-127.

Ministère de la Santé et des Services sociaux (MSSS) (2012). *La tuberculose: Guide d'intervention.* Repéré à http://publications.msss.gouv.qc.ca/msss/fichiers/2012/12-271-01W.pdf.

Ministère de la Santé et des Services sociaux (MSSS) (2014). *Protocole d'immunisation du Québec (PIQ)* Repéré à http://publications.msss.gouv.qc.ca/msss/fichiers/piq/misesajour/maj_nov2014_continu.pdf.

Ministère de la Santé et des Services sociaux (MSSS) (2015). *Protocole d'immunisation du Québec (PIQ)* Repéré à http://publications.msss.gouv.qc.ca/msss/fichiers/piq/piq_complet.pdf.

National Comprehensive Cancer Network (2012). *NCCN Guidelines Version 1: 2012 Lung Cancer Screening.* Repéré à www.nccn.org/professionals/physician_gls/f_guidelines.asp.

O'Hanlon, K.M., Choy, E., Sisson, S.D., *et al.* (2013). *Lung Cancer.* Repéré à www.clinicalkey.com.

Organisation mondiale de la Santé (OMS) (2015). *Tuberculose. Aide mémoire no 104.* Repéré à www.who.int/mediacentre/factsheets/fs104/fr.

Oudiz, R.J. (2015). *Primary Pulmonary Hypertension Clinical Presentation.* Repéré à http://emedicine.medscape.com/article/301450-clinical.

Ouellette, D.R. (2015). *Pulmonary Embolism Clinical Presentation.* Repéré à http://emedicine.medscape.com/article/300901-clinical.

Perry, M. (2008). Knowing the early signs of pulmonary embolism. *Pract Nurs, 19*(12), 620-623.

Pogorzelska, M., Stone, P.W., Furuya, E.Y., *et al.* (2011). Impact of the ventilator bundle on ventilator-associated pneumonia in intensive care unit. *Int J Qual Health Care, 23*(5), 538-544.

Rotstein, C., Evans, G., Born, A., *et al.*, 2008. Clinical practice guidelines for hospital-acquired pneumonia and ventilator-associated pneumonia in adults. *Can J Infect Dis Med Microbiol, 19*(1), 19-53.

Rueda, J., Sola, I., Pascual, A., *et al.* (2011). Non-invasive interventions for improving well-being and quality of life in patients with lung cancer. *Cochrane Database Syst Rev, 9,* CD004282.

Santé Canada (2011). *Agents cancérigènes dans la fumée du tabac.* Repéré à www.hc-sc.gc.ca/hc-ps/pubs/tobac-tabac/carcinogens-cancerogenes/index-fra.php.

Société canadienne du cancer (2014). *Statistiques canadiennes sur le cancer.* Repéré à www.cancer.ca/~/media/cancer.ca/CW/cancer%20information/cancer%20101/Canadian%20cancer%20statistics/Canadian-Cancer-Statistics-2014-FR.pdf.

Société canadienne du cancer (2015). *Trouver le cancer du poumon à ses débuts.* Repéré à www.cancer.ca/fr-ca/cancer-information/cancer-type/lung/finding-cancer-early/?region=bc&p=1.

Song, M., Dabbs, A.D., Studer, S.M., *et al.* (2008). Course of illness after the onset of chronic rejection in lung transplant recipients. *Am J Crit Care, 17*(3), 246-253.

Stanton, M.W. (2002). Improving treatment decisions for patients with community-acquired pneumonia. Repéré à http://archive.ahrq.gov/research/findings/factsheets/pneumonia/issue7/index.html.

Whitson, B.A. (2015). *Lung Transplantation.* Repéré à http://emedicine.medscape.com/article/429499-overview.

Winston, W.D. (2011). *Small Cell Lung Cancer.* http://emedicine.medscape.com/article/279960-overview.

Zugazagoitia, J., Enguita, A.B., Nuñez, J.A., *et al.* (2014). The new IASLC/ATS/ERS lung adenocarcinoma classification from a clinical perspective: Current Concepts and future prospects. *J Thorac Dis, 6*(suppl. 5), S526-S536. www.ncbi.nlm.nih.gov/pubmed/25349703.

CHAPITRE 36

Agence de la santé publique du Canada (ASPC) (2011). *Faits saillants sur la maladie pulmonaire obstructive chronique (MPOC): Données compilées de l'Enquête sur les personnes ayant une maladie chronique au Canada de 2011.* Repéré à www.phac-aspc.gc.ca/cd-mc/publications/copd-mpoc/ff-rr-2011-fra.php.

Agence de la santé publique du Canada (ASPC) (2012). *La vie et le souffle: les maladies respiratoires au Canada.* Repéré à www.phac-aspc.gc.ca/publicat/2007/lbrdc-vsmrc/index-fra.php.

Alpha-1 Foundation (2007). *Healthcare Providers. What is Alpha-1?* Repéré à www.alphaone.org.

American Lung Association (ALA) (2012). *Trends in Asthma Morbidity and Mortality.* Repéré à www.lung.org/assets/documents/research/asthma-trend-report.pdf.

American Lung Association (ALA) (2013). *Trends in COPD (chronic Bronchitis and Emphysema): Morbidity and Mortality.* Repéré à www.lung.org/assets/documents/research/copd-trend-report.pdf.

American Lung Association (ALA) (2015). *Asthma Action Plan.* Repéré à www.lung.ca/lung-health/lung-disease/asthma/asthma-action-plan.

Anthonisen, N., Manfreda, F., Warren, C., *et al.* (1987). Antibiotic therapy in exacerbations of chronic obstructive pulmonary disease. *Ann Intern Med, 106*(2), 196-204.

Asthma Society of Canada (2015). *Page d'accueil.* Repéré à www.asthma.ca/adults.

Baron, R., & Bartlett, J. (2012). Bronchiectasis and lung abscess. Dans D. Longo, A. Fauci, D. Kasper *et al.* (dir.), *Harrison's Principles of Internal Medicine* (18e éd.). New York, NY: McGraw-Hill.

Boucher, R. (2012). Cystic fibrosis. Dans D. Longo, A. Fauci, D. Kasper *et al.* (dir.), *Harrison's Principles of Internal Medicine* (18e éd.). New York, NY: McGraw-Hill.

Boyle, M.P. (2007). Adult cystic fibrosis. *JAMA, 298*(15), 1787-1793.

Brashers, V. (2010). Alterations of pulmonary function. Dans K.L. McCance, S.E. Huether, V. Brashers *et al.* (dir.), *Pathophysiology: The Biologic Basis for Disease in Adults and Children* (6e éd.). Saint-Louis, MO: Mosby.

Brozek, J., Bousquet, J., Baena-Cagnani, C.E., *et al.* (2010). *Allergic Rhinitis and its Impact on Asthma (ARIA).* Repéré à http://whiar.org/docs/ariareport_2010.pdf.

Carrieri-Kohlman, V., & Donesky-Cuenco, D. (2009). Dyspnea: Assessment and management. Dans J.E. Hodgkin, B.R. Celli & G.L. Connors (dir.), *Pulmonary Rehabilitation: Guidelines to Success* (4e éd.). Saint-Louis, MO: Mosby.

Celli, B.R. (2009). Pathophysiology of chronic obstructive pulmonary disease. Dans J.E. Hodgkin, B.R. Celli & G.L. Connors (dir.), *Pulmonary Rehabilitation: Guidelines to Success* (4e éd.). Saint-Louis, MO: Mosby.

Celli, B.R., & Stoller, J. (2012). *Pulmonary rehabilitation in COPD. UpToDate.* Repéré à www.uptodate.com.

Celli, B.R., MacNee, W., & ATS/ERS Task Force (2004). Standards for the diagnosis and treatment of patients with COPD: A summary of the ATS/ERS position paper. *Eur Respir J, 23*(6), 932.

Celli, B.R., Thomas, N.E., Anderson, J.A., *et al.* (2008). Effect of pharmacotherapy on rate of decline of lung function in chronic obstructive pulmonary disease: Results from the TORCH study. *Am J Respir Crit Care Med, 178*(4), 322.

Chesnutt, M., & Prendergast, T. (2012). Pulmonary disorders. Dans S. McPhee, M. Papadakis, M. Rabow (dir.), *Current Medical Diagnosis and Treatment* (51e éd.). New York, NY: McGraw-Hill.

Corbridge, S., Wilken, L., Kapella, M., *et al.* (2012). An evidence-based approach to COPD. *Am J Nurs, 112*(3), 46-57.

Criner, G.J., Bourbeau, J., Diekemper, R.L., *et al.* (2015). Prevention of acute exacerbation of COPD: American College of Chest Physicians and Canadian Thoracic Society Guideline. *Chest, 147*(4), 894-942.

Cystic Fibrosis Foundation Patient Registry (2012). *2011 Annual Data Report.* Bethesda, Md: Cystic Fibrosis Foundation.

Emery, C.F., Huffman, M.J., & Busby, A.K. (2009). Behavioral medicine in pulmonary rehabilitation: Psychological, cognitive, and social factors. Dans J.E. Hodgkin, B.R. Celli & G.L. Connors (dir.), *Pulmonary Rehabilitation: Guidelines to Success* (4e éd.). Saint-Louis, MO: Mosby.

Fibrose kystique Canada (2013). *Registre canadien sur la fibrose kystique. Rapport annuel 2011.* Repéré à www.cysticfibrosis.ca/wp-content/uploads/2013/10/Registry2011FINALOnlineFR.pdf.

Fibrose kystique Canada (2014). *Sexualité, fertilité et fibrose kystique chez les adultes.* Repéré à www.cysticfibrosis.ca/wp-content/uploads/2013/09/FR_SEX_FERT_AND_CF_ADULTS_WEB_Compressed.pdf.

Fibrose kystique Canada (2015). À propos de la FK. Repéré à www.cysticfibrosis.ca/fr/about-cf/what-is-cystic-fibrosis.

Fondation canadienne de la fibrose kystique (2011). *Autres complications médicales.* Repéré à www.cysticfibrosis.ca/fr/about-CysticFibrosis/OtherMedicalComplications.php.

Froh, D.K., & Huether, S.E. (2008). Alterations of pulmonary function in children. Dans S.E. Huether & K.L. McCance (dir.), *Understanding Pathophysiology* (4e éd.). Saint-Louis, MO: Mosby.

Global Initiative for Asthma (GINA) (2015a). *Global Strategy for Asthma Management and Prevention.* Repéré à www.ginasthma.org/documents/4.

Global Initiative for Asthma (GINA) (2015b). *Pocket Guide for Asthma Management and Prevention: For Adult and Children older than 5 Years.* Repéré à www.ginasthma.org/documents/1.

Global Initiative for Chronic Obstructive Lung Disease (GOLD) (2013). *Global Strategy for Diagnosis, Management, and Prevention of Chronic Obstructive Pulmonary Disease.* Repéré à www.goldcopd.org/uploads/users/files/GOLD_Report_2013_Feb20.pdf.

Global Initiative for Chronic Obstructive Lung Disease (GOLD) (2015). *Global Strategy for Diagnosis, Management, and Prevention of Chronic Obstructive Pulmonary Disease, Updated 2015.* Repéré à www.goldcopd.org/uploads/users/files/GOLD_Report_2015_Apr2.pdf.

Gott, K., & Brashers, V. (2012). Alterations of pulmonary function in children. Dans S.E. Huether & K.L. McCance (dir.), *Understanding Pathophysiology* (5e éd.). Saint-Louis, MO: Mosby.

Gott, K., & Froh, D. (2010). Alterations of pulmonary function in children. Dans K.L. McCance, S.E. Huether, V. Brashers *et al.* (dir.), *Pathophysiology: The Biologic Basis for Disease in Adults and Children* (6e éd.). Saint-Louis, MO: Mosby.

Grodner, M., Roth, S., & Walkingshaw, B. (2012). *Nutritional Foundations and Clinical Applications: A Nursing Approach* (5e éd.). Saint-Louis, MO: Mosby.

Harrison, S., Greening, N., Williams, J., *et al.* (2012). Have we underestimated the efficacy of pulmonary rehabilitation in improving mood? *Respir Med, 106*(6), 838-844.

Institut thoracique de Montréal (2015). *Mieux vivre avec une MPOC.* Repéré à www.livingwellwithcopd.com/fr/accueil.html.

Kunik, M.E., Veazey, C., Cully, J.A., *et al.* (2008). COPD education and cognitive behavioral therapy group treatment for clinically significant symptoms of depression and anxiety in COPD patients: A randomized controlled trial. *Psychol Med, 38*(3), 385-396.

Lougheed, D.M., Lemière, C., Dell, S.D., *et al.* (2010). *Continuum de prise en charge de l'asthme de la Société canadienne de thoracologie: Résumé du consensus de 2010 pour les enfants de six ans et plus et les adultes.* Repéré à www.lignesdirectricesrespiratoires.ca/sites/all/files/cts_asthma_consensus_summary_2010_fr.pdf.

Mann, D.L. (2008). Heart failure and cor pulmonale. Dans A.S. Fauci, E. Brauwald, D.O. Kaspar *et al.* (dir.), *Harrison's Principles of Internal Medicine* (17e éd.). New York, NY: McGraw-Hill.

McKinley, M.P., O'Loughlin, V.D., & Stouter Bidle, T. (2014). *Anatomie et physiologie: une approche intégrée.* Montréal, Québec: Chenelière Éducation.

Morrison, L., & Agnew, J. (2009). Oscillating devices for airway clearance in people with cystic fibrosis. *Cochrane Database Syst Rev, 1,* CD006842.

Narsavage, G.L., & Chen, K. (2008). Factors related to depressed mood in adults with chronic obstructive pulmonary disease after hospitalization. *Home Healthc Nurs, 26*(8), 474-482.

National Heart, Lung, and Blood Institute (NHLBI), & National Asthma Education and Prevention Program (NAEPP) (2007). *Expert Panel Report 3: Guidelines for the Diagnosis and Management of Asthma.* Repéré à www.nhlbi.nih.gov/files/docs/guidelines/asthgdln.pdf.

Nussbaumer-Ochsner, Y., & Rabe, K. (2011). Systemic manifestations and comorbidities of COPD. *Chest, 139*(1), 165-173.

Organisation mondiale de la Santé (OMS) (2015). *La bronchopneumopathie chronique obstructive (BPCO).* Repéré à www.who.int/respiratory/copd/fr.

Osadnik, C.R., McDonald, C.F., Jones, A.P., *et al.* (2012). Airway clearance techniques for chronic obstructive pulmonary disease. *Cochrane Database Syst Rev, 2,* CD008328.

Payne, C., Wiffen, P.J., & Martin, S. (2012). Interventions for fatigue and weight loss in adults with advanced progressive illness. *Cochrane Database Syst Rev, 2,* CD008427.

Pomidori, L., Contoli, M., Mandolesi, G., *et al.* (2012). A simple method for home exercise training in patients with chronic obstructive pulmonary disease: 1 year study. *J Cardiopulm Rehabil PRev, 32*(1), 53-57.

Qaseem, A., Wilt, T., Weinberger, S., *et al.* (2011). Diagnosis and management of stable chronic obstructive pulmonary disease: A clinical practice guideline update from the American College of Physicians, American College of Chest Physicians, American Thoracic Society, and European Respiratory Society. *Ann Intern Med, 155*(3), 179-191.

Rodenstein, D.O. (2009). Sleep disorders in patient with pulmonary disorders. Dans J.E. Hodgkin, B.R. Celli & G.L. Connors (dir.), *Pulmonary Rehabilitation: Guidelines to Success* (4e éd.). Saint-Louis, MO: Mosby.

Rutten, F., Zuithoff, N., Hak, E., *et al.* (2010). Blockers may reduce mortality and risk of exacerbations in patients with chronic obstructive pulmonary disease. *Arch Intern Med, 170,* 880-887.

Sanders, D., & Farrell, P. (2012). Transformative mutation specific pharmacotherapy for cystic fibrosis. *Br Med J, 344,* e79.

Selecky, P.A. (2009). Sexuality in the patient with pulmonary disease. Dans J.E. Hodgkin, B.R. Celli & G.L. Connors (dir.), *Pulmonary Rehabilitation: Guidelines to Success* (4e éd.). Saint-Louis, MO: Mosby.

Statistique Canada (2015). *Étude: Décès attribuables à la maladie pulmonaire obstructive au Canada, 1950 à 2011.* Repéré à www.statcan.gc.ca/daily-quotidien/151119/dq151119c-fra.htm.

Williams, D.M., & Self, T.H. (2004). Drugs for asthma. Dans R.R. Bernardi (dir.), *Handbook of Nonprescription Drugs: An Interactive Approach to Self Care* (14e éd.). Washington, DC: American Pharmacists Association.

Workman, L.M., & Winkelman, C. (2008). Genetic influences in common respiratory disorders. *Crit Care Nurs Clin North Am, 20*(2), 171-189.

YourLungHealth.org (2015). *Healthy Living.* Repéré à www.yourlunghealth.org/healthy_living/living/home_oxygen_therapy.

Yousef, A.A., & Jaffe, A. (2010). The role of azithromycin in patients with cystic fibrosis. *Paediatr Respir Rev, 11*(2), 108-114.

CHAPITRE 37

Alpers, D.H., Stenson, W.F., Taylor, B.E., *et al.* (2008). *Manual of Nutritional Therapeutics* (5e éd.). Philadelphie, PA: Lippincott Williams & Wilkins.

Andrews, N.C. (2009). Pathology of iron metabolism. Dans R. Hoffman, R. Benz, S. Shattil *et al.* (dir.), *Hematology: Basic Principles and Practice* (5e éd.). Philadelphie, PA: Saunders Elsevier.

Babic, A., & Kaufman, R.M. (2009). Principles of platelet transfusion therapy. Dans R. Hoffman, R. Benz, S. Shattil *et al.* (dir.), *Hematology: Basic Principles and Practice* (5e éd.). Philadelphie, PA: Saunders Elsevier.

Beerman, I., Maloney, W.J., Weissman, I.L., *et al.* (2010). Stem cells and the aging hematopoietic system. *Curr Opin Immunol, 22*(4), 500-506.

Beers, M.H. (2008). *The Merck Manual of Geriatrics* (3e éd.). Whitehouse Station, NJ: Merck & Co.

Bickley, L.S., & Szilagy, P.G. (2003). *Bate's Guide to Physical Examination and History Taking* (8e éd.). Philadelphie, PA: Lippincott Williams & Wilkins.

Cadet, E., Rochette, J., & Capron, D. (2006). *Le métabolisme du fer.* Repéré à www.hepato-site.com/fer%20metabolimse.html.

Collar, B.S., & Schneiderman, P.I. (2009). Clinical evaluation of hemorrhagic disorders: The bleeding history and differential diagnosis of purpura. Dans R. Hoffman, R. Benz, S. Shattil *et al.* (dir.), *Hematology: Basic Principles and Practice* (5e éd.). Philadelphie, PA: Saunders Elsevier.

Fischbach, F.T., & Dunning, M.B. (2009). *A Manual of Laboratory and Diagnostic Tests* (8e éd.). Philadelphie, PA: Lippincott Williams & Wilkins.

Furger, P. (dir.) (2005). *Médecine interne: du symptôme au diagnostic.* Québec, Québec: Éditions D & F.

Ganz, T., & Nemeth, E. (2011). Hepcidin and disorders of iron metabolism. *Ann Rev Med,* 62, 347-360.

Ginsburg, D., & Wagner, D.D. (2009). Structure, biology, and genetics of Von Willebrand factor. Dans R. Hoffman, R. Benz, S. Shattil *et al.* (dir.), *Hematology: Basic Principles and Practice* (5e éd.). Philadelphie, PA: Saunders Elsevier.

Hodgson, B.B., & Kizior, R.J. (2012). *Saunders Nursing Drug Handbook.* Saint-Louis, MO: Saunders.

Howard, M.R., & Hamilton, P.J. (2008). *Haematology: An illustrated colour text* (3e éd.). Édimbourg, R.-U.: Churchill Livingstone Elsevier.

Hurria, A., Muss, H.B., & Cohen, H.G. (2010). Cancer and aging. Dans W.K. Hong, R.C. Bast, W.N. Hait *et al.* (dir.), *Holland-Frei Cancer Medicine* (8e éd.). Shelton, CT: People's Medical Publishing House.

Jarvis, C. (2015). *L'examen clinique et l'évaluation de la santé* (2e éd.). Montréal, Québec: Chenelière Éducation.

Karlin, L., & Coman, T. (2009). *Hématologie.* Issy-les-Moulineaux, France: Elsevier Masson.

Kumar, V., & Abbas, A.K. (2010). *Pathologic Basis of Disease* (8e éd.). Philadelphie, PA: Saunders.

Kurkjian, C.D., & Ozer, H. (2008). Leukopenia, anemia, and thrombocytopenia. Dans V.T. DeVita, T.S. Lawrence, S.A. Rosenberg *et al.* (dir.), *Devita, Hellman & Rosenberg's Cancer: Principles & Practice of Oncology* (8e éd.). Philadelphie, PA: Lippincott Williams & Wilkins.

Mansen, T.J., & McCance, K.L. (2006). Alterations of leukocyte, lymphoid, and hemostatic function. Dans K.L. McCance & S.E. Huether (dir.), *Pathophysiology: The Biologic Basis for Disease in Adults and Children* (5e éd.). Saint-Louis, MO: Mosby.

McCance, K.L. (2006). Structure and function of the hematologic system. Dans K.L. McCance & S.E. Huether (dir.), *Pathophysiology: The Biologic Basis for Disease in Adults and Children* (5e éd.). Saint-Louis, MO: Mosby.

McCance, K.L., & Huether, S.E. (dir.) (2006). *Pathophysiology: The Biologic Basis for Disease in Adults and Children* (5e éd.). Saint-Louis, MO: Mosby.

McCance, K.L., & Huether, S.E. (dir.) (2010). *Pathophysiology: The Biologic Basis for Disease in Adults and Children* (6e éd.). Saint-Louis, MO: Mosby.

McKinley, M.P., O'Loughlin, V.D., & Bidle, T.S. (2014). *Anatomie et physiologie.* Montréal, Québec: Chenelière Éducation.

Monahan, F.D. (2009). *Mosby's Expert Physician Exam Handbook* (3e éd.). Saint-Louis, MO: Mosby.

Porter, R.S., & Kaplan, J.L. (2011). *The Merck Manual.* Whitehouse Station, NJ: Merck.

Rubin, R., & Rubin, E. (2008). The liver and biliary system. Dans R. Rubin & D.S. Strayer (dir.), *Rubin's Pathology: Clinicopathologic Foundations of Medicine* (5e éd.). Philadelphie, PA: Lippincott Williams & Wilkins.

Shaheen, M., & Broxmeyer, H.D. (2009). The humoral regulation of hematopoiesis. Dans R. Hoffman, R. Benz, S. Shattil *et al.* (dir.), *Hematology: Basic Principles and Practice* (5e éd.). Philadelphie, PA: Saunders Elsevier.

Sivilotti, M.L.A. (2009). Hematologic principles. Dans L.S. Nelson, N.A. Lewin, M.A. Howland *et al.* (dir.), *Goldfrank's Toxicologic Emergencies* (9e éd.). New York, NY: McGraw-Hill.

Société canadienne du cancer (2015). *Lymphone non hodgkinien.* Repéré à www.cancer.ca/fr-ca/cancer-information/cancer-type/non-hodgkin-lymphoma/signs-and-symptoms/?region=qc.

Taffet, G.E. (2015). *Normal Aging.* Repéré à www.uptodate.com/contents/normal-aging.

Venes, D. (2009). *Taber's Cyclopedic Medical Dictionary* (21e éd.). Philadelphie, PA: F.A. Davis.

Wheater, R.O., Young, B., & Heath, W.J. (2004). *Histologie fonctionnelle.* Bruxelles, Belgique: De Boeck & Larcier.

World Health Organization (WHO) (1979). *WHO Handbook for Reporting Results of Cancer Treatment* (no 48). Genève, Suisse: WHO.

CHAPITRE 38

Afable, M.G., & Lyon, D.E. (2008). Severe fatigue: Could it be aplastic anemia? *Clin J Oncol Nurs, 12*(4), 569-573.

Alpers, D.H., Stenson, W.F., Taylor, B.E., *et al.* (2008). *Manual of Nutritional Therapeutics* (5e éd.). Philadelphie, PA: Lippincott Williams & Wilkins.

Alter, B.P., Giri, N., Savage, S.A., *et al.* (2010). Malignancies and survival patterns in the National Cancer Institute inherited bone marrow failure syndromes cohort study. *Br J Haematol, 150*(2), 179-188.

American Cancer Society (2014). *Signs and Symptoms of Hodgkin Disease.* Repéré à www.cancer.org/cancer/hodgkindisease/detailedguide/hodgkin-disease-signs-and-symptoms.

American Cancer Society (2015). *Types of Non-Hodgkin Lymphoma.* Repéré à www.cancer.org/cancer/non-hodgkinlymphoma/detailedguide/non-hodgkin-lymphoma-types-of-non-hodgkin-lymphoma.

Anderson, K.C., Becker, P.S., Bennett, C.L., *et al.* (2012). *NCCN Clinical Practice Guidelines in Oncology: Multiple Myeloma* (version 1). Repéré à www.nccn.org.

Antony, A.C. (2013). Megaloblastic anemias. Dans R. Hoffman, E.J. Benz, S.J. Shattil *et al.* (dir.), *Hematology: Basic Principles and Practice* (6e éd.). Philadelphie, PA: Churchill Livingston Elsevier.

Association canadienne de normalisation (ACN) (2010). *Sang et produits sanguins labiles. CAN/CSA-Z902-F10 – Norme nationale du Canada.* Mississauga, Ontario: ACN.

Association d'anémie falciforme du Québec (AAFQ) (2012). *Qu'est-ce que l'anémie falciforme?* Repéré à http://archive.anemie-falciforme.org/anemie-falciforme-drepanocytose.php#.VdCdWbJ_Oko.

Association d'anémie falciforme du Québec (AAFQ) (2015). *Qu'est-ce que l'anémie falciforme?* Repéré à http://anemie-falciforme.org/anemie-falciforme/quest-ce-que-lanemie-falciforme.

Baden, L.R., Bensinger, W., Angarone, M., *et al.* (2011). *NCCN Clinical Practice Guidelines in Oncology: Prevention and Treatment of Cancer-Related Infections* (version 2). Repéré à www.nccn.org.

Balducci, L. (2010). Anemia, fatigue, and aging. *Transf Clin Biol, 17*(5-6), 375-381.

Benz, E.J., Jr. (2002). Hémoglobinopathies. Dans E. Braunwald, A.S. Fauci, D.L. Kasper, *et al.* (dir.), *Harrison: principes de médecine interne* (15e éd.). Paris, France: Médecine-Sciences Flammarion.

Beutler, E. (2010). Disorders of iron metabolism. Dans M.A. Lichtman, T.J. Kipps, U. Seligsohn *et al.* (dir.), *Williams Hematology* (8e éd.). New York, NY: McGraw-Hill.

Brittenham, G.M. (2013). Disorders of iron homeostasis: Iron deficiency and overload. Dans R. Hoffman, E.J. Benz, S.J. Shattil *et al.* (dir.), *Hematology: Basic Principles and Practice* (6e éd.). Philadelphie, PA: Churchill Livingston Elsevier.

Callum, J.L., & Pinkerton, P.H. (2005). *Sang difficulté 2: transfusions sanguines, alternatives et réactions transfusionnelles* (2e éd.). Toronto, Ontario: Centre des sciences de la santé des femmes et Collège Sunnybrook.

Canadian Hemochromatosis Society (2011). *How Common Is It?* Repéré à www.toomuchiron.ca/hemochromatosis/how-common-is-it.

Charbonney, E., Terrettaz, M., Vuilleumier, N., *et al.* (2006). Drépanocytose: syndromes thoracique aigu et de détresse respiratoire. De la pathophysiologie au traitement. *Revue Médicale Suisse, 91*(31851).

Chitlur, M., & Kulkarni, R. (2012). Hemophilia and related bleeding disorders. Dans E.T. Bope & R.D. Kellerman (dir.), *Conn's Current Therapy.* Philadelphie, PA: Saunders.

Crow, A.R., & Lazarus, A.H. (2008). The mechanisms of action of intravenous immunoglobulin and polyclonal anti-D immunoglobulin in the amelioration of immune thrombocytopenic purpura: What do we really know? *Transfus Med Rev, 22*(2), 103-116.

Cullis, J.O. (2011). Diagnosis and management of anaemia of chronic disease: Current status. *Br J Haematol, 154*(3), 289-300.

Diz-Kucukkaya, R., Chen, J., Geddis, A., *et al.* (2010). Thrombocytopenia. Dans M.A. Lichtman, T.J. Kipps, U. Seligsohn *et al.* (dir.), *Williams Hematology* (8e éd.). New York, NY: McGraw-Hill.

Doig, K. (2012). Disorders of iron and heme metabolism. Dans B.F. Rodak, G.A. Fritsma & E.M. Keohane (dir.), *Hematology: Clinical Principles and Application* (4e éd.). Saint-Louis, MO: Mosby.

Duhamel, F. (2015). *La santé et la famille: une approche systémique en soins infirmiers* (3e éd.). Montréal, Québec: Chenelière Éducation.

Eichenauer, D.A., Engert, A., & Diehl, V. (2013). Hodgkin lymphoma: Clinical manifestation, staging, and therapy. Dans R. Hoffman, E.J. Benz, S.J. Shattil *et al.* (dir.), *Hematology: Basic Principles and Practice* (6e éd.). Philadelphie, PA: Churchill Livingston Elsevier.

Estey, E.H. (2013). Acute myeloid leukemia: 2013 update on risk-stratification and management. *Am J Hematol, 88*(4), 318.

Feng, X., Scheinberg, P., Biancotto, A., *et al.* (2014). *In vivo* effects of horse and rabbit antithymocyte globulin in patients with severe aplastic anemia. *Haematologica, 99*(9), 1433-1440. doi:10.3324/haematol.2014.106542.

Freifeld, A.G., Bow, E.J., Sepkowitz, K.A., *et al.* (2011). Clinical practice guideline for the use of antimicrobial agents in neutropenic patients with cancer: 2010 update by the Infectious Diseases Society of America. *Clin Infect Dis, 52*(4), e56-93.

Fritsma, G.A. (2012a). Hemorrhagic coagulation disorders. Dans B.F. Rodak, G.A. Fritsma & E.M. Keohane (dir.), *Hematology: Clinical Principles and Application* (4e éd.). Saint-Louis, MO: Mosby

Fritsma, G.A. (2012b). Thrombosis risk testing. Dans B.F. Rodak, G.A. Fritsma & E.M. Keohane (dir.), *Hematology: Clinical Principles and Application* (4e éd.). Saint-Louis, MO: Mosby.

Furger, P. (dir.) (2005). *Médecine interne: du symptôme au diagnostic.* Québec, Québec: Éditions D&F.

Ganz, T. (2010). Anemia of chronic disease. Dans M.A. Lichtman, T.J. Kipps, U. Seligsohn *et al.* (dir.), *Williams Hematology* (8e éd.). New York, NY: McGraw-Hill.

Ganz, T., & Nemeth, E. (2011). Hepcidin and disorders of iron metabolism. *Ann Rev Med, 62*(1), 347-360.

Goddard, A.F., James, M.W., McIntyre, A.S., *et al.* (2011). Guidelines for the management of iron deficiency anemia. *Gut, 60*(10), 1309-1316.

Goossen, L.H. (2012). Pediatric and geriatric hematology. Dans B.F. Rodak, G.A. Fritsma & E.M. Keohane (dir.), *Hematology: Clinical Principles and Application* (4e éd.). Saint-Louis, MO: Mosby.

Greenberg, P.L., Gordeuk, V., Issaraqrisil, S., *et al.* (2012). *NCCN Clinical Practice Guidelines in Oncology: Myelodysplastic Syndromes* (version 1). Repéré à www.nccn.org.

Gupta, P., Eapan, M., Brazauskas, B., *et al.* (2010). *Impact of Age on Outcomes After Bone Marrow Transplantation for Acquired Aplastic Anemia Using HLA-Matched Sibling Donors.* Repéré à www.haematologica.org/content/95/12/2119?ijkey=2ba0f223db046570f32b9fd786a0af595d6ba3e4&keytype2=tf_ipsecsha.

Handin, R.I. (2002). Maladies des plaquettes et de la paroi des vaisseaux. Dans E. Braunwald, A.S. Fauci, D.L. Kasper *et al.* (dir.), *Harrison: principes de médecine interne* (15e éd.). Paris, France: Médecine-Sciences Flammarion.

Haute Autorité de santé (2009). *Guide – Affection de longue durée: Purpura thrombopénique immunologique de l'enfant et de l'adulte. Protocole national de diagnostic et de soins.* Repéré à www.has-sante.fr/portail/jcms/c_896094/ald-n-2-pnds-sur-purpura-thrombopenique-immunologique-de-l-enfant-et-de-l-adulte.

Haute Autorité de santé (2015). *Guide du parcours de soins: Insuffisances médullaires et autres cytopénies chroniques. Syndromes myélodysplasiques.* Repéré à www.has-sante.fr/portail/jcms/c_662351/ald-n-2-guide-medecin-surles-syndromes-myelodysplasiques.

Heeney, M.M., & Ware, R.E. (2010). Hydroxyurea for children with sickle cell disease. *Hematol Oncol Clin North Am, 24*(1), 199-214.

Héma-Québec (2010). *Notice d'accompagnement portant sur les produits sanguins labiles.* Repéré à www.hema-quebec.qc.ca/userfiles/file/notice_accompagnement_fr_web(1).pdf.

Héma-Québec (2012). *Plan stratégique 2012-2015.* Repéré à www.hema-quebec.qc.ca/userfiles/file/Plan%20strat%C3%A9gique%202012-2015_v27janvier.pdf.

Héma-Québec (2014). *Notice d'accompagnement portant sur les produits sanguins labiles.* Repéré à www.hema-quebec.qc.ca/userfiles/file/media/francais/publications/HEMA_QUEBEC_FRANCAIS_web.pdf.

Héma-Québec (2015a). *La gestion du sang au Québec.* Repéré à www.hema-quebec.qc.ca/donner/don-de-sang/tout-sur-le-sang/mesures-de-securite.fr.html.

Héma-Québec (2015b). *Mesures de sécurité.* Repéré à www.hema-quebec.qc.ca/sang/savoir-plus/mesures-securite/index.fr.html.

Héma-Québec (2015c). *Types de don.* Repéré à www.hema-quebec.qc.ca/sang/donneur-sang/types-de-don/types-don.fr.html.

Hoppe, R.T., Advanti, R.H., Ai, W.Z., *et al.* (2011). NCCN Clinical Practice Guidelines in Oncology: Hodgkin lymphoma. *J Natl Compr Canc Netw, 9*(9), 1020-1058.

Horning, S.J. (2010). Hodgkin lymphoma. Dans M.A. Lichtman, T.J. Kipps, U. Seligsohn *et al.* (dir.), *Williams Hematology* (8e éd.). New York, NY: McGraw-Hill.

Imbach, P., & Crowther, M. (2011). Thrombopoietin-receptor agonists for primary immune thrombocytopenia. *N Engl J Med, 365*(8), 734-741.

Institut national de santé publique du Québec (INSPQ) (2014). *Les incidents et accidents transfusionnels signalés au système d'hémovigilance du Québec en 2011.* Repéré à www.inspq.qc.ca/pdf/publications/1898_Incidents_Tranfusionnels_Hemovigilance.pdf.

Kipps, T.J., & Wang, H. (2010). Acute lymphoblastic leukemia. Dans M.A. Lichtman, T.J. Kipps, U. Seligsohn *et al.* (dir.), *Williams Hematology* (8e éd.). New York, NY: McGraw-Hill.

Klastersky, J., Awada, A., Paesmans, M., *et al.* (2011). Febrile neutropenia: a critical review of the initial management. *Crit Rev Oncol Hematol, 78*(3), 185-194.

Kline, N.E. (2010). Alterations in hematologic function in children. Dans K.L. McCance, S.E. Huether, V.L. Brashers *et al.* (dir.), *Pathophysiology: The Biologic Basis for Disease in Adults and Children* (6e éd.). Saint-Louis, MO: Mosby.

Konkle, B. (2011). Acquired disorders of platelet function. *Hematol Am Soc Hematol Educ Program, 2011*(1), 391-396.

Kurtin, S. (2011). Current approaches to the diagnosis and management of myelodysplastic syndromes. *J Adv Pract Oncol, 2*(suppl. 2), 7-18.

Latto, C. (2008). An overview of sepsis. *Dimens Crit Care Nurs, 27*(5), 195-200.

Lemaire, R. (2008). Strategies for blood management in orthopaedic and trauma surgery. *J Bone Joint Surg, 90*(9), 1128-1136.

Lentz, S.R., Ehrenforth, S., Abdul Karim, F., *et al.* (2014). Recombinant factor VIIa analog in the management of hemophilia with inhibitors: Results from a multicenter, randomized, controlled trial of vatreptacog alfa. *J Thromb Haemost, 12*(8), 1244-1253. doi: 10.1111/jth.12634.

Leukemia and Lymphoma Society (2013). *Childhood AML.* Repéré à www.lls.org/leukemia/acute-myeloid-leukemia/childhood-aml.

Leukemia and Lymphoma Society (2015). *Fighting Blood Cancers: Facts 2014-2015.* Repéré à www.lls.org/sites/default/files/file_assets/facts.pdf.

Levi, M., & van der Poll, T. (2013). *Disseminated Intravascular Coagulation: A Review for the Internist.* Repéré à http://link.springer.com/article/10.1007%2Fs11739-012-0859-9.

Lichtman, M.A., Kaushansky, K., Kipps, T.J., *et al.* (2010). *Williams Hematology* (8e éd.). New York, NY: McGraw-Hill.

Lim, S.Y., Jeon, E.J., Kim, H.J., *et al.* (2012). The incidence, causes, and prognostic significance of new-onset thrombocytopenia in intensive care units: A prospective cohort study in a Korean hospital. *J Korean Med Sci, 27*(11), 1418-1423.

Lindsay, M., & Beavers, J. (2010). Myelodysplastic syndromes in older adults. *Clin J Oncol Nurs, 14*(5), 545-547.

Little, J.A., Benz, E.J., & Gardner, L.B. (2013). Anemia of chronic diseases. Dans R. Hoffman, E.J. Benz, S.J. Shattil *et al.* (dir.), *Hematology: Basic Principles and Practice* (6e éd.). Philadelphie, PA: Churchill Livingston Elsevier.

Lyman, G.H., Morrison, V.A., Dale, D.C., *et al.* (2003). Risk of febrile neutropenia among patients with intermediate-grade non Hodking's lymphoma receiving CHOP chemotherapy. *Leuk Lymphoma, 44*(12), 2069-2076.

Lymphome Canada (2007). *Guide de ressources à l'intention des patients atteints d'un lymphome non hodgkinien.* Mississauga, Ontario: Fondation lymphome Canada.

Lymphome Canada (2015). *Le lymphome de Hodgkin.* Repéré à www.lymphoma.ca/fr/le-lymphome/lymphoma-101/les-differents-types-de-lymphomes/le-lymphome-de-hodgkin.

Marks, P.W., & Glader, B. (2009). Approach to anemia in the adult and child. Dans R. Hoffman, E.J. Benz, S.J. Shattil *et al.* (dir.), *Hematology: Basic Principles and Practice* (5e éd.). Philadelphie, PA: Churchill Livingston Elsevier.

Marsh, J.C.W., Ball, S.E., Cavenagh, J., *et al.* (2009). Guidelines for the diagnosis and management of aplastic anaemia. *Br J Haematol, 147*(1), 43-70.

Martel, N., Lee, J., & Wells, P.S. (2005). Risk for heparin-induced thrombocytopenia with unfractionated and low-molecular-weight heparin thromboprophylaxis: A meta-analysis. *Blood, 106*(8), 2710-2715.

Ministère de la Santé et des Services sociaux (MSSS) (2015). *Consentement à la transfusion de produits sanguins labiles: Guide destiné aux médecins.* Repéré à http://publications.msss.gouv.qc.ca/msss/fichiers/2015/15-933-02W.pdf.

Montecino-Rodriguez, E., Berent-Maoz, B., & Dorshkin, K. (2013). Causes, consequences, and reversal of immune system aging. *J Clin Invest, 123*(3), 958-965.

Myélome Canada (2010). *Myélome: incidence et prévalence au Canada.* Repéré à www.myelomacanada.ca/fr/incidence_prevalence.htm.

Nabhan, C., & Rosen, S.T. (2014). *Chronic Lymphocytic Leukemia: A Clinical Review.* Repéré à http://jama.jamanetwork.com/article.aspx?articleid=1983685.

Nathwani, A.C., Reiss, U.M., Tuddenham, E.D.G., *et al.* (2014). Long-term safety and efficacy of factor IX gene therapy in hemophilia B. *N Engl J Med, 371*(21), 1994-2004. doi: 10.1056/NEJMoa1407309.

National Cancer Institute (NCI) (2010). *Common Terminology Criteria for Adverse Events (CTCAE)* (4e éd.). Repéré à http://evs.nci.nih.gov/ftp1/CTCAE/CTCAE_4.03_2010-06-14_QuickReference_5x7.pdf.

National Cancer Institute (NCI) (2015). *Adult Acute Myeloid Leukemia Treatment (PDQ®).* Repéré à www.cancer.gov/types/leukemia/patient/adult-aml-treatment-pdq.

National Heart, Lung and Blood Institute (2014a). *What Are the Signs and Symptoms of Iron-Deficiency Anemia?* Repéré à www.nhlbi.nih.gov/health/health-topics/topics/ida/signs.

National Heart, Lung, and Blood Institute (2014b). *What Is Iron-Deficiency Anemia?* Repéré à www.nhlbi.nih.gov/health/health-topics/topics/ida.

National Heart, Lung, and Blood Institute, U.S. Department of Health and Human Services & National Institutes of Health (2014). *Evidence-Based Management of Sickle Cell Disease: Expert Panel Report, 2014.* www.nhlbi.nih.gov/sites/www.nhlbi.nih.gov/files/sickle-cell-disease-report.pdf.

National Hemophilia Council (2015). *What Is the Life Expectancy of Someone With Haemophilia?* Repéré à www.nationalhaemophiliacouncil.ie/home/faqs/what_is_the_life_expectancy_of_someone_with_haemophilia.

Neunert, C., Lim, W., Crowther, M., *et al.* (2011). The American Society of Hematology 2011 evidence-based practice guidelines for immune thrombocytopenia. *Blood, 117*(16), 4190-4207.

Nienhuis, A.W., & Nathan, D.G. (2012). Pathophysiology and clinical manifestations of the β-thalassemias. *Cold Spring Harb Perspect Med, 2*(12), a011726.

Poggiali, E., Cassinerio, E., Zanaboni, L., *et al.* (2014). An update on iron chelation therapy. *Blood Transfus, 10*(4), 411-422.

Prchal, J.T., & Prchal, J.F. (2010). Polycythemia vera. Dans M.A. Lichtman, T.J. Kipps, U. Seligsohn *et al.* (dir.), *Williams Hematology* (8e éd.). New York, NY: McGraw-Hill.

Pui, C.H., Robison, L.L., & Look, A.T. (2008). Acute lymphoblastic leukaemia. *Lancet, 371*(9617), 1030-1043.

Réseau régional ontarien de coordination du sang (2010). *Administration du sang: Guide destiné aux professionnels de la santé.* Repéré à www.transfusionontario.org/media/HOPE-FR-BloodAdminHdbk-WEB.pdf.

Rogers, G.M., Becker, P.S., Bennett, C.L., *et al.* (2012). *NCCN Clinical Practice Guidelines in Oncology: Cancer- and Chemotherapy-Induced Anemia* (version 2). Repéré à www.nccn.org.

Rome, S.I. (2011). Mobility and safety in the multiple myeloma survivor: Survivorship care plan of the International Myeloma Foundation Nurse Leadership Board. *Clin J Oncol Nurs*, 15(suppl.), 41-52.

Rote, N.S., & McCance, K.L. (2010a). Alterations of erythrocyte function. Dans K.L. McCance, S.E. Huether, V.L. Brashers *et al.* (dir.), *Pathophysiology: The Biologic Basis for Disease in Adults and Children* (6e éd.). Saint-Louis, MO: Mosby.

Rote, N.S., & McCance, K.L. (2010b). Alterations of leukocyte, lymphoid, and hemostatic function. Dans K.L. McCance, S.E. Huether, V.L. Brashers *et al.* (dir.), *Pathophysiology: The Biologic Basis for Disease in Adults and Children* (6e éd.). Saint-Louis, MO: Mosby.

Rote, N.S., & McCance, K.L. (2010c). Structure and function of the hematologic system. Dans K.L. McCance, S.E. Huether, V.L. Brashers *et al.* (dir.), *Pathophysiology: The Biologic Basis for Disease in Adults and Children* (6e éd.). Saint-Louis, MO: Mosby.

Sadler, J., & Poncz, M. (2010). Antibody-mediated thrombotic disorders: Thrombotic thrombocytopenic purpura and heparin-induced thrombocytopenia. Dans M.A. Lichtman, T.J. Kipps, U. Seligsohn *et al.* (dir.), *Williams Hematology* (8e éd.). New York, NY: McGraw-Hill.

Salgia, R.J., & Brown, K. (2015). Diagnosis and management of hereditary hemochromatosis. *Clin Liver Dis, 19*(1), 187-198.

Santé Canada (2007). *Sommaire des motifs de décision (SMD): PrKepivanceMD.* Repéré à www.hc-sc.gc.ca/dhp-mps/prodpharma/sbd-smd/drug-med/sbd_smd_2007_kepivance_092866-fra.php.

Santé Canada (2012). *Niveaux suffisants de fer chez les Canadiens.* Repéré à www.statcan.gc.ca/pub/82-003-x/2012004/article/11742-fra.pdf.

Saunthararajah, Y., & Vichinsky, E.P. (2013). Sickle cell disease: Clinical features and management. Dans R. Hoffman, E.J. Benz, S.J. Shattil *et al.* (dir.), *Hematology: Basic Principles and Practice* (6e éd.). Philadelphie, PA: Churchill Livingston Elsevier.

Scotet, V., Saliou, P., Mérour, M.C., *et al.* (2011). Hémochromatose de type I: quid du génotype C282Y/H63D ? *Env Risque Sante, 10*(3), 190-194. doi: 10.1684/ers.2011.0456.

Siegel, R., Ward, E., Brawley, O., *et al.* (2011). Cancer statistics, 2011: The impact of eliminating socioeconomic and racial disparities on premature cancer deaths. *CA Cancer J Clin, 61*(4), 212-236.

Singh, V., & Malik, S. (2007). Oral care of patients undergoing chemotherapy and radiotherapy: A review of clinical approach. *Internet Radio, 6*(1), 1-5.

Smith, T.J., Bohlke, K., Lyman, G.H., *et al.* (2015). *Recommendations for the Use of WBC Growth Factors: American Society of Clinical Oncology Clinical Practice Guideline Update.* Repéré à http://jco.ascopubs.org/cgi/doi/10.1200/JCO.2015.62.3488.

Société canadienne de l'hémophilie (2015a). *Hémophilie A et B.* Repéré à www.hemophilia.ca/fr/troubles-de-la-coagulation/hemophilie-a-et-b/hemophilie-a-et-b.

Société canadienne de l'hémophilie (2015b). *Une introduction à la maladie de von Willebrand.* Repéré à www.hemophilia.ca/fr/troubles-de-la-coagulation/la-maladie-de-von-willebrand/une-introduction-a-la-maladie-de-von-willebrand.

Société canadienne du cancer (2015a). *Facteurs de risque de la leucémie lymphoïde chronique.* Repéré à www.cancer.ca/fr-ca/cancer-information/cancer-type/leukemia-chronic-lymphocytic-cll/risks/?region=qc.

Société canadienne du cancer (2015b). *Lymphomes diffus à grandes cellules B (LDGCB).* Repéré à www.cancer.ca/fr-ca/cancer-information/cancer-type/non-hodgkin-lymphoma/non-hodgkin-lymphoma/types-of-nhl/diffuse-large-b-cell-lymphoma/?region=bc.

Société canadienne du cancer (2015c). *Qu'est-ce que le lymphome non hodgkinien ?* Repéré à www.cancer.ca/fr-ca/cancer-information/cancer-type/non-hodgkin-lymphoma/non-hodgkin-lymphoma/?region=on.

Société canadienne du cancer (2015d). *Statistiques canadiennes sur le cancer 2015.* Repéré à www.cancer.ca/~/media/cancer.ca/CW/cancer%20information/cancer%20101/Canadian%20cancer%20statistics/Canadian-Cancer-Statistics-2015-FR.pdf.

Société canadienne du cancer (2015e). *Statistiques sur la leucémie.* Repéré à www.cancer.ca/fr-ca/cancer-information/cancer-type/leukemia/statistics/?region=qc.

Société canadienne du sang (2008). *Guide de la pratique transfusionnelle.* Repéré à www.transfusionmedicine.ca/sites/transfusionmedicine/files/Full_CGTT_French.pdf.

Société canadienne du sang (2013). *Guide de la pratique transfusionnelle.* Repéré à www.transfusionmedicine.ca/sites/transfusionmedicine/files/articles/CGTTChapter10_May2011FINAL_FR.pdf.

Stupnyckyj, C., Smolarek, S., Reeves, C., *et al.* (2014). Changing blood transfusion policy and practice. *Am J Nurs, 114*(12), 50-59.

van Dalen, E.C., Mank, A., Leclercq, E., *et al.* (2012). Low bacterial diet versus control diet to prevent infection in cancer patients treated with chemotherapy causing episodes of neutropenia. *Cochrane Database Syst Rev, 9*(9), CD006247.

Van Rhee, F., Anaissie, E., Angtuaco, E., *et al.* (2010). Myeloma. Dans M.A. Lichtman, T.J. Kipps, U. Seligsohn *et al.* (dir.), *Williams Hematology* (8e éd.). New York, NY : McGraw-Hill.

Warkentin, T.E. (2013). Heparin-induced thrombocytopenia. Dans R. Hoffman, E.J. Benz, S.J. Shattil *et al.* (dir.), *Hematology : Basic Principles and Practice* (6e éd.). Philadelphie, PA : Churchill Livingston Elsevier.

Williams-Johnson, J., & Williams, E. (2011). Sickle cell disease and other hereditary hemolytic anemias. Dans J.E. Tintinalli, J.S. Stapczynski, D.M. Cline *et al.* (dir.), *Tintinalli's Emergency Medicine : A Comprehensives Study Guide* (7e éd.). New York, NY : McGraw-Hill.

Wilson, D. (2014). *Examens paracliniques* (2e éd.). Montréal, Québec : Chenelière Éducation.

Wu, Q., Ren, J., Wu, X., *et al.* (2014). Recombinant human thrombopoietin improves platelet counts and reduces platelet transfusion possibility among patients with severe sepsis and thrombocyt openia : A prospective study. *J Crit Care, 29*(3), 362-366.

Yawn, B.P., Buchanan, G.R., Afenyi-Annan, A.N., *et al.* (2014). Management of sickle cell disease : Summary of the 2014 evidence-based report by expert panel members, *JAMA, 312*(10), 1033-1048. doi :10.1001/jama.2014.10517.

Young, N.S., Scheinberg, P., & Calado, R.T. (2008). Aplastic anemia. *Curr Opin Hematol, 15*(3), 162-168.

Zelenetz, A.D., Abramson, J.S., Advani, R.H., *et al.* (2011). NCCN Clinical Practice Guidelines in Oncology : Non-Hodgkin's lymphomas. *J Natl Compr Canc Netw, 9*(5), 484-560.

CHAPITRE 39

Agence de la santé publique du Canada (ASPC) (2009). *2009 : Suivi des maladies du cœur et des accidents vasculaires cérébraux au Canada.* Repéré à www.phac-aspc.gc.ca/publicat/2009/cvd-avc/index-fra.php.

American Heart Association (AHA) (2009). *What Your Cholesterol Levels Mean.* Repéré à www.americanheart.org/presenter.jhtml?identifier=183#HDL.

Bullo, V., Bergamin, M., Gobbo, S., *et al.* (2015). The effects of Pilates exercise training on physical fitness and wellbeing in the elderly : A systematic review for future exercise prescription. *Prev Med, 75*(juin), 1-11.

Canadian Cardiovascular Society (CCS) (2009). Canadian guidelines for the diagnosis and treatment of dyslipidemia and prevention of cardiovascular disease in the adult. *Can J Cardiol, 25*(10), 567-579.

Carlson, K.K. (2009). *Advanced Critical Care Nursing.* Saint-Louis, MO : Saunders Elsevier.

Clark, C.E., Taylor, R.S., Shore, Q.C., *et al.* (2012). Association of a difference in systolic blood pressure between arms with vascular disease and mortality : A systematic review and meta-analysis. *Lancet, 379*(9819), 905-914.

Cloutier, L. (2011). La pression artérielle : Suffit-il d'appuyer sur un bouton ? *Perspective infirmière, 8*(1), 47-49.

Cloutier, L., Daskalopoulou, S.S., Padwal, R.S., *et al.* (2015). A new algorithm for the diagnosis of hypertension in Canada. *Can J Cardiol, 31*(5), 620-630.

Ebersole, P., Touhy, T.A., Hess, P., *et al.* (2008). *Toward Healthy Aging* (7e éd.). Saint-Louis, MO : Mosby.

Fondation des maladies du cœur et de l'AVC (2015). *L'homocystéine et les maladies cardiovasculaires.* Repéré à www.fmcoeur.qc.ca/site/c.kpIQKVOxFoG/b.3670519/k.8D52/Lhomocyst233ine_et_les_maladies_cardiovasculaires.htm.

Genest, J., McPherson, R., Frohlich, J., *et al.* (2009). Canadian Cardiovascular Society/Canadian guidelines for the diagnosis and treatment of dyslipidemia and prevention of cardiovascular disease in the adult : 2009 recommendations. *Can J Cardiol, 25*(10), 567-579.

Huether, S. (2012). *Understanding Pathophysiology* (5e éd.). Saint-Louis, MO : Mosby.

James, P.A., Oparil, S., Carter, B.L., *et al.* (2014). 2014 Evidenced-based guideline for management of high blood pressure in adults : Report from the panel members appointed to the Eight Joint National Commitee. *JAMA, 311*(5), 507-520.

Jarvis, C. (2015). *L'examen clinique et l'évaluation de la santé* (2e éd.). Montréal, Québec : Chenelière Éducation.

Karavidas, A., Lazaros, G., Tsiachris, D., *et al.* (2010). Aging and the cardiovascular system. *Hellenic J Cardiol, 51*(5), 421-427.

Lilley, L.L., Rainforth, S., & Snyder, J.S. (2011). *Pharmacology for Canadian Health Care Practice* (2e éd). Toronto, Ontario : Elsevier Canada.

Longo, D., Fauci, A.S., & Kasper, D.L., *et al.* (2013). *Harrison : Principes de médecine interne* (18e éd.). Paris, France : Médecine Publication/Lavoisier.

Maiorino, M.I., Bellastella, G., & Esposito, K. (2014). Diabetes and sexual dysfunction : Current perspectives. *Diabetes Metab Syndr Obes, 7*(mars), 95-105.

Malarkey, L.M., & McMorrow, M.E. (2012). *Saunders Nursing Guide to Laboratory and Diagnostic Tests* (2e éd.). Saint-Louis, MO : Saunders.

McKinley, M.P., O'Loughlin, V.-D., & Bidle, T.S. (2014). *Anatomie et physiologie : une approche intégrée.* Montréal, Québec : Chenelière Éducation/ McGraw-Hill.

Miller, C.A. (2009). *Nursing for Wellness in Older Adults* (5e éd.). Philadelphie, PA : Wolters Kluwer.

Ordre des infirmières et infirmiers du Québec (OIIQ) (2010). *PRN : comprendre pour intervenir. Guide d'évaluation, de surveillance clinique et d'interventions infirmières* (2e éd.). Montréal : OIIQ.

Prochaska, J.J., Rossi, J.S., Redding, C.A., *et al.* (2004). Depressed smokers and stage of change : Implications for treatment interventions. *Drug & Alcohol Dependence, 76*(2), 143-151.

Reinstadler, S.J., Klug, G., Feistritzer, H.J., *et al.* (2015). Copeptin testing in acute myocardial infarction : Ready for routine use ? *Dis Markers, 2015*(614145), 1-9.

Skidmore-Roth, L. (2016). *Le guide des médicaments* (adaptation française de N. Légaré & J. Méthot). Montréal, Québec : Chenelière Éducation.

Statistique Canada (2014). *Les dix principales causes de décès, 2011.* Repéré à www.statcan.gc.ca/pub/82-625-x/2014001/article/11896-fra.htm.

The Emerging Risk Factors Collaboration (2010). C-reactive protein concentration and risk of coronary heart disease, stroke, and mortality : An individual participant meta-analysis. *Lancet, 375*(9709), 132-140.

The Lp-PLA$_2$ Studies Collaboration (2010). Lipoprotein-associated phospholipase A$_2$ and risk of coronary disease, stroke, and mortality : Collaborative analysis of 32 prospective studies. *Lancet, 375*(9725), 1536-1544.

Wesley, K. (2011). *Huszar's Basic Dysrhythmias and Acute Coronary Syndromes* (4e éd.). Saint-Louis, MO : Mosby Jems.

Wilson, D.D. (2014). *Examens paracliniques.* Montréal, Québec : Chenelière Éducation/McGraw-Hill.

CHAPITRE 40

Agence de la santé publique du Canada (ASPC) (2013). *Suivi des maladies du cœur et des accidents vasculaires cérébraux au Canada.* Ottawa, Ontario : ASPC.

American Heart Association (2014). *What Are the Symptoms of High Blood Pressure ?* Repéré à www.heart.org/HEARTORG/Conditions/HighBloodPressure/SymptomsDiagnosisMonitoringof HighBloodPressure/What-are-the-Symptoms-of-High-Blood-Pressure_UCM_301871_Article.jsp#.VpyFUVPhAdw.

Appel, L.J. (2009). ASH position paper : Dietary approaches to lower blood pressure. *J Clin Hypertens, 11*(7), 358-368.

Aronow, W.S., Fleg, J.L., Pepine, C.J., *et al.* (2011). ACCF/AHA 2011 expert consensus document on hypertension in the elderly. *J Am Coll Cardiol, 57*(20), 2037-2114.

Assembly of First Nations (2007). *First Nations Regional Longitudinal Health Survey (RHS) 2002/03 : The Peoples' Report.* Repéré à http://fnigc.ca/sites/default/files/ENpdf/RHS_2002/rhs2002-03-the_peoples_report_afn.pdf.

Beckett, N.S., Peters, R., Fletcher, A.E., *et al.* (2008). Treatment of hypertension in patients 80 years of age or older. *N Engl J Med, 358*(18), 1887-1898.

Bruce, S.G., Riediger, N.D., Zacharias, J.M., *et al.* (2011). Obesity and obesity-related comorbidities in a Canadian First Nation population. *Prev Chronic Dis, 8*(1), 1-8. www.cdc.gov/pcd/issues/2011/jan/09_0212.htm.

Campbell, N. (2009). *Les recommandations de 2009 du Programme éducatif canadien sur l'hypertension.* Repéré à www.hypertension.ca/images/stories/dls/2009_FullRecBrochure_FR.pdf.

Campbell, N. (2010). *Recommandations de 2010 du PECH pour la prise en charge de l'hypertension.* Repéré à www.hypertension.ca/images/stories/dls/2010_FullRecommendations_FR.pdf.

Clark, C.E., Taylor, R.S., Shore, A.C., *et al.* (2012). Association of a difference in systolic blood pressure between arms with vascular disease and mortality : A systematic review and meta-analysis. *The Lancet, 379*(9819). www.thelancet.com/journals/lancet/article/PIIS0140-6736(11)61710-8/fulltext.

Cloutier, L., Daskalopoulou, S., Padwal, R.S., *et al.* (2015). A new algorithm for the diagnosis of hypertension in Canada. *Can J Cardiol, 31*(5), 620-630.

Cloutier, L., Leclerc, A.-M., Longpré, S., *et al.* (2013). Traitement pharmacologique de l'hypertension artérielle (partie 1). *Perspective infirmière, 10*(1), 36-41. www.oiiq.org/sites/default/files/uploads/periodiques/Perspective/vol10no3/TraitementHypertension.pdf.

Daskalopoulou, S.S., Rabi, D.M., Zarnke, K.B., *et al.* (2015). The 2015 Canadian hypertension education program recommendations for blood pressure measurement, diagnosis, assessment of risk, prevention, and treatment of hypertension. *Can J Cardiol, 31*(5), 549-568.

Drouin, D., & Milot, A. (dir.) (2012). *Hypertension : Guide thérapeutique*. Montréal, Québec : Société québécoise d'hypertension artérielle.

Drozda, J., Messer, J.V., Spertus, J., *et al.* (2011). ACCF/AHA/AMA-PCPI 2011 performance measures for adults with coronary artery disease and hypertension. *J Am Coll Cardiol, 58*(3), 316-336.

Fondation des maladies du cœur (2014). *Tabagisme, maladies du cœur et AVC.* Repéré à www.fmcoeur.com/site/pp.aspx?c=ntJXJ8MMIqE&b=3562203.

Garriguet, D. (2008). L'obésité et les habitudes alimentaires de la population autochtone. *Rapports sur la santé, 19*(1). www.statcan.gc.ca/pub/82-003-x/2008001/article/10487-fra.pdf.

Go, A.S., Mozaffarian, D., Roger, V.L., *et al.* (2013). Heart disease and stroke statistics – 2013 update : a report from the American Heart Association, *Circulation, 127*(1), e6-e245. doi : 10.1161/CIR.0b013e31828124ad.

Graham, I., Atar, D., Borch-Johnsen, K., *et al.* (2007). European guidelines on cardiovascular disease prevention in clinical practice : Executive summary. Fourth Joint Task Force of the European Society of Cardiology and other societies on cardiovascular disease prevention in clinical practice. *Eur Heart J, 28*(19), 2375-2414.

Haskell, W.L., Lee, I.-M., Pate, R.R., *et al.* (2007). Physical activity and public health : Updated recommendations for adults from the American College of Sports Medicine and the American Heart Association. *Circulation, 116*(9), 1081-1093.

Humes, K.R., Jones, N.A., & Ramirez, R.R. (2011). *United States Census Bureau : Overview of Race and Hispanic Origin. 2010 Census Briefs.* Repéré à www.census.gov/prod/cen2010/briefs/c2010br-02.pdf.

Hypertension Canada (2015). *Programme éducatif canadien sur l'hypertension (PECH) : Recommandations.* Repéré à www.hypertension.ca/fr/chep.

Leclerc, A.-M., Cloutier, L., Grenier-Michaud, S., *et al.* (2013). Traitement pharmacologique de l'hypertension artérielle (partie 2). *Perspective infirmière, 10*(2), 37-43. www.oiiq.org/sites/default/files/uploads/periodiques/Perspective/vol10no2/06_Pratique_clinique_hta2.pdf.

Lehne, R.A. (2010). *Pharmacology for Nursing Care* (7e éd.). Saint-Louis, MO : Saunders.

Libby, P., Bonow, R., Zipes, D., *et al.* (2008). *Braunwald's Heart Disease : A textbook of Cardiovascular Medicine* (8e éd.). Philadelphie, PA : Saunders.

Lilly, L.S. (dir.) (2007). *Pathophysiology of Heart Disease* (4e éd.). Philadelphie, PA : Lippincott Williams & Wilkins.

Longpré, S., Leclerc, A.-M., & Cloutier, L. (2013). Traitement pharmacologique de l'hypertension artérielle (partie 3). *Perspective infirmière, 10*(3), 45-51. www.oiiq.org/sites/default/files/uploads/periodiques/Perspective/vol10no1/07_Pratique_clinique_hta1.pdf.

McKinley, M.P., O'Loughlin, D.V., & Bidle, T. (2014) *Anatomie et physiologie : une approche intégrée.* Montréal, Québec : Chenelière Éducation/McGraw Hill.

Moore, T.J., Conlin, P.R., Ard, J., *et al.* (2001). DASH (Dietary Approaches to Stop Hypertension) diet is effective treatment for stage 1 isolated systolic hypertension. *Hypertension, 38*(2), 155-158.

Mosca, L., Benjamin, E.J., Berra, K., *et al.* (2011). Effectiveness-based guidelines for the prevention of cardiovascular disease in women : 2011 update. *Circulation, 123*(11), 1243-1262.

National Heart, Lung, and Blood Institute (NHLBI) (2004). *The Seventh Report of the Joint National Committee on Prevention, Detection, Evaluation, and Treatment of High Blood Pressure* (NIH Publication n° 04-5230). Bethesda, MD : NHLBI. www.nhlbi.nih.gov/guidelines/hypertension/jnc7full.pdf.

National Heart, Lung, and Blood Institute (NHLBI) (2006). *Your Guide to Lowering Your Blood Pressure with DASH* (NIH Publication n° 06-4082). Bethesda, MD : NHLBI. www.nhlbi.nih.gov/files/docs/public/heart/new_dash.pdf.

Nelson, M.E., Rejeski, W.J., Blair, S.N., *et al.* (2007). Physical activity and public health in older adults : Recommendation from the American College of Sports Medicine and the American Heart Association. *Circulation, 116*(9), 1094-1105.

Pickering, T.G., Hall, J.E., Appel, L.J., *et al.* (2005). Recommendations for blood pressure measurement in humans and experimental animals, part 1 : Blood pressure measurement in humans. *Hypertension, 45*(1), 142-161.

Prospective Studies Collaboration (2002). Age-specific relevance of usual blood pressure to vascular mortality : A meta-analysis of individual data for one million adults in 61 prospective studies. *Lancet, 360*(9349), 1903-1913.

Rozanski, A., Blumenthal, J.A., Davidson, K.W., *et al.* (2005). The epidemiology, pathophysiology, and management of psychosocial risk factors in cardiac practice. *J Am Coll Cardiol, 45*(5), 637-651.

Santé Canada (2012). *Le sodium au Canada.* Repéré à www.hc-sc.gc.ca/fn-an/nutrition/sodium/index-fra.php.

Smithburger, P.L., Kane-Gill, S.L., Nestor, B.L., *et al.* (2010). Recent advances in the treatment of hypertensive emergencies. *Crit Care Nurse, 30*(5), 24-30.

Vidt, D.G. (2010). *Hypertensive Crises.* Cleveland Clinic Center for Continuing Education. Repéré à www.clevelandclinicmeded.com/medicalpubs/diseasemanagement/nephrology/hypertensive-crises.

Wilson, D.D. (2014). *Examens paracliniques* (adaptation française de S. Lahaye). Montréal, Québec : Chenelière Éducation.

Yusuf, S., Teo, K.K., Pogue, J., *et al.* (2008). Telmisartan, Ramipril, or both in patients at high risk for vascular events. *N Engl J Med, 358*(15), 1547-1559.

CHAPITRE 41

Agence de la santé publique du Canada (ASPC) (2009). *Suivi des maladies du cœur et des accidents vasculaires cérébraux au Canada.* Ottawa, Ontario : ASPC.

Agence de la santé publique du Canada (ASPC) (2015a). *Les maladies du cœur : les femmes sont-elles à risque*? Repéré à www.phac-aspc.gc.ca/cd-mc/cvd-mcv/femmes-women_01-fra.php.

Agence de la santé publique du Canada (ASPC) (2015b). *Six types de maladie cardiovasculaire.* Repéré à www.phac-aspc.gc.ca/cd-mc/cvd-mcv/mcv-cvd-fra.php.

Alberti, K.G.M., Eckel, R.H., Grundy S.M., *et al.* (2009). Joint scientific statement : Harmonizing the metabolic syndrome. *Circulation, 120*(16), 1640-1645.

Anbe, D.T., Armstrong, P.W., Bates, E., *et al.* (2004). ACC/AHA guidelines for the management of patients with ST-elevation myocardial infarction. *Circulation, 110*(5), 588-636.

Anderson, T.J. (2015). New hope for lipid-lowering beyond statins : Effect of IMPROVE-IT on understanding and implementation of atherosclerosis prevention. *Can J Cardiol, 31*(5), 585-587.

Anderson, T.J., Hegele, R.A., Couture, P., *et al.* (2013). 2012 Update of the Canadian Cardiovascular Society guidelines for the diagnosis and treatment of dyslipidemia for the prevention of cardiovascular disease in the adult. *Can J Cardiol, 29*(2), 151-167.

Andraos, C., Arthur, H.M., Oh, P., *et al.* (2014). Women's preferences for cardiac rehabilitation program model : A randomized controlled trial. *Eur J Prev Cardiol, 22*(12), 1513-1522.

Arsenault, P., Cloutier, L., & Longpré, S. (2012). Le syndrome métabolique. *Perspective infirmière, 9*(30), 30-34.

Association canadienne de prévention et de réadaptation cardiovasculaires (ACPRC) (2015). Repéré à www.cacpr.ca/francais/index.cfm?languageChange=francais.

Barr, J., Fraser, G.L., Puntillo, K., *et al.* (2013). Clinical practice guidelines for the management of pain, agitation, and delirium in adult patients in the intensive care unit. *Crit Care Med, 41*(1), 263-306.

Bell, A.D., Roussin, A., Cartier, R., *et al.* (2011). The use of antiplatelet therapy in the outpatient setting : Canadian Cardiovascular Society guidelines executive summary. *Can J Cardiol, 27*(2), 208-221.

Bello, S.O., Peng, E.W., & Sarkar, P.K. (2011). Conduits for coronary artery bypass surgery : The quest for second best. *J Cardiovasc Med, 12*(6), 411-421.

Blaha, M.J., Budoff, M.J., DeFilippis, A.P., *et al.* (2011). Associations between C-reactive protein, coronary artery calcium, and cardiovascular events : Implications for the JUPITER population from MESA. A population-based cohort study. *Lancet, 378*(9792), 684-692.

Bravata, D.M., Smith-Spangler, C., Sundaram, V., *et al.* (2007). Using pedometers to increase physical activity and improve health : A systematic review. *JAMA, 298*(19), 2296-2304.

Buxton, B.F., Hayward, P.A., Newcomb, A.E., *et al.* (2009). Choice of conduits for coronary artery bypass grafting : Craft or science ? *Eur J Cardiothorac Surg, 35*(4), 658-670.

Campbell, N. (2009). *Les recommandations de 2009 du Programme éducatif canadien sur l'hypertension.* Calgary : Programme éducatif canadien sur l'hypertension.

Caza, N., Taha, R., Qi, Y., *et al.* (2008). The effects of surgery and anesthesia on memory and cognition. *Progr Brain Res, 169*(2008), 409-422.

Cholesterol Treatment Trialists' Collaboration (2015). Efficacy and safety of LDL-lowering therapy among men and women : Meta-analysis of individual data from 174 000 participants in 27 randomised trials. *Lancet, 385*(9976), 1397-1405.

Clarke, R., Collins, R., Lewington, S., *et al.* (2002). Homocysteine studies collaboration : Homocysteine and risk of ischemic heart disease and stroke. A meta-analysis. *JAMA, 288*(16), 2015-2022.

Collins, R., Peto, R., Godwin, J., *et al.* (1990). Blood pressure and coronary heart disease. *Lancet, 336*(8711), 370-371.

Compare, A., Proietti, R., Germani, E., *et al.* (2012). Anxiety and depression : Risk factors of cardiovascular Disease. Dans E.S. Domelas, *Stress Proof the Heart : Behavioral Interventions for Cardiac Patients.* New York, NY : Springer.

Copstead, L.E., & Banasik, J. (2013). *Pathophysiology* (5e éd.). Saint-Louis, MO : Saunders Elsevier.

Dasgupta, K., Quinn, R.E.R., Zarnke, K.B., *et al.* (2014). The 2014 Canadian hypertension education program recommendations for blood pressure measurement, diagnosis, assessment of risk, prevention, and treatment of hypertension. *Can J Cardiol, 30*(5), 485-501.

Deo, R., & Albert, C.M. (2012). Epidemiology and genetics of sudden cardiac death. *Circulation, 125*(4), 620-637.

Dupont, S., Durand, S., Garner, M., *et al.* (2015). *La sédation-analgésie.* Repéré à www.oiiq.org/sites/default/files/2440-sedation-analgesie_0.pdf.

Eagle, K.A., Guyton, R.A., Davidoff, R., *et al.* (2004). ACC/AHA 2004 guideline update for coronary artery bypass graft surgery : Summary article. A report of the American College of Cardiology/American Heart Association Task Force on Practice Guidelines. *Circulation, 110*(9), 1168-1176.

El-Menyar, A., Zubaid, M., AlMahmeed, W., *et al.* (2012). Killip classification in patients with acute coronary syndrome : Insight from a multicenter registry. *Am J Emerg Med, 30*(1), 97-103.

Evangelista, O., & McLaughlin, M.A. (2009). Review of cardiovascular risk factors in women. *Gend Med, 6*(suppl. 1),17-36.

Exner, D.V. (2009). Implantable cardioverter defibrillator therapy for patients with less severe left ventricular dysfunction. *Curr Opin Cardiol, 24*(1), 61-67.

Fihn, S.D., Gardin, J.M., Abrams, J., *et al.* (2012). ACCF/AHA/ACP/AATS/PCNA/SCAI/STS guideline for the diagnosis and management of patients with stable ischemic heart disease: A report of the American College of Cardiology Foundation/American Heart Association Task Force on Practice Guidelines and the American College of Physicians, American Association for Thoracic Surgery, Preventive Cardiovascular Nurses Association, Society for Cardiovascular Angiography and Interventions, and Society of Thoracic Surgeons. *Circulation, 126*(25), e354-e471.

Genest, J., Hegele, R.A., Bergeron, J., *et al.* (2014). Canadian Cardiovascular Society position statement on familial hypercholesterolemia. *Can J Cardiol, 30*(12), 1471-1481.

Genest, J., McPherson, R., Frohlich, J., *et al.* (2009). Lignes directrices 2009 de la Société canadienne de cardiologie pour diagnostiquer et traiter la dyslipidémie et prévenir la maladie cardiovasculaire chez l'adulte: Recommandations de 2009. *Can J Cardiol, 25*(10), 567-579.

Gidding, S.S., Lichtenstein, A.H., Faith, M.S., *et al.* (2009). Implementing American Heart Association pediatric and adult nutrition guidelines. *Circulation, 119*(8), 1161-1175.

Grace, S.L., Chessex, C., Arthur, H., *et al.* (2011). Systematizing inpatient referral to cardiac rehabilitation. *Can J Cardiol, 27*(2), 192-199.

Grace, S.L., Racco, C., Chessex, C., *et al.* (2010). A narrative review on women and cardiac rehabilitation: Program adherence and preferences for alternative models of care. *Maturitas, 67*(3), 203-208.

Gruppo Italiano per lo studio della Streptochinasi nell' Infarto miocardico (1986). Effectiveness of intravenous thrombolytic treatment in acute myocardial infarction. *Lancet, 327*(8478), 397-402.

Hayward, P.A., Gordon, I.R., Hare, D.L., *et al.* (2010). Comparable patencies of the radial artery and right internal thoracic artery or saphenous vein beyond 5 years: Results from the radial artery patency and clinical outcomes trial. *J Thorac Cardiovasc Surg, 139*(1), 60-65.

Herrmann, C. (2008). Raising awareness of women and heart disease: Women's hearts are different. *Crit Care Nurs Clin North Am, 20*(3), 251-263.

Hillis, L.D., Smith, P.K., Anderson, J.L., *et al.* (2011). ACCF/AHA guideline for coronary artery bypass graft surgery. *J Am Coll Cardiol, 58*(24), e123-210.

Hillis, L.D., Smith, P.K., Anderson, J.L., *et al.* (2012). 2011 ACCF/AHA guideline for coronary artery bypass graft surgery: Executive summary. A report of the American College of Cardiology Foundation/American Heart Association Task Force on Practice Guidelines. *J Thorac Cardiovasc Surg, 143*(1), 4-34.

Houle, J., Doyon, O., Vadeboncœur, N., *et al.* (2011). Innovative program to increase physical activity following an acute coronary syndrome: Randomized controlled trial. *Patient Educ Couns, 85*(3), e237-e244.

Houle, J., Doyon, O., Vadeboncœur, N., *et al.* (2012). Effectiveness of a pedometer-based program using a socio-cognitive intervention on physical activity and quality of life in a setting of cardiac rehabilitation. *Can J Cardiol, 28*(1), 27-32.

Houle, J., Valera, B., Gaudet-Savard, T., *et al.* (2013). Daily steps threshold to improve cardiovascular risk factors after an acute coronary syndrome. *J Cardiopulm Rehabil PRev, 33*(6), 406-410.

Huang, P.L. (2009). A comprehensive definition for metabolic syndrome. *Dis Mod Mech, 2*(5-6), 231-237.

Huether, S.E., & McCance, K.L. (2008). *Understanding Pathophysiology* (4e éd.). Saint-Louis, MO: Mosby.

Huether, S.E., & McCance, K.L. (2012). *Understanding Pathophysiology* (5e éd.). Saint-Louis, MO: Mosby.

Humphrey, L.L., Fu, R., Rogers, K., *et al.* (2008). Homocysteine level and coronary heart disease incidence: A systematic review and meta-analysis. *Mayo Clinic Proc, 83*(11), 1203-1212.

Imran, S.A., Rabasa-Lhoret, R., & Ross, S. (2013). Lignes directrices de pratique clinique: objectifs du contrôle de la glycémie. *Can J Diabetes, 37*(2013), S394-eS397.

Jneid, H., Anderson, J.L., Wright, R.S., *et al.* (2012). 2012 ACCF/AHA focused update of the guideline for the management of patients with unstable angina/non-ST-elevation myocardial infarction (updating the 2007 guideline and replacing the 2011 focused update): A report of the American College of Cardiology Foundation/American Heart Association Task Force on practice guidelines. *Circulation, 126*(7), 875-910.

Killip, T., & Kimball, J.T. (1967). Treatment of myocardial infarction in a coronary care unit: A two year experience with 250 patients. *Am J Cardiol, 20*(4), 457-464.

Kreatsoulas, C., Shannon, H.S., Giacomini, M., *et al.* (2013). Reconstructing angina: Cardiac symptoms are the same in women and men. *JAMA Intern Med, 173*(9), 829-831.

Lawler, P.R., Filion, K.B., & Eisenberg, M.J. (2011). Efficacy of exercise-based cardiac rehabilitation post-myocardial infarction: A systematic review and meta-analysis of randomized controlled trials. *Am Heart J, 162*(4), 571-584.

Lehne, R.A. (2016). *Pharmacology for Nursing Care* (9e éd.). Saint-Louis, MO: Saunders Elsevier.

Leone, A. (2011). Interactive effect of combined exposure to active and passive smoking on cardiovascular system. *Recent Pat Cardiovasc Drug Discov, 6*(1), 61-69.

Levine, G.N., Steinke, E.E., Bakaeen, F.G., *et al.* (2012). Sexual activity and cardiovascular disease: A scientific statement from the American Heart Association. *Circulation, 125*(8), 1058-1072.

Lichtman, J.H., Bigger, T., Blumenthal, J.A., *et al.* (2008). Depression and coronary heart disease: Recommendations for screening, referral, and treatment. *Circulation, 118*(17), 1768-1775.

Lilly, L.S. (2011). *Pathophysiology of Heart Disease: A Collaborative Project of Medical Students and Faculty* (5e éd.). Philadelphie, PA: Lippincott Wiliams & Wilkins.

Lippi, G., Montagnana, M., Favaloro, E.J., *et al.* (2009). Mental depression and cardiovascular disease: A multi-faceted, bidirectional association. *Semin Thromb Hemost, 35*(3), 325-336.

Lloyd-Jones, D., Adams, R., Carnethon, M., *et al.* (2009). Heart disease and stroke statistics: 2009 update. *Circulation, 119*(3), e21-181.

Mancini, G.B., Baker, S., Bergeron, J., *et al.* (2011). Diagnosis, prevention, and management of statin adverse effects and intolerance: Proceedings of a Canadian Working Group Consensus Conference. *Can J Cardiol, 27*(5), 635-662.

Mann, D.L., Zipes, D.P., Libby, P., *et al.* (2015). *Braunwald's Heart Disease: A Textbook of Cardiovascular Medicine* (10e éd.). Philadelphie, PA: Elsevier Saunder.

McCance, K.L., & Huether, S.E. (2012). *The Pathophysiology the Biologic Basis for Disease in Adults and Children* (6e éd.). Saint-Louis, MO: Mosby.

McKinley, M.P., Dean O'Loughlin, D.V., & Stouter Bidle, T.S. (2014). *Anatomie et physiologie: une approche intégrée*. Montréal, Québec: Chenelière Éducation/McGraw Hill.

Mosca, L., Benjamin, E.F., Berra, D., *et al.* (2011). Effectiveness-based guidelines for the prevention of cardiovascular disease in women 2011: A guideline from the American Heart Association. *J Am Coll Cardiol, 57*(12), 1404-1423.

Mottillo, S., Filion, K.B., Genest, J., *et al.* (2010). The metabolic syndrome and cardiovascular risk a systematic review and meta-analysis. *J Am Coll Cardiol, 56*(14), 1113-1132.

Mudawi, T.O., Albouaini, K., & Kaye, G.C. (2009). Sudden cardiac death: History, aetiology and management. *Br J Hosp Med, 70*(2), 89-94.

Naci, H., Brugts, J., & Ades, T. (2013). Comparative tolerability and harms of individual statins: a study-level network meta-analysis of 246 955 participants from 135 randomized, controlled trials. *Circ Cardiovasc Qual Outcomes, 6*(4), 390-399.

National Heart Lung and Blood Institute (2010). *How is metabolic syndrome diagnosed?* Repéré à www.nhlbi.nih.gov/health/health-topics/topics/ms.

National Institute on Drug Abuse (2013). *DrugFacts: Cocaine*. Repéré à www.drugabuse.gov/publications/drugfacts/cocaine.

O'Donnell, D.E., Hernandez, P., Kaplan, A., *et al.* (2008). Recommandations de la Société canadienne de thoracologie au sujet de la prise en charge de la maladie pulmonaire obstructive chronique: mise à jour de 2008. Points saillants pour les soins primaires. *Can Respir J, 15*(SA), 1A-8A. © Hindawi Publishing Corporation.

O'Gara, P.T., Kushner, F.G., Ascheim, D.D., *et al.* (2013). 2013 ACCF/AHA guideline for the management of ST-elevation myocardial infarction: Executive summary. A report of the American College of Cardiology Foundation/American Heart Association Task Force on Practice Guidelines. *J Am Coll Cardiol, 61*(4), 485-510.

Organisation mondiale de la Santé (OMS) (2015). *Obésité et surpoids*. Repéré à www.who.int/mediacentre/factsheets/fs311/fr.

Pipe, A.L., Eisenberg, M.J., Gupta, A., *et al.* (2011). Smoking cessation and the cardiovascular specialist: Canadian Cardiovascular Society position paper. *Can J Cardiol, 27*(2), 132-137.

Poirier, P., Dufour, R., Carpentier, A.C., *et al.* (2013). Lignes directrices de pratique clinique: dépistage de la coronaropathie. *Can J Diabetes, 37*(2013), S479-S483.

Pries, A., Habazettl, H., Ambrosio, G., *et al.* (2008). A review of methods for assessment of microvascular disease in both clinical and experimental settings. *Cardiovasc Res, 80*(2), 165-174.

Proietti, R., Mapelli, D., Volpe, B., *et al.* (2011). Mental stress and ischemic heart disease: Evolving awareness of a complex association. *Future Cardiol, 7*(3), 425-437.

Quinn, J.R. (2008). Update on women and heart disease. *Nurs Manag, 39*(8), 22-27.

Rees, K., Hartley, L., Flowers, N., *et al.* (2013). "Mediterranean" dietary pattern for the primary prevention of cardiovascular disease. *Cochrane Database Syst Rev, 8*, CD00982.

Rehman, H., & Qazi, S. (2013). Atypical manifestations of medical conditions in the elderly. *CGS J CME, 3*(1), 17-24.

Rubinstein, R., Halon, D., Gaspar, T., *et al.* (2007). Usefulness of 64-slice cardiac computed tomographic angiography for diagnosing acute coronary syndrome and predicting clinical outcomes in emergency department patients with chest pain of uncertain origin. *Circulation, 115*(13), 1762-1768.

Singh, M., Alexander, K., Roger, V.L., *et al.* (2008). Frailty and its potential relevance to cardiovascular care. *Mayo Clinic Proc, 83*(10), 1146-1153.

Skidmore-Roth, L. (2015). *Guide des médicaments* (adaptation française sous la direction de N. Legaré et J. Méthot). Montréal, Québec: Chenelière Éducation.

Sleiman, D., Al-Badri, M.R., & Azar, S.T. (2015). Effect of mediterranean diet in diabetes control and cardiovascular risk modification: A systematic review. *Front Public Health, 3*, 69.

Smith, S.C., Allen, J., Blair, S.N., *et al.* (2006). American Heart Association/ American College of Cardiology guidelines for secondary prevention for patients with coronary and other atherosclerotic vascular disease: 2006 update. *Circulation, 113*, 2363.

Smith, S.C., Benjamin, E.J., Bonow, R., *et al.* (2011). AHA/ACCF secondary prevention and risk reduction therapy for patients with coronary and other atherosclerotic vascular disease : 2011 update. *J Am Coll Cardiol, 58*(23), 2432-2446.

Société canadienne de physiologie de l'exercice (2015a). *Directives canadiennes en matière d'activité physique. À l'intention des adultes âgés de 65 ans et plus.* Repéré à www.csep.ca/CMFiles/Guidelines/CSEP_PAGuidelines_older-adults_fr.pdf.

Société canadienne de physiologie de l'exercice (2015b). *Directives canadiennes en matière d'activité physique et de comportement sédentaire. Votre plan pour une vie active au quotidien !* Repéré à www.csep.ca/CMFiles/Guidelines/CSEP_Guidelines_Handbook_fr.pdf.

Statistique Canada (2012). *Syndrome métabolique chez les Canadiens, 2009 à 2011.* Repéré à www.statcan.gc.ca/pub/82-625-x/2012001/article/11735-fra.htm.

Statistique Canada (2015a). *Figures pour la mortalité : causes de décès, 2007.* Repéré à www.statcan.gc.ca/pub/91-209-x/2011001/article/11525/figures/fig-fra.htm.

Statistique Canada (2015b). *Hypertension artérielle, 2013.* Repéré à www.statcan.gc.ca/pub/82-625-x/2014001/article/14020-fra.htm.

Statistique Canada (2015c). *Principales causes de décès, selon le sexe (les deux sexes).* Repéré à www.statcan.gc.ca/tables-tableaux/sum-som/l02/cst01/hlth36a-fra.htm.

Tanguay, J.F., Bell, A.D., Ackman, L.M., *et al.* (2013). Focused 2012 update of the Canadian Cardiovascular Society guidelines for the use of antiplatelet therapy. *Can J Cardiol, 29*(11), 1334-1345.

Taylor, R.S., Dalal, H., Jolly, K., *et al.* (2010). Home-based versus centre-based cardiac rehabilitation. *Cochrane Database Syst Rev, 1*, CD007130.

Teo, K.K., Cohen, E., Buller, C., *et al.* (2014). Canadian Cardiovascular Society/Canadian Association of Interventional Cardiology/Canadian Society of Cardiac Surgery position statement on revascularization : Multivessel coronary artery disease. *Can J Cardiol, 30*(12), 1482-1491.

The Emerging Risk Factors Collaboration (2010). C-reactive protein concentration and risk of coronary heart disease, stroke, and mortality : An individual participant meta-analysis. *Lancet, 375*(9709), 132-140.

Titterington, J.S., Hung, O.Y., & Wenger, N.K. (2015). Microvascular angina : An update on diagnosis and treatment. *Future Cardiol, 11*(2), 229-242.

Tully, P.J., Cosh, S.M., & Baumeister, H. (2014). The anxious heart in whose mind ? A systematic review and meta-regression of factors associated with anxiety disorder diagnosis, treatment and morbidity risk in coronary heart disease. *J Psychosom Res, 77*(6), 439-448.

US Health & Human Services Department (2005). *Your Guide to Lowering Your Cholesterol with TLC.* Repéré à www.nhlbi.nih.gov/health/public/heart/chol/chol_tlc.pdf.

van der Meer, M.G., Nathoe, H.M., van der Graaf, Y., *et al.* (2015). Worse outcome in women with STEMI : A systematic review of prognostic studies. *Eur J Clin Invest, 45*(2), 226-235.

Villines, T.C., Stanek, E.J., Devine, P.J., *et al.* (2010). The Arbiter 6-Halts Trial (arterial biology for the investigation of the strategies in atherosclerosis) : Final results and the impact of medication adherence, dose, and treatment duration. *J Am Coll Cardiol, 55*(24), 2721-2726.

Voyer, P. (2013). *Soins aux aînés en perte d'autonomie* (2e éd.). Saint-Laurent, Québec : Pearson ERPI.

Wald, D.S., Bestwick, J.P., & Wald, N.J. (2012). Homocysteine as a cause of ischemic heart disease : The door remains open. *Clin Chem, 58*(10), 1488-1490.

Widmer, R.J., Flammer, A.J., Lerman, L.O., *et al.* (2015). The mediterranean diet, its components, and cardiovascular disease. *Am J Med, 128*(3), 229-238.

Yusuf, S., Hawken, S., & Ounpuu, S. (2004). Effect of potentially modifiable risk factors associated with myocardial infarction in 52 countries (the INTERHEART study) : Case-control study. *Lancet, 364*(9438), 937-9 52.

CHAPITRE 42

Agence de la santé publique du Canada (ASPC) (2009). *Suivi des maladies du cœur et des accidents vasculaires cérébraux au Canada.* Ottawa, Ontario : ASPC.

Ambrosy, A.P., Fonarow, G.C., Butler, J., *et al.* (2014). The global health and economic burden of hospitalizations for heart failure lessons learned from hospitalized heart failure registries. *J Am Coll Cardiol, 63*(12), 1123-1133. http://dx.doi.org/10.1016/j.jacc.2013.11.053

Arnold, J.M., Liu, P., & Demers, C. (2006). Canadian Cardiovascular Society Consensus Conference recommendations on heart failure 2006 : Diagnosis and management. *Can J Cardiol, 22*(1), 271.

Arnold, J.M.O., Howlett, J.G., Dorian, P., *et al.* (2007). Canadian Cardiovascular Society Consensus Conference recommendations on heart failure update 2007 : Prevention, management during intercurrent illness or acute decompensation, and use of biomarkers. *Can J Cardiol, 23*(1), 21-45.

Artinian, N.T. (2003). The psychosocial aspects of heart failure. *Am J Nurs, 103*(12), 32-40.

Böhm, M., Swedberg, K., Komajda, M., *et al.* (2010). Heart rate as a risk factor in chronic heart failure (SHIFT) : The association between heart rate and outcomes in a randomised placebo-controlled trial. *Lancet, 376*(9744), 886-894.

Carlson, K.K. (2009). *Advanced Critical Care Nursing.* Saint-Louis, MO : Saunders Elsevier.

Chojnowski, D. (2007). Taking aim at heart failure. *Nursing, 37*(11), 50-55.

Chung, M., Lennie, T., DeJong, M., *et al.* (2008). Patients differ in their ability to self-monitor adherence to a low-sodium diet versus medication. *J Card Fail, 14*(2), 114-120.

Cloutier, L., & Pilote, B. (2011). L'œdème des membres inférieurs : comprendre les mécanismes étiologiques et réaliser l'examen clinique ciblé. *Perspective infirmière, 8*(4), 25-27.

Cohen, S.J., Weinberger, M.H., Fineberg, N.S., *et al.* (1991). The effect of a household partner and home urine monitoring on adherence to a sodium restricted diet. *Soc Sci Med, 32*(9), 1057-1061.

Cohn, J.N., & Tognoni, G. (2001). A randomized trial of the angiotensin-receptor blocker valsartan in chronic heart failure. *N Engl J Med, 345*(23), 1667-1675.

Cooper, L.T., Baughman, K.L., Feldman, A.M., *et al.* (2007). The role of endomyocardial biopsy in the management of cardiovascular disease : A scientific statement from the American Heart Association, the American College of Cardiology, and the European Society of Cardiology. *Circulation, 116*(19), 2216-2233.

Costanzo, M.R., Guglin, M.E., Saltzberg, M.T., *et al.* (2007). Ultrafiltration versus intravenous diuretics for patients hospitalized for acutely decompensated HF. *J Am Coll Cardiol, 49*(6), 675-683.

Dakin, C.L. (2008). New approaches to heart failure in the ED. *Am J Nurs, 108*(3), 68-71.

Diefenbeck, C.A. (2009). Psychosocial risk and protective factors for cardiovascular health and illness. *DNA Reporter, 34*(1), 11.

Dunbar, S., Clark, P., Deaton, C., *et al.* (2005). Family education and support interventions in heart failure. *Nurs Res, 54*(3), 158-166.

Heart Failure Society of America (HFSA) (2002). *Who Is the Patient With Heart Failure ? Think FACES.* Repéré à www.hfsa.org/pdf/faces_card.pdf.

Hebert, P.L., Sisk, J.E., Wang, J.J., *et al.* (2008). Cost-effectiveness of nurse-led disease management for heart failure in an ethnically diverse urban community. *Ann Intern Med, 149*(8), 540-548.

Held, M.L., & Sturtz, M. (2009). Managing acute decompensated heart failure. *Am Nurs Today, 4*(2), 18-23.

Hemani, S., & Letizia, M. (2008). Providing palliative care in end-stage heart failure. *J Hosp Palliat Nurs, 10*(2), 100-105.

Huether, S.E., & McCance, K.L. (2008). *Understanding Pathophysiology* (4e éd.). Saint-Louis, MO : Mosby.

Hunt, S.A., Abraham, W.T., Chin, M.H., *et al.* (2009). Focused update incorporated into the ACC/AHA 2005 guidelines for the diagnosis and management of chronic heart failure in adults. *Circulation, 119*(14), e391-e479.

Huynh, B., Rovner, A., & Rich, M. (2008). Identification of older patients with heart failure who may candidates for hospice care : Development of a simple four-item risk score. *J Am Geriatr Soc, 56*(6), 1111.

Institut canadien d'information sur la santé (ICIS) (2015). *Résumé des chapitres : RCITO 2015. Chapitre 4 : Transplantation cardiaque.* Repéré à www.cihi.ca/fr/types-de-soins/services-specialises/transplantations-dorganes/resume-des-chapitres-rcito-2015.

Kee, J.L., Hayes, E.R., & McCuistion, L.E. (2012). *Pharmacology* (8e éd.). Saint-Louis, MO : Mosby.

Lainesse, A., & Desaulniers, J. (2006). *Guide pratique de l'insuffisance cardiaque* (2e éd.). Trois-Rivières, Québec : Éditions Formed.

Lehne, R.A. (2012). *Pharmacology for Nursing Care* (8e éd.). Saint-Louis, MO : Saunders Elsevier.

Lehne, R.A. (2016). *Pharmacology for Nursing Care* (9e éd.). Saint-Louis, MO : Saunders Elsevier.

Lilly, L. (2011). *Pathophysiology of Heart Disease* (5e éd.). Philadelphie, PA : Lippincott, Williams & Wilkins.

Lindenfeld, J., Albert, N.M., Boehmer, J.P., *et al.* (2010). Executive summary : HFSA 2010 comprehensive heart failure practice guidelines. *J Card Fail, 16*(6), 475-539.

Lord, M.-C. (2008). Physiopathologie et traitement de l'anémie dans l'insuffisance cardiaque. *Pharmactuel, 41*(4), 218-224.

Manckoundia, P., Mischis-Troussard, C., Ramanantsoa, M., *et al.* (2005). Les soins palliatifs en gériatrie. *La revue de la médecine interne, 26*(11), 851-857.

McKinley, M.P., O'Loughlin, V.D., & Bidle, T.S. (2014). *Anatomie et physiologie : une approche intégrée.* Montréal, Québec : Chenelière Éducation.

Mitchell, J.E., Tam, S.W., Trivedi, K., *et al.* (2011). Atrial fibrillation and mortality in African American patients with heart failure : Results from the African American Heart Failure Trial (A-HeFT). *Am Heart J, 162*(1), 154-159.

Moe, G.W., Ezekowitz, J.A., O'Meara, E., *et al.* (2014). The 2013 Canadian Cardiovascular Society heart failure management guidelines update : Focus on rehabilitation and exercise and surgical coronary revascularization. *Can J Cardiol, 30*(3), 249-263.

Moss, A.J., Zareba, W., Hall, W.J., *et al.* (2002). Prophylactic implantation of a defibrillator in patients with myocardial infarction and reduced ejection fraction. *N Engl J Med, 346*(12), 877-883.

Mullens, W., Abrahams, Z., Francis, G., *et al.* (2008). Sodium nitroprusside for advanced low-output heart failure. *J Am Coll Cardiol, 52*(3), 200-207.

O'Connor, C. (2008). Depression, not SSRI's linked to increased mortality in heart failure patients. *Arch Intern Med, 168*(20), 2232-2237.

Padula, C.A., Yeaw, E., & Mistry, S. (2009). Nurse-coached intervention improves dyspnea in patients with heart failure. *Appl Nurs Res, 22*(1), 18-25.

Pitt, B., Bakris, G., Ruilope, L.M., *et al.* (2008). Serum potassium and clinical outcomes in the eplerenone post-myocardial infarction heart failure efficacy and survival study (EPHESUS). *Circulation, 118*(16), 1643-1650.

Ramani, G.V., Uber, P.A., & Mehra, M.R. (2010). Chronic heart failure. *Mayo Clin Proc, 85*(2), 180-195.

Sackner-Bernstein, J.D., Kowalski, M., Fox, M., *et al.* (2005). Short-term risk of death after treatment with nesiritide for decompensated heart failure. *JAMA, 293*(15), 1900-1905.

Schocken, D.D, Benjamin, E.J., Fonarow, G., *et al.* (2008). Prevention of heart failure : A scientific statement from the American Heart Association councils on epidemiology and prevention, clinical cardiology, cardiovascular nursing, and high blood pressure research. *Circulation, 117*(19), 2544-2565.

Silver, M.A, Maisel, A., Yancy, C.W., *et al.* (2004). BNP Consensus Panel 2004: A clinical approach for the diagnostic, prognostic, screening, treatment monitoring, and therapeutic roles of natriuretic peptides in cardiovascular diseases. *Congest Heart Fail, 10*(suppl. 3), 1-30.

Transplant Québec (2015). *Statistiques officielles 2014.* Repéré à www.transplantquebec.ca/sites/default/files/statistiques_2014_0.pdf.

Tu, J.V., Nardi, L., & Fang, J. (2009). National trends in rates of death and hospital admissions related to acute myocardial infarction, heart failure and stroke, 1994-2004. *Can Med Assoc J, 180*(13), e118-e125.

Yancy, C.W., Jessup, M., Bozkurt, B., *et al.* (2013). 2013 ACCF/AHA guideline for the management of heart failure : Executive summary. *Circulation, 128*(16), 1810-1852.

CHAPITRE 43

American Association of Critical-Care Nurses (AACN) (2008). *AACN Practice Alert: Dysrhythmia Monitoring.* Aliso Viejo, CA: AACN.

American Association of Critical-Care Nurses (AACN) (2009). *AACN Practice Alert: ST Segment Monitoring.* Aliso Viejo, CA: AACN.

American Association of Critical-Care Nurses (AACN) (2010). *Core Curriculum for Progressive Care Nurses.* Saint-Louis, MO : Saunders Elsevier.

American Heart Association (AHA) (2008). *Handbook of Emergency Cardiovascular Care for Healthcare Providers.* Dallas, TX: AHA.

American Heart Association (AHA) (2015). *Classes of Heart Failure.* Repéré à www.heart.org/HEARTORG/Conditions/HeartFailure/AboutHeartFailure/Classes-of-Heart-Failure_UCM_306328_Article.jsp#.

Atwood, S., Stanton, C., & Storey-Davenport, J. (2011). *Introduction to Basic Cardiac Dysrhythmias* (4e éd.). Saint-Louis, MO : Mosby Jems.

Banasik, J. (2013). Cardiac function. Dans L.-E. Copstead & J. Banasik (dir.), *Pathophysiology* (5e éd.). Saint-Louis, MO : Saunders Elsevier.

Burchum, J., & Rosenthal, L. (2016). *Lehne's Pharmacology for Nursing Care.* Saint-Louis, MO : Saunders Elsevier.

Carlson, K.K. (2009). *Advanced critical care nursing.* Saint-Louis, MO : Saunders Elsevier.

Cleveland Clinic (2015) : *Syncope Care and Treatment.* Repéré à http://my.clevelandclinic.org/services/heart/disorders/syncope.

Douglas, L., Libby, P., Bonow, R., *et al.* (2015). *Braunwald's Heart Disease : A textbook of Cardiovascular Medicine* (10e éd.). Philadelphie, PA : Saunders Elsevier.

Exner, D.V., Birnie, D.H., Moe, G., *et al.* (2013). Canadian Cardiovascular Society guidelines on the use of cardiac resynchronization therapy : Evidence and patient selection. *Can J Cardiol, 29*(2), 182-195. doi : 10.1016/j.cjca.2012.10.006.

Field, J.M., Hazinski, M.F., Sayre, M.R., *et al.* (2010). Part 1 : executive summary : 2010 American Heart Association guidelines for cardiopulmonary resuscitation and emergency cardiovascular care. *Circulation, 122*(18, suppl. 3), S640-656. doi : 10.1161/CIRCULATIONAHA.110.970889.

Fuster, V., Rydén, L.E., Cannom, D.S., *et al.* (2006). ACC/AHA/ESC 2006 guidelines for the management of patients with atrial fibrillation : Executive summary. *Circulation, 114*(7), 700-752.

Healey, J.S., Parkash, R., Pollak, T., *et al.* (2010). Canadian Cardiovascular Society atrial fibrillation guidelines 2010 : Etiology and initial investigations. *Can J Cardiol, 27*(1), 31-37. doi : 10.1016/j.cjca.2010.11.015.

Lilly, L. (2010). *Pathophysiology of Heart Disease* (5e éd.). Philadelphie, PA : Lippincott Williams & Wilkins.

Link, M.S., Berkow, L.C., Kudenchuk, P.J., *et al.* (2015). Part 7 : Adult advanced cardiovascular life support : 2015 American Heart Association guidelines update for cardiopulmonary resuscitation and emergency cardiovascular care. *Circulation, 132*(18, suppl. 2), S444-S464. doi : 10.1161/cir.0000000000000261.

McKinley, M., O'Laughlin, V.D., & Bidle, T.S. (2014). *Anatomie et physiologie : une approche intégrée.* Montréal, Québec : Chenelière Éducation.

Neumar, R.W., Otto, C.W., Link, M.S., *et al.* (2010). Part 8 : Adult advanced cardiovascular life support : 2010 American Heart Association guidelines for cardiopulmonary resuscitation and emergency cardiovascular care. *Circulation, 122*(18, suppl. 3), S729-S767. doi : 10.1161/circulationaha.110.970988.

Pagé, P. (2010). Canadian Cardiovascular Society atrial fibrillation guidelines 2010 : Surgical therapy. *Can J Cardiol, 27*(1), 67-73. doi : 10.1016/j.cjca.2010.11.008.

Rocca, J.D. (2009). Responding to atrial fibrillation. *Nurs Crit Care, 4*(2), 5-8.

Sinz, E., Navarro, K., & Soderberg, E.S. (2011). *Advanced Cardiovascular Life Support : Provider Manual.* Dallas, TX: American Heart Association.

Skanes, A.C., Healey, J.S., Cairns, J.A., *et al.* (2012). Focused 2012 update of the Canadian Cardiovascular Society atrial fibrillation guidelines : Recommendations for stroke prevention and rate/rhythm control. *Can J Cardiol, 28*(2), 125-136. doi : 10.1016/j.cjca.2012.01.021.

Stiell, I.G., & Macle, L. (2010). Canadian Cardiovascular Society atrial fibrillation guidelines 2010 : Management of recent-onset atrial fibrillation and flutter in the emergency department. *Can J Cardiol, 27*(1), 38-46. doi : 10.1016/j.cjca.2010.11.014.

Thompson, P.D., Arena, R., Riebe, D., *et al.* (2013). ACSM's new preparticipation health screening recommendations from ACSM's guidelines for exercise testing and prescription, ninth edition. *Curr Sports Med Rep, 12*(4), 215-217. doi : 10.1249/JSR.0b013e31829a68cf.

Tracy, C.M., Epstein, A.E., Darbar, D., *et al.* (2012). 2012 ACCF/AHA/HRS focused update of the 2008 guidelines for device-based therapy of cardiac rhythm abnormalities : A report of the American College of Cardiology Foundation/American Heart Association Task Force on Practice Guidelines and the Heart Rhythm Society. *Circulation, 126*(14), 1784-1800. doi : 10.1161/CIR.0b013e3182618569.

Vardas, P.E., Simantirakis, E.N., & Kanoupakis, E.M. (2013). New developments in cardiac pacemakers. *Circulation, 127*(23), 2343-2350. doi : 10.1161/CIRCULATIONAHA.112.000086.

Verma, A., Cairns, J.A., Mitchell, L.B., *et al.* (2014). 2014 focused update of the Canadian Cardiovascular Society guidelines for the management of atrial fibrillation. *Can J Cardiol, 30*(10), 1114-1130. doi : 10.1016/j.cjca.2014.08.001.

Verma, A., Macle, L., Cox, J., *et al.* (2010). Canadian Cardiovascular Society atrial fibrillation guidelines 2010 : Catheter ablation for atrial fibrillation/atrial flutter. *Can J Cardiol, 27*(1), 60-66. doi : 10.1016/j.cjca.2010.11.011.

Wesley, K. (2011). *Huszar's Basic Dysrhythmias and Acute Coronary Syndrome* (4e éd.). Saint-Louis, MO : Mosby.

Wilson, D.D. (2014). *Examens paracliniques* (2e éd.). Montréal, Québec : Chenelière Éducation.

CHAPITRE 44

Bachore, T., Hranitzky, P., & Patel, M. (2011). Heart disease. Dans S.J. McPhee & M.A. Papadakis (dir.), *Lange 2011 : Current Medical Diagnosis and Treatment* (50e éd.). New York, NY : McGraw-Hill Medical.

Buppert, C. (2011). NP sued for failure to diagnosis (sic) endocarditis : $1 million settlement. *J Nurs Pract, 7*(10), 872-874.

Cleveland Clinic (2013). *Cardiac Catheterization.* Repéré à https://my.clevelandclinic.org/services/heart/diagnostics-testing/invasive-testing/cardiac-catheterization.

Cleveland Clinic (2016). *Mitral Valve Disease – Percutaneous Interventions.* Repéré à http://my.clevelandclinic.org/services/heart/services/valve-treatment/mitral-valve-disease-percutaneous-interventions.

Cooper, L., Hare, J.M., Tazelaar, H.D., *et al.* (2008). Usefulness of immunosuppression for giant cell myocarditis. *Am J Cardiol, 102*(11), 1535-1539.

Cunha, B., D'Elia, A., Pawar, N., *et al.* (2010). Viridans streptococcal (*Streptococcus intermedius*) mitral valve subacute bacterial endocarditis (SBE) in a patient with mitral valve prolapse after a dental procedure : The importance of antibiotic prophylaxis. *Heart Lung, 39*(1), 64-72.

Farmakis, D., Filippatos, G., Lainscak, M., *et al.* (2008). Anticoagulants, antiplatelets and statins in heart failure. *Cardiol Clin, 26*(1), 49-58.

Ferrieri, P. (2002). American Heart Association scientific statement : Proceedings of the Jones criteria workshop. *Circulation, 106*(19), 2521-2523.

FitzGerald, S.F., O'Gorman, J., Morris-Downes, M.M., *et al.* (2011). A 12-year review of *Staphylococcus aureus* bloodstream infections in haemodialysis patients : More work to be done. *J Hosp Infect, 79*(3), 218-221.

Frampton, S. (2008). Statin use in nonischemic cardiomyopathy : Review of the literature. *Prog Cardiovasc Nurs, 23*(2), 89-90.

Gersh, B.J., Maron, B.J., Bonow, R.O., *et al.* (2011). *ACCF/AHA guideline for the diagnosis and treatment of hypertrophic cardiomyopathy : Executive summary. A report of the American College of Cardiology Foundation/American Heart Association Task Force on Practice Guidelines.* Repéré à http://circ.ahajournals.org/content/124/24/e783.

Gongidi, V.R., & Hamaty, J.N. (2011). Aortic stenosis : A focused review on the elderly. *Clin Geriatr, 19*(3), 19-22.

Habib, G., Hoen, B., Tornos, P., *et al.* (2009). Guidelines on prevention, diagnosis and treatment of infective endocarditis (new version 2009) : The Task Force on the Prevention, Diagnosis, Treatment of Infective Endocarditis of European Society of Cardiology (ESC). *Eur Heart J, 30*(19), 2369-2413.

Held, M.L. (2012). Transcatheter aortic valve replacement : New hope for patients with aortic stenosis. *Am Nurse Today, 7*(5), 11-14.

Imazio, M., Bobbio, M., Cecchi, E., *et al.* (2005). *Colchicine in Addition to Conventional Therapy for Acute Pericarditis : Results of the Colchicine for Acute Pericarditis (COPE) Trial.* Repéré à http://circ.ahajournals.org/content/112/13/2012.full.pdf+html.

Laflamme, D. (2013). *Précis de cardiologie. Cardiomedik.* Paris, France : Éditions Frison-Roche.

Lainesse, A., & Desaulniers, J. (2006). *Guide pratique de l'insuffisance cardiaque* (2e éd.). Trois-Rivières, Québec : Éditions Formed.

Lilly, L. (2011). *Pathophysiologie of Heart Disease* (5e éd). Baltimore, MD : Lippincott Williams et Wilkins.

Madden, S. (2011). An alternative treatment approach to mitral regurgitation. *Nurs Stand, 26*(13), 40-46.

Mayo Clinic Staff (2014). *Rheumatic Fever.* Repéré à www.mayoclinic.org/diseases-conditions/rheumatic-fever/basics/definition/con-20031399.

McIsaac, W.J., White, D., & Tannenbaum, D., *et al.* (1998). A clinical score to reduce unnecessary antibiotic use in patients with sore throat. *Can Med Assoc J, 158*(1), 75-83.

Metzger, T., & Anderson, M. (2011). Myocarditis : A defect in central immune tolerance ? *J Clin Invest, 121*(4), 251-1253.

Milhomme, D. (2011). La cardiomyopathie de Tako-Tsubo, connaissez-vous le syndrome du cœur brisé ? *Perspective infirmière, 8*(4), 45-48.

Mitral Valve Repair Center at the Mount Sinai Hospital (2011a). *Minimally Invasive Heart Surgery Center.* Repéré à www.mitralvalverepair.org/content/view/16.

Mitral Valve Repair Center at the Mount Sinai Hospital (2011b). *Mitral Valve Repair.* Repéré à www.mitralvalverepair.org/content/view/64.

Moe, G.W., Ezekowitz, J.A., O'Meara, E., *et al.* (2015). The 2014 Canadian Cardiovascular Society heart failure management guidelines focus update : Anemia, biomarkers, and recent therapeutic trial implications. *Can J Cardiol, 31*(1), 3-16.

Nishimura, R.A., Otto, C.M., Bonow, R.O., *et al.* (2014). AHA/ACC (2014). Guideline for the management of patients with valvular heart disease : Executive summary. A Report of the American College of Cardiology/American Heart Association Task Force on Practice Guidelines. *J Am Coll Cardiol, 63*(22), 2438-2488.

Olsen, A.M., Fosbol, E.L., Lindhardsen, J., *et al.* (2012). Long-term cardiovascular risk of nonsteroidal anti-inflammatory drug use according to time passed after first-time myocardial infarction : A nationwide cohort study. *Circulation, 126*(16), 1955-1963.

Otto, A., Aytemir, K., Okutucu, S., *et al.* (2011). Cyanoacrylate for septal ablation in hypertrophic cardiomyopathy. *J Interv Cardiol, 24*(1), 77-84.

Samanta, S., Vijayverghia, R., & Vaiphei, K. (2011). Isolated idiopathic right ventricular dilated cardiomyopathy. *Indian J Pathol Microbiol, 54*(1), 164-166.

Seckeler, M.D., & Hoke, T.R. (2011). The worldwide epidemiology of acute of rhumatic fever and rhumatic heart disease. *Clin Epidemiol, 3*(1), 67-84.

Vaideeswar, P., Chaudhari, C., Rane, S., *et al.* (2014). Cardiac pathology in chronic alcoholics : A preliminary study. *J Postgrad Med, 60*(4), 372-376.

Wilson, M., Chandra, N., Papadakis, M., *et al.* (2011). Hypertrophic cardiomyopathy and ultra-endurance running : Two incompatible entities ? *J Cardiovasc Magn Reson, 13*(77), 1-9.

Xiao, H., Wang, M., Du, Y., *et al.* (2011). Arrhythmogenic autoantibodies against calcium channel lead to sudden death in idiopathic dilated cardiomyopathy. *Eur J Heart Fail, 13,* 264.

CHAPITRE 45

Aboyans, V., Criqui, M.H., Abraham, P., *et al.* (2012). Measurement and interpretation of the ankle-brachial index : A scientific statement from the American Heart Association. *Circulation, 126*(24), 2890-2909.

Aboyans, V., Lacroix, P., Waruingi, W., *et al.* (2000). Traduction française et validation du questionnaire d'Édimbourg pour le dépistage de la claudication intermittente. *Archives des maladies du cœur et des vaisseaux, 93*(10), 1173-1177.

Abramson, B.L., Huckell, V., Anand, S., *et al.* (2005). Canadian Cardiovascular Society Consensus Conference : Peripheral arterial disease. Executive summary. *Can J Cardiol, 21*(12), 997-1006.

Ageno, W., Gallus, A.S., Wittkowsky, A., *et al.* (2012). Oral anticoagulant therapy : Antithrombotic therapy and prevention of thrombosis, 9th ed. American College of Chest Physicians evidence-based clinical practice guidelines. *Chest, 141*(suppl. 2), e44s-e88s.

Ahimastos, A.A., Pappas, E.P., Bultner, P.G., *et al.* (2011). A meta-analysis of the outcome of endovascular and noninvasive therapies in the treatment of intermittent claudication. *J Vasc Surg, 54*(5), 1511-1521.

Alonso-Coello, P., Bellmunt, S., McGorrian, C., *et al.* (2012). Antithrombotic therapy in peripheral artery disease : Antithrombotic therapy and prevention of thrombosis, 9th ed. American College of Chest Physicians evidence-based clinical practice guidelines. *Chest, 141*(suppl. 2), e669S-e690S. doi : 10.1378/chest.11-2307

Anderson, T.J., Hegele, G.J., Couture, P., *et al.* (2013). 2012 Update of the Canadian Cardiovascular Society guidelines for the diagnosis and treatment of dyslipidemia for the prevention of cardiovascular disease in the adult. *Can J Cardiol, 29*(2), 151-167.

Arain, F.A., Ye, Z., Bailey, K.R., *et al.* (2012). Survival in patients with poorly compressible leg arteries. *J Am Coll Cardiol, 59*(4), 400-407.

Association des pharmaciens du Canada (2015). *Compendium of pharmaceuticals and specialties.* Repéré à www-e-therapeutics.ca.

Bates, S.M., Jaeschke, R., & Stevens, S.M. (2012). Diagnosis of DVT : Antithrombotic therapy and prevention of thrombosis, 9th ed. American College of Chest Physicians evidence-based clinical practice guidelines. *Chest, 141*(suppl. 2), e195S-e226S.

Bauer, S.M., Cayne, N.S., & Veith, F.J. (2010). New developments in the preoperative evaluation and perioperative management of coronary artery disease in patients undergoing vascular surgery. *J Vasc Surg, 51*(1), 242-251.

Canadian Diabetes Association Clinical Practice Guidelines Expert Committee (2013). Canadian Diabetes Association 2013 clinical practice guidelines for the prevention and management of diabetes in Canada. *Can J Diabetes, 37*(suppl. 1), S1-S212.

Carnevale-Maffé, G., & Modesti, P.A. (2015). Out of the blue : The Grey-Turner's sign. *Int Emerg Med, 10*(3), 387-388.

Chen, Q., Shi, Y., Wang, Y., *et al.* (2015). Patterns of disease distribution of lower extremity peripheral arterial disease. *Angiology, 66*(3), 211-218.

Chung, C., Tadros, R., Torres, M., *et al.* (2015). Evolution of gender-related differences in outcomes from two decades of endovascular aneurysm repair. *J Vasc Surg, 61*(4), 843-852.

Collins, L., & Seraj, S. (2010). Diagnosis and treatment of venous ulcers. *Am Fam Physician, 81*(8), 989-996.

Creager, M.A., Belkin, M., Bluth, E.I., *et al.* (2012). ACCF/AHA/ACR/SCAI/SIR/STS/SVM/SVN/SVS key data elements and definitions for peripheral atherosclerotic vascular disease : A report of the American College of Cardiology Foundation/American Heart Association Task Force on Clinical Data Standards. *J Am Coll Cardiol, 59*(3), 294-357.

Crumley, C. (2011). Post-thrombotic syndrome patient education based on the health belief model : Self-reported intention to comply with recommendations. *J Wound Ostomy Continence Nurs, 38*(6), 648-654.

Dale, C., Angus, J.E., Sinuff, T., *et al.* (2013). Mouth care for orally intubated patients : A critical ethnographic review of the nursing literature. *Intensive Crit Care Nurs, 29*(5), 266-274.

Daskalopoulou, S.S., Rabi, D.M., Zarnke, K.B., *et al.* (2015). The 2015 Canadian hypertension education program recommendations for blood pressure measurement, diagnosis, assessment of risk, prevention, and treatment of hypertension. *Can J Cardiol, 31*(5), 549-568.

Dixon, M. (2011). Misdiagnosing aortic dissection : A fatal mistake. *J Vasc Nurs, 29*(4), 139-146.

Duquette, A.A., Jodoin, P.-M., Bouchot, O., *et al.* (2012). 3D segmentation of abdominal aorta from CT-scan and MR images : Computerized medical imaging and graphics. *Comput Med Imag Grap, 36*(4), 294-303.

Falck-Ytter, Y., Francis, C.W., Johanson, N.A., *et al.* (2012). Prevention of VTE in orthopedic surgery patients : Antithrombotic therapy and prevention of thrombosis, 9th ed. American College of Chest Physicians evidence-based clinical practice guidelines. *Chest, 141*(suppl. 2), 278S-325S.

Filardo, G., Powell, J.T., Martinez, M.A., *et al.* (2015). Surgery for small asymptomatic abdominal aortic aneurysms. *Cochrane Database Syst Rev, 2,* CD001835. doi : 10.1002/14651858.CD001835.pub4.

Fowkes, F.G., Rudan, D., Rudan, I., *et al.* (2013). Comparison of global estimates of prevalence and risk factors for peripheral artery disease in 2000 and 2010 : A systematic review and analysis. *Lancet, 382*(9901), 1329-1340.

Gandhi, S., Sakhuja, R., & Slovut, D.P. (2011). Recent advances in percutaneous management of iliofemoral and superficial femoral artery disease. *Cardiol Clin, 29*(3), 381-394.

Ganeshanantham, G., Walsh, S.R., & Varty, K. (2010). Abdominal compartment syndrome in vascular surgery : A review. *Int J Surg, 8*(3), 181-185.

Garcia, D.A., Baglin, T.P., Weitz, J.I., *et al.* (2012). Parenteral anticoagulants : Antithrombotic therapy and prevention of thrombosis, 9th ed. American College of Chest Physicians evidence-based clinical practice guidelines. *Chest, 141*(suppl. 2), 24S-43S.

Genest, J., McPherson, R., Frohlich, J., *et al.* (2009). Canadian Cardiovascular Society/Canadian guidelines for the diagnosis and treatment of dyslipidemia and prevention of cardiovascular disease in the adult : 2009 recommendations. *Can J Cardiol, 25*(10), 567-579.

Gloviczki, P., Comerota, A.J., Dalsing, M.C., *et al.* (2011). The care of patients with varicose veins and associated chronic venous diseases : Clinical practice guidelines of the Society for Vascular Surgery and the American Venous Forum. *J Vasc Surg, 53*(suppl. 5), 2S-48S.

Go, A.S., Mozaffarian, D., Roger, V.L., *et al.* (2013). Heart disease and stroke statistics : 2013 update. A report from the American Heart Association. *Circulation, 127*(1), e6-e245.

Golledge, J., Tsao, P.S., Dalman, R.L., *et al.* (2008). Circulating markers of abdominal aortic aneurysm presence and progression. *Circulation, 118*(23), 2382-2392.

Gould, M.K., Garcia, D.A., Wren, S.M., *et al.* (2012). Prevention of VTE in nonorthopedic surgical patients : Antithrombotic therapy and prevention of thrombosis, 9th ed. American College of Chest Physicians evidence-based clinical practice guidelines. *Chest, 141*(suppl. 2), 227S-277S.

Greenblatt, D.Y., Rajamanickam, V., & Mell, M.W. (2011). Predictors of surgical site infection after open lower extremity revascularization. *J Vasc Surg, 54*(2), 433-439.

Grover, S.A., Lowensteyn, I., Kaouache, M., *et al.* (2006). The prevalence of erectile dysfunction in the primary care setting : importance of risk factors for diabetes and vascular disease. *Arch Intern Med, 166*(2), 213-219.

Guyatt, G.H., Akl, E.A., Crowther, M., *et al.* (2012). Executive summary : Antithrombotic therapy and prevention of thrombosis, 9th ed. American College of Chest Physicians evidence-based clinical practice guidelines. *Chest, 141*(suppl. 2), 7S-47S.

Hamburg, N.M., & Balady, G.J. (2011). Exercise rehabilitation in peripheral artery disease : Functional impact and mechanisms of benefit. *Circulation, 123*(1), 87-97.

Hatfield, J., Gulati, S., Rahman, A., *et al.* (2008). Nurse-led risk assessment/management clinics reduce predicted cardiac morbidity and mortality in claudicants. *J Vasc Nurs, 26*(4), 118-122.

Henke, P.K., & Comerota, A.J. (2011). An update : etiology, prevention, and therapy of postthrombotic syndrome. *J Vasc Surg, 53*(2), 500-509.

Herrick, A.L. (2011). Contemporary management of Raynaud's phenomenon and digital ischaemic complications. *Curr Opin Rheumatol, 23*(6), 555-561.

Hiratzka, L.F., Bakris, G.L., Beckman, J.A., *et al.* (2010). ACCF/AHA/AATS/ACR/ASA/SCA/SCAI/SIR/STS/SVM guidelines for the diagnosis and management of patients with thoracic aortic disease : A report of the American College of Cardiology Foundation/American Heart Association Task Force on Practice Guidelines, American Association for Thoracic Surgery, American College of Radiology, American Stroke Association, Society of Cardiovascular Anesthesiologists, Society for Cardiovascular Angiography and

Interventions, Society of Interventional Radiology, Society of Thoracic Surgeons, and Society for Vascular Medicine. *J Am Coll Cardiol, 55*(14), e27-e129.

Hirsch, A.T., Allison, M.A., Gomes, A.S., *et al.* (2012). A call to action: Women and peripheral artery disease. A scientific statement from the American Heart Association. *Circulation, 125*(11), 1449-1472.

Hirsch, A.T., Haskal, Z.J., Hertzer, N.R., *et al.* (2006). ACC/AHA 2005 practice guidelines for the management of patients with peripheral arterial disease (lower extremity, renal, mesenteric, and abdominal aortic): A collaborative report from the American Association for Vascular Surgery/Society for Vascular Surgery, Society for Cardiovascular Angiography and Interventions, Society for Vascular Medicine and Biology, Society of Interventional Radiology, and the ACC/AHA Task Force on Practice Guidelines. *Circulation, 113*(11), e463-654.

Ho, K.H., & Cheung, D.S. (2012). Guidelines on timing in replacing peripheral intravenous catheters. *J Clin Nurs, 21*(11-12), 1499-1506.

Ilyas, S., Shaida, N., Thakor, A., *et al.* (2015). Endovascular aneurysm repair (EVAR) follow-up imaging: The assessment and treatment of common postoperative complications. *Clin Radiol, 70*(2), 183-196.

Japanese Circulation Society Joint Working Group (2011). Guideline for management of vasculitis syndrome: JCS 2008. *Circulation, 75*(2), 474-503.

Kahn, S.R., Shrier, I., Shapiro, S., *et al.* (2011). Six-month exercise training program to treat post-thrombotic syndrome: A randomized controlled two-centre trial. *Can Med Assoc J, 183*(1), 37-44.

Kakkos, S.K., Caprini, J.A., Geroulakos, G., *et al.* (2011). Combined intermittent pneumatic leg compression and pharmacological prophylaxis for prevention of venous thromboembolism in high-risk patients. *Cochrane Database Syst Rev, 3*, CD005258.

Kearon, C., Akl, E.A., Comerota, A.J., *et al.* (2012). Antithrombotic therapy for VTE disease: Antithrombotic therapy and prevention of thrombosis, 9th ed. American College of Chest Physicians evidence-based clinical practice guidelines. *Chest, 141*(suppl. 2), 419S-494S.

Kent, K.C., Zwolak, R.M., Egorova, N.N., *et al.* (2010). Analysis of risk factors for abdominal aortic aneurysm in a cohort of more than 3 million individuals. *J Vasc Surg, 52*(3), 539-548.

Lazzerini, P.E., Capecchi, P.L., Bisogno, S., *et al.* (2010). Homocysteine and Raynaud's phenomenon: A review. *Autoimmun Rev, 9*(3), 181-187.

Lempel, J.K., Frazier, A.A., Jeudy, J., *et al.* (2014). Aortic arch dissection: A controversy of classification. *Radiologie, 271*(3), 848-855.

Linkins, L.A., Dans, A.L., Moores, L.K., *et al.* (2012). Treatment and prevention of heparin-induced thrombocytopenia: Antithrombotic therapy and prevention of thrombosis, 9th ed. American College of Chest Physicians evidence-based clinical practice guidelines. *Chest, 141*(suppl. 2), e495S-530S.

Lyden, S.P. (2010). Endovascular treatment of acute limb ischemia: Review of current plasminogen activators and mechanical thrombectomy devices. *Perspect Vasc Surg, 22*(4), 219-222.

Makowsky, M., McMurtry, S., Elton, T., *et al.* (2011). Prevalence and treatment patterns of lower extremity peripheral arterial disease among patients at risk in ambulatory health settings. *Can J Cardiol, 27*(3), 389.e11-389.e18.

McKinley, M.P., O'Loughlin, V.D., & Bidle, T.S. (2014) *Anatomie et physiologie: une approche intégrée.* Montréal, Québec: Chenelière Éducation.

Milhomme, D., & Beaulieu, D. (2015). La dissection aortique: tout se joue dans les premières minutes. *Perspective infirmière, 12*(1), 27-32.

Milio, G., Siragusa, S., Mina, C., *et al.* (2008). Superficial vein thrombosis: Prevalence of common genetic risk factors and their role on spreading to deep veins. *Thromb Res, 123*(2), 194-199.

Moennich, L.A., & Mastracci, T.M. (2014). Vascular disease patient information page: Abdominal aortic aneurysm (AAA). *Vasc Med, 19*(5), 421-424.

Nanjundappa, A., Jain, A., Cohoon, K., *et al.* (2011). Percutaneous management of chronic critical limb ischemia. *Cardiol Clin, 29*(3), 395-410.

Nesbitt, C., Eifell, R.K.G., Coyne, P., *et al.* (2011). Endovenous ablation (radiofrequency and laser) and foam sclerotherapy versus conventional surgery for great saphenous vein varices. *Cochrane Database Syst Rev, 10*, CD005624.

Nienaber, C.A., & Clough, R.E. (2015), Management of acute aortic dissection. *Lancet, 385*(9970), 800-811.

Nordon, I.M., Hinchliffe, R.J., Loftus, I.M., *et al.* (2011). Management of acute aortic syndrome and chronic aortic dissection. *Cardiovasc Intervent Radiol, 34*(5), 890-902.

Norgren, I., Hiatt, W.R., Dormandy, J.A., *et al.* (2007). Inter-society consensus for the management of peripheral arterial disease (TASC II). *J Vasc Surg, 45*(suppl. S), S5-S67.

Olin, J.W., Allie, D.E., Belkin, M., *et al.* (2010). ACCF/AHA/ACR/SCAI/SIR/SVM/SVN/SVS 2010 performance measures for adults with peripheral artery disease: A report of the American College of Cardiology Foundation/American Heart Association Task Force on Performance Measures, the American College of Radiology, the Society for Cardiac Angiography and Interventions, the Society for Interventional Radiology, the Society for Vascular Medicine, the Society for Vascular Nursing, and the Society for Vascular Surgery. *J Vasc Surg, 52*(6), 1616-1652.

Ouriel, K., & Kasyap, V. (2011). Acute limb ischemia. Dans M. Jaff & C. White (dir.), *Vascular Disease: Diagnostic and Therapeutic Approaches.* Minneapolis, MA: Cardiotext.

Palfreyman, S.S.J., Nelson, E.A., Lochiel, R., *et al.* (2010). Dressings for healing venous leg ulcers. *Cochrane Database Syst Rev, 1*, CD001103.

Paravastu S.C.V., Jayarajasingam R., Cottam R., *et al.* (2014). Endovascular repair of abdominal aortic aneurysm. *Cochrane Database Syst Rev, 1*, CD004178. doi: 10.1002/14651858.CD004178.pub2.

Park, B.D., Azefor, N., Huang, C.C., *et al.* (2013). Trends in treatment of ruptured abdominal aortic aneurysm: Impact of endovascular repair and implications for future care. *J Am Coll Surg, 216*(4), 745-754.

Patel, P.D., & Arora, R.R. (2008). Pathophysiology, diagnosis, and management of aortic dissection. *Ther Adv Cardiovasc Dis, 2*(6), 439-468.

Piazza, G., & Creager, M.A. (2010). Thromboangiitis obliterans. *Circulation, 121*(16), 1858-1861.

Pineda, J.R., Kim, E.S., & Osinbowale, O.O. (2015). Impact of pharmacologic interventions on peripheral artery disease. *Prog Cardiovasc Dis, 57*(5), 510-520.

Raju, S., & Neglen, P. (2009). Chronic venous insufficiency and varicose veins. *N Engl J Med, 360*(22), 2319-2327.

Reitsma, P.H., Versteeg, H.H., & Middeldorp, S. (2012). Mechanistic view of risk factors for venous thromboembolism. *Arterioscler Thromb Vasc Biol, 32*(3), 563-568.

Robertson, L., Atallah, E., & Stansby G. (2014). Pharmacological treatment of vascular riskfactorsfor reducing mortality and cardiovascular events in patients with abdominal aortic aneurysm. *Cochrane Database Syst Rev, 1*, CD010447. doi: 10.1002/14651858.CD010447.pub2.

Ronayne, R. (2007). Lower extremity peripheral arterial disease. Dans P. Lewis (dir.), *Core Curriculum for Vascular Nursing.* Salem, MA: Society for Vascular Nursing.

Rooke, T.W., Hirsch, A.T., Misra, S., *et al.* (2011). 2011 ACCF/AHA focused update of the guideline for the management of patients with peripheral artery disease (updating the 2005 guideline): A report of the American College of Cardiology Foundation/American Heart Association Task Force on Practice Guidelines. *J Am Coll Cardiol, 58*(19), 2020-2045.

Rughani, G., Robertson, L., & Clarke, M. (2012). Medical treatment for small abdominal aortic aneurysms. *Cochrane Database Syst Rev, 9*, CD009536. doi: 10.1002/14651858.CD009536.pub2

Sachdeva, A., Dalton, M., Amaragiri, S.V., *et al.* (2010). Elastic compression stockings for prevention of deep vein thrombosis. *Cochrane Database Syst Rev, 7*, CD001484.

Saratzis, A., Kitas, G.D., Saratzis, N., *et al.* (2010). Can statins suppress the development of abdominal aortic aneurysms? A review of the current evidence. *Angiology, 61*(2), 137-144.

Scott, G., Mahdi, A.J., & Alikhan, R. (2015). Superficial vein thrombosis: A current approach to management. *Br J Haematol, 168*(5), 639-645.

Sinnathurai, P., & Schrieber, L. (2013). Treatment of Raynaud phenomenon in systemic sclerosis. *Intern Med J, 43*(5), 476-483.

Sobel, M., & Verhaeghe, R. (2008). Antithrombotic therapy for peripheral artery occlusive disease. *Chest, 133*(suppl. 6), 815S-843S.

St-Cyr, D. (2013). Les ulcères artériels aux membres inférieurs (partie 2). *Perspective infirmière, 10*(5), 35-38.

Suzuki, T., Eagle, K.A., Bossone, E., *et al.* (2014). Medical management in type B aortic dissection. *Ann Cardiothorac Surg, 3*(4), 413-417.

Tachjian, A., Maria, V., & Jahangir, A. (2010). Use of herbal products and potential interactions in patients with cardiovascular diseases. *J Am Coll Cardiol, 55*(6), 515-525.

Thrumurthy, S.G., Karthikesalingam, A., Patterson, B.O., *et al.* (2011). A systematic review of mid-term outcomes of thoracic endovascular repair (TEVAR) of chronic type B aortic dissection. *Eur J Vasc Endovasc Surg, 42*(5), 632-647.

Tisi, P.V., Beverley, C., & Rees, A. (2011). Injection sclerotherapy for varicose veins. *Cochrane Database Syst Rev, 5*, CD001732.

van Langevelde, K., Lijfering, W.M., Rosendaal, F.R., *et al.* (2011). Increased risk of venous thrombosis in persons with clinically diagnosed superficial vein thrombosis: Results from the MEGA study. *Blood, 118*(15), 4239-4241.

Varon, J. (2008). Treatment of acute severe hypertension current and newer agents. *Drugs, 68*(3), 283-297.

Varu, V.N., Hogg, M.E., & Kibbe, M.R. (2010). Critical limb ischemia. *J Vasc Surg, 51*(1), 230-241.

Wells, P.S., Anderson, D.R., Rodger, M., *et al.* (2003). Evaluation of D-dimer in the diagnosis of suspected deep-vein thrombosis. *N Engl J Med, 349*(13), 1227-1235.

White, C., & Gray, W. (2007). Endovascular therapies for peripheral arterial disease an evidence-based review. *Circulation, 116*(19), 2203-2215.

Wilson, D. (2014). *Examens paracliniques* (2e éd). Montréal, Québec: Chenelière Éducation.

You, J.J., Singer, D.E., Howard, P.A., *et al.* (2012). Antithrombotic therapy for atrial fibrillation: Antithrombotic therapy and prevention of thrombosis, 9th ed. American College of Chest Physicians evidence-based clinical practice guidelines. *Chest, 141*(suppl. 2), 531S-575S.

Young, T., Tang, H., & Hughes, R. (2007). Vena caval filters for the prevention of pulmonary embolism. *Cochrane Database Syst Rev, 4*, CD006212. doi: 10.1002/14651858.CD006212.pub.3.

Young, T., Tang, H., & Hughes, R. (2010). Vena caval filters for the prevention of pulmonary embolism (update). *Cochrane Database Syst Rev, 2*, CD006212.

A

Abacavir, **T1** 317
Abandon, **T1** 95
peur de l'_ en fin de vie, **T1** 234
Abatacept, **T1** 932
ABCDE en cas de lésion cutanée et mélanome, **T2** 99, 111, 115
Abcès
anorectal, **T3** 485-486
cérébral, **T1** 595
mammaire puerpéral, **T3** 744-745
ovario-tubaire, **T3** 824-826
pancréatique, **T3** 537
périamygdalien, **T2** 233
pulmonaire, **T2** 264, 279-280
Abdomen
distension de l'_, **T2** 424; **T3** 71, 171, 987
examen physique de l'_, **T1** 59, 61; **T3** 220, 223, 265-269, 577
Abduction, **T1** 802
Abeille, piqûre d'_, **T2** 124
Ablation
endoveineuse, **T2** 830
par le froid, *voir* Cryothérapie
par radiofréquence (ARF), **T1** 155; **T2** 288; **T3** 532
percutanée par radiofréquence, **T2** 718, 721, 735
septale percutanée par alcoolisation, **T2** 781
transurrénale par aiguille, **T3** 858-859
Abouchement, **T3** 463
Abrasion cornéenne, **T2** 17
Absence
atypique, **T1** 666
typique, **T1** 665-666
Absorptiométrie
à rayons X biphotonique, **T1** 899
bioénergétique aux rayons X (ADEX), **T1** 807
Absorption, **T3** 250-253
Abstinence
de consommation de psychotropes, **T1** 246
sexuelle, **T3** 797, 801
Abus
chronique d'alcool, **T1** 257-258
de dépresseurs, **T1** 261-263
de médicament d'ordonnance, **T1** 246, 271
de psychotropes, **T1** 246-248
de stimulants, **T1** 260-261
sexuel, **T1** 95
Acanthosis nigricans, **T3** 643
Acapella[MD], **T2** 377
Acarbose, **T3** 610
Accès vasculaire, **T3** 1033-1036
central à long terme, **T3** 1035-1036
central temporaire, **T3** 1035
Accident ischémique transitoire (AIT), **T1** 611-613, 620-621
Accident vasculaire cérébral (AVC), **T1** 608-627
chez la personne âgée, **T1** 648
hémorragique, **T1** 608, 612, 614-615, 625-627
intracérébral, **T1** 612, 614-615, 627
sous-arachnoïdien, **T1** 612, 615, 626-627
ischémique, **T1** 608-609, 611-614, 622-625
embolique, **T1** 612, 614
lacunaire, **T1** 612-613
thrombotique, **T1** 612-613
soins et traitements infirmiers en cas d'_, **T1** 628-648
Accomodation, **T2** 5
Acculturation, **T1** 28, 34
Acétaminophène, **T1** 182-183; **T3** 508, 530
empoisonnement à l'_, **T3** 238
Acétate de desmopressine, **T2** 379, 478
Acétazolamide, **T3** 539
Acéthylcholine, **T1** 694, 718, 793
Acétone, **T3** 630
Achalasie, **T3** 372-373
Achlorhydrie, **T3** 393
Acide(s), **T1** 503
2-(4-hydroxy-3-méthoxyphényl)-2-hydroxyacétique, **T3** 597
5-aminosalicylique, **T3** 442-443
acétylsalicylique, **T1** 182, 620, 625; **T2** 620-621, 625, 627, 637
empoisonnement à l'_, **T3** 238
alginique, **T3** 363
alpha-hydroxylés, **T2** 139
aminés, **T1** 526; **T2** 447; **T3** 1031
ascorbique, *voir* Vitamine(s) C
biliaires, **T3** 482, 548
carbonique, **T1** 504-505
excès et déficit en _, **T1** 506
chlorhydrique (HCl), **T3** 251, 376
désoxyribonucléique (ADN), **T1** 307-308
docosahexaénoïque (DHA), **T2** 617
eicosapentaénoïque (EPA), **T2** 617
empoisonnement aux _, **T3** 238
folique, **T2** 432, 447
carence en _, **T2** 451-452
glycolique, **T2** 139
gras
non saturés, **T2** 111
oméga-3, **T1** 117; **T2** 617
saturé, **T3** 1021
hyaluronique, **T1** 922
lactique, **T2** 139; **T3** 144
méthylmalonique, **T2** 432
ribonucléique (ARN), **T1** 308
tranexamique, **T3** 814-815
trichloroacétique (TCA), **T3** 795
urique, **T1** 809, 947-948; **T3** 918, 960
ursodéoxycholique, **T3** 510
Acidité, **T1** 503
gastrique, **T3** 412
Acidocétose diabétique, **T3** 628, 630-632
soins et traitements en interdisciplinarité en cas d'_, **T3** 633
Acidose, **T1** 506, 508
diabétique, *voir* Acidocétose diabétique
métabolique, **T1** 506-507; **T3** 1002, 1012
mixte, **T1** 507
respiratoire, **T1** 505-506, 508
Acné vulgaire, **T2** 126-128
Acouphène, **T2** 24, 77
Acrochordon, **T2** 111, 126
Acromégalie, **T3** 650-652
soins et traitements infirmiers en cas d'_, **T3** 653-654
Acromioplastie, **T1** 821
Acropachie, **T3** 667
Actée à grappes noires, **T1** 115; **T3** 821
Actigraphie, **T1** 144
Actinomycose, **T2** 278
Action
chronotrope négative, **T2** 685
inotrope, **T2** 685
Activateur tissulaire du plasminogène (t-PA), **T1** 624
Activation du système nerveux sympathique, **T2** 668-669
Activité(s)
ciliaire, **T2** 190
de la vie domestique (AVD), **T1** 88
de la vie quotidienne (AVQ), **T1** 88
dynamique, **T2** 657
électrique du cœur, **T2** 532-533, 705
électrique sans pouls (AESP), **T2** 727
mécanique du cœur, **T2** 533
physique, *voir* Exercices physiques
protéolytique, **T3** 376
sexuelle, *voir aussi* Sexualité
à risque, **T1** 248, 390; **T3** 798
en cas d'ITSS, **T3** 798, 801
non protégée, **T3** 798
statique, **T2** 657
Acuité
auditive, **T2** 31, 34
visuelle, **T1** 542; **T2** 15, 18-19
Acupression, **T1** 112
Acupuncture, **T1** 111-112, 200
Acyclovir, **T3** 793
Adalimumab, **T1** 931; **T3** 444
Adaptation
à une stomie, **T3** 472
au stress
histoire de santé et _, **T1** 54-55, 179, 539, 541, 799-800; **T2** 12, 14, 28, 95-96, 197, 199-200, 420-421, 544; **T3** 262, 265, 573, 575, 724, 726
processus d'_, **T1** 124-133
stratégies d'_, **T1** 131-132, 134-135
personnelle, compétence d'_, **T1** 23
suite à un AVC, **T1** 641-642, 646-647
suite à une blessure médullaire, **T1** 780
Additifs
alimentaires, **T2** 324
intraveineux, **T1** 516
Adduction, **T1** 802
Adéfovir, **T3** 501
Adénocarcinome
androgéno-dépendant, **T3** 866
colorectal, **T3** 456
du poumon, **T2** 280, 284
gastrique, **T3** 393
rénal, **T3** 967-968
Adénohypophyse, **T3** 559, 563-564, 712
Adénoïdectomie, **T2** 25
Adénome
hypophysaire, **T3** 654-655
pituitaire, **T1** 587; **T3** 748
Adénopathie, **T3** 727
Adénosine, **T2** 717
triphosphate (ATP), **T1** 793
Adhérence, **T1** 285, 293
chirurgicale, **T3** 451
Adieux, **T1** 233
Adipectomie, **T3** 336
Adipocytes, **T3** 321
Adipokines, **T3** 321, 596
Adjuvants de l'anesthésie générale, **T3** 46-48
Administration
de l'alimentation
par sonde, **T3** 301
parentérale, **T3** 308
de l'analgésique, **T1** 193-197
de l'insuline, **T3** 604-606
de l'oxygénothérapie, **T2** 368-371
de la chimiothérapie, **T1** 428-430
de médicaments par sonde, **T3** 301, 303
des anesthésiques, **T3** 44-49
des composants sanguins, **T2** 516-517
neuraxiale d'analgésiques opioïdes, **T1** 195-197
Admission à la salle de réveil, **T3** 56
Adolescent, besoins des _ à l'égard de la maladie et de la mort, **T1** 242
Adrénaline, **T1** 343; **T2** 571-572; **T3** 560, 566
Aérosol doseur, **T2** 341-344
Affaissement de la langue vers l'arrière, **T3** 59
Affectation, **T1** 19
Affection(s), *voir aussi* Maladie(s), *aussi* Trouble(s)
artérielles périphériques, **T3** 641-642
buccales inflammatoires ou infectieuses, **T3** 354-355
des nerfs crâniens, **T1** 740-745
inflammatoires cérébrales, **T1** 595-603
Âge
cancer selon l'_, **T1** 402
comme déterminant de la santé, **T1** 25
coronaropathie et _, **T2** 607
discrimination fondée sur l'_, **T1** 89
perception de l'_, **T1** 89
Agenda du sommeil, **T1** 142, 149
Agent(s)
alkylants, **T1** 407, 426
antidiarrhéiques, **T3** 414-415
antifibrinolytiques, **T2** 479
antimicrobiens, **T1** 290; **T2** 166-167; **T3** 443
antinéoplasique, **T3** 762
antiplaquettaires, **T2** 620-621, 627
anxiolytiques, **T3** 87
biologiques, **T1** 920-921
bloqueurs neuromusculaires, **T3** 198
calcimimétique, **T3** 1019
cancérogènes, **T1** 406-407
chélateurs, **T2** 450; **T3** 239, 509
chimiothérapeutiques, **T1** 425, 430; **T3** 971
cholinergiques, **T2** 63
ciblés, **T1** 590, 920-921
cycloplégiques, **T2** 51-52
de gonflement, **T3** 980
de terrorisme, **T3** 240-243
hyperosmolaires, **T2** 64
inotropes négatifs, **T3** 94
inotropes positifs, **T3** 94
mucilagineux, **T3** 424
mydriatiques, **T2** 51-52
néphrotoxiques, **T3** 906, 998
neurotoxiques, **T3** 240
pathogène, **T1** 364
radiologiques et nucléaires, **T3** 243

sclérosants, T2 829
sédatifs, T3 87
thrombolytiques, T2 640
vasoactifs, T2 636; T3 886, 903
vasoconstricteurs, T3 899
vasodilatateurs, T3 899
Agglutinines, T2 430-431
Agglutinogènes, T2 429-430
Âgisme, T1 89
Agitation
au réveil, T3 66
en cas d'insuffisance respiratoire aiguë, T3 197-198
en cas de ventilation en pression positive, T3 127
en fin de vie, T1 236
nocturne, T1 725
Agnosie, T1 618
visuelle, T1 716
Agoniste(s), T1 184-185, 194
alpha-2-adrénergiques, T1 190, 192
alpha-adrénergiques, T3 978
alpha-adrénergiques agissant sur le SNC, T2 584
bêta-adrénergiques, T3 979
de la gonadolibérine, T3 808, 829-830
de la LHRH, T3 872-873
de récepteurs du peptide-1 apparenté au glucagon (GPL-1), T3 609-610
des récepteurs de la dopamine, T1 690
des récepteurs GABA, T1 192
dopaminergique, T1 690
mu, T1 185, 192
partiel, T1 186
Agoniste-antagoniste, T1 194
Agrafe, T1 626
Agranulocytes, T2 407
Agrément Canada, T1 9
Agression sexuelle, T3 846-848
soins et traitements infirmiers en cas d'_, T3 849-850
Aide inspiratoire (AI), T3 119-121, 131
Aide médicale à mourir, T1 229-230
Ail, T1 115; T3 10
Aire(s)
auditive du cerveau, T2 24
corticales
associées au langage, T1 529
motrices, T1 529
sensitives, T1 529
Alactasie, T3 481
Alanine-aminotransférase (ALT), T3 281, 499
Albumine, T2 515; T3 292
sérique, T3 17
Alcalinisation des urines, T3 239
Alcalinité, T1 503
Alcalins, empoisonnement aux _, T3 238
Alcalose, T1 506, 509
métabolique, T1 506-507
mixte, T1 507
respiratoire, T1 505-507, 509; T3 125
Alcool, T1 256-258
AVC et _, T1 611
cardiomyopathie dilatée et _, T2 777
chez la personne âgée, T1 271
cirrhose et _, T3 511, 523
coronaropathie et _, T2 617
diabète et _, T3 612, 614
effets de l'_, T1 249
évaluation préopératoire de la consommation d'_, T3 9-10
gastrite et _, T3 374
hypertension artérielle et _, T2 581
insuffisance hépatique fulminante et _, T3 530
intoxication à l'_, T1 257-259
maladies hépatiques et _, T3 508, 511
pancréatite aiguë et _, T3 536
traitement pour la gonorrhée et _, T3 784
troubles liés à l'_, T1 256-260
ulcère peptique et _, T3 378, 389
Alcoolisme, T1 256
dépistage de l'_, T1 264
Aldolase, T1 809
Aldostérone, T1 482; T3 560, 567, 585, 700, 900
Algie
radiculaire, T1 678
vasculaire de la face, T1 654, 656-658, 660
Alginates, T1 290
Algoménorrhée, T1 250; T3 725, 812-813
primaire, T3 812-813
secondaire, T3 812-813
soins et traitements infirmiers en cas d'_, T3 813
Algoneurodystrophie, T3 946
Alimentation, *voir aussi* Nutrition
en cas d'hépatite, T3 507
en cas d'iléostomie, T3 472
en cas d'ulcères veineux, T2 831
en cas de bronchectasie, T2 398
en cas de cystite interstitielle, T3 946-947
en cas de déficience en lactase, T3 481
en cas de diverticulose ou de diverticulite, T3 476
en cas de fistule, T3 474
en cas de maladie de la vésicule biliaire, T3 549-552
en cas de pancréatite chronique, T3 543
en cas de syndrome du côlon irritable, T3 431
en cas de syndrome prémenstruel, T3 811
entérale, T3 86, 298-306
chez la personne âgée, T3 305-306
en cas d'état de choc, T3 162
en cas de MICI, T3 446
en cas de pancréatite, T3 538
en cas de ventilation mécanique, T3 128-129
en phase critique, T3 86
intoxication par l'_, T3 405-407
liquide, T1 857
maladie d'Alzheimer et _, T1 726-727
orale, T3 297-298
parentérale, T3 306-309
à domicile, T3 311
centrale, T3 308
en cas de syndrome de Guillain-Barré, T1 748
en phase critique, T3 87
périphérique, T3 308
soins et traitements infirmiers en cas d'_, T3 309-311
peau et _, T2 110-111
pression sur le sphincter œsophagien inférieur et influence de l'_, T3 360
riche en calcium, T3 963
riche en fer, T3 286-287
riche en fibres, T3 419-421, 424, 431, 472, 476
riche en potassium, T3 1023
riche en purine et oxalate, T3 963-964
riche en vitamine B_6, T3 811
saine _, T3 284-286, 294
troubles de l'_, T3 312-313, 643-644
Allèle, T1 306-307; T2 358
dominant, T1 306
récessif, T1 306
Allergènes, T1 337; T2 109, 221, 323, 346
Allergie(s), T1 332; *voir aussi* Réaction(s) allergique, *aussi* Réaction(s) d'hypersensibilité, *aussi* Trouble(s) allergiques
au latex, T1 345-347; T3 50
choc anaphylactique et _, T3 167
chroniques, T1 342-343
histoire de santé liée aux _, T1 50, 178, 510, 537, 797; T2 9-10, 25, 94, 195, 415, 540; T3 259, 571, 721
troubles dermatologiques liées aux _, T2 123, 125
Allodynie, T1 168
Allogreffe, T2 164, 171
de cellules souches hématopoïétiques, T1 457; T2 492
Aloès, T1 115
Alopécie, T1 439, 447-448, 951; T2 89, 100
de traction, T2 102-103
Alosétron, T3 431
Alpha$_1$-bloquants, T2 584
Alphaagoniste, T2 62
Alphafœtoprotéine (AFP), T1 413; T3 280
Alvéoles
insuffisance respiratoire aiguë et _, T3 183-184, 187
pulmonaires, T2 184-185
Amblyopie, T2 11
Aménorrhée, T3 715, 813
primaire, T3 814
secondaire, T3 814
Amiante, T2 280
Amiantose, T2 281
Amiloride, T3 522
Amines, T1 526
Aminoglycosides, T2 274
Aminosalicylates, T3 442
Ammoniac, T3 280
Amphétamines, T1 247, 249, 260
abus et intoxication aux _, T1 260-261
AMPLE, T1 50-56
arthrose et _, T1 922
déséquilibres hydroélectrolytiques et acidobasiques et _, T1 510-512
douleur et _, T1 178-180
en situation d'urgence, T3 222
système auditif et _, T2 25, 27-29
système cardiovasculaire et _, T2 540-544
système endocrinien et _, T3 571-575
système gastro-intestinal et _, T3 261-265
système hématologique et _, T2 414-421
système musculosquelettique et _, T1 797-800
système nerveux et _, T1 537-541
système reproducteur et _, T3 720-726
système respiratoire et _, T2 195-200
système tégumentaire et _, T2 94-96
système urinaire et _, T3 904-911
système visuel et _, T2 9-14
Amplitude de mouvement, T1 801
actif, T1 801
limitée, T1 804
passif, T1 801
respiratoire, T2 201
Amputation, T1 857-859
chez la personne âgée, T1 863
du membre supérieur, T1 862-863
en cas de thromboangéite oblitérante, T2 813
soins et traitements infirmiers en cas d'une _, T1 859-863
Amygdalectomie, T2 25
Amylase, T3 277, 537
Amyline, T3 560
Amylose, T3 955
Amyotrophie, T1 843
Anakinra, T1 931-932
Analgésie, T1 549; T3 87
contrôlée par le patient (ACP), T1 197; T3 69
épidurale, T3 69
intraspinale, T1 196
multimodale, T1 181
profonde, T3 43
Analgésique(s), T1 659; T2 165; T3 69, 198, 827
adjuvant, T1 189-193
administration de l'_, T1 193-197
non opioïdes, T1 182-184
opioïdes, T1 180, 184-189, 194, 197, 206, 210, 248-249, 262-263, 267-268, 573, 699; T2 628; T3 24, 47, 69
agoniste, T1 184
agoniste-antagoniste, T1 185-186
topiques, T1 916-917
urinaire, T3 937-938
Analogue(s)
de la prostacycline, T2 313
de la somatostatine, T3 652
des prostaglandines, T2 62
Analyse
ADN de VPH, T3 832
du sperme, T3 889
génétique, T2 435-437
non tréponémique, T3 787
tréponémique, T3 787
Analyse et interprétation des données, T1 16-17
d'un client en fin de vie, T1 231
d'une personne âgée, T1 100
dans l'enseignement au client, T1 76
en cas d'amputation, T1 859
en cas d'anémie, T2 443
en cas d'artériopathie périphérique, T2 796
en cas d'arthrose, T1 922-923
en cas d'asthme, T2 346
en cas d'AVC, T1 629
en cas d'endocardite infectieuse, T2 749
en cas d'épilepsie, T1 671
en cas d'état de choc, T3 167
en cas d'hémorragie digestive haute, T3 402
en cas d'hépatite, T3 502
en cas d'hypercalcémie, T1 498
en cas d'hypercortisolisme, T3 689
en cas d'hyperkaliémie, T1 495
en cas d'hypernatrémie, T1 491
en cas d'hyperplasie bénigne de la prostate, T3 860
en cas d'hypertension artérielle primaire, T2 591
en cas d'hypertension intracrânienne, T1 571
en cas d'hyperthyroïdie, T3 670

en cas d'hypocalcémie, T1 500
en cas d'hypokaliémie, T1 496
en cas d'hyponatrémie, T1 492
en cas d'hypothyroïdie, T3 676
en cas d'incontinence fécale, T3 421
en cas d'infection des voies urinaires, T3 938
en cas d'infection par le VIH, T1 386
en cas d'inflammation, T1 278
en cas d'inflammation ou d'infection extraoculaire, T2 48
en cas d'insomnie, T1 149
en cas d'insuffisance cardiaque, T2 690
en cas d'insuffisance rénale aiguë, T3 1006-1007
en cas d'insuffisance rénale chronique, T3 1024
en cas d'insuffisance respiratoire aiguë, T3 192
en cas d'ITSS, T3 796-797
en cas d'obésité, T3 326-327
en cas d'occlusion intestinale, T3 454
en cas d'ostéomyélite, T1 876
en cas d'ulcères peptiques, T3 385
en cas de blessures médullaires, T1 763
en cas de calculs urinaires, T3 964
en cas de cancer buccal, T3 357-358
en cas de cancer colorectal, T3 461
en cas de cancer de l'appareil génital féminin, T3 839-840
en cas de cancer de l'œsophage, T3 370
en cas de cancer de la prostate, T3 874
en cas de cancer de la tête et du cou, T2 246
en cas de cancer du poumon, T2 288
en cas de cancer du sein, T3 765-766
en cas de cancer gastrique, T3 395
en cas de cardite rhumatismale, T2 760
en cas de cataracte, T2 53
en cas de céphalées, T1 662
en cas de chirurgie crânienne, T1 593
en cas de cirrhose, T3 522
en cas de coagulation intravasculaire disséminée, T2 485
en cas de constipation, T3 425
en cas de déficience visuelle, T2 42
en cas de dépendance à une substance, T1 265
en cas de déséquilibre hydrique, T1 486
en cas de diabète, T3 618
en cas de diarrhée infectieuse aiguë, T3 415
en cas de douleur abdominale aiguë, T3 429
en cas de douleur postopératoire, T3 69
en cas de fibrose kystique, T2 395
en cas de fracture, T1 835
en cas de glaucome, T2 65
en cas de lésion de pression, T1 296
en cas de leucémie, T2 499
en cas de lombalgie aiguë, T1 885
en cas de lupus érythémateux disséminé (LED), T1 956
en cas de maladie d'Alzheimer, T1 719
en cas de maladie de la vésicule biliaire, T3 550
en cas de maladie de Parkinson, T1 691
en cas de maladie inflammatoire chronique de l'intestin, T3 447
en cas de malnutrition, T3 292
en cas de méningite bactérienne, T1 598
en cas de MPOC, T2 379
en cas de myasthénie grave, T1 696-697
en cas de nausées et vomissements, T3 351
en cas de pancréatite aiguë, T3 539
en cas de péritonite, T3 436-437
en cas de plaie, T1 287
en cas de plaies chirurgicales, T3 74
en cas de pneumonie, T2 266
en cas de polyarthrite rhumatoïde, T1 933
en cas de pyélonéphrite aiguë, T3 944
en cas de rhumatisme articulaire aigu, T2 760
en cas de sclérose en plaques, T1 682
en cas de stress, T1 136
en cas de syndrome coronarien aigu, T2 645
en cas de syndrome de Guillain-Barré, T1 747
en cas de thrombocytopénie, T2 472
en cas de thrombose veineuse profonde, T2 825
en cas de traumatisme craniocérébral, T1 582-583
en cas de troubles cardiovasculaires postopératoires, T3 65
en cas de troubles gastro-intestinaux postopératoires, T3 72
en cas de troubles neurologiques et psychologiques postopératoires, T3 67
en cas de troubles respiratoires postopératoires, T3 62
en cas de troubles urinaires postopératoires, T3 73
en cas de tuberculose, T2 275-276
en cas de tumeur cérébrale, T1 590-591
en cas de tumeur osseuse, T1 881
en cas de valvulopathie, T2 771
en cas de variations de température en phase postopératoire, T3 70-71
en cas du syndrome de détresse respiratoire aiguë, T3 206
Analyses de laboratoire
d'urine, T2 433; T3 17, 587-588, 731, 733, 915-916, 927-928, 936, 942, 949, 975, 1003-1004, 1016
de l'haleine, T3 380
des calculs, T3 961
des gaz sanguins artériels, T1 510
du liquide cérébrospinal (LCS), T1 546, 549-550, 552-553, 597-598, 601
en cas d'anémie, T2 448
en cas d'état de choc, T3 142-143, 154
en cas d'hémophilie, T2 479
en cas d'hémorragie digestive haute, T3 399
en cas d'hépatite, T3 497-499
en cas d'hépatite auto-immune, T3 509
en cas d'hyperthyroïdie, T3 666
en cas d'hypothyroïdie, T3 666, 675
en cas d'insuffisance hépatique fulminante, T3 530
en cas d'occlusion intestinale, T3 453
en cas de déséquilibres hydroélectrolytiques et acidobasiques, T1 512
en cas de diarrhée, T3 414
en cas de maladie de la vésicule biliaire, T3 547
en cas de malnutrition, T3 291-292
en cas de polycythémie, T2 465
en cas de thrombocytopénie, T2 469-470
en cas de trauma abdominal, T3 432
en cas du syndrome de malabsorption, T3 479
pour l'évaluation du système endocrinien, T3 580-589
pour l'évaluation du système hématologique, T2 427-433
sanguines
en cas de thrombose veineuse profonde, T2 818
liées au système cardiovasculaire, T2 551-552, 558-560
liées au système digestif, T3 277
liées au système endocrinien, T3 581-588
liées au système reproducteur, T3 733-735, 738
liées au système respiratoire, T2 208-209
liées au système urinaire, T3 918-919
périphérique, T2 503
sérologiques, T1 808-809
suite à une brûlure, T2 168-169
Anamnèse, T1 655, 657; T2 330, 365, 420; T3 220, 222, 659, 884, 888, 946, 949, 961, 1003
Anaphylatoxines, T1 335
Anaphylaxie, T1 336, 341, 455; T2 335; T3 50
Anasarque, T3 151, 952
Anastomose, T2 141, 316, 606; T3 368
Anastomosée, T2 642
Andragogie, T1 65-66
Androgènes, T3 560, 567, 589, 685-686, 714, 888
surrénaux, T3 567
Andropause, T3 888
Androstérone, T3 560
Anémie, T1 438, 442; T2 440-442, 673; T3 446
aplasique, T2 453-454
acquise, T2 454
congénitale, T2 454
soins et traitements en interdisciplinarité en cas d'_, T2 454-455
associée à l'insuffisance rénale chronique, T3 1012, 1019
causée par la destruction accrue d'érythrocytes, T2 456-460
chez la personne âgée, T2 445-446
consécutive à une affection chronique, T2 453
d'origine hémorragique, T2 441, 455-456
de Biermer, T2 417
de Fanconi, T2 491
de type macrocytaire, T2 441
de type microcytaire, T2 441
de type normochrome, T2 441; T3 1012
de type normocytaire, T2 441; T3 1012
falciforme, T2 457-460
soins et traitements en interdisciplinarité en cas d'_, T2 460-462
ferriprive, T2 446-448
soins et traitements infirmiers en cas d'_, T2 449
hémolytique, T2 441, 456
acquise, T2 462
légère, T2 440, 442
mégaloblastique, T2 450-452
soins et traitements infirmiers en cas d'_, T2 452-453
modérée, T2 440, 442
par carence en acide folique, T2 451-452
par carence en cobalamine, T2 451-452
par diminution de la production d'érythrocytes, T2 44, 441, 446-455
pernicieuse, T2 451-452; T3 392
sévère, T2 440, 442
soins et traitements infirmiers en cas d'_, T2 442-445
Anergie, T1 332
Anesthésie, T1 549; T3 42-43
dissociative, T3 46
épidurale, T3 49
équipe d'_, T3 36-37
générale, T3 43-46
locale, T3 43, 46, 48-49
locorégionale, T1 197-198; T2 219
par bloc nerveux, *voir* Anesthésie régionale
peur de l'_, T3 8
préparation du client à l'_, T3 40-41
rachidienne, T3 49
régionale, T3 43, 46, 48-49
types d'_, T3 43
Anesthésiques, T1 191
dissociatifs, T3 45-46
inhalés, T3 44-46
locaux, T1 192; T3 48-49
locorégionaux, T1 191
injectables, T1 191
par voie intraveineuse, T3 44-45
personnes âgées et _, T3 50
Anesthésiste, T3 36
Aneuploïdie, T3 754
Anévrisme
cérébral, T1 615, 626
de l'aorte, T2 801-804
abdominale, T2 801-802, 804, 806-807
soins et traitements infirmiers en cas d'_, T2 805-808
thoracique, T2 801
faux _, T2 801
fusiformes, T2 801
rupture de l'_, T2 802-803
sacciformes, T2 801
ventriculaire, T2 636
vrai _, T2 801
Angine, T2 622
chronique, T2 622
chronique stable, T2 622-632
soins et traitements infirmiers en cas d'_, T2 645-659
de Prinzmetal, T2 623-624
de repos, *voir* Angine de Prinzmetal
instable, T2 624, 626, 632, 637-638
microvasculaire, T2 624-625
Angiocardiographie isotopique à l'équilibre, T2 555, 562
Angiœdème, T2 132, 324; T3 495
Angiofluorographie, T2 21
Angiogenèse, T2 606; T3 460
tumorale, T1 410

Angiographie, **T2** 803; **T3** 921
cérébrale, **T1** 550, 553
numérique intraartérielle, **T1** 619
par résonance magnétique (ARM), **T1** 551, 619; **T2** 556; **T3** 922
par TDM, **T1** 619; **T2** 557, 563
pulmonaire, **T2** 210, 310
Angiome, **T2** 98, 100, 422
stellaire, **T2** 422; **T3** 512
Angiopathie, **T3** 635-638
Angioplastie
transluminale, **T1** 621; **T2** 790, 795
percutanée, **T2** 630; **T3** 956
Angiospasmes, **T2** 813-814
Angiotensine, **T3** 902
I, **T3** 902
II, **T3** 902
Angiotensinogène, **T3** 902
Angle de Louis, **T2** 545, 548
Angulation, **T1** 827
Animaux, morsures d'_, **T3** 236-237
Anion, **T1** 476, 485
Anisme, **T3** 423
Anisocorie, **T1** 543, 548; **T2** 17
Ankylose, **T1** 798, 804
Anneau(x)
cornéen de Kayser-Fleischer, **T3** 509
de Schatzki, **T3** 372
gastrique ajustable, **T3** 333-335
intracornéens, **T2** 39
Annexes de la peau, **T2** 89
Annuloplastie, **T2** 769-770
Anomalie(s)
de la différentiation cellulaire, **T1** 405-406
de la glycémie à jeun (AGJ), **T3** 595
de la prolifération cellulaire, **T1** 404-405
du système auditif, **T2** 32
du système cardiovasculaire, **T2** 546-548
du système digestif, **T3** 269-271
du système endocrinien, **T3** 577-579
du système hématologique, **T2** 422-424
du système musculosquelettique, **T1** 804-806
du système nerveux, **T1** 548-549
du système reproducteur
de l'homme, **T3** 728-729
de la femme, **T3** 729-731
du système respiratoire, **T2** 205-207
du système tégumentaire, **T2** 100-101
du système urinaire, **T3** 913
du système visuel, **T2** 16-17
génétiques, hypertension artérielle et _, **T2** 574
liées aux seins, **T3** 729-730
Anorexie, **T1** 437, 445; **T3** 348, 446
en fin de vie, **T1** 238
mentale, **T3** 312
Anosmie, **T3** 655
Anse de Henlé, **T3** 895, 899-900
Ansographie, **T3** 923
Antagoniste(s), **T1** 184; **T2** 224
de l'aldostrone, **T2** 684
de l'hormone de stimulation folliculaire, **T3** 808
de la gonadolibérine, **T3** 808
de la LHRH, **T3** 873
de la sérotonine, **T3** 349-350
de la vitamine K, **T2** 820, 822
des récepteurs alpha-adrénergiques, **T3** 979, 982
des récepteurs de l'angiotensine (ARA), **T2** 682, 684
des récepteurs de l'angiotensine II, **T2** 587-589, 628
des récepteurs des leucotriènes (ARLT), **T1** 344; **T2** 224
des récepteurs H_2 de l'histamine, **T3** 24, 363, 382, 401
des récepteurs muscariniques, **T3** 978-979
du récepteur de l'interleukine-1, **T1** 329
du récepteur de l'interleukine-6, **T1** 329
Antécédents
évaluation préopératoire et _, **T3** 8-9
familiaux, **T1** 51
coronaropathie et _, **T2** 608
maladie génétique et _, **T1** 318-319
histoire de santé et _, **T1** 50-51, 178, 510-511, 538, 798; **T2** 11, 25, 94, 195, 417, 541; **T3** 262, 571-572, 721-722
médicaux, **T1** 50-51
sexuels, **T3** 725-726
Anti-androgènes, **T3** 872-873
Anti-facteur Xa, **T2** 821
Anti-inflammatoires, **T1** 279; **T2** 335-337, 340
non stéroïdiens (AINS), **T1** 182-184, 186, 279, 915-916, 921-922, 932, 948; **T2** 597, 753, 759; **T3** 373-374, 378, 813
empoisonnement aux _, **T3** 238
Antiacides, **T3** 363, 382-383, 401, 539
Antiarythmiques, **T2** 644, 705-706, 718, 720, 727-728
Antibiothérapie, **T1** 878; **T2** 488, 747, 832; **T3** 166, 936-937
par voie intraveineuse, **T1** 876
par voie orale, **T1** 876
prophylactique, **T2** 748; **T3** 943
Antibiotiques, **T1** 916; **T2** 132, 231, 265, 279, 394, 398, 747, 750; **T3** 22, 24, 382-383, 788, 876-877, 938
antitumoraux, **T1** 426
flore intestinale et _, **T3** 412
néphrotoxiques, **T3** 906
résistance aux _, **T1** 369-371; **T3** 938
Anticholinergiques, **T1** 681, 689-690; **T2** 224, 338, 341; **T3** 24, 349, 978-979
Antichonestérasique, **T1** 696
Anticoagulants, **T1** 620; **T2** 166, 310-311, 627, 720, 825-827
oraux, **T2** 822
Anticoagulothérapie, **T2** 771, 812, 820-821, 823-825, 828
Anticonvulsivants, **T1** 190, 192
Anticorps
anti-ADN, **T1** 809, 953-954
anti-IgE, **T2** 338, 340
anti-îlots, **T3** 594
anti-VIH, **T1** 381
antinucléaires, **T1** 808
antipeptide cyclique citrulliné (anti-CCP), **T1** 928-929
antithyroïdes (Ac), **T3** 583
IgM, **T3** 492
monoclonaux, **T1** 356-357, 681; **T2** 507-508
anti-CD20, **T1** 453
polyclonal, **T1** 356-357
Antidépresseurs, **T1** 147, 189, 191-192; **T2** 166
inhibiteurs de recaptage de la sérotonine et de la dopamine, **T1** 190
inhibiteurs de recaptage de la sérotonine et de la norépinéphrine, **T1** 189
tricycliques, **T1** 189; **T3** 640, 827, 947, 979
empoisonnement aux _, **T3** 238
Antidiabétiques, **T3** 24
Antidiarrhéiques, **T3** 414-415, 443
Antiémétiques, **T1** 443; **T3** 24, 48, 350, 354
Antiépileptiques, **T1** 659, 670-671
Antifacteurs de nécrose tumorale (antiTNF), **T3** 444
Antifongique, **T2** 279
Antigène(s), **T1** 324-325
associés aux tumeurs, **T1** 412
carcinoembryonnaire (ACE), **T1** 413
HLA-B27, **T1** 809
oncofœtaux, **T1** 413
prostatique spécifique (APS), **T3** 733, 738, 856, 868, 876
Antihistaminiques, **T1** 147, 343, 690; **T2** 132-133, 221, 225; **T3** 349
de deuxième génération, **T2** 225
de première génération, **T2** 225
Antihyperalgésique, **T1** 190
Antihyperglycémiants, **T3** 599, 606-610, 624-625, 644
Antihypertenseurs, **T2** 582-590, 599; **T3** 1018
Antimétabolites, **T1** 426
Antiœstrogène non stéroïdien, **T3** 762
Antipaludiques, **T1** 919
Antiplaquettaires, **T1** 620; **T2** 620-621, 627, 793; **T3** 1017
Antiprolifératifs, **T1** 356
Antiprotéases, **T2** 359
Antiprurigineux, **T1** 343-344
Antipsychotiques, **T1** 719, 734
Antipyrétiques, **T1** 279
Antirétroviraux, **T1** 373, 375, 383-384, 393-395
Antirhumatismaux à action lente (ARAL), **T1** 917-918, 931
Antisécrétoires, **T3** 382
Antispasmodiques, **T3** 539
Antistreptolysine-O (ASO), **T3** 949
Antithrombines, **T2** 410, 429
Antithyroïdiens, **T3** 668-669
Antitoxine botulinique, **T1** 749
Antiviraux néphrotoxiques, **T3** 906
Anurie, **T3** 913, 998
Anus, **T3** 255, 259
cancer de l'_, **T3** 486
examen physique de l'_, **T3** 268-269, 727-728
Anxiété
des clients en phase critique, **T3** 87
en cas de ventilation en pression positive, **T3** 127
en fin de vie, **T1** 232
état de choc et _, **T3** 171
insuffisance respiratoire aiguë et _, **T3** 197-198
maladie de Parkinson et _, **T1** 694
MPOC et _, **T2** 364
préopératoire, **T3** 6-7
syndrome coronarien aigu et _, **T2** 651-652
Aorte, **T2** 801
anévrisme de l'_, **T2** 801-808
Apex élargi, **T2** 548
Aphakie, **T2** 38
Aphasie, **T1** 548, 617; **T3** 632
de Broca, **T1** 617
de Wernicke, **T1** 617
totale, **T1** 617
Aphérèse, **T1** 349; **T2** 515
Aplasie médullaire, **T2** 417
Apnée, **T1** 152
du sommeil, **T3** 324
obstructive du sommeil (AOS), **T1** 152-153
soins et traitements en interdisciplinarité en cas d'_, **T1** 154-155
soins et traitements infirmiers en cas d'_, **T1** 155
Apocrines, **T2** 90
Apolipoprotéines, **T2** 553, 560, 608
Aponévrosite plantaire, **T1** 805
Aponévrotomie, **T1** 846
Apoptose, **T2** 361, 495
Appareil(s), *voir aussi* Dispositif(s)
auditifs, **T2** 79-82
d'assistance ventriculaire, **T3** 163
d'extraction MERCI, **T1** 625
d'hémodialyse, **T3** 1036
de contre pulsion par ballon intra-aortique (BCPA), **T3** 103-108
de dégagement des voies respiratoires, **T2** 376-377
de drainage thoracique, **T2** 297-298
de surveillance de la glycémie, **T3** 616-617
fonctionnels, **T1** 103
génital féminin
cancers de l'_, **T3** 832-843
tumeurs bénignes de l'_, **T3** 830-832
lacrymal, **T2** 6, 8
optiques, **T2** 43-44
urinaire
troubles de l'_, **T3** 932-948
tumeurs de l'_, **T3** 967-972
Appendice xiphoïde, **T2** 203; **T3** 379
Appendicectomie, **T3** 434
Appendicite, **T3** 434
soins et traitements infirmiers en cas d'_, **T3** 435
Appétit, **T3** 250, 320-321
Apport(s)
en calcium, **T1** 900-901
en fer, **T2** 409
en glucides, **T3** 285, 521
en lipides, **T3** 285
en minéraux, **T3** 286
en potassium, **T1** 492; **T3** 1022
en protéines, **T3** 285, 1022
en sodium, **T2** 686-688; **T3** 518, 1022
en vitamines, **T3** 285
liquidien, **T1** 483, 488; **T3** 938, 940, 963-964, 1004, 1021-1022
nutritionnels de référence (ANREF), **T3** 289
sanguin, **T2** 185
au myocarde, **T2** 531
Apprenant
adulte, **T1** 65-66
particularités de l'_, **T1** 75-77
Apprentissage, **T1** 64
besoins d'_, **T1** 75-76
des cultures, **T1** 35
objectifs d'_, **T1** 76
réceptivité à l'_, **T1** 75
styles d'_, **T1** 75-76
Approche(s)
biomédicale des soins de santé, **T1** 110
complémentaires et parallèles en santé, **T1** 50, 110-121
dans l'évaluation de l'utilisation des produits à base de plantes et des suppléments alimentaires, **T1** 50
en cas d'artériopathie périphérique, **T2** 794
en cas d'arthrose, **T1** 915

en cas d'insomnie, **T1** 146-148
en cas de cancer du sein, **T3** 760
en cas de coronaropathie, **T2** 617
en cas de diabète, phytothérapie et _, **T3** 600
en cas de ménopause, **T3** 821
en cas de rhinite virale aiguë, **T2** 226
en cas de soins peropératoires, musicothérapie et _, **T3** 38
en cas de thrombose veineuse profonde, **T2** 826
personnes âgées et _, **T1** 119
produits à base de plantes et des suppléments alimentaires en phase préopératoire, **T3** 10
soins et traitements infirmiers et _, **T1** 120-121
fondées sur la biologie, **T1** 114-118
intégrative des soins de santé, **T1** 110-111
Apraxie, **T1** 548, 618, 716
alimentaire, **T1** 726
Arbre généalogique, **T1** 306, 310
Arc réflexe, **T1** 528
Argatroban, **T2** 823
Arnica, **T3** 10
Aromathérapie, **T1** 114, 118
Arrêt cardiorespiratoire, hypothermie suite à un _, **T3** 224-225
Artère(s), **T2** 534
carotide(s), **T1** 608
rupture d'un _, **T1** 464
coronaire(s), **T2** 531
calcification des _, **T2** 607
dissection de l'_, **T2** 640
mammaire interne, greffon de l'_, **T2** 642
pulmonaire(s), **T2** 533
cathétérisme de l'_, **T3** 97-101
raciale, greffon de l'_, **T2** 642
vertébrales, **T1** 608
Artériographie, **T2** 565
périphérique, **T2** 558
rénale, **T3** 921
Artériopathie périphérique (AP), **T2** 788
des membres inférieurs, **T2** 788-796
soins et traitements infirmiers en cas d'_, **T2** 796-800
Arthralgie, **T2** 421, 424, 637; **T3** 496, 783
Arthrite, **T1** 910-940
chez la personne âgée, **T1** 939-940
goutteuse, **T1** 947-949
psoriasique, **T1** 943
réactionnelle, **T1** 943-944; **T3** 789
suppurée, **T1** 944-945
Arthrocentèse, **T1** 809-811
Arthrodèse, **T1** 867, 891
de la cheville, **T1** 867
Arthrodie, **T1** 791
Arthropathie neuropathique, **T3** 643
Arthroplastie, **T1** 864
de la cheville, **T1** 867
des articulations des doigts, **T1** 866-867
du coude et de l'épaule, **T1** 867
du genou, **T1** 866
par resurfaçage de la hanche, **T1** 866
totale de la hanche, **T1** 864-866
Arthroscopie, **T1** 807, 810
Arthrose, **T1** 910-922, 927
au genou, **T1** 913
primaire, **T1** 910
secondaire, **T1** 910-911
soins et traitements infirmiers en cas d'_, **T1** 922-924
Artichaut, **T1** 115
Articulation(s), **T1** 789-790
à glissement ou arthrodiale, **T1** 791
arthrose et _, **T1** 912-913
cartilagineuses, **T1** 790
chirurgie aux _, **T1** 863-868
condylienne (ellipsoïdale), **T1** 791
des doigts, arthroplastie des _, **T1** 866-867
en selle (par emboîtement), **T1** 791
fibreuses, **T1** 790
polyarthrite rhumatoïde et _, **T1** 926-927
sclérodermie systémique et effet sur les _, **T1** 960
sphéroïde (énarthrose), **T1** 791
synoviales, **T1** 790-791
mouvements des _, **T1** 802
trochléenne (à charnière), **T1** 791
trochoïde (à pivot), **T1** 791
vieillissement des _, **T1** 795
Arythmie, **T2** 675, 704, 780; **T3** 64, 66, 578
évaluation de l'_, **T2** 711-713
infarctus du myocarde et _, **T2** 635
jonctionnelle, **T2** 714, 721
mécanismes électrophysiologiques de l'_, **T2** 709-711
postopératoires, **T2** 654
types d'_, **T2** 713-727
ventriculaire, **T2** 661
Ascite, **T2** 442; **T3** 270, 366, 435, 514-516, 518-519, 952
Asepsie, **T2** 269; **T3** 32
chirurgicale, **T3** 40
Aspartate-aminotranférase (AST), **T3** 281, 499
Asparte, **T3** 601
Aspergillose, **T2** 278
Aspiration, **T3** 59
des sécrétions
dans les voies respiratoires, **T3** 196
endotrachéales, **T3** 113-114
intubation endotrachéale et risque d'_, **T3** 116
péritonéale, **T3** 436
Asplénie, **T2** 459
Assimilation culturelle, **T1** 28
Assistance aux organes dysfonctionnels, **T3** 177
Assistance-chirurgien, **T3** 36
Association féminine d'éducation et d'action sociale (AFEAS), **T1** 91
Astéréognosie, **T1** 549
Astérixis, **T3** 516, 1003
Asthénie, **T1** 441-443; **T2** 463
Asthme, **T2** 207, 322-346
aigu grave, **T2** 327, 329
comparaison entre MPOC et _, **T2** 329
d'effort, **T2** 323
de type toux, **T2** 327
insuffisance respiratoire aiguë et _, **T3** 184, 187-188
intermittent, **T2** 327-328, 332
menaçant la vie du client, **T2** 327, 329, 333-335
persistant, **T2** 332
grave, **T2** 327-328
léger, **T2** 327-328
modéré, **T2** 327-328
professionnel, **T2** 324
soins et traitements infirmiers en cas d'_, **T2** 346-355
Astigmatisme, **T2** 38
Astragale, **T3** 10
Astrocytes, **T1** 525, 664
Asymétrie de la circonférence d'un membre, **T2** 547
Asynergie oculopalpébrale, **T3** 576
Asystole, **T2** 717
Asystolie, **T2** 726-727
Ataxie, **T1** 258, 548, 670; **T2** 424, 445
Atélectasie, **T1** 574; **T2** 208, 264, 304, 306; **T3** 12, 59-61, 185, 992, 1033
de dénitrogénation, **T2** 371
pulmonaire, **T2** 185
Aténolol, **T3** 669
Athérectomie, **T2** 795
Athérosclérose, **T1** 609-610; **T2** 577, 604-605, 788
Athétose, **T1** 734
Atonie, **T1** 549
Atopie, **T1** 335; **T2** 323
Atrésie, **T3** 710
Atrophie
cérébrale, **T1** 714
cutanée, **T2** 98
musculaire, **T1** 804
vaginale, **T3** 819
Atteinte inflammatoire pelvienne (AIP), **T3** 783, 824-826
soins et traitements infirmiers en cas d'_, **T3** 826
Attelle en U, **T1** 830
Attitude
à l'égard du vieillissement, **T1** 89
discriminatoire, **T1** 26
du professionnel de la santé, **T1** 26
Aubépine, **T1** 115
Audiométrie, **T2** 34
d'impédance, **T2** 33
de dépistage, **T2** 34
tonale, **T2** 33, 35
Augmentation mammaire, **T3** 775
Aura, **T1** 656
Auscultation, **T1** 57, 61
abdominale, **T3** 266-267, 429
au niveau des reins, **T3** 912
de la paroi thoracique, **T2** 203-205
du système vasculaire périphérique, **T2** 545
du thorax, **T2** 549-550
Auto-immunité, **T1** 347-349
Auto-inoculation du VHS, **T3** 792
Auto-PEP, **T3** 122
Autochtones
diabète chez les _, **T3** 596
hypertension artérielle chez les _, **T2** 568
incidence du cancer chez les _, **T1** 402-403
maladie de la vésicule biliaire chez les _, **T3** 550
obésité chez les _, **T3** 323
Autoévaluation
de la douleur des clients en phase critique, **T3** 87
du sommeil, **T1** 142-143
Autoexamen
des seins (AES), **T3** 742
des testicules, **T1** 418; **T3** 881-882
Autogestion de la maladie chronique, **T1** 88
Autogreffe, **T2** 141
d'épithélium cultivé, **T2** 171-172
de tissu parathyroïdien, **T3** 683
Autohypnose, **T1** 112
Automatisme, **T2** 709
Autorégulation
cérébrale, **T1** 609
de la circulation rénale, **T3** 898-899
du débit sanguin cérébral, **T1** 557
Autosome, **T1** 306
Autosurveillance de la glycémie, **T3** 615-617
Autotraitement des troubles cutanés, **T2** 111
Autotransfusion, **T2** 523-524
Auxiliaire familial, rôles de _, **T2** 241
Avancement du génioglosse conjugué à la myotomie hyoïdienne (GAHM), **T1** 155
Avortement, **T3** 808-810
précoce, **T3** 810
provoqué, **T3** 809-810
spontané, **T3** 808-809
tardif, **T3** 810
Axe
hypothalamo-hypophysaire, **T3** 650
phlébostatique, **T3** 95
Axone, **T1** 524
Azote liquide, **T2** 134
Azotémie, **T3** 1000

B

Bacille(s), **T1** 364
acido-alcoolo-résistants (BAAR), **T3** 948
de Calmette-Guérin (BCG), **T3** 971-972
Baclofène, **T1** 192
Bactériémie, **T2** 169, 264, 520; **T3** 943
nosocomiale, **T3** 1038
Bactéries, **T1** 364-365, 368-369
Bactériurie, **T3** 936, 943
asymptomatique, **T3** 932
chronique, **T3** 937
non résolue, **T3** 933
persistante, **T3** 933
Bains, **T2** 136
de siège, **T3** 484
Ballon
de contre-pulsion intra-aortique (BCPA), **T2** 636, 678, 680; **T3** 103-108
insufflateur manuel, **T3** 110
Ballonnet
gastrique, **T3** 519, 527-528
œsophagien, **T3** 519, 527-528
Bandage
compressif, **T1** 817
du moignon, **T1** 861
herniaire, **T3** 477
Bande de rythme, **T2** 706
Bandelette
pubovaginale, **T3** 979
sous-urétrale, **T3** 979
urinaire, **T3** 917, 928, 936, 979
Barbituriques, **T1** 249, 261, 567; **T3** 45
Barorécepteurs, **T2** 535, 571
Barotraumatisme, **T3** 124, 202, 205
Barre en T, **T2** 370
Barrière
contraceptive mécanique, **T3** 798
hématoencéphalique, **T1** 533-534
Bartholinite, **T3** 789
Bas antiemboliques à compression graduelle, **T2** 819, 826, 830, 832
Base de données, **T1** 44
Bases, **T1** 503
Basiliximab, **T1** 356-357
Basophile, **T2** 407
Bassin, **T3** 711
examen physique du _, **T3** 220, 223
fracture du _, **T1** 848
Behavioral Pain Scale (BPS), **T3** 87
Benzodiazépines, **T1** 147, 249, 262, 573, 734; **T3** 24, 47
Bérylliose, **T2** 281
Besoins
d'apprentissage, **T1** 75-76
du proche aidant, **T1** 69

de l'infirmière de l'unité de soins palliatifs, T1 242-243
de la famille du client en phase critique, T3 91
des enfants à l'égard de la maladie et la mort, T1 240-242
des tissus en oxygène, T3 188
du proche aidant d'une personne en fin de vie, T1 239-240
émotionnels suite à une brûlure, T2 176-177
en fin de vie, T1 219-225
métaboliques
en cas d'hypertension intracrânienne, T1 567
en cas de blessures médullaires, T1 759-760
nutritionnels
des clients en phase critique, T3 86
en cas de cancer, T1 461
physiques en fin de vie, T1 235-239
psychosociaux
d'un client ventilé mécaniquement, T3 127-128
en fin de vie, T1 232-235
spirituels en fin de vie, T1 224-226, 233
Bêta-hCG, T3 809, 817
Bêtaagoniste(s), T2 339-340
à courte durée d'action (BACA), T2 332-334, 339-340
à longue durée d'action (BALA), T2 339-340
Bêtabloquants, T2 62, 585, 589, 627, 629, 644, 682, 685, 728; T3 24
Bévacizumab, T3 460
Bicarbonates, T3 919
excès et déficit en _, T1 507
valeur normale en _, T1 485
Biguanides, T3 608-609
Bilan
d'extension, T1 415
lipidique, T2 644
Bile, T3 255
Bilirubine, T2 407, 432; T3 547
conjuguée, T3 257
métabolisme de la _, T3 257
non conjuguée, T3 257
sérique, T3 280, 499
urinaire, T3 280, 499, 927
Biomarqueurs cardiaques, T2 551, 558-559
sériques, T2 637-638
Bioprothèse, T2 770-771
Biopsie(s), T2 211
à l'aiguille fine, T3 743
à l'emporte-pièce, T2 104, 134
avec localisation à l'aiguille, T3 744
chirurgicale, T3 744
excisionnelle, T2 104; T3 744
incisionnelle, T2 104; T3 744
de l'endomètre, T3 738, 834
de la moelle osseuse, T2 435-436, 491, 495, 506
des ganglions lymphatiques, T2 435-436, 506
du col de l'utérus, T3 833
du sein, T3 736
en cas de cancer soupsonné, T1 420
endomyocardique, T2 699
hépatique, T3 278-281, 499-500
transjugulaire, T3 500
mammaire, T3 743-744
myocardique, T2 756, 778
par forage, T3 744
par rasage, T2 104
percutanée par aspiration à l'aiguille, T2 213
pulmonaire, T2 211-213
à poumon ouvert, T2 213
transbronchique, T2 212-213
vidéoassistée, T2 213
rectales, T3 441
rénale, T3 923-924
système hématologique et _, T2 431, 435
Bioterrorisme, T3 240-243
Biphosphonates, T1 903; T2 510; T3 683, 820
Bisulfate de clopidogrel, T1 620
Blastomycose, T2 278
Blépharite, T2 12, 16, 45
Blépharoplastie, T2 140
Blessure(s)
à la tête, T1 575-586; T2 303
d'un ligament, T1 815
d'un membre inférieur, T1 831-832
de la coiffe des rotateurs, T1 821
des tissus mous et conjonctifs, T1 814-824
du ligament croisé antérieur, T1 815, 823
soins et traitements en interdisciplinarité en cas de _, T1 823
du ménisque, T1 815, 821-822
soins et traitements en interdisciplinarité en cas de _, T1 822
médullaires, T1 751-762; T2 303
cervicales, T1 761
chez les personnes âgées, T1 781
classification des _, T1 754
processus thérapeutique en interdisciplinarité en cas de _, T1 760-762
soins et traitements infirmiers en cas de _, T1 763-780
musculosquelettiques, T1 814-868
protection contre les _ en cas d'hypertension intracrânienne, T1 574-575
sportives, T1 815
thoraciques, T2 291-302
Bloc
de branche, T2 538
opératoire, T3 32
soins et traitements infirmiers en _, T3 37-38
Bloc AV
du deuxième degré
de type I, T2 714, 722
de type II, T2 714, 722-723
du premier degré, T2 714, 722
du troisième degré (complet), T2 714, 723-724
Blocage
des récepteurs des œstrogènes, T3 762-763
des récepteurs HER-2, T3 763-764
neuromusculaire, T3 198
Bloquants neuromusculaires, T1 190; T3 47
Bloqueurs
de glucides, T3 610
des canaux calciques (BCC), T1 627; T2 587, 627, 629, 728; T3 979
des canaux potassiques, T2 728
des canaux sodiques, T2 728
des récepteurs alpha-adrénergiques, T3 857
des récepteurs d'androgènes, T3 873
des récepteurs de l'endothéline, T2 313
Bolus, T1 195
Borborygmes, T3 267, 270, 390, 452
Bosses aux seins, T3 730
Boswellie, T1 115
Botulisme, T1 749; T3 240, 242, 405-406
soins et traitements infirmiers en cas de _, T1 749-750
Bouche, T3 250, 258
examen physique de la _, T2 200, 207; T3 265, 269
Bouchon
de cérumen, T2 32
urétral, T3 976
Bouffées
de chaleur, T3 819
vasomotrices, T2 422; T3 384
Boulimie, T3 312-313
Bourses, T1 793
séreuses, T1 823
Bracelet médical, T3 625
Brachythérapie, T1 435
Bradycardie, T2 547
sinusale, T2 713, 715
Bradykinésie, T1 686-688, 729
Bradypnée, T2 201
Brassage, T3 249
Brochectasie, T2 322
Bromocriptine, T1 690
Bronchectasie, T2 396-398
soins et traitements infirmiers en cas de _, T2 398-399
Bronchioles, T2 184
Bronchiolite oblitérante, T2 280, 316
Bronchite
aiguë, T2 258
chronique, T2 355
Bronchoconstriction, T2 191
Bronchodilatateurs, T2 340-341, 366-367; T3 197
à action rapide, T3 197
Bronchophonie, T2 207
Bronchoscopie, T2 210, 212
Bronchospasme, T3 46, 60-61, 197
Brossage chirurgical des mains, T3 40
Bruit(s)
adventices, T2 204, 229
ambiant et perte auditive, T2 77-79
blanc, T1 149
cardiaques, T2 547-550, 763, 767
de frottement péricardique, T2 752
de Korotkoff, T2 536, 593
de percussion, T2 203
en unités de soins critiques, T3 90
intestinaux, T3 267, 429, 452
absence de _, T3 270
respiratoires, T2 203-204, 327
absence de _, T2 207
bronchiques, T2 204
bronchovésiculaires, T2 204
vésiculaires, T2 204
vasculaires, T3 270
Brûlure(s), T2 146
besoins émotionnels suite à une _, T2 176-177
causes et prévalence des _, T2 146
chez la personne âgée, T2 175-176
chimique, T2 147, 155
classification des _, T2 149-152
d'épaisseur partielle profonde (deuxième degré profond), T2 151, 154
d'épaisseur partielle superficielle (deuxième degré superficiel), T2 151, 154
d'estomac, T3 366
de pleine épaisseur (troisième degré), T2 151, 154
de quatrième degré, T2 151
électrique, T2 147-149, 156
étendue de la _, T2 150-151
localisation de la _, T2 151-152
mictionnelles, T3 913
phases de traitement d'une _, T2 152-176
profondeur de la _, T2 149-150
soins et traitements en interdisciplinarité en cas de _, T2 160-168, 170-172, 175
stratégies de réduction du risque des _, T2 147
superficielle (premier degré), T2 151, 154
thermique, T2 147, 153-154
Bruxisme, T2 27
Bulbe rachidien, T2 188
Bullectomie, T2 374
Bupropion, T1 253-254
Bursite, T1 793, 823-824
Byssinose, T2 281

C

Cachexie, T2 361; T3 287-288, 395
cancéreuse, T1 445
Cadre CanMEDS, T1 8
Caféine, T1 149-150, 247, 260
Cage thoracique, T2 186; *voir aussi* Thorax
mouvement de la _, T2 201-202
Caisse du tympan, T2 32
Cal osseux, T1 826
Calcémie, T3 650, 682
Calcification
des artères coronaires, T2 607
vasculaire, T3 1014
Calcimimétiques, T3 683, 1019
Calcitonine, T1 497; T3 559, 566
Calcitriol, T3 902
Calcium, T1 497, 808, 900-902; T2 411; T3 562, 681-683, 901, 1014, 1021
déséquilibres du _, T1 497-500
équilibre en _, T1 497
ionisé, T3 585
valeur normale en _, T1 485
total, T3 585, 919
valeur normale en _, T1 485
Calcul des glucides, T3 614
Calculs
biliaires, T3 325, 545-548
calciques, T3 959
de struvite, T3 958, 960-961
urinaires, T3 958-963
soins et traitements infirmiers en cas de _, T3 964-966
Calibration de l'équipement de surveillance des pressions, T3 95
Calories fournies par l'alimentation parentérale, T3 307
Calvitie, T2 89
Camomille, T1 116
Canal(aux)
diférent, T3 708
éjaculateur, T3 708
potassiques, T1 681
Cancer(s), T1 402
apparition du _, T1 406-412
biologie du _, T1 404-413
buccal, T3 354-357
soins et traitements infirmiers en cas de _, T3 357-359
chez la personne âgée, T1 467-468
chimiothérapie en cas de _, *voir* Chimiothérapie
classification du _, T1 413-416
colorectal, T1 418; T3 456-460
soins et traitements infirmiers en cas de _, T3 461-463
complications liées au _, T1 460-464
cutanés, T1 408; T2 92, 111-114
avec mélanome, T2 115-118
sans présence de mélanome, T2 112-114
de l'anus, T3 486

de l'appareil génital féminin, **T3** 832-843
soins et traitements infirmiers en cas de _, **T3** 839-843
de l'endomètre, **T3** 833-834
de l'œsophage, **T3** 368-369
soins et traitements infirmiers en cas de _, **T3** 370-371
de l'ovaire, **T3** 834-837
de la prostate, **T3** 866-874
hormono-résistant (CPHR), **T3** 873
soins et traitements infirmiers en cas de _, **T3** 874-875
de la tête et du cou, **T2** 242-245
soins et traitements infirmiers en cas de _, **T2** 246-253
de la vésicule biliaire, **T3** 552
de la vessie, **T3** 969-970
soins et traitements en interdisciplinarité en cas de _, **T3** 970-972
de la vulve, **T3** 837
des ganglions lymphatiques, **T3** 459
diagnostic du _, **T1** 418-420, 467
douleur liée au _, **T1** 464-466
du col de l'utérus, **T3** 832-833
invasif, **T3** 832-833
non invasif, **T3** 832
du foie, **T3** 531-532
soins et traitements infirmiers en cas de _, **T3** 532-533
du pancréas, **T3** 543-545
soins et traitements infirmiers en cas de _, **T3** 545
du pénis, **T3** 879
du poumon, **T2** 280, 282-288
à petites cellules (CPPC), **T2** 284
non à petites cellules (CPNPC), **T2** 284
soins et traitements infirmiers en cas de _, **T2** 288-290
du rein, **T3** 967-968
soins et traitements infirmiers en cas de _, **T3** 968-969
du sein, **T1** 417; **T3** 748-764
chez la femmes âgée, **T3** 764
infiltrant, **T3** 751-752
non infiltrant, **T3** 751-752
récidivant et métastatique, **T3** 753
soins et traitements infirmiers en cas de _, **T3** 765-772
du vagin, **T3** 837
facteurs de croissance hématopoïétiques en cas de _, **T1** 455-456
gastrique, **T3** 393-395
soins et traitements infirmiers en cas de _, **T3** 395-397
greffe de cellules souches hématopoïétiques en cas de _, **T1** 456-459
hématologiques, **T2** 492-511
incidence et mortalité du _, **T1** 402-403
obésité et _, **T3** 325
post-transplantation, **T3** 1050
prévention et détection du _, **T1** 416-420
primaires du poumon, **T2** 284
processus thérapeutique en interdisciplinarité en cas de _, **T1** 420-423
radiothérapie en cas de _, *voir* Radiothérapie
taux de survie du _, **T1** 403-404, 468-469
testiculaire, **T1** 417; **T3** 881
soins et traitements en interdisciplinarité en cas de _, **T3** 881-883
thérapie génique en cas de _, **T1** 450
thyroïdien, **T3** 661-662
anaplasique, **T3** 662
folliculaire, **T3** 661
médullaire, **T3** 661-662
papillaire, **T3** 661
soins et traitements en interdisciplinarité en cas de _, **T3** 662
traitements biologiques et ciblés en cas de _, **T1** 451-455; **T2** 287
Cancérogènes
biologiques, **T1** 409
chimiques, **T1** 407
Candidose, **T2** 123, 278; **T3** 269
buccale, **T1** 365; **T3** 355
dans les plis interdigitaux, **T2** 122
oropharyngée, **T1** 378-379; **T2** 336
vulvovaginale, **T3** 823
Cannabinoïdes, **T1** 190, 192-193
Cannabis, **T1** 248-249, 264
Canule
de phonation, **T2** 241
de trachéostomie, **T2** 234-236, 240, 242
fenêtrée, **T2** 240-241
Capacité
pulmonaire, **T2** 215
régénératrice, **T1** 280-281
totale de fixation du fer (TIBC), **T2** 431-432
ventilatoire, **T3** 187
Capécitabine, **T3** 460
Capillaires, **T2** 534
lymphatiques, **T2** 412
Capiton cutané, **T3** 730
Capnographie, **T3** 111
Capnométrie transcutanée, **T2** 209
Capsaïcine, **T1** 915; **T3** 640
Capsule glomérulaire, **T3** 895
Captopril, **T2** 684
Caractère, **T1** 306
Carbamazépine, **T1** 670
Carbidopa, **T1** 689
Carcinome(s)
à cellules rénales, **T3** 967-969
à cellules squameuses, **T3** 837
à cellules transitionnelles, **T3** 969
à grandes cellules, **T2** 284
à petites cellules, **T2** 284
basocellulaire, **T2** 112-114
canalaire
in situ (CCIS), **T3** 752
infiltrant, **T3** 751-752
non infiltrant, **T3** 751-752
colloïde, **T3** 752
cutané, **T2** 110
de la vessie, **T3** 970-971
du cæcum et du côlon, **T3** 456-457
épidermoïdes, **T3** 354
gastrique, **T3** 374
hépatocellulaire, **T3** 531
in situ, **T1** 415
infiltrant, **T3** 751
inflammatoire du sein, **T3** 752
intestinal, **T3** 451
lobulaire
in situ (CLIS), **T3** 752
infiltrant, **T3** 751-752
médullaire, **T3** 752
non infiltrant, **T3** 751
spinocellulaire, **T2** 113-114, 280, 284
tubulaire, **T3** 752
Cardiographie par impédance (CGI), **T3** 102
Cardiologie nucléaire, **T2** 555-556, 562
Cardiomégalie, **T2** 747
Cardiomyopathie (CMP), **T2** 541, 775-783
obstructive hypertrophique, *voir* Cardiomyopathie (CMP) secondaire hypertrophique
primitive, **T2** 775
secondaire, **T2** 775-776
dilatée, **T2** 775-779
hypertrophique, **T2** 775-776, 780-781
restrictive, **T2** 775-776, 782
soins et traitements en interdisciplinarité en cas de _, **T2** 779, 781-782
tako-tsubo, **T2** 775
Cardiopathie
hypertensive, **T2** 576-577
ischémique, *voir* Coronaropathie
Cardiostimulateur, **T2** 713, 731-735
Cardiotoxicité, **T1** 441
Cardioversion
électrique, **T2** 718, 720
synchronisée, **T2** 729-730
Cardite rhumatismale, **T2** 745, 757-759
soins et traitements infirmiers en cas de _, **T2** 760-761
Carence(s), *voir aussi* Déficit(s)
en acide folique, **T2** 451-452
en cobalamine, **T2** 450-452
en iode, **T3** 661, 674
en vitamines, **T3** 289
nutritionnelles, phase préopératoire et _, **T3** 13
œstrogénique, **T3** 819
Caroténémie, **T2** 100
Caroténose, **T2** 100
Carré de Punnett, 318
Cartilage, **T1** 790-791
développement exagéré du _, **T3** 578
élastique, **T1** 791
épiphysaire, **T1** 788
fibreux, **T1** 791
hyalin, **T1** 791
Cartographie lymphatique, **T3** 754
Carvédilol, **T2** 685
Caryotypage, **T1** 313
Caryotype spectral (SKY), **T2** 435, 437
Cascade
enzymatique, **T1** 275
ischémique, **T1** 610
Cataplexie, **T1** 151
Cataracte, **T2** 17, 50-52
chez la personne âgée, **T2** 55
sénile, **T2** 50
soins et traitements infirmiers en cas de _, **T2** 53-54
Catastrophisme de la douleur, **T3** 7-8
Catécholamines, **T1** 127-128; **T2** 611, 613; **T3** 566-567, 701
fractionnées, **T3** 701
Cathartiques, **T3** 239
Cathéter(s)
à accès veineux sous-cutané, **T1** 516, 518-520
à demeure, écoulement prévu du _, **T3** 75
artériel, **T3** 96-97
biliaire transhépatique, **T3** 549
de dialyse, accès vasculaire du _, **T3** 1033-1038
de l'artère pulmonaire, **T3** 98
de Tenckhoff, **T3** 1030
épiduraux, **T1** 195-197
infection associée au _, **T1** 519; **T3** 96, 106, 311, 934-935, 1032, 1038
introduits par voie centrale, **T1** 516-518
LICOX[MD], **T1** 565-566, 619
péritonéal, **T3** 1030-1031
techniques radiologiques interventionnelles utilisant un _, **T2** 795
veineux centraux, **T1** 516-520
introduits par voie périphérique (CVCIVP), **T1** 516, 518
pour l'hémodialyse, **T3** 1033, 1036-1038
veineux jugulaire, **T1** 566
Cathétérisme
cardiaque, **T2** 557, 563-564, 630-632, 653
de l'artère pulmonaire, **T3** 97-101
intermittent, **T1** 775; **T3** 983, 986
urinaire, **T3** 934-935, 983-984
Cation, **T1** 476, 485
Cauchemars, **T1** 156
Causes de l'insuffisance rénale aiguë
intrarénales, **T3** 999-1001
postrénales, **T3** 999, 1001
prérénales, **T3** 999-1000
Cavité
buccale, **T3** 250
cancer de la _, **T3** 354
médullaire, **T1** 789
pleurale, **T2** 186
Cécité, **T2** 40
fonctionnelle ou partielle, **T2** 40
totale, **T2** 40
Cellule(s)
à vitesse de prolifération élevée, **T1** 430
adipeuses, **T3** 318
alpha, **T3** 560
bêta, **T3** 560, 594-596
C, **T3** 566
cancéreuses, **T1** 405, 411
cardiaques, **T2** 704
cardionectrice, **T2** 532
dendritiques, **T1** 327
du système nerveux, **T1** 524-525
familiale, **T1** 32-33
gliales, **T1** 524-525
hépatiques, **T3** 255
interstitielles de Cajal, **T3** 482
labiles, **T1** 280
multipotentes, **T1** 319
musculaire, **T1** 792
osseuses, **T1** 788
parenchymateuse, **T3** 511
permanentes, **T1** 280
pluripotentes, **T1** 319
prolifération des _, **T1** 404-405
régénération des _, **T1** 280-281
sanguines, **T2** 404-408
souches, **T1** 319-320
adultes, **T1** 319
embryonnaires, **T1** 319
lymphoïdes, **T2** 404
myéloïdes, **T2** 404
souches hématopoïétiques
allogreffe de _, **T1** 457; **T2** 492
greffe de _, **T1** 456-459; **T2** 455, 461, 498-499
pluripotentes, **T2** 404
stables, **T1** 280
thécales, **T3** 710
tueuses naturelles, **T1** 327
Cellulite, **T1** 294; **T2** 119-120
Centre(s)
d'abandon du tabagisme (CAT), **T1** 254
d'accès au matériel d'injection (CAM), **T1** 270

d'aide aux victimes d'agression sexuelle, **T3** 850
d'automatisme
primaire, **T2** 704, 709
secondaire, **T2** 709-710
tertiaire, **T2** 709-710
Céphalée(s), **T1** 560, 654-660 ; **T2** 424 ; **T3** 653
de tension, **T1** 654-655, 658-659
médicamenteuses, **T1** 660
primaires, **T1** 654
secondaires, **T1** 654
soins et traitements infirmiers en cas de _, **T1** 661-663
Cerclage oculaire, **T2** 57
Certolizumab, **T1** 932
pegol, **T3** 444
Cérumen
bouchon de _, **T2** 32
dans le méat acoustique externe, **T2** 70
Cerveau, **T1** 528-529
Cervelet, **T1** 530
Cervicalgie, **T1** 893
Cervicite, **T3** 789, 823
Cessation
de traitement, **T3** 1015
tabagique, **T1** 250, 252-256 ; **T2** 366, 582, 611, 793, 813
Cétones, **T3** 588, 628, 630
Cétonurie, **T3** 630
Cétose, **T3** 1006
Cétostéroïdes, **T3** 587
Chaise d'aisance, **T3** 425
Chalazion, **T2** 44
Chaleur, urgences médicales liées à la _, **T3** 226-228
Champ
non stérile, **T3** 40
opératoire, **T3** 40
stérile, **T3** 40
visuel, perte du _, **T1** 640-641 ; **T2** 423
Champignons, **T1** 365, 367
Champs
de la pratique infirmière, **T1** 5-6
électromagnétiques pulsés, **T1** 827
Chancre, **T3** 780
Changements fibrokystiques du sein, **T3** 745-746
soins et traitements en interdisciplinarité en cas de _, **T3** 746
Charbon, **T3** 240-241
activé, **T3** 237
Charge virale, **T1** 373
Charte d'Ottawa pour la promotion de la santé, **T1** 9
Chats, morsures de _, **T3** 236
Chéilite, **T2** 446 ; **T3** 269
de l'ariboflavinose, **T3** 269
Chélateurs, **T2** 450 ; **T3** 239, 509, 1018
Chéloïde, **T1** 286 ; **T2** 100, 102, 132
Cheminement clinique, **T1** 19
Chémorécepteurs, **T2** 371
Cheveux, **T2** 89, 91, 93, 99 ; **T3** 576
perte de _, **T1** 447-448
Cheville, arthroplastie de la _, **T1** 867
Chien, morsure de _, **T1** 602 ; **T3** 236
Chimioembolisation, **T3** 533
Chimiorécepteurs, **T2** 188, 535
centraux, **T2** 188
périphériques, **T2** 188
Chimiothérapie, **T1** 424-431
effets de la _, **T1** 430-431
effets indésirables de la _, **T1** 436-450
en cas d'ostéosarcome, **T1** 880
en cas de cancer buccal, **T3** 357
en cas de cancer colorectal, **T3** 460
en cas de cancer de l'œsophage, **T3** 369
en cas de cancer de l'ovaire, **T3** 836
en cas de cancer de la prostate, **T3** 873
en cas de cancer de la tête et du cou, **T2** 245
en cas de cancer de la vessie, **T3** 971
en cas de cancer des testicules, **T3** 882
en cas de cancer du pancréas, **T3** 545
en cas de cancer du poumon, **T2** 287
en cas de cancer du rein, **T3** 969
en cas de cancer du sein, **T3** 761-762
en cas de cancer gastrique, **T3** 395-397
en cas de leucémie, **T2** 496-497, 500-501
en cas de lymphome de Hodgkin, **T2** 504, 508
en cas de myélome multiple, **T2** 510-511
en cas de tumeur cérébrale, **T1** 590
intrathécale, **T1** 430
intraventriculaire, **T1** 430
intravésicale, **T1** 430
néoadjuvante, **T3** 369
régionale, **T1** 429
intra-artérielle, **T1** 429
intrapéritonéale, **T1** 429-430
séquelles de la _, **T1** 450-451
soins et traitements infirmiers en cas de _, **T1** 436-450
Chirurgie, **T3** 4
ambulatoire, **T3** 4-5, 78
congé de la _, **T3** 78
information sur la _, **T3** 19-21
antireflux, **T3** 363-364
articulaire, **T1** 863-868
soins et traitements infirmiers en cas de _, **T1** 868
au laser par endoscopie, **T3** 369
bariatrique, **T3** 332-336, 523
mixte, **T3** 334-335
restrictive, **T3** 332-333, 335
soins et traitements infirmiers en cas de _, **T3** 338-340
cardiaque, **T2** 698
assistée par robot, **T2** 643
complications d'une _, **T3** 50-51
contextes de _, **T3** 4-5
crânienne, **T1** 592-593
soins et traitements infirmiers en cas de _, **T1** 593-595
d'un disque, **T1** 890-891
de l'appareil génital féminin, **T3** 837-838
de la prostate, **T3** 862-866, 870-871
de Mohs, **T2** 134-135
de reconstruction mammaire, **T3** 772-775
de réduction du volume pulmonaire, **T2** 300, 373-374
du ligament croisé antérieur, **T1** 823
du ménisque, **T1** 822
du système digestif, **T3** 263
en cas d'abcès anorectal, **T3** 485-486
en cas d'acromégalie, **T3** 652
en cas d'AIT, **T1** 621
en cas d'anévrisme de l'aorte, **T2** 803
en cas d'appendicite, **T3** 434-435
en cas d'artériopathie périphérique, **T2** 795-796
en cas d'AVC
hémorragique, **T1** 626-627
ischémique, **T1** 625
en cas d'embolie pulmonaire, **T2** 311
en cas d'endométriose, **T3** 829
en cas d'épilepsie, **T1** 670-671
en cas d'hémorragie digestive haute, **T3** 401
en cas d'hémorroïdes, **T3** 484
en cas d'hernie, **T3** 477
en cas d'hernie hiatale, **T3** 367
en cas d'hyperaldostéronisme primaire, **T3** 700-701
en cas d'hyperparathyroïdie, **T3** 683
en cas d'hyperplasie bénigne de la prostate, **T3** 862-866
en cas d'hypertension pulmonaire, **T2** 314
en cas d'hyperthyroïdie, **T3** 669-670
en cas d'incontinence urinaire, **T3** 978-980
en cas d'occlusion intestinale, **T3** 453
en cas d'ulcère peptique, **T3** 390-391
soins et traitements infirmiers en cas de _, **T3** 391-392
en cas de blessures médullaires, **T1** 762
en cas de calculs urinaires, **T3** 963
en cas de cancer, **T1** 423-424
à visée curative, **T1** 423-424
par mesure de prévention, **T1** 423
en cas de cancer buccal, **T3** 356-357
en cas de cancer colorectal, **T3** 459-460
en cas de cancer de l'œsophage, **T3** 368-369
en cas de cancer de la prostate, **T3** 870-871
en cas de cancer de la vessie, **T3** 970-971
en cas de cancer du foie, **T3** 532-533
en cas de cancer du pancréas, **T3** 544
en cas de cancer du poumon, **T2** 287
en cas de cancer du sein, **T3** 756-760
en cas de cancer gastrique, **T3** 394
en cas de cancer thyroïdien, **T3** 662
en cas de cardiomyopathie hypertrophique, **T2** 781
en cas de cystite interstitielle, **T3** 947
en cas de dissection aortique, **T2** 810
en cas de dissection radicale du cou, **T2** 250-251
en cas de diverticulose ou de diverticulite, **T3** 476
en cas de douleur abdominale aiguë, **T3** 428, 430
en cas de fistule anale, **T3** 486
en cas de fracture ouverte, **T1** 844
en cas de grossesse ectopique, **T3** 817
en cas de maladie de la vésicule biliaire, **T3** 548-549
en cas de maladie de Parkinson, **T1** 690-691
en cas de maladie inflammatoire chronique de l'intestin, **T3** 444-445
en cas de MPOC, **T2** 373-374
en cas de myasthénie grave, **T1** 696
en cas de névralgie faciale, **T1** 741-743
en cas de pancréatite aiguë, **T3** 541
en cas de pancréatite chronique, **T3** 543
en cas de péritonite, **T3** 436
en cas de phéochromocytome, **T3** 702
en cas de polyarthrite rhumatoïde, **T1** 933
en cas de rétention urinaire, **T3** 982
en cas de saignements vaginaux anormaux, **T3** 815
en cas de thrombose veineuse profonde, **T2** 824
en cas de tumeurs cérébrales, **T1** 589
en cas de valvulopathie, **T2** 769-771
en cas de varices, **T2** 830
équipe de _, **T3** 35-36
esthétique, **T2** 138-140
au laser, **T2** 139
soins et traitements infirmiers en cas de _, **T2** 140-141
visant à réduire les tissus adipeux et les plis cutanés, **T3** 336
fast track, **T3** 4
mammaire, **T3** 770
de préservation, **T3** 757-758
nasale, **T2** 218-219
soins et traitements infirmiers en cas de _, **T2** 219
non urgente ou élective, **T3** 4
nouvelles technologiques en _, **T3** 51-52
orthopédique, **T1** 839-840
pancréatique, **T3** 541, 543-544
par endoscopie, **T3** 51
pour amputation, **T1** 857-859
pour une transplantation rénale, **T3** 1046-1047
préparation le jour de la _, **T3** 22-25
préparation légale à la _, **T3** 21-22
rénale et urétérale, **T3** 986-987
robotisée, **T3** 51-52, 838
sans transfusion, **T3** 51
spinale, soins et traitements infirmiers en cas de _, **T1** 891-893
thoracique, **T2** 299-302
vidéo-assistée (CTVA), **T2** 300-301
urgente, **T3** 4
Chirurgien, **T3** 35-36
Chlamydia trachomatis, **T3** 789-790
Chlamydiose, **T3** 787, 789-790, 798-799
Chlorhydrate
d'éthambutol, **T2** 274
de dobutamine, **T2** 679
de dopamine, **T2** 679
de pseudoéphédrine, **T2** 231
de raloxifène, **T3** 763-764
Chloromes, **T2** 423, 495
Chlorure, valeur normale en _, **T1** 485
Chlorydrate d'hydralazine, **T2** 684-685
Choc
anaphylactique, **T1** 336-337, 341-342 ; **T3** 143, 145-146, 148, 164-165
cardiogénique, **T2** 636 ; **T3** 140-143, 145-146, 163-164
corrénalien, **T3** 694-695
de la pointe du cœur (C.P.C.), **T2** 547-549
distributif, **T3** 141, 143, 145-150
hypovolémique, **T1** 847 ; **T2** 156-157, 802 ; **T3** 63, 141-143, 145-147, 163-164, 401, 659

neurogénique, **T1** 754 ; **T3** 143, 145-148, 163-164
obstructif, **T3** 141, 143, 145-146, 150, 165-166
septique, **T1** 464 ; **T2** 169, 520 ; **T3** 143, 145-146, 148-150, 165-166, 188, 825
spinal, **T1** 753-754 ; **T3** 148
toxique staphylococcique, **T3** 815-816
Cholangiocarcinomes, **T3** 531
Cholangiographie, **T3** 274
chirurgicale, **T3** 274
transhépatique percutanée, **T3** 274, 547
Cholangiomes, **T3** 531
Cholangiopancréatographie
par résonance magnétique (CPRM), **T3** 274
rétrograde endoscopique (CPRE), **T3** 276-277, 542, 544, 547-548
Cholangite sclérosante primitive, **T3** 509-510
Cholécalciférol, **T2** 111
Cholécystectomie, **T3** 25, 545
ouverte, **T3** 549-550
par laparoscopie, **T3** 548-549, 551-552
Cholécystite, **T3** 545-550, 722
acalculeuse, **T3** 546
soins et traitements infirmiers en cas de _, **T3** 550-552
Cholécystokinine (CCK), **T3** 252-253, 322
Cholédochojéjunostomie, **T3** 543
Cholélithiase, **T3** 545-550
soins et traitements infirmiers en cas de _, **T3** 550-552
Cholestase, **T3** 510
Cholestéatome, **T2** 71
Cholestérol, **T2** 552, 560 ; **T3** 281, 567
LDL (C-LDL), **T2** 608-610, 617
Cholestyramine, **T3** 549
Cholinergiques, **T1** 681 ; **T3** 363
Cholinestérase, **T1** 695
Chondrome, **T2** 290
Chondrosarcome, **T1** 879
Chordome, **T1** 879
Chorée, **T1** 701
de Huntington, *voir* Maladie(s) de Huntington (MH)
de Sydenham, **T2** 759
Choroïde, **T2** 7
Chou palmiste nain, **T3** 857
Chromosome, **T1** 306-307
Chronotype, **T1** 141
Chute, **T1** 814, 835
chez les personnes âgées, **T1** 781, 853 ; **T3** 225-226
Chylothorax, **T2** 294
Chyme, **T3** 252, 383
Cibles, **T3** 558, 561
Cicatrice(s), **T2** 98-99
de la cornée, **T2** 49
hypertrophique, **T1** 286
laissées par les troubles dermatologiques, **T2** 138
Cicatrisation, **T1** 280-284
complications liées à la _, **T1** 284-286
par deuxième intention, **T1** 282
par première intention, **T1** 281-282 ; **T2** 141
par troisième intention, **T1** 282-283
retard de _, **T1** 284-285
suite à une brûlure, **T2** 157
Cigarette électronique, **T1** 254
Cilostazol, **T2** 793-794
Cils, **T2** 5, 7, 17
Ciprofloxacine, **T3** 937
Circoncision, **T3** 878
Circulation
cérébrale, **T1** 533-534, 608
collatérale, **T1** 609 ; **T2** 606-607
coronarienne, **T2** 531
évaluation de la _ en situation d'urgence, **T3** 216, 219-220
extracorporelle (CEC), **T2** 642, 653
pulmonaire, **T2** 533
sanguine
bronchique, **T2** 185
dans les cavités cardiaques, **T2** 530-531
en fin de vie, **T1** 221-222
pulmonaire, **T2** 185
rénale, **T3** 898-899
systémique, **T2** 533
Circumduction, **T1** 802
Cirrhose, **T3** 511-522
biliaire primitive, **T3** 510
soins et traitements infirmiers en cas de _, **T3** 522-529
Cisaillement, **T1** 293
Clairance
de la créatinine, **T2** 578 ; **T3** 915-916, 926, 928, 1011
mucociliaire, **T2** 190
Clapping, **T3** 114
Classification
de Blatchford, **T3** 398-399
de Forrest, **T3** 399-400
de l'anémie, **T2** 440-441
de l'asthme, **T2** 327
de l'hypertension artérielle, **T2** 572
de l'ictère, **T3** 497
de l'insuffisance cardiaque, **T2** 676
de l'insuffisance rénale aiguë, **T3** 998-1000
AKIN, **T3** 998
RIFLE, **T3** 998-999
de la douleur, **T1** 169-172
de la MPOC, **T2** 362
de la perte auditive, **T2** 77
de la tuberculose, **T2** 270-272
de Rockall, **T3** 398-399
des anémies mégaloblastiques, **T2** 451
des anévrismes de l'aorte, **T2** 801
des blessures médullaires, **T1** 754
des brûlures, **T2** 149-152
des fractures, **T1** 824-825
des hormones, **T3** 558-560
des infarctus du myocarde de Killip, **T2** 633-634
des infections des voies urinaires, **T3** 932-933
des lymphomes non hodgkiniens, **T2** 507
des médicaments chimiothérapeutiques, **T1** 425-427
des stades de cancer de la vessie, **T3** 970
des troubles épileptiques, **T1** 664-665
des tumeurs médullaires, **T1** 781-782
des types d'anesthésie, **T3** 43
des types d'état de choc, **T3** 140-141
des vessies neurogènes, **T1** 775
du cancer, **T1** 413-416
histologique, **T1** 414
TNM, **T1** 415
du poids corporel et de l'obésité, **T3** 318-319
TNM
du cancer, **T1** 415
du cancer colorectal, **T3** 459
du cancer de la prostate, **T3** 869
du cancer du rein, **T3** 968-969
du cancer du sein, **T3** 755-756
Whitmore-Jewett du cancer de la prostate, **T3** 869
Claudication, **T1** 804
intermittente, **T2** 788-790, 793-794
Clichés en série des voies digestives basses, **T3** 273, 275-276
Client
en phase critique, **T3** 85-90
ventilé mécaniquement
soins et traitements infirmiers auprès d'un _, **T3** 112-115
thérapie nutritionnelle chez un _, **T3** 128-129
Clitoris, **T3** 712
Cloison nasale, déviation de la _, **T2** 218
Clonidine, **T1** 253
Clopidogrel, **T1** 317 ; **T2** 793
Clostridium, **T3** 405
Coagulation
examens de _, **T2** 429-431
infrarouge, **T3** 484
interstitielle au laser, **T3** 859
intravasculaire disséminée (CIVD), **T1** 464 ; **T2** 481-484 ; **T3** 156, 174
aiguë, **T2** 481-482, 485
chronique, **T2** 481-482
soins et traitements infirmiers en cas de _, **T2** 485
subaiguë, **T2** 481-482
mécanismes normaux de la _, **T2** 408-410
suppléments ayant un effet sur la _, **T2** 826
tests de _, **T2** 821
Coagulopathie, **T3** 98, 158, 332
Cobalamine, **T2** 432, 447, 450 ; **T3** 374
carence en _, **T2** 450-452
déficit en _, **T3** 286
Cocaïne, **T1** 247, 249, 260
abus et intoxication de _, **T1** 260-261
Coccidioïdomycose, **T2** 278
Code
de déontologie des infirmières et infirmiers, **T1** 47
des professions, **T1** 7, 18, 47
Codominant, **T1** 306
Coefficient de saturation de la transferrine, **T2** 431, 433
Coenzyme Q_{10}, **T1** 117
Cognition, **T1** 706
évaluation de la _, **T1** 541-542
histoire de santé et _, **T1** 53-55, 179, 539-540, 800 ; **T2** 12-13, 27-28, 95-96, 197, 199, 419, 421, 542-543 ; **T3** 261, 264, 573-574, 724-725
Coiffe des rotateurs
blessure de la _, **T1** 821
rupture de la _, **T1** 815
Col
de l'utérus, **T3** 711
cancer du _, **T3** 832-833
pathologies du _, **T3** 822-824
polypes du _, **T3** 830
fémoral, fracture du _, **T1** 849-850
Colchicine, **T1** 948-949 ; **T2** 753
Colectomie totale avec réservoir iléoanal, **T3** 445
Colère
en fin de vie, **T1** 232
suite à une blessure médullaire, **T1** 780
Cœlioscopie, **T3** 277
Colique néphrétique, **T3** 895
Colite, **T3** 451
ulcéreuse, **T3** 437-446
soins et traitements infirmiers en cas de _, **T3** 447-450
Collagène, **T2** 88
Collapsus circulatoire, **T3** 695
Colle cutanée, **T1** 290
Collecte des données, **T1** 16-17, 44-47
auprès des personnes âgées, **T1** 99-100
d'un client en fin de vie, **T1** 230-231
dans l'enseignement au client, **T1** 71-76, 81
des besoins spirituels, **T1** 224, 226
du système auditif, **T2** 25-31
du système cardiovasculaire, **T2** 538-550
du système hématologique, **T2** 414-426
du système musculosquelettique, **T1** 795-803
du système respiratoire, **T2** 192-205
du système tégumentaire, **T2** 93-103
du système visuel, **T2** 9-20
en cas d'acromégalie, **T3** 653
en cas d'agression sexuelle, **T3** 848
en cas d'amputation, **T1** 859
en cas d'anémie, **T2** 442-443
en cas d'anévrisme de l'aorte, **T2** 805
en cas d'artériopathie périphérique, **T2** 796-797
en cas d'arthrose, **T1** 922
en cas d'asthme, **T2** 346
en cas d'atteinte inflammatoire pelvienne, **T3** 826
en cas d'AVC, **T1** 628-629
en cas d'endocardite infectieuse, **T2** 748-749
en cas d'épilepsie, **T1** 671-672
en cas d'état de choc, **T3** 167
en cas d'hémorragie digestive haute, **T3** 402-403
en cas d'hépatite, **T3** 502-503
en cas d'hypercortisolisme, **T3** 689-690
en cas d'hyperplasie bénigne de la prostate, **T3** 855, 860-861
en cas d'hypertension artérielle primaire, **T2** 591
en cas d'hypertension intracrânienne, **T1** 568-571
en cas d'hyperthyroïdie, **T3** 670-671
en cas d'hypothyroïdie, **T3** 676
en cas d'immunodéficience primaire, **T1** 350
en cas d'incontinence fécale, **T3** 421
en cas d'infection des voies urinaires, **T3** 938-939
en cas d'infection par le VIH, **T1** 386-387
en cas d'inflammation, **T1** 278
en cas d'inflammation ou d'infection extraoculaire, **T2** 48
en cas d'insomnie, **T1** 148-149
en cas d'insuffisance cardiaque, **T2** 690
en cas d'insuffisance rénale aiguë, **T3** 1006
en cas d'insuffisance rénale chronique, **T3** 1023-1024
en cas d'insuffisance respiratoire aiguë, **T3** 192-193
en cas d'ITSS, **T3** 796
en cas d'obésité, **T3** 325-326
en cas d'occlusion intestinale, **T3** 453-454

en cas d'ostéomyélite, **T1** 876-877
en cas d'ulcères peptiques, **T3** 385
en cas de blessures médullaires, **T1** 763
en cas de calculs urinaires, **T3** 964-965
en cas de cancer buccal, **T3** 357-358
en cas de cancer colorectal, **T3** 461
en cas de cancer de l'appareil génital féminin, **T3** 839
en cas de cancer de l'œsophage, **T3** 370
en cas de cancer de la prostate, **T3** 874
en cas de cancer de la tête et du cou, **T2** 246
en cas de cancer du poumon, **T2** 288-289
en cas de cancer du sein, **T3** 765
en cas de cancer gastrique, **T3** 395
en cas de cardite rhumatismale, **T2** 760
en cas de cataracte, **T2** 53
en cas de céphalées, **T1** 661-662
en cas de chirurgie crânienne, **T1** 593
en cas de cirrhose, **T3** 522-523
en cas de constipation, **T3** 425
en cas de déficience visuelle, **T2** 41-42
en cas de dépendance à une substance, **T1** 264-265
en cas de déséquilibres hydro-électrolytiques et acidobasiques, **T1** 510-514
en cas de diabète, **T3** 618
en cas de diarrhée infectieuse aiguë, **T3** 415-416
en cas de douleur, **T1** 173-180, 208
en cas de douleur abdominale aiguë, **T3** 429
en cas de douleur cancéreuse, **T1** 465-466
en cas de douleur postopératoire, **T3** 68-69
en cas de fibrose kystique, **T2** 395
en cas de fracture, **T1** 833-835
en cas de glaucome, **T2** 65
en cas de lésion de pression, **T1** 296-298
en cas de leucémie, **T2** 499-500
en cas de lombalgie aiguë, **T1** 885
en cas de lupus érythémateux disséminé (LED), **T1** 955
en cas de maladie aorto-iliaque, **T2** 805
en cas de maladie d'Alzheimer, **T1** 719-720
en cas de maladie de la vésicule biliaire, **T3** 550
en cas de maladie de Parkinson, **T1** 691
en cas de maladie inflammatoire chronique de l'intestin, **T3** 447
en cas de malnutrition, **T3** 291-293
en cas de méningite bactérienne, **T1** 598
en cas de MPOC, **T2** 379-381
en cas de myasthénie grave, **T1** 696
en cas de nausées et vomissements, **T3** 351
en cas de pancréatite aiguë, **T3** 539-540
en cas de péritonite, **T3** 436
en cas de plaie, **T1** 287
en cas de plaies chirurgicales, **T3** 74
en cas de pneumonie, **T2** 266
en cas de polyarthrite rhumatoïde, **T1** 933
en cas de pyélonéphrite aiguë, **T3** 944
en cas de rhumatisme articulaire aigu, **T2** 760
en cas de sclérose en plaques, **T1** 682-683
en cas de stress, **T1** 135-136
en cas de syndrome coronarien aigu, **T2** 645-646
en cas de syndrome de Guillain-Barré, **T1** 747
en cas de thrombocytopénie, **T2** 472-473
en cas de thrombose veineuse profonde, **T2** 825
en cas de traumatisme cranio-cérébral, **T1** 582-583
en cas de troubles allergiques, **T1** 340
en cas de troubles cardiovasculaires postopératoires, **T3** 65
en cas de troubles gastro-intestinaux postopératoires, **T3** 72
en cas de troubles neurologiques et psychologiques postopératoires, **T3** 67
en cas de troubles respiratoires postopératoires, **T3** 62
en cas de troubles urinaires postopératoires, **T3** 73
en cas de tuberculose, **T2** 275
en cas de tumeur cérébrale, **T1** 590
en cas de tumeur osseuse, **T1** 881
en cas de valvulopathie, **T2** 771-772
en cas de variations de température en phase postopératoire, **T3** 70
en cas du syndrome de détresse respiratoire aiguë, **T3** 206
en phase préopératoire, **T3** 6-17
tâches dans la _, **T1** 44
Collecte des urines de 24 heures, **T3** 916-917, 929
Collier trachéal, **T2** 370
Colloïdes, **T3** 158-159, 209
Colonisation, **T1** 287
critique, **T1** 287
Colonne
cervicale
immobilisation de la _, **T3** 215, 218
stabilisation de la _, **T3** 215, 218
vertébrale, **T1** 534
fracture de la _, **T1** 854-855
Coloplastie, **T3** 460
Coloration
de Giemsa, **T2** 104
de Gram, **T2** 209; **T3** 735, 739
de Wright, **T2** 104
Coloscopie, **T3** 276, 441, 455, 458
virtuelle, **T3** 273, 276
Colostomie, **T3** 460, 463
ascendante, **T3** 464
sigmoïde, **T3** 464
soins et traitements infirmiers en cas de _, **T3** 467-471
transverse, **T3** 464
Colostrum, **T1** 331
Colporraphie, **T3** 845
antérieure, **T3** 845
postérieure, **T3** 845
Colposcopie, **T3** 737, 833
Colposuspension rétropubienne, **T3** 979
Coma, **T1** 560
diabétique, **T3** 628
hyperosmolaire, **T3** 597
myxœdémateux, **T3** 675, 678
Comédon, **T2** 100
Commissurotomie, **T2** 769
mitrale, **T2** 769
Commotion, **T1** 577-578
Communication
altération de la _ du client en phase critique, **T3** 88
avec un interprète, **T1** 38-39
compétences en _, **T1** 68
en cas de ventilation mécanique, **T3** 115
en fin de vie, **T1** 233-235
en l'absence d'un interprète, **T1** 38-39
interculturelle, **T1** 30-32, 38-39
lors de l'entrevue, **T1** 46-47
non verbale, **T1** 32; **T3** 88
lors de l'enseignement, **T1** 68
suite à un AVC, **T1** 616-617, 640, 647
verbale, **T1** 32
Compartiments liquidiens, **T1** 475
composition électrolytique des _, **T1** 476-477
Compatibilité sanguine, **T2** 431; **T3** 17
Compensation
cardiaque, **T2** 670
de la pression intracrânienne, **T1** 556-557
Compétence(s)
culturelle, **T1** 29
d'adaptation personnelles, **T1** 23
d'enseignement, **T1** 66-68
en communication, **T1** 68
habilitantes, **T1** 8-9
liées à la sécurité des clients, **T1** 8-9
Complément, **T3** 948
hémolytique total, **T1** 809
Complexe(s)
immuns, **T1** 338; **T3** 948
majeur d'histocompatibilité (CMH), *voir* Système(s) HLA
monomère fibrine, **T2** 818
vitaminique B, **T2** 110
Compliance, **T2** 186-187
cérébrale, **T1** 558
Complications
aiguës du diabète, **T3** 628-635
associées à l'alimentation par sonde, **T3** 303
associées à l'alimentation parentérale, **T3** 309
associées à l'hypertension artérielle, **T2** 575-577
associées à l'insuffisance cardiaque, **T2** 675
associées à l'intubation endotrachéale, **T3** 116
associées à l'utilisation des cathéters veineux centraux, **T1** 519
associées à la cicatrisation, **T1** 284-286
associées à la consolidation des fractures, **T1** 827
associées à la contre pulsion par ballon intra-aortique, **T3** 105-107
associées à la corticothérapie, **T3** 699
associées à la fibrose kystique, **T2** 392-393
associées à la pharmacothérapie de l'insuffisance rénale, **T3** 1020
associées à la polyarthrite rhumatoïde, **T1** 928
associées à la ventilation en pression positive, **T3** 123-128
associées à une chirurgie articulaire, **T1** 867
associées au cancer, **T1** 460-464
associées au cathéter de l'artère pulmonaire, **T3** 99
associées aux cathéters artériels, **T3** 96-97
associées aux corticostéroïdes, **T3** 1050
chroniques du diabète, **T3** 635-644
d'un traumatisme craniocérébral, **T1** 579-581
d'une chirurgie, **T3** 50-51
d'une embolie pulmonaire, **T2** 309
d'une fistule, **T3** 473
d'une greffe de cellules souches hématopoïétiques, **T1** 459
d'une hernie hiatale, **T3** 366
d'une hypophysectomie, **T3** 653
d'une maladie inflammatoire chronique de l'intestin, **T3** 440-441
d'une méningite bactérienne, **T1** 597
d'une prostatite, **T3** 876
de l'artériopathie périphérique, **T2** 791-792
de l'asthme, **T2** 327, 329-330
de l'atteinte inflammatoire pelvienne, **T3** 825
de l'épilepsie, **T1** 667
de l'hémodialyse, **T3** 1037-1038, 1049
de l'hépatite virale, **T3** 496-497
de l'herpès génital, **T3** 792
de l'hyperplasie bénigne de la prostate, **T3** 855
de l'hypertension intracrânienne, **T1** 562
de l'hyperthyroïdie, **T3** 667, 675
de l'insuffisance corticosurrénalienne, **T3** 694-695
de l'oxygénothérapie, **T2** 371-373
de l'ulcère peptique, **T3** 379-380, 384
de la cardite rhumatismale, **T2** 759
de la chlamydiose, **T3** 789-790
de la cholécystite et de la cholélithiase, **T3** 547
de la cirrhose, **T3** 513-517
de la dermatomyosite, **T1** 963-964
de la dialyse péritonéale, **T3** 1032-1033, 1049
de la dissection aortique, **T2** 809
de la diverticulite, **T3** 475
de la diverticulose, **T3** 475
de la gonorrhée, **T3** 782-783
de la maladie de Parkinson, **T1** 688
de la MPOC, **T2** 362-365
de la pancréatite aiguë, **T3** 536-537
de la péricardite aiguë, **T2** 752
de la pneumonie, **T2** 264
de la polymyosite, **T1** 963-964
de la spondylite ankylosante, **T1** 941
de la syphilis, **T3** 785-786
de la thrombose veineuse profonde, **T2** 818
de la transplantation rénale, **T3** 1048-1050
de la tuberculose, **T2** 272-273
des anévrismes de l'aorte, **T2** 802
des fractures, **T1** 844-847
du cancer de l'œsophage, **T3** 368
du cancer du sein, **T3** 753-754
du diabète liées aux pieds et aux membres inférieurs, **T3** 641-643
du reflux gastro-œsophagien, **T3** 360-361
du rhumatisme articulaire aigu, **T2** 759
du syndrome de détresse respiratoire aiguë, **T3** 204-205

du syndrome de Guillain-Barré, **T1** 746
hématologiques causées par l'effet de contre-pulsion, **T3** 106
macrovasculaires de l'angiopathie, **T3** 636-638
microvasculaires de l'angiopathie, **T3** 638
postopératoires
cardiovasculaires, **T3** 63-66
cutanées, **T3** 74-75
de l'ulcère peptique, **T3** 390
de la greffe du foie, **T3** 534
gastro-intestinales, **T3** 71-72
neurologiques et psychologiques, **T3** 66-68
respiratoires, **T3** 58-63
urinaires, **T3** 73
respiratoires, **T3** 365
suite à un infarctus du myocarde, **T2** 635
tégumentaires liées au diabète, **T3** 643
Comportement(s)
alimentaire, **T3** 331
brûlure et _, **T2** 176
déséquilibres hydroélectrolytiques et _, **T1** 513
insuffisance cardiaque et changements de _, **T2** 674
perturbateurs, maladie d'Alzheimer et _, **T1** 724-725
pouvant indiquer une dépendance à une drogue, **T1** 265
sexuels à risque, **T1** 248, 390; **T3** 798
Compresses de coton, **T1** 289
Compression, **T1** 816-817
médullaire, **T1** 462
Compte chirurgical, **T3** 35
Concentration
d'électrolytes, **T1** 476
d'hémoglobine, **T3** 199, 209
de l'urine, mécanisme de _, **T3** 900-901
gradient de _, **T1** 477
sanguine
de l'urée, **T3** 17, 144, 1003
de la créatininémie, **T3** 17
Concentré de globules rouges, **T1** 516
Concept de soi, histoire de santé et _, **T1** 54-55, 179, 510, 539-540, 800; **T2** 13, 28-29, 95-96, 197, 199, 419, 421, 542-543; **T3** 261, 264-265, 573-574, 724-725
Conception de la mort, **T1** 240-242
Condition féminine Canada, **T1** 91
Conditions de travail, **T1** 23
Condom, **T3** 798
Conduction
aérienne, **T2** 22-23
osseuse, **T2** 23
Conduit(s)
iléal, **T3** 988, 990-993
reproducteurs musculins, **T3** 708
Condylomes acuminés, *voir* Verrue(s) génitales
Confidentialité, **T3** 799
des renseignements personnels, **T1** 8, 47
Conflit sous-acromial, **T1** 815
Confort, soins de _, **T2** 650-651; **T3** 115, 219, 221-222
Congé
de l'hôpital, **T1** 101-102
de la chirurgie ambulatoire, **T3** 78
de la salle de réveil, **T3** 76-77
Congénital, **T1** 306
Conisation, **T3** 737
Conjonctive, **T2** 6, 8, 16-17
Conjonctivite, **T2** 16, 45-46
allergique, **T2** 46
Conjugaison de la bilirubine, **T3** 257
Connaissances, processus de transmission des _, **T1** 64-71
Connectivite mixte, **T1** 965
Conseil
du statut de la femme, **T1** 91
génétique, **T1** 318-319
Consentement
à la chirurgie, **T3** 21-22
au don d'organes et de tissus, **T1** 226-227, 353
au don de son corps à un établissement d'enseignement, **T1** 227
de refus de traitement et de soins, **T1** 229
libre et éclairé, **T1** 227, 229; **T2** 513; **T3** 21
Consolidation des fractures, **T1** 824, 826-827
inadéquate, **T1** 827
Consoude, **T1** 115
Constats de l'évaluation, **T1** 17, 56
d'un client vivant avec le VIH, **T1** 388
de la douleur, **T1** 202
Constipation, **T1** 438, 618, 639, 645, 727; **T3** 257-258, 302, 422-424, 579
opiniâtre, **T3** 423
soins et traitements infirmiers en cas de _, **T3** 425-426
Contact visuel, **T1** 32
Contaminant radioactif, **T3** 243
Contamination bactérienne du sang, **T2** 522
Contention, **T1** 574
Continence urinaire, **T3** 897
Contraceptif(s)
d'urgence, **T3** 850
oraux, **T1** 611; **T3** 781, 812
Contraception, **T3** 781, 798
Contractilité, **T2** 533
surveillance de la _, **T3** 94
Contraction(s)
excessive, **T1** 285
isométriques, **T1** 866
musculaire, **T1** 792
isométrique, **T1** 792
isotonique, **T1** 792
Contracture, **T1** 843; **T2** 174
musculaire, **T1** 797, 804
antalgique, **T2** 205
Contre-pulsion
effets de la _, **T3** 104-105
par ballon intra-aortique (BCPA), **T2** 636, 678, 680; **T3** 103-108
Contre-régulation à l'insuffisance cardiaque, **T2** 670
Contrôle des symptomes de la maladie chronique, **T1** 86-87
Contusion, **T1** 578-579
Convulsion, **T3** 579
Coping, **T1** 131-132
Coproculture, **T3** 278
Coproscopie, **T3** 278
Coqueluche, **T2** 258
Coques, **T1** 364
Cor, **T1** 895
mou, **T1** 895
Cordectomie, **T2** 244
Cordon spermatique, examen physique du _, **T3** 727
Cornée, **T2** 6, 8, 17-18
greffe de _, **T2** 49
troubles de la _, **T2** 49-50
Coronarographie, **T2** 557, 564, 638
Coronaropathie, **T2** 541, 576, 604-614
chez la personne âgée, **T2** 621
soins et traitements en interdisciplinarité en cas de _, **T2** 614-621
Corps
cétoniques, **T3** 927
ciliaire, **T2** 6-7
de Lewy, **T1** 687
étrangers
dans le méat acoustique externe, **T2** 70
dans les voies respiratoires supérieures, **T2** 232
flottants dans l'œil, **T2** 16
Corset
d'immobilisation, **T1** 767-768
de type halo-veste, **T1** 767-769, 855
plâtré, **T1** 831
Cortex cérébral, réaction au stress par le _, **T1** 127
Corticolibérine (CRF), **T3** 567
Corticostéroïdes (hormone), **T3** 560, 567
Corticostéroïdes (médicament), **T1** 189, 191, 343, 355, 427, 566-567, 680, 932, 965; **T2** 132, 335-337, 753; **T3** 197, 371, 442-443, 696-699, 1050
en inhalation (CSI), **T1** 343; **T2** 223, 226, 335-336, 367
intralésionnel, **T2** 132
maladies et troubles traités par des _, **T3** 698
par injection, **T1** 343, 917, 922
par voie intraveineuse, **T3** 693
stress et _, **T1** 128
systémiques, **T1** 917
topique, **T2** 132; **T3** 371
Corticosurrénale, **T3** 560, 567, 569
troubles de la _, **T3** 685-700, 702
Corticosurrénalome malin, **T3** 748
Corticothérapie, **T3** 697-699
soins et traitements en interdisciplinarité en cas de _, **T3** 699-700
Corticotrophine, *voir* Hormone(s) corticotrope (ACTH)
Cortisol, **T1** 128, 482; **T3** 560, 567, 585, 685, 687, 695
libre, **T3** 587
Cosyntrophine, *voir* Stimulation par l'ACTH
Côtes, fracture des _, **T2** 295, 304
Cou
cancer du _ et de la tête, **T2** 242-253
dissection radicale du _, **T2** 244-253
examen physique du _, **T1** 58, 61; **T2** 200, 207; **T3** 220, 222-223, 576
Coude, arthroplastie du _, **T1** 867
Couleur de l'urine, **T3** 927
Counseling
génétique, *voir* Conseil génétique
sexuel, **T3** 887
Coup de chaleur, **T3** 228
Cœur, **T2** 530-533, 537
artificiel, implantation d'un _, **T3** 107
greffe du _, **T2** 697-699
pulmonaire, **T2** 314-315, 361-363, 393, 671
régulation du _ par le système nerveux, **T2** 704-705
système de conduction du _, **T2** 531-533, 704
troubles inflammatoires du _, **T2** 744-761
troubles structuraux du _, **T2** 762-783
Courbe de Gompertz, **T1** 405
Crampes
de chaleur, **T3** 226-227
musculaires pendant l'hémodialyse, **T3** 1037
Crâne, **T1** 534
fracture du _, **T1** 576-577
Craniectomie, **T1** 593
de décompression, **T1** 566
Cranioplastie, **T1** 593
Craniotomie, **T1** 592-593
Créatine
kinase (CK), **T1** 809; **T2** 551; **T3** 143
kinase MB (CK-MB), **T2** 551, 558, 637, 641
Créatinine, **T2** 578; **T3** 144, 915, 918
Créatininémie, **T3** 17, 1003, 1011, 1016
Crépitants, **T1** 44
fins, **T2** 206
rudes, **T2** 206
Crépitations, **T1** 795, 804, 826, 912
CREST, **T1** 960
Cricothyroïdotomie, **T2** 233
Cricothyrotomie, **T3** 196
Crise
cholinergique, **T1** 695, 697
d'asthme, **T2** 323-325, 327, 348-350
hypertensive, **T2** 597-598
soins et traitements en interdisciplinarité en cas de _, **T2** 598-599
myasthénique, **T1** 695, 697
non épileptique psychogène, **T1** 666-667
thyréotoxique, *voir* Thyrotoxicose
vaso-occlusive, **T2** 458
Crise épileptique, **T1** 663-671
atonique, **T1** 666
clonique, **T1** 665
focale
avec altération de l'état de conscience, **T1** 666
avec automatisme, **T1** 666
motrice ou sensorielle, **T1** 666
sans altération de l'état de conscience, **T1** 666
infraclinique, **T1** 667
myoclonique, **T1** 666
tonicoclonique, **T1** 665-666, 669
tonique, **T1** 665
Crispations en occlusion, **T2** 27
Cristallin, **T2** 5-6, 8, 17
Cristalloïdes, **T3** 158
hypertoniques, **T3** 158-159
isotoniques, **T3** 158-159
Critères
majeurs de Jones, **T2** 758-759
mineurs de Jones, **T2** 758-759
Critical-Care Pain Observation Tool (CPOT), **T3** 87
Crizotinib, **T1** 317
Croyances
histoire de santé et _, **T1** 54-55, 539, 541, 799-800; **T2** 12, 14, 29, 95-96, 197, 200, 420-421, 544; **T3** 262, 265, 573, 575, 724, 726
religieuses, **T1** 30-31
transfusion sanguine et _, **T2** 513
Cryoablation, *voir* Cryothérapie
Cryopexie, **T2** 57
Cryoplastie, **T2** 795
Cryoprécipités, **T2** 515
Cryothérapie, **T1** 816; **T2** 134, 212, 718, 721, 735; **T3** 533, 871
Cryptococcose, **T2** 278
Cryptorchidie, **T3** 727
Cryptorchidisme, **T3** 880
Cuir chevelu, lacérations du _, **T1** 576
Cuivre, **T2** 447
Culdocentèse, **T3** 737
Culdoscopie, **T3** 737

Culdotomie, **T3** 737
Culots globulaires, **T3** 400
Culottes d'incontinence, **T3** 422
Culture (test)
cutanée, **T2** 105
d'organismes dans l'urine, **T3** 928
d'urine, **T3** 916-917, 936, 942
de sécrétions évacuées de la prostate, **T3** 876
du système reproducteur, **T3** 735, 739
Culture(s)
apprentissage des différentes _, **T1** 35
apprentissage du client selon la _, **T1** 72-74
cancer de la prostate selon la _, **T3** 867
cancer du sein selon la _, **T3** 769
caractéristiques d'une _, **T1** 27
cellule familiale et relations sociales selon les _, **T1** 32-33
comme déterminant de la santé, **T1** 26
communication interculturelle, **T1** 31-32, 38-39
définition d'une _, **T1** 26-27
diabète selon la _, **T3** 613
entrevue selon la _, **T1** 46
espace personnel selon les _, **T1** 33
facteurs culturels influant sur la santé et les soins, **T1** 30-35
habiletés culturelles, **T1** 35
hypertension artérielle selon la _, **T2** 568
le toucher selon les _, **T1** 33
ménopause selon la _, **T3** 818
obésité selon la _, **T3** 323
particularités culturelles des groupes ethniques, **T1** 27-28
personne âgée selon la _, **T1** 93
phase préopératoire et _, **T3** recommandations nutritionnelles selon la _, **T3** 296
régime alimentaire selon la _, **T1** 33
religion et spiritualité selon la _, **T1** 31
soins infirmiers selon les _, *voir* Soins infirmiers interculturels
soins palliatifs selon la _, **T1** 225
syndrome lié à la _, **T1** 35
troubles du côlon selon la _, **T3** 456
troubles tégumentaires selon la _, **T2** 112
Curage ganglionnaire, **T1** 411
Curares non dépolarisants, **T1** 573
Curariser, **T3** 127
Curetage, **T2** 134; **T3** 737, 810
Curiethérapie, **T1** 435; **T2** 243-244; **T3** 357, 761, 839, 843, 871-872
à ballonnet, **T3** 761
à doses élevées, **T3** 761
intra-utérine, **T3** 839
Cyanose, **T1** 665; **T2** 99-100, 205, 362, 422
centrale, **T2** 546
périphérique, **T2** 546
Cyanure, empoisonnement au _, **T3** 238
Cycle(s)
anovulatoires, **T3** 714
cellulaire, **T1** 404
menstruel, **T3** 714-715
veille-sommeil, **T1** 140
Cyclosporine, **T3** 534
Cylindres
d'érythrocytes, **T3** 949
urinaires, **T3** 915, 928, 1002
Cyphoplastie, **T1** 855, 901-902
Cyphoscoliose, **T2** 304
Cyphose, **T1** 804, 897; **T3** 367
Cystectomie, **T3** 971
partielle, **T3** 971
totale, **T3** 971
Cystine, **T3** 960
Cystite, **T3** 932, 937
chimique, **T3** 913
hémorragique, **T1** 439
interstitielle, **T3** 945-947
soins et traitements infirmiers en cas de _, **T3** 947
Cysto-urétrographie mictionnelle (CUM), **T3** 923
Cystocèle, **T3** 844-845
Cystographie, **T3** 922
radio-isotopique, **T3** 926
Cystolitholapaxie, **T3** 961
Cystomanométrie, **T3** 925
Cystométrie, **T3** 925
Cystoscopie, **T3** 856, 924, 961
Cystotomie, **T3** 963
Cytodiagnostic de Tzanck, **T2** 104
Cytogénétiques moléculaire, **T2** 435-437
Cytokines, **T1** 275-276, 327-329, 412; **T2** 669
Cytologie, **T2** 209; **T3** 739
exfoliatrice, **T3** 356
urinaire, **T3** 918
Cytomégalovirus (CMV), **T2** 262, 316, 523; **T3** 1049-1050
Cytoprotecteurs, **T3** 383

D

D-dimère, **T2** 309-310, 429, 483, 818; **T3** 143
Danazol, **T3** 828
Débimétrie urinaire, **T3** 856
Débit
cardiaque (D.C.), **T2** 533, 568, 666; **T3** 92-93
maintien du _ en cas d'insuffisance respiratoire aiguë, **T3** 198-199
maintien du _ en cas du syndrome de détresse respiratoire aiguë, **T3** 208-209
surveillance du _, **T3** 92, 101-102
cardiaque basé sur la pression artérielle (DCPA), **T3** 101-102
de filtration glomérulaire (DFG), **T3** 900, 1016
expiratoire de pointe (DEP), **T2** 329, 350-352
sanguin
dans les vaisseaux périphériques, **T2** 565
des reins, **T3** 898
sanguin cérébral (DSC), **T1** 557
régulation du _, **T1** 608-609
urinaire, **T3** 454, 896, 1001, 1048
mesure du _, **T3** 925
postopératoire, **T3** 73
troubles liés au _, **T3** 910
ventilatoire, **T2** 214
Débitmètre de pointe, **T2** 351
Débridement, **T1** 288, 864, 876; **T2** 163
autolytique, **T1** 288
chirurgical, **T1** 288, 844
d'escarres, **T2** 171
enzymatique, **T1** 288; **T2** 170
mécanique, **T1** 288
Décalage horaire, **T1** 152
Décanulation, **T2** 242
Décellularisation, **T2** 771
Décès, *voir aussi* Mort
à domicile, **T1** 218
au service des urgences, **T3** 225
définition du _, **T1** 219
neurologique, **T1** 219, 584; **T2** 698
Déchets métaboliques, accumulation des _, **T3** 1003, 1011
Décollement rétinien, **T2** 11, 55-58
exsudatif, **T2** 56
par traction, **T2** 56
rhegmatogène, **T2** 56
Décompensation cardiaque, **T2** 670
Décompression vasculaire microchirurgicale du nerf trijumeau, **T1** 742
Décompte chirurgical, **T3** 35
Décongestionnants, **T1** 343; **T2** 225
Décontamination, **T3** 239
Décortication, **T2** 300, 306
Décubitus
dorsal, **T3** 41
latéral, **T3** 195
ventral, **T3** 41-42, 123, 207
Défaillance
métabolique, **T3** 173-174
organique, **T3** 173-174
Défaut du champ visuel, **T2** 17
Défécation, **T3** 254-255, 418
Défibrillateur(s), **T2** 727
automatique implantable, **T2** 661
biphasique, **T2** 727
cardiaque implantable, **T2** 730-731
externe automatisé (DEA), **T2** 727, 729
manuel, **T2** 727
monophasique, **T2** 727
Défibrillation, **T2** 727, 729-730
Déficience
auditive, **T2** 81
cognitive
chez la personne âgée, **T1** 91
postopératoire, **T3** 66-67
en lactase, **T3** 481
visuelle, **T2** 40
personne âgée et _, **T2** 44
soins et traitements infirmiers en cas de _, **T2** 41-44
Déficit(s), *voir aussi* Carence(s)
basique, **T3** 144
de volume liquidien, **T1** 485-486
en acide carbonique, **T1** 506
en alpha-1-antitrypsine (AAT), **T2** 357-358
en bicarbonate, **T1** 507
en cobalamine, **T3** 286
en fer, **T2** 446-447
en vitamine D, **T1** 897
hydrique, **T1** 478, 481
immunitaires
primaires, **T1** 349-350
secondaires, **T1** 350-351
moteur suite à un AVC, **T1** 616, 638-639
perceptuel, **T1** 640-641, 646
Déformation(s)
associées à l'arthrose, **T1** 913
associées à la polyarthrite rhumatoïde, **T1** 927-928
du lit des ongles, **T2** 546
en boutonnière, **T1** 804
en col de cygne, **T1** 804
valvulaire, **T2** 758
Dégagement des voies respiratoires lors de l'examen primaire, **T3** 215-218
techniques de _, **T2** 375-378
Dégénérescence(s)
maculaire liée à l'âge (DMLA), **T2** 15, 58-59
humide, **T2** 58
sèche, **T2** 58
neurofibrillaires, **T1** 714
Déglutition, **T3** 250
d'un client trachéotomisé, **T2** 240
maladie d'Alzheimer et _, **T1** 726-727
supraglottique, **T2** 245-246
Dégranulation, **T1** 334
Degré de brûlure, **T2** 150
Déhiscence, **T1** 283, 285, 291; **T3** 13
Délai de prise en charge médicale, **T3** 214
Délégation des tâches, **T1** 18-19, 44, 202, 627, 675, 828-829; **T2** 39, 136, 241, 368, 490, 631; **T3** 306, 466, 624, 864, 981, 984
Délirium, **T1** 236, 540, 730-733; **T3** 88, 200
en cas de ventilation en pression positive, **T3** 127
en phase critique, **T3** 88-90
postanesthésique, **T3** 67
postopératoire, **T2** 654; **T3** 11
soins et traitements en interdisciplinarité en cas de _, **T1** 733-734
Delirium tremens, **T1** 259; **T3** 67
Demande
d'aide médicale à mourir, **T1** 206
ventilatoire, **T3** 187
Démarche
à deux temps, **T1** 842-843
à quatre temps, **T1** 843
antalgique, **T1** 804
ataxique, **T1** 805
de soins infirmiers, **T1** 16-19
en balancier au-delà des béquilles, **T1** 843
en balancier jusqu'aux béquilles, **T1** 843
festinante, **T1** 687, 805
spasmodique, **T1** 805
Démence, **T1** 706-708
frontotemporale, **T1** 730
mixte, **T1** 730
par infarctus multiples, *voir* Démence vasculaire
vasculaire, **T1** 707, 710
Demi-vie, **T1** 188
Démonstration, **T1** 78
Démyélinisation, **T1** 676-677
Déni suite à une blessure médullaire, **T1** 780
Dénosumab, **T3** 764
Densité
minérale osseuse (DMO), **T1** 899
urinaire, **T3** 917, 927
Densitométrie osseuse, **T1** 899
Dénutrition, **T3** 287, 295
maladie d'Alzheimer et _, **T1** 726
Dépendance, **T1** 246
à une substance, soins et traitements infirmiers en cas de _, **T1** 264-271
physique, **T1** 246
aux analgésiques opioïdes, **T1** 202-203
psychologique, **T1** 203, 246
Dépense
calorique, exercices physiques et effet sur la _, **T3** 615
énergétique exprimée en MET, **T2** 656
Dépistage
de l'alcoolisme, **T1** 264
de l'hépatite C, **T3** 499, 507
de l'hyperplasie bénigne de la prostate, **T3** 861
de l'hypertension artérielle, **T2** 594
de la chlamydiose, **T3** 798-799
de la coagulation intravasculaire disséminée, **T2** 483
de la coronaropathie, **T2** 614-615
de la dysfonction thyroïdienne, **T3** 676, 678

de la gonorrhée, **T3** 798-799
de la maladie coronarienne par score calcique, **T2** 607
de la microalbuminurie, **T3** 929
de la syphilis, **T3** 787, 798
de la violence familiale et conjugale, **T3** 240
des infections des voies urinaires, **T3** 938
des ITSS, **T3** 798-799
du cancer, **T1** 416-420
colorectal, **T1** 418; **T3** 458, 461
de l'anus, **T3** 486
de l'appareil génital féminin, **T3** 840
de la prostate, **T3** 868, 874-875
du col de l'utérus, **T3** 832
du foie, **T3** 532
du poumon, **T2** 286
du sein, **T1** 417; **T3** 742-743, 768-769
du testicule, **T1** 417
du délirium, **T1** 732
du diabète, **T3** 621-622, 637
du phéochromocytome, **T3** 702
du VIH, **T1** 381-382, 391-392
génétique, **T1** 313-315
de la cardiomyopathie hypertrophique, **T2** 781-782
de la fibrose kystique, **T2** 393
néonatal, **T1** 314
nutritionnel, **T3** 292-293
des aînés (DNA), **T1** 93
Déplétion, **T2** 428
Dépolarisation, **T2** 705
Dépresseurs, **T1** 249, 261-262
soins et traitements en interdisciplinarité en cas d'abus de _, **T1** 262-263
Dépression
chez la personne âgée, **T1** 104, 106, 708
coronaropathie et _, **T2** 613
diabète et _, **T3** 643
fibrose kystique et _, **T2** 395
maladie d'Alzheimer et _, **T1** 718, 720, 724
maladie de Parkinson et _, **T1** 694
MPOC et _, **T2** 364
respiratoire, **T1** 162, 187-188; **T3** 60
suite à une blessure médullaire, **T1** 779-780
suite à une laryngectomie ou une dissection radicale du cou, **T2** 252
syndrome coronarien aigu et _, **T2** 658
Dérivation(s)
biliopancréatique avec commutation duodénale, **T3** 334-335
électrocardiographiques, **T2** 705-708
bipolaires, **T2** 705
précordiales, **T2** 705-706
unipolaires, **T2** 705
gastrique, **T3** 339-340
de Roux-en-Y, **T3** 334-335
intrahépatique portosystémique transjugulaire, **T3** 520-521
péritonéoveineuse, **T3** 519
urinaire, **T3** 947, 987-990
continente, **T3** 989
non continente, **T3** 988
soins et traitements infirmiers en cas de _, **T3** 990-994
ventriculaires, **T1** 589
ventricule-péritonéale, **T1** 560
Dérivés
d'hirudine, **T2** 821, 823
nitrés, **T2** 627
à action prolongée, **T2** 628-629
à action rapide, **T2** 625
à libération contrôlée par voie transdermique, **T2** 629
sanguins, **T3** 159
Dermabrasion chimique, **T2** 139
Dermatite
atopique, **T2** 125
de contact, **T1** 338; **T2** 109
allergique, **T2** 125
de type IV, **T1** 346
herpétiforme, **T3** 480
Dermatomes, **T1** 167, 531
Dermatomyosite, **T1** 963-964
soins et traitements en interdisciplinarité en cas de _, **T1** 965
Dermatoscopie, **T2** 104
Dermatosis papulosa nigra, **T2** 102
Derme, **T2** 88
Dermite atopique, **T1** 336
Dermopathie diabétique, **T3** 643
Dernier repas, **T1** 51
histoire de santé et _, **T1** 51, 178, 510, 538, 798; **T2** 11, 25-26, 94, 196, 417-418, 541-542; **T3** 262-263, 572, 722-723
Désafférentation, **T1** 171
Désamination enzymatique, **T3** 516
Description du stresseur, **T1** 134
Déséquilibre(s)
acidobasiques, **T1** 503-510
évaluation des _, **T1** 510-514
insuffisance rénale chronique et _, **T3** 1011-1012
mixtes, **T1** 507
du calcium, **T1** 497-500
du magnésium, **T1** 501-503
du phosphate, **T1** 500-501
du potassium, **T1** 492-497
électrolytiques
chez la personne âgée, **T3** 354
insuffisance rénale chronique et _, **T3** 1011-1012
postopératoires, **T3** 64
en volume liquidien extracellulaire, **T1** 485-486
hydrique, soins et traitements infirmiers en cas de _, **T1** 486-488
hydroélectrolytique(s), **T1** 484-503
anomalies liées au _, **T1** 513
évaluation des _, **T1** 510-514
hydrosodé, **T3** 126
liquidiens postopératoires, **T3** 64
sodiques, **T1** 489-492; **T3** 1002
Désespoir en fin de vie, **T1** 232
Déshydratation, **T1** 485; **T3** 302
chez la personne âgée, **T3** 354
en fin de vie, **T1** 236
Désintoxication, **T1** 246, 260, 265-266
Désordre du métabolisme minéral et osseux, **T3** 1014, 1018-1019
Desquamation, **T1** 446; **T2** 32
du mamelon, **T3** 730
Destruction des récepteurs des œstrogènes, **T3** 763
Détachement en fin de vie, **T1** 233
Détection et quantification de la protéinurie, **T3** 917, 928-929
Détémir, **T3** 602
Déterminants de la santé, **T1** 22-26
Détresse
morale de l'infirmière auprès des clients en phase critique, **T3** 85
psychologique, coronaropathie et _, **T2** 616
Deuil, **T1** 222-224
anticipé, **T1** 223
en cas d'avortement, **T3** 810
en cas d'hystérectomie, **T3** 810
facteurs déterminants du _, **T1** 223
pathologique, **T1** 223
suite à une blessure médullaire, **T1** 779
Deuxième bruit cardiaque, **T2** 549, 767
Développement
exagéré des os et du cartilage, **T3** 578
sain durant l'enfance, **T1** 23
Déviation
à gauche, **T1** 275
de la cloison nasale, **T2** 218
trachéale, **T2** 206
ulnaire, **T1** 805
Dexmédétomidine, **T1** 573
Diabète, **T3** 592-644
artériopathie périphérique et _, **T2** 788, 793, 800
AVC et _, **T1** 611
chez la personne âgée, **T3** 644
complications aiguës du _, **T3** 628-635
complications chroniques du _, **T3** 635-644
complications du _ liées aux pieds et aux membres inférieurs, **T3** 641-643
coronaropathie et _, **T2** 612, 616
de type 1, **T3** 593-595, 597, 611
de type 2, **T3** 593-597, 608, 611-613
fibrose kystique et _, **T2** 391, 393; **T3** 597
gestationnel, **T3** 597
idiopathique, **T3** 594
insipide (DI), **T1** 482; **T3** 142, 658-659
central, **T3** 658-659
néphrogénique, **T3** 659
neurogène, *voir* Diabète insipide central
primaire, **T3** 659
psychogène, *voir* Diabète insipide primaire
soins et traitements en interdisciplinarité en cas de _, **T3** 660
transitoire (DIT), **T3** 653
insuffisance rénale chronique et _, **T3** 1017
obésité et _, **T3** 323-324
soins et traitements infirmiers en cas de _, **T3** 618-627
troubles neurocognitifs et _, **T1** 707
voyage et _, **T3** 625-626
Diagnostic
du cancer, **T1** 418-420
réaction au _, **T1** 467
prénatal, **T1** 315
Dialysat, **T3** 1028, 1031-1033
Dialyse, **T3** 1028-1041
à domicile, **T3** 1037
péritonéale, **T3** 1005, 1028-1033, 1049, 1051
ambulatoire (DPCA), **T3** 1032
automatisée (DPA), **T3** 1031-1032
continue, **T3** 1033
prolongée à faible efficacité (SLED), **T3** 1040
Dialyseur, **T3** 1036
Diamètre thoracique antéropostérieur, **T2** 205
Diaphragme, **T2** 186
Diaphyse, **T1** 788
fémorale, fracture de la _, **T1** 853-854
DIAPPERS, **T3** 980
Diarrhée, **T1** 438, 444; **T3** 302, 412-415
aiguë, **T3** 412-414, 416
chronique, **T3** 412-414
infectieuse, **T3** 412-413
soins et traitements infirmiers en cas de _, **T3** 415-418
osmotique, **T3** 412
sécrétoire, **T3** 414
Diarthroses, **T1** 791
Diastole, **T2** 533, 667
Diète, *voir* Régime(s) alimentaire(s)
Différences hommes-femmes
arthrose et _, **T1** 911
asthme et _, **T2** 322
AVC et _, **T1** 610
cancer du poumon et _, **T2** 283
cancer et _, **T1** 402
céphalées et _, **T1** 655
cholélithiase et _, **T3** 546
coronaropathie et _, **T2** 607-608
hernie et _, **T3** 477
hypertension artérielle et _, **T2** 569
incontinence urinaire et _, **T3** 972
insuffisance cardiaque et _, **T2** 666
MPOC et _, **T2** 356
obésité et _, **T3** 320
ostéoporose et _, **T1** 897-898, 900
syndrome coronarien aigu et _, **T2** 643
syndrome du côlon irritable et _, **T3** 431
troubles endocriniens et _, **T3** 650
troubles neurocognitifs et _, **T1** 712
troubles vasculaires et _, **T2** 789
Différentiation cellulaire, **T1** 405-406
Diffusion, **T1** 477-478; **T2** 187; **T3** 561, 1029
facilitée, **T1** 477
passive, **T2** 187
perturbation de la _, **T3** 186
Digestion, **T3** 250-253
chimique, **T3** 251
mécanique, **T3** 251
Digitale, **T2** 685
intoxication _, **T2** 685
Digitopuncture, **T1** 112; **T3** 350
Digoxine, **T2** 685, 757
Dilatateur urétral métallique, **T3** 967
Dilatation
du col de l'utérus, **T3** 737
gastrique, **T3** 126
intestinale, **T3** 126
ventriculaire, **T2** 669-670
Dilemme éthique
achat d'organe et _, **T3** 1042
adhésion thérapeutique en cas de tuberculose et _, **T2** 277
allocation des ressources et _, **T3** 1043
avortement et _, **T3** 809
cessation de traitement et _, **T3** 1015
confidentialité et _, **T3** 799
consentement éclairé et _, **T3** 21
décès neurologique et _, **T1** 584
diagnostic prénatal et _, **T1** 315
droit au traitement et _, **T1** 849
gestion de la douleur et _, **T2** 461
inégalités en santé et _, **T1** 24
mandat en cas d'inaptitude et _, **T2** 389
non-divulgation d'information et _, **T3** 85
ordonnance de non-réanimation et _, **T2** 770
prise en charge de la douleur et _, **T1** 206-207
protection contre le VIH et _, **T1** 392
rationnement et _, **T3** 528

refus de traitement et _, T1 594, 752
réseautage social et _, T1 8
soins de fin de vie et _, T1 98, 226-230
tests génétiques et _, T1 314-315
traitement anticancéreux et _, T1 421-422
traitements alternatifs et _, T3 680
transfusion sanguine et _, T2 513
Dinitrate d'isosorbide, T2 685
Dioxyde de carbone, T2 182
narcose au _, T2 371
Diploïdie, T3 754
Diplopie, T1 548, 561, 641, 670; T2 16, 423
Dipyridamole, T1 620
Directives médicales anticipées, T1 227-228, 230
Discectomie percutanée au laser, T1 891
Discographie, T1 806
Discoïdectomie, T1 890-891
Discopathie
dégénérative, T1 887
intervertébrale, T1 887-891
Discrimination, T1 26
envers les immigrants, T1 34
fondée sur l'âge, T1 89
Discussion, T1 78
Dispositif(s), *voir aussi* Appareil(s)
anti-incontinence, T3 976-977
d'accès veineux central (DAVC), T1 428
d'administration d'oxygène, T2 372
d'administration transdermique de la nitroglycérine, T2 629
d'aide à la marche, T1 842-844
d'assistance circulatoire (DAC), T2 678; T3 103-107
soins et traitements infirmiers auprès d'un client avec _, T3 108
d'assistance ventriculaire (DAV), T2 678, 680-681; T3 107-108
d'humidification pulmonaire, T3 195-196
d'immobilisation, T1 830-832, 855
d'insuline, T3 605-606
d'interruption de la veine cave, T2 824
de compression pénienne, T3 977
de compression séquentielle, T2 819, 830
de dispersion radiologique (DDR), T3 243
de prélèvement d'urine, T3 977, 992-994
de prélèvement externe, T3 977
de soutien intravaginal, T3 976
de surveillance des pressions, T3 95
de traction, T1 767, 829
de transfusion, T2 516
explosifs, T3 243
MammoSite[MD], T3 761
MERCI, T1 625
occlusif intrarétral, T3 976
oral pour prévenir l'obstruction du flux respiratoire, T1 154
Dissection
aortique, T2 808-810
soins et traitements infirmiers en cas de _, T2 810-811
de l'artère coronaire, T2 640
des ganglions lymphatiques
axillaires, T3 754, 756-757
rétropéritonéaux, T3 882
du ganglion sentinelle, T3 754, 756
radicale du cou, T2 244-245
PSTI en cas de _, T2 247-249
soins et traitements infirmiers en cas de _, T2 246-253
Distance sociale, T1 33
Distension, T3 270
abdominale, T2 424; T3 71, 171, 987
de la vessie, T3 896-897
veineuse jugulaire, T2 546
Distraction, T1 201
Distribution capillaire, modification de la _, T3 577
Ditosylate de lapatinib, T3 764
Diurèse osmotique, T3 630, 660
Diurétiques, T2 583-584, 589, 678, 681, 683-684; T3 518, 522
de l'anse, T2 583, 681, 683
de l'anse de Henle, T2 678, 683-684
épargneurs de potassium, T2 583, 681; T3 518
thiazidiques, T2 583, 681, 683; T3 518
Divercule(s)
de l'œsophage, T3 372
urétraux, T3 945
Diversité culturelle, T1 28
dans le milieu des soins de santé, T1 29-30
Diverticulite, T3 474-475
du côlon sigmoïde, T3 474-475
soins et traitements infirmiers en cas de _, T3 476
Diverticulose, T3 474-475
soins et traitements infirmiers en cas de _, T3 476
Dobutamine, T3 160
Documentation, T1 76-77, 79-80
de la douleur, T1 180
légale liée à la chirurgie, T3 21
Documents juridiques associés aux soins de fin de vie, T1 227-228
Doigts en coup de vent, T1 805
Domination culturelle, T1 28-29
Don
de sang, T2 513
de son corps à un établissement d'enseignement, T1 227
de tissus et d'organes, T1 226-227, 352-353; T3 225, 1042-1046
périopératoire de sang autologue, T2 524
préopératoire de sang autologue, T2 524
Données
analyse des _, *voir* Analyse et interprétation des données
collecte des _, *voir* Collecte des données
interprétation des _, *voir* Analyse et interprétation des données
organisation des _, T1 47
types de _, T1 45-46
Données objectives, T1 46, 56-61
du système auditif, T2 30-31
du système cardiovasculaire, T2 544-545, 548-550
du système endocrinien, T3 575-580
du système gastro-intestinal, T3 265-272
du système hématologique, T2 421-426
du système musculosquelettique, T1 800-803
du système nerveux, T1 541-546
du système reproducteur, T3 726-731
du système respiratoire, T2 200-205
du système tégumentaire, T2 95-102
du système urinaire, T3 911-914
du système visuel, T2 14-20
en cas d'allergies, T1 340
en cas d'anémie, T2 443
en cas d'artériopathie périphérique, T2 797
en cas d'asthme, T2 347
en cas d'atteinte inflammatoire pelvienne, T3 826
en cas d'AVC, T1 629
en cas d'endocardite infectieuse, T2 749
en cas d'épilepsie, T1 672
en cas d'hémorragie digestive haute, T3 403
en cas d'hépatite, T3 503
en cas d'hypercortisolisme, T3 690
en cas d'hyperplasie bénigne de la prostate, T3 861
en cas d'hypertension artérielle primaire, T2 591
en cas d'hyperthyroïdie, T3 671
en cas d'infection des voies urinaires, T3 939
en cas d'insuffisance cardiaque, T2 690
en cas d'insuffisance respiratoire aiguë, T3 193
en cas d'ITSS, T3 796
en cas d'obésité, T3 326
en cas d'ostéomyélite, T1 877
en cas d'ulcères peptiques, T3 385
en cas de blessures médullaires, T1 763
en cas de calculs urinaires, T3 964-965
en cas de cancer buccal, T3 358
en cas de cancer colorectal, T3 461
en cas de cancer de la prostate, T3 874
en cas de cancer de la tête et du cou, T2 246
en cas de cancer du poumon, T2 289
en cas de cancer du sein, T3 765
en cas de cardite rhumatismale, T2 760
en cas de céphalées, T1 661
en cas de cirrhose, T3 523
en cas de constipation, T3 425
en cas de déséquilibres hydroélectrolytiques et acidobasiques, T1 512-514
en cas de diabète, T3 618
en cas de diarrhée infectieuse aiguë, T3 416
en cas de fibrose kystique, T2 395
en cas de fracture, T1 835
en cas de lésion de pression, T1 298
en cas de leucémie, T2 500
en cas de lombalgie aiguë, T1 885
en cas de lupus érythémateux disséminé (LED), T1 955
en cas de maladie d'Alzheimer, T1 720
en cas de maladie de la vésicule biliaire, T3 550
en cas de maladie de Parkinson, T1 692
en cas de maladie inflammatoire chronique de l'intestin, T3 447
en cas de malnutrition, T3 291
en cas de MPOC, T2 381
en cas de nausées et vomissements, T3 351
en cas de pancréatite aiguë, T3 540
en cas de pneumonie, T2 266
en cas de polyarthrite rhumatoïde, T1 933
en cas de rhumatisme articulaire aigu, T2 760
en cas de sclérose en plaques, T1 683
en cas de syndrome coronarien aigu, T2 646
en cas de thrombocytopénie, T2 473
en cas de thrombose veineuse profonde, T2 825
en cas de traumatisme craniocérébral, T1 583
en cas de valvulopathie, T2 772
en phase préopératoire, T3 15-17
Données subjectives, T1 45-46
du système auditif, T2 25-30
du système cardiovasculaire, T2 538-544
du système endocrinien, T3 569-575
du système gastro-intestinal, T3 259-265
du système hématologique, T2 414-421
du système musculosquelettique, T1 795-800
du système nerveux, T1 536-541
du système reproducteur, T3 719-726
du système respiratoire, T2 192-200
du système tégumentaire, T2 92-95
du système urinaire, T3 904-911
du système visuel, T2 9-14
en cas d'allergies, T1 340
en cas d'anémie, T2 443
en cas d'artériopathie périphérique, T2 797
en cas d'asthme, T2 347
en cas d'atteinte inflammatoire pelvienne, T3 826
en cas d'AVC, T1 629
en cas d'endocardite infectieuse, T2 749
en cas d'épilepsie, T1 672
en cas d'hémorragie digestive haute, T3 403
en cas d'hépatite, T3 503
en cas d'hypercortisolisme, T3 690
en cas d'hyperplasie bénigne de la prostate, T3 861
en cas d'hypertension artérielle primaire, T2 591
en cas d'hyperthyroïdie, T3 671
en cas d'infection des voies urinaires, T3 939
en cas d'insuffisance cardiaque, T2 690
en cas d'insuffisance respiratoire aiguë, T3 193
en cas d'ITSS, T3 796
en cas d'obésité, T3 326
en cas d'ostéomyélite, T1 877
en cas d'ulcères peptiques, T3 385
en cas de blessures médullaires, T1 763
en cas de calculs urinaires, T3 964-965
en cas de cancer buccal, T3 358
en cas de cancer colorectal, T3 461
en cas de cancer de la prostate, T3 874
en cas de cancer de la tête et du cou, T2 246
en cas de cancer du poumon, T2 289
en cas de cancer du sein, T3 765
en cas de cardite rhumatismale, T2 760
en cas de céphalées, T1 661

en cas de cirrhose, **T3** 523
en cas de constipation, **T3** 425
en cas de déséquilibres hydroélectrolytiques et acidobasiques, **T1** 510-512
en cas de diabète, **T3** 618
en cas de diarrhée infectieuse aiguë, **T3** 416
en cas de douleur, **T1** 173-180
en cas de fibrose kystique, **T2** 395
en cas de fracture, **T1** 835
en cas de lésion de pression, **T1** 298
en cas de leucémie, **T2** 500
en cas de lombalgie aiguë, **T1** 885
en cas de lupus érythémateux disséminé (LED), **T1** 955
en cas de maladie d'Alzheimer, **T1** 720
en cas de maladie de la vésicule biliaire, **T3** 550
en cas de maladie de Parkinson, **T1** 692
en cas de maladie inflammatoire chronique de l'intestin, **T3** 447
en cas de malnutrition, **T3** 291
en cas de MPOC, **T2** 380
en cas de nausées et vomissements, **T3** 351
en cas de pancréatite aiguë, **T3** 540
en cas de pneumonie, **T2** 266
en cas de polyarthrite rhumatoïde, **T1** 933
en cas de rhumatisme articulaire aigu, **T2** 760
en cas de sclérose en plaques, **T1** 683
en cas de syndrome coronarien aigu, **T2** 646
en cas de thrombocytopénie, **T2** 473
en cas de thrombose veineuse profonde, **T2** 825
en cas de traumatisme craniocérébral, **T1** 583
en cas de valvulopathie, **T2** 772
en phase préopératoire, **T3** 6-15
Donneurs de rein, **T3** 1044
décédés, **T3** 1045
vivants, **T3** 1044-1048
Dopamine, **T1** 687, 689; **T3** 160, 566
Dopaminergique, **T1** 689-690
Doppler, **T2** 554, 561
de poche, **T3** 642-643
des carotides, **T1** 552
transcrânien, **T1** 552
Dorsalgie, **T3** 379
Dorsiflexion, **T1** 802
Dos, examen physique du _, **T3** 220
Dosage des D-dimères, **T2** 309-310, 429, 483, 818; **T3** 143
Dose équianalgésique, **T1** 193
Dossier de santé informatisé, **T1** 15-16
Douche nasale, **T2** 231
Douleur, **T1** 113, 162; **T2** 163
à l'œil, **T2** 16
abdominale, **T3** 430-431, 435, 440, 536, 540-542, 731
chronique, **T3** 426, 428
abdominale aiguë, **T3** 426-428, 432-433
soins et traitements infirmiers en cas de _, **T3** 429-430
affective, **T1** 164
aiguë, **T1** 171-172
non soulagée, **T1** 163, 168
anale, **T3** 485
associée à la cystite interstitielle, **T3** 946-947
au cou, **T1** 893
aux seins, *voir* Mastalgie
cancéreuse, **T1** 464-466
centrale, **T1** 170
chez la personne âgée, **T1** 207-208
chronique, **T1** 162, 171-172, 207
classification de la _, **T1** 169-172
clients incapables de signaler la _, **T1** 208
cognitive, **T1** 164-165
comportementale, **T1** 164-165
de rebond, **T3** 267-268, 270
définition de la _, **T1** 162-164
des clients en phase critique, **T3** 87
du membre fantôme, **T1** 171, 860
en cas d'anémie falciforme, **T2** 460-461
en cas d'arthrose, **T1** 923
en cas d'état de choc, **T3** 171
en cas d'insuffisance respiratoire aiguë, **T3** 197-198
en cas de blessure musculosquelettique, **T1** 843
en cas de calculs urinaires, **T3** 959
en cas de céphalées, **T1** 654-657
en cas de dissection aortique, **T2** 809
en fin de vie, **T1** 235
en situation d'urgence, **T3** 221-222
évaluation de la _, **T1** 172-180
évaluation sensorielle de la _, **T1** 545
ischémique, **T2** 789-790, 794
liée au système urinaire, **T3** 910, 913
lombaire, *voir* Lombalgie
maintenue par la voie sympathique, **T1** 170
mécanismes de la _, **T1** 165-169
neurogène, **T1** 170-171
nociceptive, **T1** 170
par désafférentation, **T1** 170-171
pelvienne chronique, **T3** 827
perception de la _, **T1** 164, 169
périombilicale, **T3** 434
persistante, **T1** 168
peur de la _, **T3** 7-8
peur de la _ en fin de vie, **T1** 233
physiologique, **T1** 164
postopératoire, **T3** 60, 68
soins et traitements infirmiers en cas de _, **T3** 68-69
référée, **T1** 168
rétrosternale, **T2** 622
socioculturelle, **T1** 164-165
soins et traitements en interdisciplinarité en cas de _, **T1** 201-206
somatique
profonde, **T1** 170
superficielle, **T1** 170
soulagement de la _, **T1** 202, 267-268, 726; **T2** 172-173
thoracique
en cas d'angine chronique stable, **T2** 622, 646
en cas d'insuffisance cardiaque, **T2** 674-675
en cas d'insuffisance respiratoire hypoxémique, **T3** 185
en cas de péricardite aiguë, **T2** 751, 755
en cas de prolapsus valvulaire mitral, **T2** 766
en cas de syndrome coronarien aigu, **T2** 632-634, 650
système endocrinien et _, **T3** 578
système respiratoire et _, **T2** 194
urgence et _, **T2** 639
traitement de la _, **T1** 180-201
urétrale, **T3** 913
viscérale, **T1** 170
Doxorubicine, **T3** 762
Doxycycline, **T1** 946; **T3** 788
Drain
de Kehr, écoulement prévu du _, **T3** 75
en T, **T3** 549, 551
Hemovac[MD], écoulement prévu du _, **T3** 75
Jackson-Pratt, **T1** 290
thoracique, **T2** 296-298
retrait du _, **T2** 299
Drainage
du liquide cérébrospinal, **T1** 564-565
postural, **T2** 280, 375-376
thoracique, **T2** 296-298
soins et traitements infirmiers en cas de _, **T2** 298-299
urinaire, **T3** 863, 984-985
Drépanocytose, **T2** 417
Drogue(s), **T1** 246
dépendance à une _, **T1** 265
évaluation préopératoire de la consommation de _, **T3** 9-10
hépatite et _, **T3** 492
infection du VIH et _, **T1** 390-391
inhalation de _, **T1** 248
injection de _, **T1** 248, 270
toxicomanogène, **T1** 248-250
Duodénectomie, **T3** 544
Duodénopancréatectomie céphalique, **T3** 544
Durillon, **T1** 895
Dysarthrie, **T1** 545, 548, 603, 617
ataxique, **T1** 678
Dysautonomie, **T1** 687
Dyscrasie, **T2** 310; **T3** 403
sanguine, **T1** 670
Dysérection, **T3** 883-887
soins et traitements infirmiers en cas de _, **T3** 887
Dysfonctionnement
cognitif, **T1** 952
postopératoire, **T2** 654
corticosurrénalien, **T3** 685-700, 702
des muscles papillaires, **T2** 636
diastolique, **T2** 667-668
du ballon intra-aortique, **T3** 106-107
du plancher pelvien, **T3** 843-846
soins et traitements infirmiers en cas de _, **T3** 845
endothélial, **T2** 575
érectile
en cas de neuropathie, **T3** 641
suite à une blessure médullaire, **T1** 778
mictionnel, **T3** 972-982
parathyroïdien, **T3** 680-685
sexuelle, **T1** 679; **T3** 462
systolique, **T2** 667; **T3** 141
thyroïdien, **T3** 660-680
vésical, **T1** 549
Dysgraphie, **T1** 716
Dyskinésie, **T1** 548, 688
tardive, **T1** 734
Dyslipidémies, **T2** 608-610, 618-619; **T3** 1017, 1020
Dysménorrhée, *voir* Algoménorrhée
Dyspareunie, **T1** 966; **T3** 725, 782
Dyspepsie, **T1** 184; **T3** 270, 360, 379
Dysphagie, **T1** 499, 548, 639-640; **T3** 257, 270, 287, 356
en fin de vie, **T1** 230, 236
Dysphasie, **T1** 548, 617, 716
motrice, **T1** 591
sensorielle, **T1** 591
Dyspnée, **T2** 186, 199, 327, 361, 387, 673-674; **T3** 190
de Kussmaul, *voir* Respiration de Kussmaul
nocturne paroxystique, **T2** 577, 673
peur de la _, **T1** 234
Dysréflexie autonomique, **T1** 772-773
Dyssynergie vésicosphinctérienne, **T3** 957
Dystonie, **T3** 509
Dystrophie musculaire (DM), **T1** 797, 882-884; **T2** 303
de Becker, **T1** 882-883
de Duchenne, **T1** 882-883
de Erb, **T1** 883
de Landouzy-Déjerine, **T1** 883
Dystrophine, **T1** 882
Dysurie, **T3** 911, 913, 935

E

Eau
calcul du gain et de la perte en _, **T1** 476
déficit et excès en _, **T1** 478, 481
déséquilibre de l'_, *voir* Déséquilibre(s) hydroélectrolytique(s)
équilibre de l'_, *voir* Équilibre hydrique
fonctions de l'_, **T1** 475
mécanismes des mouvements de l'_, **T1** 477-480
perte d'_ sensible et insensible, **T1** 484
rétention d'_, **T2** 574
teneur en _ dans l'organisme, **T1** 474-476
Ecchymoses, **T2** 99, 101, 420, 422, 468
Eccrines, **T2** 90
Échanges
gazeux, **T2** 184
liquidiens, **T1** 480-481
Échappement immunitaire, **T1** 412-413
Échaudures, **T2** 147
Échelle(s)
Behavioral Pain Scale (BPS), **T3** 87
canadienne de triage et de gravité (ÉTG), **T3** 214
d'évaluation de la douleur, **T1** 174; **T2** 646; **T3** 87
d'évaluation de la dyspnée du Centre de recherches médicales, **T2** 656-657
de Borg, **T2** 198
de Borg modifiée, **T2** 656
de Braden, **T1** 294, 296-297
de Cincinnati, **T1** 628
de coma de Glasgow, **T1** 542, 562, 568-569
de déficience de l'*American Injury Association* (Score ASIA), **T1** 754, 757
de Gleason, **T3** 869
de gradation de l'encéphalopathie hépatique, **T3** 517
de la force musculaire, **T1** 802
de Pasero, **T1** 188
de sédation, **T3** 88-89
de sédation-agitation de Richmond (RASS), **T3** 88-89
de Snellen, **T2** 18
internationale de cotation des symptômes prostatiques (I-PSS), **T3** 855
neurologique canadienne, **T1** 630, 632-633
NIHSS, **T1** 629-630
Sedation-Agitation Scale (SAS), **T3** 88-89
Echinacea purpurea, **T2** 226
Échinacée, **T1** 115; **T3** 10

Échocardiographie, **T2** 554-555, 561-562, 747, 781
bidimensionnelle, **T2** 554, 561
d'effort, **T2** 555, 562
de contraste, **T2** 554
de stress, **T2** 555
en mode temps-mouvement, **T2** 554, 561
imagerie couleur, **T2** 554, 561
transœsophagienne (ETO), **T2** 555, 562, 747 ; **T3** 51
transthoracique, **T2** 747
tridimensionnelle, **T2** 554, 562
Échoendoscopie, **T3** 273
Échographie, **T1** 552 ; **T3** 584
abdominale, **T2** 434 ; **T3** 273, 432, 736
cardiaque, *voir* Échocardiographie
de compression veineuse, **T2** 818
de l'œil, **T2** 21
des seins, **T3** 739
doppler, **T2** 792, 818
transcrânienne, **T1** 619
du foie et de la rate, **T2** 434
endoscopique, *voir* Endoscopie
focalisée par IRM, **T3** 830
pelvienne, **T3** 739
quantitative, **T1** 807, 899
rénale, **T3** 922
somo-v ABUS, **T3** 743
transrectale, **T3** 739, 856
transvaginale, **T3** 736, 739
ultrasonique intracoronarienne, **T2** 557, 564
Échotomographie-doppler veineuse, **T1** 810
Éclampsie, **T1** 502
Éclipses mentales, **T1** 257
Écoulement
de la stomie, **T3** 470-471
du liquide cérébrospinal (LCS), **T3** 653
mamelonnaire, **T3** 735, 747, 752
pénien, **T3** 729
vaginal, **T3** 823
valvulaire, **T3** 730
Écoute active, **T1** 68, 234
Écouvillonnage, **T1** 292
Écran solaire, **T2** 108-109
Ectasie canalaire, **T3** 745, 747
Ectropion, **T2** 16
Eczéma de contact, **T1** 338
Éducation à la santé, **T1** 64
Éectromyographie (EMG), **T1** 810
Effet(s)
anticoagulants, **T2** 822
chronotrope, **T2** 570
négatif, **T3** 63
d'épargne des analgésiques opioïdes, **T1** 182
d'une douleur aiguë non soulagée, **T1** 163
de l'abus chronique d'alcool, **T1** 257-258
de l'anesthésie, **T3** 43
de la chimiothérapie, **T1** 425, 430-431
de la contre-pulsion, **T3** 104-105
de la corticothérapie, **T3** 697-699
de la privation et des troubles du sommeil, **T1** 142-144
de médicaments sur la glycémie, **T3** 611
de premier passage, **T1** 194
des drogues toxicomanogènes, **T1** 249
des troubles dermatologiques chroniques, **T2** 138
dromotrope, **T2** 570
du rayonnement ionisant, **T1** 431
du stress sur la santé, **T1** 132-133
du vieillissement, *voir* Vieillissement
extrapyramidal, **T1** 734
hémodynamiques de la contre-pulsion, **T3** 105
indésirables
de certains médicaments sur le système cardiovasculaire, **T2** 540
de la chimiothérapie et de la radiothérapie, **T1** 436-450
des analgésiques, **T1** 182
des analgésiques opioïdes, **T1** 187-189
des traitements biologiques et ciblés, **T1** 454-455
inotrope, **T2** 570
négatif, **T3** 63
photosensibilisants, **T2** 109
plafond, **T1** 182
retardés de la chimiothérapie et de la radiothérapie, **T1** 450-451
secondaires de la corticothérapie, **T3** 698
Somogyi, **T3** 607
tératogène, **T3** 721
toxicomanogène, **T1** 659
Efficacité personnelle, **T1** 66
Effusion pleurale, **T2** 305
Égophonie, **T2** 207
Éjaculation, **T3** 716
rétrograde, **T3** 722, 864, 866
Élastose solaire, **T2** 140
Électrocardiogramme (ECG), **T1** 667 ; **T2** 532-533, 553, 560-561, 637, 650, 705 ; **T3** 17
à 12 dérivations, **T2** 630, 705-708
à haute amplification, **T2** 553
arythmie et lecture de l'_, **T2** 715-719, 721-726
ondes et intervalles de l'_, **T2** 532, 710
péricardite aiguë et lecture de l'_, **T2** 752-753, 755
surveillance de l'_, **T2** 705-709
syndrome coronarien aigu et _, **T2** 735-737
Électrocautérisation, **T3** 970
Électrocoagulation, **T2** 133
Électrocochléographie, **T2** 33
Électrodessication, **T2** 133
Électroencéphalographie (EEG), **T1** 551
Électrolytes, **T1** 476-477 ; **T3** 17
composition en _ des compartiments liquidiens, **T1** 476-477
déséquilibre des _, *voir* Déséquilibre(s) hydroélectrolytique(s)
équilibre des _, *voir* Équilibre hydroélectrolytique
fournies par l'alimentation parentérale, **T3** 307
mécanismes des mouvements des _, **T1** 477-480
mesure des _, **T1** 476
personnes âgées et équilibre des _, **T1** 484
sériques, **T3** 144
taux sériques d'_, **T1** 512-514
valeurs normales en _, **T1** 485
Électromyographie (EMG), **T1** 551
sphinctérienne, **T3** 925
Électronystagmographie (ENG), **T2** 33
Électrophorèse
de l'hémoglobine, **T2** 432
des protéines sériques (SPEP), **T2** 432
Électrovaporisation transurétrale de la prostate, **T3** 858
Élimination, **T3** 248, 254-255
AVC et _, **T1** 618, 639
des sécrétions pulmonaires, **T3** 194-196
du CO_2 par membrane extracorporelle ($ECCO_2R$), **T3** 207
en fin de vie, **T1** 238
histoire de santé et _, **T1** 53-54, 178, 510, 538-540, 798-799 ; **T2** 12-13, 27-28, 95-96, 196, 198, 419-420, 543 ; **T3** 261, 264, 573-574, 723
maladie d'Alzheimer et _, **T1** 727-728
Embole, **T2** 611
Embolectomie pulmonaire, **T2** 311
Embolie, **T1** 519, 614 ; **T2** 811
graisseuse, **T1** 846-847
pulmonaire (EP), **T2** 307-311, 745 ; **T3** 59
soins et traitements infirmiers en cas d'_, **T2** 311
systémique, **T2** 745
Embolisation, **T2** 631
de l'artère bronchique, **T2** 398
de l'artère utérine, **T3** 830
Émétiques, **T3** 348
Emmétropie, **T2** 5
Émollients, **T3** 424
fécaux, **T2** 644
Empathie, **T1** 68, 234
Emphysème, **T2** 355
bulleux, **T2** 362
sous-cutané, **T3** 124
Emplacement géographique, **T1** 25-26
Emploi comme déterminant de la santé, **T1** 23
Empoisonnements, **T3** 237-239
Empyème, **T2** 186, 264, 272
Encéphale, **T1** 528-531
Encéphalite, **T1** 602
spongiforme transmissible (EST), **T1** 367
Encéphalomyélite myalgique, **T1** 967, 969-970
soins et traitements en interdisciplinarité en cas de _, **T1** 970-971
Encéphalopathie
de Gayet-Wernicke, **T1** 257
hépatique, **T3** 516-517, 520-521
soins et traitements infirmiers en cas d'_, **T3** 528-529
hypertensive, **T2** 577, 597
Enchondrome, **T1** 879
Endartériectomie, **T2** 314, 796
carotidienne, **T1** 621
Endocarde, **T2** 744
Endocardite, **T2** 264 ; **T3** 783
infectieuse, **T2** 744-748 ; **T3** 22
aiguë, **T2** 744, 747
soins et traitements infirmiers en cas d'_, **T2** 748-751
subaiguë, **T2** 744
rhumatismale, **T2** 758
Endocrinopathies, **T2** 450
Endofuite, **T2** 804
Endomètre, cancer de l'_, **T3** 833-834
Endométriectomie, **T3** 815
Endométriome, **T3** 828
Endométriose, **T3** 827-829
soins et traitements infirmiers en cas d'_, **T3** 829
Endophalmie, **T2** 67
Endoprothèse, **T2** 212, 630-631 ; **T3** 545
à élution de médicaments, **T2** 630
coronarienne, **T2** 630
en spirale détachable de Guglielmi, **T1** 626
œsophagienne, **T3** 369
respiratoire, **T2** 288
urétrale intraprostatique, **T3** 858-859
vasculaire, **T1** 621 ; **T2** 790, 795
Endoscopie, **T1** 807 ; **T2** 210-213 ; **T3** 276-278, 364, 380, 400, 544, 924
par capsule, **T3** 277-278, 441
Endothélium, **T2** 604
vasculaire, **T2** 571
dysfonctionnement de l'_, **T2** 575
Endothérapie, **T3** 400
Enfants, besoins des _ à l'égard de la maladie et la mort, **T1** 240-242
Enflure, **T3** 226
de l'auricule, **T2** 32
Enregistrement d'événements, **T2** 554, 561, 661
Enseignement, **T1** 64
stratégies d'_, **T1** 76-80
thérapeutique, **T3** 626
Enseignement au client et à ses proches, **T1** 64
amputation, **T1** 862
angine chronique stable, **T2** 649
anticoagulothérapie avec la warfarine, **T2** 828
antihypertenseurs, **T2** 588-590
appareils du conduit iléal, **T3** 993
arthrose, protection articulaire et conservation de l'énergie, **T1** 924
atténuation des symptômes de rhinite allergique, **T2** 222
autosurveillance de la glycémie, **T3** 617, 628
caractéristiques des menstruations, **T3** 716
cardiomyopathie, **T2** 783
céphalées, **T1** 663
cessation tabagique, **T1** 255
chirurgie crânienne, **T1** 593
cirrhose, **T3** 529
constipation, **T3** 426
corticothérapie, **T3** 699-700
débitmètre de pointe, **T2** 351
défibrillateur cardiaque implantable, **T2** 731
déglutition supraglottique, **T2** 245-246
diabète, **T3** 626-628
diabète et nutrition, **T3** 614, 627-628
diabète et soins des pieds, **T3** 642
dysréflexie autonomique, **T1** 773
endocardite infectieuse, **T2** 750
entretien du halo-veste, **T1** 769
épilepsie et crise épileptique, **T1** 676
exercices des muscles du plancher pelvien, **T3** 977
exercices du cou, **T1** 893
hygiène du sommeil, **T1** 146
hypertension artérielle, **T2** 595
hypothyroïdie, **T3** 679
infection des voies urinaires, **T3** 941
inhalateur de poudre sèche, **T2** 344
insuffisance cardiaque, **T2** 695
insuffisance corticosurrénalienne, **T3** 696
insuffisance rénale chronique, **T3** 1039
insulinothérapie, **T3** 604
ITSS, **T3** 797
lésion de pression, **T1** 301
lombalgie, **T1** 886
lupus érythémateux disséminé (LED), **T1** 958
maladie d'Alzheimer, **T1** 728

neutropénie, **T2** 489
oxygénothérapie à domicile, **T2** 374
pharmacothérapie de l'asthme, **T2** 345
phase préopératoire, **T3** 17-21
plaie, **T1** 292-293
plan d'_, **T1** 64
pontage artériel périphérique, **T2** 800
prévention de l'hypokaliémie, **T1** 496-497
prévention de l'otite externe, **T2** 69
prévention de la maladie de Lyme, **T1** 946
prévention des agressions sexuelles, **T3** 849
prévention des problèmes musculo-squelettiques chez la personne âgée, **T1** 814
prise en charge de la douleur, **T1** 203-206
processus de l'_, **T1** 72-81; T 71
processus de transmission des connaissances lors de l'_, **T1** 64-71
protection des articulations, **T1** 937
prothèse de la tête fémorale, **T1** 852
réactions cutanées dues au rayonnement, **T1** 447
réduction des facteurs de risque de la coronaropathie, **T2** 615-616
réduction du risque d'infection par des microorganismes résistant aux antibiotiques, **T1** 371
rééducation intestinale suite à une blessure médullaire, **T1** 776
reflux gastro-œsophagien, **T3** 364
règlementation en matière d'_, **T1** 70-71
respiration à lèvres pincées, **T2** 350
saine alimentation, **T3** 294
salubrité des aliments, **T3** 406
sclérose en plaques, **T1** 686
signes avant-coureurs d'un AVC, **T1** 630
signes et symptômes de l'infection par le VIH, **T1** 395
signes précurseurs de la maladie d'Alzheimer, **T1** 712
sinusite chronique ou aiguë, **T2** 232
soins à la suite d'une cholécystectomie par laparoscopie, **T3** 552
soins cutanés suite à une blessure médullaire, **T1** 777
soins d'une stomie, **T3** 468
soisn du plâtre, **T1** 842
stimulateur cardiaque, **T2** 735
suite à une chirurgie de l'oreille, **T2** 72
suite à une chirurgie oculaire, **T2** 54
syndrome coronarien aigu, **T2** 651-652, 655-656
syndrome coronarien aigu et activité sexuelle, **T2** 659
syndrome coronarien aigu et exercices physiques selon le principe FITT, **T2** 658
technique de toux contrôlée, **T2** 375
thérapie à base de plantes médicinales, **T1** 119
thrombocytopénie, **T2** 475-476
traitement antirétroviral, **T1** 393
traitement de l'asthme, **T2** 352-353
traitement thermique de la douleur, **T1** 200
traumatisme craniocérébral léger, **T1** 585
ulcère peptique, **T3** 389
Entérocoque résistant à la vancomycine (ERV), **T1** 370
Entéropathie par intolérance au gluten, *voir* Maladie(s) cœliaque
Entorse, **T1** 814-816
du muscle fléchisseur commun des orteils, **T1** 815
soins et traitements infirmiers en cas d'_, **T1** 816-817
Entraînement musculaire, **T1** 103
Entretien motivationnel, **T1** 66-67, 254, 256, 268-270
Entrevue, **T1** 46-47
culture et _, **T1** 46
en phase préopératoire, **T3** 5
Entropion, **T2** 16
Énucléation, **T2** 68
Énurésie, **T3** 913
nocturne, **T3** 935
Environnement
du client, évaluation de l'_, **T1** 55-56
facteurs liés à l'_, *voir* Facteur(s) environnementaux
histoire de santé et _, **T1** 51, 55-56, 178, 510, 538, 798; **T2** 11-12, 27, 94, 196, 418, 542; **T3** 263, 572, 723
peau et risques liés à l'_, **T2** 108-110
physique, **T1** 23-24
social, **T1** 24
Enzymes
hépatiques, **T3** 144
pancréatiques, **T3** 536
sériques, **T3** 281
Éosinophile, **T2** 331, 407
Éosinophilie, **T3** 1003
Épanchement
dans le méat, **T2** 32
péricardique, **T2** 752
pleural, **T2** 186, 208, 264, 272, 304-306, 675
exsudatif, **T2** 305
transsudatif, **T2** 305
Épaule, arthroplastie de l'_, **T1** 867
Épendymocytes, **T1** 525
Éphédrine, **T2** 345
Épicondylite
latérale, **T1** 805
médiale, **T1** 805
Épiderme, **T2** 88
Épididyme, **T3** 708
Épididymite, **T3** 783, 879-880
à chlamydia, **T3** 789
Épigénétique, **T1** 313
Épilepsie(s), **T1** 663-671
focales, **T1** 665-666
généralisées, **T1** 665-666
primaire, **T1** 664
réflexe, **T1** 664
secondaire, **T1** 664
soins et traitements infirmiers en cas d'_, **T1** 671-676
Épinéphrine, **T1** 343; **T3** 161, 165, 401
Épiphyse, **T1** 788; **T3** 565
Épisode de submersion, urgences liées à un _, **T3** 232-234
Épispadias, **T3** 877
Épistaxis, **T2** 219, 423, 454; **T3** 404, 512
soins et traitements en interdisciplinarité en cas d'_, **T2** 220
Épithélialisation, **T1** 282
Épithélium cultivé, **T2** 171-172
Éplérénone, **T2** 684; **T3** 701
Époprosténol sodique, **T2** 313
Épreuve(s)
calorique, **T2** 33
d'effort, **T2** 713
d'effort ou de résistance au stress, **T2** 554, 561
d'histocompatibilité, **T3** 1044
de compatibilité croisée, **T3** 1044
de désaturation à l'effort, **T2** 214
de la concentration, **T3** 917
de marche de six minutes, **T2** 554
de Rinne, **T2** 23, 34
de Romberg, **T1** 545
de tolérance à l'effort, **T2** 214
de Weber, **T2** 34
du diapason, **T2** 34
du lacet, **T2** 430
Épuisement
en fin de vie, **T1** 237
par la chaleur, **T3** 227-228
professionnel de l'infirmière, **T3** 85
Équilibre
acidobasique, **T1** 474
régulation de l'_, **T1** 503-505; **T3** 901
calcique, **T1** 497
du magnésium, **T1** 502
du phosphate, **T1** 500
hydrique
en cas de blessures médullaires, **T1** 770-771
normal, **T1** 483
régulation de l'_, **T1** 481-484
hydroélectrolytique, **T1** 474, 573-574
liquidien en cas du syndrome de détresse respiratoire aiguë, **T3** 209
nutritionnel
en cas de blessures médullaires, **T1** 770-771
en cas du syndrome de détresse respiratoire aiguë, **T3** 209
phosphocalcique, régulation de l'_, **T3** 901-902
sodique, insuffisance rénale aiguë et _, **T3** 1002
Équipe
chirurgicale, **T3** 35-36
d'anesthésie, **T3** 36-37
périopératoire, **T3** 33-37
Équipement de protection contre les infections, **T1** 373
Équivalents métaboliques (MET), **T2** 656
Érection, **T3** 716
problèmes de mécanisme de l'_, **T3** 878-879
psychogène, **T1** 778
réflexe, **T1** 778
Érectogènes, **T3** 857, 886
Érésipèle, **T2** 120, 132
Ergothérapie, **T2** 173
Érosions liées au système reproducteur, **T3** 728
Errance, **T1** 726
Erreurs de réfraction, **T2** 5, 38
corrigeables, **T2** 38
Éructation, **T3** 270
Éruption cutanée, **T2** 99
Érythème, **T2** 99, 101, 108
calorique, **T3** 226
du pénis, **T3** 729
du scrotum, **T3** 729
en papillon, **T1** 950-951
marginé, **T2** 760
discoïde de Besnier, **T2** 759
vulvaire, **T3** 731
Érythrocytes, **T2** 404-407, 427, 450; **T3** 143; *voir aussi* Globules rouges (GR)
anémie causée par la destruction accrue d'_, **T2** 441, 456-460
anémie par diminution de production d'_, **T2** 441, 446-455
Érythromélalgie, **T2** 465
Érythroplasie, **T2** 243; **T3** 355
Érythropoïèse, **T2** 362, 405, 446-447
Érythropoïétine, **T1** 328-329, 456; **T2** 404-405, 432; **T3** 894, 902
exogène, **T3** 1019
Érythrose, **T2** 425
Escarrotomie, **T2** 158
Espace(s)
extracellulaire, mouvements liquidiens entre l'espace intracellulaire et l'_, **T1** 481
interstitiel, mouvements liquidiens entre les capillaires et l'_, **T1** 480-481
intracellulaire, mouvements liquidiens entre l'espace extracellulaire et l'_, **T1** 481
liquidiens, **T1** 481
mort, **T3** 151
personnel, **T1** 33
Espoir lié à la chirurgie, **T3** 8
Esthiomène, **T3** 790-791
Estomac, **T3** 250-251, 258
cancer de l'_, **T3** 393-395
Établissement de soins de longue durée, **T1** 97-98
Étanercept, **T1** 931, 942
Étapes
de l'intubation à séquence rapide, **T3** 110-111
de la syphilis, **T3** 785-786
du deuil, **T1** 222-223
État
de choc, **T3** 140
phases de l'_, **T3** 150-157
processus thérapeutique en cas d'_, **T3** 157-166
soins et traitements infirmiers en cas d'_, **T3** 167-172
types d'_, **T3** 140-150
de conscience, **T1** 542, 547
altération de l'_, **T1** 548, 560-561
de mal épileptique, *voir Status epilepticus*
de santé global, **T1** 22
de sommeil, **T1** 140
de stress post-traumatique (ESPT), **T3** 847
de veille, **T1** 140
électrolytique en phase préopératoire, **T3** 12-13
émotionnel, **T3** 575
hémodynamique
paramètres au repos de l'_, **T3** 93
surveillance de l'_, **T2** 558, 565, 678; **T3** 92-103
hypermétabolique, **T3** 174, 177
liquidien en phase préopératoire, **T3** 12-13
mental, **T1** 541-542, 547-548; **T3** 575
déséquilibres hydroélectrolytiques et _, **T1** 513
diabète et _, **T3** 643-644
syndrome de défaillance multiorganique (SDMO) et _, **T3** 174
syndrome de réponse inflammatoire systémique (SRIS) et _, **T3** 174
neurologique
en cas d'état de choc, **T3** 169

lors de l'examen primaire, **T3** 216, 219
nutritionnel, **T3** 284, 293-294
en cas de lésion de pression, **T1** 299
en phase préopératoire, **T3** 13
psychologique
coronaropathie et _, **T2** 612-613
insuffisance rénale chronique et _, **T3** 1015
respiratoire
suite à une chirurgie rénale, **T3** 987
valeurs de l'_, **T2** 215
Éthique, *voir* Dilemme éthique
Ethnicité, **T1** 26, 28
Ethnocentrisme, **T1** 28
Ethnogériatrie, **T1** 93
Éthylène glycol, empoisonnement à l'_, **T3** 238
Étourdissement, **T2** 25
Étude(s)
de facteurs, **T2** 479
de fertilité, **T3** 737-738
de Framingham, **T2** 607
de la pression mictionnelle, **T3** 925
de la vidange gastrique, **T3** 274
hormonales, **T3** 733, 738
INTERHEART, **T2** 607
Évaluation(s), *voir aussi* Examen(s)
ciblée
de personnes obèses, **T3** 326
des anomalies courantes de la peau, **T2** 103
du système digestif, **T3** 271-272
du système endocrinien, **T3** 579-580
du système hématologique, **T1** 426
du système musculosquelettique, **T1** 804
du système nerveux, **T1** 547
du système reproducteur, **T3** 732
du système respiratoire, **T2** 194
du système urinaire, **T3** 914
du système visuel, **T2** 14
cognitive
de Montréal (MoCa), **T1** 709
du sens du stresseur, **T1** 130-131
du stresseur, **T1** 130-131, 134
du stresseur primaire, **T1** 130
du stresseur secondaire, **T1** 130
constats de l'_, **T1** 17, 56
culturelle, **T1** 36-37
d'un symptôme, **T1** 47-56
d'une lésion de pression d'un client à la peau foncée, **T1** 298
d'une personne âgée, **T1** 99-100
d'une urgence mictionnelle, **T3** 905
de l'arythmie, **T2** 711-713
de l'état mental, **T1** 541-542; **T3** 575
de l'ovulation, **T3** 806
de l'utilisation des produits à base de plantes et des suppléments alimentaires, **T1** 50
de la douleur, **T1** 172-180, 208
de la douleur cancéreuse, **T1** 464-466
de la force musculaire, **T1** 801
de la mobilité, **T1** 801
de la peau en cas de déséquilibres hydroélectrolytiques, **T1** 487
de la perception et de la gestion de la santé, **T1** 51-52
de la stomie, **T3** 465-467
de la température basale, **T3** 738
des apprentissages du client et du proche aidant, **T1** 81
des besoins spirituels, **T1** 224, 226
des déséquilibres hydroélectrolytiques et acidobasiques, **T1** 510-514
des données, tâches dans l'_, **T1** 44
des symptômes d'angine, **T2** 623
des troubles allergiques, **T1** 339
des troubles mammaires, **T3** 742-744
du rythme cardiaque, **T2** 709
du système hématologique, **T2** 414-426
en cas d'agression sexuelle présumée, **T3** 848
en cours d'évolution, **T1** 17
de l'infection par le VIH, **T1** 382
et intervention en situation d'urgence, *voir* Urgence(s)
initiale
approches complémentaires et parallèles en santé et _, **T1** 121
de la personne, **T1** 36-37
neurologique
en cas d'hypertension intracrânienne, **T1** 569-571
en cas de traumatisme craniocérébral, **T1** 584
neurovasculaire suite à une blessure musculosquelettique, **T1** 833-835
nutritionnelle, **T3** 293, 395
peropératoire psychosociale, **T3** 38
postopératoire en phase I, **T3** 56-58
préopératoire, **T3** 6-17
de la consommation d'alcool et de drogues, **T3** 9-10
de la prise de médicaments, **T3** 9
des systèmes, **T3** 11-15
du passé médical, **T3** 8-9
du risque allergique, **T3** 10-11
psychosociale, **T3** 6-8
prioritaire en fin de vie, **T1** 231
urodynamiques, **T3** 925-926, 929, 975
Évaluation des résultats, **T1** 17
des soins offerts à la personne âgée, **T1** 107
en cas d'amputation, **T1** 863
en cas d'anévrisme de l'aorte, **T2** 808
en cas d'artériopathie périphérique, **T2** 800
en cas d'arthrose, **T1** 924
en cas d'asthme, **T2** 353
en cas d'embolie pulmonaire, **T2** 311
en cas d'endocardite infectieuse, **T2** 751
en cas d'épilepsie, **T1** 676
en cas d'état de choc, **T3** 172
en cas d'hémophilie, **T2** 481
en cas d'hémorragie digestive haute, **T3** 404
en cas d'hépatite, **T3** 508
en cas d'hypercortisolisme, **T3** 693
en cas d'hypertension artérielle primaire, **T2** 596
en cas d'hypertension intracrânienne, **T1** 575
en cas d'hyperthyroïdie, **T3** 674
en cas d'hypothyroïdie, **T3** 680
en cas d'infection des voies urinaires, **T3** 940-941
en cas d'infection par le VIH, **T1** 397
en cas d'inflammation ou d'infection extraoculaire, **T2** 49
en cas d'insuffisance cardiaque, **T2** 697
en cas d'insuffisance rénale aiguë, **T3** 1008
en cas d'insuffisance rénale chronique, **T3** 1028
en cas d'insuffisance respiratoire aiguë, **T3** 199
en cas d'ITSS, **T3** 802
en cas d'ostéomyélite, **T1** 878
en cas d'ulcères peptiques, **T3** 389
en cas de blessures médullaires, **T1** 780
en cas de calculs urinaires, **T3** 964
en cas de cancer buccal, **T3** 359
en cas de cancer colorectal, **T3** 463
en cas de cancer de l'appareil génital féminin, **T3** 843
en cas de cancer de l'œsophage, **T3** 371
en cas de cancer de la prostate, **T3** 875
en cas de cancer de la tête et du cou, **T2** 253
en cas de cancer du poumon, **T2** 290
en cas de cancer gastrique, **T3** 397
en cas de cardite rhumatismale, **T2** 761
en cas de cataracte, **T2** 54
en cas de céphalées, **T1** 663
en cas de chirurgie crânienne, **T1** 595
en cas de cirrhose, **T3** 529
en cas de déficience visuelle, **T2** 44
en cas de diabète, **T3** 626
en cas de douleur abdominale aiguë, **T3** 430
en cas de fracture, **T1** 844
en cas de fracture de la hanche, **T1** 852
en cas de glaucome, **T2** 66
en cas de lésion de pression, **T1** 301
en cas de leucémie, **T2** 501
en cas de lombalgie aiguë, **T1** 887
en cas de lupus érythémateux disséminé (LED), **T1** 959
en cas de maladie d'Alzheimer, **T1** 729
en cas de maladie de la vésicule biliaire, **T3** 552
en cas de maladie de Parkinson, **T1** 694
en cas de maladie inflammatoire chronique de l'intestin, **T3** 450
en cas de malnutrition, **T3** 296
en cas de méningite bactérienne, **T1** 601
en cas de MPOC, **T2** 388
en cas de myasthénie grave, **T1** 697
en cas de nausées et vomissements, **T3** 353
en cas de pancréatite aiguë, **T3** 541
en cas de pneumonie, **T2** 269
en cas de pyélonéphrite aiguë, **T3** 944
en cas de rhumatisme articulaire aigu, **T2** 761
en cas de sclérose en plaques, **T1** 686
en cas de soins périopératoires du client obèse, **T3** 340
en cas de syndrome coronarien aigu, **T2** 659
en cas de syndrome de Guillain-Barré, **T1** 748
en cas de thrombocytopénie, **T2** 475
en cas de thrombose veineuse profonde, **T2** 826
en cas de traumatisme craniocérébral, **T1** 586
en cas de tuberculose, **T2** 277
en cas de tumeur cérébrale, **T1** 592
en cas de tumeur osseuse, **T1** 882
en cas de valvulopathie, **T2** 774-775
en cas du syndrome de détresse respiratoire aiguë, **T3** 209
enseignement au client et _, **T1** 80-81
suite à un AVC, **T1** 648
suite à une chirurgie de la prostate, **T3** 866
suite à une chirurgie mammaire, **T3** 771-772
Événements, histoire de santé et _, **T1** 51, 178, 510, 538, 798; **T2** 11-12, 27, 94, 196, 418, 542; **T3** 263, 572, 723
Éventration, **T3** 13
Éversion, **T1** 802
Éviscération, **T1** 285
Exacerbation(s)
aiguë de l'ulcère peptique, **T3** 384
asthmatique, **T2** 330, 333-335
de l'insuffisance cardiaque, **T2** 668
de la MPOC, **T2** 363-364
des réflexes tendineux, **T3** 579
Examen(s), *voir aussi* Évaluation(s)
bactériologiques en cas de tuberculose, **T2** 273
bimanuel, **T3** 727, 836
cognitif, **T1** 708-709
cytogénétiques, **T2** 435-437
cytologiques, **T3** 735, 739
d'acuité auditive, **T1** 542; **T2** 31, 34
d'acuité visuelle, **T1** 542; **T2** 15
de coagulation, **T2** 429-431
de l'écoulement mamelonnaire, **T3** 735
de l'urine, **T3** 915-918, 926-929
de la fonction hépatique, **T3** 17
de la fonction pulmonaire, **T3** 17
de la fonction pupillaire, **T2** 15
de la fonction vestibulaire, **T2** 33, 35
de la moelle osseuse, **T2** 436
de radio-isotopes, **T2** 434
de vision des couleurs, **T2** 15
des expectorations, **T2** 205, 208-209, 331
des surfaces postérieures, **T3** 220, 224
électrographiques, **T1** 551; **T2** 552
électrophysiologique, **T2** 558, 564-565
endoscopiques, *voir* Endoscopie
fonctionnels du foie, **T3** 280-281
général, **T1** 57
microscopiques du système tégumentaire, **T2** 104-105
moléculaires, **T2** 435
pelvien interne, **T3** 727, 731
primaire (ABCDE) d'urgence, **T3** 214-219
radio-isotopiques, **T1** 807
radiologiques
des reins, des uretères et de la vessie, **T3** 919
liés au système digestif, **T3** 272-273, 275-276
liés au système endocrinien, **T3** 582-585, 587-588
liés au système hématologique, **T2** 431, 434-435
liés au système musculosquelettique, **T1** 806-807
liés au système nerveux, **T1** 550; **T2** 551
liés au système reproducteur, **T3** 736, 739
liés au système urinaire, **T3** 919-924

rectal digital (ERD), **T3** 855-856, 868
sanguins, **T2** 432-433
secondaire d'urgence, **T3** 215, 219-224
veineux
effractifs, **T2** 818-819
non effractifs, **T2** 818
Examen clinique, **T1** 42-44
ciblé, **T1** 42-43
complet, **T1** 42-43
d'urgence, **T1** 42-43
de l'appareil cardiovasculaire, **T2** 538-550
de suivi, **T1** 42-43
du système auditif, **T2** 25-31
du système endocrinien, **T3** 569-580
du système gastro-intestinal, **T3** 259-272
du système musculosquelettique, **T1** 795-804
du système nerveux, **T1** 536-546
du système reproducteur, **T3** 719-731
du système respiratoire, **T2** 192-205, 207-208
du système tégumentaire, **T2** 92-103
du système urinaire, **T3** 904-914
du système visuel, **T2** 9-20
en cas d'abcès pulmonaire, **T2** 279
en cas d'accident vasculaire cérébral, **T1** 618-619
en cas d'acromégalie, **T3** 651
en cas d'algie vasculaire de la face, **T1** 657
en cas d'amputation, **T1** 858
en cas d'anévrisme de l'aorte, **T2** 802-803
en cas d'appendicite, **T3** 434
en cas d'artériopathie périphérique, **T2** 792-793
en cas d'arthrose, **T1** 913
en cas d'asthme, **T2** 330-331
en cas d'embolie pulmonaire, **T2** 309-310
en cas d'encéphalite, **T1** 602
en cas d'encéphalomyélite myalgique, **T1** 970
en cas d'endocardite infectieuse, **T2** 747
en cas d'épilepsie, **T1** 667-668
en cas d'état de choc, **T3** 157
en cas d'hémorragie digestive haute, **T3** 400
en cas d'hémorroïdes, **T3** 484
en cas d'hépatite, **T3** 499-500
en cas d'hernie hiatale, **T3** 367
en cas d'herpès génital, **T3** 793
en cas d'hypercortisolisme, **T3** 687-688
en cas d'hyperparathyroïdie, **T3** 682
en cas d'hyperplasie bénigne de la prostate, **T3** 855-856
en cas d'hypertension intracrânienne, **T1** 562-563
en cas d'hyperthyroïdie, **T3** 667-668
en cas d'hypoglycémie, **T3** 634
en cas d'hypothyroïdie, **T3** 675-676
en cas d'incontinence fécale, **T3** 419, 421
en cas d'incontinence urinaire, **T3** 975
en cas d'infection des voies urinaires, **T3** 936
en cas d'infertilité, **T3** 806-807
en cas d'insuffisance corticosurrénalienne, **T3** 695
en cas d'insuffisance hypophysaire, **T3** 655
en cas d'insuffisance rénale aiguë, **T3** 1003-1004
en cas d'insuffisance rénale chronique, **T3** 1016
en cas d'insuffisance respiratoire aiguë, **T3** 191-192, 194
en cas d'occlusion intestinale, **T3** 453
en cas d'ostéomyélite, **T1** 875
en cas d'ostéoporose, **T1** 898, 900
en cas de blessures médullaires, **T1** 760
en cas de botulisme, **T1** 749
en cas de bronchectasie, **T2** 397-398
en cas de calculs urinaires, **T3** 960-961
en cas de cancer buccal, **T3** 356
en cas de cancer colorectal, **T3** 458-459
en cas de cancer de l'œsophage, **T3** 368-369
en cas de cancer de la prostate, **T3** 868-869
en cas de cancer de la vessie, **T3** 971
en cas de cancer des ovaires, **T3** 836
en cas de cancer du col de l'utérus, **T3** 832-833
en cas de cancer du poumon, **T2** 285-286
en cas de cancer du rein, **T3** 968
en cas de cancer du sein, **T3** 754-755
en cas de cancer gastrique, **T3** 393-394
en cas de cancer testiculaire, **T3** 881
en cas de cancer thyroïdien, **T3** 662
en cas de cardiomyopathie, **T2** 777
dilatée, **T2** 778
hypertrophique, **T2** 780-781
restrictive, **T2** 782
en cas de cardite rhumatismale, **T2** 759
en cas de cataracte, **T2** 50
en cas de céphalée de tension, **T1** 655
en cas de chlamydiose, **T3** 790
en cas de cirrhose, **T3** 517-518
en cas de constipation, **T3** 423
en cas de cœur pulmonaire, **T2** 315
en cas de cystite interstitielle, **T3** 946
en cas de de d'angine chronique stable, **T2** 630-632
en cas de d'ulcère peptique, **T3** 380-381
en cas de décollement rétinien, **T2** 56
en cas de délirium, **T1** 732-733
en cas de dermatomyosite et de polymyosite, **T1** 964
en cas de diabète, **T3** 597-598, 600
en cas de diabète insipide, **T3** 659
en cas de diarrhée, **T3** 414
en cas de discopathie intervertébrale, **T1** 889-890
en cas de dissection aortique, **T2** 809-810
en cas de diverticulite, **T3** 475
en cas de diverticulose, **T3** 475
en cas de DMLA, **T2** 59
en cas de douleur abdominale aiguë, **T3** 427-428
en cas de dysérection, **T3** 884-886
en cas de fibromyalgie, **T1** 968
en cas de fibrose kystique, **T2** 393
en cas de gastrite, **T3** 375
en cas de glaucome, **T2** 61-62
en cas de glomérulonéphrite poststreptococcique aiguë, **T3** 949
en cas de gonorrhée, **T3** 783-784
en cas de goutte, **T1** 948
en cas de grossesse ectopique, **T3** 816-817
en cas de lupus érythémateux disséminé (LED), **T1** 953
en cas de maladie d'Alzheimer, **T1** 716-717
en cas de maladie de la vésicule biliaire, **T3** 547-548
en cas de maladie de Ménière, **T2** 74
en cas de maladie de Parkinson, **T1** 688
en cas de malnutrition, **T3** 291
en cas de méningite bactérienne, **T1** 597-598
en cas de migraine, **T1** 656
en cas de MPOC, **T2** 365-366
en cas de myasthénie grave, **T1** 695-696
en cas de myocardite, **T2** 756
en cas de névralgie faciale, **T1** 741
en cas de pancréatite
aiguë, **T3** 537-538
chronique, **T3** 542
en cas de péricardite
aiguë, **T2** 752-754
constrictive chronique, **T2** 755
en cas de péritonite, **T3** 436
en cas de pneumonie, **T2** 263-264
en cas de polyarthrite rhumatoïde, **T1** 928-929
en cas de prostatite, **T3** 876
en cas de pyélonéphrite aiguë, **T3** 942-943
en cas de reflux gastro-œsophagien, **T3** 361-362
en cas de rétention urinaire, **T3** 975
en cas de rhumatisme articulaire aigu, **T2** 759
en cas de saignements vaginaux anormaux, **T3** 814
en cas de sclérodermie systémique, **T1** 961-962
en cas de sclérose en plaques, **T1** 679
en cas de spondylite ankylosante, **T1** 941-942
en cas de syndrome coronarien aigu, **T2** 637-638
en cas de syndrome de Guillain-Barré, **T1** 746
en cas de syndrome des jambes sans repos, **T1** 698
en cas de syndrome prémenstruel, **T3** 811
en cas de syphilis, **T3** 786-788
en cas de thrombose veineuse profonde, **T2** 818-819
en cas de troubles de l'oreille moyenne, **T2** 71
en cas de troubles dermatologiques, **T2** 130
en cas de troubles mammaires, **T3** 743-744
en cas de troubles neurocognitifs, **T1** 708-710
en cas de tuberculose, **T2** 272-273
en cas de tumeurs cérébrales, **T1** 588-589
en cas de valvulopathie, **T2** 768
en cas de varices, **T2** 829
en cas de verrues génitales, **T3** 795
en cas de vessie neurogène, **T1** 775
en cas du syndrome de sécrétion inappropriée d'hormone antidiurétique, **T3** 656
Examen physique, **T1** 56-61
coordination d'un _, **T1** 61
d'une personne âgée, **T1** 61
de l'abdomen, **T1** 59, 61; **T3** 220, 223, 265-269, 577
de l'anus, **T3** 268-269, 727-728
de la bouche, **T2** 200, 207; **T3** 265, 269
de la peau, **T1** 61; **T2** 425
de la prostate, **T3** 727
de la région inguinale, **T3** 727
de la tête, **T1** 58, 61; **T3** 220, 222-223, 576
des extrémités, **T1** 59, 61; **T3** 220, 223
des flancs, **T3** 220, 223
des ganglions lymphatiques, **T2** 421, 425
des membres supérieurs et inférieurs, **T3** 577
des organes génitaux, **T3** 577
externes, **T3** 726-728
des seins, **T3** 727-728
des testicules, **T3** 727
du bassin, **T3** 220, 223
du cordon spermatique, **T3** 727
du cou, **T1** 58, 61; **T2** 200, 207; **T3** 220, 222-223, 576
du dos, **T3** 220
du foie en cas d'hépatite, **T3** 499-500
du pénis, **T3** 726-727
du périnée, **T3** 220, 223
du pubis, **T3** 726
du rectum, **T3** 268
du scrotum, **T3** 727
du système auditif, **T2** 30-31
du système cardiovasculaire, **T2** 544-545, 548-550
du système endocrinien, **T3** 575-577
du système gastro-intestinal, **T3** 265-272
du système hématologique, **T2** 421-426
du système musculosquelettique, **T1** 800-804
du système nerveux, **T1** 541-546
du système reproducteur de l'homme, **T3** 726-728
du système reproducteur de la femme, **T3** 727-728
du système respiratoire, **T2** 200-205, 207-208
du système tégumentaire, **T2** 95-102; **T3** 575-576
du système urinaire, **T3** 911-914
du système visuel, **T2** 14-20
du thorax, **T1** 59, 61; **T2** 200-205, 207-208, 545, 548-550; **T3** 220, 223, 577
du visage, **T3** 220, 222-223
en bloc opératoire, **T3** 37-38
en cas de dépendance à une substance, **T1** 264-265
en cas de déséquilibres hydroélectrolytiques et acidobasiques, **T1** 512
en cas de dysérection, **T3** 884-885
en phase préopératoire, **T3** 15-16
en situation d'urgence, **T3** 220, 222-223
enregistrement des résultats d'un _, **T1** 61

matériel nécessaire pour l'_, **T1** 61
techniques de l'_, **T1** 57, 60-61
Examens paracliniques
du système auditif, **T2** 31-35
du système cardiovasculaire, **T2** 551-565
du système endocrinien, **T3** 580-589
du système gastro-intestinal, **T3** 272-281
du système hématologique, **T2** 427-437
du système musculosquelettique, **T1** 806-811
du système nerveux, **T1** 546-553
du système reproducteur, **T3** 731-739
du système respiratoire, **T2** 205, 208-215
du système tégumentaire, **T2** 104-105
du système urinaire, **T3** 916-929; **T3** 915
du système visuel, **T2** 20-21
en cas d'abcès pulmonaire, **T2** 279
en cas d'accident vasculaire cérébral, **T1** 618-619
en cas d'acromégalie, **T3** 651
en cas d'algie vasculaire de la face, **T1** 657
en cas d'amputation, **T1** 858
en cas d'anémie
aplasique, **T2** 454
d'origine hémorragique, **T2** 455
falciforme, **T2** 460
ferriprive, **T2** 447-448
par carence en cobalamine, **T2** 451-452
en cas d'anévrisme de l'aorte, **T2** 802-803
en cas d'apnée obstructive du sommeil, **T1** 153
en cas d'appendicite, **T3** 434
en cas d'artériopathie périphérique, **T2** 792-793
en cas d'arthrose, **T1** 913
en cas d'asthme, **T2** 330-331
en cas d'embolie pulmonaire, **T2** 309-310
en cas d'encéphalite, **T1** 602
en cas d'encéphalomyélite myalgique, **T1** 970
en cas d'endocardite infectieuse, **T2** 747
en cas d'épilepsie, **T1** 667-668
en cas d'état de choc, **T3** 142-144, 146, 157
en cas d'hémophilie, **T2** 478-479
en cas d'hémorragie digestive haute, **T3** 400
en cas d'hémorroïdes, **T3** 484
en cas d'hépatite, **T3** 497-500
en cas d'hernie hiatale, **T3** 367
en cas d'herpès génital, **T3** 793
en cas d'hypercortisolisme, **T3** 687-688
en cas d'hyperparathyroïdie, **T3** 682
en cas d'hyperplasie bénigne de la prostate, **T3** 856
en cas d'hypertension artérielle, **T2** 577-578
en cas d'hypertension intracrânienne, **T1** 562-563
en cas d'hypertension pulmonaire, **T2** 312
en cas d'hyperthyroïdie, **T3** 666-668
en cas d'hypoglycémie, **T3** 634
en cas d'hypothyroïdie, **T3** 666, 675-676
en cas d'incontinence fécale, **T3** 419, 421
en cas d'incontinence urinaire, **T3** 975
en cas d'infection des voies urinaires, **T3** 936
en cas d'infection par le VIH, **T1** 381-382
en cas d'infertilité, **T3** 806-807
en cas d'insuffisance cardiaque, **T2** 676-677
en cas d'insuffisance corticosurrénalienne, **T3** 695
en cas d'insuffisance hypophysaire, **T3** 655
en cas d'insuffisance rénale aiguë, **T3** 1003-1004
en cas d'insuffisance rénale chronique, **T3** 1016
en cas d'insuffisance respiratoire aiguë, **T3** 191-192, 194
en cas d'occlusion intestinale, **T3** 453
en cas d'ostéomyélite, **T1** 875
en cas d'ostéoporose, **T1** 898, 900
en cas de blessures médullaires, **T1** 760
en cas de bronchectasie, **T2** 397-398
en cas de calculs urinaires, **T3** 960-961
en cas de cancer buccal, **T3** 356
en cas de cancer colorectal, **T3** 458-459
en cas de cancer de l'œsophage, **T3** 368-369
en cas de cancer de la prostate, **T3** 868-869
en cas de cancer de la tête et du cou, **T2** 243
en cas de cancer de la vessie, **T3** 971
en cas de cancer des ovaires, **T3** 836
en cas de cancer du foie, **T3** 532
en cas de cancer du poumon, **T2** 285-286
en cas de cancer du rein, **T3** 968
en cas de cancer du sein, **T3** 754-755
en cas de cancer gastrique, **T3** 393-394
en cas de cancer soupçonné, **T1** 419-420
en cas de cancer testiculaire, **T3** 881
en cas de cancer thyroïdien, **T3** 662
en cas de cardiomyopathie, **T2** 777
dilatée, **T2** 778
hypertrophique, **T2** 780-781
restrictive, **T2** 782
en cas de cardite rhumatismale, **T2** 759
en cas de cataracte, **T2** 50
en cas de céphalée de tension, **T1** 655
en cas de chlamydiose, **T3** 790
en cas de cirrhose, **T3** 517-518
en cas de coagulation intravasculaire disséminée, **T2** 483
en cas de constipation, **T3** 423
en cas de cœur pulmonaire, **T2** 315
en cas de cystite interstitielle, **T3** 946
en cas de d'ulcère peptique, **T3** 380-381
en cas de décollement rétinien, **T2** 56
en cas de délirium, **T1** 732-733
en cas de dermatomyosite et de polymyosite, **T1** 964
en cas de diabète, **T3** 597-598, 600
en cas de diabète insipide, **T3** 659
en cas de diarrhée, **T3** 414
en cas de discopathie intervertébrale, **T1** 889-890
en cas de dissection aortique, **T2** 809-810
en cas de diverticulite, **T3** 475
en cas de diverticulose, **T3** 475
en cas de DMLA, **T2** 59
en cas de douleur abdominale aiguë, **T3** 428
en cas de douleur pelvienne chronique, **T3** 827
en cas de dysérection, **T3** 884-886
en cas de dystrophie musculaire, **T1** 882
en cas de fibromyalgie, **T1** 968
en cas de fibrose kystique, **T2** 393
en cas de gastrite, **T3** 375
en cas de glaucome, **T2** 61-62
en cas de glomérulonéphrite poststreptococcique aiguë, **T3** 949
en cas de gonorrhée, **T3** 783-784
en cas de goutte, **T1** 948
en cas de grippe, **T2** 229
en cas de grossesse ectopique, **T3** 816-817
en cas de leucémie, **T2** 495-496
en cas de lupus érythémateux disséminé (LED), **T1** 953
en cas de lymphome de Hodgkin, **T2** 503
en cas de lymphomes non hodgkiniens, **T2** 506
en cas de maladie cœliaque, **T3** 480-481
en cas de maladie d'Alzheimer, **T1** 716-717
en cas de maladie de la vésicule biliaire, **T3** 547-548
en cas de maladie de Ménière, **T2** 74
en cas de maladie de Parkinson, **T1** 688
en cas de maladie inflammatoire chronique de l'intestin, **T3** 441
en cas de malnutrition, **T3** 291-292
en cas de méningite bactérienne, **T1** 597-598
en cas de migraine, **T1** 656-657
en cas de MPOC, **T2** 365-366
en cas de myasthénie grave, **T1** 695-696
en cas de myélome multiple, **T2** 510
en cas de myocardite, **T2** 756
en cas de narcolepsie, **T1** 151
en cas de neutropénie, **T2** 486-487
en cas de névralgie faciale, **T1** 741
en cas de pancréatite
aiguë, **T3** 537-538
chronique, **T3** 542
en cas de péricardite
aiguë, **T2** 752-754
constrictive chronique, **T2** 755
en cas de péritonite, **T3** 436
en cas de pneumonie, **T2** 263-264
en cas de polyarthrite rhumatoïde, **T1** 928-929
en cas de polycythémie, **T2** 465
en cas de polypes du gros intestin, **T3** 455-456
en cas de prostatite, **T3** 876
en cas de pyélonéphrite aiguë, **T3** 942-943
en cas de reflux gastro-œsophagien, **T3** 361-362
en cas de rétention urinaire, **T3** 975
en cas de rhumatisme articulaire aigu, **T2** 759
en cas de sclérodermie systémique, **T1** 961-962
en cas de sclérose en plaques, **T1** 679
en cas de spondylite ankylosante, **T1** 941-942
en cas de stéatose hépatique non alcoolique, **T3** 510
en cas de syndrome de Guillain-Barré, **T1** 746
en cas de syndrome des jambes sans repos, **T1** 698
en cas de syndrome métabolique, **T3** 342
en cas de syndromes myélodysplasiques, **T2** 491-492
en cas de syphilis, **T3** 786-788
en cas de thrombocytopénie, **T2** 469-470
en cas de thrombose veineuse profonde, **T2** 818-819, 821
en cas de trauma abdominal, **T3** 432
en cas de traumatisme craniocérébral, **T1** 581
en cas de troubles allergiques, **T1** 339-340
en cas de troubles de l'oreille moyenne, **T2** 71
en cas de troubles dermatologiques, **T2** 130
en cas de troubles du sommeil, **T1** 142, 144
en cas de troubles mammaires, **T3** 743-744
en cas de troubles neurocognitifs, **T1** 708-710
en cas de tuberculose, **T2** 272-273
en cas de tumeurs cérébrales, **T1** 588-589
en cas de valvulopathie, **T2** 768
en cas de vessie neurogène, **T1** 775
en cas du cancer du col de l'utérus, **T3** 832-833
en cas du syndrome de malabsorption, **T3** 478-479
en cas du syndrome de sécrétion inappropriée d'hormone antidiurétique, **T3** 656
en phase préopératoire, **T3** 16-17
Excès
d'acide carbonique, **T1** 506
de stimulines, **T3** 654
de volume liquidien, **T1** 485-486
en bicarbonate, **T1** 507
hydrique, **T1** 478, 481
Excision électrochirurgicale
à l'anse (LEEP), **T3** 737
à l'anse de la zone de transformation (LEETZ), **T3** 737
Excitation sexuelle, **T3** 715-717
Excoriation, **T2** 98, 422
Excreta, **T1** 486
Excrétion
des produits de dégradation métabolique, **T3** 899-900
urinaire, **T3** 987
Exentération pelvienne, **T3** 838
soins et traitements infirmiers en cas d'_, **T3** 842-843
Exercices de Kegel, **T3** 844-845, 875, 976-977
Exercices physiques
angine chronique stable et _, **T2** 649-650

artériopathie périphérique et _, **T2** 794, 800
arthroplastie et _, **T1** 865-866
arthrose et _, **T1** 914
asthme et _, **T2** 323
AVC et _, **T1** 611
constipation et _, **T3** 426
coronaropathie et _, **T2** 611-612, 616-617
d'amplitude passifs, **T1** 638
diabète et _, **T3** 614-615, 627
douleur et _, **T1** 199
du cou, **T1** 893
fibrose kystique et _, **T2** 394-395
histoire de santé et _, **T1** 53-55, 178, 510, 539-540, 799-800; **T2** 12-13, 27-28, 95-96, 196, 198, 419-421, 542-543; **T3** 261, 264, 573-574, 723-724
hypertension artérielle et _, **T2** 581-582
impact de l'_, **T1** 816
insuffisance cardiaque et _, **T2** 689
maladie de Parkinson et _, **T1** 694
MPOC et _, **T2** 386-387
obésité et _, **T3** 322
ostéoporose et _, **T1** 901
peau et _, **T2** 110
plan de perte de poids et _, **T3** 330-331
polyarthrite rhumatoïde et _, **T1** 939
sclérose en plaques et _, **T1** 682
selon le principe FITT, **T2** 616
spondylite ankylosante et _, **T1** 942-943
suite à un syndrome coronarien aigu, **T2** 656-658
suite à une chirurgie mammaire, **T3** 770
Exérèse, **T2** 134-135; **T3** 356
Exophtalmie, **T2** 17; **T3** 578, 664, 671
Exostose, **T2** 32
Expanseurs du volume plasmatique, **T1** 516
Expansion tissulaire, **T3** 759, 772-774
Expectoration(s), **T2** 194-195
examen des _, **T2** 205, 208-209, 331
hémoptoïque, **T2** 399
provoquée, **T2** 208
spumeuses, **T2** 195
Expérience
chirurgicale, **T3** 4, 35
clinique, **T1** 7
Expiration, **T2** 186
forcée ou prolongée, **T3** 195
Exploitation financière, **T1** 95
Exposé-discussion, **T1** 78
Exposition
à la fumée, **T1** 416; **T2** 282-283
secondaire, **T1** 416; **T2** 282-283, 356
au soleil, **T2** 108-109
aux substances ototoxiques, **T2** 79
et visualisation du client, **T3** 216, 219
Exsanguino-transfusion, **T2** 460
Exsudat
de l'œil, **T2** 18
inflammatoire, **T1** 276-277
Extension, **T1** 802
Extracteur MERCI, **T1** 625
Extrasystole
auriculaire (ESA), **T2** 713, 716
ventriculaire (ESV), **T2** 714, 724-725
Extravasation, **T1** 428
Extrémités
changements de coloration des _, **T2** 546
chaudes, **T2** 547
examen physique des _, **T1** 59, 61; **T3** 220, 223
froides, **T2** 547
Extubation, **T3** 131
non planifiée, **T3** 116
Ézétimibe, **T2** 620

F

Face antérieure du thorax, examen physique de la _, **T1** 59
Face postérieure du thorax, examen physique de la _, **T1** 59
Faciès lunaire, **T3** 578
Facteur(s)
agissant sur la sécrétion d'insuline, **T3** 568
antihémophilique A, **T2** 411
antihémophilique B, **T2** 411
antihémophilique C, **T2** 411
chronotropes, **T3** 173
culturels influant sur la santé et les soins, **T1** 30-35
d'activation des plaquettes, **T1** 335
de coagulation plasmatiques, **T2** 410-411
de croissance, **T1** 274
de colonies de granulocytes (G-CSF), **T1** 456; **T2** 488
de colonies de granulocytes et de macrophages (GM-CSF), **T2** 488
hématopoïétique (CSF), **T1** 328-329, 455-456
insulinoïde 1 (GF-1), **T3** 581
de nécrose tumorale (TNF), **T1** 328-329; **T3** 444
de protection solaire (FPS), **T2** 108
déclencheurs de l'angine, **T2** 649
déterminant les besoins du myocarde en oxygène, **T2** 622
déterminants du deuil, **T1** 223
économiques influant sur la santé, **T1** 30
environnementaux
maladie d'Alzheimer et _, **T1** 716
obésité et _, **T3** 321-322
extrinsèque, **T3** 898-899
génétiques, *voir* Génétique
Hageman, **T2** 411
influant le débit cardiaque, **T2** 533
influant sur la fréquence des ITSS, **T3** 781
influençant la réaction au stress, **T1** 125-126
influençant le débit sanguin cérébral, **T1** 557
inotropes, **T3** 173
intrinsèque, **T2** 451; **T3** 374, 898
liés à l'apparition de l'ascite, **T3** 515
myogéniques intrinsèques, **T3** 898
physiques influençant l'apprentissage, **T1** 71-73
professionnels, asthme et _, **T2** 324
psychologiques
asthmes et _, **T2** 324-325
influençant l'apprentissage, **T1** 72-73
liés aux soins, différence culturelle et _, **T1** 35
psychosociaux
MPOC et _, **T2** 388
obésité et _, **T3** 323
retardant la cicatrisation, **T1** 284-285
Rh, **T2** 430-431
rhumatoïdes, **T1** 808, 925
socioculturels
influençant l'apprentissage, **T1** 72-75
liés à l'obésité, **T3** 323
socioéconomiques liés à l'obésité, **T3** 322
stabilisateur de la fibrine, **T2** 411
Stuart, **T2** 411
Facteurs de risque
d'un anévrisme de l'aorte abdominale, **T2** 801
d'un AVC, **T1** 610-611
de l'artériopathie périphérique, **T2** 788
de l'asthme, **T2** 322-323
de l'encéphalopathie hépatique, **T3** 517
de l'endocardite infectieuse, **T2** 745
de l'hypertension artérielle primaire, **T2** 573
de l'incontinence urinaire, **T3** 972
de l'insuffisance rénale aiguë, **T3** 999
de l'insuffisance rénale chronique, **T3** 1009
de l'insuffisance respiratoire aiguë, **T3** 183-184
de l'ostéoporose, **T1** 898
de la cardite rhumatismale, **T2** 745
de la chlamydiose, **T3** 789
de la coagulation intravasculaire disséminée, **T2** 481
de la coronaropathie, **T2** 607-616
de la dysérection, **T3** 884
de la gastrite, **T3** 373-374
de la grossesse ectopique, **T3** 816
de la maladie cardiovasculaire, **T2** 793
de la MPOC, **T2** 356-358
de la pneumonie, **T2** 259-261
de la thrombose veineuse profonde, **T2** 816
des analgésiques opioïdes sur la dépression respiratoire, **T1** 188
des calculs urinaires, **T3** 958
des divers types d'état de choc, **T3** 141
des infections des voies urinaires, **T3** 934
des lésions de pression, **T1** 294
des maladies cardiovasculaires, **T2** 796
des troubles neurocognitifs, **T1** 708
des tumeurs malignes de la peau, **T2** 112
des urgences médicales liées à la chaleur, **T3** 226
du cancer colorectal, **T3** 456-457
du cancer de l'endomètre, **T3** 833
du cancer de l'ovaire, **T3** 835
du cancer du pancréas, **T3** 544
du cancer du sein, **T3** 749-751
du décollement rétinien, **T2** 56
du délirium, **T1** 731
psychosociaux de l'hypertension artérielle, **T2** 582
Faiblesse, **T2** 424
en fin de vie, **T1** 237
musculaire, **T1** 963-964
Faisceau(x)
ascendants, **T1** 527
de His, **T2** 531-532, 704, 709-710
descendants, **T1** 527
Famille du client en phase critique, **T3** 90-92
Fascia, **T1** 793
Fasciculations, **T1** 695; **T3** 576
Fasciite plantaire, **T1** 805
Fasciotomie, **T2** 163
Fatigue, **T1** 442-443; **T2** 673
émotionnelle de l'infirmière auprès des clients en phase critique, **T3** 85
Fausse route, **T3** 300-302
Faux anévrisme, **T2** 801
Fécalome, **T3** 418-419, 423
Fécondation in vitro (FIV), **T3** 807
Femme(s), **T3** 709
âgée, **T1** 90-91
cancer du sein chez la _, **T3** 764
chlamydiose chez la _, **T3** 789
différences entre hommes et la _, *voir* Différences hommes-femmes
gonorrhée chez la _, **T3** 782
nullipare, **T3** 711, 746
réponse sexuelle de la _, **T3** 716-717, 719
système reproducteur de la _, *voir* Système reproducteur de la femme
Fémur, fracture du _, **T1** 849-850, 853-854
Fenêtre
péricardique, **T2** 754
sérologique, **T1** 381
Fente synaptique, **T1** 718
Fer, **T2** 409, 412-413, 432, 446-447; **T3** 286-287
accumulation de _, **T2** 462-463
déficit en _, **T2** 446-447
empoisonnement au _, **T3** 238
héminique, **T3** 286-287
malabsorption du _, **T2** 446-447
métabolisme du _, **T2** 431
métabolisme normal du _, **T2** 408
non héminique, **T3** 287
sérique, **T2** 432, 454
suppléments de _, **T2** 447, 449, 456; **T3** 446, 1019
surcharge de _, **T2** 463-464, 521
Ferritinémie, **T2** 433
Fertilité
blessure médullaire et _, **T1** 778
études de _, **T3** 737-738
Fibrates, **T2** 619-620
Fibre(s)
alimentaires, **T3** 419-421, 424, 431, 472, 476, 1021
de Purkinje, **T2** 704, 709-710
musculaire, **T1** 792
squelettique, **T1** 792
Fibrillation
auriculaire (FA), **T1** 611; **T2** 706, 714, 718-721
ventriculaire (FV), **T2** 709, 714, 726
Fibrine, **T2** 410
Fibrinogène, **T2** 404, 411, 429; **T3** 143
Fibrinolyse, **T2** 410
Fibroadénome, **T3** 745-746
soins et traitements en interdisciplinarité en cas de _, **T3** 747
Fibroblastes, **T1** 282
Fibrocartilage, **T1** 791
Fibromes utérins, *voir* Léiomyomes
Fibromyalgie, **T1** 967-968
soins et traitements en interdisciplinarité en cas de _, **T1** 969
Fibrose
kystique (FK), **T2** 322, 389-395
diabète et _, **T2** 391, 393; **T3** 597
insuffisance respiratoire aiguë et _, **T3** 184, 187
soins et traitements infirmiers en cas de _, **T2** 395-396
pulmonaire, **T2** 208, 280
idiopathique, **T2** 306-307
Fibrothorax, **T2** 305

Fièvre(s), T1 278, 601; T2 635
hémorragique(s), T3 242
à virus Ebola, T1 368
postopératoire, T3 70-71
pourprée des montagnes Rocheuses, T3 235-236
soulagement de la _, T1 279
Filtrat glomérulaire, T3 899
Filtration
de l'air, T2 189-190
glomérulaire, T3 899
Fin de vie
besoins en _, T1 219-225
manifestations physiques en _, T1 220-222
manifestations psychosociales en _, T1 222
soins et traitements infirmiers en _, T1 230-239
spiritualité en _, T1 224-226, 233
Fissure
anale, T3 271, 485
primaire, T3 485
secondaire, T3 485
cutanée, T2 97
Fistule(s), T3 473-474, 845
à haut débit, T3 473-474
anale, T3 486
artérioveineuses (FAV)
naturelle, T3 1033-1034
synthétique, T3 1033-1035
colocutanée, T3 473
colovésicale, T3 473
complexe, T3 473
du tractus urinaire, T3 845
entérocutanée, T3 295, 473-474
entérovaginale, T3 473
gastro-intestinale, T3 473
lors de la cicatrisation, T1 286
rectovaginales, T3 845
simple, T3 473
vaginales, T3 845-846
soins et traitements infirmiers en cas de _, T3 846
vésico-vaginales, T3 845-846
Fistulectomie, T3 486, 846
Fistulotomie, T3 486
Fixation
externe, T1 832
intermaxillaire, T1 856
interne, T1 832
Flamme, T2 147
Flancs, examen physique des _, T3 220, 223
Flexion, T1 802
plantaire, T1 802
Floculation, T3 734
Fluctuation pondérale, T2 675
Fludrocortisone, T3 695
Fluoroquinolones, T2 274
Fluoroscopie, T2 240
Fluorouracil topique, T2 133
Flutter auriculaire, T2 714, 717-718
Flutter[MD], T2 376-377
Foie, T2 412; T3 255-256, 258
bosselé, T3 270
cancer du _, T3 531-532
chimiothérapie, radiothérapie et _, T1 438
examens fonctionnels du _, T3 280-281
greffe du _, T3 533-534
hépatite et _, T3 495
palpation du _, T2 425; T3 268
troubles du _, T3 492-535
Folliculite, T2 119
Fonction(s)
cognitive(s), T1 706
évaluation de la _, T1 541-542
suite à un AVC, T1 618
d'élimination, *voir* Élimination
des hormones, T3 558-560
endocrines du rein, T3 902-904
hémostatique, T3 281
mentale, effet du vieillissement sur la _, T1 91
motrice(s)
AVC et _, T1 616, 638-639
détérioration des _, T1 561
neurologique suite à une chirurgie de l'aorte, T2 807
perceptuelle, AVC et _, T1 618, 646
pupillaire, T2 20
reproductrice, modification de la _, T3 579
sensorielle(s)
AVC et _, T1 640-641, 646
corticales, T1 545-546
sexuelle
à la ménopause, T3 822
après une stomie, T3 472-473
chirurgie de la prostate et _, T3 866
problèmes liés à la _, T3 883-889
suite à un AVC, T1 647
vestibulaire, T2 33, 35
Fondaparinux, T2 823-824
Force musculaire
échelle de la _, T1 802
évaluation de la _, T1 801
modification de la _, T3 578
Format PICOT, T1 11-12
Formation
du clou plaquettaire, T2 409-410
infirmière en pratique avancée, T3 85
réticulée, T1 529, 536
réaction au stress par la _, T1 127
Formule
CKD-EPI, T3 928, 1016
de Cockcroft et Gault, T3 926, 928, 1016
de remplacement liquidien, T2 162
leucocytaire, T2 427-428; T3 17
MDRD, T3 928, 1016
sanguine complète, T1 339-340; T2 427-429; T3 380, 436, 441, 444
Fœtor hépaticus, T3 516
Foulure, T1 814-816
soins et traitements infirmiers en cas de _, T1 816-817
Foyer(s)
cardiaques, T2 549
épileptogène, T1 664
Fraction
d'éjection (F.E.), T2 561, 667; T3 150
de l'oxygène inspiré (FiO_2), T3 102
du flux de réserve coronaire, T2 557, 564
Fracture(s), T1 824-833
avec déplacement, T1 824
cervicales, T1 855
complète, T1 824
complications des _, T1 844-847
consolidation des _, T1 824, 826-827
de côtes, T2 295, 304
de l'humérus, T1 848
de la diaphyse fémorale, T1 853-854
de la hanche, T1 849-850, 853
chez la personne âgée, T1 849-850, 853
extracapsulaire, T1 850
intracapsulaire, T1 849
soins et traitements infirmiers en cas de _, T1 850-852
de la mandibule, T1 856
soins et traitements infirmiers en cas de _, T1 856-857
de Pouteau-Colles, T1 847-848
de stress du calcaneus, T1 894
du bassin, T1 848
du crâne, T1 576-577
du fémur, T1 849-850, 853-854
du nez, T2 218
du tibia, T1 854
fermée, T1 824
incomplète, T1 824
itérative, T1 827
maxillo-faciles, T1 855-856
ouverte, T1 824, 844
par avulsion, T1 816
par tassement vertébral, T1 855
réduction des _, T1 827-829
sans déplacement, T1 824
soins et traitements infirmiers en cas de _, T1 833-844
vertébrale stable, T1 854-855
Frémissements, T2 202, 547
Frénésie alimentaire, T3 327
Fréquence
cardiaque, T2 533, 694, 696; T3 93
calcul de la _ à partie de l'ECG, T2 706-707
suite à un syndrome coronarien aigu, T2 657
normale respiratoire, T2 201
Froid, urgences médicales liées au _, T3 229-232
Frottement
péricardique, T2 548, 550, 752
pleural, T2 207
Frottis, T3 735, 739
cutané, T2 133
humides, T3 735
Fuite(s)
anastomotiques, T3 338
de LCS, T3 653
du ballon intra-aortique, T3 106-107
postmictionnelle, T3 935
Fulvestrant, T3 763
Fumarate de diméthyle, T1 680
Fumée du tabac, T1 247, 416; T2 282-283, 356-357
secondaire, T1 416; T2 282-283, 356
Fundoplicature, T3 364
laparoscopique de Nissen, T3 364, 367
Fundus, T3 361
Furoncle, T2 119
Furonculose, T2 119
Furosémide, T3 522, 658

G

Gain
hydrique, T1 476
pondéral, T3 685
Gaine de myéline, T1 525
Galactorrhée, T3 729, 747
Gale, infestation de _, T2 124
Galvanocautérisation, T2 212; T3 22
Gamètes, T3 708
Gamma-glutamyl-transférase (GGT), T3 144, 281, 499
Gammatomographie, T2 556
Ganglion(s)
lymphatiques, T2 412, 502-503
axillaires, dissection des _, T3 754, 756-757
biopsie des _, T2 435-436, 506
cancer des _, T3 459
examen physique des _, T2 421, 425
rétropéritonéaux, dissection des _, T3 882
sentinelle, T2 116
dissection du _, T3 754, 756
Gastrectomie
partielle, T3 544
totale, T3 394, 396
verticale, T3 333-335
Gastrine, T3 253, 277, 380
Gastrite, T3 373-375
aiguë, T3 374-375
atrophique
auto-immune, T3 374
chronique, T3 257
chronique, T3 374-376
par reflux biliaire, T3 390
soins et traitements en interdisciplinarité en cas de _, T3 375-376
Gastro-duodénostomie, T3 390
Gastroentérite, T3 437
Gastrojéjunostomie, T3 390
Gastroparésie, T3 641
Gastroplastie, T3 339
Gastrostomie, T3 299, 303, 306, 357
Gattilier, T1 115
Gaz
d'anesthésie, T3 45
moutarde, T3 243
phosgène, T3 243
sanguin veineux, T2 187
sanguins artériels (GSA), T1 508-510; T2 187, 209; T3 144
sarin, T3 240
Gazométrie du sang artériel (GSA), T3 17, 182, 191
Gelure, T3 229-230
profonde, T3 229-230
superficielle, T3 229
Gemcitabine, T3 836
Gemfibrozil, T2 620
Gène, T1 306-307
lié au chromosome X, T1 306
Génétique, T1 306-308; T3 750
anémie falciforme et _, T2 457
anévrisme de l'aorte abdominale et _, T2 801
asthme et _, T2 323
cancer de l'ovaire et _, T3 835
cancer de la prostate et _, T3 866-867
cancer du sein et _, T3 749-751
cancer et _, T1 407
coronaropathie et _, T2 608
diabète et _, T3 595
dystrophie musculaire de Duchenne et de Becker et _, T1 883
épilepsie et _, T1 664
fibrose kystique et _, T2 390
hématochromatose héréditaire HFE et _, T2 463
hémophilie par déficit en facteurs VIII ou IX et _, T2 477
hypercholestérolémie familiale et _, T2 609
maladie d'Alzheimer et _, T1 714-715
maladie de Huntington et _, T1 700
maladie de Parkinson et _, T1 686
maladie inflammatoire chronique de l'intestin et _, T3 439
migraine avec aura et _, T1 656
MPOC et _, T2 357
obésité et _, T3 320-321
polyarthrite rhumatoïde et _, T1 926
polypose adénomateuse familiale et _, T3 455
sclérose en plaques et _, T1 677
spondylite ankylosante et _, T1 941
susceptibilité _, T1 409

syndrome du cancer colorectal héréditaire sans polypose (CCHSP) et _, **T3** 457
Génome, **T1** 306
Génomique, **T1** 306-307
Génotypage, **T3** 499
Génotype, **T1** 306
Genou
arthroplastie du _, **T1** 866
cagneux, **T1** 805
Genre comme déterminant de la santé, **T1** 25
Genu valgum, **T1** 805
Genu varum, **T1** 805
Gestion
d'une crise de maladie chronique, **T1** 85
de la douleur, **T1** 206
du sommeil, **T1** 106
Ghréline, **T3** 250, 321-322
Gigantisme, **T3** 650
Gingembre, **T1** 115; **T3** 10, 350
Gingivite, **T3** 355
marginale aiguë, **T3** 269
ulcéronécrotique, **T3** 355
Ginkgo biloba, **T1** 115; **T3** 10
Ginseng, **T1** 116
Glande(s)
bulbo-urétrales, **T3** 709
endocrines, **T3** 558
endocriniennes, **T3** 558-569
exocrines, **T3** 558
lacrymale, **T2** 6
mammaires, **T3** 712
para-urétrales, **T3** 712
parathyroïdes, troubles des _, **T3** 680-685
parotide, inflammation de la _, **T3** 355
pinéale, **T3** 565
prostatique, *voir* Prostate
sébacées, **T2** 90
sexuelles, **T3** 708-709
sudoripares, **T2** 90
surrénales, **T3** 566-567
analyses liées aux _, **T3** 585-587, 589
vestibulaires majeures, **T3** 712
Glargine, **T3** 602
Glaucome, **T2** 5, 10, 15, 60-65
chez la personne âgée, **T2** 66-67
primaire à angle fermé (GPAF), **T2** 60-64
primaire à angle ouvert (GPAO), **T2** 60-64
soins et traitements infirmiers en cas de _, **T2** 65-66
Gliomes, **T1** 587
Gliose, **T1** 525
Globe oculaire, **T2** 4, 17
Globules
blancs (GB), **T3** 17; *voir aussi* Leucocytes
analyse des _, **T2** 428-429
dans l'urine, **T3** 928
numération des _, **T3** 143
rouges (GR), **T3** 17; *voir aussi* Érythrocytes
analyse des _, **T2** 428
congelées, **T2** 514
dans l'urine, **T3** 928
Globuline antithymocyte (ATG), **T1** 358
Glomérulations, **T3** 946
Glomérule, **T3** 895, 899
Glomérulonéphrite, **T2** 233; **T3** 495, 948-949
aiguë, **T3** 1000
chronique, **T3** 950-951
d'évolution rapide, **T3** 950
poststreptococcique aiguë, **T3** 949
soins et traitements infirmiers en cas de _, **T3** 950
Glomérulopathie, **T3** 948
Glossectomie, **T3** 356
Glossite, **T2** 446; **T3** 269
exfoliatrice marginée, **T3** 269
Glucagon, **T3** 560, 567
par injection, **T3** 635
Glucides, **T3** 284-285, 521, 612
altération du métabolisme des _, **T3** 1011
calcul des _, **T3** 614
Glucocorticoïdes, **T1** 482; **T3** 567, 589, 685-686, 696
Glucomètres portatifs, **T3** 616
Gluconéogenèse, **T3** 174, 593, 1006
Glucosamine, **T1** 915
Glucose, **T3** 588
dans l'urine, **T3** 927
intolérance au _, **T3** 595, 598
production inappropriée de _, **T3** 596
sanguin, **T3** 593, 633
Glulisine, **T3** 601
Glutamate pyruvate transaminase (SGOT), **T3** 144
Gluten, **T3** 480
intolérance au _, **T3** 479-481
Glycémie, **T3** 17, 309, 562, 592, 595, 599, 613, 627, 634-635
à jeun, **T3** 587, 598
d'un client en état de choc, **T3** 144, 166
effet de médicaments sur la _, **T3** 611
modification de la _, **T3** 578
postprandiale, **T3** 601
stress et _, **T3** 622-623
surveillance de la _, **T3** 615-617
Glycogénolyse, **T3** 174, 607
Glycosurie, **T3** 643
Goitre, **T3** 578, 660-661
nodulaire toxique, **T3** 664
non toxique, **T3** 661
toxique, **T3** 660
Golimimab, **T1** 932
Gomme à la nicotine, **T1** 252
Gonades, **T3** 560, 569, 708
hormones sécrétées par les _, **T3** 560, 713-714
Gonadolibérine (GnRH), **T3** 712-714
Gonadotrophine(s), **T3** 559, 582
chorionique humaine (hCG), **T3** 17, 715, 731-734, 808
ménopausiques humaines, **T3** 808
Gonflement
articulaire, **T1** 805; **T2** 424
du ballonnet, maintien du _, **T3** 112-113
Gonococcie, **T3** 789
Gonocoque, **T3** 781-782
Gonorrhée, **T3** 780-784, 798-799
anorectale, **T3** 782
endocervicale, **T3** 782
Goût, altération du _, **T1** 461
Goutte, **T1** 947-949; **T3** 955
primaire, **T1** 947
secondaire, **T1** 947
soins et traitements en interdisciplinarité en cas de _, **T1** 949
Gouttes ophtalmiques, **T3** 22
Gradation clinique, **T2** 506
Gradient
de concentration, **T1** 477
osmotique, **T3** 1030
Grain de beauté, *voir* Nævus
Graisse
abdominale, **T3** 319
viscérale, **T3** 319
Grande camomille, **T3** 10
Granulocytes, **T2** 407, 485
néoplasiques, **T2** 494
Granulome, **T1** 275
annulaire, **T3** 643
Graphesthésie, **T1** 545
Greffe
allogénique, **T2** 498
autologue, **T2** 498
de cellules souches hématopoïétiques (GCSH), **T1** 456-459; **T2** 455, 461, 498-499
allogéniques, **T1** 457
autologues, **T1** 457-458
syngéniques, **T1** 457
de cornée, **T2** 49
de moelle osseuse (GMO), **T1** 456
de peau, **T2** 141-142, 832
de lambeau libre, **T2** 141
de lambeau pédiculé, **T2** 141
du cœur, **T2** 697-699
du foie, **T3** 533-534
du pancréas, **T3** 639
du rein, **T3** 639, 1041-1047
soins et traitements infirmiers en cas de _, **T3** 1047-1050
endovasculaire, **T2** 803-804
pontage aortocoronarien par _, **T2** 640, 642, 653-654
pulmonaire, **T2** 315-316, 374
suite à une brûlure, **T2** 164, 171
Greffon(s), **T1** 327; **T2** 164
perméabilité des _, **T2** 806
réaction du _ contre l'hôte, **T1** 358-359
rejet de _, **T1** 354; **T3** 1048
vasculaire synthétique, **T2** 806
Grelottement, **T3** 228
Griffe du diable, **T1** 116
Grille
d'Amsler, **T2** 21
d'observation comportementale de douleur (CPOT), **T1** 209-210
Grippe, **T1** 368; **T2** 227-229
aviaire, **T1** 368
soins et traitements en interdisciplinarité en cas de _, **T2** 229-230
vaccination contre la _, **T1** 368; **T2** 197-198, 228-229; **T3** 192
Gros intestin, **T3** 254-255, 259
polypes du _, **T3** 454-456
Grossesse
dépistage de la syphilis pendant la _, **T3** 787
ectopique, **T3** 725, 816-817, 825
soins et traitements en interdisciplinarité en cas de _, **T3** 817
infection par l'herpès simplex pendant la _, **T3** 792
lupus érythémateux disséminé (LED) et _, **T1** 958-959
test de _, **T3** 731-732
verrues génitales durant la _, **T3** 795
VIH et _, **T1** 391
Groupe(s)
de soutien, **T2** 177
pour la perte de poids, **T3** 331
ethnique
médicament et _, **T1** 34-35
particularités culturelles d'un _, **T1** 27-28
sanguins, **T2** 429-430; **T3** 17
Vigilance pour la sécurité des soins, **T1** 8
Guêpe, piqûre de _, **T2** 124
Guérisseur, **T1** 31, 51
Guide alimentaire canadien, **T1** 23; **T2** 53, 579; **T3** 263, 284, 328, 611, 614
Gynécomastie, **T3** 577, 748
liée à l'âge, **T3** 748

H

Habiletés culturelles, **T1** 35
Habitudes
alimentaires, **T1** 33; **T3** 331
de veille, **T1** 145
de vie, **T1** 23
hypertension artérielle et _, **T2** 579-582
insuffisance rénale chronique et _, **T3** 1017
reflux gastro-œsophagien et _, **T3** 362
ulcère peptique et _, **T3** 378
Hallux rigidus, **T1** 894
Hallux valgus, **T1** 894
Halo-veste, **T1** 767-769, 855
Hamamélis de Virginie, **T1** 116
Hamartome, **T2** 290
Hanche
arthroplastie de la _, **T1** 864-866
fracture de la _, **T1** 849-850, 853
Haschisch, **T1** 249
Héma-Québec, **T1** 226, 353; **T2** 513, 523-524; **T3** 225
Hémagramme, **T3** 17
Hémangioblastome, **T1** 587
Hémarthroses, **T1** 811, 816; **T2** 478
Hématémèse, **T2** 195, 455; **T3** 262, 270, 393, 397, 514
Hématies concentrées, **T2** 514
Hématiniques, **T3** 443
Hématochézie, **T3** 397
Hématochromatose héréditaire HFE, **T2** 463
Hématocrite (Ht), **T2** 208, 427-428, 818; **T3** 17
Hématome, **T1** 578; **T2** 101, 422
épidural, **T1** 579-580
intracérébral, **T1** 578, 581
sous-dural, **T1** 580-581
Hématopoïèse, **T2** 404
Hématurie, **T3** 859, 907, 913, 970
Hémianopsie, **T1** 542; **T2** 40
homonyme, **T1** 548, 618, 640-641
Hémiglossectomie, **T3** 356
Hémilaryngectomie, **T2** 244
Héminégligence, **T1** 618
Hémiparésie, **T3** 632
Hémiplégie, **T1** 549
Hémochromatose, **T2** 462-464; **T3** 509, 597
Hémoculture, **T1** 372; **T2** 747, 750; **T3** 144
Hémodiafiltration veinoveineuse continue (CVVHDF), **T3** 1039-1041
Hémodialyse, **T3** 239, 1028-1029, 1033-1038, 1049, 1051
artérioveineuse en continu (CAVHD), **T3** 1040-1041
cadre et horaire de l'_, **T3** 1037
intermittente, **T3** 1005-1006
nocturne, **T3** 1037
quotidienne courte, **T3** 1037
Hémofiltration
artérioveineuse en continu (CAVH), **T3** 1040
veinoveineuse continue (CVVH), **T3** 1039-1040
Hémoglobine (Hb), **T2** 208, 404-405, 427-428, 440, 445, 449, 818; **T3** 17, 199, 209
concentration d'_, **T3** 199, 209

glyquée (HbA1c), **T2** 612 ; **T3** 588, 598
S, **T2** 458
Hémoglobinurie, **T2** 517
Hémolyse, **T2** 406, 456
Hémophilie, **T2** 476-480
A, **T2** 476-477
B, **T2** 476-477
soins et traitements infirmiers en cas d'_, **T2** 480-481
Hémopneumothorax, **T2** 292
Hémoptysie, **T2** 195, 272, 361, 391, 393 ; **T3** 662
Hémorragie(s)
aiguë, **T2** 455-456
soins et traitements infirmiers en cas d'_, **T2** 456
anémie originant d'une _, **T2** 441, 455-456
au point d'insertion du ballon de contre-pulsion intra-aortique, **T3** 106
causée par l'ulcère peptique, **T3** 379, 388
causée par un cathéter, **T3** 96
cérébral, **T1** 608, 612, 614-615, 625-627
chronique, **T2** 456
digestive haute, **T3** 397-402
soins et traitements infirmiers en cas d'_, **T3** 402-404
en cas d'hémophilie, **T2** 477-480
en cas de coagulation intravasculaire disséminée, **T2** 482, 485
franche, **T3** 397
intracérébrale, **T1** 612, 614-615, 627
linéaires sous-unguéales, **T2** 546, 746
lors de la cicatrisation, **T1** 286
sous-arachnoïdien, **T1** 612, 615, 626-627
sous-conjonctivale, **T2** 16
variqueuses, **T3** 519-520
Hémorroïdectomie, **T3** 484
Hémorroïdes, **T3** 271, 422, 483-484
externes, **T3** 483-484
internes, **T3** 483-484
soins et traitements infirmiers en cas d'_, **T3** 484-485
Hémostase, **T2** 408-410
endoscopique, **T3** 400-401
troubles de l'_, **T2** 466-485
Hémothorax, **T2** 293-294
Héparine(s), **T2** 310
de bas poids moléculaire (HBPM), **T2** 628, 820, 823-824
non fractionnée (HNF), **T2** 628, 812, 820, 822-824
thrombocytopénie induite par l'_, **T2** 468, 472
Hépatectomie partielle, **T3** 532
Hépatite, **T3** 492-502, 722
A, **T3** 492-493, 498, 502, 505-506
anictérique, **T3** 492
vaccination contre l'_, **T3** 502, 505
aiguë, **T3** 495-496
alcoolique, **T3** 508
anictérique, **T3** 492, 496
auto-immune, **T3** 509
B, **T2** 521 ; **T3** 492-494, 497-499, 505-506, 508, 1037-1038
chronique, **T3** 497, 500-501
vaccination contre l'_, **T3** 505-506
C, **T2** 521 ; **T3** 493-495, 498-499, 502, 505-508, 534-535, 1038
chronique, **T3** 496-497, 500-502
D, **T3** 493, 495, 498
E, **T3** 493, 495
médicamenteuse, **T3** 508
soins et traitements infirmiers en cas d'_, **T3** 502-508
toxique, **T3** 508
virale, **T3** 492-502
aiguë, **T3** 500, 503-504
fulminante, **T3** 496
Hépatocytes, **T3** 255
Hépatomégalie, **T1** 56 ; **T2** 362, 424, 675 ; **T3** 270, 496
Hépatopathie chronique, **T2** 358 ; **T3** 502
Hépatosidérose, **T2** 464
Hepcidine, **T2** 412
Héréditaire, **T1** 306
Hérédité, *voir* Génétique
Hernie(s), **T3** 271, 476-477, 1033
crurale, **T3** 476
directe, **T3** 476
discales, **T1** 888-889
étranglée, **T3** 476
fémorale, *voir* Hernie(s) crurale
hiatale, **T3** 359, 366-367
chez la personne âgée, **T3** 367
par glissement, **T3** 366
par roulement, **T3** 366
soins et traitements en interdisciplinarité en cas d'_, **T3** 367
incisionnelles, **T3** 476
indirecte, **T3** 476
inguinale, **T3** 476
irréductible, **T3** 476
ombilicale, **T3** 476
réductible, **T3** 476
soins et traitements infirmiers en cas d'_, **T3** 477
Hernioplastie, **T3** 477
Herniorraphie, **T3** 25, 477
Héroïne, **T1** 249
Herpès, **T3** 269, 355, 822
génital, **T3** 791-794, 800
pendant la grossesse, **T3** 792
Hésitation mictionnelle, **T3** 935
Hétérochmie, **T2** 18
Hétérozygote, **T1** 307
Hippocratisme digital, **T2** 205, 392-393
Hirsutisme, **T1** 670 ; **T2** 101
Hirudine, **T2** 823
dérivés d'_, **T2** 821, 823
Histamine, **T1** 275, 335-336
Histoire de santé, **T1** 50-56
arthrose et _, **T1** 922
déséquilibres hydroélectrolytiques et acidobasiques et _, **T1** 510-511
douleur et _, **T1** 178-180
exemple de questionnaire pour recueillir l'_, **T1** 52-54
système auditif et _, **T2** 25-26, 28-29
système cardiovasculaire et _, **T2** 540-544
système endocrinien et _, **T3** 571-575
système gastro-intestinal et _, **T3** 261-265
système hématologique et _, **T2** 414-421
système musculosquelettique et _, **T1** 797-800
système nerveux et _, **T1** 537-541
système reproducteur et _, **T3** 720-726
système respiratoire et _, **T2** 195-200
système tégumentaire et _, **T2** 94-96
système urinaire et _, **T3** 904-911
système visuel et _, **T2** 9-12
Histoplasmose, **T2** 278, 281
Holisme, **T1** 110
Homéopathie, **T1** 120
Homéostasie, **T1** 110, 474 ; **T3** 568, 650
Homme, **T3** 708
chlamydiose chez l'_, **T3** 789
gonorrhée chez l'_, **T3** 782
réponse sexuelle de l'_, **T3** 715-717, 719
système reproducteur de l'_, *voir* Système reproducteur de l'homme
Homocystéine, **T2** 433, 552, 559
coronaropathie et _, **T2** 613
Homozygote, **T1** 307
Hoquet, **T3** 71
Horaire
mictionnel, **T3** 976, 982
notion d'_, **T1** 30
Hormone(s)
antidiurétique (ADH), **T1** 481-482 ; **T3** 559, 564-565, 650, 656, 658-659, 900
syndrome de sécrétion inappropriée de l'_, **T1** 463, 482 ; **T3** 656-658
corticosurrénaliennes, **T3** 685
corticotrope (ACTH), **T3** 559, 563, 586, 650, 655, 685, 688, 694-695
de contre-régulation, **T3** 592
de croissance (GH), **T3** 559, 564, 581, 650, 655
de libération, **T3** 563
de l'hormone de croissance (GHRH), **T3** 650-651
de l'hormone lutéinisante (LHRH), **T3** 872
de la thyréostimuline (TRH), **T3** 562, 566, 583
de remplacement, **T1** 903
de stimulation des cellules interstitielles (IGSH), **T3** 713-714
endocriniennes, **T3** 558-563
folliculostimulante (FSH), **T3** 559, 563, 582, 650, 655, 712-715, 733-734, 818
hydrosolubles, **T3** 559, 561
inhibitrices, **T3** 563
lactogénique, *voir* Prolactine
liposolubles, **T3** 559-561
lutéinisante (LH), **T3** 559, 563, 582, 650, 655, 712-713, 715
parathyroïdienne (PTH), 650 ; **T1** 497, 500 ; **T3** 560, 562, 566, 584, 589, 680-682, 684, 901, 1010
peptidiques, **T3** 561
régulant les sécrétions gastro-intestinales, **T3** 253
régulation de la sécrétion des _, **T3** 561-563
sécrétées par l'hypophyse, **T3** 563-565, 712-713
sécrétées par l'hypothalamus, **T3** 563, 712-713
sécrétées par les gonades, **T3** 560, 713-714
sécrétion des _, **T3** 558-568
stéroïdiennes, **T3** 561
thyroïdiennes, **T3** 561-562, 660, 664, 674
transport des _, **T3** 560-561
vasoactives, **T3** 903
Hormonothérapie
en cas de cancer de la prostate, **T3** 872-873
en cas de cancer du sein, **T3** 762-764
substitutive, **T3** 721
en cas d'acromégalie, **T3** 654
en cas d'insuffisance hypophysaire, **T3** 655
en cas de cancer du sein, **T3** 750
en cas de d'insuffisance corticosurrénalienne, **T3** 695-697
en cas de dysfonction mictionnelle, **T3** 979
en cas de ménopause, **T3** 819-820
thyroïdienne, **T3** 678-679
Hospitalisation
d'une personne âgée, **T1** 101
perturbation du sommeil en cas d'_, **T1** 150-151
Huile de poisson, **T1** 117 ; **T3** 10
Humains, morsures d'_, **T3** 236-237
Humérus, fracture de l'_, **T1** 848
Humeur
aqueuse, **T2** 4-5
vitrée, **T2** 5, 8, 56
Humidification, **T2** 368, 371, 399
des sécrétions pulmonaires, **T3** 195-196
Hybridation
comparative génomique, **T2** 435
in situ en fluorescence, **T2** 435, 437
Hydralazine, **T2** 684-685
Hydraste du Canada, **T3** 10
Hydratation
constipation et _, **T3** 424
des sécrétions
endotrachéales, **T3** 114
pulmonaires, **T3** 195
par voie intraveineuse, **T3** 195
Hydrocèle, **T3** 880
Hydrocéphalie, **T1** 560
à pression normale, **T1** 730
Hydrochlorothiazide, **T3** 522
Hydrocolloïdes, **T1** 289
Hydrocortisone, **T3** 161, 560, 695, 697
Hydrogels, **T1** 289
Hydronéphrose, **T3** 855, 942, 1001
Hydroxychloroquine, **T1** 931
Hydroxyde de potassium, **T2** 104
Hydroxyurée, **T2** 461
Hygiène
buccodentaire, **T1** 444-445, 727, 857 ; **T2** 280, 750, 806 ; **T3** 109, 114-115, 171, 354, 358, 541
de la peau, **T2** 110
du sommeil, **T1** 145-146, 149
en cas d'ITSS, **T3** 801
personnelle
en cas d'état de choc, **T3** 171
en cas de diabète, **T3** 625
Hyménoptères, piqûres d'_, **T3** 234-235
Hyperaldostéronisme, **T2** 578 ; **T3** 700
primaire, **T3** 700
soins et traitements en interdisciplinarité en cas d'_, **T3** 700, 703
Hyperalgésie, **T1** 168, 189
primaire, **T1** 165
Hypercalcémie, **T1** 463, 497-498
soins et traitements infirmiers en cas d'_, **T1** 498-499
Hypercalciurie, **T3** 681
Hypercapnie, **T1** 152, 559 ; **T2** 264, 360 ; **T3** 61, 182, 187, 189
chronique, **T3** 194
Hypercholestérolémie familiale, **T2** 609
Hypercoagulabilité du sang, **T2** 815-816
Hypercortisolisme, **T3** 577, 597, 685-689
soins et traitements infirmiers en cas d'_, **T3** 689-693

Hyperesthésie, **T1** 745
Hyperextension, **T1** 802
Hyperglycémie, **T3** 597, 628-629
provoquée par voie orale (HPO), **T3** 588, 598
stress et _, **T3** 622-623
Hypergranulation, **T1** 286
Hyperhomocystéinémie, **T2** 604
Hyperinsulinémie, **T2** 575 ; **T3** 1011
Hyperkaliémie, **T1** 493-494 ; **T3** 633, 1002, 1005, 1011, 1018
soins et traitements infirmiers en cas d'_, **T1** 495
Hypermagnésémie, **T1** 502 ; **T3** 1012
Hypermétabolisme, **T3** 51, 128, 174, 177, 446
Hypermétropie, **T2** 38
Hypernatrémie, **T1** 482, 490-491 ; **T2** 168
soins et traitements infirmiers en cas d'_, **T1** 491
symptomatique, **T1** 491
Hyperosmolalité, **T1** 481
Hyperparathyroïdie, **T1** 497 ; **T3** 680-683, 1019
primaire, **T3** 680
secondaire, **T3** 680-681
soins et traitements infirmiers en cas d'_, **T3** 683-684
tertiaire, **T3** 681
Hyperphagie boulimique, **T3** 312
Hyperphosphatémie, **T1** 500-501
Hyperphosphorémie, **T3** 1014
Hyperpigmentation, **T2** 109 ; **T3** 577, 694
Hyperplasie, **T1** 670 ; **T2** 356, 450 ; **T3** 746
bénigne de la prostate (HBP), **T3** 854-860
soins et traitements infirmiers en cas d'_, **T3** 860-866
sénescente, *voir* Gynécomastie liée à l'âge
surrénalienne bilatérale, **T3** 701
Hyperréflectivité, *voir* Dysréflexie autonomique
Hyperréflexie, *voir* Dysréflexie autonomique
Hyperrésonance, **T1** 60
Hypersensibilité chimique multiple, **T1** 347
Hypersonorité, **T2** 203, 206 ; **T3** 270
Hypersplénisme, **T2** 512
Hypertension
endolabyrintique, **T2** 74-75
intracrânienne, **T1** 558-567
soins et traitements infirmiers en cas d'_, **T1** 568-575
portale, **T3** 511, 513-514
pulmonaire, **T2** 309, 312-316
primaire (HPP), **T2** 312
secondaire (HPS), **T2** 314
résistance au traitement, **T2** 590
Hypertension artérielle (HTA), **T2** 568-590 ; **T3** 64-65, 578
anévrisme de l'aorte et _, **T2** 806
artériopathie périphérique et _, **T2** 793
AVC et _, **T1** 611
chez la personne âgée, **T2** 596-597
coronaropathie et _, **T2** 610-611, 615
diabète et _, **T3** 637, 639
grave, **T3** 701
insuffisance rénale chronique et _, **T3** 1013, 1017-1018
néphrosclérose et _, **T3** 956
primaire, **T2** 572-575
soins et traitements infirmiers en cas d'_, **T2** 591-596
pulmonaire, **T2** 360, 362
secondaire, **T2** 573-574
sténose artérielle rénale et _, **T3** 956
systolique isolée, **T2** 572
Hyperthermie, **T1** 585, 623 ; **T3** 227
maligne, **T3** 9, 50-51
postopératoire, **T3** 70
Hyperthyroïdie, **T2** 99 ; **T3** 597, 664-670
chez les jeunes adultes, **T3** 667
chez les personnes âgées, **T3** 667
soins et traitements infirmiers en cas d'_, **T3** 670-674
Hypertonie, **T1** 549
Hypertrophie
du ventricule gauche, **T2** 576
liée à l'insulinothérapie, **T3** 607
septale asymétrique, *voir* Cardiomyopathie (CMP) secondaire hypertrophique
ventriculaire, **T2** 670
Hyperuricémie, **T1** 441, 947 ; **T3** 325
Hyperventilation, **T2** 326
alvéolaire, **T3** 125
Hypervolémie, **T1** 485
Hypnose, **T1** 112, 201
Hypnotiques, **T1** 146, 248-249, 261-263 ; **T2** 166
non barbituriques, **T3** 45
Hypocalcémie, **T1** 498-500 ; **T3** 540, 684, 1019
soins et traitements infirmiers en cas d'_, **T1** 500
Hypocapnie, **T2** 325
Hypochromie, **T2** 450
Hypoderme, **T2** 89
Hypoglycémiants, **T3** 599
Hypoglycémie, **T3** 391, 615, 628-629, 633-634
postprandiale, **T3** 390
soins et traitements en interdisciplinarité en cas d'_, **T3** 634-635
Hypogonadisme, **T1** 899 ; **T3** 885
Hypokaliémie, **T1** 493-496 ; **T2** 169, 578 ; **T3** 64, 632-633, 690
soins et traitements infirmiers en cas d'_, **T1** 496
Hypolipidémiants, **T2** 610, 617-621, 644
Hypomagnésémie, **T1** 502-503 ; **T3** 684
Hyponatrémie, **T1** 463, 490-492 ; **T2** 168 ; **T3** 656-658
soins et traitements infirmiers en cas d'_, **T1** 492
Hypoparathyroïdie, **T3** 684
soins et traitements en interdisciplinarité en cas d'_, **T3** 684-685
Hypoperfusion, **T3** 63
prolongée, **T3** 156
Hypophosphatémie, **T1** 500
Hypophyse, **T3** 563, 572, 650
analyses liées à l'_, **T3** 581-583, 589
antérieure, **T3** 650
troubles de l'_, **T3** 650-655
hormones sécrétées par l'_, **T3** 563-565, 712-713
postérieure, *voir* Neurohypophyse
régulation hydroélectrolytique par l'_, **T1** 482
Hypophysectomie, **T3** 652-653
transphénoïdale, **T3** 652
Hypopigmentation, **T2** 101, 109
Hypopituitarisme, *voir* Insuffisance hypophysaire
Hypopnée, **T1** 152
Hypospadias, **T3** 877
Hypotension, **T3** 63, 65, 163, 165, 170, 1037
orthostatique, **T1** 487 ; **T2** 589, 597
Hypothalamus, **T1** 528-529 ; **T3** 320-321, 563, 650, 712
hormones sécrétées par l'_, **T3** 563, 712-713
réaction au stress par l'_, **T1** 127
régulation hydroélectrolytique par l'_, **T1** 481
Hypothermie, **T3** 158, 230-232
grave, **T3** 230, 232
légère, **T3** 230
modérée, **T3** 230, 232
postarrêt cardiorespiratoire, **T3** 224-225
postopératoire, **T3** 70
thérapeutique, **T3** 51
Hypothyroïdie, **T2** 99 ; **T3** 666, 674-676
soins et traitements infirmiers en cas d'_, **T3** 676-680
Hypotonie, **T1** 549
Hypoventilation, **T2** 198 ; **T3** 60-61
alvéolaire, **T3** 124-125, 186
Hypovolémie, **T1** 485 ; **T2** 629 ; **T3** 42, 63, 429
absolue, **T3** 142
relative, **T3** 142
Hypoxémie, **T1** 152 ; **T2** 327, 360 ; **T3** 12, 59-61, 182, 185-186, 189-190, 193, 206
Hypoxie, **T3** 150, 189-190
alvéolaire, **T2** 314
Hystérectomie, **T3** 750, 815, 830
abdominale, **T3** 837-838, 841
totale, **T3** 836
laparoscopique, **T3** 837-838
soins et traitements infirmiers en cas d'_, **T3** 840-841
totale, **T3** 834
vaginale, **T3** 837-838
Hystérosalpingographie, **T3** 736, 738, 807
Hystéroscopie, **T3** 736, 815

I

Icodextrine, **T3** 1031
Ictère, **T2** 99, 101, 422 ; **T3** 262, 496-497, 507, 511-512
hémolytique, **T3** 497
hépatocellulaire, **T3** 497
obstructif, **T3** 497
sclérotique, **T2** 423
Identification médicale, **T3** 625
IGF-1, **T3** 651
Iléostomie, **T3** 445-446, 463-464
soins et traitements infirmiers en cas d'_, **T3** 468-472
Iléus, **T3** 536
méconial, **T2** 391
paralytique, **T1** 892 ; **T2** 806 ; **T3** 71, 413, 451, 679, 1005
Îlots de Langerhans, **T3** 541, 560, 567
Imagerie
de contraste au baryum, **T3** 380
mentale, **T3** 760
nucléaire, **T3** 274
d'effort, **T2** 556, 562
pharmacologique, **T2** 556
par résonance magnétique (IRM), **T1** 550, 619, 807 ; **T2** 210, 435, 556, 562 ; **T3** 582, 587, 736, 739, 743, 922
abdominale, **T3** 273
Immigrants, **T1** 33-34
Immigration, **T1** 33-34
Immobilisation
d'une fracture, **T1** 830-833, 855
de la colonne cervicale, **T3** 215, 218
en cas de blessures médullaires, **T1** 767-769
Immunisation, *voir* Vaccination
Immunité, **T1** 324 ; *voir aussi* Réaction(s) immunitaires
à médiation cellulaire, **T1** 330-331
acquise, **T1** 324
humorale, **T1** 330-331
innée, **T1** 324
Immunocompétence, **T1** 332
Immunodéficience, **T1** 349-351
Immunodépresseurs, **T1** 919
Immunofluorescence, **T2** 105
Immunoglobuline(s) (Ig), **T1** 330-331 ; **T3** 505-506
A (IgA), **T3** 951
anti-hépatite B (IgHB), **T3** 506, 534
G (IgG), **T3** 492
anormales, **T1** 925
M (IgM), **T3** 492
Immunomodulateurs, **T1** 680 ; **T2** 133
Immunosuppresseurs, **T1** 355-357, 680 ; **T2** 699 ; **T3** 443-444, 534, 1050
Immunosuppression, **T1** 350
par une globuline antithymocyte (ATG), **T2** 454
Immunothérapie, **T1** 344-345
en cas de rhinite allergique, **T2** 226
Impédance, **T3** 102
Impétigo, **T2** 119-120
Implant(s)
cochléaire, **T2** 81
d'un cœur artificiel, **T3** 107
mammaires, **T3** 759, 772-774
oculaire, **T2** 39-40
péniens, **T3** 886-887
Implantation d'un stimulateur de la moelle épinière, **T2** 813
Impuissance en fin de vie, **T1** 232
Inaptitude, mandat en cas d'_, **T1** 227-228
Incident cérébral transitoire, *voir* Accident ischémique transitoire (AIT)
Incision transurétrale de la prostate (ITUP), **T3** 858, 860
Incompatibilité ABO, **T2** 516-517
Inconfort postopératoire, **T3** 68
Inconscience, **T1** 561
Incontinence
fécale, **T1** 727 ; **T3** 418-421
soins et traitements infirmiers en cas d'_, **T3** 421-422
urinaire, **T1** 618, 639, 645-646, 727 ; **T3** 875, 903, 911, 913, 935, 972, 974-979
à l'effort, **T3** 913, 974, 979-980
à la suite d'un traumatisme ou d'une chirurgie, **T3** 975
en fin de vie, **T1** 238
fonctionnelle, **T3** 975
par impériosité, **T3** 974
par regorgement, **T3** 974
réflexe, **T3** 974-975
soins et traitements en interdisciplinarité en cas d'_, **T3** 980-981
vésicale, **T3** 865-866
Incrétines, **T3** 568
Index
cardiaque, **T2** 533 ; **T3** 93, 141
surveillance de l'_, **T3** 92
de résistance pulmonaire (IRVP), **T3** 93
de résistance vasculaire systémique (IRVS), **T3** 93
international de la fonction érectile (IIFE), **T3** 884
Indice(s)
$CHADS_2$, **T2** 719-720
de Breslow, **T2** 116

de masse corporelle (IMC), T2 612 ; T3 293, 318-319, 575
globulaires, T2 427-428
glycémique, T3 613
tibiobrachial (ITB), T2 792-793, 799
Inégalités en santé, T1 22-26
soins infirmiers et lutte pour la réduction des _, T1 35-39
Infarcies, T2 635
Infarctus
cérébral, *voir* Accident vasculaire cérébral (AVC) ischémique
de l'intestin, T3 452
du myocarde, T2 632-637, 737
antérolatéral, T2 633
antéroseptal, T2 633
avec sus-décalage du segment ST (STEMI), T2 626, 634, 637-640
sans sus-décalage du segment ST (NSTEMI), T2 626, 637-638
pulmonaire, T2 309
Infection(s), T1 274, 364
à *Candida*, T3 597
à *Candida albicans*, T3 823
à *Chlamydia trachomatis*, T1 944 ; T2 45-46 ; T3 823-824
à *Clostridium difficile*, T3 365, 412-414, 416
à *Escherichia coli*, T3 405-407, 412
entérohémorragique, T3 412
à *Helicobacter pylori*, T3 374-375, 377-378, 393
à pneumocoque, vaccination contre les _, T3 192
à *Pseudomonas*, T2 394
à streptocoque du groupe A, T2 759, 761
à *Trichomonas vaginalis*, T3 823
associée au cathéter, T1 519 ; T3 96, 106, 311, 934-935, 1032, 1038
bactérienne(s)
cutanée, T2 118-120
de la conjonctive, T2 45
de la cornée, T2 46
de type ITSS, T3 780-791
responsables de la diarrhée, T3 412-413
causes des _, T1 364-367
chronique du VIH, T1 378-381
cutanée
bactérienne, T2 118-120
fongique, T2 118, 121, 123
postopératoire, T3 74
virale, T2 118, 120-121
d'une brûlure, T2 169
d'une plaie, T3 74
prévention de l'_, T1 292
de la vulve, du vagin et du col de l'utérus, T3 822-824
des voies respiratoires inférieures, T2 258-291
des voies urinaires, T3 932-938
à répétition, T3 938
compliquées, T3 932-933
inférieures, T3 932, 935
initiale, T3 933
non compliquées, T3 932-933
récidivante, T3 933
soins et traitements infirmiers en cas d'_, T3 938-941
supérieures, T3 932
diabète et _, T3 643
du greffon vasculaire synthétique, T2 806
du tunnel sous-cutané, T3 1032
émergentes, T1 367-368
extraoculaire, T2 44-47
soins et traitements infirmiers en cas d'_, T2 48-49
fongique
cutanée, T2 118, 121, 123
suite à une transplantation rénale, T3 1049
herpétique, T2 122
insuffisance rénale chronique et _, T3 1012, 1032
intraoculaire, T2 67
liées au cancer, T1 461-462
liées au lupus érythémateux disséminé (LED), T1 953
lors de l'oxygénothérapie, T2 371-372
lors de la cicatrisation, T1 286
mammaires, T3 744-745
MPOC et _, T2 357
nosocomiales, T1 371-372 ; T3 175-177, 934-935, 940, 1038
oculaire(s)
chez le nouveau-né, T3 783
par le VHS, T3 792
opportunistes, T1 379
infection du VIH et _, T1 379-380, 384-386
par l'herpès simplex pendant la grossesse, T3 792
par le cytomégalovirus, T2 262, 316, 523 ; T3 1049-1050
par le virus de l'immunodéficience humaine (VIH), *voir* Virus de l'immunodéficience humaine (VIH)
prévention et lutte contre les _, T1 372-373
pulmonaires, T3 197
fongiques, T2 278-279
réémergentes, T1 368-369
respiratoires, crise d'asthme et _, T2 324
secondaires, prévention des _, T2 137-138
subclinique, T3 492
suite à une fracture, T1 844
suite à une transplantation rénale, T3 1048-1050
transmissibles sexuellement et par le sang (ITSS), T3 780-796
soins et traitements infirmiers en cas d'_, T3 796-802
tuberculeuse latente (ITL), T2 270-271, 275
virale(s)
cutanée, T2 118, 120-121
de la conjonctive, T2 45
de la cornée, T2 46-47
de type ITSS, T3 780, 791-796
lors d'une transfusion sanguine, T2 523
responsables de la diarrhée, T3 412-413
suite à une transplantation rénale, T3 1049
Infertilité, T3 806
féminine, T3 806-808
soins et traitements en interdisciplinarité en cas d'_, T3 807
masculine, T3 888-889
Infestations d'insectes, T2 121, 124
Infiltration lipidique, T2 606
Infirmière(s)
anesthésiste, T3 36
auprès des clients en phase critique, T3 84-85
auxiliaire, rôles de l'_, T1 44, 202, 627, 675, 829 ; T2 39, 136, 241, 368, 490, 631 ; T3 306, 466, 624, 864, 981, 984
besoins de l'_ de l'unité de soins palliatifs, T1 242-243
d'urgence, T3 214
en pratique avancée, T1 5-6 ; T3 85
en service externe, T3 33-35
en service interne, T3 35
en soins périopératoires, T3 33-35
première assistante en chirurgie, T3 36
responsabilités de l'_, T1 18-19
rôles de l'_, T1 44, 50, 64, 66-69, 202, 416-418, 627, 675, 828 ; T2 39, 136, 241, 368, 490, 631 ; T3 22, 306, 466, 624, 864, 981, 984
sommeil de l'_, T1 156
tâches de l'_, T1 19
Inflammation, T1 274 ; *voir aussi* Réponse inflammatoire
aiguë, T1 278
buccale, T3 355
causée par une brûlure, T2 157
chronique, T1 278
de la glande parotide, T3 355
de la vulve, du vagin et du col de l'utérus, T3 822-824
des muqueuses, T1 437, 444-445
des voies respiratoires, T3 197
extraoculaire, T2 44-47
soins et traitements infirmiers en cas d'_, T2 48-49
intraoculaire, T2 67
jeûne et _, T3 290
maladie d'Alzheimer et _, T1 715
périportale, T3 495
soins et traitements en interdisciplinarité en cas d'_, T1 278-280
subaiguë, T1 278
Infliximab, T1 931
Influx nerveux, T1 525
Information
préopératoire, T3 18-21
propre à la chirurgie ambulatoire, T3 19-21
Informatique
des soins de santé, T1 15-16
infirmière, T1 15-16
Ingesta, T1 486
Ingestion, T3 250
Inhalateur(s)
à la nicotine, T1 253
de médicaments contre l'asthme, T2 341-345
de poudre sèche, T2 343-344
Inhalation
anesthésique par _, T3 44-46
chimique, T2 147
de drogues, T1 248
du charbon, T3 241
lésion par _, T2 147-148, 154-155, 159
Inhalothérapeute, T3 36-37
Inhibiteur(s)
adrénergiques, T2 584-585
calciques, T2 814
d'entrée, T1 385
de l'absorption du cholestérol, T2 619
de l'acétylcholinestérase, T1 681
de l'activité tyrosine kinase de BCR-ABL, T1 452
de l'activité tyrosine kinase du récepteur du facteur de croissance épidermique (R-EGF), T1 452
de l'alpha-glucosidase, T3 608, 610
de l'angiogenèse, T1 453-454
de l'angiotensine, T2 586-587
de l'anhydrase carbonique, T2 63 ; T3 539
de l'enzyme 5-alpha-réductase, T3 857
de l'enzyme CYP17, T3 873
de l'enzyme de conversion de l'angiotensine (IECA), T2 586-589, 628, 630, 644, 682, 684 ; T3 1007
de l'HMG-CoA réductase, T2 618
de l'intégrase, T1 385
de la 5-alpha-réductase, T3 979
de la calcineurine, T1 355-357
de la catéchol-0-méthyltransférase (COMP), T1 690
de la cholinestérase, T1 718
de la COX-2, T3 381
de la dipeptidyl peptidase-4 (DPP-4), T3 609-610
de la glycoprotéine IIb/IIa, T2 628
de la monoamine oxydase, T1 690
de la phosphodiestérase, T2 313, 679
de la pompe à protons (IPP), T3 362-363, 365, 382, 401, 539
de la protégrase, T1 385
de la rénine, T2 587
de la topoisomérase, T1 427
de récepteurs d'aldostérone, T2 584
des récepteurs bêta-adrénergiques, T3 669, 702
directs de la thrombine, T2 821, 823
du cotransporteur sodium-glucose de type 2 (SGLT2), T3 609-610
du facteur de nécrose tumorale, T1 932
du facteur Xa, T2 821, 823
du protéasome, T1 453-454 ; T2 511
du système rénine-angiotensine-aldostérone, T2 684
indirects de la thrombine, T2 820, 822-823
mitotiques, T1 427
non nucléosidiques de la transcriptase inverse (INNTI), T1 385
nucléosidiques de la transcriptase inverse (INTI), T1 385
sélectif de la famille des kinases JAK, T1 920
synthétiques de la thrombine, T2 821
Inhibition
de l'aromatase, T3 763
de la sécrétion gastrique, T3 363
Initiation (stade), T1 406
Injection(s)
de drogues, T1 248, 270
de glucagon, T3 635
de l'insuline, T3 604-605
intra-articulaires, T1 917, 922
intracytoplasmique de sperme (ICSI), T3 807
percutanées d'éthanol et d'acide acétique, T3 533
Inotropes
négatifs, T3 94
positifs, T2 679-680, 683, 685 ; T3 94
Insecte, infestations, morsures ou piqûres d'_, T2 121, 124
Insécurité alimentaire, T3 288
Insomnie, T1 144-148
aiguë, T1 145
chez les personnes âgées, T1 157
chronique, T1 145
soins et traitements infirmiers en cas d'_, T1 148-149

Inspection, **T1** 57
de l'abdomen, **T3** 266
de la bouche, **T3** 265
du système musculosquelettique, **T1** 800
du système tégumentaire, **T2** 96, 98-99
du système urinaire, **T3** 911
du système vasculaire périphérique, **T2** 544-545
du thorax et des poumons, **T2** 201, 545, 548-549
Inspiration, **T2** 186
Institut canadien pour la sécurité des patients (ICSP), **T1** 8
Instrumentation
du cathétérisme urinaire, **T3** 983-986
urétérale ponctuelle, **T3** 983
Insuffisance
cardiaque (IC), **T2** 576-577, 666-689; *voir aussi* Régurgitation
chronique, **T2** 672-675, 680-685
droite, **T2** 671
en décompensation aiguë (ICDA), **T2** 671-672, 677-680
gauche, **T2** 671
infarctus du myocarde et _, **T2** 636-637
soins et traitements infirmiers en cas d'_, **T2** 690-697
corticosurrénalienne, **T3** 694-695
primaire, **T3** 694
secondaire, **T3** 694
soins et traitements infirmiers en cas d'_, **T3** 696-697
d'oxygénation, *voir* Insuffisance respiratoire hypoxémique
gonadique, **T1** 449
hépatique fulminante, **T3** 530
soins et traitements infirmiers en cas d'_, **T3** 531
hypophysaire, **T2** 453; **T3** 654-655
sélective, **T3** 654
soins et traitements en interdisciplinarité en cas d'_, **T3** 655
pancréatique, **T2** 391, 394
veineuse chronique (IVC), **T2** 831-832
soins et traitements infirmiers en cas d'_, **T2** 832
ventilatoire, *voir* Insuffisance respiratoire hypercapnique
Insuffisance rénale, **T2** 676; **T3** 205, 530, 630
aiguë (IRA), **T3** 174, 998-1006
chez la personne âgée, **T3** 1008
intrarénales, **T3** 999-1001
postrénales, **T3** 999, 1001
prérénales, **T3** 999-1000
soins et traitements infirmiers en cas d'_, **T3** 1006-1008
chronique (IRC), **T3** 998, 1009-1023
chez la personne âgée, **T3** 1050-1051
soins et traitements infirmiers en cas d'_, **T3** 1023-1028
terminale (IRT), **T3** 1002, 1009
Insuffisance respiratoire, **T2** 393; **T3** 182
aiguë, **T2** 364; **T3** 182-192
soins et traitements en interdisciplinarité en cas d'_, **T3** 192-199
chez la personne âgée, **T3** 200
hypercapnique, **T3** 182-183, 187-188
hypoxémique, **T3** 182-183, 185-187
Insuline, **T3** 322, 324, 539, 560, 567-568, 599, 1011
à action courte, **T3** 601-602
à action intermédiaire, **T3** 601-602
à action prolongée, **T3** 601-602
à action rapide, **T3** 601-602
à action régulière, **T3** 601
à rythme basal, **T3** 601-602, 606
à rythme bolus, **T3** 601, 606
administration de l'_, **T3** 604-606
endogène, **T3** 596
entreposage de l'_, **T3** 602-604
exogène, **T3** 595, 599
métabolisme normal de l'_, **T3** 592-593
mixtes prémélangées, **T3** 602
NPH, **T3** 602
par voie intraveineuse, **T3** 632-633
résistance à l'_, **T2** 575
types d'_, **T3** 599-601
Insulinorésistance, **T3** 323, 341, 596, 638
Insulinothérapie, **T3** 599-608
chez la personne âgée, **T3** 644
intensive, **T3** 601
problèmes associés à l'_, **T3** 606-608
soins et traitements infirmiers en cas d'_, **T3** 623-624
Intégration à la collectivité, **T1** 647-648
Interaction médicamenteuse
avec les aliments, **T3** 289
avec les anticoagulants oraux, **T2** 822
avec les plantes, **T1** 118
Interdisciplinarité, soins en _, **T1** 17-18
Interféron(s), **T1** 327-330
alpha-2B, **T3** 500-501, 508
bêta, **T1** 680
Interleukines, **T1** 328
Intermittence mictionnelle, **T3** 935
Interprète, **T1** 38-39
Interruption
de la veine cave inférieure, **T2** 824
volontaire d'une grossesse (IVG), **T3** 809-810
Intertrigo, **T2** 101-102
Intervalle(s), **T2** 710
de l'électrocardiogramme, **T2** 532, 710
PR, **T2** 532
QRS, **T2** 532, 710
QT, **T2** 532, 710
Intervention(s)
chirurgicale, *voir* Chirurgie
ciblée d'urgence, **T3** 219, 221
coronarienne percutanée (ICP), **T2** 630-631, 651-652; **T3** 163
d'urgence, **T2** 638-640
corps-esprit, **T1** 111-114
de dérivation, **T3** 520
de Malone, **T3** 422
effractives, **T3** 86
en abandon du tabac, **T1** 252, 254
chez les clients hospitalisés, **T1** 256
en situation d'urgence, *voir* Urgence(s)
endo-urologiques, **T3** 961-962
esthétiques, **T2** 138-140
infirmière dans la lutte aux inégalités en santé, **T1** 37-39
intra-urétrale, **T3** 886
intraoculaires, **T2** 57-58
neuroablatives, **T1** 198
planification des _, **T1** 16-17
Interventions cliniques, **T1** 17
auprès d'une personne âgée, **T1** 100-107
en cas d'acromégalie, **T3** 653-654
en cas d'amputation, **T1** 859-863
en cas d'anémie, **T2** 443-445
en cas d'anévrisme de l'aorte, **T2** 805-808
en cas d'angine chronique stable, **T2** 646, 649-650
en cas d'artériopathie périphérique, **T2** 796-800
en cas d'arthrose, **T1** 923-924
en cas d'asthme, **T2** 346-355
en cas d'AVC, **T1** 630-648
en cas d'embolie pulmonaire, **T2** 311
en cas d'endocardite infectieuse, **T2** 749-751
en cas d'enflure ou de foulure, **T1** 816-817
en cas d'épilepsie, **T1** 672-676
en cas d'état de choc, **T3** 167-172
en cas d'hémophilie, **T2** 480-481
en cas d'hémorragie digestive haute, **T3** 402-404
en cas d'hépatite, **T3** 502-508
en cas d'hypercalcémie, **T1** 498-499
en cas d'hypercortisolisme, **T3** 689-693
en cas d'hyperkaliémie, **T1** 495
en cas d'hypernatrémie, **T1** 491
en cas d'hyperplasie bénigne de la prostate, **T3** 861-866
en cas d'hypertension artérielle primaire, **T2** 591-594
en cas d'hypertension intracrânienne, **T1** 572-575
en cas d'hyperthyroïdie, **T3** 670-674
en cas d'hypocalcémie, **T1** 500
en cas d'hypokaliémie, **T1** 496
en cas d'hyponatrémie, **T1** 492
en cas d'hypothyroïdie, **T3** 676-680
en cas d'incontinence fécale, **T3** 421-422
en cas d'infection des voies urinaires, **T3** 938-941
en cas d'infection par le VIH, **T1** 387-397
en cas d'inflammation, **T1** 278-279
en cas d'inflammation ou d'infection extraoculaire, **T2** 48
en cas d'insomnie, **T1** 149
en cas d'insuffisance cardiaque, **T2** 693-697
en cas d'insuffisance corticosurrénalienne, **T3** 696-697
en cas d'insuffisance rénale aiguë, **T3** 1007-1008
en cas d'insuffisance rénale chronique, **T3** 1024-1028
en cas d'insuffisance respiratoire aiguë, **T3** 192-199
en cas d'ITSS, **T3** 797-802
en cas d'obésité, **T3** 327-332
en cas d'occlusion intestinale, **T3** 454
en cas d'ostéomyélite, **T1** 877-878
en cas d'ulcères peptiques, **T3** 385-389
en cas d'un client en fin de vie, **T1** 232-239
en cas de blessures médullaires, **T1** 767-780
en cas de calculs urinaires, **T3** 964
en cas de cancer buccal, **T3** 358-359
en cas de cancer colorectal, **T3** 461-462
en cas de cancer de l'appareil génital féminin, **T3** 840-843
en cas de cancer de l'œsophage, **T3** 370
en cas de cancer de la prostate, **T3** 874-875
en cas de cancer de la tête et du cou, **T2** 246, 249-253
en cas de cancer du poumon, **T2** 289-290
en cas de cancer gastrique, **T3** 395-397
en cas de cardite rhumatismale, **T2** 761
en cas de cataracte, **T2** 53
en cas de céphalées, **T1** 662-663
en cas de chimiothérapie et de radiothérapie, **T1** 436, 441-450
en cas de chirurgie crânienne, **T1** 593-594
en cas de chirurgie esthétique, **T2** 140
en cas de cirrhose, **T3** 523-529
en cas de coagulation intravasculaire disséminée, **T2** 485
en cas de constipation, **T3** 425-426
en cas de déficience visuelle, **T2** 42-44
en cas de dépendance à une substance, **T1** 265
en cas de déséquilibre hydrique, **T1** 486-488
en cas de diabète, **T3** 621-627
en cas de diarrhée infectieuse aiguë, **T3** 416-418
en cas de douleur abdominale aiguë, **T3** 429-430
en cas de douleur postopératoire, **T3** 69
en cas de fibrose kystique, **T2** 396
en cas de fracture, **T1** 835-844
en cas de fracture de la hanche, **T1** 850-852
en cas de fracture de la mandibule, **T1** 856-857
en cas de glaucome, **T2** 65
en cas de lésion de pression, **T1** 298-300
en cas de leucémie, **T2** 499-501
en cas de lombalgie aiguë, **T1** 885-886
en cas de lupus érythémateux disséminé (LED), **T1** 957-959
en cas de maladie aorto-iliaque, **T2** 805-808
en cas de maladie d'Alzheimer, **T1** 720-729
en cas de maladie de la vésicule biliaire, **T3** 550-552
en cas de maladie de Parkinson, **T1** 691-694
en cas de maladie inflammatoire chronique de l'intestin, **T3** 447-450
en cas de malnutrition, **T3** 294-296
en cas de méningite bactérienne, **T1** 598, 600-601
en cas de MPOC, **T2** 380-388
en cas de myasthénie grave, **T1** 697
en cas de nausées et vomissements, **T3** 351-353
en cas de pancréatite aiguë, **T3** 540-541
en cas de péritonite, **T3** 437
en cas de plaies, **T1** 287-290
en cas de plaies chirurgicales, **T3** 74
en cas de pneumonie, **T2** 266, 268-269
en cas de polyarthrite rhumatoïde, **T1** 936-939

en cas de problèmes de pieds, T1 895-896
en cas de pyélonéphrite aiguë, T3 944
en cas de reflux gastro-œsophagien, T3 364-366
en cas de rhumatisme articulaire aigu, T2 761
en cas de sclérose en plaques, T1 682-686
en cas de soins périopératoires du client obèse, T3 336-340
en cas de stress, T1 137
en cas de syndrome coronarien aigu, T2 650-659
en cas de syndrome de Guillain-Barré, T1 747-748
en cas de thrombocytopénie, T2 473-475
en cas de thrombose veineuse profonde, T2 825-828
en cas de trachéostomie, T2 234-242
en cas de traumatisme craniocérébral, T1 583-586
en cas de troubles cardiovasculaires postopératoires, T3 65-66
en cas de troubles dermatologiques, T2 135-138
en cas de troubles gastro-intestinaux postopératoires, T3 72
en cas de troubles neurologiques et psychologiques postopératoires, T3 67-68
en cas de troubles respiratoires postopératoires, T3 62-63
en cas de troubles urinaires postopératoires, T3 73
en cas de tuberculose, T2 276-277
en cas de tumeur cérébrale, T1 591
en cas de tumeur osseuse, T1 881-882
en cas de valvulopathie, T2 774-775
en cas de variations de température en phase postopératoire, T3 71
en cas du syndrome de détresse respiratoire aiguë, T3 206-209
enseignement au client et _, T1 80
Intestin(s), T3 568
grêle, T3 251, 258
gros _, *voir* Gros intestin
neurogène suite à une blessure médullaire, T1 776-777
Intolérance
au glucose (IG), T3 595, 598
au gluten, T3 479-481
au lactose, T3 481
aux médicaments, T3 10
Intoxication, T1 247, 257; T3 237
à l'alcool, T1 257-259
à l'oxygène, T2 371
alimentaire, T3 405-407
au cannabis, T1 264
au monoxyde de carbone, T2 148
aux stimulants, T1 261
digitale, T2 685
paradoxale, T1 689
Intubation
en séquence rapide, T3 110-111, 217-218
endotrachéale, T3 108-112
complications liées à l'_, T3 116
nasale, T3 108-109, 111, 115
orale, T3 108-109, 111, 114-116
soins et traitements infirmiers en cas d'_, T3 112-115
Inversion, T1 802
du mamelon, T3 729
Iode, T3 669, 671, 673
carence en _, T3 661, 674
radioactif, T3 662, 668
radiothérapie à l'_, T3 669
Ion(s), T1 476
hydrogène, T1 503
monovalent, T1 476
Iontophorèse à la pilocarpine, T2 393
Iris, T2 6, 8, 18
Irradiation palliative, T3 761
Irrigation
d'une colostomie, T3 471
de la vessie, T3 864
intestinale, T3 239
Irritants, T1 428
de la peau, T2 109
Irritation du mamelon, T3 730
Ischémie, T1 250, 845; T2 538, 736
artérielle aiguë, T2 811-812
cérébrale
secondaire, T1 584
transitoire, *voir* Accident ischémique transitoire (AIT)
chronique, T2 606
critique des membres inférieurs, T2 794-795
silencieuse, T2 623
Isoenzyme de phosphatase acide prostatique (PAP), T3 868
Isogreffe, T2 141
Isolement social, T1 87
Isoniazide (INH), T2 273-274
Itinérance chez la personne âgée, T1 92

J

Jambes arquées, T1 805
Jambières gonflables, T2 819
Jéjunostomie, T3 299, 303
Jeu de rôles, T1 78
Jeûne, T3 289-290
Jonction neuromusculaire, T1 792-793
Journal des mictions, T3 975
Jugement
AVC et _, T1 618
clinique, T1 7

K

Kava, T3 10
Kératectomie photoréfractaire, T2 39
Kératinocytes, T2 88
Kératite, T2 46-47
à *Acanthamoeba*, T2 47
à herpès simplex, T2 46; T3 792
lagophtalmique, T2 47
Kératocône, T2 49
Kératoconjonctivite
épidémique, T2 46-47
sèche, T1 965; T2 47
Kératométrie, T2 15
Kératomileusie
épithéliale, T2 39
in situ au laser, T2 39
Kératoplastie
de conduction, T2 40
thermique au laser, T2 40
Kératose
séborrhéique, T2 126-127
sénile, T2 112-113
Kétamine, T3 46
Kétoconazole, T3 689
Kinésithérapie de drainage, T2 375-376
Kinesthésie, T1 527, 545
Kinines, T1 275, 335
Kininogène de haut poids moléculaire, T2 411
Kyste(s), T2 101
à l'épididyme, T3 880
au sein, T3 745
sébacé derrière l'oreille, T2 32
de la médullaire rénale, T3 954-955
ovariens, T3 831
pilonidal, T3 271
rénaux, T3 953-954
synovial, T1 805

L

L'ABCDE, T2 153
Labétalol, T2 598
Lacérations
cérébrales, T1 578
du cuir chevelu, T1 57
Lactase, déficience en _, T3 481
Lactate, T3 158
de milrinone, T2 679
Lactose, intolérance au _, T3 481
Lactulose, T3 520-522
Lame d'huile minérale, T2 105
Laminectomie, T1 890
Langage
anomalies liées au _, T1 548
d'un client suite à une laryngectomie, T2 251-252
d'un client trachéotomisé, T2 240
étranger du client, *voir* Communication interculturelle
symbolique du mourant, T1 233
troubles du _ suite à un AVC, T1 616-617
tumeurs cérébrales et déficit du _, T1 591
Langue
dépapillée, T2 423
des signes, T2 81
géographique, T3 269
lisse, T3 269
Laparoscopie, T3 277, 335, 429-430, 700-701, 737, 807, 817
Laryngectomie
soins et traitements infirmiers en cas de _, T2 246-253
supraglottique, T2 244-245
totale, T2 244, 253
PSTI en cas de _, T2 247-249
Laryngospasme, T3 59
Larynx
artificiel, T2 251-252
problèmes liés à la trachée et au _, T2 233-253
Laser, traitements cutanés au _, T2 131, 139, 830
Latex, allergies au _, T1 345-347; T3 50
Lavage
bronchoalvéolaire (LBA), T2 212
cutané, T3 239
gastrique, T3 237
oculaire, T3 239
Lavement, T3 423
antérograde du côlon, T3 422
baryté, T3 273, 275-276, 441, 455-456
Laxatif(s), T3 422-423
émollient, T3 485
Lecture labiale, T2 80-81
Léiomyomes, T2 290; T3 393, 830
Lentigos, T2 134
séniles, T2 127
Lentilles intraoculaires réfractives, T2 39-40
Leptine, T3 250, 321-322
Lésion(s)
à la muqueuse trachéale, T3 114
abdominales, T3 432
cardiaques, T2 758
cérébrale
axonale diffuse, T1 578
diffuse, T1 577-578
focale, T1 577-579
par coup-contrecoup, T1 578-579
primaire, T1 556
secondaire, T1 556
compliquée, T2 606
cutanées, T2 95, 99-100, 111
en cas de cirrhose, T3 512
primaires, T2 95, 97
secondaires, T2 95, 97-98
suite à une blessure médullaire, T1 777
d'acné, T2 100
de Dieulafoy, T3 398
de la moelle épinière, T1 751-783
de pression, T1 293-295; T3 527
d'un client à la peau foncée, T1 298
de stade I, T1 295
de stade II, T1 295
de stade III, T1 295
de stade indéterminé, T1 295
soins et traitements en interdisciplinarité en cas de _, T1 296-301
des tissus profonds suspectée (LTPS), T1 295
des voies respiratoires supérieures, T2 159
discales, T1 889, 891
discoïdes, T1 951
discontinues, T3 439
du système nerveux central, T2 303
endothéliale, T2 815-816
extracardiaque, T2 758
iatrogènes, T3 957
médullaire(s)
complètes, T1 754
incomplètes, T1 754
initiale ou primaire, T1 753
mécanismes et niveaux des _, T1 754-758
secondaire, T1 753
myocardique, T2 736
oculaires, T2 41
par inhalation, T2 147-148, 154-155, 159
des voies respiratoires inférieures, T2 148, 159
des voies respiratoires supérieures, T2 148
par submersion, T3 234
pulmonaire, T3 201
aiguë post-transfusionnelle (TRALI), T2 520, 522
rétiniennes, T2 577
splénique, T3 365
Léthargie, T3 579
Leucaphérèse, T1 349
Leucémie(s), T2 492-499
aiguë(s), T2 493
lymphoblastique (LAL), T2 493-494, 498
myéloïde (LAM), T2 493-494, 497-498
chroniques, T2 493
inclassables, T2 495
lymphoïde chronique (LLC), T2 494-495, 498
myéloïde chronique (LMC), T1 313; T2 494, 498
soins et traitements infirmiers en cas de _, T2 499-501
Leucocytémie, T2 413, 428
totale, T3 292
Leucocytes, T1 276; T2 407-408; *voir aussi* Globules blancs (GB)
Leucocytose, T1 276; T2 264; T3 1003
Leucopénie, T1 350, 438; T2 428, 485; T3 502, 1003

Leucoplasie, **T2** 243; **T3** 269, 355-356
orale chevelue, **T1** 378-379
Leucorrhée, **T3** 782
Leucotriènes, **T1** 275-276, 335; **T3** 567
Leuprolide, **T3** 829
Lévodopa, **T1** 689
Lévothyroxine, **T3** 675-676
Libération du nerf médian, **T1** 820-821
Lichen scléro-atrophique, **T3** 822
Lichénification, **T1** 346; **T2** 101, 137
Lierre grimpant, **T1** 116
Ligament(s), **T1** 793
blessure d'un _, **T1** 815
croisé antérieur
blessure du _, **T1** 815, 823
rupture du _, **T1** 815, 823
Ligature
des varices par endoscopie, **T3** 519
élastique, **T3** 484
Lipase, **T3** 277, 537
Lipectomie, **T3** 336
Lipides, **T2** 608; **T3** 285, 510, 612-613
métabolisme des _, **T3** 281
sériques, **T2** 552-553, 559-560
élevés, **T2** 615
Lipodystrophie, **T1** 381; **T3** 607
Lipolyse, **T1** 499; **T3** 567, 607
Lipome, **T2** 127
Lipoprotéines, **T2** 608
de basse densité (LDL), **T2** 552, 559, 608-610
de haute densité (HDL), **T2** 552, 559, 608
de très basse densité (VLDL), **T2** 559, 608-609
Liposuccion, **T2** 140; **T3** 336
Liquide(s)
cérébrospinal (LCS), **T1** 530, 556
analyse du _, **T1** 546, 549-550, 552-553, 597-598, 601
drainage du _, **T1** 564-565
écoulement du _, **T3** 653
valeurs normales du _, **T1** 552
de remplacement, *voir* Remplacement liquidien
extracellulaire (LIC), **T1** 475
déséquilibre en _, **T1** 485-486
interstitiel, **T1** 475; **T2** 411
mouvements liquidiens du plasma vers le _, **T1** 480-481
intracellulaire (LIC), **T1** 475
mouvement osmotique des _, **T1** 479
mouvements des _, **T1** 480-481
personnes âgées et équilibre des _, **T1** 484
pleural, **T2** 186
synovial, **T1** 790, 793, 810-811
volatils anesthésiques, **T3** 45
Liraglutide, **T3** 610
Lispro, **T3** 601
Liste
de contrôle du dépistage du délirium aux soins intensifs (ICDSC), **T3** 89
de vérification préopératoire, **T3** 23
Lithiase
rénale aiguë, **T3** 965-966
urinaire, **T3** 958-963
Lithotripsie extracorporelle par ondes de choc (LECOC), **T3** 548
Lithotritie, **T3** 962-963
au laser, **T3** 962
aux ultrasons, **T3** 962
électrohydraulique, **T3** 962
extracorporelle par ondes de choc, **T3** 962
Littératie en santé, **T1** 23, 73-74
Lobe cérébral, **T1** 528
Lobectomie, **T2** 300, 398
Locus, **T1** 307
Loi
de Frank-Starling, **T2** 669; **T3** 92
de Starling, **T2** 533
de Wolff, **T1** 826
Lombalgie, **T1** 884-887; **T3** 1033
aiguë, **T1** 884
soins et traitements infirmiers en cas de _, **T1** 885-887
chronique, **T1** 887
Lopéramide, **T3** 431
Lorazépam, **T3** 88
Lordose, **T1** 805
lombaire, **T1** 886
Lubrifiants, **T3** 424
Lumière de Wood, **T2** 105
Lunettes
correctrices, **T2** 38
nasales, **T2** 369
à conservation d'oxygène, **T2** 370
Lupus
cutané subaigu, **T1** 951
érythémateux disséminé (LED), **T1** 348, 950-954; **T3** 955
soins et traitements infirmiers en cas de _, **T1** 955-959
Luxation, **T1** 805, 818
soins et traitements en interdisciplinarité en cas de _, **T1** 818
Lymphadénopathie, **T2** 423, 505; **T3** 790
Lymphe, **T2** 411
Lymphocytes, **T1** 275, 325-327; **T2** 407-408
B, **T1** 325-326
T, **T1** 326
auxiliaires, **T1** 326-327
cytotoxiques, **T1** 326
mémoire, **T1** 326
T CD4, **T1** 377
Lymphœdème, **T3** 757, 770
Lymphogranulomatose vénérienne (LGV), **T3** 790
primaire, **T3** 790
secondaire, **T3** 790-791
tertiaire, **T3** 791
Lymphome(s), **T2** 502-509
de Hodgkin, **T2** 502-503
soins et traitements en interdisciplinarité en cas de _, **T2** 503-505
non hodgkinien(s), **T2** 502-503, 505-507; **T3** 374, 480
à cellules B, **T2** 505, 507
à lymphocytes T, **T2** 505, 507
agressif, **T2** 506-508
indolent, **T2** 506-508
soins et traitements en interdisciplinarité en cas de _, **T2** 508-509; T 507
primaire du SNC, **T1** 587
T cutané, **T2** 114
Lyse cellulaire, **T1** 276

M

Macophages alvéolaires, **T2** 191
Macroéléments, **T3** 286
Macroglies, **T1** 525
Macule, **T2** 97
Magnésium, **T1** 501; **T3** 901-902, 1012
déséquilibres du _, **T1** 501-503
équilibre du _, **T1** 502
valeur normale en _, **T1** 485
Malabsorption, syndrome de _, **T3** 288, 477-483
Maladie(s), *voir aussi* Affection(s), *aussi* Trouble(s)
à corps de Lewy, **T1** 729-730
à manifestations dermatologiques, **T2** 128-129
à prions, **T1** 730
aiguë, **T1** 84
aorto-iliaque, soins et traitements infirmiers en cas de _, **T2** 805-808
associés au système HLA, **T1** 351-352
auto-immunes, **T1** 348-349, 797
cardiovasculaires, **T1** 143; **T2** 604, 793, 805
diabète et _, **T3** 637
insuffisance rénale chronique et _, **T3** 1012-1013
chroniques, **T1** 84
chez la personne âgée, **T1** 90
coûts et prévalence de la _, **T1** 84
prévention de la _, **T1** 87
soins et traitements infirmiers en cas de _, **T1** 87-88
trajectoire de la _, **T1** 84-87
cœliaque, **T3** 479-481
coronarienne athérosclérеuse (MCAS), *voir* Coronaropathie
d'Addison, **T2** 453; **T3** 14, 572, 694
d'Alzheimer, **T1** 711-719
familiale, **T1** 713
d'origine alimentaire, **T3** 405-407
de Berger, *voir* Néphropathie à IgA
de Creutzfeldt-Jakob, **T1** 730
de Crohn, **T3** 437-446
soins et traitements infirmiers en cas de _, **T3** 447-450
de Graves-Basedow, **T3** 572, 660, 664, 668
de Huntington (MH), **T1** 538, 700-701, 729
de La Peyronie, **T3** 878-879
de la plèvre, **T2** 304
de la vache folle, **T1** 730
de la vésicule biliaire, **T3** 545-550
soins et traitements infirmiers en cas de _, **T3** 550-552
de Léo Buerger, *voir* Thromboangéite oblitérante
de Lou Gehrig, *voir* Sclérose latérale amyotrophique (SLA)
de Lyme, **T1** 945-946; **T3** 235
de Ménétrier, **T3** 393
de Ménière, **T2** 74-75
de Paget, **T1** 903-905
chez la personne âgée, **T1** 905
du mamelon, **T3** 752
de Parkinson (MP), **T1** 686-691, 729
soins et traitements infirmiers en cas de _, **T1** 691-694
de Pick, **T1** 730
de von Willebrand, **T2** 477-479
de Wilson, **T3** 509
des tissus conjonctifs, **T1** 950-971; **T3** 955
des travailleurs des silos, **T2** 281
diverticulaire, **T3** 474
du charbon, **T2** 119
du foie chez la personne âgée, **T3** 534-535
du greffon, **T1** 358-359
extrapulmonaires restrictives, **T2** 302-304
extrapyramidale, **T1** 592
gastro-intestinales, **T1** 143-144
génétiques, **T1** 312
antécédents familiaux et _, **T1** 318-319
autosomique dominante, **T1** 309-310
autosomique récessive, **T1** 309-310
classification des _, **T1** 313
fréquentes au Québec, **T1** 311-312
multifactorielles, **T1** 311, 313
récessive liée au chromosome X, **T1** 310-311
hépatiques, **T2** 393
auto-immunes, métaboliques et génétiques, **T3** 509-511
infectieuses, **T1** 364-367
infectieuses et métaboliques, **T1** 943-949
inflammatoire chronique de l'intestin (MICI), **T3** 437-446
chez la personne âgée, **T3** 451
soins et traitements infirmiers en cas de _, **T3** 447-450
inflammatoire pelvienne, **T3** 781
interstitielles pulmonaires, **T2** 304, 306-307
intrapulmonaires restrictives, **T2** 302, 304
kystique médullaire, **T3** 954-955
macrovasculaires liées à l'angiopathie, **T3** 636-638
malnutrition comme conséquence d'une _, **T3** 288-289
métaboliques, **T3** 955
microvasculaires liées à l'angiopathie, **T3** 638
neurodégénératives, **T1** 707
neuromusculaires, insuffisance respiratoire aiguë et _, **T3** 183-184, 188
osseuses métaboliques, **T1** 897-905
chez la personne âgées, **T1** 905
pulmonaire obstructive chronique (MPOC), **T1** 246; **T2** 207, 322, 355-379
comparaison entre asthme et _, **T2** 329
insuffisance respiratoire aiguë et _, **T3** 184, 187-188, 191, 194
soins et traitements infirmiers en cas de _, **T2** 379-388
pulmonaires, **T2** 207-208
environnementales ou professionnelles, **T2** 280-282
obstructives, **T2** 322-399
vasculaires, **T2** 307
rénales, **T1** 143
héréditaires, **T3** 953-955
respiratoires, **T1** 143
restrictives, **T2** 302-306
stress et _, **T1** 133
systémiques, manifestations oculaires et _, **T2** 68
vasculaire(s), **T1** 707
cérébrale, **T2** 577
chez la personne âgée, **T2** 621
périphérique, **T2** 577
transplantation rénale et _, **T3** 1050
Malnutrition, **T3** 287-292
cancer et _, **T1** 460-461
chez la personne âgée, **T3** 297
protéino-calorique, **T3** 162, 177
protéinoénergétique (MPE), **T1** 460-461; **T3** 287, 290-291
secondaire, **T3** 287
soins et traitements infirmiers en cas de _, **T3** 292-296
Maltraitance
envers la personne âgée, **T1** 94-96
formes de _, **T1** 95
Mamelon
desquamation du _, **T3** 730
écoulement du _, **T3** 735, 747, 752
inversion du _, **T3** 729
irritation du _, **T3** 730

rétraction du _, T3 729
sécrétions du _, T3 729-730
Mammographie, T3 736, 739, 743, 746
à trois dimensions, T3 743
numérique, T3 743
Mammoplastie, T3 772-775
d'augmentation, T3 775
soins et traitements infirmiers en cas de _, T3 775
de réduction, T3 775
soins et traitements infirmiers en cas de _, T3 775
Mandat en cas d'inaptitude, T1 227-228; T2 389
Mandibule, fracture de la _, T1 856
Manifestation clinique, T1 46
Manœuvre
d'Epley, T2 75
de Valsalva, T1 462, 776; T2 13; T3 255, 422-423
Manque, T1 247
Marche, T2 794
dispositifs d'aide à la _, T1 842-844
helcopode, T1 683
réadaptation à la _, T1 841-842
Marge thérapeutique, T1 668-669
Marijuana, T1 249, 264
Marqueurs
de lésions musculaires, T1 809
tumoraux, T1 413; T3 544, 738, 755, 836
Marronnier d'Inde, T1 116
Marsupialisation, T3 945
Masque
à réinspiration partielle ou sans réinspiration, T2 369
facial simple, T2 369
laryngé, T3 46
Venturi, T2 370
Massage, T1 112-113, 199
répétitif de la prostate, T3 877
Masse(s)
abdominales, T3 270
aux seins, T3 730
inguinales, T3 729
mammaires, T3 745-746
musculaire, modification de la _, T3 578
ovariennes, T3 831
pelviennes, T3 728
rectale, T3 271
scrotales, T3 729, 880-881
Mastalgie, T3 744
cyclique, T3 744
non cyclique, T3 744
Mastectomie, T3 756
avec conservation de l'étui cutané, T3 774
plan de soins et de traitements infirmiers en cas de _, T3 766-768
radicale modifiée, T3 756-758
Mastication, T3 251
maladie d'Alzheimer et _, T1 727
Mastite, T3 744
puerpérale, T3 744-745
Mastoïdectomie, T2 72
Mastoïdite, T1 595; T2 71
Matériel
didactique, T1 76-77, 79-80
nécessaire pour l'examen physique, T1 61
Matité, T1 60; T2 203, 206; T3 267
franche, T2 203
hépatique, absence de _, T3 270
Méat acoustique externe, T2 31-32, 70
Mécanisme(s)
d'échappement à la surveillance immunitaire, T1 412-413
de compensation à l'insuffisance cardiaque, T2 668-670
de compensation de la pression intracrânienne, T1 556-557
de concentration de l'urine, T3 900-901
de contre-régulation, T2 670
de contrôle des mouvements hydroélectrolytiques, T1 477-480
de défense des voies respiratoires, T2 189-192
de la douleur, T1 165-169
de modulation de la douleur, T1 169
de régulation par rétroactivation, T3 714
de rétro-inhibition, T3 714
échangeur à contre-courant, T3 900-901
électrophysiologiques de l'arythmie, T2 709-711
lésionnels des blessures médullaires, T1 754-755
multiplicateur à contre-courant, T3 900-901
normaux de la coagulation, T2 408-410
Mécanorécepteurs, T2 189
Médecine
ayurvédique, T1 120
traditionnelle, T1 31, 34-35
chinoise, T1 111-112, 120
Média, T2 606
Médiastinoscopie, T2 211, 285
Médiateurs chimiques de l'inflammation, T1 275-276
Médicament(s)
agissant sur les anticoagulants oraux, T2 822
asthme et sensibilité aux _, T2 324
au potentiel ulcérogène, T3 378
augmentant l'élimination des lipoprotéines, T2 619-620
ayant un effet sur la fonction des voies urinaires inférieures, T3 973
bloquant l'absorption des nutriments, T3 332
causant la thrombocytopénie, T2 467
chimiothérapeutiques, T1 425-428, 430
irritants, T1 428
vésicants, T1 428-429
cytotoxiques, T1 356-357
d'association, T2 339
d'ordonnance, abus de _, T1 246, 271
dérivés du platine, T1 426
diminuant l'absorption du cholestérol, T2 620
effet de _ sur la glycémie, T3 611
erreur de _, T1 104-105
évaluation préopératoire et prise de _, T3 9
favorisant une gastrite, T3 373-374
groupes ethniques et _, T1 34-35
histoire de santé liée aux _, T1 50, 178, 510, 537, 797-798; T2 10-11, 25, 94, 195, 415, 417, 540-541; T3 261-262, 571, 721
interaction entre produits naturels et _, T1 118
intolérance aux _, T3 10
limitant la production de lipoprotéines, T2 617-620
métabolisme des _, T1 104-105, 762
néphrotoxiques, T3 906, 1007
photosensibilisants, T2 109
potentiellement hépatotoxiques, T3 262
préopératoires, T3 22-25
qui affectent le système hématologique, T2 416-417
réaction aux _, T2 125
sans ordonnance pour l'asthme, T2 345-346
topiques, T2 136
bases des _, T2 130
Médroxyprogestérone, T3 819
Médullosurrénale, T3 560, 566-567, 569
troubles de la _, T3 701-702
Mégacôlon toxique, T3 413, 441
Méglitinides, T3 608-609
Méiose, T1 308
Mélanocytes, T2 88
Mélanome
malin, T2 113, 115-118
uvéal, T2 67-68
Mélanostimuline (MSH), T3 559
Mélasma, T2 102, 138
Mélatonine, T1 117, 140, 146, 148, 152; T3 565
Méléna, T2 446; T3 271, 397, 514
Mélisate de dabigatran etexilate, T1 620-621
Membrane(s)
alvéolocapillaire, T3 200
gingivales, altération des _, T2 423
muqueuses, altération des _, T2 423
synoviale, ablation de la _, T1 863-864
Membre(s)
fantôme, T1 171, 860
inférieurs
artériopathie périphérique des _, T2 788-796
complications du diabète liées aux _, T3 641-643
examen physique des _, T3 577
ischémie critique des _, T2 794-795
supérieurs, examen physique des _, T3 577
Mémoire
AVC et _, T1 618
perte de _, T1 708, 711, 716
Ménarche, T3 710, 714, 810
Méninges, T1 534
Méningite, T1 577, 596; T2 264
bactérienne, T1 596-598
soins et traitements infirmiers en cas de _, T1 598-601
vaccin contre la _, T1 598
virale, T1 601-602
Ménisque, blessure du _, T1 815, 821-822
Ménopause, T3 715, 717, 818, 821-822, 933-934
chirurgicale, T3 842
Ménorragie, T3 725, 813-814
Ménorrhée, T2 479
Ménotropines, T3 808
Menstruations, T3 714-715
caractéristiques des _, T3 716
historique des _, T3 725
problèmes relatifs aux _, T3 810-829
Mésothéliome, T2 290
Message noniceptif, T2 622
Mesure(s)
anthropométriques, T3 292
d'un muscle ou d'un membre, T1 801-802
d'une plaie, T1 287, 299
de contention, T1 106-107
de l'osmolalité, T1 478-479; T3 927
de la calcification des artères coronaires, T2 607
de la densité minérale de l'os, T1 807
de la pression artérielle, T2 535-536, 592-593; T3 96
à domicile, T2 594-595
de la pression intracrânienne, T1 563-565
de la pression veineuse centrale, T3 99-100
de la saturation veineuse en oxygène, T3 100-101
des électrolytes, T1 476
des pressions de l'artère pulmonaire, T3 99
des pressions et du débit sanguin, T2 558, 565
du débit urinaire, T3 925
du pouls paradoxal, T2 753
effractive des pressions au moyen de cathéters, T3 96, 99-101
préventives contre l'hépatite virale, T3 505
Métabolisme
de la bilirubine, T3 257
des glucides, altération du _, T3 1011
des lipides, T3 281
des médicaments, T1 104-105, 762
des protéines, T3 280
du fer, T2 408, 431
histoire de santé et _, T1 53, 538-539; T2 196, 198, 419-420; T3 261, 572, 574, 723
minéral, T1 808
normal de l'insuline, T3 592-593
Métamorphopsie, T2 59
Métanéphrines, T3 586
fractionnées, T3 701
Métaphyse, T1 788
Métaplasie, T3 360
Métastase(s), T1 410-411; T3 753, 968
à distance, T3 753-754
osseuses, T1 881
Métasynthèse, T1 13
Métatarsalgie de Morton, T1 894
Metformine, T3 608-609, 623
Méthadone, T1 187, 270
Méthode(s)
Bobath, T1 643-644
complémentaires, *voir* Approche(s) complémentaires et parallèles en santé
contraceptives, T3 781, 798
d'avortement provoqué, T3 809-810
d'évaluation de la confusion (CAM), T1 732; T2 654
de Holter, T2 553, 560
de l'assiette, T3 614
diagnostique de la confusion en unité de soins intensifs (CAM-ICU), T3 89
équilibrée d'anesthésie, T3 43
Méthotrexate, T1 931; T3 444
Méthylxanthines, T2 339-341
Métoclopramide, T3 350
Métronodazole, T3 414
Métrorragie, T3 725, 813-815
Microalbuminurie, T3 928-929
quantification de la _, T3 929
Microcytose, T2 450
Microdermabrasion, T2 139
Microglies, T1 524-525, 714
Microorganismes
résistants aux antibiotiques, T1 369-371

responsables de l'endocardite infectieuse, **T2** 744
responsables de l'ostéomyélite, **T1** 874
responsables de la diarrhée, **T3** 412-413
responsables de la pneumonie, **T2** 261
responsables des infections des voies urinaires, **T3** 932
responsables des ITSS, **T3** 780
Microscopie sur fond noir, **T3** 735, 739
Microtraumatismes répétés, **T1** 819
Microtubules, **T1** 714
Miction(s), **T3** 897, 910
à intervalles déterminés, **T3** 976, 982
à jet bifide, **T3** 967
brûlures lors de la _, **T3** 913
d'urgence, suppression de la _, **T3** 976
double, **T3** 982
dysfonctionnement de la _, **T3** 972-982
fréquentes, **T3** 913, 935, 942, 944-946
retard de _, **T3** 913
sur incitation, **T3** 976
Midazolam, **T3** 88
Migraine, **T1** 654-656, 658-659
avec aura, **T1** 656
sans aura, **T1** 656
Migration du cathéter, **T1** 519
Milieu réfringent, **T2** 4-5
Milieux de soins de santé
complexité des _, **T1** 6-7
diversité culturelle dans les _, **T1** 29-30
Millepertuis, **T3** 10
commun, **T1** 116
Minéralocorticoïdes, **T1** 482 ; **T3** 560, 567, 589, 685-686, 696
Minéraux, **T3** 285-286
Mini-Cog, **T1** 709-710
Mini-examen de l'état mental (MMSE), **T1** 708-709
Mitose, **T1** 308
Mobilisation
précoce, **T3** 430
et énergique, **T2** 819
et progressive, **T3** 127
Mobilité, évaluation de la _, **T1** 801
Modèle(s)
biomédical occidental de soins de santé, **T1** 110
biopsychosocial de la douleur, **T1** 164
de prestation des soins infirmiers
d'équipe, **T1** 6
intégraux, **T1** 6
intégrés, **T1** 6
de promotion de la santé, **T1** 66
de soins palliatifs, **T1** 217
de stratégies individuelles d'adaptation au stress, **T1** 134-135
de trajectoire de la maladie chronique, **T1** 86
intégrateur de soins de santé, **T1** 110
transactionnel de stress, **T1** 130
transthéorique de changement du comportement, **T1** 66-67
Modes de ventilation, **T3** 118
à pression contrôlée, **T3** 119-122
à volume contrôlé, **T3** 118-121
Modes fonctionnels de santé, **T1** 47, 52-54
accident vasculaire cérébral et _, **T1** 629
anémie et _, **T2** 443
artériopathie périphérique et _, **T2** 797
asthme et _, **T2** 347
atteinte inflammatoire pelvienne et _, **T3** 826
calculs urinaires et _, **T3** 965
cancer buccal et _, **T3** 358
cancer colorectal et _, **T3** 461
cancer de la prostate et _, **T3** 874
cancer du sein et _, **T3** 765
cardite rhumatismale et _, **T2** 760
céphalées et _, **T1** 661
cirrhose et _, **T3** 523
constipation et _, **T3** 425
diabète et _, **T3** 618
diarrhée infectieuse aiguë et _, **T3** 416
endocardite infectieuse et _, **T2** 749
épilepsie, crise épileptique et _, **T1** 672
évaluation d'une fracture et _, **T1** 835
fibrose kystique et _, **T2** 395
hémorragie digestive haute et _, **T3** 403
hépatite et _, **T3** 503
hypercortisolisme et _, **T3** 690
hyperplasie bénigne de la prostate et _, **T3** 861
hypertension artérielle et _, **T2** 591
hyperthyroïdie et _, **T3** 671
infection des voies urinaires et _, **T3** 939
insuffisance cardiaque et _, **T2** 690
insuffisance respiratoire aiguë et _, **T3** 193
ITSS et _, **T3** 796
leucémie et _, **T2** 500
lombalgie et _, **T1** 885
lupus érythémateux disséminé et _, **T1** 955
maladie de la vésicule biliaire et _, **T3** 550
maladie de Parkinson et _, **T1** 691
maladie inflammatoire chronique de l'intestin et _, **T3** 447
malnutrition et _, **T3** 291
MPOC et _, **T2** 381
nausées, vomissements et _, **T3** 351
obésité et _, **T3** 326
ostéomyélite et _, **T1** 877
pancréatite aiguë et _, **T3** 540
polyarthrite rhumatoïde et _, **T1** 933
rhumatisme articulaire aigu et _, **T2** 760
sclérose en plaques et _, **T1** 683
syndrome coronarien aigu et _, **T2** 646
système auditif et _, **T2** 27-29
système cardiovasculaire et _, **T2** 542-544
système digestif et _, **T3** 261-265
système endocrinien et _, **T3** 572-575
système hématologique et _, **T2** 418-421
système musculosquelettique et _, **T1** 798-800
système nerveux et _, **T1** 539
système reproducteur et _, **T3** 723-726
système respiratoire et _, **T2** 196-200
système tégumentaire et _, **T2** 94-96
système urinaire et _, **T3** 908-911
système visuel et _, **T2** 12-14
thrombocytopénie et _, **T2** 473
thrombose veineuse profonde et _, **T2** 825
ulcère peptique et _, **T3** 385
valvulopathie et _, **T2** 772
Modes mictionnels, **T3** 910
Modificateurs des leucotriènes, **T2** 336, 338
Modulateurs sélectifs des récepteurs œstrogéniques (SERM), **T1** 903 ; **T3** 763-764, 808, 820
Modulation de la douleur, **T1** 169
Moelle
épinière, **T1** 526-528
anomalies liées à la _, **T1** 549
lésions de la _, **T1** 751-783
tumeurs de la _, **T1** 781-782
osseuse, **T2** 404
biopsie de la _, **T2** 435-436, 491, 495, 506
greffe de _, **T1** 456
jaune, **T1** 789 ; **T2** 404
rouge, **T1** 789 ; **T2** 404
Mofétilmycophénolate, **T1** 356-357
Moniliase, **T3** 641
Moniteur implantable, **T2** 554, 561
Monitorage ambulatoire, **T2** 553-554
de la pression artérielle, **T2** 578-579
de type Holter, **T2** 553, 560
Monoarthrite, **T2** 759
Monocytes, **T1** 275 ; **T2** 407-408
Monofilament, **T3** 642
Monosaccharides, **T3** 284
Monoxyde de carbone, **T1** 250 ; **T2** 611
empoisonnement au _, **T3** 238
intoxication au _, **T2** 148
Morphine, **T1** 187 ; **T2** 679 ; **T3** 539
Morsure(s), **T3** 234
d'animaux et d'humains, **T3** 236-237
d'insecte, **T2** 121, 124
de chats, **T3** 236
de chien, **T1** 602 ; **T3** 236
de tiques, **T1** 945 ; **T2** 124 ; **T3** 235-236
Mort, *voir aussi* Décès
cardiaque subite (MCS), **T2** 727
cérébrale, *voir* Décès neurologique
conception de la _, **T1** 240-242
imminente, manifestations physiques d'une _, **T1** 220-222
peur de la _, **T3** 7
subite, **T2** 660
soins et traitements en interdisciplinarité en cas de _, **T2** 660-661
Motilité gastro-intestinale, **T3** 253
Moulage cornéen, **T2** 39
Mousses, **T1** 289
Mouvement(s)
amiboïdes, **T2** 407
amplitude des _, **T1** 801, 804
de la cage thoracique, **T2** 201-202
des articulations synoviales, **T1** 802
hydroélectrolytiques, **T1** 477-480
liquidiens
de l'espace interstitiel vers le plasma, **T1** 481
du plasma vers le liquide interstitiel, **T1** 480-481
entre l'espace extracellulaire et l'espace intracellulaire, **T1** 481
entre les capillaires et l'espace interstitiel, **T1** 480-481
osmotique des liquides, **T1** 479
répétés, **T1** 819
respiratoires, amplitude des _, **T2** 201
thoraciques, modification des _, **T2** 206
Moxibustion, **T1** 112
Mucus, **T2** 190
Multivitamines, **T3** 10
Muscle(s)
accessoires, utilisation des _, **T2** 205
cardiaque, **T1** 792
du plancher pelvien, réadaptation des _, **T3** 976-977
extrinsèques de l'œil, **T2** 6, 17, 19
lisse, **T1** 792
papillaires, dysfonctionnement ou rupture des _, **T2** 636
respiratoires, faible tonus des _, **T3** 60
squelettiques, **T1** 792
déséquilibres hydroélectrolytiques et _, **T1** 513
vieillissement des _, **T1** 794
Musicothérapie, **T3** 38
Mutation génétique, **T1** 307
cancer et _, **T1** 407
germinale, **T1** 309
somatique, **T1** 309
Myalgie, **T1** 805 ; **T2** 397 ; **T3** 496
Myasthénie grave (MG), **T1** 694-696 ; **T2** 303
soins et traitements infirmiers en cas de _, **T1** 696-697
Mycètes, **T1** 326, 365, 367
Mycobactérie atypique, **T2** 278
Mycose, **T1** 365
Mydriase, **T1** 543, 561
Myectomie, **T2** 781
Myéline, **T1** 524
Myélogramme, **T2** 469
Myélographie, **T1** 551, 807
Myélome
multiple, **T2** 509-511
soins et traitements infirmiers en cas de _, **T2** 511
plasmocytaire, *voir* Myélome multiple
Myélosuppression, **T1** 436, 441-442 ; **T2** 500 ; **T3** 762
Myocarde, infarctus du _, *voir* Infarctus du myocarde
Myocardite, **T1** 441 ; **T2** 756-757
rhumatismale, **T2** 758
soins et traitements infirmiers en cas de _, **T2** 757
Myoclonies, **T1** 230, 237
Myoglobine, **T2** 551, 558, 638
Myomectomie, **T3** 815, 830
Myopie, **T2** 38
Myorelaxants, **T1** 681
Myosis, **T1** 695
Myosite ossifiante, **T1** 827
Myotome, **T1** 531
Myotonie, **T3** 716
Myrongotomie, **T2** 70
Myxœdème, **T3** 577-578, 675

N

Nadir, **T1** 442
Narcolepsie, **T1** 151
Narcose au dioxyde de carbone, **T2** 371
Natalizumab, **T1** 680
Natrémie, **T3** 650
Natriurèse, **T2** 571
Naturopathie, **T1** 120
Nausées, **T1** 437, 443-444 ; **T2** 634-635 ; **T3** 270, 348-350, 452
chez la personne âgée, **T3** 354

en fin de vie, **T1** 238
postopéatoires, **T3** 71-72
soins et traitements infirmiers en cas de _, **T3** 351-353
Nævus, **T2** 101, 126
de Ota, **T2** 102-103
dysplasique ou atypique, **T2** 113, 115-117
Nébulisation, **T2** 195
Nébuliseur, **T2** 343-345, 371
Nécrobiose lipoïdique, **T3** 643
Nécrose
adipeuse, **T3** 745
avasculaire, **T1** 818
caséeuse, **T1** 339
tubulaire aiguë (NTA), **T2** 456; **T3** 1000-1001, 1048
anurique, **T3** 1048
oligurique, **T3** 1048
Négligence, **T1** 95
associée à l'abus de psychotropes et à la toxicomanie, **T1** 248
de soi, **T1** 96
Neisseiria gonorrhoeae, **T3** 824
Néoplasie
endocrinienne multiple, **T3** 663
de type 1, **T3** 663
de type 2, **T3** 663
secondaire, **T2** 504
Néoplasme(s)
bénin, **T1** 406
malin, **T1** 406
ovariens, **T3** 831
Néovascularisation, **T3** 638
Néovessie orthotopique, **T3** 989-990
Néphrectomie, **T3** 954, 986, 1046-1047
du donneur, **T3** 1046
laparoscopique, **T3** 987, 1046-1047
radicale, **T3** 968
Néphrite
héréditaire chronique, *voir* Syndrome(s) d'Alport
interstitielle, *voir* Pyélonéphrite aiguë
lupique, **T1** 952
Néphroangiosclérose, **T2** 575, 577
Néphrolithiases, **T3** 682
Néphrolithotomie, **T3** 963
percutanée, **T3** 962
Néphrolysines, **T3** 1000
Néphron, **T3** 895, 903, 1000
fonctions des segments du _, **T3** 899
Néphropathie, **T3** 637, 639
à IgA, **T3** 951
associée aux produits de contraste, **T3** 1004
chronique, **T1** 502, 733
diabétique, **T3** 955
due à l'hypertension artérielle, **T2** 577
interstitielle, *voir* Pyélonéphrite aiguë
Néphrosclérose, **T3** 956
bénigne, **T3** 956
maligne, **T3** 956
Néphrostographie, **T3** 920-921
Néphrostomie, **T3** 988
Néphrotoxicité, **T1** 440; **T3** 906, 909
Nerf(s)
crânien(s), **T1** 531-533
abducens, **T1** 532, 542-543
accessoire, **T1** 532, 544
affections des _, **T1** 740-745
anomalies liées aux _, **T1** 548
examen physique des _, **T1** 542-544, 547
facial, **T1** 532, 543-544
glossopharyngien, **T1** 532, 544
hypoglosse, **T1** 532, 544
oculomoteur, **T1** 532, 542-543
olfactif, **T1** 532, 542
optique, **T1** 532, 542
trijumeau, **T1** 532, 543, 740
trochléaire, **T1** 532, 542-543
vague, **T1** 532, 544
vestibulocochléaire, **T1** 532, 544
médian, libération du _, **T1** 820-821
optique, **T2** 18
périphériques, troubles des _, **T1** 740-751
phrénique, **T2** 186
spinaux, **T1** 531
Nésiritide, **T2** 679
Neurinome acoustique, **T1** 587
Neurohypophyse, **T3** 559, 564-565, 650
troubles de la _, **T3** 656-660
Neurologie, examen physique de la _, **T1** 60
Neurones, **T1** 524
moteurs
inférieurs, **T1** 527-528
supérieurs, **T1** 528
Neuropathie(s), **T3** 637, 640-641
autonome, **T3** 641
diabétique, **T3** 640
périphériques, **T1** 170, 440; **T3** 513
sensorielle, **T3** 640-642
Neuropeptides, **T1** 526
Neuroplasticité, **T1** 168
Neurostimulateur, **T3** 127-128
Neurostimulation, **T1** 198
transcutanée (NSTC), **T1** 199-200
Neurosyphilis, **T1** 708, 751; **T3** 786-788
tardive, **T1** 751
Neurotransmetteurs, **T1** 526
Neutropénie, **T1** 442; **T2** 428-429, 485-487
chez la personne âgée, **T2** 490-491
fébrile, **T2** 486-488, 491
soins et traitements en interdisciplinarité en cas de _, **T2** 487-490
Neutropénique, **T1** 274
Neutrophiles, **T1** 274-275; **T2** 407, 428
Névralgie faciale, **T1** 740-742
soins et traitements infirmiers en cas de _, **T1** 742-743
Névrome
acoustique, **T2** 75-76
de Morton, **T1** 894
Nez, **T2** 182-183
examen physique du _, **T2** 200, 207
fracture du _, **T2** 218
obstruction du _, **T2** 232
troubles du _, **T2** 218-232
Niacine, **T2** 619-620
Nicotine, **T1** 247-250; **T2** 611
Nimodipine, **T1** 627
Nitrates, **T2** 684
Nitrofurantoïne, **T3** 937
Nitroglycérine, **T2** 629, 678-679, 766-767; **T3** 161
par voie intraveineuse, **T2** 643
sublinguale, **T2** 625-626, 628
Nitroprussiate, **T3** 162
Nitroprusside de sodium, **T2** 679
Nitroso-urées, **T1** 426
Niveau(x)
d'instruction, **T1** 23
d'urgence, **T3** 214
de Clark, **T2** 116
de fonctionnement, histoire de santé et _, **T1** 53
de revenu, **T1** 23
de sédation, **T3** 43
de soins, **T1** 228
de vie, malnutrition et _, **T3** 288
lésionnels des blessures médullaires, **T1** 754-758
préprandial, **T2** 597
Nocardiose, **T2** 278
Nociception, **T1** 165-166
Nodule(s)
aux seins, **T3** 730
d'Heberden, **T1** 913
d'Osler, **T2** 746
de Bouchard, **T1** 913
mammaires, **T3** 745-746
rhumatoïde, **T1** 928
sous-cutanés, **T2** 759-760
thyroïdien, **T3** 578, 661-662
Nomenclature systématisée de la médecine (SNOMED CT), **T1** 15
Non-consolidation, **T1** 827
Non-électrolytes, **T1** 476
Non-perception hypoglycémique, **T3** 634
Noradrénaline, **T2** 570; **T3** 560, 566
Norépinéphrine, **T3** 161
Nortriptyline, **T1** 253-254
Nœud
auriculoventriculaire, **T2** 531-532
sinoauriculaire, **T2** 531
sinusal, **T2** 704, 709-710
Nouveau-né, infections oculaires chez le _, **T3** 783
Nouvelles technologies, **T1** 6
Noyade, **T3** 232
Noyau(x)
gris centraux, **T1** 528-529, 687
lenticulaire, **T1** 578
Nucléoplastie discale par radiofréquence, **T1** 890
Nulliparité, **T3** 711, 746
Numération
absolue de neutrophiles (NAN), **T2** 485-486
des globules blancs, **T2** 427-428; **T3** 143
des globules rouges, **T2** 427-428
des neutrophiles, **T2** 428
leucocytaire, **T2** 427
plaquettaire, **T2** 427, 429, 469, 479, 818; **T3** 143
réticulocytaire, **T2** 433, 440
Nutriments
essentiels à l'érythropoïèse, **T2** 447
médicaments bloquant l'absorption des _, **T3** 332
Nutrition, **T3** 284; *voir aussi* Alimentation, *aussi* Régime(s) alimentaire(s), *aussi* Recommandations nutritionnelles, *aussi* Thérapie nutritionnelle
abus chronique d'alcool et _, **T1** 258
chez la personne âgée, **T1** 93
des clients en phase critique, **T3** 86-87
histoire de santé et _, **T1** 53, 538-539; **T2** 94-96, 196, 198, 419-420; **T3** 261, 572, 574, 723
peau et _, **T2** 110-111
suite à un AVC, **T1** 639-640
troubles liés à la _, *voir* Trouble(s) nutritionnels
Nycturie, **T2** 674; **T3** 910-911, 913, 935
Nystagmus, **T1** 543, 549; **T2** 25

O

Obésité, **T3** 318-325
abdominale, **T2** 612
androïde, **T3** 318, 320
AVC et _, **T1** 611
chez la personne âgée, **T3** 340
coronaropathie et _, **T2** 612, 616
diabète et _, **T3** 596
gynoïde, **T3** 319-320
morbide, **T3** 318
peau et _, **T2** 110-111
primaire, **T3** 318
secondaire, **T3** 318
soins et traitements infirmiers en cas d'_, **T3** 325-332
soins et traitements infirmiers périopératoires d'un client souffrant d'_, **T3** 336-340
traitement chirurgical en cas d'_, **T3** 332-336
Objectif(s)
de sécurité des clients, **T1** 7-9
infirmier, **T1** 45
médical, **T1** 45
Obnubilation, **T1** 666
Observation vigilante, **T3** 856, 870
Obstruction
de l'uretère, **T3** 957
de la jonction pyélo-urétrale, **T3** 957
de la prostate, **T3** 957
des voies respiratoires, **T2** 232-233; **T3** 59-60
du débit sanguin par le ballon en aval du cathéter, **T3** 106
du défilé gastrique, **T3** 380, 384, 388
du flux biliaire, **T3** 546-547
du nez et des sinus, **T2** 232
intestinale, *voir* Occlusion intestinale
urétérale bilatérale, **T3** 1001
urétrale, **T3** 957
urinaire, **T3** 957-967
vésicale, **T3** 957
Occlusion
du cathéter, **T1** 519
intestinale, **T1** 462; **T3** 451-453
mécanique, **T3** 451-452
non mécanique, **T3** 451
soins et traitements infirmiers en cas d'_, **T3** 453-454
Octréotide, **T3** 401, 522, 652
Ocytocine, **T3** 559, 562, 565
Œdème(s), **T1** 805
à la région sacro-iliaque, **T2** 547
aigu du poumon (OAP), **T2** 307
alvéolaire, **T2** 307
aux membres inférieurs, **T2** 547
cérébral, **T1** 559-560
cytotoxique, **T1** 560
interstitiel, **T1** 560
vasogénique, **T1** 560
de chaleur, **T3** 226
de Quincke, *voir* Angiœdème
insuffisance cardiaque et _, **T2** 672, 674
interstitiel, **T2** 307
laryngé, **T3** 59
lié au syndrome néphrotique, **T3** 952-953
lié au système urinaire, **T3** 910
papillaire, **T1** 548
périorbital, **T3** 949
périphérique, **T3** 514
pulmonaire, **T2** 208, 671-672; **T3** 59, 61, 197
scrotal, **T3** 477
Odeur de l'urine, **T3** 927
Odynophagie, **T3** 270, 370
Œil, **T2** 4
anomalies nerveuses liées à l'_, **T1** 548
inflammation et infection au niveau de l'_, **T2** 44-47
réfringence de l'_, **T2** 38
Oligodendrocytes, **T1** 525, 677

Oligoéléments, **T3** 286
fournies par l'alimentation parentérale, **T3** 307
Oligoménorrhée, **T3** 813-814
Oligurie, **T2** 483; **T3** 73, 913, 1001
prérénale, **T3** 1000
Omalizumab, **T2** 338, 340
Oméprazole, **T2** 793
Onagre, **T1** 116
Oncogènes, **T1** 307, 405-406
Onde(s)
du soleil, **T2** 108
électrocardiaques, **T2** 532, 710
P, **T2** 532, 710
Q, **T2** 532
R, **T2** 532
S, **T2** 532
sonores, **T2** 23
T, **T2** 532, 710
U, **T2** 532
Ongles, **T2** 89, 91, 93, 99
déformation du lit des _, **T2** 546
Onychomycose, **T2** 122-123
Opacité de la cornée, **T2** 49
Opération
de Hartmann, **T3** 463
de Nissen, **T3** 364, 367
Ophtalmoplégie, **T1** 548
Ophtalmoscopie, **T2** 15
Opposition, **T1** 802
Opsonisation, **T2** 466
Optotype de Jaeger, **T2** 19
Orchidectomie, **T3** 871, 882
radicale, **T3** 882
Orchite, **T3** 880
ourlienne, **T3** 880
Ordonnance de non-réanimation, **T1** 228-229; **T2** 770
Ordre des infirmières et infirmiers du Québec (OIIQ), **T1** 6
Oreille
externe, **T2** 22-24, 31-32
troubles de l'_, **T2** 68-70
interne, **T2** 23-24
troubles de l'_, **T2** 73-82
moyenne, **T2** 23-24
troubles de l'_, **T2** 70-73
Oreillons, **T3** 722
Orexine, **T1** 140
Organes
achat d'_, **T3** 1042
don d'_, **T1** 226-227; **T3** 225, 1042-1046
lymphoïdes, **T1** 325
pelviens, **T3** 710-711
reproducteurs
maladies à manifestations dermatologiques liées aux _, **T2** 129
primaires, **T3** 708-709
secondaires, **T3** 708-709
transplantation d'_, **T1** 352-358
Organes génitaux
examen physique des _, **T1** 60; **T3** 577
externes, **T3** 709, 711-712
examen physique des _, **T3** 726-728
Orgasme, **T3** 716-717
Orgelet, **T2** 16, 44
Orientation sexuelle, **T1** 25
Origine ethnique, coronaropathie et _, **T2** 607
Orlistat, **T3** 332
Oropharynx, cancer de l'_, **T3** 354
Orteils en marteau, **T1** 894
Orthopnée, **T2** 673; **T3** 190, 679
Ortie, **T1** 116
Os, **T1** 788-789
compact, **T1** 788
courts, **T1** 789
développement exagéré des _, **T3** 578
irréguliers, **T1** 789
longs, **T1** 789
plats, **T1** 789
spongieux, **T1** 788
tumeurs aux _, **T1** 878-881
vieillissement des _, **T1** 795
Oscillations à haute fréquence de la paroi thoracique, **T2** 378
Osmolalité, **T1** 476, 478, 567
mesure de l'_, **T1** 478-479; **T3** 927
plasmatique, **T1** 478; **T3** 565
régulation de l'_, **T3** 900-901
sérique, **T3** 632
Osmolarité, **T1** 476, 478; **T3** 303
Osmose, **T1** 478-479; **T3** 1029
Œsogastroduodénoscopie (OGD), **T3** 276
Œsophage, **T3** 250, 258
cancer de l'_, **T3** 368-371
divercule de l'_, **T3** 372
Œsophagectomie à effraction minimale, **T3** 369
Œsophagite, **T3** 360
à éosinophiles, **T3** 371
Ossification du cal, **T1** 826
Ostéalgie, **T2** 424
Ostéite
déformante hypertrophique, *voir* Maladie(s) de Paget
fibreuse, **T3** 1014
Ostéoblastes, **T1** 788
Ostéochondrome, **T1** 879-880
Ostéoclastes, **T1** 788
Ostéoclastome, **T1** 879
Ostéocytes, **T1** 788
Ostéodensitométrie, **T3** 683
Ostéomalacie, **T1** 897; **T3** 1014, 1019
Ostéomyélite, **T1** 844, 874-876
aiguë, **T1** 875
chronique, **T1** 875
soins et traitements infirmiers en cas d'_, **T1** 876-878
Ostéonécrose, **T1** 903
Ostéons, **T1** 788
Ostéopénie, **T1** 899; **T2** 393
Ostéoporose, **T1** 797, 897-900; **T3** 699
chez la personne âgée, **T1** 905
soins et traitements en interdisciplinarité en cas d'_, **T1** 900-903
Ostéosarcome, **T1** 879-880
Ostéotomie, **T1** 864
Œstradiol, **T3** 734
Œstrogène, **T3** 560, 713, 733, 812, 818-820, 854
Otalgie, **T3** 356
Otite
externe, **T2** 69
moyenne
aiguë (OMA), **T2** 70
avec épanchement, **T2** 71
chronique, **T2** 71-72
Otorrhée, **T2** 27
Otospongiose, **T2** 73
Ototoxicité, **T1** 448
Oubli normal, **T1** 711
Outil(s)
de communication SAER pour le transfert postopératoire, **T3** 76-77
DÉBA-A, **T1** 264
DÉBA-D, **T1** 264
éducatifs, **T1** 78
mnémotechnique
ABCDE, *voir* ABCDE en cas de lésion cutanée et mélanome
AMPLE, *voir* AMPLE
AVPU, **T3** 219
CCMS-PRO, **T1** 833
DELIRIUM, **T1** 731
PQRSTU, *voir* PQRSTU
Ovaires, **T3** 560, 710-711, 718
cancer des _, **T3** 834-837
Ovariectomie
bilatérale, **T3** 842
prophylactique, **T3** 769
soins et traitements infirmiers en cas de _, **T3** 841-842
Ovarite, **T3** 824
Ovulation, **T3** 715
évaluation de l'_, **T3** 806
Oxalates, **T3** 963-964
de calcium, **T3** 960
Oxyde nitrique, **T3** 123
Oxygénation, **T2** 188
artérielle, surveillance de l'_, **T3** 102
cérébrale, surveillance de l'_, **T1** 565-566
insuffisante, **T2** 189; **T3** 57
par membrane extracorporelle (ECMO), **T3** 123, 207
surveillance de l'_, **T3** 113
Oxygène
besoins des tissus en _, **T3** 188
hyperbare, **T1** 291
intoxication à l'_, **T2** 371
saturation en _, **T2** 424
Oxygénothérapie
continue à domicile, **T2** 372-373
en cas d'algie vasculaire de la face, **T1** 660
en cas d'état de choc, **T3** 158
en cas d'insuffisance respiratoire aiguë, **T3** 193-194
en cas d'insuffisance respiratoire hypoxémique, **T3** 186
en cas de maladie pulmonaire obstructive, **T2** 367-373
en cas de syndrome de réponse inflammatoire systémique ou de syndrome de défaillance multiorganique, **T3** 177
en cas de trouble respiratoire, **T3** 62
en cas du syndrome de détresse respiratoire aiguë, **T3** 206
Oxymétrie de pouls, *voir* Saturométrie

P

Palatabilité, **T2** 620
Pâleur, **T2** 99
conjonctivale, **T2** 423
de la peau, **T2** 99, 422
Pallesthésie, **T1** 527
Palliation, *voir* Soins palliatifs
Palpation, **T1** 57, 60
abdominale, **T3** 267-268, 429
bimanuelle, **T3** 267
cutanée, **T2** 99-100, 102
de la bouche, **T3** 265
de la rate, **T2** 425; **T3** 268
de la thyroïde, **T3** 576
des reins, **T3** 911-912
des seins, **T3** 727
du foie, **T2** 425; **T3** 268
du système musculosquelettique, **T1** 801
du système vasculaire périphérique, **T2** 545
du thorax, **T2** 201-202, 545, 548-549
profonde, **T3** 267
superficielle, **T3** 267
Palpitations, **T2** 423
Pamidronate, **T2** 510
Pancardite, **T2** 758
Pancréas, **T3** 257, 259, 560, 567-569
analyses liées au _, **T3** 587-589
cancer du _, **T3** 543-545
greffe du _, **T3** 639
troubles du _, **T3** 535-545
Pancréatectomie céphalique, **T3** 544
Pancréatine, **T3** 539
Pancréatite
aiguë, **T3** 535-539
grave, **T3** 536
soins et traitements infirmiers en cas de _, **T3** 539-541
chronique, **T3** 539, 541-543
soins et traitements infirmiers en cas de _, **T3** 543
nécrosante, **T3** 536
non obstructive, **T3** 542
obstructive, **T3** 542
œdémateuse ou interstitielle, **T3** 536
récidivante, **T3** 597
Pancréatojéjunostomie, **T3** 543
Pancrélipase, **T3** 539
Pancytopénie, **T2** 428, 453-454
Panhypopituitarisme, **T3** 654
Panophtalmie, **T2** 67
Pansements, **T1** 877
humides, **T2** 135, 831
non adhérents, **T1** 289
pour les plaies, **T1** 289-290
Papillectomie, **T3** 551
Papillome intracanalaire, **T3** 747
Papillœdème, **T1** 548
Papule(s)
cutanée, **T2** 97
de Gottron, **T1** 964
œdémateuse, **T2** 97
Paracentèse, **T3** 518-519
abdominale, **T1** 486
du tympan, **T2** 25
Paralysie
à tiques, **T3** 236
de Bell, **T1** 743-745
soins et traitements infirmiers en cas de _, **T1** 745
de Todd, **T1** 666
Paramètres hémodynamiques, **T3** 93, 103
Paraphimosis, **T3** 878
Paraplégie, **T1** 549, 754, 758
Parasite, **T1** 365
responsable d'une infection émergente ou réémergente, **T1** 365, 368-369
responsable de la diarrhée, **T3** 413
responsable de la kératite, **T2** 47
Parasomnies, **T1** 155-156
Parathormone, *voir* Hormone(s) parathyroïdienne (PTH)
Parathyroïde, **T3** 560, 566, 569
analyses liées à la _, **T3** 584-585, 589
Parathyroïdectomie, **T3** 683
totale, **T3** 1019
Paresthésie, **T1** 549, 698, 805, 889; **T3** 640
des pieds et des mains, **T2** 424
Paroi
abdominale, **T3** 258
gastro-intestinale, perforation de la _, **T3** 379-380, 384, 388
thoracique, **T2** 186, 537
auscultation de la _, **T2** 203-205
insuffisance respiratoire aiguë et _, **T3** 183-184, 187-188
maladies exprapulmonaires restrictives et _, **T2** 304
trauma à la _, **T2** 304
Parotidite, **T3** 355, 669

Paroxysmes, **T2** 258
Partage des tâches, **T1** 19
Passé, *voir* Antécédents
Pastille à la nicotine, **T1** 252
Pathologie(s)
de la vulve, du vagin et du col de l'utérus, **T3** 822-824
soins et traitements infirmiers en cas de _, **T3** 824
veineuse, **T2** 791
Patrimoine biologique et génétique, **T1** 25
Patron héréditaire, **T1** 309-311
Paupières, **T2** 5, 7, 16-17
Peau, **T2** 88-91, 93; *voir aussi* Système tégumentaire
cancer de la _, **T1** 408; **T2** 92, 111-118
dermatomyosite et effet sur la _, **T1** 964
déséquilibres hydroélectrolytiques et _, **T1** 487-488, 513
du scrotum, problème de _, **T3** 879
état de choc et _, **T3** 154, 171
examen physique de la _, **T1** 61; **T2** 425
foncée, **T2** 99, 102
greffes de _, **T2** 141-142, 832
infections de la _, **T2** 118-123; **T3** 74
inspection de la _, **T2** 96, 98-99
lésion de la _, *voir* Lésion(s) cutanées
modification de la texture de la _, **T3** 577
pâle, **T2** 99, 422
palpation de la _, **T2** 99-100, 102
polymyosite et effet sur la _, **T1** 964
sclérodermie systémique et effet sur la _, **T1** 960
soins de la _, **T1** 727; **T2** 108-111, 832
suite à une blessure médullaire, **T1** 777
turgescence de la _, **T1** 487; **T2** 100
ulcération de la _, **T2** 98; **T3** 577
Pectoriloquie, **T2** 207
Pédiculose, **T2** 124
Peginterféron alpha-2B, **T3** 501
Pegvisomant, **T3** 652
Pégylation, **T3** 501
Pellicules transparents, **T1** 289
Pénicilline G benzathine, **T3** 787-788
Pénis, **T3** 709, 716-717
cancer du _, **T3** 879
examen physique du _, **T3** 726-727
problèmes liés au _, **T3** 877-879
Pentoxifylline, **T2** 794
Peptide(s)
inhibiteur gastrique, **T3** 253
natriurétique, **T1** 483
auriculaire (PNA), **T2** 559, 670; **T3** 903
de type B (PNB), **T2** 552, 559, 670, 677
YY, **T3** 322
Perception
de l'âge, **T1** 89
de la douleur, **T1** 164, 169
de la santé, **T1** 51-53
histoire de santé et _, **T1** 51-55, 178, 510, 538-539, 798-800; **T2** 12, 27-28, 94, 96, 196-198, 418, 420, 542-543; **T3** 261, 263-264, 572, 723
du stress, **T1** 130-131
en fin de vie, **T1** 239
sensorielle
altération de la _ du client en phase critique, **T3** 88-90
en cas de blessures médullaires, **T1** 772
en fin de vie, **T1** 221
suite à un AVC, **T1** 640-641, 646
spatiale suite à un AVC, **T1** 618, 646
Percussion, **T1** 57, 60-61
abdominale, **T3** 267, 429
au niveau des reins, **T3** 912
des voies respiratoires, **T2** 375-376
directe, **T1** 60
du thorax, **T2** 203, 549
indirecte, **T1** 60
Perforation
de la paroi gastro-intestinale, **T3** 379-380, 384, 388
du tympan, **T2** 32
Perfusion
continue par pompe, **T3** 605-606
périphérique, **T2** 807
rénale, **T2** 807
Péricardectomie, **T2** 756
Péricardiocentèse, **T2** 753-754
Péricardite, **T1** 441; **T2** 264, 636, 751
aiguë, **T2** 751-754
soins et traitements infirmiers en cas de _, **T2** 755
constrictive chronique, **T2** 755
soins et traitements en interdisciplinarité en cas de _, **T2** 756
rhumatismale, **T2** 758
urémique, **T3** 1013
Périchondrite, **T2** 68
Périhépatite, **T3** 789
Périménopause, **T3** 818-821
soins et traitements infirmiers en cas de _, **T3** 821-822
Périmétrie par confrontation, **T2** 15
Périnée, examen physique du _, **T3** 220, 223
Périodes réfractaires, **T2** 711
Périoste, **T1** 789
Péristaltisme, **T3** 248-250, 365, 430
propulsif, **T3** 254
Péritonéoscopie, **T3** 277, 436, 737
Péritonite, **T3** 434-436, 824, 1032-1033
bactérienne spontanée, **T3** 516
primaire, **T3** 435
secondaire, **T3** 435
soins et traitements infirmiers en cas de _, **T3** 436-437
Perméabilité
des greffons, **T2** 806
des voies respiratoires supérieures, maintien de la _, **T3** 108-116
du tube endotrachéal, maintien de la _, **T3** 113-114
tubaire, tests de _, **T3** 806-807
PERRLA, **T1** 569; **T2** 20
Personne
ayant connu une mort subite, **T2** 660-661
immunodéprimée, **T1** 370
soignée, **T1** 5
Personne(s) âgée(s)
alimentation entérale chez la _, **T3** 305-306
amputation chez la _, **T1** 863
anémie chez la _, **T2** 445-446
anesthésiques chez la _, **T3** 50
antiépileptiques chez la _, **T1** 671
apprentissage en santé par les _, **T1** 80
approches complémentaires et parallèles en santé chez la _, **T1** 119
arthrite chez la _, **T1** 939-940
attitudes envers les _, **T1** 89
AVC chez la _, **T1** 648
avec déficience cognitive, **T1** 91
avec des besoins particuliers, **T1** 97-98
blessures médullaires chez les _, **T1** 781
brûlure chez la _, **T2** 175-176
cancer chez la _, **T1** 467-468
cataracte chez la _, **T2** 55
chutes chez les _, **T1** 781, 853; **T3** 225-226
coronaropathie chez la _, **T2** 621
d'origine étrangère, **T1** 93
déficience visuelle chez la _, **T2** 44
dépistage nutritionnel chez les _, **T1** 93
dépression chez la _, **T1** 104, 106, 708
déséquilibre électrolytique chez la _, **T3** 354
déshydratation chez la _, **T3** 354
diabète chez la _, **T3** 644
douleur chez la _, **T1** 207-208
en milieu rural, **T1** 91-92
en phase postopératoire, **T3** 79
en phase préopératoire, **T3** 25-26
examen physique d'une _, **T1** 61
fracture de la hanche chez la _, **T1** 849, 853
fragiles, **T1** 89, 92-93
glaucome chez la _, **T2** 66-67
hernie hiatale chez la _, **T3** 367
histoire de santé et médicaments des _, **T1** 50
hypertension artérielle chez la _, **T2** 596-597
hyperthyroïdie chez la _, **T3** 667
infection par le VIH chez la _, **T1** 397-398
infections chez les _, **T1** 372
insuffisance rénale aiguë chez la _, **T3** 1008
insuffisance rénale chronique chez la _, **T3** 1050-1051
insuffisance respiratoire chez la _, **T3** 200
itinérante, **T1** 92
liquides et électrolytes chez les _, **T1** 484
logement de la _, **T1** 96-97
maladie du foie chez la _, **T3** 534-535
maladie inflammatoire chronique de l'intestin chez la _, **T3** 451
maladie vasculaire chez la _, **T2** 621
maladies chroniques chez la _, **T1** 84, 90
maladies osseuses métaboliques chez la _, **T1** 905
malnutrition chez la _, **T3** 297
nausées et vomissement chez la _, **T3** 354
neutropénie chez la _, **T2** 490-491
obésité chez la _, **T3** 340
observations sociologiques chez la _, **T1** 91
portrait démographique des _, **T1** 88-89
presbyacousie chez la _, **T2** 82
problèmes de pieds chez la _, **T1** 896
reflux gastro-œsophagien chez la _, **T3** 367
sécurité de la _, **T1** 103-104
soins d'urgence chez la _, **T3** 225-226
soins et traitements infirmiers chez les _, **T1** 98-107
sommeil chez les _, **T1** 157
soutien social à la _, **T1** 94-96
système auditif de la _, **T2** 24
système hématologique de la _, **T2** 412-413
système immunitaire de la _, **T1** 332
système musculosquelettique de la _, **T1** 794
système respiratoire de la _, **T2** 191-192
thrombocytopénie chez la _, **T2** 490-491
troubles liés à une substance chez la _, **T1** 271
ulcère peptique et gastrique chez la _, **T3** 392
violence et maltraitance des _, **T1** 94-96
Personnel infirmier, client victime de brûlure et effet sur le _, **T2** 177
Perte
auditive, **T2** 24, 76-77; *voir aussi* Surdité
classification de la _, **T2** 77
soins et traitements infirmiers en cas de _, **T2** 77-82
de cheveux, **T1** 447-448
de mémoire, **T1** 708, 711, 716
liée à la maladie d'Alzheimer, **T1** 711
liée à un trouble neurocognitif léger, **T1** 711
de poids, **T3** 613
déséquilibre hydroélectrique et _, **T1** 487
état de choc et _, **T3** 163
hypertension artérielle et _, **T2** 579
plan de _, **T3** 328-331
de potassium, **T3** 700
de protéines, **T3** 1033
de sang, **T2** 441, 446, 455
pendant l'hémodialyse, **T3** 1037
du champ visuel, **T1** 640-641; **T2** 423
hydrique, **T1** 476
insensible, **T1** 484
sensible, **T1** 484
osseuse, **T1** 898-899
Perturbation
de la diffusion, **T3** 186
du rapport ventilation / perfusion, **T3** 185-186
du sommeil, **T1** 141
du client en phase critique, **T3** 90
durant une hospitalisation, **T1** 150-151
Pes cavus, **T1** 894
Pes planus, **T1** 894
Pessaires, **T3** 844-845, 976
Peste, **T3** 240, 242
Pétéchies, **T1** 847; **T2** 99, 101, 110, 420, 422, 468, 746
Peur
d'une perturbation du mode de vie, **T3** 8
de l'abandon, **T1** 234
de l'altération de l'image corporelle, **T3** 8
de l'anesthésie, **T3** 8
de la douleur, **T3** 7-8
en fin de vie, **T1** 233
de la dyspnée, **T1** 234
de la mort, **T3** 7
de la mutilation, **T3** 8
de la perte de sens de la vie, **T1** 234

de la solitude, **T1** 234
en cas d'état de choc, **T3** 171
en cas d'insuffisance respiratoire aiguë, **T3** 197-198
en fin de vie, **T1** 232
en phase préopératoire, **T3** 7-8
pH, **T1** 503
urinaire, **T3** 927, 958-959, 961
Phagocytes, **T2** 407
mononucléaires, **T1** 325
Phagocytose, **T2** 168
Pharmacogénétique, **T1** 316-317
Pharmacogénomique, **T1** 316
Pharmacothérapie
chez la personne âgée, **T1** 104-106
en cas d'acromégalie, **T3** 652
en cas d'algie vasculaire de la face, **T1** 660
en cas d'algoménorrhée, **T3** 813
en cas d'allergies chroniques, **T1** 343-344
en cas d'anémie ferriprive, **T2** 447, 449
en cas d'anesthésie, **T3** 44-48
en cas d'angine chronique stable, **T2** 625-630
en cas d'artériopathie périphérique, **T2** 793-794
en cas d'arthrite, **T1** 916-921
en cas d'arthrose, **T1** 915-922
en cas d'arythmie, **T2** 727-728
en cas d'asthme, **T2** 333, 335-346
en cas d'AVC, **T1** 620-621
hémorragique, **T1** 624-625
ischémique, **T1** 624-625
en cas d'embolie pulmonaire, **T2** 310-311
en cas d'endocardite infectieuse, **T2** 747-748
en cas d'endométriose, **T3** 828-829
en cas d'épilepsie, **T1** 668-670
en cas d'état de choc, **T3** 160-163
en cas d'hémorragie digestive haute, **T3** 401-402
en cas d'hépatite C, **T3** 500-502
en cas d'herpès génital, **T3** 793-794
en cas d'hormonothérapie, **T3** 762-764
en cas d'hyperplasie bénigne de la prostate, **T3** 857
en cas d'hypertension artérielle, **T2** 582-590
en cas d'hypertension intracrânienne, **T1** 566-567
en cas d'hypertension pulmonaire, **T2** 313-314
en cas d'hyperthyroïdie, **T3** 668-669
en cas d'incontinence urinaire, **T3** 978-979
en cas d'infection par des bactéries résistantes aux antibiotiques, **T1** 370
en cas d'infection par le VIH, **T1** 383-384
en cas d'infertilité, **T3** 808
en cas d'inflammation, **T1** 279-280
en cas d'insomnie, **T1** 146-147
en cas d'insuffisance cardiaque chronique, **T2** 681-685
en cas d'insuffisance cardiaque en décompensation aiguë, **T2** 678-680
en cas d'insuffisance rénale chronique, **T3** 1018-1020
en cas d'insuffisance respiratoire aiguë, **T3** 197-198
en cas d'obésité, **T3** 331-332
en cas d'ostéoporose, **T1** 902-903
en cas d'ulcère peptique, **T3** 382-384
en cas d'urétrite, **T3** 945
en cas de blessures médullaires, **T1** 762
en cas de brûlure, **T2** 165-168, 172-173
en cas de cancer de la prostate, **T3** 872-874
en cas de céphalée de tension, **T1** 659
en cas de cessation tabagique, **T1** 252-254
en cas de chimiothérapie, **T1** 424-431
en cas de chlamydiose, **T3** 790
en cas de cirrhose, **T3** 521-522
en cas de constipation, **T3** 424
en cas de coronaropathie, **T2** 617-621
en cas de cystite interstitielle, **T3** 947
en cas de délirium, **T1** 734
en cas de diabète, **T3** 599-610
en cas de douleur, **T1** 180-197
en cas de dysérection, **T3** 886
en cas de fractures, **T1** 832-833
en cas de gastrite, **T3** 375
en cas de glaucome, **T2** 62-64
en cas de gonorrhée, **T3** 783-784
en cas de goutte, **T1** 948-949
en cas de leucémie, **T2** 497-498
en cas de lupus érythémateux disséminé (LED), **T1** 953-954
en cas de maladie de la vésicule biliaire, **T3** 549
en cas de maladie de Parkinson, **T1** 689-690
en cas de maladie inflammatoire chronique de l'intestin, **T3** 442-444
en cas de migraine, **T1** 659
en cas de MPOC, **T2** 337-339, 366-367
en cas de myasthénie grave, **T1** 696
en cas de narcolepsie, **T1** 151
en cas de neuropathie, **T3** 640
en cas de névralgie faciale, **T1** 741-742
en cas de pancréatite aiguë, **T3** 538-539
en cas de pancréatite chronique, **T3** 539
en cas de pathologies de la vulve, du vagin et du col de l'utérus, **T3** 823
en cas de périménopause et de postménopause, **T3** 819-820
en cas de plaie, **T1** 291
en cas de pneumonie, **T2** 265
en cas de polyarthrite rhumatoïde, **T1** 931-932
en cas de reflux gastro-œsophagien, **T3** 362-363
en cas de rétention urinaire, **T3** 982
en cas de sclérodermie systémique, **T1** 961-962
en cas de sclérose en plaques, **T1** 680-681
en cas de sinusite et rhinite allergique, **T2** 223-226
en cas de syndrome coronarien aigu, **T2** 627-628, 643-644
en cas de syndrome prémenstruel, **T3** 812
en cas de syphilis, **T3** 787-788
en cas de thromboangéite oblitérante, **T2** 813
en cas de thrombose veineuse profonde, **T2** 820-824
en cas de trouble neurocognitif majeur de type Alzheimer, **T1** 717-719
en cas de troubles dermatologiques, **T2** 132-133
en cas de troubles des tissus conjonctifs, **T1** 916-921
en cas de tuberculose, **T2** 273-275
en cas de varices œsophagiennes et gastriques, **T3** 519-520
pour dilater la pupille, **T2** 51
préopératoire, **T3** 23-25; T 22
Pharyngite
aiguë, **T2** 232-233
soins et traitements en interdisciplinarité en cas de _, **T2** 233
streptococcique, **T2** 761
Pharynx, **T3** 250
examen physique du _, **T2** 200, 207
problèmes liés au _, **T2** 232-233
Phase(s)
d'alarme, **T1** 126
d'épuisement, **T1** 126
de compensation, **T3** 151-154
de l'anesthésie générale, **T3** 44
de l'état de choc, **T3** 150-157
de l'insuffisance rénale aiguë, **T3** 1001-1002
de la cicatrisation, **T1** 281-282
de la lymphogranulomatose vénérienne (LGV), **T3** 790-791
de la réponse sexuelle, **T3** 715-717
de la sécrétion gastrique, **T3** 253
de la trajectoire de la maladie chronique, **T1** 86
de progression, **T3** 151, 153-156
de réaction au stress, **T1** 126
de réadaptation après un syndrome coronarien aigu, **T2** 652
de réadaptation d'une brûlure, **T2** 161, 174-175
de réanimation d'une brûlure, **T2** 153, 156-168
de résistance, **T1** 126
de rétablissement de l'IRA, **T3** 1001-1002
de traitement d'une brûlure, **T2** 152-176
diurétique de l'IRA, **T3** 1001
du cycle menstruel, **T3** 714-715
du syndrome de détresse respiratoire aiguë, **T3** 201-203
exsudative ou de lésion, **T3** 201-203
fibreuse, **T3** 203
irréversible, **T3** 153-154, 156-157
oligurique de l'IRA, **T3** 1001
peropératoire, **T3** 32-52
en cas de cataracte, **T2** 52
soins et traitements infirmiers en _, **T3** 39-42
postopératoire, **T3** 35, 56-79
en cas de cataracte, **T2** 52
en cas de prostatectomie radicale, **T3** 875
personne âgée en _, **T3** 79
préopératoire, **T3** 4-17, 35
en cas de cataracte, **T2** 51-52
en cas de prostatectomie radicale, **T3** 875
évaluation en _, **T3** 6-17
personne âgée en _, **T3** 25-26
soins et traitements infirmiers en _, **T3** 17-25
préterminale, **T1** 220
proliférative ou de réparation, **T3** 203
terminale, **T1** 220
Phase aiguë, *voir aussi* Soins en phase aiguë
en cas d'amputation, **T1** 859-862
en cas d'anévrisme de l'aorte, **T2** 805-808
en cas d'angine chronique stable, **T2** 646, 649
en cas d'artériopathie périphérique, **T2** 796, 799
en cas d'asthme, **T2** 347-350
en cas d'AVC hémorragique, **T1** 625-627
en cas d'AVC ischémique, **T1** 622-625
en cas d'enflure ou de foulure, **T1** 816-817
en cas d'hépatite, **T3** 495-496
en cas d'hypercortisolisme, **T3** 689-690, 692-693
en cas d'hyperplasie bénigne de la prostate, **T3** 861, 863-865
en cas d'hyperthyroïdie, **T3** 670-671, 673
en cas d'hypothyroïdie, **T3** 678-679
en cas d'insuffisance corticosurrénalienne, **T3** 696
en cas d'ostéomyélite, **T1** 877-878
en cas de brûlure, **T2** 161, 168-170
en cas de cancer de la prostate, **T3** 875
en cas de cancer de la tête et du cou, **T2** 249-252
en cas de cancer du sein, **T3** 769-771
en cas de cardite rhumatismale, **T2** 761
en cas de douleur abdominale aiguë, **T3** 429-430
en cas de du cancer colorectal, **T3** 462
en cas de fibrose kystique, **T2** 396
en cas de fracture, **T1** 835, 840-841
en cas de fracture de la hanche, **T1** 850-852
en cas de fracture de la mandibule, **T1** 856-857
en cas de lombalgie, **T1** 886
en cas de maladie aorto-iliaque, **T2** 805-808
en cas de maladie inflammatoire chronique de l'intestin, **T3** 447
en cas de malnutrition, **T3** 294-295
en cas de MPOC, **T2** 380
en cas de problèmes de pieds, **T1** 896
en cas de rhumatisme articulaire aigu, **T2** 761
en cas de syndrome coronarien aigu, **T2** 650-652
en cas de tumeur osseuse, **T1** 882
en cas de valvulopathie, **T2** 774-775
Phase critique
client en _, **T3** 85-90
famille du client en _, **T3** 90-92
infirmière auprès des clients en _, **T3** 84-85
soins en _, **T3** 84-132
Phénazopyridine, **T3** 937
Phénomène
de l'aube, **T3** 607
de Raynaud, **T1** 960; **T2** 623, 813-814
de rebond, **T1** 660
Phénothiazines, **T3** 349
Phénotype, **T1** 307
Phényléphrine, **T3** 161
Phéochromocytome, **T3** 701
soins et traitements en interdisciplinarité en cas de _, **T3** 702
Phimosis, **T3** 878

Phlébectomie
ambulatoire, **T2** 830
effectuée par transilluminateur, **T2** 830
Phlébite, **T2** 814
Phlébographie, **T2** 558, 565
de contraste, **T2** 819
par résonance magnétique, **T2** 819
par TDM, **T2** 818
Phlébotomie, **T2** 465
Phlegmon périamygdalien, **T2** 233
Phonophobie, **T1** 655
Phosgène, **T3** 243
Phosphatase alcaline (ALP), **T1** 808; **T3** 281, 499
Phosphate(s), **T3** 585
de calcium, **T3** 960
déséquilibres du _, **T1** 500-501
équilibre du _, **T1** 500
valeur normale en _, **T1** 485
Phospholipase A_2 associée à une lipoprotéine, **T2** 553, 560
Phosphore, **T1** 500, 808; **T3** 682, 901, 919, 1014, 1021, 1023
Photocoagulation au laser, **T2** 57; **T3** 638-639, 971
Photophobie, **T1** 655; **T2** 16
Photothérapie, **T2** 130-131
Photovaporisation de la prostate (PVP), **T3** 859
Photovieillissement, **T2** 92
Physiothérapie, **T1** 644, 682, 817, 822-823, 841-842, 851, 861, 865-866; **T2** 173
respiratoire, **T3** 196
Phytothérapie, **T1** 114-119; **T3** 600, 857
Pied(s)
complications du diabète liées aux _, **T3** 640-643
creux, **T1** 894
d'athlète, **T2** 123
de Charbot, **T3** 643
diabétique, ulcères au _, **T3** 640, 643
plat, **T1** 806, 894
problèmes de _, **T1** 893-896
tombant, **T1** 843
Piqûres, **T3** 234
d'hyménoptères, **T3** 234-235
d'insecte, **T2** 121, 124
Placebo, **T1** 206-207
Plaie(s)
chirurgicales, soins et traitements infirmiers en cas de _, **T3** 74-75
chroniques, **T1** 287
classification des _, **T1** 283-284
colorectale, **T3** 462
de morsure, **T3** 236-237
en cas d'ulcère veineux, **T2** 832
infection d'une _, **T3** 74
jaune, **T1** 283, 291
mesure d'une _, **T1** 287, 299
noire, **T1** 284, 291
opératoires, **T2** 654
ouvertes avec mèches, **T3** 462
pansements pour les _, **T1** 289-290
rouge, **T1** 283, 291
soins et traitements en interdisciplinarité en cas de _, **T1** 287-293
suite à une brûlure, **T2** 162-164, 170-171
suite à une vulvectomie, **T3** 842
Plan(s)
d'action contre l'asthme, **T2** 347-349
d'enseignement, **T1** 64
de perte de poids, **T3** 328-331
de traitement en chimiothérapie, **T1** 431
Plan de soins et de traitements infirmiers (PSTI)
en cas d'alimentation par voie entérale, **T3** 304-305, 310
en cas d'anémie, **T2** 444-445
en cas d'artériopathie périphérique, **T2** 797-799
en cas d'asthme, **T2** 354-355
en cas d'AVC, **T1** 634-638
en cas d'épilepsie, **T1** 673-674
en cas d'état de choc, **T3** 168-169
en cas d'hépatite virale aiguë, **T3** 503-504
en cas d'hypercortisolisme, **T3** 691-692
en cas d'hypertension intracrânienne, **T1** 571-572
en cas d'hyperthyroïdie, **T3** 672
en cas d'hypothyroïdie, **T3** 677-678
en cas d'hystérectomie abdomidale, **T3** 841
en cas d'iléostomie, **T3** 468-470
en cas d'infection des voies urinaires, **T3** 939-940
en cas d'insuffisance cardiaque, **T1** 18; **T2** 691-693
en cas d'insuffisance rénale chronique, **T3** 1024-1026
en cas d'ulcères peptiques, **T3** 386-387
en cas de blessures médullaires, **T1** 764-766
en cas de cancer du sein, **T3** 766-768
en cas de céphalées, **T1** 662
en cas de chirurgie de la prostate, **T3** 862-863
en cas de chirurgie orthopédique, **T1** 839-840
en cas de cirrhose, **T3** 524-526
en cas de colostomie, **T3** 468-470
en cas de conduit iléal, **T3** 990-992
en cas de diabète, **T3** 619-621
en cas de diarrhée infectieuse aiguë, **T3** 417-418
en cas de dissection radicale du cou, **T2** 247-249
en cas de fracture, **T1** 836-838
en cas de laryngectomie totale, **T2** 247-249
en cas de lésion de pression, **T1** 300
en cas de lithiase rénale aiguë, **T3** 965-966
en cas de lupus érythémateux disséminé (LED), **T1** 956-957
en cas de maladie d'Alzheimer, **T1** 721-723
en cas de maladie de Parkinson, **T1** 692-693
en cas de maladie inflammatoire chronique de l'intestin, **T3** 448-450
en cas de méningite bactérienne, **T1** 599-600
en cas de MPOC, **T2** 381-385
en cas de nausées et vomissements, **T3** 352-353
en cas de pneumonie, **T2** 267-268
en cas de polyarthrite rhumatoïde, **T1** 934-936
en cas de sclérose en plaques, **T1** 683-685
en cas de syndrome coronarien aigu, **T2** 647-648
en cas de thoracotomie, **T2** 301-302
en cas de thrombocytopénie, **T2** 474-475
en cas de trachéostomie, **T2** 237-239
en cas de valvulopathie, **T2** 772-775
Plancher pelvien, **T3** 898
dysfonctionnements du _, **T3** 843-846
réadaptation des muscles du _, **T3** 976-977
Planification
des interventions, **T1** 16-17
du congé
de l'hôpital, **T1** 101-102
et du suivi médical postopératoire, **T3** 78
Planification des soins
d'une personne âgée, **T1** 100
de fin de vie, **T1** 231-232
en cas d'amputation, **T1** 859
en cas d'anémie, **T2** 443
en cas d'anévrisme de l'aorte, **T2** 805
en cas d'artériopathie périphérique, **T2** 796
en cas d'arthrose, **T1** 923
en cas d'asthme, **T2** 346
en cas d'AVC, **T1** 629
en cas d'endocardite infectieuse, **T2** 749
en cas d'épilepsie, **T1** 671
en cas d'état de choc, **T3** 167
en cas d'hémorragie digestive haute, **T3** 402
en cas d'hépatite, **T3** 502
en cas d'hypercortisolisme, **T3** 689
en cas d'hyperplasie bénigne de la prostate, **T3** 861
en cas d'hypertension artérielle primaire, **T2** 591
en cas d'hypertension intracrânienne, **T1** 571-572
en cas d'hyperthyroïdie, **T3** 670
en cas d'hypothyroïdie, **T3** 676
en cas d'incontinence fécale, **T3** 421
en cas d'infection des voies urinaires, **T3** 938
en cas d'infection par le VIH, **T1** 386-387
en cas d'inflammation ou d'infection extraoculaire, **T2** 48
en cas d'insuffisance cardiaque, **T2** 690
en cas d'insuffisance rénale aiguë, **T3** 1007
en cas d'insuffisance rénale chronique, **T3** 1024
en cas d'insuffisance respiratoire aiguë, **T3** 192
en cas d'ITSS, **T3** 797
en cas d'obésité, **T3** 327
en cas d'occlusion intestinale, **T3** 454
en cas d'ostéomyélite, **T1** 876-877
en cas d'ulcères peptiques, **T3** 385
en cas de blessures médullaires, **T1** 763
en cas de calculs urinaires, **T3** 964
en cas de cancer buccal, **T3** 358
en cas de cancer colorectal, **T3** 461
en cas de cancer de l'appareil génital féminin, **T3** 840
en cas de cancer de l'œsophage, **T3** 370
en cas de cancer de la prostate, **T3** 874
en cas de cancer de la tête et du cou, **T2** 246
en cas de cancer du poumon, **T2** 288
en cas de cancer du sein, **T3** 766-768
en cas de cancer gastrique, **T3** 395
en cas de cardite rhumatismale, **T2** 760
en cas de cataracte, **T2** 53
en cas de céphalées, **T1** 662
en cas de chirurgie crânienne, **T1** 593
en cas de cirrhose, **T3** 522
en cas de constipation, **T3** 425
en cas de déficience visuelle, **T2** 42
en cas de dépendance à une substance, **T1** 265
en cas de diabète, **T3** 618
en cas de diarrhée infectieuse aiguë, **T3** 415
en cas de douleur abdominale aiguë, **T3** 429
en cas de fibrose kystique, **T2** 396
en cas de fracture, **T1** 835
en cas de glaucome, **T2** 65
en cas de lésion de pression, **T1** 298
en cas de leucémie, **T2** 499
en cas de lombalgie aiguë, **T1** 885
en cas de lupus érythémateux disséminé (LED), **T1** 956
en cas de maladie aorto-iliaque, **T2** 805
en cas de maladie d'Alzheimer, **T1** 719
en cas de maladie de la vésicule biliaire, **T3** 550
en cas de maladie de Parkinson, **T1** 691
en cas de maladie inflammatoire chronique de l'intestin, **T3** 447
en cas de malnutrition, **T3** 294
en cas de méningite bactérienne, **T1** 598
en cas de MPOC, **T2** 379
en cas de myasthénie grave, **T1** 697
en cas de nausées et vomissements, **T3** 351
en cas de pancréatite aiguë, **T3** 539
en cas de péritonite, **T3** 437
en cas de pneumonie, **T2** 266
en cas de polyarthrite rhumatoïde, **T1** 933
en cas de pyélonéphrite aiguë, **T3** 944
en cas de rhumatisme articulaire aigu, **T2** 760
en cas de sclérose en plaques, **T1** 682
en cas de syndrome coronarien aigu, **T2** 645
en cas de syndrome de Guillain-Barré, **T1** 747
en cas de thrombocytopénie, **T2** 472-473
en cas de thrombose veineuse profonde, **T2** 825
en cas de traumatisme craniocérébral, **T1** 583
en cas de tuberculose, **T2** 276
en cas de tumeur cérébrale, **T1** 591
en cas de tumeur osseuse, **T1** 881
en cas de valvulopathie, **T2** 771
en cas du syndrome de détresse respiratoire aiguë, **T3** 206
enseignement au client et _, **T1** 76-80
Plantes médicinales, **T1** 114-119; **T3** 821
Plaque(s)
amyloïdes, **T1** 714
cutanées, **T2** 97
d'athéromes, **T2** 577, 604, 606
érythémateuse, **T3** 356
séniles, **T1** 717

Plaquettes
concentrés, **T2** 514-516
extraction de _, **T2** 514-515
Plasma, **T2** 404
congelé, **T2** 515
Plasmaphérèse, **T1** 349, 696; **T3** 407, 951, 1045
Plasminogène, **T2** 410
Plasmocyte, **T2** 509
Plasmocytome, **T2** 423
Plastie valvulaire, **T2** 769-770
Plâtre, **T1** 830-832
antébrachial, **T1** 830
brachial-antébrachial, **T1** 830
soins liés au _, **T1** 841-842
Pléthore, **T2** 465
Pléthysmographie, **T1** 810
Pleurésie, **T2** 264, 304, 306
purulente, **T2** 272
Pleurodèse, **T2** 294
Plèvre
pariétale, **T2** 186
viscérale, **T2** 186
Pli cutané persistant, **T2** 101
Pneumaturie, **T3** 913
Pneumoconiose(s), **T2** 280
des mineurs de charbon, **T2** 281
Pneumomédiastin, **T2** 331; **T3** 124
Pneumonectomie, **T2** 201, 300
Pneumonie, **T1** 727; **T2** 208, 258-266, 304
à *Pneumocystis*, **T2** 278
à *Pneumocystis jiroveci*, **T2** 262
acquise dans la communauté, **T2** 259, 261
acquise sous ventilation, **T2** 261; **T3** 125-126, 204-205
associée à l'immobilisation, **T3** 106
chimique, **T2** 280
d'aspiration, **T2** 262
liée aux soins de santé, **T2** 261-262
nosocomiale, **T2** 261
opportuniste, **T2** 262
par aspiration, **T1** 727
soins et traitements infirmiers en cas de _, **T2** 266-269
tuberculeuse, **T2** 272
vaccins contre la _, **T2** 264-265
Pneumopathie, **T1** 440
d'hypersensibilité, **T2** 280
inflammatoire, **T1** 449
Pneumothorax, **T1** 519; **T2** 291-295, 304, 393; **T3** 112
fermé, **T2** 292-293
ouvert, **T2** 293
sous tension, **T2** 293-295
spontané, **T2** 292, 391
Poche(s)
colique en j, **T3** 460
sous-urétrales, *voir* Divercule(s) urétraux
Podophyllotoxine, **T3** 795
Poids, **T3** 575
déséquilibres hydroélectrolytiques et _, **T1** 487
état de choc et _, **T3** 163
gain de _, **T3** 685
hypertension artérielle et _, **T2** 579
modification du _, **T3** 578
perte de _, *voir* Perte de poids
Poïkilothermie, **T1** 759; **T3** 147
Poils, **T2** 89, 91, 93, 99
Poison, **T3** 237-239
Pollakiurie, **T1** 679; **T3** 935
Pollution atmosphérique, **T2** 323, 357
Polyarthrite, **T2** 759
psoriasique, **T1** 943
rhumatoïde, **T1** 924-933
soins et traitements infirmiers en cas de _, **T1** 933-939
Polycythémie, **T2** 314, 464-466
secondaire, **T2** 464-465
vraie, **T2** 464-466
soins et traitement en interdisciplinarité en cas de _, **T2** 466
Polydipsie, **T1** 482; **T3** 569, 579, 594, 651, 659
Polyéthylène glycol, **T3** 460, 462
Polyglobulie, **T2** 362; **T3** 338
Polykystose
rénale, **T3** 953-954, 1023
autosomique dominante, **T3** 953-954
autosomique récessive, **T3** 953-954
soins et traitements infirmiers en cas de _, **T3** 954
Polymyosite, **T1** 963-964
soins et traitements en interdisciplinarité en cas de _, **T1** 965
Polyneuropathie(s), **T1** 698, 745-751
symétrique distale, **T3** 640
Polynévrite, **T1** 745
Polype(s), **T3** 275
adénomateux, **T3** 455
du col de l'utérus, *voir* Polype(s) endocervicaux
du gros intestin, **T3** 454-456
endocervicaux, **T3** 830
hyperplasique, **T3** 455
laryngés, **T2** 242
nasaux, **T2** 232
pédonculés, **T3** 454
sessiles, **T3** 454
Polypectomie, **T3** 455, 459, 830
Polypeptide pancréatique, **T3** 560
Polyphagie, **T3** 569, 595
Polypnée, **T3** 630
Polypose adénomateuse familiale (PAF), **T3** 455
Polyradiculonévrite aiguë inflammatoire, *voir* Syndrome(s) de Guillain-Barré
Polysaccharides, **T3** 284
Polysomnographie, **T1** 141, 144, 153, 698
Polytoxicomanie, **T1** 247
Polyurie, **T1** 482; **T3** 569, 579, 595, 659, 913
Pompe(s)
à insuline, **T3** 605-606
à vide, **T3** 886
implantables, **T1** 197
sodium-potassium, **T1** 478
Ponction
articulaire, **T1** 809-811
du liquide synovial, **T1** 948
lombaire, **T1** 549-550, 553, 619
pleurale, *voir* Thoracentèse
Pontage, **T2** 813
aortocoronarien
à cœur battant, **T2** 654
par greffe (PACG), **T2** 642, 653-654
par greffe (PACG) d'urgence, **T2** 640
artériel, **T2** 795
périphérique, **T2** 800
extra-intracrânien, **T1** 621
Porteur, **T1** 307
Position
assise, **T3** 41
de Sims, **T3** 551
de Trendelenburg inverse, **T3** 300
décubitus
dorsal, **T3** 41
latéral, **T3** 195
ventral, **T3** 41-42, 123, 207
du client en état de choc, **T3** 171
du robinet servant de point de référence zéro, **T3** 96
du trépied, **T2** 205
du tripode, **T3** 190
du tube endotrachéal, **T3** 112
en cas d'hypertension intracrânienne, **T1** 574
en cas d'insuffisance respiratoire aiguë, **T3** 195
en cas de douleur abdominale aiguë, **T3** 427-428
en cas du syndrome de détresse respiratoire aiguë, **T3** 207-208
gynécologique, **T3** 41-42
latérale, **T3** 41, 195
avec le poumon sain vers le bas, **T3** 195
lors de l'alimentation par sonde, **T3** 300
pour faciliter la défécation, **T3** 425-426
semi-Fowler, **T3** 371
sur la table d'opération, **T3** 41-42
verticale, **T3** 195
Postcharge, **T2** 533
surveillance de la _, **T3** 93-94
Postménopause, **T3** 818-821
soins et traitements infirmiers en cas de _, **T3** 821-822
Posture
de décérébration, **T1** 561-562
de décortication, **T1** 561-562
Posturographie, **T2** 33
Potassium, **T1** 482, 492, 809; **T2** 168; **T3** 144, 632-633, 918, 1002, 1011, 1021-1023
déséquilibres du _, **T1** 492-497
perte de _, **T3** 700
valeur normale en _, **T1** 485
Potentialisation, **T1** 257
Potentiel(s)
d'action, **T1** 525; **T2** 531-532, 705-706
évoqué(s), **T1** 552
auditif, **T2** 33
du tronc cérébral, **T2** 33
somesthésiques (PES), **T1** 810
Pouls, **T2** 545
absent, **T2** 547
alternant, **T2** 547
apical, **T2** 547
bondissant, **T2** 546
de Corrigan, **T2** 767
déficitaire, **T2** 547
déséquilibres hydroélectrolytiques et _, **T1** 513
filiforme, **T2** 546
irrégulier, **T2** 546
paradoxal, **T2** 753
Poumon(s)
ablation d'un _, **T2** 300
cancer du _, **T2** 280, 282-288
du fermier, **T2** 281
examen physique des _, **T2** 200-205
greffe de _, **T2** 315-316, 374
noir, **T2** 281
tumeurs aux _, **T2** 290-291
Poussée hypertensive, **T2** 597
Poussières en milieu de travail, **T2** 356-357
Poux, **T2** 124
PQRSTU, **T1** 47-50
arthrose et _, **T1** 922
déséquilibres hydroélectrolytiques et acidobasiques et _, **T1** 510-512
douleur abdominale aiguë et _, **T3** 427, 429
douleur cancéreuse et _, **T1** 465
douleur et _, **T1** 173-177
évaluation des symptômes d'angine et _, **T2** 623
occlusion intestinale et _, **T3** 454
péricardite aiguë, douleur et _, **T2** 755
péritonite et _, **T3** 436
système auditif et _, **T2** 25-26
système cardiovasculaire et _, **T2** 538-539
système endocrinien et _, **T3** 569-571
système gastro-intestinal et _, **T3** 259-260
système hématologique et _, **T2** 414-415
système musculosquelettique et _, **T1** 795-797
système nerveux et _, **T1** 536-537
système reproducteur et _, **T3** 719-720
système respiratoire et _, **T2** 192-193
système tégumentaire et _, **T2** 93
système urinaire et _, **T3** 904
système visuel et _, **T2** 9-14
Pratique fondée sur des résultats probants, **T1** 10-14
asthme et rhinite allergique, **T2** 223
bien-être chez le client atteint d'un cancer du poumon, **T2** 286
cancer et thé vert, **T1** 419
changements relatifs aux matières grasses alimentaires et effets bénéfiques sur la maladie cardiovasculaire, **T2** 618
chirurgie d'un client obèse et risques cardiovasculaires, **T3** 337
chirurgie non urgente et abstinence d'alcool, **T3** 20
consommation d'alcool chez les étudiants et influence de l'infirmière, **T3** 512
démence et facteurs de risque de chutes, **T1** 726
dépistage des infections répétées à *Chlamydia*, **T3** 801
endoprothèse vasculaire métallique et la claudication intermittente, **T2** 790
entraînement des muscles du plancher pelvien et incontinence urinaire, **T3** 978
entraînement musculaire des personnes âgées, **T1** 103
hémoculture, **T1** 372
hémoglobine glyquée et réduction du risque de complications liés au diabète, **T3** 599
insuffisance cardiaque et conseils d'une nutritionniste, **T2** 686
insuffisance cardiaque, dépression et exercice physique, **T2** 689
intervention coronarienne percutanée et moment de l'ambulation, **T2** 651
intervention de courte durée en abandon du tabac, **T1** 252
IPP et infection à *Clostridium difficile*, **T3** 365
préparation du client à la chirurgie bariatrique, **T3** 333
radiothérapie suite à une rumorectomie, **T3** 758
résistance à la thérapie antihypertensive, **T2** 590
solutions colloïdales et remplacement du volume intravasculaire, **T3** 232

soulagement en cas de fibrose kystique, T2 392
soutien aux clients victimes d'un AVC, T1 642
sulfadiazine et les brûlures, T2 167
technique du miroir, T1 644
toxine botulinique type A, T1 660
traitement antirétroviral, T1 394
traitement ophtalmique, T2 66
ventilation mécanique en décubitus ventral, T3 208
ventilation non effractive et sevrage de la ventilation mécanique, T3 129
yoga et soulagement de la lombalgie chronique, T1 888
Pratique infirmière
avancée, T1 5-6 ; T3 85
champs de la _, T1 5-6
complexité des milieux de soins et _, T1 6-7
définition de la _, T1 5
domaine de la _, T1 4
en soins critiques, T3 84-92
facteurs influant sur l'avenir de la _, T1 6-16
Préalbumine, T3 292
Précharge, T2 533
surveillance de la _, T3 92-94
Précurseurs de la dopamine, T1 690
Prédiabète, T3 595, 598
Prednisone, T3 443
Prééclampsie, T2 468
Préjugé, T1 26
envers les immigrants, T1 34
Prékallicréine, T2 411
Prélèvement
d'urine, T3 992-994
à mi-jet, T3 936
de cellules souches hématopoïétiques, T1 458-459
des calculs, T3 961
Premier bruit cardiaque, T2 549, 763, 767
Préparation(s), *voir aussi* Solutions(s)
aux situations d'urgence et aux situations impliquant des pertes massives, T3 243-244
d'insuline, T3 601
de la salle d'opération, T3 39-40
du client à l'anesthésie, T3 40-41
du site opératoire, T3 42
entérales, T3 301
intestinales, T3 462, 915
le jour de la chirurgie, T3 22-25
légale à la chirurgie, T3 21-22
parentérales, T3 306-308
peropératoire
physique du client, T3 38
psychologique du client, T3 38
Préposé aux bénéficiaires, rôles du _, T1 44, 202, 627, 675, 829 ; T2 39, 136, 241, 368, 490, 631 ; T3 306, 466, 864, 981, 984
Prépuce, problèmes du _, T3 878
Presbyacousie, T2 82
cochléaire, T2 82
métabolique, T2 82
neurale, T2 82
sensorielle, T2 82
Presbytie, T2 38
Préservatif, T1 390
Pression
auriculaire droite, *voir* Pression veineuse centrale (PVC)
auriculaire gauche, *voir* Pression artérielle pulmonaire d'occlusion (PAPO)
de dioxyde de carbone en fin d'expiration ($PetCO_2$), T3 111, 113
de perfusion cérébrale (PPC), T1 557-558
hydrostatique, T1 479
capillaire, T1 480
interstitielle, T1 480
veineuse, T1 480
intracrânienne (PIC), T1 440, 556-558, 609, 623 ; T3 126
normale, T1 556
surveillance de la _, T1 464-465, 562-563, 574
intraoculaire, T2 20
mictionnelle, étude de la _, T3 925
négative, T1 291
oncotique, T1 274, 479-480
interstitielle, T1 480-481
plasmatique, T1 480
osmotique, T1 478
partielle de l'oxygène dans le sang artériel (PaO_2), T1 557 ; T2 187 ; T3 182
partielle du dioxyde de carbone dans le sang artériel ($PaCO_2$), T1 557 ; T2 187-189 ; T3 113, 170
positive en fin d'expiration (PEP), T3 120, 122-123, 205-208
télédiastolique ventriculaire gauche, T3 92
veineuse centrale (PVC), T3 92-93, 99-100
veineuse pulmonaire, T2 672
Pression artérielle (P.A.), T2 533, 535-536, 544, 568 ; T3 198-199
action du rein sur la _, T3 903
AVC et _, T1 622-623
déséquilibres hydroélectrolytiques et _, T1 513
diastolique (P.A.D.), T2 535, 572
pulmonaire, T3 93, 97
différentielle, T2 536
dissection aortique et _, T2 809-812
mesure de la _, T2 535-536, 592-595 ; T3 96
moyenne (P.A.M.), T1 557 ; T2 536 ; T3 93, 198-199
pulmonaire, T3 93
pulmonaire
d'occlusion (PAPO), T2 678 ; T3 92-93, 97, 99
surveillance de la _, T3 97-101
régulation normale de la _, T2 568-572
surveillance de la _, T3 96-97
systolique, T2 535, 572
trouble de la _, T2 424
Prestation de compassion, T1 240
Prévention, T1 9-10
d'une cirrhose, T3 523
d'une crise de maladie chronique, T1 85
de l'arthrose, T1 923
de l'état de choc, T3 167
de l'hépatite virale, T3 505-506
de l'hypertension artérielle, T2 594
de l'hypokaliémie, T1 496-497
de l'infection d'une plaie, T1 292
de l'infection par le VIH, T1 386, 390-391
de l'insuffisance rénale aiguë, T3 1007
de l'insuffisance rénale chronique, T3 1027
de l'insuffisance respiratoire aiguë, T3 192
de l'otite externe, T2 69
de la dysréflexie autonomique, T1 773
de la lombalgie, T1 885-886
de la maladie cardiaque, T2 614
de la maladie chronique, T1 87
de la maladie de Lyme, T1 946
de la perte auditive, T2 78
de la pneumonie, T2 265
de la propagation des affections cutanées, T2 137
de la thrombose veineuse profonde, T2 819
de la tumeur osseuse, T1 881-882
des agressions sexuelles, T3 849
des AVC, T1 619-620
des blessures aux pieds, T1 895-896
des blessures médullaires, T1 767
des chutes, T1 835
des crises d'asthme, T2 346
des infections, T1 372-373
en cas de maladie d'Alzheimer, T1 727
nosocomiales, T3 175-177
secondaires, T2 137-138
des ITSS, T3 797-798
des maladies respiratoires, T2 268
des réactions allergiques au latex, T1 347
du cancer, T1 416-420
du cancer par la chirurgie, T1 423
du délirium, T1 733-734
du diabète, T3 621, 637
du tabagisme, T1 250
primaire, T1 87
secondaire, T1 87
Priapisme, T2 459 ; T3 878
Primo-infection, T1 378
Principe(s)
de l'andragogie, T1 65-66
de l'impédance, T3 102
FITT, T2 616, 658
Prions, T1 367, 730
Prise de décision clinique, T1 7
Privation
d'eau, T3 582
sensorielle, T1 772
Proaccélérine, T2 411
Proarythmie, T2 727
Probiotiques, T1 117
Problèmes, *voir aussi* Trouble(s)
de la glande prostatique, T3 854-877
de mécanisme de l'érection, T3 878-879
de pieds, T1 893-895
chez la personne âgée, T1 896
soins et traitements infirmiers en cas de _, T1 895-896
de santé, T1 133
des clients en phase critique, T3 86-90
du prépuce, T3 878
du système vasculaire, T2 788
liés à la fonction sexuelle, T3 883-889
liés à la trachée et au larynx, T2 233-253
liés au pharynx, T2 232-233
liés aux blessures musculosquelettiques, T1 843
nutritionnels, T3 284
cancer et _, T1 460-461
péniens, T3 877-879
psychosociaux, lupus érythémateux disséminé (LED) et _, T1 959
pulmonaires, insuffisance rénale aiguë et _, T3 1033
relatifs aux menstruations, T3 810-829
scrotaux, T3 879-883
testiculaires, T3 879-883
Procédure de Whipple, T3 544
Processus
d'adaptation au stress, T1 124-133
d'assimilation, T1 28
de cicatrisation, T1 280-284
suite à un infarctus du myocarde, T2 635
de l'enseignement au client et à ses proches aidants, T1 72-81 ; T 71
de transmission des connaissances, T1 64-71
Proche aidant, T1 88
besoins d'apprentissage du _, T1 69
besoins du _ d'une personne en fin de vie, T1 239-240
brûlure chez le client et besoins émotionnels au _, T2 176-177
d'un client en état de choc, T3 171
de la personne âgée, T1 88, 94
enseignement au _, *voir* Enseignement au client et à ses proches
rôles du _, T1 88
soutien au _, T1 69-70, 728-729
stress du _, T1 69-70
Proconvertine, T2 411
Proctocolectomie totale avec iléostomie
continente, T3 445
permanente, T3 445
Prodrome, T1 655-656
Produit(s)
à base de plantes
ayant un effet sur la coagulation, T2 826
en phase préopératoire, T3 10
évaluation de l'utilisation des _, T1 50
blanchissants, empoisonnement aux _, T3 238
chimiques, T2 356-357
potentiellement hépatotoxiques, T3 262
d'aide à la cessation tabagique, T1 252-254
de contraste, T3 1004, 1007
de dégradation de la fibrine (PDF), T2 429, 483 ; T3 143
de dégradation métabolique, excrétion des _, T3 899-900
de santé naturels, T1 114-119
néphrotoxiques, T3 906, 909
pégylés, T3 501
sanguins, T2 514-515
labiles, T2 514
leucoréduits, T2 514
Progestérone, T3 560, 713-714, 734, 812, 820
sérique, T3 738
Programme(s)
Acti-Menu, T3 331
Belle et bien dans sa peau, T3 771
d'abandon du tabac, T1 254
d'amaigrissement, T3 328-331
d'injection, T1 270
de dépistage
de l'hypertension artérielle, T2 594
des ITSS, T3 798-799
du cancer du sein, T3 742
de formation, T1 10
de marche, T2 794
de réadaptation cardiaque, T2 656-658
de rééducation intestinale, T3 421
de soins palliatifs, T1 217-219
éducatifs et de recherche concernant les ITSS, T3 799-800
Progression (stade), T1 410-412
Proinsuline, T3 593
Projet Génome humain, T1 311-312
Prokinétiques, T3 349-350, 363
Prolactine, T3 559, 564, 650, 712-713, 733
Prolactinomes, T3 654

Prolapsus, **T3** 909
utérin, **T3** 843-844
valvulaire mitral (PVM), **T2** 764-766
Prolifération cellulaire, **T1** 404-405
Prométhazine, **T3** 349
Promotion (stade), **T1** 409-410
Promotion de la santé, **T1** 9-10
approches complémentaires et parallèles en santé et _, **T1** 121
cancer de la tête et du cou, tabagisme et _, **T2** 246, 249
chez la personne âgée, **T1** 101
d'un régime alimentaire équilibré, **T3** 286
des facteurs de risque des maladies cardiovasculaires, **T2** 805
en cas d'épilepsie, **T1** 672
en cas d'hémophilie, **T2** 480
en cas d'hépatite, **T3** 502, 505-507
en cas d'hypertension artérielle primaire, **T2** 591
en cas d'hypothyroïdie, **T3** 676, 678
en cas d'inflammation, **T1** 278
en cas d'insuffisance cardiaque, **T2** 693-694
en cas de blessures médullaires, **T1** 767
en cas de coronaropathie, **T2** 614-616
en cas de dépendance à une substance, **T1** 265
en cas de diabète, **T3** 621
en cas de lésion de pression, **T1** 298
en cas de pyélonéphrite aiguë, **T3** 944
en cas de reflux gastro-œsophagien, **T3** 364-365
en ce qui concerne les soins de la peau, **T2** 108-111
infection par le VIH et _, **T1** 390-392
modèles de _, **T1** 66
pour de saines habitudes alimentaires, **T3** 294
pour diminuer le risque de maladie d'Alzheimer, **T1** 720
pour éradier la tuberculose, **T2** 276
pour éviter l'amputation, **T1** 859
pour éviter l'arthrose, **T1** 923
pour éviter l'enflure ou la foulure, **T1** 816
pour éviter l'ostéomyélite, **T1** 877
pour éviter la lombalgie, **T1** 885-886
pour éviter la méningite bactérienne, **T1** 598
pour éviter le cancer du poumon, **T2** 289
pour éviter les AVC, **T1** 620, 630
pour éviter les crises d'asthme, **T2** 346
pour éviter les problèmes de pieds, **T1** 895-896
pour éviter un traumatisme craniocérébral, **T1** 583
pour l'évaluation des risques de maladies cardiovasculaires, **T2** 796
pour la détection de glaucome, **T2** 65
pour la détection du cancer buccal, **T3** 358-359
pour la détection du cancer gastrique, **T3** 395-396
pour le dépistage d'ulcères peptiques, **T3** 385
pour le dépistage de l'hypercortisolisme, **T3** 689
pour le dépistage de l'hyperplasie bénigne de la prostate, **T3** 861
pour le dépistage des infections des voies urinaires, **T3** 938, 940
pour le dépistage du cancer de l'appareil génital féminin, **T3** 840
pour le dépistage du cancer de la prostate, **T3** 874-875
pour le diagnostic de la maladie de la vésicule biliaire, **T3** 550
pour le diagnostic de la polyarthrite rhumatoïde, **T1** 936
pour le diagnostic du lupus érythémateux disséminé (LED), **T1** 957
pour le diagnostic précoce de la pancréatite aiguë, **T3** 540
pour lutter contre le bruit ambiant, **T2** 77-79
pour prévenir l'embolie pulmonaire, **T2** 311
pour prévenir l'état de choc, **T3** 167, 169
pour prévenir l'insuffisance rénale aiguë, **T3** 1007
pour prévenir l'insuffisance rénale chronique, **T3** 1024-1026
pour prévenir la cardite rhumatismale, **T2** 761
pour prévenir la thrombocytopénie acquise, **T2** 473
pour prévenir le cancer colorectal, **T3** 461
pour prévenir le cancer de l'œsophage, **T3** 370
pour prévenir le rhumatisme articulaire aigu, **T2** 761
pour prévenir les blessures musculosquelettiques, **T1** 835
pour prévenir les cataractes, **T2** 53
pour prévenir les ITSS, **T3** 797-800
pour prévenir une cirrhose, **T3** 523
pour prévenir une valvulopathie, **T2** 774
pour réduire le risque de maladies respiratoires, **T2** 268
pour réduire le risque de pneumonie, **T2** 266, 268-269
pour réduire les facteurs de risque du cancer du sein, **T3** 768-769
pour réduire les risques d'endocardite infectieuse, **T2** 749-750
pour réduire les risques de coronaropathie, **T2** 646
pour réduire les risques de MPOC, **T2** 380
réduction des inégalités en santé et _, **T1** 37
soins oculaires et _, **T2** 42
sur les risques d'hémorragie digestive haute, **T3** 402-403
vaccination contre la pneumonie et _, **T2** 265
Pronation, **T1** 802
Prophylaxie, **T2** 748, 761
antirabique postexposition, **T3** 237
contre les thromboses veineuses profondes, **T2** 819, 823-824
de la thromboembolie veineuse, **T2** 167
du tétanos, **T3** 224
oculaire, **T3** 783
Propofol, **T3** 88
Propranolol, **T3** 669
Proprioception, **T1** 794
suite à un AVC, **T1** 618
Propylthiouracile, **T3** 668
Prostaglandines, **T1** 275-276, 335; **T2** 571; **T3** 903
rénales, **T3** 903
Prostate, **T3** 709, 718
cancer de la _, **T3** 866-875
examen physique de la _, **T3** 727
problèmes de la _, **T3** 854-877
Prostatectomie
assistée par robot, **T3** 870
au laser, **T3** 858-859
ouverte, **T3** 858
par laparascopie, **T3** 870
permettant d'épargner les nerfs, **T3** 871
radicale, **T3** 870-871
Prostatite, **T3** 875-876
bactérienne
aiguë, **T3** 875-877
chronique, **T3** 875-877
chronique, **T3** 875-877
inflammatoire asymptomatique, **T3** 875-876
soins et traitements infirmiers en cas de _, **T3** 876-877
Protecteur cutané, **T3** 466-467
Protection
contre la radiothérapie, **T1** 436
contre les blessures en cas d'hypertension intracrânienne, **T1** 574-575
des articulations, **T1** 914, 924, 937-938
Protéine(s), **T2** 111; **T3** 285-286, 612-613, 1020, 1022, 1033
C réactive, **T1** 809; **T2** 552, 559, 604; **T3** 292
de Bence-Jones, **T2** 433
fournies par l'alimentation parentérale, **T3** 307
métabolisme des _, **T3** 280
morphogénétique de l'os, **T1** 891
sériques, **T3** 280, 499
urinaires, **T3** 927
Protéinurie
détection et quantification de la _, **T3** 917, 928-929
néphrotique, **T3** 952
persistante, **T3** 1016
Protéosynthèse, **T1** 308
Prothèse(s)
auditives, **T2** 79-82
de disque Charité^MD, **T1** 891
de la tête fémorale, **T1** 852
mammaire, **T3** 771
suite à une amputation, **T1** 860, 862
supportant le col de la vessie, **T3** 976
totale de la cheville, **T1** 867
totale de la hanche, **T1** 864
totale du coude et de l'épaule, **T1** 867
totale du genou, **T1** 866
trachéo-œsophagienne, **T2** 251
valvulaires, **T2** 770-771
biologiques, **T2** 770-771
mécaniques, **T2** 770-771
Prothrombine, **T2** 411; **T3** 281
Proto-oncogènes, **T1** 307, 405-406
Protocole
ARDSNet, **T3** 205
de sevrage de la ventilation mécanique, **T3** 131
de stratégies ventilatoires, **T3** 205
Protozoaires, **T1** 365
Prurit, **T2** 95, 130, 136-137, 422; **T3** 496, 1014-1015
Pseudarthrose, **T1** 827
Pseudoanévrisme, **T2** 801
Pseudodépendance, **T1** 203
Pseudofolliculite, **T2** 102
Pseudogoutte, **T1** 948
Pseudokyste pancréatique, **T3** 536-537
Pseudopolypes, **T3** 440
Psoriasis, **T1** 943; **T2** 88, 126-127
Psychoneuro-immunologie (PNI), **T1** 129
Psychotropes, **T1** 246
abus de _, **T1** 246-248
Psyllium, **T1** 116
Ptose, **T1** 641; **T2** 16
Ptyalisme, **T1** 665; **T3** 348
Pubis, examen physique du _, **T3** 726
Punaises, piqûres de _, **T2** 124
Punch rénal, **T3** 912
Pupille, **T2** 17, 20
Purine, **T3** 963-964
Purpura, **T2** 98, 110, 422, 468; **T3** 512
thrombopénique, **T3** 407
immunologique, **T2** 467, 470-471
thrombotique, **T2** 467, 471-472
Pustule, **T2** 97
Pyélographie
antégrade, **T3** 920-921
intraveineuse, **T3** 919-920
rétrograde, **T3** 920
Pyélolithotomie, **T3** 963
Pyélonéphrite, **T3** 855, 932
aiguë, **T3** 942-943
soins et traitements infirmiers en cas de _, **T3** 944
chronique, **T3** 944
Pyloroplastie, **T3** 390
Pylorospasme, **T3** 380
Pyodermite, **T2** 137
Pyoris, **T3** 270
Pyorrhée, **T3** 269
Pyrazinamide, **T2** 274
Pyrétogènes, **T1** 276
Pyridoxine, **T2** 447
Pyrosis, **T3** 360
Pyurie, **T3** 936, 1004

Q

Quadrants abdominaux, **T3** 265-266
Quantification
de la microalbuminurie, **T3** 929
de la protéinurie, **T3** 917, 928-929
Quasi-noyade, **T3** 232-233
Quatrième
âge, **T1** 89
bruit cardiaque, **T2** 548-550, 767
Question clinique au format PICOT, **T1** 11-12
Questionnaire
AUDIT, **T1** 264, 266
CAGE, **T1** 264, 266
d'évaluation de la douleur, **T1** 175
pour recueillir histoire de santé, **T1** 52-54

R

Rachianesthésie, **T3** 14
Radiation, **T3** 243
Radiculopathie, **T1** 890
Radiobiologie, **T1** 432-433
Radiochirurgie, **T1** 435
stéréotaxique, **T1** 435, 589, 592-593; **T2** 287; **T3** 652-653
Radiodermite, **T1** 446
chronique, **T2** 131
Radiographie, **T1** 806, 941-942
abdominale, **T3** 436, 453
de la colonne vertébrale, **T1** 550
du crâne, **T1** 550
du thorax, **T2** 209
osseuse, **T2** 434
pulmonaire, **T2** 263, 273, 285, 331, 553, 560; **T3** 17, 191, 204
suite à une mastectomie, **T3** 760-761
Radiologie, **T2** 209-210
Radiosensibilité des tumeurs, **T1** 432

Radiothérapie, **T1** 431-436
à l'iode, **T3** 669
asservie à la respiration, **T1** 434-435
conformationnelle
3D, **T1** 434
avec modalisation d'intensité (RCMI), **T1** 434
crânienne prophylactique, **T2** 287-288
effets indésirables de la _, **T1** 436-450
en cas d'acromégalie, **T3** 652
en cas de cancer buccal, **T3** 357
en cas de cancer colorectal, **T3** 460
en cas de cancer de l'œsophage, **T3** 369
en cas de cancer de la prostate, **T3** 871-873
en cas de cancer de la tête et du cou, **T2** 249-250
en cas de cancer de la vessie, **T3** 971
en cas de cancer du pancréas, **T3** 545
en cas de cancer du poumon, **T2** 287
en cas de cancer du sein, **T3** 757-758, 760-761
en cas de cancer gastrique, **T3** 395-397
en cas de cancers de l'appareil génital de la femme, **T3** 838-839, 843
en cas de troubles dermatologiques, **T2** 131
en cas de tumeur cérébrale, **T1** 589
externe, **T1** 434; **T3** 545, 839, 871
fonction sexuelle, effet de la _, **T3** 472
guidée par l'image, **T1** 434
interne, **T1** 435-436; **T3** 761
séquelles de la _, **T1** 450-451
soins et traitements infirmiers en cas de _, **T1** 436-450
stéréotaxique, **T1** 435, 589, 592-593; **T2** 287
suite à une tumorectomie, **T3** 757-758
Radius, fracture du _, **T1** 847-848
Rage, **T1** 602-603; **T3** 237
Râle, **T2** 206
terminal, **T1** 221
Raloxifène, **T1** 903
Rapport
d'admission en postanesthésie, **T3** 56
inspiration / expiration, **T3** 121
inversé, **T3** 121
international normalisé (RIN), **T2** 429, 775, 818, 820-821; **T3** 17, 281
ventilation / perfusion, perturbation du _, **T3** 185-186
Rate, **T2** 410-411, 470-471
palpation de la _, **T2** 425; **T3** 268
pathologies de la _, **T2** 512
Ratio
albumine / créatinine, **T3** 917, 929
protéine urinaire / créatinine urinaire, **T3** 917, 929
taille-hanches (RTH), **T3** 318
Raucité, **T3** 360
Raynaud, phénomène de _, **T1** 960; **T2** 623, 813-814
Rayonnement(s)
cancérogènes, **T1** 407-409
corpusculaire, **T1** 431
ionisants, **T1** 407, 431; **T3** 243
parasite, **T2** 53
peau et risques liés au _, **T2** 109-110
ultraviolets (UV), **T1** 408; **T2** 108, 130
Réabsorption, **T3** 900
Réaction(s)
à une transfusion massive, **T2** 522-523
allergique, **T2** 16; *voir aussi* Allergie(s)
à l'insuline, **T3** 606-607
aiguë, **T3** 148
aux médicaments, **T2** 125
anaphylactiques, **T1** 341; **T3** 10, 50
au stress, **T1** 125-130
de lutte ou de fuite, **T1** 128
auto-immunes, **T2** 462
comportementales en cas de syndrome coronarien aigu, **T2** 652
consensuelle, **T2** 20
croisée, **T1** 346
cutanées de la radiothérapie et de la chimiothérapie, **T1** 439, 445-448
d'hypersensibilité, **T1** 332-339; *voir aussi* Allergie(s)
atopiques, **T1** 335-336
IgE immédiate, **T1** 334-336
microbienne, **T1** 338-339
par complexes immuns, **T1** 338
par cytotoxicité, **T1** 337-338
retardée, **T1** 338-339
de stress, **T1** 134
du greffon contre l'hôte (GVH), **T1** 358-359
émotionnelles
en cas d'agression sexuelle, **T3** 847-848
en cas de brûlures, **T2** 176
en cas de maladie inflammatoire chronique de l'intestin, **T3** 447, 450
en cas de syndrome coronarien aigu, **T2** 652
suite à un AVC, **T1** 617-618, 646
suite à une mort subite, **T2** 661
idiosyncrasiques, **T3** 10, 508
immunitaires, *voir aussi* Immunité
à médiation cellulaire, **T2** 408
à médiation humorale, **T2** 408
altérées, **T1** 332-339
normales, **T1** 324-332
iso-immunes, **T2** 462
neurohormonale, **T2** 669
transfusionnelle(s), **T2** 517
aiguës, **T2** 517-523
allergique, **T2** 519, 521-522
anaphylactique, **T2** 519
fébrile non hémolytique, **T2** 518, 521
hémolytique, **T1** 337
hémolytique aiguë, **T2** 517-518, 521
hémolytique retardée, **T2** 521, 523
vasculaire, **T2** 409
vasovagale, **T1** 349
Réadaptation
à la marche, **T1** 841-842
cardiaque, **T2** 652, 654-658, 680, 689
des muscles du plancher pelvien, **T3** 976-977
gériatrique, **T1** 102
pulmonaire, **T2** 386
respiratoire suite à une blessure médullaire, **T1** 774
suite à un AVC, **T1** 627, 643
suite à une amputation, **T1** 861
suite à une blessure médullaire, **T1** 773-774
Réanastomose, **T3** 988
Réanimation
cardiorespiratoire (RCR), **T1** 228-229
liquidienne, **T3** 158-159, 163, 166
Récepteurs, **T3** 561
à irritation, **T2** 189
des hormones peptidiques, **T3** 561
des hormones stéroïdiennes, **T3** 561
des hormones thyroïdiennes, **T3** 561
du SNS influençant la pression artérielle, **T2** 570
juxtacapillaires, **T2** 189
sérotoninergiques, **T1** 659
Réceptivité à l'apprentissage, **T1** 75
Réchauffement
passif, **T3** 71
techniques de _, **T3** 230, 232
Recherche
de bacilles acido-alcoolo-résistants (BAAR), **T3** 948
de cas (ITSS), **T3** 799
Rechute, **T1** 247
Recommandations nutritionnelles, **T3** 296; *voir aussi* Nutrition, *aussi* Régime(s) alimentaire(s), *aussi* Thérapie nutritionnelle
en cas d'hépatite virale, **T3** 502
en cas d'hyperthyroïdie, **T3** 670
en cas d'insuffisance rénale aiguë, **T3** 1006
en cas d'insuffisance rénale chronique, **T3** 1020-1023
en cas de cirrhose, **T3** 521
en cas de coronaropathie, **T2** 617
en cas de diabète, **T3** 610-614, 628
en cas de maladie de Parkinson, **T1** 691
en cas de pancréatite aiguë, **T3** 538, 541
en cas de plaies, **T1** 291-292
en cas de sclérose en plaques, **T1** 682
en cas de syndrome coronarien aigu, **T2** 644-645
Reconstruction
de la vessie orthotopique, **T3** 989-990
du mamelon et de l'aréole, **T3** 774-775
mammaire, **T3** 772-775
par grand droit abdominal, **T3** 774
par lambeau, **T3** 759, 774
par lambeau perforant de l'artère épigastrique inférieure profonde, **T3** 774
Recrutement, **T2** 32
Rectite, **T3** 782
Rectocèle, **T3** 419, 844-845
Rectum, **T3** 254, 259
examen physique du _, **T3** 268
Réduction
d'une fracture, **T1** 827-829
fermée, **T1** 827-828
ouverte, **T1** 828
ouverte avec fixation interne (ROFI), **T1** 828
des méfaits, **T1** 270-271
mammaire, **T3** 775
Rééducation
du plancher pelvien, **T3** 844
intestinale, **T3** 421
suite à une blessure médullaire, **T1** 776-777
respiratoire, **T2** 374-375
vésicale, **T3** 976
Réévaluation de la douleur, **T1** 180
Réflexe(s)
achilléen, **T1** 546
anomalies liées aux _, **T1** 549
bicipital, **T1** 546
cornéen, **T1** 543
crémastérien, **T3** 880
cutané plantaire, **T1** 546
modification du _, **T1** 549
d'étirement, **T1** 546
de Hering-Breuer, **T2** 189
de vomissement, **T3** 348
en cas de blessures médullaires, **T1** 772
évaluation des _, **T1** 546, 548
oculocéphalique, **T1** 570
ostéotendineux profonds, modification des _, **T1** 549
pharyngé, **T1** 222
photomoteur, **T1** 569-570
pupillaire, **T2** 17
rotulien, **T1** 528, 546
styloradial, **T1** 546
tendineux, exacerbation des _, **T3** 579
tricipital, **T1** 546
tussigène, **T2** 190-191
Reflux
gastro-œsophagien (RGO), **T2** 324; **T3** 359-364
chez la personne âgée, **T3** 367
pathologique, **T3** 306
soins et traitements infirmiers en cas de _, **T3** 364-366
vésico-urétéral, **T3** 957
Refoulement médiastinal, **T2** 294
Réfraction, **T2** 5
Réfractométrie, **T2** 21
Réfringence de l'œil, **T2** 38
Refroidissement, techniques de _, **T3** 228
Refus de traitement et de soins, **T1** 229, 594, 752
Régénération, **T1** 280-281, 290
nerveuse, **T1** 525
Régime(s) alimentaire(s), *voir aussi* Nutrition, *aussi* Recommandations nutritionnelles, *aussi* Thérapie nutritionnelle
amaigrissant, **T3** 328-330
DASH, hypertension artérielle et _, **T2** 579-580
de traitement d'une maladie chronique, **T1** 85-87
différences culturelles et _, **T1** 33
en cas de ménopause, **T3** 821
faible en sodium
cirrhose et _, **T3** 518, 521-522
hypertension artérielle et _, **T2** 580-581
insuffisance cardiaque et _, **T2** 685-689
favorisant une gastrite, **T3** 374
hypercalorique, **T3** 670
incomplets, **T3** 289
lié au syndrome coronarien aigu, **T2** 644
méditerranéenne, **T2** 617
pauvre en matières grasses, **T3** 543, 549-552
riche en calories et en protéines, **T3** 295
riche en fer, **T3** 286-287
riche en glucides, **T3** 543
sans gluten, **T3** 480-481
sans lactose, **T3** 481
suite à une chirurgie pour ulcère peptique, **T3** 390-391
végétarien, **T3** 286

Région(s)
inguinale, examen physique de la _, **T3** 727
intertrigineuses, **T2** 99
Registre de directives médicales anticipées, **T1** 227-228, 230
Réglages de la ventilation mécanique, **T3** 118
Règle
de Fine, **T2** 259-261
des neuf de Wallace, **T2** 150, 152
du double effet, **T1** 206
Régulation
corticosurrénalienne, **T1** 482
de l'équilibre acidobasique, **T1** 503-505; **T3** 901
de l'équilibre hydrique, **T1** 481-484
de l'équilibre hydroélectrolytique, **T1** 481-483
de l'équilibre phosphocalcique, **T3** 901-902
de l'osmolalité, **T3** 900-901
de la respiration, **T2** 188-189, 192
de la sécrétion d'hormone, **T3** 561-563
de la température corporelle, *voir* Thermorégulation
du cœur par le système nerveux, **T2** 704-705
du débit sanguin cérébral, **T1** 608-609
du système cardiovasculaire, **T2** 534-535
du volume liquidien, **T3** 900-901
neuroendocrinienne du système reproducteur, **T3** 712-714
normale de la pression artérielle, **T2** 568-572
Régurgitation, **T2** 762; **T3** 349; *voir aussi* Insuffisance cardiaque (IC)
aortique, **T2** 764, 767
aiguë, **T2** 764, 767
chronique, **T2** 764, 767
mitrale, **T2** 763-764
aiguë, **T2** 763-764
chronique, **T2** 763-764
Rein(s), **T3** 903-904
artificiel, **T3** 1036
cancer du _, **T3** 967-968
fonctions endocrines du _, **T3** 902-903
greffe du _, **T3** 639, 1041-1050
palpation des _, **T3** 911-912
physiologie et rôles du _, **T3** 899-903
régulation hydroélectrolytique par le _, **T1** 483
rôle du _ dans les maladies du métabolisme et du tissu conjonctif, **T3** 955
structure du _, **T3** 894
transplantation du _, **T3** 1041-1050
troubles liés aux _, *voir* Trouble(s) rénaux et urologiques
Rejet
chronique, **T1** 354-355
de greffon, **T1** 354; **T3** 1048
Relation(s)
histoire de santé et _, **T1** 54-55, 179, 539-541, 799-800; **T2** 12-13, 28, 95-96, 197, 199, 419, 421, 543-544; **T3** 262, 265, 573-575, 724-725
sexuelles, *voir* Activité(s) sexuelle, Sexualité
sociales, culture et _, **T1** 32-33
Relaxation, **T1** 131-132, 201, 662
Religion, **T1** 31
Remodelage, **T1** 898
osseux, **T1** 826-827
ventriculaire passif, **T2** 669
Remplacement
des facteurs de coagulation, **T2** 478-479
liquidien
en cas d'état de choc, **T3** 158
en cas de déséquilibres hydroélectrolytiques et acidobasiques, **T1** 514-520
en cas de syndrome de détresse respiratoire aiguë, **T3** 209
suite à une brûlure, **T2** 160-162
valvulaire, **T2** 770-771
volémique, **T3** 158, 160
Rencontre culturelle, **T1** 36
Renforcement positif, **T1** 75
Rénine, **T3** 898, 902-903
Renseignements personnels, confidentialité des _, **T1** 8, 47
Réparation, **T1** 280, 290
chirurgicale ouverte (OSR), **T2** 803
endovasculaire d'une dissection aortique, **T2** 810
endovasculaire de l'anévrisme (EVAR), **T2** 803-804
valvulaire, **T2** 769-770
percutanée, **T2** 770
Repérage actif du délirium au courant de la routine (RADAR), **T1** 733
Réplétion volémique, **T3** 538
Repolarisation, **T2** 705
Réponse
de stress, **T1** 124, 130-132
immunitaire, **T2** 323
primaire, **T1** 331
secondaire, **T1** 331
inflammatoire, **T1** 276-278; *voir aussi* Inflammation
cellulaire, **T1** 274-275
médiateurs chimiques de la _, **T1** 275-276
phase de cicatrisation de la _, *voir* Cicatrisation
vasculaire, **T1** 274
sexuelle, **T3** 715-717, 719
de l'homme, **T3** 715-717, 719
de la femme, **T3** 716-717, 719
Repos
en cas d'angine chronique stable, **T2** 650-651
en cas d'arthrose, **T1** 914
en cas d'hépatite, **T3** 507
en cas d'hyperthyroïdie, **T3** 670
en cas de cirrhose, **T3** 523
en cas de polyarthrite rhumatoïde, **T1** 938
histoire de santé et _, **T1** 53, 55, 178-179, 539-540, 799-800; **T2** 12-13, 27-28, 95-96, 197-198, 419, 421, 542-543; **T3** 261, 264, 573-574, 724-725
peau et _, **T2** 110
Reproduction, histoire de santé et _, **T1** 54-55, 179, 539, 541, 799-800; **T2** 12, 14, 28, 95-96, 197, 199, 420-421, 543-544; **T3** 262, 265, 573, 575, 724-726
Réseau de soutien social, **T1** 24-25
Résection
à l'anse avec fulguration, **T3** 971
antérieure basse, **T3** 460
chirurgicale, **T2** 287
des tissus endométriaux, **T3** 829
cunéiforme d'un poumon, **T2** 300
d'un lobe du poumon, **T2** 300
d'un segment de poumon, **T2** 300
du côlon, **T3** 462
endoscopique laser de la prostate, **T3** 859
périnéale, **T3** 870
abdominale, **T3** 460
rétropubienne, **T3** 870
transurétrale
avec fulguration, **T3** 970
de la prostate (RTUP), **T3** 858, 860, 863-865
Réserve cardiaque, **T2** 533
Réservoir Ommaya, **T2** 497
Résidu
postmictionnel, **T3** 917
vésical, **T3** 917
Résines hypolipémiantes, **T2** 619
Résistance
à l'insuline, **T2** 575
aux antibiotiques, **T1** 369-371; **T3** 938
vasculaire
pulmonaire (RVP), **T3** 93-94
surveillance de la _, **T3** 94
systémique (RVS), **T2** 568-569; **T3** 93-94
Résonance, **T1** 60; **T2** 203
Respirateur mécanique
à domicile, **T3** 132
à pression négative, **T3** 132
à pression positive, **T3** 132
bris ou débranchement du _, **T3** 128
réglages du _, **T3** 118
Respiration
à lèvres pincées, **T2** 205, 350, 375
anormale, **T2** 201
Biot, **T2** 201
de Cheyne-Stokes, **T1** 221; **T2** 201
de Kussmaul, **T1** 507; **T2** 201, 205; **T3** 630, 1002
déséquilibres hydroélectrolytiques et _, **T1** 513
diaphragmatique, **T2** 375
en cas de blessures médullaires, **T1** 769-770
en fin de vie, **T1** 221-222
évaluation de la _ en situation d'urgence, **T3** 215, 218
normale, **T2** 201
paradoxale, **T2** 206; **T3** 191
physiologie de la _, **T2** 186-188
profonde, **T3** 62-63
régulation de la _, **T2** 188-189, 192
sifflante, **T2** 327
Resténose, **T2** 630, 795
Restriction
calorique, **T1** 90
du phosphore, **T3** 1023
hydrique, **T3** 1022
mécanique, **T3** 60
potassique, **T3** 1022
protéique, **T3** 1020, 1022
sodique, **T3** 1022
Résultats probants, **T1** 10-14
Resynchronisation cardiaque, **T2** 680, 732
Retard
de cicatrisation, **T1** 284-285
mictionnel, **T3** 913
Rétention, **T3** 913
d'eau, **T2** 574
de sodium, **T2** 574; **T3** 700
des liquides, **T3** 64
des sécrétions épaisses, **T3** 59
hydrosodée, **T3** 998
urinaire, **T3** 73, 877, 935, 972-973, 975, 982
aiguë, **T3** 972, 982
chronique, **T3** 972, 982
soins et traitements en interdisciplinarité en cas de _, **T3** 982
Réticulocyte, **T2** 406
Réticulocytose, **T2** 469
Rétine, **T2** 7-8, 18
Rétinite pigmentaire, **T2** 11, 49
Rétinopathie, **T2** 55
diabétique, **T2** 12, 55; **T3** 637-639
hypertensive, **T2** 55
non proliférante, **T3** 638
proliférante, **T3** 638-639
Rétinopexie pneumatique, **T2** 57
Retour élastique, **T2** 186
Rétraction
du caillot, **T2** 429
du mamelon, **T3** 729
Rétrécissement, **T2** 762
aortique, **T2** 764, 766-767
mitral, **T2** 762-764
œsophagien, **T3** 372
pulmonaire, **T2** 765, 768
tricuspide, **T2** 765, 767-768
Rétroaction
biologique, **T3** 419, 421, 976
tubuloglomérulaire, **T3** 898
Rétrocontrôle, **T3** 561
complexe, **T3** 562
négatif, **T3** 561-562
positif, **T3** 562
simple, **T3** 561-562
Rétrovirus, **T1** 375
Revascularisation coronarienne, **T2** 630-631, 642-643, 652-654, 680
Réveil tardif, **T3** 66
Revenu, niveau de _, **T1** 23
Rhabdomyolyse, **T3** 228
Rhinite
allergique, **T1** 335-336; **T2** 221, 324
intermittente, **T2** 221
persistante, **T2** 221
soins et traitements en interdisciplinarité en cas de _, **T2** 221-226
virale aiguë, **T2** 226
soins et traitements en interdisciplinarité en cas de _, **T2** 226-227
Rhinoplastie, **T2** 218-219
Rhinorrhée, **T2** 221, 324
Rhizotomie, **T1** 742
Rhumatisme articulaire aigu (RAA), **T2** 757-759
soins et traitements infirmiers en cas de _, **T2** 760-761
Rhume, **T2** 228
Ribavirine, **T3** 501
Ridectomie du visage, **T2** 139-140
Rifabutine, **T2** 274
Rifampicine, **T2** 274
Rigidité
des vaisseaux sanguins, **T2** 547
pallidale, **T1** 691
parkinsonienne, **T1** 687
Rinchus, **T2** 206
Rituximab, **T1** 932
Robinet servant de point de référence zéro, **T3** 96
Rôle(s)
de l'auxiliaire familial, **T2** 241
de l'infirmière, **T1** 44, 50, 64, 66-69, 202, 627, 675, 828; **T2** 39, 136, 241, 368, 490, 631; **T3** 22, 306, 466, 624, 864, 981, 984
dans la prévention et la détection du cancer, **T1** 416-418
de l'infirmière auxiliaire, **T1** 44, 202, 627, 675, 829; **T2** 39, 136, 241, 368, 490, 631; **T3** 306, 466, 624, 864, 981, 984
du client au sein de ses relations, **T1** 54-55
du préposé aux bénéficiaires, **T1** 44, 202, 627, 675, 829; **T2** 39, 136, 241, 368, 490, 631; **T3** 306, 466, 864, 981, 984

du proche aidant, **T1** 88
histoire de santé et _, **T1** 54-55, 179, 539-541, 799-800; **T2** 12-13, 28, 95-96, 197, 199, 419, 421, 543-544; **T3** 262, 265, 573-575, 724-725
jeu de _, **T1** 78
Rotation
des points d'injection, **T3** 604
externe, **T1** 802
interne, **T1** 802
Rougeole, **T1** 369
Rubéole, **T2** 79; **T3** 722
vaccin contre la _, **T3** 722
Rupture
de l'anévrisme, **T2** 802-803
de l'artère carotide, **T1** 464
de la coiffe des rotateurs, **T1** 815
des muscles papillaires, **T2** 636
du ligament croisé antérieur, **T1** 815, 823
Rythme(s)
biologiques, **T3** 562-563
cardiaque, **T2** 704
évaluation du _, **T2** 709
circadiens, **T1** 141; **T3** 562-563
troubles des _, **T1** 152
d'échappement jonctionnel, **T2** 721
accéléré, **T2** 721
idioventriculaire accéléré (RIVA), **T2** 714, 726
sinusal, **T2** 709, 713

S

Sac
collecteur, **T3** 466-467, 984-985
péricardique, **T2** 751
vidangeable, **T3** 470-471
Saignement(s)
des varices œsophagiennes et gastriques, **T3** 519
insuffisance rénale chronique et _, **T3** 1012, 1033
intrapéritonéal actif, **T3** 1033
menstruels, **T2** 446
occulte, **T3** 398
postcoïtal, **T3** 725
vaginaux anormaux, **T3** 813-815
soins et traitements infirmiers en cas de _, **T3** 815-816
Saine alimentation, **T3** 284-286, 294
Salicylates, **T2** 759
Salicylés, **T1** 183, 916
Salive, **T3** 250
Salle
d'attente, **T3** 32-33
d'opération, **T3** 33
brossage et tenue vestimentaire en _, **T3** 40
conditions physiques de la _, **T3** 32-33
positionnement du client en _, **T3** 41-42
préparation de la _, **T3** 39-40
sécurité en _, **T3** 41
transport en _, **T3** 25, 40
de réveil
admission à la _, **T3** 56
complications en _, **T3** 58, 60-61, 63, 65-68
congé de la _, **T3** 76-77
évaluation postopératoire en _, **T3** 56-58
progression dans la _, **T3** 56
Salmonelle, **T3** 405
Salpigo-ovariectomie bilatérale, **T3** 834, 836
Salpingectomie, **T3** 817
soins et traitements infirmiers en cas de _, **T3** 841-842
Salpingite, **T3** 789, 824
Salpingostomie linéaire, **T3** 817
Salubrité des aliments, **T3** 406
Sandostatin LAR[MD], **T3** 652
Sang, **T2** 404-408
analyse de _, *voir* Analyses de laboratoire sanguines
autologue
don périopératoire de _, **T2** 524
don préopératoire de _, **T2** 524
circulation du _, *voir* Circulation sanguine
don de _, **T2** 513
en réanimation liquidien, **T3** 159
hypercoagulabilité du _, **T2** 815-816
occulte, **T3** 404
perte de _, **T2** 441, 446, 455; **T3** 1037
veineux mêlé, **T2** 187-188
Santé
déterminants de la _, **T1** 22-26
effets du stress sur la _, **T1** 132-133
facteurs culturels influant sur les _, **T1** 30-35
fonctionnelle, **T1** 51, 88
inégalités en _, **T1** 22-26, 35-39
littératie en _, **T1** 23
mentale, *voir* État mental
perception et gestion de la _, **T1** 51-53
Sarcoïdose, **T2** 307
Sarcome, **T1** 879
d'Ewing, **T1** 879-881
de Kaposi, **T1** 378-379
Sarcomère, **T1** 792
Sarin, **T3** 240
Saturation
de l'hémoglobine du sang veineux central en oxygène ($ScvO_2$), **T3** 93, 100-101
de l'hémoglobine du sang veineux mélangé en oxygène (SvO_2), **T3** 93, 100-101
de la transferrine, **T2** 431, 433
du sang artériel en oxygène (SaO_2), **T2** 187, 190; **T3** 93, 182
en oxygène, **T2** 1888
diminution de la _, **T2** 424
pulsatile en oxygène (SpO_2), **T3** 102
Saturométrie, **T2** 188, 209; **T3** 17, 57, 102, 170, 182
Sauge, **T1** 116
Saule blanc, **T1** 117
Savoir-faire culturel, **T1** 35-36
Scansion, **T1** 683
Schémas insuliniques, **T3** 603
Scintigraphie, **T3** 274
de la thyroïde, **T3** 662
de ventilation et perfusion, **T2** 210
du foie et de la rate, **T2** 434
hépatobiliaire, **T3** 274
nucléaire, **T2** 635
osseuse, **T1** 807; **T2** 434
parathyroïdienne, **T3** 585
pour saignement gastro-intestinal, **T3** 274
rénale, **T3** 923
thyroïdienne et captage de l'iode radioactif, **T3** 584
Sclère, **T2** 6, 8, 17-18
Sclérodactylie, **T1** 960
Sclérodermie
dermatologique limitée, **T1** 959-960
systémique, **T1** 959-962
généralisée, **T1** 959-960; **T3** 955
soins et traitements infirmiers en cas de _, **T1** 962-963
Sclérose
en plaques (SEP), **T1** 676-682
cyclique, **T1** 678
progressive primaire, **T1** 678
progressive récurrente, **T1** 678
progressive secondaire, **T1** 678
soins et traitements infirmiers en cas de _, **T1** 682-686
généralisée, *voir* Sclérodermie
latérale amyotrophique (SLA), **T1** 699-700; **T2** 303
Sclérothérapie, **T2** 829-830; **T3** 519
Scoliose, **T1** 803, 806
Score
ASIA, **T1** 754, 757
calcique, **T2** 607
de McIsaac, **T2** 761
de risque de Framingham (SRF), **T2** 607, 610
Scotomes, **T1** 656; **T2** 59
Scrotum, **T3** 709
examen physique du _, **T3** 727
problèmes de peau du _, **T3** 879
problèmes liés au _, **T3** 879-883
Sébum, **T2** 90
Sécheresse oculaire, **T2** 16, 47; **T3** 671
Sécrétine, **T3** 252-253, 542
Sécrétion(s)
du mamelon, **T3** 729-730
du système digestif, **T3** 251-253
endotrachéales
aspiration des _, **T3** 113-114
hydratation des _, **T3** 114
gastrique, **T3** 253
hormonale, **T3** 558-568
régulation de la _, **T3** 561-563
muqueuse, **T2** 190
pulmonaires
aspiration des _, **T3** 196
élimination des _, **T3** 194-196
tubulaire, **T3** 900
vaginales, **T3** 711
Sécurité
alimentaire, **T3** 288
culturelle, **T1** 29
de la personne âgée, **T1** 103-104
des clients, objectifs de _, **T1** 7-9
en salle d'opération, **T3** 41
maladie d'Alzheimer et _, **T1** 725-726
radiothérapie et _, **T1** 436
Sédatifs, **T1** 248, 261-263; **T2** 165-166; **T3** 198, 531
hypnotiques, **T1** 249
Sédation, **T1** 187; **T3** 88
à court terme, **T3** 88
à long terme, **T3** 88
avec ventilation assistée, **T3** 43
des clients en phase critique, **T3** 87-88
légère, **T3** 43
modérée (consciente), **T3** 43
palliative, **T1** 229
profonde, **T3** 43
Sedation-Agitation Scale (SAS), **T3** 88-89
Sédentarité, coronaropathie et _, **T2** 611-612, 616
Sédiment urinaire, **T3** 1003-1004
Segment
distal du canal cholédoque, **T3** 545
ST, **T2** 710, 752-753
Sein(s), **T3** 712, 718
anomalies liées aux _, **T3** 729-730
cancer du _, **T1** 417; **T3** 748-772
changements fibrokystiques du _, **T3** 745-746
examen physique des _, **T3** 727-728
palpation des _, **T3** 727
Sels
biliaires, **T3** 546
d'or, **T1** 918-919
Sensation(s)
du membre fantôme, **T1** 860
ébrieuses, **T2** 593
en fin de vie, **T1** 239
Sensibilisation
centrale, **T1** 167
culturelle, **T1** 35
périphérique, **T1** 165
Sensibilité
posturale, **T1** 545
sternale, **T2** 424
thermique, **T1** 545
vibratoire, **T1** 545
Sepsie, **T1** 858; **T2** 520; **T3** 86, 148-149, 200, 537
Septicémie, **T2** 163, 166-167; **T3** 70
Septoplastie, **T2** 218
Septostomie, **T2** 314
Séquestre, **T1** 874
Séroconversion, **T3** 501
Sérome, **T3** 339, 774
Sérotonine, **T1** 275, 335
Sérum glutamo-oxalacétique transaminase (GPT), **T3** 144
Service(s)
clinique, **T1** 45
d'urgence, **T1** 45; **T3** 214-225
violence dans les _, **T3** 239-240
de santé comme déterminant de la santé, **T1** 25
Sevrage, **T1** 247-248
de dépresseurs, **T1** 263
de la ventilation mécanique, **T3** 129-131
de stimulants, **T1** 260
symptômes de _, **T1** 249
Sexe
comme déterminant de la santé, **T1** 25
différence selon le _, *voir* Différences hommes-femmes
Sexualité, *voir aussi* Activité(s) sexuelle
à la ménopause, **T3** 822
chirurgie de la prostate et _, **T3** 866
histoire de santé et _, **T1** 54-55, 179, 539, 541, 799-800; **T2** 12, 14, 28, 95-96, 197, 199, 420-421, 543-544; **T3** 262, 265, 573, 575, 724-726
HIV et _, **T1** 390
MPOC et _, **T2** 387-388
suite à un AVC, **T1** 647
suite à un syndrome coronarien aigu, **T2** 658-659
suite à une blessure médullaire, **T1** 778-779
suite à une brûlure, **T2** 177
suite à une laryngectomie ou une dissection radicale du cou, **T2** 252
Shunt, **T3** 186
anatomique, **T3** 186
intracardiaque, **T2** 314
intrapulmonaire, **T3** 186
Sialorrhée, **T3** 509
Sibilances, **T2** 206, 327, 522
Sidérémie, **T2** 431-432
Sifflements, **T2** 206
Sigmoïdoscopie, **T3** 277, 455
Signe(s), **T1** 46
cliniques, **T1** 43, 56-57
d'une crise de maladie chronique, **T1** 85
cutanés d'une insuffisance cardiaque, **T2** 674

d'une dépendance à une drogue, **T1** 265
de Babinski, **T1** 546
positif, **T1** 549
de Chvostek, **T1** 499; **T3** 673
de Cullen, **T3** 432, 536
de Gottron, **T1** 964
de Janeway, **T2** 746
de Kussmaul, **T2** 755
de Lhermitte, **T1** 678
de maltraitance, **T1** 96
de Phalen, **T1** 820
de Tinel, **T1** 820
de Trousseau, **T1** 499; **T3** 673
de Turner, **T3** 432, 536
électrocardiographiques du syndrome coronarien aigu, **T2** 736
oculaires, hypertension intracrânienne et _, **T1** 561
vitaux
en cas d'hypertension intracrânienne, **T1** 561
en cas d'inflammation, **T1** 278-279
en cas d'urgence, **T3** 219, 221
examen physique des _, **T1** 57
lors de l'examen du système cardiovasculaire, **T2** 544
lors de l'examen du système endocrinien, **T3** 575
Sildénafil, **T3** 886
Silence, **T1** 32
Silicose, **T2** 282
Sinus
d'une plaie, **T1** 287
obstruction des _, **T2** 232
paranasaux, troubles des _, **T2** 218-232
pilonidal, **T3** 487
Sinusite, **T2** 230-231
aiguë, **T2** 230-232
chronique, **T2** 230-232
fongique, **T2** 230
pharmacothérapie en cas de _, **T2** 223-226
soins et traitements en interdisciplinarité en cas de _, **T2** 231
virale, **T2** 230
Sirolimus, **T1** 356-357
Site opératoire, préparation du _, **T3** 42
Situation sociale, **T1** 23
SNOMED CT, *voir* Nomenclature systématisée de la médecine (SNOMED CT)
Société
collectiviste, **T1** 32
individualiste, **T1** 32
Sodium, **T1** 482, 489; **T2** 168; **T3** 144, 918, 1011-1012, 1021-1022
déséquilibres du _, **T1** 489-492
régime alimentaire faible en _, **T2** 580-581, 685-689; **T3** 518, 521-522
rétention de _, **T2** 574; **T3** 700
valeur normale en _, **T1** 485
Soins
à domicile, *voir* Soins ambulatoires et à domicile
au client porteur d'une sonde nasogastrique, **T3** 454
au défunt, **T1** 235
buccodentaires, **T1** 444-445, 727; **T2** 280, 750, 806; **T3** 109, 114-115, 171, 354, 358, 541
centrés sur le client et sa famille, **T3** 90-91
cutanés suite à une blessure médullaire, **T1** 777
d'hygiène chez le client en état de choc, **T3** 171
d'urgence, **T3** 214-244
chez la personne âgée, **T3** 225-226
de confort, **T2** 650-651; **T3** 115, 219, 221-222
de fin de vie, **T1** 98, 206, 220
besoins lors des _, **T1** 219-225
documents juridiques associés aux _, **T1** 227-228
en cas d'infection par le VIH, **T1** 397
en cas d'insuffisance cardiaque, **T2** 696-697
éthique et _, **T1** 226-230
soins et traitements infirmiers en _, **T1** 230-239
de jour pour adultes, **T1** 97
de l'iléostomie, **T3** 468-472
de la peau, **T2** 108-111
en cas d'insuffisance veineuse chronique, **T2** 832
en cas d'ulcères de jambe veineux, **T2** 832
en cas de déséquilibres hydroélectrolytiques, **T1** 487
en cas de maladie d'Alzheimer, **T1** 727
de longue durée, **T1** 97-98
de réadaptation
suite à un AVC, **T1** 627
suite à une blessure médullaire, **T1** 773-774
suite à une chirurgie liée au cancer, **T1** 424
de santé, approches de _, **T1** 110-121
de soutien en cas de cancer, **T1** 424
de stomie, **T2** 252
des pieds, **T3** 642
des plaies de brûlure, **T2** 162-164, 170-171
des voies respiratoires suite à une brûlure, **T2** 160
en phase critique, **T3** 84-132
facteurs culturels influant sur les _, **T1** 30-35
gérontologiques, **T1** 98
intestinaux en cas de blessures médullaires, **T1** 771-772, 776-777
liés au plâtre, **T1** 841-842
oculaires, **T2** 42
périopératoires
du client obèse, **T3** 336-340
en cas de dépendance à une substance, **T1** 266-267
permanents en cas d'infections par le VIH, **T1** 396
physiques en fin de vie, **T1** 235-239
préhospitaliers en cas de brûlure, **T2** 153
psychologiques en cas de cancer du sein, **T3** 771
psychosociaux
en fin de vie, **T1** 232-235
suite à une brûlure, **T2** 173
refus de _, **T1** 229, 594
suite à une chirurgie mammaire, **T3** 757, 760
vésicaux en cas de blessures médullaires, **T1** 771-772, 774-776
Soins ambulatoires et à domicile, **T1** 97
en cas d'amputation, **T1** 862
en cas d'angine chronique stable, **T2** 649-650
en cas d'artériopathie périphérique, **T2** 799-800
en cas d'arthrose, **T1** 924
en cas d'asthme, **T2** 352-353
en cas d'AVC, **T1** 642-648
en cas d'embolie pulmonaire, **T2** 311
en cas d'endocardite infectieuse, **T2** 750-751
en cas d'enflure ou de foulure, **T1** 817
en cas d'épilepsie, **T1** 674-676
en cas d'état de choc, **T3** 172
en cas d'hémophilie, **T2** 480-481
en cas d'hémorragie digestive haute, **T3** 404
en cas d'hépatite, **T3** 507-508
en cas d'hypercortisolisme, **T3** 693
en cas d'hypertension artérielle primaire, **T2** 594-596
en cas d'hyperthyroïdie, **T3** 673-674
en cas d'hypothyroïdie, **T3** 679-680
en cas d'infection par le VIH, **T1** 389, 396-397
en cas d'inflammation ou d'infection extraoculaire, **T2** 48
en cas d'insuffisance cardiaque, **T2** 694, 696
en cas d'insuffisance corticosurrénalienne, **T3** 696-697
en cas d'insuffisance rénale aiguë, **T3** 1008
en cas d'insuffisance rénale chronique, **T3** 1027-1028
en cas d'ITSS, **T3** 801-802
en cas d'ostéomyélite, **T1** 878
en cas d'ulcères peptiques, **T3** 388-389
en cas de blessures médullaires, **T1** 773-774
en cas de cancer colorectal, **T3** 462
en cas de cancer de l'œsophage, **T3** 371
en cas de cancer de la prostate, **T3** 875
en cas de cancer du poumon, **T2** 290
en cas de cancer gastrique, **T3** 396-397
en cas de cardiomyopathie dilatée, **T2** 779
en cas de cardite rhumatismale, **T2** 761
en cas de cataracte, **T2** 54
en cas de chirurgie bariatrique, **T3** 339-340
en cas de chirurgie crânienne, **T1** 594-595
en cas de cirrhose, **T3** 529
en cas de déficience visuelle, **T2** 43-44
en cas de dépendance à une substance, **T1** 270
en cas de diabète, **T3** 623
en cas de douleur abdominale aiguë, **T3** 430
en cas de fibrose kystique, **T2** 396
en cas de fracture, **T1** 841-844
en cas de glaucome, **T2** 65
en cas de lésion de pression, **T1** 300-301
en cas de leucémie, **T2** 501
en cas de lombalgie aiguë, **T1** 886-887
en cas de lupus érythémateux disséminé (LED), **T1** 958-959
en cas de maladie d'Alzheimer, **T1** 723-724
en cas de maladie de la vésicule biliaire, **T3** 551-552
en cas de malnutrition, **T3** 295-296
en cas de méningite bactérienne, **T1** 601
en cas de MPOC, **T2** 380
en cas de nausées et vomissements, **T3** 352-353
en cas de pancréatite aiguë, **T3** 541
en cas de pneumonie, **T2** 269
en cas de polyarthrite rhumatoïde, **T1** 938-939
en cas de problèmes de pieds, **T1** 896
en cas de pyélonéphrite aiguë, **T3** 944
en cas de rhumatisme articulaire aigu, **T2** 761
en cas de syndrome coronarien aigu, **T2** 654-659
en cas de thrombocytopénie, **T2** 475
en cas de thrombose veineuse profonde, **T2** 826-828
en cas de troubles dermatologiques, **T2** 135-138
en cas de tuberculose, **T2** 276-277
en cas de tumeur osseuse, **T1** 882
en cas de valvulopathie, **T2** 774-775
suite à un traumatisme craniocérébral, **T1** 585-586
suite à une chirurgie de l'aorte, **T2** 807-808
suite à une chirurgie de la prostate, **T3** 865-866
suite à une chirurgie mammaire, **T3** 771-772
suite à une laryngectomie ou une dissection radicale du cou, **T2** 252-253
Soins en phase aiguë, *voir aussi* Phase aiguë
d'un client dépendant à une substance, **T1** 265-266
d'une personne âgée, **T1** 101-102
en cas d'arthrose, **T1** 923-924
en cas d'AVC, **T1** 630-631, 638-642
en cas d'embolie pulmonaire, **T2** 311
en cas d'épilepsie, **T1** 672, 674
en cas d'état de choc, **T3** 169-171
en cas d'hémophilie, **T2** 480
en cas d'hémorragie digestive haute, **T3** 403-404
en cas d'hépatite, **T3** 507
en cas d'hypertension intracrânienne, **T1** 572-575
en cas d'ictère, **T3** 507
en cas d'infection des voies urinaires, **T3** 940-941
en cas d'inflammation ou d'infection extraoculaire, **T2** 48
en cas d'insuffisance cardiaque, **T2** 694
en cas d'insuffisance rénale aiguë, **T3** 1007-1008
en cas d'insuffisance rénale chronique, **T3** 1027
en cas d'ITSS, **T3** 800-801
en cas d'ulcères peptiques, **T3** 385, 387-388
en cas de blessures médullaires, **T1** 767-769
en cas de cancer buccal, **T3** 359
en cas de cancer de l'appareil génital féminin, **T3** 840-843
en cas de cancer de l'œsophage, **T3** 370-371

en cas de cancer du poumon, T2 289-290
en cas de cancer gastrique, T3 396
en cas de cataracte, T2 53-54
en cas de chirurgie crânienne, T1 593-594
en cas de cirrhose, T3 523, 526-529
en cas de déficience visuelle, T2 42-43
en cas de délirium, T1 733
en cas de diabète, T3 621-623
en cas de glaucome, T2 65
en cas de leucémie, T2 499-501
en cas de lupus érythémateux disséminé (LED), T1 958
en cas de maladie d'Alzheimer, T1 720, 723
en cas de maladie de la vésicule biliaire, T3 550-551
en cas de méningite bactérienne, T1 600-601
en cas de nausées et vomissements, T3 351-352
en cas de pancréatite aiguë, T3 540-541
en cas de pneumonie, T2 269
en cas de polyarthrite rhumatoïde, T1 936-938
en cas de pyélonéphrite aiguë, T3 944
en cas de thrombocytopénie, T2 473-475
en cas de thrombose veineuse profonde, T2 825-826
en cas de traumatisme craniocérébral, T1 584-585
en cas de tuberculose, T2 276
en cas de valvulopathie, T2 774
Soins et traitements en interdisciplinarité, T1 17-18
en cas d'abus de dépresseurs, T1 262-263
en cas d'abus de stimulants, T1 260-261
en cas d'acidocétose diabétique, T3 633
en cas d'allergies au latex, T1 346
en cas d'anémie aplasique, T2 454-455
en cas d'anémie falciforme, T2 460-462
en cas d'apnée obstructive du sommeil, T1 154-155
en cas d'encéphalomyélite myalgique, T1 970-971
en cas d'épistaxis, T2 220
en cas d'hernie hiatale, T3 367
en cas d'hyperaldostéronisme primaire, T3 700-701
en cas d'hypoglycémie, T3 634-635
en cas d'hypoparathyroïdie, T3 684-685
en cas d'incontinence urinaire, T3 980-981
en cas d'infertilité, T3 807
en cas d'inflammation, T1 278-280
en cas d'insuffisance hypophysaire, T3 655
en cas d'insuffisance respiratoire aiguë, T3 192-199
en cas d'ostéoporose, T1 900-903
en cas de blessure du ligament croisé antérieur, T1 823
en cas de blessure du ménisque, T1 822
en cas de brûlure, T2 160-168, 170-172, 175
en cas de cancer de la thyroïde, T3 662
en cas de cancer de la vessie, T3 970-972
en cas de cancer testiculaire, T3 881-883
en cas de cardiomyopathie dilatée, T2 779
en cas de cardiomyopathie hypertrophique, T2 781-782
en cas de cardiomyopathie restrictive, T2 782
en cas de changements fibrokystiques du sein, T3 746
en cas de coronaropathie, T2 614-621
en cas de corticothérapie, T3 699-700
en cas de crise hypertensive, T2 598-599
en cas de délirium, T1 733-734
en cas de dermatomyosite et de polymyosite, T1 965
en cas de diabète insipide, T3 660
en cas de douleur, T1 201-206
en cas de fibroadénome, T3 747
en cas de fibromyalgie, T1 969
en cas de gastrite, T3 375-376
en cas de goutte, T1 949
en cas de grippe, T2 229-230
en cas de grossesse ectopique, T3 817
en cas de lésion de pression, T1 296-301
en cas de luxation, T1 818
en cas de lymphome de Hodgkin, T2 503-505
en cas de lymphomes non hodgkiniens, T2 508-509; T 507
en cas de mort subite, T2 660-661
en cas de neutropénie, T2 487-490
en cas de péricardite constrictive chronique, T2 756
en cas de pharyngite aiguë, T2 233
en cas de phéochromocytome, T3 702
en cas de plaie, T1 287-293
en cas de polycythémie vraie, T2 466
en cas de rétention urinaire, T3 982
en cas de rhinite allergique, T2 221-226
en cas de rhinite virale aiguë, T2 226-227
en cas de sinusite, T2 231
en cas de syndrome de défaillance multiorganique (SDMO), T3 175-177
en cas de syndrome de réponse inflammatoire systémique (SRIS), T3 175-177
en cas de syndrome de sécrétion inappropriée de l'hormone antidiurétique (SIADH), T3 657-658
en cas de syndrome des jambes sans repos, T1 699
en cas de syndrome du tunnel carpien, T1 820-821
en cas de syndrome hyperglycémique hyperosmolaire, T3 633
en cas de syndrome métabolique, T3 342
en cas de syndromes myélodysplasiques, T2 492
en cas de tabagisme, T1 250-256
en cas de tétanos, T1 750-751
en cas de troubles liés à l'alcool, T1 258-260
en cas de troubles neurocognitifs légers ou majeurs, T1 710
en cas de tumeur médullaire, T1 783
Soins et traitements infirmiers
approches complémentaires et parallèles en santé et _, T1 120-121
auprès d'un client avec dispositif d'assistance circulatoire, T3 108
auprès d'un client ventilé mécaniquement, T3 112-115
chez les personnes âgées, T1 98-107
d'un client en fin de vie, T1 230-239
en bloc opératoire, T3 37-38
en cas d'acromégalie, T3 653-654
en cas d'agression sexuelle, T3 849-850
en cas d'algoménorrhée, T3 813
en cas d'alimentation parentérale, T3 309-311
en cas d'amputation, T1 859-863
en cas d'anémie, T2 442-445
en cas d'anémie ferriprive, T2 449
en cas d'anémie mégaloblastique, T2 452-453
en cas d'anévrisme de l'aorte, T2 805-808
en cas d'angine chronique stable, T2 645-659
en cas d'apnée obstructive du sommeil, T1 155
en cas d'appendicite, T3 435
en cas d'artériopathie périphérique, T2 796-800
en cas d'arthrose, T1 922-924
en cas d'asthme, T2 346-355
en cas d'atteinte inflammatoire pelvienne, T3 826
en cas d'augmentation ou de réduction mammaire, T3 775
en cas d'AVC, T1 628-648
en cas d'embolie pulmonaire, T2 311
en cas d'endocardite infectieuse, T2 748-751
en cas d'endométriose, T3 829
en cas d'entorse ou de foulure, T1 816-817
en cas d'épilepsie, T1 671-676
en cas d'état de choc, T3 167-172
en cas d'hémophilie, T2 480-481
en cas d'hémorragie aiguë, T2 456
en cas d'hémorragie digestive haute, T3 402-404
en cas d'hémorroïdes, T3 484-485
en cas d'hépatite, T3 502-508
en cas d'hernie, T3 477
en cas d'hypercalcémie, T1 498-499
en cas d'hypercortisolisme, T3 689-693
en cas d'hyperkaliémie, T1 495
en cas d'hypernatrémie, T1 491
en cas d'hyperparathyroïdie, T3 683-684
en cas d'hyperplasie bénigne de la prostate, T3 860-866
en cas d'hypertension artérielle primaire, T2 591-596
en cas d'hypertension intracrânienne, T1 568-575
en cas d'hyperthyroïdie, T3 670-674
en cas d'hypocalcémie, T1 500
en cas d'hypokaliémie, T1 496
en cas d'hyponatrémie, T1 492
en cas d'hypothyroïdie, T3 676-680
en cas d'immunothérapie, T1 345
en cas d'incontinence fécale, T3 421-422
en cas d'infection des voies urinaires, T3 938-941
en cas d'infection et d'inflammation extraoculaire, T2 48-49
en cas d'infection par le VIH, T1 386-397
en cas d'insomnie, T1 148-149
en cas d'insuffisance cardiaque, T2 690-697
en cas d'insuffisance corticosurrénalienne, T3 696-697
en cas d'insuffisance hépatique fulminante, T3 531
en cas d'insuffisance rénale aiguë, T3 1006-1008
en cas d'insuffisance rénale chronique, T3 1023-1028
en cas d'insuffisance veineuse chronique, T2 832
en cas d'obésité, T3 325-332
en cas d'occlusion intestinale, T3 453-454
en cas d'ostéomyélite, T1 876-878
en cas d'otite externe, T2 69
en cas d'ulcère peptique, T3 385-389
en cas d'ulcères de jambe veineux, T2 832
en cas d'une infection transmissible sexuellement et par le sang (ITSS), T3 796-802
en cas de blessures médullaires, T1 763-780
en cas de botulisme, T1 749-750
en cas de bronchectasie, T2 398-399
en cas de calculs urinaires, T3 964-966
en cas de cancer buccal, T3 357-359
en cas de cancer colorectal, T3 461-463
en cas de cancer de l'appareil génital féminin, T3 839-843
en cas de cancer de l'œsophage, T3 370-371
en cas de cancer de la prostate, T3 874-875
en cas de cancer de la tête et du cou, T2 246-253
en cas de cancer du foie, T3 532-533
en cas de cancer du pancréas, T3 545
en cas de cancer du poumon, T2 288-290
en cas de cancer du rein, T3 968-969
en cas de cancer du sein, T3 765-772
en cas de cancer gastrique, T3 395-397
en cas de cardite rhumatismale, T2 760-761
en cas de cataracte, T2 53-54
en cas de céphalées, T1 661-663
en cas de chirurgie articulaire, T1 868
en cas de chirurgie bariatrique, T3 338-339
en cas de chirurgie crânienne, T1 593-595
en cas de chirurgie esthétique, T2 140-141
en cas de chirurgie nasale, T2 219
en cas de chirurgie pour ulcère peptique, T3 391-392
en cas de chirurgie spinale, T1 891-893
en cas de cirrhose, T3 522-529
en cas de coagulation intravasculaire disséminée, T2 485

en cas de colostomie, **T3** 467-471
en cas de conseil génétique, **T1** 318-319
en cas de constipation, **T3** 425-426
en cas de cystite interstitielle, **T3** 947
en cas de déficience visuelle, **T2** 41-44
en cas de délirium, **T1** 733-734
en cas de dépendance à une substance, **T1** 264-271
en cas de dérivation urinaire, **T3** 990-994
en cas de déséquilibres hydriques, **T1** 486-488
en cas de diabète, **T3** 618-627
en cas de diarrhée infectieuse aiguë, **T3** 415-418
en cas de dissection aortique, **T2** 810-811
en cas de diverticulose ou de diverticulite, **T3** 476
en cas de douleur abdominale aiguë, **T3** 429-430
en cas de douleur postopératoire, **T3** 68-69
en cas de drainage thoracique, **T2** 298-299
en cas de dysérection, **T3** 887
en cas de dysfonctionnement du plancher pelvien, **T3** 845
en cas de fibrose kystique, **T2** 395-396
en cas de fistules vaginales, **T3** 846
en cas de fracture, **T1** 833-844
en cas de fracture de la hanche, **T1** 850-852
en cas de fracture de la mandibule, **T1** 856-857
en cas de glaucome, **T2** 65-66
en cas de glomérulonéphrite poststreptococcique aiguë, **T3** 950
en cas de greffe rénale, **T3** 1047-1050
en cas de leucémie, **T2** 499-501
en cas de lithiase rénale, **T3** 964-966
en cas de lombalgie aiguë, **T1** 885-887
en cas de lupus érythémateux disséminé (LED), **T1** 955-959
en cas de maladie aorto-iliaque, **T2** 805-808
en cas de maladie chronique, **T1** 87-88
en cas de maladie d'Alzheimer, **T1** 719-729
en cas de maladie de la vésicule biliaire, **T3** 550-552
en cas de maladie de Ménière, **T2** 74-75
en cas de maladie de Parkinson, **T1** 691-694
en cas de maladie inflammatoire chronique de l'intestin, **T3** 447-450
en cas de malnutrition, **T3** 292-296
en cas de méningite bactérienne, **T1** 598-601
en cas de MPOC, **T2** 379-388
en cas de myasthénie grave, **T1** 696-697
en cas de myélome multiple, **T2** 511
en cas de myocardite, **T2** 757
en cas de nausées et vomissements, **T3** 351-353
en cas de névralgie faciale, **T1** 742-743
en cas de pancréatite aiguë, **T3** 539-541
en cas de pancréatite chronique, **T3** 543
en cas de paralysie de Bell, **T1** 745
en cas de péricardite aiguë, **T2** 755
en cas de périménopause et de postménopause, **T3** 821-822
en cas de péritonite, **T3** 436-437
en cas de perte auditive et de surdité, **T2** 77-82
en cas de plaies chirurgicales, **T3** 74-75
en cas de pneumonie, **T2** 266-269
en cas de polyarthrite rhumatoïde, **T1** 933-939
en cas de polykystose rénale, **T3** 954
en cas de problèmes de pieds, **T1** 895-896
en cas de prostatite, **T3** 876-877
en cas de pyélonéphrite aiguë, **T3** 944
en cas de radiothérapie et chimiothérapie, **T1** 436-450
en cas de reflux gastro-œsophagien, **T3** 364-366
en cas de rhumatisme articulaire aigu, **T2** 760-761
en cas de saignements vaginaux anormaux, **T3** 815-816
en cas de sclérodermie systémique, **T1** 962-963
en cas de sclérose en plaques, **T1** 682-686
en cas de spondylite ankylosante, **T1** 942-943
en cas de stomie, **T3** 465-473
en cas de stress, **T1** 135-137
en cas de surveillance hémodynamique, **T3** 103
en cas de syndrome coronarien aigu, **T2** 645-659
en cas de syndrome de Goodpasture, **T3** 951-952
en cas de syndrome de Guillain-Barré, **T1** 747-748
en cas de syndrome néphrotique, **T3** 953
en cas de thrombocytopénie, **T2** 472-476
en cas de thrombose veineuse profonde, **T2** 825-828
en cas de trachéostomie, **T2** 234-242
en cas de traitements biologiques ou ciblés, **T1** 455
en cas de trauma abdominal, **T3** 433
en cas de traumatisme craniocérébral, **T1** 582-586
en cas de troubles cardiovasculaires postopératoires, **T3** 65-66
en cas de troubles dermatologiques, **T2** 135-138
en cas de troubles gastro-intestinaux postopératoires, **T3** 72
en cas de troubles neurologiques et psychologiques postopératoires, **T3** 67-68
en cas de troubles respiratoires postopératoires, **T3** 62-63
en cas de troubles urinaires postopératoires, **T3** 73
en cas de tuberculose, **T2** 275-277
en cas de tumeur cérébrale, **T1** 590-592
en cas de tumeur osseuse, **T1** 881-882
en cas de tympanoplastie, **T2** 72
en cas de valvulopathie, **T2** 771-775
en cas de variations de température en phase postopératoire, **T3** 70-71
en cas de varices, **T2** 830
en cas du syndrome de détresse respiratoire aiguë, **T3** 206-209
en phase peropératoire, **T3** 39-42
en phase préopératoire, **T3** 17-25
périopératoires du client obèse, **T3** 336-340
suite à une stapédectomie, **T2** 73

Soins infirmiers
conception de la personne soignée selon les _, **T1** 5
définitions des _, **T1** 4-5
démarche de _, **T1** 16-19
interculturels, **T1** 29, 35-39, 46, 93, 225; **T2** 112, 568; **T3** 18, 91, 296, 323, 456, 613, 769, 818, 867
objectif des _, **T1** 45
partage des _, **T1** 19
prestation des _, **T1** 6
réduction des inégalités en santé et _, **T1** 35-39
terminologies normalisées des _, **T1** 14-15

Soins palliatifs, **T1** 216-217; **T3** 395
centrés sur le client et ses proches, **T1** 225
définitions des _, **T1** 216
en cas d'infection par le VIH, **T1** 397
en cas d'insuffisance cardiaque, **T2** 696-697
en cas de cancer, **T1** 422-424
en cas de cardiomyopathie dilatée, **T2** 779
objectifs des _, **T1** 216
programme de _, **T1** 217-219

Soins postopératoires, **T3** 56-79
de la personne âgée, **T3** 79
de phase I, **T3** 56-58
de phase II et de phase III, **T3** 78
du client obèse, **T3** 338-339
en cas d'amputation, **T1** 860-862
en cas d'anévrisme de l'aorte, **T2** 805-807
en cas d'appendicite, **T3** 435
en cas d'endométriose, **T3** 829
en cas d'hypercortisolisme, **T3** 692-693
en cas de cancer colorectal, **T3** 462
en cas de cancer de l'appareil génital féminin, **T3** 840-843
en cas de cancer de l'œsophage, **T3** 370-371
en cas de cancer gastrique, **T3** 396
en cas de chirurgie articulaire, **T1** 868-869
en cas de chirurgie cardiaque, **T2** 654
en cas de chirurgie esthétique, **T2** 140
en cas de chirurgie mammaire, **T3** 770
en cas de chirurgie pour traiter une fracture, **T1** 838
en cas de chirurgie pour traiter une fracture de la hanche, **T1** 851-852
en cas de chirurgie pour ulcère peptique, **T3** 391-392
en cas de chirurgie rénale ou urérale, **T3** 987
en cas de dérivation urinaire, **T3** 992-994
en cas de douleur abdominale aiguë, **T3** 429-430
en cas de dysfonctionnement du plancher pelvien, **T3** 845
en cas de fistules vaginales, **T3** 846
en cas de fracture de la mandibule, **T1** 856-857
en cas de greffe du rein, **T3** 1047-1050
en cas de laryngectomie, **T2** 250-251
en cas de maladie de la vésicule biliaire, **T3** 551
en cas de maladie inflammatoire chronique de l'intestin, **T3** 445-446
en cas de reflux gastro-œsophagien, **T3** 365-366
en cas de résection transurétrale de la prostate, **T3** 864-865
en cas de stomie, **T3** 465-467
suite à une greffe pulmonaire, **T2** 316
suite à une parathyroïdectomie, **T3** 683
suite à une thoracotomie, **T2** 301
suite à une thyroïdectomie, **T3** 673-674

Soins préopératoires
du client obèse, **T3** 336-338
en cas d'amputation, **T1** 859-860
en cas d'anévrisme de l'aorte, **T2** 805
en cas d'endométriose, **T3** 829
en cas d'hypercortisolisme, **T3** 690, 692
en cas de cancer colorectal, **T3** 462
en cas de cancer de l'appareil génital féminin, **T3** 840
en cas de cancer de l'œsophage, **T3** 370
en cas de cancer gastrique, **T3** 396
en cas de chirurgie articulaire, **T1** 868
en cas de chirurgie esthétique, **T2** 140
en cas de chirurgie pour traiter une fracture, **T1** 838
en cas de chirurgie pour traiter une fracture de la hanche, **T1** 850-851
en cas de chirurgie pour ulcère peptique, **T3** 391
en cas de chirurgie rénale ou urérale, **T3** 987
en cas de chirurgie thoracique, **T2** 299
en cas de dérivation urinaire, **T3** 990
en cas de dissection aortique, **T2** 810-811
en cas de dissection radicale du cou, **T2** 250-251
en cas de douleur abdominale aiguë, **T3** 429
en cas de dysfonctionnement du plancher pelvien, **T3** 845
en cas de fistules vaginales, **T3** 846
en cas de fracture de la mandibule, **T1** 856
en cas de greffe du rein, **T3** 1047
en cas de résection transurétrale de la prostate, **T3** 863-864
en cas de stomie, **T3** 465

Solitude, peur de la _ en fin de vie, **T1** 234

Soluté(s), **T1** 476
cristalloïdes, **T1** 515

Solution(s), **T1** 476; *voir aussi* Préparation(s)
à électrolytes multiples, **T1** 515
de dialyse, **T3** 1028, 1031-1033

hypertonique, T1 479, 515-516
saline, T3 657-658
hypotonique, T1 479, 514
isoosmolaire, T3 1031
isotonique, T1 479, 514
de chlorure de sodium, T1 514-515
parentérales, T2 245; T3 307-308
salines et osmotiques, T3 424
Solvant, T1 476
Somatomédine C, T3 581
Somatostatine, T3 560
Somatotrophine, *voir* Hormone(s) de croissance (GH)
Somatrophine, T3 655
Sommeil, T1 140
chez la personne âgée, T1 106, 157
de l'infirmière, T1 156
histoire de santé et _, T1 53, 55, 178-179, 539-540, 799-800; T2 12-13, 27-28, 95-96, 197-198, 419, 421, 542-543; T3 261, 264, 573-574, 724-725
hygiène du _, T1 145-146, 149
lent, T1 141
mécanismes physiologiques du _, T1 140-141
MPOC et _, T2 388
paradoxal, T1 141
peau et _, T2 110
perturbation du _, T1 141
perturbation du _ du client en phase critique, T3 90
perturbation du _ durant une hospitalisation, T1 150-151
troubles du _, T1 141-157
Somnambulisme, T1 155
Sonde(s)
à ballonnet, T3 519, 527-528, 982-984
de Linton-Nachlas, T3 519
de Segstaken-Blakemore, T3 519
Minnesota, T3 519
alimentation par _, T3 299-303
de gastrostomie, T1 727; T3 299, 303, 306
écoulement prévu de la _, T3 75
percutanée endoscopique (GPE), T3 299-300
de jéjunostomie, T3 299, 303
de lithotritie, T3 962-963
de néphrostomie, T3 986
distale, T3 984
gastrique, T3 129
naso-intestinales, T3 299, 306
nasogastrique, T3 299, 306, 370-371, 384, 388, 454
avec succion intermittente, T3 429-430
écoulement prévu de la _, T3 75
rectales, T3 422
sus-pubienne, T3 985-986
urétérale, T3 985
autostatique, T3 963
urétrale, T3 971, 983
urinaire, T1 771; T3 982-986
vésicale, T3 984-985
Sons, T2 23
audibles, T2 78
Souffle(s), T2 550
holosystolique, T2 634
valvulaires, T2 548
vasculaire, T2 547
Soulagement
de la douleur, T1 202
chez un client dépendant à une substance, T1 210, 267-268
en cas de maladie d'Alzheimer, T1 726
suite à une brûlure, T2 172-173
de la fièvre, T1 279
Sourcils, T2 5, 7, 17
Sous-culture, T1 28
Soutien
affectif
en cas d'état de choc, T3 171-172
en cas de stomie, T3 465
au proche aidant, T1 69-70
d'un client atteint de maladie d'Alzheimer, T1 728-729
aux membres de la famille, T3 219, 221
des personnes en deuil, T1 223-224
émotionnel
en cas d'hypercortisolisme, T3 690
en cas de dysérection, T3 887
en cas de chimiothérapie et de radiothérapie, T1 450
gastro-intestinal en cas de brûlure, T2 166
groupe de _, T2 177
nutritionnel
en cas de brûlures, T2 166
aux clients en phase critique, T3 86
thérapies de _, T3 297-313
psychologique
en cas d'endométriose, T3 829
en cas d'hypertension intracrânienne, T1 575
en cas d'ITSS, T3 800
en cas de cancer, T1 466-467
en cas de cancer du poumon, T2 290
en cas de cancer du sein, T3 771-772
en cas de plaie, T1 292
en cas de polyarthrite rhumatoïde, T1 939
social, T1 24-25
à la personne âgée, T1 94-96
en cas de stress, T1 136
en cas de syndrome coronarien aigu, T2 652
suite à une brûlure, T2 176-177
Soya, T1 118; T3 821
Spasme(s)
de la vessie, T3 865
laryngé, T3 46
musculaires, T1 843
Spasticité, T1 678
musculaire, T1 806
Spermatocèle, T3 880
Spermatogenèse, T3 708
Spermatozoïdes, T3 708
Spermogramme, T3 737
Sphincter œsophagien, T3 359-360, 372
Sphinctérotomie, T3 548
Sphygmomanomètre, T2 535-536
Spica plâtré de la hanche, T1 831
Spiritualité, T1 31
en fin de vie, T1 224-226, 233
Spirochètes, T1 364; T3 784, 787
Spironolactone, T2 684; T3 518, 522, 701
Splénectomie, T1 351; T2 407, 462, 512
Splénomégalie, T2 424, 512; T3 270, 496
Spondylarthropathies, T1 940-943
Spondylite ankylosante, T1 864, 940-942
soins et traitements infirmiers en cas de _, T1 942-943
Sprue
cœliaque, *voir* Maladie(s) cœliaque
tropicale, T3 479
Squame, T2 98
Stabilisant mastocytaire, T2 337
Stabilisateurs de membranes, T1 344; T2 224, 336
Stabilisation
de la colonne cervicale, T3 215, 218
en cas de blessures médullaires, T1 762, 767-769
Stade(s)
d'évolution de la coronaropathie, T2 604-606
de l'insuffisance rénale chronique, T3 1009-1010
de la polyarthrite rhumatoïde, T1 926
de la syphilis, T3 785-786
des lymphomes, T2 503-504
du cancer, T1 406-412
du cancer de l'endomètre, T3 833-834
du cancer de l'ovaire, T3 836
du cancer de la prostate, T3 869
du cancer de la vessie, T3 970
du cancer du poumon à petites cellules, T2 285-286
du cancer du rein, T3 968-969
du cancer du sein, T3 755-756
du mélanome, T2 116-118
Stapédectomie, T2 27, 73
Staphylococcus aureus, T1 874
résistant à la méthicilline (SARM), T1 370
toxine de _, T3 405
Stase, T3 368
veineuse, T2 814-816
Statesthésie, T1 527
Statine, T2 617-618
Status epilepticus, T1 667
Stéatohépatite non alcoolique (NASH), T3 325, 510
Stéatorrhée, T3 271, 292, 478, 542
Stéatose hépatique, T3 510
non alcoolique, T3 510-511
Sténose(s), T3 966-967
artérielle rénale, T3 956
d'une valve, *voir* Rétrécissement
laryngée, T2 233
spinale, T1 887
urétérales, T3 966-967
urétrales, T3 967
Steppage, T1 806
Stercobilinogène, T3 256
Stéréognosie, T1 545-546
Stérétype, T1 28-29
Sternotomie médiane, T2 299
Stéroïdes, T3 559
Stimulants, T1 249, 260; T3 424
soins et traitements en interdisciplinarité en cas d'abus de _, T1 260-261
Stimulateur de la conduction nerveuse, T1 681
Stimulateur(s) cardiaque(s), T2 713, 731-735
permanent, T2 731-733
surveillance des _, T2 733-735
temporaire, T2 732-733
épicardique, T2 732
transcutané, T2 732-734
transveineux, T2 732-733
Stimulation
cérébrale profonde (SCP), T1 660, 681, 690
de l'hormone de croissance, T3 581
de la radiothérapie, T1 433
du système nerveux sympathique, T2 634
électrique, T1 827; T3 976
par l'ACTH, T3 586
par l'ADH, T3 582
vagale, T1 671; T2 717
Stimulines, T3 563
excès de _, T3 654
Stomatite, T1 437; T2 250; T3 355
aphteuse, T3 355
Stomie, T3 463-464
adaptation à une _, T3 472
caractéristiques de la _, T3 466-467
double, T3 464
écoulement de la _, T3 470-471
en boucle, T3 464
soins de _, T2 252
soins et traitements infirmiers en cas de _, T3 465-473
terminale, T3 463
urinaire, T3 988-989
Strabisme, T2 11, 17, 47-48
Strangulation intestinale, T3 452-453
Stratégies
d'adaptation au stress, T1 131-132
centrées sur le problème, T1 131
centrées sur les émotions, T1 131-132
individuelles, T1 134-135
d'enseignement, T1 76-80
Stress, T1 110, 124
adaptation au _, *voir* Adaptation au stress
cancer du poumon et _, T2 289-290
coronaropathie et _, T2 613
définition du _, T1 124
du proche aidant, T1 69-70
effets du _ sur la santé, T1 132-133
équilibre hydroélectrique et _, T1 482
hypercorticolisme et _, T3 693
hyperglycémie et _, T3 622-623
perception du _, T1 130-131
préopératoire, T3 6
pression artérielle et _, T2 574-575
réaction au _, T1 125-130
réaction de _, T1 134
réponse de _, T1 124, 130-132
soins et traitements infirmiers en cas de _, T1 135-137
tolérance au _, T1 54-55, 179, 539, 541, 799-800; T2 12, 14, 28, 95-96, 197, 199-200, 420-421, 544; T3 262, 265, 573, 575, 724, 726
ulcères de _, T1 772; T3 126, 205
Stresseur, T1 124-125
chronique, T1 125
description du _, T1 134
évaluation cognitive du _, T1 130-131, 134
majeur, T1 125
Stricturoplastie, T3 444
Stridor, T2 207, 233
laryngé, T1 499; T3 673
Strie(s)
de Looser-Milkmann, T1 897
lipidique, T2 606
Structure familiale, T1 32
Struvite, T3 958, 960-961
Styles d'apprentissage, T1 75-76
Stylo injecteur, T3 605
Subluxation, T1 806, 818
Submersion, urgences liées à un épisode de _, T3 232-234
Subocclusion, T3 451
Substance(s)
blanche, T1 527
chimiques comme agents de terrorisme, T3 240, 243
goitrogènes, T3 661
grise, T1 527
ototoxiques, T2 79
P, T1 165

soins et traitements infirmiers en cas de dépendance d'une _, **T1** 264-271
toxiques, empoisonnement aux _, **T3** 237, 239
troubles liés à une _, **T1** 246-271
Suc gastrique, **T3** 251
Sucralfate, **T3** 383
Suivi
clinique
en cas d'ITSS, **T3** 802
en cas de lupus érythémateux disséminé (LED), **T1** 959
du deuil, **T1** 223-224
en cas d'insuffisance rénale chronique, **T3** 1016-1017
médical postopératoire, **T3** 78
suite à une agression sexuelle, **T3** 848
suite à une chirurgie mammaire, **T3** 757, 760
Sulfasalazine, **T3** 442
Sulfate
de chondroïtine, **T1** 118
de magnésium, **T3** 522
de morphine, **T2** 643-644
Sulfonylurées, **T3** 608-609
Sumatriptan, **T1** 659
Supination, **T1** 802
Supplément(s)
à base de plante ayant un effet sur la coagulation, **T2** 826
alimentaires, **T1** 114, 117-118
en phase préopératoire, **T3** 10
évaluation de l'utilisation des _, **T1** 50
de fer, **T2** 447, 449, 456; **T3** 446, 1019
de vitamine D, **T1** 901; **T3** 1019
diététiques
agissant sur les anticoagulants oraux, **T2** 822
ayant un effet sur la coagulation, **T2** 826
minéraux agissant sur les anticoagulants oraux, **T2** 822
vitaminiques agissant sur les anticoagulants oraux, **T2** 822
Suppression
de l'ACTH, **T3** 586
de la miction d'urgence, **T3** 976
médullaire, **T1** 436, 441-442
Surcharge
de fer, **T2** 521
sensorielle, **T3** 90
volémique, **T2** 519, 522
Surdité, **T2** 76-77; *voir aussi* Perte auditive
centrale, **T2** 76
de conduction, **T2** 76
de perception, **T2** 76
fonctionnelle, **T2** 76-77
mixte, **T2** 76
soins et traitements infirmiers en cas de _, **T2** 77-82
Surdose, **T1** 247, 249
de dépresseurs, **T1** 262-263
de stimulants, **T1** 260
Surfactant, **T2** 185
Surinfection bronchique, **T2** 258
Surnutrition, **T3** 287
Surpoids, **T3** 318
Surréflectivité autonome, *voir* Dysréflexie autonomique
Surrénalectomie, **T3** 688
Surveillance
active, **T3** 870
cardiaque, **T2** 650
continue du CO_2 expiré ($ETCO_2$), **T3** 191
de l'index cardiaque, **T3** 92
de l'oxygénation, **T3** 113
artérielle, **T3** 102
cérébrale, **T1** 565-566
de la contractilité, **T3** 94
de la glycémie, **T3** 615-617
de la postcharge, **T3** 93-94
de la précharge, **T3** 92-94
de la pression artérielle, **T3** 96-97
pulmonaire, **T3** 97-101
de la pression intracrânienne, **T1** 562-565, 574
de la résistance vasculaire, **T3** 94
de la ventilation mécanique, **T3** 113
des stimulateurs cardiaques, **T2** 733-735
du débit cardiaque, **T3** 92, 101-102
du diabète, **T3** 637
effractive des pressions, **T3** 94-96
électrocardiographique, **T2** 705-709
en cas de syndrome coronarien aigu, **T2** 737
hémodynamique, **T2** 558, 565, 678; **T3** 92-102
soins et traitements infirmiers en cas de _, **T3** 103
immunitaire, **T1** 412
non effractive des pressions, **T3** 101-102
par télémétrie, **T2** 709
Susceptibilité génétique, **T1** 409
Sutures, **T1** 290
Sympathectomie, **T2** 813
Sympathomimétiques, **T1** 343; **T3** 160, 162
Symptôme(s), **T1** 45
d'une dépendance à une drogue, **T1** 265
évaluation d'un _, **T1** 47-56
respiratoires en fin de vie, **T1** 237
Synapse, **T1** 525-526
Syncope, **T2** 738, 780; **T3** 64-65
de chaleur, **T3** 226
vasovagale, **T2** 738
Syndesmophyte, **T1** 942
Syndrome(s)
algique myofascial, **T1** 966-967
antérieur de la moelle, **T1** 754, 756
central de la moelle, **T1** 754, 756
consécutif au traumatisme causé par le viol, **T3** 847
coronarien aigu (SCA), **T2** 626-628, 632-645, 735-737
soins et traitements infirmiers en cas de _, **T2** 645-659
crépusculaire, **T1** 725
d'Alport, **T3** 955, 1023
d'apnées-hypopnées obstructives du sommeil (SAHOS), **T1** 152-153
d'hypoventilation lié à l'obésité, *voir* Syndrome(s) de Pickwick
d'immersion, **T3** 232
d'immunodéficience acquise (SIDA), **T1** 373, 379-381
d'irradiation aiguë, **T3** 243
d'occlusion intestinale distale, **T2** 391, 394
de Barlow, *voir* Prolapsus valvulaire mitral (PVM)
de Barrett, **T3** 360-361
de Brown-Séquard, **T1** 754, 756
de chasse, **T3** 335, 390-391, 396
de coincement sous-acromial, **T1** 815
de compression de la veine cave supérieure, **T1** 462
de Cushing, *voir* Hypercortisolisme
de défaillance multiorganique (SDMO), **T3** 173-174, 201
soins et traitements en interdisciplinarité en cas de _, **T3** 175-177
de détresse respiratoire aiguë (SDRA), **T2** 304; **T3** 183, 200-205
soins et traitements infirmiers en cas du _, **T3** 206-209
de douleur pelvienne chronique, **T3** 875-877
de douleur postmastectomie, **T3** 760
de Down, **T1** 313; **T2** 49
de Dressler, **T2** 636-637, 751
de fatigue chronique, *voir* Encéphalomyélite myalgique
de Felty, **T1** 928
de Fitz-Hugh-Curtis, **T3** 825
de Goodpasture, **T1** 337-338; **T3** 951
soins et traitements infirmiers en cas de _, **T3** 951-952
de Guillain-Barré, **T1** 745-747; **T2** 229, 303
soins et traitements infirmiers en cas de _, **T1** 747-748
de Korsakoff, **T1** 257
de l'intestin court, **T3** 444, 481-482
de la queue de cheval, **T1** 754, 757, 941
de la vessie douloureuse, *voir* Cystite interstitielle
de Lynch, *voir* Syndrome(s) du cancer colorectal héréditaire sans polypose (CCHSP)
de lyse tumorale, **T1** 463-464, 494
de malabsorption, **T3** 288, 477-483
de Mallory-Weiss, **T3** 349
de Marfan, **T2** 49, 801
de mouvements périodiques des membres (SMPM), **T1** 155
de négligence, **T1** 640-641
de Pickwick, **T2** 304; **T3** 324
de renutrition, **T3** 309, 311
de réponse inflammatoire systémique (SRIS), **T3** 173-174, 201
soins et traitements en interdisciplinarité en cas de _, **T3** 175-177
de sécrétion inappropriée de l'hormone antidiurétique (SIADH), **T1** 463, 482; **T3** 656-657
soins et traitements en interdisciplinarité en cas de _, **T3** 657-658
de sevrage alcoolique, **T1** 259-260
de sevrage pour les analgésiques opioïdes, **T1** 204-205
de Sheehan, **T3** 654
de Sjögren, **T1** 928, 965-966; **T3** 510
de Stein-Leventhal, *voir* Syndrome(s) des ovaires polykystiques (SOPK)
de Turner, **T2** 808
de Widal, **T2** 324
de Zollinger-Ellison, **T3** 379
des jambes sans repos (SJSR), **T1** 144, 698
soins et traitements en interdisciplinarité en cas de _, **T1** 699
des ovaires polykystiques (SOPK), **T3** 831-832
douloureux régional complexe, **T1** 171
drépanocytaires, **T2** 457-458
du cancer colorectal héréditaire sans polypose (CCHSP), **T3** 456-457
du côlon cathartique, **T3** 422
du côlon irritable, **T3** 430-432
du compartiment, **T1** 818, 845-846; **T2** 799; **T3** 223
du cône médullaire, **T1** 754, 757
du nævus dysplasique, **T2** 116
du sarrau blanc, **T2** 578
du tunnel carpien (STC), **T1** 819-820
soins et traitements en interdisciplinarité en cas de _, **T1** 820-821
du vol artériel, **T3** 1035
général d'adaptation (SGA), **T1** 126
hémolytique et urémique (SHU), **T2** 468
hépatorénal, **T3** 513, 516-517
hyperglycémique hyperosmolaire, **T3** 597, 631-633
soins et traitements en interdisciplinarité en cas de _, **T3** 633
latex-aliments, **T1** 346
lié à la culture, **T1** 35
médullaires incomplets, **T1** 756-757
métabolique, **T2** 613; **T3** 340-342
coronaropathie et _, **T2** 612
soins et traitements en interdisciplinarité en cas de _, **T3** 342
myélodysplasiques (SMD), **T2** 491-492
primaires, **T2** 491
secondaires, **T2** 491
soins et traitements en interdisciplinarité en cas de _, **T2** 492
néphrotique, **T3** 952-953
soins et traitements infirmiers en cas de _, **T3** 953
oculorespiratoire, **T2** 229
parkinsoniens, **T1** 686
postcommotionnel, **T1** 578
postérieur de la moelle, **T1** 754, 757
prémenstruel (SPM), **T3** 810-812
pulmonaire dû à l'hantavirus, **T2** 281
respiratoire aigu sévère (SRAS), **T1** 367
thoracique aigu, **T2** 459
Synovectomie, **T1** 863-864
Synovite, **T1** 863
Synthèse des protéines, **T1** 308
Syphilis, **T3** 784-787, 798
cardiovasculaire, **T3** 786, 788
latente, **T3** 786, 788
primaire, **T3** 785, 788
secondaire, **T3** 785, 788
tardive, **T3** 786, 788
tests sérologiques pour la _, **T3** 738-739
Système(s)
artériel, **T2** 534
auditif
anatomie et physiologie du _, **T2** 22-23
anomalies du _, **T2** 32
central, **T2** 22
examens paracliniques du _, **T2** 31-35
périphérique, **T2** 22
troubles du _, **T2** 68-82
vieillissement et _, **T2** 24
circulatoire
brûlure et effet sur le _, **T2** 158
examen primaire du _, **T3** 216, 219-220
d'autorégulation de la circulation rénale, **T3** 898-899

de collecte, **T3** 466-467
de conduction du cœur, **T2** 531-533, 704
de décompression interépineuse lombaire percutané, **T1** 890
de santé
complet et cohérent, **T1** 118, 120
influence sur la santé et les soins, **T1** 30
prévalence de la maladie et présence d'un _, **T1** 25
des antigènes leucocytaires humains, *voir* Système(s) HLA
du complément, **T1** 275-276
génito-urinaire
évaluation préopératoire du _, **T3** 13-14, 16
mort imminente et manifestations du _, **T1** 220
hématologique
abus chronique d'alcool et _, **T1** 258
anatomie et physiologie du _, **T2** 404-413
anomalies du _, **T2** 422-424
chimiothérapie, radiothérapie et _, **T1** 438
état de choc et _, **T3** 154, 156
évaluation du _, **T2** 414-426
examens paracliniques du _, **T2** 427-437
maladies à manifestations dermatologiques liées au _, **T2** 129
vieillissement et _, **T2** 412-413
hépatique
abus chronique d'alcool et _, **T1** 258
état de choc et _, **T3** 153, 156
évaluation préopératoire du _, **T3** 13
syndrome de défaillance multiorganique (SDMO) et _, **T3** 174, 176
syndrome de réponse inflammatoire systémique (SRIS) et _, **T3** 174
troubles du _, **T3** 492-535
His-Purkinje, **T2** 704, 709
HLA, **T1** 351-352; **T3** 594, 1044
immunitaire, **T1** 325, 332
abus chronique d'alcool et _, **T1** 257
brûlure et effet sur le _, **T2** 158
cellules tumorales et rôle du _, **T1** 412-413
évaluation préopératoire du _, **T3** 15
maladies à manifestations dermatologiques liées au _, **T2** 129
réaction au stress par le _, **T1** 129-130, 133
vieillissement et _, **T1** 332
immunologique, effet d'une douleur aiguë non soulagée sur le _, **T1** 163
limbique, **T1** 528-529; **T3** 563
réaction au stress par le _, **T1** 127
lymphatique, **T2** 411-412
lymphoïde, **T1** 325
métabolique
effet d'une douleur aiguë non soulagée sur le _, **T1** 163
maladies à manifestations dermatologiques liées au _, **T2** 129
moteur
anomalies liées au _, **T1** 548-549
examen du _, **T1** 544-545
neurocognitif, troubles liés au _, **T1** 706-734
neurologique
brûlure et effet sur le _, **T2** 169
complications postopératoires du _, **T3** 66-68
déséquilibres hydroélectrolytiques et _, **T1** 487
effet d'une douleur aiguë non soulagée sur le _, **T1** 163
état de choc et _, **T3** 145, 154
insuffisance rénale chronique et _, **T3** 1013-1014
maladies à manifestations dermatologiques liées au _, **T2** 129
syndrome de défaillance multiorganique (SDMO) et _, **T3** 176
neuromusculaire
insuffisance respiratoire aiguë et _, **T3** 183-184, 188
maladies exprapulmonaires restrictives et _, **T2** 303
phagocytaire mononucléé, **T1** 325
porte, **T3** 255
porte hypothalamo-hypophysaire, **T3** 563
rénal
effet d'une douleur aiguë non soulagée sur le _, **T1** 163
équilibre acidobasique et _, **T1** 505
état de choc et _, **T3** 146, 154, 156, 171
maladies à manifestations dermatologiques liées au _, **T2** 129
syndrome de défaillance multiorganique (SDMO) et _, **T3** 176
rénine-angiotensine, **T3** 902-903
rénine-angiotensine-aldostérone (SRAA), **T1** 482; **T2** 571, 574
réticulé activateur (SRA), **T1** 529-530
sensoriel
anomalies liées au _, **T1** 549
examen du _, **T1** 545
suite à un AVC, **T1** 640-641, 646
tampon, **T1** 504
TUNA, **T3** 859
urologique
effet d'une douleur aiguë non soulagée sur le _, **T1** 163
troubles liés au _, *voir* Trouble(s) rénaux et urologiques
vasculaire, **T2** 533-534
cérébral, pression artérielle et _, **T2** 575
problèmes du _, **T2** 788
vasculaire périphérique
examen physique du _, **T2** 544-545
pression artérielle et _, **T2** 576
veineux, **T2** 534
visuel
anatomie et physiologie du _, **T2** 4-9
anomalies du _, **T2** 16-17
examen clinique du _, **T2** 9-20
examens paracliniques du _, **T2** 20-21
pression artérielle et _, **T2** 576
troubles du _, **T2** 38-68
VLAP, **T3** 859
Système cardiovasculaire
abus chronique d'alcool et _, **T1** 258
anatomie et physiologie du _, **T2** 530-538
anémie et _, **T2** 442
anomalies liées au _, **T2** 546-548
AVC et _, **T1** 631, 638
blessures médullaires et _, **T1** 759, 770
brûlure et effet sur le _, **T2** 169
chimiothérapie, radiothérapie et _, **T1** 441, 449
chirurgie de l'aorte et _, **T2** 806
complications postopératoires du _, **T3** 63-66
déséquilibres hydroélectrolytiques et _, **T1** 486-487
effet d'une douleur aiguë non soulagée sur le _, **T1** 163
état de choc et _, **T3** 145, 153, 156, 170
évaluation préopératoire du _, **T3** 12, 16
examen clinique du _, **T2** 538-550
examens paracliniques du _, **T2** 551-565
hypertension artérielle et _, **T2** 594
infarctus du myocarde et _, **T2** 634
insuffisance rénale chronique et _, **T3** 1012-1013
insuffisance respiratoire aiguë et _, **T3** 183
maladies à manifestations dermatologiques liées au _, **T2** 129
mort imminente et manifestations du _, **T1** 220
pression artérielle et _, **T2** 575
régulation du _, **T2** 534-535
syndrome de défaillance multiorganique (SDMO) et _, **T3** 173, 175
syndrome de réponse inflammatoire systémique (SRIS) et _, **T3** 173
ventilation en pression positive et _, **T3** 124
vieillissement et _, **T2** 536-538
Système endocrinien
abus chronique d'alcool et _, **T1** 258
anatomie et physiologie du _, **T3** 558-568
anomalies du _, **T3** 577-579
brûlure et effet sur le _, **T2** 170
effet d'une douleur aiguë non soulagée sur le _, **T1** 163
évaluation préopératoire du _, **T3** 14-16
examen clinique du _, **T3** 569-580
examens paracliniques du _, **T3** 580-589
maladies à manifestations dermatologiques liées au _, **T2** 128
pression artérielle et _, **T2** 571-572
réaction au stress par le _, **T1** 127-128
troubles du _, **T3** 650-702
vieillissement et _, **T3** 568-569
Système gastro-intestinal
abus chronique d'alcool et _, **T1** 258
anatomie et physiologie du _, **T3** 248-259
anomalies du _, **T3** 269-271
AVC et _, **T1** 618, 639, 645
blessures médullaires et _, **T1** 759, 771-772, 776-777
brûlure et effet sur le _, **T2** 169-170
chimiothérapie, radiothérapie et _, **T1** 437-438, 443-445
complications postopératoires du _, **T3** 71-72
effet d'une douleur aiguë non soulagée sur le _, **T1** 163
état de choc et _, **T3** 145, 153, 156, 171
évaluation préopératoire du _, **T3** 12-13, 16
examen clinique du _, **T3** 259-272
examens paracliniques du _, **T3** 272-281
insuffisance rénale chronique et _, **T3** 1013
maladies à manifestations dermatologiques liées au _, **T2** 128
mort imminente et manifestations du _, **T1** 220
suite à une chirurgie de l'anévrisme de l'aorte abdominale, **T2** 806-807
syndrome de défaillance multiorganique (SDMO) et _, **T3** 174, 176
syndrome de réponse inflammatoire systémique (SRIS) et _, **T3** 174
troubles liés au _, *voir* Trouble(s) du tractus gastro-intestinal
ventilation en pression positive et _, **T3** 126-127
vieillissement et _, **T3** 257-259
Système musculosquelettique
abus chronique d'alcool et _, **T1** 258
anatomie et physiologie du _, **T1** 788-795
anomalies du _, **T1** 804-806
AVC et _, **T1** 638-639, 643-644
brûlure et effet sur le _, **T2** 169
effet d'une douleur aiguë non soulagée sur le _, **T1** 163
évaluation préopératoire du _, **T3** 14, 16
examen clinique du _, **T1** 795-803
examens paracliniques du _, **T1** 806-811
insuffisance rénale chronique et _, **T3** 1014
maladies à manifestations dermatologiques liées au _, **T2** 128
mort imminente et manifestations du _, **T1** 221
troubles du _, **T1** 874-905
ventilation en pression positive et _, **T3** 127
vieillissement et _, **T1** 794-795
Système nerveux
anatomie et physiologie du _, **T1** 524-536
anomalies du _, **T1** 548-549
autonome, **T1** 531-533, 536; **T2** 534-535
parasympathique, **T1** 531-533
régulation du cœur par le _, **T2** 704-705
autonome sympathique, **T1** 531-533
activation du _, **T2** 668-669
pression artérielle et _, **T2** 569-571, 574-575
régulation du cœur par le _, **T2** 704
AVC et _, **T1** 630
central, **T1** 526-531, 535
abus chronique d'alcool et _, **T1** 257
insuffisance respiratoire aiguë et _, **T3** 183-184, 187
lésion du _, **T2** 303
maladies exprapulmonaires restrictives et _, **T2** 303

régulation de la sécrétion hormonale par le _, **T3** 562
chimiothérapie, radiothérapie et _, **T1** 440, 448
entérique, **T3** 248-249
état de choc et _, **T3** 169-170
évaluation préopératoire du _, **T3** 11, 15
examen clinique du _, **T1** 536-546
examens paracliniques du _, **T1** 546-553
mort imminente et manifestations du _, **T1** 220
périphérique, **T1** 531-533, 535
abus chronique d'alcool et _, **T1** 257
réaction au stress par le _, **T1** 127
régulation du cœur par le _, **T2** 705
vieillissement et _, **T1** 535-536
ventilation en pression positive et _, **T3** 126
Système reproducteur
abus chronique d'alcool et _, **T1** 258
anatomie et physiologie du _, **T3** 708-719
anomalies du _, **T3** 728-731
chimiothérapie, radiothérapie et _, **T1** 439, 449-450
de l'homme, **T3** 708-709, 717-718, 726-729
troubles du _, **T3** 854-889
de la femme, **T3** 709-712, 718, 727-731
troubles du _, **T3** 806-850
examen clinique du _, **T3** 719-731
examens paracliniques du _, **T3** 731-739
insuffisance rénale chronique et _, **T3** 1015
maladies à manifestations dermatologiques liées au _, **T2** 129
régulation neuroendocrinienne du _, **T3** 712-714
vieillissement et _, **T3** 717-718
Système respiratoire
anatomie et physiologie du _, **T2** 182-191
anémie et _, **T2** 442
anomalies du _, **T2** 205-207
AVC et _, **T1** 630-631
blessures médullaires et _, **T1** 757, 759, 769-770, 774
brûlure et effet sur le _, **T2** 158, 169
chimiothérapie, radiothérapie et _, **T1** 440, 448-449
complications postopératoires du _, **T3** 58-63
déséquilibres hydroélectrolytiques et _, **T1** 487
effet d'une douleur aiguë non soulagée sur le _, **T1** 163
équilibre acidobasique et _, **T1** 504-505
état de choc et _, **T3** 145, 153, 155-156, 170
évaluation préopératoire du _, **T3** 11-12, 15
examen clinique du _, **T2** 192-205, 207-208
examens paracliniques du _, **T2** 205, 208-215
hypertension intracrânienne et _, **T1** 572-573
insuffisance rénale chronique et _, **T3** 1013
insuffisance respiratoire aiguë et _, **T3** 183-184, 187-188
maladies à manifestations dermatologiques liées au _, **T2** 129
mort imminente et manifestations du _, **T1** 220
syndrome de défaillance multiorganique (SDMO) et _, **T3** 173, 175
syndrome de réponse inflammatoire systémique (SRIS) et _, **T3** 173
troubles liés au _, *voir* Trouble(s) des voies respiratoires inférieures, Trouble(s) des voies respiratoires supérieures
ventilation en pression positive et _, **T3** 124-126
vieillissement et _, **T2** 191-192
Système tégumentaire, *voir aussi* Peau, *aussi* Téguments
abus chronique d'alcool et _, **T1** 258
anatomie et physiologie du _, **T2** 88-90
anomalies du _, **T2** 100-101
AVC et _, **T1** 639
blessures médullaires et _, **T1** 759
chimiothérapie, radiothérapie et _, **T1** 439
évaluation préopératoire du _, **T3** 14, 16
examen clinique du _, **T2** 92-103
examen physique du _, **T3** 575-576
examens paracliniques du _, **T2** 104-105
insuffisance rénale chronique et _, **T3** 1014-1015
mort imminente et manifestations du _, **T1** 220
troubles liés au _, **T2** 111-138
vieillissement et _, **T2** 90-92
Système urinaire
abus chronique d'alcool et _, **T1** 258
anatomie et physiologie du _, **T3** 894-904
anomalies du _, **T3** 913
AVC et _, **T1** 618, 639, 645-646
blessures médullaires et _, **T1** 759, 771-772, 774-776
brûlure et effet sur le _, **T2** 159
complications postopératoires du _, **T3** 73
examen clinique du _, **T3** 904-914
examens paracliniques du _, **T3** 915-929
insuffisance rénale aiguë et _, **T3** 1002
insuffisance rénale chronique et _, **T3** 1011
pression artérielle et _, **T2** 571, 576
troubles du _, **T3** 910
troubles rénaux liés au _, *voir* Trouble(s) rénaux et urologiques
vieillissement et _, **T3** 903-904
Systole, **T2** 533, 667

T

T-score, **T1** 899
Tabagisme, **T1** 248, 250
artériopathie périphérique et _, **T2** 793, 800
asthme et _, **T2** 323
AVC et _, **T1** 611
cancer buccal et _, **T3** 354
cancer de la tête et du cou et _, **T2** 246, 249
cancer du pancréas et _, **T3** 544
cancer du poumon et _, **T2** 282, 289
cancer et _, **T1** 416
chez la personne âgée, **T1** 271
coronaropathie et _, **T2** 611, 616
diabète et _, **T3** 637
MPOC et _, **T2** 356-357, 380
passif, **T2** 356
soins et traitements en interdisciplinarité en cas de _, **T1** 250-256
système reproducteur et _, **T3** 721
système urinaire et _, **T3** 907
Table de Lund et Browler, **T2** 150, 152
Tableau d'anticorps réactifs, **T1** 354
Taches
à l'œil, **T2** 16
de Roth, **T2** 746
Tâches
délégation des _, **T1** 18-19, 44, 202, 627, 675, 828-829; **T2** 39, 136, 241, 368, 490, 631; **T3** 306, 466, 624, 864, 981, 984
partage des _, **T1** 19
Tachycardie, **T2** 423, 547, 574, 674; **T3** 189
jonctionnelle, **T2** 721
sinusale, **T2** 715-716
supraventriculaire paroxystique (TSVP), **T2** 713, 717
ventriculaire (TV), **T2** 711, 714, 725-726
Tachypnée, **T2** 201, 205, 391, 458; **T3** 189
Tadalafil, **T3** 857
Taille, **T3** 575
Talalgie, **T1** 894
Tamoxifène, **T3** 762-763, 834
Tampon, **T1** 504
Tamponnade
cardiaque, **T1** 464; **T2** 293, 752, 809
des acides métaboliques, **T3** 1012
Tamponnement nasal, **T2** 220
Tapentadol, **T1** 192
Tartrage de varénicline, **T1** 253
Taux
de fibrinogène, **T3** 143
métabolique, **T1** 278
sérique d'électrolytes, **T1** 512-514
Tazarotène, **T2** 139
Technique(s)
d'aspiration fermée des sécrétions endotrachéales, **T3** 113-114
d'aspiration ouverte des sécrétions endotrachéales, **T3** 113
d'évaluation
des apprentissages du client et du proche aidant, **T1** 81
du système visuel, **T2** 15
d'hémodialyse, **T3** 1036-1037
d'intubation endotrachéale, **T3** 109-112
de coloration de Gram, **T3** 783
de dégagement des voies respiratoires, **T2** 375-378
de fuite minimale pour le gonflement du ballonnet, **T3** 112-113
de l'examen clinique, **T1** 57, 60-61
de réchauffement, **T3** 230, 232
de refroidissement, **T3** 228
de réparation chirurgicale ouverte (OSR), **T2** 803
de réparation endovasculaire
d'une dissection aortique, **T2** 810
de l'anévrisme (EVAR), **T2** 803-804
de toux, **T3** 195
assistée à l'aide de poussées abdominales, **T3** 195
contrôlée, **T2** 375
par étape, **T3** 195
de volume occlusif minimal pour le gonflement du ballonnet, **T3** 112
Doppler, *voir* Doppler
PRICE, **T1** 816
radiologiques interventionnelles utilisant un cathéter, **T2** 795
SBAR, **T1** 9-10
Technologie(s)
d'assistance circulatoire, **T3** 163
de reproduction assistée, **T3** 807
nouvelles _, **T1** 6
Téguments, *voir aussi* Système tégumentaire
anémie et _, **T2** 441
en fin de vie, **T1** 237
examen physique des _, **T1** 57
Télangiectasie, **T2** 101, 131, 422, 425, 829
Téléchirurgie, **T3** 52
Télésanté, **T1** 16, 80
Température
basale, **T3** 738, 806
corporelle
état de choc et _, **T3** 154, 171
inflammation et _, **T1** 277-279
régulation de la _, *voir* Thermorégulation
postopératoire, **T3** 70-71
Temps
de céphaline, **T2** 479
activée (TCA), **T2** 430, 818, 821
de coagulation activée, **T2** 430, 818, 821
de doublement tumoral (TDT), **T1** 405
de prothrombine (TP), **T1** 291; **T2** 430, 479; **T3** 17, 143, 499, 507
de Quick, *voir* Temps de prothrombine (TP)
de remplissage capillaire, **T2** 545
anormal, **T2** 547
de saignement, **T2** 430, 479, 818
de thrombine, **T2** 430, 479; **T3** 143
de thromboplastine partielle (PTT), **T3** 17, 143
Tendinite, **T1** 815
achilienne, **T1** 806
Tendons, **T1** 793
Ténesme, **T3** 271
Ténofovir, **T3** 501
Ténosynovite, **T1** 806; **T3** 236
Tenue vestimentaire en salle d'opération, **T3** 40
Tériparatide, **T1** 903
Terminologies normalisées des soins infirmiers, **T1** 14-15
Terreurs nocturnes, **T1** 156
Test(s)
cutané(s)
à la tuberculine, **T2** 212, 272-273; **T3** 948
pour allergies, **T1** 340-341; **T2** 208, 211, 331
d'Allan, **T3** 97
d'Amler, **T2** 59
d'amplification de l'acide nucléique (TAN), **T3** 499, 783
d'immobilisation suggéré (SIT), **T1** 698
d'immunofluorescence absorbée (FTA-ABS), **T3** 735, 739
d'inclinaison, **T2** 738
D-dimère, **T2** 309-310, 429, 483, 818; **T3** 143
de coagulation sanguine, **T2** 821
de comptabilité croisée, **T1** 354
de Coombs, **T2** 433
de couleur Ishihara, **T2** 20

de dépistage, *voir* Dépistage
de falciformation, **T2** 460
de flexion vers l'avant, **T1** 803
de fragilité capillaire, **T2** 430
de Gaïac, **T2** 447; **T3** 268
de glycémie à jeun, **T3** 598
de grossesse, **T3** 731-732
à domicile, **T3** 732
de Huhner, **T3** 738
de l'hypocalcémie, **T1** 499
de l'onde carrée, *voir* Test(s) de réponse dynamique
de la fonction respiratoire, **T2** 330-331, 365
de la sueur, **T2** 393
de la tumescence et de la rigidité péniennes nocturnes, **T3** 885
de Lachman, **T1** 823
de Lasègue, **T1** 803, 884, 889
de maîtrise de l'asthme (ACT), **T2** 332, 334
de Mantoux, *voir* Test(s) cutané(s) à la tuberculine
de Papanicolaou, **T3** 711, 735, 739, 832
de perméabilité tubaire, **T3** 806-807
de réponse dynamique, **T3** 95
de respiration spontanée, **T3** 131
de restriction hydrique, **T3** 659
de Schilling, **T2** 452
de spirométrie, **T2** 211, 214
de stimulation à l'ACTH, **T3** 695
de stimulation à la sécrétine, **T3** 542
de Whitaker, **T3** 926
des récepteurs hormonaux, **T3** 762
diagnostique de fixation de l'iode radioactif (RAIU), **T3** 668
du chuchotement, **T2** 34
du réflexe cornéen, **T1** 543
du serment, **T1** 570
du tiroir antérieur, **T1** 823
épicutané, **T2** 105
génétiques, **T1** 313-315, 319
de détection du statut de porteur, **T1** 314
de susceptibilité, **T1** 314
diagnostiques, **T1** 314
MammaPrint, **T3** 754-755
Oncotype DX^MD, **T3** 754-755
prédictifs, **T1** 314
préimplantatoires, **T1** 314-315
prénataux, **T1** 314
présymptomatiques, **T1** 314
génotypiques, **T1** 382
immunochimique de recherche de sang occulte dans les selles (RSoSi), **T3** 458
itératif de latence d'endormissement (TILE), **T1** 151
OVA1, **T3** 836
phénotypiques, **T1** 382
postcoïtaux, **T3** 807
QuantiFERON-TB (QFT), **T2** 273
rapide de la réagine plasmatique (RPR), **T3** 735, 738
RAST, **T1** 340; **T2** 331
rotatoire, **T2** 33
sérologiques pour la syphilis, **T3** 738-739
VDRL, **T3** 734, 738
Testicule(s), **T3** 560, 708, 718
autoexamen des _, **T1** 418
cancer des _, **T1** 417; **T3** 881-883
examen physique des _, **T3** 727
non descendues, **T3** 880
problèmes liés aux _, **T3** 879-883
Testostérone, **T3** 560, 708, 714, 733-734, 854, 888
Tétanie, **T1** 499, 793; **T3** 537, 579
Tétanos, **T1** 750
prophylaxie du _, **T3** 224
soins et traitements en interdisciplinarité en cas de _, **T1** 750-751
vaccin contre le _, **T1** 750-751; **T2** 166
Tête
blessures à la _, **T1** 575-586; **T2** 303
cancer de la _ et du cou, **T2** 242-253
examen physique de la _, **T1** 58, 61; **T3** 220, 222-223, 576
Tétranopsie, **T1** 542
Tétraplégie, **T1** 549, 754, 758
Thalamotomie, **T1** 681
Thalamus, **T1** 528-529
Thalassémie, **T2** 449-450
majeure, **T2** 449-450
mineure, **T2** 449-450
Théophylline, **T2** 341
Théorie
de l'action raisonnée, **T1** 66
du comportement planifié, **T1** 66
du portillon, **T1** 199
TheraPEP^MD, **T2** 377
Thérapie(s)
anti-androgènes, **T3** 872-873
cellulaires, **T1** 319-320
cinétique, **T3** 208
cognitivocomportementales en cas d'insomnie, **T1** 145-146
comportementale en cas de narcolepsie, **T1** 151-152
continue de suppléance rénale (TCSR), **T3** 1005-1006, 1038-1041
de remplacement de la testostérone (TRT), **T3** 655, 888
de remplacement des facteurs de coagulation, **T2** 478-479
de soutien nutritionnel, **T3** 297-313
de suppléance rénale (TSR), **T3** 1005, 1028-1041
du miroir, **T1** 644, 860-861
en rotation latérale continue, **T3** 208
génique, **T1** 317, 319, 460; **T2** 480
hormonale, **T1** 427
immunosuppressive, **T1** 355-358; **T3** 1048
intravésicale, **T3** 971-972
kinétique, **T1** 767-768
liquidienne, **T1** 514
par contrainte induite, **T1** 644
photodynamique (TPD), **T2** 59, 288; **T3** 369
respiratoire, **T3** 192-197
sous observation directe (TOD), **T2** 273, 275
systémique, **T3** 761-764
transfusionnelle, **T2** 512-524
Thérapie nutritionnelle, *voir aussi* Nutrition, *aussi* Régime(s) alimentaire(s), *aussi* Recommandations nutritionnelles
à domicile, **T3** 311
chez un client ventilé mécaniquement, **T3** 128-129
en cas d'anémie ferriprive, **T2** 448
en cas d'artériopathie périphérique, **T2** 794
en cas d'arthrose, **T1** 914
en cas d'AVC, **T1** 644-645
en cas d'écoulement de la stomie, **T3** 470-471
en cas d'état de choc, **T3** 162-163
en cas d'hypertension artérielle, **T2** 579-581
en cas d'hypertension intracrânienne, **T1** 567
en cas d'incontinence fécale, **T3** 419-421
en cas d'insuffisance cardiaque, **T2** 685-689
en cas d'insuffisance respiratoire aiguë, **T3** 199
en cas d'obésité et de perte de poids, **T3** 328-330
en cas d'ulcère peptique, **T3** 384, 390-391
en cas de brûlure, **T2** 167-168, 173
en cas de calculs urinaires, **T3** 963-964
en cas de cancer, **T1** 460-461
en cas de cancer buccal, **T3** 357
en cas de cancer de l'œsophage, **T3** 369
en cas de constipation, **T3** 424
en cas de fracture, **T1** 833
en cas de goutte, **T1** 949
en cas de maladie cœliaque, **T3** 481
en cas de maladie de la vésicule biliaire, **T3** 549-550
en cas de maladie inflammatoire chronique de l'intestin, **T3** 446
en cas de malnutrition, **T3** 295
en cas de ménopause, **T3** 821
en cas de MPOC, **T2** 378-379
en cas de nausées et vomissements, **T3** 350
en cas de pneumonie, **T2** 265-266
en cas de polyarthrite rhumatoïde, **T1** 932-933
en cas de reflux gastro-œsophagien, **T3** 362
en cas de syndrome coronarien aigu, **T2** 644-645
en cas de syndrome de défaillance multiorganique (SDMO), **T3** 177
en cas de syndrome de réponse inflammatoire systémique (SRIS), **T3** 177
suite à une dissection radicale du cou, **T2** 245
Thermistance, **T3** 98
Thermodilution, **T3** 98
Thermographie, **T1** 810
Thermoplastie annulaire intradiscale (IDET), **T1** 890
Thermorégulation, **T3** 579
blessures médullaires et _, **T1** 759, 772
Thermostress, **T3** 226
Thermothérapie, **T1** 914, 938-939; **T2** 40; **T3** 813
de la douleur, **T1** 200
par ballon, **T3** 815
par microondes transurétrales (TMTU), **T3** 857-859
Thiamine, **T1** 257
Thiazolidinédiones, **T3** 609-610
Thoracentèse, **T1** 486; **T2** 211, 213-214, 305
Thoracotomie, **T2** 299, 301-302
exploratrice, **T2** 300
latérale, **T2** 299, 301
ne touchant pas les poumons, **T2** 300
postérolatérale, **T2** 301
Thorax, *voir aussi* Cage thoracique
examen physique du _, **T1** 59, 61; **T2** 200-205, 207-208, 548-550; **T3** 220, 223, 577
traumas et blessures au _, **T2** 291-302
Thrombaphérèse, **T1** 349
Thrombectomie veineuse ouverte, **T2** 824
Thrombine, **T2** 410
Thromboangéite oblitérante, **T2** 812-813
Thrombocytes, **T2** 408
Thrombocytopénie, **T1** 438, 442; **T2** 429, 466-472; **T3** 97, 512, 1003
acquise induite par une baisse de production des plaquettes, **T2** 472
chez la personne âgée, **T2** 490-491
induite par héparine (TIH), **T2** 468, 472, 823
soins et traitements infirmiers en cas de _, **T2** 472-476
Thrombocytose, **T2** 429
Thromboembolie
causée par un trauma, **T3** 106
veineuse (TEV), **T1** 846
postopératoire, **T3** 12
Thrombolyse, **T1** 624; **T2** 640
Thrombolytiques, **T2** 812, 824
Thrombopénie, *voir* Thrombocytopénie
Thrombophlébite, **T3** 338
Thromboplastine, **T2** 411
Thrombose, **T1** 613; **T2** 811
Thrombose veineuse, **T2** 814-824
profonde (TVP), **T1** 638, 746, 846; **T2** 307-308, 814-824; **T3** 64
soins et traitements infirmiers en cas de _, **T2** 825-828
rénale, **T3** 956
superficielle (TVS), **T2** 814-815, 817
Thromboxanes, **T1** 276; **T3** 567
Thrombus, **T2** 606, 811, 814, 816-817
ventriculaire gauche, **T2** 675
Thym, **T1** 117
Thymectomie, **T1** 696
Thymus, ablation du _, **T1** 696
Thyréostimuline (TSH), **T3** 559, 563, 566, 583, 589, 650, 655, 662, 667, 675
Ac, **T3** 583
Thyroglobuline, **T3** 584
Ac, **T3** 583
Thyroïde, **T3** 559, 565-566, 569, 572
analyses liées à la _, **T3** 583-584, 589
cancer de la _, **T3** 661-662
examen physique de la _, **T3** 576
troubles liés à la _, **T3** 660-680
Thyroïdectomie, **T3** 669, 671, 673
endoscopique, **T3** 670
subtotale, **T3** 669-671
totale, **T3** 673
Thyroïdite, **T3** 663-664
aiguë, **T3** 663
chronique auto-immune, **T3** 572, 663-664
de Hashimoto, *voir* Thyroïdite chronique auto-immune
granulomateuse subaiguë, **T3** 663
silencieuse ou indolore, **T3** 663
Thyroperoxidase (TPO) Ac, **T3** 583
Thyrotoxicose, **T3** 664, 667
aiguë, **T3** 670
Thyrotrophine, *voir* Thyréostimuline (TSH)
Thyroxine (T_4), **T3** 559, 565-566, 660, 664, 667
libre, **T3** 583, 589, 667, 675
totale, **T3** 583, 589
Tibia, fracture du _, **T1** 854
Timbres à la nicotine, **T1** 253
Tinea corporis, **T2** 123
Tinea cruris, **T2** 123
Tinea pedis, **T2** 123
Tinea unguium, **T2** 123
Tinnitus, **T1** 198
Tiques, morsures de _, **T1** 945; **T2** 124; **T3** 235-236

Tirage intercostal, **T2** 205
Tissu(s)
cible, **T3** 558, 561
conjonctif(s)
capacité régénératrice du _, **T1** 281
maladies à manifestations dermatologiques liées au _, **T2** 128
maladies des _, **T1** 950-971; **T3** 955
pharmacothérapie en cas de troubles des _, **T1** 916-921
de granulation, **T1** 826
don de _, **T1** 226-227
épithélial, capacité régénératrice du _, **T1** 281
lymphoïde, **T1** 325
musculaire, **T1** 792
capacité régénératrice du _, **T1** 281
nerveux, capacité régénératrice du _, **T1** 281
osseux, **T1** 788
Tocilizumab, **T1** 932
Tolérance, **T1** 247, 257
à l'analgésique opioïde, **T1** 187, 202
au stress, histoire de santé et _, **T1** 54-55, 179, 539, 541, 799-800; **T2** 12, 14, 28, 95-96, 197, 199-200, 420-421, 544; **T3** 262, 265, 573, 575, 724, 726
au toucher, **T3** 88
aux dépresseurs, **T1** 261
croisée, **T1** 247, 257
Toltérodine, **T3** 978
Tolvaptan, **T3** 658
Tomodensitométrie (TDM), **T1** 550, 807; **T2** 210, 230, 285, 435, 557, 562-563, 809; **T3** 537, 587-588, 922, 968
à faisceau d'électrons (TFE), **T2** 557, 563
abdominale, **T3** 273
avec substance de contraste, **T3** 583
cardiaque, **T2** 557, 563
pelvienne, **T3** 736, 739
sans contraste, **T1** 618
spiralée, **T2** 309
Tomographie
assistée par ordinateur, **T2** 435
par émission de positons (TEP), **T1** 551; **T2** 210, 285, 434, 556
par émission monophotonique (TEMP), **T1** 551
Tomoscintigraphie de ventilation / perfusion, **T2** 309
Tonicité en fin de vie, **T1** 222
Tonométrie, **T2** 15, 20
Tophus, **T2** 32
Topiramate, **T1** 659-660
Torsion testiculaire, **T3** 880-881
Torticolis, **T1** 806
Toucher
d'harmonisation globale, **T1** 120
différences culturelles et _, **T1** 33
évaluation du _, **T1** 545
réconfortant, **T3** 88
rectal, **T3** 268, 727
thérapeutique (TT), **T1** 119-120
tolérance au _, **T3** 88
Toux, **T2** 190-191, 194, 327
assistée à l'aide de poussées abdominales, **T3** 195
contrôlée, technique de _, **T2** 375
efficace, **T3** 194-195
par étape, **T3** 195
Toxi-infection à *Escherichia coli* 0157:H7, **T3** 405-407
Toxicité, **T1** 249
neurologique, **T1** 448
Toxicomanie, **T1** 246-247
chez la personne âgée, **T1** 271
chirurgie et client atteint de _, **T1** 267
coronaropathie et _, **T2** 613-614
Toxicomanogène, **T1** 659
Toxine botulinique type A, **T1** 660
Trabéculectomie, **T2** 64
Trabéculoplastie au laser argon (TLA), **T2** 64
Trachée, problèmes liés au larynx et à la _, **T2** 233-253
Trachéostomie, **T2** 233-234
chirurgicale, **T2** 234
langage et _, **T2** 240
percutanée, **T2** 234
soins et traitements infirmiers en cas de _, **T2** 234-242
Trachéotomie, **T2** 233; **T3** 108, 128
Trachome, **T2** 45
Traction, **T1** 828-829, 840-841
cutané, **T1** 829
de Buck, **T1** 829
squelettique, **T1** 829
Tractus
gastro-intestinal
inférieur, troubles du _, **T3** 412-487
supérieur, troubles du _, **T3** 348-407
syndrome de défaillance multiorganique (SDMO) et _, **T3** 174
syndrome de réponse inflammatoire systémique (SRIS) et _, **T3** 174
génital féminin, infections et inflammations du _, **T3** 822-824
Traduction, **T1** 308
Trait, **T1** 306
Traitement(s)
adjuvant au cancer du sein, **T3** 760-764
antiplaquettaire, **T2** 620-621, 627
antirétroviral (TAR), **T1** 373, 375, 383-384, 393-395
biologiques, **T1** 451-455; **T2** 287; **T3** 442-444, 460, 763-764
bronchoscopique au laser, **T2** 288
chirurgical, *voir* Chirurgie
ciblés, **T1** 451-455, 590; **T2** 287; **T3** 442-444, 460, 763-764, 969
combiné d'antihyperglycémiants, **T3** 609-610
cutanés au laser, **T2** 131, 139, 830
de l'arythmie, **T2** 715-727
de l'hyperplasie bénigne de la prostate
à effraction minimale, **T3** 857-859
effractifs, **T3** 858-860
de la douleur, **T1** 180-201
de reperfusion, **T2** 638
de soutien
en cas d'insuffisance respiratoire aiguë, **T3** 198-199
en cas du syndrome de détresse respiratoire aiguë, **T3** 208-209
décongestif, **T3** 770
des varices
au laser, **T2** 830
par lumière pulsée, **T2** 830
énergétiques, **T1** 119-120
hypolipidémiant, **T2** 610, 617-621
non hormonaux de la périménopause et de la postménopause, **T3** 820-821
par chélation, **T2** 450; **T3** 239
par privation androgénique (TPA), **T3** 872
par radiothérapie, **T1** 433-434
photodynamique, **T2** 59, 288; **T3** 369
refus de _, **T1** 229, 594, 752
thrombolytique, **T2** 628, 640-641
des thromboses veineuses profondes, **T2** 824
par cathéter, **T2** 812, 824
Tramadol, **T1** 192
Transaminases, **T3** 499
Transcription, **T1** 308
Transduction, **T1** 165-166
Transferrine, **T2** 408, 431, 433; **T3** 292
Transfert
à l'unité de soins chirurgicaux, **T3** 76-77
de la T_3, **T3** 583
Transfusion
autologue, **T2** 523-524
de plaquettes, **T2** 471, 484
sanguine, **T2** 512-524
Transit
de grêle, **T3** 272
œsogastroduodénal ou gorgée barytée, **T3** 272, 275
Transmission
des connaissances, **T1** 64-71
des signaux nociceptifs, **T1** 166-167
du son, **T2** 23
périnatale du VIH, **T1** 375, 391
Transplant Québec, **T1** 353; **T2** 315; **T3** 225, 1043, 1045
Transplantation
cardiaque, **T2** 697-699
d'îlots de Langerhans, **T3** 639
d'organes, **T1** 352-358
hépatique, **T3** 533-534
intestinale, **T3** 482
pancréatique, **T3** 639
rénale, **T3** 1041-1047
soins et traitements infirmiers en cas de _, **T3** 1047-1050
Transport
actif, **T1** 477-478
des hormones, **T3** 560-561
en salle d'opération, **T3** 25, 40
Trastuzumab, **T1** 317; **T3** 764
Traumatisme(s)
à l'oreille externe, **T2** 68
à la paroi thoracique, **T2** 304
abdominal, **T3** 432-433
contondant, **T3** 432-433
perforant, **T3** 432-433
soins et traitements infirmiers en cas de _, **T3** 433
artériel infligé au moment de l'insertion ou du déplacement du cathéter, **T3** 106
au thorax, **T2** 291-302
contondant, **T2** 291-292
craniocérébral (TCC), **T1** 575, 577-582; **T3** 126
léger, **T1** 585
soins et traitements infirmiers en cas de _, **T1** 582-586
médullaire, *voir* Blessure(s) médullaires
musculosquelettique, **T1** 814
oculaire, **T2** 40-41
pénétrant, **T2** 291-292
rénaux, **T3** 956-957
Tremblement, **T1** 687
Trépanation, **T1** 593
Treponema pallidum, **T3** 784-785
Trétinoïne, **T2** 139
Triade
de Cushing, **T1** 561
de Virchow, **T2** 814-815
Triage, **T3** 214-215, 243
Trichomonase, **T3** 823
Triglycérides, **T2** 559, 609; **T3** 1011
Triiodothyronine (T3), **T3** 559, 565-566, 660, 664, 667
libre, **T3** 583
Triméthoprime, **T3** 937
Triptans, **T1** 659
Troisième
âge, **T1** 89
bruit cardiaque, **T2** 547, 549, 767
Trompes de Fallope, **T3** 710-711
Tronc cérébral, **T1** 529-530
Troponine, **T2** 551, 637; **T3** 144
I cardiospécifique (TnIc), **T2** 637
T cardiospécifique (TnTc), **T2** 637
Tropranolol, **T3** 522
Trou anionique, **T1** 507, 514
Trouble(s), *voir aussi* Affection(s), *aussi* Maladie(s), *aussi* Problèmes
acquis, **T1** 706
allergiques, **T1** 339-347; *voir aussi* Allergie(s)
anorectaux, **T3** 483-487
auditifs, **T2** 68-82
cardiopulmonaires, lupus érythémateux disséminé (LED) et _, **T1** 952
cardiovasculaires
liés à l'obésité, **T3** 323
postopératoires, soins et traitements infirmiers en cas de _, **T3** 65-66
chromosomiques, **T1** 313
cognitifs liés à la chimiothérapie ou à la radiothérapie, **T1** 440
concomitants, maladie d'Alzheimer et _, **T1** 715-716
cornéens, **T2** 49-50
d'élimination, *voir* Élimination
d'immunodéficience, **T1** 349-351
de déglutition d'un client trachéotomisé, **T2** 240
de l'alimentation, **T3** 312-313, 643-644
de l'appareil urinaire, **T3** 932-948
de l'hémostase, **T2** 466-485
de l'hypophyse antérieure, **T3** 650-655
de l'hypophyse postérieure, **T3** 656-660
de l'oreille externe et du méat acoustique externe, **T2** 68-70
de l'oreille interne, **T2** 73-82
de l'oreille moyenne et mastoïde, **T2** 70-73
de la coagulation, **T3** 512
de la corticosurrénale, **T3** 685-700, 702
de la médullosurrénale, **T3** 701-702
de la perception spatiale, **T1** 618, 646
de la pression artérielle, **T2** 424
de parenchyme, **T2** 304
de sécheresse oculaire, **T2** 47
dermatologiques
allergiques, **T2** 123, 125
bénins, **T2** 125-127
chroniques, effets psychologiques des _, **T2** 138
processus thérapeutique en interdisciplinarité en cas de _, **T2** 130-135
soins et traitements infirmiers en cas de _, **T2** 135-138
des glandes parathyroïdes, **T3** 680-685
des nerfs périphériques, **T1** 740-751
des rythmes circadiens, **T1** 152

des tissus conjonctifs, pharmacothérapie en cas de _, **T1** 916-921
des voies biliaires, **T3** 545-552
des voies respiratoires inférieures, **T2** 258-316
des voies respiratoires supérieures, **T2** 218-253
du langage suite à un AVC, **T1** 616-617
du nez et des sinus paranasaux, **T2** 218-232
du pancréas, **T3** 535-545
du sommeil, **T1** 141-157
du système reproducteur
de l'homme, **T3** 854-889
de la femme, **T3** 806-850
du système urinaire, **T3** 910
du tractus gastro-intestinal
inférieur, **T3** 412-487
supérieur, **T3** 348-407
dysphorique prémenstruel, **T3** 811
endocriniens, **T1** 143; **T3** 650-702
cirrhose et _, **T3** 512-513
épileptiques d'origine inconnue, **T1** 665
extraoculaires, **T2** 44-50
gastro-intestinaux
liés à l'obésité, **T3** 325
postopératoires, soins et traitements infirmiers en cas de _, **T3** 72
hématologiques, **T2** 440-524
cirrhose et _, **T3** 512
insuffisance rénale aiguë et _, **T3** 1002-1003
lupus érythémateux disséminé (LED) et _, **T1** 952-953
hépatiques, **T3** 492-535
liés à l'obésité, **T3** 325
héréditaires multifactoriels, **T1** 310-311, 313
immunitaires, **T1** 143
inflammatoires du cœur, **T2** 744-761
inflammatoires et occlusifs, **T3** 434-477
intracrâniens aigus, **T1** 554-603
intraoculaires, **T2** 50-68
liés à l'alcool, **T1** 256-258
soins et traitements en interdisciplinarité en cas de _, **T1** 258-260
liés à une substance, **T1** 246-271
chez la personne âgée, **T1** 271
liés au système nerveux, lupus érythémateux disséminé (LED) et _, **T1** 952
mammaires, **T3** 742-775
bénins, **T3** 744-748
métaboliques
infection par le VIH et _, **T1** 396-397
insuffisance rénale chronique et _, **T3** 1011
monogéniques, **T1** 313
musculosquelettiques, **T1** 143, 874-905
liés à l'obésité, **T3** 324-325
lupus érythémateux disséminé (LED) et _, **T1** 951-952
neurocognitif, **T1** 706
neurocognitif léger, **T1** 706-711, 729-730
soins et traitement en interdisciplinarité en cas de _, **T1** 710
neurocognitif majeur, **T1** 706-710, 729-730
soins et traitement en interdisciplinarité en cas de _, **T1** 710
neurocognitif majeur de type Alzheimer, **T1** 711-719
soins et traitements infirmiers en cas de _, **T1** 719-729
neurologiques, **T1** 144
chroniques, **T1** 654-701
dégénératifs, **T1** 677
insuffisance rénale aiguë et _, **T3** 1003
neurologiques et psychologiques postopératoires, soins et traitements infirmiers en cas de _, **T3** 67-68
nutritionnels, **T3** 284-297
en cas de maladie inflammatoire chronique de l'intestin, **T3** 441
thérapies de soutien nutritionnel en cas de _, **T3** 297-313
oculaires, **T2** 38-44
œsophagiens, **T3** 371-373
rénaux
immunologiques, **T3** 948-953
lupus érythémateux disséminé (LED) et _, **T1** 952
rénaux et urologiques, **T3** 932-994
respiratoires
du sommeil (TRS), **T1** 152-153
liés à l'obésité, **T3** 324
postopératoires, soins et traitements infirmiers en cas de _, **T3** 62-63
stress et _, **T1** 133
structuraux du cœur, **T2** 762-783
tégumentaires, **T2** 111-138
thyroïdiens, **T3** 660-680
urinaires postopératoires, soins et traitements infirmiers en cas de _, **T3** 73
vasculaires, **T2** 788-832
périphériques, blessures médullaires et _, **T1** 760
rénaux, **T3** 956
visuels, **T2** 38-68; **T3** 577
diabète et _, **T3** 638-639
Trypsine, **T3** 536
Tube
collecteur, **T3** 899-900
digestif, **T3** 248-249
endotrachéal, **T3** 46, 108-112
maintien de la perméabilité du _, **T3** 113-114
nasogastrique, **T3** 116
orogastrique, **T3** 116
Tuberculose (TB), **T1** 339, 368-369; **T2** 269-275
active, **T2** 271, 273
latente, **T2** 270-272, 275
miliaire, **T2** 272
multirésistante, **T2** 270
pleurale, **T2** 272
rénale, **T3** 948
soins et traitements infirmiers en cas de _, **T2** 275-277
vaccin contre la _, **T2** 275
Tubule(s), **T3** 895
contourné distal, **T3** 899-900
contourné proximal, **T3** 899-900
Tularémie, **T3** 240, 242
Tumeur(s)
aux poumons, **T2** 290-291
bénignes de l'appareil génital féminin, **T3** 830-832
bien différenciée, **T3** 754
cérébrales, **T1** 586-590
soins et traitements infirmiers en cas de _, **T1** 590-592
classification des _, **T1** 413-416
cutanées malignes, **T2** 111-112
de l'appareil urinaire, **T3** 967-972
de l'oreille externe, **T2** 70
malignes primaires qui métastasent aux poumons, **T2** 291
médullaires, **T1** 781-782
extradurales, **T1** 781-782
intradurales-extramédullaires, **T1** 781-782
intradurales-intramédullaires, **T1** 781-782
primaires, **T1** 781
secondaires, **T1** 781
soins et traitements en interdisciplinarité en cas de _, **T1** 783
métastatique, **T1** 587
oculaires, **T2** 67
osseuses, **T1** 878-881
bénignes, **T1** 879
malignes, **T1** 879
primitives, **T1** 879
soins et traitements infirmiers en cas de _, **T1** 881-882
ovariennes bénignes, **T3** 831-832
pelviennes, **T3** 728
radiosensibilité des _, **T1** 432
stromale gastro-intestinale (TSGI), **T3** 482-483
vulvaires, **T3** 731
Tumorectomie, **T3** 757-758
plan de soins et de traitements infirmiers en cas de _, **T3** 766-768
Tunnelite, **T3** 1032
Turgescence, **T1** 487; **T2** 100
Tympan, **T2** 23, 31
bombé, **T2** 32
perforation du _, **T2** 32
rétracté, **T2** 32
Tympanisme, **T1** 60; **T2** 203; **T3** 267
Tympanométrie, **T2** 33
Tympanoplastie, **T2** 25, 72
Typage
cellulaire, **T1** 353-354
HLA, **T1** 353
Type histologique, **T1** 414

U

Ulcération, **T3** 355
neurotrophique, **T3** 640
Ulcère(s), **T2** 546
artériels, **T2** 791
au pied diabétique, **T3** 640, 643
buccales, **T3** 269
cornéen, **T2** 47
cutané, **T2** 98; **T3** 577
de Curling, **T2** 169-170
de jambe, **T2** 422
de jambe veineux, **T2** 831-832
soins et traitements infirmiers en cas d'_, **T2** 832
de stress, **T1** 772; **T3** 126, 205
gastrique
chez la personne âgée, **T3** 392
due au stress, **T3** 398
gastroduodénaux, **T3** 126
intestinaux, **T3** 439-440
liées au système reproducteur, **T3** 728
peptique, **T3** 376-384, 390-392
aiguë, **T3** 376
chez la personne âgée, **T3** 392
chronique, **T3** 376
duodénal, **T3** 376-379
gastrique, **T3** 376-379
soins et traitements infirmiers en cas d'_, **T3** 385-389
Ultrafiltration, **T2** 678; **T3** 1029, 1031, 1039, 1041
lente en continu (SCUF), **T3** 1040-1041
veinoveineuse en continu (CVVU), **T3** 1040-1041
Ultrasonographie, **T3** 739
Union retardée, **T1** 827
Unité(s)
de soins intensifs (USI), **T3** 84
de soins intermédiaires, **T3** 84
de soins pour les clients en phase critique, **T3** 84
des soins chirurgicaux
complications cardiovasculaires postopératoires à l'_, **T3** 64-66
complications neurologiques et psychologiques postopératoires à l'_, **T3** 66-68
complications respiratoires postopératoires à l'_, **T3** 61
transfert à l'_, **T3** 76-77
urétrovésicale, **T3** 897-898
Uréase, **T3** 380
Urée, **T3** 17, 144, 918, 1003
Urémie, **T3** 1010-1011
Uretères, **T3** 904
Urétéronéocystostomie, **T3** 967
Urétéroscope flexible, **T3** 961-962
Urétérostomie par voie cutanée, **T3** 988
Urètre, **T3** 708, 715-716, 718, 897-898, 904
Urétrite, **T3** 789, 932, 944-945
gonococcique, **T3** 782
non gonococcique, **T3** 789
Urétrographie, **T3** 922
Urétroplastie, **T3** 967
Urgence(s)
en cas d'acidocétose diabétique, **T3** 631
en cas d'agents de terrorisme, **T3** 240-243
en cas d'agression sexuelle, **T3** 847-848
en cas d'arythmie, **T2** 712
en cas d'AVC, **T1** 622
en cas d'empoisonnements, **T3** 237-239
en cas d'épisode de submersion, **T3** 232-234
en cas d'hémorragie digestive haute, **T3** 398-400
en cas d'intoxication à la cocaïne ou aux amphétamines, **T1** 261
en cas de blessure aiguë des tissus mous, **T1** 817
en cas de blessures médullaires, **T1** 760-761
en cas de blessures thoraciques, **T2** 293
en cas de brûlure
chimique, **T2** 155
électrique, **T2** 156
thermique, **T2** 154
en cas de choc anaphylactique, **T1** 342
en cas de crise tonicoclonique, **T1** 669
en cas de douleur abdominale aiguë, **T3** 428
en cas de douleur thoracique, **T2** 639
en cas de fracture, **T1** 834
en cas de lésion par inhalation, **T2** 154-155
en cas de lésions oculaires, **T2** 41
en cas de piqûres et de morsures, **T3** 234-237
en cas de surdose de dépresseurs, **T1** 263

en cas de trauma abdominal, **T3** 433
en cas de trauma thoracique, **T2** 292
en cas de traumatisme cranio-cérébral, **T1** 581-582
en cas de violence, **T3** 239-240
examen clinique d'_, **T1** 42-43
examen primaire (ABCDE) d'_, **T3** 215-219
examen secondaire d'_, **T3** 219-224
hypertensive, **T2** 597-598
médicales liées à la chaleur, **T3** 226-228
médicales liées au froid, **T3** 229-232
mictionnelle, **T3** 905, 935, 942, 944-946
oncologiques, **T1** 462-464
préparation aux situations d'_, **T3** 243-244
services d'_, *voir* Service(s) d'urgence
soins d'_, *voir* Soins d'urgence
Urine, **T1** 483; **T3** 894, 896-897
analyses d'_, **T2** 433; **T3** 17, 587-588, 731, 733, 915-916, 927-928, 936, 942, 949, 975, 1003-1004, 1016
aspects problématiques de l'_, **T3** 910
culture d'_, **T3** 936, 942
examens de l'_, **T3** 915-918, 926-929
mécanisme de concentration de l'_, **T3** 900-901
résiduelle, **T3** 917
Urobilinogène, **T3** 256
urinaire, **T3** 280, 499
Urodébitmétrie, **T3** 925
Urographie, **T3** 919-920
Uropathies obstructives, **T3** 957-967
Urosepticémie, **T3** 933, 942-943
Urticaire, **T1** 336; **T2** 125
Utérus, **T3** 711, 718
col de l'_, *voir* Col de l'utérus
Uvéite, **T1** 941; **T2** 67
Uvulopalatopharyngoplastie, **T1** 155

V

Vaccination
antigrippale, **T1** 368; **T2** 197-198, 228-229; **T3** 192
antipneumococciques, **T2** 264-265
contre l'hépatite A, **T3** 502, 505
contre l'hépatite B, **T3** 505-506
contre la méningite, **T1** 598
contre la rubéole, **T3** 722
contre la tuberculose, **T2** 275
contre le tétanos, **T1** 750-751; **T2** 166
contre le VPH, **T3** 486, 796, 800, 833
contre les infections à pneumocoque, **T3** 192
impact de la _, **T1** 324
surdité et _, **T2** 79
Vaccins, **T3** 796
Vagin, **T3** 711, 718
cancer du _, **T3** 837
pathologies du _, **T3** 822-824
Vaginectomie, **T3** 838
Vaginite récurrente grave, **T3** 823
Vaginose bactérienne, **T3** 823
Vagotomie, **T3** 390
Vaisseaux sanguins, **T2** 533, 535, 537
Valacyclovir, **T3** 793
Valence, **T1** 476
Valériane, **T1** 117; **T3** 10
Valeurs
culturelles, **T1** 27
histoire de santé et _, **T1** 54-55, 539, 541, 799-800; **T2** 12, 14, 28, 95-96, 197, 200, 420-421, 544; **T3** 262, 265, 573, 575, 724, 726
des gaz sanguins artériels (GSA), **T1** 508-510
électrolytiques sériques normales, **T1** 485
Valve(s)
biologique, **T2** 770-771
cardiaques, **T2** 530-531
auriculoventriculaires, **T2** 762
sigmoïdes, **T2** 531, 762
de Heinlich, **T2** 297
de phonation, **T1** 568; **T2** 242
mécanique, **T2** 770-771
mitrale, **T2** 762-763
Valvulopathie, **T2** 762-771
percutanée, **T2** 768-769
pulmonaire, **T2** 765, 768
soins et traitements infirmiers en cas de _, **T2** 771-775
tricuspide, **T2** 765, 767-768
Valvuloplastie
à cœur ouvert, **T2** 769
à effraction minimale, **T2** 769
Valvulotomie mitrale, **T2** 769
Vaporisateur
buccal pour la cessation tabagique, **T1** 253
nasal, **T2** 223-225
Varices, **T2** 101, 546, 829-830
essentielles, **T2** 829
gastriques, **T3** 514, 519-520
soins et traitements infirmiers en cas de _, **T3** 527-528
œsophagiennes, **T3** 373, 514, 519-520
soins et traitements infirmiers en cas de _, **T3** 527-528
profondes, **T2** 829
secondaires, **T2** 829
soins et traitements infirmiers en cas de _, **T2** 830
superficielles, **T2** 829
Varicocèle, **T3** 880
Variole, **T3** 240-241
Vascularisation rénale, **T3** 898
Vasectomie, **T3** 883
Vasoactifs, **T2** 636; **T3** 886, 903
Vasoconstriction tonique, **T2** 570
Vasodilatateurs, **T2** 678-679, 683-685; **T3** 162
à action directe, **T2** 585-586
Vasodilatation splanchnique, **T3** 516
Vasoplégie, **T3** 654
Vasopresseurs, **T3** 160, 162, 166
Vasopressine, **T3** 162, 166, 401, 519, 522, 559
Vasospasme, **T1** 615; **T3** 96
Vasovasostomie, **T3** 883
Végétations, **T2** 745
Veine(s), **T2** 534
coronaires, **T2** 531
pulmonaires, **T2** 533
réticulaires, **T2** 829
saphène, greffon de la _, **T2** 642
Veinules, **T2** 534
Vémurafénib, **T1** 317
Ventilation, **T2** 186; **T3** 158
à haute fréquence (VHF), **T3** 123
à pression contrôlée, **T3** 117, 119-122
à rapport inversé (VRI), **T3** 121
à rapport inverse en pression contrôlée (VRI-PC), **T3** 120-121
à relâchement de pression, **T3** 120-121
à volume contrôlé, **T3** 117-121
assistée, **T3** 233
contrôlée (VAC), **T3** 119-120
contrôlée intermittente (VACI), **T3** 119-121
en pression négative, **T3** 117
en pression positive (VPP), **T3** 117, 193-194, 196-197, 206-208
complications liées à la _, **T3** 123-128
invasive (VPPI), **T3** 197
non invasive (VPPNI), **T3** 196
mécanique, **T3** 116-132
à domicile, **T3** 132
alarmes de la _, **T3** 119
permanente, **T3** 132
prolongée, **T3** 84
réglages de la _, **T3** 118
sevrage de la _, **T3** 129-131
soins et traitements infirmiers en cas de _, **T3** 112-115
surveillance de la _, **T3** 113
thérapie nutritionnelle en cas de _, **T3** 128-129
types de _, **T3** 117
obligatoire assistée (VOA), **T3** 119
obligatoire intermittente (VOI), **T3** 119
spontanée en pression positive
à deux niveaux (BiPAP), **T1** 154; **T3** 122, 196
continue (CPAP), **T1** 154; **T3** 120-122, 131, 196
Ventricules de l'encéphale, **T1** 530
Ventriculostomie, **T1** 563-564
Vergetures, **T3** 577
Vérification préopératoire, **T3** 23
Verres de contact, **T2** 38-39
Verrue(s)
génitales, **T3** 794-796, 822-823
plantaire, **T1** 895; **T2** 121-122
vulgaire, **T2** 121
Vertébroplastie, **T1** 855, 901-902
Vertige, **T2** 25
positionnel paroxystique bénin (VPPB), **T2** 75
Vésicants, **T1** 428-429
Vésicule(s)
biliaire, **T3** 255-256
cancer de la _, **T3** 552
maladie de la _, **T3** 545-552
cutanée, **T2** 97
liées au système reproducteur, **T3** 728
séminales, **T3** 709
Vessie, **T3** 896-897, 904
cancer de la _, **T3** 969-972
neurogène, **T1** 774-776; **T3** 641
orthotopique, reconstruction de la _, **T3** 989-990
spastique, **T1** 679
Vibration(s)
des voies respiratoires, **T2** 375-376
vocales, modification des _, **T2** 206
Vidéo-urodynamique, **T3** 926
Vieillissement
attitudes à l'égard du _, **T1** 89
biologique, **T1** 89-90
de la population, **T1** 6-7, 88
fonction mentale et _, **T1** 91
modifications mammaires liées au _, **T3** 748
modifications physiologiques liées au _, **T1** 100
modifications physiologiques possibles liées au _, **T1** 100
MPOC et _, **T2** 358
normal, **T1** 708
portrait démographique du _, **T1** 88-89
système auditif et _, **T2** 24
système cardiovasculaire et _, **T2** 536-538
système digestif et _, **T3** 257-259
système endocrinien et _, **T3** 568-569
système hématologique et _, **T2** 412-413
système immunitaire et _, **T1** 332
système musculosquelettique et _, **T1** 794-795
système nerveux et _, **T1** 535-536
système reproducteur et _, **T3** 717-718
système respiratoire et _, **T2** 191-192
système tégumentaire et _, **T2** 90-92
système urinaire et _, **T3** 903-904
système visuel et _, **T2** 7-9
Vigilance pour la sécurité des soins, **T1** 8
Vigne rouge, **T1** 117
Violation des droits et des libertés, **T1** 95
Violence, **T3** 239-240
conjugale, **T3** 240
dans les services d'urgence, **T3** 239-240
envers la personne âgée, **T1** 94-95
familiale, **T1** 94; **T3** 240
physique, **T1** 95
psychologique, **T1** 95
Virémie, **T1** 376
Virions, **T1** 376
Virus, **T1** 326, 365-366, 368-369
ARN monocaténaire, **T3** 495
de l'hépatite
A, **T3** 492-493, 498, 502, 505-506
B, **T3** 492-494, 497-499, 505-506, 508
C, **T3** 493-495, 498-499, 502, 505-508, 534-535
D, **T3** 493, 495, 498
E, **T3** 493, 495
de l'herpès simplex, **T2** 120; **T3** 791
de type 1 (VHS-1), **T3** 791
de type 2 (VHS-2), **T3** 791
pendant la grossesse, **T3** 792
de l'immunodéficience humaine (VIH), **T1** 373-374
chez la personne âgée, **T1** 397-398
examens paracliniques en cas d'infection par le _, **T1** 381-382
infections opportunistes associées à l'infection par le _, **T1** 379-380, 384-386
manifestations cliniques et complications du _, **T1** 378-381
modes de transmission du _, **T1** 374-375
physiopathologie du _, **T1** 375-377
processus thérapeutique en interdisciplinarité en cas d'infection par le _, **T1** 382-386
relation entre la syphilis et le _, **T3** 785
soins et traitements infirmiers en cas d'infection par le _, **T1** 386-397
de l'influenza, **T1** 368
de la rage, **T3** 237
delta, *voir* Virus de l'hépatite D
du Nil occidental (VNO), **T1** 367-368

du papillome humain (VPH), **T1** 409; **T3** 355, 794-795, 800, 832
vaccination contre le _, **T3** 486, 796, 800, 833
grippaux, **T2** 227-228
herpes zoster, **T2** 120, 122
Visage, examen physique du _, **T3** 220, 222-223
Vision
brouillée, **T2** 423
en couleurs, **T2** 20
stéréoscopique, **T2** 20
trouble, **T2** 16
Vitamine(s), **T1** 279; **T3** 285
A, **T2** 110
B_{12}, *voir* Cobalamine
B_6, **T2** 447; **T3** 811
C, **T2** 110, 447
carence en _, **T3** 289
D, **T1** 497, 897, 901; **T3** 684-685, 1019
active, **T3** 1014
déficit en _, **T1** 897
suppléments de _, **T1** 901; **T3** 1019
D_3, **T2** 111
E, **T3** 10
en phase préopératoire, **T3** 10
fournies par l'alimentation parentérale, **T3** 307-308
hydrosolubles, **T3** 289
K, **T2** 111; **T3** 281, 522
liposolubles, **T3** 289
VITE, **T1** 628
Vitesse
de prolifération élevée de cellules, **T1** 430
de sédimentation, **T1** 808; **T2** 433
Vitiligo, **T2** 101-102
Vitrectomie, **T3** 639
Vitrextomie, **T2** 58
Voie(s)
aériennes de conduction, **T2** 184
biliaires, **T3** 255-257
troubles des _, **T3** 545-552
buccale pour l'administration de l'analgésique, **T1** 194
d'administration
de l'analgésique, **T1** 193-197
de la chimiothérapie, **T1** 428-430
entérale, alimentation par _, *voir* Alimentation entérale
génito-urinaires, chimiothérapie, radiothérapie et _, **T1** 439-440
intra-artérielle de la chimiothérapie, **T1** 429
intracavitaire de la chimiothérapie, **T1** 429
intramusculaire de la chimiothérapie, **T1** 429
intranasale pour l'administration de l'analgésique, **T1** 194
intrathécale, **T1** 681
de la chimiothérapie, **T1** 429-430
intraveineuse
de l'anesthésique, **T3** 44-45
de l'antibiothérapie, **T1** 876
de l'insuline, **T3** 632-633
de la chimiothérapie, **T1** 429
remplacement liquidien et électrolytique par _, **T1** 514-516
intraventriculaire de la chimiothérapie, **T1** 430
intravésicale de la chimiothérapie, **T1** 430
optiques, **T2** 5
orale
alimentation par _, **T3** 297-298
de l'antibiothérapie, **T1** 876
de la chimiothérapie, **T1** 429
pour l'administration de l'analgésique, **T1** 193-194
remplacement liquidien et électrolytique par _, **T1** 514
parentérale
alimentation par _, *voir* Alimentation parentérale
pour l'administration de l'analgésique, **T1** 195
pour l'administration du fer, **T2** 449
rectale pour l'administration de l'analgésique, **T1** 194-195
respiratoires
aspiration des sécrétions dans les _, **T3** 196
dégagement des _ lors de l'examen primaire, **T3** 215-218
inflammation des _, **T3** 197
insuffisance respiratoire aiguë et _, **T3** 183-184, 187
mécanismes de défense des _, **T2** 189-192
obstruction des _, **T2** 232-233; **T3** 59-60
soins des _ suite à une brûlure, **T2** 160
techniques de dégagement des _, **T2** 375-378
respiratoires inférieures, **T2** 182, 184-185
infections des _, **T2** 258-291
lésion par inhalation des _, **T2** 148, 159
troubles des _, **T2** 258-316
respiratoires supérieures, **T2** 182-184
lésion des _, **T2** 159
lésion par inhalation des _, **T2** 148
maintien de la perméabilité des _, **T3** 108-116
troubles des _, **T2** 218-253
sous-cutanée de la chimiothérapie, **T1** 429
spinales, *voir* Faisceau(x)
sublinguale pour l'administration de l'analgésique, **T1** 194
topique de la chimiothérapie, **T1** 429
transdermique pour l'administration de l'analgésique, **T1** 195
urinaires
infections des _, **T3** 932-938
obstruction des _, **T3** 957-967
structure des _, **T3** 895-898
Voix
œsophagienne, **T2** 252
suite à une laryngectomie, **T2** 251-252
Volet costal, **T2** 293, 295-296, 304
Volume
courant (VC), **T2** 184; **T3** 117, 120
d'échange lors de la dialyse, **T3** 1031
d'éjection systolique (V.E.S.), **T2** 533; **T3** 92-93, 101
d'éjection systolique indexé (V.E.S.I.), **T3** 93
d'urine, **T3** 896-897
réduction du _, **T3** 579
des résidus, **T3** 301
du résidu postmictionnel (VRPM), **T3** 972-973, 975
liquidien, **T3** 1002
extracellulaire, déséquilibre du _, **T1** 485-486
régulation du _, **T3** 900-901
pulmonaire, **T2** 215, 303
Volutraumatisme, **T3** 123-124, 205
Volvulus, **T3** 452
Vomissements, **T1** 437, 443-444, 560; **T2** 634-635; **T3** 270, 302, 348-350, 452
chez la personne âgée, **T3** 354
en fin de vie, **T1** 238
en jet, **T3** 349
postopéatoires, **T3** 71-72
soins et traitements infirmiers en cas de _, **T3** 351-353
Voyage, diabète et _, **T3** 625-626
Vrai anévrisme, **T2** 801
Vulve, **T3** 711, 718
cancer de la _, **T3** 837
pathologies de la _, **T3** 822-824
Vulvectomie, **T3** 838
soins et traitements infirmiers en cas de _, **T3** 842

W

Warfarine, **T1** 316-317; **T2** 720, 771, 820, 822, 828
sodique, **T1** 620
Wheezing, **T2** 196, 206
Wind up, **T1** 167-168

X

Xérostomie, **T1** 965; **T2** 249
Xylostomiase, **T1** 259

Y

Yoga, **T1** 113-114

Z

Zona, **T2** 118, 121-122
ophtalmique, **T2** 46
Zone gâchette, **T1** 199
chémoréceptrice (CTZ), **T3** 348
Zoonoses, **T1** 367